JN159941

平 成 30年

社会医療診療行為別統計

厚生労働省政策統括官
(統計・情報政策、政策評価担当)
一般財団法人　厚生労働統計協会

ま　え　が　き

この報告書は、医療保険制度における診療行為の内容、調剤行為の内容及び薬剤の使用状況等の実態を明らかにするために、全国の平成 30 年６月審査分の診療行為、調剤行為の状況を「平成 30 年社会医療診療行為別統計」として取りまとめたものです。

本統計は、昭和 30 年に政府管掌健康保険を対象に実施したのをはじめとし、これまで医療保険をめぐる制度の見直し等に合わせて、対象となる医療保険制度や診療区分を順次拡充しながら「社会医療診療行為別調査」として毎年実施してまいりました。

また、平成 23 年から活用を開始した「レセプト情報・特定健診等情報データベース」を、平成 27 年からは集計対象の全数について活用し、集計結果の信頼性をより高め、名称も「社会医療診療行為別統計」と変更いたしました。

この報告書が、医療保険行政に活用されるとともに、広く関係者に御利用いただければ幸いです。

令和２年２月

厚生労働省政策統括官（統計・情報政策、政策評価担当）

統　計　担　当　係

政策統括官付参事官付社会統計室：代表電話番号（03）5253-1111

統計全般担当：社会医療統計第一係（内線 7559）
薬剤・調剤担当：社会医療統計第三係（内線 7561）
医科診療担当：社会医療統計第四係（内線 7563）
歯科診療担当：社会医療統計第五係（内線 7564）

厚生労働省ホームページ　https://www.mhlw.go.jp/

目　　　　次

統 計 表 目 次

【Ⅰ　診療行為・調剤行為の状況】

〔医科診療〕

〔歯科診療〕

〔薬局調剤〕

【Ⅱ　薬剤の使用状況】

〔医科診療〕

〔薬局調剤〕

〔薬剤料の比率〕

【閲覧可能な統計表】

次の統計表は、本報告書に掲載していないが、政府統計の総合窓口(e-Stat)https://www.e-stat.go.jp/に掲載している。

Ⅰ　診療行為の状況

［医科診療］

＜年齢階級別＞

第１表　医科診療（総数）件数・診療実日数・実施件数・回数・点数，診療行為（細分類）、一般医療－後期医療・年齢階級別

第２表　医科診療（入院）件数・診療実日数・実施件数・回数・点数，診療行為（細分類）、一般医療－後期医療・年齢階級別

第３表　医科診療（入院外）件数・診療実日数・実施件数・回数・点数，診療行為（細分類）、一般医療－後期医療・年齢階級別

＜病院（種類別）－診療所（有床－無床）＞

第４表　医科診療（総数）件数・診療実日数・回数・点数，一般医療－後期医療、診療行為（大分類）、病院（種類別）－診療所（有床－無床）別

第５表　医科診療（入院）件数・診療実日数・回数・点数，一般医療－後期医療、診療行為（大分類）、病院（種類別）－診療所（有床－無床）別

第６表　医科診療（入院外）件数・診療実日数・回数・点数，一般医療－後期医療、診療行為（大分類）、病院（種類別）－診療所（有床－無床）別

第７表　医科診療（総数）件数・診療実日数・実施件数・回数・点数，一般医療－後期医療、診療行為（細分類）、病院（種類別）－診療所（有床－無床）別

第８表　医科診療（入院）件数・診療実日数・実施件数・回数・点数，一般医療－後期医療、診療行為（細分類）、病院（種類別）－診療所（有床－無床）別

第９表　医科診療（入院外）件数・診療実日数・実施件数・回数・点数，一般医療－後期医療、診療行為（細分類）、病院（種類別）－診療所（有床－無床）別

＜病院（病床規模別）＞

第10表　医科診療（病院総数）件数・診療実日数・回数・点数，一般医療－後期医療、診療行為（大分類）、病院－一般病院（再掲）、病床規模別

第11表　医科診療（病院入院）件数・診療実日数・回数・点数，一般医療－後期医療、診療行為（大分類）、病院－一般病院（再掲）、病床規模別

第12表　医科診療（病院入院外）件数・診療実日数・回数・点数，一般医療－後期医療、診療行為（大分類）、病院－一般病院（再掲）、病床規模別

第13表　医科診療（病院総数）件数・診療実日数・実施件数・回数・点数，一般医療－後期医療、診療行為（細分類）、病床規模別

第14表　医科診療（病院入院）件数・診療実日数・実施件数・回数・点数，一般医療－後期医療、診療行為（細分類）、病床規模別

第15表　医科診療（病院入院外）件数・診療実日数・実施件数・回数・点数，一般医療－後期医療、診療行為（細分類）、病床規模別

＜診療所（診療科目別）＞

第16表　医科診療（診療所総数）件数・診療実日数・回数・点数，一般医療－後期医療、有床－無床、診療行為（大分類）、診療科目別

第17表　医科診療（診療所入院）件数・診療実日数・回数・点数，一般医療－後期医療、有床－無床、診療行為（大分類）、診療科目別

第18表　医科診療（診療所入院外）件数・診療実日数・回数・点数，一般医療－後期医療、有床－無床、診療行為（大分類）、診療科目別

第19表　医科診療（診療所総数）件数・診療実日数・実施件数・回数・点数，一般医療－後期医療、診療行為（細分類）、診療科目別

第20表　医科診療（診療所入院）件数・診療実日数・実施件数・回数・点数，一般医療－後期医療、診療行為（細分類）、診療科目別

第21表　医科診療（診療所入院外）件数・診療実日数・実施件数・回数・点数，一般医療－後期医療、診療行為（細分類）、診療科目別

第22表　医科診療（有床診療所）件数・診療実日数・実施件数・回数・点数，一般医療－後期医療、診療行為（細分類）、診療科目別

第23表　医科診療（無床診療所）件数・診療実日数・実施件数・回数・点数，一般医療－後期医療、診療行為（細分類）、診療科目別

＜傷病（中分類）別＞

第24表　医科診療（総数）件数・診療実日数・実施件数・回数・点数，一般医療－後期医療、傷病（中分類）、診療行為（大分類）別

第25表　医科診療（入院）件数・診療実日数・実施件数・回数・点数，一般医療－後期医療、傷病（中分類）、診療行為（大分類）別

第26表　医科診療（入院外）件数・診療実日数・実施件数・回数・点数，一般医療－後期医療、傷病（中分類）、診療行為（大分類）別

＜１日当たり点数階級、１件当たり点数階級別＞

第27表　医科診療（入院）件数・診療実日数・点数，病院－診療所、一般医療－後期医療、１日当たり点数階級、診療行為（大分類）別

第28表　医科診療（入院外）件数・診療実日数・点数，病院－診療所、一般医療－後期医療、１日当たり点数階級、診療行為（大分類）別

第29表　医科診療（入院）件数，一般医療－後期医療、１日当たり点数階級、傷病分類－特定傷病（再掲）別

第30表　医科診療（入院外）件数，一般医療－後期医療、１日当たり点数階級、傷病分類－特定傷病（再掲）別

第31表　医科診療（入院）件数，一般医療－後期医療、１件当たり点数階級、傷病分類－特定傷病（再掲）別

第32表　医科診療（入院外）件数，一般医療－後期医療、１件当たり点数階級、傷病分類－特定傷病（再掲）別

＜保険種別＞

第33表　医科診療（協会けんぽ）件数・診療実日数・実施件数・回数・点数，診療行為（細分類）、入院－入院外、病院－診療所別

第34表　医科診療（組合健保）件数・診療実日数・実施件数・回数・点数，診療行為（細分類）、入院－入院外、病院－診療所別

第35表　医科診療（共済等）件数・診療実日数・実施件数・回数・点数，診療行為（細分類）、入院－入院外、病院－診療所別

第36表　医科診療（国保）件数・診療実日数・実施件数・回数・点数，診療行為（細分類）、入院－入院外、病院－診療所別

第37表　医科診療（後期高齢者医療）件数・診療実日数・実施件数・回数・点数，診療行為（細分類）、入院－入院外、病院－診療所別

［歯科診療］

第１表　歯科診療（総数）件数・診療実日数・実施件数・回数・点数，診療行為（細分類）、一般医療－後期医療・年齢階級別

第２表　歯科診療（病院併設歯科）件数・診療実日数・実施件数・回数・点数，診療行為（細分類）、一般医療－後期医療・年齢階級別

第３表　歯科診療（歯科単科病院）件数・診療実日数・実施件数・回数・点数，診療行為（細分類）、一般医療－後期医療・年齢階級別

第４表　歯科診療（歯科診療所）件数・診療実日数・実施件数・回数・点数，診療行為（細分類）、一般医療－後期医療・年齢階級別

Ⅱ　薬剤の使用状況

［医科診療］

＜年齢階級別＞

第１表　件数，診療行為区分（投薬）、入院－入院外、一般医療－後期医療・年齢階級、薬剤点数階級別

第２表　件数，診療行為区分（注射）、入院－入院外、一般医療－後期医療・年齢階級、薬剤点数階級別

第３表　件数，診療行為区分（その他）、入院－入院外、一般医療－後期医療・年齢階級、薬剤点数階級別

第４表　薬剤点数，診療行為区分（投薬）、入院－入院外、一般医療－後期医療・年齢階級、薬価階級別

第５表　薬剤点数，診療行為区分（注射）、入院－入院外、一般医療－後期医療・年齢階級、薬価階級別

第６表　薬剤点数，診療行為区分（その他）、入院－入院外、一般医療－後期医療・年齢階級、薬価階級別

第７表　件数・１件当たり薬剤種類数，診療行為区分（投薬）、入院－入院外、一般医療－後期医療・年齢階級、薬剤種類数階級別

第８表　件数・１件当たり薬剤種類数，診療行為区分（注射）、入院－入院外、一般医療－後期医療・年齢階級、薬剤種類数階級別

第９表　件数・１件当たり薬剤種類数，診療行為区分（その他）、入院－入院外、一般医療－後期医療・年齢階級、薬剤種類数階級別

＜施設種類別＞

第10表　件数，診療行為区分（投薬）、入院－入院外、施設種類、薬剤点数階級別

第11表　件数，診療行為区分（注射）、入院－入院外、施設種類、薬剤点数階級別

第12表　件数，診療行為区分（その他）、入院－入院外、施設種類、薬剤点数階級別

第13表　薬剤点数，診療行為区分（投薬）、入院－入院外、施設種類、薬価階級別

第14表　薬剤点数，診療行為区分（注射）、入院－入院外、施設種類、薬価階級別

第15表　薬剤点数，診療行為区分（その他）、入院－入院外、施設種類、薬価階級別

第16表　件数・１件当たり薬剤種類数，診療行為区分（総数）、入院－入院外、施設種類、薬剤種類数階級別

第17表　件数・１件当たり薬剤種類数，診療行為区分（投薬）、入院－入院外、施設種類、薬剤種類数階級別

第18表　件数・１件当たり薬剤種類数，診療行為区分（注射）、入院－入院外、施設種類、薬剤種類数階級別

第19表　件数・１件当たり薬剤種類数，診療行為区分（その他）、入院－入院外、施設種類、薬剤種類数階級別

＜診療所診療科別＞

第20表　件数，診療行為区分（投薬）、入院－入院外、診療所診療科、薬剤点数階級別

第21表　件数，診療行為区分（注射）、入院－入院外、診療所診療科、薬剤点数階級別

第22表　件数，診療行為区分（その他）、入院－入院外、診療所診療科、薬剤点数階級別

第23表　薬剤点数，診療行為区分（投薬）、入院－入院外、診療所診療科、薬価階級別

第24表　薬剤点数，診療行為区分（注射）、入院－入院外、診療所診療科、薬価階級別

第25表　薬剤点数，診療行為区分（その他）、入院－入院外、診療所診療科、薬価階級別

第26表　件数・１件当たり薬剤種類数，診療行為区分（総数）、入院－入院外、診療所診療科、薬剤種類数階級別

第27表　件数・１件当たり薬剤種類数，診療行為区分（投薬）、入院－入院外、診療所診療科、薬剤種類数階級別

第28表　件数・１件当たり薬剤種類数，診療行為区分（注射）、入院－入院外、診療所診療科、薬剤種類数階級別

第29表　件数・１件当たり薬剤種類数，診療行為区分（その他）、入院－入院外、診療所診療科、薬剤種類数階級別

＜傷病（中分類）別＞

第30表　件数，診療行為区分（投薬）、入院－入院外、傷病（中分類）、薬剤点数階級別

第31表　件数，診療行為区分（注射）、入院－入院外、傷病（中分類）、薬剤点数階級別

第32表　件数，診療行為区分（その他）、入院－入院外、傷病（中分類）、薬剤点数階級別

第33表　薬剤点数，診療行為区分（投薬）、入院－入院外、傷病（中分類）、薬価階級別

第34表　薬剤点数，診療行為区分（注射）、入院－入院外、傷病（中分類）、薬価階級別

第35表　薬剤点数，診療行為区分（その他）、入院－入院外、傷病（中分類）、薬価階級別

第36表　件数・１件当たり薬剤種類数，診療行為区分（総数）、入院－入院外、傷病（中分類）、薬剤種類数階級別

第37表　件数・１件当たり薬剤種類数，診療行為区分（投薬）、入院－入院外、傷病（中分類）、薬剤種類数階級別

第38表　件数・１件当たり薬剤種類数，診療行為区分（注射）、入院－入院外、傷病（中分類）、薬剤種類数階級別

第39表　件数・１件当たり薬剤種類数，診療行為区分（その他）、入院－入院外、傷病（中分類）、薬剤種類数階級別

＜薬効（中分類）別＞

第40表　薬剤点数，診療行為区分（投薬）、入院－入院外、薬効（中分類）、一般医療－後期医療・年齢階級別

第41表　薬剤点数，診療行為区分（注射）、入院－入院外、薬効（中分類）、一般医療－後期医療・年齢階級別

第42表　薬剤点数，診療行為区分（その他）、入院－入院外、薬効（中分類）、一般医療－後期医療・年齢階級別

＜薬価基準収載品目の分類別＞

第43表　薬剤種類数，診療行為区分、入院－入院外、一般医療－後期医療・施設種類、薬価基準収載品目の分類別

［薬局調剤］

第１表　薬剤種類数，一般医療－後期医療・処方箋発行医療機関、薬価基準収載品目の分類別

統　計　表　一　覧

Ⅰ　診療行為・調剤行為の状況

〔医科診療・歯科診療・薬局調剤〕

統計表番号	集計項目						分類項目																									
							入院－入院外				病院－診療所										診療行為		傷病								
											病院				診療所																
	件数	診療実日数	回数	点数	実施件数	処方箋受付回数	総数	入院	入院外	一般医療－後期医療	総数	病院の種類	一般病院（再掲）	歯科病院	総数	有床診療所	無床診療所	歯科診療所	診療科目	保険種別	大分類	細分類	分類	中分類	年齢階級	病床規模	調剤行為	処方箋受付回数階級	処方箋発行医療機関（病院－診療所－歯科別）	調剤基本料区分
医科診療																														
1	○	○	○	○			○			○											○		○		○					
2	○	○	○	○				○		○											○		○		○					
3	○	○	○	○					○	○											○		○		○					
4	○	○	○	○			○	○	○		○	○			○	○	○				○									
5	○	○	○	○			○	○	○		○		○								○					○				
6	○	○	○	○			○	○	○						○	○	○		○		○									
7	○	○	○	○	○		○	○	○												○			○						
8	○	○	○	○			○	○	○													○								
歯科診療																														
1	○	○	○	○						○				○				○			○									
2	○	○	○	○						○											○		○		○					
3	○	○	○	○						○												○								
薬局調剤																														
1	○		○	○		○				○															○		○			
2	○		○	○		○				○																	○		○	○
3	○		○	○		○														○							○			
4	○									○															○			○		
5	○									○																		○	○	
6	○									○																		○		○

Ⅱ　薬剤の使用状況

〔医科診療・薬局調剤〕

統計表番号	集計項目：件数	診療実日数	点数：総点数	点数：薬剤点数：総数	点数：薬剤点数：投薬	点数：薬剤点数：注射薬	点数：薬剤点数：その他	点数：その他行為	処方回数	処方箋受付回数	1件当たり薬剤種類数	分類項目：処方の種類	薬剤点数階級	薬価階級	薬剤種類数階級	薬効中分類	入院－入院外：総数	入院－入院外：入院	入院－入院外：入院外	診療行為区分：総数	診療行為区分：投薬	診療行為区分：注射	診療行為区分：その他	調剤行為区分	調剤基本料区分	一般医療－後期医療	年齢階級	傷病中分類	施設種類	診療所診療科	剤型	処方箋発行医療機関（病院－診療所－歯科別）
医科診療																																
1	○	○	○	○	○	○	○	○									○	○	○	○	○	○	○			○	○					
2	○	○	○	○	○	○	○	○									○	○	○	○	○	○	○					○				
3	○	○	○	○	○	○	○	○									○	○	○	○	○	○	○						○			
4	○	○	○	○	○	○	○	○									○	○	○	○	○	○	○							○		
5	○											○							○							○	○					
6					○							○							○		○					○	○					
7									○			○							○							○	○					
8	○											○							○									○				
9					○							○							○		○							○				
10									○			○							○									○				
11	○											○							○										○			
12					○							○							○		○								○			
13									○			○							○										○			
14	○											○							○											○		
15					○							○							○		○									○		
16									○			○							○											○		
17	○												○				○	○	○	○						○	○					
18	○												○				○	○	○	○								○				
19	○												○				○	○	○	○									○			
20	○												○				○	○	○	○										○		
21				○										○			○	○	○	○						○	○					
22				○										○			○	○	○	○								○				
23				○										○			○	○	○	○									○			
24				○										○			○	○	○	○										○		
25	○										○				○		○	○	○	○						○	○					
26				○												○	○	○	○	○						○	○					
薬局調剤																																
1	○		○	○				○		○														○	○	○	○					
2	○												○													○	○				○	
3	○												○													○	○					○
4				○										○												○	○				○	
5				○										○												○	○					○
6	○										○				○											○	○				○	
7	○										○				○											○	○					○
8				○												○										○	○					

〔薬剤料の比率〕

統計表番号	集計項目		分類項目					
	薬剤料の比率	点数	診療行為区分	入院－入院外	一般医療－後期医療	病院－診療所	医科－歯科－薬局調剤	医科・薬局調剤－歯科・薬局調剤
薬剤料の比率								
1	○		○	○	○	○		○
2		○	○	○	○	○		○
3	○		○	○	○	○	○	
4		○	○	○	○	○	○	

閲覧可能な統計表

I　診療行為の状況〔医科診療・歯科診療〕

統計表番号	集計項目					分類項目																											
						入院入院外			一般医療－後期医療	病院－診療所									保険種別					診療科目	診療行為		傷病			年齢階級	病床規模	1日当たり点数階級	1件当たり点数階級
										病院					診療所																		
	件数	診療実日数	回数	点数	実施件数	総数	入院	入院外		総数	病院の種類	一般病院（再掲）	病院併設歯科	歯科単科病院	総数	有床診療所	無床診療所	歯科診療所	協会けんぽ	組合健保	共済等	国保	後期高齢者医療		大分類	細分類	分類	中分類	特定傷病				
医科診療																																	
1	○	○	○	○	○	○			○																	○				○			
2	○	○	○	○	○		○		○																	○				○			
3	○	○	○	○	○			○	○																	○				○			
4	○	○	○	○		○			○	○	○				○	○	○								○								
5	○	○	○	○			○		○	○	○				○	○	○								○								
6	○	○	○	○				○	○	○	○				○	○	○								○								
7	○	○	○	○	○	○			○	○	○				○	○	○									○							
8	○	○	○	○	○		○		○	○	○				○	○	○									○							
9	○	○	○	○	○			○	○	○	○				○	○	○									○							
10	○	○	○	○		○			○	○		○													○						○		
11	○	○	○	○			○		○	○		○													○						○		
12	○	○	○	○				○	○	○		○													○						○		
13	○	○	○	○	○	○			○	○																○					○		
14	○	○	○	○	○		○		○	○																○					○		
15	○	○	○	○	○			○	○	○																○					○		
16	○	○	○	○		○			○						○	○	○							○	○								
17	○	○	○	○			○		○						○	○	○							○	○								
18	○	○	○	○				○	○						○	○	○							○	○								
19	○	○	○	○	○	○			○						○									○		○							
20	○	○	○	○	○		○		○						○									○		○							
21	○	○	○	○	○			○	○						○									○		○							
22	○	○	○	○	○	○			○							○								○		○							
23	○	○	○	○	○	○			○								○							○		○							
24	○	○	○	○	○	○			○																○			○					
25	○	○	○	○	○		○		○																○			○					
26	○	○	○	○	○			○	○																○			○					
27	○	○		○			○		○	○					○										○							○	
28	○	○		○				○	○	○					○										○							○	
29	○						○		○																		○		○			○	
30	○							○	○																		○		○			○	
31	○						○		○																		○		○				○
32	○							○	○																		○		○				○
33	○	○	○	○	○		○	○		○					○				○							○							
34	○	○	○	○	○		○	○		○					○					○						○							
35	○	○	○	○	○		○	○		○					○						○					○							
36	○	○	○	○	○		○	○		○					○							○				○							
37	○	○	○	○	○		○	○		○					○								○			○							
歯科診療																																	
1	○	○	○	○	○				○																	○				○			
2	○	○	○	○	○				○				○													○				○			
3	○	○	○	○	○				○					○												○				○			
4	○	○	○	○	○				○									○								○				○			

Ⅱ　薬剤の使用状況〔医科診療・薬局調剤〕

統計表番号	集計項目						分類項目																	
	件数	薬剤点数			1件当たり薬剤種類数	薬剤種類数	薬剤点数階級	薬価階級	薬剤種類数階級	薬効中分類	入院－入院外			診療行為区分				一般医療－後期医療	年齢階級	傷病中分類	施設種類	診療所診療科	処方箋発行医療機関（病院－診療所－歯科別）	薬価基準収載品目
		投薬	注射薬	その他							総数	入院	入院外	総数	投薬	注射	その他							
医科診療																								
1	○						○				○	○	○		○			○	○					
2	○						○				○	○	○			○		○	○					
3	○						○				○	○	○				○	○	○					
4		○						○			○	○	○		○			○	○					
5			○					○			○	○	○			○		○	○					
6				○				○			○	○	○				○	○	○					
7	○				○				○		○	○	○		○			○	○					
8	○				○				○		○	○	○			○		○	○					
9	○				○				○		○	○	○				○	○	○					
10	○						○				○	○	○		○						○			
11	○						○				○	○	○			○					○			
12	○						○				○	○	○				○				○			
13		○						○			○	○	○		○						○			
14			○					○			○	○	○			○					○			
15				○				○			○	○	○				○				○			
16	○				○				○		○	○	○	○							○			
17	○				○				○		○	○	○		○						○			
18	○				○				○		○	○	○			○					○			
19	○				○				○		○	○	○				○				○			
20	○						○				○	○	○		○							○		
21	○						○				○	○	○			○						○		
22	○						○				○	○	○				○					○		
23		○						○			○	○	○		○							○		
24			○					○			○	○	○			○						○		
25				○				○			○	○	○				○					○		
26	○				○				○		○	○	○	○								○		
27	○				○				○		○	○	○		○							○		
28	○				○				○		○	○	○			○						○		
29	○				○				○		○	○	○				○					○		
30	○						○				○	○	○		○					○				
31	○						○				○	○	○			○				○				
32	○						○				○	○	○				○			○				
33		○						○			○	○	○		○					○				
34			○					○			○	○	○			○				○				
35				○				○			○	○	○				○			○				

統計表番号	集計項目						分類項目																	
	件数	薬剤点数			1件当たり薬剤種類数	薬剤種類数	薬剤点数階級	薬価階級	薬剤種類数階級	薬効中分類	入院－入院外			診療行為区分				一般医療－後期医療	年齢階級	傷病中分類	施設種類	診療所診療科	処方箋発行医療機関（病院－診療所－歯科別）	薬価基準収載品目
		投薬	注射薬	その他							総数	入院	入院外	総数	投薬	注射	その他							
36	○				○				○		○	○	○	○						○				
37	○				○				○		○	○	○		○					○				
38	○				○				○		○	○	○			○				○				
39	○				○				○		○	○	○				○			○				
40		○								○	○	○	○		○			○	○					
41			○							○	○	○	○			○		○	○					
42				○						○	○	○	○				○	○	○					
43						○					○	○	○	○	○	○	○	○			○			○
薬局調剤																								
1						○												○					○	○

第　1　編

統　計　の　概　要

統 計 の 概 要

1　統計の目的

（1）目　　的

本統計は、医療保険制度における医療の給付の受給者に係る診療行為の内容、傷病の状況、調剤行為の内容及び薬剤の使用状況等を明らかにし、医療保険行政に必要な基礎資料を得ることを目的としている。

（2）沿　　革

本統計は、旧統計法における指定統計第79号として昭和30年から実施された「社会医療調査」が前身である。昭和 49 年には、診療行為を主体とした「社会医療診療行為別調査」に改称し、昭和 53 年以降、調査事項、対象となる診療区分及び医療保険制度を順次拡大しながら調査を継続してきた。

平成 23 年以降は、調査により収集した診療報酬明細書及び調剤報酬明細書に加えて「高齢者の医療の確保に関する法律」に基づく行政記録情報である「レセプト情報・特定健診等情報データベース（以下「ＮＤＢ」という。)」に蓄積された情報の提供を受けて集計を行い、レセプト電算化率の進捗に合わせて順次ＮＤＢを用いた集計対象を拡大してきた。

平成 27 年から全ての集計対象がＮＤＢに蓄積された診療報酬明細書及び調剤報酬明細書となったことに伴い、統計法における一般統計調査「社会医療診療行為別調査」による診療報酬明細書及び調剤報酬明細書の収集を行わず、行政記録情報を用いた公的統計である「社会医療診療行為別統計」として作成することとした。

≪これまでの経緯≫

昭和30年	「社会医療調査（指定統計第79号)」として、政府管掌健康保険を対象に「傷病別調査」及び「診療行為別調査」を実施。
昭和49年	診療行為を主体とした「社会医療診療行為別調査」に改称。
昭和53年	医療費の急増による分析の必要から、傷病も加えた調査とする。
昭和58年	老人保健法の施行に伴い「老人医療」を区分。
昭和61年	調査対象に国民健康保険を加えた。
平成６年	診療行為における薬剤の使用状況を把握。
平成11年	調査対象に組合管掌健康保険を加えた。
平成13年	院外処方の進展に伴い、保険薬局を調査の対象に加えた。
平成15年	診断群分類による包括評価制度が導入された。
平成20年	「高齢者の医療の確保に関する法律」の施行に伴い、「老人医療」に替えて「後期医療」を区分した。(平成20年では、「長寿医療」と表章した。)

平成23年　調査対象に船員保険、国家公務員共済組合、地方公務員等共済組合、私立学校教職員共済を加えた。
ＮＤＢを用いた集計を開始。医科（病院）及び薬局調剤分はＮＤＢに蓄積された全ての診療報酬明細書及び調剤報酬明細書を対象とした集計、医科（診療所）及び歯科分は調査票（紙レセプト）とＮＤＢを併用した抽出集計を行う。

平成25年　医科（診療所）分でＮＤＢに蓄積されたもの全てを対象とした集計を開始。

平成26年　歯科（病院）分でＮＤＢに蓄積されたもの全てを対象とした集計を開始。

平成27年　歯科（診療所）分でＮＤＢに蓄積されたもの全てを対象とした集計を開始。
全ての集計対象がＮＤＢに蓄積されたものによる全数集計となったことに伴い、統計法における一般統計調査「社会医療診療行為別調査」から行政記録情報を用いた公的統計「社会医療診療行為別統計」に名称を変更。

2　集計対象

全国の保険医療機関及び保険薬局から社会保険診療報酬支払基金支部及び国民健康保険団体連合会に提出され、平成 30 年６月審査分として審査決定された医療保険制度の診療報酬明細書及び調剤報酬明細書のうち、ＮＤＢに蓄積されているもの全てを集計対象とした。

3　集計客体数

（１）診療報酬明細書及び調剤報酬明細書の集計客体数は、次のとおりである。

ア　医科診療

（単位：件）

	総数	一般医療	後期医療
総数	85 727 192	61 878 436	23 848 756
入院	2 268 216	1 124 285	1 143 931
入院外	83 458 976	60 754 151	22 704 825

イ　歯科診療

（単位：件）

	総数	一般医療	後期医療
総数	18 002 119	14 640 402	3 361 717

ウ　薬局調剤

（単位：件）

	総数	一般医療	後期医療
総数	54 197 752	38 512 777	15 684 975

（２）診療報酬明細書及び調剤報酬明細書がＮＤＢに蓄積されていた保険医療機関及び保険薬局の数は、次のとおりである。

ア　医科診療

（単位：施設）

	総　数
総　　数	88 988
医科病院	8 341
精神科病院	1 052
特定機能病院	85
ＤＰＣ／ＰＤＰＳ対象病院	1 643
療養病床を有する病院	3 456
一般病院	2 105
医科診療所	80 043
有床診療所	6 476
無床診療所	73 567

注：「総数」には、データ上で「医科病院」「医科診療所」別を取得できなかったものを含む。

イ　歯科診療

（単位：施設）

	総　数
総　　数	61 240
病院併設歯科・歯科単科病院	1 614
歯科診療所	59 188

注：「総数」には、データ上で「病院併設歯科・歯科単科病院」「歯科診療所」別を取得できなかったものを含む。

ウ　薬局調剤

（単位：施設）

	総　数
保険薬局	56 177

4　集計事項

診療報酬明細書 ‥‥ 年齢、傷病、診療実日数、診療行為別点数・回数及び薬剤の使用状況等

調剤報酬明細書 ‥‥ 年齢、処方箋受付回数、調剤行為別点数・回数及び薬剤の使用状況等

5　報告書の利用について

（1）集計結果

集計結果は、医療保険制度に関する診療報酬明細書及び調剤報酬明細書の６月審査分に係る全国値である。

・　医療保険制度と公費負担医療制度との併用分は集計対象に含むが、公費負担医療制度単独によるものは含まない。

・　診療報酬明細書及び調剤報酬明細書以外で請求される、訪問看護療養費、柔道整復師の施術に係る療養費等は集計対象としていない。

（2）報告書の構成

集計結果は二部構成となっており、「Ⅰ診療行為・調剤行為の状況」では、診療報酬点数表及び調剤報酬点数表に基づく診療行為・調剤行為の状況について掲載している。

「Ⅱ薬剤の使用状況」では、医科診療報酬明細書及び調剤報酬明細書に記載されている薬剤の状況について掲載している。

掲載内容の詳細は、目次、統計表一覧をご覧いただきたい。

（3）統計表

ア　診療行為・調剤行為の状況（医科診療、歯科診療及び薬局調剤）

ⅰ　統計表の構成

医科診療、歯科診療及び薬局調剤に関する統計表の構成は以下のとおりである。

各統計表等に関する詳細な利用上の注意は、「第３編　統計表」の扉ページを参照のこと。

（例１）医科診療第４表

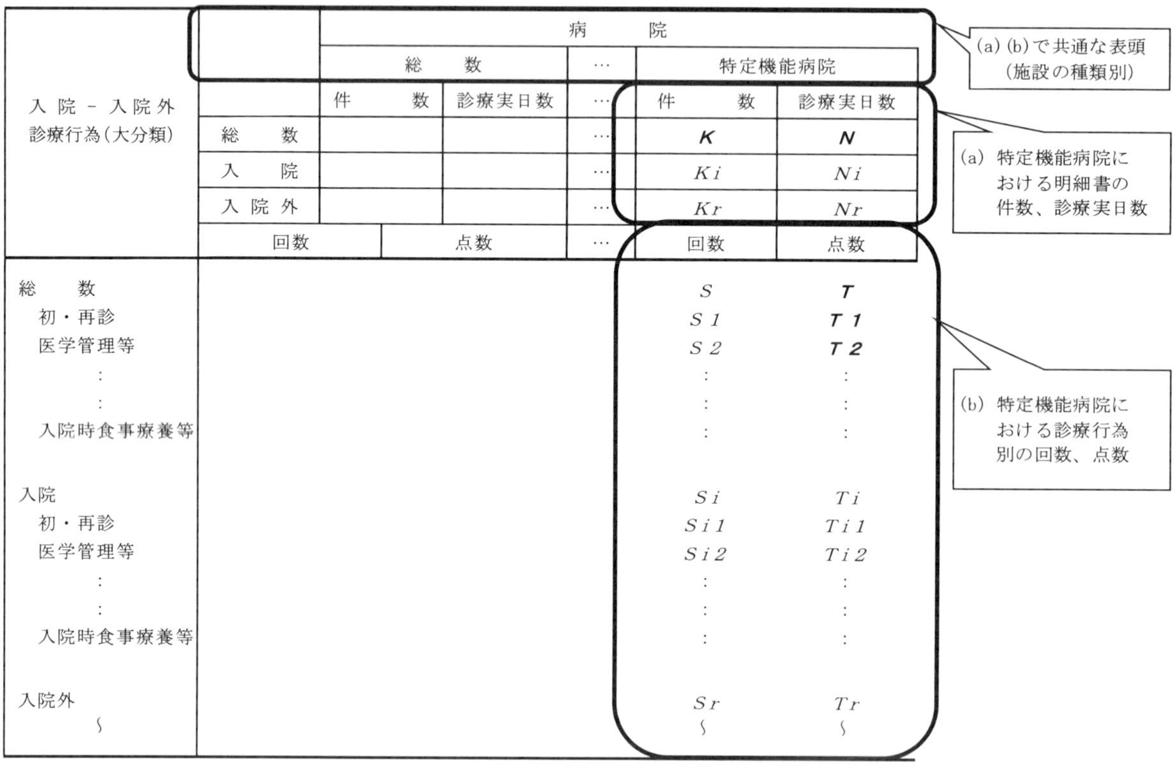

入院－入院外 診療行為（大分類）		病院				
		総数		…	特定機能病院	
		件数	診療実日数	…	件数	診療実日数
	総数			…	K	N
	入院			…	Ki	Ni
	入院外			…	Kr	Nr
		回数	点数	…	回数	点数
総数					S	T
初・再診					$S1$	$T1$
医学管理等					$S2$	$T2$
：					：	：
：					：	：
入院時食事療養等					：	：
入院					Si	Ti
初・再診					$Si1$	$Ti1$
医学管理等					$Si2$	$Ti2$
：					：	：
：					：	：
入院時食事療養等					：	：
入院外					Sr	Tr
∫					∫	∫

(a)(b)で共通な表頭（施設の種類別）

(a) 特定機能病院における明細書の件数、診療実日数

(b) 特定機能病院における診療行為別の回数、点数

ⅱ　１件当たり点数、１日当たり点数、１件当たり日数について

「第２編　結果の概要」に掲載しているこれらの項目は、件数、点数、日数を基に、以下の例示のとおり算出している。

（例２）特定機能病院（記号は例１を参照）

	特定機能病院（総数）			
	総数	初・再診	医学管理等	…
１件当たり点数	T/K	$T1/K$	$T2/K$	
１日当たり点数	T/N	$T1/N$	$T2/N$	
１件当たり日数	N/K			

iii　件数－実施件数－回数について

件数－実施件数－回数の定義の違いについては、以下のとおりである。例を図１に示す。

・　「件数」は当該表章区分（施設の種類別等）における明細書件数であるのに対し、「実施件数」は「件数」のうち当該診療行為が実施された明細書件数である。

・　「回数」は、当該診療行為又は調剤行為が実施された「延べ算定回数」である（「回数」算定に適さない薬剤等を除く。）。

（図１）

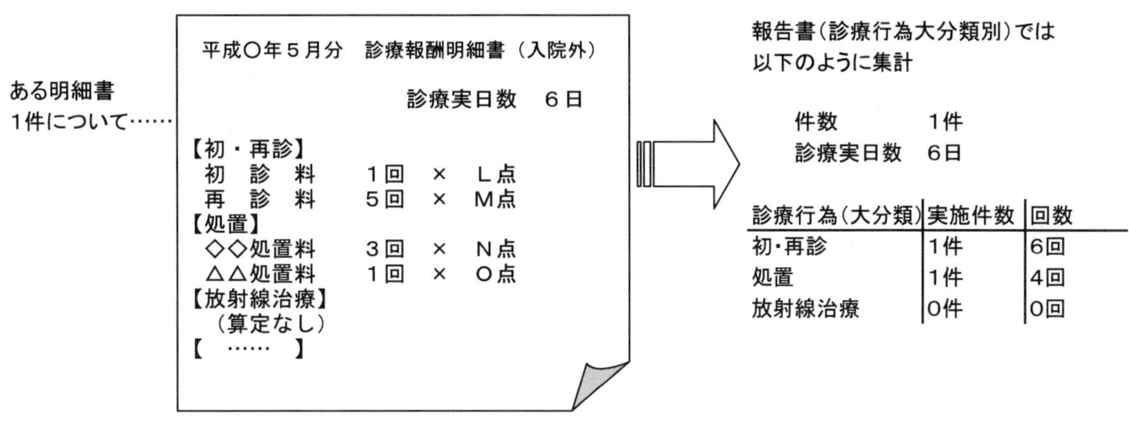

（例）

・　１件の明細書で２種類の「処置料」が算定（実施）されても、「処置」の「実施件数」は１件である。

・　１件の明細書で「放射線治療」が算定（実施）されていないと、「放射線治療」の「実施件数」は０件である。

・　１件の明細書で、「◇◇処置料」が３回、「△△処置料」が１回算定（実施）されると、「処置」の「回数」は合計されて４回だが、「実施件数」は１件である。

イ　薬剤の使用状況（医科診療、薬局調剤）

薬剤の使用状況に係る主な統計表の集計方法は、以下のとおりである。

i　薬剤点数階級別統計表

明細書１件の使用薬剤の合計点数を点数階級で区分し、件数を合計。

ii　薬価階級別統計表

明細書１件の使用薬剤について、薬剤単位で薬価階級別に区分し、点数を合計。

iii　薬剤種類数別統計表

明細書１件の使用薬剤種類数を計上し、種類数別に区分し、件数を合計。

（4）薬剤の使用状況における表章区分・範囲

薬剤の使用状況のうち、医科診療分は、以下の区分・範囲で集計している。

ア　Ⅱ　薬剤の使用状況（医科診療分）の区分・範囲一覧

<table>
<tr><th rowspan="2"></th><th colspan="2">明細書</th><th rowspan="2">備考</th></tr>
<tr><th>入院</th><th>入院外</th></tr>
<tr><td>Ⅱ薬剤の使用状況
（医科診療）
第１～４表</td><td colspan="2">以下の明細書を除外した明細書
・「処方箋料」を算定している明細書
・「投薬」「注射」を包括した診療行為が出現する明細書
・ＤＰＣ／ＰＤＰＳに係る明細書</td><td>１次ページ イ薬剤料の比率のｉ①の対象明細書と同一。
２「総点数」及び「その他行為」には、入院時食事療養等を点数換算（入院時食事療養等÷10）して含む。
３薬剤料は、各診療行為区分における薬剤料の総点数を集計している。</td></tr>
<tr><td>Ⅱ薬剤の使用状況
（医科診療）
第５表
第７、８表
第10、11表
第13、14表
第16表</td><td></td><td>すべての明細書</td><td></td></tr>
<tr><td>Ⅱ薬剤の使用状況
（医科診療）
第６表
第９表
第12表
第15表</td><td></td><td>診療行為区分「投薬」に
「薬剤」が出現する明細書</td><td>診療行為区分「投薬」の
薬剤料の総点数を集計している。</td></tr>
<tr><td>結果の概要
表12～13

Ⅱ薬剤の使用状況
（医科診療）
第17～26表

閲覧統計表Ⅱ
（医科診療）
第1～43表</td><td colspan="2">「薬剤」が出現する明細書
ただし、以下の明細書を除外
・「処方箋料」を算定している明細書
・「投薬」「注射」を包括した診療行為が出現する明細書
・ＤＰＣ／ＰＤＰＳに係る明細書

(結果の概要 表12～13は、このうち、入院外の診療行為区分「投薬」のみを掲載している。)</td><td>「摘要」欄に記載された薬剤の
詳細について集計している。</td></tr>
</table>

注：診療所診療科別の表（Ⅱ薬剤の使用状況第４、14～16、20、24表、閲覧統計表Ⅱ第20～29表）は、診療所の明細書のみを対象としている。

イ　薬剤料の比率

ⅰ　算出方法

薬剤料の比率は、集計結果を基に、対象とする明細書の総点数（点数換算による入院時食事療養等を含む。）を分母、薬剤点数を分子とした比率で、次の二種類の対象範囲について算出を行っている。

なお、薬剤料の比率の算出対象明細書の概念は、図２の模式図を参照。

①　医科－歯科－薬局調剤別

・　「処方箋料」を算定している診療報酬明細書及び包括算定明細書を除外

②　医科－歯科に薬局調剤分を含めた場合

・　包括算定明細書を除外

・　薬局調剤分の点数を医科分、歯科分に分類して、それぞれを医科－歯科に合算して算出

※　「包括算定明細書」とは、「投薬」「注射」を包括した診療行為（第４編「１　用語の解説」参照）が出現する診療報酬明細書及びＤＰＣ／ＰＤＰＳに係る明細書を指す。

ⅱ　算出に用いた対象明細書の割合

薬剤料の比率算出において対象とした診療報酬明細書の割合は表１、表２のとおりである。

表１　薬剤料の比率の算出に用いた診療報酬明細書件数の割合

（単位：％）

	区分	総数	「薬剤料の比率」（処方箋料算定あり＋処方箋料算定なし）の算出対象※1	処方箋料算定あり	「薬剤料の比率」（処方箋料算定なし）の算出対象※2	処方箋料算定なし		包括算定明細書	「投薬」「注射」を包括した明細書	ＤＰＣ／ＰＤＰＳに係る明細書
						薬剤料あり	薬剤料なし			
件数の構成割合（医科総数を100とする。）	**医科－総数**	**100.0**	**95.5**	**59.9**	**35.6**	**22.0**	**13.6**	**4.5**	**3.3**	**1.2**
	医科－入院	2.6	0.7	·	0.7	0.7	0.0	1.9	0.7	1.2
	医科－入院外	97.4	94.7	59.9	34.8	21.3	13.5	2.6	2.6	·
件数の構成割合（各行総数欄を100とする。）	医科－入院	100.0	27.8	·	27.8	26.5	1.3	72.2	25.1	47.1
	医科－入院外	100.0	97.3	61.6	35.8	21.9	13.9	2.7	2.7	·
	歯科－総数	100.0	100.0	2.6	97.4	13.2	84.2	0.0	0.0	·

※1　ⅰ算出方法の②医科－歯科に薬局調剤分を含めた場合の医科分
※2　ⅰ算出方法の①医科－歯科－薬局調剤別の医科分

表２　薬剤料の比率の算出に用いた診療報酬明細書総点数の割合

（単位：％）

	区分	総数	「薬剤料の比率」（処方箋料算定あり＋処方箋料算定なし）の算出対象※1	処方箋料算定あり	「薬剤料の比率」（処方箋料算定なし）の算出対象※2	処方箋料算定なし		包括算定明細書	「投薬」「注射」を包括した明細書	ＤＰＣ／ＰＤＰＳに係る明細書
						薬剤料あり	薬剤料なし			
総点数の構成割合（医科総数を100とする。）	**医科－総数**	**100.0**	**56.7**	**26.0**	**30.8**	**26.1**	**4.7**	**43.3**	**15.6**	**27.7**
	医科－入院	52.7	11.3	·	11.3	11.2	0.1	41.4	13.6	27.7
	医科－入院外	47.3	45.4	26.0	19.4	14.9	4.6	1.9	1.9	·
総点数の構成割合（各行総数欄を100とする。）	医科－入院	100.0	21.5	·	21.5	21.3	0.2	78.5	25.9	52.6
	医科－入院外	100.0	95.9	54.8	41.1	31.4	9.7	4.1	4.1	·
	歯科－総数	100.0	100.0	3.2	96.8	18.6	78.1	0.0	0.0	·

※1　ⅰ算出方法の②医科－歯科に薬局調剤分を含めた場合の医科分
※2　ⅰ算出方法の①医科－歯科－薬局調剤別の医科分

（参考）薬剤料の比率（医科総数）の算出対象明細書について

前ページの表１（医科－総数）を基に明細書の件数割合を図２に示す。

① 医科 － 総数

医科診療報酬明細書から､｢処方箋料｣を算定している明細書(59.9%)及び包括算定明細書(4.5%)を除外した、残りの「処方箋料」を算定していない明細書（35.6%（薬剤料の算定あり 22.0%＋薬剤料の算定なし 13.6%））について算出した「薬剤料の比率」は 24.1%である。

② 医科 － 総数（薬局調剤分を含めた場合）

医科診療報酬明細書から、包括算定明細書（4.5%）を除外し、薬局調剤分を含めた場合の「薬剤料の比率」は 35.6%である。

（図２）

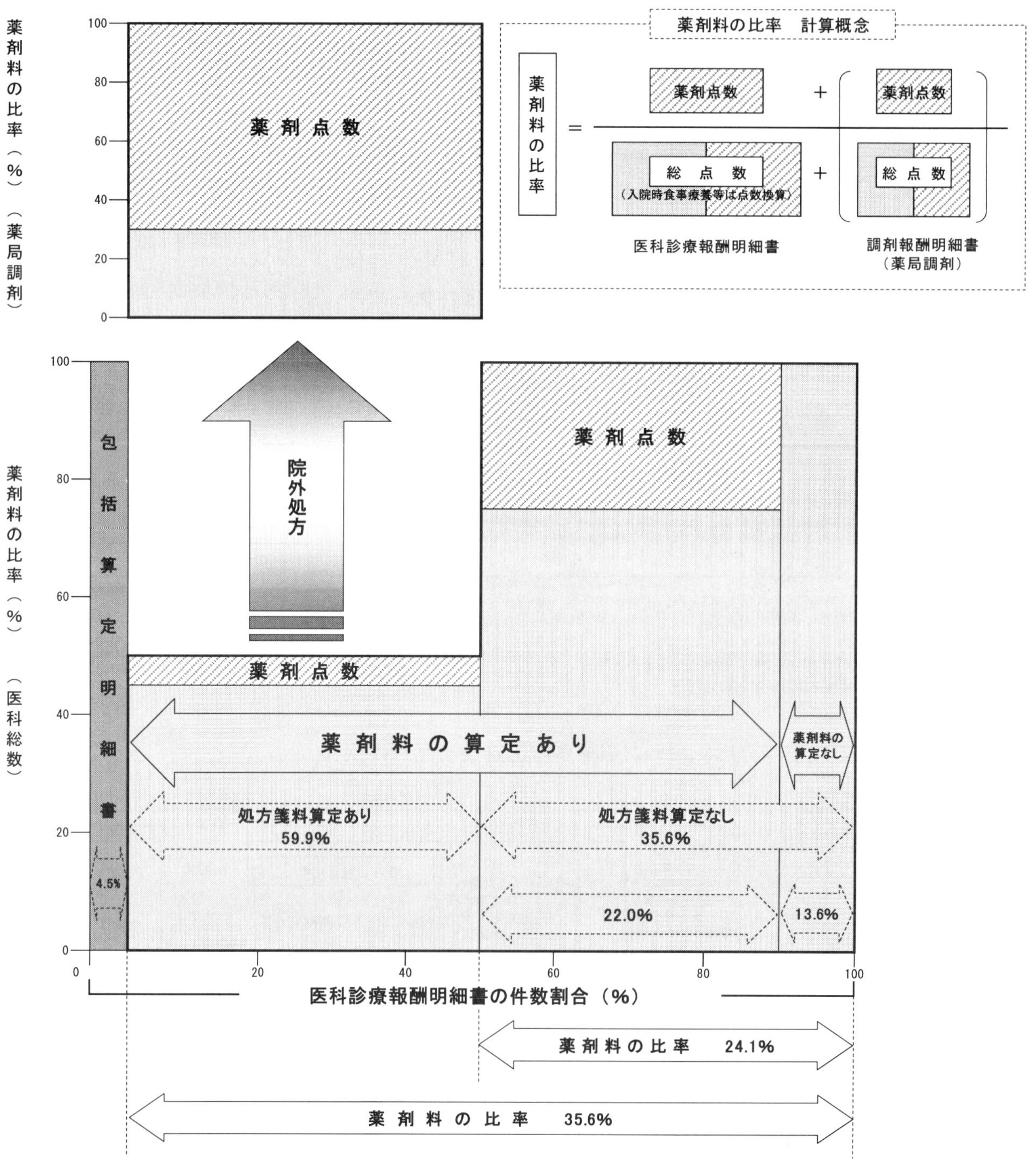

注：１）本図は、模式図であり、厳密なグラフではない。
２）「総点数」には、点数換算した入院時食事療養等を含む。
３）「包括算定明細書」とは、「投薬」「注射」を包括した診療行為が出現する明細書及びＤＰＣ／ＰＤＰＳに係る明細書をいう。
４）破線矢印内の割合は、医科総数に占める当該区分の明細書件数割合である。

第　2　編

結　果　の　概　要

1　表章記号の規約

計数のない場合	－
統計項目のありえない場合	・
表章単位の２分の１未満の場合	0, 0.0
減少数（率）の場合	△

2　利用上の注意事項

(1)　**掲載している計数**は、医療保険制度に関する**各年６月審査分の全国値**であり、患者負担及び公費負担を含めたものである。

(2)　集計は、一次審査分であり、再審査、返戻等は含まない。

(3)　診療報酬明細書及び調剤報酬明細書の集計は、記録された内容に基づき集計した結果である。

(4)　入院時食事療養等は、総数に含めず別掲扱いとしている。

(5)　診療行為別－総数には、「療養担当手当等」、「合算薬剤料」及び（診療行為大分類レベルの）「補正点数」を含むため、内訳の合計と「総数」は一致しない。

(6)　薬剤料の比率の入院においては、「特定入院基本料（障害者施設等入院基本料）」「療養病棟入院基本料」「障害者施設等入院基本料（医療区分１又は２の患者）」「有床診療所療養病床入院基本料」「特殊疾患入院医療管理料」「回復期リハビリテーション病棟入院料」「地域包括ケア病棟入院料」「特殊疾患病棟入院料」「緩和ケア病棟入院料」「精神科救急入院料」「精神科急性期治療病棟入院料」「精神科救急・合併症入院料」「精神療養病棟入院料」「認知症治療病棟入院料」「特定一般病棟入院料（地域包括ケア入院医療管理が行われた場合）」「地域移行機能強化病棟入院料」「短期滞在手術等基本料３」及び「診断群分類による包括評価等」、入院外においては、「小児科外来診療料」「小児かかりつけ診療料」「生活習慣病管理料」「在宅時医学総合管理料」「施設入居時等医学総合管理料」及び「在宅がん医療総合診療料」が出現する明細書は集計から除外している。

　なお、薬剤料の比率においては、入院時食事療養等（単位：円）は点数換算（入院時食事療養等÷10）して総点数に含めている。

(7)　診療行為別における「入院料等」の点数は、「入院基本料」、「定数超過入院基本料」、「標欠入院基本料」、「特定入院料」、「短期滞在手術等基本料」、「入院基本料等加算」及び「入院基本料等減算」の合計である。

(8)　掲載している計数は、四捨五入のため内訳の合計が総数に合わない場合もある。

結　果　の　概　要

Ⅰ　診療行為・調剤行為の状況

〔医科診療〕

1　診療行為の状況

（1）医科の入院における1件当たり点数は53,074.3点で、前年に比べ1,084.6点、2.1%増加している。

1日当たり点数は3,490.4点で、前年に比べ91.8点、2.7%増加している。診療行為別にみると、「入院料等」1,223.3点（構成割合35.0%）が最も高く、次いで「診断群分類による包括評価等」1,079.4点（同30.9%）、「手術」622.0点（同17.8%）の順となっている。

1件当たり日数は15.21日で、前年に比べ0.09日減少している。（表1、図1）

表1　診療行為別にみた入院の1件当たり点数・1日当たり点数・1件当たり日数

（各年6月審査分）

診療行為	1件当たり点数				1日当たり点数			
	平成30年 (2018)	平成29年 (2017)	対前年		平成30年 (2018)	平成29年 (2017)	対前年	
			増減点数	増減率(%)			増減点数	増減率(%)
総数[1]	53 074.3	51 989.7	1 084.6	2.1	3 490.4	3 398.6	91.8	2.7
初・再診	58.8	58.9	△ 0.1	△ 0.2	3.9	3.9	0.0	0.4
医学管理等	422.1	398.2	23.9	6.0	27.8	26.0	1.7	6.6
在宅医療	82.7	83.8	△ 1.1	△ 1.3	5.4	5.5	△ 0.0	△ 0.7
検査	674.3	680.8	△ 6.5	△ 1.0	44.3	44.5	△ 0.2	△ 0.4
画像診断	333.3	354.5	△ 21.2	△ 6.0	21.9	23.2	△ 1.3	△ 5.4
投薬	547.2	583.7	△ 36.5	△ 6.3	36.0	38.2	△ 2.2	△ 5.7
注射	861.5	888.2	△ 26.7	△ 3.0	56.7	58.1	△ 1.4	△ 2.4
リハビリテーション	2 958.6	2 833.5	125.1	4.4	194.6	185.2	9.3	5.0
精神科専門療法	279.2	257.1	22.1	8.6	18.4	16.8	1.6	9.2
処置	929.9	930.8	△ 1.0	△ 0.1	61.2	60.8	0.3	0.5
手術	9 458.3	8 949.8	508.5	5.7	622.0	585.1	37.0	6.3
麻酔	1 184.3	1 150.0	34.3	3.0	77.9	75.2	2.7	3.6
放射線治療	183.0	151.4	31.6	20.8	12.0	9.9	2.1	21.6
病理診断	85.1	78.0	7.1	9.0	5.6	5.1	0.5	9.7
入院料等	18 602.1	18 925.3	△ 323.2	△ 1.7	1 223.3	1 237.2	△ 13.8	△ 1.1
診断群分類による包括評価等	16 414.0	15 657.6	756.4	4.8	1 079.4	1 023.6	55.9	5.5
（1件当たり日数）	(15.21)	(15.30)	(△ 0.09)					
入院時食事療養等（単位：円）	25 643	25 774	△ 131	△ 0.5	1 686	1 685	2	0.1

注：1）「総数」には、「入院時食事療養等」を含まない。

図1　診療行為別にみた入院の1日当たり点数の構成割合

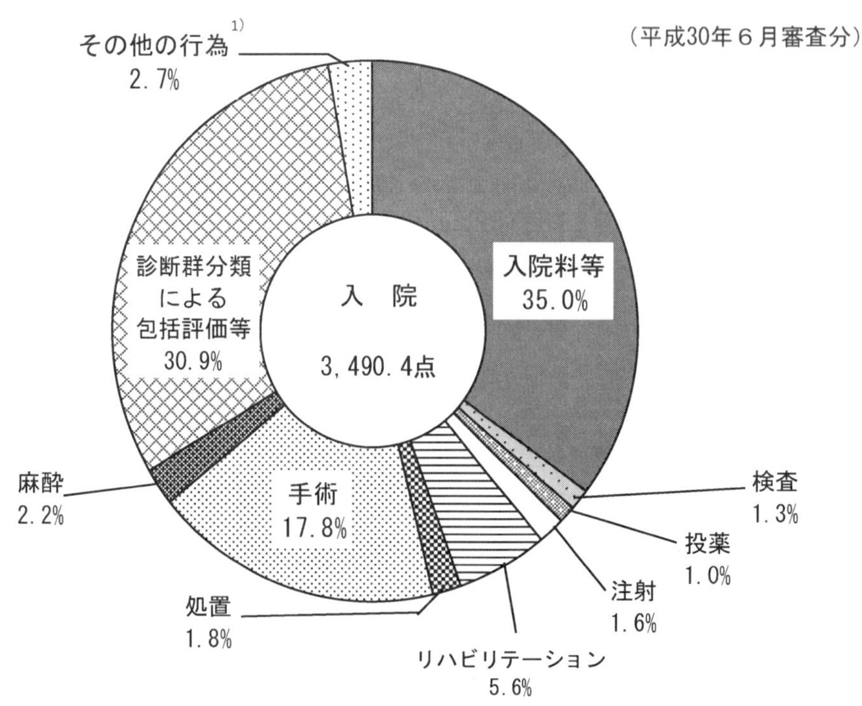

注：1）「その他の行為」は、「初・再診」「医学管理等」「在宅医療」「画像診断」「精神科専門療法」「放射線治療」及び「病理診断」である。

(2) 医科の入院外における1件当たり点数は 1,359.1 点で、前年に比べ 17.4 点、1.3%増加している。

1日当たり点数は 875.3 点で、前年に比べ 21.6 点、2.5%増加している。診療行為別にみると、「検査」159.6 点(構成割合 18.2%)が最も高く、次いで「投薬」134.6 点(同 15.4%)、「初・再診」130.3 点(同 14.9%)の順となっている。

1件当たり日数は 1.55 日で、前年に比べ 0.02 日減少している。(表2、図2)

表2 診療行為別にみた入院外の1件当たり点数・1日当たり点数・1件当たり日数

(各年6月審査分)

診療行為	1件当たり点数 平成30年 (2018)	1件当たり点数 平成29年 (2017)	対前年 増減点数	対前年 増減率(%)	1日当たり点数 平成30年 (2018)	1日当たり点数 平成29年 (2017)	対前年 増減点数	対前年 増減率(%)
総数[1]	1 359.1	1 341.6	17.4	1.3	875.3	853.7	21.6	2.5
初・再診	202.3	204.4	△ 2.2	△ 1.1	130.3	130.1	0.2	0.1
医学管理等	116.4	115.4	1.0	0.9	75.0	73.4	1.6	2.1
在宅医療	93.7	89.5	4.3	4.8	60.4	56.9	3.4	6.0
検査	247.7	242.4	5.3	2.2	159.6	154.3	5.3	3.4
画像診断	105.9	103.4	2.5	2.4	68.2	65.8	2.4	3.7
投薬	209.0	218.1	△ 9.1	△ 4.2	134.6	138.8	△ 4.2	△ 3.0
注射	142.5	130.7	11.8	9.0	91.8	83.2	8.6	10.3
リハビリテーション	20.5	19.4	1.2	6.1	13.2	12.3	0.9	7.4
精神科専門療法	26.3	25.7	0.6	2.4	17.0	16.4	0.6	3.6
処置	132.6	133.7	△ 1.1	△ 0.8	85.4	85.1	0.3	0.4
手術	39.2	37.0	2.2	5.8	25.2	23.6	1.7	7.1
麻酔	5.0	5.2	△ 0.2	△ 4.8	3.2	3.3	△ 0.1	△ 3.6
放射線治療	7.4	6.5	0.9	13.7	4.7	4.1	0.6	15.1
病理診断	10.2	9.9	0.3	2.8	6.6	6.3	0.3	4.1
(1件当たり日数)	(1.55)	(1.57)	(△ 0.02)					

注:1)「総数」には、「入院料等(短期滞在手術等基本料1)」を含む。

図2 診療行為別にみた入院外の1日当たり点数の構成割合

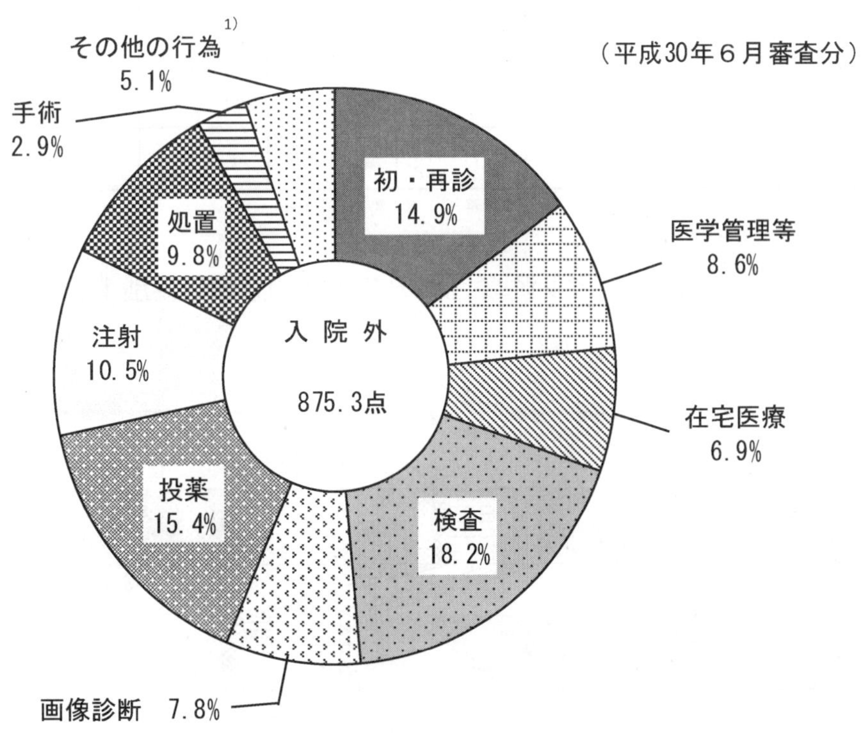

注:1)「その他の行為」は、「リハビリテーション」「精神科専門療法」「麻酔」「放射線治療」「病理診断」及び「入院料等(短期滞在手術等基本料1)」である。

2　一般医療 － 後期医療・年齢階級別にみた診療行為の状況

（1）医科の入院における１件当たり点数は、一般医療 **51,139.2** 点、後期医療 **54,976.1** 点となっている。

１日当たり点数は、一般医療 **4,049.2** 点、後期医療 **3,099.3** 点で、年齢階級別にみると、「**0**～**14** 歳」**6,083.8** 点が最も高く、次いで「**65**～**74** 歳」**3,984.4** 点となっており、「**75** 歳以上」**3,127.9** 点が最も低くなっている。診療行為別の構成割合をみると、後期医療は、一般医療と比べ「入院料等」「リハビリテーション」が高く、「手術」「診断群分類による包括評価等」は低くなっている。

１件当たり日数は、一般医療 **12.63** 日、後期医療 **17.74** 日となっている。（表3、図3）

表３　一般医療 － 後期医療・年齢階級別にみた入院の診療行為別 １件当たり点数・１日当たり点数・１件当たり日数

（平成30年６月審査分）

診療行為	一般医療	後期医療	年齢階級 0～14歳	15～39歳	40～64歳	65～74歳	75歳以上
	１件当たり点数						
総数 1)	51 139.2	54 976.1	41 409.1	35 135.7	53 819.0	58 466.8	54 893.3
初・再診	64.7	53.1	177.0	74.2	50.9	42.7	54.2
医学管理等	448.9	395.7	244.9	366.6	482.5	492.1	397.8
在宅医療	88.7	76.8	170.8	64.5	80.8	91.0	74.6
検査	623.4	724.3	267.1	515.6	651.3	731.9	727.0
画像診断	248.9	416.3	61.9	153.4	272.8	318.1	420.5
投薬	586.0	509.0	191.3	428.1	732.0	640.9	495.0
注射	945.2	779.3	1 122.2	796.0	926.3	967.9	779.8
リハビリテーション	2 023.7	3 877.5	308.3	713.5	2 167.8	2 914.3	3 929.2
精神科専門療法	353.5	206.2	7.2	284.9	526.2	349.8	183.0
処置	725.3	1 130.9	425.8	527.4	832.5	1 074.4	1 027.5
手術	11 417.7	7 532.5	4 188.3	7 477.9	12 264.9	13 600.4	7 568.9
麻酔	1 623.4	752.7	1 312.8	1 423.1	1 765.9	1 551.6	760.4
放射線治療	254.5	112.6	44.9	65.1	291.5	335.1	114.1
病理診断	119.0	51.7	22.2	110.1	139.2	118.9	52.5
入院料等	13 757.9	23 363.1	6 453.9	10 645.2	15 967.1	16 248.3	23 147.9
診断群分類による包括評価等	17 858.5	14 994.2	26 410.3	11 490.0	16 667.4	18 989.6	15 160.9
	１日当たり点数						
総数 1)	4 049.2	3 099.3	6 083.8	3 617.1	3 760.5	3 984.4	3 127.9
初・再診	5.1	3.0	26.0	7.6	3.6	2.9	3.1
医学管理等	35.5	22.3	36.0	37.7	33.7	33.5	22.7
在宅医療	7.0	4.3	25.1	6.6	5.6	6.2	4.3
検査	49.4	40.8	39.2	53.1	45.5	49.9	41.4
画像診断	19.7	23.5	9.1	15.8	19.1	21.7	24.0
投薬	46.4	28.7	28.1	44.1	51.1	43.7	28.2
注射	74.8	43.9	164.9	81.9	64.7	66.0	44.4
リハビリテーション	160.2	218.6	45.3	73.4	151.5	198.6	223.9
精神科専門療法	28.0	11.6	1.1	29.3	36.8	23.8	10.4
処置	57.4	63.8	62.6	54.3	58.2	73.2	58.5
手術	904.0	424.7	615.3	769.8	857.0	926.8	431.3
麻酔	128.5	42.4	192.9	146.5	123.4	105.7	43.3
放射線治療	20.2	6.3	6.6	6.7	20.4	22.8	6.5
病理診断	9.4	2.9	3.3	11.3	9.7	8.1	3.0
入院料等	1 089.3	1 317.1	948.2	1 095.9	1 115.7	1 107.3	1 319.0
診断群分類による包括評価等	1 414.0	845.3	3 880.2	1 182.8	1 164.6	1 294.1	863.9
	１件当たり日数						
	12.63	17.74	6.81	9.71	14.31	14.67	17.55
入院時食事療養等（単位：円）							
１件当たり金額	20 913	30 292	8 179	14 304	24 444	25 463	29 874
１日当たり金額	1 656	1 708	1 202	1 473	1 708	1 735	1 702

注：1）「総数」には、「入院時食事療養等」を含まない。

図３　一般医療 － 後期医療別にみた入院の診療行為別１日当たり点数の構成割合

（平成 30 年６月審査分）

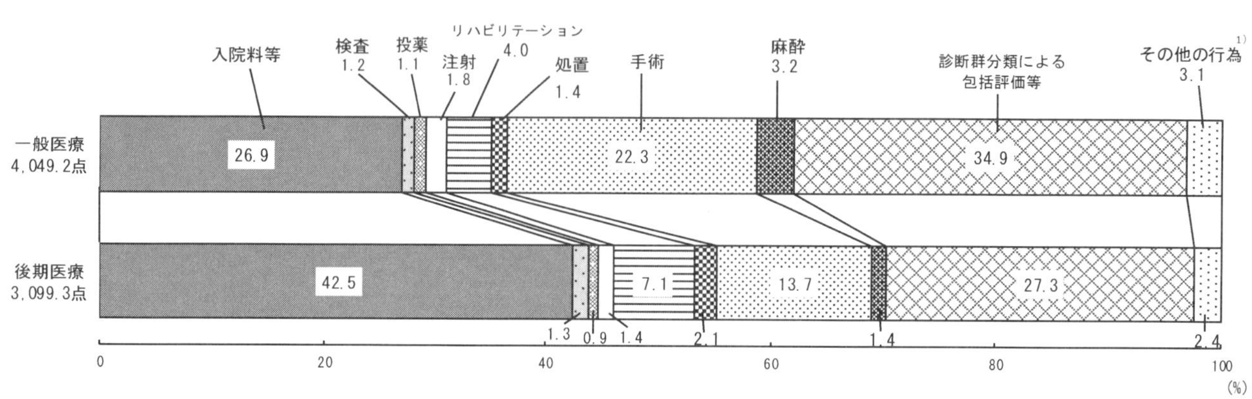

注：1）「その他の行為」は、「初・再診」「医学管理等」「在宅医療」「画像診断」「精神科専門療法」「放射線治療」及び「病理診断」である。

(2) 医科の入院外における1件当たり点数は、一般医療 1,226.4 点、後期医療 1,714.0 点となっている。

1日当たり点数は、一般医療 840.3 点、後期医療 951.0 点で、年齢階級別にみると、「65～74 歳」1,026.6 点が最も高く、次いで「40～64 歳」936.2 点となっており、「0～14 歳」549.5 点が最も低くなっている。診療行為別の構成割合をみると、後期医療は、一般医療と比べ「在宅医療」が高く、「初・再診」は低くなっている。

1件当たり日数は、一般医療 1.46 日、後期医療 1.80 日となっている。(表4、図4)

表4　一般医療 － 後期医療・年齢階級別にみた入院外の診療行為別 1件当たり点数・1日当たり点数・1件当たり日数

（平成30年６月審査分）

診療行為	一般医療	後期医療	年齢階級				
			0～14歳	15～39歳	40～64歳	65～74歳	75歳以上
	1件当たり点数						
総数[1]	1 226.4	1 714.0	800.5	932.6	1 363.4	1 626.9	1 642.0
初・再診	209.5	182.7	265.6	231.7	194.5	179.6	181.6
医学管理等	106.0	144.2	156.1	34.5	99.1	138.8	141.1
在宅医療	61.3	180.4	45.9	51.3	68.8	78.0	175.0
検査	232.3	289.1	122.8	206.3	252.1	296.2	288.1
画像診断	96.4	131.4	33.2	72.6	111.5	134.5	130.8
投薬	185.5	271.8	82.4	132.9	210.9	259.2	269.1
注射	128.5	179.9	9.8	71.7	157.3	210.9	176.5
リハビリテーション	18.4	26.3	17.8	11.7	18.7	23.9	25.8
精神科専門療法	29.1	18.9	7.2	47.0	40.2	17.2	17.5
処置	103.5	210.5	46.6	39.9	145.2	199.1	159.5
手術	34.0	53.0	12.1	19.1	36.5	57.5	51.6
麻酔	3.8	8.3	0.6	2.1	4.9	5.7	8.1
放射線治療	7.0	8.2	0.0	1.5	8.8	13.1	8.2
病理診断	10.8	8.5	0.2	10.4	14.7	12.4	8.5
	1日当たり点数						
総数[1]	840.3	951.0	549.5	696.4	936.2	1 026.6	921.3
初・再診	143.6	101.4	182.3	173.0	133.6	113.3	101.9
医学管理等	72.6	80.0	107.2	25.7	68.0	87.6	79.2
在宅医療	42.0	100.1	31.5	38.3	47.2	49.2	98.2
検査	159.2	160.4	84.3	154.1	173.1	186.9	161.6
画像診断	66.0	72.9	22.8	54.2	76.6	84.9	73.4
投薬	127.1	150.8	56.6	99.2	144.8	163.6	151.0
注射	88.1	99.8	6.8	53.5	108.0	133.1	99.0
リハビリテーション	12.6	14.6	12.2	8.7	12.8	15.1	14.5
精神科専門療法	19.9	10.5	4.9	35.1	27.6	10.9	9.8
処置	70.9	116.8	32.0	29.8	99.7	125.7	89.5
手術	23.3	29.4	8.3	14.2	25.1	36.3	28.9
麻酔	2.6	4.6	0.4	1.5	3.4	3.6	4.5
放射線治療	4.8	4.6	0.0	1.1	6.0	8.3	4.6
病理診断	7.4	4.7	0.1	7.7	10.1	7.8	4.8
	1件当たり日数						
	1.46	1.80	1.46	1.34	1.46	1.58	1.78

注：1）「総数」には、「入院料等（短期滞在手術等基本料１）」を含む。

図4　一般医療 － 後期医療別にみた入院外の診療行為別１日当たり点数の構成割合

（平成 30 年６月審査分）

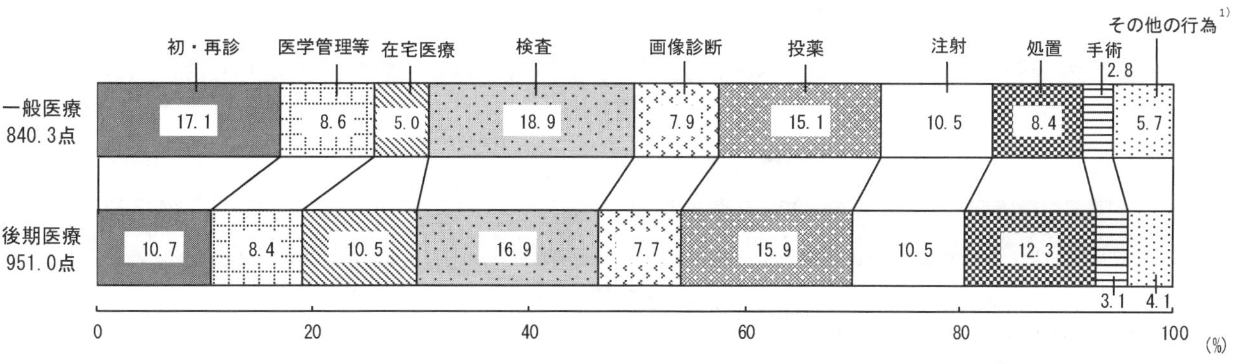

注：1）「その他の行為」は、「リハビリテーション」「精神科専門療法」「麻酔」「放射線治療」「病理診断」及び「入院料等（短期滞在手術等基本料１）」である。

3　病院 － 診療所別にみた診療行為の状況

（1）　医科の入院における1件当たり点数は、病院 54,838.9 点、診療所 19,897.1 点となっている。

1日当たり点数は、病院 3,531.2 点、診療所 2,184.2 点で、病院を種類別にみると、「特定機能病院」7,115.1 点が最も高く、「精神科病院」1,374.4 点が最も低くなっている。「療養病床を有する病院」と「一般病院」で診療行為別の構成割合を比べると、「療養病床を有する病院」で「入院料等」「リハビリテーション」が高く、「手術」「診断群分類による包括評価等」は低くなっている。

1件当たり日数は、病院 15.53 日、診療所 9.11 日で、病院を種類別にみると、「療養病床を有する病院」20.96 日、「一般病院」11.54 日となっている。（表5、図5）

表５　病院 － 診療所別にみた入院の診療行為別１件当たり点数・１日当たり点数・１件当たり日数

（平成30年６月審査分）

診療行為	病院					診療所
	総数	精神科病院	特定機能病院	療養病床を有する病院	一般病院	
	１件当たり点数					
総数[1]	54 838.9	39 000.5	72 607.6	52 380.4	56 341.3	19 897.1
初・再診	60.3	3.6	46.7	40.5	80.5	30.3
医学管理等	432.6	155.0	497.3	283.9	540.3	224.0
在宅医療	85.4	0.4	172.7	50.5	105.0	31.5
検査	657.3	309.4	753.0	581.1	737.1	983.8
画像診断	332.8	85.8	233.0	464.7	320.1	339.2
投薬	553.1	949.4	729.3	425.6	530.9	434.1
注射	855.3	312.1	1 708.9	729.0	897.2	982.0
リハビリテーション	3 071.2	39.3	919.6	6 049.0	2 371.4	847.4
精神科専門療法	293.7	2 477.8	57.5	150.2	48.4	5.3
処置	921.4	239.6	541.6	1 407.5	840.1	1 075.5
手術	9 592.6	6.0	21 901.8	3 068.8	12 747.5	6 895.6
麻酔	1 216.5	0.9	2 698.5	403.0	1 619.5	583.9
放射線治療	189.4	－	866.0	30.4	213.2	62.3
病理診断	84.2	0.3	250.5	23.1	106.5	103.0
入院料等	19 202.5	34 420.8	4 570.0	33 919.8	11 482.9	7 299.0
診断群分類による包括評価等	17 290.5	・	36 662.1	4 753.0	23 700.5	・
	１日当たり点数					
総数[1]	3 531.2	1 374.4	7 115.1	2 499.3	4 884.0	2 184.2
初・再診	3.9	0.1	4.6	1.9	7.0	3.3
医学管理等	27.9	5.5	48.7	13.5	46.8	24.6
在宅医療	5.5	0.0	16.9	2.4	9.1	3.5
検査	42.3	10.9	73.8	27.7	63.9	108.0
画像診断	21.4	3.0	22.8	22.2	27.8	37.2
投薬	35.6	33.5	71.5	20.3	46.0	47.7
注射	55.1	11.0	167.5	34.8	77.8	107.8
リハビリテーション	197.8	1.4	90.1	288.6	205.6	93.0
精神科専門療法	18.9	87.3	5.6	7.2	4.2	0.6
処置	59.3	8.4	53.1	67.2	72.8	118.1
手術	617.7	0.2	2 146.2	146.4	1 105.0	757.0
麻酔	78.3	0.0	264.4	19.2	140.4	64.1
放射線治療	12.2	－	84.9	1.5	18.5	6.8
病理診断	5.4	0.0	24.5	1.1	9.2	11.3
入院料等	1 236.5	1 213.0	447.8	1 618.4	995.4	801.2
診断群分類による包括評価等	1 113.4	・	3 592.6	226.8	2 054.5	・
	１件当たり日数					
	15.53	28.38	10.20	20.96	11.54	9.11
入院時食事療養等（単位：円）						
１件当たり金額	26 361	54 159	15 806	36 328	18 460	12 139
１日当たり金額	1 697	1 909	1 549	1 733	1 600	1 333

注：１）「総数」には、「入院時食事療養等」を含まない。

図５　療養病床を有する病院 － 一般病院別にみた入院の診療行為別１日当たり点数の構成割合

（平成 30 年６月審査分）

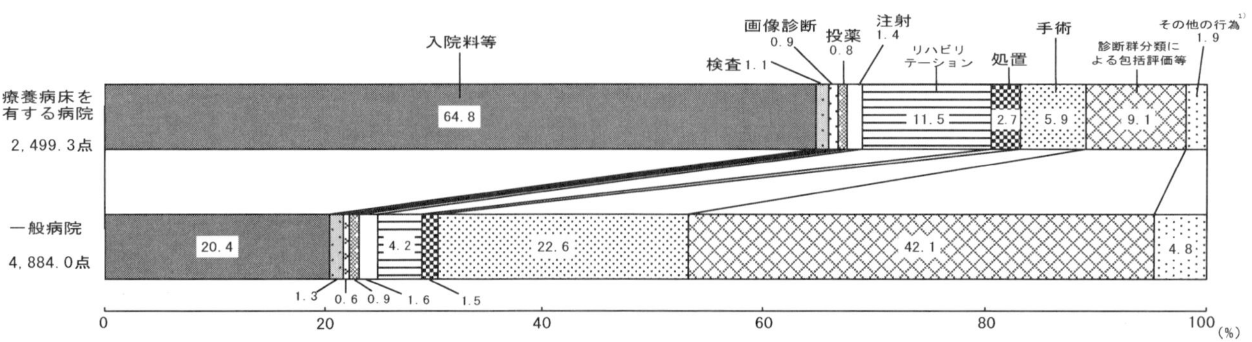

注：1）「その他の行為」は、「初・再診」「医学管理等」「在宅医療」「精神科専門療法」「麻酔」「放射線治療」及び「病理診断」である。

(2) 医科の入院外における1件当たり点数は、病院 2,334.4 点、診療所 1,037.7 点となっている。

1日当たり点数は、病院 1,515.7 点、診療所 666.6 点で、病院を種類別にみると、「特定機能病院」2,641.1 点が最も高く、「精神科病院」873.8 点が最も低くなっている。診療行為別の構成割合をみると、診療所は、病院と比べ「初・再診」「医学管理等」が高く、「画像診断」「注射」は低くなっている。

1件当たり日数は、病院 1.54 日、診療所 1.56 日となっている。(表6、図6)

表６ 病院 － 診療所別にみた入院外の診療行為別１件当たり点数・１日当たり点数・１件当たり日数

（平成30年６月審査分）

診療行為	病院 総数	精神科病院	特定機能病院	療養病床を有する病院	一般病院	診療所
	１件当たり点数					
総数 1)	2 334.4	1 622.3	3 667.6	1 774.2	2 415.8	1 037.7
初・再診	172.7	143.8	124.7	196.7	171.5	211.9
医学管理等	90.3	29.5	83.5	89.6	94.9	125.0
在宅医療	158.8	10.4	300.5	125.5	161.8	72.1
検査	451.0	63.5	665.3	305.9	500.8	180.8
画像診断	300.6	22.3	447.7	199.5	336.1	41.8
投薬	322.9	373.5	564.3	279.6	305.2	171.5
注射	447.9	101.2	1 208.2	149.2	483.0	42.0
リハビリテーション	32.7	2.5	11.4	56.0	28.5	16.5
精神科専門療法	50.2	873.3	26.0	28.1	13.6	18.5
処置	193.5	2.0	32.1	288.7	189.6	112.5
手術	55.0	0.2	66.9	34.0	64.6	33.8
麻酔	6.4	0.1	10.0	6.8	6.1	4.5
放射線治療	27.8	－	83.7	3.7	31.3	0.7
病理診断	24.1	0.0	43.1	10.5	28.2	5.6
	１日当たり点数					
総数 1)	1 515.7	873.8	2 641.1	1 058.3	1 621.5	666.6
初・再診	112.1	77.5	89.8	117.3	115.1	136.2
医学管理等	58.6	15.9	60.2	53.5	63.7	80.3
在宅医療	103.1	5.6	216.4	74.9	108.6	46.3
検査	292.8	34.2	479.1	182.5	336.1	116.1
画像診断	195.2	12.0	322.4	119.0	225.6	26.9
投薬	209.6	201.2	406.3	166.8	204.9	110.2
注射	290.8	54.5	870.1	89.0	324.2	27.0
リハビリテーション	21.2	1.3	8.2	33.4	19.1	10.6
精神科専門療法	32.6	470.4	18.7	16.8	9.1	11.9
処置	125.7	1.1	23.1	172.2	127.3	72.3
手術	35.7	0.1	48.2	20.3	43.3	21.7
麻酔	4.1	0.1	7.2	4.0	4.1	2.9
放射線治療	18.1	－	60.2	2.2	21.0	0.4
病理診断	15.7	0.0	31.0	6.2	18.9	3.6
	１件当たり日数					
	1.54	1.86	1.39	1.68	1.49	1.56

注：１）「総数」には、「入院料等（短期滞在手術等基本料１）」を含む。

図６ 病院 － 診療所別にみた入院外の診療行為別１日当たり点数の構成割合

（平成 30 年６月審査分）

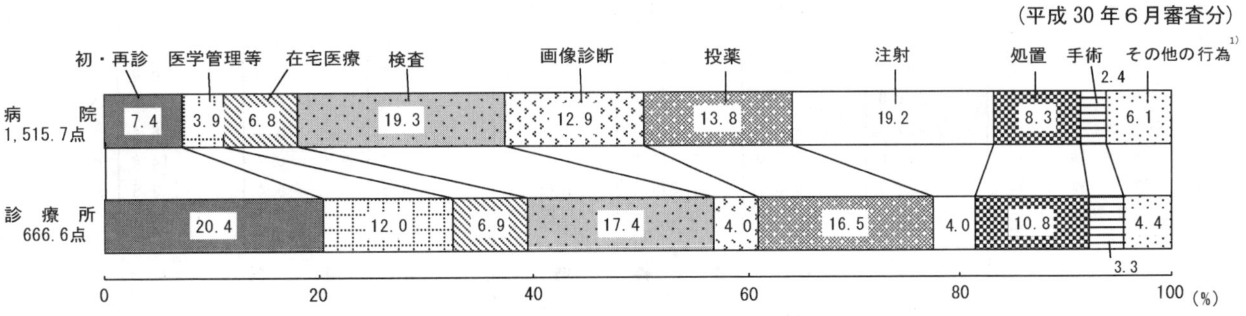

注：１）「その他の行為」は、「リハビリテーション」「精神科専門療法」「麻酔」「放射線治療」「病理診断」及び「入院料等（短期滞在手術等基本料１）」である。

4 DPC／PDPS に係る明細書 - DPC／PDPS に係る明細書以外別にみた診療行為の状況

医科の入院における1件当たり点数は、DPC／PDPSに係る明細書 60,633.3 点、DPC／PDPSに係る明細書以外 46,354.2 点となっている。

1日当たり点数は、DPC／PDPSに係る明細書 6,089.0 点、DPC／PDPSに係る明細書以外 2,332.7 点で、診療行為別の構成割合をみると、DPC／PDPSに係る明細書では「診断群分類による包括評価等」は 57.5%、「入院料等」は 4.6%となっており、DPC／PDPSに係る明細書以外では「入院料等」は 70.5%になっている。

1件当たり日数は、DPC／PDPSに係る明細書 9.96 日、DPC／PDPSに係る明細書以外 19.87 日となっている。(表7、図7)

表７ ＤＰＣ／ＰＤＰＳに係る明細書 - ＤＰＣ／ＰＤＰＳに係る明細書以外別にみた入院の診療行為別１件当たり点数・１日当たり点数・１件当たり日数

（各年６月審査分）

診療行為	平成30年 (2018)		平成29年 (2017)		対前年増減点数		対前年増減率 (%)	
	DPC/PDPSに係る明細書 1)	DPC/PDPSに係る明細書以外	DPC/PDPSに係る明細書 1)	DPC/PDPSに係る明細書以外	DPC/PDPSに係る明細書 1)	DPC/PDPSに係る明細書以外	DPC/PDPSに係る明細書 1)	DPC/PDPSに係る明細書以外
	１件当たり点数							
総数	60 633.3	46 354.2	62 039.7	44 259.4	△ 1 406.3	2 094.8	△ 2.3	4.7
初・再診	90.3	30.8	96.5	30.1	△ 6.1	0.7	△ 6.4	2.3
医学管理等	580.3	281.4	563.7	270.9	16.6	10.5	2.9	3.9
在宅医療	109.6	58.8	119.3	56.5	△ 9.7	2.3	△ 8.2	4.1
検査	428.8	892.5	423.4	878.8	5.4	13.7	1.3	1.6
画像診断	80.3	558.2	84.4	562.3	△ 4.1	△ 4.0	△ 4.8	△ 0.7
投薬	322.9	746.6	340.0	771.1	△ 17.1	△ 24.5	△ 5.0	△ 3.2
注射	113.4	1 526.6	110.8	1 486.3	2.7	40.4	2.4	2.7
リハビリテーション	1 794.1	3 993.9	1 803.8	3 625.6	△ 9.6	368.3	△ 0.5	10.2
精神科専門療法	6.9	521.3	6.6	449.8	0.2	71.5	3.4	15.9
処置	399.6	1 401.3	420.0	1 323.8	△ 20.4	77.5	△ 4.9	5.9
手術	16 464.1	3 230.1	16 586.6	3 075.8	△ 122.5	154.3	△ 0.7	5.0
麻酔	2 100.6	369.6	2 175.9	360.9	△ 75.3	8.7	△ 3.5	2.4
放射線治療	342.6	41.0	307.5	31.3	35.1	9.7	11.4	31.0
病理診断	135.8	40.0	125.9	41.2	9.9	△ 1.2	7.8	△ 2.9
入院料等	2 786.6	32 662.2	2 861.3	31 281.4	△ 74.7	1 380.8	△ 2.6	4.4
診断群分類による包括評価等	34 877.2	・	36 013.8	・	△ 1 136.6	・	△ 3.2	・
	１日当たり点数							
総数	6 089.0	2 332.7	5 862.2	2 338.9	226.8	△ 6.2	3.9	△ 0.3
初・再診	9.1	1.5	9.1	1.6	△ 0.0	△ 0.0	△ 0.5	△ 2.6
医学管理等	58.3	14.2	53.3	14.3	5.0	△ 0.2	9.4	△ 1.1
在宅医療	11.0	3.0	11.3	3.0	△ 0.3	△ 0.0	△ 2.4	△ 0.9
検査	43.1	44.9	40.0	46.4	3.1	△ 1.5	7.6	△ 3.3
画像診断	8.1	28.1	8.0	29.7	0.1	△ 1.6	1.2	△ 5.5
投薬	32.4	37.6	32.1	40.7	0.3	△ 3.2	0.9	△ 7.8
注射	11.4	76.8	10.5	78.5	0.9	△ 1.7	8.8	△ 2.2
リハビリテーション	180.2	201.0	170.4	191.6	9.7	9.4	5.7	4.9
精神科専門療法	0.7	26.2	0.6	23.8	0.1	2.5	9.9	10.4
処置	40.1	70.5	39.7	70.0	0.4	0.6	1.1	0.8
手術	1 653.4	162.5	1 567.3	162.5	86.1	0.0	5.5	0.0
麻酔	211.0	18.6	205.6	19.1	5.3	△ 0.5	2.6	△ 2.5
放射線治療	34.4	2.1	29.1	1.7	5.3	0.4	18.4	24.8
病理診断	13.6	2.0	11.9	2.2	1.7	△ 0.2	14.6	△ 7.5
入院料等	279.8	1 643.7	270.4	1 653.1	9.5	△ 9.4	3.5	△ 0.6
診断群分類による包括評価等	3 502.5	・	3 403.0	・	99.5	・	2.9	・
	１件当たり日数							
	9.96	19.87	10.58	18.92	△ 0.63	0.95		

注：1）「ＤＰＣ／ＰＤＰＳに係る明細書」とは、診療報酬明細書（医科入院医療機関別包括評価用）及び同明細書に総括された診療報酬明細書（医科入院）である。

図7　ＤＰＣ／ＰＤＰＳに係る明細書 − ＤＰＣ／ＰＤＰＳに係る明細書以外別にみた入院の診療行為別１日当たり点数の構成割合

（平成 30 年6月審査分）

ＤＰＣ／ＰＤＰＳに係る明細書 1）　　　ＤＰＣ／ＰＤＰＳに係る明細書以外

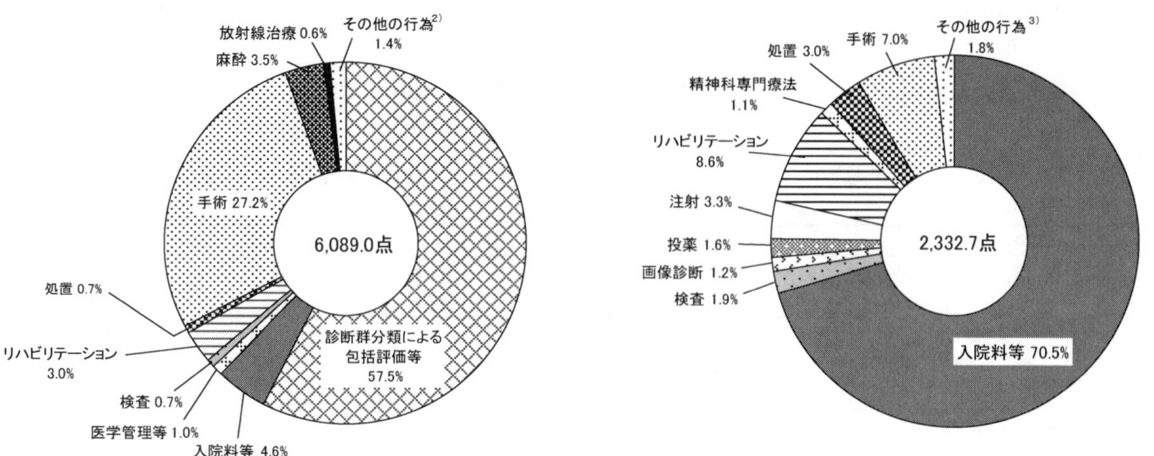

注：1）「DPC／PDPSに係る明細書」とは、診療報酬明細書（医科入院医療機関別包括評価用）及び同明細書に総括された診療報酬明細書（医科入院）である。
2）「その他の行為」は、「初・再診」「在宅医療」「画像診断」「投薬」「注射」「精神科専門療法」及び「病理診断」である。
3）「その他の行為」は、「初・再診」「医学管理等」「在宅医療」「麻酔」「放射線治療」及び「病理診断」である。

〔院外処方〕

5　院外処方率

医科の入院外における院外処方率は、総数で 75.8%となっており、前年に比べ 1.0 ポイント上昇している。病院・診療所別にみると、病院 79.2%、診療所 74.8%となっている。（図 8）

図８　病院 − 診療所別にみた医科の院外処方率の年次推移

（各年6月審査分）

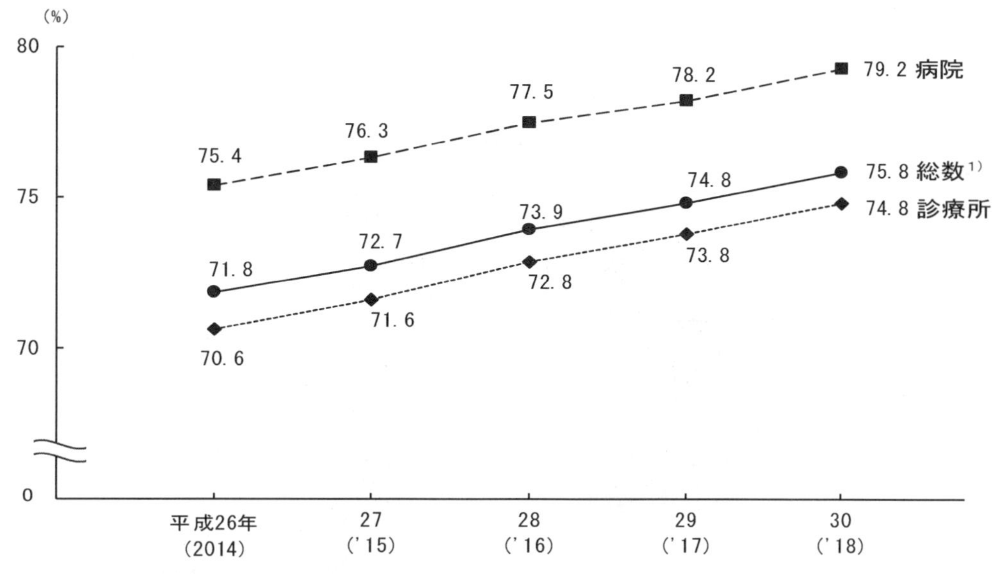

注：院外処方率（%）＝ $\dfrac{\text{処方箋料の算定回数}}{\text{処方料の算定回数＋処方箋料の算定回数}} \times 100$

1）「総数」には、データ上で「病院」「診療所」別を取得できなかったものを含む。

〔歯科診療〕

6　診療行為の状況

歯科の1件当たり点数は 1,248.7 点で、前年に比べ 3.9 点、0.3%増加している。

1日当たり点数は 699.9 点で、前年に比べ 15.2 点、2.2%増加している。診療行為別にみると、「歯冠修復及び欠損補綴」248.5 点(構成割合 35.5%)が最も高く、次いで「処置」139.7 点(同 20.0%)、「初・再診」88.2 点(同 12.6%)の順となっている。

1件当たり日数は 1.78 日で、前年に比べ 0.03 日減少している。(表8、図9)

表８　歯科の診療行為別にみた１件当たり点数・１日当たり点数・１件当たり日数

(各年６月審査分)

診療行為	１件当たり点数				１日当たり点数			
	平成30年 (2018)	平成29年 (2017)	対前年 増減点数	対前年 増減率(%)	平成30年 (2018)	平成29年 (2017)	対前年 増減点数	対前年 増減率(%)
総数	1 248.7	1 244.8	3.9	0.3	699.9	684.8	15.2	2.2
初・再診	157.4	160.2	△ 2.8	△ 1.7	88.2	88.1	0.1	0.1
医学管理等	139.3	133.8	5.5	4.1	78.1	73.6	4.5	6.1
在宅医療	38.2	35.8	2.4	6.8	21.4	19.7	1.7	8.8
検査	82.2	83.3	△ 1.1	△ 1.3	46.1	45.8	0.3	0.6
画像診断	53.0	52.4	0.6	1.2	29.7	28.8	0.9	3.1
投薬	15.0	16.1	△ 1.0	△ 6.4	8.4	8.8	△ 0.4	△ 4.6
注射	1.4	1.2	0.2	17.8	0.8	0.7	0.1	20.0
リハビリテーション	17.9	17.2	0.7	4.2	10.1	9.5	0.6	6.1
処置	249.2	245.2	4.0	1.6	139.7	134.9	4.8	3.5
手術	34.5	34.1	0.4	1.2	19.3	18.8	0.6	3.1
麻酔	4.1	3.9	0.1	3.5	2.3	2.2	0.1	5.5
放射線治療	0.2	0.2	0.0	11.4	0.1	0.1	0.0	13.5
歯冠修復及び欠損補綴	443.3	449.4	△ 6.1	△ 1.4	248.5	247.2	1.3	0.5
歯科矯正	2.3	2.2	0.1	4.0	1.3	1.2	0.1	6.0
病理診断	1.0	0.9	0.1	7.1	0.5	0.5	0.0	9.2
入院料等	9.6	9.0	0.6	7.0	5.4	5.0	0.4	9.0
(１件当たり日数)	(1.78)	(1.82)	(△ 0.03)					

図９　歯科の診療行為別にみた１日当たり点数の構成割合

(平成30年６月審査分)

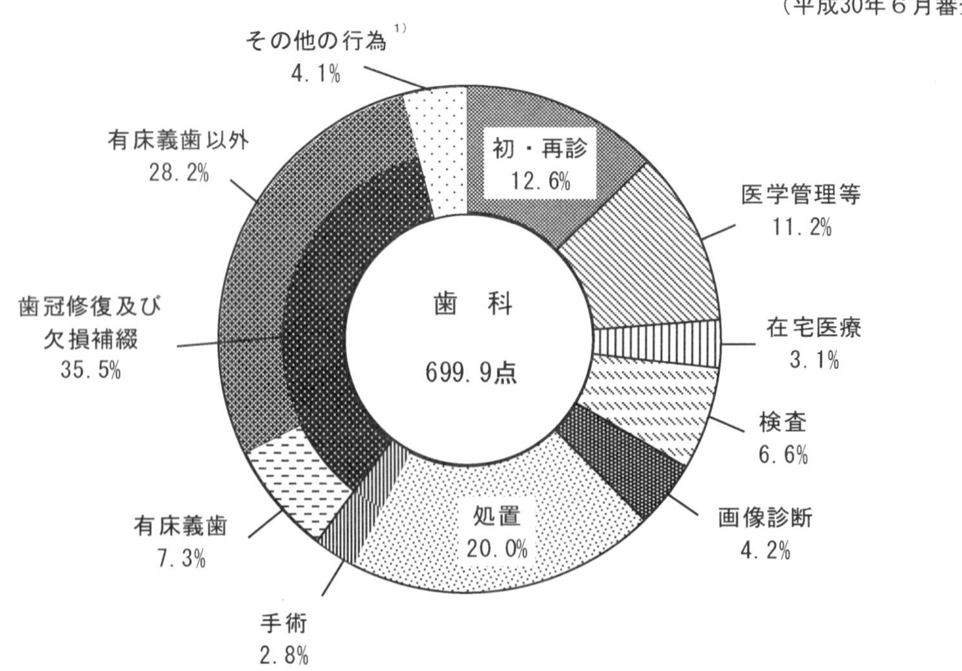

注：1) 「その他の行為」は、「投薬」「注射」「リハビリテーション」「麻酔」「放射線治療」「歯科矯正」「病理診断」及び「入院料等」である。

7　一般医療 － 後期医療・年齢階級別にみた診療行為の状況

歯科の1件当たり点数は、一般医療 1,205.7 点、後期医療 1,436.1 点となっている。

1日当たり点数は、一般医療 691.3 点、後期医療 733.5 点で、年齢階級別にみると、「75 歳以上」731.9 点が最も高く、次いで「15～39 歳」706.7 点となっており、「0～14 歳」664.5 点が最も低くなっている。診療行為別の構成割合をみると、後期医療は、一般医療と比べ「在宅医療」「歯冠修復及び欠損補綴」が高く、「初・再診」「処置」が低くなっている。

1件当たり日数は、一般医療 1.74 日、後期医療 1.96 日となっている。（表9、図 10）

表9　一般医療 － 後期医療 ・ 年齢階級別にみた歯科の診療行為別１件当たり点数・１日当たり点数・１件当たり日数

（平成30年６月審査分）

診療行為	一般医療	後期医療	年齢階級 0～14歳	15～39歳	40～64歳	65～74歳	75歳以上
			１件当たり点数				
総数	1 205.7	1 436.1	889.9	1 224.1	1 251.2	1 307.3	1 431.9
初・再診	161.7	138.9	188.4	169.6	155.1	149.9	138.6
医学管理等	142.5	125.2	160.8	138.2	139.0	141.4	125.3
在宅医療	7.0	173.9	0.7	3.5	7.0	19.9	170.6
検査	86.2	64.5	43.4	102.8	94.8	81.5	64.4
画像診断	57.0	35.8	31.4	86.4	58.0	43.5	35.8
投薬	14.9	15.7	5.6	17.8	16.0	16.0	15.7
注射	1.2	2.5	0.1	0.9	1.3	2.1	2.4
リハビリテーション	10.4	50.8	0.7	0.6	8.1	30.0	51.0
処置	257.5	213.2	205.8	265.8	275.3	248.9	212.7
手術	34.8	32.9	20.7	49.2	32.7	34.2	32.9
麻酔	4.6	2.0	4.2	8.8	3.7	2.4	2.0
放射線治療	0.2	0.5	－	0.0	0.2	0.4	0.5
歯冠修復及び欠損補綴	415.6	563.9	220.2	356.9	451.2	526.8	563.8
歯科矯正	2.8	0.0	3.5	9.7	0.5	0.0	0.0
病理診断	0.9	1.3	0.2	0.8	1.1	1.1	1.3
入院料等	8.4	15.0	4.1	13.2	7.2	9.1	14.9
			１日当たり点数				
総数	691.3	733.5	664.5	706.7	690.4	693.8	731.9
初・再診	92.7	70.9	140.7	97.9	85.6	79.6	70.9
医学管理等	81.7	64.0	120.1	79.8	76.7	75.0	64.0
在宅医療	4.0	88.8	0.5	2.0	3.9	10.6	87.2
検査	49.4	32.9	32.4	59.3	52.3	43.2	32.9
画像診断	32.7	18.3	23.5	49.9	32.0	23.1	18.3
投薬	8.5	8.0	4.2	10.3	8.8	8.5	8.0
注射	0.7	1.3	0.1	0.5	0.7	1.1	1.2
リハビリテーション	6.0	26.0	0.5	0.4	4.5	15.9	26.0
処置	147.6	108.9	153.7	153.4	151.9	132.1	108.7
手術	20.0	16.8	15.5	28.4	18.1	18.2	16.8
麻酔	2.6	1.0	3.1	5.1	2.1	1.2	1.0
放射線治療	0.1	0.3	－	0.0	0.1	0.2	0.2
歯冠修復及び欠損補綴	238.3	288.0	164.4	206.1	249.0	279.6	288.2
歯科矯正	1.6	0.0	2.6	5.6	0.3	0.0	0.0
病理診断	0.5	0.7	0.2	0.5	0.6	0.6	0.7
入院料等	4.8	7.7	3.1	7.6	4.0	4.8	7.6
			１件当たり日数				
	1.74	1.96	1.34	1.73	1.81	1.88	1.96

図10　一般医療 － 後期医療別にみた歯科の診療行為別１日当たり点数の構成割合

（平成 30 年６月審査分）

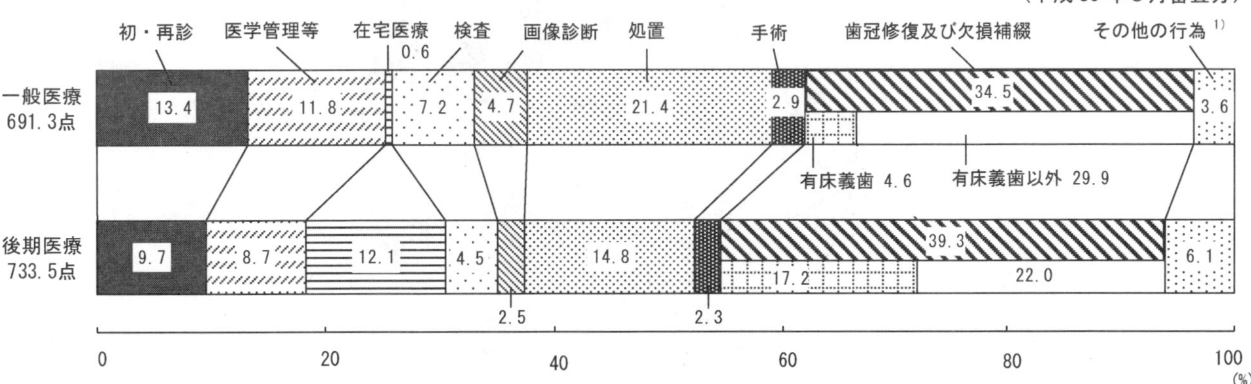

注：1) 「その他の行為」は、「投薬」「注射」「リハビリテーション」「麻酔」「放射線治療」「歯科矯正」「病理診断」及び「入院料等」である。

〔薬局調剤〕

8　調剤行為の状況

薬局調剤の1件当たり点数は1,061.4点で、前年に比べ48.0点、4.3%減少している。

受付1回当たり点数は857.2点で、前年に比べ30.7点、3.5%減少している。調剤行為別にみると、「薬剤料」630.1点（構成割合73.5%）が最も高く、次いで「調剤技術料」177.5点（同20.7%）となっている。

1件当たり受付回数は1.24回で、前年に比べ0.01回減少している。（表10、図11）

表10　調剤行為別にみた１件当たり点数・受付１回当たり点数・１件当たり受付回数

（各年６月審査分）

調剤行為	平成30年（2018）	平成29年（2017）	対前年 増減点数	対前年 増減率（%）
	１件当たり点数			
総数	1 061.4	1 109.4	△ 48.0	△ 4.3
調剤技術料	219.8	225.5	△ 5.7	△ 2.5
薬学管理料	59.3	55.4	3.9	7.1
薬剤料	780.2	826.5	△ 46.3	△ 5.6
特定保険医療材料料	1.9	1.8	0.1	3.6
	受付１回当たり点数			
総数	857.2	887.9	△ 30.7	△ 3.5
調剤技術料	177.5	180.5	△ 3.0	△ 1.6
薬学管理料	47.9	44.3	3.6	8.1
薬剤料	630.1	661.5	△ 31.4	△ 4.7
特定保険医療材料料	1.5	1.5	0.1	4.5
	１件当たり受付回数			
	1.24	1.25	△ 0.01	

図11　調剤行為別にみた受付１回当たり点数の構成割合

（平成30年６月審査分）

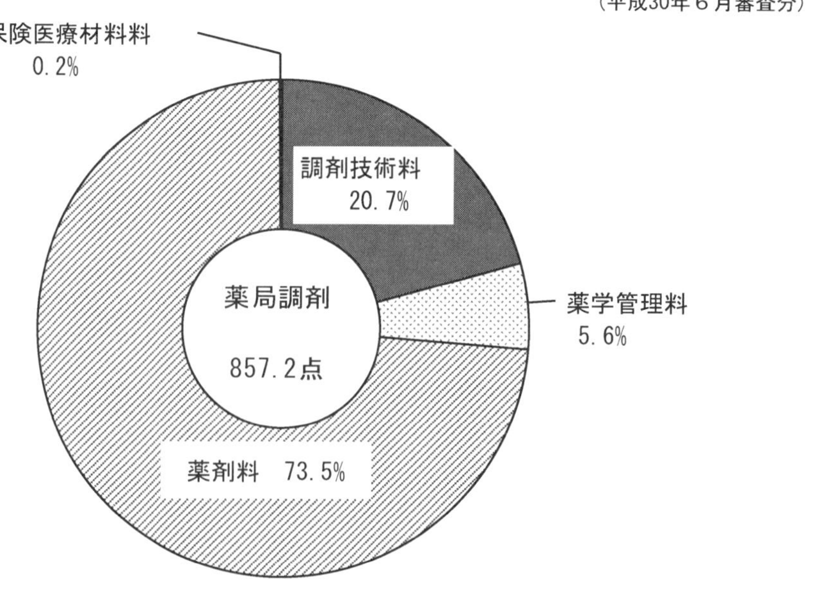

９　一般医療 － 後期医療・年齢階級別にみた調剤行為の状況

薬局調剤の1件当たり点数は、一般医療930.0点、後期医療1,383.9点となっている。

受付1回当たり点数は、一般医療768.6点、後期医療1,058.6点となっている。年齢階級別にみると、階級が高くなるにつれて受付1回当たり点数が高くなっている。

1件当たり受付回数は、一般医療1.21回、後期医療1.31回となっている。（表11、図12）

表11　一般医療 － 後期医療 ・ 年齢階級別にみた調剤行為別１件当たり点数・受付１回当たり点数・１件当たり受付回数

（平成30年６月審査分）

調剤行為	一般医療	後期医療	年齢階級				
			０～14歳	15～39歳	40～64歳	65～74歳	75歳以上
	1件当たり点数						
総数	930.0	1 383.9	523.5	745.6	1 042.4	1 186.2	1 366.4
調剤技術料	196.7	276.3	186.5	171.7	200.8	217.4	274.8
薬学管理料	59.8	58.2	70.6	59.0	57.4	56.9	58.1
薬剤料	671.6	1 046.8	266.2	513.9	781.7	909.0	1 031.1
特定保険医療材料料	1.8	2.1	0.3	0.9	2.4	2.8	1.9
	受付1回当たり点数						
総数	768.6	1 058.6	394.1	634.5	880.3	987.6	1 048.9
調剤技術料	162.6	211.3	140.3	146.2	169.6	181.0	211.0
薬学管理料	49.4	44.6	53.1	50.2	48.5	47.4	44.6
薬剤料	555.1	800.8	200.4	437.4	660.1	756.8	791.6
特定保険医療材料料	1.5	1.6	0.2	0.8	2.1	2.3	1.5
	1件当たり受付回数						
	1.21	1.31	1.33	1.17	1.18	1.20	1.30

図12　年齢階級別にみた調剤行為別受付１回当たり点数

（平成30年６月審査分）

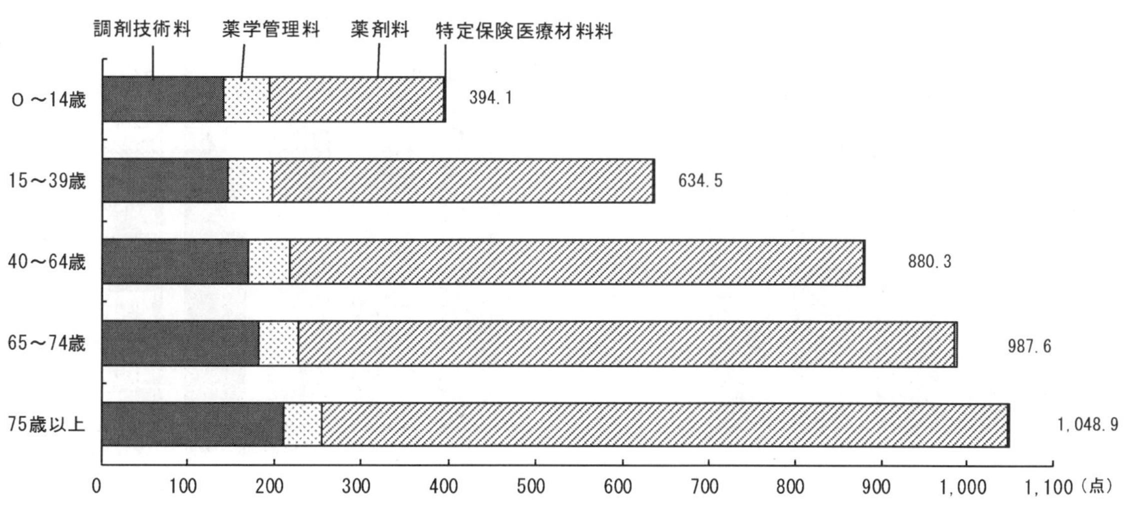

Ⅱ　薬剤の使用状況

〔医科診療及び薬局調剤〕

1　薬剤点数の状況

診療報酬明細書(医科入院外)及び調剤報酬明細書1件における使用薬剤の薬剤点数について、院内処方、院外処方別に薬剤点数階級別の件数の構成割合をみると、ともに「500点未満」が最も多く、それぞれ70.1%、63.0%となっている。年齢階級別にみると、院内処方、院外処方とも階級が高くなるにつれて500点以上の割合が高くなっている。(表12、図13)

表12　院内処方 - 院外処方・一般医療 - 後期医療別にみた薬剤点数階級別の件数の構成割合

(単位：%)　　(平成30年6月審査分)

	総数	500点未満							500～1000	1000～1500	1500～2000	2000点以上
		総数	100点未満	100～200点未満	200～300	300～400	400～500				
院内処方[1)]（入院外・投薬）	100.0	70.1	29.7	16.9	10.4	7.5	5.6	15.8	6.3	3.0	4.7
一般医療	100.0	75.8	34.5	18.3	10.5	7.3	5.2	13.5	4.9	2.2	3.7
後期医療	100.0	56.2	17.9	13.3	10.2	8.1	6.7	21.5	9.9	5.0	7.4
院外処方[2)]（薬局調剤）	100.0	63.0	25.1	15.0	9.8	7.4	5.7	17.2	8.0	4.3	7.5
一般医療	100.0	69.7	29.7	16.8	10.3	7.4	5.6	15.3	6.3	3.1	5.6
後期医療	100.0	46.4	13.8	10.6	8.6	7.2	6.2	22.1	12.2	7.0	12.3

注：1)「院内処方(入院外・投薬)」は、診療報酬明細書（医科入院外）のうち診療行為「投薬」に薬剤の出現する明細書（「処方箋料」を算定している明細書及び「投薬」「注射」を包括した診療行為が出現する明細書は除く。）を集計の対象としている。
また、診療行為「投薬」における薬剤の合計点数を薬剤点数階級で区分している。
2)「院外処方(薬局調剤)」は、調剤報酬明細書のうち薬剤の出現する明細書を集計の対象としている。

図13　院内処方 - 院外処方別にみた年齢階級・薬剤点数階級別の件数の構成割合

(平成30年6月審査分)

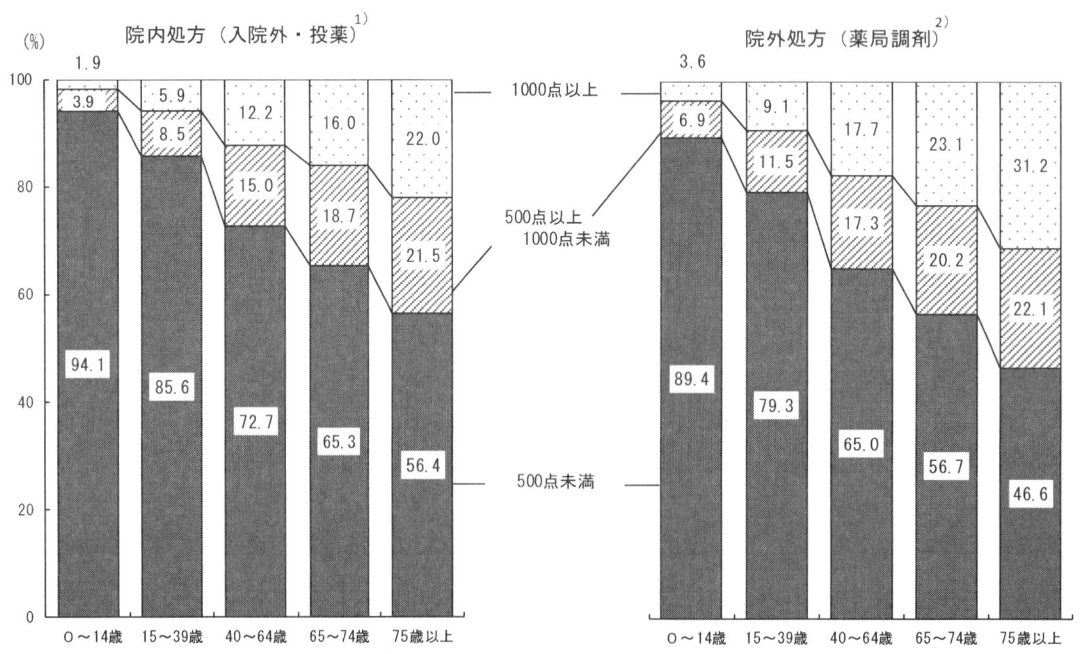

注：1)「院内処方（入院外・投薬）」は、診療報酬明細書（医科入院外）のうち診療行為「投薬」に薬剤の出現する明細書（「処方箋料」を算定している明細書及び「投薬」「注射」を包括した診療行為が出現する明細書は除く。）を集計の対象としている。
また、診療行為「投薬」における薬剤の合計点数を薬剤点数階級で区分している。
2)「院外処方（薬局調剤）」は、調剤報酬明細書のうち薬剤の出現する明細書を集計の対象としている。

2　薬剤種類数の状況

診療報酬明細書(医科入院外)及び調剤報酬明細書1件における使用薬剤の薬剤種類数について、院内処方、院外処方別に薬剤種類数階級別の件数の構成割合をみると、ともに「1種類」「2種類」が多くなっている。年齢階級別にみると、院内処方、院外処方とも「75　歳以上」で「7種類以上」の割合が高くなっている。

1件当たり薬剤種類数は、院内処方で3.43種類、院外処方で3.76種類となっている。(表13、図14)

表13　院内処方 － 院外処方・一般医療 － 後期医療別にみた 薬剤種類数階級別の件数の構成割合・１件当たり薬剤種類数

（平成30年６月審査分）

	総　数	１種類	２種類	３種類	４種類	５種類	６種類	７種類	８種類	９種類	10種類以上	１件当たり薬剤種類数
	構成割合（単位：％）											
院内処方 1)（入院外・投薬）	100.0	24.7	22.1	16.6	11.7	8.0	5.4	3.7	2.5	1.7	3.6	3.43
一般医療	100.0	27.0	23.4	17.3	11.8	7.6	4.8	3.0	1.8	1.2	2.1	3.11
後期医療	100.0	18.8	18.9	14.9	11.4	8.9	7.1	5.5	4.2	3.1	7.2	4.22
院外処方 2)（薬局調剤）	100.0	21.0	20.6	16.6	12.4	8.9	6.3	4.3	3.0	2.1	4.8	3.76
一般医療	100.0	22.5	21.9	17.6	13.0	8.9	5.8	3.7	2.3	1.5	2.8	3.41
後期医療	100.0	17.0	17.3	14.0	10.9	8.9	7.4	6.0	4.8	3.7	9.9	4.62

注：1）「院内処方(入院外・投薬)」は、診療報酬明細書（医科入院外）のうち診療行為「投薬」に薬剤の出現する明細書（「処方箋料」を算定している明細書及び「投薬」「注射」を包括した診療行為が出現する明細書は除く。）を集計の対象としている。
　　また、診療行為「投薬」における薬剤の種類数階級で区分している。
2）「院外処方(薬局調剤)」は、調剤報酬明細書のうち薬剤の出現する明細書を集計の対象としている。

図14　院内処方 － 院外処方別にみた年齢階級・薬剤種類数階級別の件数の構成割合

（平成30年６月審査分）

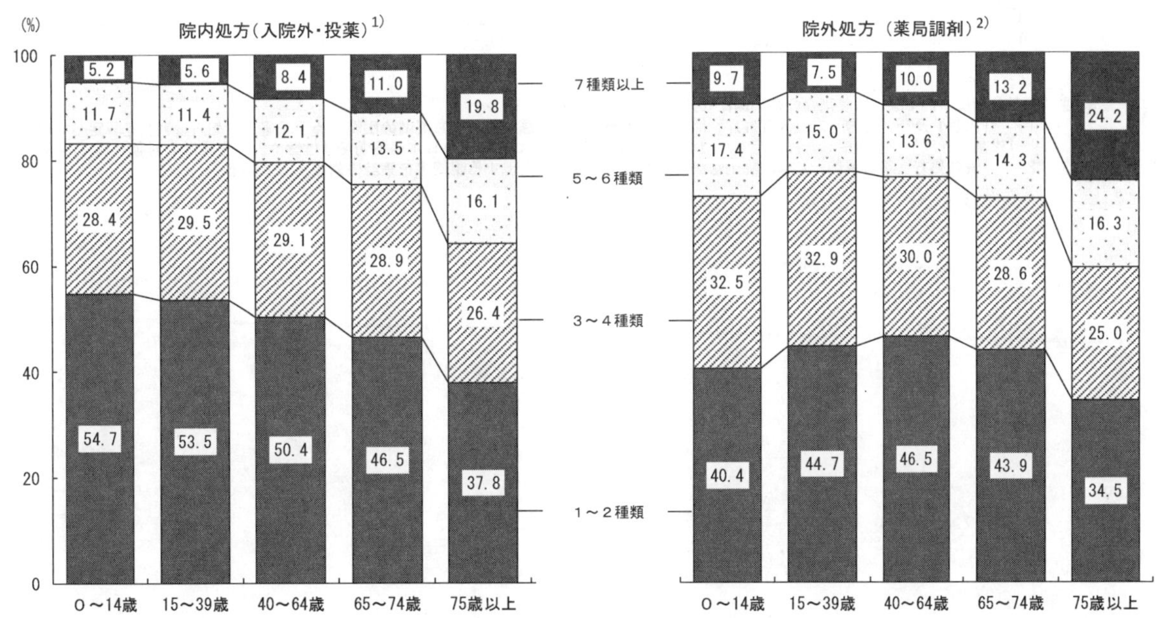

注：1）「院内処方（入院外・投薬）」は、診療報酬明細書（医科入院外）のうち診療行為「投薬」に薬剤の出現する明細書（「処方箋料」を算定している明細書及び「投薬」「注射」を包括した診療行為が出現する明細書は除く。）を集計の対象としている。
　　また、診療行為「投薬」における薬剤の種類数階級で区分している。
2）「院外処方（薬局調剤）」は、調剤報酬明細書のうち薬剤の出現する明細書を集計の対象としている。

3　薬効分類別にみた薬剤の使用状況

使用薬剤の薬剤点数について、入院、院内処方、院外処方別に薬効分類別の薬剤点数の構成割合をみると、入院では「腫瘍用薬」18.2％が最も多く、次いで「中枢神経系用薬」16.0％、「生物学的製剤」11.2％の順となっている。院内処方では「腫瘍用薬」17.3％が最も多く、次いで「その他の代謝性医薬品」14.0％、「循環器官用薬」11.9％、院外処方では「循環器官用薬」16.2％が最も多く、次いで「中枢神経系用薬」14.8％、「その他の代謝性医薬品」14.2％の順となっている。（図15）

図１５　入院 － 院内処方 － 院外処方別にみた主な薬効分類別の薬剤点数の構成割合

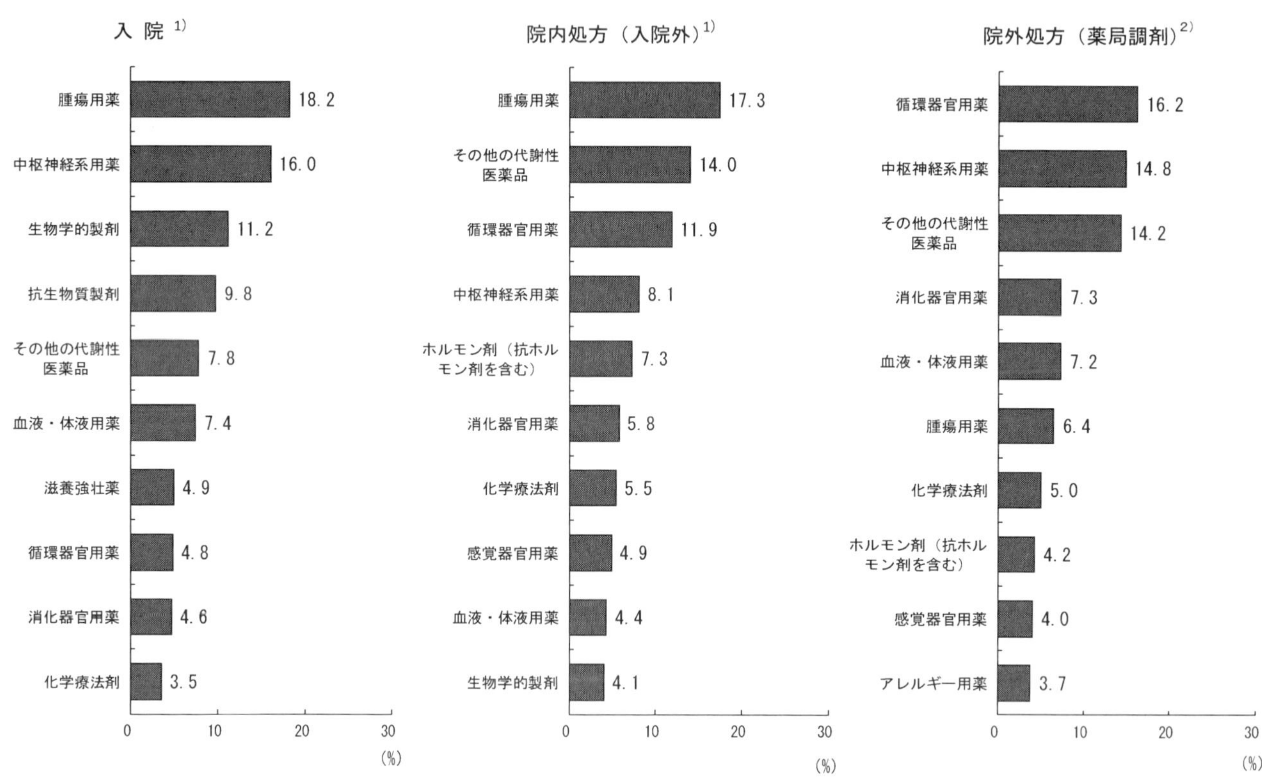

注：薬効分類については、構成割合の多い順に10分類を掲載している。
　1）「入院」及び「院内処方（入院外）」は、診療報酬明細書（医科）のうち薬剤の出現する明細書（「処方箋料」を算定している明細書、「投薬」「注射」を包括した診療行為が出現する明細書及びＤＰＣ／ＰＤＰＳに係る明細書は除く。）を集計の対象としている。
　2）「院外処方（薬局調剤）」は、調剤報酬明細書のうち薬剤の出現する明細書を集計の対象としている。

4　後発医薬品の使用状況

入院、院内処方、院外処方別に薬剤点数に占める後発医薬品の点数の割合をみると、総数17.5%、入院13.6%、院内処方15.5%、院外処方18.1%となっている。また、薬剤種類数に占める後発医薬品の種類数の割合をみると、総数69.5%、入院65.8%、院内処方60.4%、院外処方72.1%となっており、前年に比べ総数5.4ポイント、入院3.6ポイント、院内処方3.0ポイント、院外処方5.9ポイント上昇している。(表14)

後発医薬品の薬効分類別の薬剤点数について構成割合をみると、入院では「抗生物質製剤」22.4%、院内処方では「循環器官用薬」27.9%、院外処方では「循環器官用薬」29.1%が最も多くなっている(図16)。

表１４　入院 － 院内処方 － 院外処方別にみた後発医薬品の使用状況

（単位：％）　　　　　　　　　　　　　　　　　　　　　　　　　（各年６月審査分）

		平成30年 (2018)	一般医療	後期医療	病院	診療所	平成29年 (2017)	対前年増減 (ポイント)
薬剤点数に占める後発医薬品の点数の割合	総数	17.5	17.3	17.9	13.5	21.3	16.0	1.5
	入院[1]	13.6	13.1	14.3	13.6	14.1	12.9	0.7
	院内処方(入院外・投薬)[1]	15.5	14.9	16.6	8.7	22.0	15.1	0.4
	院外処方(薬局調剤)[2]	18.1	18.0	18.2	14.7	21.2	16.3	1.8
薬剤種類数に[3]占める後発医薬品の種類数の割合	総数	69.5	70.2	68.4	70.5	69.2	64.1	5.4
	入院[1]	65.8	65.2	66.4	67.3	54.5	62.2	3.6
	院内処方(入院外・投薬)[1]	60.4	59.9	61.1	59.9	60.5	57.3	3.0
	院外処方(薬局調剤)[2]	72.1	73.1	70.5	73.1	71.8	66.2	5.9

注：1）「入院」及び「院内処方(入院外・投薬)」は、診療報酬明細書（医科）のうち診療行為「投薬」に薬剤の出現する明細書（「処方箋料」を算定している明細書、「投薬」「注射」を包括した診療行為が出現する明細書及びＤＰＣ／ＰＤＰＳに係る明細書は除く。）を集計の対象としている。また、後発医薬品の割合は、診療行為「投薬」における薬剤に占める割合である。

2）「院外処方(薬局調剤)」は、調剤報酬明細書のうち薬剤の出現する明細書を集計の対象としている。

3）薬剤種類数に占める後発医薬品の種類数の割合（％）＝ $\dfrac{\text{後発医薬品の種類数}}{\text{後発医薬品のある先発医薬品の種類数＋後発医薬品の種類数}} \times 100$

図１６　入院 － 院内処方 － 院外処方別にみた後発医薬品の主な薬効分類別の薬剤点数の構成割合

（平成30年６月審査分）

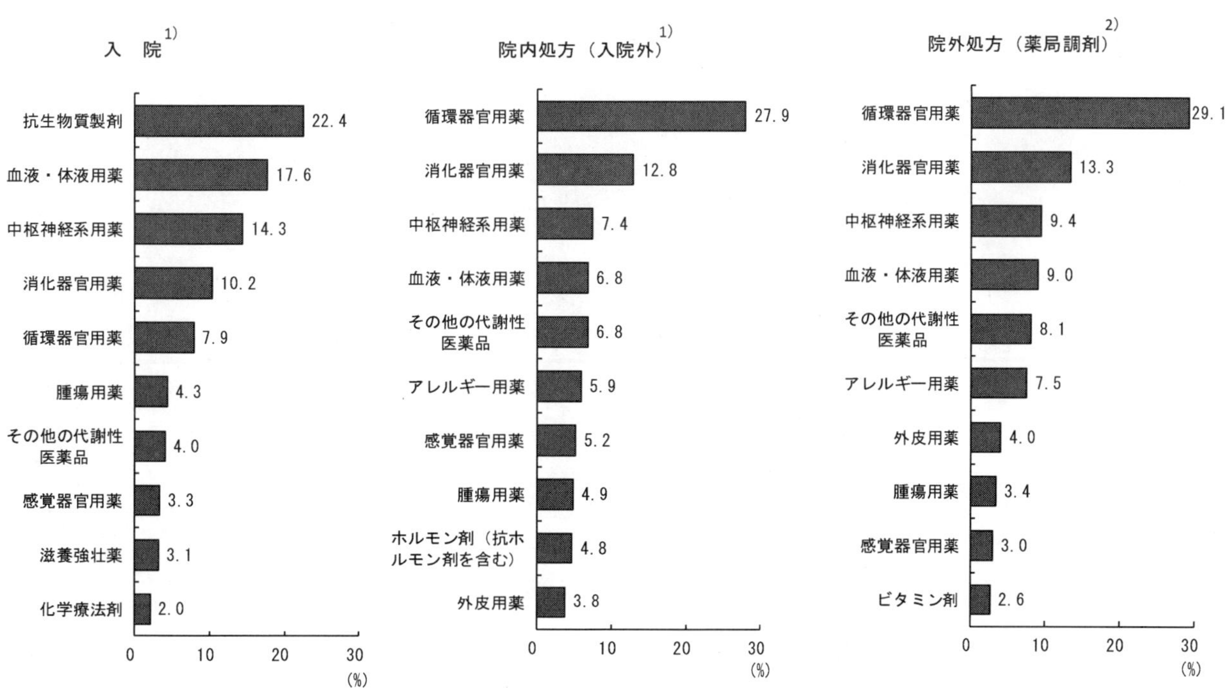

注：薬効分類については、構成割合の多い順に10分類を掲載している。
1）「入院」及び「院内処方（入院外）」は、診療報酬明細書（医科）のうち薬剤の出現する明細書（「処方箋料」を算定している明細書、「投薬」「注射」を包括した診療行為が出現する明細書及びＤＰＣ／ＰＤＰＳに係る明細書は除く。）を集計の対象としている。
2）「院外処方（薬局調剤）」は、調剤報酬明細書のうち薬剤の出現する明細書を集計の対象としている。

5　薬剤料の比率

医科（薬局調剤分（医科分）を含む。）における薬剤料の比率は、入院は8.9％で前年に比べ0.3ポイント減少、入院外は40.0％で前年に比べ1.0ポイント減少している。「投薬」「注射」についてみると、入院では「投薬」よりも「注射」の比率が高く、入院外では「注射」よりも「投薬」の比率が高くなっている。（表15）

表15　入院 － 入院外別にみた医科・薬局調剤（医科分）の薬剤料の比率の年次推移

（単位：％）　　　　（各年６月審査分）

	平成26年 (2014)	27 ('15)	28 ('16)	29 ('17)	30 ('18)
	入院				
薬剤料	9.3	9.6	9.1	9.2	8.9
投薬・注射	8.4	8.7	8.3	8.4	8.2
投薬	3.0	3.0	2.9	2.9	2.6
注射	5.4	5.7	5.4	5.5	5.5
その他	0.9	0.8	0.8	0.8	0.7
	入院外				
薬剤料	40.5	41.1	40.7	40.9	40.0
投薬・注射	38.8	39.4	39.1	39.3	38.3
投薬	32.7	33.2	32.3	32.0	30.3
注射	6.1	6.3	6.8	7.3	8.0
その他	1.7	1.7	1.6	1.6	1.7

注：医科分（診療報酬明細書分）のうち「投薬」「注射」を包括した診療行為が出現する明細書及びＤＰＣ／ＰＤＰＳに係る明細書は除外している。

「薬剤料の比率」とは、総点数（入院時食事療養等（円）÷10を含む。）に占める、「投薬」「注射」及び「その他」（「在宅医療」「検査」「画像診断」「リハビリテーション」「精神科専門療法」「処置」「手術」及び「麻酔」）の薬剤点数の割合である。

薬局調剤分（調剤報酬明細書分）は、内服薬及び外用薬を「投薬」に、注射薬を「注射」に合算している。

第　3　編

統　　計　　表

1　表章記号の規約

計数のない場合	−
統計項目のありえない場合	・
表章単位の２分の１未満の場合	0

2　利用上の注意事項

【共通事項】

(1)　**掲載している計数**は、医療保険制度に関する**６月審査分の全国値**であり、患者負担及び公費負担を含めたものである。

(2)　集計は、一次審査分であり、再審査、返戻等は含まない。

(3)　診療報酬明細書及び調剤報酬明細書の集計は、記録された内容に基づき集計した結果である。

(4)　掲載している計数は、四捨五入のため内訳の合計が総数に合わない場合もある。

(5)　ページ左上の統計表番号の見方

医 ○ 表（○−○）・・・・・・　Ⅰ診療行為・調剤行為の状況（医科診療）の統計表
歯 ○ 表（○−○）・・・・・・　Ⅰ診療行為・調剤行為の状況（歯科診療）の統計表
調 ○ 表（○−○）・・・・・・　Ⅰ診療行為・調剤行為の状況（薬局調剤）の統計表
医薬○表（○−○）・・・・・・　Ⅱ薬剤の使用状況（医科診療）の統計表
調薬○表（○−○）・・・・・・　Ⅱ薬剤の使用状況（薬局調剤）の統計表
薬比○表（○−○）・・・・・・　Ⅱ薬剤の使用状況（薬剤料の比率）の統計表

【Ⅰ　診療行為・調剤行為の状況】

(6)　入院時食事療養等は、総数に含めず別掲扱いとしている。

(7)　診療行為大分類別−総数には、「療養担当手当等」、「合算薬剤料」及び（診療行為大分類レベルの）「補正点数」を含むため、内訳の合計と「総数」は一致しない。

(8)　集計に用いた診療行為及び調剤行為の項目は、原則として診療報酬点数表、調剤報酬点数表及び診断群分類点数表の区分にしたがっている。

(9)　診療行為別における「入院料等」の点数は、「入院基本料」、「定数超過入院基本料」、「標欠入院基本料」、「特定入院料」、「短期滞在手術等基本料」、「入院基本料等加算」及び「入院基本料等減算」の合計である。

(10)　統計表の中の［　　　］は加算等の算定回数に付されており、その計数は再掲である。

(11)　診療報酬明細書及び調剤報酬明細書に記載されている点数が、診療報酬点数表、診断群分類点数表又は調剤報酬点数表に定められている点数と一致しない場合は、各点数表に定められた点数とし、記載されている点数との差をそれぞれの項目の末尾の「補正点数」欄に±で掲載している。

(12)　一部の統計表は、表頭を共通に用いて複数の統計表を複合的に作成しており、例示は以下のとおりである。

（例）

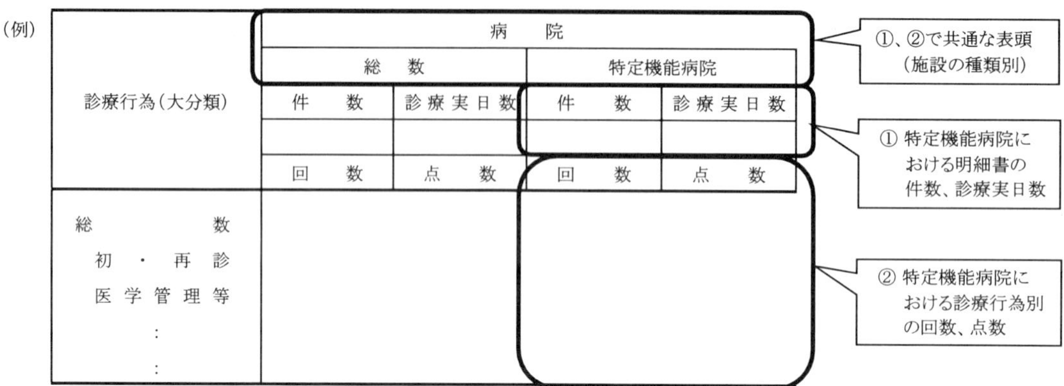

【Ⅱ　薬剤の使用状況】

(13)　薬剤料の比率の入院においては、「特定入院基本料（障害者施設等入院基本料）」「療養病棟入院基本料」「障害者施設等入院基本料（医療区分１又は２の患者）」「有床診療所療養病床入院基本料」「特殊疾患入院医療管理料」「回復期リハビリテーション病棟入院料」「地域包括ケア病棟入院料」「特殊疾患病棟入院料」「緩和ケア病棟入院料」「精神科救急入院料」「精神科急性期治療病棟入院料」「精神科救急・合併症入院料」「精神療養病棟入院料」「認知症治療病棟入院料」「特定一般病棟入院料（地域包括ケア入院医療管理が行われた場合）」「地域移行機能強化病棟入院料」「短期滞在手術等基本料３」及び「診断群分類による包括評価等」、入院外においては、「小児科外来診療料」「小児かかりつけ診療料」「生活習慣病管理料」「在宅時医学総合管理料」「施設入居時等医学総合管理料」及び「在宅がん医療総合診療料」が出現する明細書は集計から除外している。

なお、薬剤料の比率においては、入院時食事療養等（単位：円）は点数換算（入院時食事療養等÷10）して総点数に含めている。

Ⅰ　診療行為・調剤行為の状況

医　科　診　療

第１表　医科診療（総数）件数・診療実日数・回数・点数,

行番号	傷病分類 一般医療－後期医療 年齢階級	件数	診療実日数	総数 回数	総数 点数	初・再診 回数	初・再診 点数
1	総数	85 727 192	164 082 368	1 486 745 697	233 812 407 723	124 792 202	17 013 079 551
2	一般医療	61 878 436	102 871 092	896 189 715	132 006 773 026	86 131 798	12 803 388 091
3	後期医療	23 848 756	61 211 276	590 555 982	101 805 634 697	38 660 404	4 209 691 460
4	０～４歳	4 624 862	7 741 603	24 979 915	6 976 161 664	4 994 807	1 211 651 214
5	５～９	3 421 816	4 769 644	23 517 109	3 126 028 057	4 677 866	944 082 379
6	１０～１４	2 612 245	3 591 078	19 219 196	2 783 159 119	3 470 453	666 260 421
7	１５～１９	1 832 296	2 537 655	14 544 789	2 270 648 028	2 365 425	445 292 565
8	２０～２４	1 832 782	2 549 039	16 652 555	2 434 245 203	2 286 871	438 473 520
9	２５～２９	2 236 855	3 283 887	22 244 840	3 271 053 490	2 829 853	515 082 314
10	３０～３４	2 758 074	4 213 749	29 139 466	4 387 755 187	3 571 621	619 416 434
11	３５～３９	3 125 153	4 827 916	35 784 332	5 290 950 926	4 164 090	681 538 165
12	４０～４４	3 761 616	5 869 679	48 230 581	6 867 595 399	5 149 991	783 078 115
13	４５～４９	4 312 806	7 000 476	62 244 364	8 867 583 292	6 068 994	861 366 442
14	５０～５４	4 431 980	7 466 067	70 703 431	9 926 629 656	6 370 009	855 499 441
15	５５～５９	4 788 945	8 284 550	84 462 215	11 882 307 358	6 909 711	888 183 235
16	６０～６４	5 590 425	10 024 472	106 248 260	15 355 838 684	8 192 829	1 003 755 679
17	６５～６９	8 261 257	15 537 115	167 717 935	25 207 577 584	12 405 535	1 448 501 376
18	７０～７４	8 682 756	17 224 811	185 356 840	28 021 077 955	13 702 217	1 533 180 338
19	７５～７９	8 822 139	19 037 113	199 752 894	30 346 873 852	14 626 208	1 585 190 127
20	８０～８４	7 397 471	17 934 826	182 730 368	29 050 157 413	12 346 421	1 333 998 232
21	８５～８９	4 692 319	13 219 228	124 349 775	22 296 556 237	7 376 067	814 000 683
22	９０歳以上	2 541 395	8 969 460	68 866 832	15 450 208 619	3 283 234	384 528 871
23	Ⅰ 感染症及び寄生虫症	3 315 710	5 546 429	36 523 776	6 194 560 798	4 592 308	848 333 733
24	一般医療	2 810 299	4 317 423	26 005 343	4 079 327 187	3 804 677	748 432 215
25	後期医療	505 411	1 229 006	10 518 433	2 115 233 611	787 631	99 901 518
26	０～４歳	429 375	730 799	2 278 189	487 659 697	454 167	124 452 655
27	５～９	365 923	553 826	2 108 265	281 678 148	549 620	118 956 323
28	１０～１４	178 092	263 062	1 097 345	140 191 528	260 178	51 230 032
29	１５～１９	93 461	129 900	708 402	93 798 676	124 688	27 507 429
30	２０～２４	124 975	169 407	1 022 926	136 627 402	159 221	37 393 602
31	２５～２９	143 241	196 065	1 183 505	156 386 905	181 826	41 119 578
32	３０～３４	160 361	220 989	1 330 946	179 531 301	205 418	44 621 072
33	３５～３９	162 731	226 262	1 409 300	204 014 789	213 528	43 754 219
34	４０～４４	162 367	230 373	1 526 228	233 312 486	219 302	41 694 036
35	４５～４９	153 795	226 226	1 643 721	260 045 904	212 197	37 515 375
36	５０～５４	139 645	211 296	1 627 319	259 884 344	196 260	32 726 217
37	５５～５９	140 519	219 501	1 788 384	285 161 529	200 633	31 689 381
38	６０～６４	153 010	248 715	2 108 239	346 260 808	222 386	33 011 709
39	６５～６９	208 054	356 371	3 128 634	542 157 715	309 831	43 192 215
40	７０～７４	204 904	371 130	3 346 139	568 063 476	316 293	41 735 104
41	７５～７９	194 789	384 639	3 517 476	611 830 524	309 092	39 315 371
42	８０～８４	151 922	355 891	3 189 061	604 078 173	245 960	30 870 460
43	８５～８９	94 594	266 603	2 209 205	473 533 466	144 025	18 385 360
44	９０歳以上	53 952	185 374	1 300 492	330 343 927	67 683	9 163 595
45	Ⅱ 新生物＜腫瘍＞	3 343 669	8 074 276	65 705 940	31 580 064 875	4 565 749	509 224 802
46	一般医療	2 274 070	4 982 617	39 640 798	20 332 777 765	3 066 897	356 619 083
47	後期医療	1 069 599	3 091 659	26 065 142	11 247 287 110	1 498 852	152 605 719
48	０～４歳	14 929	29 959	110 975	119 978 911	16 150	3 221 587
49	５～９	11 854	23 198	109 869	77 905 549	15 115	2 581 990
50	１０～１４	12 999	25 423	122 277	88 939 674	16 915	2 791 873
51	１５～１９	16 287	29 635	172 093	89 907 407	21 295	3 612 507
52	２０～２４	28 884	46 844	304 069	117 192 246	37 260	6 321 282
53	２５～２９	47 332	76 234	493 534	191 845 062	60 464	9 726 772
54	３０～３４	72 925	119 902	770 435	323 426 511	93 448	14 131 373
55	３５～３９	107 212	180 113	1 225 149	535 739 795	138 029	19 593 408
56	４０～４４	167 318	290 148	2 099 284	948 767 037	217 576	28 745 962
57	４５～４９	219 808	402 084	3 067 019	1 414 632 748	291 344	36 320 711
58	５０～５４	214 788	419 051	3 303 903	1 597 582 938	286 916	34 071 087
59	５５～５９	215 694	468 368	3 803 642	2 012 334 466	290 860	32 668 222
60	６０～６４	267 213	632 261	5 252 571	2 838 738 957	364 166	38 807 686
61	６５～６９	428 203	1 094 217	9 070 676	4 932 965 665	594 527	61 008 610
62	７０～７４	464 145	1 210 424	10 253 159	5 297 247 451	654 279	65 788 017
63	７５～７９	445 483	1 187 438	10 299 739	4 820 478 937	632 343	63 108 509
64	８０～８４	344 447	962 417	8 386 243	3 509 931 921	484 149	48 990 802
65	８５～８９	189 149	587 521	4 866 099	1 883 071 101	258 231	27 172 828
66	９０歳以上	74 999	289 039	1 995 204	779 378 499	92 682	10 561 576
67	Ⅲ 血液及び造血器の疾患並びに免疫機構の障害	509 138	1 016 097	11 434 246	2 510 061 699	686 293	85 990 132
68	一般医療	366 742	638 478	6 992 241	1 549 044 022	481 296	63 519 956
69	後期医療	142 396	377 619	4 442 005	961 017 677	204 997	22 470 176
70	０～４歳	10 641	22 287	114 379	57 309 399	12 564	2 116 940
71	５～９	5 893	11 558	71 213	48 172 102	8 349	1 200 455
72	１０～１４	8 756	14 212	118 171	54 064 261	12 565	2 095 881
73	１５～１９	13 363	20 886	183 363	67 473 886	18 731	3 418 614
74	２０～２４	14 140	23 173	211 224	65 920 514	15 504	2 680 867
75	２５～２９	22 181	39 562	335 691	80 269 704	19 798	3 104 349
76	３０～３４	30 967	55 888	478 659	93 080 101	27 322	4 050 936
77	３５～３９	31 470	52 637	499 811	90 645 458	35 520	5 087 449
78	４０～４４	37 088	57 901	604 883	102 477 139	51 365	7 083 120
79	４５～４９	44 955	70 158	790 105	121 224 118	65 574	8 790 290
80	５０～５４	30 110	48 644	584 393	104 309 646	43 262	5 440 345
81	５５～５９	20 314	35 705	466 877	104 715 510	29 287	3 321 562
82	６０～６４	23 302	43 280	581 337	132 873 418	34 155	3 703 718
83	６５～６９	36 667	72 600	963 892	222 425 698	54 293	5 750 600
84	７０～７４	39 546	81 818	1 099 213	242 510 676	59 426	6 234 400
85	７５～７９	43 813	96 085	1 268 899	271 866 842	66 222	7 008 033
86	８０～８４	43 053	105 254	1 342 680	264 544 769	64 108	6 971 197
87	８５～８９	32 609	93 524	1 062 455	230 554 265	44 949	5 116 956
88	９０歳以上	20 270	70 925	657 001	155 624 193	23 299	2 814 420

平成30年６月審査分

医学管理等 回数	医学管理等 点数	在宅医療 回数	在宅医療 点数	検査 回数	検査 点数	行番号
55 503 329	10 672 930 027	4 513 953	8 009 266 268	203 534 509	22 205 937 094	1
36 199 747	6 945 274 968	1 479 233	3 824 980 937	131 196 855	14 813 280 877	2
19 303 582	3 727 655 059	3 034 720	4 184 285 331	72 337 654	7 392 656 217	3
3 803 220	1 454 185 087	18 213	98 587 093	3 369 402	450 810 234	4
1 037 379	140 070 922	20 007	154 622 111	4 785 262	472 836 853	5
688 988	79 602 159	20 225	248 974 503	4 268 867	400 986 442	6
516 988	54 888 853	14 797	130 892 523	2 525 514	282 897 094	7
577 493	60 478 935	15 811	92 524 817	2 953 486	357 310 307	8
749 401	81 385 219	22 805	101 286 252	3 759 355	485 618 118	9
977 018	114 964 137	34 392	122 755 949	4 865 405	633 713 166	10
1 195 929	159 174 008	51 647	160 170 021	5 760 418	731 986 559	11
1 648 416	249 397 470	82 370	220 282 362	7 354 774	898 420 820	12
2 205 838	367 387 950	118 318	290 103 973	9 057 809	1 070 303 927	13
2 617 266	461 571 504	138 876	308 483 963	9 823 887	1 128 141 774	14
3 211 167	584 803 559	164 764	347 512 639	11 293 874	1 259 714 430	15
4 081 906	762 849 642	197 122	412 941 962	14 425 745	1 577 839 741	16
6 369 911	1 209 160 685	302 066	619 802 055	23 073 950	2 492 033 056	17
6 861 578	1 301 575 099	355 759	707 395 596	25 338 703	2 723 190 533	18
7 046 199	1 327 970 138	457 339	828 444 392	26 358 607	2 796 803 809	19
6 079 530	1 148 198 001	661 459	984 833 901	22 507 201	2 317 441 103	20
3 876 614	738 149 265	849 880	1 049 248 172	14 370 780	1 418 552 107	21
1 958 488	377 117 394	988 103	1 130 403 984	7 641 470	707 337 021	22
1 626 099	327 944 674	83 371	176 739 842	7 291 072	831 304 936	23
1 305 893	271 640 335	21 272	89 932 182	5 620 621	647 889 376	24
320 206	56 304 339	62 099	86 807 660	1 670 451	183 415 560	25
423 341	167 110 187	525	2 070 403	474 734	51 702 498	26
97 767	10 346 277	287	1 661 146	401 429	39 107 519	27
43 883	3 434 269	209	1 851 475	205 452	20 278 765	28
28 414	2 208 439	263	1 649 924	166 683	17 198 252	29
41 988	3 309 592	376	1 336 902	278 115	30 932 781	30
47 438	3 753 592	310	1 149 642	306 336	34 997 795	31
52 479	4 277 068	572	3 719 200	338 246	38 527 952	32
53 023	4 781 432	661	8 371 395	352 613	41 157 697	33
54 806	5 727 639	1 046	8 927 230	366 738	43 547 728	34
57 069	6 802 263	1 340	11 529 308	372 608	45 038 468	35
56 642	7 307 782	1 559	9 174 417	354 263	43 037 032	36
62 776	8 787 224	2 152	8 200 845	372 754	45 429 226	37
73 507	10 991 491	2 735	8 425 141	430 097	52 279 173	38
106 675	16 750 131	4 743	12 282 555	623 162	74 885 635	39
113 140	18 222 881	6 385	14 234 103	622 133	74 596 984	40
115 402	19 151 373	8 601	17 129 790	603 382	70 781 212	41
99 714	17 177 046	13 403	20 333 609	505 487	55 982 562	42
64 212	11 536 795	17 569	21 727 930	329 220	33 984 484	43
33 823	6 269 193	20 635	22 964 827	187 620	17 839 173	44
2 541 388	689 354 183	210 958	414 072 229	14 610 426	2 158 559 594	45
1 545 120	420 187 406	65 670	156 406 691	9 423 602	1 451 805 031	46
996 268	269 166 777	145 288	257 665 538	5 186 824	706 754 563	47
5 015	1 696 696	146	745 042	23 832	3 642 384	48
3 358	986 565	197	941 215	27 909	3 540 440	49
3 822	1 006 478	186	1 250 230	30 736	3 948 447	50
5 076	1 135 557	227	1 155 004	49 095	7 195 428	51
8 866	1 801 061	220	1 183 062	92 497	15 473 818	52
14 977	3 166 954	329	914 904	145 903	25 228 590	53
24 977	5 613 442	538	1 857 670	224 050	38 775 930	54
41 304	9 928 779	1 014	2 771 722	342 612	59 322 766	55
74 710	18 757 533	1 807	5 082 092	560 937	95 055 417	56
113 811	29 264 553	2 810	8 876 398	768 918	127 415 823	57
128 189	34 060 035	3 721	9 911 839	801 577	129 825 449	58
152 845	42 243 683	5 512	13 015 925	905 599	140 280 266	59
210 574	58 903 049	8 510	20 055 064	1 217 394	183 548 202	60
363 695	102 557 759	18 494	41 293 493	2 059 691	301 706 010	61
408 628	114 382 635	25 360	55 213 983	2 255 686	328 135 049	62
408 522	112 171 552	32 149	66 150 547	2 177 704	310 725 156	63
325 884	87 510 875	38 439	71 365 004	1 680 005	229 357 667	64
180 064	47 062 057	38 213	63 173 131	905 877	116 054 937	65
67 071	17 104 920	33 086	49 115 904	340 404	39 327 815	66
330 246	66 522 073	32 881	307 144 307	2 806 269	290 247 831	67
202 343	38 601 045	10 060	271 964 845	1 931 064	199 170 463	68
127 903	27 921 028	22 821	35 179 462	875 205	91 077 368	69
8 591	3 042 230	189	6 716 757	45 672	5 326 774	70
2 326	549 423	313	16 405 240	30 963	3 173 682	71
2 647	483 672	304	28 951 807	50 677	4 547 947	72
3 523	491 232	283	34 059 557	75 206	6 543 072	73
5 120	650 546	239	29 660 790	71 501	6 857 030	74
9 191	1 000 876	306	28 238 012	88 075	9 044 412	75
13 019	1 393 365	447	26 568 854	120 195	12 357 811	76
12 710	1 686 882	473	22 661 224	141 637	14 336 967	77
14 760	2 362 864	617	18 329 216	179 255	18 041 772	78
20 609	3 394 454	743	19 900 690	213 659	21 415 784	79
16 880	3 172 592	733	12 279 499	152 520	16 071 077	80
14 434	3 181 014	796	6 734 315	125 507	13 400 984	81
17 744	3 997 596	983	8 426 203	152 020	16 237 543	82
29 666	6 692 530	1 853	9 292 954	242 042	25 900 256	83
33 406	7 478 684	2 260	6 087 768	260 558	27 935 073	84
38 236	8 371 579	3 060	6 848 151	287 281	30 801 823	85
39 333	8 447 024	4 979	7 923 590	264 791	27 793 076	86
30 587	6 466 868	6 491	8 765 229	194 401	19 876 045	87
17 464	3 658 642	7 812	9 294 451	110 309	10 586 703	88

第１表　医科診療（総数）件数・診療実日数・回数・点数，

行番号	傷病分類 一般医療－後期医療 年齢階級	画像診断 回数	画像診断 点数	投薬 回数	投薬 点数	注射 回数	注射 点数
1	総数	26 507 526	9 595 933 786	921 348 379	18 681 946 746	15 198 880	13 846 168 870
2	一般医療	17 113 175	6 135 184 771	546 359 250	11 928 567 609	6 905 842	8 870 500 637
3	後期医療	9 394 351	3 460 749 015	374 989 129	6 753 379 137	8 293 038	4 975 668 233
4	0 ～ 4 歳	304 414	64 246 534	8 669 404	336 294 547	82 951	77 520 186
5	5 ～ 9	531 251	96 934 206	8 733 954	316 044 556	57 985	59 725 621
6	10 ～ 14	1 019 071	195 453 868	7 348 669	238 030 472	58 839	86 926 111
7	15 ～ 19	690 976	170 673 221	6 818 848	189 949 460	79 827	102 149 512
8	20 ～ 24	411 979	119 897 549	8 747 007	228 739 462	123 131	130 595 399
9	25 ～ 29	470 290	139 450 131	12 194 708	305 809 383	188 621	190 067 405
10	30 ～ 34	617 014	188 356 326	16 108 650	397 933 731	260 413	244 079 461
11	35 ～ 39	779 913	253 028 820	20 319 351	501 183 540	287 085	319 157 957
12	40 ～ 44	1 043 834	364 698 000	28 635 685	685 251 233	360 072	490 944 684
13	45 ～ 49	1 259 918	466 731 401	38 251 654	863 158 414	511 118	663 667 908
14	50 ～ 54	1 347 591	508 386 357	44 660 437	960 786 383	588 260	721 863 013
15	55 ～ 59	1 470 292	571 849 711	54 895 995	1 133 039 978	647 835	875 770 484
16	60 ～ 64	1 750 546	707 085 097	69 500 761	1 400 808 391	784 653	1 165 218 125
17	65 ～ 69	2 674 496	1 119 679 027	109 692 978	2 192 197 031	1 311 712	1 906 830 465
18	70 ～ 74	2 937 497	1 241 863 539	120 589 958	2 372 023 325	1 699 328	2 008 254 217
19	75 ～ 79	3 184 395	1 293 046 234	128 843 454	2 466 079 268	2 279 684	1 924 208 948
20	80 ～ 84	2 871 613	1 082 194 258	117 411 969	2 119 396 854	2 528 035	1 493 498 042
21	85 ～ 89	1 981 040	667 368 817	78 448 215	1 323 341 006	2 037 074	912 828 980
22	90 歳以上	1 161 396	344 990 690	41 476 682	651 879 712	1 312 257	472 862 352
23	Ⅰ 感染症及び寄生虫症	508 999	201 371 438	19 073 824	950 115 264	483 732	332 387 426
24	一般医療	331 413	133 127 677	12 869 275	723 837 837	292 359	220 168 864
25	後期医療	177 586	68 243 761	6 204 549	226 277 427	191 373	112 218 562
26	0 ～ 4 歳	16 216	2 828 184	754 469	27 778 521	15 588	4 307 209
27	5 ～ 9	10 181	1 879 777	799 924	28 115 982	14 972	2 404 457
28	10 ～ 14	9 016	1 990 781	443 693	14 021 725	9 831	2 849 254
29	15 ～ 19	10 778	3 729 377	315 337	9 336 265	11 729	4 531 109
30	20 ～ 24	15 556	5 705 555	448 487	15 086 051	19 006	5 892 538
31	25 ～ 29	15 710	5 620 021	539 531	24 054 278	20 881	6 643 647
32	30 ～ 34	16 223	5 802 965	615 554	32 974 749	21 835	6 699 905
33	35 ～ 39	16 965	6 522 320	666 937	44 558 517	19 194	10 138 468
34	40 ～ 44	19 437	7 975 371	749 262	55 974 259	17 709	12 910 793
35	45 ～ 49	21 682	9 467 984	858 315	64 260 975	18 029	15 490 200
36	50 ～ 54	21 569	9 521 831	882 751	66 425 370	17 116	16 108 434
37	55 ～ 59	25 043	11 386 052	999 303	69 651 778	18 497	18 805 111
38	60 ～ 64	31 994	14 611 691	1 197 705	72 810 217	21 072	24 771 843
39	65 ～ 69	50 750	22 993 349	1 800 045	109 201 247	32 609	46 324 323
40	70 ～ 74	54 878	24 893 305	1 974 623	100 508 036	38 275	48 474 225
41	75 ～ 79	58 557	25 144 288	2 103 715	93 876 234	47 313	42 013 299
42	80 ～ 84	53 510	20 910 533	1 906 433	71 796 853	57 773	33 273 971
43	85 ～ 89	37 549	13 169 124	1 293 013	35 485 070	48 236	19 253 518
44	90 歳以上	23 385	7 218 930	724 727	14 199 137	34 067	11 495 122
45	Ⅱ 新生物＜腫瘍＞	2 534 649	2 043 444 995	33 022 678	1 556 390 981	1 142 722	4 516 614 405
46	一般医療	1 682 789	1 402 606 657	19 121 906	1 005 563 125	689 407	3 233 582 816
47	後期医療	851 860	640 838 338	13 900 772	550 827 856	453 315	1 283 031 589
48	0 ～ 4 歳	3 055	1 813 406	36 052	1 244 362	4 994	3 887 888
49	5 ～ 9	4 975	2 987 455	37 502	1 417 129	3 711	3 973 991
50	10 ～ 14	8 633	5 338 913	39 711	1 916 430	3 783	7 113 947
51	15 ～ 19	10 757	7 542 605	61 009	3 627 774	3 385	5 876 885
52	20 ～ 24	13 717	10 270 224	115 513	5 411 545	3 172	7 267 034
53	25 ～ 29	20 224	15 137 565	194 754	9 490 682	4 666	12 834 969
54	30 ～ 34	34 065	25 641 949	302 555	14 577 202	9 215	29 995 775
55	35 ～ 39	56 631	43 448 335	502 774	26 388 555	15 925	61 448 454
56	40 ～ 44	98 114	76 973 057	907 829	45 683 759	31 516	135 402 451
57	45 ～ 49	135 538	109 617 317	1 406 661	66 377 319	51 205	227 439 637
58	50 ～ 54	150 527	124 814 422	1 556 416	85 056 421	56 863	277 490 973
59	55 ～ 59	171 275	146 607 552	1 832 420	103 895 734	67 506	364 980 510
60	60 ～ 64	225 896	194 116 387	2 602 109	145 578 041	95 258	496 281 087
61	65 ～ 69	369 157	315 050 664	4 542 812	243 487 266	167 365	819 715 506
62	70 ～ 74	395 049	334 077 048	5 268 741	264 121 582	179 003	808 512 958
63	75 ～ 79	367 472	297 800 024	5 436 987	246 670 722	172 613	650 763 610
64	80 ～ 84	271 950	207 648 638	4 512 418	180 157 976	140 040	389 720 046
65	85 ～ 89	144 273	96 005 814	2 635 328	85 782 394	88 211	167 206 263
66	90 歳以上	53 341	28 553 620	1 031 087	25 506 088	44 291	46 702 421
67	Ⅲ 血液及び造血器の疾患並びに免疫機構の障害	167 906	70 517 974	6 655 775	171 149 453	171 422	435 009 452
68	一般医療	95 369	42 871 105	3 934 652	108 904 469	106 298	337 804 344
69	後期医療	72 537	27 646 869	2 721 123	62 244 984	65 124	97 205 108
70	0 ～ 4 歳	1 616	360 812	36 728	1 010 341	2 019	10 995 395
71	5 ～ 9	933	225 103	22 837	1 095 103	896	7 780 824
72	10 ～ 14	1 225	368 757	46 536	1 283 213	1 230	6 326 338
73	15 ～ 19	1 771	688 517	78 521	1 926 040	2 185	12 964 285
74	20 ～ 24	2 088	814 056	108 059	2 331 791	3 139	11 679 098
75	25 ～ 29	2 713	1 057 402	199 884	3 298 794	5 543	16 634 785
76	30 ～ 34	3 783	1 463 403	290 920	4 721 318	8 671	16 691 120
77	35 ～ 39	4 942	2 001 392	283 429	5 769 509	8 771	19 210 260
78	40 ～ 44	6 673	2 893 015	328 199	8 686 301	11 571	24 022 645
79	45 ～ 49	8 523	3 910 358	448 726	11 480 620	16 690	28 853 593
80	50 ～ 54	7 586	3 732 989	337 811	8 299 785	9 422	27 914 681
81	55 ～ 59	8 095	3 792 363	266 247	9 003 219	5 368	27 478 179
82	60 ～ 64	10 463	5 091 766	336 038	11 903 447	6 465	31 796 523
83	65 ～ 69	17 179	8 334 603	562 566	19 009 022	11 538	51 438 423
84	70 ～ 74	19 554	8 860 406	654 779	20 743 596	13 837	47 721 111
85	75 ～ 79	22 173	9 578 418	761 894	21 918 303	16 003	44 770 811
86	80 ～ 84	21 107	8 278 476	839 230	20 098 837	17 484	26 421 797
87	85 ～ 89	16 843	5 736 522	655 634	12 302 314	17 803	15 762 895
88	90 歳以上	10 639	3 329 616	397 737	6 267 900	12 787	6 546 689

平成30年６月審査分

リハビリテーション 回数	点数	精神科専門療法 回数	点数	処置 回数	点数	行番号
39 444 747	8 425 875 531	8 469 440	2 831 234 286	46 271 502	13 174 711 443	1
15 576 017	3 393 030 248	6 382 422	2 165 395 804	30 393 953	7 102 738 246	2
23 868 730	5 032 845 283	2 087 018	665 838 482	15 877 549	6 071 973 197	3
291 019	68 311 140	11 387	7 211 200	2 881 321	193 709 088	4
381 724	85 983 065	50 590	27 009 150	3 087 512	196 989 900	5
322 637	66 909 370	83 286	42 141 334	1 771 275	146 370 543	6
323 089	67 783 371	129 986	61 889 134	861 881	80 336 488	7
191 826	41 522 631	234 534	83 091 506	787 273	67 806 652	8
184 971	39 795 196	341 424	121 158 379	1 011 683	90 599 677	9
235 319	50 985 981	429 464	151 413 551	1 351 177	130 787 851	10
343 337	74 524 818	521 932	182 162 440	1 539 151	195 303 273	11
553 912	119 919 346	663 463	228 560 211	1 712 161	341 685 355	12
899 402	196 230 840	741 271	252 744 422	1 801 398	542 825 817	13
1 168 690	254 483 180	687 664	230 679 292	1 816 484	695 226 188	14
1 455 495	318 308 639	650 047	210 518 626	1 994 861	863 816 066	15
1 955 944	427 118 638	627 301	198 172 199	2 442 764	1 163 962 685	16
3 452 411	753 933 388	799 612	243 930 666	3 798 660	1 874 540 892	17
4 425 070	956 086 715	659 506	198 277 687	4 474 748	1 894 947 367	18
5 932 876	1 262 715 469	617 453	187 024 946	5 204 135	1 804 615 603	19
6 967 177	1 476 439 012	571 484	184 536 712	4 747 791	1 534 393 516	20
6 181 036	1 298 820 235	410 942	139 194 707	3 160 735	942 149 966	21
4 178 812	866 004 497	238 094	81 518 124	1 826 492	414 644 516	22
433 077	90 639 297	26 359	8 407 154	1 625 238	368 596 325	23
133 959	29 158 120	18 727	5 884 037	1 265 508	260 515 160	24
299 118	61 481 177	7 632	2 523 117	359 730	108 081 165	25
1 855	434 307	29	14 705	116 760	13 910 941	26
2 216	505 902	126	55 550	223 002	40 464 171	27
1 089	243 071	208	91 905	118 868	23 494 635	28
1 259	281 557	337	140 345	41 563	7 556 756	29
1 538	342 243	545	188 125	44 593	6 866 927	30
1 434	328 813	951	304 865	54 203	8 293 422	31
2 008	460 780	1 038	347 710	62 910	10 117 454	32
2 628	587 585	1 284	415 239	67 199	11 410 014	33
4 923	1 082 565	1 729	563 450	73 454	14 413 044	34
6 583	1 407 655	1 978	602 730	71 855	16 025 915	35
8 876	1 917 440	1 921	565 655	64 052	15 689 768	36
13 372	2 941 076	2 135	620 405	64 856	18 665 040	37
18 895	4 159 732	2 297	769 793	71 591	22 911 203	38
34 516	7 286 464	2 633	756 887	102 266	35 712 961	39
42 078	9 109 815	2 455	717 925	105 231	34 803 042	40
64 799	13 592 138	1 962	567 305	112 905	33 947 216	41
85 114	17 660 208	2 152	810 150	102 247	27 683 421	42
81 461	16 589 975	1 576	488 600	75 883	17 884 196	43
58 433	11 707 971	1 003	385 810	51 800	8 746 199	44
1 252 070	280 692 844	22 931	6 667 491	655 781	289 802 446	45
573 844	133 848 191	14 591	4 149 637	338 369	143 242 892	46
678 226	146 844 653	8 340	2 517 854	317 412	146 559 554	47
1 911	442 055	7	2 400	2 387	3 539 701	48
2 246	521 518	26	11 350	3 362	939 479	49
3 191	714 329	67	30 930	2 872	603 917	50
4 047	940 437	128	42 735	2 995	551 354	51
4 587	1 086 868	123	35 355	5 520	1 010 407	52
4 761	1 142 902	285	101 390	8 709	1 459 934	53
7 285	1 708 644	364	102 235	11 691	1 835 193	54
12 800	3 070 659	700	195 320	15 369	3 187 192	55
17 844	4 179 764	1 078	311 190	21 979	5 980 740	56
29 009	6 754 364	1 460	419 730	26 584	8 664 886	57
37 291	8 688 301	1 731	477 210	27 071	11 652 728	58
50 331	11 899 097	1 574	443 525	30 539	16 676 282	59
76 155	17 565 089	1 865	550 450	40 850	23 822 064	60
153 334	35 423 651	2 786	779 431	72 098	43 695 050	61
185 308	43 167 952	2 876	781 865	85 609	48 780 653	62
207 982	46 368 337	2 894	831 275	94 840	46 764 541	63
215 272	47 304 643	2 663	806 390	91 463	38 914 966	64
154 421	32 624 303	1 497	443 314	68 412	22 511 697	65
84 295	17 089 931	807	301 396	43 431	9 211 662	66
144 999	30 163 108	15 615	4 700 860	104 413	72 911 637	67
42 508	9 104 966	11 671	3 545 729	43 805	34 507 040	68
102 491	21 058 142	3 944	1 155 131	60 608	38 404 597	69
603	142 294	6	3 335	973	149 595	70
400	93 411	72	39 650	510	108 387	71
375	80 808	154	71 675	418	82 066	72
417	89 689	305	124 130	356	61 205	73
620	129 805	363	117 680	1 253	304 211	74
578	113 326	615	186 900	2 724	462 641	75
663	145 319	768	271 145	3 948	921 080	76
1 151	255 785	1 047	319 780	2 859	926 783	77
1 291	272 297	1 540	528 264	2 593	1 806 661	78
2 112	464 044	1 680	493 935	3 173	2 587 436	79
3 137	681 149	1 183	335 515	3 227	3 052 036	80
3 624	791 208	900	271 290	3 447	4 727 405	81
4 963	1 054 164	861	228 880	4 834	6 139 485	82
10 437	2 235 827	1 643	400 845	8 507	11 398 277	83
14 954	3 136 609	1 047	286 725	9 853	10 629 166	84
21 341	4 540 987	1 079	325 565	13 506	10 274 377	85
27 179	5 485 142	1 201	330 646	15 933	10 075 116	86
29 110	5 954 250	723	230 160	15 036	5 935 887	87
22 044	4 496 994	428	134 740	11 263	3 269 823	88

第１表　医科診療（総数）件数・診療実日数・回数・点数,

行番号	傷病分類 一般医療－後期医療 年齢階級	手術 回数	手術 点数	麻酔 回数	麻酔 点数	放射線治療 回数	放射線治療 点数
1	総数	1 723 704	24 724 590 286	2 257 290	3 102 209 131	410 750	1 030 144 395
2	一般医療	1 098 407	14 904 892 488	1 113 531	2 053 122 294	291 307	714 281 133
3	後期医療	625 297	9 819 697 798	1 143 759	1 049 086 837	119 443	315 863 262
4	０～４歳	57 753	355 626 061	13 869	79 901 219	785	1 737 970
5	５～９	31 506	106 090 304	7 791	36 297 289	344	1 658 444
6	１０～１４	27 870	115 226 758	7 108	31 288 683	381	1 767 648
7	１５～１９	23 596	171 934 561	10 792	40 070 529	400	2 011 230
8	２０～２４	24 742	186 162 074	13 249	39 143 930	724	1 601 560
9	２５～２９	35 531	303 722 020	24 246	52 877 627	1 631	3 973 239
10	３０～３４	49 286	466 683 546	39 877	75 640 700	3 367	8 233 875
11	３５～３９	55 366	549 615 943	50 977	93 544 904	7 016	14 540 630
12	４０～４４	62 836	668 014 499	64 784	118 988 476	15 756	32 775 117
13	４５～４９	72 340	901 998 604	83 384	152 796 129	26 903	55 333 297
14	５０～５４	76 484	1 050 010 797	93 891	155 489 956	26 687	58 480 829
15	５５～５９	88 955	1 375 948 560	109 623	183 094 479	30 518	70 702 981
16	６０～６４	112 347	1 897 678 510	130 983	230 468 961	39 427	100 277 989
17	６５～６９	185 694	3 282 785 866	208 296	376 757 687	70 031	179 964 118
18	７０～７４	211 152	3 806 568 132	270 095	417 566 022	69 844	187 880 638
19	７５～７９	220 951	3 887 281 194	365 586	425 068 213	61 199	166 610 682
20	８０～８４	190 277	3 077 527 647	388 376	333 511 433	36 377	94 169 249
21	８５～８９	126 457	1 759 521 342	268 642	185 466 160	14 987	38 246 310
22	９０歳以上	70 561	762 193 868	105 721	74 236 734	4 373	10 178 589
23	Ⅰ 感染症及び寄生虫症	27 121	146 089 077	26 728	24 847 203	3 101	6 169 926
24	一般医療	16 427	83 834 036	11 574	13 456 850	2 123	4 190 926
25	後期医療	10 694	62 255 041	15 154	11 390 353	978	1 979 000
26	０～４歳	679	1 846 625	58	294 550	6	880
27	５～９	277	815 099	33	166 241	3	1 328
28	１０～１４	190	511 973	33	72 850	6	660
29	１５～１９	216	770 629	47	141 072	－	－
30	２０～２４	472	1 921 653	78	226 077	3	440
31	２５～２９	709	2 812 795	164	318 390	44	96 000
32	３０～３４	787	3 214 109	223	328 409	19	23 290
33	３５～３９	889	2 918 230	283	353 821	5	550
34	４０～４４	1 114	4 180 079	405	460 367	115	206 750
35	４５～４９	1 223	5 378 875	609	959 370	115	251 620
36	５０～５４	1 289	6 183 355	730	896 493	215	388 440
37	５５～５９	1 382	7 975 162	993	1 208 422	124	198 850
38	６０～６４	1 845	11 797 252	1 637	1 998 723	286	665 554
39	６５～６９	2 775	16 021 712	2 707	2 951 305	641	1 324 100
40	７０～７４	2 983	20 542 307	3 797	3 522 001	576	1 063 154
41	７５～７９	3 440	21 050 025	5 226	4 429 403	513	1 009 900
42	８０～８４	3 305	19 838 542	5 077	3 175 069	231	588 740
43	８５～８９	2 360	12 312 196	3 321	2 310 057	184	347 690
44	９０歳以上	1 186	5 998 459	1 307	1 034 583	15	1 980
45	Ⅱ 新生物<腫瘍>	307 183	4 888 521 703	186 676	836 999 683	341 113	886 061 568
46	一般医療	203 594	3 332 648 620	128 945	599 878 577	242 450	615 175 173
47	後期医療	103 589	1 555 873 083	57 731	237 121 106	98 663	270 886 395
48	０～４歳	1 737	16 566 497	1 591	6 034 598	385	1 377 480
49	５～９	1 349	8 383 460	794	2 182 186	276	1 461 160
50	１０～１４	1 572	10 867 144	450	1 702 081	322	1 689 688
51	１５～１９	1 954	13 504 354	461	2 342 344	309	1 741 650
52	２０～２４	2 623	21 176 938	892	4 445 438	533	1 240 430
53	２５～２９	4 065	39 373 320	1 783	8 605 918	1 173	3 239 219
54	３０～３４	6 003	66 259 806	3 148	14 380 327	2 718	6 944 412
55	３５～３９	8 440	108 150 200	4 989	23 310 114	5 566	12 170 498
56	４０～４４	12 814	185 670 142	8 453	39 660 977	12 591	27 068 022
57	４５～４９	16 514	260 633 090	11 814	54 874 178	22 253	47 421 090
58	５０～５４	16 482	260 356 958	10 424	49 956 000	22 034	50 102 424
59	５５～５９	18 749	314 632 922	11 652	55 123 072	25 895	62 011 739
60	６０～６４	25 057	445 224 353	15 890	75 526 491	33 623	88 499 603
61	６５～６９	42 655	773 089 022	27 602	128 575 312	58 929	154 949 010
62	７０～７４	45 526	839 243 288	30 032	138 056 291	57 982	161 275 090
63	７５～７９	42 914	731 588 676	26 184	116 807 008	50 636	142 316 438
64	８０～８４	32 748	492 646 193	18 869	75 518 036	30 225	80 811 088
65	８５～８９	18 458	230 477 154	9 025	31 670 617	12 039	32 626 736
66	９０歳以上	7 523	70 678 186	2 623	8 228 695	3 624	9 115 791
67	Ⅲ 血液及び造血器の疾患並びに免疫機構の障害	36 039	178 034 267	4 901	8 398 942	2 962	4 025 562
68	一般医療	16 301	94 214 834	2 439	5 002 335	2 006	2 927 116
69	後期医療	19 738	83 819 433	2 462	3 396 607	956	1 098 446
70	０～４歳	283	834 700	76	154 015	27	2 970
71	５～９	112	413 063	54	133 826	5	36 440
72	１０～１４	162	668 966	33	97 055	22	11 562
73	１５～１９	186	698 721	17	30 039	9	1 320
74	２０～２４	398	2 841 667	86	235 366	13	1 430
75	２５～２９	761	6 422 367	226	423 801	43	42 390
76	３０～３４	1 085	8 609 485	339	524 472	37	30 570
77	３５～３９	946	6 776 350	314	503 579	72	45 810
78	４０～４４	785	4 165 035	176	265 044	71	82 100
79	４５～４９	897	4 631 221	153	226 911	144	226 384
80	５０～５４	989	4 989 288	141	249 496	204	303 744
81	５５～５９	1 177	6 693 658	112	206 280	163	199 444
82	６０～６４	1 684	9 114 431	133	347 343	255	378 612
83	６５～６９	3 286	16 994 305	248	695 356	313	493 390
84	７０～７４	4 009	22 859 884	366	981 931	643	1 072 710
85	７５～７９	4 988	26 055 777	610	1 057 833	388	389 980
86	８０～８４	5 635	24 406 222	752	1 034 119	330	408 116
87	８５～８９	5 137	20 003 670	708	823 028	175	253 230
88	９０歳以上	3 519	10 855 457	357	409 448	48	45 360

平成30年６月審査分

病理診断		入院料等		診断群分類による包括評価等		入院時食事療養等（別掲）		行番号
回数	点数	回数	点数	回数	点数	回数	金額(円)	
2 526 511	1 041 852 714	24 267 125	42 225 993 990	9 959 419	37 230 440 823	92 745 986	58 164 041 419	1
1 972 561	789 273 418	8 941 305	15 484 766 483	5 020 896	20 078 075 639	36 107 329	23 511 910 753	2
553 950	252 579 296	15 325 820	26 741 227 507	4 938 523	17 152 365 184	56 638 657	34 652 130 666	3
2 553	1 447 665	103 138	367 991 169	372 120	2 206 898 431	866 744	559 513 394	4
2 478	1 274 035	46 947	132 674 911	63 993	353 741 747	218 606	141 657 129	5
3 669	1 945 892	76 734	191 098 199	50 775	270 173 634	271 944	175 553 102	6
14 194	5 436 992	104 593	221 854 508	63 493	242 587 836	384 654	249 152 444	7
57 724	16 785 841	147 010	279 833 196	79 129	290 278 050	543 721	351 022 798	8
96 466	28 389 568	216 455	395 746 896	116 898	416 088 456	820 183	524 977 381	9
126 420	39 624 879	299 348	536 644 782	170 074	606 528 287	1 172 004	752 887 698	10
153 049	51 330 790	365 669	640 365 477	188 767	683 317 977	1 399 756	909 024 741	11
195 819	68 710 365	476 180	803 281 793	209 909	793 582 133	1 754 416	1 151 476 411	12
230 005	81 866 670	642 117	1 045 755 858	273 323	1 055 310 879	2 370 653	1 561 948 087	13
202 597	77 096 389	768 067	1 231 529 827	315 795	1 228 893 865	2 834 008	1 870 477 532	14
174 812	74 997 852	954 831	1 527 812 993	408 575	1 596 226 488	3 576 947	2 366 632 562	15
185 562	86 045 461	1 244 891	2 001 275 971	574 116	2 220 362 850	4 766 088	3 160 664 146	16
264 400	126 877 857	2 071 668	3 420 638 667	1 035 261	3 959 923 684	8 461 795	5 435 738 048	17
271 588	131 709 348	2 263 553	3 927 029 726	1 225 141	4 613 555 809	9 505 205	6 060 241 754	18
247 887	118 420 917	2 906 172	5 159 999 632	1 400 054	5 113 379 195	11 882 206	7 478 494 728	19
175 723	80 063 605	3 820 431	6 800 451 601	1 425 562	4 989 495 446	14 692 109	9 082 265 933	20
89 077	37 485 899	3 995 188	7 047 667 175	1 162 357	3 924 502 720	14 488 366	8 794 572 956	21
32 488	12 342 689	3 764 133	6 494 341 609	824 077	2 665 593 336	12 736 581	7 537 740 575	22
67 052	28 137 850	404 273	790 085 901	251 024	1 063 404 259	1 606 470	1 013 801 532	23
54 504	22 240 995	130 849	278 174 369	125 933	546 854 308	591 873	385 933 782	24
12 548	5 896 855	273 424	511 911 532	125 091	516 549 951	1 014 597	627 867 750	25
162	66 430	5 420	21 420 638	14 144	69 420 885	32 043	20 876 177	26
306	91 020	1 930	7 034 120	6 181	30 073 159	14 113	9 195 768	27
324	110 070	1 366	4 755 832	2 996	15 254 210	7 822	5 116 539	28
1 174	414 268	2 196	5 624 535	3 711	12 708 670	11 517	7 531 003	29
4 209	1 201 554	3 601	8 459 946	5 117	17 763 254	16 881	11 036 042	30
4 866	1 379 791	4 824	10 082 357	4 269	15 431 856	19 163	12 257 066	31
4 582	1 431 983	4 611	9 598 834	4 431	17 385 751	18 775	12 099 485	32
4 759	1 656 120	4 795	10 026 403	4 521	17 362 652	20 687	13 511 767	33
4 947	1 924 856	6 042	12 826 986	5 192	20 897 284	25 959	17 074 353	34
5 046	2 077 890	8 557	17 286 674	6 506	25 956 145	35 303	23 207 111	35
4 278	1 946 397	8 707	17 232 018	7 073	30 763 527	38 461	25 544 339	36
4 133	2 007 294	12 068	23 410 914	8 156	34 184 700	50 240	33 345 033	37
4 186	2 141 386	16 023	30 979 335	11 958	53 942 251	68 567	45 561 546	38
5 847	2 949 228	27 989	53 712 361	21 432	95 813 252	126 259	80 970 141	39
5 925	2 968 502	33 019	63 677 139	24 311	108 994 728	145 523	93 170 164	40
5 567	2 734 387	45 559	89 120 474	31 410	137 972 786	195 335	123 790 885	41
3 862	1 829 316	68 497	129 748 185	36 232	152 398 946	267 115	166 896 007	42
2 058	882 999	76 799	142 261 094	31 731	126 914 307	278 369	171 293 668	43
821	324 359	72 270	132 828 056	21 653	80 165 896	234 338	141 324 438	44
915 624	414 852 517	1 044 116	2 657 705 680	2 350 160	9 431 040 782	7 794 605	5 118 052 095	45
694 672	304 954 046	411 863	1 180 468 574	1 435 652	5 991 645 417	4 091 804	2 721 258 384	46
220 952	109 898 471	632 253	1 477 237 106	914 508	3 439 395 365	3 702 801	2 396 793 711	47
831	505 680	3 969	16 790 615	8 840	58 468 567	27 684	18 078 468	48
810	473 595	2 773	10 599 604	5 436	36 915 835	17 962	11 731 205	49
1 356	800 160	3 028	11 423 841	5 613	37 741 072	19 583	12 782 180	50
2 979	1 451 053	2 150	8 726 481	6 204	30 461 022	18 281	11 999 635	51
9 299	3 506 351	2 244	7 966 674	6 995	28 995 685	20 011	13 158 516	52
17 264	6 090 099	2 808	8 798 380	11 343	46 533 213	29 546	19 392 738	53
27 037	9 537 827	4 616	15 061 185	18 694	77 003 255	49 311	32 397 372	54
41 199	15 031 205	7 715	24 238 357	30 064	123 483 989	80 878	53 241 739	55
65 289	24 068 206	12 926	38 700 374	53 772	217 426 863	139 677	92 209 590	56
86 950	32 218 176	19 253	56 007 166	82 811	342 327 384	218 238	144 432 543	57
79 968	31 023 951	26 419	77 869 096	98 074	412 223 941	268 061	177 993 010	58
68 569	30 407 759	36 688	107 130 959	133 524	570 316 242	368 486	245 534 486	59
75 215	36 757 295	58 259	162 586 172	201 480	850 921 425	572 117	382 233 211	60
109 433	56 150 590	111 938	310 675 330	375 886	1 544 805 911	1 094 731	728 533 721	61
111 571	58 574 007	133 022	357 405 063	414 266	1 679 729 843	1 249 499	830 444 111	62
99 959	51 671 424	155 900	397 373 341	390 548	1 539 306 754	1 272 614	841 329 461	63
70 573	35 068 696	179 304	432 655 620	292 094	1 091 453 745	1 122 868	732 685 825	64
35 149	16 230 654	161 780	366 816 571	155 075	547 212 189	775 148	494 091 701	65
12 173	5 285 789	119 324	246 880 851	59 441	195 713 847	449 910	275 782 583	66
20 549	8 935 547	150 227	290 052 756	103 664	486 257 028	626 482	400 654 959	67
15 799	6 346 366	49 492	101 677 819	47 086	228 881 135	233 088	151 513 353	68
4 750	2 589 181	100 735	188 374 937	56 578	257 375 893	393 394	249 141 606	69
46	30 480	1 954	7 997 339	3 023	18 425 353	10 006	6 497 587	70
49	34 370	792	2 823 836	2 601	14 059 282	7 498	4 924 243	71
51	28 240	594	2 160 297	1 175	6 805 950	3 666	2 408 132	72
180	102 463	665	1 850 345	1 004	4 424 620	4 104	2 709 850	73
448	162 182	1 456	3 105 962	935	4 348 019	5 688	3 523 791	74
842	286 722	3 298	4 921 752	1 093	5 031 168	10 652	6 269 760	75
1 035	330 080	5 053	7 358 567	1 363	7 642 478	15 800	9 121 682	76
1 406	431 236	3 445	5 505 812	1 088	5 126 633	10 913	6 557 610	77
2 063	639 315	2 123	4 472 768	1 797	8 826 694	9 336	6 108 101	78
2 790	854 573	2 550	5 026 740	2 078	8 967 057	11 362	7 603 685	79
1 765	644 211	2 992	5 570 320	2 539	11 572 905	13 571	9 061 673	80
927	453 122	3 174	6 692 199	3 619	17 769 268	16 263	10 941 793	81
1 069	579 206	4 288	8 975 756	5 380	24 898 731	23 380	15 679 372	82
1 593	892 060	9 310	18 161 184	9 411	44 736 005	47 118	31 173 721	83
1 629	924 162	11 240	23 060 204	11 649	54 498 226	57 506	37 606 394	84
1 879	1 065 742	15 340	30 225 920	14 879	68 633 306	74 735	48 809 036	85
1 407	783 608	24 191	45 972 103	15 019	70 115 693	98 701	62 661 646	86
966	503 290	28 602	53 559 167	15 281	69 264 667	107 556	68 097 005	87
404	190 485	29 160	52 612 485	9 730	41 110 973	98 627	60 899 878	88

第１表　医科診療（総数）件数・診療実日数・回数・点数，

行番号	傷病分類 一般医療－後期医療 年齢階級	件数	診療実日数	総数 回数	総数 点数	初・再診 回数	初・再診 点数
89	Ⅳ 内分泌，栄養及び代謝疾患	7 663 525	11 369 610	192 027 524	14 180 143 482	10 201 245	1 211 806 714
90	一般医療	5 333 751	7 144 949	123 173 192	8 837 428 633	6 807 868	829 488 189
91	後期医療	2 329 774	4 224 661	68 854 332	5 342 714 849	3 393 377	382 318 525
92	０ ～ ４ 歳	22 686	42 143	222 002	92 292 279	25 173	5 143 151
93	５ ～ ９	22 310	32 365	215 347	117 323 723	28 378	4 524 059
94	１０ ～ １４	29 645	40 238	312 902	199 340 925	36 718	5 447 801
95	１５ ～ １９	31 628	43 498	453 097	106 968 658	40 149	6 731 328
96	２０ ～ ２４	53 160	71 710	794 480	104 307 259	66 848	11 301 646
97	２５ ～ ２９	81 995	117 520	1 296 830	149 112 749	110 002	16 666 342
98	３０ ～ ３４	120 490	178 026	2 054 664	211 985 271	165 750	23 193 709
99	３５ ～ ３９	167 571	236 401	3 102 937	286 394 605	223 015	29 752 055
100	４０ ～ ４４	268 360	359 361	5 364 133	449 339 711	342 437	44 289 024
101	４５ ～ ４９	388 684	512 657	8 164 095	632 528 928	490 440	61 762 280
102	５０ ～ ５４	486 885	639 300	10 698 618	777 172 619	613 821	75 285 912
103	５５ ～ ５９	618 344	802 495	14 270 304	944 082 050	771 891	92 998 749
104	６０ ～ ６４	784 554	1 027 164	18 772 725	1 219 215 198	985 835	116 261 588
105	６５ ～ ６９	1 165 974	1 565 512	29 183 123	1 886 730 950	1 491 001	172 525 521
106	７０ ～ ７４	1 125 805	1 590 374	29 482 810	1 907 259 655	1 502 416	171 399 593
107	７５ ～ ７９	994 640	1 537 232	27 868 097	1 840 049 690	1 410 013	159 005 488
108	８０ ～ ８４	729 778	1 278 269	21 917 286	1 558 500 407	1 082 691	122 048 783
109	８５ ～ ８９	394 249	816 084	12 378 390	1 040 906 081	583 276	66 358 129
110	９０ 歳 以 上	176 767	479 261	5 475 684	656 632 724	231 391	27 111 556
111	Ⅴ 精神及び行動の障害	3 493 303	11 052 543	77 211 721	12 270 912 465	4 974 745	461 693 565
112	一般医療	2 918 509	8 071 679	59 978 970	8 547 266 175	4 278 809	396 568 157
113	後期医療	574 794	2 980 864	17 232 751	3 723 646 290	695 936	65 125 408
114	０ ～ ４ 歳	42 617	74 569	256 137	62 046 809	68 430	9 743 344
115	５ ～ ９	107 483	157 059	702 393	117 282 808	153 068	17 385 652
116	１０ ～ １４	95 052	142 830	760 541	148 070 538	120 760	12 431 836
117	１５ ～ １９	85 396	153 001	914 448	168 363 243	117 489	12 432 217
118	２０ ～ ２４	126 553	253 543	1 683 165	244 405 250	194 042	21 044 352
119	２５ ～ ２９	173 648	357 273	2 593 127	332 661 619	272 766	26 887 155
120	３０ ～ ３４	213 415	456 339	3 548 246	432 047 871	331 990	31 113 404
121	３５ ～ ３９	256 056	569 278	4 700 761	554 221 712	391 137	35 568 836
122	４０ ～ ４４	320 527	737 722	6 318 594	727 570 966	481 094	42 777 104
123	４５ ～ ４９	342 178	860 372	7 253 744	877 075 609	510 245	44 769 945
124	５０ ～ ５４	291 620	837 761	6 750 218	885 430 939	434 130	37 770 014
125	５５ ～ ５９	246 460	841 260	6 467 487	934 325 428	357 578	30 794 574
126	６０ ～ ６４	204 750	877 629	6 115 704	1 014 192 844	292 275	24 834 949
127	６５ ～ ６９	236 220	1 183 250	7 577 667	1 398 462 320	328 114	28 315 524
128	７０ ～ ７４	210 176	981 032	6 369 386	1 166 395 675	278 866	24 752 411
129	７５ ～ ７９	195 041	883 617	5 694 826	1 069 762 413	247 916	22 700 204
130	８０ ～ ８４	164 211	749 405	4 652 917	929 671 993	203 126	19 202 800
131	８５ ～ ８９	111 290	535 738	3 044 792	683 680 891	126 712	12 394 916
132	９０ 歳 以 上	70 610	400 865	1 807 568	525 243 537	65 007	6 774 328
133	Ⅵ 神経系の疾患	2 525 978	6 797 657	53 461 135	10 396 235 240	3 370 513	387 332 010
134	一般医療	1 570 738	3 261 929	28 586 579	5 196 813 855	2 103 281	252 559 840
135	後期医療	955 240	3 535 728	24 874 556	5 199 421 385	1 267 232	134 772 170
136	０ ～ ４ 歳	14 192	40 302	200 156	139 187 858	21 835	3 255 726
137	５ ～ ９	22 181	48 686	296 924	107 007 794	32 706	3 719 414
138	１０ ～ １４	31 628	63 839	426 431	121 866 176	43 231	5 203 863
139	１５ ～ １９	37 603	73 758	552 449	124 454 301	49 223	6 389 526
140	２０ ～ ２４	43 733	86 104	700 038	146 256 747	56 059	7 672 340
141	２５ ～ ２９	56 280	109 378	892 676	172 817 304	71 825	9 845 938
142	３０ ～ ３４	72 436	136 559	1 138 230	204 828 783	91 611	12 401 904
143	３５ ～ ３９	93 568	174 354	1 447 998	262 078 081	117 321	15 637 397
144	４０ ～ ４４	129 598	237 308	2 032 014	352 721 166	163 486	21 033 022
145	４５ ～ ４９	154 874	289 026	2 507 418	426 373 636	198 000	24 747 183
146	５０ ～ ５４	154 761	301 435	2 624 549	459 011 882	201 710	24 524 795
147	５５ ～ ５９	155 750	314 775	2 850 438	501 485 907	204 212	24 003 441
148	６０ ～ ６４	160 033	351 026	3 182 067	577 692 123	215 290	24 472 343
149	６５ ～ ６９	221 469	537 049	4 933 602	879 870 990	309 558	34 051 238
150	７０ ～ ７４	243 892	642 682	5 760 451	1 023 398 565	356 174	38 316 778
151	７５ ～ ７９	284 829	850 994	7 100 593	1 288 165 156	422 509	44 637 626
152	８０ ～ ８４	289 799	1 026 669	7 645 691	1 509 334 656	406 101	42 946 294
153	８５ ～ ８９	223 805	898 679	5 846 969	1 271 715 916	276 214	29 679 876
154	９０ 歳 以 上	135 547	615 034	3 322 441	827 968 199	133 448	14 793 306
155	Ⅶ 眼及び付属器の疾患	8 440 248	10 379 188	75 407 662	10 326 438 629	9 975 344	1 328 694 311
156	一般医療	6 035 667	7 200 934	48 446 334	6 250 313 453	7 009 406	1 036 545 289
157	後期医療	2 404 581	3 178 254	26 961 328	4 076 125 176	2 965 938	292 149 022
158	０ ～ ４ 歳	251 130	336 981	1 284 514	193 530 387	283 544	75 610 466
159	５ ～ ９	529 657	618 563	3 833 078	358 482 307	617 921	131 318 303
160	１０ ～ １４	515 706	580 889	3 639 835	334 542 433	580 068	121 243 615
161	１５ ～ １９	300 966	328 298	1 412 566	148 032 955	326 941	51 060 591
162	２０ ～ ２４	242 521	261 881	1 068 189	115 518 610	260 130	38 488 641
163	２５ ～ ２９	236 734	257 603	1 131 227	120 493 741	255 618	38 256 746
164	３０ ～ ３４	250 875	278 086	1 339 439	139 576 234	275 904	41 745 332
165	３５ ～ ３９	266 947	300 426	1 601 087	168 442 139	297 701	44 914 071
166	４０ ～ ４４	313 917	357 501	2 116 659	234 176 987	353 537	51 813 720
167	４５ ～ ４９	347 500	404 168	2 643 977	314 837 727	397 375	56 014 526
168	５０ ～ ５４	344 284	409 525	2 957 091	372 191 503	400 642	53 502 802
169	５５ ～ ５９	370 952	450 472	3 519 594	475 471 226	437 145	55 764 486
170	６０ ～ ６４	462 214	573 502	4 733 470	665 512 599	555 337	66 491 936
171	６５ ～ ６９	750 854	951 527	7 979 625	1 188 174 768	915 987	101 149 720
172	７０ ～ ７４	877 711	1 135 271	9 570 349	1 493 435 888	1 089 699	112 796 477
173	７５ ～ ７９	958 127	1 245 029	10 563 511	1 629 836 288	1 190 792	117 744 224
174	８０ ～ ８４	776 902	1 023 791	8 750 548	1 334 849 596	966 647	94 400 616
175	８５ ～ ８９	447 984	596 215	5 092 026	744 556 687	546 789	53 744 639
176	９０ 歳 以 上	195 267	269 460	2 170 877	294 776 554	223 567	22 633 400

平成30年６月審査分

医学管理等		在宅医療		検査		行番号
回数	点数	回数	点数	回数	点数	
7 941 296	1 506 975 251	773 378	1 444 088 017	31 203 387	2 965 206 871	89
5 292 798	993 219 180	413 941	955 789 755	21 551 146	2 084 772 204	90
2 648 498	513 756 071	359 437	488 298 262	9 652 241	880 434 667	91
16 304	5 579 484	1 564	14 677 955	91 706	12 061 496	92
7 815	1 790 026	5 214	60 575 801	86 780	10 905 145	93
10 982	2 321 183	7 836	128 861 081	126 803	15 807 867	94
13 134	2 101 345	3 835	37 531 450	163 303	19 745 779	95
24 230	3 526 676	3 598	11 064 077	249 132	31 705 316	96
43 198	6 526 967	5 319	14 025 555	380 959	48 438 399	97
74 506	12 055 678	8 687	20 288 947	584 529	71 280 798	98
119 029	20 568 313	13 448	29 850 949	799 644	90 468 297	99
218 506	39 810 474	22 695	45 933 099	1 203 599	124 683 129	100
347 096	65 028 276	32 951	61 266 166	1 665 712	163 814 504	101
470 452	89 344 455	39 576	72 315 468	1 975 690	187 310 163	102
634 999	120 385 566	46 395	82 500 971	2 386 373	221 418 873	103
832 344	157 904 658	57 542	100 148 647	3 006 515	275 888 418	104
1 265 543	240 137 608	85 901	146 852 976	4 553 982	417 194 339	105
1 250 743	238 828 967	88 902	149 365 094	4 456 259	410 387 451	106
1 135 988	217 538 062	89 248	143 669 265	4 024 524	372 291 708	107
844 928	162 143 253	95 670	134 411 061	3 039 891	277 900 388	108
449 303	86 376 382	88 442	106 389 712	1 665 440	149 405 232	109
182 196	35 007 878	76 555	84 359 743	742 546	64 499 569	110
968 558	155 389 265	157 880	170 128 300	2 998 263	302 835 228	111
768 255	120 716 182	31 424	49 968 487	2 138 531	221 897 635	112
200 303	34 673 083	126 456	120 159 813	859 732	80 937 593	113
15 407	6 279 439	313	1 765 198	16 720	4 011 284	114
28 290	10 288 096	455	2 496 353	44 415	7 482 365	115
21 940	6 750 332	504	4 312 947	43 862	6 457 566	116
14 529	2 730 334	445	1 612 582	55 377	6 719 489	117
27 192	4 191 789	576	1 065 750	102 066	11 637 113	118
41 442	5 356 390	827	1 403 867	119 868	12 939 165	119
50 684	6 282 296	1 070	1 790 617	137 128	14 166 310	120
61 263	7 529 023	1 404	2 239 337	160 617	16 251 634	121
77 172	9 417 734	1 862	3 122 240	197 647	19 751 766	122
85 308	10 960 193	2 599	3 982 038	223 947	22 146 613	123
76 679	10 382 211	2 687	3 989 710	201 510	19 818 125	124
71 073	10 108 073	2 809	3 549 462	195 228	18 703 782	125
62 981	9 659 017	3 060	3 896 964	192 053	18 194 304	126
76 611	12 354 297	6 157	7 216 189	263 305	24 822 739	127
70 570	11 366 917	8 948	9 911 580	249 103	24 119 668	128
66 723	10 911 462	14 407	14 504 827	258 087	25 207 324	129
57 359	9 655 932	25 924	25 108 055	238 863	22 988 079	130
39 930	6 945 540	37 487	33 650 467	176 938	16 565 641	131
23 405	4 220 190	46 346	44 510 117	121 529	10 852 261	132
1 341 481	257 935 185	688 074	931 108 487	3 817 152	438 428 495	133
785 271	152 952 692	294 220	511 008 031	2 019 628	259 774 663	134
556 210	104 982 493	393 854	420 100 456	1 797 524	178 653 832	135
8 979	2 923 880	1 691	6 303 524	22 937	5 328 662	136
12 923	3 583 482	2 284	8 233 614	28 770	5 447 432	137
17 665	4 574 861	2 526	8 649 049	37 408	5 986 566	138
20 081	4 870 721	3 120	9 000 056	48 435	7 127 561	139
24 080	5 639 786	3 772	10 318 655	60 513	9 034 343	140
27 470	5 843 863	5 464	11 934 746	70 528	10 105 568	141
32 247	6 460 117	8 229	15 428 518	79 973	11 329 083	142
39 196	7 698 955	13 544	24 209 087	100 044	13 939 140	143
52 839	10 012 617	23 674	40 296 599	136 424	18 584 389	144
63 186	11 667 374	34 226	58 112 420	166 433	22 208 916	145
65 488	12 015 715	37 557	61 527 398	174 852	23 087 946	146
71 448	13 150 213	40 134	66 141 523	188 866	23 752 397	147
82 150	15 394 080	39 420	65 032 811	216 757	26 027 637	148
130 219	24 442 742	44 148	74 020 082	341 230	38 906 176	149
151 274	28 493 011	44 094	69 651 072	406 036	44 546 632	150
178 046	33 399 062	59 034	79 838 575	502 532	53 692 995	151
174 820	32 662 146	91 664	100 167 213	537 698	54 190 266	152
125 038	23 262 530	119 536	113 396 940	432 036	41 091 197	153
64 332	11 840 030	113 957	108 846 605	265 680	24 041 589	154
2 017 707	161 366 031	69 997	114 988 254	42 219 421	3 309 238 027	155
1 316 434	106 441 773	21 598	56 440 464	27 997 228	2 191 850 931	156
701 273	54 924 258	48 399	58 547 790	14 222 193	1 117 387 096	157
116 387	29 862 372	350	2 109 107	538 137	41 033 122	158
91 462	4 261 568	406	3 681 284	2 574 317	165 874 412	159
66 669	2 506 829	383	3 771 878	2 556 136	170 010 420	160
33 075	1 124 115	198	973 156	832 730	67 660 332	161
29 776	943 396	240	1 983 827	584 545	48 929 611	162
32 899	1 118 790	276	718 860	609 454	49 758 545	163
40 178	1 460 874	444	1 449 777	721 744	58 118 440	164
46 885	1 979 565	603	1 565 133	867 498	69 903 852	165
57 649	2 951 579	1 115	2 972 519	1 172 082	96 022 265	166
68 603	4 357 170	1 585	3 354 420	1 480 982	122 094 634	167
75 495	5 382 632	1 965	4 918 281	1 659 347	137 993 286	168
91 257	7 107 442	2 464	5 177 404	1 972 488	163 256 494	169
121 663	9 721 927	2 827	6 256 711	2 667 890	218 141 648	170
205 875	16 199 176	4 577	9 718 804	4 512 268	364 021 101	171
248 563	19 168 147	5 337	10 525 904	5 404 212	431 775 556	172
273 052	20 508 664	6 716	11 908 287	5 873 150	464 872 307	173
226 755	17 485 485	9 705	13 319 299	4 678 250	367 727 070	174
132 734	10 421 298	13 186	13 759 946	2 559 515	199 480 568	175
58 730	4 805 002	17 620	16 823 657	954 676	72 564 364	176

第１表　医科診療（総数）件数・診療実日数・回数・点数,

行番号	傷病分類 一般医療−後期医療 年齢階級	画像診断 回数	画像診断 点数	投薬 回数	投薬 点数	注射 回数	注射 点数
89	Ⅳ 内分泌，栄養及び代謝疾患	1 166 259	408 297 353	136 625 642	2 150 858 054	984 857	956 645 565
90	一般医療	641 467	239 121 872	86 720 814	1 399 981 191	430 406	666 319 261
91	後期医療	524 792	169 175 481	49 904 828	750 876 863	554 451	290 326 304
92	０～４歳	6 263	1 297 400	63 171	3 176 402	3 892	4 806 303
93	５～９	6 242	1 211 471	66 940	5 759 391	4 687	10 636 048
94	１０～１４	8 659	1 830 148	108 428	4 812 663	5 265	22 500 348
95	１５～１９	5 247	1 817 363	212 469	5 356 702	4 094	20 450 101
96	２０～２４	5 336	2 179 482	418 533	8 513 081	6 105	20 719 965
97	２５～２９	7 397	3 075 756	710 722	11 984 679	11 555	26 021 873
98	３０～３４	11 589	4 804 857	1 154 485	19 788 162	17 402	23 168 574
99	３５～３９	16 948	6 937 198	1 865 290	31 555 151	18 669	26 761 066
100	４０～４４	26 946	10 871 635	3 458 664	59 301 568	22 568	39 829 789
101	４５～４９	38 518	15 522 990	5 463 686	93 133 624	29 622	43 457 177
102	５０～５４	48 579	18 880 381	7 402 703	126 304 780	37 141	50 365 408
103	５５～５９	62 646	24 710 192	10 196 955	165 293 484	40 309	55 989 678
104	６０～６４	87 074	32 470 870	13 579 142	217 032 601	48 203	77 553 901
105	６５～６９	149 854	55 058 992	21 255 019	330 622 726	82 626	129 878 846
106	７０～７４	170 337	61 870 984	21 549 274	332 806 700	106 668	125 592 325
107	７５～７９	184 598	64 513 673	20 423 245	312 278 798	151 594	117 664 561
108	８０～８４	163 898	52 994 993	16 019 714	239 697 606	172 360	85 313 961
109	８５～８９	107 345	32 357 430	8 916 664	129 687 956	135 080	49 669 239
110	９０歳以上	58 783	15 891 538	3 760 538	53 751 980	87 017	26 266 402
111	Ⅴ 精神及び行動の障害	233 727	106 708 439	53 609 834	868 707 087	332 638	257 414 922
112	一般医療	126 014	54 177 509	42 483 125	708 883 951	196 245	208 007 984
113	後期医療	107 713	52 530 930	11 126 709	159 823 136	136 393	49 406 938
114	０～４歳	1 714	600 539	28 494	645 465	443	499 561
115	５～９	1 936	591 551	264 911	9 717 051	298	568 778
116	１０～１４	2 487	829 437	449 832	15 953 021	1 109	1 250 029
117	１５～１９	3 018	1 161 279	564 862	13 825 384	2 125	1 954 700
118	２０～２４	4 137	1 738 216	1 079 136	23 081 984	5 095	6 342 305
119	２５～２９	4 287	1 622 721	1 761 661	35 869 807	6 693	8 832 314
120	３０～３４	5 062	1 834 258	2 509 420	47 676 011	9 523	14 645 191
121	３５～３９	6 325	2 428 334	3 428 510	61 284 091	12 703	18 925 287
122	４０～４４	8 404	3 343 874	4 687 120	80 305 955	18 485	25 448 749
123	４５～４９	10 910	4 278 476	5 378 952	89 556 418	23 216	28 196 732
124	５０～５４	11 068	4 493 060	4 966 461	79 295 921	22 612	24 273 865
125	５５～５９	11 931	4 939 056	4 714 016	71 385 783	21 452	22 744 164
126	６０～６４	13 951	5 948 612	4 340 230	63 117 060	22 578	20 794 666
127	６５～６９	21 835	9 649 851	5 212 861	73 972 315	31 077	23 752 817
128	７０～７４	24 460	12 410 753	4 362 432	62 095 615	30 153	16 219 533
129	７５～７９	30 026	16 357 280	3 851 923	54 934 166	33 114	14 409 010
130	８０～８４	31 286	16 752 189	3 064 837	43 818 806	35 058	12 164 422
131	８５～８９	24 178	11 396 870	1 918 643	27 605 649	30 453	9 290 512
132	９０歳以上	16 712	6 332 083	1 025 533	14 566 585	26 451	7 102 287
133	Ⅵ 神経系の疾患	722 604	389 088 460	35 033 625	664 522 578	469 043	320 122 844
134	一般医療	413 205	224 072 009	19 183 992	375 110 298	174 294	209 394 403
135	後期医療	309 399	165 016 451	15 849 633	289 412 280	294 749	110 728 441
136	０～４歳	3 617	1 862 964	79 141	1 553 179	1 172	13 153 505
137	５～９	5 280	2 103 210	138 622	3 027 953	994	8 210 838
138	１０～１４	9 085	4 456 392	230 161	5 715 463	1 340	9 585 996
139	１５～１９	11 769	6 110 102	319 390	7 685 569	2 240	4 808 695
140	２０～２４	12 908	6 983 701	428 080	10 120 724	2 696	3 749 946
141	２５～２９	15 317	8 326 011	564 456	12 878 001	3 813	6 693 177
142	３０～３４	18 765	10 038 835	752 433	16 327 515	4 613	8 000 965
143	３５～３９	23 178	12 374 204	968 616	20 607 087	5 993	10 904 890
144	４０～４４	30 983	16 441 482	1 383 471	28 436 494	9 507	17 622 638
145	４５～４９	36 419	19 294 263	1 715 481	33 122 271	13 865	15 728 767
146	５０～５４	36 932	18 927 614	1 784 501	34 079 359	16 263	15 283 151
147	５５～５９	36 483	18 856 926	1 956 633	34 973 019	17 137	17 385 739
148	６０～６４	41 291	21 924 860	2 167 924	40 380 438	20 760	22 144 435
149	６５～６９	64 249	35 563 714	3 356 007	63 994 692	34 813	30 510 129
150	７０～７４	76 052	44 486 294	3 881 762	74 021 294	48 992	32 866 284
151	７５～７９	95 573	56 595 140	4 706 636	88 592 784	69 211	33 067 376
152	８０～８４	97 008	54 671 363	4 958 576	90 629 665	84 075	31 190 468
153	８５～８９	69 867	34 667 898	3 663 719	65 227 499	76 949	23 769 541
154	９０歳以上	37 828	15 403 487	1 978 016	33 149 572	54 610	15 446 304
155	Ⅶ 眼及び付属器の疾患	206 504	79 496 258	18 938 841	915 911 084	166 492	799 790 119
156	一般医療	106 974	45 114 290	10 993 548	549 605 093	73 928	381 603 920
157	後期医療	99 530	34 381 968	7 945 293	366 305 991	92 564	418 186 199
158	０～４歳	2 508	670 029	309 776	18 448 273	1 150	1 086 498
159	５～９	2 571	670 312	491 761	29 682 813	839	5 020 508
160	１０～１４	2 263	785 966	401 052	22 760 997	932	1 369 938
161	１５～１９	1 467	695 919	202 923	11 480 612	730	2 380 563
162	２０～２４	1 160	530 680	178 203	10 352 949	563	1 916 717
163	２５～２９	1 405	676 973	215 188	12 528 487	667	1 988 494
164	３０～３４	1 985	894 596	278 915	15 351 705	1 036	2 377 215
165	３５～３９	2 434	1 222 615	359 819	18 681 560	1 433	4 545 143
166	４０～４４	3 882	1 940 640	491 261	25 455 514	2 563	8 336 414
167	４５～４９	5 489	2 787 517	639 564	30 545 741	4 419	15 896 556
168	５０～５４	6 755	3 272 747	755 180	35 553 644	5 730	20 574 495
169	５５～５９	8 371	3 844 260	931 820	42 859 452	6 631	28 373 140
170	６０～６４	13 160	5 609 188	1 262 989	58 676 243	9 011	51 437 225
171	６５～６９	24 300	10 025 655	2 111 831	101 048 642	17 246	102 490 201
172	７０～７４	31 208	12 187 813	2 516 447	121 893 116	22 495	139 003 568
173	７５～７９	36 467	13 364 063	2 850 426	139 192 046	28 945	158 791 803
174	８０～８４	32 185	11 404 132	2 525 322	117 310 096	29 559	138 159 599
175	８５～８９	19 606	6 322 549	1 614 435	71 797 791	20 942	84 038 543
176	９０歳以上	9 288	2 590 604	801 929	32 291 403	11 601	32 003 499

平成30年6月審査分

リハビリテーション		精神科専門療法		処置		行番号
回数	点数	回数	点数	回数	点数	
731 717	146 765 510	127 448	45 847 649	1 054 700	823 610 882	89
250 620	52 319 157	98 417	34 602 630	469 402	447 197 207	90
481 097	94 446 353	29 031	11 245 019	585 298	376 413 675	91
2 159	512 559	17	8 390	2 569	576 445	92
2 874	668 320	179	91 335	1 657	394 931	93
2 026	466 095	470	216 060	1 700	401 302	94
1 851	416 801	1 116	510 760	3 144	706 893	95
1 702	383 136	2 198	726 275	6 524	779 109	96
1 643	374 408	3 870	1 347 395	8 247	1 533 246	97
2 947	698 420	5 255	1 751 273	11 284	3 908 829	98
4 744	1 061 974	7 562	2 597 663	13 486	8 288 599	99
8 090	1 732 721	10 557	3 597 906	20 616	19 623 536	100
12 908	2 774 253	12 788	4 502 656	31 765	38 547 019	101
18 137	3 866 607	12 766	4 607 573	38 905	52 569 315	102
22 581	4 777 626	11 656	3 982 912	50 713	65 185 278	103
35 554	7 437 466	10 275	3 534 716	70 244	90 350 364	104
63 887	13 107 234	12 309	4 404 828	121 189	137 804 148	105
85 783	17 246 134	10 290	3 704 300	144 351	135 407 974	106
114 623	22 897 105	9 243	3 215 722	174 910	116 151 729	107
134 994	26 613 588	8 199	3 284 200	166 526	88 623 288	108
124 334	24 117 552	5 514	2 320 149	115 508	45 486 293	109
90 880	17 613 511	3 184	1 443 536	71 362	17 272 584	110
672 442	149 536 552	6 632 546	2 197 449 501	706 508	79 836 182	111
460 995	106 738 335	5 365 762	1 825 678 752	357 898	37 393 880	112
211 447	42 798 217	1 266 784	371 770 749	348 610	42 442 302	113
111 252	26 195 733	9 539	6 222 290	2 086	508 199	114
161 282	37 071 414	42 148	23 202 510	2 349	478 221	115
27 326	6 225 751	69 000	35 840 364	1 761	296 138	116
8 499	1 938 865	108 815	52 698 780	3 728	692 308	117
5 070	1 182 397	201 290	71 990 866	5 248	708 299	118
4 807	1 138 169	290 937	104 151 716	6 338	675 754	119
4 309	1 144 761	365 935	130 201 213	10 257	1 081 369	120
5 699	1 475 660	443 994	156 130 204	12 621	1 118 108	121
9 070	2 272 636	562 626	195 176 741	20 191	2 038 061	122
11 871	2 815 216	629 123	215 795 413	29 816	3 259 178	123
15 065	3 588 598	583 040	196 513 112	34 375	3 747 046	124
15 197	3 543 628	552 120	178 514 416	43 543	4 086 546	125
18 736	4 236 207	531 485	166 819 695	54 301	5 782 499	126
31 742	6 960 884	667 033	201 444 937	86 773	8 919 355	127
40 755	8 917 112	520 997	153 146 056	86 334	9 852 402	128
45 536	9 744 876	434 488	125 180 639	87 485	10 286 567	129
55 272	11 345 118	328 960	96 460 025	89 572	11 056 813	130
56 600	11 353 481	191 929	57 861 217	71 608	8 781 169	131
44 354	8 386 046	99 087	30 099 307	58 122	6 468 150	132
2 396 594	542 992 716	837 467	292 101 781	1 655 801	336 879 770	133
1 247 908	286 892 399	297 185	98 571 606	902 954	195 567 593	134
1 148 686	256 100 317	540 282	193 530 175	752 847	141 312 177	135
33 408	7 995 390	253	127 285	8 455	2 480 773	136
43 486	10 180 968	1 029	432 065	14 089	3 594 136	137
41 334	9 576 756	2 782	1 244 610	20 080	4 603 689	138
40 386	9 286 787	5 984	2 753 593	27 452	6 002 907	139
39 122	8 983 297	10 730	3 608 385	32 736	7 683 626	140
37 865	8 583 010	15 166	5 034 175	44 194	10 032 133	141
38 794	8 912 900	17 588	5 889 714	49 987	10 538 380	142
47 815	11 003 553	20 250	6 606 024	55 249	10 832 716	143
60 602	13 793 938	25 558	8 303 219	71 327	13 876 209	144
80 107	18 159 414	27 114	8 768 796	81 190	15 158 490	145
93 341	21 314 371	24 273	7 808 518	87 640	17 714 584	146
113 132	26 063 435	23 534	7 490 563	86 144	18 965 496	147
140 609	32 256 270	27 242	8 927 135	94 207	23 855 483	148
238 263	54 773 924	45 720	14 620 584	143 278	38 523 219	149
287 268	66 054 741	63 344	20 979 255	163 018	39 586 949	150
352 421	79 729 765	106 650	36 752 498	197 963	39 460 822	151
356 649	80 168 328	163 628	59 410 001	213 135	37 026 513	152
240 878	52 803 454	156 931	57 540 649	165 252	24 720 186	153
111 114	23 352 415	99 691	35 804 712	100 405	12 223 459	154
190 363	38 956 172	19 821	6 724 360	905 941	140 275 953	155
84 380	17 356 313	13 324	4 532 072	482 080	71 836 231	156
105 983	21 599 859	6 497	2 192 288	423 861	68 439 722	157
7 800	1 436 190	24	15 150	20 248	1 550 975	158
13 356	2 150 334	208	94 235	36 524	1 796 841	159
4 212	736 452	313	113 460	24 187	1 260 244	160
1 433	398 834	269	98 405	9 179	524 526	161
1 355	295 696	328	103 085	7 687	519 423	162
879	198 915	472	153 920	9 459	775 375	163
763	171 703	703	231 235	12 118	1 125 769	164
1 208	265 332	1 006	342 090	15 140	1 680 658	165
2 055	451 315	1 064	349 125	20 395	2 888 640	166
3 730	838 521	1 470	511 390	23 865	5 275 538	167
4 058	886 825	1 434	473 821	24 767	5 963 994	168
5 213	1 148 897	1 607	510 654	32 147	7 835 130	169
8 282	1 807 438	1 444	532 433	47 486	12 224 219	170
14 029	2 998 825	1 872	669 751	88 614	20 642 399	171
18 959	4 162 254	1 841	559 979	121 105	21 695 695	172
25 264	5 128 185	1 782	547 775	151 240	22 230 150	173
33 956	7 208 418	1 784	574 855	135 053	17 701 888	174
26 906	5 385 404	1 515	582 347	86 318	10 214 258	175
16 905	3 286 634	685	260 650	40 409	4 370 231	176

第１表　医科診療（総数）件数・診療実日数・回数・点数，

行番号	傷病分類 一般医療－後期医療 年齢階級	手術 回数	手術 点数	麻酔 回数	麻酔 点数	放射線治療 回数	放射線治療 点数
89	Ⅳ 内分泌，栄養及び代謝疾患	32 193	310 889 289	64 988	28 659 409	4 713	9 911 638
90	一般医療	19 821	213 570 351	26 521	18 433 962	3 538	7 252 558
91	後期医療	12 372	97 318 938	38 467	10 225 447	1 175	2 659 080
92	0 ～ 4 歳	83	803 648	127	308 748	2	220
93	5 ～ 9	58	397 074	45	141 573	-	-
94	10 ～ 14	63	414 774	40	126 139	-	-
95	15 ～ 19	92	755 407	54	219 788	17	17 340
96	20 ～ 24	103	1 104 760	84	294 195	49	71 470
97	25 ～ 29	245	3 182 659	204	584 745	81	104 450
98	30 ～ 34	468	6 065 985	358	903 540	139	265 900
99	35 ～ 39	666	7 372 979	516	866 274	111	193 150
100	40 ～ 44	1 040	11 963 990	1 018	1 301 294	223	336 182
101	45 ～ 49	1 480	17 118 809	1 484	1 379 764	288	400 398
102	50 ～ 54	1 713	20 812 217	2 427	1 928 135	308	548 280
103	55 ～ 59	2 000	22 411 995	2 910	1 739 678	402	769 376
104	60 ～ 64	2 687	29 423 979	3 689	2 150 512	512	936 244
105	65 ～ 69	4 721	49 832 359	5 878	3 452 976	648	1 933 432
106	70 ～ 74	4 932	47 898 326	8 259	3 532 992	789	1 765 786
107	75 ～ 79	4 670	42 135 669	11 845	3 651 543	729	1 519 088
108	80 ～ 84	3 577	27 896 847	13 170	3 432 014	305	851 590
109	85 ～ 89	2 233	14 847 328	9 279	1 904 928	98	133 242
110	90 歳 以 上	1 362	6 450 484	3 601	740 571	12	65 490
111	Ⅴ 精神及び行動の障害	3 477	25 355 007	8 004	5 559 707	958	2 241 113
112	一般医療	1 825	13 883 910	4 189	3 417 279	592	1 260 493
113	後期医療	1 652	11 471 097	3 815	2 142 428	366	980 620
114	0 ～ 4 歳	18	67 090	40	63 224	-	-
115	5 ～ 9	15	61 719	25	103 729	-	-
116	10 ～ 14	31	176 327	16	120 219	1	110
117	15 ～ 19	22	227 670	27	123 798	1	220
118	20 ～ 24	45	250 639	38	106 089	-	-
119	25 ～ 29	95	471 197	83	140 244	4	440
120	30 ～ 34	73	470 563	142	112 866	23	45 520
121	35 ～ 39	65	587 936	203	228 203	6	7 910
122	40 ～ 44	109	656 267	328	214 068	135	252 573
123	45 ～ 49	161	1 267 265	487	365 696	55	94 620
124	50 ～ 54	139	844 460	530	453 337	30	117 730
125	55 ～ 59	205	1 694 411	491	375 046	65	117 460
126	60 ～ 64	185	1 096 765	463	237 888	51	122 180
127	65 ～ 69	365	3 198 079	664	357 416	73	144 020
128	70 ～ 74	374	3 073 720	736	439 633	148	357 710
129	75 ～ 79	405	2 986 573	1 187	599 479	155	358 490
130	80 ～ 84	452	3 634 411	1 282	689 580	198	521 290
131	85 ～ 89	427	2 823 339	925	452 568	3	83 630
132	90 歳 以 上	291	1 766 576	337	376 624	10	17 210
133	Ⅵ 神経系の疾患	15 678	250 419 594	73 853	87 310 847	1 619	4 772 543
134	一般医療	9 076	168 015 525	40 199	62 831 785	1 298	3 412 733
135	後期医療	6 602	82 404 069	33 654	24 479 062	321	1 359 810
136	0 ～ 4 歳	441	6 868 422	706	2 324 609	2	220
137	5 ～ 9	421	4 445 055	436	2 327 752	2	220
138	10 ～ 14	144	3 197 308	344	2 150 543	3	330
139	15 ～ 19	125	1 959 036	315	1 315 677	3	330
140	20 ～ 24	129	3 345 935	418	1 494 257	-	-
141	25 ～ 29	160	3 596 309	581	1 565 660	-	-
142	30 ～ 34	186	3 085 004	1 062	1 688 744	16	98 290
143	35 ～ 39	356	6 459 907	1 637	2 592 968	27	38 770
144	40 ～ 44	424	7 070 605	2 638	3 553 542	124	319 360
145	45 ～ 49	525	10 510 330	3 496	4 642 564	84	168 200
146	50 ～ 54	715	12 075 845	4 099	5 502 124	117	236 033
147	55 ～ 59	942	16 444 835	4 626	6 415 131	36	151 040
148	60 ～ 64	1 097	22 105 572	4 760	7 106 113	175	390 710
149	65 ～ 69	1 732	33 802 344	6 983	10 254 265	387	1 117 228
150	70 ～ 74	2 046	39 402 900	8 682	11 325 670	323	901 002
151	75 ～ 79	2 219	33 436 200	11 488	10 287 366	153	513 580
152	80 ～ 84	1 945	25 458 852	11 589	7 713 383	132	593 790
153	85 ～ 89	1 351	13 333 612	7 303	3 954 971	26	133 520
154	90 歳 以 上	720	3 821 523	2 690	1 095 508	9	109 920
155	Ⅶ 眼及び付属器の疾患	236 344	2 359 248 616	84 729	42 058 596	1 413	3 126 748
156	一般医療	128 309	1 259 731 091	41 570	25 328 551	1 078	2 344 576
157	後期医療	108 035	1 099 517 525	43 159	16 730 045	335	782 172
158	0 ～ 4 歳	871	6 664 822	391	1 724 040	27	76 130
159	5 ～ 9	1 097	3 865 900	470	1 944 465	12	21 474
160	10 ～ 14	1 311	3 091 456	278	800 312	-	-
161	15 ～ 19	1 429	6 187 709	346	650 516	5	550
162	20 ～ 24	1 754	6 359 616	323	360 192	1	1 390
163	25 ～ 29	2 084	8 238 871	381	584 714	11	12 430
164	30 ～ 34	2 564	10 302 077	413	344 763	11	9 240
165	35 ～ 39	3 197	14 480 015	543	446 735	36	57 276
166	40 ～ 44	4 569	26 821 882	937	733 413	24	102 600
167	45 ～ 49	6 227	49 240 724	1 499	1 154 279	92	174 600
168	50 ～ 54	7 869	72 539 090	2 017	1 339 221	106	231 796
169	55 ～ 59	10 619	113 519 039	3 158	1 837 048	111	224 790
170	60 ～ 64	15 484	169 177 333	5 108	2 567 832	112	181 860
171	65 ～ 69	29 650	332 554 515	10 695	4 799 998	324	595 370
172	70 ～ 74	40 890	450 388 531	15 609	6 435 992	194	632 270
173	75 ～ 79	45 734	483 243 420	17 566	6 792 214	118	351 380
174	80 ～ 84	36 555	374 995 199	14 747	5 519 326	143	263 230
175	85 ～ 89	18 747	179 706 219	7 897	3 015 294	53	117 042
176	90 歳 以 上	5 693	47 872 198	2 351	1 008 242	33	73 320

平成30年６月審査分

病理診断		入院料等		診断群分類による包括評価等		入院時食事療養等（別掲）		行番号
回数	点数	回数	点数	回数	点数	回数	金額(円)	
129 920	43 423 925	733 735	1 304 526 644	251 455	822 627 141	2 736 889	1 734 252 205	89
104 588	32 564 105	202 674	381 076 624	138 730	481 717 030	902 014	609 658 196	90
25 332	10 859 820	531 061	923 450 020	112 725	340 910 111	1 834 875	1 124 594 009	91
20	13 110	2 573	9 668 909	6 290	33 657 220	15 120	9 808 383	92
11	5 680	1 683	5 588 132	2 780	14 634 700	7 639	4 987 396	93
30	8 620	1 625	4 424 533	2 254	11 702 290	7 682	5 074 858	94
1 056	207 409	1 977	4 681 514	1 554	5 718 643	7 969	5 288 061	95
5 966	1 060 985	2 261	4 447 279	1 772	6 429 422	9 152	6 125 704	96
8 137	1 485 404	2 923	5 568 491	2 322	8 192 338	12 703	8 554 736	97
8 519	1 714 997	4 955	9 142 455	3 770	12 952 952	21 550	14 606 558	98
8 558	1 910 430	6 247	11 219 416	4 998	16 991 049	28 096	19 140 661	99
10 216	2 481 372	9 176	16 919 229	7 767	26 664 658	42 981	29 756 945	100
11 899	3 070 506	11 563	21 028 104	11 871	39 722 185	61 947	42 938 337	101
8 774	2 793 680	14 708	26 394 690	12 889	43 845 313	72 100	50 150 853	102
7 247	2 827 233	20 133	35 285 087	13 061	43 805 110	87 625	60 534 765	103
8 538	3 652 834	27 529	49 352 276	16 955	55 115 410	117 971	81 955 855	104
12 687	5 584 819	51 388	93 015 526	26 442	85 324 325	218 616	144 184 299	105
13 266	5 919 179	63 446	115 116 007	27 061	86 417 883	259 070	168 409 412	106
12 297	5 425 978	89 633	161 736 186	30 873	96 354 509	344 021	219 644 151	107
8 102	3 470 296	130 733	230 984 295	32 458	98 834 767	472 184	293 795 905	108
3 566	1 422 143	146 136	252 395 863	26 166	78 034 461	494 904	299 875 578	109
1 031	369 250	145 046	247 558 652	20 172	58 229 906	455 559	269 419 748	110
6 136	2 409 969	5 893 052	7 448 360 591	11 123	37 266 101	17 112 612	11 179 967 395	111
4 510	1 717 198	3 752 210	4 771 341 190	6 867	25 598 894	10 831 013	7 144 403 353	112
1 626	692 771	2 140 842	2 677 019 401	4 256	11 667 207	6 281 599	4 035 564 042	113
-	-	1 603	5 233 101	32	211 894	3 167	2 044 757	114
3	2 170	3 063	7 669 873	32	162 383	7 227	4 686 040	115
6	1 230	20 895	52 962 769	951	4 461 964	52 669	34 033 375	116
28	15 230	34 774	70 107 122	653	2 121 802	91 489	59 658 901	117
78	34 214	58 362	97 974 203	628	3 060 764	157 474	103 366 696	118
131	41 878	82 718	131 546 231	330	1 584 068	227 153	149 076 689	119
192	51 090	121 836	179 837 741	452	1 593 470	339 085	222 940 525	120
282	81 553	175 315	248 688 701	458	1 675 617	490 175	322 721 827	121
377	120 938	253 447	341 248 097	372	1 423 038	718 880	473 708 871	122
643	210 778	345 858	447 902 406	443	1 472 404	989 748	653 233 669	123
597	202 969	400 749	498 507 090	429	1 432 734	1 155 304	762 497 538	124
412	165 652	480 751	581 868 217	504	1 731 635	1 397 642	923 593 151	125
487	225 814	582 322	688 118 801	371	1 105 832	1 700 587	1 124 568 997	126
609	268 320	849 604	994 952 247	697	2 128 792	2 498 834	1 648 520 160	127
725	321 452	694 199	827 823 577	554	1 587 672	2 042 149	1 344 522 744	128
575	251 635	621 780	758 549 716	1 009	2 780 095	1 826 185	1 196 535 668	129
552	237 980	518 816	652 460 390	1 327	3 571 830	1 524 009	985 934 230	130
301	131 590	367 465	481 162 242	1 166	3 181 796	1 078 843	679 184 509	131
138	45 476	279 495	381 748 067	715	1 978 311	811 992	489 139 048	132
12 619	5 062 600	2 756 892	4 362 491 263	267 355	1 125 653 200	8 591 161	5 266 700 868	133
8 361	3 362 967	944 872	1 659 373 477	160 225	733 901 980	2 993 198	1 881 824 907	134
4 258	1 699 633	1 812 020	2 703 117 786	107 130	391 751 220	5 597 963	3 384 875 961	135
91	56 770	7 478	23 786 827	9 885	61 165 478	28 385	18 287 044	136
65	38 480	11 617	27 525 914	4 087	24 136 645	31 655	20 059 315	137
34	17 240	16 828	35 604 136	3 421	21 298 948	44 345	27 948 998	138
55	22 400	20 117	38 484 155	3 715	18 636 823	55 267	35 029 597	139
154	60 194	24 006	45 183 422	4 621	22 378 023	70 278	44 685 148	140
201	67 578	31 545	59 584 160	4 084	18 726 926	91 551	57 995 703	141
299	88 920	37 246	69 776 133	5 153	24 763 520	111 972	71 068 729	142
434	154 071	47 295	86 659 194	6 989	32 359 773	145 100	92 169 736	143
678	240 572	61 670	112 326 008	8 590	40 810 306	189 389	120 925 875	144
871	298 557	76 477	137 726 283	9 900	46 059 404	233 231	149 249 751	145
914	338 670	84 264	149 593 308	11 872	54 982 362	261 951	167 756 056	146
879	336 113	91 838	161 767 892	14 330	65 587 552	287 846	183 991 108	147
907	403 082	111 173	188 483 435	18 259	78 787 292	349 500	224 119 125	148
1 380	612 430	187 772	310 588 544	27 840	114 082 656	624 643	379 493 827	149
1 508	673 532	236 923	381 014 838	32 906	131 077 856	781 286	473 520 647	150
1 735	751 691	356 990	555 690 283	37 397	141 719 246	1 151 588	698 407 486	151
1 340	527 845	514 154	771 002 757	33 139	120 975 416	1 609 463	976 332 856	152
758	280 657	489 005	711 620 010	22 098	76 233 320	1 492 112	904 991 771	153
316	93 798	350 494	496 073 964	9 069	31 871 654	1 031 599	620 668 096	154
10 498	4 911 436	196 726	541 584 912	167 267	480 065 753	872 948	560 981 243	155
6 613	3 116 285	78 960	232 670 651	90 666	265 794 032	394 090	258 765 979	156
3 885	1 795 151	117 766	308 914 261	76 601	214 271 721	478 858	302 215 264	157
25	15 660	2 431	9 051 030	813	4 176 260	5 945	3 808 451	158
14	7 290	1 281	4 063 383	835	4 029 157	3 993	2 594 763	159
30	16 960	1 396	3 712 024	591	2 361 784	4 261	2 753 107	160
49	29 152	1 005	2 506 630	767	2 261 205	4 140	2 715 860	161
77	41 290	1 270	2 416 985	757	2 274 972	5 069	3 289 487	162
107	47 330	1 412	2 669 758	904	2 765 456	5 706	3 729 646	163
166	82 766	1 459	2 819 231	1 020	3 091 378	6 274	4 112 234	164
212	96 158	1 810	3 553 323	1 558	4 708 585	8 617	5 665 174	165
352	152 078	2 434	4 896 445	2 738	8 288 824	12 815	8 381 018	166
477	208 550	4 080	8 991 069	4 498	13 392 290	21 348	14 051 275	167
610	282 484	5 101	11 542 820	6 001	17 733 434	27 263	18 019 406	168
567	253 182	7 283	18 370 597	8 701	25 389 127	38 821	25 612 391	169
824	402 875	9 655	26 871 947	12 180	35 411 658	51 396	34 094 211	170
1 420	694 921	18 806	57 454 268	22 114	63 111 303	95 300	62 382 242	171
1 753	818 825	23 576	81 165 996	28 429	80 225 457	117 415	76 612 431	172
1 635	754 405	29 424	97 804 702	31 194	86 602 621	138 908	90 210 845	173
1 314	617 858	32 253	94 214 289	26 312	73 948 184	140 934	90 178 979	174
666	303 201	29 097	67 404 173	13 620	38 263 415	109 985	68 294 051	175
200	86 451	22 953	42 076 242	4 235	12 030 643	74 758	44 475 672	176

第１表　医科診療（総数）件数・診療実日数・回数・点数，

行番号	傷病分類 一般医療－後期医療 年齢階級	件数	診療実日数	総数 回数	総数 点数	初・再診 回数	初・再診 点数
177	Ⅷ 耳及び乳様突起の疾患	1 492 541	2 459 885	14 429 145	1 763 042 913	2 323 463	382 887 676
178	一般医療	1 182 542	1 910 957	10 450 120	1 328 168 586	1 805 548	317 285 234
179	後期医療	309 999	548 928	3 979 025	434 874 327	517 915	65 602 442
180	0 ～ 4 歳	240 421	487 926	1 949 576	276 449 012	427 490	85 308 350
181	5 ～ 9	180 846	263 085	1 330 816	146 315 396	262 531	50 585 889
182	10 ～ 14	70 839	91 730	483 561	55 389 232	91 012	18 253 191
183	15 ～ 19	27 258	35 099	182 582	24 436 050	34 113	7 241 201
184	20 ～ 24	26 446	34 838	185 707	27 024 086	33 861	7 147 101
185	25 ～ 29	31 470	43 702	240 547	37 365 878	41 745	8 441 086
186	30 ～ 34	38 538	55 214	305 766	43 623 823	53 156	10 195 531
187	35 ～ 39	45 140	66 286	368 650	52 035 738	63 408	11 639 383
188	40 ～ 44	53 500	79 263	462 457	61 976 851	75 969	13 372 381
189	45 ～ 49	58 705	87 204	520 781	69 997 123	83 726	14 244 880
190	50 ～ 54	57 648	87 421	543 424	69 944 924	83 541	13 627 896
191	55 ～ 59	62 139	97 455	618 491	82 643 343	92 309	14 359 487
192	60 ～ 64	72 927	117 509	770 401	96 794 992	112 112	16 297 309
193	65 ～ 69	105 771	176 556	1 181 511	143 689 113	168 789	22 948 993
194	70 ～ 74	114 973	197 534	1 370 741	154 667 434	190 469	24 567 831
195	75 ～ 79	123 409	215 812	1 546 030	167 054 852	207 984	26 022 823
196	80 ～ 84	99 198	176 467	1 304 916	134 863 526	168 287	20 978 780
197	85 ～ 89	57 690	101 366	757 479	80 222 585	94 587	12 250 474
198	90 歳以上	25 623	45 418	305 709	38 548 955	38 374	5 405 090
199	Ⅸ 循環器系の疾患	12 492 261	22 902 382	328 139 578	41 639 404 545	16 461 953	1 961 165 140
200	一般医療	6 788 361	10 090 930	158 389 375	18 358 280 697	8 531 397	1 045 839 951
201	後期医療	5 703 900	12 811 452	169 750 203	23 281 123 848	7 930 556	915 325 189
202	0 ～ 4 歳	6 147	13 317	76 601	60 529 320	6 917	1 271 327
203	5 ～ 9	9 764	13 969	74 543	30 126 229	12 117	2 285 546
204	10 ～ 14	18 005	26 126	149 599	48 363 006	23 050	4 133 708
205	15 ～ 19	22 703	32 236	198 769	59 335 528	28 939	5 717 894
206	20 ～ 24	15 334	24 128	193 354	57 359 745	19 939	3 654 876
207	25 ～ 29	21 431	35 146	309 491	85 626 877	27 930	4 612 105
208	30 ～ 34	40 408	66 232	665 810	154 428 832	52 371	7 893 144
209	35 ～ 39	83 364	130 078	1 476 427	277 108 225	107 084	14 969 287
210	40 ～ 44	204 040	301 262	3 821 641	578 453 715	255 069	34 006 746
211	45 ～ 49	392 047	571 226	7 805 867	1 076 227 063	484 967	62 715 801
212	50 ～ 54	577 942	830 986	12 099 088	1 474 558 002	711 735	89 900 169
213	55 ～ 59	794 538	1 136 105	17 650 474	1 995 572 244	976 795	120 495 836
214	60 ～ 64	1 074 221	1 560 981	24 969 082	2 775 509 417	1 331 921	160 974 010
215	65 ～ 69	1 738 370	2 634 728	42 769 451	4 848 813 052	2 195 581	260 664 831
216	70 ～ 74	1 869 193	3 032 026	48 971 244	5 698 707 410	2 464 171	288 064 613
217	75 ～ 79	1 908 226	3 446 097	53 540 078	6 479 837 390	2 655 816	306 459 217
218	80 ～ 84	1 727 919	3 599 843	52 174 313	6 587 710 490	2 485 083	286 400 346
219	85 ～ 89	1 220 149	3 024 184	38 217 288	5 348 379 277	1 708 729	198 430 604
220	90 歳以上	768 460	2 423 712	22 976 458	4 002 758 723	913 739	108 515 080
221	Ⅹ 呼吸器系の疾患	11 905 140	19 485 275	140 450 466	19 063 398 525	15 320 202	2 921 696 653
222	一般医療	10 595 117	15 302 338	104 631 954	11 025 375 759	13 331 615	2 669 232 684
223	後期医療	1 310 023	4 182 937	35 818 512	8 038 022 766	1 988 587	252 463 969
224	0 ～ 4 歳	2 158 399	3 701 158	12 035 162	2 407 957 720	2 238 140	546 239 647
225	5 ～ 9	1 238 390	1 712 897	9 451 723	874 598 827	1 703 042	346 243 998
226	10 ～ 14	729 115	910 656	5 900 096	499 983 024	904 116	183 675 703
227	15 ～ 19	426 530	517 221	3 546 521	345 226 445	505 424	116 428 453
228	20 ～ 24	409 008	501 012	3 433 827	345 415 603	486 710	117 604 321
229	25 ～ 29	490 239	611 005	4 192 242	390 169 828	594 827	137 564 904
230	30 ～ 34	627 796	801 452	5 486 526	487 061 008	781 437	171 525 814
231	35 ～ 39	672 913	869 085	6 190 908	522 120 579	852 479	177 148 473
232	40 ～ 44	668 319	871 616	6 692 714	555 552 528	855 829	168 153 243
233	45 ～ 49	597 955	795 968	6 748 401	554 512 019	776 332	143 881 401
234	50 ～ 54	507 459	697 591	6 412 010	522 536 506	674 592	117 866 265
235	55 ～ 59	484 051	692 061	6 856 586	578 582 350	658 320	109 185 575
236	60 ～ 64	483 931	734 011	7 525 142	703 362 646	676 871	105 764 282
237	65 ～ 69	586 169	972 554	10 238 316	1 129 415 493	848 124	123 032 251
238	70 ～ 74	536 652	1 011 885	10 665 125	1 363 220 794	816 179	109 451 512
239	75 ～ 79	497 928	1 105 556	11 344 778	1 707 191 830	789 637	99 678 906
240	80 ～ 84	393 748	1 119 517	10 521 349	2 015 675 446	626 993	77 958 328
241	85 ～ 89	248 121	982 779	7 821 584	2 066 920 319	362 493	46 436 192
242	90 歳以上	148 417	877 251	5 387 456	1 993 895 560	168 657	23 857 385
243	Ⅺ 消化器系の疾患	5 542 479	9 826 181	114 358 037	15 754 226 559	7 645 094	1 013 896 418
244	一般医療	3 858 174	6 068 172	68 936 720	9 298 201 008	5 141 269	724 850 945
245	後期医療	1 684 305	3 758 009	45 421 317	6 456 025 551	2 503 825	289 045 473
246	0 ～ 4 歳	86 551	138 103	430 020	162 070 038	77 129	18 411 099
247	5 ～ 9	47 769	66 692	326 551	76 677 889	62 193	14 118 824
248	10 ～ 14	44 853	66 777	414 268	106 240 789	58 232	12 175 169
249	15 ～ 19	61 005	89 494	681 022	133 673 457	78 925	16 092 963
250	20 ～ 24	93 851	137 348	1 128 986	203 730 690	119 092	23 807 546
251	25 ～ 29	135 272	201 497	1 726 900	286 411 082	165 679	30 634 380
252	30 ～ 34	177 990	270 541	2 355 521	371 042 594	218 305	37 875 596
253	35 ～ 39	216 366	325 769	2 996 711	458 658 042	277 588	44 787 636
254	40 ～ 44	277 598	418 191	4 156 318	615 665 376	369 493	55 532 309
255	45 ～ 49	325 028	498 123	5 319 396	760 425 335	439 126	62 391 043
256	50 ～ 54	340 706	526 794	6 038 720	792 331 712	460 348	62 512 192
257	55 ～ 59	371 234	578 343	7 083 063	899 145 545	499 358	65 279 922
258	60 ～ 64	429 401	680 223	8 700 299	1 085 651 264	577 890	72 766 485
259	65 ～ 69	624 162	1 025 091	13 447 064	1 690 856 630	855 263	103 721 312
260	70 ～ 74	648 230	1 124 535	14 861 302	1 849 986 716	927 562	109 174 081
261	75 ～ 79	647 000	1 218 157	16 040 174	1 972 409 425	972 244	111 794 546
262	80 ～ 84	528 042	1 128 775	14 421 996	1 891 227 944	811 389	93 075 079
263	85 ～ 89	318 824	804 692	9 342 371	1 437 368 808	470 026	54 771 059
264	90 歳以上	168 597	527 036	4 887 355	960 653 223	205 252	24 975 177

医学管理等		在宅医療		検査		行番号
回数	点数	回数	点数	回数	点数	
354 976	69 077 043	10 728	21 825 179	1 802 377	371 356 954	177
279 472	56 947 300	4 786	12 222 599	1 340 316	282 806 719	178
75 504	12 129 743	5 942	9 602 580	462 061	88 550 235	179
108 180	34 847 790	196	1 094 069	170 415	37 345 694	180
30 190	3 673 028	124	1 213 020	133 505	31 808 466	181
9 237	969 395	65	510 223	54 130	13 427 957	182
3 545	325 262	44	350 072	27 166	6 325 410	183
3 806	374 609	37	209 867	32 206	7 240 253	184
4 630	461 022	53	161 372	42 050	9 261 177	185
5 737	576 337	85	234 668	52 059	11 217 352	186
6 773	719 642	132	257 079	62 178	13 209 285	187
8 615	983 825	256	601 760	76 171	15 783 362	188
10 309	1 265 872	371	652 548	86 518	17 667 993	189
10 815	1 409 974	472	972 796	84 390	17 311 750	190
12 690	1 742 859	510	983 085	91 532	18 437 434	191
15 576	2 258 241	648	1 349 560	106 940	21 318 636	192
23 795	3 602 462	919	1 838 403	156 344	30 438 117	193
26 628	4 091 123	1 069	2 272 077	171 914	33 275 341	194
28 855	4 474 161	1 318	2 728 606	187 828	36 482 401	195
24 904	3 905 159	1 436	2 630 214	148 291	28 646 696	196
14 430	2 339 679	1 450	2 063 600	84 948	16 008 160	197
6 261	1 056 603	1 543	1 702 160	33 792	6 151 470	198
14 355 396	2 760 358 201	1 063 270	1 399 381 231	28 915 453	3 383 245 202	199
7 654 766	1 460 007 520	178 793	345 115 420	14 118 397	1 732 482 704	200
6 700 630	1 300 350 681	884 477	1 054 265 811	14 797 056	1 650 762 498	201
3 587	1 095 624	479	2 829 743	16 408	5 883 899	202
3 038	721 052	292	1 982 261	19 868	6 060 421	203
5 974	1 494 604	267	2 454 489	41 149	9 915 806	204
5 893	1 340 819	336	2 466 156	63 269	17 160 832	205
6 725	1 482 421	379	2 220 717	55 563	9 564 131	206
12 325	2 798 853	730	3 975 911	73 218	11 739 432	207
29 477	6 099 972	1 522	5 011 175	123 948	18 338 501	208
71 605	14 563 793	3 123	7 754 405	214 529	30 398 004	209
198 841	39 116 509	6 280	14 887 284	442 734	59 168 568	210
407 874	79 627 560	11 203	25 136 289	776 240	98 054 761	211
628 387	121 765 647	15 434	30 821 608	1 087 260	133 398 829	212
891 534	171 122 376	20 720	41 400 176	1 472 120	177 934 730	213
1 232 346	235 636 647	27 210	50 115 328	2 101 667	249 546 473	214
2 026 655	386 451 964	47 125	84 199 849	3 669 619	433 907 447	215
2 216 607	424 735 498	61 278	104 150 168	4 246 277	506 525 471	216
2 299 559	442 834 722	91 476	140 892 134	4 671 909	554 625 390	217
2 095 840	403 185 621	163 404	209 579 560	4 479 768	510 223 841	218
1 435 089	276 046 730	256 278	283 240 511	3 294 339	350 279 304	219
784 040	150 237 789	355 734	386 263 467	2 065 568	200 519 362	220
7 072 422	1 563 285 271	289 931	820 672 276	14 289 809	1 723 189 097	221
5 952 143	1 349 771 161	95 951	302 223 444	10 369 335	1 319 211 173	222
1 120 279	213 514 110	193 980	518 448 832	3 920 474	403 977 924	223
2 169 391	861 121 761	2 874	16 236 910	1 186 870	148 745 951	224
511 516	73 935 851	2 544	15 201 080	864 661	123 520 023	225
257 843	30 057 706	2 002	18 480 023	563 302	81 432 857	226
137 516	11 375 943	1 254	7 602 682	394 299	47 338 424	227
128 726	9 830 318	1 250	6 828 255	439 119	53 862 621	228
151 351	11 790 706	1 514	5 986 731	502 981	64 664 987	229
196 422	16 591 964	2 278	6 958 043	610 958	79 128 651	230
226 242	21 851 466	3 637	9 405 670	639 596	83 620 743	231
256 302	28 511 299	5 911	13 295 001	659 701	85 983 657	232
269 302	33 510 989	7 979	17 085 897	626 114	81 030 987	233
263 536	35 729 324	8 916	18 851 119	579 939	73 208 823	234
279 720	39 727 672	10 339	23 897 191	609 408	75 176 517	235
305 710	46 056 817	11 644	32 094 635	699 575	84 578 685	236
408 377	65 584 320	17 791	58 059 629	1 007 093	119 334 330	237
407 109	68 796 294	23 237	85 283 724	1 070 280	126 220 249	238
404 758	71 538 274	31 404	112 636 394	1 150 379	132 139 128	239
343 487	63 563 471	43 985	132 853 486	1 099 620	116 155 338	240
224 812	44 822 434	52 465	127 556 835	886 993	85 767 137	241
130 302	28 888 662	58 907	112 358 971	698 921	61 279 989	242
4 692 815	874 749 495	240 029	427 524 283	14 212 092	2 036 705 852	243
2 987 748	550 766 642	74 359	209 818 303	9 628 866	1 440 403 595	244
1 705 067	323 982 853	165 670	217 705 980	4 583 226	596 302 257	245
78 368	31 297 460	601	3 204 119	58 986	8 216 489	246
17 699	2 770 001	557	3 485 610	51 822	6 384 831	247
19 369	2 912 348	523	4 740 760	73 266	8 614 486	248
28 189	4 111 228	824	5 520 038	137 279	16 354 342	249
44 586	6 349 920	1 149	7 601 131	241 465	31 750 306	250
68 957	9 824 731	1 470	9 767 810	321 594	45 492 447	251
96 158	14 282 252	1 917	9 934 082	416 806	60 970 120	252
125 795	20 311 147	2 681	13 679 777	526 613	80 846 851	253
178 068	30 848 010	4 179	16 402 053	701 566	110 371 784	254
229 105	40 887 943	5 605	17 971 916	835 194	129 832 846	255
260 664	47 208 383	6 553	17 194 609	867 768	134 318 929	256
304 787	55 736 649	7 739	18 273 657	941 694	144 236 051	257
371 779	68 828 725	10 006	22 007 578	1 122 113	169 246 959	258
567 270	106 019 128	15 437	31 882 250	1 670 479	248 261 096	259
617 541	115 629 462	18 786	37 587 350	1 739 945	255 500 813	260
646 241	121 081 720	24 640	42 464 730	1 727 415	245 361 372	261
547 976	103 015 155	36 082	51 455 625	1 429 472	188 154 237	262
332 256	63 131 106	46 635	54 383 688	884 019	104 668 612	263
158 007	30 504 127	54 645	59 967 500	464 596	48 123 281	264

第１表　医科診療（総数）件数・診療実日数・回数・点数,

行番号	傷病分類 一般医療－後期医療 年齢階級	画像診断 回数	画像診断 点数	投薬 回数	投薬 点数	注射 回数	注射 点数
177	Ⅷ 耳及び乳様突起の疾患	145 450	70 094 319	5 637 365	148 452 409	98 619	48 524 848
178	一般医療	102 699	48 386 126	3 798 737	110 307 770	61 451	32 786 218
179	後期医療	42 751	21 708 193	1 838 628	38 144 639	37 168	15 738 630
180	0 ～ 4 歳	7 899	1 641 156	492 473	22 439 484	1 392	592 575
181	5 ～ 9	11 744	2 304 620	313 189	11 904 868	566	1 635 038
182	10 ～ 14	4 558	1 194 188	132 562	4 259 696	553	429 155
183	15 ～ 19	1 776	724 214	60 158	1 909 278	677	138 587
184	20 ～ 24	1 974	896 465	63 312	2 137 053	1 019	929 022
185	25 ～ 29	2 954	1 285 051	85 306	2 651 058	1 432	1 389 366
186	30 ～ 34	3 737	1 731 447	108 263	3 555 633	2 183	1 829 780
187	35 ～ 39	4 585	2 265 499	136 618	4 265 786	3 065	1 190 421
188	40 ～ 44	5 630	3 031 084	186 019	5 221 749	4 363	1 962 640
189	45 ～ 49	6 261	3 619 842	220 259	6 193 189	5 455	2 282 357
190	50 ～ 54	6 613	3 887 920	241 455	6 064 091	5 346	2 266 665
191	55 ～ 59	7 548	4 389 940	280 778	6 981 403	6 484	2 674 349
192	60 ～ 64	9 000	5 184 950	353 483	8 170 522	7 211	3 400 379
193	65 ～ 69	13 794	7 982 597	536 976	12 040 092	10 540	6 445 234
194	70 ～ 74	15 371	8 593 591	616 207	13 339 011	11 718	6 149 336
195	75 ～ 79	16 894	9 226 745	691 249	15 356 349	13 346	6 709 631
196	80 ～ 84	13 649	6 958 008	608 341	12 838 800	12 238	5 107 513
197	85 ～ 89	8 113	3 792 268	361 549	6 472 784	7 754	2 333 665
198	90 歳以上	3 350	1 384 734	149 168	2 651 563	3 277	1 059 135
199	Ⅸ 循環器系の疾患	3 370 493	1 477 962 815	242 539 388	3 661 460 186	1 769 365	841 284 356
200	一般医療	1 479 288	732 633 430	119 089 920	1 852 082 414	431 125	353 120 623
201	後期医療	1 891 205	745 329 385	123 449 468	1 809 377 772	1 338 240	488 163 733
202	0 ～ 4 歳	4 357	1 071 010	32 828	777 596	1 127	1 448 881
203	5 ～ 9	5 262	1 382 092	27 611	871 008	304	1 874 636
204	10 ～ 14	8 344	2 573 581	61 069	1 978 794	527	1 385 402
205	15 ～ 19	13 792	3 983 217	73 195	3 073 796	908	3 129 995
206	20 ～ 24	9 652	4 201 294	83 881	2 647 134	1 181	2 726 717
207	25 ～ 29	11 751	5 558 617	157 412	4 693 531	1 656	2 902 954
208	30 ～ 34	17 845	8 816 649	387 308	9 564 793	2 783	4 139 607
209	35 ～ 39	28 205	14 478 149	946 758	19 758 130	4 784	7 148 563
210	40 ～ 44	52 273	27 360 002	2 644 948	49 034 847	9 934	13 205 830
211	45 ～ 49	83 309	44 288 571	5 600 769	97 398 555	20 028	22 527 649
212	50 ～ 54	107 983	56 884 160	8 950 721	146 653 259	29 486	26 075 056
213	55 ～ 59	142 877	73 215 390	13 372 413	211 187 579	40 548	35 991 708
214	60 ～ 64	202 743	101 093 313	19 009 050	291 866 961	55 510	52 225 177
215	65 ～ 69	368 702	180 416 194	32 503 763	489 614 754	109 246	87 790 852
216	70 ～ 74	461 163	223 071 450	37 051 461	557 580 919	168 958	105 689 659
217	75 ～ 79	556 789	256 417 394	40 022 778	594 656 774	274 328	123 888 547
218	80 ～ 84	568 786	232 997 192	38 433 172	560 644 152	383 964	138 785 289
219	85 ～ 89	438 475	154 038 566	27 442 611	394 745 270	374 583	119 723 308
220	90 歳以上	288 185	86 115 974	15 737 640	224 712 334	289 510	90 624 526
221	Ⅹ 呼吸器系の疾患	2 311 577	543 406 076	80 590 664	1 889 581 473	1 289 997	698 334 878
222	一般医療	1 620 930	346 653 496	59 426 112	1 511 072 245	630 236	409 071 229
223	後期医療	690 647	196 752 580	21 164 552	378 509 228	659 761	289 263 649
224	0 ～ 4 歳	81 108	12 005 539	4 559 039	167 676 202	26 844	11 683 239
225	5 ～ 9	88 288	12 547 149	4 432 899	146 648 850	18 435	7 164 811
226	10 ～ 14	65 852	10 137 525	3 115 164	88 496 406	18 330	10 734 944
227	15 ～ 19	60 806	10 534 335	1 982 326	51 612 742	20 761	9 943 178
228	20 ～ 24	72 614	12 700 953	1 854 575	50 250 442	27 770	8 840 935
229	25 ～ 29	87 693	15 422 647	2 265 321	61 757 511	31 946	11 441 923
230	30 ～ 34	116 264	20 755 845	2 954 189	82 241 119	38 576	13 097 772
231	35 ～ 39	125 113	23 103 069	3 421 885	94 483 020	42 876	16 905 640
232	40 ～ 44	124 474	24 874 834	3 891 137	101 268 268	47 650	24 948 058
233	45 ～ 49	111 258	23 888 681	4 175 441	100 575 159	50 981	29 207 314
234	50 ～ 54	98 771	22 802 714	4 124 586	91 861 323	48 918	31 957 862
235	55 ～ 59	105 507	25 795 940	4 522 441	95 311 294	48 367	37 478 139
236	60 ～ 64	126 060	32 297 125	4 951 671	103 302 920	52 051	47 681 652
237	65 ～ 69	182 351	50 020 076	6 694 613	142 508 701	75 939	76 718 113
238	70 ～ 74	189 431	54 009 078	6 890 620	142 878 986	93 498	81 018 502
239	75 ～ 79	200 338	57 810 478	7 214 856	140 325 641	129 588	83 317 606
240	80 ～ 84	192 141	54 750 718	6 470 091	115 440 214	169 027	76 884 845
241	85 ～ 89	157 207	44 176 916	4 442 750	73 202 492	173 426	62 460 019
242	90 歳以上	126 301	35 772 454	2 627 060	39 740 183	175 014	56 850 326
243	Ⅺ 消化器系の疾患	1 303 529	532 526 079	80 211 048	1 308 688 694	1 052 505	1 019 496 051
244	一般医療	781 725	336 308 176	47 476 244	821 424 754	509 615	776 129 398
245	後期医療	521 804	196 217 903	32 734 804	487 263 940	542 890	243 366 653
246	0 ～ 4 歳	9 307	1 826 899	178 801	4 715 679	2 201	1 698 474
247	5 ～ 9	7 852	1 513 411	164 854	4 483 251	1 996	812 317
248	10 ～ 14	10 339	2 475 664	226 370	5 789 890	3 669	6 114 684
249	15 ～ 19	14 969	4 882 648	386 167	8 990 664	7 205	17 442 905
250	20 ～ 24	18 896	6 688 016	649 429	14 755 209	12 624	34 627 287
251	25 ～ 29	22 858	8 301 991	1 067 964	22 023 908	17 500	55 259 328
252	30 ～ 34	29 315	10 814 708	1 483 999	29 492 952	23 607	63 702 312
253	35 ～ 39	36 850	14 545 536	1 895 708	37 199 260	26 763	67 439 249
254	40 ～ 44	50 154	21 376 494	2 672 845	52 519 639	34 479	75 038 132
255	45 ～ 49	61 450	27 030 045	3 523 479	65 285 101	44 480	80 660 803
256	50 ～ 54	64 740	29 203 937	4 133 534	71 130 691	46 622	61 591 911
257	55 ～ 59	73 914	33 805 398	4 979 356	85 874 932	49 368	60 493 649
258	60 ～ 64	90 646	42 103 469	6 192 469	101 824 427	54 607	68 442 733
259	65 ～ 69	141 377	64 847 496	9 657 337	156 605 977	83 857	94 591 238
260	70 ～ 74	158 570	70 731 789	10 745 388	170 438 313	108 595	96 381 321
261	75 ～ 79	174 794	72 579 469	11 677 470	181 377 716	146 293	90 949 441
262	80 ～ 84	161 203	61 534 277	10 515 033	155 756 584	168 975	72 638 747
263	85 ～ 89	111 279	38 290 762	6 701 108	94 602 062	134 234	45 757 995
264	90 歳以上	65 016	19 974 070	3 359 737	45 822 439	85 430	25 853 525

平成30年６月審査分

リハビリテーション		精神科専門療法		処置		行番号
回数	点数	回数	点数	回数	点数	
67 511	14 853 882	6 232	1 809 107	3 835 500	189 678 117	177
39 012	8 920 213	4 638	1 377 412	2 916 313	141 166 312	178
28 499	5 933 669	1 594	431 695	919 187	48 511 805	179
8 177	1 936 750	132	82 530	715 887	33 441 996	180
7 555	1 724 185	141	62 225	566 296	26 429 701	181
1 515	337 320	86	33 975	187 708	9 286 236	182
917	211 055	72	27 955	52 594	2 968 811	183
493	113 783	107	31 380	47 222	2 527 964	184
893	197 385	162	48 260	58 466	2 687 119	185
551	119 285	259	82 370	76 599	3 514 655	186
1 113	254 136	314	91 550	86 036	3 729 385	187
1 061	240 013	386	106 185	98 859	4 854 804	188
1 770	408 825	527	143 655	99 896	5 115 853	189
1 618	341 480	449	122 395	102 640	5 574 102	190
2 192	480 383	479	134 030	116 064	6 956 102	191
2 477	545 086	503	145 422	153 553	8 506 759	192
4 595	1 001 204	586	174 195	251 873	13 740 583	193
5 057	1 226 221	547	135 695	318 076	15 667 461	194
7 234	1 551 123	664	150 340	375 192	18 610 052	195
8 957	1 856 064	467	133 585	303 615	14 256 772	196
6 879	1 432 565	224	60 790	166 988	8 341 997	197
4 457	877 019	127	42 570	57 936	3 467 765	198
11 006 320	2 662 047 294	121 287	46 585 973	2 510 234	1 798 141 698	199
4 304 819	1 063 616 636	60 818	21 487 543	789 380	868 956 623	200
6 701 501	1 598 430 658	60 469	25 098 430	1 720 854	929 185 075	201
2 606	629 229	7	3 310	1 777	1 404 518	202
2 367	558 080	208	99 890	1 301	455 234	203
3 864	923 915	658	312 775	1 079	352 303	204
5 992	1 466 520	945	380 285	1 582	550 321	205
8 279	2 044 960	627	189 285	2 268	1 727 715	206
12 106	2 966 124	979	361 075	3 691	4 131 821	207
27 708	6 904 940	1 841	687 585	6 111	7 646 353	208
59 536	14 817 466	2 424	805 675	12 724	17 963 322	209
131 210	32 703 240	4 286	1 456 406	23 756	35 809 327	210
274 662	68 485 007	6 146	2 154 107	43 549	64 237 475	211
361 849	89 827 283	7 173	2 487 112	64 575	93 602 418	212
456 594	113 229 594	8 118	2 816 942	88 999	122 746 736	213
615 392	151 846 679	8 285	2 978 847	128 458	169 622 666	214
1 122 328	276 358 678	11 149	3 931 651	231 508	270 636 301	215
1 372 749	335 760 334	11 527	4 084 061	300 895	286 499 580	216
1 730 219	419 848 723	13 401	5 124 288	397 635	267 968 782	217
2 011 399	484 261 091	16 856	7 080 827	464 420	231 493 406	218
1 718 717	407 793 437	15 693	6 877 874	406 803	148 104 617	219
1 088 743	251 621 994	10 964	4 753 978	329 103	73 188 803	220
1 906 892	393 286 387	73 733	25 355 383	14 400 722	716 394 083	221
354 629	74 522 994	56 506	19 112 404	12 036 936	450 845 483	222
1 552 263	318 763 393	17 227	6 242 979	2 363 786	265 548 600	223
15 337	3 590 898	210	114 075	1 631 252	57 182 114	224
16 042	3 644 868	1 077	437 925	1 791 378	52 314 121	225
6 748	1 511 176	1 353	495 140	953 192	26 709 208	226
5 878	1 295 148	1 332	544 875	420 093	11 435 106	227
4 638	1 001 121	1 910	655 325	397 119	10 903 929	228
3 828	831 461	3 011	1 009 330	531 476	14 321 893	229
5 041	1 053 467	4 567	1 489 799	755 583	20 099 180	230
5 335	1 117 781	5 705	1 941 897	847 249	23 206 990	231
7 267	1 547 945	6 475	2 180 979	813 954	25 179 014	232
11 273	2 376 651	6 952	2 300 922	683 384	25 741 170	233
14 267	2 920 583	6 078	1 974 165	559 703	26 571 138	234
22 932	4 835 807	5 201	1 798 510	549 896	29 698 250	235
39 083	8 172 162	4 384	1 536 015	588 503	37 986 502	236
87 640	18 081 292	5 514	1 884 876	767 915	58 628 843	237
149 812	30 949 954	4 105	1 294 364	805 605	65 138 095	238
253 843	52 501 229	4 424	1 362 910	831 121	69 002 182	239
368 913	75 938 502	4 602	1 801 080	705 055	67 928 210	240
450 329	92 123 806	3 954	1 408 956	465 355	55 276 206	241
438 686	89 792 536	2 879	1 124 240	302 889	39 071 932	242
1 035 506	212 498 011	186 274	62 828 601	1 104 997	417 122 770	243
307 442	64 172 479	154 016	51 585 067	530 194	219 989 437	244
728 064	148 325 532	32 258	11 243 534	574 803	197 133 333	245
3 016	712 225	55	18 390	7 956	1 071 928	246
3 114	715 901	629	280 565	8 832	754 817	247
2 405	533 220	1 586	699 260	6 667	874 110	248
3 288	692 647	2 976	1 300 208	6 210	1 698 807	249
2 882	597 631	5 982	1 968 915	10 083	2 856 416	250
3 010	619 278	9 931	3 351 730	14 886	3 490 424	251
4 941	1 073 080	12 506	4 150 368	21 271	5 471 791	252
5 544	1 149 819	15 134	5 178 222	24 721	6 785 839	253
11 369	2 344 457	19 004	6 380 008	31 984	11 290 552	254
16 033	3 292 988	19 871	6 670 296	37 886	18 834 377	255
20 600	4 252 345	17 074	5 644 187	42 795	21 796 087	256
26 915	5 567 024	14 786	4 904 834	49 667	28 839 783	257
40 694	8 507 393	11 767	3 752 120	62 117	38 227 419	258
75 355	15 944 874	13 821	4 298 477	103 214	62 443 728	259
106 137	21 811 237	11 410	3 738 672	131 541	61 359 280	260
154 445	31 639 002	10 299	3 281 973	170 222	56 811 583	261
202 225	41 186 325	9 261	3 282 386	171 283	49 518 306	262
201 503	40 993 932	6 569	2 475 743	124 702	29 808 242	263
152 030	30 864 633	3 613	1 452 247	78 960	15 189 281	264

第１表　医科診療（総数）件数・診療実日数・回数・点数，

行番号	傷病分類 一般医療－後期医療 年齢階級	手術 回数	手術 点数	麻酔 回数	麻酔 点数	放射線治療 回数	放射線治療 点数
177	Ⅷ 耳及び乳様突起の疾患	33 202	137 187 869	6 543	17 991 283	544	885 252
178	一般医療	27 392	113 479 424	4 148	15 529 493	433	678 432
179	後期医療	5 810	23 708 445	2 395	2 461 790	111	206 820
180	０～４歳	11 991	33 622 391	564	3 407 976	1	110
181	５～９	3 057	7 254 843	410	2 031 884	18	14 742
182	１０～１４	932	2 576 572	93	470 356	-	-
183	１５～１９	321	1 093 187	34	186 026	-	-
184	２０～２４	378	1 953 810	96	351 051	-	-
185	２５～２９	504	4 719 864	128	600 545	22	2 750
186	３０～３４	607	3 845 466	127	627 265	-	-
187	３５～３９	740	5 254 095	214	778 471	74	91 040
188	４０～４４	845	4 774 467	251	762 963	18	49 830
189	４５～４９	854	5 224 327	273	752 860	61	83 210
190	５０～５４	844	4 360 374	311	704 649	24	31 460
191	５５～５９	994	7 188 346	302	803 922	43	128 610
192	６０～６４	1 310	8 372 265	344	1 074 308	22	39 710
193	６５～６９	2 018	11 885 492	484	1 537 750	17	33 340
194	７０～７４	2 117	13 485 346	559	1 589 560	133	203 630
195	７５～７９	2 135	10 988 457	809	1 323 990	41	75 600
196	８０～８４	1 781	6 406 884	754	628 809	45	77 000
197	８５～８９	1 199	3 433 921	574	301 426	25	54 220
198	９０歳以上	575	747 762	216	57 472	-	-
199	Ⅸ 循環器系の疾患	154 405	6 981 874 122	162 734	360 889 358	5 334	8 493 071
200	一般医療	76 675	3 872 606 752	52 454	206 386 318	2 817	4 735 397
201	後期医療	77 730	3 109 267 370	110 280	154 503 040	2 517	3 757 674
202	０～４歳	510	9 967 395	285	1 382 611	30	3 410
203	５～９	106	3 527 876	107	508 099	-	-
204	１０～１４	230	6 601 355	116	754 568	8	1 100
205	１５～１９	272	7 501 456	105	766 604	6	36 890
206	２０～２４	397	10 372 616	132	1 035 209	28	31 250
207	２５～２９	505	18 540 184	255	1 218 919	13	12 220
208	３０～３４	1 024	33 367 851	437	1 989 075	50	88 870
209	３５～３９	1 485	57 599 908	717	3 460 604	80	130 720
210	４０～４４	2 548	113 044 194	1 365	7 320 355	115	169 890
211	４５～４９	4 264	217 214 773	2 595	13 888 607	99	127 750
212	５０～５４	5 848	290 762 830	3 686	17 329 932	177	190 530
213	５５～５９	8 007	409 749 724	5 408	23 424 704	291	295 500
214	６０～６４	10 969	590 395 338	7 469	29 270 835	360	700 433
215	６５～６９	19 815	1 035 092 436	13 063	53 603 938	785	1 515 140
216	７０～７４	23 874	1 202 422 706	18 387	58 841 626	871	1 483 874
217	７５～７９	26 064	1 256 930 884	28 110	64 751 935	1 078	1 746 344
218	８０～８４	23 412	983 918 918	36 343	50 325 627	838	1 378 110
219	８５～８９	15 804	539 584 185	29 943	23 768 119	401	548 330
220	９０歳以上	9 271	195 279 493	14 211	7 247 991	104	32 710
221	Ⅹ 呼吸器系の疾患	65 894	429 656 016	48 473	90 699 044	4 517	9 564 063
222	一般医療	46 042	322 321 970	25 930	74 271 535	2 975	5 700 440
223	後期医療	19 852	107 334 046	22 543	16 427 509	1 542	3 863 623
224	０～４歳	9 529	20 252 567	847	3 786 743	24	2 860
225	５～９	3 559	6 645 487	619	2 854 404	2	220
226	１０～１４	1 746	4 004 107	195	1 059 634	3	770
227	１５～１９	1 426	22 633 907	983	6 455 837	1	1 390
228	２０～２４	1 876	18 579 660	1 078	6 042 129	19	54 650
229	２５～２９	2 044	17 455 607	1 030	4 902 753	45	58 650
230	３０～３４	2 451	21 964 150	1 281	5 340 402	15	47 980
231	３５～３９	2 315	19 798 045	1 349	4 640 733	59	156 110
232	４０～４４	2 406	21 584 644	1 563	4 820 988	141	217 940
233	４５～４９	2 475	23 967 799	1 942	4 908 447	296	450 090
234	５０～５４	2 328	21 823 591	2 064	4 508 322	313	474 024
235	５５～５９	2 627	25 043 062	2 494	5 426 991	288	576 120
236	６０～６４	2 893	26 909 485	2 503	5 340 321	366	690 742
237	６５～６９	4 247	37 632 637	3 811	7 696 561	654	1 460 496
238	７０～７４	4 624	37 873 383	4 559	7 126 322	799	1 665 278
239	７５～７９	5 224	36 991 488	6 755	7 133 677	655	1 672 428
240	８０～８４	5 288	29 495 817	7 461	4 818 733	576	1 549 649
241	８５～８９	4 923	22 886 140	5 491	2 814 816	202	352 430
242	９０歳以上	3 913	14 114 440	2 448	1 021 231	59	132 236
243	Ⅺ 消化器系の疾患	187 612	1 771 539 921	144 767	324 948 339	10 705	25 270 177
244	一般医療	117 916	1 095 246 859	79 469	221 801 212	6 752	15 729 429
245	後期医療	69 696	676 293 062	65 298	103 147 127	3 953	9 540 748
246	０～４歳	1 650	27 726 370	1 885	9 830 681	7	770
247	５～９	588	9 386 168	915	4 454 255	3	330
248	１０～１４	746	10 017 572	954	4 870 075	7	770
249	１５～１９	994	11 769 537	1 048	4 809 601	1	110
250	２０～２４	1 645	16 277 867	1 458	5 274 503	9	68 170
251	２５～２９	2 705	25 639 882	2 187	6 759 680	23	16 040
252	３０～３４	4 083	38 089 253	3 066	9 005 707	24	43 730
253	３５～３９	5 134	46 159 156	3 929	10 796 768	100	213 060
254	４０～４４	7 290	63 057 116	5 110	14 228 628	162	277 614
255	４５～４９	9 466	82 958 306	6 434	18 073 628	353	723 753
256	５０～５４	10 641	93 246 137	6 708	17 626 663	432	816 020
257	５５～５９	12 261	109 867 318	7 614	20 187 423	533	1 222 276
258	６０～６４	14 622	132 015 307	8 737	23 576 247	823	1 824 182
259	６５～６９	23 140	212 298 346	13 565	36 252 665	1 908	4 701 590
260	７０～７４	24 608	232 391 388	16 754	38 700 278	2 397	6 008 074
261	７５～７９	24 701	234 535 748	21 187	38 233 423	2 289	6 053 640
262	８０～８４	20 947	208 622 166	22 389	33 044 105	1 058	2 343 938
263	８５～８９	14 283	140 111 456	14 899	20 312 502	467	869 478
264	９０歳以上	8 108	77 370 828	5 928	8 911 507	109	86 632

平成30年６月審査分

病理診断		入院料等		診断群分類による包括評価等		入院時食事療養等（別掲）		行番号
回数	点数	回数	点数	回数	点数	回数	金額(円)	
4 211	2 017 874	49 651	103 932 905	52 624	182 466 826	255 383	166 242 381	177
2 707	1 302 562	25 026	54 179 985	37 318	130 791 658	147 952	97 471 544	178
1 504	715 312	24 625	49 752 920	15 306	51 675 168	107 431	68 770 837	179
48	34 030	1 366	5 233 405	3 340	15 420 501	9 236	5 997 622	180
52	32 840	368	956 432	1 064	4 683 567	2 547	1 675 027	181
37	22 340	618	1 611 027	454	2 007 594	2 340	1 501 033	182
26	12 136	692	1 455 660	447	1 467 196	2 695	1 755 392	183
42	23 542	539	1 126 445	612	1 961 720	2 631	1 668 705	184
93	52 338	1 081	2 081 799	1 026	3 325 672	5 253	3 410 547	185
94	44 190	1 075	2 035 476	1 233	4 014 361	5 717	3 729 954	186
145	60 968	1 656	3 054 372	1 590	5 174 536	8 103	5 247 115	187
172	85 884	1 889	3 596 200	1 953	6 549 704	9 440	6 173 232	188
218	100 976	1 656	3 412 484	2 624	8 828 231	10 297	6 774 166	189
221	97 823	1 927	3 880 097	2 756	9 291 438	11 473	7 565 222	190
250	126 713	2 777	5 485 564	3 531	11 771 045	15 576	10 293 887	191
284	134 104	2 583	5 386 026	4 346	14 611 628	16 578	11 049 072	192
489	223 884	3 764	7 876 447	6 488	21 919 920	24 861	16 472 444	193
557	263 094	4 137	8 988 430	6 167	20 819 543	25 291	16 738 481	194
670	327 918	5 698	12 403 327	6 113	20 623 329	29 975	19 707 496	195
448	211 372	6 854	13 771 222	4 825	16 456 414	30 865	19 947 869	196
263	121 256	5 571	11 425 034	2 925	9 790 746	23 146	14 969 178	197
102	42 466	5 400	10 153 458	1 130	3 749 681	19 359	11 565 939	198
97 052	43 004 023	3 872 153	7 176 100 380	1 732 622	7 077 398 008	16 154 539	9 697 458 426	199
51 360	23 430 646	898 882	1 821 497 631	667 074	2 954 267 906	4 315 628	2 751 319 323	200
45 692	19 573 377	2 973 271	5 354 602 749	1 065 548	4 123 130 102	11 838 911	6 946 139 103	201
18	11 210	2 372	9 545 673	3 274	23 203 703	9 984	6 500 493	202
10	6 160	868	2 451 274	1 067	7 342 436	3 900	2 536 938	203
19	8 370	1 241	3 206 261	1 982	12 265 767	6 946	4 519 547	204
68	34 196	1 773	3 891 103	1 646	7 834 973	7 978	5 186 947	205
145	56 132	1 983	4 365 265	2 140	11 039 688	10 172	6 648 566	206
243	87 240	3 423	6 799 810	3 244	15 227 990	16 139	10 651 813	207
358	140 260	6 555	13 483 392	6 441	30 256 367	33 297	21 864 373	208
682	266 184	12 582	26 076 818	10 103	46 917 155	58 332	38 501 523	209
1 366	566 592	25 440	52 884 870	21 403	97 718 312	120 429	79 958 521	210
2 495	1 032 612	48 535	101 240 729	39 080	178 096 327	229 126	151 789 235	211
3 632	1 560 926	69 595	141 824 850	51 389	231 471 818	316 702	210 150 955	212
5 034	2 279 345	93 317	186 860 036	67 505	302 820 081	420 467	279 841 793	213
7 581	3 515 822	135 200	268 286 175	94 641	417 432 144	600 386	399 683 574	214
13 589	6 328 142	259 537	509 737 961	176 705	768 560 323	1 272 730	778 902 393	215
16 821	7 863 375	340 113	666 672 288	215 832	925 259 405	1 625 505	989 951 518	216
18 237	8 368 816	488 363	934 972 080	264 174	1 100 355 847	2 209 046	1 331 772 384	217
14 856	6 342 156	694 898	1 292 654 452	301 064	1 188 445 360	2 933 260	1 744 303 227	218
8 543	3 437 555	804 001	1 442 641 714	267 117	999 110 794	3 136 341	1 838 529 893	219
3 355	1 098 930	882 357	1 508 505 629	203 815	714 039 518	3 143 799	1 796 164 733	220
50 170	21 464 068	1 600 328	3 156 108 814	1 134 082	4 060 721 597	6 572 428	4 035 719 314	221
32 337	14 554 024	254 378	558 382 424	395 009	1 598 444 319	1 501 405	964 192 715	222
17 833	6 910 044	1 345 950	2 597 726 390	739 073	2 462 277 278	5 071 023	3 071 526 599	223
200	118 180	12 439	55 511 353	100 867	503 688 107	209 234	136 219 567	224
199	120 170	3 830	12 957 211	13 582	70 362 309	32 230	20 898 264	225
147	81 660	3 874	10 569 628	6 187	32 536 210	17 647	11 325 688	226
540	298 410	4 529	11 399 618	9 296	36 325 926	28 041	18 095 433	227
896	437 584	4 609	10 742 827	10 833	37 079 836	33 223	21 502 713	228
1 160	475 392	4 824	10 302 661	9 131	32 182 192	30 559	19 589 113	229
1 600	660 998	6 602	13 965 564	9 228	32 139 995	34 732	22 377 941	230
1 779	764 990	6 208	12 388 067	9 048	31 587 615	35 369	22 786 635	231
2 300	986 443	7 167	15 336 572	10 393	36 663 281	41 053	26 617 914	232
2 567	1 110 355	9 839	20 327 720	12 224	44 148 077	52 751	34 165 830	233
2 586	1 131 276	12 313	23 939 866	13 062	46 915 889	62 012	40 231 513	234
2 832	1 309 990	17 295	33 942 383	18 881	69 378 589	88 425	57 696 241	235
3 599	1 630 343	30 288	60 321 843	29 890	109 021 268	146 554	95 646 699	236
5 825	2 718 652	62 641	126 795 650	65 744	239 258 851	327 508	206 491 228	237
6 491	2 880 666	103 278	205 786 187	95 405	342 847 187	502 146	314 175 179	238
6 712	2 897 477	173 533	346 619 821	141 530	491 564 079	786 689	487 617 115	239
5 270	2 046 737	295 958	577 853 631	182 807	616 638 342	1 173 912	716 680 728	240
3 532	1 224 303	386 278	742 139 508	201 315	664 271 846	1 431 123	864 877 119	241
1 935	570 442	454 823	865 208 704	194 659	624 111 998	1 539 220	918 724 394	242
423 863	239 639 175	915 727	1 946 622 878	990 660	3 540 208 475	4 022 536	2 596 190 634	243
328 705	186 711 085	312 851	738 527 566	498 949	1 844 735 838	1 551 540	1 030 310 252	244
95 158	52 928 090	602 876	1 208 095 312	491 711	1 695 472 637	2 470 996	1 565 880 382	245
117	68 670	2 569	11 186 982	7 333	42 083 443	13 341	8 685 577	246
215	132 460	1 200	4 107 369	4 050	23 277 462	8 392	5 481 768	247
609	360 360	2 857	8 715 839	6 661	37 346 508	16 267	10 679 350	248
1 805	1 080 681	3 346	8 481 226	7 784	30 445 759	18 132	12 057 310	249
4 327	2 429 302	6 227	13 628 554	9 118	35 049 819	26 814	17 444 782	250
7 126	3 920 609	9 811	18 632 891	11 172	42 675 725	38 582	24 451 672	251
10 505	5 709 606	14 773	27 042 858	14 228	53 384 036	54 891	34 686 457	252
16 538	9 054 156	14 838	30 006 261	18 763	70 505 209	61 336	39 686 532	253
25 951	14 469 167	17 092	38 530 303	27 520	102 998 641	80 998	53 750 779	254
33 125	18 540 300	20 430	49 311 041	37 299	137 960 409	105 531	70 753 470	255
35 188	19 969 283	24 344	57 760 188	40 646	148 059 565	119 904	80 643 984	256
38 282	21 864 332	29 271	70 617 032	47 468	172 378 617	144 051	97 155 415	257
41 931	24 096 266	39 544	93 448 648	60 498	214 983 865	195 275	131 907 682	258
57 554	33 128 708	66 460	156 286 893	100 983	359 572 484	339 479	224 139 930	259
56 818	32 694 643	78 159	182 440 634	116 977	415 398 878	400 299	263 784 547	260
48 096	27 433 107	103 946	232 287 810	135 871	476 564 492	508 179	331 612 298	261
30 198	16 717 271	150 598	311 325 940	143 825	499 557 019	657 625	421 814 018	262
12 117	6 340 575	168 151	330 492 932	120 071	410 358 314	662 733	417 572 538	263
3 361	1 629 679	162 111	302 319 477	80 393	267 608 230	570 707	349 882 525	264

第１表　医科診療（総数）件数・診療実日数・回数・点数，

行番号	傷病分類 一般医療－後期医療 年齢階級	件数	診療実日数	総数 回数	総数 点数	初・再診 回数	初・再診 点数
265	XII 皮膚及び皮下組織の疾患	6 640 286	9 708 526	60 766 769	6 548 179 742	8 624 094	1 472 221 117
266	一般医療	5 598 131	7 571 074	44 289 250	4 455 077 584	7 021 946	1 268 684 432
267	後期医療	1 042 155	2 137 452	16 477 519	2 093 102 158	1 602 148	203 536 685
268	0 ～ 4 歳	821 707	1 137 928	3 049 134	546 005 612	787 690	188 822 669
269	5 ～ 9	454 165	586 238	2 294 360	251 637 239	584 529	119 589 106
270	10 ～ 14	325 344	411 165	1 868 672	183 527 800	408 479	78 660 491
271	15 ～ 19	308 991	378 559	2 111 074	165 336 660	374 565	70 350 212
272	20 ～ 24	309 476	374 776	2 231 150	175 060 137	368 870	71 786 255
273	25 ～ 29	315 309	386 676	2 354 012	188 377 072	377 496	72 395 025
274	30 ～ 34	329 623	410 110	2 486 005	208 998 471	399 038	74 634 183
275	35 ～ 39	340 793	430 939	2 694 230	228 727 251	420 546	76 242 564
276	40 ～ 44	372 644	482 776	3 222 042	281 525 303	471 729	82 259 250
277	45 ～ 49	373 933	501 645	3 493 855	317 581 037	487 635	81 638 837
278	50 ～ 54	317 606	441 809	3 164 898	300 796 350	426 007	69 129 711
279	55 ～ 59	287 528	414 300	3 016 619	304 358 187	395 611	62 209 457
280	60 ～ 64	291 161	437 883	3 246 331	351 516 532	412 213	62 721 180
281	65 ～ 69	386 319	606 540	4 577 131	518 884 551	565 329	82 268 499
282	70 ～ 74	382 956	630 150	4 921 866	538 481 690	581 934	80 171 110
283	75 ～ 79	379 452	671 264	5 382 321	576 958 614	599 992	78 305 550
284	80 ～ 84	309 702	610 565	4 910 942	560 730 788	493 473	62 177 411
285	85 ～ 89	204 755	456 563	3 532 050	466 048 396	308 566	38 431 046
286	90 歳以上	128 822	338 640	2 210 077	383 628 052	160 392	20 428 561
287	XIII 筋骨格系及び結合組織の疾患	8 132 557	20 282 972	137 779 770	18 553 910 716	18 173 988	1 972 950 629
288	一般医療	5 100 693	11 191 278	74 653 956	10 056 110 856	10 415 832	1 234 215 162
289	後期医療	3 031 864	9 091 694	63 125 814	8 497 799 860	7 758 156	738 735 467
290	0 ～ 4 歳	35 380	57 586	190 357	176 537 042	37 917	11 376 306
291	5 ～ 9	40 622	61 884	235 089	79 776 606	55 394	11 573 427
292	10 ～ 14	121 644	211 005	811 094	168 155 143	202 998	35 197 907
293	15 ～ 19	92 262	157 441	711 194	144 460 702	149 258	25 489 396
294	20 ～ 24	61 889	99 399	597 931	110 384 837	91 169	16 408 740
295	25 ～ 29	88 274	143 638	916 929	145 657 887	131 951	22 914 100
296	30 ～ 34	129 993	217 097	1 401 453	205 196 586	201 259	33 037 361
297	35 ～ 39	185 112	323 246	2 142 472	298 599 128	303 177	46 399 321
298	40 ～ 44	284 612	521 166	3 508 026	458 652 894	494 995	70 596 198
299	45 ～ 49	384 937	757 303	5 022 174	638 889 988	717 503	95 046 343
300	50 ～ 54	460 983	956 082	6 285 806	797 133 889	903 698	112 048 329
301	55 ～ 59	532 606	1 137 705	7 827 675	1 033 577 876	1 059 197	124 588 577
302	60 ～ 64	649 037	1 454 053	10 201 594	1 330 476 609	1 349 356	149 372 379
303	65 ～ 69	977 640	2 326 845	16 265 365	2 126 010 797	2 148 533	225 124 076
304	70 ～ 74	1 091 168	2 899 730	19 570 132	2 586 344 152	2 667 748	264 001 940
305	75 ～ 79	1 203 706	3 492 714	23 246 521	3 053 386 036	3 180 136	302 213 429
306	80 ～ 84	984 517	2 964 047	20 594 290	2 661 460 925	2 605 869	245 668 714
307	85 ～ 89	568 417	1 731 504	12 673 915	1 663 956 745	1 397 625	133 748 342
308	90 歳以上	239 758	770 527	5 577 753	875 252 874	476 205	48 145 744
309	XIV 腎尿路生殖器系の疾患	3 034 917	7 226 500	63 593 603	14 345 189 048	5 820 149	678 571 929
310	一般医療	2 151 964	4 274 038	37 691 737	7 584 466 984	3 830 853	487 648 116
311	後期医療	882 953	2 952 462	25 901 866	6 760 722 064	1 989 296	190 923 813
312	0 ～ 4 歳	28 219	52 450	191 449	100 921 246	33 314	7 955 690
313	5 ～ 9	28 279	44 699	208 491	50 872 358	40 167	8 124 764
314	10 ～ 14	17 088	26 187	169 454	37 894 187	22 567	4 117 449
315	15 ～ 19	33 595	45 566	454 471	51 568 548	41 697	7 982 751
316	20 ～ 24	93 750	125 653	1 307 714	124 991 044	116 040	21 479 491
317	25 ～ 29	141 788	208 866	1 906 026	207 808 014	189 005	31 320 255
318	30 ～ 34	171 773	275 734	2 169 039	292 906 976	248 341	37 873 640
319	35 ～ 39	177 332	290 400	2 292 798	356 144 140	267 115	38 996 533
320	40 ～ 44	189 951	324 756	2 683 795	490 547 452	303 844	41 858 848
321	45 ～ 49	210 522	405 014	3 281 544	675 771 144	380 093	49 371 271
322	50 ～ 54	192 254	412 887	3 339 448	733 140 732	386 506	47 179 686
323	55 ～ 59	162 865	393 778	3 335 665	816 979 227	359 597	40 756 317
324	60 ～ 64	171 858	458 208	4 103 234	1 065 956 908	406 226	42 346 181
325	65 ～ 69	268 903	744 922	6 764 017	1 760 986 029	642 311	63 809 036
326	70 ～ 74	300 937	809 342	7 721 386	1 843 070 253	677 524	66 433 999
327	75 ～ 79	317 839	851 271	8 304 499	1 881 980 492	676 508	66 133 122
328	80 ～ 84	274 075	808 469	7 662 566	1 782 671 571	565 856	55 435 860
329	85 ～ 89	169 430	583 278	5 051 233	1 297 196 195	330 313	33 073 491
330	90 歳以上	84 459	365 020	2 646 774	773 782 532	133 125	14 323 545
331	XV 妊娠，分娩及び産じょく	278 263	774 131	3 557 921	1 763 541 995	265 698	46 368 614
332	一般医療	278 258	774 114	3 557 597	1 763 490 230	265 688	46 367 958
333	後期医療	5	17	324	51 765	10	656
334	0 ～ 4 歳	−	−	−	−	−	−
335	5 ～ 9	−	−	−	−	−	−
336	10 ～ 14	99	211	618	248 626	108	18 968
337	15 ～ 19	3 234	8 562	35 274	16 263 141	3 249	687 876
338	20 ～ 24	23 247	59 290	265 918	112 692 189	22 398	4 353 933
339	25 ～ 29	68 181	181 809	838 127	362 893 494	64 368	11 705 941
340	30 ～ 34	95 487	267 170	1 235 203	599 731 211	88 841	15 500 601
341	35 ～ 39	66 493	194 698	892 080	494 118 056	63 551	10 532 864
342	40 ～ 44	19 943	58 650	270 392	167 840 386	21 134	3 281 876
343	45 ～ 49	1 317	3 255	16 571	8 913 406	1 656	242 879
344	50 ～ 54	190	348	2 558	609 661	275	31 693
345	55 ～ 59	63	104	638	133 208	100	10 715
346	60 ～ 64	1	3	13	2 824	5	291
347	65 ～ 69	2	13	197	43 074	2	248
348	70 ～ 74	1	1	8	954	1	73
349	75 ～ 79	2	4	31	39 290	5	328
350	80 ～ 84	1	4	19	2 740	5	328
351	85 ～ 89	1	1	254	7 929	−	−
352	90 歳以上	1	8	20	1 806	−	−

平成30年６月審査分

医学管理等		在宅医療		検査		行番号
回数	点数	回数	点数	回数	点数	
3 052 107	459 992 105	169 121	276 737 076	4 261 457	487 869 301	265
2 463 302	373 303 293	36 064	117 053 741	2 929 207	356 919 339	266
588 805	86 688 812	133 057	159 683 335	1 332 250	130 949 962	267
525 362	188 288 421	656	2 919 870	205 078	33 149 150	268
116 877	9 473 359	897	4 917 827	133 222	20 621 632	269
82 734	5 225 376	784	7 074 061	102 725	15 697 087	270
101 360	6 285 324	515	4 299 720	88 006	12 405 999	271
113 709	7 494 213	597	2 421 932	114 390	15 416 966	272
121 556	8 498 818	693	2 563 808	128 179	17 160 032	273
131 660	9 809 682	927	4 378 114	145 851	18 947 869	274
140 206	11 142 794	1 141	5 038 023	165 382	20 632 383	275
159 520	13 811 025	1 639	7 818 512	196 857	23 799 929	276
164 327	15 578 181	2 296	9 590 983	221 669	25 999 038	277
142 729	14 777 906	2 792	10 458 587	212 913	24 220 918	278
134 467	15 396 936	3 572	10 896 684	214 984	23 528 977	279
141 175	17 572 376	4 348	11 829 739	250 469	26 612 728	280
195 552	25 730 610	8 139	19 107 692	379 291	39 856 681	281
204 028	27 532 251	10 613	21 244 489	409 606	42 688 496	282
210 684	29 024 376	15 641	25 174 130	431 771	44 629 499	283
179 005	25 808 647	26 564	33 932 605	391 785	38 920 052	284
118 348	17 759 870	38 076	41 257 209	284 549	26 926 115	285
68 808	10 781 940	49 231	51 813 091	184 730	16 655 750	286
4 008 162	543 708 518	252 940	523 677 271	10 868 356	1 100 563 998	287
2 314 954	307 697 140	72 995	256 147 460	6 591 819	664 686 483	288
1 693 208	236 011 378	179 945	267 529 811	4 276 537	435 877 515	289
14 389	5 459 378	137	595 451	27 649	9 604 046	290
8 814	1 322 099	219	2 585 209	23 973	5 122 655	291
30 609	3 308 912	352	4 413 362	36 710	4 866 905	292
27 027	3 246 612	447	5 693 714	54 170	5 811 285	293
22 915	2 805 109	514	4 463 405	73 695	7 317 484	294
33 519	3 853 320	869	5 620 962	112 403	11 097 408	295
50 078	5 776 033	1 438	7 529 762	169 507	16 695 123	296
72 597	8 572 829	2 223	12 283 483	249 893	24 129 660	297
113 925	13 589 602	3 371	17 769 840	383 015	36 620 978	298
158 574	19 603 588	4 928	20 003 934	509 406	48 528 254	299
194 980	24 815 323	6 019	23 074 486	596 560	57 359 891	300
240 846	32 009 883	7 929	27 325 362	699 117	67 635 123	301
310 666	42 295 544	10 559	34 503 120	888 784	87 511 593	302
488 430	67 609 677	16 889	47 803 060	1 371 857	138 206 240	303
568 963	78 761 036	21 547	54 962 559	1 497 339	154 012 291	304
641 590	87 903 270	29 697	63 246 902	1 627 074	168 746 667	305
552 583	75 734 093	40 755	66 344 895	1 354 122	139 212 342	306
333 293	46 173 255	49 928	63 322 241	818 428	82 289 536	307
144 364	20 868 955	55 119	62 135 524	374 654	35 796 517	308
1 660 158	554 063 833	143 313	354 762 524	10 335 807	1 177 581 251	309
1 003 760	301 236 546	51 671	187 122 016	6 751 868	836 500 306	310
656 398	252 827 287	91 642	167 640 508	3 583 939	341 080 945	311
17 008	5 877 641	341	2 594 142	59 050	7 464 045	312
8 766	1 655 145	476	2 634 103	78 470	6 716 767	313
5 714	1 101 011	503	2 772 959	61 701	5 631 801	314
11 165	1 066 438	516	3 065 644	106 198	12 327 600	315
30 023	2 193 406	615	2 094 130	251 923	34 712 511	316
45 792	4 062 796	939	3 964 918	375 550	57 214 533	317
55 918	6 402 888	1 508	5 860 082	479 538	76 373 765	318
57 620	9 240 215	1 882	8 395 660	501 613	77 933 076	319
65 789	15 702 312	2 570	10 242 616	535 523	78 674 485	320
82 862	25 039 460	3 699	16 305 862	579 554	80 610 465	321
89 222	31 239 850	4 359	19 023 296	533 281	67 557 021	322
91 774	36 893 994	5 421	22 884 532	518 195	58 456 688	323
113 472	49 093 653	7 315	28 120 590	627 877	66 215 946	324
185 763	79 882 083	12 710	40 507 535	1 025 085	104 772 261	325
206 377	81 605 373	14 925	40 628 188	1 162 477	116 387 333	326
215 849	78 482 831	17 331	40 503 200	1 244 251	121 494 814	327
193 182	66 477 791	21 120	40 260 822	1 107 518	105 343 872	328
123 820	40 639 742	22 746	34 606 687	713 008	66 377 007	329
60 042	17 407 204	24 337	30 297 558	374 995	33 317 261	330
130 008	22 545 564	4 918	8 647 427	767 890	148 755 316	331
130 004	22 544 334	4 917	8 644 173	767 859	148 751 929	332
4	1 230	1	3 254	31	3 387	333
-	-	-	-	-	-	334
-	-	-	-	-	-	335
16	3 473	4	5 170	149	25 196	336
1 267	195 348	24	40 182	8 805	1 828 190	337
9 847	1 414 368	173	271 624	61 109	12 803 968	338
30 525	4 704 142	789	1 359 565	176 780	36 633 038	339
45 101	7 703 329	1 623	2 899 961	261 250	50 779 047	340
32 887	6 373 961	1 664	2 953 076	192 067	35 012 903	341
9 721	2 011 818	597	1 041 583	62 098	10 726 112	342
541	114 515	34	61 586	4 695	787 283	343
70	15 327	5	7 810	691	117 757	344
23	6 856	4	3 616	205	36 517	345
-	-	-	-	4	1 397	346
5	837	-	-	-	-	347
1	360	-	-	6	521	348
3	930	-	-	12	1 575	349
-	-	-	-	10	936	350
1	300	1	3 254	-	-	351
-	-	-	-	9	876	352

第１表　医科診療（総数）件数・診療実日数・回数・点数，

行番号	傷病分類 一般医療－後期医療 年齢階級	画像診断		投薬		注射	
		回数	点数	回数	点数	回数	点数
265	XII 皮膚及び皮下組織の疾患	307 401	104 543 971	39 689 781	994 932 786	515 506	542 399 464
266	一般医療	175 647	61 962 978	28 792 004	762 513 677	277 700	392 602 250
267	後期医療	131 754	42 580 993	10 897 777	232 419 109	237 806	149 797 214
268	0 ～ 4 歳	6 123	1 207 541	1 310 670	62 222 638	2 687	1 728 720
269	5 ～ 9	5 687	1 020 599	1 237 231	47 222 284	2 195	3 597 881
270	10 ～ 14	6 456	1 177 484	1 119 098	36 126 171	3 194	4 902 084
271	15 ～ 19	4 635	1 216 041	1 426 774	38 555 464	6 291	3 744 392
272	20 ～ 24	3 647	1 143 963	1 517 974	39 156 292	9 140	5 211 964
273	25 ～ 29	4 064	1 189 850	1 600 891	40 289 482	11 738	7 180 906
274	30 ～ 34	5 552	1 847 198	1 672 582	42 887 628	13 136	11 325 113
275	35 ～ 39	6 756	2 261 154	1 815 772	44 985 707	16 237	16 468 499
276	40 ～ 44	10 171	3 594 852	2 207 247	53 358 896	21 024	29 598 305
277	45 ～ 49	12 784	4 590 264	2 407 143	56 805 094	26 919	38 626 021
278	50 ～ 54	13 999	5 273 792	2 170 153	49 805 429	26 822	40 386 014
279	55 ～ 59	15 255	5 799 756	2 051 463	49 217 067	24 964	38 760 799
280	60 ～ 64	19 006	7 444 886	2 183 686	53 615 461	26 623	47 475 678
281	65 ～ 69	31 148	12 353 994	3 052 873	74 702 535	41 226	77 845 634
282	70 ～ 74	34 625	13 360 774	3 291 355	79 755 049	49 929	72 311 212
283	75 ～ 79	40 561	14 725 761	3 612 840	83 881 436	63 887	64 575 193
284	80 ～ 84	37 837	12 644 171	3 278 401	69 372 124	70 868	41 603 988
285	85 ～ 89	28 979	8 483 597	2 328 721	46 326 414	59 163	23 861 334
286	90 歳 以 上	20 116	5 208 294	1 404 907	26 647 615	39 463	13 195 727
287	XIII 筋骨格系及び結合組織の疾患	6 646 349	1 578 468 046	75 571 538	1 495 195 476	4 345 369	1 670 054 722
288	一般医療	4 644 499	1 099 558 164	39 902 754	835 299 775	1 885 072	873 055 047
289	後期医療	2 001 850	478 909 882	35 668 784	659 895 701	2 460 297	796 999 675
290	0 ～ 4 歳	24 835	4 270 030	49 977	673 743	729	1 816 570
291	5 ～ 9	67 776	11 154 907	45 718	1 682 281	656	2 007 640
292	10 ～ 14	237 110	47 539 890	155 081	6 482 059	1 506	4 650 134
293	15 ～ 19	161 446	39 011 825	198 936	6 410 261	3 723	5 815 253
294	20 ～ 24	89 279	21 483 473	249 655	6 974 078	4 856	6 681 389
295	25 ～ 29	115 527	27 088 778	424 392	11 799 680	8 991	10 910 163
296	30 ～ 34	155 988	36 916 698	672 905	17 338 143	15 910	16 124 792
297	35 ～ 39	211 392	50 608 480	1 064 402	26 024 227	27 376	23 627 634
298	40 ～ 44	305 410	73 610 023	1 801 554	42 225 879	53 320	39 865 089
299	45 ～ 49	390 454	93 646 972	2 593 937	57 657 887	97 288	56 888 732
300	50 ～ 54	438 378	103 058 557	3 271 605	71 707 389	147 589	69 636 349
301	55 ～ 59	462 456	109 118 572	4 263 149	88 737 018	200 004	93 305 168
302	60 ～ 64	520 012	123 622 845	5 679 464	113 614 235	270 778	125 624 874
303	65 ～ 69	729 095	176 976 478	9 129 453	182 561 923	458 258	201 642 831
304	70 ～ 74	768 351	189 614 108	10 887 822	213 510 271	618 122	248 602 705
305	75 ～ 79	811 023	200 841 457	12 837 337	251 113 510	835 064	295 471 662
306	80 ～ 84	645 805	155 088 741	11 625 616	214 561 445	826 100	255 109 316
307	85 ～ 89	364 378	83 007 980	7 331 085	128 375 864	552 082	153 621 806
308	90 歳 以 上	147 634	31 808 232	3 289 450	53 745 583	223 017	58 652 615
309	XIV 腎尿路生殖器系の疾患	848 889	340 710 056	38 405 328	787 133 665	610 324	467 202 357
310	一般医療	569 106	231 496 549	22 460 489	493 863 670	369 947	259 408 258
311	後期医療	279 783	109 213 507	15 944 839	293 269 995	240 377	207 794 099
312	0 ～ 4 歳	2 993	1 551 891	60 873	1 646 162	1 145	526 516
313	5 ～ 9	1 599	620 740	69 410	2 360 426	737	917 966
314	10 ～ 14	1 608	567 385	69 625	1 771 107	635	730 686
315	15 ～ 19	3 266	1 448 066	275 018	6 801 782	1 996	985 167
316	20 ～ 24	7 649	3 407 316	841 479	21 242 114	5 203	3 539 467
317	25 ～ 29	15 659	6 851 571	1 174 253	28 724 134	14 634	5 350 643
318	30 ～ 34	28 483	12 027 488	1 215 128	29 286 164	26 347	10 630 883
319	35 ～ 39	40 665	16 586 373	1 266 554	30 962 591	27 135	12 087 926
320	40 ～ 44	56 181	22 146 099	1 512 663	37 332 404	33 998	17 942 193
321	45 ～ 49	67 546	26 577 954	1 870 600	43 751 655	65 040	25 200 245
322	50 ～ 54	61 638	23 843 231	1 942 722	41 924 474	67 438	24 643 006
323	55 ～ 59	58 881	22 854 845	1 978 813	42 980 417	42 989	24 399 503
324	60 ～ 64	62 250	25 096 164	2 489 909	52 661 766	21 979	33 591 722
325	65 ～ 69	88 477	37 103 723	4 145 120	86 681 136	31 821	55 068 329
326	70 ～ 74	89 161	38 304 248	4 835 110	94 861 576	39 322	60 281 012
327	75 ～ 79	88 709	37 874 606	5 252 672	100 034 288	52 312	64 932 443
328	80 ～ 84	80 008	31 319 895	4 821 360	87 246 829	64 432	59 328 279
329	85 ～ 89	57 983	21 014 962	3 078 775	53 056 766	62 124	42 342 569
330	90 歳 以 上	36 133	11 513 499	1 505 244	23 807 874	51 037	24 703 802
331	XV 妊娠，分娩及び産じょく	20 865	4 207 325	1 783 306	21 435 861	95 035	23 946 856
332	一般医療	20 859	4 204 208	1 783 043	21 433 101	95 031	23 913 586
333	後期医療	6	3 117	263	2 760	4	33 270
334	0 ～ 4 歳	-	-	-	-	-	-
335	5 ～ 9	-	-	-	-	-	-
336	10 ～ 14	38	8 398	201	2 528	5	5 475
337	15 ～ 19	199	47 649	15 558	205 854	1 106	312 627
338	20 ～ 24	1 297	288 520	129 779	1 667 057	7 538	1 894 036
339	25 ～ 29	4 382	884 607	430 130	5 248 279	24 579	6 181 964
340	30 ～ 34	6 885	1 300 579	630 265	7 552 190	33 776	8 749 143
341	35 ～ 39	5 721	1 101 586	441 784	5 170 053	22 351	5 423 715
342	40 ～ 44	2 080	464 972	126 915	1 476 806	5 433	1 259 708
343	45 ～ 49	163	54 914	6 864	90 707	203	60 813
344	50 ～ 54	66	37 173	1 178	14 915	27	12 683
345	55 ～ 59	26	14 810	198	3 266	13	13 422
346	60 ～ 64	2	1 000	2	136	-	-
347	65 ～ 69	-	-	169	1 310	-	-
348	70 ～ 74	-	-	-	-	-	-
349	75 ～ 79	2	2 683	3	204	4	33 270
350	80 ～ 84	-	-	3	220	-	-
351	85 ～ 89	-	-	251	1 896	-	-
352	90 歳 以 上	4	434	6	440	-	-

平成30年６月審査分

リハビリテーション 回数	リハビリテーション 点数	精神科専門療法 回数	精神科専門療法 点数	処置 回数	処置 点数	行番号
519 291	103 322 762	45 005	15 396 480	2 753 380	542 935 878	265
185 037	38 148 937	31 037	10 246 586	2 015 060	362 422 250	266
334 254	65 173 825	13 968	5 149 894	738 320	180 513 628	267
4 217	995 169	152	68 470	196 291	24 175 962	268
5 172	1 179 348	457	178 670	202 884	26 762 922	269
3 770	809 470	647	251 850	134 529	18 013 271	270
3 760	807 654	752	279 590	95 668	11 144 382	271
3 561	762 704	1 225	418 310	86 596	10 021 298	272
3 232	690 846	1 573	535 927	90 223	11 509 280	273
3 534	729 341	1 916	651 011	95 162	13 136 049	274
4 386	897 299	2 204	708 635	102 099	15 325 137	275
7 215	1 538 710	2 671	869 838	119 507	21 031 970	276
10 280	2 118 545	3 303	1 117 640	127 700	26 586 290	277
14 631	3 051 157	3 188	1 051 158	121 264	27 281 961	278
16 148	3 307 694	3 336	1 062 021	123 678	32 265 592	279
26 161	5 423 683	3 558	1 122 713	138 327	38 800 242	280
40 566	8 136 221	3 984	1 210 390	197 191	60 770 795	281
51 294	10 258 702	3 577	1 211 943	215 995	58 680 275	282
74 572	14 752 998	3 652	1 268 128	239 582	55 899 252	283
93 158	18 103 772	3 538	1 300 307	219 285	47 357 216	284
88 208	17 105 961	3 162	1 288 349	151 906	28 180 854	285
65 426	12 653 488	2 110	801 530	95 493	15 993 130	286
7 728 859	1 448 534 168	64 952	22 176 337	6 959 703	613 006 118	287
3 884 099	738 121 038	45 290	15 006 529	3 589 785	317 333 863	288
3 844 760	710 413 130	19 662	7 169 808	3 369 918	295 672 255	289
5 931	1 391 512	45	21 235	1 904	1 159 294	290
16 227	3 416 961	98	39 120	7 878	1 496 481	291
93 583	18 355 247	206	85 720	45 082	5 359 587	292
74 522	14 712 008	455	196 400	31 644	3 514 829	293
31 677	6 250 239	759	255 750	22 094	2 195 497	294
37 983	7 421 167	1 474	475 015	33 447	2 896 885	295
54 295	10 566 295	2 326	773 360	53 373	4 907 529	296
88 648	17 089 734	3 392	1 127 370	83 016	7 586 191	297
149 283	28 436 990	4 708	1 581 590	142 776	13 693 512	298
244 762	46 389 955	5 549	1 801 796	218 514	20 753 923	299
334 785	63 424 184	5 827	1 897 027	284 263	27 836 156	300
405 202	77 294 560	5 259	1 717 047	346 952	35 863 955	301
522 235	99 959 921	5 216	1 786 428	471 651	50 041 229	302
826 065	156 797 598	6 412	2 180 511	806 190	84 688 190	303
1 073 737	200 900 264	5 107	1 648 400	1 088 792	94 922 213	304
1 396 494	259 205 513	5 689	1 978 625	1 371 349	102 755 407	305
1 234 832	227 682 930	5 761	2 028 756	1 144 594	85 482 424	306
774 733	142 587 151	4 207	1 565 166	601 273	49 166 824	307
363 865	66 651 939	2 462	1 017 021	204 911	18 685 992	308
751 503	152 840 476	31 445	9 186 645	2 982 420	5 561 021 807	309
175 740	37 006 777	22 180	6 288 592	1 494 293	2 852 669 223	310
575 763	115 833 699	9 265	2 898 053	1 488 127	2 708 352 584	311
946	228 265	7	4 480	2 340	416 001	312
852	198 685	75	33 980	2 396	413 001	313
1 090	253 575	168	64 705	1 362	272 899	314
1 583	375 115	380	159 455	4 594	1 352 074	315
961	218 934	626	176 565	21 311	5 280 023	316
1 561	334 345	1 062	310 150	33 413	13 661 302	317
1 362	304 476	1 389	400 825	41 333	27 827 281	318
2 185	477 336	1 763	531 410	50 139	61 362 087	319
3 948	862 044	2 465	727 050	77 844	137 222 088	320
6 703	1 426 346	3 155	832 230	123 014	248 837 511	321
12 258	2 584 527	2 926	738 980	157 036	332 955 951	322
16 753	3 547 255	2 463	662 947	188 376	409 802 377	323
27 502	5 782 201	1 753	532 310	258 341	554 255 137	324
55 426	11 350 505	2 474	655 741	423 570	892 809 381	325
78 082	15 892 155	2 289	662 625	433 055	871 428 140	326
110 212	22 315 570	2 321	679 285	421 218	807 369 502	327
153 713	30 929 543	2 835	882 863	376 767	668 024 050	328
152 000	30 697 829	2 165	755 619	246 431	390 904 861	329
124 366	25 061 770	1 129	375 425	119 880	136 828 141	330
1 147	245 638	904	256 480	59 902	4 998 901	331
1 147	245 638	904	256 480	59 901	4 998 845	332
–	–	–	–	1	56	333
–	–	–	–	–	–	334
–	–	–	–	–	–	335
8	1 480	1	330	1	211	336
10	2 475	7	2 850	724	54 282	337
42	8 760	60	15 400	5 611	425 177	338
348	72 062	181	46 890	15 873	1 218 487	339
369	79 812	277	81 500	20 933	1 800 500	340
212	51 652	234	66 635	13 232	1 109 911	341
123	22 342	101	30 015	3 258	283 636	342
9	1 780	26	7 430	207	60 549	343
26	5 275	10	3 370	26	4 318	344
–	–	7	2 060	26	31 174	345
–	–	–	–	–	–	346
–	–	–	–	10	10 600	347
–	–	–	–	–	–	348
–	–	–	–	–	–	349
–	–	–	–	–	–	350
–	–	–	–	–	–	351
–	–	–	–	1	56	352

行番号	傷病分類 一般医療−後期医療 年齢階級	手術 回数	手術 点数	麻酔 回数	麻酔 点数	放射線治療 回数	放射線治療 点数
265	ⅩⅡ 皮膚及び皮下組織の疾患	82 668	190 136 068	41 729	24 205 540	15 985	28 241 332
266	一般医療	66 792	140 799 751	14 615	15 915 031	13 315	23 189 438
267	後期医療	15 876	49 336 317	27 114	8 290 509	2 670	5 051 894
268	０～４歳	1 105	2 950 617	192	930 224	4	237 830
269	５～９	1 173	1 245 659	54	223 861	1	110
270	１０～１４	1 857	2 341 168	51	233 114	-	-
271	１５～１９	3 050	4 010 458	98	313 065	10	15 860
272	２０～２４	3 507	6 440 093	162	609 262	39	47 640
273	２５～２９	4 054	8 551 324	317	686 311	98	175 150
274	３０～３４	4 554	10 375 081	440	905 205	169	325 642
275	３５～３９	5 067	11 007 428	523	970 614	639	965 246
276	４０～４４	6 074	10 933 117	650	1 094 180	1 414	2 150 686
277	４５～４９	6 564	11 841 996	929	1 333 015	2 040	3 250 170
278	５０～５４	5 918	11 798 033	1 210	1 295 533	1 600	2 910 866
279	５５～５９	5 449	11 665 076	1 544	1 382 626	1 379	2 257 436
280	６０～６４	5 547	13 690 068	1 804	1 883 811	1 526	2 686 468
281	６５～６９	6 889	17 478 672	2 913	2 276 684	2 438	4 267 666
282	７０～７４	6 523	18 737 991	4 162	2 397 456	1 958	3 898 668
283	７５～７９	5 838	17 877 259	7 021	2 691 289	1 562	2 844 352
284	８０～８４	4 554	13 641 627	9 073	2 390 935	635	1 307 150
285	８５～８９	3 083	10 101 477	7 484	1 816 881	320	623 552
286	９０歳以上	1 862	5 448 924	3 102	771 474	153	276 840
287	ⅩⅢ 筋骨格系及び結合組織の疾患	100 787	2 537 569 545	1 039 465	570 570 470	4 187	7 883 237
288	一般医療	64 887	1 491 431 810	483 665	330 228 473	3 116	5 805 873
289	後期医療	35 900	1 046 137 735	555 800	240 341 997	1 071	2 077 364
290	０～４歳	9 521	16 844 552	201	500 320	6	660
291	５～９	1 288	3 580 091	190	899 219	2	220
292	１０～１４	683	12 239 088	847	2 501 462	3	440
293	１５～１９	852	14 414 986	2 326	3 422 574	9	990
294	２０～２４	654	13 417 348	3 242	3 637 710	5	660
295	２５～２９	774	13 888 197	6 070	4 575 941	4	550
296	３０～３４	1 020	18 660 530	10 577	6 864 136	23	35 000
297	３５～３９	1 381	28 839 380	16 646	9 952 589	40	53 280
298	４０～４４	1 944	41 877 818	27 393	14 788 352	184	329 990
299	４５～４９	2 775	63 959 116	38 896	20 988 892	258	325 720
300	５０～５４	4 247	96 995 276	46 910	26 839 013	434	697 902
301	５５～５９	6 229	158 104 714	54 389	36 270 703	427	750 620
302	６０～６４	7 814	216 533 244	62 098	45 123 154	245	459 586
303	６５～６９	12 347	359 944 696	94 109	69 829 535	790	1 384 053
304	７０～７４	14 409	458 079 472	126 024	88 807 411	698	1 782 832
305	７５～７９	15 634	507 075 989	181 698	104 601 339	479	795 154
306	８０～８４	11 750	360 022 283	193 160	82 469 514	316	726 910
307	８５～８９	5 472	129 824 583	129 211	38 495 597	236	493 880
308	９０歳以上	1 993	23 268 182	45 478	10 003 009	28	44 790
309	ⅩⅣ 腎尿路生殖器系の疾患	74 435	819 205 633	42 413	115 984 449	4 341	10 532 650
310	一般医療	46 824	528 322 366	28 615	88 446 177	2 593	6 243 916
311	後期医療	27 611	290 883 267	13 798	27 538 272	1 748	4 288 734
312	０～４歳	241	3 908 029	423	2 012 298	-	-
313	５～９	142	1 329 939	213	1 029 554	2	220
314	１０～１４	177	1 402 498	221	1 139 786	-	-
315	１５～１９	257	2 269 413	212	944 949	-	-
316	２０～２４	776	5 676 674	427	1 346 913	-	-
317	２５～２９	1 784	16 287 273	1 151	3 471 873	9	15 820
318	３０～３４	3 187	30 727 132	2 051	5 806 348	2	220
319	３５～３９	4 012	34 933 653	2 485	7 331 906	30	55 020
320	４０～４４	4 866	44 506 745	2 860	9 064 886	105	183 530
321	４５～４９	5 391	54 554 984	3 108	10 221 873	203	293 540
322	５０～５４	4 307	45 497 474	2 260	6 890 807	227	420 600
323	５５～５９	3 947	47 279 845	2 078	6 087 373	295	586 310
324	６０～６４	4 454	60 118 218	2 569	7 755 643	244	693 463
325	６５～６９	7 470	104 008 430	4 289	13 374 394	648	1 780 253
326	７０～７４	8 056	106 819 169	4 748	13 248 524	865	2 238 200
327	７５～７９	8 429	104 605 268	4 923	11 805 208	849	2 374 890
328	８０～８４	7 973	84 389 692	4 435	8 656 712	494	1 090 844
329	８５～８９	5 804	50 640 364	2 831	4 306 345	317	743 530
330	９０歳以上	3 162	20 250 833	1 129	1 489 057	51	56 210
331	ⅩⅤ 妊娠，分娩及び産じょく	33 122	409 452 955	34 375	43 624 266	128	29 660
332	一般医療	33 121	409 451 699	34 375	43 624 266	128	29 660
333	後期医療	1	1 256	-	-	-	-
334	０～４歳	-	-	-	-	-	-
335	５～９	-	-	-	-	-	-
336	１０～１４	1	2 460	-	-	-	-
337	１５～１９	219	2 186 324	180	232 074	-	-
338	２０～２４	1 868	21 557 163	1 676	2 359 820	1	1 390
339	２５～２９	6 638	77 955 723	6 185	7 877 323	20	3 410
340	３０～３４	11 079	140 427 321	11 539	14 924 410	41	8 030
341	３５～３９	9 519	123 083 485	10 551	13 411 795	40	9 350
342	４０～４４	3 552	41 874 375	3 977	4 520 831	23	6 820
343	４５～４９	225	2 270 978	246	264 694	3	660
344	５０～５４	18	91 480	20	33 219	-	-
345	５５～５９	2	2 390	1	100	-	-
346	６０～６４	-	-	-	-	-	-
347	６５～６９	-	-	-	-	-	-
348	７０～７４	-	-	-	-	-	-
349	７５～７９	-	-	-	-	-	-
350	８０～８４	1	1 256	-	-	-	-
351	８５～８９	-	-	-	-	-	-
352	９０歳以上	-	-	-	-	-	-

平成30年６月審査分

病理診断		入院料等		診断群分類による包括評価等		入院時食事療養等（別掲）		行番号
回数	点数	回数	点数	回数	点数	回数	金額(円)	
59 891	30 800 781	500 569	871 851 359	128 480	402 610 974	1 779 009	1 087 161 050	265
46 956	23 726 179	152 823	279 760 043	67 492	227 847 382	587 913	378 836 526	266
12 935	7 074 602	347 746	592 091 316	60 988	174 763 592	1 191 096	708 324 524	267
324	124 990	3 735	12 900 224	4 769	25 282 516	15 973	10 231 275	268
292	120 710	1 778	5 375 421	1 897	10 107 758	8 086	5 223 092	269
426	212 420	2 737	7 082 470	1 176	5 721 220	8 731	5 591 676	270
847	446 080	3 467	7 355 940	1 262	4 112 379	11 123	7 161 139	271
1 915	925 258	4 011	7 249 523	1 792	5 954 338	14 495	9 227 163	272
2 595	1 204 478	5 425	9 774 316	1 848	5 971 273	18 096	11 322 807	273
3 265	1 537 646	6 169	10 967 411	2 046	6 554 229	20 924	13 044 897	274
4 068	1 963 984	6 579	11 492 969	2 620	8 624 780	24 053	15 297 575	275
4 633	2 276 744	7 925	14 766 602	3 748	12 622 543	30 740	19 937 990	276
4 840	2 399 012	9 430	17 292 717	5 983	18 813 143	41 643	27 413 910	277
4 343	2 168 158	12 013	20 288 130	5 306	16 898 921	46 629	30 700 292	278
4 071	2 071 007	14 011	23 715 403	6 671	20 821 526	55 902	37 125 628	279
4 060	2 145 821	20 271	34 428 296	7 544	24 063 291	75 937	50 186 674	280
5 623	3 039 413	32 840	56 540 638	11 123	33 299 063	126 650	79 429 060	281
5 887	3 217 240	37 565	65 292 110	12 805	37 723 854	143 762	90 170 730	282
5 317	2 964 927	55 439	96 775 927	13 934	41 568 272	203 640	124 111 854	283
3 924	2 099 099	82 207	142 134 533	16 617	47 936 980	288 520	173 647 708	284
2 291	1 250 294	93 549	158 967 636	15 643	43 667 793	319 369	189 212 526	285
1 170	633 500	101 418	169 451 093	11 696	32 867 095	324 736	188 125 054	286
33 900	14 448 982	1 337 592	2 473 546 979	642 843	1 981 545 088	5 710 931	3 586 716 578	287
22 103	9 363 366	385 444	741 565 678	347 120	1 136 586 457	1 991 275	1 303 995 361	288
11 797	5 085 616	952 148	1 731 981 301	295 723	844 958 631	3 719 656	2 282 721 217	289
16	10 560	1 339	5 059 003	15 728	117 754 061	38 515	25 052 411	290
30	18 230	2 468	6 105 156	4 356	28 772 896	16 007	10 428 796	291
74	50 370	2 723	6 122 216	3 523	16 981 816	14 799	9 620 114	292
152	92 960	2 784	5 531 693	3 433	11 095 846	14 437	9 431 272	293
273	123 296	3 246	6 159 692	3 890	12 210 911	17 733	11 479 507	294
469	201 922	4 439	8 016 610	4 595	14 896 990	22 669	14 628 704	295
738	277 542	6 042	10 583 601	5 965	19 110 618	30 448	19 624 742	296
967	364 185	9 190	16 216 481	8 115	25 723 934	43 542	28 284 708	297
1 448	556 578	11 858	21 965 889	12 796	41 144 099	63 228	41 630 235	298
2 032	772 562	19 095	35 413 331	18 141	57 108 344	97 576	64 660 733	299
2 278	847 122	25 126	46 954 710	23 077	69 941 885	127 414	84 529 408	300
2 212	949 665	39 620	75 064 252	34 607	104 841 752	199 470	132 701 220	301
2 656	1 186 344	54 193	102 917 894	45 777	135 923 375	268 822	179 539 593	302
4 235	1 882 427	97 464	186 257 277	75 125	223 121 148	488 561	315 961 260	303
4 781	2 157 759	130 166	251 698 078	96 485	282 879 145	647 550	417 788 650	304
4 940	2 224 168	193 174	371 663 643	115 041	333 548 243	898 197	572 907 382	305
3 887	1 656 013	249 891	468 002 139	99 244	281 670 375	1 037 758	646 522 827	306
2 060	828 729	257 846	463 745 142	51 953	146 709 608	935 679	564 648 470	307
652	248 550	226 928	386 070 172	20 992	58 110 042	748 526	437 276 546	308
523 069	120 990 907	867 626	1 561 201 200	491 496	1 634 191 532	3 753 490	2 387 275 628	309
459 784	105 963 353	203 877	390 541 234	219 517	771 704 263	1 072 550	710 295 402	310
63 285	15 027 554	663 749	1 170 659 966	271 979	862 487 269	2 680 940	1 676 980 226	311
57	28 435	1 535	6 272 242	11 167	60 435 331	22 459	14 803 455	312
143	54 820	1 122	4 084 784	3 884	20 697 103	11 630	7 794 395	313
140	52 322	1 145	3 230 740	2 797	14 785 257	9 001	6 033 762	314
3 699	725 716	1 507	3 203 363	2 358	8 860 771	8 713	5 796 549	315
24 399	4 904 283	2 316	4 792 968	3 944	13 926 071	14 347	9 368 134	316
41 472	8 965 973	4 116	7 533 512	5 612	19 738 809	21 047	13 408 545	317
50 481	11 643 052	6 167	10 941 269	7 763	26 801 077	30 672	19 557 338	318
54 311	12 899 973	5 464	10 601 588	9 772	33 748 287	32 964	21 591 831	319
61 652	14 935 741	6 301	13 937 933	13 121	45 207 861	42 750	28 805 756	320
64 407	15 118 855	9 256	20 010 312	16 888	57 618 471	59 454	40 132 918	321
47 000	10 609 900	12 755	25 527 764	15 492	52 503 988	69 355	47 175 237	322
29 384	6 550 105	19 739	36 685 973	16 916	56 550 375	93 137	63 881 482	323
23 734	5 456 695	32 182	57 279 348	23 296	76 956 636	143 951	98 338 379	324
30 144	7 163 836	64 329	115 437 936	44 273	146 580 437	306 972	197 416 952	325
29 966	7 223 324	85 642	153 056 269	53 720	173 999 478	395 463	253 623 373	326
26 828	6 446 432	118 111	210 007 834	63 911	206 920 665	523 806	334 076 069	327
19 906	4 724 388	167 596	297 735 494	75 301	240 823 961	703 073	443 571 338	328
11 037	2 552 322	172 826	307 410 661	68 993	218 072 846	688 077	428 859 879	329
4 309	934 735	155 517	273 451 210	52 288	159 964 108	576 619	353 040 236	330
31 525	13 225 966	101 867	274 405 393	226 645	741 390 030	810 770	515 770 845	331
31 523	13 225 666	101 867	274 405 368	226 644	741 387 576	810 768	515 769 363	332
2	300	-	25	1	2 454	2	1 482	333
-	-	-	-	-	-	-	-	334
-	-	-	-	-	-	-	-	335
-	-	33	38 637	53	136 300	214	139 736	336
432	142 774	1 091	2 393 472	2 402	7 931 157	8 977	5 666 428	337
2 463	875 792	7 738	18 132 220	14 242	46 622 213	54 874	34 518 381	338
6 406	2 496 434	25 207	58 670 302	45 610	147 834 306	175 269	110 136 590	339
9 836	4 089 270	36 806	92 793 377	76 423	251 040 575	279 683	177 371 482	340
8 207	3 665 764	24 495	72 399 164	65 362	213 750 145	220 882	141 829 299	341
3 674	1 763 146	6 181	28 490 934	21 484	70 585 008	67 587	43 980 461	342
392	160 406	295	1 427 140	1 012	3 307 072	3 129	2 025 712	343
80	23 798	21	60 122	45	150 721	122	80 884	344
33	8 282	-	-	-	-	-	-	345
-	-	-	-	-	-	-	-	346
-	-	-	-	11	30 079	31	20 390	347
-	-	-	-	-	-	-	-	348
2	300	-	-	-	-	-	-	349
-	-	-	-	-	-	-	-	350
-	-	-	25	1	2 454	2	1 482	351
-	-	-	-	-	-	-	-	352

第１表　医科診療（総数）件数・診療実日数・回数・点数,

行番号	傷病分類 一般医療－後期医療 年齢階級	件数	診療実日数	総数		初・再診	
				回数	点数	回数	点数
353	XVI 周産期に発生した病態	64 598	248 666	666 142	1 126 193 274	53 713	11 142 105
354	一般医療	64 577	248 511	664 914	1 125 860 652	53 690	11 140 063
355	後期医療	21	155	1 228	332 622	23	2 042
356	0 ～ 4 歳	53 129	217 419	502 279	1 068 025 127	43 198	9 728 049
357	5 ～ 9	2 427	4 225	21 625	7 717 127	3 414	343 662
358	10 ～ 14	672	1 539	11 276	4 180 290	889	78 506
359	15 ～ 19	281	1 043	5 846	3 061 093	404	42 581
360	20 ～ 24	798	2 281	12 264	3 829 798	660	100 685
361	25 ～ 29	2 212	6 214	29 343	10 477 830	1 578	267 471
362	30 ～ 34	2 923	7 973	39 506	12 597 594	2 060	339 966
363	35 ～ 39	1 636	4 639	24 334	9 036 360	1 123	185 291
364	40 ～ 44	398	1 326	6 637	2 957 989	299	47 365
365	45 ～ 49	31	405	2 557	861 982	25	2 463
366	50 ～ 54	24	506	3 623	1 104 187	12	1 492
367	55 ～ 59	25	642	3 377	1 322 749	8	709
368	60 ～ 64	10	194	1 365	401 151	8	793
369	65 ～ 69	9	72	676	210 801	8	646
370	70 ～ 74	6	39	218	95 426	8	686
371	75 ～ 79	5	36	395	73 343	5	365
372	80 ～ 84	6	99	419	199 305	6	448
373	85 ～ 89	4	6	83	18 542	7	802
374	90 歳以上	2	8	319	22 580	1	125
375	XVII 先天奇形，変形及び染色体異常	200 410	386 748	2 338 453	1 098 967 349	259 779	34 676 810
376	一般医療	181 799	348 828	2 015 563	1 042 271 297	231 892	31 665 985
377	後期医療	18 611	37 920	322 890	56 696 052	27 887	3 010 825
378	0 ～ 4 歳	64 677	124 824	494 392	564 978 158	74 846	12 041 118
379	5 ～ 9	21 230	35 310	182 725	86 001 764	27 903	3 479 049
380	10 ～ 14	15 981	26 829	139 857	56 255 420	21 381	2 877 111
381	15 ～ 19	9 132	16 754	103 288	34 901 482	11 782	1 571 633
382	20 ～ 24	6 052	11 415	80 127	22 693 274	7 357	979 123
383	25 ～ 29	5 707	11 718	80 469	25 082 810	7 078	958 815
384	30 ～ 34	6 180	12 697	86 660	25 916 573	7 838	1 062 131
385	35 ～ 39	6 296	13 500	95 412	30 309 337	8 203	1 077 750
386	40 ～ 44	6 671	13 687	97 163	31 212 383	8 681	1 104 525
387	45 ～ 49	6 929	14 846	112 620	31 913 452	9 303	1 143 118
388	50 ～ 54	6 372	13 936	109 191	28 614 377	9 055	1 065 627
389	55 ～ 59	5 824	12 722	101 617	26 272 373	8 181	953 531
390	60 ～ 64	6 058	12 830	101 872	25 052 718	8 653	974 873
391	65 ～ 69	7 804	16 497	132 036	34 223 623	11 449	1 257 715
392	70 ～ 74	7 647	14 687	125 044	26 465 787	11 666	1 252 436
393	75 ～ 79	7 403	13 641	118 352	21 734 667	11 162	1 189 003
394	80 ～ 84	5 649	10 605	92 141	14 232 073	8 381	906 602
395	85 ～ 89	3 175	6 311	56 335	8 144 835	4 623	521 297
396	90 歳以上	1 623	3 939	29 152	4 962 243	2 237	261 353
397	XVIII 症状，徴候等で他に分類されないもの	1 894 056	3 450 127	30 579 357	4 214 154 663	2 724 114	432 393 164
398	一般医療	1 360 118	2 058 706	17 747 223	2 258 831 869	1 851 858	325 031 257
399	後期医療	533 938	1 391 421	12 832 134	1 955 322 794	872 256	107 361 907
400	0 ～ 4 歳	95 201	149 828	478 654	135 862 223	93 704	27 715 311
401	5 ～ 9	71 574	97 153	435 974	67 312 168	96 033	21 845 349
402	10 ～ 14	57 963	75 516	406 655	60 150 632	73 944	15 840 103
403	15 ～ 19	45 726	59 795	380 519	57 070 732	57 877	13 140 132
404	20 ～ 24	45 599	60 583	428 360	62 377 329	56 517	13 321 841
405	25 ～ 29	55 921	78 457	572 449	74 707 122	68 968	15 098 778
406	30 ～ 34	68 336	97 289	732 946	93 081 475	84 617	17 423 088
407	35 ～ 39	77 357	110 061	869 248	108 915 772	99 948	19 198 368
408	40 ～ 44	91 221	129 612	1 094 081	135 685 776	123 129	22 007 456
409	45 ～ 49	101 490	146 747	1 317 157	166 319 014	139 676	23 689 898
410	50 ～ 54	99 906	149 321	1 395 998	167 199 779	140 167	22 513 831
411	55 ～ 59	101 639	155 989	1 572 047	189 030 777	144 321	21 945 489
412	60 ～ 64	113 289	179 325	1 873 048	226 673 740	163 269	23 517 370
413	65 ～ 69	164 946	279 071	2 993 805	366 127 874	246 275	33 517 672
414	70 ～ 74	177 374	321 350	3 444 068	411 273 563	279 782	35 927 443
415	75 ～ 79	190 589	386 021	4 044 289	482 476 044	318 767	39 042 406
416	80 ～ 84	167 441	397 319	3 972 708	523 631 094	285 131	34 557 875
417	85 ～ 89	108 125	319 333	2 832 540	465 284 753	173 711	21 547 553
418	90 歳以上	60 359	257 357	1 734 811	420 974 796	78 278	10 543 201
419	XIX 損傷，中毒及びその他の外因の影響	2 931 345	9 029 031	48 293 812	16 448 531 671	5 586 191	839 211 259
420	一般医療	2 106 191	4 926 743	22 823 989	6 764 391 970	3 939 169	650 135 597
421	後期医療	825 154	4 102 288	25 469 823	9 684 139 701	1 647 022	189 075 662
422	0 ～ 4 歳	176 606	267 044	745 707	252 218 808	208 681	59 496 615
423	5 ～ 9	188 789	326 446	1 127 912	282 334 914	316 417	65 578 755
424	10 ～ 14	261 651	482 984	1 804 111	393 490 087	467 480	88 746 320
425	15 ～ 19	170 839	328 832	1 307 033	373 105 325	297 914	55 268 734
426	20 ～ 24	72 951	141 029	610 480	200 721 591	119 224	22 940 048
427	25 ～ 29	65 547	127 284	569 743	172 977 411	106 944	20 427 138
428	30 ～ 34	75 231	153 141	683 091	198 345 199	128 750	23 281 451
429	35 ～ 39	88 164	185 999	831 682	237 867 189	157 188	27 162 624
430	40 ～ 44	109 883	245 200	1 103 509	309 337 670	206 583	33 606 727
431	45 ～ 49	120 179	289 686	1 335 512	377 275 477	238 874	36 570 884
432	50 ～ 54	119 923	306 513	1 466 886	429 531 590	245 667	35 917 702
433	55 ～ 59	124 706	342 233	1 723 758	516 361 669	261 574	36 402 360
434	60 ～ 64	135 894	408 755	2 137 140	674 965 329	294 299	38 327 270
435	65 ～ 69	196 123	645 296	3 566 767	1 176 868 253	432 435	53 097 542
436	70 ～ 74	214 498	766 942	4 417 002	1 434 082 216	494 359	56 954 399
437	75 ～ 79	244 257	981 034	5 943 771	1 985 643 237	561 496	62 031 104
438	80 ～ 84	244 656	1 158 239	7 373 421	2 651 781 972	517 731	57 819 564
439	85 ～ 89	192 974	1 067 164	6 787 881	2 696 733 767	347 886	41 125 412
440	90 歳以上	128 474	805 210	4 758 406	2 084 889 967	182 689	24 456 610

平成30年６月審査分

医学管理等 回数	医学管理等 点数	在宅医療 回数	在宅医療 点数	検査 回数	検査 点数	行番号
29 169	7 980 424	3 158	14 012 005	148 233	18 467 130	353
29 157	7 977 534	3 154	13 997 609	148 074	18 450 179	354
12	2 890	4	14 396	159	16 951	355
25 062	7 107 590	2 142	8 026 415	114 381	11 960 528	356
721	186 205	554	3 498 210	3 303	524 699	357
225	53 584	201	1 666 522	1 335	180 594	358
108	24 942	77	360 107	842	117 963	359
265	52 724	36	123 425	2 790	546 707	360
834	177 098	59	138 116	7 252	1 574 149	361
1 089	186 133	55	140 973	9 637	2 042 069	362
659	149 404	25	35 121	6 474	1 183 143	363
152	29 726	4	8 070	1 477	258 725	364
16	2 762	-	-	148	16 496	365
5	1 910	1	650	189	12 756	366
8	1 590	-	-	81	4 362	367
10	3 503	-	-	84	12 454	368
2	350	3	6 716	46	4 970	369
2	263	-	-	36	11 094	370
2	370	-	-	37	3 185	371
6	1 810	-	-	77	7 538	372
2	235	1	7 680	44	5 698	373
1	225	-	-	-	-	374
74 410	17 665 648	13 503	68 184 035	410 286	74 607 266	375
65 489	16 030 365	11 895	65 413 984	356 254	68 723 138	376
8 921	1 635 283	1 608	2 770 051	54 032	5 884 128	377
24 753	7 510 364	3 961	19 197 026	88 947	28 714 255	378
6 132	1 484 310	2 140	13 854 806	32 183	6 846 953	379
4 463	957 817	1 217	14 130 807	22 327	4 257 056	380
2 200	445 913	751	6 776 567	17 236	2 970 562	381
1 918	377 719	519	1 689 642	14 037	2 150 543	382
1 894	375 521	548	2 256 113	14 327	2 325 905	383
2 076	389 443	476	1 210 386	16 064	2 561 348	384
2 250	422 701	370	1 106 042	16 631	2 515 167	385
2 426	481 809	376	1 039 835	17 321	2 314 848	386
2 736	561 771	350	900 992	19 433	2 423 395	387
2 653	566 305	378	774 471	17 578	2 124 327	388
2 582	545 746	181	637 438	16 448	2 025 217	389
2 748	595 612	230	696 940	17 587	2 115 064	390
3 603	753 665	265	963 356	24 141	2 852 406	391
3 524	723 150	232	497 842	24 590	2 801 402	392
3 457	616 073	229	546 219	22 839	2 582 879	393
2 643	452 388	384	688 818	16 665	1 804 333	394
1 560	275 333	426	634 755	8 396	862 449	395
792	130 008	470	581 980	3 536	359 157	396
1 076 738	213 365 474	93 032	177 636 931	5 043 087	616 849 135	397
694 174	140 643 935	25 298	72 134 771	3 317 355	425 230 169	398
382 564	72 721 539	67 734	105 502 160	1 725 732	191 618 966	399
93 722	37 684 252	750	3 262 448	103 142	14 931 816	400
23 728	4 226 401	638	4 823 054	91 215	11 436 235	401
18 128	3 103 115	615	6 060 154	102 399	12 177 293	402
13 729	2 268 503	337	3 604 928	113 941	14 195 322	403
15 415	2 370 652	316	1 497 428	126 072	15 426 881	404
19 717	2 645 308	500	1 596 921	138 960	18 097 546	405
24 142	3 126 511	496	2 008 708	165 057	22 014 270	406
27 269	3 868 494	858	1 932 180	192 928	25 865 840	407
33 714	5 235 467	1 235	2 926 822	229 603	30 945 890	408
42 151	6 946 030	1 656	6 819 430	261 447	34 744 309	409
46 337	7 999 510	1 931	4 337 444	257 098	33 615 846	410
53 654	9 517 671	2 398	4 842 140	268 356	34 361 502	411
65 593	12 004 116	3 070	6 474 998	310 604	39 269 716	412
103 909	19 368 328	5 245	11 236 327	473 116	58 858 061	413
118 284	22 060 092	6 813	14 312 140	513 796	62 597 901	414
131 519	24 413 424	9 771	19 120 199	565 085	67 304 200	415
122 730	22 820 543	14 378	23 604 454	524 172	59 232 338	416
81 288	15 455 871	18 455	26 451 001	369 647	39 064 267	417
41 709	8 251 186	23 570	32 726 155	236 449	22 709 902	418
1 272 751	265 518 218	111 465	184 701 870	3 682 308	373 834 178	419
802 075	158 931 300	33 481	71 357 830	1 858 097	200 920 756	420
470 676	106 586 918	77 984	113 344 040	1 824 211	172 913 422	421
101 627	39 042 274	761	2 286 421	81 886	16 295 981	422
47 877	6 852 039	1 795	3 930 965	79 062	11 057 776	423
67 968	7 654 461	1 170	5 178 757	89 646	11 213 174	424
52 843	8 263 792	680	2 351 307	82 097	9 198 642	425
25 033	4 402 452	598	1 717 019	51 216	5 489 198	426
22 429	3 686 301	866	1 772 913	48 531	5 124 410	427
25 176	4 012 794	1 020	1 802 746	58 616	6 087 647	428
30 370	4 978 870	1 433	2 514 400	72 615	7 359 408	429
38 917	6 341 807	1 764	2 859 902	92 482	9 437 506	430
44 839	7 724 567	2 123	4 122 418	110 648	11 224 351	431
46 679	8 339 146	2 414	4 894 232	121 822	12 365 481	432
51 501	9 534 323	3 177	5 744 026	143 457	14 152 956	433
60 195	11 816 104	3 831	7 655 086	182 440	17 932 298	434
91 504	18 748 100	6 380	13 431 708	312 793	30 911 884	435
106 038	21 600 571	8 336	17 674 117	378 507	37 748 928	436
127 864	26 197 783	12 189	23 441 099	475 085	46 577 939	437
138 246	30 008 473	17 153	27 221 264	535 552	51 043 977	438
115 403	26 865 742	21 616	28 444 912	450 324	42 212 085	439
78 242	19 448 619	24 159	27 658 578	315 529	28 400 537	440

第１表　医科診療（総数）件数・診療実日数・回数・点数,

行番号	傷病分類 一般医療－後期医療 年齢階級	画像診断		投薬		注射	
		回数	点数	回数	点数	回数	点数
353	XVI 周産期に発生した病態	7 073	1 821 553	172 379	2 558 697	9 714	8 501 667
354	一般医療	7 061	1 817 842	171 663	2 549 998	9 679	8 472 844
355	後期医療	12	3 711	716	8 699	35	28 823
356	０～４歳	5 808	1 581 964	93 117	1 488 713	5 824	6 256 500
357	５～９	358	73 661	7 408	180 594	59	59 833
358	１０～１４	195	34 262	5 725	125 433	22	53 585
359	１５～１９	75	12 354	2 487	37 551	65	949 808
360	２０～２４	76	13 764	5 868	81 166	390	84 665
361	２５～２９	124	19 759	14 157	161 311	1 104	330 862
362	３０～３４	135	21 878	20 503	226 103	1 290	425 946
363	３５～３９	175	26 082	12 033	123 554	789	237 700
364	４０～４４	56	9 344	3 434	43 147	123	64 843
365	４５～４９	18	2 872	1 462	25 998	10	1 346
366	５０～５４	6	630	2 146	21 925	-	-
367	５５～５９	16	4 408	1 993	23 713	-	-
368	６０～６４	7	12 696	867	6 383	2	7 730
369	６５～６９	10	3 888	378	3 211	-	-
370	７０～７４	2	280	87	1 332	1	26
371	７５～７９	4	525	301	4 782	-	-
372	８０～８４	2	210	85	1 405	34	28 753
373	８５～８９	6	2 976	19	406	-	26
374	９０歳以上	-	-	309	1 970	1	44
375	XVII 先天奇形，変形及び染色体異常	106 028	32 844 262	1 075 671	38 970 686	15 832	14 861 388
376	一般医療	99 952	30 188 771	888 359	34 814 333	12 831	13 090 968
377	後期医療	6 076	2 655 491	187 312	4 156 353	3 001	1 770 420
378	０～４歳	32 927	6 922 374	157 647	3 725 695	5 423	5 835 504
379	５～９	10 290	2 102 497	64 160	1 600 987	688	645 512
380	１０～１４	12 392	2 465 554	50 379	1 775 214	498	651 180
381	１５～１９	6 213	1 588 430	44 937	1 491 373	401	186 333
382	２０～２４	3 509	1 185 212	37 494	1 577 887	349	169 207
383	２５～２９	3 223	1 184 347	38 592	1 381 744	310	162 632
384	３０～３４	3 752	1 505 528	42 107	1 836 129	430	342 897
385	３５～３９	3 856	1 689 131	48 144	2 806 376	404	385 335
386	４０～４４	3 939	1 801 138	49 693	3 684 444	427	216 298
387	４５～４９	4 253	1 950 065	58 873	3 906 593	611	508 419
388	５０～５４	3 651	1 719 995	60 465	2 920 857	613	622 140
389	５５～５９	3 084	1 457 949	56 805	2 519 583	622	663 387
390	６０～６４	2 898	1 466 862	56 084	1 712 899	541	574 179
391	６５～６９	3 497	1 800 925	71 500	2 282 224	747	1 083 126
392	７０～７４	2 832	1 533 429	68 116	1 915 620	838	1 143 718
393	７５～７９	2 524	1 235 847	66 436	1 841 058	911	656 647
394	８０～８４	1 871	814 433	52 035	1 052 259	1 029	553 734
395	８５～８９	918	303 222	34 683	633 710	609	304 973
396	９０歳以上	399	117 324	17 521	306 034	381	156 167
397	XVIII 症状，徴候等で他に分類されないもの	937 932	459 654 180	18 030 605	340 016 780	469 716	338 426 441
398	一般医療	614 572	312 463 587	10 141 240	206 853 276	207 169	215 848 210
399	後期医療	323 360	147 190 593	7 889 365	133 163 504	262 547	122 578 231
400	０～４歳	8 981	2 429 000	135 355	4 684 560	4 099	5 908 971
401	５～９	12 134	3 709 344	158 591	5 006 517	3 550	1 047 823
402	１０～１４	18 016	6 531 487	165 788	4 310 209	2 887	1 976 830
403	１５～１９	21 836	9 117 348	151 025	3 395 969	4 086	1 882 997
404	２０～２４	22 154	10 129 525	183 255	3 941 399	6 240	4 203 920
405	２５～２９	24 176	11 557 275	286 301	5 683 981	7 829	4 159 170
406	３０～３４	28 949	13 875 140	388 608	8 034 907	10 069	6 389 424
407	３５～３９	36 031	17 841 261	462 374	9 209 329	10 859	7 927 070
408	４０～４４	46 277	23 892 076	599 884	12 493 608	12 367	11 524 648
409	４５～４９	53 877	28 560 830	744 629	15 469 134	15 478	16 678 502
410	５０～５４	52 234	28 381 005	818 003	15 359 164	16 524	15 209 531
411	５５～５９	52 901	28 756 145	959 557	19 974 103	17 765	21 458 821
412	６０～６４	58 769	31 646 476	1 158 849	23 400 743	20 630	28 048 694
413	６５～６９	88 084	47 398 833	1 884 162	36 604 027	34 872	45 109 723
414	７０～７４	95 427	50 866 735	2 187 732	42 037 621	43 657	47 074 129
415	７５～７９	105 140	53 290 847	2 569 705	46 124 800	63 087	43 415 233
416	８０～８４	98 473	46 304 959	2 510 503	43 045 552	75 648	35 538 130
417	８５～８９	69 809	29 101 165	1 718 722	27 289 011	66 788	25 188 859
418	９０歳以上	44 664	16 264 729	947 562	13 952 146	53 281	15 683 966
419	XIX 損傷，中毒及びその他の外因の影響	4 191 962	966 243 023	17 737 105	383 718 074	706 341	327 828 840
420	一般医療	3 035 298	659 702 451	7 471 361	200 650 155	237 497	131 405 819
421	後期医療	1 156 664	306 540 572	10 265 744	183 067 919	468 844	196 423 021
422	０～４歳	76 465	18 761 001	176 553	7 823 361	1 385	797 696
423	５～９	256 896	46 245 476	232 774	9 731 638	1 540	1 019 652
424	１０～１４	529 316	92 051 120	340 162	14 135 612	2 448	1 852 679
425	１５～１９	310 802	67 718 443	273 939	9 260 306	4 249	1 601 375
426	２０～２４	109 635	26 004 195	154 519	4 670 165	3 367	1 613 815
427	２５～２９	93 085	20 559 531	167 553	4 874 371	3 840	1 658 322
428	３０～３４	106 335	22 790 480	205 598	5 874 970	4 578	1 950 786
429	３５～３９	125 876	27 096 499	253 903	7 427 817	6 479	3 857 426
430	４０～４４	158 366	34 200 242	350 086	10 333 145	9 195	4 575 046
431	４５～４９	172 005	38 423 025	443 728	12 643 862	13 051	7 274 544
432	５０～５４	176 209	39 953 196	505 104	13 204 215	16 730	9 003 778
433	５５～５９	183 767	42 233 218	632 497	14 987 647	21 469	12 222 996
434	６０～６４	192 384	45 801 714	816 442	19 211 400	29 365	17 272 261
435	６５～６９	272 738	67 786 217	1 410 459	32 423 825	52 350	30 406 624
436	７０～７４	290 681	75 186 750	1 800 222	40 235 963	74 911	41 940 907
437	７５～７９	326 767	86 776 585	2 461 332	50 676 621	114 615	55 652 626
438	８０～８４	339 922	90 446 000	3 027 897	56 399 854	140 969	61 481 143
439	８５～８９	279 185	73 725 362	2 682 760	43 558 810	124 451	46 126 726
440	９０歳以上	191 528	50 483 969	1 801 577	26 244 492	81 349	27 520 438

平成30年６月審査分

リハビリテーション 回数	リハビリテーション 点数	精神科専門療法 回数	精神科専門療法 点数	処置 回数	処置 点数	行番号
23 550	5 611 068	97	38 080	33 845	9 269 200	353
23 501	5 601 008	97	38 080	33 761	9 261 414	354
49	10 060	-	-	84	7 786	355
16 856	4 096 648	22	9 905	24 434	7 765 207	356
3 725	859 240	35	14 635	1 306	303 300	357
1 092	246 195	20	7 580	939	254 206	358
561	117 945	9	2 690	704	166 272	359
324	67 765	1	330	905	156 600	360
171	36 485	2	160	1 284	128 214	361
184	39 485	3	1 060	1 345	163 888	362
50	10 335	2	730	711	70 908	363
82	17 575	2	660	259	44 600	364
100	24 340	-	-	407	64 788	365
121	28 500	1	330	648	49 710	366
143	34 435	-	-	495	41 042	367
37	8 585	-	-	164	10 983	368
17	4 165	-	-	150	41 031	369
38	9 310	-	-	10	665	370
15	3 675	-	-	-	88	371
31	5 735	-	-	83	7 629	372
3	650	-	-	1	69	373
-	-	-	-	-	-	374
142 034	32 057 199	3 288	1 307 673	97 898	57 356 081	375
130 841	29 642 661	2 793	1 033 003	86 150	51 656 874	376
11 193	2 414 538	495	274 670	11 748	5 699 207	377
33 831	7 954 250	183	80 915	16 878	26 396 811	378
23 563	5 446 626	219	97 195	6 564	2 948 145	379
13 661	3 050 210	182	69 730	7 214	1 956 157	380
9 200	2 034 533	173	69 168	5 168	1 563 779	381
5 748	1 256 484	196	65 405	4 654	1 242 654	382
4 425	985 582	179	66 500	5 056	1 375 825	383
3 907	858 515	258	126 260	4 635	1 077 783	384
4 758	1 046 165	224	80 870	4 788	1 300 076	385
4 402	966 662	215	64 880	4 197	1 309 516	386
6 016	1 315 783	230	63 335	4 848	1 637 305	387
4 186	890 677	161	46 850	5 188	2 452 784	388
3 609	772 243	171	77 485	5 001	2 117 199	389
3 992	867 843	185	77 405	4 341	2 246 610	390
6 146	1 427 561	151	35 235	4 887	2 883 316	391
4 926	1 107 644	164	34 510	4 391	2 888 412	392
3 840	834 136	86	25 425	3 722	1 798 131	393
3 338	718 769	82	36 575	3 174	1 203 040	394
1 194	255 657	104	76 960	2 129	749 520	395
1 292	267 859	125	112 970	1 063	209 018	396
578 500	116 185 638	69 425	23 249 397	781 824	169 599 552	397
209 371	44 608 608	57 445	19 419 634	382 451	76 995 132	398
369 129	71 577 030	11 980	3 829 763	399 373	92 604 420	399
13 374	3 166 253	253	159 285	16 100	1 448 299	400
25 543	5 932 612	1 485	717 505	20 670	1 434 912	401
5 451	1 219 540	2 675	1 282 735	13 747	1 125 739	402
3 671	810 279	2 693	1 162 525	7 783	787 621	403
2 642	575 805	2 454	817 320	8 273	812 823	404
3 112	673 535	3 836	1 302 050	11 571	1 142 392	405
2 956	631 932	4 395	1 445 928	13 832	1 579 499	406
4 824	1 028 223	5 306	1 694 565	17 029	1 920 870	407
6 672	1 384 817	6 696	2 159 969	20 907	4 418 039	408
9 975	2 123 689	6 577	2 109 338	24 673	5 943 430	409
12 022	2 546 813	5 504	1 687 724	26 804	7 329 675	410
15 695	3 296 084	4 541	1 528 515	30 607	9 087 159	411
21 478	4 496 481	3 709	1 075 070	38 966	12 213 065	412
39 035	7 999 346	4 530	1 329 075	65 161	21 178 242	413
53 855	10 953 097	3 640	1 167 790	82 139	22 449 005	414
80 617	15 823 072	3 724	1 188 040	111 018	24 948 229	415
99 591	19 245 040	3 563	1 173 495	114 449	23 635 589	416
99 434	19 234 416	2 508	807 853	88 668	16 849 457	417
78 553	15 044 604	1 336	440 615	69 427	11 295 507	418
8 651 777	1 768 157 277	28 995	9 486 279	2 568 387	656 378 487	419
2 602 012	539 801 970	15 552	4 909 171	1 684 253	379 153 406	420
6 049 765	1 228 355 307	13 443	4 577 108	884 134	277 225 081	421
4 865	1 091 958	18	8 255	69 559	12 529 765	422
22 773	4 558 763	133	62 315	138 168	29 627 301	423
78 314	15 292 590	275	121 275	193 795	43 960 644	424
129 236	26 642 153	457	165 670	112 803	24 479 177	425
65 722	13 993 314	519	183 050	51 312	8 777 228	426
51 058	10 765 114	590	176 610	48 098	7 645 326	427
61 178	12 812 386	665	204 915	59 426	9 262 143	428
73 922	15 457 489	900	331 490	71 182	12 017 944	429
103 584	21 304 122	1 253	403 091	91 416	16 670 800	430
138 033	28 426 452	1 279	396 239	108 343	21 530 032	431
169 629	35 140 239	1 418	420 020	108 830	24 461 218	432
216 210	44 900 675	1 691	630 340	115 275	30 752 559	433
297 141	61 971 179	1 915	546 832	130 077	40 855 206	434
553 488	115 195 827	3 054	883 124	196 114	67 939 789	435
732 284	151 859 611	2 378	663 526	226 803	73 688 305	436
1 130 283	231 884 208	2 577	814 069	269 553	77 948 534	437
1 696 376	345 133 522	3 807	1 229 203	262 137	75 691 107	438
1 807 442	365 814 893	3 481	1 285 457	193 211	51 985 810	439
1 320 239	265 912 782	2 585	960 798	122 285	26 555 599	440

第１表　医科診療（総数）件数・診療実日数・回数・点数,

行番号	傷病分類 一般医療－後期医療 年齢階級	手術 回数	手術 点数	麻酔 回数	麻酔 点数	放射線治療 回数	放射線治療 点数
353	ⅩⅥ 周産期に発生した病態	3 789	33 176 315	1 009	5 590 089	128	14 520
354	一般医療	3 788	33 165 397	1 007	5 589 911	128	14 520
355	後期医療	1	10 918	2	178	-	-
356	０ ～ ４ 歳	2 407	19 930 642	400	4 572 889	126	14 190
357	５ ～ ９	3	21 351	7	32 094	1	110
358	１０ ～ １４	3	68 085	6	64 406	-	-
359	１５ ～ １９	11	129 686	7	15 882	-	-
360	２０ ～ ２４	118	1 082 865	45	70 728	-	-
361	２５ ～ ２９	396	3 665 169	165	300 394	-	-
362	３０ ～ ３４	454	4 080 556	167	234 888	-	-
363	３５ ～ ３９	338	3 393 771	166	256 532	1	220
364	４０ ～ ４４	57	790 722	44	42 098	-	-
365	４５ ～ ４９	1	2 550	-	-	-	-
366	５０ ～ ５４	-	-	-	-	-	-
367	５５ ～ ５９	-	-	-	-	-	-
368	６０ ～ ６４	-	-	-	-	-	-
369	６５ ～ ６９	-	-	-	-	-	-
370	７０ ～ ７４	1	10 918	-	-	-	-
371	７５ ～ ７９	-	-	-	-	-	-
372	８０ ～ ８４	-	-	2	178	-	-
373	８５ ～ ８９	-	-	-	-	-	-
374	９０ 歳 以 上	-	-	-	-	-	-
375	ⅩⅦ 先天奇形，変形及び染色体異常	8 368	242 806 498	8 941	55 659 509	292	2 090 460
376	一般医療	7 940	236 596 750	8 402	54 815 286	270	1 805 490
377	後期医療	428	6 209 748	539	844 223	22	284 970
378	０ ～ ４ 歳	4 654	160 295 985	5 158	38 160 266	128	19 030
379	５ ～ ９	576	15 375 865	796	4 352 537	7	120 770
380	１０ ～ １４	262	5 981 846	358	1 936 300	3	60 330
381	１５ ～ １９	178	4 358 992	169	1 036 439	6	150 770
382	２０ ～ ２４	202	2 796 138	172	803 563	5	63 550
383	２５ ～ ２９	176	3 752 173	159	846 053	3	163 000
384	３０ ～ ３４	220	4 296 984	176	884 568	2	550
385	３５ ～ ３９	293	5 717 829	201	921 162	13	101 430
386	４０ ～ ４４	240	6 192 159	186	994 200	11	301 320
387	４５ ～ ４９	208	4 896 260	194	1 060 905	4	200 000
388	５０ ～ ５４	159	4 271 766	160	774 379	19	63 960
389	５５ ～ ５９	170	4 129 094	151	843 700	3	163 000
390	６０ ～ ６４	184	3 922 549	154	691 920	4	113 220
391	６５ ～ ６９	226	6 633 098	183	957 377	17	75 600
392	７０ ～ ７４	221	4 477 513	207	656 336	45	208 960
393	７５ ～ ７９	193	3 573 588	187	469 871	18	284 530
394	８０ ～ ８４	114	1 332 442	160	198 478	-	-
395	８５ ～ ８９	64	634 073	122	55 244	3	330
396	９０ 歳 以 上	28	168 144	48	16 211	1	110
397	ⅩⅧ 症状，徴候等で他に分類されないもの	24 231	123 130 927	38 375	27 224 350	4 841	12 131 603
398	一般医療	16 087	78 384 030	16 679	17 855 840	3 112	7 756 171
399	後期医療	8 144	44 746 897	21 696	9 368 510	1 729	4 375 432
400	０ ～ ４ 歳	324	1 171 745	84	184 145	4	440
401	５ ～ ９	498	896 294	58	267 997	8	880
402	１０ ～ １４	809	1 158 128	55	268 510	1	110
403	１５ ～ １９	652	1 851 838	140	611 459	11	36 890
404	２０ ～ ２４	568	2 940 787	234	919 234	9	6 470
405	２５ ～ ２９	760	4 411 889	366	719 792	12	17 690
406	３０ ～ ３４	907	6 021 623	585	916 921	41	113 981
407	３５ ～ ３９	940	5 913 173	859	1 127 770	43	112 790
408	４０ ～ ４４	983	4 724 018	929	1 063 181	154	247 040
409	４５ ～ ４９	1 129	4 490 619	1 304	1 310 965	236	557 810
410	５０ ～ ５４	1 201	5 849 241	1 548	1 699 050	235	479 880
411	５５ ～ ５９	1 320	6 228 060	1 719	1 794 945	181	490 750
412	６０ ～ ６４	1 553	7 683 049	1 873	2 128 662	428	1 184 170
413	６５ ～ ６９	2 251	12 266 327	3 160	2 891 748	969	2 575 460
414	７０ ～ ７４	2 372	14 096 765	4 052	2 807 963	809	1 992 460
415	７５ ～ ７９	2 545	14 629 074	6 534	3 407 784	1 026	2 941 688
416	８０ ～ ８４	2 474	14 525 646	7 490	2 660 632	426	966 054
417	８５ ～ ８９	1 736	8 787 547	5 346	1 664 975	218	341 040
418	９０ 歳 以 上	1 209	5 485 104	2 039	778 617	30	66 000
419	ⅩⅨ 損傷，中毒及びその他の外因の影響	255 892	2 597 758 007	166 838	400 750 732	2 076	2 806 962
420	一般医療	167 131	1 239 334 052	76 009	231 420 192	1 167	1 818 112
421	後期医療	88 761	1 358 423 955	90 829	169 330 540	909	988 850
422	０ ～ ４ 歳	10 707	22 739 878	801	3 994 904	6	770
423	５ ～ ９	16 083	36 344 581	2 506	12 363 979	2	220
424	１０ ～ １４	15 527	46 564 526	2 851	12 284 812	1	110
425	１５ ～ １９	10 278	72 190 026	3 890	15 994 394	7	1 320
426	２０ ～ ２４	6 319	43 051 449	2 191	8 710 794	1	110
427	２５ ～ ２９	5 658	35 914 904	2 112	7 802 451	18	4 470
428	３０ ～ ３４	6 671	43 825 176	2 596	8 682 828	11	47 480
429	３５ ～ ３９	7 816	49 682 510	3 419	10 553 650	25	30 210
430	４０ ～ ４４	9 442	66 379 384	4 643	13 076 124	71	109 920
431	４５ ～ ４９	10 254	74 110 958	5 414	15 152 911	145	226 652
432	５０ ～ ５４	10 013	87 524 841	5 722	15 856 295	99	173 010
433	５５ ～ ５９	10 906	100 916 329	6 594	18 297 368	137	171 260
434	６０ ～ ６４	12 497	131 962 591	7 724	21 747 855	193	212 670
435	６５ ～ ６９	18 211	227 584 370	11 887	34 418 493	194	352 960
436	７０ ～ ７４	18 901	251 721 157	14 996	35 749 613	301	524 060
437	７５ ～ ７９	21 160	315 955 682	22 523	43 247 658	278	375 690
438	８０ ～ ８４	23 754	368 160 386	28 164	47 420 207	356	498 070
439	８５ ～ ８９	22 821	358 581 342	24 807	45 322 570	157	68 190
440	９０ 歳 以 上	18 874	264 547 917	13 998	30 073 826	74	9 790

注：１）「件数」は、明細書の数である。
２）「回数」は、当該診療行為が実施された延べ算定回数である。
３）総数には、「療養担当手当等」、「合算薬剤料」、「補正点数」を含む。
４）総数には、入院時食事療養等を含まない。
５）総数には、「ⅩⅩ 傷病及び死亡の外因」、「ⅩⅪ 健康状態に影響を及ぼす要因及び保健サービスの利用」、「ⅩⅫ 特殊目的用コード」、「不詳」を含む。

病理診断		入院料等		診断群分類による包括評価等		入院時食事療養等（別掲）		行番号
回数	点数	回数	点数	回数	点数	回数	金額(円)	
294	143 644	39 850	105 610 556	137 883	902 234 067	334 164	212 261 277	353
294	143 644	39 719	105 384 388	137 883	902 234 067	333 835	212 064 317	354
-	-	131	226 168	-	-	329	196 960	355
79	47 270	29 469	87 099 188	136 696	898 317 275	305 705	195 335 905	356
-	-	723	1 571 392	8	48 141	1 363	851 060	357
-	-	615	1 294 338	9	52 994	1 295	818 470	358
4	1 730	466	1 009 671	26	71 911	1 025	628 581	359
29	10 902	676	1 202 988	81	234 484	1 745	996 583	360
43	21 340	1 941	2 898 931	233	758 371	5 390	3 104 831	361
61	29 864	2 136	3 355 186	387	1 309 599	6 375	3 630 703	362
54	23 612	1 460	2 389 781	274	950 176	4 314	2 528 392	363
22	8 586	457	1 101 412	169	491 116	1 643	1 015 084	364
-	-	370	718 367	-	-	906	577 363	365
-	-	494	986 284	-	-	1 474	910 205	366
-	-	633	1 212 490	-	-	1 766	1 122 730	367
-	-	186	338 024	-	-	557	375 190	368
-	-	62	145 824	-	-	186	110 980	369
2	340	31	60 512	-	-	91	58 240	370
-	-	31	60 353	-	-	93	59 520	371
-	-	93	145 599	-	-	217	124 930	372
-	-	-	-	-	-	-	-	373
-	-	7	20 216	-	-	19	12 510	374
3 049	1 584 146	68 916	158 657 134	49 614	265 633 505	271 124	173 813 097	375
2 719	1 436 990	61 336	145 096 105	47 896	260 255 545	243 824	157 159 329	376
330	147 156	7 580	13 561 029	1 718	5 377 960	27 300	16 653 768	377
385	260 590	12 916	52 085 803	31 350	195 774 517	80 344	52 147 644	378
92	58 410	4 233	10 724 380	3 122	16 863 161	14 297	9 174 586	379
58	40 450	3 773	8 049 047	1 671	7 996 431	11 794	7 530 281	380
65	38 210	3 901	7 415 418	877	3 203 018	10 935	7 048 471	381
102	54 976	3 063	5 897 830	800	2 383 327	9 769	6 289 301	382
147	67 499	3 522	6 534 432	830	2 646 669	11 297	7 223 867	383
191	97 166	3 552	6 493 616	974	3 173 255	11 950	7 720 700	384
236	112 333	3 905	7 311 310	1 134	3 715 646	13 675	8 875 503	385
231	101 136	3 788	6 994 124	1 030	3 645 489	13 238	8 609 252	386
274	143 167	4 186	7 533 463	1 101	3 668 881	14 004	9 075 837	387
189	91 708	3 646	6 598 901	1 090	3 629 630	12 571	8 131 565	388
151	73 740	3 562	6 289 593	869	3 003 201	11 663	7 454 369	389
163	87 876	3 160	5 624 168	948	3 284 698	11 012	7 076 041	390
256	122 541	3 629	6 568 892	1 339	4 526 586	14 130	8 719 628	391
193	92 708	2 143	3 815 674	956	3 316 433	8 472	5 359 203	392
162	71 568	1 770	3 359 045	816	2 650 647	7 484	4 633 654	393
111	50 618	1 720	3 167 535	434	1 252 049	6 431	3 933 080	394
23	9 910	1 340	2 365 700	141	461 702	4 333	2 591 542	395
20	9 540	1 107	1 828 203	132	438 165	3 725	2 218 573	396
81 440	26 130 459	609 779	1 078 919 252	15 472	59 276 530	1 653 084	959 873 494	397
61 452	19 504 936	138 477	254 207 802	10 275	41 929 989	379 249	233 761 927	398
19 988	6 625 523	471 302	824 711 450	5 197	17 346 541	1 273 835	726 111 567	399
63	22 100	3 630	10 382 173	4 984	22 710 638	15 699	9 934 482	400
79	27 020	1 372	4 069 843	369	1 870 361	3 442	2 178 855	401
187	65 590	1 904	4 825 861	44	205 193	3 998	2 560 927	402
653	169 706	2 056	3 981 009	20	54 143	4 656	2 924 145	403
1 541	449 496	2 577	4 669 304	89	294 416	6 472	4 036 132	404
2 140	620 263	4 115	6 727 482	78	252 994	9 772	5 902 476	405
2 920	854 441	5 305	8 413 513	65	231 575	13 199	7 827 079	406
4 038	1 185 561	5 809	9 625 239	129	465 011	14 646	9 002 640	407
5 442	1 655 160	5 916	10 431 671	167	575 872	15 563	9 821 369	408
6 608	2 049 929	7 401	13 614 336	337	1 210 744	19 140	12 300 447	409
6 481	2 036 341	9 541	16 854 401	361	1 300 274	25 333	16 204 590	410
6 546	2 038 792	11 917	21 834 479	560	1 876 059	31 201	19 895 743	411
7 041	2 295 134	16 449	28 525 714	758	2 710 287	43 594	28 008 229	412
9 094	3 091 010	32 824	58 646 802	1 105	4 056 725	93 303	55 919 159	413
8 920	3 044 466	41 405	75 240 074	1 344	4 682 730	119 206	69 935 004	414
8 686	2 996 744	65 644	118 970 177	1 421	4 860 127	183 843	107 273 463	415
6 223	2 092 280	105 937	189 062 877	1 514	5 165 588	293 850	169 864 258	416
3 391	1 053 848	131 457	228 166 345	1 331	4 281 238	355 405	202 906 532	417
1 387	382 578	154 520	264 877 952	796	2 472 555	400 762	223 377 964	418
15 341	7 275 346	2 360 782	4 728 992 861	954 800	2 935 856 076	9 856 384	6 163 337 276	419
9 786	4 817 092	530 085	1 096 891 578	360 481	1 193 137 657	2 399 277	1 547 206 871	420
5 555	2 458 254	1 830 697	3 632 101 283	594 319	1 742 718 419	7 457 107	4 616 130 405	421
42	19 660	2 740	10 750 541	9 561	56 579 264	17 530	11 433 799	422
45	22 160	3 163	9 233 551	8 642	45 705 392	20 877	13 574 263	423
75	39 260	5 775	13 881 753	9 217	40 512 126	30 708	19 943 102	424
137	71 296	11 344	25 046 533	16 334	54 851 972	64 107	41 501 181	425
197	93 480	9 834	20 803 913	10 763	38 271 088	49 785	32 029 828	426
312	163 586	9 459	20 089 397	9 174	32 312 440	44 787	28 819 286	427
481	243 669	11 536	23 385 796	10 438	34 079 796	53 993	34 715 024	428
691	349 364	13 653	28 600 224	12 181	40 447 185	63 576	41 088 164	429
837	417 924	18 952	38 579 207	15 897	51 042 540	87 561	56 822 472	430
925	443 886	25 330	52 402 942	20 515	66 601 712	116 765	76 300 648	431
969	464 596	31 874	65 637 986	23 694	76 175 520	145 076	95 065 751	432
968	470 249	44 819	90 973 024	29 662	93 971 786	196 628	129 848 271	433
999	463 776	67 732	138 000 952	39 833	121 187 407	287 695	191 220 841	434
1 563	793 718	135 038	274 046 499	68 512	208 847 130	591 459	374 648 327	435
1 704	841 572	180 258	363 594 780	86 274	264 097 491	788 469	498 145 605	436
1 830	887 253	296 258	601 897 734	119 912	361 278 192	1 256 068	787 856 459	437
1 699	759 475	476 275	958 294 740	163 323	480 174 393	1 966 032	1 223 457 173	438
1 235	499 813	545 319	1 082 525 921	167 707	488 589 928	2 205 936	1 363 560 918	439
632	230 609	471 423	911 247 368	133 161	381 130 714	1 869 332	1 143 306 164	440

第２表　医科診療（入院）件数・診療実日数・回数・点数,

行番号	傷病分類 一般医療－後期医療 年齢階級	件数	診療実日数	総数 回数	総数 点数	初・再診 回数	初・再診 点数
1	総数	2 268 216	34 490 318	166 476 048	120 383 908 951	285 685	133 400 339
2	一般医療	1 124 285	14 199 185	70 326 190	57 495 022 383	149 020	72 685 362
3	後期医療	1 143 931	20 291 133	96 149 858	62 888 886 568	136 665	60 714 977
4	０～４歳	78 059	490 591	1 542 180	3 104 125 852	28 839	15 370 541
5	５～９	16 343	111 207	537 562	672 639 610	4 630	2 171 624
6	１０～１４	12 784	127 763	632 463	661 710 628	3 294	1 426 693
7	１５～１９	16 392	170 123	891 503	748 561 790	4 266	1 972 136
8	２０～２４	24 569	239 046	1 218 343	886 517 788	5 320	2 724 935
9	２５～２９	41 348	372 464	1 792 071	1 279 241 986	5 108	2 998 712
10	３０～３４	57 014	524 181	2 483 757	1 814 947 167	5 841	3 451 794
11	３５～３９	55 524	586 906	2 861 049	2 116 821 308	6 046	3 312 250
12	４０～４４	54 904	696 691	3 533 657	2 587 368 785	6 829	3 271 379
13	４５～４９	66 566	923 068	4 700 961	3 453 902 762	8 443	3 828 584
14	５０～５４	75 285	1 093 283	5 573 155	4 026 532 055	8 774	4 032 156
15	５５～５９	93 198	1 375 210	6 936 579	5 166 025 545	9 914	4 463 958
16	６０～６４	123 692	1 831 655	9 053 608	7 028 141 571	12 065	5 474 269
17	６５～６９	211 209	3 123 475	15 436 208	12 257 154 003	19 756	8 996 203
18	７０～７４	240 273	3 501 526	17 558 484	14 139 574 582	22 127	10 269 774
19	７５～７９	281 578	4 316 168	21 810 736	16 346 628 140	27 250	12 588 341
20	８０～８４	309 300	5 253 891	26 002 972	17 428 592 587	35 327	15 927 875
21	８５～８９	278 628	5 163 007	24 470 414	15 043 222 938	37 375	16 410 164
22	９０歳以上	231 550	4 590 063	19 440 346	11 622 199 854	34 481	14 708 951
23	Ⅰ　感染症及び寄生虫症	52 332	662 956	3 584 414	2 347 069 545	13 444	6 524 824
24	一般医療	29 001	263 999	1 391 664	1 054 648 418	9 627	4 731 368
25	後期医療	23 331	398 957	2 192 750	1 292 421 127	3 817	1 793 456
26	０～４歳	4 736	20 445	67 544	97 545 823	1 972	1 128 419
27	５～９	1 883	8 111	28 848	40 048 825	955	446 964
28	１０～１４	807	4 362	16 460	22 142 967	424	185 678
29	１５～１９	951	5 943	27 155	23 167 952	532	239 309
30	２０～２４	1 499	9 148	45 397	32 271 488	762	352 224
31	２５～２９	1 616	10 166	50 550	32 498 321	588	296 920
32	３０～３４	1 692	10 558	54 757	34 572 457	562	291 233
33	３５～３９	1 396	10 243	54 063	35 624 992	457	221 809
34	４０～４４	1 226	11 559	67 196	45 163 896	428	197 186
35	４５～４９	1 359	15 241	84 806	57 477 192	427	194 253
36	５０～５４	1 356	16 295	86 284	62 009 445	375	176 310
37	５５～５９	1 641	20 538	117 366	78 564 254	416	187 587
38	６０～６４	2 077	28 363	157 573	114 654 704	464	217 583
39	６５～６９	3 474	49 752	282 880	198 730 980	649	306 202
40	７０～７４	4 017	57 670	330 216	230 160 564	666	317 281
41	７５～７９	5 043	77 083	448 796	294 208 880	786	383 177
42	８０～８４	6 265	104 808	590 570	357 432 818	989	477 366
43	８５～８９	6 183	108 712	593 203	332 664 548	1 053	478 085
44	９０歳以上	5 111	93 959	480 750	258 129 439	939	427 238
45	Ⅱ　新生物＜腫瘍＞	300 252	3 400 042	15 190 255	19 586 993 082	13 776	6 118 615
46	一般医療	180 275	1 851 640	8 474 382	12 185 043 722	6 399	2 950 486
47	後期医療	119 977	1 548 402	6 715 873	7 401 949 360	7 377	3 168 129
48	０～４歳	1 340	12 869	45 884	104 402 604	86	38 232
49	５～９	685	8 209	33 953	63 576 545	43	16 016
50	１０～１４	599	8 644	34 850	69 892 492	42	14 909
51	１５～１９	707	8 361	36 127	59 582 542	68	27 666
52	２０～２４	952	9 252	43 080	66 037 999	92	41 384
53	２５～２９	1 690	14 263	63 929	107 946 844	103	51 921
54	３０～３４	2 830	23 572	108 185	181 999 820	132	60 524
55	３５～３９	4 663	38 029	180 790	295 221 432	156	72 802
56	４０～４４	7 928	66 877	314 345	512 729 444	259	122 358
57	４５～４９	11 657	102 282	481 560	767 953 995	350	161 034
58	５０～５４	12 989	124 704	581 096	874 270 063	415	198 804
59	５５～５９	16 892	170 711	808 418	1 157 260 631	528	242 966
60	６０～６４	24 941	260 243	1 221 641	1 699 727 833	858	378 668
61	６５～６９	45 060	488 713	2 228 922	3 057 850 276	1 550	712 104
62	７０～７４	49 567	548 210	2 451 108	3 322 771 679	1 822	855 783
63	７５～７９	47 434	547 246	2 455 366	3 066 111 736	1 917	875 356
64	８０～８４	37 254	471 956	2 078 101	2 307 073 087	2 090	912 615
65	８５～８９	22 152	317 073	1 336 367	1 296 664 552	1 932	805 404
66	９０歳以上	10 912	178 828	686 533	575 919 508	1 333	530 069
67	Ⅲ　血液及び造血器の疾患並びに免疫機構の障害	22 121	271 561	1 429 168	1 093 636 874	2 782	1 290 046
68	一般医療	12 350	114 115	602 743	504 223 017	1 275	644 188
69	後期医療	9 771	157 446	826 425	589 413 857	1 507	645 858
70	０～４歳	632	5 078	19 836	34 167 540	212	107 869
71	５～９	391	3 393	10 428	20 205 045	95	48 865
72	１０～１４	206	1 769	7 642	13 291 356	49	19 033
73	１５～１９	201	1 866	9 017	14 095 659	29	12 928
74	２０～２４	642	4 059	22 357	16 382 159	35	22 670
75	２５～２９	1 578	9 035	44 838	23 956 001	44	31 933
76	３０～３４	2 190	12 705	64 830	28 324 728	46	38 081
77	３５～３９	1 331	7 957	45 214	20 310 069	48	31 676
78	４０～４４	546	4 554	25 598	19 958 541	68	33 926
79	４５～４９	406	4 748	27 293	21 511 787	88	38 096
80	５０～５４	430	5 666	31 158	26 395 408	72	31 249
81	５５～５９	497	6 832	36 570	33 873 471	61	26 737
82	６０～６４	713	9 687	52 533	48 496 335	106	48 427
83	６５～６９	1 297	18 869	102 506	90 308 935	172	76 274
84	７０～７４	1 567	23 039	128 586	112 231 758	186	91 681
85	７５～７９	2 003	30 259	165 001	135 567 391	250	122 115
86	８０～８４	2 525	39 256	211 999	156 246 962	387	165 503
87	８５～８９	2 693	43 895	237 188	159 394 957	438	186 386
88	９０歳以上	2 273	38 894	186 574	118 918 772	396	156 597

平成30年６月審査分

医学管理等		在宅医療		検査		行番号
回数	点数	回数	点数	回数	点数	
2 746 358	957 390 442	52 545	187 542 122	12 915 885	1 529 375 474	1
1 441 118	504 697 971	25 025	99 719 599	4 874 955	700 829 891	2
1 305 240	452 692 471	27 520	87 822 523	8 040 930	828 545 583	3
59 038	17 786 626	1 929	11 151 901	158 349	21 651 042	4
12 803	4 349 594	430	4 027 171	22 302	3 333 811	5
10 852	4 118 240	368	3 123 546	26 487	3 645 127	6
18 628	7 181 612	302	2 625 734	61 052	7 911 565	7
24 743	9 225 769	301	2 255 650	104 900	14 195 851	8
36 718	13 756 997	417	2 042 300	163 214	21 936 153	9
52 421	19 239 168	604	2 539 265	217 646	28 468 770	10
60 029	22 019 950	757	3 105 562	215 636	27 951 786	11
70 419	25 309 311	992	3 759 045	221 096	31 125 733	12
91 217	32 424 425	1 362	4 663 319	274 043	40 215 718	13
102 629	36 170 006	1 637	6 163 996	330 622	49 227 781	14
128 058	45 104 420	2 131	8 362 298	425 332	62 708 755	15
173 482	60 557 008	2 897	10 472 557	588 594	86 136 468	16
298 199	103 554 519	5 534	18 390 699	1 068 074	151 759 941	17
343 756	118 637 279	6 627	22 675 155	1 286 323	178 670 444	18
382 143	131 436 942	7 854	26 468 588	1 672 418	213 210 256	19
374 690	129 311 816	8 007	24 798 473	2 098 645	229 169 204	20
296 113	103 285 740	6 185	18 685 803	2 104 917	199 251 852	21
210 420	73 921 020	4 211	12 231 060	1 876 235	158 805 217	22
61 400	20 692 118	1 064	3 776 036	504 812	49 567 901	23
31 859	10 669 051	427	1 834 576	196 671	22 411 839	24
29 541	10 023 067	637	1 941 460	308 141	27 156 062	25
3 242	1 066 010	31	260 863	9 356	924 006	26
1 410	438 040	10	61 483	2 468	220 619	27
619	194 835	8	75 641	1 188	135 741	28
1 000	342 000	5	35 355	4 635	530 877	29
1 505	488 198	7	54 918	8 471	1 002 966	30
1 403	484 477	4	44 173	9 537	1 189 253	31
1 403	485 189	6	34 402	9 517	1 187 578	32
1 322	442 297	7	22 088	9 452	1 161 900	33
1 497	518 105	27	94 021	9 721	1 196 088	34
1 771	603 676	21	74 079	12 235	1 449 617	35
1 815	600 913	32	95 986	10 810	1 377 932	36
2 150	733 958	32	145 432	15 147	1 888 008	37
2 960	997 967	30	110 524	20 580	2 313 406	38
5 057	1 694 987	109	349 603	39 998	4 152 642	39
5 698	1 918 339	146	500 147	43 493	4 513 799	40
7 224	2 412 288	169	605 108	60 404	5 874 223	41
8 427	2 842 171	183	539 384	80 835	7 123 070	42
7 571	2 574 152	142	463 117	84 882	7 247 181	43
5 326	1 854 516	95	209 712	72 083	6 078 995	44
557 446	195 293 838	7 418	22 074 193	1 131 032	197 238 469	45
350 119	122 711 673	4 075	12 885 875	562 617	109 664 274	46
207 327	72 582 165	3 343	9 188 318	568 415	87 574 195	47
957	336 328	21	117 786	1 036	318 889	48
629	228 520	4	37 004	820	210 905	49
633	230 229	6	39 206	836	151 709	50
977	359 694	13	71 660	2 106	397 497	51
1 633	609 161	3	12 539	3 692	641 545	52
3 052	1 135 290	10	38 732	4 811	886 135	53
5 059	1 866 329	28	112 156	7 784	1 239 108	54
8 524	3 128 671	62	262 596	11 702	1 946 891	55
15 090	5 477 601	109	350 874	19 067	3 316 553	56
23 037	8 156 149	172	614 483	26 705	4 843 372	57
25 428	8 881 937	222	834 734	35 652	6 761 250	58
33 656	11 847 900	382	1 218 889	50 323	9 865 480	59
49 100	17 095 091	566	1 853 294	84 202	16 561 361	60
89 573	31 236 935	1 170	3 429 660	157 211	30 313 536	61
96 833	33 571 471	1 392	4 143 436	169 763	33 939 320	62
89 848	31 131 431	1 385	4 012 811	181 913	34 215 065	63
65 485	22 903 324	1 054	2 920 200	173 841	27 580 367	64
34 279	12 163 100	556	1 403 749	127 124	16 509 322	65
13 653	4 934 677	263	600 384	72 444	7 540 164	66
24 571	8 739 760	395	3 784 548	187 506	22 427 435	67
11 929	4 341 595	178	3 222 671	76 957	10 698 813	68
12 642	4 398 165	217	561 877	110 549	11 728 622	69
474	159 364	9	649 506	1 525	163 577	70
298	97 675	5	35 598	482	68 870	71
151	54 176	6	209 357	237	39 597	72
169	55 275	4	648 888	1 135	177 256	73
367	135 099	9	619 316	3 721	486 809	74
730	294 390	-	210 715	6 837	954 631	75
967	391 068	7	14 469	9 681	1 284 956	76
760	321 608	6	10 836	6 750	849 659	77
578	230 027	4	12 248	3 033	503 078	78
584	198 611	4	3 370	3 279	550 378	79
607	212 390	14	30 217	3 411	697 381	80
797	275 978	11	17 715	4 172	703 823	81
1 154	405 271	27	550 546	5 885	938 806	82
2 058	721 396	33	115 750	12 648	1 644 060	83
2 581	918 523	44	120 204	16 597	1 920 104	84
3 143	1 071 403	54	143 904	21 933	2 560 221	85
3 425	1 185 374	55	116 469	26 590	2 967 428	86
3 389	1 173 475	74	189 696	32 297	3 402 887	87
2 339	838 657	29	85 744	27 293	2 513 914	88

第２表　医科診療（入院）件数・診療実日数・回数・点数,

行番号	傷病分類 一般医療－後期医療 年齢階級	画像診断 回数	画像診断 点数	投薬 回数	投薬 点数	注射 回数	注射 点数
1	総数	2 183 855	756 015 690	68 604 154	1 241 098 605	3 419 253	1 954 174 361
2	一般医療	749 103	279 779 007	32 610 706	658 834 686	1 144 196	1 062 716 906
3	後期医療	1 434 752	476 236 683	35 993 448	582 263 919	2 275 057	891 457 455
4	0 ～ 4 歳	14 025	3 648 892	629 008	8 260 323	35 373	47 963 696
5	5 ～ 9	3 694	1 266 607	280 542	5 022 985	10 528	31 990 688
6	10 ～ 14	5 423	1 719 774	337 161	7 221 919	10 230	40 328 044
7	15 ～ 19	12 208	4 112 024	430 946	8 855 456	13 173	27 459 867
8	20 ～ 24	14 288	4 953 938	598 856	11 654 692	23 549	26 212 665
9	25 ～ 29	16 006	5 277 707	919 529	15 244 008	47 125	31 117 367
10	30 ～ 34	19 575	6 600 219	1 294 754	21 409 819	63 917	33 806 560
11	35 ～ 39	24 313	8 937 592	1 487 581	26 246 323	54 181	36 506 331
12	40 ～ 44	33 268	12 539 090	1 821 458	37 214 992	43 936	46 476 565
13	45 ～ 49	44 158	17 365 453	2 347 861	49 911 455	53 710	57 980 842
14	50 ～ 54	53 200	20 592 238	2 732 936	56 541 738	67 830	64 761 904
15	55 ～ 59	69 141	26 373 413	3 321 496	70 200 142	91 193	88 138 525
16	60 ～ 64	95 388	35 975 624	4 166 885	88 920 899	132 098	125 787 655
17	65 ～ 69	173 246	64 984 111	6 827 664	141 087 495	252 838	215 276 593
18	70 ～ 74	213 224	78 636 807	7 423 818	148 262 197	312 230	221 710 500
19	75 ～ 79	284 209	101 373 141	8 809 943	163 714 124	416 501	224 462 419
20	80 ～ 84	371 065	125 834 323	9 876 626	166 137 991	554 144	231 404 570
21	85 ～ 89	386 350	125 456 902	8 801 930	130 747 942	612 289	209 535 173
22	90 歳以上	351 074	110 367 835	6 495 160	84 444 105	624 408	193 254 397
23	Ⅰ 感染症及び寄生虫症	70 155	22 182 515	1 532 557	46 988 840	127 231	73 602 478
24	一般医療	26 842	9 131 831	635 612	26 616 678	43 449	36 369 948
25	後期医療	43 313	13 050 684	896 945	20 372 162	83 782	37 232 530
26	0 ～ 4 歳	731	169 789	27 987	287 449	3 438	1 322 500
27	5 ～ 9	229	54 574	12 940	161 450	1 013	408 659
28	10 ～ 14	116	52 986	7 929	182 033	625	637 180
29	15 ～ 19	785	290 873	11 538	188 330	906	2 279 637
30	20 ～ 24	1 340	482 233	19 732	493 494	1 424	841 585
31	25 ～ 29	1 325	476 846	23 110	613 354	2 001	835 750
32	30 ～ 34	1 207	455 404	26 658	642 454	2 149	968 219
33	35 ～ 39	1 091	417 776	25 571	749 709	1 885	2 349 032
34	40 ～ 44	1 386	496 377	32 124	1 980 714	1 822	1 825 831
35	45 ～ 49	1 912	668 342	40 232	1 861 667	2 223	2 350 437
36	50 ～ 54	1 663	612 540	41 473	2 017 625	2 067	1 508 278
37	55 ～ 59	2 154	808 723	54 819	2 863 833	3 183	2 558 541
38	60 ～ 64	2 990	932 070	71 199	4 107 904	4 382	3 272 851
39	65 ～ 69	5 175	1 646 658	124 809	5 759 740	8 846	7 481 373
40	70 ～ 74	5 860	1 912 473	150 767	5 947 170	9 667	9 283 229
41	75 ～ 79	8 073	2 563 219	194 609	6 352 956	14 302	8 618 564
42	80 ～ 84	11 554	3 499 386	246 109	6 302 519	21 536	9 595 572
43	85 ～ 89	11 893	3 504 741	238 336	3 898 175	23 303	9 365 129
44	90 歳以上	10 671	3 137 505	182 615	2 578 264	22 459	8 100 111
45	Ⅱ 新生物＜腫瘍＞	192 192	78 377 002	7 214 121	206 097 230	473 531	516 785 337
46	一般医療	94 702	40 748 096	4 216 709	130 023 660	264 709	363 406 113
47	後期医療	97 490	37 628 906	2 997 412	76 073 570	208 822	153 379 224
48	0 ～ 4 歳	136	149 797	20 070	484 295	4 598	3 201 243
49	5 ～ 9	116	84 493	16 848	459 607	3 142	3 057 353
50	10 ～ 14	109	73 843	16 925	864 251	3 304	5 926 428
51	15 ～ 19	331	185 342	15 851	952 964	2 545	2 613 535
52	20 ～ 24	608	257 639	18 433	648 674	1 821	2 025 753
53	25 ～ 29	748	275 942	27 750	656 521	2 299	2 492 492
54	30 ～ 34	1 118	516 199	50 127	1 616 547	3 581	4 440 685
55	35 ～ 39	1 828	846 272	87 282	2 448 380	4 899	6 385 385
56	40 ～ 44	3 171	1 410 484	156 455	4 413 474	8 704	12 153 786
57	45 ～ 49	4 649	2 176 172	244 707	7 498 780	12 411	18 831 762
58	50 ～ 54	6 790	2 962 742	293 391	9 930 164	17 175	26 323 943
59	55 ～ 59	8 785	3 947 403	417 986	13 838 355	24 955	38 727 114
60	60 ～ 64	14 453	6 101 115	623 854	20 596 988	37 598	56 575 751
61	65 ～ 69	25 649	10 820 850	1 105 594	33 342 940	69 308	97 044 670
62	70 ～ 74	28 490	11 746 651	1 195 772	34 439 361	72 951	88 652 858
63	75 ～ 79	30 777	12 212 777	1 178 950	32 027 487	71 777	72 298 037
64	80 ～ 84	28 910	11 276 702	937 447	24 689 108	61 553	46 670 323
65	85 ～ 89	22 309	8 478 458	557 795	12 360 231	43 019	20 745 724
66	90 歳以上	13 215	4 854 121	248 884	4 829 103	27 891	8 618 495
67	Ⅲ 血液及び造血器の疾患並びに免疫機構の障害	23 041	7 311 401	663 318	14 846 855	52 310	63 587 749
68	一般医療	7 392	2 360 873	316 244	8 014 291	23 035	48 702 838
69	後期医療	15 649	4 950 528	347 074	6 832 564	29 275	14 884 911
70	0 ～ 4 歳	121	32 181	10 509	325 254	1 019	5 238 232
71	5 ～ 9	40	11 351	5 239	187 162	347	2 199 850
72	10 ～ 14	24	9 816	4 496	445 195	378	2 718 877
73	15 ～ 19	98	34 043	4 989	279 369	332	5 863 014
74	20 ～ 24	197	61 777	13 073	355 978	1 104	4 079 406
75	25 ～ 29	204	60 330	27 826	398 791	2 400	5 180 715
76	30 ～ 34	190	56 149	40 261	397 483	3 805	1 931 940
77	35 ～ 39	330	102 724	27 577	295 679	2 164	1 010 511
78	40 ～ 44	316	93 828	14 244	270 414	674	1 059 271
79	45 ～ 49	503	142 498	13 740	249 744	848	1 650 955
80	50 ～ 54	417	148 761	15 540	555 416	778	2 917 177
81	55 ～ 59	507	166 268	18 020	500 231	1 020	1 329 270
82	60 ～ 64	715	255 458	26 366	856 337	1 309	2 652 126
83	65 ～ 69	1 527	526 870	48 486	1 266 448	3 087	6 234 068
84	70 ～ 74	2 505	750 473	58 053	1 820 796	4 285	5 307 581
85	75 ～ 79	2 700	871 265	70 850	1 810 860	5 291	3 611 490
86	80 ～ 84	3 808	1 256 799	92 645	2 209 971	6 503	3 853 405
87	85 ～ 89	4 724	1 459 247	99 918	1 660 403	8 985	3 857 821
88	90 歳以上	4 115	1 271 563	71 486	961 324	7 981	2 892 040

平成30年６月審査分

リハビリテーション 回数	リハビリテーション 点数	精神科専門療法 回数	精神科専門療法 点数	処置 回数	処置 点数	行番号
30 054 007	6 710 811 760	3 137 350	633 309 792	6 862 266	2 109 114 944	1
9 695 730	2 275 181 669	1 930 666	397 408 142	2 501 373	815 439 614	2
20 358 277	4 435 630 091	1 206 684	235 901 650	4 360 893	1 293 675 330	3
44 528	10 782 099	55	15 260	62 302	25 448 907	4
42 509	10 021 296	110	25 355	33 312	9 770 976	5
52 527	12 243 198	2 939	734 800	42 724	10 424 996	6
92 267	21 763 855	13 596	3 398 995	59 857	14 087 483	7
94 310	21 898 219	28 672	7 262 530	74 542	17 340 565	8
96 307	22 218 147	41 472	10 289 105	91 988	20 901 564	9
124 745	29 356 450	62 532	14 693 228	109 807	24 540 282	10
184 759	43 782 965	89 010	19 874 845	115 905	25 895 781	11
304 144	72 396 522	128 362	27 955 078	147 061	35 610 647	12
531 140	127 147 114	172 760	36 340 433	179 572	47 901 752	13
702 188	167 518 960	204 676	42 626 411	200 273	59 295 844	14
930 566	220 542 948	252 233	50 718 539	238 528	81 116 920	15
1 316 563	309 093 428	304 991	60 002 163	302 325	120 435 914	16
2 474 147	576 362 102	446 134	86 696 920	522 361	222 211 613	17
3 207 523	739 402 461	364 877	71 222 040	622 190	262 838 328	18
4 476 330	1 010 669 766	344 996	68 005 920	814 164	315 469 278	19
5 824 760	1 282 981 812	317 486	62 620 355	1 067 819	347 481 533	20
5 574 867	1 198 503 826	227 037	44 742 980	1 117 154	283 207 823	21
3 979 827	834 126 592	135 412	26 084 835	1 060 382	185 134 738	22
390 047	82 510 769	10 454	2 114 195	193 972	56 597 343	23
110 569	24 396 151	6 466	1 326 525	61 078	21 863 547	24
279 478	58 114 618	3 988	787 670	132 894	34 733 796	25
256	59 460	-	-	835	263 249	26
795	180 345	-	-	807	225 840	27
476	107 830	-	-	609	169 517	28
732	168 107	43	10 400	961	180 206	29
1 162	262 105	35	7 310	1 924	428 446	30
919	217 340	168	36 940	1 933	467 741	31
1 538	359 955	114	25 010	2 060	699 879	32
2 043	465 780	196	47 910	2 235	448 330	33
3 873	863 553	303	79 595	4 167	1 210 008	34
5 297	1 151 096	546	103 185	4 267	1 663 256	35
7 253	1 599 426	607	121 205	3 585	1 442 949	36
11 383	2 517 740	1 014	186 535	5 751	2 151 367	37
16 233	3 645 613	1 074	237 515	8 076	3 284 726	38
30 229	6 474 269	1 540	296 610	14 387	6 517 692	39
36 271	7 985 847	1 508	298 240	15 858	6 380 889	40
57 776	12 351 173	1 053	216 675	23 888	8 413 798	41
78 925	16 607 395	988	201 005	32 780	9 832 965	42
78 010	16 027 976	801	156 960	35 992	7 835 328	43
56 876	11 465 759	464	89 100	33 857	4 981 157	44
1 185 773	260 404 192	10 206	2 297 655	310 828	76 404 465	45
532 137	121 251 966	6 054	1 367 350	122 299	33 149 937	46
653 636	139 152 226	4 152	930 305	188 529	43 254 528	47
1 475	338 525	3	240	449	400 870	48
1 503	350 830	3	1 350	143	191 670	49
2 092	474 470	14	5 300	179	36 063	50
3 152	751 100	66	15 890	499	136 949	51
3 731	896 518	24	5 250	771	261 873	52
4 188	993 766	104	29 970	1 292	428 930	53
6 184	1 470 854	97	18 820	1 545	305 876	54
11 251	2 727 201	259	56 730	2 499	535 528	55
15 170	3 599 969	335	78 270	4 532	1 160 390	56
25 546	6 008 259	448	108 090	5 875	1 438 013	57
33 402	7 751 713	594	131 810	7 678	2 429 067	58
46 176	10 675 477	575	124 185	10 686	3 051 432	59
71 067	16 023 009	867	189 955	17 764	5 226 038	60
145 417	32 842 006	1 487	344 245	34 031	10 453 943	61
176 640	39 522 339	1 481	327 195	42 276	12 184 269	62
198 176	43 345 625	1 485	332 485	48 993	12 804 324	63
207 503	44 436 852	1 336	300 640	52 922	11 708 948	64
150 142	31 397 704	686	154 480	44 878	8 711 896	65
82 958	16 797 975	342	72 750	33 816	4 938 386	66
131 953	27 481 925	5 991	1 224 175	52 263	16 947 344	67
35 134	7 638 281	3 686	746 425	15 669	6 144 078	68
96 819	19 843 644	2 305	477 750	36 594	10 803 266	69
206	48 054	2	800	395	96 424	70
164	38 975	-	-	172	69 041	71
215	46 423	5	1 190	112	29 842	72
228	50 809	48	9 780	103	27 311	73
533	113 005	16	3 940	433	131 351	74
416	79 675	42	6 970	964	206 571	75
459	102 895	64	37 780	1 609	368 429	76
900	203 835	145	31 680	940	258 745	77
1 025	220 477	155	35 080	820	413 124	78
1 599	365 889	466	96 975	831	275 945	79
2 553	569 331	443	87 195	1 008	281 028	80
2 989	666 454	397	75 480	934	460 009	81
4 122	891 343	503	95 135	1 381	637 141	82
9 075	1 967 007	1 172	226 290	2 971	1 555 891	83
13 199	2 801 483	652	123 390	4 368	2 380 702	84
19 332	4 106 988	629	142 455	6 712	2 250 822	85
25 345	5 154 676	716	146 045	8 728	3 088 666	86
28 036	5 702 377	328	66 315	10 714	2 411 173	87
21 557	4 352 229	208	37 675	9 068	2 005 129	88

行番号	傷病分類 一般医療−後期医療 年齢階級	手術 回数	手術 点数	麻酔 回数	麻酔 点数	放射線治療 回数	放射線治療 点数
1	総数	914 091	21 453 401 253	598 184	2 686 199 992	157 529	414 970 358
2	一般医療	517 875	12 836 711 433	405 206	1 825 180 533	105 021	286 162 991
3	後期医療	396 216	8 616 689 820	192 978	861 019 459	52 508	128 807 367
4	０～４歳	14 713	286 345 888	13 224	77 993 347	781	1 737 530
5	５～９	6 702	77 990 939	7 259	34 042 013	332	1 554 596
6	１０～１４	5 417	84 594 496	5 861	28 675 432	371	1 516 910
7	１５～１９	7 176	145 042 413	7 456	37 611 486	263	896 400
8	２０～２４	9 425	159 199 747	8 800	36 288 362	421	969 030
9	２５～２９	17 159	266 747 444	15 870	49 016 148	655	1 757 501
10	３０～３４	25 376	407 890 205	25 040	69 681 690	1 219	3 851 759
11	３５～３９	26 367	478 170 491	27 378	84 689 958	2 010	5 218 554
12	４０～４４	25 853	569 237 108	26 042	105 756 162	3 680	10 981 265
13	４５～４９	30 617	773 736 116	28 256	133 697 227	6 219	17 318 788
14	５０～５４	34 156	895 517 047	26 884	132 763 341	7 596	21 299 264
15	５５～５９	43 668	1 187 086 748	31 766	156 718 303	11 039	29 940 819
16	６０～６４	59 060	1 647 750 370	41 182	201 520 910	14 808	41 033 079
17	６５～６９	104 234	2 856 338 680	68 389	334 287 277	28 478	75 365 776
18	７０～７４	119 535	3 283 991 677	76 044	366 214 777	28 555	75 911 246
19	７５～７９	128 991	3 365 328 217	74 844	360 205 454	24 037	62 049 124
20	８０～８４	119 061	2 698 722 017	60 267	271 709 068	16 637	39 075 635
21	８５～８９	85 097	1 569 684 857	36 314	145 497 517	7 797	18 502 021
22	９０歳以上	51 484	700 026 793	17 308	59 831 520	2 631	5 991 061
23	Ⅰ 感染症及び寄生虫症	13 221	110 711 046	3 838	14 772 553	761	808 684
24	一般医療	6 080	59 503 817	1 991	8 405 902	501	554 094
25	後期医療	7 141	51 207 229	1 847	6 366 651	260	254 590
26	０～４歳	54	938 937	49	277 409	6	880
27	５～９	77	607 602	26	133 250	2	220
28	１０～１４	47	331 058	24	47 056	6	660
29	１５～１９	23	446 710	22	90 043	-	-
30	２０～２４	118	1 346 501	46	215 768	3	440
31	２５～２９	193	1 945 321	103	285 113	5	660
32	３０～３４	220	2 072 545	98	261 448	8	6 520
33	３５～３９	200	1 596 113	83	214 023	5	550
34	４０～４４	278	2 516 181	86	329 013	18	2 750
35	４５～４９	371	3 220 627	140	714 100	34	43 560
36	５０～５４	388	3 750 909	116	551 487	32	8 140
37	５５～５９	532	5 888 473	146	798 319	41	44 890
38	６０～６４	873	9 043 996	305	1 295 684	62	108 990
39	６５～６９	1 434	12 266 297	371	1 704 450	155	233 980
40	７０～７４	1 608	16 198 143	444	1 792 066	146	108 994
41	７５～７９	2 002	16 540 554	618	2 401 790	98	35 710
42	８０～８４	2 182	16 311 879	556	1 574 625	74	108 930
43	８５～８９	1 719	10 286 715	395	1 367 874	53	101 050
44	９０歳以上	902	5 402 485	210	719 035	13	1 760
45	Ⅱ 新生物＜腫瘍＞	219 136	4 600 411 603	175 502	832 815 408	144 693	395 037 363
46	一般医療	138 614	3 129 585 794	124 347	597 312 038	97 122	272 925 072
47	後期医療	80 522	1 470 825 809	51 155	235 503 370	47 571	122 112 291
48	０～４歳	1 620	16 128 029	1 520	5 848 636	382	1 377 150
49	５～９	1 068	7 776 165	759	2 081 106	267	1 358 640
50	１０～１４	980	9 583 543	440	1 687 880	316	1 440 948
51	１５～１９	1 010	11 538 801	451	2 327 361	217	708 740
52	２０～２４	1 011	17 901 497	868	4 403 977	340	844 300
53	２５～２９	1 747	34 598 498	1 747	8 586 013	467	1 481 123
54	３０～３４	2 791	58 929 687	3 060	14 303 200	1 038	3 449 579
55	３５～３９	4 278	98 386 581	4 870	23 229 149	1 732	4 872 376
56	４０～４４	7 004	170 672 281	8 221	39 425 463	3 355	9 884 132
57	４５～４９	9 825	242 216 952	11 458	54 624 037	5 731	16 390 100
58	５０～５４	10 225	241 384 189	10 096	49 745 351	7 027	20 576 414
59	５５～５９	12 881	295 348 462	11 215	54 923 681	10 228	28 870 833
60	６０～６４	18 286	420 911 609	15 295	75 271 326	13 943	39 675 690
61	６５～６９	32 562	734 927 175	26 639	128 071 682	26 698	72 207 563
62	７０～７４	34 881	797 940 883	28 616	137 575 769	26 579	72 867 660
63	７５～７９	33 268	694 801 613	24 324	116 252 238	22 182	59 151 818
64	８０～８４	25 662	466 785 913	16 612	74 969 825	15 066	36 919 257
65	８５～８９	14 261	216 356 578	7 334	31 367 706	6 811	17 225 089
66	９０歳以上	5 776	64 223 147	1 977	8 121 008	2 314	5 735 951
67	Ⅲ 血液及び造血器の疾患並びに免疫機構の障害	24 658	139 603 060	2 266	7 684 324	797	661 208
68	一般医療	10 520	74 913 883	1 632	4 660 195	559	531 798
69	後期医療	14 138	64 689 177	634	3 024 129	238	129 410
70	０～４歳	249	745 131	73	151 646	27	2 970
71	５～９	101	376 777	53	129 323	5	36 440
72	１０～１４	117	627 141	31	96 540	20	11 342
73	１５～１９	142	603 210	15	29 331	9	1 320
74	２０～２４	323	2 642 212	77	232 475	8	880
75	２５～２９	617	6 048 301	207	416 219	37	41 620
76	３０～３４	857	8 136 686	318	495 555	18	2 750
77	３５～３９	652	6 004 498	279	489 703	22	2 860
78	４０～４４	509	3 474 766	104	240 626	23	3 410
79	４５～４９	510	3 676 537	50	196 148	22	2 860
80	５０～５４	542	3 418 075	56	221 699	36	4 950
81	５５～５９	626	4 927 127	40	166 952	49	18 010
82	６０～６４	1 025	6 850 640	62	316 974	42	37 772
83	６５～６９	2 064	12 239 279	93	635 569	62	37 120
84	７０～７４	2 532	17 025 478	186	909 951	183	328 044
85	７５～７９	3 138	18 785 582	211	955 172	92	63 370
86	８０～８４	3 901	18 834 513	200	928 979	82	47 790
87	８５～８９	3 827	15 552 345	132	710 032	41	15 500
88	９０歳以上	2 926	9 634 762	79	361 430	19	2 200

傷病分類、一般医療－後期医療・年齢階級、診療行為（大分類）別

平成30年６月審査分

病理診断		入院料等		診断群分類による包括評価等		入院時食事療養等（別掲）		行番号
回数	点数	回数	点数	回数	点数	回数	金額(円)	
317 774	192 977 537	24 255 790	42 193 621 230	9 959 419	37 230 440 823	92 745 986	58 164 041 419	1
210 581	133 796 835	8 935 368	15 467 810 411	5 020 896	20 078 075 639	36 107 329	23 511 910 753	2
107 193	59 180 702	15 320 422	26 725 810 819	4 938 523	17 152 365 184	56 638 657	34 652 130 666	3
1 667	1 050 650	103 138	367 991 169	372 120	2 206 898 431	866 744	559 513 394	4
1 088	663 700	46 947	132 674 911	63 993	353 741 747	218 606	141 657 129	5
1 087	663 490	76 734	191 098 199	50 775	270 173 634	271 944	175 553 102	6
2 021	1 212 990	104 589	221 843 084	63 493	242 587 836	384 654	249 152 444	7
3 806	2 241 162	147 005	279 818 916	79 129	290 278 050	543 721	351 022 798	8
6 947	4 130 454	216 445	395 718 336	116 898	416 088 456	820 183	524 977 381	9
10 497	6 311 158	299 328	536 587 662	170 074	606 528 287	1 172 004	752 887 698	10
12 271	7 561 220	365 620	640 225 533	188 767	683 317 977	1 399 756	909 024 741	11
14 162	9 145 504	476 083	803 004 761	209 909	793 582 133	1 754 416	1 151 476 411	12
16 047	10 859 954	641 923	1 045 201 794	273 323	1 055 310 879	2 370 653	1 561 948 087	13
15 684	10 435 167	767 772	1 230 687 307	315 795	1 228 893 865	2 834 008	1 870 477 532	14
17 994	11 725 608	954 404	1 526 593 481	408 575	1 596 226 488	3 576 947	2 366 632 562	15
24 035	15 428 006	1 244 170	1 999 216 795	574 116	2 220 362 850	4 766 088	3 160 664 146	16
40 969	25 893 663	2 070 046	3 416 006 235	1 035 261	3 959 923 684	8 461 795	5 435 738 048	17
44 659	27 809 785	2 261 019	3 919 792 622	1 225 141	4 613 555 809	9 505 205	6 060 241 754	18
42 916	25 696 096	2 903 566	5 152 556 896	1 400 054	5 113 379 195	11 882 206	7 478 494 728	19
33 478	18 705 728	3 818 595	6 795 207 985	1 425 562	4 989 495 446	14 692 109	9 082 265 933	20
19 619	9 755 210	3 994 408	7 045 439 495	1 162 357	3 924 502 720	14 488 366	8 794 572 956	21
8 827	3 687 992	3 763 998	6 493 956 049	824 077	2 665 593 336	12 736 581	7 537 740 575	22
5 960	2 875 734	404 227	789 954 525	251 024	1 063 404 259	1 606 470	1 013 801 532	23
3 646	1 886 648	130 824	278 102 969	125 933	546 854 308	591 873	385 933 782	24
2 314	989 086	273 403	511 851 556	125 091	516 549 951	1 014 597	627 867 750	25
7	5 390	5 420	21 420 638	14 144	69 420 885	32 043	20 876 177	26
5	2 500	1 930	7 034 120	6 181	30 073 159	14 113	9 195 768	27
27	12 710	1 366	4 755 832	2 996	15 254 210	7 822	5 116 539	28
66	32 900	2 196	5 624 535	3 711	12 708 670	11 517	7 531 003	29
145	72 050	3 601	8 459 946	5 117	17 763 254	16 881	11 036 042	30
168	90 220	4 824	10 082 357	4 269	15 431 856	19 163	12 257 066	31
175	98 036	4 611	9 598 834	4 431	17 385 751	18 775	12 099 485	32
195	98 570	4 795	10 026 403	4 521	17 362 652	20 687	13 511 767	33
233	133 060	6 041	12 824 130	5 192	20 897 284	25 959	17 074 353	34
269	147 796	8 555	17 280 962	6 506	25 956 145	35 303	23 207 111	35
275	152 916	8 706	17 229 162	7 073	30 763 527	38 461	25 544 339	36
375	198 090	12 067	23 408 058	8 156	34 184 700	50 240	33 345 033	37
361	195 770	16 014	30 953 631	11 958	53 942 251	68 567	45 561 546	38
701	337 950	27 983	53 695 225	21 432	95 813 252	126 259	80 970 141	39
727	346 040	33 014	63 662 859	24 311	108 994 728	145 523	93 170 164	40
804	376 810	45 550	89 094 770	31 410	137 972 786	195 335	123 790 885	41
649	285 956	68 491	129 731 049	36 232	152 398 946	267 115	166 896 007	42
524	199 750	76 793	142 243 958	31 731	126 914 307	278 369	171 293 668	43
254	89 220	72 270	132 828 056	21 653	80 165 896	234 338	141 324 438	44
159 302	110 169 242	1 043 649	2 656 371 928	2 350 160	9 431 040 782	7 794 605	5 118 052 095	45
106 038	75 893 777	411 534	1 179 528 950	1 435 652	5 991 645 417	4 091 804	2 721 258 384	46
53 264	34 275 465	632 115	1 476 842 978	914 508	3 439 395 365	3 702 801	2 396 793 711	47
652	403 470	3 969	16 790 615	8 840	58 468 567	27 684	18 078 468	48
369	218 870	2 773	10 599 604	5 436	36 915 835	17 962	11 731 205	49
315	198 620	3 028	11 423 841	5 613	37 741 072	19 583	12 782 180	50
466	307 630	2 150	8 726 481	6 204	30 461 022	18 281	11 999 635	51
808	525 470	2 244	7 966 674	6 995	28 995 685	20 011	13 158 516	52
1 439	965 400	2 806	8 792 668	11 343	46 533 213	29 546	19 392 738	53
2 308	1 605 586	4 616	15 061 185	18 694	77 003 255	49 311	32 397 372	54
3 665	2 623 252	7 707	24 215 509	30 064	123 483 989	80 878	53 241 739	55
6 147	4 559 060	12 918	38 677 526	53 772	217 426 863	139 677	92 209 590	56
8 530	6 605 796	19 234	55 952 902	82 811	342 327 384	218 238	144 432 543	57
8 353	6 348 738	26 389	77 783 416	98 074	412 223 941	268 061	177 993 010	58
9 785	7 238 951	36 650	107 022 431	133 524	570 316 242	368 486	245 534 486	59
13 844	9 887 074	58 216	162 463 364	201 480	850 921 425	572 117	382 233 211	60
24 057	16 867 808	111 851	310 426 858	375 886	1 544 805 911	1 094 731	728 533 721	61
26 231	18 151 012	132 923	357 122 319	414 266	1 679 729 843	1 249 499	830 444 111	62
23 936	16 118 296	155 827	397 164 853	390 548	1 539 306 754	1 272 614	841 329 461	63
17 134	11 016 838	179 259	432 527 100	292 094	1 091 453 745	1 122 868	732 685 825	64
8 360	4 995 935	161 766	366 776 587	155 075	547 212 189	775 148	494 091 701	65
2 903	1 531 436	119 323	246 877 995	59 441	195 713 847	449 910	275 782 583	66
3 408	1 816 768	150 199	289 972 788	103 664	486 257 028	626 482	400 654 959	67
1 951	1 083 938	49 478	101 637 835	47 086	228 881 135	233 088	151 513 353	68
1 457	732 830	100 721	188 334 953	56 578	257 375 893	393 394	249 141 606	69
36	23 820	1 954	7 997 339	3 023	18 425 353	10 006	6 497 587	70
34	22 000	792	2 823 836	2 601	14 059 282	7 498	4 924 243	71
30	16 560	594	2 160 297	1 175	6 805 950	3 666	2 408 132	72
44	28 130	665	1 850 345	1 004	4 424 620	4 104	2 709 850	73
70	43 260	1 456	3 105 962	935	4 348 019	5 688	3 523 791	74
123	72 220	3 298	4 921 752	1 093	5 031 168	10 652	6 269 760	75
125	65 372	5 053	7 358 567	1 363	7 642 478	15 800	9 121 682	76
108	63 610	3 445	5 505 812	1 088	5 126 633	10 913	6 557 610	77
126	71 660	2 122	4 469 912	1 797	8 826 694	9 336	6 108 101	78
143	75 696	2 548	5 021 028	2 078	8 967 057	11 362	7 603 685	79
151	80 170	2 991	5 567 464	2 539	11 572 905	13 571	9 061 673	80
154	77 950	3 174	6 692 199	3 619	17 769 268	16 263	10 941 793	81
171	94 440	4 285	8 967 188	5 380	24 898 731	23 380	15 679 372	82
339	182 820	9 304	18 144 048	9 411	44 736 005	47 118	31 173 721	83
328	180 630	11 238	23 054 492	11 649	54 498 226	57 506	37 606 394	84
434	232 310	15 333	30 205 928	14 879	68 633 306	74 735	48 809 036	85
406	209 260	24 189	45 966 391	15 019	70 115 693	98 701	62 661 646	86
398	194 810	28 598	53 547 743	15 281	69 264 667	107 556	68 097 005	87
188	82 050	29 160	52 612 485	9 730	41 110 973	98 627	60 899 878	88

行番号	傷病分類 一般医療－後期医療 年齢階級	件数	診療実日数	総数 回数	総数 点数	初・再診 回数	初・再診 点数
89	Ⅳ 内分泌，栄養及び代謝疾患	67 611	1 000 879	5 361 114	2 766 023 710	8 446	3 827 726
90	一般医療	30 889	355 097	2 055 509	1 197 052 964	4 161	1 951 776
91	後期医療	36 722	645 782	3 305 605	1 568 970 746	4 285	1 875 950
92	0 ～ 4 歳	2 125	9 949	32 976	49 570 836	715	378 535
93	5 ～ 9	852	4 470	20 713	25 182 490	247	123 594
94	10 ～ 14	523	3 879	17 208	25 704 899	133	54 341
95	15 ～ 19	343	3 564	21 021	14 857 659	89	39 793
96	20 ～ 24	448	4 177	28 759	18 756 623	103	51 856
97	25 ～ 29	647	5 603	33 946	21 722 636	91	48 501
98	30 ～ 34	943	9 288	53 176	32 970 988	121	59 002
99	35 ～ 39	1 102	11 745	66 330	41 269 286	131	62 562
100	40 ～ 44	1 605	17 613	105 086	61 929 845	209	94 933
101	45 ～ 49	2 109	24 598	137 650	85 271 697	254	109 873
102	50 ～ 54	2 450	28 999	164 087	97 710 861	287	126 057
103	55 ～ 59	2 804	34 969	206 427	110 946 468	296	130 332
104	60 ～ 64	3 568	46 488	272 324	144 251 641	349	159 431
105	65 ～ 69	5 923	80 638	475 720	246 662 927	604	265 748
106	70 ～ 74	6 553	91 915	534 773	274 533 578	615	281 174
107	75 ～ 79	7 981	121 211	708 798	337 756 102	745	356 295
108	80 ～ 84	9 736	163 815	893 793	413 687 113	1 125	490 988
109	85 ～ 89	9 422	172 653	858 947	401 375 933	1 155	502 135
110	90 歳以上	8 477	165 305	729 380	361 862 128	1 177	492 576
111	Ⅴ 精神及び行動の障害	214 499	5 911 424	23 074 749	8 560 548 680	5 069	2 222 384
112	一般医療	138 521	3 765 765	15 485 889	5 514 085 330	3 384	1 647 988
113	後期医療	75 978	2 145 659	7 588 860	3 046 463 350	1 685	574 396
114	0 ～ 4 歳	169	1 639	8 307	6 830 443	23	11 711
115	5 ～ 9	179	3 098	16 064	8 963 284	5	2 080
116	10 ～ 14	985	21 857	86 249	60 467 460	24	9 358
117	15 ～ 19	1 821	35 452	157 902	80 308 431	171	95 672
118	20 ～ 24	3 154	59 201	266 292	116 295 728	544	349 128
119	25 ～ 29	3 862	83 498	372 984	152 600 886	348	201 210
120	30 ～ 34	5 203	123 120	543 045	208 732 216	252	132 909
121	35 ～ 39	7 148	176 533	781 922	287 864 385	215	107 255
122	40 ～ 44	9 735	254 397	1 129 267	396 122 006	253	113 514
123	45 ～ 49	12 848	347 328	1 517 667	520 246 873	270	119 915
124	50 ～ 54	14 482	401 966	1 731 641	578 785 960	230	102 054
125	55 ～ 59	16 987	482 077	2 009 040	674 246 209	225	89 724
126	60 ～ 64	20 233	583 316	2 297 939	791 821 774	228	88 950
127	65 ～ 69	29 334	850 697	3 271 484	1 143 129 546	328	122 209
128	70 ～ 74	24 123	695 071	2 634 526	948 409 781	317	118 117
129	75 ～ 79	22 042	622 976	2 325 968	867 708 859	359	128 998
130	80 ～ 84	18 578	520 302	1 870 789	745 744 405	426	149 467
131	85 ～ 89	13 404	368 675	1 237 637	546 646 931	433	142 245
132	90 歳以上	10 212	280 221	816 026	425 623 503	418	137 868
133	Ⅵ 神経系の疾患	139 352	3 030 076	13 726 541	6 921 486 025	10 253	4 560 368
134	一般医療	61 259	1 110 203	6 298 577	3 175 346 994	5 633	2 669 907
135	後期医療	78 093	1 919 873	7 427 964	3 746 139 031	4 620	1 890 461
136	0 ～ 4 歳	2 079	17 464	90 274	114 892 716	397	274 574
137	5 ～ 9	1 401	15 810	103 524	74 193 654	160	96 060
138	10 ～ 14	1 403	20 398	138 067	79 745 872	182	92 589
139	15 ～ 19	1 465	23 994	171 832	76 263 542	237	114 329
140	20 ～ 24	1 754	28 934	201 421	91 884 717	262	128 613
141	25 ～ 29	2 019	35 949	252 829	106 702 292	228	103 741
142	30 ～ 34	2 373	42 832	286 788	123 429 958	230	102 935
143	35 ～ 39	2 959	54 615	346 429	154 791 444	298	135 186
144	40 ～ 44	3 896	70 617	438 009	199 073 102	353	158 766
145	45 ～ 49	4 728	86 829	522 056	237 932 323	381	173 807
146	50 ～ 54	5 256	96 638	567 299	262 759 778	414	185 148
147	55 ～ 59	5 747	106 608	597 818	296 955 711	458	202 521
148	60 ～ 64	6 795	129 842	695 599	356 585 220	514	222 613
149	65 ～ 69	10 651	216 259	1 123 221	568 255 110	775	341 457
150	70 ～ 74	12 814	270 279	1 317 451	678 701 734	901	402 034
151	75 ～ 79	17 618	394 669	1 747 423	883 784 272	1 132	480 880
152	80 ～ 84	22 484	547 519	2 164 811	1 085 711 164	1 361	557 911
153	85 ～ 89	20 051	511 211	1 818 349	927 683 981	1 174	473 757
154	90 歳以上	13 859	359 609	1 143 341	602 139 435	796	313 447
155	Ⅶ 眼及び付属器の疾患	64 648	371 475	1 701 371	2 269 494 562	2 145	692 079
156	一般医療	31 215	173 223	775 083	1 163 561 361	1 538	492 665
157	後期医療	33 433	198 252	926 288	1 105 933 201	607	199 414
158	0 ～ 4 歳	534	3 614	19 978	20 772 635	65	30 834
159	5 ～ 9	339	2 116	11 600	18 446 881	11	3 927
160	10 ～ 14	184	1 988	11 613	9 631 057	11	3 667
161	15 ～ 19	203	1 788	10 040	10 554 438	24	7 333
162	20 ～ 24	222	2 056	11 154	9 557 067	31	9 312
163	25 ～ 29	270	2 365	13 070	11 745 638	24	8 213
164	30 ～ 34	328	2 633	13 114	12 406 578	28	9 491
165	35 ～ 39	416	3 436	17 570	17 128 320	51	16 687
166	40 ～ 44	648	5 245	25 069	29 059 517	86	28 317
167	45 ～ 49	1 179	8 785	40 196	52 520 147	150	48 270
168	50 ～ 54	1 679	11 268	49 517	69 835 458	157	47 109
169	55 ～ 59	2 523	16 251	71 721	106 489 109	227	69 229
170	60 ～ 64	3 932	22 274	98 434	151 422 253	228	68 226
171	65 ～ 69	8 080	41 751	183 537	290 659 491	234	74 113
172	70 ～ 74	11 233	52 962	227 143	375 587 435	222	70 869
173	75 ～ 79	12 902	62 043	282 888	419 290 604	167	53 244
174	80 ～ 84	11 318	59 901	278 812	366 447 058	220	73 325
175	85 ～ 89	6 221	43 524	205 843	209 385 366	117	38 429
176	90 歳以上	2 437	27 475	130 072	88 555 510	92	31 484

平成30年６月審査分

医学管理等 回数	医学管理等 点数	在宅医療 回数	在宅医療 点数	検査 回数	検査 点数	行番号
91 271	29 613 479	6 908	18 247 694	725 235	55 711 429	89
49 113	15 630 253	4 253	11 976 234	266 472	23 351 070	90
42 158	13 983 226	2 655	6 271 460	458 763	32 360 359	91
1 070	351 060	56	309 395	5 430	501 361	92
540	173 959	37	286 422	980	103 796	93
417	131 515	40	336 604	712	88 555	94
476	164 665	45	255 143	1 755	191 578	95
633	216 685	53	191 011	3 000	353 408	96
936	324 643	79	243 723	3 886	418 112	97
1 443	491 140	133	365 128	6 570	623 774	98
1 741	574 359	172	513 683	7 741	840 481	99
2 857	909 646	268	768 146	12 885	1 242 677	100
3 959	1 250 307	359	949 843	15 239	1 493 470	101
4 523	1 429 790	402	1 086 537	20 782	1 926 166	102
4 898	1 535 473	425	1 085 223	25 197	2 388 477	103
6 217	1 959 860	556	1 485 771	35 624	2 949 230	104
10 049	3 179 713	849	2 225 485	66 644	5 354 581	105
10 568	3 348 619	851	2 134 081	72 050	5 663 501	106
11 806	3 782 327	944	2 329 696	97 022	7 083 152	107
12 224	4 001 611	896	2 021 956	123 158	8 638 593	108
9 579	3 251 604	475	1 052 178	120 703	8 411 951	109
7 335	2 536 503	268	607 669	105 857	7 438 566	110
103 071	38 803 742	373	829 635	918 258	76 372 582	111
76 337	28 933 427	209	539 372	577 591	49 617 740	112
26 734	9 870 315	164	290 263	340 667	26 754 842	113
56	18 820	4	154 712	604	83 826	114
26	9 966	−	−	266	34 287	115
150	60 628	4	31 799	2 073	228 518	116
703	273 405	11	28 719	8 023	888 449	117
1 819	796 321	5	1 513	13 214	1 431 730	118
2 196	882 826	7	4 538	16 401	1 661 536	119
3 107	1 202 327	11	12 246	21 911	2 073 383	120
4 597	1 747 441	17	15 233	29 455	2 720 469	121
6 324	2 393 921	13	11 346	40 602	3 665 104	122
8 530	3 210 596	20	23 485	54 925	4 840 907	123
9 285	3 506 978	19	31 984	59 969	5 244 693	124
10 179	3 829 315	20	41 437	70 321	5 856 822	125
10 702	4 019 606	21	50 961	80 970	6 604 829	126
13 610	5 112 635	38	96 356	120 772	9 641 755	127
10 343	3 867 694	30	48 271	103 962	8 214 076	128
8 393	3 134 075	46	71 650	100 656	7 875 530	129
5 992	2 202 768	41	74 368	86 357	6 737 338	130
4 168	1 509 841	40	84 954	62 330	4 896 160	131
2 891	1 024 579	26	46 063	45 447	3 673 170	132
96 970	34 754 923	3 083	10 230 740	762 234	78 212 015	133
52 977	19 086 135	2 058	7 817 320	330 651	43 216 969	134
43 993	15 668 788	1 025	2 413 420	431 583	34 995 046	135
1 894	720 494	117	850 953	5 179	1 016 910	136
949	359 299	62	471 840	4 005	630 617	137
926	358 064	53	438 200	5 847	768 254	138
1 165	446 269	40	304 558	8 841	1 217 219	139
1 584	573 753	33	219 450	10 652	1 820 021	140
1 754	612 157	43	255 658	13 509	1 971 464	141
1 907	687 756	55	233 413	13 524	2 144 923	142
2 492	930 179	72	277 906	17 384	2 700 722	143
3 201	1 150 848	128	337 280	21 696	3 302 897	144
3 840	1 415 531	181	514 158	25 721	3 835 844	145
4 399	1 596 592	188	525 204	28 024	4 325 497	146
4 995	1 781 093	217	642 188	30 205	4 051 633	147
6 190	2 214 173	240	733 527	37 340	4 461 147	148
9 628	3 372 688	384	1 314 223	61 259	6 332 925	149
11 094	3 923 110	372	1 093 602	76 990	7 013 382	150
13 383	4 721 625	364	973 257	100 640	8 695 971	151
13 101	4 677 716	284	584 654	120 543	9 837 121	152
9 399	3 383 161	169	287 997	108 054	8 395 155	153
5 069	1 830 415	81	172 672	72 821	5 690 313	154
63 907	18 140 938	346	1 095 553	238 770	18 958 905	155
31 092	8 923 914	168	597 913	119 125	9 880 831	156
32 815	9 217 024	178	497 640	119 645	9 078 074	157
287	82 246	6	26 083	2 033	278 738	158
247	74 911	2	23 086	341	33 155	159
155	50 346	1	1 050	653	50 552	160
198	67 117	4	24 514	1 013	116 742	161
214	64 943	−	7 277	1 285	129 300	162
284	91 930	3	6 459	1 882	195 751	163
291	93 160	1	14 768	1 324	134 459	164
436	134 108	3	4 417	2 473	207 257	165
755	233 948	5	13 835	2 794	284 058	166
1 204	370 748	10	38 692	5 994	532 336	167
1 642	489 821	18	59 944	8 130	702 569	168
2 529	750 222	21	102 668	11 851	960 621	169
3 953	1 144 804	30	85 154	17 309	1 452 911	170
8 157	2 305 131	31	97 568	30 675	2 386 156	171
11 259	3 130 828	41	106 545	34 227	2 652 534	172
12 884	3 578 261	56	173 308	42 219	3 151 894	173
11 261	3 156 663	59	153 144	37 886	2 916 555	174
5 971	1 685 517	32	92 506	23 129	1 745 865	175
2 180	636 234	23	64 535	13 552	1 027 452	176

行番号	傷病分類 一般医療－後期医療 年齢階級	画像診断 回数	画像診断 点数	投薬 回数	投薬 点数	注射 回数	注射 点数
89	Ⅳ 内分泌，栄養及び代謝疾患	82 322	27 432 217	2 481 979	40 542 734	174 090	97 899 014
90	一般医療	24 912	8 863 909	1 063 489	20 192 655	48 885	61 267 980
91	後期医療	57 410	18 568 308	1 418 490	20 350 079	125 205	36 631 034
92	０ ～ ４ 歳	456	104 366	13 103	665 177	915	2 323 951
93	５ ～ ９	131	48 808	11 847	225 010	527	3 109 910
94	１０ ～ １４	90	33 072	9 505	230 458	320	7 836 840
95	１５ ～ １９	262	98 834	11 449	289 330	367	2 137 921
96	２０ ～ ２４	420	135 310	16 683	315 898	438	4 666 701
97	２５ ～ ２９	321	108 240	19 481	435 767	767	2 587 251
98	３０ ～ ３４	525	166 051	28 842	511 436	1 183	2 234 038
99	３５ ～ ３９	740	249 431	35 711	783 304	1 376	2 351 148
100	４０ ～ ４４	1 055	367 533	58 347	1 092 461	1 972	2 974 811
101	４５ ～ ４９	1 219	448 086	76 021	2 122 637	2 454	3 021 716
102	５０ ～ ５４	1 755	681 281	86 544	1 547 404	3 557	2 674 037
103	５５ ～ ５９	2 158	835 697	111 884	2 137 526	4 649	4 204 141
104	６０ ～ ６４	3 149	1 126 189	141 216	2 465 530	6 087	3 961 859
105	６５ ～ ６９	6 223	2 185 843	236 769	3 776 014	13 060	8 976 338
106	７０ ～ ７４	7 627	2 657 655	259 076	4 443 939	14 059	9 053 066
107	７５ ～ ７９	10 668	3 590 741	336 637	5 166 620	22 064	8 233 207
108	８０ ～ ８４	14 617	4 858 661	403 143	5 879 793	30 939	9 848 559
109	８５ ～ ８９	15 585	5 054 583	355 803	5 033 147	34 065	8 885 217
110	９０ 歳 以 上	15 321	4 681 836	269 918	3 421 283	35 291	8 818 303
111	Ⅴ 精神及び行動の障害	95 823	29 280 254	12 443 841	204 649 055	185 477	73 753 856
112	一般医療	54 023	16 212 927	8 782 669	153 668 667	87 206	46 015 037
113	後期医療	41 800	13 067 327	3 661 172	50 980 388	98 271	27 738 819
114	０ ～ ４ 歳	165	42 823	3 258	71 430	317	362 543
115	５ ～ ９	96	18 531	9 561	192 617	95	94 143
116	１０ ～ １４	291	75 269	55 902	1 027 353	655	215 750
117	１５ ～ １９	1 046	317 307	94 341	1 590 777	766	484 874
118	２０ ～ ２４	1 511	495 060	156 371	2 690 291	1 545	1 658 731
119	２５ ～ ２９	1 699	515 000	221 892	4 026 956	1 884	1 130 168
120	３０ ～ ３４	2 151	603 507	323 202	6 328 549	2 822	1 767 375
121	３５ ～ ３９	2 701	801 495	470 597	9 184 735	3 341	2 379 372
122	４０ ～ ４４	3 666	1 091 387	678 762	12 977 069	4 893	3 982 072
123	４５ ～ ４９	5 072	1 404 133	902 015	17 171 584	7 045	5 243 331
124	５０ ～ ５４	5 209	1 526 186	1 018 951	18 547 534	8 443	4 933 946
125	５５ ～ ５９	6 090	1 725 862	1 152 016	20 139 918	9 441	5 551 880
126	６０ ～ ６４	7 134	2 135 940	1 267 108	21 457 240	13 375	6 279 801
127	６５ ～ ６９	11 000	3 229 264	1 761 149	28 507 016	21 260	8 698 684
128	７０ ～ ７４	10 279	3 276 322	1 380 770	21 197 732	20 842	6 751 854
129	７５ ～ ７９	10 873	3 427 305	1 190 423	17 001 250	23 046	6 976 228
130	８０ ～ ８４	10 753	3 554 714	904 994	12 062 771	24 131	6 448 035
131	８５ ～ ８９	8 735	2 708 882	546 286	6 872 178	21 793	5 720 866
132	９０ 歳 以 上	7 352	2 331 267	306 243	3 602 055	19 783	5 074 203
133	Ⅵ 神経系の疾患	118 711	44 005 750	5 938 842	107 206 315	202 142	122 132 739
134	一般医療	48 748	18 688 989	3 033 548	57 828 065	58 508	77 246 275
135	後期医療	69 963	25 316 761	2 905 294	49 378 250	143 634	44 886 464
136	０ ～ ４ 歳	658	393 122	46 772	717 834	898	12 715 544
137	５ ～ ９	518	173 656	56 156	938 469	669	7 832 715
138	１０ ～ １４	748	247 124	76 293	1 286 454	692	8 178 429
139	１５ ～ １９	1 179	427 784	90 690	1 618 078	998	2 513 475
140	２０ ～ ２４	1 381	546 589	104 150	1 064 129	1 206	2 423 487
141	２５ ～ ２９	1 719	599 521	133 456	2 423 301	1 811	3 015 177
142	３０ ～ ３４	1 786	604 146	153 939	2 623 020	1 785	2 788 294
143	３５ ～ ３９	2 203	793 390	183 942	3 410 076	2 029	2 394 963
144	４０ ～ ４４	2 974	1 004 933	230 348	4 193 942	2 582	5 577 677
145	４５ ～ ４９	3 740	1 345 532	270 283	4 793 765	3 726	4 873 733
146	５０ ～ ５４	3 950	1 340 682	285 107	5 027 943	4 334	2 780 212
147	５５ ～ ５９	4 553	1 576 642	287 061	5 572 348	4 966	3 749 580
148	６０ ～ ６４	5 607	2 126 116	318 718	6 465 497	7 183	6 005 224
149	６５ ～ ６９	10 087	4 026 448	495 108	10 412 740	13 381	7 599 021
150	７０ ～ ７４	11 998	4 822 134	548 123	11 457 654	19 625	8 992 930
151	７５ ～ ７９	16 355	6 369 913	707 778	13 554 184	27 328	9 833 655
152	８０ ～ ８４	20 052	7 371 649	860 371	14 634 041	36 433	11 687 305
153	８５ ～ ８９	17 369	6 161 718	684 866	10 739 184	39 327	10 465 540
154	９０ 歳 以 上	11 834	4 074 651	405 673	5 383 657	33 169	8 705 778
155	Ⅶ 眼及び付属器の疾患	13 518	4 046 433	692 273	17 360 349	27 458	31 401 303
156	一般医療	5 694	1 737 010	313 793	8 979 997	10 723	19 235 319
157	後期医療	7 824	2 309 423	378 480	8 380 352	16 735	12 165 984
158	０ ～ ４ 歳	382	63 464	10 040	146 233	731	366 871
159	５ ～ ９	26	10 367	6 374	97 641	366	4 776 811
160	１０ ～ １４	76	15 294	6 645	141 614	214	336 730
161	１５ ～ １９	94	25 431	5 043	217 816	308	632 177
162	２０ ～ ２４	99	32 137	5 155	101 800	182	280 243
163	２５ ～ ２９	204	79 644	6 045	103 394	113	195 825
164	３０ ～ ３４	126	27 679	6 940	173 897	139	396 842
165	３５ ～ ３９	109	40 241	8 402	151 556	156	283 440
166	４０ ～ ４４	304	105 701	11 360	502 855	262	463 898
167	４５ ～ ４９	419	111 354	16 884	566 005	553	630 562
168	５０ ～ ５４	398	124 758	20 243	588 188	719	904 407
169	５５ ～ ５９	511	170 120	28 990	783 299	1 017	1 277 915
170	６０ ～ ６４	796	221 475	36 926	1 193 360	1 363	2 362 326
171	６５ ～ ６９	1 266	396 116	70 560	2 340 598	2 687	3 429 796
172	７０ ～ ７４	1 160	409 150	87 775	2 167 680	2 467	3 483 226
173	７５ ～ ７９	1 875	524 566	113 223	3 183 544	4 075	4 079 245
174	８０ ～ ８４	2 023	670 745	110 994	2 479 481	4 342	3 676 193
175	８５ ～ ８９	1 888	540 573	85 372	1 605 693	4 001	2 577 772
176	９０ 歳 以 上	1 762	477 618	55 302	815 695	3 763	1 247 024

平成30年６月審査分

リハビリテーション 回数	リハビリテーション 点数	精神科専門療法 回数	精神科専門療法 点数	処置 回数	処置 点数	行番号
540 920	112 199 890	27 339	5 614 240	216 110	64 872 383	89
160 350	35 159 508	17 633	3 746 370	61 614	25 358 386	90
380 570	77 040 382	9 706	1 867 870	154 496	39 513 997	91
744	175 580	-	-	1 373	409 617	92
809	186 295	4	750	1 041	225 407	93
936	218 075	12	3 100	1 115	266 423	94
1 071	242 191	128	30 810	1 765	380 891	95
1 179	262 716	173	40 940	1 856	353 308	96
1 055	243 221	270	77 760	1 486	249 471	97
2 227	533 296	532	128 935	2 358	550 747	98
3 146	724 414	947	247 350	2 794	855 160	99
5 261	1 148 348	1 219	255 925	3 290	962 982	100
8 516	1 894 293	1 408	284 150	3 733	1 842 722	101
11 573	2 606 837	1 859	384 870	3 928	2 235 595	102
13 660	3 009 418	2 591	524 615	6 120	2 867 862	103
22 921	5 083 431	2 933	601 410	7 113	4 009 881	104
42 623	9 258 758	3 864	774 470	14 532	6 609 807	105
56 181	11 926 815	3 288	676 720	17 321	8 583 315	106
76 454	16 064 577	3 119	618 595	26 225	10 039 686	107
103 651	21 143 120	2 389	459 885	36 116	10 422 576	108
104 905	20 950 040	1 615	316 530	41 159	7 887 521	109
84 008	16 528 465	988	187 425	42 785	6 119 412	110
339 177	72 040 518	2 465 511	497 467 044	608 988	55 905 161	111
138 400	31 318 347	1 701 303	349 538 999	302 673	27 015 970	112
200 777	40 722 171	764 208	147 928 045	306 315	28 889 191	113
1 464	362 985	5	2 000	700	185 127	114
1 914	454 095	66	17 080	846	220 168	115
1 794	409 266	2 476	625 125	978	160 311	116
2 609	606 150	11 820	2 940 980	2 932	569 086	117
2 462	572 416	25 563	6 483 905	4 156	562 083	118
3 116	712 169	37 276	9 229 245	4 987	534 136	119
2 830	687 739	56 382	13 191 948	7 953	871 631	120
4 402	1 028 569	80 939	18 073 785	9 758	847 897	121
7 337	1 691 760	117 263	25 518 488	16 125	1 429 494	122
10 118	2 312 513	158 112	33 226 300	25 040	2 202 521	123
13 160	3 073 349	185 375	38 631 236	29 613	2 576 223	124
13 169	3 012 230	227 237	45 485 924	38 745	3 187 119	125
16 559	3 630 613	270 496	53 133 713	48 272	4 123 489	126
28 764	6 302 945	386 046	74 776 280	77 681	6 857 811	127
37 574	8 249 193	300 069	58 160 700	75 147	6 563 381	128
42 105	9 059 148	252 419	49 267 620	74 407	6 865 001	129
51 842	10 703 868	189 016	36 910 440	76 529	7 323 383	130
54 371	10 914 688	107 712	20 879 345	62 655	5 880 431	131
43 587	8 256 822	57 239	10 912 930	52 464	4 945 869	132
1 920 163	445 512 335	405 781	80 689 575	1 220 951	237 883 808	133
900 665	213 363 366	81 341	16 419 985	664 512	142 450 313	134
1 019 498	232 148 969	324 440	64 269 590	556 439	95 433 495	135
8 987	2 218 853	20	4 020	6 767	2 043 508	136
13 058	3 119 030	16	2 340	11 324	2 993 744	137
15 150	3 552 442	40	7 505	17 522	3 992 334	138
19 686	4 635 241	248	58 170	24 665	5 451 371	139
24 113	5 658 026	776	220 640	28 345	6 891 398	140
24 880	5 751 622	814	177 785	38 690	9 272 157	141
26 812	6 339 069	998	248 715	42 973	9 531 934	142
35 196	8 334 037	1 657	328 835	46 193	9 074 500	143
45 728	10 718 613	2 364	489 745	57 632	11 159 842	144
60 757	14 202 251	3 111	620 125	63 050	11 139 544	145
73 604	17 311 609	4 178	853 075	65 982	11 806 907	146
89 904	21 349 402	6 171	1 236 500	61 756	12 060 478	147
111 657	26 403 373	11 187	2 219 405	65 859	15 333 415	148
192 491	45 650 967	23 908	4 655 755	98 143	24 145 039	149
236 298	56 068 757	35 222	7 040 115	104 241	24 300 222	150
296 486	69 162 034	62 029	12 457 640	124 665	25 332 540	151
317 191	72 927 936	96 971	19 321 930	148 560	25 377 003	152
222 833	49 707 465	94 142	18 734 750	128 319	18 214 844	153
105 332	22 401 608	61 929	12 012 525	86 265	9 763 028	154
129 647	27 789 538	6 554	1 432 695	68 680	17 195 325	155
42 276	9 649 894	3 703	872 220	31 522	7 792 260	156
87 371	18 139 644	2 851	560 475	37 158	9 403 065	157
578	135 345	-	-	1 930	610 470	158
518	119 615	5	375	814	285 867	159
461	106 535	62	15 040	1 025	262 981	160
476	114 475	23	4 770	694	128 403	161
816	189 060	72	15 650	980	179 753	162
532	126 065	125	27 455	1 140	305 576	163
450	106 300	178	36 900	756	196 335	164
701	164 620	220	56 060	1 112	225 818	165
1 457	328 600	146	33 320	1 878	434 465	166
2 627	626 986	275	73 480	1 758	407 205	167
2 712	624 110	365	66 070	1 771	488 847	168
3 466	798 104	641	152 830	2 914	861 475	169
5 941	1 341 106	483	120 065	3 914	927 210	170
10 224	2 257 700	747	190 625	5 957	1 880 375	171
13 318	3 014 010	826	172 525	7 206	2 042 562	172
18 509	3 879 118	749	144 770	9 216	2 469 494	173
27 449	5 951 345	762	145 740	8 544	2 226 930	174
23 847	4 848 027	641	133 010	9 370	2 014 498	175
15 565	3 058 417	234	44 010	7 701	1 247 061	176

第２表　医科診療（入院）件数・診療実日数・回数・点数,

行番号	傷病分類 一般医療－後期医療 年齢階級	手術 回数	手術 点数	麻酔 回数	麻酔 点数	放射線治療 回数	放射線治療 点数
89	Ⅳ 内分泌，栄養及び代謝疾患	10 233	162 642 736	5 428	16 936 783	860	1 406 678
90	一般医療	5 657	111 424 947	3 830	12 823 038	696	1 112 726
91	後期医療	4 576	51 217 789	1 598	4 113 745	164	293 952
92	0 ～ 4 歳	58	725 174	107	291 221	1	110
93	5 ～ 9	41	363 597	36	108 050	-	-
94	10 ～ 14	21	302 913	21	72 220	-	-
95	15 ～ 19	33	460 346	28	149 870	1	1 390
96	20 ～ 24	53	985 026	54	271 113	1	1 390
97	25 ～ 29	118	2 621 804	116	534 074	5	6 950
98	30 ～ 34	185	4 245 122	186	822 168	14	70 410
99	35 ～ 39	228	5 036 034	199	689 297	24	42 600
100	40 ～ 44	284	7 275 779	281	1 104 219	13	14 210
101	45 ～ 49	428	9 874 410	327	1 031 583	46	61 848
102	50 ～ 54	527	11 128 332	381	1 380 208	87	123 700
103	55 ～ 59	559	11 706 214	374	1 086 173	163	228 856
104	60 ～ 64	719	14 189 192	438	1 416 841	102	157 342
105	65 ～ 69	1 277	23 063 042	702	2 248 221	123	188 450
106	70 ～ 74	1 314	21 840 526	646	1 983 047	125	230 390
107	75 ～ 79	1 321	20 518 849	584	1 593 724	110	166 662
108	80 ～ 84	1 219	14 438 044	500	1 354 145	35	108 970
109	85 ～ 89	992	8 948 101	281	545 200	4	2 740
110	90 歳 以 上	856	4 920 231	167	255 409	6	660
111	Ⅴ 精神及び行動の障害	2 215	19 913 391	836	2 653 013	291	741 273
112	一般医療	1 094	10 634 074	538	1 434 666	166	378 673
113	後期医療	1 121	9 279 317	298	1 218 347	125	362 600
114	0 ～ 4 歳	7	44 926	27	44 125	-	-
115	5 ～ 9	4	51 495	16	35 826	-	-
116	10 ～ 14	22	169 314	7	29 666	1	110
117	15 ～ 19	12	200 362	13	80 254	1	220
118	20 ～ 24	24	175 029	8	40 623	-	-
119	25 ～ 29	64	446 816	22	116 500	4	440
120	30 ～ 34	38	376 210	40	48 391	-	-
121	35 ～ 39	30	515 990	28	73 262	-	-
122	40 ～ 44	42	370 071	30	53 846	56	143 423
123	45 ～ 49	89	948 124	80	152 205	4	440
124	50 ～ 54	76	536 729	36	102 913	3	8 220
125	55 ～ 59	156	1 492 186	56	177 341	15	27 520
126	60 ～ 64	119	860 977	48	100 916	28	78 280
127	65 ～ 69	254	2 437 248	63	156 478	24	69 260
128	70 ～ 74	224	2 244 254	77	234 590	30	50 760
129	75 ～ 79	246	2 262 569	68	248 154	37	31 850
130	80 ～ 84	279	2 887 992	91	384 547	86	249 750
131	85 ～ 89	301	2 321 519	76	266 342	2	81 000
132	90 歳 以 上	228	1 571 580	50	307 034	-	-
133	Ⅵ 神経系の疾患	10 709	225 934 956	8 500	39 331 511	309	1 675 580
134	一般医療	6 248	152 897 829	5 832	28 577 858	209	922 530
135	後期医療	4 461	73 037 127	2 668	10 753 653	100	753 050
136	0 ～ 4 歳	428	6 818 927	638	2 108 052	2	220
137	5 ～ 9	401	4 371 548	330	1 502 517	2	220
138	10 ～ 14	117	2 983 234	183	924 979	3	330
139	15 ～ 19	88	1 784 696	87	552 954	3	330
140	20 ～ 24	89	3 137 977	118	717 260	-	-
141	25 ～ 29	116	3 344 965	116	837 838	-	-
142	30 ～ 34	129	2 805 453	137	650 237	15	96 900
143	35 ～ 39	267	6 106 045	237	1 231 318	6	770
144	40 ～ 44	278	6 323 362	292	1 327 629	7	126 660
145	45 ～ 49	343	9 474 361	329	1 608 167	17	77 870
146	50 ～ 54	420	10 405 206	397	1 962 517	-	-
147	55 ～ 59	602	14 605 671	529	2 653 185	11	53 200
148	60 ～ 64	720	19 989 248	641	2 996 427	43	43 220
149	65 ～ 69	1 140	30 580 353	894	4 758 004	67	256 320
150	70 ～ 74	1 361	35 762 146	999	5 332 216	34	275 490
151	75 ～ 79	1 476	29 898 441	1 004	4 533 177	21	258 880
152	80 ～ 84	1 323	22 682 453	920	3 630 552	66	325 140
153	85 ～ 89	933	11 551 339	464	1 604 815	4	50 330
154	90 歳 以 上	478	3 309 531	185	399 667	8	109 700
155	Ⅶ 眼及び付属器の疾患	63 766	1 108 560 954	37 652	24 260 759	263	627 914
156	一般医療	30 304	592 169 278	18 900	15 775 499	224	594 302
157	後期医療	33 462	516 391 676	18 752	8 485 260	39	33 612
158	0 ～ 4 歳	297	4 136 899	334	1 585 432	27	76 130
159	5 ～ 9	352	3 084 391	410	1 819 841	12	21 474
160	10 ～ 14	156	1 847 962	161	721 988	-	-
161	15 ～ 19	203	3 848 706	172	591 749	4	440
162	20 ～ 24	164	3 559 054	122	297 053	-	-
163	25 ～ 29	215	4 656 119	166	504 641	11	12 430
164	30 ～ 34	236	5 048 938	151	265 572	-	-
165	35 ～ 39	336	7 277 102	209	346 690	2	1 848
166	40 ～ 44	488	12 974 754	371	500 859	1	63 000
167	45 ～ 49	1 059	26 133 603	674	726 527	26	51 260
168	50 ～ 54	1 423	36 066 601	928	781 066	19	51 970
169	55 ～ 59	2 280	56 511 203	1 509	1 026 631	24	24 720
170	60 ～ 64	3 700	80 095 158	2 354	1 389 137	6	30 550
171	65 ～ 69	8 184	155 517 717	4 894	2 445 601	69	51 840
172	70 ～ 74	11 714	199 378 324	6 741	2 953 015	23	208 640
173	75 ～ 79	13 662	216 103 786	7 556	3 288 069	5	550
174	80 ～ 84	11 651	178 280 396	6 451	2 745 192	14	18 860
175	85 ～ 89	5 896	88 530 578	3 422	1 675 422	20	14 202
176	90 歳 以 上	1 750	25 509 663	1 027	596 274	-	-

平成30年６月審査分

病理診断 回数	病理診断 点数	入院料等 回数	入院料等 点数	診断群分類による包括評価等 回数	診断群分類による包括評価等 点数	入院時食事療養等（別掲） 回数	入院時食事療養等（別掲） 金額(円)	行番号
4 792	2 794 729	733 429	1 303 652 708	251 455	822 627 141	2 736 889	1 734 252 205	89
3 042	1 935 526	202 486	380 539 696	138 730	481 717 030	902 014	609 658 196	90
1 750	859 203	530 943	923 113 012	112 725	340 910 111	1 834 875	1 124 594 009	91
13	8 440	2 573	9 668 909	6 290	33 657 220	15 120	9 808 383	92
7	4 030	1 683	5 588 132	2 780	14 634 700	7 639	4 987 396	93
7	3 960	1 625	4 424 533	2 254	11 702 290	7 682	5 074 858	94
21	14 740	1 977	4 681 514	1 554	5 718 643	7 969	5 288 061	95
55	34 310	2 261	4 447 279	1 772	6 429 422	9 152	6 125 704	96
90	62 290	2 923	5 568 491	2 322	8 192 338	12 703	8 554 736	97
117	77 030	4 954	9 139 599	3 770	12 952 952	21 550	14 606 558	98
137	94 710	6 245	11 213 704	4 998	16 991 049	28 096	19 140 661	99
204	140 000	9 174	16 913 517	7 767	26 664 658	42 981	29 756 945	100
255	164 950	11 553	20 999 544	11 871	39 722 185	61 947	42 938 337	101
289	188 466	14 691	26 346 138	12 889	43 845 313	72 100	50 150 853	102
270	161 910	20 117	35 239 391	13 061	43 805 110	87 625	60 534 765	103
393	251 910	27 517	49 318 004	16 955	55 115 410	117 971	81 955 855	104
616	370 740	51 334	92 861 302	26 442	85 324 325	218 616	144 184 299	105
620	391 040	63 371	114 901 807	27 061	86 417 883	259 070	168 409 412	106
620	332 150	89 559	161 524 842	30 873	96 354 509	344 021	219 644 151	107
561	284 235	130 704	230 901 471	32 458	98 834 767	472 184	293 795 905	108
338	144 646	146 122	252 355 879	26 166	78 034 461	494 904	299 875 578	109
179	65 172	145 046	247 558 652	20 172	58 229 906	455 559	269 419 748	110
816	358 273	5 893 023	7 448 277 767	11 123	37 266 101	17 112 612	11 179 967 395	111
461	219 227	3 752 196	4 771 301 206	6 867	25 598 894	10 831 013	7 144 403 353	112
355	139 046	2 140 827	2 676 976 561	4 256	11 667 207	6 281 599	4 035 564 042	113
-	-	1 603	5 233 101	32	211 894	3 167	2 044 757	114
-	-	3 063	7 669 873	32	162 383	7 227	4 686 040	115
-	-	20 895	52 962 769	951	4 461 964	52 669	34 033 375	116
4	2 020	34 774	70 107 122	653	2 121 802	91 489	59 658 901	117
18	11 210	58 361	97 971 347	628	3 060 764	157 474	103 366 696	118
18	9 370	82 718	131 546 231	330	1 584 068	227 153	149 076 689	119
11	4 320	121 836	179 837 741	452	1 593 470	339 085	222 940 525	120
15	6 870	175 314	248 685 845	458	1 675 617	490 175	322 721 827	121
22	8 916	253 447	341 248 097	372	1 423 038	718 880	473 708 871	122
35	14 484	345 858	447 902 406	443	1 472 404	989 748	653 233 669	123
47	23 621	400 749	498 507 090	429	1 432 734	1 155 304	762 497 538	124
55	25 920	480 751	581 868 217	504	1 731 635	1 397 642	923 593 151	125
64	30 606	582 322	688 118 801	371	1 105 832	1 700 587	1 124 568 997	126
96	47 400	849 600	994 940 823	697	2 128 792	2 498 834	1 648 520 160	127
99	44 670	694 191	827 800 729	554	1 587 672	2 042 149	1 344 522 744	128
107	46 806	621 774	758 532 580	1 009	2 780 095	1 826 185	1 196 535 668	129
83	29 780	518 812	652 448 966	1 327	3 571 830	1 524 009	985 934 230	130
82	32 760	367 462	481 153 674	1 166	3 181 796	1 078 843	679 184 509	131
60	19 520	279 493	381 742 355	715	1 978 311	811 992	489 139 048	132
3 099	1 367 322	2 756 833	4 362 322 759	267 355	1 125 653 200	8 591 161	5 266 700 868	133
2 109	972 020	944 838	1 659 276 373	160 225	733 901 980	2 993 198	1 881 824 907	134
990	395 302	1 811 995	2 703 046 386	107 130	391 751 220	5 597 963	3 384 875 961	135
91	56 770	7 478	23 786 827	9 885	61 165 478	28 385	18 287 044	136
65	38 480	11 617	27 525 914	4 087	24 136 645	31 655	20 059 315	137
25	12 480	16 828	35 604 136	3 421	21 298 948	44 345	27 948 998	138
43	17 790	20 117	38 484 155	3 715	18 636 823	55 267	35 029 597	139
72	31 880	24 006	45 183 422	4 621	22 378 023	70 278	44 685 148	140
64	25 820	31 545	59 584 160	4 084	18 726 926	91 551	57 995 703	141
84	33 360	37 246	69 776 133	5 153	24 763 520	111 972	71 068 729	142
123	54 090	47 295	86 659 194	6 989	32 359 773	145 100	92 169 736	143
156	67 340	61 669	112 323 152	8 590	40 810 306	189 389	120 925 875	144
170	77 340	76 475	137 720 571	9 900	46 059 404	233 231	149 249 751	145
166	74 900	84 260	149 581 884	11 872	54 982 362	261 951	167 756 056	146
178	76 770	91 834	161 756 468	14 330	65 587 552	287 846	183 991 108	147
240	120 750	111 166	188 463 443	18 259	78 787 292	349 500	224 119 125	148
340	159 570	187 762	310 559 984	27 840	114 082 656	624 643	379 493 827	149
333	144 860	236 916	380 994 846	32 906	131 077 856	781 286	473 520 647	150
357	145 056	356 975	555 647 443	37 397	141 719 246	1 151 588	698 407 486	151
317	131 560	514 149	770 988 477	33 139	120 975 416	1 609 463	976 332 856	152
197	72 020	489 001	711 608 586	22 098	76 233 320	1 492 112	904 991 771	153
78	26 486	350 494	496 073 964	9 069	31 871 654	1 031 599	620 668 096	154
782	436 450	188 268	517 428 864	167 267	480 065 753	872 948	560 981 243	155
479	272 930	74 801	220 792 547	90 666	265 794 032	394 090	258 765 979	156
303	163 520	113 467	296 636 317	76 601	214 271 721	478 858	302 215 264	157
11	6 470	2 431	9 051 030	813	4 176 260	5 945	3 808 451	158
6	2 880	1 281	4 063 383	835	4 029 157	3 993	2 594 763	159
6	3 490	1 396	3 712 024	591	2 361 784	4 261	2 753 107	160
12	6 930	1 005	2 506 630	767	2 261 205	4 140	2 715 860	161
9	5 240	1 268	2 411 273	757	2 274 972	5 069	3 289 487	162
13	5 490	1 409	2 661 190	904	2 765 456	5 706	3 729 646	163
15	11 550	1 452	2 799 239	1 020	3 091 378	6 274	4 112 234	164
9	5 120	1 793	3 504 771	1 558	4 708 585	8 617	5 665 174	165
27	12 310	2 397	4 790 773	2 738	8 288 824	12 815	8 381 018	166
39	19 520	4 010	8 791 149	4 498	13 392 290	21 348	14 051 275	167
40	23 450	4 940	11 083 004	6 001	17 733 434	27 263	18 019 406	168
29	17 180	7 011	17 593 765	8 701	25 389 127	38 821	25 612 391	169
60	32 350	9 191	25 546 763	12 180	35 411 658	51 396	34 094 211	170
103	64 960	17 635	54 109 892	22 114	63 111 303	95 300	62 382 242	171
112	63 530	21 595	75 508 260	28 429	80 225 457	117 415	76 612 431	172
107	59 680	27 391	91 998 454	31 194	86 602 621	138 908	90 210 845	173
80	42 600	30 764	89 961 705	26 312	73 948 184	140 934	90 178 979	174
54	26 390	28 463	65 593 469	13 620	38 263 415	109 985	68 294 051	175
50	27 310	22 836	41 742 090	4 235	12 030 643	74 758	44 475 672	176

第２表　医科診療（入院）件数・診療実日数・回数・点数,

行番号	傷病分類 一般医療－後期医療 年齢階級	件数	診療実日数	総数 回数	総数 点数	初・再診 回数	初・再診 点数
177	Ⅷ 耳及び乳様突起の疾患	13 665	103 046	554 758	450 289 471	4 303	2 070 183
178	一般医療	9 190	62 914	326 786	311 658 764	3 057	1 387 662
179	後期医療	4 475	40 132	227 972	138 630 707	1 246	682 521
180	0 ～ 4 歳	1 003	4 789	19 602	41 257 055	241	118 357
181	5 ～ 9	343	1 432	6 406	13 464 483	9	3 708
182	10 ～ 14	123	1 072	5 780	6 435 417	22	7 424
183	15 ～ 19	112	1 139	6 810	4 381 779	34	13 813
184	20 ～ 24	143	1 159	7 657	5 835 043	41	14 772
185	25 ～ 29	249	2 143	11 659	11 680 537	61	24 922
186	30 ～ 34	278	2 324	12 536	11 452 853	83	33 301
187	35 ～ 39	366	3 254	18 823	14 831 133	107	40 304
188	40 ～ 44	492	3 891	20 452	17 023 833	180	76 125
189	45 ～ 49	607	4 305	21 982	19 167 045	253	106 740
190	50 ～ 54	654	4 796	24 791	19 552 174	243	111 361
191	55 ～ 59	801	6 357	30 002	27 148 535	319	138 018
192	60 ～ 64	993	6 950	33 813	31 242 496	369	168 942
193	65 ～ 69	1 575	10 396	57 696	46 038 104	577	271 934
194	70 ～ 74	1 543	10 325	56 547	47 914 712	537	268 139
195	75 ～ 79	1 633	11 884	68 846	48 665 778	495	268 494
196	80 ～ 84	1 381	11 762	70 861	40 627 095	410	225 970
197	85 ～ 89	886	8 534	50 106	27 360 320	221	125 597
198	90 歳以上	483	6 534	30 389	16 211 079	101	52 262
199	Ⅸ 循環器系の疾患	349 165	5 618 498	30 082 061	25 412 705 012	53 523	24 362 771
200	一般医療	122 903	1 576 088	10 195 172	10 306 067 515	21 502	9 851 238
201	後期医療	226 262	4 042 410	19 886 889	15 106 637 497	32 021	14 511 533
202	0 ～ 4 歳	529	5 736	31 604	48 581 806	107	63 389
203	5 ～ 9	204	1 936	11 478	16 519 697	42	18 064
204	10 ～ 14	355	3 229	14 957	24 570 969	111	48 182
205	15 ～ 19	344	3 428	21 855	22 908 528	79	40 503
206	20 ～ 24	396	4 188	26 228	30 551 754	93	43 316
207	25 ～ 29	680	6 919	41 601	47 081 490	138	62 546
208	30 ～ 34	1 179	13 334	80 430	89 679 095	255	113 829
209	35 ～ 39	1 948	22 979	150 866	155 176 271	460	210 839
210	40 ～ 44	3 847	47 236	312 614	315 728 817	886	413 917
211	45 ～ 49	6 870	88 239	584 566	599 583 255	1 580	718 265
212	50 ～ 54	9 401	122 104	807 277	799 103 596	1 988	918 970
213	55 ～ 59	12 657	162 332	1 068 239	1 074 725 564	2 370	1 078 884
214	60 ～ 64	17 802	231 732	1 473 421	1 514 516 416	3 046	1 386 958
215	65 ～ 69	32 951	438 232	2 726 455	2 753 629 061	5 121	2 335 244
216	70 ～ 74	40 522	557 693	3 409 126	3 325 722 082	5 662	2 637 499
217	75 ～ 79	50 603	753 667	4 375 202	3 948 717 809	6 820	3 165 827
218	80 ～ 84	59 074	996 972	5 367 660	4 201 426 895	8 484	3 896 901
219	85 ～ 89	56 885	1 072 095	5 222 964	3 602 156 046	8 539	3 843 425
220	90 歳以上	52 918	1 086 447	4 355 518	2 842 325 861	7 742	3 366 213
221	Ⅹ 呼吸器系の疾患	193 738	2 743 904	13 094 203	8 894 292 665	42 712	20 667 298
222	一般医療	71 831	656 681	3 231 986	2 805 069 099	21 426	10 623 245
223	後期医療	121 907	2 087 223	9 862 217	6 089 223 566	21 286	10 044 053
224	0 ～ 4 歳	22 138	113 734	399 227	600 286 286	9 457	5 254 884
225	5 ～ 9	2 956	17 442	77 992	98 964 777	863	444 576
226	10 ～ 14	1 252	10 082	55 822	52 368 736	356	162 202
227	15 ～ 19	1 813	13 955	67 485	82 339 778	730	309 270
228	20 ～ 24	2 250	15 740	75 645	77 833 172	910	367 028
229	25 ～ 29	2 101	14 716	77 333	69 263 828	692	290 078
230	30 ～ 34	2 326	16 977	92 064	76 450 672	696	298 773
231	35 ～ 39	2 161	15 951	85 061	71 608 790	668	279 796
232	40 ～ 44	2 184	17 976	97 255	82 586 956	668	270 515
233	45 ～ 49	2 351	22 561	121 904	100 575 775	686	284 936
234	50 ～ 54	2 383	25 800	141 679	107 500 226	597	249 799
235	55 ～ 59	3 204	36 661	197 680	150 236 056	682	306 158
236	60 ～ 64	4 750	60 712	321 675	231 434 930	907	412 803
237	65 ～ 69	9 472	129 147	669 264	477 274 266	1 688	804 703
238	70 ～ 74	13 440	199 487	1 028 565	692 860 694	2 164	1 075 710
239	75 ～ 79	20 146	315 768	1 599 186	1 034 683 344	3 145	1 568 759
240	80 ～ 84	28 372	479 283	2 337 558	1 445 383 587	4 598	2 234 775
241	85 ～ 89	33 797	588 205	2 785 940	1 684 596 823	6 103	2 852 300
242	90 歳以上	36 642	649 707	2 862 868	1 758 043 969	7 102	3 200 233
243	Ⅺ 消化器系の疾患	202 993	1 942 900	9 441 878	8 115 292 451	36 493	17 972 906
244	一般医療	112 401	842 658	4 086 564	4 048 935 932	21 344	10 566 882
245	後期医療	90 592	1 100 242	5 355 314	4 066 356 519	15 149	7 406 024
246	0 ～ 4 歳	2 122	10 037	39 330	93 262 967	463	276 401
247	5 ～ 9	947	5 260	22 120	42 679 166	284	126 053
248	10 ～ 14	1 326	9 527	38 934	66 075 634	562	255 259
249	15 ～ 19	1 575	11 315	52 167	61 478 480	705	335 994
250	20 ～ 24	2 416	16 610	81 673	77 430 428	782	376 109
251	25 ～ 29	4 062	25 846	128 336	101 744 423	850	434 110
252	30 ～ 34	5 763	36 919	187 010	137 898 685	1 029	513 668
253	35 ～ 39	5 797	38 043	192 270	164 685 599	1 276	628 081
254	40 ～ 44	6 436	45 929	226 692	223 981 589	1 585	767 264
255	45 ～ 49	8 076	58 471	285 983	293 256 220	1 941	915 196
256	50 ～ 54	8 891	66 064	332 325	320 211 147	1 846	904 967
257	55 ～ 59	10 441	78 369	382 964	381 386 529	1 988	949 595
258	60 ～ 64	12 875	102 067	491 615	479 568 895	2 100	1 044 564
259	65 ～ 69	20 624	170 173	818 246	797 875 607	3 043	1 547 076
260	70 ～ 74	23 118	197 796	954 780	913 423 597	3 133	1 623 066
261	75 ～ 79	25 525	242 284	1 214 765	1 054 772 991	3 498	1 811 473
262	80 ～ 84	26 047	296 336	1 479 147	1 157 111 268	4 046	2 025 495
263	85 ～ 89	21 383	289 032	1 415 276	1 008 400 170	3 995	1 925 911
264	90 歳以上	15 569	242 822	1 098 245	740 049 056	3 367	1 512 624

平成30年６月審査分

医学管理等		在宅医療		検査		行番号
回数	点数	回数	点数	回数	点数	
17 698	6 100 269	144	484 566	45 947	4 664 353	177
11 905	4 125 941	82	334 375	24 922	2 656 667	178
5 793	1 974 328	62	150 191	21 025	2 007 686	179
910	290 831	4	21 168	1 730	229 177	180
273	87 374	2	80 801	200	30 784	181
108	34 296	1	1 740	220	24 739	182
134	45 859	-	-	325	48 496	183
181	64 463	3	27 842	620	54 763	184
313	122 154	2	11 200	983	102 505	185
359	131 607	-	-	966	103 788	186
488	172 566	2	18 960	1 139	116 886	187
688	240 657	6	13 716	1 498	166 440	188
784	273 119	4	8 682	1 509	160 740	189
868	300 675	5	8 009	1 587	176 953	190
1 084	372 767	11	28 762	2 374	265 619	191
1 422	492 554	9	18 931	2 217	250 900	192
2 138	746 213	19	43 549	4 608	462 568	193
2 260	785 162	16	62 858	5 442	514 804	194
2 224	759 801	17	47 347	6 457	633 174	195
1 888	640 017	14	37 183	6 337	646 781	196
1 062	360 735	19	34 565	4 862	434 748	197
514	179 419	10	19 253	2 873	240 488	198
461 081	153 338 646	8 020	24 791 369	1 917 692	401 227 446	199
194 679	63 754 641	3 150	10 702 905	519 277	176 803 756	200
266 402	89 584 005	4 870	14 088 464	1 398 415	224 423 690	201
409	125 595	55	389 943	3 027	993 906	202
147	47 313	10	114 757	555	192 546	203
282	89 355	16	202 239	567	178 109	204
364	129 696	14	130 030	1 287	361 931	205
525	172 867	16	220 761	2 069	617 620	206
907	431 720	19	146 751	3 253	858 728	207
1 609	547 504	33	413 341	5 674	1 545 587	208
2 830	974 395	55	506 075	9 152	2 539 244	209
6 188	2 020 724	117	735 740	16 436	5 702 026	210
11 237	3 706 314	190	646 515	26 252	9 492 009	211
15 151	5 004 850	247	752 892	36 423	13 262 043	212
20 307	6 633 626	338	1 151 182	51 876	18 431 283	213
28 783	9 324 305	474	1 376 142	73 004	25 685 083	214
51 528	16 848 268	815	2 024 372	138 788	46 554 597	215
62 601	20 480 643	992	2 774 423	188 016	57 513 752	216
73 364	24 105 774	1 166	3 326 086	258 118	67 347 355	217
75 430	25 171 849	1 336	3 768 813	345 671	65 908 700	218
62 139	21 201 838	1 219	3 276 446	382 689	49 078 473	219
47 280	16 322 010	908	2 834 861	374 835	34 964 454	220
240 350	81 160 508	7 762	42 990 265	1 640 471	145 480 459	221
92 638	30 523 202	2 540	17 083 142	345 752	38 300 135	222
147 712	50 637 306	5 222	25 907 123	1 294 719	107 180 324	223
22 634	7 174 498	356	3 169 786	30 877	2 549 748	224
2 809	860 320	136	1 412 126	3 850	383 602	225
1 179	378 256	95	1 020 135	2 483	284 201	226
2 199	711 523	60	617 076	5 107	660 497	227
2 959	974 488	35	324 993	7 067	1 005 141	228
2 609	885 989	37	231 976	7 466	1 064 739	229
2 825	953 815	36	325 480	8 638	1 226 489	230
2 715	942 675	31	139 064	9 017	1 248 639	231
3 000	1 002 635	24	104 736	10 190	1 358 213	232
3 425	1 174 965	56	276 222	12 820	1 799 457	233
3 662	1 242 753	80	411 087	15 314	2 018 631	234
4 955	1 694 057	126	666 060	21 702	2 681 365	235
7 075	2 305 848	227	1 377 810	36 988	4 215 331	236
14 249	4 771 593	583	3 309 562	78 535	8 228 532	237
20 332	6 811 747	937	5 484 518	124 746	11 962 907	238
29 170	9 820 233	1 316	7 173 059	195 111	17 739 924	239
36 466	12 434 925	1 388	7 001 445	299 936	24 824 811	240
39 525	13 629 032	1 211	5 683 738	366 623	29 795 771	241
38 562	13 391 156	1 028	4 261 392	404 001	32 432 461	242
256 763	87 971 675	2 765	8 777 021	979 123	142 043 043	243
138 587	47 753 218	1 263	5 076 036	407 305	68 422 363	244
118 176	40 218 457	1 502	3 700 985	571 818	73 620 680	245
1 344	440 120	51	303 620	2 614	380 996	246
688	224 605	16	106 386	878	162 247	247
1 200	434 013	23	181 311	2 198	502 942	248
1 983	756 061	23	176 829	6 060	1 021 143	249
2 866	1 040 865	24	182 750	10 438	1 697 919	250
3 924	1 455 552	29	328 152	13 685	2 330 299	251
5 365	1 980 001	26	184 665	20 413	3 222 646	252
6 271	2 271 614	36	219 727	19 826	3 151 314	253
8 415	2 984 462	48	283 635	21 588	3 847 426	254
10 793	3 723 199	65	352 053	26 777	4 841 729	255
11 475	3 895 619	82	320 871	31 353	5 410 897	256
13 130	4 502 058	106	303 574	37 954	6 468 857	257
16 445	5 587 694	145	455 426	48 468	8 109 322	258
26 706	9 051 516	307	930 819	82 380	13 580 572	259
30 663	10 332 093	332	964 648	96 317	15 439 168	260
34 304	11 584 309	406	1 012 436	124 198	19 188 259	261
34 905	11 783 066	455	1 104 703	155 820	21 294 263	262
27 671	9 467 273	355	832 601	152 199	18 244 668	263
18 615	6 457 555	236	532 815	125 957	13 148 376	264

行番号	傷病分類 一般医療－後期医療 年齢階級	画像診断 回数	画像診断 点数	投薬 回数	投薬 点数	注射 回数	注射 点数
177	Ⅷ 耳及び乳様突起の疾患	8 246	3 892 568	297 401	4 048 020	9 837	6 944 867
178	一般医療	4 377	2 089 127	176 179	2 555 965	5 119	5 040 239
179	後期医療	3 869	1 803 441	121 222	1 492 055	4 718	1 904 628
180	０～４歳	220	47 221	8 896	102 157	490	303 199
181	５～９	43	15 705	2 875	48 324	45	719 289
182	１０～１４	32	6 303	3 312	41 948	94	319 229
183	１５～１９	67	31 889	3 865	64 880	60	62 511
184	２０～２４	48	15 944	4 008	82 306	99	30 626
185	２５～２９	149	46 692	5 771	86 251	89	215 403
186	３０～３４	136	56 545	6 803	138 008	236	271 695
187	３５～３９	143	66 011	10 876	154 913	173	73 471
188	４０～４４	270	120 329	11 315	140 910	232	362 774
189	４５～４９	306	153 273	12 119	182 258	262	153 557
190	５０～５４	267	153 758	14 107	203 632	293	266 186
191	５５～５９	440	220 155	15 518	198 466	400	236 763
192	６０～６４	417	218 590	18 143	267 103	524	407 074
193	６５～６９	856	438 171	32 464	498 525	968	668 452
194	７０～７４	1 053	524 804	30 204	395 757	1 205	973 414
195	７５～７９	1 147	558 085	37 643	470 179	1 372	631 441
196	８０～８４	1 196	590 687	39 206	523 573	1 327	713 586
197	８５～８９	951	418 451	26 087	283 023	1 113	313 599
198	９０歳以上	505	209 955	14 189	165 807	855	222 598
199	Ⅸ 循環器系の疾患	349 491	158 920 535	9 738 511	176 561 507	436 631	193 005 786
200	一般医療	90 933	56 590 704	3 409 271	69 667 567	87 141	61 517 054
201	後期医療	258 558	102 329 831	6 329 240	106 893 940	349 490	131 488 732
202	０～４歳	743	164 236	16 818	359 527	994	1 130 410
203	５～９	70	88 237	6 460	191 651	181	1 598 951
204	１０～１４	82	93 149	7 283	274 280	145	169 833
205	１５～１９	319	192 989	10 060	454 186	318	510 715
206	２０～２４	338	230 889	10 291	704 837	313	266 002
207	２５～２９	561	384 943	16 934	951 424	675	326 173
208	３０～３４	970	554 758	29 862	1 243 505	935	951 379
209	３５～３９	1 885	1 324 464	53 366	1 575 818	1 552	1 398 054
210	４０～４４	3 109	2 294 778	107 580	2 276 197	2 387	2 449 960
211	４５～４９	4 835	3 780 323	179 115	4 171 735	3 598	3 535 496
212	５０～５４	6 348	4 531 221	261 573	5 593 458	5 718	3 779 308
213	５５～５９	9 156	5 920 612	358 793	7 649 095	7 783	6 134 729
214	６０～６４	12 626	7 785 836	497 094	9 731 518	11 495	8 018 410
215	６５～６９	23 753	14 194 360	910 122	17 176 914	24 088	14 404 750
216	７０～７４	32 562	17 535 295	1 141 704	21 547 364	34 473	19 804 027
217	７５～７９	45 589	22 201 938	1 425 089	26 250 922	51 237	25 119 126
218	８０～８４	63 419	26 327 128	1 691 058	29 673 547	78 057	31 321 855
219	８５～８９	71 284	26 641 605	1 654 519	26 736 021	99 100	34 626 207
220	９０歳以上	71 842	24 673 774	1 360 790	19 999 508	113 582	37 460 401
221	Ⅹ 呼吸器系の疾患	273 244	84 483 698	4 934 286	82 347 435	478 292	204 775 760
222	一般医療	54 274	16 853 344	1 500 276	29 342 029	75 318	55 744 549
223	後期医療	218 970	67 630 354	3 434 010	53 005 406	402 974	149 031 211
224	０～４歳	2 270	472 078	200 351	1 920 081	6 889	6 061 309
225	５～９	388	109 655	43 293	667 999	1 072	3 463 065
226	１０～１４	308	79 473	33 904	602 075	696	1 938 692
227	１５～１９	1 071	323 692	33 336	506 163	923	1 867 911
228	２０～２４	1 178	403 382	36 101	687 956	1 371	1 325 355
229	２５～２９	1 092	370 999	40 562	602 946	1 509	1 594 126
230	３０～３４	1 374	462 953	48 860	863 867	1 667	702 428
231	３５～３９	1 365	451 685	43 884	785 602	1 774	1 030 062
232	４０～４４	1 700	560 961	49 481	1 004 778	1 605	1 216 372
233	４５～４９	2 274	710 596	59 091	1 157 920	2 267	1 995 434
234	５０～５４	2 680	868 097	69 354	1 449 480	3 080	2 642 293
235	５５～５９	3 823	1 237 441	92 456	2 179 941	4 292	3 027 006
236	６０～６４	6 213	1 933 221	146 667	3 135 175	7 719	5 803 619
237	６５～６９	13 014	4 013 615	290 503	7 035 046	18 360	11 126 018
238	７０～７４	20 252	6 280 028	422 929	8 856 024	30 791	15 433 393
239	７５～７９	32 020	10 010 991	626 005	12 025 669	52 835	22 606 276
240	８０～８４	49 569	15 431 790	853 111	13 745 324	88 900	35 336 886
241	８５～８９	62 694	19 232 324	955 925	13 948 842	113 604	41 025 052
242	９０歳以上	69 959	21 530 717	888 473	11 172 547	138 938	46 580 463
243	Ⅺ 消化器系の疾患	183 205	64 684 222	4 375 320	66 930 188	276 060	133 518 261
244	一般医療	74 002	27 523 733	2 036 734	33 924 939	106 812	73 366 164
245	後期医療	109 203	37 160 489	2 338 586	33 005 249	169 248	60 152 097
246	０～４歳	414	102 252	17 904	269 317	1 186	751 584
247	５～９	90	71 715	11 019	186 068	428	300 388
248	１０～１４	392	190 257	20 075	536 622	928	2 622 060
249	１５～１９	1 326	480 887	24 877	555 050	1 419	2 522 679
250	２０～２４	1 687	631 952	40 398	873 493	2 896	2 545 402
251	２５～２９	1 656	609 545	72 420	987 528	4 837	3 420 587
252	３０～３４	2 490	934 900	106 585	1 452 995	7 059	4 800 599
253	３５～３９	2 897	1 107 200	105 552	1 390 190	6 456	4 850 505
254	４０～４４	4 062	1 542 596	116 830	1 851 807	5 524	4 889 560
255	４５～４９	5 040	1 962 892	146 501	2 357 885	6 527	5 338 013
256	５０～５４	5 716	2 218 403	173 351	2 869 453	7 436	4 476 868
257	５５～５９	7 842	2 821 917	191 787	3 363 613	9 315	6 675 355
258	６０～６４	9 457	3 549 279	241 020	4 127 507	11 974	8 236 542
259	６５～６９	15 789	5 765 327	390 354	7 088 241	20 139	10 759 133
260	７０～７４	17 527	6 331 752	446 210	7 184 068	24 294	12 426 992
261	７５～７９	23 443	8 237 502	565 664	9 224 443	32 090	14 996 537
262	８０～８４	29 527	10 187 247	663 912	9 724 987	43 724	15 463 872
263	８５～８９	29 109	9 838 322	608 331	7 988 701	46 964	15 380 962
264	９０歳以上	24 741	8 100 277	432 530	4 898 220	42 864	13 060 623

平成30年６月審査分

リハビリテーション 回数	リハビリテーション 点数	精神科専門療法 回数	精神科専門療法 点数	処置 回数	処置 点数	行番号
36 898	8 003 114	725	168 475	24 079	12 348 812	177
15 534	3 466 132	393	101 850	16 700	9 027 036	178
21 364	4 536 982	332	66 625	7 379	3 321 776	179
438	104 830	-	-	610	121 398	180
371	82 705	1	400	264	125 538	181
259	57 615	4	600	476	90 162	182
536	120 645	22	6 940	563	176 910	183
303	68 473	5	1 250	1 070	408 379	184
672	149 260	10	2 640	1 221	554 465	185
397	83 075	29	7 040	996	561 148	186
793	179 581	48	13 500	1 478	554 222	187
704	161 493	26	8 800	1 375	807 494	188
1 211	278 875	54	11 990	950	660 591	189
914	193 307	45	11 520	1 540	758 455	190
1 556	342 176	42	11 040	1 650	1 021 896	191
1 713	382 156	16	4 500	1 656	1 023 914	192
3 126	693 472	59	11 790	2 014	1 269 659	193
3 099	691 015	75	18 890	1 713	1 170 287	194
4 589	1 018 010	150	30 365	2 430	1 402 720	195
6 577	1 409 334	78	15 950	1 888	845 038	196
5 659	1 199 144	35	5 620	1 434	617 134	197
3 981	787 948	26	5 640	751	179 402	198
10 330 466	2 532 347 352	34 493	7 181 645	969 823	351 727 755	199
3 982 422	997 208 860	15 181	3 306 795	215 754	122 001 626	200
6 348 044	1 535 138 492	19 312	3 874 850	754 069	229 726 129	201
1 471	357 640	-	-	1 509	992 650	202
1 009	241 445	5	1 000	864	248 940	203
2 228	537 365	16	3 950	647	219 540	204
4 465	1 116 930	45	11 655	1 096	298 548	205
6 583	1 653 450	57	13 020	1 292	384 685	206
9 923	2 464 604	116	57 880	1 769	522 744	207
23 926	6 040 365	459	165 390	2 400	931 679	208
52 324	13 151 149	520	115 695	4 242	1 955 821	209
118 494	29 882 000	736	166 580	6 745	3 253 015	210
252 169	63 590 642	946	198 460	11 925	6 455 561	211
333 524	83 759 113	1 516	314 905	16 935	10 121 224	212
421 725	105 880 459	2 264	466 325	23 461	14 154 466	213
569 036	142 385 615	2 467	483 010	32 903	21 953 371	214
1 044 310	260 760 964	4 119	853 680	64 579	40 876 478	215
1 272 166	316 217 688	3 897	852 255	83 630	47 294 539	216
1 606 938	396 794 179	4 088	846 860	120 423	57 837 095	217
1 903 918	464 967 128	5 126	1 041 460	172 737	59 311 898	218
1 648 378	395 812 251	4 840	970 850	201 319	48 520 061	219
1 057 879	246 734 365	3 276	618 670	221 347	36 395 440	220
1 778 341	369 060 888	16 578	3 486 200	879 018	190 365 441	221
277 365	58 958 563	8 500	1 813 800	161 751	47 564 720	222
1 500 976	310 102 325	8 078	1 672 400	717 267	142 800 721	223
6 074	1 442 370	1	400	4 484	1 370 128	224
3 372	784 065	-	-	3 167	662 684	225
3 095	707 390	10	2 500	3 184	733 968	226
3 578	812 249	124	52 165	4 496	1 088 402	227
2 792	610 580	153	41 115	4 930	1 338 816	228
2 344	518 764	185	40 000	4 289	1 183 710	229
3 374	720 673	466	101 575	5 476	1 388 248	230
3 249	701 332	554	119 420	4 077	1 061 923	231
4 624	1 040 437	335	74 510	5 535	1 208 701	232
7 992	1 752 457	641	125 125	7 934	2 151 976	233
10 326	2 184 913	936	181 125	7 684	2 355 204	234
18 306	3 911 968	1 020	241 420	10 989	3 672 427	235
33 048	6 989 396	1 126	251 975	18 026	6 503 375	236
77 409	16 262 751	2 037	394 485	38 874	13 758 076	237
135 428	28 415 215	1 533	305 100	64 639	19 420 916	238
235 513	49 355 153	1 983	403 660	100 227	26 474 061	239
352 680	73 190 595	1 940	418 425	163 321	35 975 531	240
440 288	90 491 291	2 019	419 295	203 895	37 619 211	241
434 849	89 169 289	1 515	313 905	223 791	32 398 084	242
837 194	177 000 407	26 357	5 404 623	301 342	90 938 929	243
202 102	44 278 865	16 377	3 391 268	107 993	37 782 159	244
635 092	132 721 542	9 980	2 013 355	193 349	53 156 770	245
758	183 495	2	800	1 243	395 853	246
728	166 435	1	150	1 073	174 496	247
1 056	236 935	16	4 990	1 055	262 532	248
1 249	272 020	103	22 160	1 147	445 213	249
1 297	280 259	207	47 610	2 731	981 874	250
1 589	348 167	404	112 865	3 561	973 386	251
3 025	689 766	580	122 500	5 235	1 490 466	252
2 766	606 295	674	158 555	5 591	1 361 656	253
6 673	1 456 600	1 149	254 485	6 614	1 744 745	254
9 000	1 986 150	1 429	306 093	7 887	2 747 496	255
11 940	2 663 484	1 752	367 815	9 033	2 643 886	256
16 376	3 606 824	2 107	411 940	9 994	3 752 711	257
27 329	6 039 398	2 599	496 710	12 967	5 699 763	258
54 792	11 972 227	4 172	827 035	22 001	9 797 772	259
78 467	16 886 889	2 629	522 720	26 659	11 577 050	260
118 566	25 458 713	2 736	558 660	35 925	13 322 286	261
171 066	35 978 777	2 647	531 000	48 022	14 369 753	262
184 532	38 250 036	1 986	433 350	51 259	11 411 525	263
145 985	29 917 937	1 164	225 185	49 345	7 786 466	264

行番号	傷病分類 一般医療－後期医療 年齢階級	手術 回数	手術 点数	麻酔 回数	麻酔 点数	放射線治療 回数	放射線治療 点数
177	Ⅷ 耳及び乳様突起の疾患	3 006	97 799 126	3 159	16 688 249	180	210 172
178	一般医療	2 588	80 630 823	2 743	14 700 924	178	206 762
179	後期医療	418	17 168 303	416	1 987 325	2	3 410
180	0 ～ 4 歳	775	15 988 512	531	3 247 959	1	110
181	5 ～ 9	446	4 655 901	386	1 933 433	18	14 742
182	10 ～ 14	78	1 772 447	87	450 783	-	-
183	15 ～ 19	26	703 313	33	179 957	-	-
184	20 ～ 24	39	1 631 017	75	337 923	-	-
185	25 ～ 29	105	4 332 981	112	596 233	22	2 750
186	30 ～ 34	79	3 374 085	112	620 184	-	-
187	35 ～ 39	81	4 386 166	148	731 005	57	71 520
188	40 ～ 44	105	3 974 010	153	731 011	18	49 830
189	45 ～ 49	86	4 271 733	119	636 262	-	-
190	50 ～ 54	74	3 539 181	145	645 252	-	-
191	55 ～ 59	100	6 252 266	153	767 048	11	16 300
192	60 ～ 64	154	6 957 115	192	1 028 219	-	-
193	65 ～ 69	213	9 626 965	267	1 454 309	-	-
194	70 ～ 74	240	11 171 935	247	1 423 820	51	51 510
195	75 ～ 79	213	8 591 119	217	1 180 207	1	110
196	80 ～ 84	85	4 237 130	105	483 866	1	3 300
197	85 ～ 89	89	2 124 071	48	208 919	-	-
198	90 歳以上	18	209 179	29	31 859	-	-
199	Ⅸ 循環器系の疾患	126 226	6 806 934 599	36 273	321 944 264	2 704	2 155 327
200	一般医療	61 985	3 768 321 572	20 678	186 925 247	1 346	1 206 783
201	後期医療	64 241	3 038 613 027	15 595	135 019 017	1 358	948 544
202	0 ～ 4 歳	492	9 941 314	269	1 299 040	30	3 410
203	5 ～ 9	77	3 478 213	100	499 110	-	-
204	10 ～ 14	208	6 537 815	112	737 614	8	1 100
205	15 ～ 19	225	7 226 426	87	659 873	4	30 660
206	20 ～ 24	336	9 872 453	106	920 811	25	27 080
207	25 ～ 29	392	17 724 991	202	1 098 986	4	990
208	30 ～ 34	831	31 491 651	329	1 828 202	24	54 950
209	35 ～ 39	1 216	55 367 937	428	2 931 607	36	69 160
210	40 ～ 44	2 038	109 205 695	733	6 583 429	61	26 550
211	45 ～ 49	3 498	211 401 527	1 255	12 367 652	47	43 710
212	50 ～ 54	4 761	282 271 873	1 505	15 245 945	101	54 850
213	55 ～ 59	6 417	397 077 819	2 200	20 197 723	131	32 020
214	60 ～ 64	8 735	574 200 905	2 864	25 911 089	140	182 963
215	65 ～ 69	16 112	1 009 403 286	5 105	48 869 482	373	434 060
216	70 ～ 74	19 407	1 172 257 572	5 977	53 948 822	439	261 340
217	75 ～ 79	21 398	1 226 236 310	6 141	59 194 663	454	268 384
218	80 ～ 84	19 401	963 117 434	4 645	44 663 449	472	466 210
219	85 ～ 89	13 094	529 311 786	2 920	19 663 695	269	179 690
220	90 歳以上	7 588	190 809 592	1 295	5 323 072	86	18 200
221	Ⅹ 呼吸器系の疾患	34 806	360 488 460	15 551	83 034 601	1 017	1 755 760
222	一般医療	19 793	265 761 825	12 708	69 974 922	591	893 624
223	後期医療	15 013	94 726 635	2 843	13 059 679	426	862 136
224	0 ～ 4 歳	1 437	7 879 616	807	3 678 518	24	2 860
225	5 ～ 9	881	4 072 678	586	2 682 967	2	220
226	10 ～ 14	202	2 346 694	178	968 242	3	770
227	15 ～ 19	694	21 101 881	939	6 333 535	-	-
228	20 ～ 24	1 196	16 739 286	1 018	5 914 339	2	220
229	25 ～ 29	1 238	14 978 296	887	4 756 232	24	11 410
230	30 ～ 34	1 372	17 951 890	987	5 084 708	1	440
231	35 ～ 39	1 175	16 218 671	846	4 370 699	5	30 440
232	40 ～ 44	1 210	17 916 010	827	4 560 939	8	5 440
233	45 ～ 49	1 241	19 793 516	788	4 519 124	41	48 720
234	50 ～ 54	1 178	18 525 678	740	4 107 661	66	95 780
235	55 ～ 59	1 483	21 827 183	906	5 027 478	40	73 650
236	60 ～ 64	1 645	23 803 242	860	4 888 018	62	51 830
237	65 ～ 69	2 489	33 348 470	1 265	7 108 076	156	236 700
238	70 ～ 74	2 739	32 544 489	1 141	6 389 217	182	380 904
239	75 ～ 79	3 324	31 937 995	1 098	6 141 879	149	356 830
240	80 ～ 84	3 809	25 580 191	817	3 740 674	147	293 646
241	85 ～ 89	4 026	20 811 497	492	2 058 918	73	63 550
242	90 歳以上	3 467	13 111 177	369	703 377	32	102 350
243	Ⅺ 消化器系の疾患	126 571	1 494 143 013	71 265	306 719 065	1 864	2 029 640
244	一般医療	70 668	880 486 555	49 868	211 477 505	1 084	1 220 922
245	後期医療	55 903	613 656 458	21 397	95 241 560	780	808 718
246	0 ～ 4 歳	1 474	27 090 626	1 851	9 741 528	7	770
247	5 ～ 9	537	9 264 961	898	4 389 191	3	330
248	10 ～ 14	568	9 704 134	919	4 837 212	7	770
249	15 ～ 19	639	10 953 538	961	4 709 023	1	110
250	20 ～ 24	989	14 528 296	1 264	5 142 926	6	770
251	25 ～ 29	1 602	22 414 314	1 808	6 485 914	11	2 310
252	30 ～ 34	2 467	32 754 734	2 489	8 662 773	9	1 320
253	35 ～ 39	2 777	37 235 538	2 883	10 316 822	6	770
254	40 ～ 44	3 672	48 054 140	3 455	13 554 337	27	4 730
255	45 ～ 49	4 890	62 546 955	4 087	17 123 041	119	223 490
256	50 ～ 54	5 692	70 045 632	3 953	16 663 923	76	76 730
257	55 ～ 59	6 881	84 370 066	4 342	18 908 482	126	121 060
258	60 ～ 64	8 654	102 800 843	5 191	22 340 716	116	170 102
259	65 ～ 69	14 951	171 967 671	7 905	34 443 594	241	262 920
260	70 ～ 74	16 263	191 110 380	8 289	36 620 625	344	356 720
261	75 ～ 79	17 579	200 305 117	8 002	35 553 914	392	701 270
262	80 ～ 84	16 943	190 134 328	6 873	30 348 680	170	51 788
263	85 ～ 89	12 565	133 389 150	4 231	18 576 635	147	46 090
264	90 歳以上	7 428	75 472 590	1 864	8 299 729	56	7 590

平成30年６月審査分

病理診断		入院料等		診断群分類による包括評価等		入院時食事療養等（別掲）		行番号
回数	点数	回数	点数	回数	点数	回数	金額(円)	
755	477 300	49 647	103 921 481	52 624	182 466 826	255 383	166 242 381	177
580	368 460	25 024	54 174 273	37 318	130 791 658	147 952	97 471 544	178
175	108 840	24 623	49 747 208	15 306	51 675 168	107 431	68 770 837	179
40	28 130	1 366	5 233 405	3 340	15 420 501	9 236	5 997 622	180
39	25 760	368	956 432	1 064	4 683 567	2 547	1 675 027	181
15	9 510	618	1 611 027	454	2 007 594	2 340	1 501 033	182
6	3 710	692	1 455 660	447	1 467 196	2 695	1 755 392	183
14	9 120	539	1 126 445	612	1 961 720	2 631	1 668 705	184
42	25 610	1 081	2 081 799	1 026	3 325 672	5 253	3 410 547	185
32	22 540	1 075	2 035 476	1 233	4 014 361	5 717	3 729 954	186
35	23 030	1 656	3 054 372	1 590	5 174 536	8 103	5 247 115	187
40	24 340	1 889	3 596 200	1 953	6 549 704	9 440	6 173 232	188
45	28 510	1 656	3 412 484	2 624	8 828 231	10 297	6 774 166	189
20	12 350	1 927	3 880 097	2 756	9 291 438	11 473	7 565 222	190
31	20 600	2 777	5 485 564	3 531	11 771 045	15 576	10 293 887	191
45	27 620	2 582	5 383 170	4 346	14 611 628	16 578	11 049 072	192
95	55 730	3 764	7 876 447	6 488	21 919 920	24 861	16 472 444	193
89	57 070	4 136	8 985 574	6 167	20 819 543	25 291	16 738 481	194
80	48 070	5 698	12 403 327	6 113	20 623 329	29 975	19 707 496	195
49	29 680	6 853	13 768 366	4 825	16 456 414	30 865	19 947 869	196
31	21 790	5 570	11 422 178	2 925	9 790 746	23 146	14 969 178	197
7	4 130	5 400	10 153 458	1 130	3 749 681	19 359	11 565 939	198
10 922	5 373 969	3 871 916	7 175 423 508	1 732 622	7 077 398 008	16 154 539	9 697 458 426	199
4 921	2 712 378	898 784	1 821 217 743	667 074	2 954 267 906	4 315 628	2 751 319 323	200
6 001	2 661 591	2 973 132	5 354 205 765	1 065 548	4 123 130 102	11 838 911	6 946 139 103	201
18	11 210	2 372	9 545 673	3 274	23 203 703	9 984	6 500 493	202
8	5 610	868	2 451 274	1 067	7 342 436	3 900	2 536 938	203
11	6 230	1 241	3 206 261	1 982	12 265 767	6 946	4 519 547	204
28	17 860	1 773	3 891 103	1 646	7 834 973	7 978	5 186 947	205
31	18 710	1 983	4 365 265	2 140	11 039 688	10 172	6 648 566	206
34	21 140	3 423	6 799 810	3 244	15 227 990	16 139	10 651 813	207
100	56 926	6 555	13 483 392	6 441	30 256 367	33 297	21 864 373	208
115	62 040	12 582	26 076 818	10 103	46 917 155	58 332	38 501 523	209
197	117 230	25 439	52 882 014	21 403	97 718 312	120 429	79 958 521	210
267	151 850	48 530	101 226 449	39 080	178 096 327	229 126	151 789 235	211
368	206 310	69 591	141 813 426	51 389	231 471 818	316 702	210 150 955	212
460	255 786	93 310	186 840 044	67 505	302 820 081	420 467	279 841 793	213
724	410 846	135 186	268 246 191	94 641	417 432 144	600 386	399 683 574	214
1 217	657 950	259 514	509 672 273	176 705	768 560 323	1 272 730	778 902 393	215
1 512	794 656	340 067	666 540 912	215 832	925 259 405	1 625 505	989 951 518	216
1 798	899 687	488 293	934 772 160	264 174	1 100 355 847	2 209 046	1 331 772 384	217
1 819	827 818	694 852	1 292 523 076	301 064	1 188 445 360	2 933 260	1 744 303 227	218
1 422	590 140	803 981	1 442 584 594	267 117	999 110 794	3 136 341	1 838 529 893	219
793	261 970	882 356	1 508 502 773	203 815	714 039 518	3 143 799	1 796 164 733	220
16 896	7 465 143	1 600 300	3 156 028 846	1 134 082	4 060 721 597	6 572 428	4 035 719 314	221
9 315	4 855 616	254 367	558 351 008	395 009	1 598 444 319	1 501 405	964 192 715	222
7 581	2 609 527	1 345 933	2 597 677 838	739 073	2 462 277 278	5 071 023	3 071 526 599	223
181	109 760	12 439	55 511 353	100 867	503 688 107	209 234	136 219 567	224
161	101 300	3 830	12 957 211	13 582	70 362 309	32 230	20 898 264	225
57	38 190	3 874	10 569 628	6 187	32 536 210	17 647	11 325 688	226
379	229 630	4 529	11 399 618	9 296	36 325 926	28 041	18 095 433	227
457	277 470	4 609	10 742 827	10 833	37 079 836	33 223	21 502 713	228
424	249 510	4 824	10 302 661	9 131	32 182 192	30 559	19 589 113	229
454	266 540	6 601	13 962 708	9 228	32 139 995	34 732	22 377 941	230
432	252 970	6 208	12 388 067	9 048	31 587 615	35 369	22 786 635	231
470	262 676	7 167	15 336 572	10 393	36 663 281	41 053	26 617 914	232
563	309 310	9 839	20 327 720	12 224	44 148 077	52 751	34 165 830	233
599	311 890	12 313	23 939 866	13 062	46 915 889	62 012	40 231 513	234
706	368 750	17 295	33 942 383	18 881	69 378 589	88 425	57 696 241	235
912	442 530	30 288	60 321 843	29 890	109 021 268	146 554	95 646 699	236
1 711	827 770	62 639	126 789 938	65 744	239 258 851	327 508	206 491 228	237
1 998	889 210	103 270	205 763 339	95 405	342 847 187	502 146	314 175 179	238
2 230	913 445	173 523	346 591 261	141 530	491 564 079	786 689	487 617 115	239
2 048	698 096	295 953	577 839 351	182 807	616 638 342	1 173 912	716 680 728	240
1 814	559 790	386 276	742 133 796	201 315	664 271 846	1 431 123	864 877 119	241
1 300	356 306	454 823	865 208 704	194 659	624 111 998	1 539 220	918 724 394	242
61 425	32 746 648	914 894	1 944 243 830	990 660	3 540 208 475	4 022 536	2 596 190 634	243
40 858	22 204 902	312 220	736 725 430	498 949	1 844 735 838	1 551 540	1 030 310 252	244
20 567	10 541 746	602 674	1 207 518 400	491 711	1 695 472 637	2 470 996	1 565 880 382	245
88	54 890	2 569	11 186 982	7 333	42 083 443	13 341	8 685 577	246
196	121 000	1 200	4 107 369	4 050	23 277 462	8 392	5 481 768	247
411	244 190	2 857	8 715 839	6 661	37 346 508	16 267	10 679 350	248
543	306 470	3 344	8 475 514	7 784	30 445 759	18 132	12 057 310	249
743	421 830	6 227	13 628 554	9 118	35 049 819	26 814	17 444 782	250
966	538 660	9 809	18 627 179	11 172	42 675 725	38 582	24 451 672	251
1 236	680 670	14 766	27 022 866	14 228	53 384 036	54 891	34 686 457	252
1 667	912 950	14 825	29 969 133	18 763	70 505 209	61 336	39 686 532	253
2 441	1 325 036	17 054	38 421 775	27 520	102 998 641	80 998	53 750 779	254
3 219	1 751 470	20 363	49 119 689	37 299	137 960 409	105 531	70 753 470	255
3 637	2 006 522	24 283	57 585 972	40 646	148 059 565	119 904	80 643 984	256
4 316	2 332 535	29 203	70 422 824	47 468	172 378 617	144 051	97 155 415	257
5 190	2 796 280	39 433	93 131 632	60 498	214 983 865	195 275	131 907 682	258
8 134	4 396 263	66 329	155 912 757	100 983	359 572 484	339 479	224 139 930	259
8 558	4 583 996	78 027	182 063 642	116 977	415 398 878	400 299	263 784 547	260
8 261	4 360 272	103 822	231 933 666	135 871	476 564 492	508 179	331 612 298	261
6 607	3 409 578	150 535	311 146 012	143 825	499 557 019	657 625	421 814 018	262
3 679	1 794 696	168 140	330 461 516	120 071	410 358 314	662 733	417 572 538	263
1 533	709 340	162 108	302 310 909	80 393	267 608 230	570 707	349 882 525	264

行番号	傷病分類 一般医療－後期医療 年齢階級	件数	診療実日数	総数 回数	総数 点数	初・再診 回数	初・再診 点数
265	XII 皮膚及び皮下組織の疾患	36 464	636 711	3 186 826	1 667 056 221	4 525	1 850 750
266	一般医療	16 714	227 294	1 251 196	704 294 520	2 515	1 076 395
267	後期医療	19 750	409 417	1 935 630	962 761 701	2 010	774 355
268	０～４歳	1 632	9 329	30 781	43 295 166	484	231 977
269	５～９	497	3 685	18 828	19 628 337	191	79 487
270	１０～１４	319	3 913	20 132	17 987 622	82	31 169
271	１５～１９	382	4 820	29 011	15 256 733	76	29 532
272	２０～２４	545	6 098	32 522	18 174 281	85	37 420
273	２５～２９	792	8 147	45 876	23 249 636	80	35 855
274	３０～３４	968	9 255	54 025	27 212 805	113	50 156
275	３５～３９	848	9 826	53 142	30 076 539	109	46 693
276	４０～４４	925	12 046	72 086	38 287 677	127	50 444
277	４５～４９	1 145	15 830	84 857	48 764 755	167	66 384
278	５０～５４	1 178	17 876	102 372	51 961 005	147	62 344
279	５５～５９	1 300	21 252	113 461	61 387 189	132	55 969
280	６０～６４	1 633	28 433	159 072	81 739 146	186	78 026
281	６５～６９	2 518	44 426	244 783	127 861 422	288	113 011
282	７０～７４	2 840	50 655	286 976	144 972 969	311	131 029
283	７５～７９	3 664	69 581	362 055	183 997 058	340	134 917
284	８０～８４	4 869	98 954	492 852	241 240 708	526	212 056
285	８５～８９	5 247	109 384	517 581	251 073 576	529	199 218
286	９０歳以上	5 162	113 201	466 414	240 889 597	552	205 063
287	XIII 筋骨格系及び結合組織の疾患	125 852	1 993 231	10 872 290	8 364 669 896	10 737	4 252 634
288	一般医療	57 910	744 181	4 203 593	3 986 941 506	5 078	2 100 175
289	後期医療	67 942	1 249 050	6 668 697	4 377 728 390	5 659	2 152 459
290	０～４歳	2 186	17 081	56 288	128 468 797	1 028	483 336
291	５～９	667	6 824	22 993	39 742 664	205	82 665
292	１０～１４	612	6 246	22 686	40 259 670	83	29 476
293	１５～１９	720	6 261	30 187	36 305 795	69	26 958
294	２０～２４	851	7 632	39 710	37 851 969	77	33 804
295	２５～２９	1 307	10 714	54 225	44 183 717	109	51 778
296	３０～３４	1 810	14 413	74 548	58 465 509	160	75 495
297	３５～３９	1 945	18 816	104 128	86 208 917	208	93 056
298	４０～４４	2 261	25 111	138 885	126 229 128	290	123 040
299	４５～４９	3 069	37 755	219 662	188 091 657	321	132 591
300	５０～５４	3 876	48 793	282 539	255 935 220	306	122 267
301	５５～５９	5 556	75 333	429 170	402 977 616	333	131 476
302	６０～６４	7 433	100 749	595 283	547 632 226	439	170 433
303	６５～６９	12 109	173 810	1 009 763	922 880 493	715	270 803
304	７０～７４	15 214	227 478	1 315 006	1 189 471 390	810	304 747
305	７５～７９	19 373	308 733	1 804 233	1 462 176 916	1 214	462 436
306	８０～８４	19 714	349 485	1 950 884	1 343 782 622	1 582	599 759
307	８５～８９	15 691	309 960	1 611 650	897 983 609	1 561	588 607
308	９０歳以上	11 458	248 037	1 110 450	556 021 981	1 227	469 907
309	XIV 腎尿路生殖器系の疾患	104 240	1 368 104	6 947 552	4 825 855 335	12 789	6 131 584
310	一般医療	47 773	431 637	2 275 830	1 939 171 502	5 700	2 833 488
311	後期医療	56 467	936 467	4 671 722	2 886 683 833	7 089	3 298 096
312	０～４歳	1 873	12 850	40 051	74 918 135	639	366 683
313	５～９	554	5 008	18 213	28 353 312	173	71 526
314	１０～１４	447	3 942	17 297	21 922 764	146	65 012
315	１５～１９	542	3 911	20 231	16 962 909	168	78 806
316	２０～２４	1 106	6 766	34 077	27 108 542	264	128 023
317	２５～２９	2 044	11 302	56 280	48 192 942	272	143 949
318	３０～３４	2 961	16 235	78 284	70 118 494	289	143 082
319	３５～３９	2 927	16 427	81 935	83 459 904	259	137 383
320	４０～４４	3 248	19 806	104 066	113 504 659	319	163 188
321	４５～４９	3 790	26 411	142 547	146 046 308	438	214 555
322	５０～５４	3 391	28 500	162 158	139 296 158	382	175 923
323	５５～５９	3 694	36 871	216 316	162 919 531	389	187 117
324	６０～６４	4 927	55 828	305 778	232 348 175	448	214 589
325	６５～６９	8 987	109 166	578 083	440 963 989	772	382 029
326	７０～７４	10 524	139 907	752 701	533 388 272	969	467 832
327	７５～７９	12 518	182 250	960 423	647 288 392	1 258	610 321
328	８０～８４	14 930	243 149	1 247 896	781 263 479	1 738	832 674
329	８５～８９	14 172	241 936	1 188 542	713 577 392	1 992	916 910
330	９０歳以上	11 605	207 839	942 674	544 221 978	1 874	831 982
331	XV 妊娠，分娩及び産じょく	57 339	391 236	1 389 226	1 540 495 707	3 264	3 312 768
332	一般医療	57 338	391 235	1 388 972	1 540 487 778	3 264	3 312 768
333	後期医療	1	1	254	7 929	-	-
334	０～４歳	-	-	-	-	-	-
335	５～９	-	-	-	-	-	-
336	１０～１４	6	102	163	181 301	1	282
337	１５～１９	564	4 228	12 548	13 533 132	47	40 514
338	２０～２４	4 193	27 567	88 794	93 987 954	302	284 439
339	２５～２９	13 239	87 935	305 314	309 565 184	778	817 591
340	３０～３４	19 863	136 038	485 190	524 735 952	1 165	1 140 610
341	３５～３９	14 729	103 272	374 669	440 490 589	775	810 340
342	４０～４４	4 502	30 616	116 023	150 106 015	188	211 231
343	４５～４９	226	1 400	5 736	7 491 353	8	7 761
344	５０～５４	15	66	511	354 675	-	-
345	５５～５９	-	-	-	-	-	-
346	６０～６４	-	-	-	-	-	-
347	６５～６９	1	11	24	41 623	-	-
348	７０～７４	-	-	-	-	-	-
349	７５～７９	-	-	-	-	-	-
350	８０～８４	-	-	-	-	-	-
351	８５～８９	1	1	254	7 929	-	-
352	９０歳以上	-	-	-	-	-	-

平成30年６月審査分

医学管理等 回数	医学管理等 点数	在宅医療 回数	在宅医療 点数	検査 回数	検査 点数	行番号
38 401	13 428 969	995	2 597 176	318 734	24 741 409	265
19 126	6 792 221	431	1 428 356	117 532	10 107 199	266
19 275	6 636 748	564	1 168 820	201 202	14 634 210	267
900	296 700	19	107 113	3 234	336 590	268
375	116 018	7	104 327	938	93 655	269
223	76 320	6	52 974	701	60 270	270
364	122 643	2	18 372	1 919	208 429	271
487	174 040	4	54 380	2 451	277 692	272
713	272 925	7	28 557	4 057	447 493	273
903	372 951	7	27 485	5 755	651 032	274
884	345 098	5	38 176	5 561	570 367	275
1 158	416 824	28	135 392	5 733	541 926	276
1 491	508 093	31	125 912	7 193	673 975	277
1 619	570 979	43	93 784	8 607	742 992	278
1 695	576 262	37	87 849	9 424	763 935	279
2 206	790 805	48	89 125	14 819	1 096 636	280
3 243	1 133 460	98	262 460	24 840	1 971 757	281
3 730	1 320 426	120	296 100	31 101	2 300 708	282
4 233	1 468 407	133	327 293	35 646	2 684 881	283
5 105	1 742 645	129	248 969	51 041	3 600 422	284
4 933	1 710 991	149	240 125	54 542	3 974 398	285
4 139	1 413 382	122	258 783	51 172	3 744 251	286
198 870	75 355 239	2 686	9 851 421	701 603	60 057 802	287
106 443	41 376 241	1 084	4 740 158	263 482	24 510 671	288
92 427	33 978 998	1 602	5 111 263	438 121	35 547 131	289
2 785	907 381	5	7 510	2 497	433 500	290
684	238 590	3	4 876	631	95 939	291
670	259 282	5	39 459	784	107 797	292
1 096	447 755	6	41 478	1 655	193 007	293
1 216	502 722	8	86 476	2 987	358 897	294
1 590	658 927	10	39 379	4 321	553 504	295
2 190	894 494	15	94 254	5 972	703 659	296
3 003	1 255 357	24	106 003	8 593	907 156	297
4 091	1 637 844	29	104 624	10 068	1 067 718	298
6 002	2 334 436	52	168 918	14 054	1 345 541	299
7 408	2 867 202	67	441 221	18 354	1 674 782	300
10 781	4 253 997	106	743 012	25 938	2 308 853	301
14 722	5 713 353	143	556 595	36 616	3 217 112	302
23 166	8 970 535	290	1 072 074	62 598	5 567 031	303
29 399	11 284 548	381	1 457 452	80 866	6 953 387	304
34 223	12 999 733	497	1 876 121	111 234	9 156 687	305
29 314	10 782 713	476	1 503 289	122 592	10 011 807	306
17 397	6 178 693	345	1 027 484	108 660	8 793 289	307
9 133	3 167 677	224	481 196	83 183	6 608 136	308
136 639	46 213 988	2 850	14 207 265	767 177	65 325 495	309
65 575	22 107 171	1 202	8 328 026	237 088	23 351 997	310
71 064	24 106 817	1 648	5 879 239	530 089	41 973 498	311
1 805	588 733	25	262 811	2 242	291 759	312
470	152 183	13	165 864	467	89 514	313
394	131 672	20	178 185	701	87 956	314
603	196 622	5	100 407	1 683	224 749	315
1 129	381 011	5	9 745	4 255	546 521	316
1 959	678 603	7	58 927	7 039	893 908	317
2 857	1 041 491	18	130 098	9 815	1 303 603	318
3 401	1 175 549	38	385 626	8 016	1 106 237	319
4 450	1 497 687	46	405 197	9 676	1 130 771	320
5 389	1 810 768	79	597 028	11 875	1 403 142	321
4 933	1 620 262	94	935 359	15 303	1 510 697	322
5 289	1 759 832	139	1 540 970	22 880	2 022 839	323
7 250	2 452 052	150	1 021 137	30 984	2 807 844	324
13 315	4 510 365	312	1 767 379	62 710	5 351 611	325
16 040	5 384 808	375	1 712 889	84 218	7 111 769	326
17 896	5 996 335	405	1 576 152	108 142	8 793 973	327
19 913	6 753 926	472	1 663 404	138 634	10 961 350	328
17 373	5 916 421	382	1 129 885	134 142	10 732 475	329
12 173	4 165 668	265	566 202	114 395	8 954 777	330
47 900	16 320 699	562	1 319 606	176 783	21 450 291	331
47 899	16 320 399	561	1 316 352	176 783	21 450 291	332
1	300	1	3 254	-	-	333
-	-	-	-	-	-	334
-	-	-	-	-	-	335
2	650	1	720	4	480	336
419	126 168	3	9 023	1 880	246 704	337
2 759	936 617	26	41 504	14 479	1 817 140	338
9 420	3 283 267	102	243 406	43 101	5 453 760	339
16 317	5 601 749	184	428 177	63 406	7 728 175	340
14 073	4 767 135	171	424 370	42 467	4 910 931	341
4 634	1 518 929	68	155 489	10 877	1 226 500	342
251	77 388	5	12 343	543	63 128	343
22	7 846	1	1 320	26	3 473	344
-	-	-	-	-	-	345
-	-	-	-	-	-	346
2	650	-	-	-	-	347
-	-	-	-	-	-	348
-	-	-	-	-	-	349
-	-	-	-	-	-	350
1	300	1	3 254	-	-	351
-	-	-	-	-	-	352

第２表　医科診療（入院）件数・診療実日数・回数・点数,

行番号	傷病分類 一般医療－後期医療 年齢階級	画像診断		投薬		注射	
		回数	点数	回数	点数	回数	点数
265	XII 皮膚及び皮下組織の疾患	45 335	13 035 146	1 393 224	25 954 343	89 061	59 806 094
266	一般医療	15 896	4 456 881	613 416	12 731 103	29 701	34 511 598
267	後期医療	29 439	8 578 265	779 808	13 223 240	59 360	25 294 496
268	０～４歳	286	52 457	13 657	234 347	935	444 329
269	５～９	92	34 291	10 817	247 173	485	2 560 372
270	１０～１４	129	31 620	11 362	204 429	290	3 323 700
271	１５～１９	198	83 237	15 687	279 966	518	736 433
272	２０～２４	298	87 873	15 795	283 808	622	232 924
273	２５～２９	379	108 415	23 921	460 902	1 379	537 448
274	３０～３４	506	150 771	28 931	445 036	1 833	816 754
275	３５～３９	575	153 320	26 987	463 489	1 709	1 093 080
276	４０～４４	913	233 993	38 572	665 905	1 363	1 968 036
277	４５～４９	1 037	259 895	43 471	1 082 436	1 599	1 692 477
278	５０～５４	1 316	370 096	52 698	1 014 899	1 863	2 603 800
279	５５～５９	1 196	334 864	56 949	1 349 638	2 088	2 448 610
280	６０～６４	2 089	556 713	75 698	1 550 654	3 215	2 745 198
281	６５～６９	3 703	1 080 871	112 772	2 319 024	6 086	7 283 437
282	７０～７４	4 265	1 229 636	129 579	2 902 065	7 822	6 967 419
283	７５～７９	5 261	1 581 733	157 823	3 189 857	8 861	5 672 029
284	８０～８４	7 167	2 134 661	204 069	3 470 469	13 953	6 806 103
285	８５～８９	7 901	2 311 992	205 702	3 344 929	16 713	6 178 875
286	９０歳以上	8 024	2 238 708	168 734	2 445 317	17 727	5 695 070
287	XIII 筋骨格系及び結合組織の疾患	173 273	53 373 008	4 232 862	64 307 063	165 885	91 373 283
288	一般医療	72 138	22 628 051	1 718 182	29 599 500	52 498	46 514 223
289	後期医療	101 135	30 744 957	2 514 680	34 707 563	113 387	44 859 060
290	０～４歳	211	78 657	31 066	76 887	471	1 455 054
291	５～９	192	56 272	10 851	124 508	308	637 013
292	１０～１４	319	96 772	9 084	136 333	260	1 396 138
293	１５～１９	612	203 133	12 476	222 419	251	543 421
294	２０～２４	828	264 724	17 869	298 142	576	427 574
295	２５～２９	1 061	340 815	26 068	495 110	1 061	694 227
296	３０～３４	1 198	424 796	36 453	676 756	1 717	822 478
297	３５～３９	1 994	714 082	48 404	906 881	2 017	1 599 827
298	４０～４４	2 750	967 493	62 143	1 388 755	1 800	2 187 874
299	４５～４９	4 123	1 429 535	97 464	1 950 415	2 577	2 420 641
300	５０～５４	5 281	1 679 492	121 713	2 246 084	3 175	3 445 945
301	５５～５９	7 373	2 266 954	178 627	3 185 365	4 770	4 888 091
302	６０～６４	10 163	3 157 378	242 457	4 269 010	6 297	7 433 479
303	６５～６９	17 322	5 216 861	399 276	6 914 536	12 421	10 295 624
304	７０～７４	21 108	6 411 405	509 462	8 220 828	17 725	10 796 094
305	７５～７９	27 602	8 540 830	685 112	10 322 338	24 747	12 866 541
306	８０～８４	28 926	8 857 463	731 774	10 272 258	29 204	11 958 278
307	８５～８９	24 689	7 399 519	608 265	7 947 091	28 944	9 545 860
308	９０歳以上	17 521	5 266 827	404 298	4 653 347	27 564	7 959 124
309	XIV 腎尿路生殖器系の疾患	101 516	32 501 438	3 118 249	50 160 744	185 649	69 121 638
310	一般医療	29 506	9 593 542	1 114 415	20 399 693	50 125	25 151 062
311	後期医療	72 010	22 907 896	2 003 834	29 761 051	135 524	43 970 576
312	０～４歳	213	106 318	20 163	190 781	639	394 891
313	５～９	36	18 580	10 600	176 298	305	275 263
314	１０～１４	61	20 091	10 026	179 629	218	413 138
315	１５～１９	253	74 153	10 649	176 210	407	455 713
316	２０～２４	404	142 156	17 743	305 671	987	676 853
317	２５～２９	600	192 905	28 670	431 075	2 133	1 196 519
318	３０～３４	718	235 538	39 817	551 126	2 994	1 265 217
319	３５～３９	776	271 837	42 390	621 282	2 081	817 422
320	４０～４４	1 228	413 044	53 022	1 077 698	1 737	1 091 704
321	４５～４９	1 649	592 391	75 701	1 445 309	1 958	1 357 921
322	５０～５４	2 319	712 105	83 215	1 533 722	2 600	1 319 887
323	５５～５９	3 080	942 520	110 247	2 363 742	4 620	2 318 349
324	６０～６４	4 186	1 319 047	148 617	3 162 354	6 141	3 109 394
325	６５～６９	7 684	2 476 739	270 257	4 929 236	12 795	5 559 665
326	７０～７４	10 771	3 453 275	345 515	6 072 071	17 509	6 918 456
327	７５～７９	13 160	4 254 489	431 862	7 019 371	23 492	8 229 366
328	８０～８４	18 196	5 767 542	549 404	8 394 718	32 599	10 822 263
329	８５～８９	19 194	6 221 871	503 022	7 048 908	36 365	11 836 307
330	９０歳以上	16 988	5 286 837	367 329	4 481 543	36 069	11 063 310
331	XV 妊娠，分娩及び産じょく	3 420	621 766	666 137	4 486 451	68 493	20 044 901
332	一般医療	3 420	621 766	665 886	4 484 555	68 493	20 044 901
333	後期医療	-	-	251	1 896	-	-
334	０～４歳	-	-	-	-	-	-
335	５～９	-	-	-	-	-	-
336	１０～１４	-	-	60	261	-	31
337	１５～１９	30	5 686	5 187	37 845	906	282 706
338	２０～２４	188	34 653	38 181	288 934	5 560	1 619 265
339	２５～２９	834	142 149	143 022	986 502	18 058	5 210 049
340	３０～３４	1 143	218 016	233 305	1 577 114	24 532	7 266 887
341	３５～３９	947	168 253	183 594	1 189 204	15 885	4 679 649
342	４０～４４	259	49 905	59 304	381 032	3 420	944 467
343	４５～４９	17	2 644	2 897	22 082	127	40 658
344	５０～５４	2	460	335	1 287	5	1 189
345	５５～５９	-	-	-	-	-	-
346	６０～６４	-	-	-	-	-	-
347	６５～６９	-	-	1	294	-	-
348	７０～７４	-	-	-	-	-	-
349	７５～７９	-	-	-	-	-	-
350	８０～８４	-	-	-	-	-	-
351	８５～８９	-	-	251	1 896	-	-
352	９０歳以上	-	-	-	-	-	-

平成30年６月審査分

リハビリテーション 回数	リハビリテーション 点数	精神科専門療法 回数	精神科専門療法 点数	処置 回数	処置 点数	行番号
392 672	80 869 883	16 658	3 440 720	241 697	66 595 401	265
117 070	25 282 266	10 384	2 223 760	94 525	30 435 610	266
275 602	55 587 617	6 274	1 216 960	147 172	36 159 791	267
776	181 575	4	1 800	1 618	479 346	268
655	148 225	-	-	1 486	343 994	269
1 296	288 850	50	15 320	1 990	521 103	270
2 040	451 775	120	34 620	3 148	908 321	271
2 269	503 750	294	71 390	4 010	837 244	272
2 083	453 111	356	108 370	5 054	1 211 527	273
1 969	423 160	346	73 820	4 667	1 215 020	274
2 451	503 237	440	88 430	4 501	1 280 388	275
4 482	1 004 791	442	86 800	6 925	1 912 410	276
6 345	1 389 989	850	206 285	6 457	2 102 153	277
9 346	2 061 926	1 121	248 470	7 426	2 097 945	278
10 436	2 263 669	1 487	329 550	8 494	2 899 339	279
18 937	4 121 615	1 905	370 850	11 103	4 048 375	280
28 675	6 029 893	2 220	421 750	17 323	7 219 335	281
35 883	7 595 337	1 752	353 115	20 432	8 002 733	282
52 733	11 054 396	1 746	333 725	24 230	8 299 656	283
74 305	15 105 591	1 469	296 775	34 649	9 011 551	284
76 789	15 269 726	1 150	221 095	38 467	7 647 369	285
61 202	12 019 267	906	178 555	39 717	6 557 592	286
2 968 514	626 650 150	15 118	3 223 720	283 604	83 310 107	287
1 070 494	237 463 774	8 362	1 824 505	91 264	33 659 035	288
1 898 020	389 186 376	6 756	1 399 215	192 340	49 651 072	289
464	108 625	1	400	369	208 182	290
2 403	520 590	-	-	554	185 841	291
3 753	847 810	5	825	626	220 973	292
5 443	1 232 943	53	14 460	1 172	274 463	293
5 921	1 309 705	72	15 670	1 914	358 594	294
7 836	1 797 633	137	32 745	1 654	338 784	295
10 542	2 432 819	158	37 010	2 313	383 734	296
17 614	3 989 624	328	72 665	2 245	676 873	297
25 556	5 871 654	557	131 605	3 793	1 199 390	298
46 551	10 495 529	677	146 215	6 230	2 181 275	299
64 761	14 634 037	947	197 955	6 476	2 362 545	300
106 824	23 734 342	1 157	274 500	10 227	3 955 998	301
159 719	35 555 952	1 465	300 005	11 919	5 303 674	302
278 270	61 203 441	2 135	447 590	22 785	10 401 068	303
376 315	82 210 297	1 422	293 285	28 405	12 017 611	304
546 108	116 971 404	1 709	409 970	38 810	12 740 201	305
588 030	121 605 962	1 908	379 490	49 205	13 712 621	306
451 539	90 203 005	1 470	300 935	50 244	10 633 260	307
270 865	51 924 778	917	168 395	44 663	6 155 020	308
691 768	142 017 356	9 399	1 901 410	467 125	489 503 952	309
150 540	32 110 631	4 505	916 865	130 302	146 342 984	310
541 228	109 906 725	4 894	984 545	336 823	343 160 968	311
390	95 345	1	400	581	195 809	312
304	74 360	-	-	406	170 587	313
711	169 895	5	770	649	131 382	314
1 340	318 840	19	7 650	737	304 368	315
690	155 609	32	5 940	1 255	448 571	316
1 224	261 020	60	13 950	1 893	623 144	317
982	224 811	63	16 180	2 319	1 069 790	318
1 544	341 241	97	20 570	2 627	1 757 706	319
3 022	669 342	292	70 025	4 485	3 696 007	320
5 121	1 126 593	418	91 900	6 979	6 615 030	321
10 136	2 189 171	362	78 530	9 777	10 835 863	322
14 349	3 092 128	730	150 685	13 487	16 511 027	323
23 226	4 904 193	669	127 865	22 812	28 331 786	324
47 765	9 995 673	1 267	240 030	42 350	55 073 795	325
69 481	14 383 055	1 076	198 440	56 447	70 056 360	326
99 039	20 272 622	1 077	213 190	71 377	86 530 712	327
144 226	29 328 778	1 482	296 285	88 766	97 771 200	328
146 041	29 719 383	1 164	255 170	80 486	74 615 326	329
122 177	24 695 297	585	113 830	59 692	34 765 489	330
1 067	229 379	439	103 680	16 589	2 491 521	331
1 067	229 379	439	103 680	16 589	2 491 521	332
-	-	-	-	-	-	333
-	-	-	-	-	-	334
-	-	-	-	-	-	335
8	1 480	-	-	-	-	336
3	940	4	1 100	98	19 925	337
42	8 760	32	6 450	1 116	178 502	338
325	67 558	110	23 200	4 161	584 009	339
356	77 062	130	33 350	6 081	988 880	340
198	48 777	114	27 980	4 150	554 866	341
123	22 342	44	10 850	922	144 608	342
-	-	5	750	50	7 221	343
12	2 460	-	-	1	2 910	344
-	-	-	-	-	-	345
-	-	-	-	-	-	346
-	-	-	-	10	10 600	347
-	-	-	-	-	-	348
-	-	-	-	-	-	349
-	-	-	-	-	-	350
-	-	-	-	-	-	351
-	-	-	-	-	-	352

行番号	傷病分類 一般医療－後期医療 年齢階級	手術 回数	手術 点数	麻酔 回数	麻酔 点数	放射線治療 回数	放射線治療 点数
265	XII 皮膚及び皮下組織の疾患	8 832	80 650 079	4 201	16 703 397	587	1 387 412
266	一般医療	5 035	52 981 868	2 942	12 485 607	418	1 120 752
267	後期医療	3 797	27 668 211	1 259	4 217 790	169	266 660
268	0 ～ 4 歳	119	1 692 229	164	783 783	4	237 830
269	5 ～ 9	43	238 525	44	168 231	1	110
270	10 ～ 14	43	418 570	34	152 897	-	-
271	15 ～ 19	105	634 479	70	268 161	3	330
272	20 ～ 24	181	1 783 564	110	547 751	21	29 190
273	25 ～ 29	261	3 185 311	216	604 227	10	10 738
274	30 ～ 34	330	4 507 645	305	822 932	29	81 840
275	35 ～ 39	322	4 463 212	250	838 386	32	3 630
276	40 ～ 44	302	2 857 784	197	892 343	23	44 580
277	45 ～ 49	384	3 343 764	216	1 065 398	21	28 370
278	50 ～ 54	433	3 703 985	244	1 012 946	18	95 110
279	55 ～ 59	431	4 565 800	223	1 049 181	48	47 930
280	60 ～ 64	592	6 157 483	260	1 411 675	39	135 290
281	65 ～ 69	820	8 148 203	380	1 654 466	88	226 230
282	70 ～ 74	909	8 894 966	337	1 617 537	81	179 574
283	75 ～ 79	928	8 958 259	332	1 637 998	108	145 390
284	80 ～ 84	999	7 301 019	320	1 036 092	32	75 960
285	85 ～ 89	943	6 381 588	335	805 001	26	44 870
286	90 歳以上	687	3 413 693	164	334 392	3	440
287	XIII 筋骨格系及び結合組織の疾患	63 881	2 456 413 596	67 675	377 559 573	625	695 120
288	一般医療	37 197	1 431 847 217	40 433	230 052 200	395	417 330
289	後期医療	26 684	1 024 566 379	27 242	147 507 373	230	277 790
290	0 ～ 4 歳	89	1 407 776	187	478 925	6	660
291	5 ～ 9	145	2 092 864	169	810 874	1	110
292	10 ～ 14	367	11 665 726	440	2 325 977	3	440
293	15 ～ 19	482	13 493 200	581	2 936 799	7	770
294	20 ～ 24	462	12 887 198	578	2 897 180	5	660
295	25 ～ 29	519	13 083 251	702	3 116 054	4	550
296	30 ～ 34	714	17 744 641	970	4 408 082	4	550
297	35 ～ 39	927	27 669 011	1 287	6 182 947	11	1 210
298	40 ～ 44	1 218	39 790 242	1 700	8 498 701	4	30 660
299	45 ～ 49	1 798	60 844 706	2 242	11 940 370	30	36 450
300	50 ～ 54	2 618	92 597 727	2 895	16 544 388	57	76 650
301	55 ～ 59	4 102	152 679 336	4 254	24 430 816	35	7 670
302	60 ～ 64	5 345	210 512 383	5 539	32 382 409	28	7 610
303	65 ～ 69	8 603	351 279 799	8 676	51 344 114	90	115 580
304	70 ～ 74	10 614	449 146 134	10 822	65 185 640	115	138 420
305	75 ～ 79	11 759	497 907 733	11 929	72 146 018	100	108 220
306	80 ～ 84	8 880	353 268 972	9 055	50 765 774	55	21 620
307	85 ～ 89	3 922	126 514 255	4 227	18 080 047	64	146 520
308	90 歳以上	1 317	21 828 642	1 422	3 084 458	6	770
309	XIV 腎尿路生殖器系の疾患	44 342	591 444 946	31 234	111 563 548	573	600 257
310	一般医療	25 602	392 231 934	23 779	85 717 233	256	278 533
311	後期医療	18 740	199 213 012	7 455	25 846 315	317	321 724
312	0 ～ 4 歳	215	3 759 208	396	1 935 194	-	-
313	5 ～ 9	131	1 319 855	207	1 020 355	2	220
314	10 ～ 14	154	1 375 488	219	1 122 559	-	-
315	15 ～ 19	158	1 966 091	204	929 836	-	-
316	20 ～ 24	355	4 099 735	406	1 331 728	-	-
317	25 ～ 29	951	12 610 635	1 042	3 395 066	9	15 820
318	30 ～ 34	1 520	20 243 919	1 714	5 432 371	2	220
319	35 ～ 39	1 863	24 642 380	2 095	6 979 188	7	770
320	40 ～ 44	2 152	34 334 166	2 466	8 800 198	8	1 100
321	45 ～ 49	2 456	42 151 583	2 710	10 062 227	31	16 510
322	50 ～ 54	2 016	33 077 594	1 779	6 685 229	37	43 410
323	55 ～ 59	2 096	32 476 500	1 606	5 898 822	10	1 210
324	60 ～ 64	2 650	42 586 426	2 051	7 486 836	41	48 970
325	65 ～ 69	4 819	74 716 689	3 537	12 917 824	77	139 323
326	70 ～ 74	5 238	76 754 472	3 627	12 795 780	53	19 200
327	75 ～ 79	5 493	74 610 075	3 178	11 230 897	91	96 890
328	80 ～ 84	5 583	61 207 758	2 335	8 157 048	104	87 044
329	85 ～ 89	4 180	35 171 097	1 222	4 007 326	85	127 700
330	90 歳以上	2 312	14 341 275	440	1 375 064	16	1 870
331	XV 妊娠，分娩及び産じょく	29 953	403 944 078	33 086	43 201 998	127	28 270
332	一般医療	29 953	403 944 078	33 086	43 201 998	127	28 270
333	後期医療	-	-	-	-	-	-
334	0 ～ 4 歳	-	-	-	-	-	-
335	5 ～ 9	-	-	-	-	-	-
336	10 ～ 14	1	2 460	-	-	-	-
337	15 ～ 19	203	2 148 303	170	229 149	-	-
338	20 ～ 24	1 710	21 247 673	1 608	2 342 978	-	-
339	25 ～ 29	6 141	77 088 429	5 985	7 809 908	20	3 410
340	30 ～ 34	10 085	138 770 197	11 169	14 810 355	41	8 030
341	35 ～ 39	8 538	121 438 120	10 171	13 289 907	40	9 350
342	40 ～ 44	3 074	40 963 409	3 738	4 430 805	23	6 820
343	45 ～ 49	186	2 199 476	226	255 900	3	660
344	50 ～ 54	15	86 011	19	32 996	-	-
345	55 ～ 59	-	-	-	-	-	-
346	60 ～ 64	-	-	-	-	-	-
347	65 ～ 69	-	-	-	-	-	-
348	70 ～ 74	-	-	-	-	-	-
349	75 ～ 79	-	-	-	-	-	-
350	80 ～ 84	-	-	-	-	-	-
351	85 ～ 89	-	-	-	-	-	-
352	90 歳以上	-	-	-	-	-	-

平成30年６月審査分

病理診断 回数	病理診断 点数	入院料等 回数	入院料等 点数	診断群分類による包括評価等 回数	診断群分類による包括評価等 点数	入院時食事療養等（別掲） 回数	入院時食事療養等（別掲） 金額(円)	行番号
2 796	1 631 842	500 541	871 771 391	128 480	402 610 974	1 779 009	1 087 161 050	265
1 862	1 132 600	152 802	279 700 067	67 492	227 847 382	587 913	378 836 526	266
934	499 242	347 739	592 071 324	60 988	174 763 592	1 191 096	708 324 524	267
61	32 190	3 735	12 900 224	4 769	25 282 516	15 973	10 231 275	268
19	10 750	1 778	5 375 421	1 897	10 107 758	8 086	5 223 092	269
13	6 710	2 737	7 082 470	1 176	5 721 220	8 731	5 591 676	270
33	20 970	3 466	7 353 084	1 262	4 112 379	11 123	7 161 139	271
86	52 180	4 010	7 246 667	1 792	5 954 338	14 495	9 227 163	272
77	44 760	5 423	9 768 604	1 848	5 971 273	18 096	11 322 807	273
119	74 090	6 166	10 958 843	2 046	6 554 229	20 924	13 044 897	274
118	74 140	6 578	11 490 113	2 620	8 624 780	24 053	15 297 575	275
143	90 100	7 924	14 763 746	3 748	12 622 543	30 740	19 937 990	276
183	116 620	9 429	17 289 861	5 983	18 813 143	41 643	27 413 910	277
172	100 370	12 011	20 282 418	5 306	16 898 921	46 629	30 700 292	278
134	80 460	14 010	23 712 547	6 671	20 821 526	55 902	37 125 628	279
161	97 970	20 270	34 425 440	7 544	24 063 291	75 937	50 186 674	280
287	167 070	32 837	56 532 070	11 123	33 299 063	126 650	79 429 060	281
289	180 640	37 560	65 277 830	12 805	37 723 854	143 762	90 170 730	282
287	169 800	55 437	96 770 215	13 934	41 568 272	203 640	124 111 854	283
252	135 300	82 204	142 125 965	16 617	47 936 980	288 520	173 647 708	284
211	110 826	93 548	158 964 780	15 643	43 667 793	319 369	189 212 526	285
151	66 896	101 418	169 451 093	11 696	32 867 095	324 736	188 125 054	286
6 040	3 277 821	1 337 546	2 473 415 603	642 843	1 981 545 088	5 710 931	3 586 716 578	287
3 713	2 112 855	385 422	741 502 846	347 120	1 136 586 457	1 991 275	1 303 995 361	288
2 327	1 164 966	952 124	1 731 912 757	295 723	844 958 631	3 719 656	2 282 721 217	289
12	8 540	1 339	5 059 003	15 728	117 754 061	38 515	25 052 411	290
23	14 470	2 468	6 105 156	4 356	28 772 896	16 007	10 428 796	291
41	28 630	2 723	6 122 216	3 523	16 981 816	14 799	9 620 114	292
67	47 450	2 784	5 531 693	3 433	11 095 846	14 437	9 431 272	293
61	40 020	3 246	6 159 692	3 890	12 210 911	17 733	11 479 507	294
104	67 210	4 439	8 016 610	4 595	14 896 990	22 669	14 628 704	295
135	72 522	6 042	10 583 601	5 965	19 110 618	30 448	19 624 742	296
158	93 710	9 190	16 216 481	8 115	25 723 934	43 542	28 284 708	297
205	119 270	11 858	21 965 889	12 796	41 144 099	63 228	41 630 235	298
258	142 890	19 095	35 413 331	18 141	57 108 344	97 576	64 660 733	299
271	151 106	25 125	46 951 854	23 077	69 941 885	127 414	84 529 408	300
365	210 692	39 620	75 064 252	34 607	104 841 752	199 470	132 701 220	301
417	228 200	54 187	102 900 758	45 777	135 923 375	268 822	179 539 593	302
761	425 120	97 456	186 234 429	75 125	223 121 148	488 561	315 961 260	303
898	496 415	130 157	251 672 374	96 485	282 879 145	647 550	417 788 650	304
894	490 150	193 162	371 629 371	115 041	333 548 243	898 197	572 907 382	305
752	381 526	249 887	467 990 715	99 244	281 670 375	1 037 758	646 522 827	306
428	186 410	257 840	463 728 006	51 953	146 709 608	935 679	564 648 470	307
190	73 490	226 928	386 070 172	20 992	58 110 042	748 526	437 276 546	308
18 453	9 859 076	867 592	1 561 104 096	491 496	1 634 191 532	3 753 490	2 387 275 628	309
13 403	7 632 462	203 851	390 466 978	219 517	771 704 263	1 072 550	710 295 402	310
5 050	2 226 614	663 741	1 170 637 118	271 979	862 487 269	2 680 940	1 676 980 226	311
35	22 580	1 535	6 272 242	11 167	60 435 331	22 459	14 803 455	312
59	36 480	1 122	4 084 784	3 884	20 697 103	11 630	7 794 395	313
51	30 990	1 145	3 230 740	2 797	14 785 257	9 001	6 033 762	314
117	65 100	1 507	3 203 363	2 358	8 860 771	8 713	5 796 549	315
284	157 860	2 316	4 792 968	3 944	13 926 071	14 347	9 368 134	316
690	405 070	4 116	7 533 512	5 612	19 738 809	21 047	13 408 545	317
1 213	718 372	6 167	10 941 269	7 763	26 801 077	30 672	19 557 338	318
1 461	855 244	5 463	10 598 732	9 772	33 748 287	32 964	21 591 831	319
1 687	1 008 198	6 301	13 937 933	13 121	45 207 861	42 750	28 805 756	320
1 587	940 986	9 253	20 001 744	16 888	57 618 471	59 454	40 132 918	321
950	552 266	12 753	25 522 052	15 492	52 503 988	69 355	47 175 237	322
719	420 088	19 738	36 683 117	16 916	56 550 375	93 137	63 881 482	323
971	544 350	32 180	57 273 636	23 296	76 956 636	143 951	98 338 379	324
1 742	910 082	64 320	115 412 232	44 273	146 580 437	306 972	197 416 952	325
1 971	1 026 396	85 634	153 033 421	53 720	173 999 478	395 463	253 623 373	326
1 888	942 146	118 105	209 990 698	63 911	206 920 665	523 806	334 076 069	327
1 487	665 126	167 594	297 729 782	75 301	240 823 961	703 073	443 571 338	328
1 017	394 526	172 826	307 410 661	68 993	218 072 846	688 077	428 859 879	329
524	163 216	155 517	273 451 210	52 288	159 964 108	576 619	353 040 236	330
12 347	7 139 406	101 867	274 405 393	226 645	741 390 030	810 770	515 770 845	331
12 347	7 139 406	101 867	274 405 368	226 644	741 387 576	810 768	515 769 363	332
-	-	-	25	1	2 454	2	1 482	333
-	-	-	-	-	-	-	-	334
-	-	-	-	-	-	-	-	335
-	-	33	38 637	53	136 300	214	139 736	336
105	60 440	1 091	2 393 472	2 402	7 931 157	8 977	5 666 428	337
739	425 886	7 738	18 132 220	14 242	46 622 213	54 874	34 518 381	338
2 347	1 346 408	25 207	58 670 302	45 610	147 834 306	175 269	110 136 590	339
3 896	2 251 888	36 806	92 793 377	76 423	251 040 575	279 683	177 371 482	340
3 497	2 020 478	24 495	72 399 164	65 362	213 750 145	220 882	141 829 299	341
1 645	963 296	6 181	28 490 934	21 484	70 585 008	67 587	43 980 461	342
111	67 130	295	1 427 140	1 012	3 307 072	3 129	2 025 712	343
7	3 880	21	60 122	45	150 721	122	80 884	344
-	-	-	-	-	-	-	-	345
-	-	-	-	-	-	-	-	346
-	-	-	-	11	30 079	31	20 390	347
-	-	-	-	-	-	-	-	348
-	-	-	-	-	-	-	-	349
-	-	-	-	-	-	-	-	350
-	-	-	25	1	2 454	2	1 482	351
-	-	-	-	-	-	-	-	352

第２表　医科診療（入院）件数・診療実日数・回数・点数，

行番号	傷病分類 一般医療－後期医療 年齢階級	件数	診療実日数	総数 回数	総数 点数	初・再診 回数	初・再診 点数
353	XVI 周産期に発生した病態	23 699	189 395	433 108	1 080 755 109	9 991	4 926 187
354	一般医療	23 694	189 264	432 330	1 080 490 248	9 991	4 926 187
355	後期医療	5	131	778	264 861	–	–
356	０～４歳	21 733	174 611	353 906	1 037 289 780	9 971	4 849 707
357	５～９	31	734	6 240	2 550 360	1	282
358	１０～１４	23	633	4 823	1 830 927	–	–
359	１５～１９	35	547	3 451	2 443 425	–	850
360	２０～２４	176	1 070	6 546	3 069 155	3	7 936
361	２５～２９	511	3 042	13 976	8 707 520	8	23 216
362	３０～３４	629	3 719	16 754	10 259 014	4	24 388
363	３５～３９	405	2 367	11 583	7 803 831	4	16 123
364	４０～４４	92	765	3 976	2 634 196	–	3 685
365	４５～４９	13	370	2 187	845 638	–	–
366	５０～５４	16	494	3 581	1 098 782	–	–
367	５５～５９	21	633	3 317	1 319 670	–	–
368	６０～６４	6	186	1 224	368 978	–	–
369	６５～６９	2	62	638	198 042	–	–
370	７０～７４	1	31	128	70 930	–	–
371	７５～７９	1	31	244	67 889	–	–
372	８０～８４	3	93	373	176 146	–	–
373	８５～８９	–	–	–	–	–	–
374	９０歳以上	1	7	161	20 826	–	–
375	XVII 先天奇形，変形及び染色体異常	10 148	119 546	609 506	780 419 266	698	331 766
376	一般医療	9 629	110 238	560 897	750 905 556	665	317 425
377	後期医療	519	9 308	48 609	29 513 710	33	14 341
378	０～４歳	5 163	45 018	182 743	470 834 504	545	266 350
379	５～９	822	7 395	44 113	51 508 252	19	7 918
380	１０～１４	426	5 447	32 187	26 688 851	13	5 706
381	１５～１９	279	4 812	32 009	18 946 141	9	3 478
382	２０～２４	255	3 886	24 620	13 933 609	6	2 472
383	２５～２９	271	4 369	27 349	15 995 723	6	2 467
384	３０～３４	306	4 570	29 089	16 868 503	6	3 092
385	３５～３９	294	5 071	28 463	19 801 682	7	2 604
386	４０～４４	285	4 826	24 577	19 761 040	8	2 626
387	４５～４９	325	5 287	29 588	19 344 985	7	3 869
388	５０～５４	282	4 740	27 832	17 105 227	8	2 521
389	５５～５９	252	4 455	24 109	15 844 592	5	2 920
390	６０～６４	235	4 110	20 300	14 970 313	6	2 787
391	６５～６９	295	4 997	24 948	20 569 839	10	4 585
392	７０～７４	213	3 095	17 644	13 389 911	11	4 732
393	７５～７９	179	2 589	13 677	11 050 091	10	4 045
394	８０～８４	125	2 160	12 005	6 860 914	11	4 202
395	８５～８９	82	1 480	8 265	4 134 522	8	3 756
396	９０歳以上	59	1 239	5 988	2 810 567	3	1 636
397	XVIII 症状，徴候等で他に分類されないもの	38 615	634 217	3 314 528	1 531 751 222	5 617	2 816 660
398	一般医療	14 125	156 932	974 523	454 794 238	2 849	1 616 561
399	後期医療	24 490	477 285	2 340 005	1 076 956 984	2 768	1 200 099
400	０～４歳	2 322	9 443	35 273	42 248 084	1 067	713 674
401	５～９	240	1 751	10 487	7 419 143	92	53 189
402	１０～１４	154	1 973	11 264	7 300 860	17	9 674
403	１５～１９	214	2 175	14 409	6 907 573	50	24 255
404	２０～２４	436	3 139	24 274	10 444 709	76	39 761
405	２５～２９	850	5 870	35 539	13 613 987	48	37 791
406	３０～３４	1 169	7 852	47 008	17 258 318	80	52 985
407	３５～３９	871	7 336	47 102	18 797 772	89	44 818
408	４０～４４	542	6 371	41 449	17 990 233	100	47 960
409	４５～４９	576	7 896	51 615	22 909 275	110	51 915
410	５０～５４	669	10 086	63 316	27 952 793	131	64 637
411	５５～５９	839	12 565	81 728	36 077 651	170	78 630
412	６０～６４	1 141	17 294	110 160	47 771 867	189	95 383
413	６５～６９	2 100	34 195	214 347	94 030 546	314	148 788
414	７０～７４	2 634	42 928	261 735	116 623 192	361	173 966
415	７５～７９	3 806	67 313	398 864	171 941 169	460	210 524
416	８０～８４	5 838	107 644	573 992	256 886 151	639	293 643
417	８５～８９	6 724	132 961	652 777	293 976 690	760	326 639
418	９０歳以上	7 490	155 425	639 189	321 601 209	864	348 428
419	XIX 損傷，中毒及びその他の外因の影響	213 241	3 330 144	18 633 805	12 471 066 213	42 510	18 502 390
420	一般医療	80 694	903 094	4 769 754	4 112 966 196	18 482	8 517 374
421	後期医療	132 547	2 427 050	13 864 051	8 358 100 017	24 028	9 985 016
422	０～４歳	4 873	12 430	44 134	84 084 363	1 040	631 380
423	５～９	3 188	11 809	51 987	92 374 882	1 221	542 552
424	１０～１４	2 829	14 993	67 589	101 767 569	1 027	430 194
425	１５～１９	3 825	27 748	133 861	172 620 906	1 130	524 135
426	２０～２４	2 515	20 863	107 017	118 029 283	823	419 535
427	２５～２９	2 342	19 465	98 273	102 081 873	622	316 259
428	３０～３４	2 606	23 075	115 583	115 663 575	563	282 726
429	３５～３９	2 977	26 730	133 928	136 797 589	690	332 525
430	４０～４４	3 641	35 578	175 555	178 045 757	792	379 204
431	４５～４９	4 410	46 715	233 794	222 546 280	973	466 051
432	５０～５４	4 921	56 691	293 291	265 036 591	1 110	527 814
433	５５～５９	6 107	76 198	398 540	334 604 221	1 240	558 595
434	６０～６４	8 047	109 348	568 841	463 738 220	1 537	682 994
435	６５～６９	14 070	205 645	1 131 316	852 480 701	2 752	1 164 030
436	７０～７４	17 092	267 687	1 515 402	1 065 858 320	3 231	1 375 338
437	７５～７９	24 859	416 899	2 428 050	1 573 261 162	4 388	1 860 013
438	８０～８４	35 356	639 986	3 785 065	2 256 597 065	6 296	2 641 922
439	８５～８９	38 037	713 562	4 119 993	2 415 325 899	6 935	2 855 510
440	９０歳以上	31 546	604 722	3 231 586	1 920 151 957	6 140	2 511 613

平成30年６月審査分

医学管理等		在宅医療		検査		行番号
回数	点数	回数	点数	回数	点数	
12 785	2 945 141	653	2 186 574	72 295	6 708 420	353
12 783	2 944 381	653	2 186 574	72 234	6 703 322	354
2	760	-	-	61	5 098	355
11 883	2 517 335	646	1 695 626	61 415	5 119 090	356
12	3 100	3	484 178	274	33 768	357
9	2 010	-	-	228	26 081	358
22	7 933	-	-	356	34 927	359
61	34 980	-	-	1 015	138 557	360
240	123 625	1	1 300	2 455	428 677	361
258	115 800	-	390	3 005	501 042	362
216	110 827	3	5 080	2 572	335 365	363
65	22 381	-	-	483	54 342	364
6	1 915	-	-	106	9 298	365
2	940	-	-	175	11 526	366
3	1 085	-	-	70	3 187	367
5	2 350	-	-	44	3 927	368
1	100	-	-	33	3 311	369
-	-	-	-	3	224	370
-	-	-	-	8	625	371
2	760	-	-	53	4 473	372
-	-	-	-	-	-	373
-	-	-	-	-	-	374
8 625	2 757 686	495	3 051 261	34 539	10 830 014	375
8 065	2 569 438	485	3 016 669	30 261	10 333 408	376
560	188 248	10	34 592	4 278	496 606	377
3 753	1 081 369	391	2 319 964	11 889	6 589 549	378
476	149 498	37	339 870	1 494	599 092	379
257	91 766	14	103 490	1 189	362 825	380
247	94 375	9	44 669	1 557	278 632	381
270	95 624	2	8 730	1 401	250 087	382
280	102 217	5	40 051	1 625	351 097	383
311	106 273	7	45 532	1 552	290 270	384
311	103 290	5	59 180	1 167	269 786	385
309	104 661	3	21 080	1 138	181 918	386
365	127 694	1	2 400	1 311	238 239	387
322	108 679	2	12 750	1 298	185 712	388
264	94 633	-	-	1 120	184 633	389
289	104 322	3	7 763	1 203	143 575	390
376	124 575	5	9 462	1 587	236 539	391
291	98 532	2	2 778	1 113	203 300	392
205	65 685	3	20 746	1 110	184 509	393
125	42 949	4	4 716	1 205	146 728	394
110	40 564	2	8 080	1 124	91 733	395
64	20 980	-	-	456	41 790	396
29 527	10 948 636	786	2 419 823	479 846	42 508 197	397
11 751	4 677 622	258	1 015 108	141 045	14 263 879	398
17 776	6 271 014	528	1 404 715	338 801	28 244 318	399
1 565	607 738	30	139 536	7 168	806 092	400
128	59 746	8	43 450	773	85 283	401
70	30 392	2	21 834	1 042	123 730	402
181	79 628	2	15 500	2 023	212 162	403
371	166 495	4	36 765	3 519	428 152	404
426	188 999	5	23 064	5 060	626 600	405
574	257 736	6	35 779	6 528	794 367	406
579	271 265	5	24 453	6 822	741 004	407
465	199 181	3	19 334	5 431	612 523	408
550	231 823	12	27 612	7 053	765 420	409
647	256 738	16	95 814	8 491	858 716	410
803	296 897	18	45 215	11 610	1 132 239	411
1 152	440 739	34	117 221	14 889	1 497 544	412
2 176	814 081	55	166 829	30 081	2 779 600	413
2 552	955 318	71	253 799	38 473	3 446 216	414
3 272	1 194 212	108	308 281	58 368	5 018 725	415
4 752	1 671 538	169	457 064	85 916	7 292 314	416
4 933	1 726 257	135	381 565	91 775	7 660 065	417
4 331	1 499 853	103	206 708	94 824	7 627 445	418
275 201	104 670 487	4 785	13 336 429	995 327	79 187 196	419
116 915	45 992 488	1 781	4 985 887	287 523	23 657 725	420
158 286	58 677 999	3 004	8 350 542	707 804	55 529 471	421
2 918	966 495	91	333 304	1 511	151 816	422
2 528	966 807	71	214 283	1 850	169 001	423
3 228	1 389 260	64	124 041	3 591	288 069	424
6 067	2 606 204	54	86 028	7 778	703 728	425
3 712	1 529 012	54	74 279	6 469	662 010	426
3 403	1 395 507	45	82 939	6 555	676 990	427
3 749	1 487 648	26	59 149	7 251	701 001	428
4 641	1 945 184	35	54 973	9 266	816 462	429
5 969	2 406 580	58	150 291	12 081	1 105 890	430
7 353	2 932 970	89	200 735	14 715	1 307 603	431
8 040	3 206 022	96	350 490	18 965	1 642 674	432
9 625	3 764 183	129	514 625	24 840	1 933 101	433
12 583	4 954 798	182	546 682	34 539	2 756 274	434
21 175	8 100 632	394	1 069 137	68 877	5 344 452	435
25 202	9 547 849	483	1 414 553	89 174	6 956 801	436
33 757	12 517 409	706	2 266 164	129 216	9 924 669	437
43 590	16 076 943	909	2 343 817	190 923	14 669 473	438
43 417	16 128 792	811	2 260 083	197 566	15 747 246	439
34 244	12 748 192	488	1 190 856	170 160	13 629 936	440

行番号	傷病分類 一般医療－後期医療 年齢階級	画像診断 回数	画像診断 点数	投薬 回数	投薬 点数	注射 回数	注射 点数
353	XVI 周産期に発生した病態	3 197	694 552	98 951	932 520	8 381	4 517 347
354	一般医療	3 193	694 174	98 529	927 947	8 350	4 505 357
355	後期医療	4	378	422	4 573	31	11 990
356	0 ～ 4 歳	2 917	655 400	58 489	493 545	5 025	2 503 509
357	5 ～ 9	10	1 745	3 521	42 461	19	5 336
358	10 ～ 14	61	5 825	2 672	48 341	-	-
359	15 ～ 19	13	1 441	1 678	24 363	57	946 941
360	20 ～ 24	17	1 947	3 297	39 961	327	77 029
361	25 ～ 29	43	6 677	6 518	63 976	966	313 543
362	30 ～ 34	22	2 442	8 268	74 616	1 145	395 628
363	35 ～ 39	59	7 799	5 287	41 593	702	224 094
364	40 ～ 44	14	1 900	2 304	24 739	103	38 188
365	45 ～ 49	9	1 328	1 194	23 045	6	1 089
366	50 ～ 54	6	630	2 139	21 467	-	-
367	55 ～ 59	16	4 408	1 957	23 023	-	-
368	60 ～ 64	2	1 750	787	3 699	-	-
369	65 ～ 69	4	882	371	2 729	-	-
370	70 ～ 74	-	-	47	389	-	-
371	75 ～ 79	2	168	188	2 980	-	-
372	80 ～ 84	2	210	80	983	31	11 990
373	85 ～ 89	-	-	-	-	-	-
374	90 歳以上	-	-	154	610	-	-
375	XVII 先天奇形，変形及び染色体異常	6 756	2 309 997	297 325	6 388 460	8 145	5 511 033
376	一般医療	6 033	2 007 113	276 835	6 075 982	7 518	5 261 747
377	後期医療	723	302 884	20 490	312 478	627	249 286
378	0 ～ 4 歳	3 123	662 668	88 135	1 263 355	4 838	3 807 124
379	5 ～ 9	265	82 098	24 541	504 209	505	356 994
380	10 ～ 14	178	51 502	16 301	391 524	272	145 722
381	15 ～ 19	227	88 470	16 672	430 772	223	108 403
382	20 ～ 24	206	45 885	11 076	373 053	184	98 369
383	25 ～ 29	280	75 428	13 396	262 938	97	67 729
384	30 ～ 34	322	103 603	15 580	394 262	161	115 584
385	35 ～ 39	236	106 678	14 350	338 946	95	178 406
386	40 ～ 44	144	78 159	12 071	430 403	45	18 256
387	45 ～ 49	187	115 131	14 564	376 621	231	96 183
388	50 ～ 54	159	124 817	15 206	429 114	204	61 159
389	55 ～ 59	168	98 629	12 194	344 984	175	49 841
390	60 ～ 64	165	115 523	8 911	180 650	182	64 133
391	65 ～ 69	264	152 019	10 434	225 754	140	46 508
392	70 ～ 74	173	141 746	7 374	182 588	198	55 543
393	75 ～ 79	193	104 304	5 678	123 339	119	75 200
394	80 ～ 84	198	78 016	4 524	56 484	256	76 235
395	85 ～ 89	179	61 143	3 736	54 594	119	59 914
396	90 歳以上	89	24 178	2 582	24 870	101	29 730
397	XVIII 症状，徴候等で他に分類されないもの	82 919	28 160 401	1 312 895	22 521 341	141 904	63 783 144
398	一般医療	23 516	8 498 418	441 012	8 862 810	35 427	27 439 028
399	後期医療	59 403	19 661 983	871 883	13 658 531	106 477	36 344 116
400	0 ～ 4 歳	411	163 181	12 442	120 901	1 033	5 088 919
401	5 ～ 9	120	37 974	5 719	120 601	330	246 642
402	10 ～ 14	190	58 538	5 916	89 213	319	1 075 314
403	15 ～ 19	507	168 743	6 488	114 045	462	267 015
404	20 ～ 24	631	223 385	12 726	225 917	873	1 013 871
405	25 ～ 29	593	209 688	18 667	256 468	1 402	468 302
406	30 ～ 34	590	216 990	26 790	447 734	2 179	616 670
407	35 ～ 39	879	310 843	24 217	404 134	1 853	732 638
408	40 ～ 44	981	374 365	20 183	390 039	1 362	908 927
409	45 ～ 49	1 359	481 506	23 452	547 686	1 742	1 498 241
410	50 ～ 54	1 520	566 381	28 377	568 852	1 975	1 542 386
411	55 ～ 59	2 147	743 722	36 696	811 657	2 649	1 716 094
412	60 ～ 64	2 688	953 575	48 507	1 060 167	3 864	2 421 314
413	65 ～ 69	5 489	2 004 218	93 000	2 160 760	8 014	5 254 785
414	70 ～ 74	6 688	2 418 925	110 131	2 062 298	9 418	5 197 067
415	75 ～ 79	9 779	3 331 768	163 875	2 863 517	16 091	6 994 785
416	80 ～ 84	14 808	5 039 176	224 408	3 941 277	24 724	8 935 948
417	85 ～ 89	16 570	5 384 376	245 703	3 630 020	29 304	9 763 778
418	90 歳以上	16 969	5 473 047	205 598	2 706 055	34 310	10 040 448
419	XIX 損傷，中毒及びその他の外因の影響	298 308	83 361 817	5 644 760	74 581 878	214 135	75 973 044
420	一般医療	89 696	24 713 792	1 489 281	22 351 711	50 548	28 764 027
421	後期医療	208 612	58 648 025	4 155 479	52 230 167	163 587	47 209 017
422	0 ～ 4 歳	362	146 126	20 952	414 863	522	363 884
423	5 ～ 9	990	299 964	21 014	295 078	510	246 188
424	10 ～ 14	1 812	504 670	23 841	291 346	528	1 238 758
425	15 ～ 19	3 382	1 002 804	37 625	544 436	1 062	560 864
426	20 ～ 24	2 418	709 620	30 434	429 632	829	406 459
427	25 ～ 29	2 040	553 630	31 735	523 125	1 156	908 504
428	30 ～ 34	2 331	630 887	37 828	604 717	1 098	500 614
429	35 ～ 39	2 848	830 110	43 901	633 406	1 724	1 668 140
430	40 ～ 44	3 989	1 035 152	57 334	1 047 548	2 018	1 323 061
431	45 ～ 49	4 651	1 213 610	75 632	1 261 041	2 455	2 070 621
432	50 ～ 54	5 996	1 550 320	93 627	1 427 461	2 975	1 708 117
433	55 ～ 59	7 329	1 988 125	127 902	1 798 915	4 109	1 757 661
434	60 ～ 64	10 218	2 815 938	175 250	2 696 111	6 197	3 951 391
435	65 ～ 69	20 156	5 534 495	352 120	5 111 093	12 698	6 810 799
436	70 ～ 74	25 306	7 019 539	470 276	7 068 479	16 839	6 924 444
437	75 ～ 79	37 142	10 671 915	749 119	10 521 941	27 127	8 437 804
438	80 ～ 84	56 010	15 963 840	1 146 715	15 026 057	40 147	12 233 654
439	85 ～ 89	60 356	16 859 768	1 213 012	14 726 742	47 691	12 905 247
440	90 歳以上	50 972	14 031 304	936 443	10 159 887	44 450	11 956 834

平成30年６月審査分

リハビリテーション		精神科専門療法		処置		行番号
回数	点数	回数	点数	回数	点数	
11 106	2 688 000	1	400	30 894	8 779 667	353
11 060	2 678 590	1	400	30 813	8 773 183	354
46	9 410	–	–	81	6 484	355
8 940	2 205 010	1	400	23 395	7 492 290	356
522	114 260	–	–	1 145	233 697	357
345	78 490	–	–	878	230 118	358
234	50 335	–	–	579	148 055	359
213	42 790	–	–	680	137 174	360
127	27 630	–	–	861	103 083	361
123	28 745	–	–	767	124 236	362
31	6 825	–	–	450	55 985	363
72	15 830	–	–	199	41 533	364
98	23 850	–	–	397	64 196	365
120	28 330	–	–	645	49 605	366
143	34 435	–	–	495	41 042	367
37	8 585	–	–	163	10 643	368
17	4 165	–	–	150	41 031	369
38	9 310	–	–	9	495	370
15	3 675	–	–	–	88	371
31	5 735	–	–	81	6 396	372
–	–	–	–	–	–	373
–	–	–	–	–	–	374
61 826	14 267 827	895	202 875	55 170	17 670 849	375
52 424	12 168 946	702	165 665	52 576	16 802 644	376
9 402	2 098 881	193	37 210	2 594	868 205	377
5 822	1 396 355	13	3 450	9 694	8 346 746	378
4 128	991 286	–	–	3 863	1 232 051	379
3 953	921 520	12	1 375	3 927	818 849	380
4 223	963 034	4	780	3 697	887 263	381
3 633	820 855	41	9 850	3 604	702 420	382
2 991	683 540	16	3 210	4 006	805 725	383
2 641	591 386	59	33 750	3 553	591 889	384
3 163	717 113	61	11 180	3 601	680 782	385
2 771	639 980	54	10 260	2 857	490 537	386
4 003	917 753	106	24 850	3 204	443 120	387
2 309	523 819	74	18 550	3 255	586 083	388
2 259	508 926	49	11 590	3 175	457 563	389
2 873	655 280	73	12 920	2 205	338 882	390
5 000	1 206 020	90	14 510	1 778	354 863	391
4 015	936 550	128	23 170	1 010	318 624	392
2 987	686 788	57	10 700	540	193 085	393
2 903	647 572	30	5 140	478	163 785	394
1 009	222 462	21	6 050	432	204 901	395
1 143	237 588	7	1 540	291	53 681	396
376 987	77 928 322	10 963	2 340 920	234 415	48 562 642	397
93 523	20 696 950	6 817	1 482 675	62 289	15 032 187	398
283 464	57 231 372	4 146	858 245	172 126	33 530 455	399
651	154 655	1	400	2 096	488 975	400
749	175 875	–	–	735	187 444	401
599	138 905	112	22 470	986	225 500	402
1 137	271 590	134	32 220	1 227	201 856	403
1 076	242 950	162	36 960	1 869	323 143	404
1 475	330 075	191	40 760	2 911	442 308	405
1 269	288 465	252	52 065	2 628	528 387	406
2 468	539 021	397	84 435	3 140	577 489	407
3 144	680 850	612	160 885	2 714	733 568	408
5 157	1 173 772	610	137 480	3 450	898 723	409
6 253	1 429 317	813	167 685	4 790	1 002 957	410
8 243	1 885 845	694	180 115	5 761	1 689 014	411
12 968	2 803 350	945	172 725	7 076	2 033 076	412
23 802	5 216 619	1 491	288 875	14 865	4 078 830	413
32 939	7 138 134	934	198 450	16 194	4 609 085	414
50 208	10 536 690	1 021	231 835	27 125	6 343 684	415
70 378	14 438 974	1 039	219 780	37 927	8 627 205	416
82 312	16 448 296	967	202 135	45 898	8 172 178	417
72 159	14 034 939	588	111 645	53 023	7 399 220	418
7 215 643	1 504 717 189	17 050	3 801 090	415 754	156 666 198	419
1 575 787	347 939 363	8 485	1 972 165	143 586	55 129 574	420
5 639 856	1 156 777 826	8 565	1 828 925	272 168	101 536 624	421
1 500	352 707	–	–	1 578	789 061	422
5 439	1 286 885	1	400	2 357	1 448 148	423
10 885	2 604 482	37	9 560	2 934	1 117 694	424
36 901	8 857 686	192	44 765	5 838	1 521 439	425
32 197	7 507 420	276	94 135	5 590	1 357 820	426
25 689	5 896 479	326	87 445	4 851	1 138 547	427
30 556	7 009 844	292	74 710	6 134	1 191 145	428
33 550	7 790 738	330	96 935	6 547	1 704 116	429
45 523	10 346 038	541	124 720	6 785	2 118 512	430
65 618	14 831 438	535	121 750	9 647	2 605 208	431
89 351	20 100 254	749	171 180	10 175	3 522 287	432
126 406	28 136 485	873	240 310	13 683	5 927 548	433
193 223	42 639 076	1 234	240 870	16 468	8 515 076	434
401 720	87 295 869	2 171	461 215	30 601	15 698 999	435
563 298	121 166 350	1 608	328 330	37 251	19 759 155	436
956 317	200 955 390	1 610	360 825	52 040	25 144 611	437
1 564 256	322 166 836	2 532	541 855	68 610	27 956 278	438
1 737 148	353 859 551	2 164	463 740	70 694	21 885 202	439
1 296 066	261 913 661	1 579	338 345	63 971	13 265 352	440

第２表　医科診療（入院）件数・診療実日数・回数・点数，

行番号	傷病分類 一般医療－後期医療 年齢階級	手術 回数	手術 点数	麻酔 回数	麻酔 点数	放射線治療 回数	放射線治療 点数
353	ⅩⅥ 周産期に発生した病態	3 691	32 894 948	985	5 481 130	127	14 410
354	一般医療	3 691	32 894 948	985	5 481 130	127	14 410
355	後期医療	-	-	-	-	-	-
356	0 ～ 4 歳	2 350	19 709 331	388	4 549 454	126	14 190
357	5 ～ 9	-	-	2	12 000	-	-
358	10 ～ 14	3	68 085	3	24 645	-	-
359	15 ～ 19	11	129 686	7	15 882	-	-
360	20 ～ 24	115	1 079 600	44	63 389	-	-
361	25 ～ 29	392	3 660 679	164	282 242	-	-
362	30 ～ 34	439	4 070 774	167	234 888	-	-
363	35 ～ 39	324	3 384 021	166	256 532	1	220
364	40 ～ 44	56	790 222	44	42 098	-	-
365	45 ～ 49	1	2 550	-	-	-	-
366	50 ～ 54	-	-	-	-	-	-
367	55 ～ 59	-	-	-	-	-	-
368	60 ～ 64	-	-	-	-	-	-
369	65 ～ 69	-	-	-	-	-	-
370	70 ～ 74	-	-	-	-	-	-
371	75 ～ 79	-	-	-	-	-	-
372	80 ～ 84	-	-	-	-	-	-
373	85 ～ 89	-	-	-	-	-	-
374	90 歳以上	-	-	-	-	-	-
375	ⅩⅦ 先天奇形，変形及び染色体異常	6 828	235 787 432	7 918	54 499 268	205	1 896 560
376	一般医療	6 618	230 769 715	7 772	53 772 175	199	1 658 070
377	後期医療	210	5 017 717	146	727 093	6	238 490
378	0 ～ 4 歳	4 378	159 181 716	5 048	37 812 899	128	19 030
379	5 ～ 9	523	15 279 211	771	4 209 324	7	120 770
380	10 ～ 14	222	5 911 286	336	1 743 318	3	60 330
381	15 ～ 19	139	4 265 016	158	990 693	6	150 770
382	20 ～ 24	124	2 376 265	158	777 002	5	63 550
383	25 ～ 29	109	3 425 450	141	802 740	3	163 000
384	30 ～ 34	146	4 021 574	156	860 017	2	550
385	35 ～ 39	190	5 254 905	169	908 716	13	101 430
386	40 ～ 44	149	5 834 507	152	975 630	11	301 320
387	45 ～ 49	114	4 580 717	146	1 026 274	3	150 000
388	50 ～ 54	103	4 046 584	103	695 018	7	51 100
389	55 ～ 59	101	3 776 711	102	833 328	3	163 000
390	60 ～ 64	115	3 605 180	116	684 222	4	113 220
391	65 ～ 69	130	6 119 181	126	915 949	1	50 000
392	70 ～ 74	99	3 538 439	100	610 348	3	150 000
393	75 ～ 79	93	2 914 560	76	429 182	5	238 380
394	80 ～ 84	52	1 041 560	47	175 223	-	-
395	85 ～ 89	33	516 402	11	39 807	-	-
396	90 歳以上	8	98 168	2	9 578	1	110
397	ⅩⅧ 症状，徴候等で他に分類されないもの	6 869	79 267 610	2 805	9 850 000	470	1 179 760
398	一般医療	3 428	46 430 012	1 851	7 030 742	357	956 690
399	後期医療	3 441	32 837 598	954	2 819 258	113	223 070
400	0 ～ 4 歳	72	774 274	52	93 948	4	440
401	5 ～ 9	53	386 882	28	79 683	8	880
402	10 ～ 14	28	343 207	24	123 979	-	-
403	15 ～ 19	60	1 090 239	53	391 068	-	-
404	20 ～ 24	154	2 122 166	107	604 054	4	440
405	25 ～ 29	310	3 452 281	186	517 225	2	220
406	30 ～ 34	408	4 685 512	243	563 340	3	30 220
407	35 ～ 39	330	4 326 427	267	587 071	-	-
408	40 ～ 44	151	2 342 894	122	440 226	9	32 730
409	45 ～ 49	159	1 751 698	77	339 399	18	108 650
410	50 ～ 54	205	2 783 508	89	421 571	3	330
411	55 ～ 59	242	3 202 477	64	399 620	32	134 870
412	60 ～ 64	286	4 149 814	128	595 856	65	136 380
413	65 ～ 69	500	7 031 369	202	908 987	153	356 010
414	70 ～ 74	559	8 912 398	230	1 079 079	56	155 520
415	75 ～ 79	754	9 864 991	277	991 393	14	45 070
416	80 ～ 84	952	10 610 291	260	779 683	48	126 460
417	85 ～ 89	903	7 045 986	247	589 032	51	51 540
418	90 歳以上	743	4 391 196	149	344 786	-	-
419	ⅩⅨ 損傷，中毒及びその他の外因の影響	106 004	2 304 518 986	83 825	384 777 538	943	672 140
420	一般医療	47 294	1 033 584 816	47 441	224 168 783	362	334 740
421	後期医療	58 710	1 270 934 170	36 384	160 608 755	581	337 400
422	0 ～ 4 歳	552	8 710 488	752	3 886 664	6	770
423	5 ～ 9	1 762	19 765 045	2 392	12 193 278	2	220
424	10 ～ 14	2 006	27 293 112	2 555	12 075 624	1	110
425	15 ～ 19	2 785	60 473 431	3 316	15 774 881	7	1 320
426	20 ～ 24	1 709	37 181 582	1 852	8 564 484	1	110
427	25 ～ 29	1 474	30 526 242	1 649	7 525 729	17	3 080
428	30 ～ 34	1 747	37 063 571	1 921	8 482 201	11	47 480
429	35 ～ 39	2 074	41 558 831	2 326	10 237 708	11	9 050
430	40 ～ 44	2 583	55 674 769	2 864	12 624 335	14	2 420
431	45 ～ 49	2 989	61 776 903	3 162	14 644 714	26	34 290
432	50 ～ 54	3 259	73 686 818	3 211	15 214 298	27	31 910
433	55 ～ 59	3 898	85 310 774	3 775	17 615 019	50	32 560
434	60 ～ 64	4 992	113 607 196	4 554	21 014 539	68	31 640
435	65 ～ 69	7 928	199 551 611	6 781	33 233 422	88	111 610
436	70 ～ 74	8 858	222 326 634	6 940	34 138 003	62	33 230
437	75 ～ 79	11 329	286 316 338	8 545	40 869 739	170	131 870
438	80 ～ 84	15 026	343 664 566	9 740	44 517 015	178	158 310
439	85 ～ 89	16 545	343 290 116	9 919	43 002 197	133	32 700
440	90 歳以上	14 488	256 740 959	7 571	29 163 688	71	9 460

注：1）「件数」は、明細書の数である。
　　2）「回数」は、当該診療行為が実施された延べ算定回数である。
　　3）総数には、「療養担当手当等」、「合算薬剤料」、「補正点数」を含む。
　　4）総数には、入院時食事療養等を含まない。
　　5）総数には、「ⅩⅩ　傷病及び死亡の外因」、「ⅩⅩⅠ　健康状態に影響を及ぼす要因及び保健サービスの利用」、「ⅩⅩⅡ　特殊目的用コード」、「不詳」を含む。

平成30年６月審査分

病理診断		入院料等		診断群分類による包括評価等		入院時食事療養等（別掲）		行番号
回数	点数	回数	点数	回数	点数	回数	金額(円)	
202	120 030	39 850	105 610 556	137 883	902 234 067	334 164	212 261 277	353
202	120 030	39 719	105 384 388	137 883	902 234 067	333 835	212 064 317	354
-	-	131	226 168	-	-	329	196 960	355
79	47 270	29 469	87 099 188	136 696	898 317 275	305 705	195 335 905	356
-	-	723	1 571 392	8	48 141	1 363	851 060	357
-	-	615	1 294 338	9	52 994	1 295	818 470	358
2	1 430	466	1 009 671	26	71 911	1 025	628 581	359
17	8 320	676	1 202 988	81	234 484	1 745	996 583	360
27	15 570	1 941	2 898 931	233	758 371	5 390	3 104 831	361
33	21 280	2 136	3 355 186	387	1 309 599	6 375	3 630 703	362
34	19 410	1 460	2 389 781	274	950 176	4 314	2 528 392	363
10	6 750	457	1 101 412	169	491 116	1 643	1 015 084	364
-	-	370	718 367	-	-	906	577 363	365
-	-	494	986 284	-	-	1 474	910 205	366
-	-	633	1 212 490	-	-	1 766	1 122 730	367
-	-	186	338 024	-	-	557	375 190	368
-	-	62	145 824	-	-	186	110 980	369
-	-	31	60 512	-	-	91	58 240	370
-	-	31	60 353	-	-	93	59 520	371
-	-	93	145 599	-	-	217	124 930	372
-	-	-	-	-	-	-	-	373
-	-	7	20 216	-	-	19	12 510	374
1 056	704 400	68 886	158 571 454	49 614	265 633 505	271 124	173 813 097	375
1 002	672 870	61 321	145 053 265	47 896	260 255 545	243 824	157 159 329	376
54	31 530	7 565	13 518 189	1 718	5 377 960	27 300	16 653 768	377
323	220 010	12 916	52 085 803	31 350	195 774 517	80 344	52 147 644	378
75	47 850	4 233	10 724 380	3 122	16 863 161	14 297	9 174 586	379
48	33 980	3 773	8 049 047	1 671	7 996 431	11 794	7 530 281	380
30	21 050	3 901	7 415 418	877	3 203 018	10 935	7 048 471	381
47	28 290	3 063	5 897 830	800	2 383 327	9 769	6 289 301	382
42	29 030	3 522	6 534 432	830	2 646 669	11 297	7 223 867	383
67	43 850	3 552	6 493 616	974	3 173 255	11 950	7 720 700	384
56	41 710	3 905	7 311 310	1 134	3 715 646	13 675	8 875 503	385
47	32 090	3 788	6 994 124	1 030	3 645 489	13 238	8 609 252	386
59	39 790	4 186	7 533 463	1 101	3 668 881	14 004	9 075 837	387
46	30 790	3 646	6 598 901	1 090	3 629 630	12 571	8 131 565	388
37	24 780	3 562	6 289 593	869	3 003 201	11 663	7 454 369	389
47	32 990	3 160	5 624 168	948	3 284 698	11 012	7 076 041	390
43	25 820	3 625	6 557 468	1 339	4 526 586	14 130	8 719 628	391
39	22 870	2 132	3 784 258	956	3 316 433	8 472	5 359 203	392
24	15 580	1 761	3 333 341	816	2 650 647	7 484	4 633 654	393
23	13 000	1 715	3 153 255	434	1 252 049	6 431	3 933 080	394
1	570	1 339	2 362 844	141	461 702	4 333	2 591 542	395
2	350	1 107	1 828 203	132	438 165	3 725	2 218 573	396
3 196	1 455 313	609 726	1 078 767 884	15 472	59 276 530	1 653 084	959 873 494	397
1 584	795 670	138 440	254 102 130	10 275	41 929 989	379 249	233 761 927	398
1 612	659 643	471 286	824 665 754	5 197	17 346 541	1 273 835	726 111 567	399
3	1 900	3 630	10 382 173	4 984	22 710 638	15 699	9 934 482	400
3	1 290	1 372	4 069 843	369	1 870 361	3 442	2 178 855	401
11	7 050	1 904	4 825 861	44	205 193	3 998	2 560 927	402
9	4 100	2 056	3 981 009	20	54 143	4 656	2 924 145	403
36	16 930	2 577	4 669 304	89	294 416	6 472	4 036 132	404
70	39 730	4 115	6 727 482	78	252 994	9 772	5 902 476	405
89	45 836	5 304	8 410 657	65	231 575	13 199	7 827 079	406
119	66 780	5 808	9 622 383	129	465 011	14 646	9 002 640	407
92	47 776	5 913	10 423 103	167	575 872	15 563	9 821 369	408
129	73 126	7 400	13 611 480	337	1 210 744	19 140	12 300 447	409
109	53 506	9 536	16 840 121	361	1 300 274	25 333	16 204 590	410
125	59 286	11 914	21 825 911	560	1 876 059	31 201	19 895 743	411
170	81 570	16 441	28 502 866	758	2 710 287	43 594	28 008 229	412
282	137 250	32 817	58 626 810	1 105	4 056 725	93 303	55 919 159	413
353	162 720	41 396	75 214 370	1 344	4 682 730	119 206	69 935 004	414
459	209 662	65 632	118 935 905	1 421	4 860 127	183 843	107 273 463	415
523	230 045	105 935	189 057 165	1 514	5 165 588	293 850	169 864 258	416
402	149 796	131 456	228 163 489	1 331	4 281 238	355 405	202 906 532	417
212	66 960	154 520	264 877 952	796	2 472 555	400 762	223 377 964	418
3 461	1 817 489	2 360 649	4 728 613 013	954 800	2 935 856 076	9 856 384	6 163 337 276	419
1 674	1 026 098	530 013	1 096 685 946	360 481	1 193 137 657	2 399 277	1 547 206 871	420
1 787	791 391	1 830 636	3 631 927 067	594 319	1 742 718 419	7 457 107	4 616 130 405	421
11	6 620	2 740	10 750 541	9 561	56 579 264	17 530	11 433 799	422
12	7 760	3 163	9 233 551	8 642	45 705 392	20 877	13 574 263	423
11	6 000	5 775	13 881 753	9 217	40 512 126	30 708	19 943 102	424
38	20 600	11 344	25 046 533	16 334	54 851 972	64 107	41 501 181	425
36	20 830	9 833	20 801 057	10 763	38 271 088	49 785	32 029 828	426
73	45 510	9 459	20 089 397	9 174	32 312 440	44 787	28 819 286	427
94	62 210	11 536	23 385 796	10 438	34 079 796	53 993	34 715 024	428
127	83 146	13 649	28 588 800	12 181	40 447 185	63 576	41 088 164	429
144	88 226	18 951	38 576 351	15 897	51 042 540	87 561	56 822 472	430
107	83 260	25 327	52 394 374	20 515	66 601 712	116 765	76 300 648	431
135	86 216	31 873	65 635 130	23 694	76 175 520	145 076	95 065 751	432
159	95 330	44 814	90 958 744	29 662	93 971 786	196 628	129 848 271	433
177	108 120	67 728	137 989 528	39 833	121 187 407	287 695	191 220 841	434
294	176 440	135 011	273 969 387	68 512	208 847 130	591 459	374 648 327	435
327	181 190	180 232	363 520 524	86 274	264 097 491	788 469	498 145 605	436
408	200 406	296 225	601 803 486	119 912	361 278 192	1 256 068	787 856 459	437
496	221 050	476 256	958 240 476	163 323	480 174 393	1 966 032	1 223 457 173	438
510	212 375	545 312	1 082 505 929	167 707	488 589 928	2 205 936	1 363 560 918	439
302	112 200	471 421	911 241 656	133 161	381 130 714	1 869 332	1 143 306 164	440

第３表　医科診療（入院外）件数・診療実日数・回数・点数,

行番号	傷病分類 一般医療－後期医療 年齢階級	件数	診療実日数	総数 回数	総数 点数	初・再診 回数	初・再診 点数
1	総数	83 458 976	129 592 050	1 320 269 649	113 428 498 772	124 506 517	16 879 679 212
2	一般医療	60 754 151	88 671 907	825 863 525	74 511 750 643	85 982 778	12 730 702 729
3	後期医療	22 704 825	40 920 143	494 406 124	38 916 748 129	38 523 739	4 148 976 483
4	０～４歳	4 546 803	7 251 012	23 437 735	3 872 035 812	4 965 968	1 196 280 673
5	５～９	3 405 473	4 658 437	22 979 547	2 453 388 447	4 673 236	941 910 755
6	１０～１４	2 599 461	3 463 315	18 586 733	2 121 448 491	3 467 159	664 833 728
7	１５～１９	1 815 904	2 367 532	13 653 286	1 522 086 238	2 361 159	443 320 429
8	２０～２４	1 808 213	2 309 993	15 434 212	1 547 727 415	2 281 551	435 748 585
9	２５～２９	2 195 507	2 911 423	20 452 769	1 991 811 504	2 824 745	512 083 602
10	３０～３４	2 701 060	3 689 568	26 655 709	2 572 808 020	3 565 780	615 964 640
11	３５～３９	3 069 629	4 241 010	32 923 283	3 174 129 618	4 158 044	678 225 915
12	４０～４４	3 706 712	5 172 988	44 696 924	4 280 226 614	5 143 162	779 806 736
13	４５～４９	4 246 240	6 077 408	57 543 403	5 413 680 530	6 060 551	857 537 858
14	５０～５４	4 356 695	6 372 784	65 130 276	5 900 097 601	6 361 235	851 467 285
15	５５～５９	4 695 747	6 909 340	77 525 636	6 716 281 813	6 899 797	883 719 277
16	６０～６４	5 466 733	8 192 817	97 194 652	8 327 697 113	8 180 764	998 281 410
17	６５～６９	8 050 048	12 413 640	152 281 727	12 950 423 581	12 385 779	1 439 505 173
18	７０～７４	8 442 483	13 723 285	167 798 356	13 881 503 373	13 680 090	1 522 910 564
19	７５～７９	8 540 561	14 720 945	177 942 158	14 000 245 712	14 598 958	1 572 601 786
20	８０～８４	7 088 171	12 680 935	156 727 396	11 621 564 826	12 311 094	1 318 070 357
21	８５～８９	4 413 691	8 056 221	99 879 361	7 253 333 299	7 338 692	797 590 519
22	９０歳以上	2 309 845	4 379 397	49 426 486	3 828 008 765	3 248 753	369 819 920
23	Ⅰ 感染症及び寄生虫症	3 263 378	4 883 473	32 939 362	3 847 491 253	4 578 864	841 808 909
24	一般医療	2 781 298	4 053 424	24 613 679	3 024 678 769	3 795 050	743 700 847
25	後期医療	482 080	830 049	8 325 683	822 812 484	783 814	98 108 062
26	０～４歳	424 639	710 354	2 210 645	390 113 874	452 195	123 324 236
27	５～９	364 040	545 715	2 079 417	241 629 323	548 665	118 509 359
28	１０～１４	177 285	258 700	1 080 885	118 048 561	259 754	51 044 354
29	１５～１９	92 510	123 957	681 247	70 630 724	124 156	27 268 120
30	２０～２４	123 476	160 259	977 529	104 355 914	158 459	37 041 378
31	２５～２９	141 625	185 899	1 132 955	123 888 584	181 238	40 822 658
32	３０～３４	158 669	210 431	1 276 189	144 958 844	204 856	44 329 839
33	３５～３９	161 335	216 019	1 355 237	168 389 797	213 071	43 532 410
34	４０～４４	161 141	218 814	1 459 032	188 148 590	218 874	41 496 850
35	４５～４９	152 436	210 985	1 558 915	202 568 712	211 770	37 321 122
36	５０～５４	138 289	195 001	1 541 035	197 874 899	195 885	32 549 907
37	５５～５９	138 878	198 963	1 671 018	206 597 275	200 217	31 501 794
38	６０～６４	150 933	220 352	1 950 666	231 606 104	221 922	32 794 126
39	６５～６９	204 580	306 619	2 845 754	343 426 735	309 182	42 886 013
40	７０～７４	200 887	313 460	3 015 923	337 902 912	315 627	41 417 823
41	７５～７９	189 746	307 556	3 068 680	317 621 644	308 306	38 932 194
42	８０～８４	145 657	251 083	2 598 491	246 645 355	244 971	30 393 094
43	８５～８９	88 411	157 891	1 616 002	140 868 918	142 972	17 907 275
44	９０歳以上	48 841	91 415	819 742	72 214 488	66 744	8 736 357
45	Ⅱ 新生物＜腫瘍＞	3 043 417	4 674 234	50 515 685	11 993 071 793	4 551 973	503 106 187
46	一般医療	2 093 795	3 130 977	31 166 416	8 147 734 043	3 060 498	353 668 597
47	後期医療	949 622	1 543 257	19 349 269	3 845 337 750	1 491 475	149 437 590
48	０～４歳	13 589	17 090	65 091	15 576 307	16 064	3 183 355
49	５～９	11 169	14 989	75 916	14 329 004	15 072	2 565 974
50	１０～１４	12 400	16 779	87 427	19 047 182	16 873	2 776 964
51	１５～１９	15 580	21 274	135 966	30 324 865	21 227	3 584 841
52	２０～２４	27 932	37 592	260 989	51 154 247	37 168	6 279 898
53	２５～２９	45 642	61 971	429 605	83 898 218	60 361	9 674 851
54	３０～３４	70 095	96 330	662 250	141 426 691	93 316	14 070 849
55	３５～３９	102 549	142 084	1 044 359	240 518 363	137 873	19 520 606
56	４０～４４	159 390	223 271	1 784 939	436 037 593	217 317	28 623 604
57	４５～４９	208 151	299 802	2 585 459	646 678 753	290 994	36 159 677
58	５０～５４	201 799	294 347	2 722 807	723 312 875	286 501	33 872 283
59	５５～５９	198 802	297 657	2 995 224	855 073 835	290 332	32 425 256
60	６０～６４	242 272	372 018	4 030 930	1 139 011 124	363 308	38 429 018
61	６５～６９	383 143	605 504	6 841 754	1 875 115 389	592 977	60 296 506
62	７０～７４	414 578	662 214	7 802 051	1 974 475 772	652 457	64 932 234
63	７５～７９	398 049	640 192	7 844 373	1 754 367 201	630 426	62 233 153
64	８０～８４	307 193	490 461	6 308 142	1 202 858 834	482 059	48 078 187
65	８５～８９	166 997	270 448	3 529 732	586 406 549	256 299	26 367 424
66	９０歳以上	64 087	110 211	1 308 671	203 458 991	91 349	10 031 507
67	Ⅲ 血液及び造血器の疾患並びに免疫機構の障害	487 017	744 536	10 005 078	1 416 424 825	683 511	84 700 086
68	一般医療	354 392	524 363	6 389 498	1 044 821 005	480 021	62 875 768
69	後期医療	132 625	220 173	3 615 580	371 603 820	203 490	21 824 318
70	０～４歳	10 009	17 209	94 543	23 141 859	12 352	2 009 071
71	５～９	5 502	8 165	60 785	27 967 057	8 254	1 151 590
72	１０～１４	8 550	12 443	110 529	40 772 905	12 516	2 076 848
73	１５～１９	13 162	19 020	174 346	53 378 227	18 702	3 405 686
74	２０～２４	13 498	19 114	188 867	49 538 355	15 469	2 658 197
75	２５～２９	20 603	30 527	290 853	56 313 703	19 754	3 072 416
76	３０～３４	28 777	43 183	413 829	64 755 373	27 276	4 012 855
77	３５～３９	30 139	44 680	454 597	70 335 389	35 472	5 055 773
78	４０～４４	36 542	53 347	579 285	82 518 598	51 297	7 049 194
79	４５～４９	44 549	65 410	762 812	99 712 331	65 486	8 752 194
80	５０～５４	29 680	42 978	553 235	77 914 238	43 190	5 409 096
81	５５～５９	19 817	28 873	430 307	70 842 039	29 226	3 294 825
82	６０～６４	22 589	33 593	528 804	84 377 083	34 049	3 655 291
83	６５～６９	35 370	53 731	861 386	132 116 763	54 121	5 674 326
84	７０～７４	37 979	58 779	970 627	130 278 918	59 240	6 142 719
85	７５～７９	41 810	65 826	1 103 898	136 299 451	65 972	6 885 918
86	８０～８４	40 528	65 998	1 130 681	108 297 807	63 721	6 805 694
87	８５～８９	29 916	49 629	825 267	71 159 308	44 511	4 930 570
88	９０歳以上	17 997	32 031	470 427	36 705 421	22 903	2 657 823

平成30年６月審査分

医学管理等		在宅医療		検査		行番号
回数	点数	回数	点数	回数	点数	
52 756 971	9 715 539 585	4 461 408	7 821 724 146	190 618 624	20 676 561 620	1
34 758 629	6 440 576 997	1 454 208	3 725 261 338	126 321 900	14 112 450 986	2
17 998 342	3 274 962 588	3 007 200	4 096 462 808	64 296 724	6 564 110 634	3
3 744 182	1 436 398 461	16 284	87 435 192	3 211 053	429 159 192	4
1 024 576	135 721 328	19 577	150 594 940	4 762 960	469 503 042	5
678 136	75 483 919	19 857	245 850 957	4 242 380	397 341 315	6
498 360	47 707 241	14 495	128 266 789	2 464 462	274 985 529	7
552 750	51 253 166	15 510	90 269 167	2 848 586	343 114 456	8
712 683	67 628 222	22 388	99 243 952	3 596 141	463 681 965	9
924 597	95 724 969	33 788	120 216 684	4 647 759	605 244 396	10
1 135 900	137 154 058	50 890	157 064 459	5 544 782	704 034 773	11
1 577 997	224 088 159	81 378	216 523 317	7 133 678	867 295 087	12
2 114 621	334 963 525	116 956	285 440 654	8 783 766	1 030 088 209	13
2 514 637	425 401 498	137 239	302 319 967	9 493 265	1 078 913 993	14
3 083 109	539 699 139	162 633	339 150 341	10 868 542	1 197 005 675	15
3 908 424	702 292 634	194 225	402 469 405	13 837 151	1 491 703 273	16
6 071 712	1 105 606 166	296 532	601 411 356	22 005 876	2 340 273 115	17
6 517 822	1 182 937 820	349 132	684 720 441	24 052 380	2 544 520 089	18
6 664 056	1 196 533 196	449 485	801 975 804	24 686 189	2 583 593 553	19
5 704 840	1 018 886 185	653 452	960 035 428	20 408 556	2 088 271 899	20
3 580 501	634 863 525	843 695	1 030 562 369	12 265 863	1 219 300 255	21
1 748 068	303 196 374	983 892	1 118 172 924	5 765 235	548 531 804	22
1 564 699	307 252 556	82 307	172 963 806	6 786 260	781 737 035	23
1 274 034	260 971 284	20 845	88 097 606	5 423 950	625 477 537	24
290 665	46 281 272	61 462	84 866 200	1 362 310	156 259 498	25
420 099	166 044 177	494	1 809 540	465 378	50 778 492	26
96 357	9 908 237	277	1 599 663	398 961	38 886 900	27
43 264	3 239 434	201	1 775 834	204 264	20 143 024	28
27 414	1 866 439	258	1 614 569	162 048	16 667 375	29
40 483	2 821 394	369	1 281 984	269 644	29 929 815	30
46 035	3 269 115	306	1 105 469	296 799	33 808 542	31
51 076	3 791 879	566	3 684 798	328 729	37 340 374	32
51 701	4 339 135	654	8 349 307	343 161	39 995 797	33
53 309	5 209 534	1 019	8 833 209	357 017	42 351 640	34
55 298	6 198 587	1 319	11 455 229	360 373	43 588 851	35
54 827	6 706 869	1 527	9 078 431	343 453	41 659 100	36
60 626	8 053 266	2 120	8 055 413	357 607	43 541 218	37
70 547	9 993 524	2 705	8 314 617	409 517	49 965 767	38
101 618	15 055 144	4 634	11 932 952	583 164	70 732 993	39
107 442	16 304 542	6 239	13 733 956	578 640	70 083 185	40
108 178	16 739 085	8 432	16 524 682	542 978	64 906 989	41
91 287	14 334 875	13 220	19 794 225	424 652	48 859 492	42
56 641	8 962 643	17 427	21 264 813	244 338	26 737 303	43
28 497	4 414 677	20 540	22 755 115	115 537	11 760 178	44
1 983 942	494 060 345	203 540	391 998 036	13 479 394	1 961 321 125	45
1 195 001	297 475 733	61 595	143 520 816	8 860 985	1 342 140 757	46
788 941	196 584 612	141 945	248 477 220	4 618 409	619 180 368	47
4 058	1 360 368	125	627 256	22 796	3 323 495	48
2 729	758 045	193	904 211	27 089	3 329 535	49
3 189	776 249	180	1 211 024	29 900	3 796 738	50
4 099	775 863	214	1 083 344	46 989	6 797 931	51
7 233	1 191 900	217	1 170 523	88 805	14 832 273	52
11 925	2 031 664	319	876 172	141 092	24 342 455	53
19 918	3 747 113	510	1 745 514	216 266	37 536 822	54
32 780	6 800 108	952	2 509 126	330 910	57 375 875	55
59 620	13 279 932	1 698	4 731 218	541 870	91 738 864	56
90 774	21 108 404	2 638	8 261 915	742 213	122 572 451	57
102 761	25 178 098	3 499	9 077 105	765 925	123 064 199	58
119 189	30 395 783	5 130	11 797 036	855 276	130 414 786	59
161 474	41 807 958	7 944	18 201 770	1 133 192	166 986 841	60
274 122	71 320 824	17 324	37 863 833	1 902 480	271 392 474	61
311 795	80 811 164	23 968	51 070 547	2 085 923	294 195 729	62
318 674	81 040 121	30 764	62 137 736	1 995 791	276 510 091	63
260 399	64 607 551	37 385	68 444 804	1 506 164	201 777 300	64
145 785	34 898 957	37 657	61 769 382	778 753	99 545 615	65
53 418	12 170 243	32 823	48 515 520	267 960	31 787 651	66
305 675	57 782 313	32 486	303 359 759	2 618 763	267 820 396	67
190 414	34 259 450	9 882	268 742 174	1 854 107	188 471 650	68
115 261	23 522 863	22 604	34 617 585	764 656	79 348 746	69
8 117	2 882 866	180	6 067 251	44 147	5 163 197	70
2 028	451 748	308	16 369 642	30 481	3 104 812	71
2 496	429 496	298	28 742 450	50 440	4 508 350	72
3 354	435 957	279	33 410 669	74 071	6 365 816	73
4 753	515 447	230	29 041 474	67 780	6 370 221	74
8 461	706 486	306	28 027 297	81 238	8 089 781	75
12 052	1 002 297	440	26 554 385	110 514	11 072 855	76
11 950	1 365 274	467	22 650 388	134 887	13 487 308	77
14 182	2 132 837	613	18 316 968	176 222	17 538 694	78
20 025	3 195 843	739	19 897 320	210 380	20 865 406	79
16 273	2 960 202	719	12 249 282	149 109	15 373 696	80
13 637	2 905 036	785	6 716 600	121 335	12 697 161	81
16 590	3 592 325	956	7 875 657	146 135	15 298 737	82
27 608	5 971 134	1 820	9 177 204	229 394	24 256 196	83
30 825	6 560 161	2 216	5 967 564	243 961	26 014 969	84
35 093	7 300 176	3 006	6 704 247	265 348	28 241 602	85
35 908	7 261 650	4 924	7 807 121	238 201	24 825 648	86
27 198	5 293 393	6 417	8 575 533	162 104	16 473 158	87
15 125	2 819 985	7 783	9 208 707	83 016	8 072 789	88

医３表

第３表　医科診療（入院外）件数・診療実日数・回数・点数,

行番号	傷病分類 一般医療－後期医療 年齢階級	画像診断 回数	画像診断 点数	投薬 回数	投薬 点数	注射 回数	注射 点数
1	総数	24 323 671	8 839 918 096	852 744 225	17 440 848 141	11 779 627	11 891 994 509
2	一般医療	16 364 072	5 855 405 764	513 748 544	11 269 732 923	5 761 646	7 807 783 731
3	後期医療	7 959 599	2 984 512 332	338 995 681	6 171 115 218	6 017 981	4 084 210 778
4	０ ～ ４歳	290 389	60 597 642	8 040 396	328 034 224	47 578	29 556 490
5	５ ～ ９	527 557	95 667 599	8 453 412	311 021 571	47 457	27 734 933
6	１０ ～ １４	1 013 648	193 734 094	7 011 508	230 808 553	48 609	46 598 067
7	１５ ～ １９	678 768	166 561 197	6 387 902	181 094 004	66 654	74 689 645
8	２０ ～ ２４	397 691	114 943 611	8 148 151	217 084 770	99 582	104 382 734
9	２５ ～ ２９	454 284	134 172 424	11 275 179	290 565 375	141 496	158 950 038
10	３０ ～ ３４	597 439	181 756 107	14 813 896	376 523 912	196 496	210 272 901
11	３５ ～ ３９	755 600	244 091 228	18 831 770	474 937 217	232 904	282 651 626
12	４０ ～ ４４	1 010 566	352 158 910	26 814 227	648 036 241	316 136	444 468 119
13	４５ ～ ４９	1 215 760	449 365 948	35 903 793	813 246 959	457 408	605 687 066
14	５０ ～ ５４	1 294 391	487 794 119	41 927 501	904 244 645	520 430	657 101 109
15	５５ ～ ５９	1 401 151	545 476 298	51 574 499	1 062 839 836	556 642	787 631 959
16	６０ ～ ６４	1 655 158	671 109 473	65 333 876	1 311 887 492	652 555	1 039 430 470
17	６５ ～ ６９	2 501 250	1 054 694 916	102 865 314	2 051 109 536	1 058 874	1 691 553 872
18	７０ ～ ７４	2 724 273	1 163 226 732	113 166 140	2 223 761 128	1 387 098	1 786 543 717
19	７５ ～ ７９	2 900 186	1 191 673 093	120 033 511	2 302 365 144	1 863 183	1 699 746 529
20	８０ ～ ８４	2 500 548	956 359 935	107 535 343	1 953 258 863	1 973 891	1 262 093 472
21	８５ ～ ８９	1 594 690	541 911 915	69 646 285	1 192 593 064	1 424 785	703 293 807
22	９０歳以上	810 322	234 622 855	34 981 522	567 435 607	687 849	279 607 955
23	Ⅰ 感染症及び寄生虫症	438 844	179 188 923	17 541 267	903 126 424	356 501	258 784 948
24	一般医療	304 571	123 995 846	12 233 663	697 221 159	248 910	183 798 916
25	後期医療	134 273	55 193 077	5 307 604	205 905 265	107 591	74 986 032
26	０ ～ ４歳	15 485	2 658 395	726 482	27 491 072	12 150	2 984 709
27	５ ～ ９	9 952	1 825 203	786 984	27 954 532	13 959	1 995 798
28	１０ ～ １４	8 900	1 937 795	435 764	13 839 692	9 206	2 212 074
29	１５ ～ １９	9 993	3 438 504	303 799	9 147 935	10 823	2 251 472
30	２０ ～ ２４	14 216	5 223 322	428 755	14 592 557	17 582	5 050 953
31	２５ ～ ２９	14 385	5 143 175	516 421	23 440 924	18 880	5 807 897
32	３０ ～ ３４	15 016	5 347 561	588 896	32 332 295	19 686	5 731 686
33	３５ ～ ３９	15 874	6 104 544	641 366	43 808 808	17 309	7 789 436
34	４０ ～ ４４	18 051	7 478 994	717 138	53 993 545	15 887	11 084 962
35	４５ ～ ４９	19 770	8 799 642	818 083	62 399 308	15 806	13 139 763
36	５０ ～ ５４	19 906	8 909 291	841 278	64 407 745	15 049	14 600 156
37	５５ ～ ５９	22 889	10 577 329	944 484	66 787 945	15 314	16 246 570
38	６０ ～ ６４	29 004	13 679 621	1 126 506	68 702 313	16 690	21 498 992
39	６５ ～ ６９	45 575	21 346 691	1 675 236	103 441 507	23 763	38 842 950
40	７０ ～ ７４	49 018	22 980 832	1 823 856	94 560 866	28 608	39 190 996
41	７５ ～ ７９	50 484	22 581 069	1 909 106	87 523 278	33 011	33 394 735
42	８０ ～ ８４	41 956	17 411 147	1 660 324	65 494 334	36 237	23 678 399
43	８５ ～ ８９	25 656	9 664 383	1 054 677	31 586 895	24 933	9 888 389
44	９０歳以上	12 714	4 081 425	542 112	11 620 873	11 608	3 395 011
45	Ⅱ 新生物＜腫瘍＞	2 342 457	1 965 067 993	25 808 557	1 350 293 751	669 191	3 999 829 068
46	一般医療	1 588 087	1 361 858 561	14 905 197	875 539 465	424 698	2 870 176 703
47	後期医療	754 370	603 209 432	10 903 360	474 754 286	244 493	1 129 652 365
48	０ ～ ４歳	2 919	1 663 609	15 982	760 067	396	686 645
49	５ ～ ９	4 859	2 902 962	20 654	957 522	569	916 638
50	１０ ～ １４	8 524	5 265 070	22 786	1 052 179	479	1 187 519
51	１５ ～ １９	10 426	7 357 263	45 158	2 674 810	840	3 263 350
52	２０ ～ ２４	13 109	10 012 585	97 080	4 762 871	1 351	5 241 281
53	２５ ～ ２９	19 476	14 861 623	167 004	8 834 161	2 367	10 342 477
54	３０ ～ ３４	32 947	25 125 750	252 428	12 960 655	5 634	25 555 090
55	３５ ～ ３９	54 803	42 602 063	415 492	23 940 175	11 026	55 063 069
56	４０ ～ ４４	94 943	75 562 573	751 374	41 270 285	22 812	123 248 665
57	４５ ～ ４９	130 889	107 441 145	1 161 954	58 878 539	38 794	208 607 875
58	５０ ～ ５４	143 737	121 851 680	1 263 025	75 126 257	39 688	251 167 030
59	５５ ～ ５９	162 490	142 660 149	1 414 434	90 057 379	42 551	326 253 396
60	６０ ～ ６４	211 443	188 015 272	1 978 255	124 981 053	57 660	439 705 336
61	６５ ～ ６９	343 508	304 229 814	3 437 218	210 144 326	98 057	722 670 836
62	７０ ～ ７４	366 559	322 330 397	4 072 969	229 682 221	106 052	719 860 100
63	７５ ～ ７９	336 695	285 587 247	4 258 037	214 643 235	100 836	578 465 573
64	８０ ～ ８４	243 040	196 371 936	3 574 971	155 468 868	78 487	343 049 723
65	８５ ～ ８９	121 964	87 527 356	2 077 533	73 422 163	45 192	146 460 539
66	９０歳以上	40 126	23 699 499	782 203	20 676 985	16 400	38 083 926
67	Ⅲ 血液及び造血器の疾患並びに免疫機構の障害	144 865	63 206 573	5 992 457	156 302 598	119 112	371 421 703
68	一般医療	87 977	40 510 232	3 618 408	100 890 178	83 263	289 101 506
69	後期医療	56 888	22 696 341	2 374 049	55 412 420	35 849	82 320 197
70	０ ～ ４歳	1 495	328 631	26 219	685 087	1 000	5 757 163
71	５ ～ ９	893	213 752	17 598	907 941	549	5 580 974
72	１０ ～ １４	1 201	358 941	42 040	838 018	852	3 607 461
73	１５ ～ １９	1 673	654 474	73 532	1 646 671	1 853	7 101 271
74	２０ ～ ２４	1 891	752 279	94 986	1 975 813	2 035	7 599 692
75	２５ ～ ２９	2 509	997 072	172 058	2 900 003	3 143	11 454 070
76	３０ ～ ３４	3 593	1 407 254	250 659	4 323 835	4 866	14 759 180
77	３５ ～ ３９	4 612	1 898 668	255 852	5 473 830	6 607	18 199 749
78	４０ ～ ４４	6 357	2 799 187	313 955	8 415 887	10 897	22 963 374
79	４５ ～ ４９	8 020	3 767 860	434 986	11 230 876	15 842	27 202 638
80	５０ ～ ５４	7 169	3 584 228	322 271	7 744 369	8 644	24 997 504
81	５５ ～ ５９	7 588	3 626 095	248 227	8 502 988	4 348	26 148 909
82	６０ ～ ６４	9 748	4 836 308	309 672	11 047 110	5 156	29 144 397
83	６５ ～ ６９	15 652	7 807 733	514 080	17 742 574	8 451	45 204 355
84	７０ ～ ７４	17 049	8 109 933	596 726	18 922 800	9 552	42 413 530
85	７５ ～ ７９	19 473	8 707 153	691 044	20 107 443	10 712	41 159 321
86	８０ ～ ８４	17 299	7 021 677	746 585	17 888 866	10 981	22 568 392
87	８５ ～ ８９	12 119	4 277 275	555 716	10 641 911	8 818	11 905 074
88	９０歳以上	6 524	2 058 053	326 251	5 306 576	4 806	3 654 649

平成30年６月審査分

リハビリテーション 回数	リハビリテーション 点数	精神科専門療法 回数	精神科専門療法 点数	処置 回数	処置 点数	行番号
9 390 740	1 715 063 771	5 332 090	2 197 924 494	39 409 236	11 065 596 499	1
5 880 287	1 117 848 579	4 451 756	1 767 987 662	27 892 580	6 287 298 632	2
3 510 453	597 215 192	880 334	429 936 832	11 516 656	4 778 297 867	3
246 491	57 529 041	11 332	7 195 940	2 819 019	168 260 181	4
339 215	75 961 769	50 480	26 983 795	3 054 200	187 218 924	5
270 110	54 666 172	80 347	41 406 534	1 728 551	135 945 547	6
230 822	46 019 516	116 390	58 490 139	802 024	66 249 005	7
97 516	19 624 412	205 862	75 828 976	712 731	50 466 087	8
88 664	17 577 049	299 952	110 869 274	919 695	69 698 113	9
110 574	21 629 531	366 932	136 720 323	1 241 370	106 247 569	10
158 578	30 741 853	432 922	162 287 595	1 423 246	169 407 492	11
249 768	47 522 824	535 101	200 605 133	1 565 100	306 074 708	12
368 262	69 083 726	568 511	216 403 989	1 621 826	494 924 065	13
466 502	86 964 220	482 988	188 052 881	1 616 211	635 930 344	14
524 929	97 765 691	397 814	159 800 087	1 756 333	782 699 146	15
639 381	118 025 210	322 310	138 170 036	2 140 439	1 043 526 771	16
978 264	177 571 286	353 478	157 233 746	3 276 299	1 652 329 279	17
1 217 547	216 684 254	294 629	127 055 647	3 852 558	1 632 109 039	18
1 456 546	252 045 703	272 457	119 019 026	4 389 971	1 489 146 325	19
1 142 417	193 457 200	253 998	121 916 357	3 679 972	1 186 911 983	20
606 169	100 316 409	183 905	94 451 727	2 043 581	658 942 143	21
198 985	31 877 905	102 682	55 433 289	766 110	229 509 778	22
43 030	8 128 528	15 905	6 292 959	1 431 266	311 998 982	23
23 390	4 761 969	12 261	4 557 512	1 204 430	238 651 613	24
19 640	3 366 559	3 644	1 735 447	226 836	73 347 369	25
1 599	374 847	29	14 705	115 925	13 647 692	26
1 421	325 557	126	55 550	222 195	40 238 331	27
613	135 241	208	91 905	118 259	23 325 118	28
527	113 450	294	129 945	40 602	7 376 550	29
376	80 138	510	180 815	42 669	6 438 481	30
515	111 473	783	267 925	52 270	7 825 681	31
470	100 825	924	322 700	60 850	9 417 575	32
585	121 805	1 088	367 329	64 964	10 961 684	33
1 050	219 012	1 426	483 855	69 287	13 203 036	34
1 286	256 559	1 432	499 545	67 588	14 362 659	35
1 623	318 014	1 314	444 450	60 467	14 246 819	36
1 989	423 336	1 121	433 870	59 105	16 513 673	37
2 662	514 119	1 223	532 278	63 515	19 626 477	38
4 287	812 195	1 093	460 277	87 879	29 195 269	39
5 807	1 123 968	947	419 685	89 373	28 422 153	40
7 023	1 240 965	909	350 630	89 017	25 533 418	41
6 189	1 052 813	1 164	609 145	69 467	17 850 456	42
3 451	561 999	775	331 640	39 891	10 048 868	43
1 557	242 212	539	296 710	17 943	3 765 042	44
66 297	20 288 652	12 725	4 369 836	344 953	213 397 981	45
41 707	12 596 225	8 537	2 782 287	216 070	110 092 955	46
24 590	7 692 427	4 188	1 587 549	128 883	103 305 026	47
436	103 530	4	2 160	1 938	3 138 831	48
743	170 688	23	10 000	3 219	747 809	49
1 099	239 859	53	25 630	2 693	567 854	50
895	189 337	62	26 845	2 496	414 405	51
856	190 350	99	30 105	4 749	748 534	52
573	149 136	181	71 420	7 417	1 031 004	53
1 101	237 790	267	83 415	10 146	1 529 317	54
1 549	343 458	441	138 590	12 870	2 651 664	55
2 674	579 795	743	232 920	17 447	4 820 350	56
3 463	746 105	1 012	311 640	20 709	7 226 873	57
3 889	936 588	1 137	345 400	19 393	9 223 661	58
4 155	1 223 620	999	319 340	19 853	13 624 850	59
5 088	1 542 080	998	360 495	23 086	18 596 026	60
7 917	2 581 645	1 299	435 186	38 067	33 241 107	61
8 668	3 645 613	1 395	454 670	43 333	36 596 384	62
9 806	3 022 712	1 409	498 790	45 847	33 960 217	63
7 769	2 867 791	1 327	505 750	38 541	27 206 018	64
4 279	1 226 599	811	288 834	23 534	13 799 801	65
1 337	291 956	465	228 646	9 615	4 273 276	66
13 046	2 681 183	9 624	3 476 685	52 150	55 964 293	67
7 374	1 466 685	7 985	2 799 304	28 136	28 362 962	68
5 672	1 214 498	1 639	677 381	24 014	27 601 331	69
397	94 240	4	2 535	578	53 171	70
236	54 436	72	39 650	338	39 346	71
160	34 385	149	70 485	306	52 224	72
189	38 880	257	114 350	253	33 894	73
87	16 800	347	113 740	820	172 860	74
162	33 651	573	179 930	1 760	256 070	75
204	42 424	704	233 365	2 339	552 651	76
251	51 950	902	288 100	1 919	668 038	77
266	51 820	1 385	493 184	1 773	1 393 537	78
513	98 155	1 214	396 960	2 342	2 311 491	79
584	111 818	740	248 320	2 219	2 771 008	80
635	124 754	503	195 810	2 513	4 267 396	81
841	162 821	358	133 745	3 453	5 502 344	82
1 362	268 820	471	174 555	5 536	9 842 386	83
1 755	335 126	395	163 335	5 485	8 248 464	84
2 009	433 999	450	183 110	6 794	8 023 555	85
1 834	330 466	485	184 601	7 205	6 986 450	86
1 074	251 873	395	163 845	4 322	3 524 714	87
487	144 765	220	97 065	2 195	1 264 694	88

第３表　医科診療（入院外）件数・診療実日数・回数・点数,

行番号	傷病分類 一般医療－後期医療 年齢階級	手術 回数	手術 点数	麻酔 回数	麻酔 点数	放射線治療 回数	放射線治療 点数
1	総数	809 613	3 271 189 033	1 659 106	416 009 139	253 221	615 174 037
2	一般医療	580 532	2 068 181 055	708 325	227 941 761	186 286	428 118 142
3	後期医療	229 081	1 203 007 978	950 781	188 067 378	66 935	187 055 895
4	０～４歳	43 040	69 280 173	645	1 907 872	4	440
5	５～９	24 804	28 099 365	532	2 255 276	12	103 848
6	１０～１４	22 453	30 632 262	1 247	2 613 251	10	250 738
7	１５～１９	16 420	26 892 148	3 336	2 459 043	137	1 114 830
8	２０～２４	15 317	26 962 327	4 449	2 855 568	303	632 530
9	２５～２９	18 372	36 974 576	8 376	3 861 479	976	2 215 738
10	３０～３４	23 910	58 793 341	14 837	5 959 010	2 148	4 382 116
11	３５～３９	28 999	71 445 452	23 599	8 854 946	5 006	9 322 076
12	４０～４４	36 983	98 777 391	38 742	13 232 314	12 076	21 793 852
13	４５～４９	41 723	128 262 488	55 128	19 098 902	20 684	38 014 509
14	５０～５４	42 328	154 493 750	67 007	22 726 615	19 091	37 181 565
15	５５～５９	45 287	188 861 812	77 857	26 376 176	19 479	40 762 162
16	６０～６４	53 287	249 928 140	89 801	28 948 051	24 619	59 244 910
17	６５～６９	81 460	426 447 186	139 907	42 470 410	41 553	104 598 342
18	７０～７４	91 617	522 576 455	194 051	51 351 245	41 289	111 969 392
19	７５～７９	91 960	521 952 977	290 742	64 862 759	37 162	104 561 558
20	８０～８４	71 216	378 805 630	328 109	61 802 365	19 740	55 093 614
21	８５～８９	41 360	189 836 485	232 328	39 968 643	7 190	19 744 289
22	９０歳以上	19 077	62 167 075	88 413	14 405 214	1 742	4 187 528
23	Ⅰ 感染症及び寄生虫症	13 900	35 378 031	22 890	10 074 650	2 340	5 361 242
24	一般医療	10 347	24 330 219	9 583	5 050 948	1 622	3 636 832
25	後期医療	3 553	11 047 812	13 307	5 023 702	718	1 724 410
26	０～４歳	625	907 688	9	17 141	−	−
27	５～９	200	207 497	7	32 991	1	1 108
28	１０～１４	143	180 915	9	25 794	−	−
29	１５～１９	193	323 919	25	51 029	−	−
30	２０～２４	354	575 152	32	10 309	−	−
31	２５～２９	516	867 474	61	33 277	39	95 340
32	３０～３４	567	1 141 564	125	66 961	11	16 770
33	３５～３９	689	1 322 117	200	139 798	−	−
34	４０～４４	836	1 663 898	319	131 354	97	204 000
35	４５～４９	852	2 158 248	469	245 270	81	208 060
36	５０～５４	901	2 432 446	614	345 006	183	380 300
37	５５～５９	850	2 086 689	847	410 103	83	153 960
38	６０～６４	972	2 753 256	1 332	703 039	224	556 564
39	６５～６９	1 341	3 755 415	2 336	1 246 855	486	1 090 120
40	７０～７４	1 375	4 344 164	3 353	1 729 935	430	954 160
41	７５～７９	1 438	4 509 471	4 608	2 027 613	415	974 190
42	８０～８４	1 123	3 526 663	4 521	1 600 444	157	479 810
43	８５～８９	641	2 025 481	2 926	942 183	131	246 640
44	９０歳以上	284	595 974	1 097	315 548	2	220
45	Ⅱ 新生物＜腫瘍＞	88 047	288 110 100	11 174	4 184 275	196 420	491 024 205
46	一般医療	64 980	203 062 826	4 598	2 566 539	145 328	342 250 101
47	後期医療	23 067	85 047 274	6 576	1 617 736	51 092	148 774 104
48	０～４歳	117	438 468	71	185 962	3	330
49	５～９	281	607 295	35	101 080	9	102 520
50	１０～１４	592	1 283 601	10	14 201	6	248 740
51	１５～１９	944	1 965 553	10	14 983	92	1 032 910
52	２０～２４	1 612	3 275 441	24	41 461	193	396 130
53	２５～２９	2 318	4 774 822	36	19 905	706	1 758 096
54	３０～３４	3 212	7 330 119	88	77 127	1 680	3 494 833
55	３５～３９	4 162	9 763 619	119	80 965	3 834	7 298 122
56	４０～４４	5 810	14 997 861	232	235 514	9 236	17 183 890
57	４５～４９	6 689	18 416 138	356	250 141	16 522	31 030 990
58	５０～５４	6 257	18 972 769	328	210 649	15 007	29 526 010
59	５５～５９	5 868	19 284 460	437	199 391	15 667	33 140 906
60	６０～６４	6 771	24 312 744	595	255 165	19 680	48 823 913
61	６５～６９	10 093	38 161 847	963	503 630	32 231	82 741 447
62	７０～７４	10 645	41 302 405	1 416	480 522	31 403	88 407 430
63	７５～７９	9 646	36 787 063	1 860	554 770	28 454	83 164 620
64	８０～８４	7 086	25 860 280	2 257	548 211	15 159	43 891 831
65	８５～８９	4 197	14 120 576	1 691	302 911	5 228	15 401 647
66	９０歳以上	1 747	6 455 039	646	107 687	1 310	3 379 840
67	Ⅲ 血液及び造血器の疾患並びに免疫機構の障害	11 381	38 431 207	2 635	714 618	2 165	3 364 354
68	一般医療	5 781	19 300 951	807	342 140	1 447	2 395 318
69	後期医療	5 600	19 130 256	1 828	372 478	718	969 036
70	０～４歳	34	89 569	3	2 369	−	−
71	５～９	11	36 286	1	4 503	−	−
72	１０～１４	45	41 825	2	515	2	220
73	１５～１９	44	95 511	2	708	−	−
74	２０～２４	75	199 455	9	2 891	5	550
75	２５～２９	144	374 066	19	7 582	6	770
76	３０～３４	228	472 799	21	28 917	19	27 820
77	３５～３９	294	771 852	35	13 876	50	42 950
78	４０～４４	276	690 269	72	24 418	48	78 690
79	４５～４９	387	954 684	103	30 763	122	223 524
80	５０～５４	447	1 571 213	85	27 797	168	298 794
81	５５～５９	551	1 766 531	72	39 328	114	181 434
82	６０～６４	659	2 263 791	71	30 369	213	340 840
83	６５～６９	1 222	4 755 026	155	59 787	251	456 270
84	７０～７４	1 477	5 834 406	180	71 980	460	744 666
85	７５～７９	1 850	7 270 195	399	102 661	296	326 610
86	８０～８４	1 734	5 571 709	552	105 140	248	360 326
87	８５～８９	1 310	4 451 325	576	112 996	134	237 730
88	９０歳以上	593	1 220 695	278	48 018	29	43 160

平成30年６月審査分

病理診断 回数	病理診断 点数	入院料等 回数	入院料等 点数	行番号
2 208 737	848 875 177	11 335	32 372 760	1
1 761 980	655 476 583	5 937	16 956 072	2
446 757	193 398 594	5 398	15 416 688	3
886	397 015	-	-	4
1 390	610 335	-	-	5
2 582	1 282 402	-	-	6
12 173	4 224 002	4	11 424	7
53 918	14 544 679	5	14 280	8
89 519	24 259 114	10	28 560	9
115 923	33 313 721	20	57 120	10
140 778	43 769 570	49	139 944	11
181 657	59 564 861	97	277 032	12
213 958	71 006 716	194	554 064	13
186 913	66 661 222	295	842 520	14
156 818	63 272 244	427	1 219 512	15
161 527	70 617 455	721	2 059 176	16
223 431	100 984 194	1 622	4 632 432	17
226 929	103 899 563	2 534	7 237 104	18
204 971	92 724 821	2 606	7 442 736	19
142 245	61 357 877	1 836	5 243 616	20
69 458	27 730 689	780	2 227 680	21
23 661	8 654 697	135	385 560	22
61 092	25 262 116	46	131 376	23
50 858	20 354 347	25	71 400	24
10 234	4 907 769	21	59 976	25
155	61 040	-	-	26
301	88 520	-	-	27
297	97 360	-	-	28
1 108	381 368	-	-	29
4 064	1 129 504	-	-	30
4 698	1 289 571	-	-	31
4 407	1 333 947	-	-	32
4 564	1 557 550	-	-	33
4 714	1 791 796	1	2 856	34
4 777	1 930 094	2	5 712	35
4 003	1 793 481	1	2 856	36
3 758	1 809 204	1	2 856	37
3 825	1 945 616	9	25 704	38
5 146	2 611 278	6	17 136	39
5 198	2 622 462	5	14 280	40
4 763	2 357 577	9	25 704	41
3 213	1 543 360	6	17 136	42
1 534	683 249	6	17 136	43
567	235 139	-	-	44
756 322	304 683 275	467	1 333 752	45
588 634	229 060 269	329	939 624	46
167 688	75 623 006	138	394 128	47
179	102 210	-	-	48
441	254 725	-	-	49
1 041	601 540	-	-	50
2 513	1 143 423	-	-	51
8 491	2 980 881	-	-	52
15 825	5 124 699	2	5 712	53
24 729	7 932 241	-	-	54
37 534	12 407 953	8	22 848	55
59 142	19 509 146	8	22 848	56
78 420	25 612 380	19	54 264	57
71 615	24 675 213	30	85 680	58
58 784	23 168 808	38	108 528	59
61 371	26 870 221	43	122 808	60
85 376	39 282 782	87	248 472	61
85 340	40 422 995	99	282 744	62
76 023	35 553 128	73	208 488	63
53 439	24 051 858	45	128 520	64
26 789	11 234 719	14	39 984	65
9 270	3 754 353	1	2 856	66
17 141	7 118 779	28	79 968	67
13 848	5 262 428	14	39 984	68
3 293	1 856 351	14	39 984	69
10	6 660	-	-	70
15	12 370	-	-	71
21	11 680	-	-	72
136	74 333	-	-	73
378	118 922	-	-	74
719	214 502	-	-	75
910	264 708	-	-	76
1 298	367 626	-	-	77
1 937	567 655	1	2 856	78
2 647	778 877	2	5 712	79
1 614	564 041	1	2 856	80
773	375 172	-	-	81
898	484 766	3	8 568	82
1 254	709 240	6	17 136	83
1 301	743 532	2	5 712	84
1 445	833 432	7	19 992	85
1 001	574 348	2	5 712	86
568	308 480	4	11 424	87
216	108 435	-	-	88

第３表　医科診療（入院外）件数・診療実日数・回数・点数,

行番号	傷病分類 一般医療－後期医療 年齢階級	件数	診療実日数	総数 回数	総数 点数	初・再診 回数	初・再診 点数
89	Ⅳ 内分泌，栄養及び代謝疾患	7 595 914	10 368 731	186 666 410	11 414 119 772	10 192 799	1 207 978 988
90	一般医療	5 302 862	6 789 852	121 117 683	7 640 375 669	6 803 707	827 536 413
91	後期医療	2 293 052	3 578 879	65 548 727	3 773 744 103	3 389 092	380 442 575
92	0 ～ 4 歳	20 561	32 194	189 026	42 721 443	24 458	4 764 616
93	5 ～ 9	21 458	27 895	194 634	92 141 233	28 131	4 400 465
94	10 ～ 14	29 122	36 359	295 694	173 636 026	36 585	5 393 460
95	15 ～ 19	31 285	39 934	432 076	92 110 999	40 060	6 691 535
96	20 ～ 24	52 712	67 533	765 721	85 550 636	66 745	11 249 790
97	25 ～ 29	81 348	111 917	1 262 884	127 390 113	109 911	16 617 841
98	30 ～ 34	119 547	168 738	2 001 488	179 014 283	165 629	23 134 707
99	35 ～ 39	166 469	224 656	3 036 607	245 125 319	222 884	29 689 493
100	40 ～ 44	266 755	341 748	5 259 047	387 409 866	342 228	44 194 091
101	45 ～ 49	386 575	488 059	8 026 445	547 257 231	490 186	61 652 407
102	50 ～ 54	484 435	610 301	10 534 531	679 461 758	613 534	75 159 855
103	55 ～ 59	615 540	767 526	14 063 877	833 135 582	771 595	92 868 417
104	60 ～ 64	780 986	980 676	18 500 401	1 074 963 557	985 486	116 102 157
105	65 ～ 69	1 160 051	1 484 874	28 707 403	1 640 068 023	1 490 397	172 259 773
106	70 ～ 74	1 119 252	1 498 459	28 948 037	1 632 726 077	1 501 801	171 118 419
107	75 ～ 79	986 659	1 416 021	27 159 299	1 502 293 588	1 409 268	158 649 193
108	80 ～ 84	720 042	1 114 454	21 023 493	1 144 813 294	1 081 566	121 557 795
109	85 ～ 89	384 827	643 431	11 519 443	639 530 148	582 121	65 855 994
110	90 歳以上	168 290	313 956	4 746 304	294 770 596	230 214	26 618 980
111	Ⅴ 精神及び行動の障害	3 278 804	5 141 119	54 136 972	3 710 363 785	4 969 676	459 471 181
112	一般医療	2 779 988	4 305 914	44 493 081	3 033 180 845	4 275 425	394 920 169
113	後期医療	498 816	835 205	9 643 891	677 182 940	694 251	64 551 012
114	0 ～ 4 歳	42 448	72 930	247 830	55 216 366	68 407	9 731 633
115	5 ～ 9	107 304	153 961	686 329	108 319 524	153 063	17 383 572
116	10 ～ 14	94 067	120 973	674 292	87 603 078	120 736	12 422 478
117	15 ～ 19	83 575	117 549	756 546	88 054 812	117 318	12 336 545
118	20 ～ 24	123 399	194 342	1 416 873	128 109 522	193 498	20 695 224
119	25 ～ 29	169 786	273 775	2 220 143	180 060 733	272 418	26 685 945
120	30 ～ 34	208 212	333 219	3 005 201	223 315 655	331 738	30 980 495
121	35 ～ 39	248 908	392 745	3 918 839	266 357 327	390 922	35 461 581
122	40 ～ 44	310 792	483 325	5 189 327	331 448 960	480 841	42 663 590
123	45 ～ 49	329 330	513 044	5 736 077	356 828 736	509 975	44 650 030
124	50 ～ 54	277 138	435 795	5 018 577	306 644 979	433 900	37 667 960
125	55 ～ 59	229 473	359 183	4 458 447	260 079 219	357 353	30 704 850
126	60 ～ 64	184 517	294 313	3 817 765	222 371 070	292 047	24 745 999
127	65 ～ 69	206 886	332 553	4 306 183	255 332 774	327 786	28 193 315
128	70 ～ 74	186 053	285 961	3 734 860	217 985 894	278 549	24 634 294
129	75 ～ 79	172 999	260 641	3 368 858	202 053 554	247 557	22 571 206
130	80 ～ 84	145 633	229 103	2 782 128	183 927 588	202 700	19 053 333
131	85 ～ 89	97 886	167 063	1 807 155	137 033 960	126 279	12 252 671
132	90 歳以上	60 398	120 644	991 542	99 620 034	64 589	6 636 460
133	Ⅵ 神経系の疾患	2 386 626	3 767 581	39 734 594	3 474 749 215	3 360 260	382 771 642
134	一般医療	1 509 479	2 151 726	22 288 002	2 021 466 861	2 097 648	249 889 933
135	後期医療	877 147	1 615 855	17 446 592	1 453 282 354	1 262 612	132 881 709
136	0 ～ 4 歳	12 113	22 838	109 882	24 295 142	21 438	2 981 152
137	5 ～ 9	20 780	32 876	193 400	32 814 140	32 546	3 623 354
138	10 ～ 14	30 225	43 441	288 364	42 120 304	43 049	5 111 274
139	15 ～ 19	36 138	49 764	380 617	48 190 759	48 986	6 275 197
140	20 ～ 24	41 979	57 170	498 617	54 372 030	55 797	7 543 727
141	25 ～ 29	54 261	73 429	639 847	66 115 012	71 597	9 742 197
142	30 ～ 34	70 063	93 727	851 442	81 398 825	91 381	12 298 969
143	35 ～ 39	90 609	119 739	1 101 569	107 286 637	117 023	15 502 211
144	40 ～ 44	125 702	166 691	1 594 005	153 648 064	163 133	20 874 256
145	45 ～ 49	150 146	202 197	1 985 362	188 441 313	197 619	24 573 376
146	50 ～ 54	149 505	204 797	2 057 250	196 252 104	201 296	24 339 647
147	55 ～ 59	150 003	208 167	2 252 620	204 530 196	203 754	23 800 920
148	60 ～ 64	153 238	221 184	2 486 468	221 106 903	214 776	24 249 730
149	65 ～ 69	210 818	320 790	3 810 381	311 615 880	308 783	33 709 781
150	70 ～ 74	231 078	372 403	4 443 000	344 696 831	355 273	37 914 744
151	75 ～ 79	267 211	456 325	5 353 170	404 380 884	421 377	44 156 746
152	80 ～ 84	267 315	479 150	5 480 880	423 623 492	404 740	42 388 383
153	85 ～ 89	203 754	387 468	4 028 620	344 031 935	275 040	29 206 119
154	90 歳以上	121 688	255 425	2 179 100	225 828 764	132 652	14 479 859
155	Ⅶ 眼及び付属器の疾患	8 375 600	10 007 713	73 706 291	8 056 944 067	9 973 199	1 328 002 232
156	一般医療	6 004 452	7 027 711	47 671 251	5 086 752 092	7 007 868	1 036 052 624
157	後期医療	2 371 148	2 980 002	26 035 040	2 970 191 975	2 965 331	291 949 608
158	0 ～ 4 歳	250 596	333 367	1 264 536	172 757 752	283 479	75 579 632
159	5 ～ 9	529 318	616 447	3 821 478	340 035 426	617 910	131 314 376
160	10 ～ 14	515 522	578 901	3 628 222	324 911 376	580 057	121 239 948
161	15 ～ 19	300 763	326 510	1 402 526	137 478 517	326 917	51 053 258
162	20 ～ 24	242 299	259 825	1 057 035	105 961 543	260 099	38 479 329
163	25 ～ 29	236 464	255 238	1 118 157	108 748 103	255 594	38 248 533
164	30 ～ 34	250 547	275 453	1 326 325	127 169 656	275 876	41 735 841
165	35 ～ 39	266 531	296 990	1 583 517	151 313 819	297 650	44 897 384
166	40 ～ 44	313 269	352 256	2 091 590	205 117 470	353 451	51 785 403
167	45 ～ 49	346 321	395 383	2 603 781	262 317 580	397 225	55 966 256
168	50 ～ 54	342 605	398 257	2 907 574	302 356 045	400 485	53 455 693
169	55 ～ 59	368 429	434 221	3 447 873	368 982 117	436 918	55 695 257
170	60 ～ 64	458 282	551 228	4 635 036	514 090 346	555 109	66 423 710
171	65 ～ 69	742 774	909 776	7 796 088	897 515 277	915 753	101 075 607
172	70 ～ 74	866 478	1 082 309	9 343 206	1 117 848 453	1 089 477	112 725 608
173	75 ～ 79	945 225	1 182 986	10 280 623	1 210 545 684	1 190 625	117 690 980
174	80 ～ 84	765 584	963 890	8 471 736	968 402 538	966 427	94 327 291
175	85 ～ 89	441 763	552 691	4 886 183	535 171 321	546 672	53 706 210
176	90 歳以上	192 830	241 985	2 040 805	206 221 044	223 475	22 601 916

平成30年６月審査分

医学管理等 回数	医学管理等 点数	在宅医療 回数	在宅医療 点数	検査 回数	検査 点数	行番号
7 850 025	1 477 361 772	766 470	1 425 840 323	30 478 152	2 909 495 442	89
5 243 685	977 588 927	409 688	943 813 521	21 284 674	2 061 421 134	90
2 606 340	499 772 845	356 782	482 026 802	9 193 478	848 074 308	91
15 234	5 228 424	1 508	14 368 560	86 276	11 560 135	92
7 275	1 616 067	5 177	60 289 379	85 800	10 801 349	93
10 565	2 189 668	7 796	128 524 477	126 091	15 719 312	94
12 658	1 936 680	3 790	37 276 307	161 548	19 554 201	95
23 597	3 309 991	3 545	10 873 066	246 132	31 351 908	96
42 262	6 202 324	5 240	13 781 832	377 073	48 020 287	97
73 063	11 564 538	8 554	19 923 819	577 959	70 657 024	98
117 288	19 993 954	13 276	29 337 266	791 903	89 627 816	99
215 649	38 900 828	22 427	45 164 953	1 190 714	123 440 452	100
343 137	63 777 969	32 592	60 316 323	1 650 473	162 321 034	101
465 929	87 914 665	39 174	71 228 931	1 954 908	185 383 997	102
630 101	118 850 093	45 970	81 415 748	2 361 176	219 030 396	103
826 127	155 944 798	56 986	98 662 876	2 970 891	272 939 188	104
1 255 494	236 957 895	85 052	144 627 491	4 487 338	411 839 758	105
1 240 175	235 480 348	88 051	147 231 013	4 384 209	404 723 950	106
1 124 182	213 755 735	88 304	141 339 569	3 927 502	365 208 556	107
832 704	158 141 642	94 774	132 389 105	2 916 733	269 261 795	108
439 724	83 124 778	87 967	105 337 534	1 544 737	140 993 281	109
174 861	32 471 375	76 287	83 752 074	636 689	57 061 003	110
865 487	116 585 523	157 507	169 298 665	2 080 005	226 462 646	111
691 918	91 782 755	31 215	49 429 115	1 560 940	172 279 895	112
173 569	24 802 768	126 292	119 869 550	519 065	54 182 751	113
15 351	6 260 619	309	1 610 486	16 116	3 927 458	114
28 264	10 278 130	455	2 496 353	44 149	7 448 078	115
21 790	6 689 704	500	4 281 148	41 789	6 229 048	116
13 826	2 456 929	434	1 583 863	47 354	5 831 040	117
25 373	3 395 468	571	1 064 237	88 852	10 205 383	118
39 246	4 473 564	820	1 399 329	103 467	11 277 629	119
47 577	5 079 969	1 059	1 778 371	115 217	12 092 927	120
56 666	5 781 582	1 387	2 224 104	131 162	13 531 165	121
70 848	7 023 813	1 849	3 110 894	157 045	16 086 662	122
76 778	7 749 597	2 579	3 958 553	169 022	17 305 706	123
67 394	6 875 233	2 668	3 957 726	141 541	14 573 432	124
60 894	6 278 758	2 789	3 508 025	124 907	12 846 960	125
52 279	5 639 411	3 039	3 846 003	111 083	11 589 475	126
63 001	7 241 662	6 119	7 119 833	142 533	15 180 984	127
60 227	7 499 223	8 918	9 863 309	145 141	15 905 592	128
58 330	7 777 387	14 361	14 433 177	157 431	17 331 794	129
51 367	7 453 164	25 883	25 033 687	152 506	16 250 741	130
35 762	5 435 699	37 447	33 565 513	114 608	11 669 481	131
20 514	3 195 611	46 320	44 464 054	76 082	7 179 091	132
1 244 511	223 180 262	684 991	920 877 747	3 054 918	360 216 480	133
732 294	133 866 557	292 162	503 190 711	1 688 977	216 557 694	134
512 217	89 313 705	392 829	417 687 036	1 365 941	143 658 786	135
7 085	2 203 386	1 574	5 452 571	17 758	4 311 752	136
11 974	3 224 183	2 222	7 761 774	24 765	4 816 815	137
16 739	4 216 797	2 473	8 210 849	31 561	5 218 312	138
18 916	4 424 452	3 080	8 695 498	39 594	5 910 342	139
22 496	5 066 033	3 739	10 099 205	49 861	7 214 322	140
25 716	5 231 706	5 421	11 679 088	57 019	8 134 104	141
30 340	5 772 361	8 174	15 195 105	66 449	9 184 160	142
36 704	6 768 776	13 472	23 931 181	82 660	11 238 418	143
49 638	8 861 769	23 546	39 959 319	114 728	15 281 492	144
59 346	10 251 843	34 045	57 598 262	140 712	18 373 072	145
61 089	10 419 123	37 369	61 002 194	146 828	18 762 449	146
66 453	11 369 120	39 917	65 499 335	158 661	19 700 764	147
75 960	13 179 907	39 180	64 299 284	179 417	21 566 490	148
120 591	21 070 054	43 764	72 705 859	279 971	32 573 251	149
140 180	24 569 901	43 722	68 557 470	329 046	37 533 250	150
164 663	28 677 437	58 670	78 865 318	401 892	44 997 024	151
161 719	27 984 430	91 380	99 582 559	417 155	44 353 145	152
115 639	19 879 369	119 367	113 108 943	323 982	32 696 042	153
59 263	10 009 615	113 876	108 673 933	192 859	18 351 276	154
1 953 800	143 225 093	69 651	113 892 701	41 980 651	3 290 279 122	155
1 285 342	97 517 859	21 430	55 842 551	27 878 103	2 181 970 100	156
668 458	45 707 234	48 221	58 050 150	14 102 548	1 108 309 022	157
116 100	29 780 126	344	2 083 024	536 104	40 754 384	158
91 215	4 186 657	404	3 658 198	2 573 976	165 841 257	159
66 514	2 456 483	382	3 770 828	2 555 483	169 959 868	160
32 877	1 056 998	194	948 642	831 717	67 543 590	161
29 562	878 453	240	1 976 550	583 260	48 800 311	162
32 615	1 026 860	273	712 401	607 572	49 562 794	163
39 887	1 367 714	443	1 435 009	720 420	57 983 981	164
46 449	1 845 457	600	1 560 716	865 025	69 696 595	165
56 894	2 717 631	1 110	2 958 684	1 169 288	95 738 207	166
67 399	3 986 422	1 575	3 315 728	1 474 988	121 562 298	167
73 853	4 892 811	1 947	4 858 337	1 651 217	137 290 717	168
88 728	6 357 220	2 443	5 074 736	1 960 637	162 295 873	169
117 710	8 577 123	2 797	6 171 557	2 650 581	216 688 737	170
197 718	13 894 045	4 546	9 621 236	4 481 593	361 634 945	171
237 304	16 037 319	5 296	10 419 359	5 369 985	429 123 022	172
260 168	16 930 403	6 660	11 734 979	5 830 931	461 720 413	173
215 494	14 328 822	9 646	13 166 155	4 640 364	364 810 515	174
126 763	8 735 781	13 154	13 667 440	2 536 386	197 734 703	175
56 550	4 168 768	17 597	16 759 122	941 124	71 536 912	176

第３表　医科診療（入院外）件数・診療実日数・回数・点数，

行番号	傷病分類 一般医療－後期医療 年齢階級	画像診断 回数	画像診断 点数	投薬 回数	投薬 点数	注射 回数	注射 点数
89	Ⅳ 内分泌，栄養及び代謝疾患	1 083 937	380 865 136	134 143 663	2 110 315 320	810 767	858 746 551
90	一般医療	616 555	230 257 963	85 657 325	1 379 788 536	381 521	605 051 281
91	後期医療	467 382	150 607 173	48 486 338	730 526 784	429 246	253 695 270
92	0 ～ 4 歳	5 807	1 193 034	50 068	2 511 225	2 977	2 482 352
93	5 ～ 9	6 111	1 162 663	55 093	5 534 381	4 160	7 526 138
94	10 ～ 14	8 569	1 797 076	98 923	4 582 205	4 945	14 663 508
95	15 ～ 19	4 985	1 718 529	201 020	5 067 372	3 727	18 312 180
96	20 ～ 24	4 916	2 044 172	401 850	8 197 183	5 667	16 053 264
97	25 ～ 29	7 076	2 967 516	691 241	11 548 912	10 788	23 434 622
98	30 ～ 34	11 064	4 638 806	1 125 643	19 276 726	16 219	20 934 536
99	35 ～ 39	16 208	6 687 767	1 829 579	30 771 847	17 293	24 409 918
100	40 ～ 44	25 891	10 504 102	3 400 317	58 209 107	20 596	36 854 978
101	45 ～ 49	37 299	15 074 904	5 387 665	91 010 987	27 168	40 435 461
102	50 ～ 54	46 824	18 199 100	7 316 159	124 757 376	33 584	47 691 371
103	55 ～ 59	60 488	23 874 495	10 085 071	163 155 958	35 660	51 785 537
104	60 ～ 64	83 925	31 344 681	13 437 926	214 567 071	42 116	73 592 042
105	65 ～ 69	143 631	52 873 149	21 018 250	326 846 712	69 566	120 902 508
106	70 ～ 74	162 710	59 213 329	21 290 198	328 362 761	92 609	116 539 259
107	75 ～ 79	173 930	60 922 932	20 086 608	307 112 178	129 530	109 431 354
108	80 ～ 84	149 281	48 136 332	15 616 571	233 817 813	141 421	75 465 402
109	85 ～ 89	91 760	27 302 847	8 560 861	124 654 809	101 015	40 784 022
110	90 歳以上	43 462	11 209 702	3 490 620	50 330 697	51 726	17 448 099
111	Ⅴ 精神及び行動の障害	137 904	77 428 185	41 165 993	664 058 032	147 161	183 661 066
112	一般医療	71 991	37 964 582	33 700 456	555 215 284	109 039	161 992 947
113	後期医療	65 913	39 463 603	7 465 537	108 842 748	38 122	21 668 119
114	0 ～ 4 歳	1 549	557 716	25 236	574 035	126	137 018
115	5 ～ 9	1 840	573 020	255 350	9 524 434	203	474 635
116	10 ～ 14	2 196	754 168	393 930	14 925 668	454	1 034 279
117	15 ～ 19	1 972	843 972	470 521	12 234 607	1 359	1 469 826
118	20 ～ 24	2 626	1 243 156	922 765	20 391 693	3 550	4 683 574
119	25 ～ 29	2 588	1 107 721	1 539 769	31 842 851	4 809	7 702 146
120	30 ～ 34	2 911	1 230 751	2 186 218	41 347 462	6 701	12 877 816
121	35 ～ 39	3 624	1 626 839	2 957 913	52 099 356	9 362	16 545 915
122	40 ～ 44	4 738	2 252 487	4 008 358	67 328 886	13 592	21 466 677
123	45 ～ 49	5 838	2 874 343	4 476 937	72 384 834	16 171	22 953 401
124	50 ～ 54	5 859	2 966 874	3 947 510	60 748 387	14 169	19 339 919
125	55 ～ 59	5 841	3 213 194	3 562 000	51 245 865	12 011	17 192 284
126	60 ～ 64	6 817	3 812 672	3 073 122	41 659 820	9 203	14 514 865
127	65 ～ 69	10 835	6 420 587	3 451 712	45 465 299	9 817	15 054 133
128	70 ～ 74	14 181	9 134 431	2 981 662	40 897 883	9 311	9 467 679
129	75 ～ 79	19 153	12 929 975	2 661 500	37 932 916	10 068	7 432 782
130	80 ～ 84	20 533	13 197 475	2 159 843	31 756 035	10 927	5 716 387
131	85 ～ 89	15 443	8 687 988	1 372 357	20 733 471	8 660	3 569 646
132	90 歳以上	9 360	4 000 816	719 290	10 964 530	6 668	2 028 084
133	Ⅵ 神経系の疾患	603 893	345 082 710	29 094 783	557 316 263	266 901	197 990 105
134	一般医療	364 457	205 383 020	16 150 444	317 282 233	115 786	132 148 128
135	後期医療	239 436	139 699 690	12 944 339	240 034 030	151 115	65 841 977
136	0 ～ 4 歳	2 959	1 469 842	32 369	835 345	274	437 961
137	5 ～ 9	4 762	1 929 554	82 466	2 089 484	325	378 123
138	10 ～ 14	8 337	4 209 268	153 868	4 429 009	648	1 407 567
139	15 ～ 19	10 590	5 682 318	228 700	6 067 491	1 242	2 295 220
140	20 ～ 24	11 527	6 437 112	323 922	8 166 596	1 490	1 326 459
141	25 ～ 29	13 598	7 726 490	431 000	10 454 700	2 002	3 678 000
142	30 ～ 34	16 979	9 434 689	598 494	13 704 495	2 828	5 212 671
143	35 ～ 39	20 975	11 580 814	784 674	17 197 011	3 964	8 509 927
144	40 ～ 44	28 009	15 436 549	1 153 123	24 242 552	6 925	12 044 961
145	45 ～ 49	32 679	17 948 731	1 445 198	28 328 506	10 139	10 855 034
146	50 ～ 54	32 982	17 586 932	1 499 394	29 051 416	11 929	12 502 939
147	55 ～ 59	31 930	17 280 284	1 669 572	29 400 671	12 171	13 636 159
148	60 ～ 64	35 684	19 798 744	1 849 206	33 914 941	13 577	16 139 211
149	65 ～ 69	54 162	31 537 266	2 860 899	53 581 952	21 432	22 911 108
150	70 ～ 74	64 054	39 664 160	3 333 639	62 563 640	29 367	23 873 354
151	75 ～ 79	79 218	50 225 227	3 998 858	75 038 600	41 883	23 233 721
152	80 ～ 84	76 956	47 299 714	4 098 205	75 995 624	47 642	19 503 163
153	85 ～ 89	52 498	28 506 180	2 978 853	54 488 315	37 622	13 304 001
154	90 歳以上	25 994	11 328 836	1 572 343	27 765 915	21 441	6 740 526
155	Ⅶ 眼及び付属器の疾患	192 986	75 449 825	18 246 568	898 550 735	139 034	768 388 816
156	一般医療	101 280	43 377 280	10 679 755	540 625 096	63 205	362 368 601
157	後期医療	91 706	32 072 545	7 566 813	357 925 639	75 829	406 020 215
158	0 ～ 4 歳	2 126	606 565	299 736	18 302 040	419	719 627
159	5 ～ 9	2 545	659 945	485 387	29 585 172	473	243 697
160	10 ～ 14	2 187	770 672	394 407	22 619 383	718	1 033 208
161	15 ～ 19	1 373	670 488	197 880	11 262 796	422	1 748 386
162	20 ～ 24	1 061	498 543	173 048	10 251 149	381	1 636 474
163	25 ～ 29	1 201	597 329	209 143	12 425 093	554	1 792 669
164	30 ～ 34	1 859	866 917	271 975	15 177 808	897	1 980 373
165	35 ～ 39	2 325	1 182 374	351 417	18 530 004	1 277	4 261 703
166	40 ～ 44	3 578	1 834 939	479 901	24 952 659	2 301	7 872 516
167	45 ～ 49	5 070	2 676 163	622 680	29 979 736	3 866	15 265 994
168	50 ～ 54	6 357	3 147 989	734 937	34 965 456	5 011	19 670 088
169	55 ～ 59	7 860	3 674 140	902 830	42 076 153	5 614	27 095 225
170	60 ～ 64	12 364	5 387 713	1 226 063	57 482 883	7 648	49 074 899
171	65 ～ 69	23 034	9 629 539	2 041 271	98 708 044	14 559	99 060 405
172	70 ～ 74	30 048	11 778 663	2 428 672	119 725 436	20 028	135 520 342
173	75 ～ 79	34 592	12 839 497	2 737 203	136 008 502	24 870	154 712 558
174	80 ～ 84	30 162	10 733 387	2 414 328	114 830 615	25 217	134 483 406
175	85 ～ 89	17 718	5 781 976	1 529 063	70 192 098	16 941	81 460 771
176	90 歳以上	7 526	2 112 986	746 627	31 475 708	7 838	30 756 475

平成30年６月審査分

リハビリテーション 回数	リハビリテーション 点数	精神科専門療法 回数	精神科専門療法 点数	処置 回数	処置 点数	行番号
190 797	34 565 620	100 109	40 233 409	838 590	758 738 499	89
90 270	17 159 649	80 784	30 856 260	407 788	421 838 821	90
100 527	17 405 971	19 325	9 377 149	430 802	336 899 678	91
1 415	336 979	17	8 390	1 196	166 828	92
2 065	482 025	175	90 585	616	169 524	93
1 090	248 020	458	212 960	585	134 879	94
780	174 610	988	479 950	1 379	326 002	95
523	120 420	2 025	685 335	4 668	425 801	96
588	131 187	3 600	1 269 635	6 761	1 283 775	97
720	165 124	4 723	1 622 338	8 926	3 358 082	98
1 598	337 560	6 615	2 350 313	10 692	7 433 439	99
2 829	584 373	9 338	3 341 981	17 326	18 660 554	100
4 392	879 960	11 380	4 218 506	28 032	36 704 297	101
6 564	1 259 770	10 907	4 222 703	34 977	50 333 720	102
8 921	1 768 208	9 065	3 458 297	44 593	62 317 416	103
12 633	2 354 035	7 342	2 933 306	63 131	86 340 483	104
21 264	3 848 476	8 445	3 630 358	106 657	131 194 341	105
29 602	5 319 319	7 002	3 027 580	127 030	126 824 659	106
38 169	6 832 528	6 124	2 597 127	148 685	106 112 043	107
31 343	5 470 468	5 810	2 824 315	130 410	78 200 712	108
19 429	3 167 512	3 899	2 003 619	74 349	37 598 772	109
6 872	1 085 046	2 196	1 256 111	28 577	11 153 172	110
333 265	77 496 034	4 167 035	1 699 982 457	97 520	23 931 021	111
322 595	75 419 988	3 664 459	1 476 139 753	55 225	10 377 910	112
10 670	2 076 046	502 576	223 842 704	42 295	13 553 111	113
109 788	25 832 748	9 534	6 220 290	1 386	323 072	114
159 368	36 617 319	42 082	23 185 430	1 503	258 053	115
25 532	5 816 485	66 524	35 215 239	783	135 827	116
5 890	1 332 715	96 995	49 757 800	796	123 222	117
2 608	609 981	175 727	65 506 961	1 092	146 216	118
1 691	426 000	253 661	94 922 471	1 351	141 618	119
1 479	457 022	309 553	117 009 265	2 304	209 738	120
1 297	447 091	363 055	138 056 419	2 863	270 211	121
1 733	580 876	445 363	169 658 253	4 066	608 567	122
1 753	502 703	471 011	182 569 113	4 776	1 056 657	123
1 905	515 249	397 665	157 881 876	4 762	1 170 823	124
2 028	531 398	324 883	133 028 492	4 798	899 427	125
2 177	605 594	260 989	113 685 982	6 029	1 659 010	126
2 978	657 939	280 987	126 668 657	9 092	2 061 544	127
3 181	667 919	220 928	94 985 356	11 187	3 289 021	128
3 431	685 728	182 069	75 913 019	13 078	3 421 566	129
3 430	641 250	139 944	59 549 585	13 043	3 733 430	130
2 229	438 793	84 217	36 981 872	8 953	2 900 738	131
767	129 224	41 848	19 186 377	5 658	1 522 281	132
476 431	97 480 381	431 686	211 412 206	434 850	98 995 962	133
347 243	73 529 033	215 844	82 151 621	238 442	53 117 280	134
129 188	23 951 348	215 842	129 260 585	196 408	45 878 682	135
24 421	5 776 537	233	123 265	1 688	437 265	136
30 428	7 061 938	1 013	429 725	2 765	600 392	137
26 184	6 024 314	2 742	1 237 105	2 558	611 355	138
20 700	4 651 546	5 736	2 695 423	2 787	551 536	139
15 009	3 325 271	9 954	3 387 745	4 391	792 228	140
12 985	2 831 388	14 352	4 856 390	5 504	759 976	141
11 982	2 573 831	16 590	5 640 999	7 014	1 006 446	142
12 619	2 669 516	18 593	6 277 189	9 056	1 758 216	143
14 874	3 075 325	23 194	7 813 474	13 695	2 716 367	144
19 350	3 957 163	24 003	8 148 671	18 140	4 018 946	145
19 737	4 002 762	20 095	6 955 443	21 658	5 907 677	146
23 228	4 714 033	17 363	6 254 063	24 388	6 905 018	147
28 952	5 852 897	16 055	6 707 730	28 348	8 522 068	148
45 772	9 122 957	21 812	9 964 829	45 135	14 378 180	149
50 970	9 985 984	28 122	13 939 140	58 777	15 286 727	150
55 935	10 567 731	44 621	24 294 858	73 298	14 128 282	151
39 458	7 240 392	66 657	40 088 071	64 575	11 649 510	152
18 045	3 095 989	62 789	38 805 899	36 933	6 505 342	153
5 782	950 807	37 762	23 792 187	14 140	2 460 431	154
60 716	11 166 634	13 267	5 291 665	837 261	123 080 628	155
42 104	7 706 419	9 621	3 659 852	450 558	64 043 971	156
18 612	3 460 215	3 646	1 631 813	386 703	59 036 657	157
7 222	1 300 845	24	15 150	18 318	940 505	158
12 838	2 030 719	203	93 860	35 710	1 510 974	159
3 751	629 917	251	98 420	23 162	997 263	160
957	284 359	246	93 635	8 485	396 123	161
539	106 636	256	87 435	6 707	339 670	162
347	72 850	347	126 465	8 319	469 799	163
313	65 403	525	194 335	11 362	929 434	164
507	100 712	786	286 030	14 028	1 454 840	165
598	122 715	918	315 805	18 517	2 454 175	166
1 103	211 535	1 195	437 910	22 107	4 868 333	167
1 346	262 715	1 069	407 751	22 996	5 475 147	168
1 747	350 793	966	357 824	29 233	6 973 655	169
2 341	466 332	961	412 368	43 572	11 297 009	170
3 805	741 125	1 125	479 126	82 657	18 762 024	171
5 641	1 148 244	1 015	387 454	113 899	19 653 133	172
6 755	1 249 067	1 033	403 005	142 024	19 760 656	173
6 507	1 257 073	1 022	429 115	126 509	15 474 958	174
3 059	537 377	874	449 337	76 948	8 199 760	175
1 340	228 217	451	216 640	32 708	3 123 170	176

第３表　医科診療（入院外）件数・診療実日数・回数・点数，

行番号	傷病分類 一般医療－後期医療 年齢階級	手術		麻酔		放射線治療	
		回数	点数	回数	点数	回数	点数
89	Ⅳ 内分泌，栄養及び代謝疾患	21 960	148 246 553	59 560	11 722 626	3 853	8 504 960
90	一般医療	14 164	102 145 404	22 691	5 610 924	2 842	6 139 832
91	後期医療	7 796	46 101 149	36 869	6 111 702	1 011	2 365 128
92	0 ～ 4 歳	25	78 474	20	17 527	1	110
93	5 ～ 9	17	33 477	9	33 523	－	－
94	10 ～ 14	42	111 861	19	53 919	－	－
95	15 ～ 19	59	295 061	26	69 918	16	15 950
96	20 ～ 24	50	119 734	30	23 082	48	70 080
97	25 ～ 29	127	560 855	88	50 671	76	97 500
98	30 ～ 34	283	1 820 863	172	81 372	125	195 490
99	35 ～ 39	438	2 336 945	317	176 977	87	150 550
100	40 ～ 44	756	4 688 211	737	197 075	210	321 972
101	45 ～ 49	1 052	7 244 399	1 157	348 181	242	338 550
102	50 ～ 54	1 186	9 683 885	2 046	547 927	221	424 580
103	55 ～ 59	1 441	10 705 781	2 536	653 505	239	540 520
104	60 ～ 64	1 968	15 234 787	3 251	733 671	410	778 902
105	65 ～ 69	3 444	26 769 317	5 176	1 204 755	525	1 744 982
106	70 ～ 74	3 618	26 057 800	7 613	1 549 945	664	1 535 396
107	75 ～ 79	3 349	21 616 820	11 261	2 057 819	619	1 352 426
108	80 ～ 84	2 358	13 458 803	12 670	2 077 869	270	742 620
109	85 ～ 89	1 241	5 899 227	8 998	1 359 728	94	130 502
110	90 歳 以 上	506	1 530 253	3 434	485 162	6	64 830
111	Ⅴ 精神及び行動の障害	1 262	5 441 616	7 168	2 906 694	667	1 499 840
112	一般医療	731	3 249 836	3 651	1 982 613	426	881 820
113	後期医療	531	2 191 780	3 517	924 081	241	618 020
114	0 ～ 4 歳	11	22 164	13	19 099	－	－
115	5 ～ 9	11	10 224	9	67 903	－	－
116	10 ～ 14	9	7 013	9	90 553	－	－
117	15 ～ 19	10	27 308	14	43 544	－	－
118	20 ～ 24	21	75 610	30	65 466	－	－
119	25 ～ 29	31	24 381	61	23 744	－	－
120	30 ～ 34	35	94 353	102	64 475	23	45 520
121	35 ～ 39	35	71 946	175	154 941	6	7 910
122	40 ～ 44	67	286 196	298	160 222	79	109 150
123	45 ～ 49	72	319 141	407	213 491	51	94 180
124	50 ～ 54	63	307 731	494	350 424	27	109 510
125	55 ～ 59	49	202 225	435	197 705	50	89 940
126	60 ～ 64	66	235 788	415	136 972	23	43 900
127	65 ～ 69	111	760 831	601	200 938	49	74 760
128	70 ～ 74	150	829 466	659	205 043	118	306 950
129	75 ～ 79	159	724 004	1 119	351 325	118	326 640
130	80 ～ 84	173	746 419	1 191	305 033	112	271 540
131	85 ～ 89	126	501 820	849	186 226	1	2 630
132	90 歳 以 上	63	194 996	287	69 590	10	17 210
133	Ⅵ 神経系の疾患	4 969	24 484 638	65 353	47 979 336	1 310	3 096 963
134	一般医療	2 828	15 117 696	34 367	34 253 927	1 089	2 490 203
135	後期医療	2 141	9 366 942	30 986	13 725 409	221	606 760
136	0 ～ 4 歳	13	49 495	68	216 557	－	－
137	5 ～ 9	20	73 507	106	825 235	－	－
138	10 ～ 14	27	214 074	161	1 225 564	－	－
139	15 ～ 19	37	174 340	228	762 723	－	－
140	20 ～ 24	40	207 958	300	776 997	－	－
141	25 ～ 29	44	251 344	465	727 822	－	－
142	30 ～ 34	57	279 551	925	1 038 507	1	1 390
143	35 ～ 39	89	353 862	1 400	1 361 650	21	38 000
144	40 ～ 44	146	747 243	2 346	2 225 913	117	192 700
145	45 ～ 49	182	1 035 969	3 167	3 034 397	67	90 330
146	50 ～ 54	295	1 670 639	3 702	3 539 607	117	236 033
147	55 ～ 59	340	1 839 164	4 097	3 761 946	25	97 840
148	60 ～ 64	377	2 116 324	4 119	4 109 686	132	347 490
149	65 ～ 69	592	3 221 991	6 089	5 496 261	320	860 908
150	70 ～ 74	685	3 640 754	7 683	5 993 454	289	625 512
151	75 ～ 79	743	3 537 759	10 484	5 754 189	132	254 700
152	80 ～ 84	622	2 776 399	10 669	4 082 831	66	268 650
153	85 ～ 89	418	1 782 273	6 839	2 350 156	22	83 190
154	90 歳 以 上	242	511 992	2 505	695 841	1	220
155	Ⅶ 眼及び付属器の疾患	172 578	1 250 687 662	47 077	17 797 837	1 150	2 498 834
156	一般医療	98 005	667 561 813	22 670	9 553 052	854	1 750 274
157	後期医療	74 573	583 125 849	24 407	8 244 785	296	748 560
158	0 ～ 4 歳	574	2 527 923	57	138 608	－	－
159	5 ～ 9	745	781 509	60	124 624	－	－
160	10 ～ 14	1 155	1 243 494	117	78 324	－	－
161	15 ～ 19	1 226	2 339 003	174	58 767	1	110
162	20 ～ 24	1 590	2 800 562	201	63 139	1	1 390
163	25 ～ 29	1 869	3 582 752	215	80 073	－	－
164	30 ～ 34	2 328	5 253 139	262	79 191	11	9 240
165	35 ～ 39	2 861	7 202 913	334	100 045	34	55 428
166	40 ～ 44	4 081	13 847 128	566	232 554	23	39 600
167	45 ～ 49	5 168	23 107 121	825	427 752	66	123 340
168	50 ～ 54	6 446	36 472 489	1 089	558 155	87	179 826
169	55 ～ 59	8 339	57 007 836	1 649	810 417	87	200 070
170	60 ～ 64	11 784	89 082 175	2 754	1 178 695	106	151 310
171	65 ～ 69	21 466	177 036 798	5 801	2 354 397	255	543 530
172	70 ～ 74	29 176	251 010 207	8 868	3 482 977	171	423 630
173	75 ～ 79	32 072	267 139 634	10 010	3 504 145	113	350 830
174	80 ～ 84	24 904	196 714 803	8 296	2 774 134	129	244 370
175	85 ～ 89	12 851	91 175 641	4 475	1 339 872	33	102 840
176	90 歳 以 上	3 943	22 362 535	1 324	411 968	33	73 320

平成30年６月審査分

病理診断		入院料等		行番号
回数	点数	回数	点数	
125 128	40 629 196	306	873 936	89
101 546	30 628 579	188	536 928	90
23 582	10 000 617	118	337 008	91
7	4 670	-	-	92
4	1 650	-	-	93
23	4 660	-	-	94
1 035	192 669	-	-	95
5 911	1 026 675	-	-	96
8 047	1 423 114	-	-	97
8 402	1 637 967	1	2 856	98
8 421	1 815 720	2	5 712	99
10 012	2 341 372	2	5 712	100
11 644	2 905 556	10	28 560	101
8 485	2 605 214	17	48 552	102
6 977	2 665 323	16	45 696	103
8 145	3 400 924	12	34 272	104
12 071	5 214 079	54	154 224	105
12 646	5 528 139	75	214 200	106
11 677	5 093 828	74	211 344	107
7 541	3 186 061	29	82 824	108
3 228	1 277 497	14	39 984	109
852	304 078	-	-	110
5 320	2 051 696	29	82 824	111
4 049	1 497 971	14	39 984	112
1 271	553 725	15	42 840	113
-	-	-	-	114
3	2 170	-	-	115
6	1 230	-	-	116
24	13 210	-	-	117
60	23 004	1	2 856	118
113	32 508	-	-	119
181	46 770	-	-	120
267	74 683	1	2 856	121
355	112 022	-	-	122
608	196 294	-	-	123
550	179 348	-	-	124
357	139 732	-	-	125
423	195 208	-	-	126
513	220 920	4	11 424	127
626	276 782	8	22 848	128
468	204 829	6	17 136	129
469	208 200	4	11 424	130
219	98 830	3	8 568	131
78	25 956	2	5 712	132
9 520	3 695 278	59	168 504	133
6 252	2 390 947	34	97 104	134
3 268	1 304 331	25	71 400	135
-	-	-	-	136
-	-	-	-	137
9	4 760	-	-	138
12	4 610	-	-	139
82	28 314	-	-	140
137	41 758	-	-	141
215	55 560	-	-	142
311	99 981	-	-	143
522	173 232	1	2 856	144
701	221 217	2	5 712	145
748	263 770	4	11 424	146
701	259 343	4	11 424	147
667	282 332	7	19 992	148
1 040	452 860	10	28 560	149
1 175	528 672	7	19 992	150
1 378	606 635	15	42 840	151
1 023	396 285	5	14 280	152
561	208 637	4	11 424	153
238	67 312	-	-	154
9 716	4 474 986	8 458	24 156 048	155
6 134	2 843 355	4 159	11 878 104	156
3 582	1 631 631	4 299	12 277 944	157
14	9 190	-	-	158
8	4 410	-	-	159
24	13 470	-	-	160
37	22 222	-	-	161
68	36 050	2	5 712	162
94	41 840	3	8 568	163
151	71 216	7	19 992	164
203	91 038	17	48 552	165
325	139 768	37	105 672	166
438	189 030	70	199 920	167
570	259 034	161	459 816	168
538	236 002	272	776 832	169
764	370 525	464	1 325 184	170
1 317	629 961	1 171	3 344 376	171
1 641	755 295	1 981	5 657 736	172
1 528	694 725	2 033	5 806 248	173
1 234	575 258	1 489	4 252 584	174
612	276 811	634	1 810 704	175
150	59 141	117	334 152	176

行番号	傷病分類 一般医療－後期医療 年齢階級	件数	診療実日数	総数 回数	総数 点数	初・再診 回数	初・再診 点数
177	Ⅷ 耳及び乳様突起の疾患	1 478 876	2 356 839	13 874 387	1 312 753 442	2 319 160	380 817 493
178	一般医療	1 173 352	1 848 043	10 123 334	1 016 509 822	1 802 491	315 897 572
179	後期医療	305 524	508 796	3 751 053	296 243 620	516 669	64 919 921
180	0 ～ 4 歳	239 418	483 137	1 929 974	235 191 957	427 249	85 189 993
181	5 ～ 9	180 503	261 653	1 324 410	132 850 913	262 522	50 582 181
182	10 ～ 14	70 716	90 658	477 781	48 953 815	90 990	18 245 767
183	15 ～ 19	27 146	33 960	175 772	20 054 271	34 079	7 227 388
184	20 ～ 24	26 303	33 679	178 050	21 189 043	33 820	7 132 329
185	25 ～ 29	31 221	41 559	228 888	25 685 341	41 684	8 416 164
186	30 ～ 34	38 260	52 890	293 230	32 170 970	53 073	10 162 230
187	35 ～ 39	44 774	63 032	349 827	37 204 605	63 301	11 599 079
188	40 ～ 44	53 008	75 372	442 005	44 953 018	75 789	13 296 256
189	45 ～ 49	58 098	82 899	498 799	50 830 078	83 473	14 138 140
190	50 ～ 54	56 994	82 625	518 633	50 392 750	83 298	13 516 535
191	55 ～ 59	61 338	91 098	588 489	55 494 808	91 990	14 221 469
192	60 ～ 64	71 934	110 559	736 588	65 552 496	111 743	16 128 367
193	65 ～ 69	104 196	166 160	1 123 815	97 651 009	168 212	22 677 059
194	70 ～ 74	113 430	187 209	1 314 194	106 752 722	189 932	24 299 692
195	75 ～ 79	121 776	203 928	1 477 184	118 389 074	207 489	25 754 329
196	80 ～ 84	97 817	164 705	1 234 055	94 236 431	167 877	20 752 810
197	85 ～ 89	56 804	92 832	707 373	52 862 265	94 366	12 124 877
198	90 歳以上	25 140	38 884	275 320	22 337 876	38 273	5 352 828
199	Ⅸ 循環器系の疾患	12 143 096	17 283 884	298 057 517	16 226 699 533	16 408 430	1 936 802 369
200	一般医療	6 665 458	8 514 842	148 194 203	8 052 213 182	8 509 895	1 035 988 713
201	後期医療	5 477 638	8 769 042	149 863 314	8 174 486 351	7 898 535	900 813 656
202	0 ～ 4 歳	5 618	7 581	44 997	11 947 514	6 810	1 207 938
203	5 ～ 9	9 560	12 033	63 065	13 606 532	12 075	2 267 482
204	10 ～ 14	17 650	22 897	134 642	23 792 037	22 939	4 085 526
205	15 ～ 19	22 359	28 808	176 914	36 427 000	28 860	5 677 391
206	20 ～ 24	14 938	19 940	167 126	26 807 991	19 846	3 611 560
207	25 ～ 29	20 751	28 227	267 890	38 545 387	27 792	4 549 559
208	30 ～ 34	39 229	52 898	585 380	64 749 737	52 116	7 779 315
209	35 ～ 39	81 416	107 099	1 325 561	121 931 954	106 624	14 758 448
210	40 ～ 44	200 193	254 026	3 509 027	262 724 898	254 183	33 592 829
211	45 ～ 49	385 177	482 987	7 221 301	476 643 808	483 387	61 997 536
212	50 ～ 54	568 541	708 882	11 291 811	675 454 406	709 747	88 981 199
213	55 ～ 59	781 881	973 773	16 582 235	920 846 680	974 425	119 416 952
214	60 ～ 64	1 056 419	1 329 249	23 495 661	1 260 993 001	1 328 875	159 587 052
215	65 ～ 69	1 705 419	2 196 496	40 042 996	2 095 183 991	2 190 460	258 329 587
216	70 ～ 74	1 828 671	2 474 333	45 562 118	2 372 985 328	2 458 509	285 427 114
217	75 ～ 79	1 857 623	2 692 430	49 164 876	2 531 119 581	2 648 996	303 293 390
218	80 ～ 84	1 668 845	2 602 871	46 806 653	2 386 283 595	2 476 599	282 503 445
219	85 ～ 89	1 163 264	1 952 089	32 994 324	1 746 223 231	1 700 190	194 587 179
220	90 歳以上	715 542	1 337 265	18 620 940	1 160 432 862	905 997	105 148 867
221	Ⅹ 呼吸器系の疾患	11 711 402	16 741 371	127 356 263	10 169 105 860	15 277 490	2 901 029 355
222	一般医療	10 523 286	14 645 657	101 399 968	8 220 306 660	13 310 189	2 658 609 439
223	後期医療	1 188 116	2 095 714	25 956 295	1 948 799 200	1 967 301	242 419 916
224	0 ～ 4 歳	2 136 261	3 587 424	11 635 935	1 807 671 434	2 228 683	540 984 763
225	5 ～ 9	1 235 434	1 695 455	9 373 731	775 634 050	1 702 179	345 799 422
226	10 ～ 14	727 863	900 574	5 844 274	447 614 288	903 760	183 513 501
227	15 ～ 19	424 717	503 266	3 479 036	262 886 667	504 694	116 119 183
228	20 ～ 24	406 758	485 272	3 358 182	267 582 431	485 800	117 237 293
229	25 ～ 29	488 138	596 289	4 114 909	320 906 000	594 135	137 274 826
230	30 ～ 34	625 470	784 475	5 394 462	410 610 336	780 741	171 227 041
231	35 ～ 39	670 752	853 134	6 105 847	450 511 789	851 811	176 868 677
232	40 ～ 44	666 135	853 640	6 595 459	472 965 572	855 161	167 882 728
233	45 ～ 49	595 604	773 407	6 626 497	453 936 244	775 646	143 596 465
234	50 ～ 54	505 076	671 791	6 270 331	415 036 280	673 995	117 616 466
235	55 ～ 59	480 847	655 400	6 658 906	428 346 294	657 638	108 879 417
236	60 ～ 64	479 181	673 299	7 203 467	471 927 716	675 964	105 351 479
237	65 ～ 69	576 697	843 407	9 569 052	652 141 227	846 436	122 227 548
238	70 ～ 74	523 212	812 398	9 636 560	670 360 100	814 015	108 375 802
239	75 ～ 79	477 782	789 788	9 745 592	672 508 486	786 492	98 110 147
240	80 ～ 84	365 376	640 234	8 183 791	570 291 859	622 395	75 723 553
241	85 ～ 89	214 324	394 574	5 035 644	382 323 496	356 390	43 583 892
242	90 歳以上	111 775	227 544	2 524 588	235 851 591	161 555	20 657 152
243	XI 消化器系の疾患	5 339 486	7 883 281	104 916 159	7 638 934 108	7 608 601	995 923 512
244	一般医療	3 745 773	5 225 514	64 850 156	5 249 265 076	5 119 925	714 284 063
245	後期医療	1 593 713	2 657 767	40 066 003	2 389 669 032	2 488 676	281 639 449
246	0 ～ 4 歳	84 429	128 066	390 690	68 807 071	76 666	18 134 698
247	5 ～ 9	46 822	61 432	304 431	33 998 723	61 909	13 992 771
248	10 ～ 14	43 527	57 250	375 334	40 165 155	57 670	11 919 910
249	15 ～ 19	59 430	78 179	628 855	72 194 977	78 220	15 756 969
250	20 ～ 24	91 435	120 738	1 047 313	126 300 262	118 310	23 431 437
251	25 ～ 29	131 210	175 651	1 598 564	184 666 659	164 829	30 200 270
252	30 ～ 34	172 227	233 622	2 168 511	233 143 909	217 276	37 361 928
253	35 ～ 39	210 569	287 726	2 804 441	293 972 443	276 312	44 159 555
254	40 ～ 44	271 162	372 262	3 929 626	391 683 787	367 908	54 765 045
255	45 ～ 49	316 952	439 652	5 033 413	467 169 115	437 185	61 475 847
256	50 ～ 54	331 815	460 730	5 706 395	472 120 565	458 502	61 607 225
257	55 ～ 59	360 793	499 974	6 700 099	517 759 016	497 370	64 330 327
258	60 ～ 64	416 526	578 156	8 208 684	606 082 369	575 790	71 721 921
259	65 ～ 69	603 538	854 918	12 628 818	892 981 023	852 220	102 174 236
260	70 ～ 74	625 112	926 739	13 906 522	936 563 119	924 429	107 551 015
261	75 ～ 79	621 475	975 873	14 825 409	917 636 434	968 746	109 983 073
262	80 ～ 84	501 995	832 439	12 942 849	734 116 676	807 343	91 049 584
263	85 ～ 89	297 441	515 660	7 927 095	428 968 638	466 031	52 845 148
264	90 歳以上	153 028	284 214	3 789 110	220 604 167	201 885	23 462 553

平成30年６月審査分

医学管理等 回数	医学管理等 点数	在宅医療 回数	在宅医療 点数	検査 回数	検査 点数	行番号
337 278	62 976 774	10 584	21 340 613	1 756 430	366 692 601	177
267 567	52 821 359	4 704	11 888 224	1 315 394	280 150 052	178
69 711	10 155 415	5 880	9 452 389	441 036	86 542 549	179
107 270	34 556 959	192	1 072 901	168 685	37 116 517	180
29 917	3 585 654	122	1 132 219	133 305	31 777 682	181
9 129	935 099	64	508 483	53 910	13 403 218	182
3 411	279 403	44	350 072	26 841	6 276 914	183
3 625	310 146	34	182 025	31 586	7 185 490	184
4 317	338 868	51	150 172	41 067	9 158 672	185
5 378	444 730	85	234 668	51 093	11 113 564	186
6 285	547 076	130	238 119	61 039	13 092 399	187
7 927	743 168	250	588 044	74 673	15 616 922	188
9 525	992 753	367	643 866	85 009	17 507 253	189
9 947	1 109 299	467	964 787	82 803	17 134 797	190
11 606	1 370 092	499	954 323	89 158	18 171 815	191
14 154	1 765 687	639	1 330 629	104 723	21 067 736	192
21 657	2 856 249	900	1 794 854	151 736	29 975 549	193
24 368	3 305 961	1 053	2 209 219	166 472	32 760 537	194
26 631	3 714 360	1 301	2 681 259	181 371	35 849 227	195
23 016	3 265 142	1 422	2 593 031	141 954	27 999 915	196
13 368	1 978 944	1 431	2 029 035	80 086	15 573 412	197
5 747	877 184	1 533	1 682 907	30 919	5 910 982	198
13 894 315	2 607 019 555	1 055 250	1 374 589 862	26 997 761	2 982 017 756	199
7 460 087	1 396 252 879	175 643	334 412 515	13 599 120	1 555 678 948	200
6 434 228	1 210 766 676	879 607	1 040 177 347	13 398 641	1 426 338 808	201
3 178	970 029	424	2 439 800	13 381	4 889 993	202
2 891	673 739	282	1 867 504	19 313	5 867 875	203
5 692	1 405 249	251	2 252 250	40 582	9 737 697	204
5 529	1 211 123	322	2 336 126	61 982	16 798 901	205
6 200	1 309 554	363	1 999 956	53 494	8 946 511	206
11 418	2 367 133	711	3 829 160	69 965	10 880 704	207
27 868	5 552 468	1 489	4 597 834	118 274	16 792 914	208
68 775	13 589 398	3 068	7 248 330	205 377	27 858 760	209
192 653	37 095 785	6 163	14 151 544	426 298	53 466 542	210
396 637	75 921 246	11 013	24 489 774	749 988	88 562 752	211
613 236	116 760 797	15 187	30 068 716	1 050 837	120 136 786	212
871 227	164 488 750	20 382	40 248 994	1 420 244	159 503 447	213
1 203 563	226 312 342	26 736	48 739 186	2 028 663	223 861 390	214
1 975 127	369 603 696	46 310	82 175 477	3 530 831	387 352 850	215
2 154 006	404 254 855	60 286	101 375 745	4 058 261	449 011 719	216
2 226 195	418 728 948	90 310	137 566 048	4 413 791	487 278 035	217
2 020 410	378 013 772	162 068	205 810 747	4 134 097	444 315 141	218
1 372 950	254 844 892	255 059	279 964 065	2 911 650	301 200 831	219
736 760	133 915 779	354 826	383 428 606	1 690 733	165 554 908	220
6 832 072	1 482 124 763	282 169	777 682 011	12 649 338	1 577 708 638	221
5 859 505	1 319 247 959	93 411	285 140 302	10 023 583	1 280 911 038	222
972 567	162 876 804	188 758	492 541 709	2 625 755	296 797 600	223
2 146 757	853 947 263	2 518	13 067 124	1 155 993	146 196 203	224
508 707	73 075 531	2 408	13 788 954	860 811	123 136 421	225
256 664	29 679 450	1 907	17 459 888	560 819	81 148 656	226
135 317	10 664 420	1 194	6 985 606	389 192	46 677 927	227
125 767	8 855 830	1 215	6 503 262	432 052	52 857 480	228
148 742	10 904 717	1 477	5 754 755	495 515	63 600 248	229
193 597	15 638 149	2 242	6 632 563	602 320	77 902 162	230
223 527	20 908 791	3 606	9 266 606	630 579	82 372 104	231
253 302	27 508 664	5 887	13 190 265	649 511	84 625 444	232
265 877	32 336 024	7 923	16 809 675	613 294	79 231 530	233
259 874	34 486 571	8 836	18 440 032	564 625	71 190 192	234
274 765	38 033 615	10 213	23 231 131	587 706	72 495 152	235
298 635	43 750 969	11 417	30 716 825	662 587	80 363 354	236
394 128	60 812 727	17 208	54 750 067	928 558	111 105 798	237
386 777	61 984 547	22 300	79 799 206	945 534	114 257 342	238
375 588	61 718 041	30 088	105 463 335	955 268	114 399 204	239
307 021	51 128 546	42 597	125 852 041	799 684	91 330 527	240
185 287	31 193 402	51 254	121 873 097	520 370	55 971 366	241
91 740	15 497 506	57 879	108 097 579	294 920	28 847 528	242
4 436 052	786 777 820	237 264	418 747 262	13 232 969	1 894 662 809	243
2 849 161	503 013 424	73 096	204 742 267	9 221 561	1 371 981 232	244
1 586 891	283 764 396	164 168	214 004 995	4 011 408	522 681 577	245
77 024	30 857 340	550	2 900 499	56 372	7 835 493	246
17 011	2 545 396	541	3 379 224	50 944	6 222 584	247
18 169	2 478 335	500	4 559 449	71 068	8 111 544	248
26 206	3 355 167	801	5 343 209	131 219	15 333 199	249
41 720	5 309 055	1 125	7 418 381	231 027	30 052 387	250
65 033	8 369 179	1 441	9 439 658	307 909	43 162 148	251
90 793	12 302 251	1 891	9 749 417	396 393	57 747 474	252
119 524	18 039 533	2 645	13 460 050	506 787	77 695 537	253
169 653	27 863 548	4 131	16 118 418	679 978	106 524 358	254
218 312	37 164 744	5 540	17 619 863	808 417	124 991 117	255
249 189	43 312 764	6 471	16 873 738	836 415	128 908 032	256
291 657	51 234 591	7 633	17 970 083	903 740	137 767 194	257
355 334	63 241 031	9 861	21 552 152	1 073 645	161 137 637	258
540 564	96 967 612	15 130	30 951 431	1 588 099	234 680 524	259
586 878	105 297 369	18 454	36 622 702	1 643 628	240 061 645	260
611 937	109 497 411	24 234	41 452 294	1 603 217	226 173 113	261
513 071	91 232 089	35 627	50 350 922	1 273 652	166 859 974	262
304 585	53 663 833	46 280	53 551 087	731 820	86 423 944	263
139 392	24 046 572	54 409	59 434 685	338 639	34 974 905	264

行番号	傷病分類 一般医療－後期医療 年齢階級	画像診断 回数	画像診断 点数	投薬 回数	投薬 点数	注射 回数	注射 点数
177	Ⅷ 耳及び乳様突起の疾患	137 204	66 201 751	5 339 964	144 404 389	88 782	41 579 981
178	一般医療	98 322	46 296 999	3 622 558	107 751 805	56 332	27 745 979
179	後期医療	38 882	19 904 752	1 717 406	36 652 584	32 450	13 834 002
180	０ ～ ４ 歳	7 679	1 593 935	483 577	22 337 327	902	289 376
181	５ ～ ９	11 701	2 288 915	310 314	11 856 544	521	915 749
182	１０ ～ １４	4 526	1 187 885	129 250	4 217 748	459	109 926
183	１５ ～ １９	1 709	692 325	56 293	1 844 398	617	76 076
184	２０ ～ ２４	1 926	880 521	59 304	2 054 747	920	898 396
185	２５ ～ ２９	2 805	1 238 359	79 535	2 564 807	1 343	1 173 963
186	３０ ～ ３４	3 601	1 674 902	101 460	3 417 625	1 947	1 558 085
187	３５ ～ ３９	4 442	2 199 488	125 742	4 110 873	2 892	1 116 950
188	４０ ～ ４４	5 360	2 910 755	174 704	5 080 839	4 131	1 599 866
189	４５ ～ ４９	5 955	3 466 569	208 140	6 010 931	5 193	2 128 800
190	５０ ～ ５４	6 346	3 734 162	227 348	5 860 459	5 053	2 000 479
191	５５ ～ ５９	7 108	4 169 785	265 260	6 782 937	6 084	2 437 586
192	６０ ～ ６４	8 583	4 966 360	335 340	7 903 419	6 687	2 993 305
193	６５ ～ ６９	12 938	7 544 426	504 512	11 541 567	9 572	5 776 782
194	７０ ～ ７４	14 318	8 068 787	586 003	12 943 254	10 513	5 175 922
195	７５ ～ ７９	15 747	8 668 660	653 606	14 886 170	11 974	6 078 190
196	８０ ～ ８４	12 453	6 367 321	569 135	12 315 227	10 911	4 393 927
197	８５ ～ ８９	7 162	3 373 817	335 462	6 189 761	6 641	2 020 066
198	９０ 歳 以 上	2 845	1 174 779	134 979	2 485 756	2 422	836 537
199	Ⅸ 循環器系の疾患	3 021 002	1 319 042 280	232 800 877	3 484 898 679	1 332 734	648 278 570
200	一般医療	1 388 355	676 042 726	115 680 649	1 782 414 847	343 984	291 603 569
201	後期医療	1 632 647	642 999 554	117 120 228	1 702 483 832	988 750	356 675 001
202	０ ～ ４ 歳	3 614	906 774	16 010	418 069	133	318 471
203	５ ～ ９	5 192	1 293 855	21 151	679 357	123	275 685
204	１０ ～ １４	8 262	2 480 432	53 786	1 704 514	382	1 215 569
205	１５ ～ １９	13 473	3 790 228	63 135	2 619 610	590	2 619 280
206	２０ ～ ２４	9 314	3 970 405	73 590	1 942 297	868	2 460 715
207	２５ ～ ２９	11 190	5 173 674	140 478	3 742 107	981	2 576 781
208	３０ ～ ３４	16 875	8 261 891	357 446	8 321 288	1 848	3 188 228
209	３５ ～ ３９	26 320	13 153 685	893 392	18 182 312	3 232	5 750 509
210	４０ ～ ４４	49 164	25 065 224	2 537 368	46 758 650	7 547	10 755 870
211	４５ ～ ４９	78 474	40 508 248	5 421 654	93 226 820	16 430	18 992 153
212	５０ ～ ５４	101 635	52 352 939	8 689 148	141 059 801	23 768	22 295 748
213	５５ ～ ５９	133 721	67 294 778	13 013 620	203 538 484	32 765	29 856 979
214	６０ ～ ６４	190 117	93 307 477	18 511 956	282 135 443	44 015	44 206 767
215	６５ ～ ６９	344 949	166 221 834	31 593 641	472 437 840	85 158	73 386 102
216	７０ ～ ７４	428 601	205 536 155	35 909 757	536 033 555	134 485	85 885 632
217	７５ ～ ７９	511 200	234 215 456	38 597 689	568 405 852	223 091	98 769 421
218	８０ ～ ８４	505 367	206 670 064	36 742 114	530 970 605	305 907	107 463 434
219	８５ ～ ８９	367 191	127 396 961	25 788 092	368 009 249	275 483	85 097 101
220	９０ 歳 以 上	216 343	61 442 200	14 376 850	204 712 826	175 928	53 164 125
221	Ⅹ 呼吸器系の疾患	2 038 333	458 922 378	75 656 378	1 807 234 038	811 705	493 559 118
222	一般医療	1 566 656	329 800 152	57 925 836	1 481 730 216	554 918	353 326 680
223	後期医療	471 677	129 122 226	17 730 542	325 503 822	256 787	140 232 438
224	０ ～ ４ 歳	78 838	11 533 461	4 358 688	165 756 121	19 955	5 621 930
225	５ ～ ９	87 900	12 437 494	4 389 606	145 980 851	17 363	3 701 746
226	１０ ～ １４	65 544	10 058 052	3 081 260	87 894 331	17 634	8 796 252
227	１５ ～ １９	59 735	10 210 643	1 948 990	51 106 579	19 838	8 075 267
228	２０ ～ ２４	71 436	12 297 571	1 818 474	49 562 486	26 399	7 515 580
229	２５ ～ ２９	86 601	15 051 648	2 224 759	61 154 565	30 437	9 847 797
230	３０ ～ ３４	114 890	20 292 892	2 905 329	81 377 252	36 909	12 395 344
231	３５ ～ ３９	123 748	22 651 384	3 378 001	93 697 418	41 102	15 875 578
232	４０ ～ ４４	122 774	24 313 873	3 841 656	100 263 490	46 045	23 731 686
233	４５ ～ ４９	108 984	23 178 085	4 116 350	99 417 239	48 714	27 211 880
234	５０ ～ ５４	96 091	21 934 617	4 055 232	90 411 843	45 838	29 315 569
235	５５ ～ ５９	101 684	24 558 499	4 429 985	93 131 353	44 075	34 451 133
236	６０ ～ ６４	119 847	30 363 904	4 805 004	100 167 745	44 332	41 878 033
237	６５ ～ ６９	169 337	46 006 461	6 404 110	135 473 655	57 579	65 592 095
238	７０ ～ ７４	169 179	47 729 050	6 467 691	134 022 962	62 707	65 585 109
239	７５ ～ ７９	168 318	47 799 487	6 588 851	128 299 972	76 753	60 711 330
240	８０ ～ ８４	142 572	39 318 928	5 616 980	101 694 890	80 127	41 547 959
241	８５ ～ ８９	94 513	24 944 592	3 486 825	59 253 650	59 822	21 434 967
242	９０ 歳 以 上	56 342	14 241 737	1 738 587	28 567 636	36 076	10 269 863
243	Ⅺ 消化器系の疾患	1 120 324	467 841 857	75 835 728	1 241 758 506	776 445	885 977 790
244	一般医療	707 723	308 784 443	45 439 510	787 499 815	402 803	702 763 234
245	後期医療	412 601	159 057 414	30 396 218	454 258 691	373 642	183 214 556
246	０ ～ ４ 歳	8 893	1 724 647	160 897	4 446 362	1 015	946 890
247	５ ～ ９	7 762	1 441 696	153 835	4 297 183	1 568	511 929
248	１０ ～ １４	9 947	2 285 407	206 295	5 253 268	2 741	3 492 624
249	１５ ～ １９	13 643	4 401 761	361 290	8 435 614	5 786	14 920 226
250	２０ ～ ２４	17 209	6 056 064	609 031	13 881 716	9 728	32 081 885
251	２５ ～ ２９	21 202	7 692 446	995 544	21 036 380	12 663	51 838 741
252	３０ ～ ３４	26 825	9 879 808	1 377 414	28 039 957	16 548	58 901 713
253	３５ ～ ３９	33 953	13 438 336	1 790 156	35 809 070	20 307	62 588 744
254	４０ ～ ４４	46 092	19 833 898	2 556 015	50 667 832	28 955	70 148 572
255	４５ ～ ４９	56 410	25 067 153	3 376 978	62 927 216	37 953	75 322 790
256	５０ ～ ５４	59 024	26 985 534	3 960 183	68 261 238	39 186	57 115 043
257	５５ ～ ５９	66 072	30 983 481	4 787 569	82 511 319	40 053	53 818 294
258	６０ ～ ６４	81 189	38 554 190	5 951 449	97 696 920	42 633	60 206 191
259	６５ ～ ６９	125 588	59 082 169	9 266 983	149 517 736	63 718	83 832 105
260	７０ ～ ７４	141 043	64 400 037	10 299 178	163 254 245	84 301	83 954 329
261	７５ ～ ７９	151 351	64 341 967	11 111 806	172 153 273	114 203	75 952 904
262	８０ ～ ８４	131 676	51 347 030	9 851 121	146 031 597	125 251	57 174 875
263	８５ ～ ８９	82 170	28 452 440	6 092 777	86 613 361	87 270	30 377 033
264	９０ 歳 以 上	40 275	11 873 793	2 927 207	40 924 219	42 566	12 792 902

平成30年６月審査分

リハビリテーション 回数	リハビリテーション 点数	精神科専門療法 回数	精神科専門療法 点数	処置 回数	処置 点数	行番号
30 613	6 850 768	5 507	1 640 632	3 811 421	177 329 305	177
23 478	5 454 081	4 245	1 275 562	2 899 613	132 139 276	178
7 135	1 396 687	1 262	365 070	911 808	45 190 029	179
7 739	1 831 920	132	82 530	715 277	33 320 598	180
7 184	1 641 480	140	61 825	566 032	26 304 163	181
1 256	279 705	82	33 375	187 232	9 196 074	182
381	90 410	50	21 015	52 031	2 791 901	183
190	45 310	102	30 130	46 152	2 119 585	184
221	48 125	152	45 620	57 245	2 132 654	185
154	36 210	230	75 330	75 603	2 953 507	186
320	74 555	266	78 050	84 558	3 175 163	187
357	78 520	360	97 385	97 484	4 047 310	188
559	129 950	473	131 665	98 946	4 455 262	189
704	148 173	404	110 875	101 100	4 815 647	190
636	138 207	437	122 990	114 414	5 934 206	191
764	162 930	487	140 922	151 897	7 482 845	192
1 469	307 732	527	162 405	249 859	12 470 924	193
1 958	535 206	472	116 805	316 363	14 497 174	194
2 645	533 113	514	119 975	372 762	17 207 332	195
2 380	446 730	389	117 635	301 727	13 411 734	196
1 220	233 421	189	55 170	165 554	7 724 863	197
476	89 071	101	36 930	57 185	3 288 363	198
675 854	129 699 942	86 794	39 404 328	1 540 411	1 446 413 943	199
322 397	66 407 776	45 637	18 180 748	573 626	746 954 997	200
353 457	63 292 166	41 157	21 223 580	966 785	699 458 946	201
1 135	271 589	7	3 310	268	411 868	202
1 358	316 635	203	98 890	437	206 294	203
1 636	386 550	642	308 825	432	132 763	204
1 527	349 590	900	368 630	486	251 773	205
1 696	391 510	570	176 265	976	1 343 030	206
2 183	501 520	863	303 195	1 922	3 609 077	207
3 782	864 575	1 382	522 195	3 711	6 714 674	208
7 212	1 666 317	1 904	689 980	8 482	16 007 501	209
12 716	2 821 240	3 550	1 289 826	17 011	32 556 312	210
22 493	4 894 365	5 200	1 955 647	31 624	57 781 914	211
28 325	6 068 170	5 657	2 172 207	47 640	83 481 194	212
34 869	7 349 135	5 854	2 350 617	65 538	108 592 270	213
46 356	9 461 064	5 818	2 495 837	95 555	147 669 295	214
78 018	15 597 714	7 030	3 077 971	166 929	229 759 823	215
100 583	19 542 646	7 630	3 231 806	217 265	239 205 041	216
123 281	23 054 544	9 313	4 277 428	277 212	210 131 687	217
107 481	19 293 963	11 730	6 039 367	291 683	172 181 508	218
70 339	11 981 186	10 853	5 907 024	205 484	99 584 556	219
30 864	4 887 629	7 688	4 135 308	107 756	36 793 363	220
128 551	24 225 499	57 155	21 869 183	13 521 704	526 028 642	221
77 264	15 564 431	48 006	17 298 604	11 875 185	403 280 763	222
51 287	8 661 068	9 149	4 570 579	1 646 519	122 747 879	223
9 263	2 148 528	209	113 675	1 626 768	55 811 986	224
12 670	2 860 803	1 077	437 925	1 788 211	51 651 437	225
3 653	803 786	1 343	492 640	950 008	25 975 240	226
2 300	482 899	1 208	492 710	415 597	10 346 704	227
1 846	390 541	1 757	614 210	392 189	9 565 113	228
1 484	312 697	2 826	969 330	527 187	13 138 183	229
1 667	332 794	4 101	1 388 224	750 107	18 710 932	230
2 086	416 449	5 151	1 822 477	843 172	22 145 067	231
2 643	507 508	6 140	2 106 469	808 419	23 970 313	232
3 281	624 194	6 311	2 175 797	675 450	23 589 194	233
3 941	735 670	5 142	1 793 040	552 019	24 215 934	234
4 626	923 839	4 181	1 557 090	538 907	26 025 823	235
6 035	1 182 766	3 258	1 284 040	570 477	31 483 127	236
10 231	1 818 541	3 477	1 490 391	729 041	44 870 767	237
14 384	2 534 739	2 572	989 264	740 966	45 717 179	238
18 330	3 146 076	2 441	959 250	730 894	42 528 121	239
16 233	2 747 907	2 662	1 382 655	541 734	31 952 679	240
10 041	1 632 515	1 935	989 661	261 460	17 656 995	241
3 837	623 247	1 364	810 335	79 098	6 673 848	242
198 312	35 497 604	159 917	57 423 978	803 655	326 183 841	243
105 340	19 893 614	137 639	48 193 799	422 201	182 207 278	244
92 972	15 603 990	22 278	9 230 179	381 454	143 976 563	245
2 258	528 730	53	17 590	6 713	676 075	246
2 386	549 466	628	280 415	7 759	580 321	247
1 349	296 285	1 570	694 270	5 612	611 578	248
2 039	420 627	2 873	1 278 048	5 063	1 253 594	249
1 585	317 372	5 775	1 921 305	7 352	1 874 542	250
1 421	271 111	9 527	3 238 865	11 325	2 517 038	251
1 916	383 314	11 926	4 027 868	16 036	3 981 325	252
2 778	543 524	14 460	5 019 667	19 130	5 424 183	253
4 696	887 857	17 855	6 125 523	25 370	9 545 807	254
7 033	1 306 838	18 442	6 364 203	29 999	16 086 881	255
8 660	1 588 861	15 322	5 276 372	33 762	19 152 201	256
10 539	1 960 200	12 679	4 492 894	39 673	25 087 072	257
13 365	2 467 995	9 168	3 255 410	49 150	32 527 656	258
20 563	3 972 647	9 649	3 471 442	81 213	52 645 956	259
27 670	4 924 348	8 781	3 215 952	104 882	49 782 230	260
35 879	6 180 289	7 563	2 723 313	134 297	43 489 297	261
31 159	5 207 548	6 614	2 751 386	123 261	35 148 553	262
16 971	2 743 896	4 583	2 042 393	73 443	18 396 717	263
6 045	946 696	2 449	1 227 062	29 615	7 402 815	264

行番号	傷病分類 一般医療－後期医療 年齢階級	手術 回数	手術 点数	麻酔 回数	麻酔 点数	放射線治療 回数	放射線治療 点数
177	Ⅷ 耳及び乳様突起の疾患	30 196	39 388 743	3 384	1 303 034	364	675 080
178	一般医療	24 804	32 848 601	1 405	828 569	255	471 670
179	後期医療	5 392	6 540 142	1 979	474 465	109	203 410
180	０～４歳	11 216	17 633 879	33	160 017	-	-
181	５～９	2 611	2 598 942	24	98 451	-	-
182	１０～１４	854	804 125	6	19 573	-	-
183	１５～１９	295	389 874	1	6 069	-	-
184	２０～２４	339	322 793	21	13 128	-	-
185	２５～２９	399	386 883	16	4 312	-	-
186	３０～３４	528	471 381	15	7 081	-	-
187	３５～３９	659	867 929	66	47 466	17	19 520
188	４０～４４	740	800 457	98	31 952	-	-
189	４５～４９	768	952 594	154	116 598	61	83 210
190	５０～５４	770	821 193	166	59 397	24	31 460
191	５５～５９	894	936 080	149	36 874	32	112 310
192	６０～６４	1 156	1 415 150	152	46 089	22	39 710
193	６５～６９	1 805	2 258 527	217	83 441	17	33 340
194	７０～７４	1 877	2 313 411	312	165 740	82	152 120
195	７５～７９	1 922	2 397 338	592	143 783	40	75 490
196	８０～８４	1 696	2 169 754	649	144 943	44	73 700
197	８５～８９	1 110	1 309 850	526	92 507	25	54 220
198	９０歳以上	557	538 583	187	25 613	-	-
199	Ⅸ 循環器系の疾患	28 179	174 939 523	126 461	38 945 094	2 630	6 337 744
200	一般医療	14 690	104 285 180	31 776	19 461 071	1 471	3 528 614
201	後期医療	13 489	70 654 343	94 685	19 484 023	1 159	2 809 130
202	０～４歳	18	26 081	16	83 571	-	-
203	５～９	29	49 663	7	8 989	-	-
204	１０～１４	22	63 540	4	16 954	-	-
205	１５～１９	47	275 030	18	106 731	2	6 230
206	２０～２４	61	500 163	26	114 398	3	4 170
207	２５～２９	113	815 193	53	119 933	9	11 230
208	３０～３４	193	1 876 200	108	160 873	26	33 920
209	３５～３９	269	2 231 971	289	528 997	44	61 560
210	４０～４４	510	3 838 499	632	736 926	54	143 340
211	４５～４９	766	5 813 246	1 340	1 520 955	52	84 040
212	５０～５４	1 087	8 490 957	2 181	2 083 987	76	135 680
213	５５～５９	1 590	12 671 905	3 208	3 226 981	160	263 480
214	６０～６４	2 234	16 194 433	4 605	3 359 746	220	517 470
215	６５～６９	3 703	25 689 150	7 958	4 734 456	412	1 081 080
216	７０～７４	4 467	30 165 134	12 410	4 892 804	432	1 222 534
217	７５～７９	4 666	30 694 574	21 969	5 557 272	624	1 477 960
218	８０～８４	4 011	20 801 484	31 698	5 662 178	366	911 900
219	８５～８９	2 710	10 272 399	27 023	4 104 424	132	368 640
220	９０歳以上	1 683	4 469 901	12 916	1 924 919	18	14 510
221	Ⅹ 呼吸器系の疾患	31 088	69 167 556	32 922	7 664 443	3 500	7 808 303
222	一般医療	26 249	56 560 145	13 222	4 296 613	2 384	4 806 816
223	後期医療	4 839	12 607 411	19 700	3 367 830	1 116	3 001 487
224	０～４歳	8 092	12 372 951	40	108 225	-	-
225	５～９	2 678	2 572 809	33	171 437	-	-
226	１０～１４	1 544	1 657 413	17	91 392	-	-
227	１５～１９	732	1 532 026	44	122 302	1	1 390
228	２０～２４	680	1 840 374	60	127 790	17	54 430
229	２５～２９	806	2 477 311	143	146 521	21	47 240
230	３０～３４	1 079	4 012 260	294	255 694	14	47 540
231	３５～３９	1 140	3 579 374	503	270 034	54	125 670
232	４０～４４	1 196	3 668 634	736	260 049	133	212 500
233	４５～４９	1 234	4 174 283	1 154	389 323	255	401 370
234	５０～５４	1 150	3 297 913	1 324	400 661	247	378 244
235	５５～５９	1 144	3 215 879	1 588	399 513	248	502 470
236	６０～６４	1 248	3 106 243	1 643	452 303	304	638 912
237	６５～６９	1 758	4 284 167	2 546	588 485	498	1 223 796
238	７０～７４	1 885	5 328 894	3 418	737 105	617	1 284 374
239	７５～７９	1 900	5 053 493	5 657	991 798	506	1 315 598
240	８０～８４	1 479	3 915 626	6 644	1 078 059	429	1 256 003
241	８５～８９	897	2 074 643	4 999	755 898	129	288 880
242	９０歳以上	446	1 003 263	2 079	317 854	27	29 886
243	XI 消化器系の疾患	61 041	277 396 908	73 502	18 229 274	8 841	23 240 537
244	一般医療	47 248	214 760 304	29 601	10 323 707	5 668	14 508 507
245	後期医療	13 793	62 636 604	43 901	7 905 567	3 173	8 732 030
246	０～４歳	176	635 744	34	89 153	-	-
247	５～９	51	121 207	17	65 064	-	-
248	１０～１４	178	313 438	35	32 863	-	-
249	１５～１９	355	815 999	87	100 578	-	-
250	２０～２４	656	1 749 571	194	131 577	3	67 400
251	２５～２９	1 103	3 225 568	379	273 766	12	13 730
252	３０～３４	1 616	5 334 519	577	342 934	15	42 410
253	３５～３９	2 357	8 923 618	1 046	479 946	94	212 290
254	４０～４４	3 618	15 002 976	1 655	674 291	135	272 884
255	４５～４９	4 576	20 411 351	2 347	950 587	234	500 263
256	５０～５４	4 949	23 200 505	2 755	962 740	356	739 290
257	５５～５９	5 380	25 497 252	3 272	1 278 941	407	1 101 216
258	６０～６４	5 968	29 214 464	3 546	1 235 531	707	1 654 080
259	６５～６９	8 189	40 330 675	5 660	1 809 071	1 667	4 438 670
260	７０～７４	8 345	41 281 008	8 465	2 079 653	2 053	5 651 354
261	７５～７９	7 122	34 230 631	13 185	2 679 509	1 897	5 352 370
262	８０～８４	4 004	18 487 838	15 516	2 695 425	888	2 292 150
263	８５～８９	1 718	6 722 306	10 668	1 735 867	320	823 388
264	９０歳以上	680	1 898 238	4 064	611 778	53	79 042

平成30年６月審査分

病理診断 回数	病理診断 点数	入院料等 回数	入院料等 点数	行番号
3 456	1 540 574	4	11 424	177
2 127	934 102	2	5 712	178
1 329	606 472	2	5 712	179
8	5 900	-	-	180
13	7 080	-	-	181
22	12 830	-	-	182
20	8 426	-	-	183
28	14 422	-	-	184
51	26 728	-	-	185
62	21 650	-	-	186
110	37 938	-	-	187
132	61 544	-	-	188
173	72 466	-	-	189
201	85 473	-	-	190
219	106 113	-	-	191
239	106 484	1	2 856	192
394	168 154	-	-	193
468	206 024	1	2 856	194
590	279 848	-	-	195
399	181 692	1	2 856	196
232	99 466	1	2 856	197
95	38 336	-	-	198
86 130	37 630 054	237	676 872	199
46 439	20 718 268	98	279 888	200
39 691	16 911 786	139	396 984	201
-	-	-	-	202
2	550	-	-	203
8	2 140	-	-	204
40	16 336	-	-	205
114	37 422	-	-	206
209	66 100	-	-	207
258	83 334	-	-	208
567	204 144	-	-	209
1 169	449 362	1	2 856	210
2 228	880 762	5	14 280	211
3 264	1 354 616	4	11 424	212
4 574	2 023 559	7	19 992	213
6 857	3 104 976	14	39 984	214
12 372	5 670 192	23	65 688	215
15 309	7 068 719	46	131 376	216
16 439	7 469 129	70	199 920	217
13 037	5 514 338	46	131 376	218
7 121	2 847 415	20	57 120	219
2 562	836 960	1	2 856	220
33 274	13 998 925	28	79 968	221
23 022	9 698 408	11	31 416	222
10 252	4 300 517	17	48 552	223
19	8 420	-	-	224
38	18 870	-	-	225
90	43 470	-	-	226
161	68 780	-	-	227
439	160 114	-	-	228
736	225 882	-	-	229
1 146	394 458	1	2 856	230
1 347	512 020	-	-	231
1 830	723 767	-	-	232
2 004	801 045	-	-	233
1 987	819 386	-	-	234
2 126	941 240	-	-	235
2 687	1 187 813	-	-	236
4 114	1 890 882	2	5 712	237
4 493	1 991 456	8	22 848	238
4 482	1 984 032	10	28 560	239
3 222	1 348 641	5	14 280	240
1 718	664 513	2	5 712	241
635	214 136	-	-	242
362 438	206 892 527	833	2 379 048	243
287 847	164 506 183	631	1 802 136	244
74 591	42 386 344	202	576 912	245
29	13 780	-	-	246
19	11 460	-	-	247
198	116 170	-	-	248
1 262	774 211	2	5 712	249
3 584	2 007 472	-	-	250
6 160	3 381 949	2	5 712	251
9 269	5 028 936	7	19 992	252
14 871	8 141 206	13	37 128	253
23 510	13 144 131	38	108 528	254
29 906	16 788 830	67	191 352	255
31 551	17 962 761	61	174 216	256
33 966	19 531 797	68	194 208	257
36 741	21 299 986	111	317 016	258
49 420	28 732 445	131	374 136	259
48 260	28 110 647	132	376 992	260
39 835	23 072 835	124	354 144	261
23 591	13 307 693	63	179 928	262
8 438	4 545 879	11	31 416	263
1 828	920 339	3	8 568	264

第３表　医科診療（入院外）件数・診療実日数・回数・点数，

行番号	傷病分類 一般医療－後期医療 年齢階級	件数	診療実日数	総数 回数	総数 点数	初・再診 回数	初・再診 点数
265	XII 皮膚及び皮下組織の疾患	6 603 822	9 071 815	57 579 943	4 881 123 521	8 619 569	1 470 370 367
266	一般医療	5 581 417	7 343 780	43 038 054	3 750 783 064	7 019 431	1 267 608 037
267	後期医療	1 022 405	1 728 035	14 541 889	1 130 340 457	1 600 138	202 762 330
268	0～4歳	820 075	1 128 599	3 018 353	502 710 446	787 206	188 590 692
269	5～9	453 668	582 553	2 275 532	232 008 902	584 338	119 509 619
270	10～14	325 025	407 252	1 848 540	165 540 178	408 397	78 629 322
271	15～19	308 609	373 739	2 082 063	150 079 927	374 489	70 320 680
272	20～24	308 931	368 678	2 198 628	156 885 856	368 785	71 748 835
273	25～29	314 517	378 529	2 308 136	165 127 436	377 416	72 359 170
274	30～34	328 655	400 855	2 431 980	181 785 666	398 925	74 584 027
275	35～39	339 945	421 113	2 641 088	198 650 712	420 437	76 195 871
276	40～44	371 719	470 730	3 149 956	243 237 626	471 602	82 208 806
277	45～49	372 788	485 815	3 408 998	268 816 282	487 468	81 572 453
278	50～54	316 428	423 933	3 062 526	248 835 345	425 860	69 067 367
279	55～59	286 228	393 048	2 903 158	242 970 998	395 479	62 153 488
280	60～64	289 528	409 450	3 087 259	269 777 386	412 027	62 643 154
281	65～69	383 801	562 114	4 332 348	391 023 129	565 041	82 155 488
282	70～74	380 116	579 495	4 634 890	393 508 721	581 623	80 040 081
283	75～79	375 788	601 683	5 020 266	392 961 556	599 652	78 170 633
284	80～84	304 833	511 611	4 418 090	319 490 080	492 947	61 965 355
285	85～89	199 508	347 179	3 014 469	214 974 820	308 037	38 231 828
286	90歳以上	123 660	225 439	1 743 663	142 738 455	159 840	20 223 498
287	XIII 筋骨格系及び結合組織の疾患	8 006 705	18 289 741	126 907 480	10 189 240 820	18 163 251	1 968 697 995
288	一般医療	5 042 783	10 447 097	70 450 363	6 069 169 350	10 410 754	1 232 114 987
289	後期医療	2 963 922	7 842 644	56 457 117	4 120 071 470	7 752 497	736 583 008
290	0～4歳	33 194	40 505	134 069	48 068 245	36 889	10 892 970
291	5～9	39 955	55 060	212 096	40 033 942	55 189	11 490 762
292	10～14	121 032	204 759	788 408	127 895 473	202 915	35 168 431
293	15～19	91 542	151 180	681 007	108 154 907	149 189	25 462 438
294	20～24	61 038	91 767	558 221	72 532 868	91 092	16 374 936
295	25～29	86 967	132 924	862 704	101 474 170	131 842	22 862 322
296	30～34	128 183	202 684	1 326 905	146 731 077	201 099	32 961 866
297	35～39	183 167	304 430	2 038 344	212 390 211	302 969	46 306 265
298	40～44	282 351	496 055	3 369 141	332 423 766	494 705	70 473 158
299	45～49	381 868	719 548	4 802 512	450 798 331	717 182	94 913 752
300	50～54	457 107	907 289	6 003 267	541 198 669	903 392	111 926 062
301	55～59	527 050	1 062 372	7 398 505	630 600 260	1 058 864	124 457 101
302	60～64	641 604	1 353 304	9 606 311	782 844 383	1 348 917	149 201 946
303	65～69	965 531	2 153 035	15 255 602	1 203 130 304	2 147 818	224 853 273
304	70～74	1 075 954	2 672 252	18 255 126	1 396 872 762	2 666 938	263 697 193
305	75～79	1 184 333	3 183 981	21 442 288	1 591 209 120	3 178 922	301 750 993
306	80～84	964 803	2 614 562	18 643 406	1 317 678 303	2 604 287	245 068 955
307	85～89	552 726	1 421 544	11 062 265	765 973 136	1 396 064	133 159 735
308	90歳以上	228 300	522 490	4 467 303	319 230 893	474 978	47 675 837
309	XIV 腎尿路生殖器系の疾患	2 930 677	5 858 396	56 646 051	9 519 333 713	5 807 360	672 440 345
310	一般医療	2 104 191	3 842 401	35 415 907	5 645 295 482	3 825 153	484 814 628
311	後期医療	826 486	2 015 995	21 230 144	3 874 038 231	1 982 207	187 625 717
312	0～4歳	26 346	39 600	151 398	26 003 111	32 675	7 589 007
313	5～9	27 725	39 691	190 278	22 519 046	39 994	8 053 238
314	10～14	16 641	22 245	152 157	15 971 423	22 421	4 052 437
315	15～19	33 053	41 655	434 240	34 605 639	41 529	7 903 945
316	20～24	92 644	118 887	1 273 637	97 882 502	115 776	21 351 468
317	25～29	139 744	197 564	1 849 746	159 615 072	188 733	31 176 306
318	30～34	168 812	259 499	2 090 755	222 788 482	248 052	37 730 558
319	35～39	174 405	273 973	2 210 863	272 684 236	266 856	38 859 150
320	40～44	186 703	304 950	2 579 729	377 042 793	303 525	41 695 660
321	45～49	206 732	378 603	3 138 997	529 724 836	379 655	49 156 716
322	50～54	188 863	384 387	3 177 290	593 844 574	386 124	47 003 763
323	55～59	159 171	356 907	3 119 349	654 059 696	359 208	40 569 200
324	60～64	166 931	402 380	3 797 456	833 608 733	405 778	42 131 592
325	65～69	259 916	635 756	6 185 934	1 320 022 040	641 539	63 427 007
326	70～74	290 413	669 435	6 968 685	1 309 681 981	676 555	65 966 167
327	75～79	305 321	669 021	7 344 076	1 234 692 100	675 250	65 522 801
328	80～84	259 145	565 320	6 414 670	1 001 408 092	564 118	54 603 186
329	85～89	155 258	341 342	3 862 691	583 618 803	328 321	32 156 581
330	90歳以上	72 854	157 181	1 704 100	229 560 554	131 251	13 491 563
331	XV 妊娠，分娩及び産じょく	220 924	382 895	2 168 695	223 046 288	262 434	43 055 846
332	一般医療	220 920	382 879	2 168 625	223 002 452	262 424	43 055 190
333	後期医療	4	16	70	43 836	10	656
334	0～4歳	－	－	－	－	－	－
335	5～9	－	－	－	－	－	－
336	10～14	93	109	455	67 325	107	18 686
337	15～19	2 670	4 334	22 726	2 730 009	3 202	647 362
338	20～24	19 054	31 723	177 124	18 704 235	22 096	4 069 494
339	25～29	54 942	93 874	532 813	53 328 310	63 590	10 888 350
340	30～34	75 624	131 132	750 013	74 995 259	87 676	14 359 991
341	35～39	51 764	91 426	517 411	53 627 467	62 776	9 722 524
342	40～44	15 441	28 034	154 369	17 734 371	20 946	3 070 645
343	45～49	1 091	1 855	10 835	1 422 053	1 648	235 118
344	50～54	175	282	2 047	254 986	275	31 693
345	55～59	63	104	638	133 208	100	10 715
346	60～64	1	3	13	2 824	5	291
347	65～69	1	2	173	1 451	2	248
348	70～74	1	1	8	954	1	73
349	75～79	2	4	31	39 290	5	328
350	80～84	1	4	19	2 740	5	328
351	85～89	－	－	－	－	－	－
352	90歳以上	1	8	20	1 806	－	－

平成30年６月審査分

医学管理等 回数	医学管理等 点数	在宅医療 回数	在宅医療 点数	検査 回数	検査 点数	行番号
3 013 706	446 563 136	168 126	274 139 900	3 942 723	463 127 892	265
2 444 176	366 511 072	35 633	115 625 385	2 811 675	346 812 140	266
569 530	80 052 064	132 493	158 514 515	1 131 048	116 315 752	267
524 462	187 991 721	637	2 812 757	201 844	32 812 560	268
116 502	9 357 341	890	4 813 500	132 284	20 527 977	269
82 511	5 149 056	778	7 021 087	102 024	15 636 817	270
100 996	6 162 681	513	4 281 348	86 087	12 197 570	271
113 222	7 320 173	593	2 367 552	111 939	15 139 274	272
120 843	8 225 893	686	2 535 251	124 122	16 712 539	273
130 757	9 436 731	920	4 350 629	140 096	18 296 837	274
139 322	10 797 696	1 136	4 999 847	159 821	20 062 016	275
158 362	13 394 201	1 611	7 683 120	191 124	23 258 003	276
162 836	15 070 088	2 265	9 465 071	214 476	25 325 063	277
141 110	14 206 927	2 749	10 364 803	204 306	23 477 926	278
132 772	14 820 674	3 535	10 808 835	205 560	22 765 042	279
138 969	16 781 571	4 300	11 740 614	235 650	25 516 092	280
192 309	24 597 150	8 041	18 845 232	354 451	37 884 924	281
200 298	26 211 825	10 493	20 948 389	378 505	40 387 788	282
206 451	27 555 969	15 508	24 846 837	396 125	41 944 618	283
173 900	24 066 002	26 435	33 683 636	340 744	35 319 630	284
113 415	16 048 879	37 927	41 017 084	230 007	22 951 717	285
64 669	9 368 558	49 109	51 554 308	133 558	12 911 499	286
3 809 292	468 353 279	250 254	513 825 850	10 166 753	1 040 506 196	287
2 208 511	266 320 899	71 911	251 407 302	6 328 337	640 175 812	288
1 600 781	202 032 380	178 343	262 418 548	3 838 416	400 330 384	289
11 604	4 551 997	132	587 941	25 152	9 170 546	290
8 130	1 083 509	216	2 580 333	23 342	5 026 716	291
29 939	3 049 630	347	4 373 903	35 926	4 759 108	292
25 931	2 798 857	441	5 652 236	52 515	5 618 278	293
21 699	2 302 387	506	4 376 929	70 708	6 958 587	294
31 929	3 194 393	859	5 581 583	108 082	10 543 904	295
47 888	4 881 539	1 423	7 435 508	163 535	15 991 464	296
69 594	7 317 472	2 199	12 177 480	241 300	23 222 504	297
109 834	11 951 758	3 342	17 665 216	372 947	35 553 260	298
152 572	17 269 152	4 876	19 835 016	495 352	47 182 713	299
187 572	21 948 121	5 952	22 633 265	578 206	55 685 109	300
230 065	27 755 886	7 823	26 582 350	673 179	65 326 270	301
295 944	36 582 191	10 416	33 946 525	852 168	84 294 481	302
465 264	58 639 142	16 599	46 730 986	1 309 259	132 639 209	303
539 564	67 476 488	21 166	53 505 107	1 416 473	147 058 904	304
607 367	74 903 537	29 200	61 370 781	1 515 840	159 589 980	305
523 269	64 951 380	40 279	64 841 606	1 231 530	129 200 535	306
315 896	39 994 562	49 583	62 294 757	709 768	73 496 247	307
135 231	17 701 278	54 895	61 654 328	291 471	29 188 381	308
1 523 519	507 849 845	140 463	340 555 259	9 568 630	1 112 255 756	309
938 185	279 129 375	50 469	178 793 990	6 514 780	813 148 309	310
585 334	228 720 470	89 994	161 761 269	3 053 850	299 107 447	311
15 203	5 288 908	316	2 331 331	56 808	7 172 286	312
8 296	1 502 962	463	2 468 239	78 003	6 627 253	313
5 320	969 339	483	2 594 774	61 000	5 543 845	314
10 562	869 816	511	2 965 237	104 515	12 102 851	315
28 894	1 812 395	610	2 084 385	247 668	34 165 990	316
43 833	3 384 193	932	3 905 991	368 511	56 320 625	317
53 061	5 361 397	1 490	5 729 984	469 723	75 070 162	318
54 219	8 064 666	1 844	8 010 034	493 597	76 826 839	319
61 339	14 204 625	2 524	9 837 419	525 847	77 543 714	320
77 473	23 228 692	3 620	15 708 834	567 679	79 207 323	321
84 289	29 619 588	4 265	18 087 937	517 978	66 046 324	322
86 485	35 134 162	5 282	21 343 562	495 315	56 433 849	323
106 222	46 641 601	7 165	27 099 453	596 893	63 408 102	324
172 448	75 371 718	12 398	38 740 156	962 375	99 420 650	325
190 337	76 220 565	14 550	38 915 299	1 078 259	109 275 564	326
197 953	72 486 496	16 926	38 927 048	1 136 109	112 700 841	327
173 269	59 723 865	20 648	38 597 418	968 884	94 382 522	328
106 447	34 723 321	22 364	33 476 802	578 866	55 644 532	329
47 869	13 241 536	24 072	29 731 356	260 600	24 362 484	330
82 108	6 224 865	4 356	7 327 821	591 107	127 305 025	331
82 105	6 223 935	4 356	7 327 821	591 076	127 301 638	332
3	930	－	－	31	3 387	333
－	－	－	－	－	－	334
－	－	－	－	－	－	335
14	2 823	3	4 450	145	24 716	336
848	69 180	21	31 159	6 925	1 581 486	337
7 088	477 751	147	230 120	46 630	10 986 828	338
21 105	1 420 875	687	1 116 159	133 679	31 179 278	339
28 784	2 101 580	1 439	2 471 784	197 844	43 050 872	340
18 814	1 606 826	1 493	2 528 706	149 600	30 101 972	341
5 087	492 889	529	886 094	51 221	9 499 612	342
290	37 127	29	49 243	4 152	724 155	343
48	7 481	4	6 490	665	114 284	344
23	6 856	4	3 616	205	36 517	345
－	－	－	－	4	1 397	346
3	187	－	－	－	－	347
1	360	－	－	6	521	348
3	930	－	－	12	1 575	349
－	－	－	－	10	936	350
－	－	－	－	－	－	351
－	－	－	－	9	876	352

第３表　医科診療（入院外）件数・診療実日数・回数・点数,

行番号	傷病分類 一般医療－後期医療 年齢階級	画像診断 回数	画像診断 点数	投薬 回数	投薬 点数	注射 回数	注射 点数
265	XII 皮膚及び皮下組織の疾患	262 066	91 508 825	38 296 557	968 978 443	426 445	482 593 370
266	一般医療	159 751	57 506 097	28 178 588	749 782 574	247 999	358 090 652
267	後期医療	102 315	34 002 728	10 117 969	219 195 869	178 446	124 502 718
268	０～４歳	5 837	1 155 084	1 297 013	61 988 291	1 752	1 284 391
269	５～９	5 595	986 308	1 226 414	46 975 111	1 710	1 037 509
270	１０～１４	6 327	1 145 864	1 107 736	35 921 742	2 904	1 578 384
271	１５～１９	4 437	1 132 804	1 411 087	38 275 498	5 773	3 007 959
272	２０～２４	3 349	1 056 090	1 502 179	38 872 484	8 518	4 979 040
273	２５～２９	3 685	1 081 435	1 576 970	39 828 580	10 359	6 643 458
274	３０～３４	5 046	1 696 427	1 643 651	42 442 592	11 303	10 508 359
275	３５～３９	6 181	2 107 834	1 788 785	44 522 218	14 528	15 375 419
276	４０～４４	9 258	3 360 859	2 168 675	52 692 991	19 661	27 630 269
277	４５～４９	11 747	4 330 369	2 363 672	55 722 658	25 320	36 933 544
278	５０～５４	12 683	4 903 696	2 117 455	48 790 530	24 959	37 782 214
279	５５～５９	14 059	5 464 892	1 994 514	47 867 429	22 876	36 312 189
280	６０～６４	16 917	6 888 173	2 107 988	52 064 807	23 408	44 730 480
281	６５～６９	27 445	11 273 123	2 940 101	72 383 511	35 140	70 562 197
282	７０～７４	30 360	12 131 138	3 161 776	76 852 984	42 107	65 343 793
283	７５～７９	35 300	13 144 028	3 455 017	80 691 579	55 026	58 903 164
284	８０～８４	30 670	10 509 510	3 074 332	65 901 655	56 915	34 797 885
285	８５～８９	21 078	6 171 605	2 123 019	42 981 485	42 450	17 682 459
286	９０歳以上	12 092	2 969 586	1 236 173	24 202 298	21 736	7 500 657
287	XIII 筋骨格系及び結合組織の疾患	6 473 076	1 525 095 038	71 338 676	1 430 888 413	4 179 484	1 578 681 439
288	一般医療	4 572 361	1 076 930 113	38 184 572	805 700 275	1 832 574	826 540 824
289	後期医療	1 900 715	448 164 925	33 154 104	625 188 138	2 346 910	752 140 615
290	０～４歳	24 624	4 191 373	18 911	596 856	258	361 516
291	５～９	67 584	11 098 635	34 867	1 557 773	348	1 370 627
292	１０～１４	236 791	47 443 118	145 997	6 345 726	1 246	3 253 996
293	１５～１９	160 834	38 808 692	186 460	6 187 842	3 472	5 271 832
294	２０～２４	88 451	21 218 749	231 786	6 675 936	4 280	6 253 815
295	２５～２９	114 466	26 747 963	398 324	11 304 570	7 930	10 215 936
296	３０～３４	154 790	36 491 902	636 452	16 661 387	14 193	15 302 314
297	３５～３９	209 398	49 894 398	1 015 998	25 117 346	25 359	22 027 807
298	４０～４４	302 660	72 642 530	1 739 411	40 837 124	51 520	37 677 215
299	４５～４９	386 331	92 217 437	2 496 473	55 707 472	94 711	54 468 091
300	５０～５４	433 097	101 379 065	3 149 892	69 461 305	144 414	66 190 404
301	５５～５９	455 083	106 851 618	4 084 522	85 551 653	195 234	88 417 077
302	６０～６４	509 849	120 465 467	5 437 007	109 345 225	264 481	118 191 395
303	６５～６９	711 773	171 759 617	8 730 177	175 647 387	445 837	191 347 207
304	７０～７４	747 243	183 202 703	10 378 360	205 289 443	600 397	237 806 611
305	７５～７９	783 421	192 300 627	12 152 225	240 791 172	810 317	282 605 121
306	８０～８４	616 879	146 231 278	10 893 842	204 289 187	796 896	243 151 038
307	８５～８９	339 689	75 608 461	6 722 820	120 428 773	523 138	144 075 946
308	９０歳以上	130 113	26 541 405	2 885 152	49 092 236	195 453	50 693 491
309	XIV 腎尿路生殖器系の疾患	747 373	308 208 618	35 287 079	736 972 921	424 675	398 080 719
310	一般医療	539 600	221 903 007	21 346 074	473 463 977	319 822	234 257 196
311	後期医療	207 773	86 305 611	13 941 005	263 508 944	104 853	163 823 523
312	０～４歳	2 780	1 445 573	40 710	1 455 381	506	131 625
313	５～９	1 563	602 160	58 810	2 184 128	432	642 703
314	１０～１４	1 547	547 294	59 599	1 591 478	417	317 548
315	１５～１９	3 013	1 373 913	264 369	6 625 572	1 589	529 454
316	２０～２４	7 245	3 265 160	823 736	20 936 443	4 216	2 862 614
317	２５～２９	15 059	6 658 666	1 145 583	28 293 059	12 501	4 154 124
318	３０～３４	27 765	11 791 950	1 175 311	28 735 038	23 353	9 365 666
319	３５～３９	39 889	16 314 536	1 224 164	30 341 309	25 054	11 270 504
320	４０～４４	54 953	21 733 055	1 459 641	36 254 706	32 261	16 850 489
321	４５～４９	65 897	25 985 563	1 794 899	42 306 346	63 082	23 842 324
322	５０～５４	59 319	23 131 126	1 859 507	40 390 752	64 838	23 323 119
323	５５～５９	55 801	21 912 325	1 868 566	40 616 675	38 369	22 081 154
324	６０～６４	58 064	23 777 117	2 341 292	49 499 412	15 838	30 482 328
325	６５～６９	80 793	34 626 984	3 874 863	81 751 900	19 026	49 508 664
326	７０～７４	78 390	34 850 973	4 489 595	88 789 505	21 813	53 362 556
327	７５～７９	75 549	33 620 117	4 820 810	93 014 917	28 820	56 703 077
328	８０～８４	61 812	25 552 353	4 271 956	78 852 111	31 833	48 506 016
329	８５～８９	38 789	14 793 091	2 575 753	46 007 858	25 759	30 506 262
330	９０歳以上	19 145	6 226 662	1 137 915	19 326 331	14 968	13 640 492
331	XV 妊娠，分娩及び産じょく	17 445	3 585 559	1 117 169	16 949 410	26 542	3 901 955
332	一般医療	17 439	3 582 442	1 117 157	16 948 546	26 538	3 868 685
333	後期医療	6	3 117	12	864	4	33 270
334	０～４歳	-	-	-	-	-	-
335	５～９	-	-	-	-	-	-
336	１０～１４	38	8 398	141	2 267	5	5 444
337	１５～１９	169	41 963	10 371	168 009	200	29 921
338	２０～２４	1 109	253 867	91 598	1 378 123	1 978	274 771
339	２５～２９	3 548	742 458	287 108	4 261 777	6 521	971 915
340	３０～３４	5 742	1 082 563	396 960	5 975 076	9 244	1 482 256
341	３５～３９	4 774	933 333	258 190	3 980 849	6 466	744 066
342	４０～４４	1 821	415 067	67 611	1 095 774	2 013	315 241
343	４５～４９	146	52 270	3 967	68 625	76	20 155
344	５０～５４	64	36 713	843	13 628	22	11 494
345	５５～５９	26	14 810	198	3 266	13	13 422
346	６０～６４	2	1 000	2	136	-	-
347	６５～６９	-	-	168	1 016	-	-
348	７０～７４	-	-	-	-	-	-
349	７５～７９	2	2 683	3	204	4	33 270
350	８０～８４	-	-	3	220	-	-
351	８５～８９	-	-	-	-	-	-
352	９０歳以上	4	434	6	440	-	-

平成30年６月審査分

リハビリテーション 回数	リハビリテーション 点数	精神科専門療法 回数	精神科専門療法 点数	処置 回数	処置 点数	行番号
126 619	22 452 879	28 347	11 955 760	2 511 683	476 340 477	265
67 967	12 866 671	20 653	8 022 826	1 920 535	331 986 640	266
58 652	9 586 208	7 694	3 932 934	591 148	144 353 837	267
3 441	813 594	148	66 670	194 673	23 696 616	268
4 517	1 031 123	457	178 670	201 398	26 418 928	269
2 474	520 620	597	236 530	132 539	17 492 168	270
1 720	355 879	632	244 970	92 520	10 236 061	271
1 292	258 954	931	346 920	82 586	9 184 054	272
1 149	237 735	1 217	427 557	85 169	10 297 753	273
1 565	306 181	1 570	577 191	90 495	11 921 029	274
1 935	394 062	1 764	620 205	97 598	14 044 749	275
2 733	533 919	2 229	783 038	112 582	19 119 560	276
3 935	728 556	2 453	911 355	121 243	24 484 137	277
5 285	989 231	2 067	802 688	113 838	25 184 016	278
5 712	1 044 025	1 849	732 471	115 184	29 366 253	279
7 224	1 302 068	1 653	751 863	127 224	34 751 867	280
11 891	2 106 328	1 764	788 640	179 868	53 551 460	281
15 411	2 663 365	1 825	858 828	195 563	50 677 542	282
21 839	3 698 602	1 906	934 403	215 352	47 599 596	283
18 853	2 998 181	2 069	1 003 532	184 636	38 345 665	284
11 419	1 836 235	2 012	1 067 254	113 439	20 533 485	285
4 224	634 221	1 204	622 975	55 776	9 435 538	286
4 760 345	821 884 018	49 834	18 952 617	6 676 099	529 696 011	287
2 813 605	500 657 264	36 928	13 182 024	3 498 521	283 674 828	288
1 946 740	321 226 754	12 906	5 770 593	3 177 578	246 021 183	289
5 467	1 282 887	44	20 835	1 535	951 112	290
13 824	2 896 371	98	39 120	7 324	1 310 640	291
89 830	17 507 437	201	84 895	44 456	5 138 614	292
69 079	13 479 065	402	181 940	30 472	3 240 366	293
25 756	4 940 534	687	240 080	20 180	1 836 903	294
30 147	5 623 534	1 337	442 270	31 793	2 558 101	295
43 753	8 133 476	2 168	736 350	51 060	4 523 795	296
71 034	13 100 110	3 064	1 054 705	80 771	6 909 318	297
123 727	22 565 336	4 151	1 449 985	138 983	12 494 122	298
198 211	35 894 426	4 872	1 655 581	212 284	18 572 648	299
270 024	48 790 147	4 880	1 699 072	277 787	25 473 611	300
298 378	53 560 218	4 102	1 442 547	336 725	31 907 957	301
362 516	64 403 969	3 751	1 486 423	459 732	44 737 555	302
547 795	95 594 157	4 277	1 732 921	783 405	74 287 122	303
697 422	118 689 967	3 685	1 355 115	1 060 387	82 904 602	304
850 386	142 234 109	3 980	1 568 655	1 332 539	90 015 206	305
646 802	106 076 968	3 853	1 649 266	1 095 389	71 769 803	306
323 194	52 384 146	2 737	1 264 231	551 029	38 533 564	307
93 000	14 727 161	1 545	848 626	160 248	12 530 972	308
59 735	10 823 120	22 046	7 285 235	2 515 295	5 071 517 855	309
25 200	4 896 146	17 675	5 371 727	1 363 991	2 706 326 239	310
34 535	5 926 974	4 371	1 913 508	1 151 304	2 365 191 616	311
556	132 920	6	4 080	1 759	220 192	312
548	124 325	75	33 980	1 990	242 414	313
379	83 680	163	63 935	713	141 517	314
243	56 275	361	151 805	3 857	1 047 706	315
271	63 325	594	170 625	20 056	4 831 452	316
337	73 325	1 002	296 200	31 520	13 038 158	317
380	79 665	1 326	384 645	39 014	26 757 491	318
641	136 095	1 666	510 840	47 512	59 604 381	319
926	192 702	2 173	657 025	73 359	133 526 081	320
1 582	299 753	2 737	740 330	116 035	242 222 481	321
2 122	395 356	2 564	660 450	147 259	322 120 088	322
2 404	455 127	1 733	512 262	174 889	393 291 350	323
4 276	878 008	1 084	404 445	235 529	525 923 351	324
7 661	1 354 832	1 207	415 711	381 220	837 735 586	325
8 601	1 509 100	1 213	464 185	376 608	801 371 780	326
11 173	2 042 948	1 244	466 095	349 841	720 838 790	327
9 487	1 600 765	1 353	586 578	288 001	570 252 850	328
5 959	978 446	1 001	500 449	165 945	316 289 535	329
2 189	366 473	544	261 595	60 188	102 062 652	330
80	16 259	465	152 800	43 313	2 507 380	331
80	16 259	465	152 800	43 312	2 507 324	332
-	-	-	-	1	56	333
-	-	-	-	-	-	334
-	-	-	-	-	-	335
-	-	1	330	1	211	336
7	1 535	3	1 750	626	34 357	337
-	-	28	8 950	4 495	246 675	338
23	4 504	71	23 690	11 712	634 478	339
13	2 750	147	48 150	14 852	811 620	340
14	2 875	120	38 655	9 082	555 045	341
-	-	57	19 165	2 336	139 028	342
9	1 780	21	6 680	157	53 328	343
14	2 815	10	3 370	25	1 408	344
-	-	7	2 060	26	31 174	345
-	-	-	-	-	-	346
-	-	-	-	-	-	347
-	-	-	-	-	-	348
-	-	-	-	-	-	349
-	-	-	-	-	-	350
-	-	-	-	-	-	351
-	-	-	-	1	56	352

第３表　医科診療（入院外）件数・診療実日数・回数・点数，

行番号	傷病分類 一般医療－後期医療 年齢階級	手術		麻酔		放射線治療	
		回数	点数	回数	点数	回数	点数
265	XII 皮膚及び皮下組織の疾患	73 836	109 485 989	37 528	7 502 143	15 398	26 853 920
266	一般医療	61 757	87 817 883	11 673	3 429 424	12 897	22 068 686
267	後期医療	12 079	21 668 106	25 855	4 072 719	2 501	4 785 234
268	０～４歳	986	1 258 388	28	146 441	－	－
269	５～９	1 130	1 007 134	10	55 630	－	－
270	１０～１４	1 814	1 922 598	17	80 217	－	－
271	１５～１９	2 945	3 375 979	28	44 904	7	15 530
272	２０～２４	3 326	4 656 529	52	61 511	18	18 450
273	２５～２９	3 793	5 366 013	101	82 084	88	164 412
274	３０～３４	4 224	5 867 436	135	82 273	140	243 802
275	３５～３９	4 745	6 544 216	273	132 228	607	961 616
276	４０～４４	5 772	8 075 333	453	201 837	1 391	2 106 106
277	４５～４９	6 180	8 498 232	713	267 617	2 019	3 221 800
278	５０～５４	5 485	8 094 048	966	282 587	1 582	2 815 756
279	５５～５９	5 018	7 099 276	1 321	333 445	1 331	2 209 506
280	６０～６４	4 955	7 532 585	1 544	472 136	1 487	2 551 178
281	６５～６９	6 069	9 330 469	2 533	622 218	2 350	4 041 436
282	７０～７４	5 614	9 843 025	3 825	779 919	1 877	3 719 094
283	７５～７９	4 910	8 919 000	6 689	1 053 291	1 454	2 698 962
284	８０～８４	3 555	6 340 608	8 753	1 354 843	603	1 231 190
285	８５～８９	2 140	3 719 889	7 149	1 011 880	294	578 682
286	９０歳以上	1 175	2 035 231	2 938	437 082	150	276 400
287	XIII 筋骨格系及び結合組織の疾患	36 906	81 155 949	971 790	193 010 897	3 562	7 188 117
288	一般医療	27 690	59 584 593	443 232	100 176 273	2 721	5 388 543
289	後期医療	9 216	21 571 356	528 558	92 834 624	841	1 799 574
290	０～４歳	9 432	15 436 776	14	21 395	－	－
291	５～９	1 143	1 487 227	21	88 345	1	110
292	１０～１４	316	573 362	407	175 485	－	－
293	１５～１９	370	921 786	1 745	485 775	2	220
294	２０～２４	192	530 150	2 664	740 530	－	－
295	２５～２９	255	804 946	5 368	1 459 887	－	－
296	３０～３４	306	915 889	9 607	2 456 054	19	34 450
297	３５～３９	454	1 170 369	15 359	3 769 642	29	52 070
298	４０～４４	726	2 087 576	25 693	6 289 651	180	299 330
299	４５～４９	977	3 114 410	36 654	9 048 522	228	289 270
300	５０～５４	1 629	4 397 549	44 015	10 294 625	377	621 252
301	５５～５９	2 127	5 425 378	50 135	11 839 887	392	742 950
302	６０～６４	2 469	6 020 861	56 559	12 740 745	217	451 976
303	６５～６９	3 744	8 664 897	85 433	18 485 421	700	1 268 473
304	７０～７４	3 795	8 933 338	115 202	23 621 771	583	1 644 412
305	７５～７９	3 875	9 168 256	169 769	32 455 321	379	686 934
306	８０～８４	2 870	6 753 311	184 105	31 703 740	261	705 290
307	８５～８９	1 550	3 310 328	124 984	20 415 550	172	347 360
308	９０歳以上	676	1 439 540	44 056	6 918 551	22	44 020
309	XIV 腎尿路生殖器系の疾患	30 093	227 760 687	11 179	4 420 901	3 768	9 932 393
310	一般医療	21 222	136 090 432	4 836	2 728 944	2 337	5 965 383
311	後期医療	8 871	91 670 255	6 343	1 691 957	1 431	3 967 010
312	０～４歳	26	148 821	27	77 104	－	－
313	５～９	11	10 084	6	9 199	－	－
314	１０～１４	23	27 010	2	17 227	－	－
315	１５～１９	99	303 322	8	15 113	－	－
316	２０～２４	421	1 576 939	21	15 185	－	－
317	２５～２９	833	3 676 638	109	76 807	－	－
318	３０～３４	1 667	10 483 213	337	373 977	－	－
319	３５～３９	2 149	10 291 273	390	352 718	23	54 250
320	４０～４４	2 714	10 172 579	394	264 688	97	182 430
321	４５～４９	2 935	12 403 401	398	159 646	172	277 030
322	５０～５４	2 291	12 419 880	481	205 578	190	377 190
323	５５～５９	1 851	14 803 345	472	188 551	285	585 100
324	６０～６４	1 804	17 531 792	518	268 807	203	644 493
325	６５～６９	2 651	29 291 741	752	456 570	571	1 640 930
326	７０～７４	2 818	30 064 697	1 121	452 744	812	2 219 000
327	７５～７９	2 936	29 995 193	1 745	574 311	758	2 278 000
328	８０～８４	2 390	23 181 934	2 100	499 664	390	1 003 800
329	８５～８９	1 624	15 469 267	1 609	299 019	232	615 830
330	９０歳以上	850	5 909 558	689	113 993	35	54 340
331	XV 妊娠，分娩及び産じょく	3 169	5 508 877	1 289	422 268	1	1 390
332	一般医療	3 168	5 507 621	1 289	422 268	1	1 390
333	後期医療	1	1 256	－	－	－	－
334	０～４歳	－	－	－	－	－	－
335	５～９	－	－	－	－	－	－
336	１０～１４	－	－	－	－	－	－
337	１５～１９	16	38 021	10	2 925	－	－
338	２０～２４	158	309 490	68	16 842	1	1 390
339	２５～２９	497	867 294	200	67 415	－	－
340	３０～３４	994	1 657 124	370	114 055	－	－
341	３５～３９	981	1 645 365	380	121 888	－	－
342	４０～４４	478	910 966	239	90 026	－	－
343	４５～４９	39	71 502	20	8 794	－	－
344	５０～５４	3	5 469	1	223	－	－
345	５５～５９	2	2 390	1	100	－	－
346	６０～６４	－	－	－	－	－	－
347	６５～６９	－	－	－	－	－	－
348	７０～７４	－	－	－	－	－	－
349	７５～７９	－	－	－	－	－	－
350	８０～８４	1	1 256	－	－	－	－
351	８５～８９	－	－	－	－	－	－
352	９０歳以上	－	－	－	－	－	－

平成30年６月審査分

病理診断 回数	病理診断 点数	入院料等 回数	入院料等 点数	行番号
57 095	29 168 939	28	79 968	265
45 094	22 593 579	21	59 976	266
12 001	6 575 360	7	19 992	267
263	92 800	-	-	268
273	109 960	-	-	269
413	205 710	-	-	270
814	425 110	1	2 856	271
1 829	873 078	1	2 856	272
2 518	1 159 718	2	5 712	273
3 146	1 463 556	3	8 568	274
3 950	1 889 844	1	2 856	275
4 490	2 186 644	1	2 856	276
4 657	2 282 392	1	2 856	277
4 171	2 067 788	2	5 712	278
3 937	1 990 547	1	2 856	279
3 899	2 047 851	1	2 856	280
5 336	2 872 343	3	8 568	281
5 598	3 036 600	5	14 280	282
5 030	2 795 127	2	5 712	283
3 672	1 963 799	3	8 568	284
2 080	1 139 468	1	2 856	285
1 019	566 604	-	-	286
27 860	11 171 161	46	131 376	287
18 390	7 250 511	22	62 832	288
9 470	3 920 650	24	68 544	289
4	2 020	-	-	290
7	3 760	-	-	291
33	21 740	-	-	292
85	45 510	-	-	293
212	83 276	-	-	294
365	134 712	-	-	295
603	205 020	-	-	296
809	270 475	-	-	297
1 243	437 308	-	-	298
1 774	629 672	-	-	299
2 007	696 016	1	2 856	300
1 847	738 973	-	-	301
2 239	958 144	6	17 136	302
3 474	1 457 307	8	22 848	303
3 883	1 661 344	9	25 704	304
4 046	1 734 018	12	34 272	305
3 135	1 274 487	4	11 424	306
1 632	642 319	6	17 136	307
462	175 060	-	-	308
504 616	111 131 831	34	97 104	309
446 381	98 330 891	26	74 256	310
58 235	12 800 940	8	22 848	311
22	5 855	-	-	312
84	18 340	-	-	313
89	21 332	-	-	314
3 582	660 616	-	-	315
24 115	4 746 423	-	-	316
40 782	8 560 903	-	-	317
49 268	10 924 680	-	-	318
52 850	12 044 729	1	2 856	319
59 965	13 927 543	-	-	320
62 820	14 177 869	3	8 568	321
46 050	10 057 634	2	5 712	322
28 665	6 130 017	1	2 856	323
22 763	4 912 345	2	5 712	324
28 402	6 253 754	9	25 704	325
27 995	6 196 928	8	22 848	326
24 940	5 504 286	6	17 136	327
18 419	4 059 262	2	5 712	328
10 020	2 157 796	-	-	329
3 785	771 519	-	-	330
19 178	6 086 560	-	-	331
19 176	6 086 260	-	-	332
2	300	-	-	333
-	-	-	-	334
-	-	-	-	335
-	-	-	-	336
327	82 334	-	-	337
1 724	449 906	-	-	338
4 059	1 150 026	-	-	339
5 940	1 837 382	-	-	340
4 710	1 645 286	-	-	341
2 029	799 850	-	-	342
281	93 276	-	-	343
73	19 918	-	-	344
33	8 282	-	-	345
-	-	-	-	346
-	-	-	-	347
-	-	-	-	348
2	300	-	-	349
-	-	-	-	350
-	-	-	-	351
-	-	-	-	352

行番号	傷病分類 一般医療－後期医療 年齢階級	件数	診療実日数	総数 回数	総数 点数	初・再診 回数	初・再診 点数
353	ⅩⅥ 周産期に発生した病態	40 899	59 271	233 034	45 438 165	43 722	6 215 918
354	一般医療	40 883	59 247	232 584	45 370 404	43 699	6 213 876
355	後期医療	16	24	450	67 761	23	2 042
356	0 ～ 4 歳	31 396	42 808	148 373	30 735 347	33 227	4 878 342
357	5 ～ 9	2 396	3 491	15 385	5 166 767	3 413	343 380
358	10 ～ 14	649	906	6 453	2 349 363	889	78 506
359	15 ～ 19	246	496	2 395	617 668	404	41 731
360	20 ～ 24	622	1 211	5 718	760 643	657	92 749
361	25 ～ 29	1 701	3 172	15 367	1 770 310	1 570	244 255
362	30 ～ 34	2 294	4 254	22 752	2 338 580	2 056	315 578
363	35 ～ 39	1 231	2 272	12 751	1 232 529	1 119	169 168
364	40 ～ 44	306	561	2 661	323 793	299	43 680
365	45 ～ 49	18	35	370	16 344	25	2 463
366	50 ～ 54	8	12	42	5 405	12	1 492
367	55 ～ 59	4	9	60	3 079	8	709
368	60 ～ 64	4	8	141	32 173	8	793
369	65 ～ 69	7	10	38	12 759	8	646
370	70 ～ 74	5	8	90	24 496	8	686
371	75 ～ 79	4	5	151	5 454	5	365
372	80 ～ 84	3	6	46	23 159	6	448
373	85 ～ 89	4	6	83	18 542	7	802
374	90 歳以上	1	1	158	1 754	1	125
375	ⅩⅦ 先天奇形，変形及び染色体異常	190 262	267 202	1 728 947	318 548 083	259 081	34 345 044
376	一般医療	172 170	238 590	1 454 666	291 365 741	231 227	31 348 560
377	後期医療	18 092	28 612	274 281	27 182 342	27 854	2 996 484
378	0 ～ 4 歳	59 514	79 806	311 649	94 143 654	74 301	11 774 768
379	5 ～ 9	20 408	27 915	138 612	34 493 512	27 884	3 471 131
380	10 ～ 14	15 555	21 382	107 670	29 566 569	21 368	2 871 405
381	15 ～ 19	8 853	11 942	71 279	15 955 341	11 773	1 568 155
382	20 ～ 24	5 797	7 529	55 507	8 759 665	7 351	976 651
383	25 ～ 29	5 436	7 349	53 120	9 087 087	7 072	956 348
384	30 ～ 34	5 874	8 127	57 571	9 048 070	7 832	1 059 039
385	35 ～ 39	6 002	8 429	66 949	10 507 655	8 196	1 075 146
386	40 ～ 44	6 386	8 861	72 586	11 451 343	8 673	1 101 899
387	45 ～ 49	6 604	9 559	83 032	12 568 467	9 296	1 139 249
388	50 ～ 54	6 090	9 196	81 359	11 509 150	9 047	1 063 106
389	55 ～ 59	5 572	8 267	77 508	10 427 781	8 176	950 611
390	60 ～ 64	5 823	8 720	81 572	10 082 405	8 647	972 086
391	65 ～ 69	7 509	11 500	107 088	13 653 784	11 439	1 253 130
392	70 ～ 74	7 434	11 592	107 400	13 075 876	11 655	1 247 704
393	75 ～ 79	7 224	11 052	104 675	10 684 576	11 152	1 184 958
394	80 ～ 84	5 524	8 445	80 136	7 371 159	8 370	902 400
395	85 ～ 89	3 093	4 831	48 070	4 010 313	4 615	517 541
396	90 歳以上	1 564	2 700	23 164	2 151 676	2 234	259 717
397	ⅩⅧ 症状，徴候等で他に分類されないもの	1 855 441	2 815 910	27 264 829	2 682 403 441	2 718 497	429 576 504
398	一般医療	1 345 993	1 901 774	16 772 700	1 804 037 631	1 849 009	323 414 696
399	後期医療	509 448	914 136	10 492 129	878 365 810	869 488	106 161 808
400	0 ～ 4 歳	92 879	140 385	443 381	93 614 139	92 637	27 001 637
401	5 ～ 9	71 334	95 402	425 487	59 893 025	95 941	21 792 160
402	10 ～ 14	57 809	73 543	395 391	52 849 772	73 927	15 830 429
403	15 ～ 19	45 512	57 620	366 110	50 163 159	57 827	13 115 877
404	20 ～ 24	45 163	57 444	404 086	51 932 620	56 441	13 282 080
405	25 ～ 29	55 071	72 587	536 910	61 093 135	68 920	15 060 987
406	30 ～ 34	67 167	89 437	685 938	75 823 157	84 537	17 370 103
407	35 ～ 39	76 486	102 725	822 146	90 118 000	99 859	19 153 550
408	40 ～ 44	90 679	123 241	1 052 632	117 695 543	123 029	21 959 496
409	45 ～ 49	100 914	138 851	1 265 542	143 409 739	139 566	23 637 983
410	50 ～ 54	99 237	139 235	1 332 682	139 246 986	140 036	22 449 194
411	55 ～ 59	100 800	143 424	1 490 319	152 953 126	144 151	21 866 859
412	60 ～ 64	112 148	162 031	1 762 888	178 901 873	163 080	23 421 987
413	65 ～ 69	162 846	244 876	2 779 458	272 097 328	245 961	33 368 884
414	70 ～ 74	174 740	278 422	3 182 333	294 650 371	279 421	35 753 477
415	75 ～ 79	186 783	318 708	3 645 425	310 534 875	318 307	38 831 882
416	80 ～ 84	161 603	289 675	3 398 716	266 744 943	284 492	34 264 232
417	85 ～ 89	101 401	186 372	2 179 763	171 308 063	172 951	21 220 914
418	90 歳以上	52 869	101 932	1 095 622	99 373 587	77 414	10 194 773
419	ⅩⅨ 損傷，中毒及びその他の外因の影響	2 718 104	5 698 887	29 660 007	3 977 465 458	5 543 681	820 708 869
420	一般医療	2 025 497	4 023 649	18 054 235	2 651 425 774	3 920 687	641 618 223
421	後期医療	692 607	1 675 238	11 605 772	1 326 039 684	1 622 994	179 090 646
422	0 ～ 4 歳	171 733	254 614	701 573	168 134 445	207 641	58 865 235
423	5 ～ 9	185 601	314 637	1 075 925	189 960 032	315 196	65 036 203
424	10 ～ 14	258 822	467 991	1 736 522	291 722 518	466 453	88 316 126
425	15 ～ 19	167 014	301 084	1 173 172	200 484 419	296 784	54 744 599
426	20 ～ 24	70 436	120 166	503 463	82 692 308	118 401	22 520 513
427	25 ～ 29	63 205	107 819	471 470	70 895 538	106 322	20 110 879
428	30 ～ 34	72 625	130 066	567 508	82 681 624	128 187	22 998 725
429	35 ～ 39	85 187	159 269	697 754	101 069 600	156 498	26 830 099
430	40 ～ 44	106 242	209 622	927 954	131 291 913	205 791	33 227 523
431	45 ～ 49	115 769	242 971	1 101 718	154 729 197	237 901	36 104 833
432	50 ～ 54	115 002	249 822	1 173 595	164 494 999	244 557	35 389 888
433	55 ～ 59	118 599	266 035	1 325 218	181 757 448	260 334	35 843 765
434	60 ～ 64	127 847	299 407	1 568 299	211 227 109	292 762	37 644 276
435	65 ～ 69	182 053	439 651	2 435 451	324 387 552	429 683	51 933 512
436	70 ～ 74	197 406	499 255	2 901 600	368 223 896	491 128	55 579 061
437	75 ～ 79	219 398	564 135	3 515 721	412 382 075	557 108	60 171 091
438	80 ～ 84	209 300	518 253	3 588 356	395 184 907	511 435	55 177 642
439	85 ～ 89	154 937	353 602	2 667 888	281 407 868	340 951	38 269 902
440	90 歳以上	96 928	200 488	1 526 820	164 738 010	176 549	21 944 997

医学管理等 回数	医学管理等 点数	在宅医療 回数	在宅医療 点数	検査 回数	検査 点数	行番号
16 384	5 035 283	2 505	11 825 431	75 938	11 758 710	353
16 374	5 033 153	2 501	11 811 035	75 840	11 746 857	354
10	2 130	4	14 396	98	11 853	355
13 179	4 590 255	1 496	6 330 789	52 966	6 841 438	356
709	183 105	551	3 014 032	3 029	490 931	357
216	51 574	201	1 666 522	1 107	154 513	358
86	17 009	77	360 107	486	83 036	359
204	17 744	36	123 425	1 775	408 150	360
594	53 473	58	136 816	4 797	1 145 472	361
831	70 333	55	140 583	6 632	1 541 027	362
443	38 577	22	30 041	3 902	847 778	363
87	7 345	4	8 070	994	204 383	364
10	847	-	-	42	7 198	365
3	970	1	650	14	1 230	366
5	505	-	-	11	1 175	367
5	1 153	-	-	40	8 527	368
1	250	3	6 716	13	1 659	369
2	263	-	-	33	10 870	370
2	370	-	-	29	2 560	371
4	1 050	-	-	24	3 065	372
2	235	1	7 680	44	5 698	373
1	225	-	-	-	-	374
65 785	14 907 962	13 008	65 132 774	375 747	63 777 252	375
57 424	13 460 927	11 410	62 397 315	325 993	58 389 730	376
8 361	1 447 035	1 598	2 735 459	49 754	5 387 522	377
21 000	6 428 995	3 570	16 877 062	77 058	22 124 706	378
5 656	1 334 812	2 103	13 514 936	30 689	6 247 861	379
4 206	866 051	1 203	14 027 317	21 138	3 894 231	380
1 953	351 538	742	6 731 898	15 679	2 691 930	381
1 648	282 095	517	1 680 912	12 636	1 900 456	382
1 614	273 304	543	2 216 062	12 702	1 974 808	383
1 765	283 170	469	1 164 854	14 512	2 271 078	384
1 939	319 411	365	1 046 862	15 464	2 245 381	385
2 117	377 148	373	1 018 755	16 183	2 132 930	386
2 371	434 077	349	898 592	18 122	2 185 156	387
2 331	457 626	376	761 721	16 280	1 938 615	388
2 318	451 113	181	637 438	15 328	1 840 584	389
2 459	491 290	227	689 177	16 384	1 971 489	390
3 227	629 090	260	953 894	22 554	2 615 867	391
3 233	624 618	230	495 064	23 477	2 598 102	392
3 252	550 388	226	525 473	21 729	2 398 370	393
2 518	409 439	380	684 102	15 460	1 657 605	394
1 450	234 769	424	626 675	7 272	770 716	395
728	109 028	470	581 980	3 080	317 367	396
1 047 211	202 416 838	92 246	175 217 108	4 563 241	574 340 938	397
682 423	135 966 313	25 040	71 119 663	3 176 310	410 966 290	398
364 788	66 450 525	67 206	104 097 445	1 386 931	163 374 648	399
92 157	37 076 514	720	3 122 912	95 974	14 125 724	400
23 600	4 166 655	630	4 779 604	90 442	11 350 952	401
18 058	3 072 723	613	6 038 320	101 357	12 053 563	402
13 548	2 188 875	335	3 589 428	111 918	13 983 160	403
15 044	2 204 157	312	1 460 663	122 553	14 998 729	404
19 291	2 456 309	495	1 573 857	133 900	17 470 946	405
23 568	2 868 775	490	1 972 929	158 529	21 219 903	406
26 690	3 597 229	853	1 907 727	186 106	25 124 836	407
33 249	5 036 286	1 232	2 907 488	224 172	30 333 367	408
41 601	6 714 207	1 644	6 791 818	254 394	33 978 889	409
45 690	7 742 772	1 915	4 241 630	248 607	32 757 130	410
52 851	9 220 774	2 380	4 796 925	256 746	33 229 263	411
64 441	11 563 377	3 036	6 357 777	295 715	37 772 172	412
101 733	18 554 247	5 190	11 069 498	443 035	56 078 461	413
115 732	21 104 774	6 742	14 058 341	475 323	59 151 685	414
128 247	23 219 212	9 663	18 811 918	506 717	62 285 475	415
117 978	21 149 005	14 209	23 147 390	438 256	51 940 024	416
76 355	13 729 614	18 320	26 069 436	277 872	31 404 202	417
37 378	6 751 333	23 467	32 519 447	141 625	15 082 457	418
997 550	160 847 731	106 680	171 365 441	2 686 981	294 646 982	419
685 160	112 938 812	31 700	66 371 943	1 570 574	177 263 031	420
312 390	47 908 919	74 980	104 993 498	1 116 407	117 383 951	421
98 709	38 075 779	670	1 953 117	80 375	16 144 165	422
45 349	5 885 232	1 724	3 716 682	77 212	10 888 775	423
64 740	6 265 201	1 106	5 054 716	86 055	10 925 105	424
46 776	5 657 588	626	2 265 279	74 319	8 494 914	425
21 321	2 873 440	544	1 642 740	44 747	4 827 188	426
19 026	2 290 794	821	1 689 974	41 976	4 447 420	427
21 427	2 525 146	994	1 743 597	51 365	5 386 646	428
25 729	3 033 686	1 398	2 459 427	63 349	6 542 946	429
32 948	3 935 227	1 706	2 709 611	80 401	8 331 616	430
37 486	4 791 597	2 034	3 921 683	95 933	9 916 748	431
38 639	5 133 124	2 318	4 543 742	102 857	10 722 807	432
41 876	5 770 140	3 048	5 229 401	118 617	12 219 855	433
47 612	6 861 306	3 649	7 108 404	147 901	15 176 024	434
70 329	10 647 468	5 986	12 362 571	243 916	25 567 432	435
80 836	12 052 722	7 853	16 259 564	289 333	30 792 127	436
94 107	13 680 374	11 483	21 174 935	345 869	36 653 270	437
94 656	13 931 530	16 244	24 877 447	344 629	36 374 504	438
71 986	10 736 950	20 805	26 184 829	252 758	26 464 839	439
43 998	6 700 427	23 671	26 467 722	145 369	14 770 601	440

第３表　医科診療（入院外）件数・診療実日数・回数・点数,

行番号	傷病分類 一般医療－後期医療 年齢階級	画像診断 回数	画像診断 点数	投薬 回数	投薬 点数	注射 回数	注射 点数
353	XVI 周産期に発生した病態	3 876	1 127 001	73 428	1 626 177	1 333	3 984 320
354	一般医療	3 868	1 123 668	73 134	1 622 051	1 329	3 967 487
355	後期医療	8	3 333	294	4 126	4	16 833
356	0 ～ 4 歳	2 891	926 564	34 628	995 168	799	3 752 991
357	5 ～ 9	348	71 916	3 887	138 133	40	54 497
358	10 ～ 14	134	28 437	3 053	77 092	22	53 585
359	15 ～ 19	62	10 913	809	13 188	8	2 867
360	20 ～ 24	59	11 817	2 571	41 205	63	7 636
361	25 ～ 29	81	13 082	7 639	97 335	138	17 319
362	30 ～ 34	113	19 436	12 235	151 487	145	30 318
363	35 ～ 39	116	18 283	6 746	81 961	87	13 606
364	40 ～ 44	42	7 444	1 130	18 408	20	26 655
365	45 ～ 49	9	1 544	268	2 953	4	257
366	50 ～ 54	-	-	7	458	-	-
367	55 ～ 59	-	-	36	690	-	-
368	60 ～ 64	5	10 946	80	2 684	2	7 730
369	65 ～ 69	6	3 006	7	482	-	-
370	70 ～ 74	2	280	40	943	1	26
371	75 ～ 79	2	357	113	1 802	-	-
372	80 ～ 84	-	-	5	422	3	16 763
373	85 ～ 89	6	2 976	19	406	-	26
374	90 歳以上	-	-	155	1 360	1	44
375	XVII 先天奇形，変形及び染色体異常	99 272	30 534 265	778 346	32 582 226	7 687	9 350 355
376	一般医療	93 919	28 181 658	611 524	28 738 351	5 313	7 829 221
377	後期医療	5 353	2 352 607	166 822	3 843 875	2 374	1 521 134
378	0 ～ 4 歳	29 804	6 259 706	69 512	2 462 340	585	2 028 380
379	5 ～ 9	10 025	2 020 399	39 619	1 096 778	183	288 518
380	10 ～ 14	12 214	2 414 052	34 078	1 383 690	226	505 458
381	15 ～ 19	5 986	1 499 960	28 265	1 060 601	178	77 930
382	20 ～ 24	3 303	1 139 327	26 418	1 204 834	165	70 838
383	25 ～ 29	2 943	1 108 919	25 196	1 118 806	213	94 903
384	30 ～ 34	3 430	1 401 925	26 527	1 441 867	269	227 313
385	35 ～ 39	3 620	1 582 453	33 794	2 467 430	309	206 929
386	40 ～ 44	3 795	1 722 979	37 622	3 254 041	382	198 042
387	45 ～ 49	4 066	1 834 934	44 309	3 529 972	380	412 236
388	50 ～ 54	3 492	1 595 178	45 259	2 491 743	409	560 981
389	55 ～ 59	2 916	1 359 320	44 611	2 174 599	447	613 546
390	60 ～ 64	2 733	1 351 339	47 173	1 532 249	359	510 046
391	65 ～ 69	3 233	1 648 906	61 066	2 056 470	607	1 036 618
392	70 ～ 74	2 659	1 391 683	60 742	1 733 032	640	1 088 175
393	75 ～ 79	2 331	1 131 543	60 758	1 717 719	792	581 447
394	80 ～ 84	1 673	736 417	47 511	995 775	773	477 499
395	85 ～ 89	739	242 079	30 947	579 116	490	245 059
396	90 歳以上	310	93 146	14 939	281 164	280	126 437
397	XVIII 症状，徴候等で他に分類されないもの	855 013	431 493 779	16 717 710	317 495 439	327 812	274 643 297
398	一般医療	591 056	303 965 169	9 700 228	197 990 466	171 742	188 409 182
399	後期医療	263 957	127 528 610	7 017 482	119 504 973	156 070	86 234 115
400	0 ～ 4 歳	8 570	2 265 819	122 913	4 563 659	3 066	820 052
401	5 ～ 9	12 014	3 671 370	152 872	4 885 916	3 220	801 181
402	10 ～ 14	17 826	6 472 949	159 872	4 220 996	2 568	901 516
403	15 ～ 19	21 329	8 948 605	144 537	3 281 924	3 624	1 615 982
404	20 ～ 24	21 523	9 906 140	170 529	3 715 482	5 367	3 190 049
405	25 ～ 29	23 583	11 347 587	267 634	5 427 513	6 427	3 690 868
406	30 ～ 34	28 359	13 658 150	361 818	7 587 173	7 890	5 772 754
407	35 ～ 39	35 152	17 530 418	438 157	8 805 195	9 006	7 194 432
408	40 ～ 44	45 296	23 517 711	579 701	12 103 569	11 005	10 615 721
409	45 ～ 49	52 518	28 079 324	721 177	14 921 448	13 736	15 180 261
410	50 ～ 54	50 714	27 814 624	789 626	14 790 312	14 549	13 667 145
411	55 ～ 59	50 754	28 012 423	922 861	19 162 446	15 116	19 742 727
412	60 ～ 64	56 081	30 692 901	1 110 342	22 340 576	16 766	25 627 380
413	65 ～ 69	82 595	45 394 615	1 791 162	34 443 267	26 858	39 854 938
414	70 ～ 74	88 739	48 447 810	2 077 601	39 975 323	34 239	41 877 062
415	75 ～ 79	95 361	49 959 079	2 405 830	43 261 283	46 996	36 420 448
416	80 ～ 84	83 665	41 265 783	2 286 095	39 104 275	50 924	26 602 182
417	85 ～ 89	53 239	23 716 789	1 473 019	23 658 991	37 484	15 425 081
418	90 歳以上	27 695	10 791 682	741 964	11 246 091	18 971	5 643 518
419	XIX 損傷，中毒及びその他の外因の影響	3 893 654	882 881 206	12 092 345	309 136 196	492 206	251 855 796
420	一般医療	2 945 602	634 988 659	5 982 080	178 298 444	186 949	102 641 792
421	後期医療	948 052	247 892 547	6 110 265	130 837 752	305 257	149 214 004
422	0 ～ 4 歳	76 103	18 614 875	155 601	7 408 498	863	433 812
423	5 ～ 9	255 906	45 945 512	211 760	9 436 560	1 030	773 464
424	10 ～ 14	527 504	91 546 450	316 321	13 844 266	1 920	613 921
425	15 ～ 19	307 420	66 715 639	236 314	8 715 870	3 187	1 040 511
426	20 ～ 24	107 217	25 294 575	124 085	4 240 533	2 538	1 207 356
427	25 ～ 29	91 045	20 005 901	135 818	4 351 246	2 684	749 818
428	30 ～ 34	104 004	22 159 593	167 770	5 270 253	3 480	1 450 172
429	35 ～ 39	123 028	26 266 389	210 002	6 794 411	4 755	2 189 286
430	40 ～ 44	154 377	33 165 090	292 752	9 285 597	7 177	3 251 985
431	45 ～ 49	167 354	37 209 415	368 096	11 382 821	10 596	5 203 923
432	50 ～ 54	170 213	38 402 876	411 477	11 776 754	13 755	7 295 661
433	55 ～ 59	176 438	40 245 093	504 595	13 188 732	17 360	10 465 335
434	60 ～ 64	182 166	42 985 776	641 192	16 515 289	23 168	13 320 870
435	65 ～ 69	252 582	62 251 722	1 058 339	27 312 732	39 652	23 595 825
436	70 ～ 74	265 375	68 167 211	1 329 946	33 167 484	58 072	35 016 463
437	75 ～ 79	289 625	76 104 670	1 712 213	40 154 680	87 488	47 214 822
438	80 ～ 84	283 912	74 482 160	1 881 182	41 373 797	100 822	49 247 489
439	85 ～ 89	218 829	56 865 594	1 469 748	28 832 068	76 760	33 221 479
440	90 歳以上	140 556	36 452 665	865 134	16 084 605	36 899	15 563 604

平成30年６月審査分

リハビリテーション 回数	リハビリテーション 点数	精神科専門療法 回数	精神科専門療法 点数	処置 回数	処置 点数	行番号
12 444	2 923 068	96	37 680	2 951	489 533	353
12 441	2 922 418	96	37 680	2 948	488 231	354
3	650	-	-	3	1 302	355
7 916	1 891 638	21	9 505	1 039	272 917	356
3 203	744 980	35	14 635	161	69 603	357
747	167 705	20	7 580	61	24 088	358
327	67 610	9	2 690	125	18 217	359
111	24 975	1	330	225	19 426	360
44	8 855	2	160	423	25 131	361
61	10 740	3	1 060	578	39 652	362
19	3 510	2	730	261	14 923	363
10	1 745	2	660	60	3 067	364
2	490	-	-	10	592	365
1	170	1	330	3	105	366
-	-	-	-	-	-	367
-	-	-	-	1	340	368
-	-	-	-	-	-	369
-	-	-	-	1	170	370
-	-	-	-	-	-	371
-	-	-	-	2	1 233	372
3	650	-	-	1	69	373
-	-	-	-	-	-	374
80 208	17 789 372	2 393	1 104 798	42 728	39 685 232	375
78 417	17 473 715	2 091	867 338	33 574	34 854 230	376
1 791	315 657	302	237 460	9 154	4 831 002	377
28 009	6 557 895	170	77 465	7 184	18 050 065	378
19 435	4 455 340	219	97 195	2 701	1 716 094	379
9 708	2 128 690	170	68 355	3 287	1 137 308	380
4 977	1 071 499	169	68 388	1 471	676 516	381
2 115	435 629	155	55 555	1 050	540 234	382
1 434	302 042	163	63 290	1 050	570 100	383
1 266	267 129	199	92 510	1 082	485 894	384
1 595	329 052	163	69 690	1 187	619 294	385
1 631	326 682	161	54 620	1 340	818 979	386
2 013	398 030	124	38 485	1 644	1 194 185	387
1 877	366 858	87	28 300	1 933	1 866 701	388
1 350	263 317	122	65 895	1 826	1 659 636	389
1 119	212 563	112	64 485	2 136	1 907 728	390
1 146	221 541	61	20 725	3 109	2 528 453	391
911	171 094	36	11 340	3 381	2 569 788	392
853	147 348	29	14 725	3 182	1 605 046	393
435	71 197	52	31 435	2 696	1 039 255	394
185	33 195	83	70 910	1 697	544 619	395
149	30 271	118	111 430	772	155 337	396
201 513	38 257 316	58 462	20 908 477	547 409	121 036 910	397
115 848	23 911 658	50 628	17 936 959	320 162	61 962 945	398
85 665	14 345 658	7 834	2 971 518	227 247	59 073 965	399
12 723	3 011 598	252	158 885	14 004	959 324	400
24 794	5 756 737	1 485	717 505	19 935	1 247 468	401
4 852	1 080 635	2 563	1 260 265	12 761	900 239	402
2 534	538 689	2 559	1 130 305	6 556	585 765	403
1 566	332 855	2 292	780 360	6 404	489 680	404
1 637	343 460	3 645	1 261 290	8 660	700 084	405
1 687	343 467	4 143	1 393 863	11 204	1 051 112	406
2 356	489 202	4 909	1 610 130	13 889	1 343 381	407
3 528	703 967	6 084	1 999 084	18 193	3 684 471	408
4 818	949 917	5 967	1 971 858	21 223	5 044 707	409
5 769	1 117 496	4 691	1 520 039	22 014	6 326 718	410
7 452	1 410 239	3 847	1 348 400	24 846	7 398 145	411
8 510	1 693 131	2 764	902 345	31 890	10 179 989	412
15 233	2 782 727	3 039	1 040 200	50 296	17 099 412	413
20 916	3 814 963	2 706	969 340	65 945	17 839 920	414
30 409	5 286 382	2 703	956 205	83 893	18 604 545	415
29 213	4 806 066	2 524	953 715	76 522	15 008 384	416
17 122	2 786 120	1 541	605 718	42 770	8 677 279	417
6 394	1 009 665	748	328 970	16 404	3 896 287	418
1 436 134	263 440 088	11 945	5 685 189	2 152 633	499 712 289	419
1 026 225	191 862 607	7 067	2 937 006	1 540 667	324 023 832	420
409 909	71 577 481	4 878	2 748 183	611 966	175 688 457	421
3 365	739 251	18	8 255	67 981	11 740 704	422
17 334	3 271 878	132	61 915	135 811	28 179 153	423
67 429	12 688 108	238	111 715	190 861	42 842 950	424
92 335	17 784 467	265	120 905	106 965	22 957 738	425
33 525	6 485 894	243	88 915	45 722	7 419 408	426
25 369	4 868 635	264	89 165	43 247	6 506 779	427
30 622	5 802 542	373	130 205	53 292	8 070 998	428
40 372	7 666 751	570	234 555	64 635	10 313 828	429
58 061	10 958 084	712	278 371	84 631	14 552 288	430
72 415	13 595 014	744	274 489	98 696	18 924 824	431
80 278	15 039 985	669	248 840	98 655	20 938 931	432
89 804	16 764 190	818	390 030	101 592	24 825 011	433
103 918	19 332 103	681	305 962	113 609	32 340 130	434
151 768	27 899 958	883	421 909	165 513	52 240 790	435
168 986	30 693 261	770	335 196	189 552	53 929 150	436
173 966	30 928 818	967	453 244	217 513	52 803 923	437
132 120	22 966 686	1 275	687 348	193 527	47 734 829	438
70 294	11 955 342	1 317	821 717	122 517	30 100 608	439
24 173	3 999 121	1 006	622 453	58 314	13 290 247	440

行番号	傷病分類 一般医療－後期医療 年齢階級	手術 回数	手術 点数	麻酔 回数	麻酔 点数	放射線治療 回数	放射線治療 点数
353	XVI 周産期に発生した病態	98	281 367	24	108 959	1	110
354	一般医療	97	270 449	22	108 781	1	110
355	後期医療	1	10 918	2	178	-	-
356	0 ～ 4 歳	57	221 311	12	23 435	-	-
357	5 ～ 9	3	21 351	5	20 094	1	110
358	10 ～ 14	-	-	3	39 761	-	-
359	15 ～ 19	-	-	-	-	-	-
360	20 ～ 24	3	3 265	1	7 339	-	-
361	25 ～ 29	4	4 490	1	18 152	-	-
362	30 ～ 34	15	9 782	-	-	-	-
363	35 ～ 39	14	9 750	-	-	-	-
364	40 ～ 44	1	500	-	-	-	-
365	45 ～ 49	-	-	-	-	-	-
366	50 ～ 54	-	-	-	-	-	-
367	55 ～ 59	-	-	-	-	-	-
368	60 ～ 64	-	-	-	-	-	-
369	65 ～ 69	-	-	-	-	-	-
370	70 ～ 74	1	10 918	-	-	-	-
371	75 ～ 79	-	-	-	-	-	-
372	80 ～ 84	-	-	2	178	-	-
373	85 ～ 89	-	-	-	-	-	-
374	90 歳以上	-	-	-	-	-	-
375	XVII 先天奇形，変形及び染色体異常	1 540	7 019 066	1 023	1 160 241	87	193 900
376	一般医療	1 322	5 827 035	630	1 043 111	71	147 420
377	後期医療	218	1 192 031	393	117 130	16	46 480
378	0 ～ 4 歳	276	1 114 269	110	347 367	-	-
379	5 ～ 9	53	96 654	25	143 213	-	-
380	10 ～ 14	40	70 560	22	192 982	-	-
381	15 ～ 19	39	93 976	11	45 746	-	-
382	20 ～ 24	78	419 873	14	26 561	-	-
383	25 ～ 29	67	326 723	18	43 313	-	-
384	30 ～ 34	74	275 410	20	24 551	-	-
385	35 ～ 39	103	462 924	32	12 446	-	-
386	40 ～ 44	91	357 652	34	18 570	-	-
387	45 ～ 49	94	315 543	48	34 631	1	50 000
388	50 ～ 54	56	225 182	57	79 361	12	12 860
389	55 ～ 59	69	352 383	49	10 372	-	-
390	60 ～ 64	69	317 369	38	7 698	-	-
391	65 ～ 69	96	513 917	57	41 428	16	25 600
392	70 ～ 74	122	939 074	107	45 988	42	58 960
393	75 ～ 79	100	659 028	111	40 689	13	46 150
394	80 ～ 84	62	290 882	113	23 255	-	-
395	85 ～ 89	31	117 671	111	15 437	3	330
396	90 歳以上	20	69 976	46	6 633	-	-
397	XVIII 症状，徴候等で他に分類されないもの	17 362	43 863 317	35 570	17 374 350	4 371	10 951 843
398	一般医療	12 659	31 954 018	14 828	10 825 098	2 755	6 799 481
399	後期医療	4 703	11 909 299	20 742	6 549 252	1 616	4 152 362
400	0 ～ 4 歳	252	397 471	32	90 197	-	-
401	5 ～ 9	445	509 412	30	188 314	-	-
402	10 ～ 14	781	814 921	31	144 531	1	110
403	15 ～ 19	592	761 599	87	220 391	11	36 890
404	20 ～ 24	414	818 621	127	315 180	5	6 030
405	25 ～ 29	450	959 608	180	202 567	10	17 470
406	30 ～ 34	499	1 336 111	342	353 581	38	83 761
407	35 ～ 39	610	1 586 746	592	540 699	43	112 790
408	40 ～ 44	832	2 381 124	807	622 955	145	214 310
409	45 ～ 49	970	2 738 921	1 227	971 566	218	449 160
410	50 ～ 54	996	3 065 733	1 459	1 277 479	232	479 550
411	55 ～ 59	1 078	3 025 583	1 655	1 395 325	149	355 880
412	60 ～ 64	1 267	3 533 235	1 745	1 532 806	363	1 047 790
413	65 ～ 69	1 751	5 234 958	2 958	1 982 761	816	2 219 450
414	70 ～ 74	1 813	5 184 367	3 822	1 728 884	753	1 836 940
415	75 ～ 79	1 791	4 764 083	6 257	2 416 391	1 012	2 896 618
416	80 ～ 84	1 522	3 915 355	7 230	1 880 949	378	839 594
417	85 ～ 89	833	1 741 561	5 099	1 075 943	167	289 500
418	90 歳以上	466	1 093 908	1 890	433 831	30	66 000
419	XIX 損傷，中毒及びその他の外因の影響	149 888	293 239 021	83 013	15 973 194	1 133	2 134 822
420	一般医療	119 837	205 749 236	28 568	7 251 409	805	1 483 372
421	後期医療	30 051	87 489 785	54 445	8 721 785	328	651 450
422	0 ～ 4 歳	10 155	14 029 390	49	108 240	-	-
423	5 ～ 9	14 321	16 579 536	114	170 701	-	-
424	10 ～ 14	13 521	19 271 414	296	209 188	-	-
425	15 ～ 19	7 493	11 716 595	574	219 513	-	-
426	20 ～ 24	4 610	5 869 867	339	146 310	-	-
427	25 ～ 29	4 184	5 388 662	463	276 722	1	1 390
428	30 ～ 34	4 924	6 761 605	675	200 627	-	-
429	35 ～ 39	5 742	8 123 679	1 093	315 942	14	21 160
430	40 ～ 44	6 859	10 704 615	1 779	451 789	57	107 500
431	45 ～ 49	7 265	12 334 055	2 252	508 197	119	192 362
432	50 ～ 54	6 754	13 838 023	2 511	641 997	72	141 100
433	55 ～ 59	7 008	15 605 555	2 819	682 349	87	138 700
434	60 ～ 64	7 505	18 355 395	3 170	733 316	125	181 030
435	65 ～ 69	10 283	28 032 759	5 106	1 185 071	106	241 350
436	70 ～ 74	10 043	29 394 523	8 056	1 611 610	239	490 830
437	75 ～ 79	9 831	29 639 344	13 978	2 377 919	108	243 820
438	80 ～ 84	8 728	24 495 820	18 424	2 903 192	178	339 760
439	85 ～ 89	6 276	15 291 226	14 888	2 320 373	24	35 490
440	90 歳以上	4 386	7 806 958	6 427	910 138	3	330

注：1）「件数」は、明細書の数である。
2）「回数」は、当該診療行為が実施された延べ算定回数である。
3）総数には、「療養担当手当等」、「補正点数」を含む。
4）総数には、「XX　傷病及び死亡の外因」、「XXI　健康状態に影響を及ぼす要因及び保健サービスの利用」、「XXII　特殊目的用コード」、「不詳」を含む。

平成30年６月審査分

病理診断 回数	病理診断 点数	入院料等 回数	入院料等 点数	行番号
92	23 614	-	-	353
92	23 614	-	-	354
-	-	-	-	355
-	-	-	-	356
-	-	-	-	357
-	-	-	-	358
2	300	-	-	359
12	2 582	-	-	360
16	5 770	-	-	361
28	8 584	-	-	362
20	4 202	-	-	363
12	1 836	-	-	364
-	-	-	-	365
-	-	-	-	366
-	-	-	-	367
-	-	-	-	368
-	-	-	-	369
2	340	-	-	370
-	-	-	-	371
-	-	-	-	372
-	-	-	-	373
-	-	-	-	374
1 993	879 746	30	85 680	375
1 717	764 120	15	42 840	376
276	115 626	15	42 840	377
62	40 580	-	-	378
17	10 560	-	-	379
10	6 470	-	-	380
35	17 160	-	-	381
55	26 686	-	-	382
105	38 469	-	-	383
124	53 316	-	-	384
180	70 623	-	-	385
184	69 046	-	-	386
215	103 377	-	-	387
143	60 918	-	-	388
114	48 960	-	-	389
116	54 886	-	-	390
213	96 721	4	11 424	391
154	69 838	11	31 416	392
138	55 988	9	25 704	393
88	37 618	5	14 280	394
22	9 340	1	2 856	395
18	9 190	-	-	396
78 244	24 675 146	53	151 368	397
59 868	18 709 266	37	105 672	398
18 376	5 965 880	16	45 696	399
60	20 200	-	-	400
76	25 730	-	-	401
176	58 540	-	-	402
644	165 606	-	-	403
1 505	432 566	-	-	404
2 070	580 533	-	-	405
2 831	808 605	1	2 856	406
3 919	1 118 781	1	2 856	407
5 350	1 607 384	3	8 568	408
6 479	1 976 803	1	2 856	409
6 372	1 982 835	5	14 280	410
6 421	1 979 506	3	8 568	411
6 871	2 213 564	8	22 848	412
8 812	2 953 760	7	19 992	413
8 567	2 881 746	9	25 704	414
8 227	2 787 082	12	34 272	415
5 700	1 862 235	2	5 712	416
2 989	904 052	1	2 856	417
1 175	315 618	-	-	418
11 880	5 457 857	133	379 848	419
8 112	3 790 994	72	205 632	420
3 768	1 666 863	61	174 216	421
31	13 040	-	-	422
33	14 400	-	-	423
64	33 260	-	-	424
99	50 696	-	-	425
161	72 650	1	2 856	426
239	118 076	-	-	427
387	181 459	-	-	428
564	266 218	4	11 424	429
693	329 698	1	2 856	430
818	360 626	3	8 568	431
834	378 380	1	2 856	432
809	374 919	5	14 280	433
822	355 656	4	11 424	434
1 269	617 278	27	77 112	435
1 377	660 382	26	74 256	436
1 422	686 847	33	94 248	437
1 203	538 425	19	54 264	438
725	287 438	7	19 992	439
330	118 409	2	5 712	440

第４表　医科診療　件数・診療実日数・回数・点数，

行番号	入院－入院外 / 診療行為（大分類）	総数 回数	総数 点数	病院 総数 回数	病院 総数 点数
		件数	診療実日数	件数	診療実日数
	総数	85 727 192	164 082 368	22 806 058	65 248 325
	入院	2 268 216	34 490 318	2 153 235	33 439 644
	入院外	83 458 976	129 592 050	20 652 823	31 808 681
1	総数	1 486 745 697	233 812 407 723	559 304 818	166 292 265 101
2	初・再診	124 792 202	17 013 079 551	31 834 239	3 697 027 945
3	医学管理等	55 503 329	10 672 930 027	13 102 190	2 795 549 952
4	在宅医療	4 513 953	8 009 266 268	1 222 909	3 462 849 100
5	検査	203 534 509	22 205 937 094	88 182 596	10 729 713 372
6	画像診断	26 507 526	9 595 933 786	14 731 138	6 925 605 724
7	投薬	921 348 379	18 681 946 746	318 798 691	7 859 686 962
8	注射	15 198 880	13 846 168 870	6 106 146	11 092 310 706
9	リハビリテーション	39 444 747	8 425 875 531	32 857 405	7 288 794 270
10	精神科専門療法	8 469 440	2 831 234 286	5 375 547	1 668 598 402
11	処置	46 271 502	13 174 711 443	9 963 440	5 981 193 820
12	手術	1 723 704	24 724 590 286	1 166 517	21 790 456 550
13	麻酔	2 257 290	3 102 209 131	840 300	2 750 819 392
14	放射線治療	410 750	1 030 144 395	403 202	982 173 683
15	病理診断	2 526 511	1 041 852 714	1 464 578	679 046 651
16	入院料等	24 267 125	42 225 993 990	23 282 946	41 357 921 300
17	診断群分類による包括評価等	9 959 419	37 230 440 823	9 959 419	37 230 440 823
18	入院時食事療養等（別掲：円）	92 745 986	58 164 041 419	90 293 543	56 760 360 142
19	入院	166 476 048	120 383 908 951	159 120 290	118 081 068 490
20	初・再診	285 685	133 400 339	277 667	129 903 417
21	医学管理等	2 746 358	957 390 442	2 693 854	931 542 621
22	在宅医療	52 545	187 542 122	51 254	183 918 352
23	検査	12 915 885	1 529 375 474	11 892 405	1 415 303 378
24	画像診断	2 183 855	756 015 690	2 033 800	716 643 705
25	投薬	68 604 154	1 241 098 605	64 893 923	1 191 016 712
26	注射	3 419 253	1 954 174 361	3 076 607	1 841 728 632
27	リハビリテーション	30 054 007	6 710 811 760	29 560 742	6 613 072 924
28	精神科専門療法	3 137 350	633 309 792	3 132 891	632 306 727
29	処置	6 862 266	2 109 114 944	6 381 650	1 984 014 992
30	手術	914 091	21 453 401 253	862 925	20 655 150 912
31	麻酔	598 184	2 686 199 992	558 890	2 619 318 995
32	放射線治療	157 529	414 970 358	157 122	407 904 108
33	病理診断	317 774	192 977 537	296 387	181 214 207
34	入院料等	24 255 790	42 193 621 230	23 279 307	41 347 528 316
35	診断群分類による包括評価等	9 959 419	37 230 440 823	9 959 419	37 230 440 823
36	入院時食事療養等（別掲：円）	92 745 986	58 164 041 419	90 293 543	56 760 360 142
37	入院外	1 320 269 649	113 428 498 772	400 184 528	48 211 196 611
38	初・再診	124 506 517	16 879 679 212	31 556 572	3 567 124 528
39	医学管理等	52 756 971	9 715 539 585	10 408 336	1 864 007 331
40	在宅医療	4 461 408	7 821 724 146	1 171 655	3 278 930 748
41	検査	190 618 624	20 676 561 620	76 290 191	9 314 409 994
42	画像診断	24 323 671	8 839 918 096	12 697 338	6 208 962 019
43	投薬	852 744 225	17 440 848 141	253 904 768	6 668 670 250
44	注射	11 779 627	11 891 994 509	3 029 539	9 250 582 074
45	リハビリテーション	9 390 740	1 715 063 771	3 296 663	675 721 346
46	精神科専門療法	5 332 090	2 197 924 494	2 242 656	1 036 291 675
47	処置	39 409 236	11 065 596 499	3 581 790	3 997 178 828
48	手術	809 613	3 271 189 033	303 592	1 135 305 638
49	麻酔	1 659 106	416 009 139	281 410	131 500 397
50	放射線治療	253 221	615 174 037	246 080	574 269 575
51	病理診断	2 208 737	848 875 177	1 168 191	497 832 444
52	入院料等	11 335	32 372 760	3 639	10 392 984
53	診断群分類による包括評価等	·	·	·	·
54	入院時食事療養等（別掲：円）	·	·	·	·

平成30年６月審査分

院						
精神科病院		特定機能病院		療養病床を有する病院		行番号
件数	診療実日数	件数	診療実日数	件数	診療実日数	
962 551	6 880 356	1 847 921	3 885 769	5 571 476	20 728 188	
192 051	5 449 895	149 682	1 527 471	590 620	12 378 408	
770 500	1 430 461	1 698 239	2 358 298	4 980 856	8 349 780	
回数	点数	回数	点数	回数	点数	
46 231 388	8 740 076 427	41 100 576	17 096 571 745	161 982 683	39 773 733 230	1
1 380 495	111 487 282	2 399 859	218 835 500	8 134 147	1 003 741 253	2
377 003	52 474 013	832 850	216 317 322	3 651 389	614 068 867	3
7 817	8 081 362	96 075	536 115 784	373 158	654 858 976	4
1 271 112	108 319 228	9 652 118	1 242 511 019	18 110 479	1 866 847 812	5
99 370	33 644 687	1 221 570	795 250 865	3 342 749	1 268 215 103	6
33 034 419	470 091 448	23 506 968	1 067 435 181	91 159 124	1 644 253 770	7
215 834	137 947 895	377 849	2 307 674 745	2 006 293	1 173 848 249	8
40 051	9 446 918	643 285	156 998 189	17 887 918	3 851 423 114	9
3 762 643	1 148 751 835	153 275	52 764 628	744 667	228 917 178	10
593 777	47 564 571	160 755	135 503 857	3 730 558	2 269 473 544	11
699	1 315 061	139 747	3 391 967 780	154 721	1 981 724 128	12
669	289 197	85 944	420 837 183	171 575	271 738 786	13
–	–	109 574	271 707 445	10 514	36 498 880	14
296	93 025	199 277	110 677 634	161 401	65 794 204	15
5 446 424	6 610 555 023	232 349	684 450 266	11 457 797	20 035 038 818	16
·	·	1 287 255	5 487 650 586	884 537	2 807 220 263	17
15 716 309	10 401 315 234	3 519 463	2 365 856 419	37 468 988	21 456 074 285	18
20 694 330	7 490 085 603	6 995 515	10 868 049 155	53 978 189	30 936 906 384	19
2 204	692 053	13 969	6 993 937	59 620	23 917 507	20
79 027	29 768 885	221 133	74 435 434	465 922	167 702 251	21
82	75 275	5 294	25 847 119	10 628	29 851 807	22
752 672	59 411 130	351 008	112 707 740	4 026 078	343 217 267	23
64 050	16 475 226	109 314	34 878 530	791 210	274 447 480	24
11 155 978	182 331 618	3 672 068	109 160 047	15 672 405	251 390 538	25
173 442	59 945 534	125 986	255 798 953	1 135 019	430 589 289	26
35 306	7 544 439	564 119	137 646 482	16 478 113	3 572 653 624	27
2 399 456	475 863 013	24 430	8 601 418	458 533	88 706 355	28
584 090	46 016 125	99 011	81 064 650	2 346 387	831 322 681	29
635	1 160 933	114 137	3 278 303 587	102 105	1 812 510 590	30
289	175 427	72 673	403 917 258	56 312	238 028 885	31
–	–	53 223	129 627 987	3 649	17 965 202	32
203	58 225	47 979	37 498 000	29 028	13 620 291	33
5 446 424	6 610 555 023	232 207	684 044 714	11 457 326	20 033 693 642	34
·	·	1 287 255	5 487 650 586	884 537	2 807 220 263	35
15 716 309	10 401 315 234	3 519 463	2 365 856 419	37 468 988	21 456 074 285	36
25 537 058	1 249 990 824	34 105 061	6 228 522 590	108 004 494	8 836 826 846	37
1 378 291	110 795 229	2 385 890	211 841 563	8 074 527	979 823 746	38
297 976	22 705 128	611 717	141 881 888	3 185 467	446 366 616	39
7 735	8 006 087	90 781	510 268 665	362 530	625 007 169	40
518 440	48 908 098	9 301 110	1 129 803 279	14 084 401	1 523 630 545	41
35 320	17 169 461	1 112 256	760 372 335	2 551 539	993 767 623	42
21 878 441	287 759 830	19 834 900	958 275 134	75 486 719	1 392 863 232	43
42 392	78 002 361	251 863	2 051 875 792	871 274	743 258 960	44
4 745	1 902 479	79 166	19 351 707	1 409 805	278 769 490	45
1 363 187	672 888 822	128 845	44 163 210	286 134	140 210 823	46
9 687	1 548 446	61 744	54 439 207	1 384 171	1 438 150 863	47
64	154 128	25 610	113 664 193	52 616	169 213 538	48
380	113 770	13 271	16 919 925	115 263	33 709 901	49
–	–	56 351	142 079 458	6 865	18 533 678	50
93	34 800	151 298	73 179 634	132 373	52 173 913	51
–	–	142	405 552	471	1 345 176	52
·	·	·	·	·	·	53
·	·	·	·	·	·	54

医4表

第４表　医科診療　件数・診療実日数・回数・点数,

行番号	入院－入院外 診療行為（大分類）	病院			
		一般病院		DPC／PDPS対象病院（再掲）	
		件数	診療実日数	件数	診療実日数
	総数	14 424 110	33 754 012	11 874 665	27 382 238
	入院	1 220 882	14 083 870	1 064 029	11 510 425
	入院外	13 203 228	19 670 142	10 810 636	15 871 813
		回数	点数	回数	点数
1	総数	309 990 171	100 681 883 699	237 294 824	90 287 333 200
2	初・再診	19 919 738	2 362 963 910	16 297 063	1 882 878 512
3	医学管理等	8 240 948	1 912 689 750	6 387 032	1 594 023 312
4	在宅医療	745 859	2 263 792 978	570 029	1 978 267 658
5	検査	59 148 887	7 512 035 313	48 175 074	6 429 041 047
6	画像診断	10 067 449	4 828 495 069	8 148 037	4 248 580 393
7	投薬	171 098 180	4 677 906 563	127 159 829	3 899 044 933
8	注射	3 506 170	7 472 839 817	2 063 254	6 741 784 936
9	リハビリテーション	14 286 151	3 270 926 049	11 688 599	2 732 091 303
10	精神科専門療法	714 962	238 164 761	407 188	136 860 687
11	処置	5 478 350	3 528 651 848	2 340 120	2 585 101 405
12	手術	871 350	16 415 449 581	822 742	15 666 851 598
13	麻酔	582 112	2 057 954 226	502 694	1 950 810 470
14	放射線治療	283 114	673 967 358	286 410	673 241 540
15	病理診断	1 103 604	502 481 788	1 013 609	469 650 747
16	入院料等	6 146 376	14 027 877 193	2 753 584	7 556 217 106
17	診断群分類による包括評価等	7 787 627	28 935 569 974	8 672 164	31 742 790 237
18	入院時食事療養等（別掲：円）	33 588 783	22 537 114 204	27 448 238	18 303 067 021
19	入院	77 452 256	68 786 027 348	50 767 555	61 989 146 969
20	初・再診	201 874	98 299 920	187 404	93 377 946
21	医学管理等	1 927 772	659 636 051	1 787 396	584 649 838
22	在宅医療	35 250	128 144 151	31 427	112 126 011
23	検査	6 762 647	899 967 241	2 292 473	506 350 504
24	画像診断	1 069 226	390 842 469	229 278	127 858 199
25	投薬	34 393 472	648 134 509	21 317 899	425 472 183
26	注射	1 642 160	1 095 394 856	598 189	563 992 698
27	リハビリテーション	12 483 204	2 895 228 379	10 532 813	2 489 647 279
28	精神科専門療法	250 472	59 135 941	87 386	23 705 640
29	処置	3 352 162	1 025 611 536	949 538	599 400 293
30	手術	646 048	15 563 175 802	619 596	14 903 417 358
31	麻酔	429 616	1 977 197 425	408 655	1 891 717 513
32	放射線治療	100 250	260 310 919	100 366	259 291 931
33	病理診断	219 177	130 037 691	195 635	116 233 874
34	入院料等	6 143 350	14 019 234 937	2 751 067	7 549 028 554
35	診断群分類による包括評価等	7 787 627	28 935 569 974	8 672 164	31 742 790 237
36	入院時食事療養等（別掲：円）	33 588 783	22 537 114 204	27 448 238	18 303 067 021
37	入院外	232 537 915	31 895 856 351	186 527 269	28 298 186 231
38	初・再診	19 717 864	2 264 663 990	16 109 659	1 789 500 566
39	医学管理等	6 313 176	1 253 053 699	4 599 636	1 009 373 474
40	在宅医療	710 609	2 135 648 827	538 602	1 866 141 647
41	検査	52 386 240	6 612 068 072	45 882 601	5 922 690 543
42	画像診断	8 998 223	4 437 652 600	7 918 759	4 120 722 194
43	投薬	136 704 708	4 029 772 054	105 841 930	3 473 572 750
44	注射	1 864 010	6 377 444 961	1 465 065	6 177 792 238
45	リハビリテーション	1 802 947	375 697 670	1 155 786	242 444 024
46	精神科専門療法	464 490	179 028 820	319 802	113 155 047
47	処置	2 126 188	2 503 040 312	1 390 582	1 985 701 112
48	手術	225 302	852 273 779	203 146	763 434 240
49	麻酔	152 496	80 756 801	94 039	59 092 957
50	放射線治療	182 864	413 656 439	186 044	413 949 609
51	病理診断	884 427	372 444 097	817 974	353 416 873
52	入院料等	3 026	8 642 256	2 517	7 188 552
53	診断群分類による包括評価等	・	・	・	・
54	入院時食事療養等（別掲：円）	・	・	・	・

注：1）「件数」は、明細書の数である。
2）「回数」は、当該診療行為が実施された延べ算定回数である。
3）総数には、「療養担当手当等」、「合算薬剤料」、「補正点数」を含む。
4）総数には、入院時食事療養等を含まない。
5）総数には、データ上で病院、診療所別を取得できなかったものを含む。
6）「ＤＰＣ／ＰＤＰＳ対象病院（再掲）」には、特定機能病院を含まない。

平成30年６月審査分

診		療		所		
総	数	有床診療所		無床診療所		行番号
件数	診療実日数	件数	診療実日数	件数	診療実日数	
62 539 244	98 209 793	5 756 461	10 856 570	56 782 783	87 353 223	
113 397	1 032 992	113 372	1 032 847	25	145	
62 425 847	97 176 801	5 643 089	9 823 723	56 782 758	87 353 078	
回数	点数	回数	点数	回数	点数	
921 658 916	67 034 375 134	113 213 969	10 379 807 713	808 444 947	56 654 567 421	1
92 380 904	13 234 407 894	9 265 033	1 211 229 363	83 115 871	12 023 178 531	2
42 145 633	7 830 700 333	3 851 165	679 745 837	38 294 468	7 150 954 496	3
3 263 696	4 505 621 559	393 785	551 609 036	2 869 911	3 954 012 523	4
114 579 540	11 396 956 411	15 479 692	1 621 119 689	99 099 848	9 775 836 722	5
11 689 238	2 649 901 694	1 621 152	443 187 854	10 068 086	2 206 713 840	6
598 896 003	10 757 786 751	74 452 394	1 268 023 423	524 443 609	9 489 763 328	7
9 029 490	2 733 009 573	1 598 944	550 170 273	7 430 546	2 182 839 300	8
6 528 944	1 126 954 479	1 512 675	273 864 371	5 016 269	853 090 108	9
3 065 295	1 152 667 339	53 850	24 757 686	3 011 445	1 127 909 653	10
36 089 715	7 145 526 167	3 393 235	1 618 072 760	32 696 480	5 527 453 407	11
552 891	2 894 735 582	121 889	1 114 309 514	431 002	1 780 426 068	12
1 406 575	348 671 158	226 477	99 654 989	1 180 098	249 016 169	13
7 548	47 970 712	1 827	17 215 610	5 721	30 755 102	14
1 053 599	360 171 389	279 265	73 237 325	774 334	286 934 064	15
966 970	849 277 767	961 419	833 601 672	5 551	15 676 095	16
·	·	·	·	·	·	17
2 407 167	1 376 480 324	2 406 949	1 376 370 016	218	110 308	18
7 240 603	2 256 268 340	7 240 074	2 255 970 991	529	297 349	19
7 871	3 439 418	7 871	3 439 418	－	－	20
51 377	25 397 405	51 358	25 382 130	19	15 275	21
1 266	3 570 307	1 265	3 569 007	1	1 300	22
1 008 253	111 564 763	1 008 156	111 555 270	97	9 493	23
146 890	38 466 124	146 888	38 465 700	2	424	24
3 654 154	49 225 911	3 653 945	49 224 220	209	1 691	25
338 610	111 359 158	338 535	111 341 195	75	17 963	26
484 930	96 090 302	484 930	96 090 302	－	－	27
2 439	606 370	2 439	606 370	－	－	28
473 715	121 958 569	473 706	121 957 739	9	830	29
50 715	781 943 551	50 705	781 826 047	10	117 504	30
38 871	66 211 967	38 867	66 186 301	4	25 666	31
407	7 066 250	407	7 066 250	－	－	32
21 241	11 682 990	21 237	11 680 970	4	2 020	33
959 408	827 680 695	959 309	827 575 512	99	105 183	34
·	·	·	·	·	·	35
2 407 167	1 376 480 324	2 406 949	1 376 370 016	218	110 308	36
914 418 313	64 778 106 794	105 973 895	8 123 836 722	808 444 418	56 654 270 072	37
92 373 033	13 230 968 476	9 257 162	1 207 789 945	83 115 871	12 023 178 531	38
42 094 256	7 805 302 928	3 799 807	654 363 707	38 294 449	7 150 939 221	39
3 262 430	4 502 051 252	392 520	548 040 029	2 869 910	3 954 011 223	40
113 571 287	11 285 391 648	14 471 536	1 509 564 419	99 099 751	9 775 827 229	41
11 542 348	2 611 435 570	1 474 264	404 722 154	10 068 084	2 206 713 416	42
595 241 849	10 708 560 840	70 798 449	1 218 799 203	524 443 400	9 489 761 637	43
8 690 880	2 621 650 415	1 260 409	438 829 078	7 430 471	2 182 821 337	44
6 044 014	1 030 864 177	1 027 745	177 774 069	5 016 269	853 090 108	45
3 062 856	1 152 060 969	51 411	24 151 316	3 011 445	1 127 909 653	46
35 616 000	7 023 567 598	2 919 529	1 496 115 021	32 696 471	5 527 452 577	47
502 176	2 112 792 031	71 184	332 483 467	430 992	1 780 308 564	48
1 367 704	282 459 191	187 610	33 468 688	1 180 094	248 990 503	49
7 141	40 904 462	1 420	10 149 360	5 721	30 755 102	50
1 032 358	348 488 399	258 028	61 556 355	774 330	286 932 044	51
7 562	21 597 072	2 110	6 026 160	5 452	15 570 912	52
·	·	·	·	·	·	53
·	·	·	·	·	·	54

第５表　医科診療（病院）件数・診療実日数・回数・点数,

行番号	入院－入院外 診療行為（大分類）	病院		20 ～ 49 床		50 ～ 99 床	
		件数	診療実日数	件数	診療実日数	件数	診療実日数
	総数	22 806 058	65 248 325	1 055 226	2 316 384	2 760 244	7 413 380
	入院	2 153 235	33 439 644	50 379	665 781	182 674	3 142 846
	入院外	20 652 823	31 808 681	1 004 847	1 650 603	2 577 570	4 270 534
		回数	点数	回数	点数	回数	点数
1	総数	559 304 818	166 292 265 101	24 695 773	3 463 913 889	69 924 429	12 783 336 895
2	初・再診	31 834 239	3 697 027 945	1 570 015	205 971 818	4 092 923	530 337 207
3	医学管理等	13 102 190	2 795 549 952	782 708	127 137 453	2 085 020	360 363 494
4	在宅医療	1 222 909	3 462 849 100	59 051	97 306 561	199 507	312 522 621
5	検査	88 182 596	10 729 713 372	3 418 319	367 321 710	9 002 148	933 558 293
6	画像診断	14 731 138	6 925 605 724	475 235	152 820 508	1 703 216	578 127 427
7	投薬	318 798 691	7 859 686 962	16 112 927	269 970 715	42 452 661	714 368 481
8	注射	6 106 146	11 092 310 706	321 320	180 647 854	1 060 178	519 307 246
9	リハビリテーション	32 857 405	7 288 794 270	597 098	116 995 275	4 094 309	851 638 683
10	精神科専門療法	5 375 547	1 668 598 402	9 026	4 022 250	100 616	36 839 026
11	処置	9 963 440	5 981 193 820	603 261	370 650 489	1 761 254	918 900 332
12	手術	1 166 517	21 790 456 550	25 690	334 077 780	70 572	1 089 375 103
13	麻酔	840 300	2 750 819 392	32 223	32 906 518	105 515	145 688 627
14	放射線治療	403 202	982 173 683	245	974 510	2 417	12 758 504
15	病理診断	1 464 578	679 046 651	44 351	14 384 029	80 140	30 602 442
16	入院料等	23 282 946	41 357 921 300	632 090	1 152 069 784	3 004 395	5 406 193 660
17	診断群分類による包括評価等	9 959 419	37 230 440 823	11 898	36 654 280	108 639	342 745 176
18	入院時食事療養等（別掲：円）	90 293 543	56 760 360 142	1 809 427	1 080 164 207	8 879 347	5 286 528 514
19	入院	159 120 290	118 081 068 490	3 700 720	1 845 577 279	17 309 275	8 621 320 097
20	初・再診	277 667	129 903 417	5 602	2 301 975	22 002	8 702 678
21	医学管理等	2 693 854	931 542 621	37 374	15 928 327	176 779	70 545 089
22	在宅医療	51 254	183 918 352	820	2 961 449	3 634	11 359 698
23	検査	11 892 405	1 415 303 378	549 270	53 016 963	2 044 085	182 856 785
24	画像診断	2 033 800	716 643 705	102 858	30 382 663	418 581	133 102 050
25	投薬	64 893 923	1 191 016 712	1 543 058	23 717 615	6 468 179	99 538 740
26	注射	3 076 607	1 841 728 632	147 252	62 160 560	565 391	224 576 064
27	リハビリテーション	29 560 742	6 613 072 924	411 593	82 384 044	3 381 528	714 137 021
28	精神科専門療法	3 132 891	632 306 727	1 660	330 680	34 977	7 147 430
29	処置	6 381 650	1 984 014 992	227 242	71 417 319	992 574	286 079 764
30	手術	862 925	20 655 150 912	14 072	281 726 998	43 121	995 672 742
31	麻酔	558 890	2 619 318 995	9 931	28 060 206	30 203	126 094 803
32	放射線治療	157 122	407 904 108	84	453 520	985	7 127 506
33	病理診断	296 387	181 214 207	6 105	3 134 110	13 875	6 690 914
34	入院料等	23 279 307	41 347 528 316	631 696	1 150 944 520	3 003 954	5 404 934 164
35	診断群分類による包括評価等	9 959 419	37 230 440 823	11 898	36 654 280	108 639	342 745 176
36	入院時食事療養等（別掲：円）	90 293 543	56 760 360 142	1 809 427	1 080 164 207	8 879 347	5 286 528 514
37	入院外	400 184 528	48 211 196 611	20 995 053	1 618 336 610	52 615 154	4 162 016 798
38	初・再診	31 556 572	3 567 124 528	1 564 413	203 669 843	4 070 921	521 634 529
39	医学管理等	10 408 336	1 864 007 331	745 334	111 209 126	1 908 241	289 818 405
40	在宅医療	1 171 655	3 278 930 748	58 231	94 345 112	195 873	301 162 923
41	検査	76 290 191	9 314 409 994	2 869 049	314 304 747	6 958 063	750 701 508
42	画像診断	12 697 338	6 208 962 019	372 377	122 437 845	1 284 635	445 025 377
43	投薬	253 904 768	6 668 670 250	14 569 869	246 253 100	35 984 482	614 829 741
44	注射	3 029 539	9 250 582 074	174 068	118 487 294	494 787	294 731 182
45	リハビリテーション	3 296 663	675 721 346	185 505	34 611 231	712 781	137 501 662
46	精神科専門療法	2 242 656	1 036 291 675	7 366	3 691 570	65 639	29 691 596
47	処置	3 581 790	3 997 178 828	376 019	299 233 170	768 680	632 820 568
48	手術	303 592	1 135 305 638	11 618	52 350 782	27 451	93 702 361
49	麻酔	281 410	131 500 397	22 292	4 846 312	75 312	19 593 824
50	放射線治療	246 080	574 269 575	161	520 990	1 432	5 630 998
51	病理診断	1 168 191	497 832 444	38 246	11 249 919	66 265	23 911 528
52	入院料等	3 639	10 392 984	394	1 125 264	441	1 259 496
53	診断群分類による包括評価等	·	·	·	·	·	·
54	入院時食事療養等（別掲：円）	·	·	·	·	·	·

平成30年６月審査分

100 ～ 199 床		200 ～ 299 床		300 ～ 499 床		500 床 以 上		行番号
件数	診療実日数	件数	診療実日数	件数	診療実日数	件数	診療実日数	
5 018 157	16 439 111	2 722 383	9 696 893	5 738 625	16 348 727	5 511 423	13 033 830	
474 082	9 110 120	313 672	5 912 675	606 246	8 674 354	526 182	5 933 868	
4 544 075	7 328 991	2 408 711	3 784 218	5 132 379	7 674 373	4 985 241	7 099 962	
回数	点数	回数	点数	回数	点数	回数	点数	
135 181 029	32 614 520 210	76 574 485	20 858 424 144	132 333 832	45 784 396 093	120 595 270	50 787 673 870	1
7 220 258	931 830 567	3 824 538	428 279 540	7 866 671	857 706 800	7 259 834	742 902 013	2
3 416 408	561 438 638	1 171 521	273 772 218	2 859 099	736 880 938	2 787 434	735 957 211	3
326 483	592 709 044	111 390	334 481 482	256 406	834 462 899	270 072	1 291 366 493	4
17 997 915	1 861 966 962	9 106 574	1 091 142 045	22 183 452	2 956 494 512	26 474 188	3 519 229 850	5
3 234 323	1 227 008 344	1 670 716	734 830 212	3 797 995	1 952 015 494	3 849 653	2 280 803 739	6
74 210 951	1 421 930 166	45 078 965	847 948 726	74 432 706	1 878 446 633	66 510 481	2 727 022 241	7
1 748 428	1 143 011 883	708 211	814 883 308	1 156 410	3 064 606 274	1 111 599	5 369 854 141	8
12 887 980	2 809 077 548	5 612 597	1 249 757 602	6 381 412	1 469 358 327	3 284 009	791 966 835	9
1 292 231	405 747 184	1 617 682	499 284 000	1 619 744	496 689 729	736 248	226 016 213	10
3 308 571	1 875 211 683	1 434 070	825 426 869	1 971 192	1 323 298 140	885 092	667 706 307	11
151 092	2 218 049 956	119 132	1 946 120 802	360 379	6 658 551 963	439 652	9 544 280 946	12
145 475	308 037 071	79 658	261 102 758	222 214	854 893 605	255 215	1 148 190 813	13
5 983	33 944 390	16 762	54 433 174	124 926	275 772 704	252 869	604 290 401	14
162 045	64 912 976	132 091	53 734 345	469 439	212 142 588	576 512	303 270 271	15
8 247 473	14 609 282 607	4 786 278	7 776 798 810	4 849 436	8 628 161 327	1 763 274	3 785 415 112	16
824 133	2 550 351 733	1 102 068	3 666 283 180	3 778 137	13 584 879 694	4 134 544	17 049 526 760	17
26 131 193	15 851 775 635	16 576 441	10 397 700 061	22 572 726	14 653 851 336	14 324 409	9 490 340 389	18
47 285 964	24 447 775 409	26 698 356	16 008 591 779	38 198 974	33 008 797 772	25 927 001	34 149 006 154	19
54 351	22 821 454	36 988	16 316 535	88 258	43 196 905	70 466	36 563 870	20
446 425	165 036 462	328 907	113 975 938	894 436	295 887 969	809 933	270 168 836	21
9 982	30 461 309	5 713	19 151 729	14 445	52 748 552	16 660	67 235 615	22
4 100 284	365 178 752	1 647 066	169 189 515	2 125 976	320 993 434	1 425 724	324 067 929	23
761 899	252 553 013	253 360	91 392 404	268 151	116 051 089	228 951	93 162 486	24
16 975 093	276 752 186	10 690 654	178 806 059	16 873 289	311 904 514	12 343 650	300 297 598	25
1 055 604	460 237 248	417 729	201 878 538	501 336	368 354 406	389 295	524 521 816	26
11 714 789	2 569 706 565	5 181 081	1 159 925 582	5 868 374	1 360 814 787	3 003 377	726 104 925	27
763 517	150 740 921	1 020 036	204 530 008	964 037	193 603 336	348 664	75 954 352	28
2 134 752	627 642 219	1 053 611	288 717 036	1 382 521	412 503 816	590 950	297 654 838	29
102 675	2 058 630 422	87 066	1 835 494 093	272 424	6 343 803 637	343 567	9 139 823 020	30
60 263	277 140 193	55 261	247 458 599	182 703	827 997 882	220 529	1 112 567 312	31
1 872	18 078 754	5 479	27 771 134	42 110	98 031 792	106 592	256 441 402	32
32 277	14 253 845	25 581	12 107 309	90 853	52 491 854	127 696	92 536 175	33
8 247 088	14 608 183 047	4 785 806	7 775 450 778	4 848 506	8 625 505 247	1 762 257	3 782 510 560	34
824 133	2 550 351 733	1 102 068	3 666 283 180	3 778 137	13 584 879 694	4 134 544	17 049 526 760	35
26 131 193	15 851 775 635	16 576 441	10 397 700 061	22 572 726	14 653 851 336	14 324 409	9 490 340 389	36
87 895 065	8 166 744 801	49 876 129	4 849 832 365	94 134 858	12 775 598 321	94 668 269	16 638 667 716	37
7 165 907	909 009 113	3 787 550	411 963 005	7 778 413	814 509 895	7 189 368	706 338 143	38
2 969 983	396 402 176	842 614	159 796 280	1 964 663	440 992 969	1 977 501	465 788 375	39
316 501	562 247 735	105 677	315 329 753	241 961	781 714 347	253 412	1 224 130 878	40
13 897 631	1 496 788 210	7 459 508	921 952 530	20 057 476	2 635 501 078	25 048 464	3 195 161 921	41
2 472 424	974 455 331	1 417 356	643 437 808	3 529 844	1 835 964 405	3 620 702	2 187 641 253	42
57 235 858	1 145 177 980	34 388 311	669 142 667	57 559 417	1 566 542 119	54 166 831	2 426 724 643	43
692 824	682 774 635	290 482	613 004 770	655 074	2 696 251 868	722 304	4 845 332 325	44
1 173 191	239 370 983	431 516	89 832 020	513 038	108 543 540	280 632	65 861 910	45
528 714	255 006 263	597 646	294 753 992	655 707	303 086 393	387 584	150 061 861	46
1 173 819	1 247 569 464	380 459	536 709 833	588 671	910 794 324	294 142	370 051 469	47
48 417	159 419 534	32 066	110 626 709	87 955	314 748 326	96 085	404 457 926	48
85 212	30 896 878	24 397	13 644 159	39 511	26 895 723	34 686	35 623 501	49
4 111	15 865 636	11 283	26 662 040	82 816	177 740 912	146 277	347 848 999	50
129 768	50 659 131	106 510	41 627 036	378 586	159 650 734	448 816	210 734 096	51
385	1 099 560	472	1 348 032	930	2 656 080	1 017	2 904 552	52
·	·	·	·	·	·	·	·	53
·	·	·	·	·	·	·	·	54

医５表

第５表　医科診療（病院）件数・診療実日数・回数・点数,

行番号	入院－入院外 診療行為（大分類）	一般病院（再掲）		20 ～ 49 床		50 ～ 99 床	
		件数	診療実日数	件数	診療実日数	件数	診療実日数
	総数	14 424 110	33 754 012	869 720	1 753 580	1 621 398	3 685 968
	入院	1 220 882	14 083 870	40 858	435 066	95 938	1 265 436
	入院外	13 203 228	19 670 142	828 862	1 318 514	1 525 460	2 420 532
		回数	点数	回数	点数	回数	点数
1	総数	309 990 171	100 681 883 699	18 882 478	2 793 947 444	40 378 246	7 141 740 044
2	初・再診	19 919 738	2 362 963 910	1 256 520	167 735 388	2 330 927	312 930 204
3	医学管理等	8 240 948	1 912 689 750	593 283	102 601 999	1 170 510	215 687 669
4	在宅医療	745 859	2 263 792 978	46 752	79 928 926	101 979	176 379 784
5	検査	59 148 887	7 512 035 313	3 049 464	331 102 334	5 888 914	636 360 090
6	画像診断	10 067 449	4 828 495 069	412 638	135 952 405	1 119 459	396 641 049
7	投薬	171 098 180	4 677 906 563	11 821 826	207 846 861	24 769 336	417 069 442
8	注射	3 506 170	7 472 839 817	269 737	165 580 179	617 282	359 727 824
9	リハビリテーション	14 286 151	3 270 926 049	410 791	82 522 848	1 893 045	407 728 342
10	精神科専門療法	714 962	238 164 761	4 192	2 205 220	13 610	5 437 289
11	処置	5 478 350	3 528 651 848	511 713	307 397 957	1 055 417	526 683 404
12	手術	871 350	16 415 449 581	23 789	322 808 881	52 087	940 913 228
13	麻酔	582 112	2 057 954 226	25 179	31 140 795	59 444	123 672 440
14	放射線治療	283 114	673 967 358	245	974 510	2 365	11 171 504
15	病理診断	1 103 604	502 481 788	42 641	13 664 219	61 939	23 389 784
16	入院料等	6 146 376	14 027 877 193	401 504	805 827 885	1 146 176	2 282 289 165
17	診断群分類による包括評価等	7 787 627	28 935 569 974	11 898	36 654 280	95 061	305 650 347
18	入院時食事療養等（別掲：円）	33 588 783	22 537 114 204	1 013 451	665 234 139	3 096 794	2 060 272 209
19	入院	77 452 256	68 786 027 348	3 185 348	1 438 400 614	9 754 485	4 553 385 382
20	初・再診	201 874	98 299 920	5 006	2 117 203	13 999	5 817 832
21	医学管理等	1 927 772	659 636 051	34 540	14 954 982	122 174	50 451 248
22	在宅医療	35 250	128 144 151	740	2 611 895	2 235	7 299 013
23	検査	6 762 647	899 967 241	534 185	51 051 984	1 366 773	128 787 707
24	画像診断	1 069 226	390 842 469	97 224	27 740 382	272 678	84 004 113
25	投薬	34 393 472	648 134 509	1 449 072	22 406 904	4 190 180	65 781 272
26	注射	1 642 160	1 095 394 856	143 100	60 954 851	367 834	159 282 908
27	リハビリテーション	12 483 204	2 895 228 379	269 248	55 806 015	1 484 103	326 143 553
28	精神科専門療法	250 472	59 135 941	102	31 550	255	46 030
29	処置	3 352 162	1 025 611 536	210 120	54 514 432	622 948	144 874 981
30	手術	646 048	15 563 175 802	13 400	274 012 312	33 439	871 512 057
31	麻酔	429 616	1 977 197 425	9 261	27 275 853	24 363	111 399 504
32	放射線治療	100 250	260 310 919	84	453 520	962	5 798 506
33	病理診断	219 177	130 037 691	6 053	3 109 780	11 126	5 461 694
34	入院料等	6 143 350	14 019 234 937	401 110	804 702 621	1 145 748	2 281 066 797
35	診断群分類による包括評価等	7 787 627	28 935 569 974	11 898	36 654 280	95 061	305 650 347
36	入院時食事療養等（別掲：円）	33 588 783	22 537 114 204	1 013 451	665 234 139	3 096 794	2 060 272 209
37	入院外	232 537 915	31 895 856 351	15 697 130	1 355 546 830	30 623 761	2 588 354 662
38	初・再診	19 717 864	2 264 663 990	1 251 514	165 618 185	2 316 928	307 112 372
39	医学管理等	6 313 176	1 253 053 699	558 743	87 647 017	1 048 336	165 236 421
40	在宅医療	710 609	2 135 648 827	46 012	77 317 031	99 744	169 080 771
41	検査	52 386 240	6 612 068 072	2 515 279	280 050 350	4 522 141	507 572 383
42	画像診断	8 998 223	4 437 652 600	315 414	108 212 023	846 781	312 636 936
43	投薬	136 704 708	4 029 772 054	10 372 754	185 439 957	20 579 156	351 288 170
44	注射	1 864 010	6 377 444 961	126 637	104 625 328	249 448	200 444 916
45	リハビリテーション	1 802 947	375 697 670	141 543	26 716 833	408 942	81 584 789
46	精神科専門療法	464 490	179 028 820	4 090	2 173 670	13 355	5 391 259
47	処置	2 126 188	2 503 040 312	301 593	252 883 525	432 469	381 808 423
48	手術	225 302	852 273 779	10 389	48 796 569	18 648	69 401 171
49	麻酔	152 496	80 756 801	15 918	3 864 942	35 081	12 272 936
50	放射線治療	182 864	413 656 439	161	520 990	1 403	5 372 998
51	病理診断	884 427	372 444 097	36 588	10 554 439	50 813	17 928 090
52	入院料等	3 026	8 642 256	394	1 125 264	428	1 222 368
53	診断群分類による包括評価等	·	·	·	·	·	·
54	入院時食事療養等（別掲：円）	·	·	·	·	·	·

注：1）「件数」は、明細書の数である。
　　2）「回数」は、当該診療行為が実施された延べ算定回数である。
　　3）総数には、「療養担当手当等」、「合算薬剤料」、「補正点数」を含む。
　　4）総数には、入院時食事療養等を含まない。

平成30年６月審査分

100 ～ 199 床		200 ～ 299 床		300 ～ 499 床		500 床 以 上		行番号
件数	診療実日数	件数	診療実日数	件数	診療実日数	件数	診療実日数	
2 324 779	5 670 553	1 536 502	3 795 803	4 634 950	11 008 650	3 436 761	7 839 458	
172 831	2 377 923	138 961	1 730 903	439 140	4 886 459	333 154	3 388 083	
2 151 948	3 292 630	1 397 541	2 064 900	4 195 810	6 122 191	3 103 607	4 451 375	
回数	点数	回数	点数	回数	点数	回数	点数	
55 764 939	13 237 445 877	32 104 940	10 598 271 197	92 817 693	35 784 428 367	70 041 875	31 126 050 770	1
3 313 410	450 277 185	2 132 642	241 920 732	6 319 795	697 553 034	4 566 444	492 547 367	2
1 605 113	286 321 149	677 155	178 766 564	2 357 594	634 158 396	1 837 293	495 153 973	3
141 216	292 889 058	71 204	249 171 042	219 219	742 510 351	165 489	722 913 817	4
9 530 492	1 032 818 143	5 685 886	744 659 096	18 906 173	2 577 221 206	16 087 958	2 189 874 444	5
1 699 112	670 533 811	1 077 448	498 126 858	3 246 488	1 697 730 471	2 512 304	1 429 510 475	6
30 996 662	658 173 893	17 316 882	412 377 822	49 182 294	1 448 256 159	37 011 180	1 534 182 386	7
756 796	631 331 376	333 492	560 462 108	866 353	2 741 190 437	662 510	3 014 547 893	8
3 614 559	805 204 982	2 123 602	484 368 359	4 165 198	982 229 116	2 078 956	508 872 402	9
59 634	19 851 996	96 917	32 529 282	288 977	97 271 654	251 632	80 869 320	10
1 408 347	794 322 708	606 457	407 751 788	1 355 559	1 019 657 784	540 857	472 838 207	11
93 666	1 574 569 586	90 813	1 570 969 997	320 859	6 027 652 677	290 136	5 978 535 212	12
78 967	209 455 417	57 353	208 017 317	197 525	775 641 127	163 644	710 027 130	13
5 380	27 263 236	16 097	49 243 564	116 423	248 724 946	142 604	336 589 598	14
105 432	42 287 790	101 432	41 846 427	424 875	192 804 769	367 285	188 488 799	15
1 717 802	3 730 233 742	807 048	1 843 517 987	1 464 973	3 601 627 562	608 873	1 764 380 852	16
638 004	2 011 908 608	908 936	3 074 467 585	3 381 763	12 300 171 921	2 751 965	11 206 717 233	17
5 875 472	3 931 564 637	4 213 196	2 825 429 905	11 566 790	7 785 782 705	7 823 080	5 268 830 609	18
16 230 689	9 122 893 774	9 404 418	7 602 023 963	23 848 659	24 940 502 443	15 028 657	21 128 821 172	19
28 479	12 682 442	25 051	11 699 014	75 911	37 807 047	53 428	28 176 382	20
237 461	87 744 067	211 971	71 057 295	765 304	251 018 111	556 322	184 410 348	21
4 982	17 208 700	3 880	14 097 921	12 524	46 992 695	10 889	39 933 927	22
1 860 998	181 467 472	673 584	87 596 840	1 430 247	256 521 198	896 860	194 542 040	23
332 096	109 392 248	97 203	38 177 221	171 989	81 548 223	98 036	49 980 282	24
6 805 952	114 910 948	4 007 450	69 849 010	10 910 764	211 780 908	7 030 054	163 405 467	25
440 643	223 526 860	162 578	103 832 028	321 728	298 684 916	206 277	249 113 293	26
3 136 192	705 991 478	1 904 938	438 517 231	3 790 901	902 132 450	1 897 822	466 637 652	27
17 737	3 799 270	44 000	9 376 670	95 943	22 846 740	92 435	23 035 681	28
878 822	226 281 320	420 041	116 557 657	892 830	293 740 320	327 401	189 642 826	29
66 043	1 481 923 908	67 445	1 489 434 497	243 246	5 747 662 773	222 475	5 698 630 255	30
42 538	194 152 219	44 287	199 798 428	165 817	752 397 947	143 350	692 173 474	31
1 512	13 113 774	5 288	25 789 044	39 732	89 416 138	52 672	125 739 937	32
21 456	9 365 262	19 710	9 478 305	82 797	48 435 925	78 035	54 186 725	33
1 717 518	3 729 422 638	806 594	1 842 221 363	1 464 166	3 599 322 770	608 214	1 762 498 748	34
638 004	2 011 908 608	908 936	3 074 467 585	3 381 763	12 300 171 921	2 751 965	11 206 717 233	35
5 875 472	3 931 564 637	4 213 196	2 825 429 905	11 566 790	7 785 782 705	7 823 080	5 268 830 609	36
39 534 250	4 114 552 103	22 700 522	2 996 247 234	68 969 034	10 843 925 924	55 013 218	9 997 229 598	37
3 284 931	437 594 743	2 107 591	230 221 718	6 243 884	659 745 987	4 513 016	464 370 985	38
1 367 652	198 577 082	465 184	107 709 269	1 592 290	383 140 285	1 280 971	310 743 625	39
136 234	275 680 358	67 324	235 073 121	206 695	695 517 656	154 600	682 979 890	40
7 669 494	851 350 671	5 012 302	657 062 256	17 475 926	2 320 700 008	15 191 098	1 995 332 404	41
1 367 016	561 141 563	980 245	459 949 637	3 074 499	1 616 182 248	2 414 268	1 379 530 193	42
24 190 710	543 262 945	13 309 432	342 528 812	38 271 530	1 236 475 251	29 981 126	1 370 776 919	43
316 153	407 804 516	170 914	456 630 080	544 625	2 442 505 521	456 233	2 765 434 600	44
478 367	99 213 504	218 664	45 851 128	374 297	80 096 666	181 134	42 234 750	45
41 897	16 052 726	52 917	23 152 612	193 034	74 424 914	159 197	57 833 639	46
529 525	568 041 388	186 416	291 194 131	462 729	725 917 464	213 456	283 195 381	47
27 623	92 645 678	23 368	81 535 500	77 613	279 989 904	67 661	279 904 957	48
36 429	15 303 198	13 066	8 218 889	31 708	23 243 180	20 294	17 853 656	49
3 868	14 149 462	10 809	23 454 520	76 691	159 308 808	89 932	210 849 661	50
83 976	32 922 528	81 722	32 368 122	342 078	144 368 844	289 250	134 302 074	51
284	811 104	454	1 296 624	807	2 304 792	659	1 882 104	52
·	·	·	·	·	·	·	·	53
·	·	·	·	·	·	·	·	54

第６表　医科診療（診療所）件数・診療実日数・回数・点数,

１ 総　数

行番号	有床－無床 診療行為（大分類）	総数		内科	
		件数	診療実日数	件数	診療実日数
	総数	62 539 244	98 209 793	27 563 293	39 275 132
	有床診療所	5 756 461	10 856 570	1 804 558	3 255 590
	無床診療所	56 782 783	87 353 223	25 758 735	36 019 542
		回数	点数	回数	点数
1	総数	921 658 916	67 034 375 134	546 075 409	30 589 763 040
2	初・再診	92 380 904	13 234 407 894	36 279 608	5 354 711 727
3	医学管理等	42 145 633	7 830 700 333	27 615 087	5 245 514 731
4	在宅医療	3 263 696	4 505 621 559	2 771 574	3 739 171 527
5	検査	114 579 540	11 396 956 411	52 186 690	5 333 249 871
6	画像診断	11 689 238	2 649 901 694	3 605 824	842 058 315
7	投薬	598 896 003	10 757 786 751	413 501 886	6 265 755 627
8	注射	9 029 490	2 733 009 573	3 252 959	908 623 771
9	リハビリテーション	6 528 944	1 126 954 479	722 391	128 425 361
10	精神科専門療法	3 065 295	1 152 667 339	790 929	293 733 761
11	処置	36 089 715	7 145 526 167	4 229 111	1 481 929 481
12	手術	552 891	2 894 735 582	88 789	421 888 291
13	麻酔	1 406 575	348 671 158	204 053	54 263 650
14	放射線治療	7 548	47 970 712	567	3 375 982
15	病理診断	1 053 599	360 171 389	442 252	203 797 862
16	入院料等	966 970	849 277 767	382 471	313 258 215
17	診断群分類による包括評価等	・	・	・	・
18	入院時食事療養等　（別掲：円）	2 407 167	1 376 480 324	970 414	556 667 364
19	有床診療所	113 213 969	10 379 807 713	49 430 215	3 300 342 152
20	初・再診	9 265 033	1 211 229 363	2 639 552	367 425 939
21	医学管理等	3 851 165	679 745 837	1 844 677	346 151 274
22	在宅医療	393 785	551 609 036	295 106	403 276 824
23	検査	15 479 692	1 621 119 689	4 273 361	462 690 651
24	画像診断	1 621 152	443 187 854	449 182	128 925 612
25	投薬	74 452 394	1 268 023 423	38 079 031	557 543 970
26	注射	1 598 944	550 170 273	486 324	137 053 248
27	リハビリテーション	1 512 675	273 864 371	243 311	43 290 800
28	精神科専門療法	53 850	24 757 686	23 621	10 823 776
29	処置	3 393 235	1 618 072 760	636 962	358 826 443
30	手術	121 889	1 114 309 514	13 561	145 499 344
31	麻酔	226 477	99 654 989	25 876	9 773 734
32	放射線治療	1 827	17 215 610	67	577 390
33	病理診断	279 265	73 237 325	36 738	15 463 545
34	入院料等	961 419	833 601 672	382 324	313 015 944
35	診断群分類による包括評価等	・	・	・	・
36	入院時食事療養等　（別掲：円）	2 406 949	1 376 370 016	970 196	556 557 056
37	無床診療所	808 444 947	56 654 567 421	496 645 194	27 289 420 888
38	初・再診	83 115 871	12 023 178 531	33 640 056	4 987 285 788
39	医学管理等	38 294 468	7 150 954 496	25 770 410	4 899 363 457
40	在宅医療	2 869 911	3 954 012 523	2 476 468	3 335 894 703
41	検査	99 099 848	9 775 836 722	47 913 329	4 870 559 220
42	画像診断	10 068 086	2 206 713 840	3 156 642	713 132 703
43	投薬	524 443 609	9 489 763 328	375 422 855	5 708 211 657
44	注射	7 430 546	2 182 839 300	2 766 635	771 570 523
45	リハビリテーション	5 016 269	853 090 108	479 080	85 134 561
46	精神科専門療法	3 011 445	1 127 909 653	767 308	282 909 985
47	処置	32 696 480	5 527 453 407	3 592 149	1 123 103 038
48	手術	431 002	1 780 426 068	75 228	276 388 947
49	麻酔	1 180 098	249 016 169	178 177	44 489 916
50	放射線治療	5 721	30 755 102	500	2 798 592
51	病理診断	774 334	286 934 064	405 514	188 334 317
52	入院料等	5 551	15 676 095	147	242 271
53	診断群分類による包括評価等	・	・	・	・
54	入院時食事療養等　（別掲：円）	218	110 308	218	110 308

平成30年６月審査分

精神科 件数	精神科 診療実日数	小児科 件数	小児科 診療実日数	外科 件数	外科 診療実日数	整形外科 件数	整形外科 診療実日数	行番号
1 591 946	2 369 391	3 200 672	4 872 095	2 853 575	4 816 737	6 463 409	17 685 497	
16 376	36 097	78 436	126 306	649 440	1 273 252	773 654	2 280 946	
1 575 570	2 333 294	3 122 236	4 745 789	2 204 135	3 543 485	5 689 755	15 404 551	
回数	点数	回数	点数	回数	点数	回数	点数	
16 911 635	1 443 544 740	22 341 633	2 607 547 589	50 078 175	3 652 700 688	92 884 675	7 757 359 985	1
2 316 348	205 415 170	3 378 162	777 126 761	4 514 472	619 594 663	17 388 961	1 899 644 543	2
255 408	35 932 806	2 999 795	1 020 628 440	2 468 308	456 029 893	2 815 275	293 785 293	3
37 772	33 235 709	21 577	123 606 561	139 625	173 089 974	115 676	185 724 577	4
625 726	63 458 605	2 491 193	263 039 172	4 188 952	497 141 866	4 435 972	440 462 885	5
9 263	3 695 367	76 611	10 030 923	1 078 459	475 964 969	6 132 403	1 036 374 917	6
11 358 931	221 135 330	12 809 117	320 276 489	35 055 685	572 552 129	43 441 638	937 721 391	7
43 746	32 469 013	86 114	22 478 772	638 414	200 011 095	4 086 137	972 888 603	8
34 388	7 448 571	109 058	22 918 355	251 627	46 166 465	5 314 177	905 177 671	9
2 207 898	833 724 198	32 903	14 142 745	10 418	4 098 680	5 828	2 379 845	10
15 077	2 428 860	321 344	15 415 575	1 343 871	127 275 057	7 970 158	496 143 975	11
108	304 901	2 856	9 124 913	56 393	268 606 451	65 059	266 877 225	12
1 025	329 650	1 552	1 157 562	99 847	32 132 581	923 477	165 205 860	13
－	－	－	－	1 830	11 031 830	2	6 000	14
543	149 702	5 127	1 291 718	72 100	33 986 919	6 736	2 726 262	15
5 026	3 814 229	6 102	6 308 749	158 070	135 018 374	183 022	152 240 121	16
·	·	·	·	·	·	·	·	17
12 677	7 235 303	13 039	6 892 084	396 497	229 697 808	506 992	293 684 678	18
362 814	27 911 350	721 411	85 151 414	14 585 748	1 154 496 539	13 929 347	1 469 673 847	19
28 891	2 693 218	84 794	20 419 419	1 075 899	144 699 516	2 062 298	226 394 792	20
4 969	577 120	74 357	23 429 277	589 815	110 845 144	359 441	41 939 374	21
1 635	2 390 955	843	1 820 522	34 322	43 897 156	23 996	36 227 478	22
9 074	1 076 728	100 470	12 219 962	1 231 615	154 836 042	734 893	67 744 093	23
779	200 634	5 469	938 531	277 686	116 634 830	781 783	161 304 253	24
275 537	2 829 783	416 205	8 795 555	10 388 770	162 212 279	7 091 762	138 275 740	25
1 766	486 239	8 962	2 280 676	216 333	80 647 731	582 848	145 887 180	26
5 513	1 188 265	4 565	1 044 878	157 062	30 354 147	1 071 684	192 825 717	27
24 899	12 184 505	1 507	634 690	399	131 440	763	334 765	28
4 681	357 890	13 812	1 052 562	384 535	50 216 417	884 958	72 834 204	29
3	6 307	830	5 169 006	15 799	89 593 493	14 667	185 340 708	30
37	103 457	401	360 472	27 212	13 525 158	135 549	47 678 397	31
－	－	－	－	1 681	8 386 470	－	－	32
4	2 020	3 093	677 108	26 508	13 533 222	1 641	646 716	33
5 026	3 814 229	6 102	6 308 749	158 058	134 984 102	183 022	152 240 121	34
·	·	·	·	·	·	·	·	35
12 677	7 235 303	13 039	6 892 084	396 497	229 697 808	506 992	293 684 678	36
16 548 821	1 415 633 390	21 620 222	2 522 396 175	35 492 427	2 498 204 149	78 955 328	6 287 686 138	37
2 287 457	202 721 952	3 293 368	756 707 342	3 438 573	474 895 147	15 326 663	1 673 249 751	38
250 439	35 355 686	2 925 438	997 199 163	1 878 493	345 184 749	2 455 834	251 845 919	39
36 137	30 844 754	20 734	121 786 039	105 303	129 192 818	91 680	149 497 099	40
616 652	62 381 877	2 390 723	250 819 210	2 957 337	342 305 824	3 701 079	372 718 792	41
8 484	3 494 733	71 142	9 092 392	800 773	359 330 139	5 350 620	875 070 664	42
11 083 394	218 305 547	12 392 912	311 480 934	24 666 915	410 339 850	36 349 876	799 445 651	43
41 980	31 982 774	77 152	20 198 096	422 081	119 363 364	3 503 289	827 001 423	44
28 875	6 260 306	104 493	21 873 477	94 565	15 812 318	4 242 493	712 351 954	45
2 182 999	821 539 693	31 396	13 508 055	10 019	3 967 240	5 065	2 045 080	46
10 396	2 070 970	307 532	14 363 013	959 336	77 058 640	7 085 200	423 309 771	47
105	298 594	2 026	3 955 907	40 594	179 012 958	50 392	81 536 517	48
988	226 193	1 151	797 090	72 635	18 607 423	787 928	117 527 463	49
－	－	－	－	149	2 645 360	2	6 000	50
539	147 682	2 034	614 610	45 592	20 453 697	5 095	2 079 546	51
－	－	－	－	12	34 272	－	－	52
·	·	·	·	·	·	·	·	53
－	－	－	－	－	－	－	－	54

医6表

第６表　医科診療（診療所）件数・診療実日数・回数・点数,

１ 総　数

行番号	有床－無床 診療行為（大分類）	皮膚科		泌尿器科	
		件数	診療実日数	件数	診療実日数
	総数	5 585 470	7 303 707	1 058 195	1 508 657
	有床診療所	16 528	26 392	160 881	296 016
	無床診療所	5 568 942	7 277 315	897 314	1 212 641
		回数	点数	回数	点数
1	総数	36 382 090	2 899 190 203	17 572 723	1 518 080 839
2	初・再診	7 272 449	1 298 970 759	1 471 386	208 657 270
3	医学管理等	1 788 416	136 034 178	603 530	115 331 730
4	在宅医療	22 907	20 300 430	37 503	56 729 313
5	検査	1 987 086	224 924 785	3 313 704	278 594 265
6	画像診断	36 782	6 440 533	73 386	20 628 922
7	投薬	22 114 748	632 951 559	11 579 890	227 186 934
8	注射	174 063	27 576 533	82 868	111 047 745
9	リハビリテーション	19 643	3 567 818	2 961	575 306
10	精神科専門療法	5 207	1 895 130	386	68 460
11	処置	2 843 684	426 242 549	306 690	437 899 724
12	手術	55 142	92 817 244	4 434	28 003 005
13	麻酔	7 392	2 131 840	2 772	2 382 730
14	放射線治療	−	−	12	105 000
15	病理診断	53 413	24 300 954	74 658	14 231 956
16	入院料等	1 061	1 035 212	18 470	16 637 812
17	診断群分類による包括評価等	·	·	·	·
18	入院時食事療養等　（別掲：円）	2 982	1 519 812	46 565	28 962 581
19	有床診療所	231 581	13 732 623	4 237 228	479 438 288
20	初・再診	24 555	3 571 297	275 622	34 579 454
21	医学管理等	7 544	786 627	121 850	29 462 482
22	在宅医療	551	420 760	5 050	9 429 999
23	検査	11 980	1 427 500	582 544	48 877 956
24	画像診断	1 980	402 562	29 051	10 330 371
25	投薬	163 205	2 714 828	3 044 212	56 180 039
26	注射	4 507	760 946	23 555	33 851 230
27	リハビリテーション	−	−	2 948	572 485
28	精神科専門療法	−	−	32	2 760
29	処置	15 261	1 513 300	117 803	217 677 065
30	手術	301	930 122	1 915	17 333 011
31	麻酔	154	37 539	1 273	1 591 362
32	放射線治療	−	−	5	42 000
33	病理診断	482	131 930	12 842	2 892 506
34	入院料等	1 061	1 035 212	18 462	16 614 964
35	診断群分類による包括評価等	·	·	·	·
36	入院時食事療養等　（別掲：円）	2 982	1 519 812	46 565	28 962 581
37	無床診療所	36 150 509	2 885 457 580	13 335 495	1 038 642 551
38	初・再診	7 247 894	1 295 399 462	1 195 764	174 077 816
39	医学管理等	1 780 872	135 247 551	481 680	85 869 248
40	在宅医療	22 356	19 879 670	32 453	47 299 314
41	検査	1 975 106	223 497 285	2 731 160	229 716 309
42	画像診断	34 802	6 037 971	44 335	10 298 551
43	投薬	21 951 543	630 236 731	8 535 678	171 006 895
44	注射	169 556	26 815 587	59 313	77 196 515
45	リハビリテーション	19 643	3 567 818	13	2 821
46	精神科専門療法	5 207	1 895 130	354	65 700
47	処置	2 828 423	424 729 249	188 887	220 222 659
48	手術	54 841	91 887 122	2 519	10 669 994
49	麻酔	7 238	2 094 301	1 499	791 368
50	放射線治療	−	−	7	63 000
51	病理診断	52 931	24 169 024	61 816	11 339 450
52	入院料等	−	−	8	22 848
53	診断群分類による包括評価等	·	·	·	·
54	入院時食事療養等　（別掲：円）	−	−	−	−

注：１）「件数」は、明細書の数である。
　　２）「回数」は、当該診療行為が実施された延べ算定回数である。
　　３）総数には、「療養担当手当等」、「合算薬剤料」、「補正点数」を含む。
　　４）総数には、入院時食事療養等を含まない。

平成30年６月審査分

産婦人科		眼科		耳鼻いんこう科		その他		行番号
件数	診療実日数	件数	診療実日数	件数	診療実日数	件数	診療実日数	
1 556 886	2 487 171	7 434 395	8 694 025	4 715 255	7 120 703	516 148	2 076 678	
855 758	1 446 478	1 143 398	1 390 409	150 908	238 438	106 524	486 646	
701 128	1 040 693	6 290 997	7 303 616	4 564 347	6 882 265	409 624	1 590 032	
回数	点数	回数	点数	回数	点数	回数	点数	
23 298 037	1 830 012 792	59 000 717	6 604 593 226	43 065 283	3 189 998 651	14 048 539	4 941 583 381	1
2 058 956	323 783 516	8 654 510	1 188 341 596	7 047 984	1 167 255 325	1 998 068	190 906 564	2
706 912	64 214 893	1 538 959	56 484 786	731 845	80 361 990	622 098	326 381 593	3
6 499	15 385 579	12 260	7 045 345	46 410	69 965 006	51 893	81 367 538	4
3 287 172	600 307 007	37 695 207	2 869 263 806	3 296 859	729 848 163	1 070 979	96 665 986	5
38 726	16 467 183	9 510	2 655 668	449 029	68 910 537	179 245	166 674 360	6
15 822 177	254 146 961	10 050 792	689 243 700	15 052 048	469 266 365	8 109 091	167 550 266	7
358 939	64 680 487	49 923	271 592 769	138 305	16 131 811	118 022	105 508 974	8
3 968	804 383	16 928	2 576 328	13 654	2 705 607	40 149	6 588 614	9
6 021	1 187 265	1 610	543 935	2 108	377 215	1 987	516 105	10
448 551	41 427 170	704 257	43 171 168	16 213 384	469 709 665	1 693 588	3 603 882 943	11
29 654	218 242 177	179 192	1 410 373 048	65 968	107 315 522	5 296	71 182 805	12
14 972	17 072 817	49 649	18 653 982	1 608	4 407 844	100 228	50 932 642	13
–	–	–	–	13	75 950	5 124	33 375 950	14
387 158	75 894 650	2 091	828 510	2 901	1 185 850	6 620	1 777 006	15
127 854	136 394 401	35 710	43 817 756	3 061	2 481 059	46 123	38 271 839	16
·	·	·	·	·	·	·	·	17
281 877	145 854 214	45 874	24 773 870	3 476	1 773 466	126 774	79 419 144	18
13 599 473	1 139 228 630	10 161 238	1 341 098 282	1 521 829	163 223 368	4 433 085	1 205 511 220	19
1 050 086	170 355 384	1 360 052	166 532 122	231 883	33 866 193	431 401	40 692 029	20
444 390	40 095 622	238 025	10 034 296	26 693	4 252 655	139 404	72 171 966	21
3 905	9 034 311	1 855	1 546 960	15 267	24 202 605	11 255	19 361 466	22
1 770 929	317 010 394	6 310 887	497 658 622	136 475	30 414 787	317 464	27 162 954	23
20 975	8 218 528	1 804	321 944	22 927	4 969 236	29 516	10 941 353	24
9 463 315	142 414 326	1 984 433	125 414 990	552 759	15 810 807	2 993 165	55 831 106	25
216 351	42 861 403	18 003	79 432 386	14 229	1 896 326	26 066	25 012 908	26
3 965	803 978	2 876	439 985	160	16 340	20 591	3 327 776	27
1 759	365 360	–	–	323	108 760	547	171 630	28
264 847	24 175 712	151 054	10 495 324	512 839	14 753 787	406 483	866 170 056	29
23 192	192 907 107	45 242	415 713 980	4 126	27 118 397	2 253	34 698 039	30
12 758	15 653 054	16 133	4 777 500	593	3 180 460	6 491	2 973 856	31
–	–	–	–	–	–	74	8 209 750	32
194 682	38 934 838	501	191 930	528	249 060	2 246	514 450	33
127 854	136 394 401	30 360	28 538 156	3 027	2 383 955	46 123	38 271 839	34
·	·	·	·	·	·	·	·	35
281 877	145 854 214	45 874	24 773 870	3 476	1 773 466	126 774	79 419 144	36
9 698 564	690 784 162	48 839 479	5 263 494 944	41 543 454	3 026 775 283	9 615 454	3 736 072 161	37
1 008 870	153 428 132	7 294 458	1 021 809 474	6 816 101	1 133 389 132	1 566 667	150 214 535	38
262 522	24 119 271	1 300 934	46 450 490	705 152	76 109 335	482 694	254 209 627	39
2 594	6 351 268	10 405	5 498 385	31 143	45 762 401	40 638	62 006 072	40
1 516 243	283 296 613	31 384 320	2 371 605 184	3 160 384	699 433 376	753 515	69 503 032	41
17 751	8 248 655	7 706	2 333 724	426 102	63 941 301	149 729	155 733 007	42
6 358 862	111 732 635	8 066 359	563 828 710	14 499 289	453 455 558	5 115 926	111 719 160	43
142 588	21 819 084	31 920	192 160 383	124 076	14 235 485	91 956	80 496 066	44
3	405	14 052	2 136 343	13 494	2 689 267	19 558	3 260 838	45
4 262	821 905	1 610	543 935	1 785	268 455	1 440	344 475	46
183 704	17 251 458	553 203	32 675 844	15 700 545	454 955 878	1 287 105	2 737 712 887	47
6 462	25 335 070	133 950	994 659 068	61 842	80 197 125	3 043	36 484 766	48
2 214	1 419 763	33 516	13 876 482	1 015	1 227 384	93 737	47 958 786	49
–	–	–	–	13	75 950	5 050	25 166 200	50
192 476	36 959 812	1 590	636 580	2 373	936 790	4 374	1 262 556	51
–	–	5 350	15 279 600	34	97 104	–	–	52
·	·	·	·	·	·	·	·	53
–	–	–	–	–	–	–	–	54

第６表　医科診療（診療所）件数・診療実日数・回数・点数,

２ 入　院

行番号	有床－無床 診療行為（大分類）	総数		内科	
		件数	診療実日数	件数	診療実日数
	総数	113 397	1 032 992	27 258	383 669
	有床診療所	113 372	1 032 847	27 233	383 524
	無床診療所	25	145	25	145
		回数	点数	回数	点数
1	総数	7 240 603	2 256 268 340	2 832 334	636 883 597
2	初診・再診	7 871	3 439 418	1 932	711 579
3	医学管理等	51 377	25 397 405	10 277	3 775 395
4	在宅医療	1 266	3 570 307	824	2 244 164
5	検査	1 008 253	111 564 763	378 921	47 645 843
6	画像診断	146 890	38 466 124	59 268	15 556 377
7	投薬	3 654 154	49 225 911	1 524 414	22 108 550
8	注射	338 610	111 359 158	135 065	41 222 142
9	リハビリテーション	484 930	96 090 302	100 209	18 041 861
10	精神科専門療法	2 439	606 370	934	190 790
11	処置	473 715	121 958 569	224 052	46 427 032
12	手術	50 715	781 943 551	5 831	116 962 899
13	麻酔	38 871	66 211 967	2 333	5 940 240
14	放射線治療	407	7 066 250	17	150 000
15	病理診断	21 241	11 682 990	5 949	3 222 186
16	入院料等	959 408	827 680 695	382 270	312 684 159
17	診断群分類による包括評価等	・	・	・	・
18	入院時食事療養等（別掲：円）	2 407 167	1 376 480 324	970 414	556 667 364
19	有床診療所	7 240 074	2 255 970 991	2 831 805	636 586 248
20	初診・再診	7 871	3 439 418	1 932	711 579
21	医学管理等	51 358	25 382 130	10 258	3 760 120
22	在宅医療	1 265	3 569 007	823	2 242 864
23	検査	1 008 156	111 555 270	378 824	47 636 350
24	画像診断	146 888	38 465 700	59 266	15 555 953
25	投薬	3 653 945	49 224 220	1 524 205	22 106 859
26	注射	338 535	111 341 195	134 990	41 204 179
27	リハビリテーション	484 930	96 090 302	100 209	18 041 861
28	精神科専門療法	2 439	606 370	934	190 790
29	処置	473 706	121 957 739	224 043	46 426 202
30	手術	50 705	781 826 047	5 821	116 845 395
31	麻酔	38 867	66 186 301	2 329	5 914 574
32	放射線治療	407	7 066 250	17	150 000
33	病理診断	21 237	11 680 970	5 945	3 220 166
34	入院料等	959 309	827 575 512	382 171	312 578 976
35	診断群分類による包括評価等	・	・	・	・
36	入院時食事療養等（別掲：円）	2 406 949	1 376 370 016	970 196	556 557 056
37	無床診療所	529	297 349	529	297 349
38	初診・再診	－	－	－	－
39	医学管理等	19	15 275	19	15 275
40	在宅医療	1	1 300	1	1 300
41	検査	97	9 493	97	9 493
42	画像診断	2	424	2	424
43	投薬	209	1 691	209	1 691
44	注射	75	17 963	75	17 963
45	リハビリテーション	－	－	－	－
46	精神科専門療法	－	－	－	－
47	処置	9	830	9	830
48	手術	10	117 504	10	117 504
49	麻酔	4	25 666	4	25 666
50	放射線治療	－	－	－	－
51	病理診断	4	2 020	4	2 020
52	入院料等	99	105 183	99	105 183
53	診断群分類による包括評価等	・	・	・	・
54	入院時食事療養等（別掲：円）	218	110 308	218	110 308

平成30年６月審査分

精神科 件数	精神科 診療実日数	小児科 件数	小児科 診療実日数	外科 件数	外科 診療実日数	整形外科 件数	整形外科 診療実日数	行番号
279	5 027	1 604	8 137	14 281	158 679	12 130	185 671	
279	5 027	1 604	8 137	14 281	158 679	12 130	185 671	
-	-	-	-	-	-	-	-	
回数	点数	回数	点数	回数	点数	回数	点数	
28 451	5 254 763	47 358	14 361 093	1 233 418	316 731 535	1 366 993	457 021 638	1
14	4 623	153	66 871	1 286	465 362	1 233	386 652	2
53	15 170	373	192 203	8 406	4 430 865	14 247	8 422 482	3
-	-	3	1 900	71	272 980	175	653 251	4
1 493	281 657	10 059	1 074 901	135 537	14 181 186	101 811	7 435 318	5
121	38 060	522	75 826	28 491	10 382 570	45 694	9 324 719	6
17 227	213 726	22 372	228 962	638 945	8 197 572	629 004	7 611 431	7
881	261 892	3 004	831 162	60 465	23 896 757	39 400	10 580 513	8
564	118 815	636	146 080	89 749	18 814 331	282 404	57 049 829	9
1 294	356 430	-	-	28	27 700	101	15 150	10
1 763	146 466	3 207	327 218	93 531	13 963 060	54 779	6 445 204	11
1	623	442	4 654 724	6 483	67 630 015	5 401	169 408 706	12
10	1 052	276	345 177	5 519	10 039 655	9 493	27 391 684	13
-	-	-	-	357	5 576 500	-	-	14
4	2 020	209	107 320	6 512	4 039 840	244	119 340	15
5 026	3 814 229	6 102	6 308 749	157 998	134 812 742	183 000	152 177 289	16
·	·	·	·	·	·	·	·	17
12 677	7 235 303	13 039	6 892 084	396 497	229 697 808	506 992	293 684 678	18
28 451	5 254 763	47 358	14 361 093	1 233 418	316 731 535	1 366 993	457 021 638	19
14	4 623	153	66 871	1 286	465 362	1 233	386 652	20
53	15 170	373	192 203	8 406	4 430 865	14 247	8 422 482	21
-	-	3	1 900	71	272 980	175	653 251	22
1 493	281 657	10 059	1 074 901	135 537	14 181 186	101 811	7 435 318	23
121	38 060	522	75 826	28 491	10 382 570	45 694	9 324 719	24
17 227	213 726	22 372	228 962	638 945	8 197 572	629 004	7 611 431	25
881	261 892	3 004	831 162	60 465	23 896 757	39 400	10 580 513	26
564	118 815	636	146 080	89 749	18 814 331	282 404	57 049 829	27
1 294	356 430	-	-	28	27 700	101	15 150	28
1 763	146 466	3 207	327 218	93 531	13 963 060	54 779	6 445 204	29
1	623	442	4 654 724	6 483	67 630 015	5 401	169 408 706	30
10	1 052	276	345 177	5 519	10 039 655	9 493	27 391 684	31
-	-	-	-	357	5 576 500	-	-	32
4	2 020	209	107 320	6 512	4 039 840	244	119 340	33
5 026	3 814 229	6 102	6 308 749	157 998	134 812 742	183 000	152 177 289	34
·	·	·	·	·	·	·	·	35
12 677	7 235 303	13 039	6 892 084	396 497	229 697 808	506 992	293 684 678	36
-	-	-	-	-	-	-	-	37
-	-	-	-	-	-	-	-	38
-	-	-	-	-	-	-	-	39
-	-	-	-	-	-	-	-	40
-	-	-	-	-	-	-	-	41
-	-	-	-	-	-	-	-	42
-	-	-	-	-	-	-	-	43
-	-	-	-	-	-	-	-	44
-	-	-	-	-	-	-	-	45
-	-	-	-	-	-	-	-	46
-	-	-	-	-	-	-	-	47
-	-	-	-	-	-	-	-	48
-	-	-	-	-	-	-	-	49
-	-	-	-	-	-	-	-	50
-	-	-	-	-	-	-	-	51
-	-	-	-	-	-	-	-	52
·	·	·	·	·	·	·	·	53
-	-	-	-	-	-	-	-	54

第６表　医科診療（診療所）件数・診療実日数・回数・点数，

２ 入 院

行番号	有床－無床 / 診療行為（大分類）	皮膚科		泌尿器科	
		件数	診療実日数	件数	診療実日数
	総数	92	1 085	1 913	18 463
	有床診療所	92	1 085	1 913	18 463
	無床診療所	−	−	−	−
		回数	点数	回数	点数
1	総数	7 594	1 838 146	148 829	46 710 479
2	初・再診	14	5 813	156	48 547
3	医学管理等	56	20 308	1 166	484 260
4	在宅医療	−	−	18	91 068
5	検査	701	99 168	27 411	2 878 538
6	画像診断	205	50 905	4 901	1 246 945
7	投薬	4 319	50 918	76 283	1 345 438
8	注射	459	124 534	6 572	2 800 750
9	リハビリテーション	−	−	1 284	267 975
10	精神科専門療法	−	−	−	−
11	処置	711	43 372	9 466	7 794 016
12	手術	25	377 013	821	11 021 308
13	麻酔	26	21 963	833	1 471 840
14	放射線治療	−	−	−	−
15	病理診断	17	8 940	1 404	644 310
16	入院料等	1 061	1 035 212	18 462	16 614 964
17	診断群分類による包括評価等	・	・	・	・
18	入院時食事療養等（別掲：円）	2 982	1 519 812	46 565	28 962 581
19	有床診療所	7 594	1 838 146	148 829	46 710 479
20	初・再診	14	5 813	156	48 547
21	医学管理等	56	20 308	1 166	484 260
22	在宅医療	−	−	18	91 068
23	検査	701	99 168	27 411	2 878 538
24	画像診断	205	50 905	4 901	1 246 945
25	投薬	4 319	50 918	76 283	1 345 438
26	注射	459	124 534	6 572	2 800 750
27	リハビリテーション	−	−	1 284	267 975
28	精神科専門療法	−	−	−	−
29	処置	711	43 372	9 466	7 794 016
30	手術	25	377 013	821	11 021 308
31	麻酔	26	21 963	833	1 471 840
32	放射線治療	−	−	−	−
33	病理診断	17	8 940	1 404	644 310
34	入院料等	1 061	1 035 212	18 462	16 614 964
35	診断群分類による包括評価等	・	・	・	・
36	入院時食事療養等（別掲：円）	2 982	1 519 812	46 565	28 962 581
37	無床診療所	−	−	−	−
38	初・再診	−	−	−	−
39	医学管理等	−	−	−	−
40	在宅医療	−	−	−	−
41	検査	−	−	−	−
42	画像診断	−	−	−	−
43	投薬	−	−	−	−
44	注射	−	−	−	−
45	リハビリテーション	−	−	−	−
46	精神科専門療法	−	−	−	−
47	処置	−	−	−	−
48	手術	−	−	−	−
49	麻酔	−	−	−	−
50	放射線治療	−	−	−	−
51	病理診断	−	−	−	−
52	入院料等	−	−	−	−
53	診断群分類による包括評価等	・	・	・	・
54	入院時食事療養等（別掲：円）	−	−	−	−

注：１）「件数」は、明細書の数である。
　　２）「回数」は、当該診療行為が実施された延べ算定回数である。
　　３）総数には、「療養担当手当等」、「合算薬剤料」、「補正点数」を含む。
　　４）総数には、入院時食事療養等を含まない。

平成30年６月審査分

産婦人科 件数	産婦人科 診療実日数	眼科 件数	眼科 診療実日数	耳鼻いんこう科 件数	耳鼻いんこう科 診療実日数	その他 件数	その他 診療実日数	行番号
41 653	194 562	10 530	28 492	1 116	3 027	2 541	46 180	
41 653	194 562	10 530	28 492	1 116	3 027	2 541	46 180	
-	-	-	-	-	-	-	-	
回数	点数	回数	点数	回数	点数	回数	点数	
921 202	398 490 262	275 330	245 802 470	21 544	32 835 913	357 550	100 338 444	1
2 820	1 669 945	95	27 130	40	11 480	128	41 416	2
11 174	6 478 826	4 542	897 115	555	496 744	528	184 037	3
91	164 605	-	-	48	62 600	36	79 739	4
194 862	23 951 899	108 274	8 202 591	2 332	2 578 898	46 852	3 234 764	5
1 673	209 761	249	65 414	208	74 467	5 558	1 441 080	6
433 204	3 705 259	96 358	2 323 874	11 487	120 647	200 541	3 319 534	7
76 880	20 439 200	4 834	8 020 173	503	195 205	10 547	2 986 830	8
553	145 378	809	135 156	-	-	8 722	1 370 877	9
4	600	-	-	-	-	78	15 700	10
38 362	5 068 909	9 857	742 465	1 011	104 460	36 976	40 896 367	11
16 583	181 780 183	13 133	200 138 270	1 428	23 468 181	567	6 501 629	12
10 494	15 216 002	8 664	2 051 266	542	3 154 896	681	578 192	13
-	-	-	-	-	-	33	1 339 750	14
6 329	3 262 104	30	15 860	363	184 380	180	76 690	15
127 854	136 394 401	28 485	23 183 156	3 027	2 383 955	46 123	38 271 839	16
·	·	·	·	·	·	·	·	17
281 877	145 854 214	45 874	24 773 870	3 476	1 773 466	126 774	79 419 144	18
921 202	398 490 262	275 330	245 802 470	21 544	32 835 913	357 550	100 338 444	19
2 820	1 669 945	95	27 130	40	11 480	128	41 416	20
11 174	6 478 826	4 542	897 115	555	496 744	528	184 037	21
91	164 605	-	-	48	62 600	36	79 739	22
194 862	23 951 899	108 274	8 202 591	2 332	2 578 898	46 852	3 234 764	23
1 673	209 761	249	65 414	208	74 467	5 558	1 441 080	24
433 204	3 705 259	96 358	2 323 874	11 487	120 647	200 541	3 319 534	25
76 880	20 439 200	4 834	8 020 173	503	195 205	10 547	2 986 830	26
553	145 378	809	135 156	-	-	8 722	1 370 877	27
4	600	-	-	-	-	78	15 700	28
38 362	5 068 909	9 857	742 465	1 011	104 460	36 976	40 896 367	29
16 583	181 780 183	13 133	200 138 270	1 428	23 468 181	567	6 501 629	30
10 494	15 216 002	8 664	2 051 266	542	3 154 896	681	578 192	31
-	-	-	-	-	-	33	1 339 750	32
6 329	3 262 104	30	15 860	363	184 380	180	76 690	33
127 854	136 394 401	28 485	23 183 156	3 027	2 383 955	46 123	38 271 839	34
·	·	·	·	·	·	·	·	35
281 877	145 854 214	45 874	24 773 870	3 476	1 773 466	126 774	79 419 144	36
-	-	-	-	-	-	-	-	37
-	-	-	-	-	-	-	-	38
-	-	-	-	-	-	-	-	39
-	-	-	-	-	-	-	-	40
-	-	-	-	-	-	-	-	41
-	-	-	-	-	-	-	-	42
-	-	-	-	-	-	-	-	43
-	-	-	-	-	-	-	-	44
-	-	-	-	-	-	-	-	45
-	-	-	-	-	-	-	-	46
-	-	-	-	-	-	-	-	47
-	-	-	-	-	-	-	-	48
-	-	-	-	-	-	-	-	49
-	-	-	-	-	-	-	-	50
-	-	-	-	-	-	-	-	51
-	-	-	-	-	-	-	-	52
·	·	·	·	·	·	·	·	53
-	-	-	-	-	-	-	-	54

第６表　医科診療（診療所）件数・診療実日数・回数・点数,

３　入院外

有床－無床	総数 件数	総数 診療実日数	内科 件数	内科 診療実日数
総数	62 425 847	97 176 801	27 536 035	38 891 463
有床診療所	5 643 089	9 823 723	1 777 325	2 872 066
無床診療所	56 782 758	87 353 078	25 758 710	36 019 397

行番号	有床－無床 診療行為（大分類）	総数 回数	総数 点数	内科 回数	内科 点数
1	総数	914 418 313	64 778 106 794	543 243 075	29 952 879 443
2	初・再診	92 373 033	13 230 968 476	36 277 676	5 354 000 148
3	医学管理等	42 094 256	7 805 302 928	27 604 810	5 241 739 336
4	在宅医療	3 262 430	4 502 051 252	2 770 750	3 736 927 363
5	検査	113 571 287	11 285 391 648	51 807 769	5 285 604 028
6	画像診断	11 542 348	2 611 435 570	3 546 556	826 501 938
7	投薬	595 241 849	10 708 560 840	411 977 472	6 243 647 077
8	注射	8 690 880	2 621 650 415	3 117 894	867 401 629
9	リハビリテーション	6 044 014	1 030 864 177	622 182	110 383 500
10	精神科専門療法	3 062 856	1 152 060 969	789 995	293 542 971
11	処置	35 616 000	7 023 567 598	4 005 059	1 435 502 449
12	手術	502 176	2 112 792 031	82 958	304 925 392
13	麻酔	1 367 704	282 459 191	201 720	48 323 410
14	放射線治療	7 141	40 904 462	550	3 225 982
15	病理診断	1 032 358	348 488 399	436 303	200 575 676
16	入院料等	7 562	21 597 072	201	574 056
17	診断群分類による包括評価等	・	・	・	・
18	入院時食事療養等（別掲：円）	・	・	・	・
19	有床診療所	105 973 895	8 123 836 722	46 598 410	2 663 755 904
20	初・再診	9 257 162	1 207 789 945	2 637 620	366 714 360
21	医学管理等	3 799 807	654 363 707	1 834 419	342 391 154
22	在宅医療	392 520	548 040 029	294 283	401 033 960
23	検査	14 471 536	1 509 564 419	3 894 537	415 054 301
24	画像診断	1 474 264	404 722 154	389 916	113 369 659
25	投薬	70 798 449	1 218 799 203	36 554 826	535 437 111
26	注射	1 260 409	438 829 078	351 334	95 849 069
27	リハビリテーション	1 027 745	177 774 069	143 102	25 248 939
28	精神科専門療法	51 411	24 151 316	22 687	10 632 986
29	処置	2 919 529	1 496 115 021	412 919	312 400 241
30	手術	71 184	332 483 467	7 740	28 653 949
31	麻酔	187 610	33 468 688	23 547	3 859 160
32	放射線治療	1 420	10 149 360	50	427 390
33	病理診断	258 028	61 556 355	30 793	12 243 379
34	入院料等	2 110	6 026 160	153	436 968
35	診断群分類による包括評価等	・	・	・	・
36	入院時食事療養等（別掲：円）	・	・	・	・
37	無床診療所	808 444 418	56 654 270 072	496 644 665	27 289 123 539
38	初・再診	83 115 871	12 023 178 531	33 640 056	4 987 285 788
39	医学管理等	38 294 449	7 150 939 221	25 770 391	4 899 348 182
40	在宅医療	2 869 910	3 954 011 223	2 476 467	3 335 893 403
41	検査	99 099 751	9 775 827 229	47 913 232	4 870 549 727
42	画像診断	10 068 084	2 206 713 416	3 156 640	713 132 279
43	投薬	524 443 400	9 489 761 637	375 422 646	5 708 209 966
44	注射	7 430 471	2 182 821 337	2 766 560	771 552 560
45	リハビリテーション	5 016 269	853 090 108	479 080	85 134 561
46	精神科専門療法	3 011 445	1 127 909 653	767 308	282 909 985
47	処置	32 696 471	5 527 452 577	3 592 140	1 123 102 208
48	手術	430 992	1 780 308 564	75 218	276 271 443
49	麻酔	1 180 094	248 990 503	178 173	44 464 250
50	放射線治療	5 721	30 755 102	500	2 798 592
51	病理診断	774 330	286 932 044	405 510	188 332 297
52	入院料等	5 452	15 570 912	48	137 088
53	診断群分類による包括評価等	・	・	・	・
54	入院時食事療養等（別掲：円）	・	・	・	・

平成30年６月審査分

精神科		小児科		外科		整形外科		行番号
件数	診療実日数	件数	診療実日数	件数	診療実日数	件数	診療実日数	
1 591 667	2 364 364	3 199 068	4 863 958	2 839 294	4 658 058	6 451 279	17 499 826	
16 097	31 070	76 832	118 169	635 159	1 114 573	761 524	2 095 275	
1 575 570	2 333 294	3 122 236	4 745 789	2 204 135	3 543 485	5 689 755	15 404 551	
回数	点数	回数	点数	回数	点数	回数	点数	
16 883 184	1 438 289 977	22 294 275	2 593 186 496	48 844 757	3 335 969 153	91 517 682	7 300 338 347	1
2 316 334	205 410 547	3 378 009	777 059 890	4 513 186	619 129 301	17 387 728	1 899 257 891	2
255 355	35 917 636	2 999 422	1 020 436 237	2 459 902	451 599 028	2 801 028	285 362 811	3
37 772	33 235 709	21 574	123 604 661	139 554	172 816 994	115 501	185 071 326	4
624 233	63 176 948	2 481 134	261 964 271	4 053 415	482 960 680	4 334 161	433 027 567	5
9 142	3 657 307	76 089	9 955 097	1 049 968	465 582 399	6 086 709	1 027 050 198	6
11 341 704	220 921 604	12 786 745	320 047 527	34 416 740	564 354 557	42 812 634	930 109 960	7
42 865	32 207 121	83 110	21 647 610	577 949	176 114 338	4 046 737	962 308 090	8
33 824	7 329 756	108 422	22 772 275	161 878	27 352 134	5 031 773	848 127 842	9
2 206 604	833 367 768	32 903	14 142 745	10 390	4 070 980	5 727	2 364 695	10
13 314	2 282 394	318 137	15 088 357	1 250 340	113 311 997	7 915 379	489 698 771	11
107	304 278	2 414	4 470 189	49 910	200 976 436	59 658	97 468 519	12
1 015	328 598	1 276	812 385	94 328	22 092 926	913 984	137 814 176	13
－	－	－	－	1 473	5 455 330	2	6 000	14
539	147 682	4 918	1 184 398	65 588	29 947 079	6 492	2 606 922	15
－	－	－	－	72	205 632	22	62 832	16
·	·	·	·	·	·	·	·	17
·	·	·	·	·	·	·	·	18
334 363	22 656 587	674 053	70 790 321	13 352 330	837 765 004	12 562 354	1 012 652 209	19
28 877	2 688 595	84 641	20 352 548	1 074 613	144 234 154	2 061 065	226 008 140	20
4 916	561 950	73 984	23 237 074	581 409	106 414 279	345 194	33 516 892	21
1 635	2 390 955	840	1 818 622	34 251	43 624 176	23 821	35 574 227	22
7 581	795 071	90 411	11 145 061	1 096 078	140 654 856	633 082	60 308 775	23
658	162 574	4 947	862 705	249 195	106 252 260	736 089	151 979 534	24
258 310	2 616 057	393 833	8 566 593	9 749 825	154 014 707	6 462 758	130 664 309	25
885	224 347	5 958	1 449 514	155 868	56 750 974	543 448	135 306 667	26
4 949	1 069 450	3 929	898 798	67 313	11 539 816	789 280	135 775 888	27
23 605	11 828 075	1 507	634 690	371	103 740	662	319 615	28
2 918	211 424	10 605	725 344	291 004	36 253 357	830 179	66 389 000	29
2	5 684	388	514 282	9 316	21 963 478	9 266	15 932 002	30
27	102 405	125	15 295	21 693	3 485 503	126 056	20 286 713	31
－	－	－	－	1 324	2 809 970	－	－	32
－	－	2 884	569 788	19 996	9 493 382	1 397	527 376	33
－	－	－	－	60	171 360	22	62 832	34
·	·	·	·	·	·	·	·	35
·	·	·	·	·	·	·	·	36
16 548 821	1 415 633 390	21 620 222	2 522 396 175	35 492 427	2 498 204 149	78 955 328	6 287 686 138	37
2 287 457	202 721 952	3 293 368	756 707 342	3 438 573	474 895 147	15 326 663	1 673 249 751	38
250 439	35 355 686	2 925 438	997 199 163	1 878 493	345 184 749	2 455 834	251 845 919	39
36 137	30 844 754	20 734	121 786 039	105 303	129 192 818	91 680	149 497 099	40
616 652	62 381 877	2 390 723	250 819 210	2 957 337	342 305 824	3 701 079	372 718 792	41
8 484	3 494 733	71 142	9 092 392	800 773	359 330 139	5 350 620	875 070 664	42
11 083 394	218 305 547	12 392 912	311 480 934	24 666 915	410 339 850	36 349 876	799 445 651	43
41 980	31 982 774	77 152	20 198 096	422 081	119 363 364	3 503 289	827 001 423	44
28 875	6 260 306	104 493	21 873 477	94 565	15 812 318	4 242 493	712 351 954	45
2 182 999	821 539 693	31 396	13 508 055	10 019	3 967 240	5 065	2 045 080	46
10 396	2 070 970	307 532	14 363 013	959 336	77 058 640	7 085 200	423 309 771	47
105	298 594	2 026	3 955 907	40 594	179 012 958	50 392	81 536 517	48
988	226 193	1 151	797 090	72 635	18 607 423	787 928	117 527 463	49
－	－	－	－	149	2 645 360	2	6 000	50
539	147 682	2 034	614 610	45 592	20 453 697	5 095	2 079 546	51
－	－	－	－	12	34 272	－	－	52
·	·	·	·	·	·	·	·	53
·	·	·	·	·	·	·	·	54

第６表　医科診療（診療所）件数・診療実日数・回数・点数，

３　入院外

有床－無床	皮膚科 件数	皮膚科 診療実日数	泌尿器科 件数	泌尿器科 診療実日数
総数	5 585 378	7 302 622	1 056 282	1 490 194
有床診療所	16 436	25 307	158 968	277 553
無床診療所	5 568 942	7 277 315	897 314	1 212 641

行番号	有床－無床 診療行為（大分類）	皮膚科 回数	皮膚科 点数	泌尿器科 回数	泌尿器科 点数
1	総数	36 374 496	2 897 352 057	17 423 894	1 471 370 360
2	初・再診	7 272 435	1 298 964 946	1 471 230	208 608 723
3	医学管理等	1 788 360	136 013 870	602 364	114 847 470
4	在宅医療	22 907	20 300 430	37 485	56 638 245
5	検査	1 986 385	224 825 617	3 286 293	275 715 727
6	画像診断	36 577	6 389 628	68 485	19 381 977
7	投薬	22 110 429	632 900 641	11 503 607	225 841 496
8	注射	173 604	27 451 999	76 296	108 246 995
9	リハビリテーション	19 643	3 567 818	1 677	307 331
10	精神科専門療法	5 207	1 895 130	386	68 460
11	処置	2 842 973	426 199 177	297 224	430 105 708
12	手術	55 117	92 440 231	3 613	16 981 697
13	麻酔	7 366	2 109 877	1 939	910 890
14	放射線治療	−	−	12	105 000
15	病理診断	53 396	24 292 014	73 254	13 587 646
16	入院料等	−	−	8	22 848
17	診断群分類による包括評価等	·	·	·	·
18	入院時食事療養等（別掲：円）	·	·	·	·
19	有床診療所	223 987	11 894 477	4 088 399	432 727 809
20	初・再診	24 541	3 565 484	275 466	34 530 907
21	医学管理等	7 488	766 319	120 684	28 978 222
22	在宅医療	551	420 760	5 032	9 338 931
23	検査	11 279	1 328 332	555 133	45 999 418
24	画像診断	1 775	351 657	24 150	9 083 426
25	投薬	158 886	2 663 910	2 967 929	54 834 601
26	注射	4 048	636 412	16 983	31 050 480
27	リハビリテーション	−	−	1 664	304 510
28	精神科専門療法	−	−	32	2 760
29	処置	14 550	1 469 928	108 337	209 883 049
30	手術	276	553 109	1 094	6 311 703
31	麻酔	128	15 576	440	119 522
32	放射線治療	−	−	5	42 000
33	病理診断	465	122 990	11 438	2 248 196
34	入院料等	−	−	−	−
35	診断群分類による包括評価等	·	·	·	·
36	入院時食事療養等（別掲：円）	·	·	·	·
37	無床診療所	36 150 509	2 885 457 580	13 335 495	1 038 642 551
38	初・再診	7 247 894	1 295 399 462	1 195 764	174 077 816
39	医学管理等	1 780 872	135 247 551	481 680	85 869 248
40	在宅医療	22 356	19 879 670	32 453	47 299 314
41	検査	1 975 106	223 497 285	2 731 160	229 716 309
42	画像診断	34 802	6 037 971	44 335	10 298 551
43	投薬	21 951 543	630 236 731	8 535 678	171 006 895
44	注射	169 556	26 815 587	59 313	77 196 515
45	リハビリテーション	19 643	3 567 818	13	2 821
46	精神科専門療法	5 207	1 895 130	354	65 700
47	処置	2 828 423	424 729 249	188 887	220 222 659
48	手術	54 841	91 887 122	2 519	10 669 994
49	麻酔	7 238	2 094 301	1 499	791 368
50	放射線治療	−	−	7	63 000
51	病理診断	52 931	24 169 024	61 816	11 339 450
52	入院料等	−	−	8	22 848
53	診断群分類による包括評価等	·	·	·	·
54	入院時食事療養等（別掲：円）	·	·	·	·

注：１）「件数」は、明細書の数である。
　　２）「回数」は、当該診療行為が実施された延べ算定回数である。
　　３）総数には、「療養担当手当等」、「補正点数」を含む。

平成30年６月審査分

産婦人科 件数	産婦人科 診療実日数	眼科 件数	眼科 診療実日数	耳鼻いんこう科 件数	耳鼻いんこう科 診療実日数	その他 件数	その他 診療実日数	行番号
1 515 233	2 292 609	7 423 865	8 665 533	4 714 139	7 117 676	513 607	2 030 498	
814 105	1 251 916	1 132 868	1 361 917	149 792	235 411	103 983	440 466	
701 128	1 040 693	6 290 997	7 303 616	4 564 347	6 882 265	409 624	1 590 032	
回数	点数	回数	点数	回数	点数	回数	点数	
22 376 835	1 431 522 530	58 725 387	6 358 790 756	43 043 739	3 157 162 738	13 690 989	4 841 244 937	1
2 056 136	322 113 571	8 654 415	1 188 314 466	7 047 944	1 167 243 845	1 997 940	190 865 148	2
695 738	57 736 067	1 534 417	55 587 671	731 290	79 865 246	621 570	326 197 556	3
6 408	15 220 974	12 260	7 045 345	46 362	69 902 406	51 857	81 287 799	4
3 092 310	576 355 108	37 586 933	2 861 061 215	3 294 527	727 269 265	1 024 127	93 431 222	5
37 053	16 257 422	9 261	2 590 254	448 821	68 836 070	173 687	165 233 280	6
15 388 973	250 441 702	9 954 434	686 919 826	15 040 561	469 145 718	7 908 550	164 230 732	7
282 059	44 241 287	45 089	263 572 596	137 802	15 936 606	107 475	102 522 144	8
3 415	659 005	16 119	2 441 172	13 654	2 705 607	31 427	5 217 737	9
6 017	1 186 665	1 610	543 935	2 108	377 215	1 909	500 405	10
410 189	36 358 261	694 400	42 428 703	16 212 373	469 605 205	1 656 612	3 562 986 576	11
13 071	36 461 994	166 059	1 210 234 778	64 540	83 847 341	4 729	64 681 176	12
4 478	1 856 815	40 985	16 602 716	1 066	1 252 948	99 547	50 354 450	13
－	－	－	－	13	75 950	5 091	32 036 200	14
380 829	72 632 546	2 061	812 650	2 538	1 001 470	6 440	1 700 316	15
－	－	7 225	20 634 600	34	97 104	－	－	16
・	・	・	・	・	・	・	・	17
・	・	・	・	・	・	・	・	18
12 678 271	740 738 368	9 885 908	1 095 295 812	1 500 285	130 387 455	4 075 535	1 105 172 776	19
1 047 266	168 685 439	1 359 957	166 504 992	231 843	33 854 713	431 273	40 650 613	20
433 216	33 616 796	233 483	9 137 181	26 138	3 755 911	138 876	71 987 929	21
3 814	8 869 706	1 855	1 546 960	15 219	24 140 005	11 219	19 281 727	22
1 576 067	293 058 495	6 202 613	489 456 031	134 143	27 835 889	270 612	23 928 190	23
19 302	8 008 767	1 555	256 530	22 719	4 894 769	23 958	9 500 273	24
9 030 111	138 709 067	1 888 075	123 091 116	541 272	15 690 160	2 792 624	52 511 572	25
139 471	22 422 203	13 169	71 412 213	13 726	1 701 121	15 519	22 026 078	26
3 412	658 600	2 067	304 829	160	16 340	11 869	1 956 899	27
1 755	364 760	－	－	323	108 760	469	155 930	28
226 485	19 106 803	141 197	9 752 859	511 828	14 649 327	369 507	825 273 689	29
6 609	11 126 924	32 109	215 575 710	2 698	3 650 216	1 686	28 196 410	30
2 264	437 052	7 469	2 726 234	51	25 564	5 810	2 395 664	31
－	－	－	－	－	－	41	6 870 000	32
188 353	35 672 734	471	176 070	165	64 680	2 066	437 760	33
－	－	1 875	5 355 000	－	－	－	－	34
・	・	・	・	・	・	・	・	35
・	・	・	・	・	・	・	・	36
9 698 564	690 784 162	48 839 479	5 263 494 944	41 543 454	3 026 775 283	9 615 454	3 736 072 161	37
1 008 870	153 428 132	7 294 458	1 021 809 474	6 816 101	1 133 389 132	1 566 667	150 214 535	38
262 522	24 119 271	1 300 934	46 450 490	705 152	76 109 335	482 694	254 209 627	39
2 594	6 351 268	10 405	5 498 385	31 143	45 762 401	40 638	62 006 072	40
1 516 243	283 296 613	31 384 320	2 371 605 184	3 160 384	699 433 376	753 515	69 503 032	41
17 751	8 248 655	7 706	2 333 724	426 102	63 941 301	149 729	155 733 007	42
6 358 862	111 732 635	8 066 359	563 828 710	14 499 289	453 455 558	5 115 926	111 719 160	43
142 588	21 819 084	31 920	192 160 383	124 076	14 235 485	91 956	80 496 066	44
3	405	14 052	2 136 343	13 494	2 689 267	19 558	3 260 838	45
4 262	821 905	1 610	543 935	1 785	268 455	1 440	344 475	46
183 704	17 251 458	553 203	32 675 844	15 700 545	454 955 878	1 287 105	2 737 712 887	47
6 462	25 335 070	133 950	994 659 068	61 842	80 197 125	3 043	36 484 766	48
2 214	1 419 763	33 516	13 876 482	1 015	1 227 384	93 737	47 958 786	49
－	－	－	－	13	75 950	5 050	25 166 200	50
192 476	36 959 812	1 590	636 580	2 373	936 790	4 374	1 262 556	51
－	－	5 350	15 279 600	34	97 104	－	－	52
・	・	・	・	・	・	・	・	53
・	・	・	・	・	・	・	・	54

第7表　医科診療　件数・診療実日数・実施件数・回数・点数,

1 総数

行番号	傷病（中分類）	件数	診療実日数	総数 実施件数	回数	点数
1	総数	85 727 192	164 082 368	85 727 192	1 486 745 697	233 812 407 723
2	Ⅰ 感染症及び寄生虫症	3 315 710	5 546 429	3 315 710	36 523 776	6 194 560 798
3	腸管感染症	979 131	1 453 277	979 131	9 298 455	1 342 536 333
4	結核	24 915	85 283	24 915	912 609	183 730 149
5	主として性的伝播様式をとる感染症	65 622	106 479	65 622	684 952	90 392 989
6	皮膚及び粘膜の病変を伴うウイルス性疾患	879 713	1 504 842	879 713	6 604 517	856 781 222
7	ウイルス性肝炎	205 027	363 792	205 027	5 034 921	971 455 838
8	その他のウイルス性疾患	124 656	234 918	124 656	1 669 276	368 906 984
9	真菌症	729 766	1 107 160	729 766	7 531 674	955 201 381
10	感染症及び寄生虫症の続発・後遺症	6 481	18 731	6 481	155 943	34 170 004
11	その他の感染症及び寄生虫症	300 399	671 947	300 399	4 631 429	1 391 385 898
12	Ⅱ 新生物<腫瘍>	3 343 669	8 074 276	3 343 669	65 705 940	31 580 064 875
13	胃の悪性新生物<腫瘍>	253 626	651 984	253 626	5 574 770	2 380 888 233
14	結腸の悪性新生物<腫瘍>	266 034	662 575	266 034	5 684 304	2 515 316 154
15	直腸S状結腸移行部及び直腸の悪性新生物<腫瘍>	81 729	277 618	81 729	2 171 602	1 426 606 390
16	肝及び肝内胆管の悪性新生物<腫瘍>	81 531	254 881	81 531	2 280 350	1 035 800 308
17	気管，気管支及び肺の悪性新生物<腫瘍>	217 607	700 380	217 607	5 422 502	3 558 609 100
18	乳房の悪性新生物<腫瘍>	283 847	571 479	283 847	5 120 765	2 137 801 503
19	子宮の悪性新生物<腫瘍>	94 463	200 771	94 463	1 315 578	674 535 188
20	悪性リンパ腫	73 714	292 334	73 714	2 262 467	1 548 045 679
21	白血病	31 009	148 303	31 009	1 219 837	1 030 498 417
22	その他の悪性新生物<腫瘍>	967 975	2 645 876	967 975	22 937 932	11 315 140 688
23	良性新生物<腫瘍>及びその他の新生物<腫瘍>	992 134	1 668 075	992 134	11 715 833	3 956 823 215
24	Ⅲ 血液及び造血器の疾患並びに免疫機構の障害	509 138	1 016 097	509 138	11 434 246	2 510 061 699
25	貧血	371 220	711 981	371 220	8 162 147	1 195 473 941
26	その他の血液及び造血器の疾患並びに免疫機構の障害	137 918	304 116	137 918	3 272 099	1 314 587 758
27	Ⅳ 内分泌，栄養及び代謝疾患	7 663 525	11 369 610	7 663 525	192 027 524	14 180 143 482
28	甲状腺障害	564 835	786 585	564 835	14 264 803	1 042 786 755
29	糖尿病	3 249 757	4 921 557	3 249 757	87 312 019	7 111 671 114
30	脂質異常症	3 084 775	4 170 243	3 084 775	73 975 801	3 334 496 292
31	その他の内分泌，栄養及び代謝疾患	764 158	1 491 225	764 158	16 474 901	2 691 189 321
32	Ⅴ 精神及び行動の障害	3 493 303	11 052 543	3 493 303	77 211 721	12 270 912 465
33	血管性及び詳細不明の認知症	108 303	805 998	108 303	3 150 013	1 102 866 539
34	精神作用物質使用による精神及び行動の障害	73 531	328 968	73 531	2 199 226	439 935 621
35	統合失調症，統合失調症型障害及び妄想性障害	684 168	4 746 333	684 168	28 129 600	5 847 021 361
36	気分［感情］障害（躁うつ病を含む）	1 216 943	2 487 938	1 216 943	22 936 342	2 326 040 538
37	神経症性障害，ストレス関連障害及び身体表現性障害	965 953	1 474 751	965 953	13 693 903	1 112 052 654
38	知的障害〈精神遅滞〉	42 557	198 114	42 557	1 240 980	261 676 056
39	その他の精神及び行動の障害	401 848	1 010 441	401 848	5 861 657	1 181 319 696
40	Ⅵ 神経系の疾患	2 525 978	6 797 657	2 525 978	53 461 135	10 396 235 240
41	パーキンソン病	143 239	622 944	143 239	4 525 546	1 214 810 144
42	アルツハイマー病	416 338	1 824 523	416 338	9 962 701	2 284 717 994
43	てんかん	246 136	547 386	246 136	5 436 954	934 962 367
44	脳性麻痺及びその他の麻痺性症候群	48 518	364 844	48 518	2 157 098	683 528 584
45	自律神経系の障害	47 759	121 606	47 759	1 270 500	197 910 747
46	その他の神経系の疾患	1 623 988	3 316 354	1 623 988	30 108 336	5 080 305 404
47	Ⅶ 眼及び付属器の疾患	8 440 248	10 379 188	8 440 248	75 407 662	10 326 438 629
48	結膜炎	1 511 664	1 883 127	1 511 664	13 195 433	1 242 525 397
49	白内障	906 106	1 276 425	906 106	10 721 555	2 283 556 518
50	屈折及び調節の障害	2 686 474	3 019 436	2 686 474	18 630 023	2 049 756 552
51	その他の眼及び付属器の疾患	3 336 004	4 200 200	3 336 004	32 860 651	4 750 600 162
52	Ⅷ 耳及び乳様突起の疾患	1 492 541	2 459 885	1 492 541	14 429 145	1 763 042 913
53	外耳炎	255 877	382 546	255 877	1 888 965	173 087 510
54	その他の外耳疾患	281 698	363 554	281 698	1 538 480	209 974 963
55	中耳炎	369 054	770 020	369 054	4 123 220	449 317 374
56	その他の中耳及び乳様突起の疾患	70 672	130 215	70 672	801 258	125 425 025
57	メニエール病	112 722	180 371	112 722	1 710 630	131 772 340
58	その他の内耳疾患	81 234	137 765	81 234	1 252 413	219 847 343
59	その他の耳疾患	321 284	495 414	321 284	3 114 179	453 618 358
60	Ⅸ 循環器系の疾患	12 492 261	22 902 382	12 492 261	328 139 578	41 639 404 545
61	高血圧性疾患	8 542 621	12 169 028	8 542 621	217 488 706	10 131 094 220
62	虚血性心疾患	858 452	1 524 043	858 452	25 046 233	5 150 875 669
63	その他の心疾患	1 340 602	3 218 183	1 340 602	36 047 809	9 934 428 940
64	くも膜下出血	38 871	273 336	38 871	1 407 176	998 249 249
65	脳内出血	138 108	1 059 140	138 108	6 474 947	2 980 699 681
66	脳梗塞	845 234	3 095 075	845 234	26 059 371	7 326 553 510
67	脳動脈硬化（症）	4 194	7 030	4 194	91 428	7 170 074
68	その他の脳血管疾患	273 656	542 353	273 656	5 617 478	1 453 039 070
69	動脈硬化（症）	136 450	300 007	136 450	3 196 680	804 707 601
70	低血圧（症）	25 516	45 411	25 516	399 514	58 608 477
71	その他の循環器系の疾患	288 557	668 776	288 557	6 310 236	2 793 978 054

平成30年６月審査分

初・再診			医学管理等			在宅医療			行番号
実施件数	回数	点数	実施件数	回数	点数	実施件数	回数	点数	
80 731 899	124 792 202	17 013 079 551	39 663 339	55 503 329	10 672 930 027	2 596 926	4 513 953	8 009 266 268	1
3 090 413	4 592 308	848 333 733	1 141 120	1 626 099	327 944 674	43 084	83 371	176 739 842	2
868 003	1 152 496	304 053 501	436 466	650 066	159 588 595	6 200	11 885	21 070 794	3
21 775	35 128	4 207 554	10 303	17 331	3 740 522	1 144	2 162	5 433 466	4
62 679	97 878	16 806 867	16 887	20 406	1 600 938	236	403	835 484	5
855 532	1 426 298	220 392 189	185 521	249 400	39 988 797	4 046	7 130	13 601 313	6
196 631	321 201	34 957 924	106 743	153 912	30 556 580	6 377	11 330	41 573 364	7
109 813	176 137	36 372 659	53 484	86 870	24 246 569	1 047	2 071	14 937 737	8
697 201	952 172	148 427 300	221 208	277 749	30 741 313	18 460	38 514	54 135 301	9
5 459	7 927	922 711	2 726	3 731	709 196	945	2 235	5 995 076	10
273 320	423 071	82 193 028	107 782	166 634	36 772 164	4 629	7 641	19 157 307	11
2 969 628	4 565 749	509 224 802	1 668 773	2 541 388	689 354 183	87 795	210 958	414 072 229	12
217 983	357 096	38 135 819	146 521	230 003	60 380 490	7 151	19 620	36 378 532	13
236 742	381 076	43 084 402	155 930	241 936	64 251 400	8 764	22 396	38 760 683	14
66 513	111 386	10 497 671	59 012	98 472	28 787 939	3 337	8 451	14 117 771	15
66 882	109 424	10 816 299	51 027	80 251	23 197 940	3 869	9 363	19 079 090	16
179 181	288 818	31 454 710	135 363	212 012	63 362 078	9 660	25 755	64 702 279	17
261 354	403 542	39 695 901	174 213	278 475	78 651 658	3 994	11 864	21 463 498	18
84 551	122 877	13 354 394	40 356	56 088	17 392 755	1 466	4 341	8 213 453	19
60 467	98 654	9 087 142	52 142	82 906	25 723 480	2 536	5 746	11 038 978	20
25 367	39 469	3 631 693	13 693	24 557	7 488 987	955	2 127	4 199 990	21
842 911	1 318 393	129 691 924	568 660	887 299	245 505 366	35 125	83 984	157 677 550	22
927 677	1 335 014	179 774 847	271 856	349 389	74 612 090	10 938	17 311	38 440 405	23
449 618	686 293	85 990 132	236 087	330 246	66 522 073	19 057	32 881	307 144 307	24
321 066	490 735	62 948 026	175 760	246 269	46 341 321	12 899	24 392	43 229 169	25
128 552	195 558	23 042 106	60 327	83 977	20 180 752	6 158	8 489	263 915 138	26
7 464 108	10 201 245	1 211 806 714	5 694 504	7 941 296	1 506 975 251	619 738	773 378	1 444 088 017	27
547 966	731 166	87 520 899	374 257	518 482	91 594 513	13 974	23 755	49 769 350	28
3 152 489	4 322 166	492 524 311	2 250 529	3 090 730	603 440 873	497 758	585 299	946 720 088	29
3 043 775	4 069 134	485 702 946	2 708 946	3 829 114	716 615 933	67 941	100 352	143 691 031	30
719 878	1 078 779	146 058 558	360 772	502 970	95 323 932	40 065	63 972	303 907 548	31
3 190 246	4 974 745	461 693 565	749 401	968 558	155 389 265	61 587	157 880	170 128 300	32
57 486	107 058	12 121 429	27 116	38 340	8 146 660	23 129	74 988	70 430 054	33
64 444	116 262	14 969 968	34 846	52 539	10 987 314	1 196	2 202	2 905 639	34
538 973	1 093 062	84 105 379	151 954	209 207	35 833 112	11 314	26 790	25 742 927	35
1 175 929	1 748 057	151 494 979	232 408	287 815	32 923 150	11 651	24 917	27 761 360	36
948 977	1 302 166	136 343 076	205 531	256 952	34 014 991	8 036	15 242	20 398 985	37
31 481	48 399	4 682 066	10 784	14 502	3 567 215	916	1 953	2 875 533	38
372 956	559 741	57 976 668	86 762	109 203	29 916 823	5 345	11 788	20 013 802	39
2 222 621	3 370 513	387 332 010	988 849	1 341 481	257 935 185	393 982	688 074	931 108 487	40
112 226	169 810	17 431 924	77 635	101 655	23 259 547	17 602	49 203	60 898 008	41
272 665	453 466	48 438 297	132 472	177 327	32 217 711	85 039	265 348	234 296 811	42
219 301	283 557	29 572 680	168 741	235 709	63 804 621	7 732	16 446	28 476 065	43
33 704	77 466	7 255 322	12 617	17 638	4 442 762	4 521	14 730	22 273 456	44
44 201	62 783	7 782 070	20 723	29 496	4 575 641	2 133	6 975	13 509 927	45
1 540 524	2 323 431	276 851 717	576 661	779 656	129 634 903	276 955	335 372	571 654 220	46
8 314 274	9 975 344	1 328 694 311	1 778 401	2 017 707	161 366 031	47 048	69 997	114 988 254	47
1 475 174	1 778 723	277 116 945	450 570	536 980	57 948 216	13 064	23 911	35 298 452	48
865 390	1 146 202	121 993 843	239 557	286 095	29 595 889	9 341	11 915	19 824 219	49
2 679 798	3 010 466	486 407 756	331 417	352 777	17 498 304	5 641	6 118	12 440 610	50
3 293 912	4 039 953	443 175 767	756 857	841 855	56 323 622	19 002	28 053	47 424 973	51
1 455 483	2 323 463	382 887 676	254 193	354 976	69 077 043	8 535	10 728	21 825 179	52
252 562	374 143	67 170 753	27 649	33 769	4 181 736	1 237	1 540	2 870 944	53
276 406	349 514	80 151 792	21 122	25 963	5 492 762	919	1 136	1 612 378	54
349 042	713 474	108 687 036	87 830	138 369	33 174 967	1 109	1 393	4 055 679	55
69 612	124 495	15 221 922	7 868	9 905	1 347 621	296	315	840 556	56
111 448	172 228	23 218 212	33 836	48 737	7 409 999	1 017	1 741	2 612 930	57
78 446	111 398	18 352 183	27 910	39 458	7 988 073	1 236	1 537	2 925 920	58
317 967	478 211	70 085 778	47 978	58 775	9 481 885	2 721	3 066	6 906 772	59
11 764 441	16 461 953	1 961 165 140	10 015 034	14 355 396	2 760 358 201	498 157	1 063 270	1 399 381 231	60
8 288 326	11 365 232	1 353 760 841	7 579 358	10 818 530	2 019 305 272	271 267	563 572	649 547 773	61
791 701	1 158 245	133 454 120	588 800	865 045	176 497 452	41 424	68 793	107 989 490	62
1 199 743	1 748 518	208 449 885	874 186	1 288 663	280 239 593	85 619	182 843	333 290 602	63
26 540	35 037	4 708 471	16 320	24 630	5 846 767	2 842	9 059	11 253 325	64
88 882	136 397	18 572 983	63 532	95 620	21 652 837	13 233	38 367	47 560 111	65
696 852	1 007 193	124 545 712	531 811	756 529	149 292 786	59 708	159 170	182 047 913	66
4 000	5 970	754 773	2 954	4 160	767 453	132	295	278 784	67
253 554	344 549	41 560 801	158 710	213 121	42 902 915	8 535	15 903	21 065 266	68
127 402	218 093	22 527 729	73 974	106 319	23 402 887	5 552	7 580	12 970 963	69
24 475	36 289	5 425 370	8 684	12 017	2 947 500	582	1 220	2 073 984	70
262 966	406 430	47 404 455	116 705	170 762	37 502 739	9 263	16 468	31 303 020	71

第7表　医科診療　件数・診療実日数・実施件数・回数・点数,

1 総　数

行番号	傷病（中分類）	検査 実施件数	検査 回数	検査 点数	画像診断 実施件数	画像診断 回数	画像診断 点数
1	総数	32 900 857	203 534 509	22 205 937 094	10 046 659	26 507 526	9 595 933 786
2	Ⅰ 感染症及び寄生虫症	1 220 931	7 291 072	831 304 936	192 424	508 999	201 371 438
3	腸管感染症	254 520	1 619 130	172 574 827	61 063	150 363	52 761 018
4	結核	16 689	219 007	25 576 522	15 301	45 881	13 126 401
5	主として性的伝播様式をとる感染症	42 676	229 734	28 681 033	1 925	5 162	2 979 355
6	皮膚及び粘膜の病変を伴うウイルス性疾患	96 926	526 598	53 369 403	12 115	30 703	12 001 513
7	ウイルス性肝炎	147 776	1 614 249	209 970 435	31 072	84 556	54 872 151
8	その他のウイルス性疾患	99 836	578 141	61 176 682	7 005	18 887	6 715 902
9	真菌症	337 449	1 183 144	128 830 726	18 319	51 715	17 708 928
10	感染症及び寄生虫症の続発・後遺症	2 388	20 601	2 297 951	2 275	5 859	1 990 552
11	その他の感染症及び寄生虫症	222 671	1 300 468	148 827 357	43 349	115 873	39 215 618
12	Ⅱ 新生物＜腫瘍＞	2 160 656	14 610 426	2 158 559 594	988 565	2 534 649	2 043 444 995
13	胃の悪性新生物＜腫瘍＞	177 295	1 231 986	235 976 171	58 220	157 476	116 263 869
14	結腸の悪性新生物＜腫瘍＞	186 436	1 283 172	218 374 755	68 549	180 914	140 227 688
15	直腸S状結腸移行部及び直腸の悪性新生物＜腫瘍＞	52 760	407 057	55 845 374	27 248	73 395	63 415 560
16	肝及び肝内胆管の悪性新生物＜腫瘍＞	58 499	563 965	72 045 766	30 338	66 662	75 321 524
17	気管，気管支及び肺の悪性新生物＜腫瘍＞	123 215	1 096 282	155 299 781	152 877	425 054	280 657 378
18	乳房の悪性新生物＜腫瘍＞	166 060	935 569	128 044 337	96 772	261 803	192 527 592
19	子宮の悪性新生物＜腫瘍＞	64 144	312 156	52 663 079	17 435	40 640	43 541 737
20	悪性リンパ腫	54 381	555 116	71 677 029	23 251	53 070	70 586 944
21	白血病	26 266	297 209	54 394 554	5 972	16 241	5 669 349
22	その他の悪性新生物＜腫瘍＞	689 337	5 039 464	636 588 079	271 306	701 673	651 113 262
23	良性新生物＜腫瘍＞及びその他の新生物＜腫瘍＞	562 263	2 888 450	477 650 669	236 597	557 721	404 120 092
24	Ⅲ 血液及び造血器の疾患並びに免疫機構の障害	326 128	2 806 269	290 247 831	62 433	167 906	70 517 974
25	貧血	220 901	1 741 704	176 281 606	30 576	81 465	30 077 343
26	その他の血液及び造血器の疾患並びに免疫機構の障害	105 227	1 064 565	113 966 225	31 857	86 441	40 440 631
27	Ⅳ 内分泌，栄養及び代謝疾患	4 223 816	31 203 387	2 965 206 871	478 910	1 166 259	408 297 353
28	甲状腺障害	375 057	3 397 547	410 339 911	39 185	96 146	40 901 182
29	糖尿病	2 443 769	18 471 770	1 582 344 921	223 600	544 575	196 695 929
30	脂質異常症	1 029 376	6 612 040	641 135 062	143 899	335 918	95 347 283
31	その他の内分泌，栄養及び代謝疾患	375 614	2 722 030	331 386 977	72 226	189 620	75 352 959
32	Ⅴ 精神及び行動の障害	473 785	2 998 263	302 835 228	82 490	233 727	106 708 439
33	血管性及び詳細不明の認知症	30 387	261 911	23 709 376	14 007	39 282	24 174 695
34	精神作用物質使用による精神及び行動の障害	16 369	151 135	13 506 164	4 545	12 877	5 515 762
35	統合失調症，統合失調症型障害及び妄想性障害	105 980	806 394	68 447 685	16 708	50 362	15 026 320
36	気分［感情］障害（躁うつ病を含む）	123 576	739 861	71 868 547	14 972	42 658	19 132 051
37	神経症性障害，ストレス関連障害及び身体表現性障害	129 300	659 880	80 136 078	19 329	50 353	23 513 525
38	知的障害（精神遅滞）	7 585	47 149	5 004 293	1 258	3 880	1 053 609
39	その他の精神及び行動の障害	60 588	331 933	40 163 085	11 671	34 315	18 292 477
40	Ⅵ 神経系の疾患	530 756	3 817 152	438 428 495	273 013	722 604	389 088 460
41	パーキンソン病	30 156	265 400	26 921 230	19 039	53 568	46 136 354
42	アルツハイマー病	101 466	778 909	72 342 291	40 449	109 259	66 450 993
43	てんかん	60 888	397 950	55 939 781	19 105	43 037	27 129 089
44	脳性麻痺及びその他の麻痺性症候群	9 539	95 056	9 529 310	5 856	19 016	5 661 813
45	自律神経系の障害	9 998	72 240	7 458 155	2 941	8 015	3 521 641
46	その他の神経系の疾患	318 709	2 207 597	266 237 728	185 623	489 709	240 188 570
47	Ⅶ 眼及び付属器の疾患	7 697 308	42 219 421	3 309 238 027	86 274	206 504	79 496 258
48	結膜炎	1 224 672	5 362 983	397 792 487	8 417	20 631	6 162 344
49	白内障	794 036	5 879 876	463 399 879	26 759	62 360	19 468 119
50	屈折及び調節の障害	2 616 587	12 482 930	951 262 595	10 727	26 731	10 593 611
51	その他の眼及び付属器の疾患	3 062 013	18 493 632	1 496 783 066	40 371	96 782	43 272 184
52	Ⅷ 耳及び乳様突起の疾患	636 421	1 802 377	371 356 954	65 087	145 450	70 094 319
53	外耳炎	51 334	134 306	26 425 753	4 047	9 090	2 868 514
54	その他の外耳疾患	49 611	122 682	26 626 867	3 874	8 847	2 348 475
55	中耳炎	152 909	411 409	88 992 549	13 519	30 455	8 694 656
56	その他の中耳及び乳様突起の疾患	37 535	95 127	22 456 748	4 337	9 646	5 062 016
57	メニエール病	64 719	226 383	36 068 349	5 702	12 910	6 884 707
58	その他の内耳疾患	46 373	225 748	33 014 237	15 629	33 676	22 548 247
59	その他の耳疾患	233 940	586 722	137 772 451	17 979	40 826	21 687 704
60	Ⅸ 循環器系の疾患	4 235 534	28 915 453	3 383 245 202	1 436 305	3 370 493	1 477 962 815
61	高血圧性疾患	2 371 570	15 250 772	1 475 413 241	501 365	1 140 636	290 803 132
62	虚血性心疾患	463 520	3 258 287	562 048 511	169 262	395 987	207 128 418
63	その他の心疾患	774 830	5 764 571	831 065 209	307 704	756 494	219 067 947
64	くも膜下出血	8 824	77 113	7 450 498	13 568	31 377	24 817 925
65	脳内出血	33 251	318 016	29 559 995	38 200	93 215	58 481 978
66	脳梗塞	250 027	1 886 497	190 043 173	199 600	467 486	325 659 615
67	脳動脈硬化（症）	1 147	6 148	709 415	1 197	2 746	2 121 657
68	その他の脳血管疾患	94 079	604 125	73 958 414	101 534	227 068	198 687 555
69	動脈硬化（症）	82 438	520 644	58 927 554	19 084	45 299	22 157 855
70	低血圧（症）	8 088	60 660	6 958 931	2 689	6 445	2 972 834
71	その他の循環器系の疾患	147 760	1 168 620	147 110 261	82 102	203 740	126 063 899

投薬 実施件数	投薬 回数	投薬 点数	注射 実施件数	注射 回数	注射 点数	リハビリテーション 実施件数	リハビリテーション 回数	リハビリテーション 点数	行番号
68 235 261	921 348 379	18 681 946 746	5 920 562	15 198 880	13 846 168 870	2 429 441	39 444 747	8 425 875 531	1
2 549 105	19 073 824	950 115 264	232 997	483 732	332 387 426	20 880	433 077	90 639 297	2
828 295	5 185 884	115 255 633	146 711	201 598	64 840 265	3 071	58 467	12 108 863	3
15 841	471 473	9 022 054	2 631	16 907	13 814 202	1 018	22 047	4 338 239	4
44 614	285 513	13 268 122	3 604	5 414	3 703 955	87	1 342	273 383	5
529 383	3 280 783	112 631 740	17 548	50 079	47 125 675	2 422	40 369	8 943 438	6
134 793	2 674 037	379 023 739	19 914	72 634	66 664 345	1 287	21 558	4 401 966	7
96 256	715 692	125 125 946	4 294	10 481	12 678 881	1 002	19 751	4 589 103	8
668 836	4 360 759	140 879 377	17 280	55 715	67 475 043	4 609	101 591	20 861 167	9
4 204	92 310	1 894 974	382	1 316	1 756 835	371	5 478	1 133 913	10
226 883	2 007 373	53 013 679	20 633	69 588	54 328 225	7 013	162 474	33 989 225	11
1 687 088	33 022 678	1 556 390 981	407 961	1 142 722	4 516 614 405	72 223	1 252 070	280 692 844	12
141 465	2 913 696	65 108 108	29 544	94 276	268 239 009	6 082	101 402	21 153 362	13
137 397	2 938 679	73 000 353	29 285	90 983	329 404 195	6 416	113 086	23 569 095	14
47 555	1 141 351	37 531 880	13 668	44 957	209 140 083	3 220	54 779	11 413 758	15
45 786	1 206 317	63 518 781	7 284	27 999	20 340 134	2 172	33 845	7 073 105	16
109 494	2 600 929	163 471 834	33 693	106 015	761 108 874	8 284	118 110	25 238 013	17
165 811	2 757 914	104 865 014	43 209	105 999	618 357 285	5 119	44 024	9 302 346	18
31 585	526 361	10 833 759	8 048	18 060	31 817 649	940	11 154	2 350 296	19
43 050	1 080 963	34 669 585	15 932	63 290	210 616 511	3 819	76 927	16 718 891	20
21 164	608 341	115 782 888	5 836	45 885	67 930 480	1 969	35 062	7 364 879	21
550 879	12 011 520	739 717 065	173 095	428 223	1 770 714 915	24 436	452 350	106 870 164	22
392 902	5 236 607	147 891 714	48 367	117 035	228 945 270	9 766	211 331	49 638 935	23
374 724	6 655 775	171 149 453	64 991	171 422	435 009 452	7 428	144 999	30 163 108	24
286 962	5 099 247	102 723 715	48 726	123 897	223 891 864	4 088	77 825	15 699 852	25
87 762	1 556 528	68 425 738	16 265	47 525	211 117 588	3 340	67 174	14 463 256	26
6 756 967	136 625 642	2 150 858 054	416 009	984 857	956 645 565	48 587	731 717	146 765 510	27
436 068	9 294 203	111 321 836	20 559	46 593	94 585 261	2 097	27 755	5 985 295	28
2 855 682	58 521 151	1 017 047 171	135 076	343 476	357 809 286	20 766	337 919	67 131 312	29
2 891 245	58 103 749	823 251 815	134 491	320 314	120 204 657	13 073	125 876	23 318 740	30
573 972	10 706 539	199 237 232	125 883	274 474	384 046 361	12 651	240 167	50 330 163	31
2 963 488	53 609 834	868 707 087	104 477	332 638	257 414 922	82 534	672 442	149 536 552	32
58 331	1 568 948	23 106 682	5 502	39 971	12 300 767	3 874	73 151	13 916 538	33
57 573	1 433 962	24 177 719	5 736	18 711	5 420 242	357	6 211	1 263 576	34
593 762	19 039 325	308 150 498	49 664	131 351	158 028 093	3 562	42 886	10 262 299	35
1 145 032	17 281 968	271 350 665	17 456	59 256	32 872 983	3 307	53 826	11 163 966	36
846 728	10 065 924	150 905 475	19 179	44 991	29 307 468	3 483	37 157	7 838 888	37
27 806	823 275	11 914 514	784	4 035	2 580 977	5 511	34 441	7 398 682	38
234 256	3 396 432	79 101 534	6 156	34 323	16 904 392	62 440	424 770	97 692 603	39
1 916 438	35 033 625	664 522 578	129 748	469 043	320 122 844	128 557	2 396 594	542 992 716	40
109 232	2 716 449	80 636 333	6 552	36 135	14 194 159	17 978	532 865	122 154 227	41
291 030	6 143 623	123 058 508	18 237	104 447	32 459 803	6 345	109 543	20 839 105	42
214 822	3 829 148	75 468 476	6 541	21 949	18 475 554	9 497	169 275	40 574 763	43
21 447	1 113 047	16 816 111	1 830	8 450	3 974 640	25 671	278 962	62 426 585	44
41 049	883 038	12 485 433	2 923	11 285	2 924 006	2 205	75 368	17 425 517	45
1 238 858	20 348 320	356 057 717	93 665	286 777	248 094 682	66 861	1 230 581	279 572 519	46
5 871 646	18 938 841	915 911 084	107 005	166 492	799 790 119	25 412	190 363	38 956 172	47
1 321 964	5 067 532	191 567 438	16 652	37 553	85 108 690	3 383	37 684	7 565 748	48
745 525	2 889 132	123 273 811	18 315	25 580	93 083 216	1 639	32 067	6 802 458	49
1 101 548	2 536 233	145 850 565	12 117	16 679	85 253 075	7 402	30 062	6 106 420	50
2 702 609	8 445 944	455 219 270	59 921	86 680	536 345 138	12 988	90 550	18 481 546	51
950 386	5 637 365	148 452 409	45 639	98 619	48 524 848	8 247	67 511	14 853 882	52
170 708	593 773	20 217 273	2 179	4 674	3 102 002	456	5 738	1 201 453	53
98 986	379 375	12 657 786	1 189	2 910	2 063 584	698	8 841	1 864 822	54
269 553	1 211 754	42 359 908	3 480	7 798	9 994 846	978	7 946	1 734 835	55
39 987	212 564	5 990 056	887	2 066	1 794 604	148	1 836	549 828	56
103 127	1 107 180	19 069 905	16 001	34 205	4 746 578	322	3 684	713 952	57
65 127	739 277	13 691 853	12 298	20 374	7 872 171	867	11 350	2 470 233	58
202 898	1 393 442	34 465 628	9 605	26 592	18 951 063	4 778	28 116	6 318 759	59
11 088 393	242 539 388	3 661 460 186	652 905	1 769 365	841 284 356	270 101	11 006 320	2 662 047 294	60
8 110 898	175 308 822	2 429 924 127	416 371	996 330	331 224 018	37 781	420 062	77 489 771	61
720 154	18 367 789	296 581 042	47 842	107 609	72 358 534	19 489	253 722	57 385 121	62
1 035 093	23 200 849	495 532 898	87 256	278 804	198 462 727	50 545	920 413	200 773 385	63
20 834	462 336	6 968 240	1 960	9 521	4 468 873	8 282	472 299	115 885 473	64
75 234	1 877 733	28 283 566	8 246	42 359	19 145 162	37 322	2 815 804	693 514 269	65
633 342	13 829 298	222 586 607	48 714	204 179	98 795 377	89 214	5 420 701	1 350 752 967	66
3 135	68 954	962 593	401	998	256 693	38	310	52 024	67
181 576	3 520 226	60 273 183	11 121	35 254	21 420 159	9 236	387 776	96 794 067	68
110 372	2 029 242	36 410 803	9 411	32 853	13 856 665	4 565	63 923	13 111 448	69
18 664	253 468	4 351 835	1 759	3 664	1 976 373	336	7 504	1 583 870	70
179 091	3 620 671	79 585 292	19 824	57 794	79 319 775	13 293	243 806	54 704 899	71

1 総　数

行番号	傷病（中分類）	精神科専門療法			処置		
		実施件数	回数	点数	実施件数	回数	点数
1	総数	3 594 952	8 469 440	2 831 234 286	12 795 143	46 271 502	13 174 711 443
2	Ⅰ 感染症及び寄生虫症	11 333	26 359	8 407 154	780 658	1 625 238	368 596 325
3	腸管感染症	4 801	7 495	2 671 311	45 513	108 268	31 257 895
4	結核	172	994	219 007	2 342	28 537	6 660 226
5	主として性的伝播様式をとる感染症	302	1 246	353 105	13 609	20 966	6 575 922
6	皮膚及び粘膜の病変を伴うウイルス性疾患	1 260	2 303	743 057	491 145	908 668	182 633 242
7	ウイルス性肝炎	1 138	2 204	768 761	5 602	26 961	25 322 219
8	その他のウイルス性疾患	311	612	184 215	9 856	30 695	3 293 458
9	真菌症	2 477	9 214	2 897 768	183 076	369 950	72 316 339
10	感染症及び寄生虫症の続発・後遺症	84	314	66 500	365	6 671	1 410 699
11	その他の感染症及び寄生虫症	788	1 977	503 430	29 150	124 522	39 126 325
12	Ⅱ 新生物＜腫瘍＞	12 808	22 931	6 667 491	231 198	655 781	289 802 446
13	胃の悪性新生物＜腫瘍＞	785	1 365	395 040	9 481	42 650	18 698 771
14	結腸の悪性新生物＜腫瘍＞	935	1 928	525 790	13 064	48 764	25 814 978
15	直腸S状結腸移行部及び直腸の悪性新生物＜腫瘍＞	326	595	164 020	8 773	22 935	8 705 697
16	肝及び肝内胆管の悪性新生物＜腫瘍＞	298	613	180 690	2 920	16 226	11 133 815
17	気管，気管支及び肺の悪性新生物＜腫瘍＞	977	1 791	495 895	8 488	52 447	19 457 732
18	乳房の悪性新生物＜腫瘍＞	1 336	2 156	689 370	11 474	28 735	9 957 502
19	子宮の悪性新生物＜腫瘍＞	395	622	162 540	8 514	10 458	2 834 199
20	悪性リンパ腫	438	819	224 152	4 701	14 005	5 456 489
21	白血病	264	614	164 045	1 450	6 492	2 757 076
22	その他の悪性新生物＜腫瘍＞	3 765	6 939	2 009 075	52 765	187 365	121 830 445
23	良性新生物＜腫瘍＞及びその他の新生物＜腫瘍＞	3 289	5 489	1 656 874	109 568	225 704	63 155 742
24	Ⅲ 血液及び造血器の疾患並びに免疫機構の障害	6 745	15 615	4 700 860	23 753	104 413	72 911 637
25	貧血	5 775	13 442	4 014 995	16 790	76 055	56 561 367
26	その他の血液及び造血器の疾患並びに免疫機構の障害	970	2 173	685 865	6 963	28 358	16 350 270
27	Ⅳ 内分泌，栄養及び代謝疾患	63 849	127 448	45 847 649	232 420	1 054 700	823 610 882
28	甲状腺障害	7 984	14 047	4 958 924	12 190	52 738	30 084 195
29	糖尿病	19 217	42 221	15 829 462	93 554	462 096	504 732 047
30	脂質異常症	26 351	47 477	17 388 461	75 880	304 936	128 832 276
31	その他の内分泌，栄養及び代謝疾患	10 297	23 703	7 670 802	50 796	234 930	159 962 364
32	Ⅴ 精神及び行動の障害	2 791 885	6 632 546	2 197 449 501	61 463	706 508	79 836 182
33	血管性及び詳細不明の認知症	39 965	217 271	66 305 208	6 816	106 801	18 498 535
34	精神作用物質使用による精神及び行動の障害	42 827	171 451	57 518 490	1 817	19 521	2 164 783
35	統合失調症，統合失調症型障害及び妄想性障害	642 655	2 813 020	867 516 966	19 443	304 492	24 341 427
36	気分［感情］障害（躁うつ病を含む）	1 103 329	1 895 362	654 802 455	8 800	72 013	8 893 173
37	神経症性障害，ストレス関連障害及び身体表現性障害	714 896	1 015 356	360 852 201	16 013	73 760	8 948 649
38	知的障害〈精神遅滞〉	23 870	72 413	21 539 530	1 954	51 480	5 325 443
39	その他の精神及び行動の障害	224 343	447 673	168 914 651	6 620	78 441	11 664 172
40	Ⅵ 神経系の疾患	295 970	837 467	292 101 781	153 933	1 655 801	336 879 770
41	パーキンソン病	6 971	15 790	4 899 091	8 154	166 459	21 565 811
42	アルツハイマー病	121 288	516 569	188 545 657	15 982	202 960	27 196 411
43	てんかん	45 862	88 443	28 732 805	7 236	111 976	22 209 707
44	脳性麻痺及びその他の麻痺性症候群	912	1 666	498 070	9 518	256 762	36 419 238
45	自律神経系の障害	8 175	10 788	2 638 833	2 848	53 478	12 669 782
46	その他の神経系の疾患	112 762	204 211	66 787 325	110 195	864 166	216 818 821
47	Ⅶ 眼及び付属器の疾患	9 210	19 821	6 724 360	682 204	905 941	140 275 953
48	結膜炎	3 383	7 422	2 614 745	141 595	262 197	28 677 400
49	白内障	1 162	2 254	717 433	90 688	131 024	29 169 521
50	屈折及び調節の障害	1 055	1 962	635 881	98 842	105 544	14 459 055
51	その他の眼及び付属器の疾患	3 610	8 183	2 756 301	351 079	407 176	67 969 977
52	Ⅷ 耳及び乳様突起の疾患	4 183	6 232	1 809 107	949 809	3 835 500	189 678 117
53	外耳炎	205	408	120 100	221 802	721 670	28 729 557
54	その他の外耳疾患	179	306	91 625	264 355	626 392	56 188 358
55	中耳炎	205	344	106 385	272 603	1 560 759	50 872 516
56	その他の中耳及び乳様突起の疾患	122	227	55 215	49 797	335 048	10 314 428
57	メニエール病	1 141	1 629	516 620	20 521	91 160	4 372 520
58	その他の内耳疾患	651	899	273 730	9 696	35 504	4 498 966
59	その他の耳疾患	1 680	2 419	645 432	111 035	464 967	34 701 772
60	Ⅸ 循環器系の疾患	56 261	121 287	46 585 973	410 887	2 510 234	1 798 141 698
61	高血圧性疾患	29 675	58 729	25 058 391	222 584	1 091 545	865 297 479
62	虚血性心疾患	3 062	7 264	2 564 718	28 636	166 278	215 768 050
63	その他の心疾患	8 018	21 316	7 266 573	56 488	441 892	325 445 133
64	くも膜下出血	309	977	288 425	2 908	47 660	10 697 891
65	脳内出血	1 054	3 580	1 114 996	11 292	159 060	49 794 399
66	脳梗塞	8 396	17 847	6 540 508	42 198	361 555	136 860 231
67	脳動脈硬化（症）	72	116	45 890	246	963	210 615
68	その他の脳血管疾患	1 604	3 615	1 149 725	9 240	59 604	30 475 834
69	動脈硬化（症）	426	1 337	350 469	14 325	75 301	86 096 853
70	低血圧（症）	1 961	2 869	1 014 180	942	6 224	7 824 549
71	その他の循環器系の疾患	1 684	3 637	1 192 098	22 028	100 152	69 670 664

平成30年６月審査分

手術 実施件数	手術 回数	手術 点数	麻酔 実施件数	麻酔 回数	麻酔 点数	放射線治療 実施件数	放射線治療 回数	放射線治療 点数	行番号
1 310 663	1 723 704	24 724 590 286	1 253 015	2 257 290	3 102 209 131	47 286	410 750	1 030 144 395	1
17 907	27 121	146 089 077	12 027	26 728	24 847 203	479	3 101	6 169 926	2
2 025	2 797	14 458 374	1 151	2 236	1 245 135	73	765	1 733 368	3
171	329	2 734 869	99	157	439 742	6	60	206 060	4
1 264	1 340	2 527 544	247	276	406 006	4	19	28 480	5
3 133	3 218	10 319 160	6 180	15 844	8 721 374	42	433	640 424	6
1 593	2 265	13 053 345	815	1 433	850 462	69	488	1 418 490	7
437	807	3 919 703	96	110	307 079	20	78	115 340	8
3 000	4 091	22 034 956	2 344	4 643	3 314 791	66	541	1 121 904	9
20	27	114 648	25	50	76 287	－	－	－	10
6 264	12 247	76 926 478	1 070	1 979	9 486 327	199	717	905 860	11
193 248	307 183	4 888 521 703	85 780	186 676	836 999 683	35 689	341 113	886 061 568	12
13 717	24 038	464 455 410	5 733	17 040	68 194 556	503	2 985	5 796 596	13
17 789	25 054	492 013 452	6 819	20 318	83 667 276	377	2 106	5 875 490	14
7 169	10 909	326 535 752	4 085	12 557	57 171 495	711	7 097	15 300 608	15
6 990	9 955	238 873 424	1 458	3 775	16 555 286	465	3 056	10 870 266	16
5 190	7 874	334 799 637	3 870	11 160	70 340 742	3 975	36 858	87 086 736	17
10 117	11 619	283 995 812	7 350	11 952	62 553 211	6 431	84 830	142 265 542	18
3 479	5 826	105 178 812	1 907	4 844	21 930 428	1 519	15 185	44 989 127	19
4 609	13 910	89 966 597	948	1 394	5 719 533	1 273	10 047	18 135 688	20
4 429	26 357	160 661 280	496	781	1 032 626	629	1 977	1 800 678	21
45 786	75 712	1 512 041 208	31 372	62 714	273 039 057	18 520	170 252	527 629 574	22
73 973	95 929	880 000 319	21 742	40 141	176 795 473	1 286	6 720	26 311 263	23
12 749	36 039	178 034 267	2 896	4 901	8 398 942	733	2 962	4 025 562	24
9 228	25 923	104 737 709	1 954	3 291	3 649 350	440	1 151	896 448	25
3 521	10 116	73 296 558	942	1 610	4 749 592	293	1 811	3 129 114	26
26 944	32 193	310 889 289	36 065	64 988	28 659 409	1 386	4 713	9 911 638	27
1 421	1 680	16 345 616	1 898	3 270	5 228 688	897	1 873	2 939 582	28
15 997	19 543	217 629 774	14 016	23 745	10 057 524	221	1 605	3 757 868	29
4 861	4 191	26 756 004	16 481	31 733	6 641 372	39	292	864 354	30
4 665	6 779	50 157 895	3 670	6 240	6 731 825	229	943	2 349 834	31
2 553	3 477	25 355 007	4 323	8 004	5 559 707	115	958	2 241 113	32
359	515	2 803 988	244	505	328 832	9	99	213 290	33
155	202	1 170 197	66	107	80 680	6	37	62 190	34
523	651	4 363 819	365	680	969 066	12	115	279 613	35
454	577	4 007 145	1 582	2 972	1 347 440	22	198	445 150	36
655	824	7 867 245	1 760	3 254	1 529 043	40	322	717 570	37
43	53	484 546	33	40	232 285	－	－	－	38
364	655	4 658 067	273	446	1 072 361	26	187	523 300	39
13 924	15 678	250 419 594	42 882	73 853	87 310 847	247	1 619	4 772 543	40
743	968	32 698 848	710	1 188	3 057 057	7	35	82 340	41
851	1 127	4 128 426	747	1 460	460 381	4	13	84 740	42
611	774	17 444 619	929	1 292	3 495 230	31	173	593 242	43
351	434	6 885 465	920	1 291	7 344 818	3	17	93 910	44
143	145	811 041	298	580	350 144	1	2	220	45
11 225	12 230	188 451 195	39 278	68 042	72 603 217	201	1 379	3 918 091	46
187 751	236 344	2 359 248 616	69 566	84 729	42 058 596	180	1 413	3 126 748	47
9 744	11 788	78 158 049	3 474	4 853	1 868 385	24	220	605 670	48
64 018	84 698	926 470 470	28 405	34 941	12 508 360	42	283	591 760	49
25 277	31 313	258 611 687	7 021	9 180	3 625 149	22	145	246 470	50
88 712	108 545	1 096 008 410	30 666	35 755	24 056 702	92	765	1 682 848	51
26 216	33 202	137 187 869	3 740	6 543	17 991 283	57	544	885 252	52
2 471	2 754	2 912 637	166	269	431 866	4	51	80 820	53
1 459	1 688	2 263 228	137	215	321 177	4	74	94 930	54
17 877	23 804	53 817 861	1 081	1 544	7 262 699	11	114	96 800	55
1 560	1 752	35 742 862	658	1 077	6 282 860	4	27	64 980	56
217	217	752 334	458	938	205 220	1	1	1 390	57
318	369	4 253 374	412	698	937 963	12	91	225 860	58
2 314	2 618	37 445 573	828	1 802	2 549 498	21	186	320 472	59
95 050	154 405	6 981 874 122	93 540	162 734	360 889 358	1 812	5 334	8 493 071	60
14 770	12 874	81 681 755	49 383	92 581	18 606 799	121	441	1 197 320	61
21 788	33 841	1 895 084 093	5 845	9 224	42 856 868	275	897	1 485 244	62
23 257	47 623	2 824 969 177	14 102	20 457	109 997 216	770	2 053	2 556 482	63
1 788	3 510	206 962 249	1 457	2 571	22 313 836	32	44	55 390	64
2 393	3 630	71 692 034	1 780	2 605	22 645 477	24	64	276 840	65
5 243	7 873	188 239 714	5 494	9 803	15 118 173	70	390	889 570	66
12	12	19 225	38	61	11 254	－	－	－	67
4 617	5 635	337 358 326	3 178	4 540	25 149 035	31	187	516 630	68
4 924	7 347	281 154 732	2 908	5 444	8 983 855	47	78	17 820	69
127	131	1 688 712	128	215	311 453	－	－	－	70
16 131	31 929	1 093 024 105	9 227	15 233	94 895 392	442	1 180	1 497 775	71

第７表　医科診療　件数・診療実日数・実施件数・回数・点数,

１ 総　数

行番号	傷病（中分類）	病理診断 実施件数	病理診断 回数	病理診断 点数	入院料等 実施件数	入院料等 回数	入院料等 点数
1	総数	1 246 129	2 526 511	1 041 852 714	2 139 182	24 267 125	42 225 993 990
2	Ⅰ 感染症及び寄生虫症	31 828	67 052	28 137 850	48 366	404 273	790 085 901
3	腸管感染症	4 971	11 751	6 880 842	16 972	71 018	151 780 432
4	結核	1 311	3 152	1 104 453	2 393	47 917	88 041 695
5	主として性的伝播様式をとる感染症	4 763	9 812	2 375 844	492	4 366	6 465 808
6	皮膚及び粘膜の病変を伴うウイルス性疾患	4 064	8 177	2 958 136	4 577	31 888	63 645 981
7	ウイルス性肝炎	3 403	7 327	4 249 984	3 134	25 376	48 413 447
8	その他のウイルス性疾患	536	1 143	612 767	2 081	18 473	39 804 408
9	真菌症	6 608	13 510	3 693 262	4 829	88 834	153 372 970
10	感染症及び寄生虫症の続発・後遺症	65	141	55 376	363	9 282	15 745 279
11	その他の感染症及び寄生虫症	6 107	12 039	6 207 186	13 525	107 119	222 815 881
12	Ⅱ 新生物＜腫瘍＞	457 580	915 624	414 852 517	272 602	1 044 116	2 657 705 680
13	胃の悪性新生物＜腫瘍＞	47 397	93 306	59 019 320	22 391	96 327	228 240 501
14	結腸の悪性新生物＜腫瘍＞	26 325	54 089	34 537 956	22 361	103 628	239 175 582
15	直腸Ｓ状結腸移行部及び直腸の悪性新生物＜腫瘍＞	7 713	13 530	8 800 132	12 180	47 523	113 948 965
16	肝及び肝内胆管の悪性新生物＜腫瘍＞	2 845	4 378	2 582 336	11 877	42 605	105 110 370
17	気管，気管支及び肺の悪性新生物＜腫瘍＞	16 905	35 799	25 987 725	30 549	131 857	328 928 051
18	乳房の悪性新生物＜腫瘍＞	22 418	57 466	38 393 496	13 204	46 481	108 073 652
19	子宮の悪性新生物＜腫瘍＞	50 950	112 283	25 462 927	6 443	14 075	41 381 877
20	悪性リンパ腫	6 571	12 486	8 895 033	10 938	41 246	122 757 283
21	白血病	2 987	5 101	3 183 765	5 172	27 290	151 819 876
22	その他の悪性新生物＜腫瘍＞	125 657	232 454	97 242 023	99 099	378 630	968 633 064
23	良性新生物＜腫瘍＞及びその他の新生物＜腫瘍＞	147 812	294 732	110 747 804	38 388	114 454	249 636 459
24	Ⅲ 血液及び造血器の疾患並びに免疫機構の障害	10 142	20 549	8 935 547	17 839	150 227	290 052 756
25	貧血	6 414	13 265	4 980 617	10 513	111 136	201 078 857
26	その他の血液及び造血器の疾患並びに免疫機構の障害	3 728	7 284	3 954 930	7 326	39 091	88 973 899
27	Ⅳ 内分泌，栄養及び代謝疾患	61 696	129 920	43 423 925	63 873	733 735	1 304 526 644
28	甲状腺障害	7 395	14 969	4 538 558	2 828	30 414	52 722 861
29	糖尿病	13 555	28 582	12 807 574	31 489	377 271	648 838 048
30	脂質異常症	14 821	31 882	13 524 811	3 486	58 708	91 220 999
31	その他の内分泌，栄養及び代謝疾患	25 925	54 487	12 552 982	26 070	267 342	511 744 736
32	Ⅴ 精神及び行動の障害	2 834	6 136	2 409 969	213 924	5 893 052	7 448 360 591
33	血管性及び詳細不明の認知症	163	346	130 986	22 377	617 969	818 565 203
34	精神作用物質使用による精神及び行動の障害	140	307	144 196	9 739	211 325	288 378 020
35	統合失調症，統合失調症型障害及び妄想性障害	229	498	186 490	123 959	3 610 301	4 243 713 812
36	気分［感情］障害（躁うつ病を含む）	658	1 424	553 897	28 869	721 974	1 030 374 825
37	神経症性障害，ストレス関連障害及び身体表現性障害	1 343	2 922	1 133 212	7 600	164 527	248 543 188
38	知的障害〈精神遅滞〉	16	32	9 640	4 829	139 253	195 007 000
39	その他の精神及び行動の障害	285	607	251 548	16 551	427 703	623 778 543
40	Ⅵ 神経系の疾患	6 778	12 619	5 062 600	136 039	2 756 892	4 362 491 263
41	パーキンソン病	369	675	254 250	16 482	382 375	657 287 304
42	アルツハイマー病	432	901	321 082	39 816	1 091 992	1 417 939 652
43	てんかん	379	663	283 280	12 982	188 996	318 976 956
44	脳性麻痺及びその他の麻痺性症候群	48	85	24 894	9 492	269 240	487 825 247
45	自律神経系の障害	274	569	132 530	2 297	50 995	95 349 161
46	その他の神経系の疾患	5 276	9 726	4 046 564	54 970	773 294	1 385 112 943
47	Ⅶ 眼及び付属器の疾患	5 016	10 498	4 911 436	66 919	196 726	541 584 912
48	結膜炎	455	986	432 227	2 741	41 886	71 422 940
49	白内障	1 083	2 317	1 028 373	35 566	49 947	223 177 076
50	屈折及び調節の障害	705	1 499	680 589	4 261	18 298	56 052 387
51	その他の眼及び付属器の疾患	2 773	5 696	2 770 247	24 351	86 595	190 932 509
52	Ⅷ 耳及び乳様突起の疾患	2 260	4 211	2 017 874	12 540	49 651	103 932 905
53	外耳炎	230	457	229 892	285	5 840	11 146 003
54	その他の外耳疾患	182	364	189 104	401	10 021	17 489 187
55	中耳炎	343	634	331 048	1 713	7 041	14 558 187
56	その他の中耳及び乳様突起の疾患	485	620	384 673	780	1 478	3 163 578
57	メニエール病	145	313	122 071	1 318	4 945	9 698 405
58	その他の内耳疾患	288	582	243 674	5 450	10 787	26 298 720
59	その他の耳疾患	587	1 241	517 412	2 593	9 539	21 578 825
60	Ⅸ 循環器系の疾患	48 598	97 052	43 004 023	334 746	3 872 153	7 176 100 380
61	高血圧性疾患	27 296	57 990	25 017 962	17 611	297 900	443 057 844
62	虚血性心疾患	3 897	7 781	3 603 341	47 474	114 724	246 692 933
63	その他の心疾患	9 062	16 116	7 601 260	88 969	736 974	1 438 322 990
64	くも膜下出血	113	187	81 522	9 804	181 207	325 391 934
65	脳内出血	475	767	328 872	38 246	744 235	1 382 371 491
66	脳梗塞	2 532	4 579	1 932 270	91 300	1 522 755	2 806 888 376
67	脳動脈硬化(症)	10	20	6 391	35	646	886 802
68	その他の脳血管疾患	1 048	1 974	928 001	13 554	131 448	245 288 179
69	動脈硬化(症)	574	1 085	503 451	6 602	32 219	59 005 018
70	低血圧(症)	80	178	80 428	713	6 531	11 463 031
71	その他の循環器系の疾患	3 511	6 375	2 920 525	20 438	103 514	216 731 782

平成30年６月審査分

診断群分類による包括評価等			入院時食事療養等（別掲）			行番号
実施件数	回数	点数	実施件数	回数	金額(円)	
1 067 470	9 959 419	37 230 440 823	2 107 107	92 745 986	58 164 041 419	1
27 316	251 024	1 063 404 259	46 242	1 606 470	1 013 801 532	2
11 859	64 161	230 254 916	16 169	278 871	178 559 534	3
96	1 473	5 064 807	2 274	136 436	87 695 354	4
189	1 067	3 511 072	458	14 125	9 019 570	5
2 900	22 591	79 065 497	4 746	145 694	92 692 859	6
1 580	15 348	55 358 384	3 138	109 184	71 648 515	7
1 088	9 324	34 819 687	2 014	69 586	42 888 664	8
1 247	19 487	87 401 650	4 678	293 829	180 903 670	9
-	-	-	352	28 438	16 855 683	10
8 357	117 573	567 928 246	12 413	530 307	333 537 683	11
238 164	2 350 160	9 431 040 782	284 174	7 794 605	5 118 052 095	12
18 771	191 402	694 454 369	22 470	578 339	384 677 565	13
17 484	176 134	703 032 685	22 071	567 932	371 923 572	14
10 851	116 583	465 229 444	12 580	345 241	229 392 092	15
10 677	101 865	359 101 011	12 590	354 561	240 352 630	16
26 306	271 555	1 146 215 871	32 639	1 001 759	653 141 765	17
11 229	78 278	298 964 476	14 284	300 068	194 643 630	18
6 845	60 545	252 427 521	7 226	166 618	109 527 247	19
10 434	151 781	846 771 227	11 808	492 364	325 287 043	20
4 623	82 271	442 633 743	5 475	282 862	188 158 528	21
87 300	900 281	3 374 768 687	103 086	2 936 198	1 926 081 843	22
33 644	219 465	847 441 748	39 945	768 663	494 866 180	23
9 192	103 664	486 257 028	17 306	626 482	400 654 959	24
3 418	32 313	118 361 352	10 199	374 565	235 656 232	25
5 774	71 351	367 895 676	7 107	251 917	164 998 727	26
27 124	251 455	822 627 141	62 554	2 736 889	1 734 252 205	27
1 144	10 122	33 949 753	2 828	110 610	68 919 709	28
13 443	139 581	434 303 180	31 679	1 531 933	976 165 897	29
-	-	-	3 338	171 177	108 133 100	30
12 537	101 752	354 374 208	24 709	923 169	581 033 499	31
1 730	11 123	37 266 101	210 896	17 112 612	11 179 967 395	32
242	2 837	8 114 487	21 803	1 811 050	1 129 864 464	33
1 047	2 311	11 670 069	8 921	604 418	410 942 375	34
3	11	47 982	123 281	10 550 692	6 950 479 016	35
241	2 856	7 040 829	28 617	2 072 824	1 350 561 803	36
-	-	-	7 396	454 942	297 527 450	37
-	-	-	4 740	402 019	262 455 214	38
197	3 108	10 392 734	16 138	1 216 667	778 137 073	39
31 293	267 355	1 125 653 200	128 066	8 591 161	5 266 700 868	40
2 444	32 900	103 333 031	15 870	1 282 870	712 357 033	41
489	5 641	15 937 305	38 574	3 141 643	2 003 496 336	42
6 115	47 467	203 784 815	12 591	641 277	398 955 203	43
398	3 120	12 055 778	8 983	761 699	482 856 499	44
405	4 739	16 276 618	2 090	154 876	87 957 645	45
21 442	173 488	774 265 653	49 958	2 608 796	1 581 078 152	46
37 653	167 267	480 065 753	60 108	872 948	560 981 243	47
10	57	185 472	2 181	112 954	67 094 070	48
23 330	82 854	212 452 021	32 843	282 448	186 244 121	49
1	9	31 863	2 464	44 285	27 931 878	50
14 312	84 347	267 396 397	22 620	433 261	279 711 174	51
10 028	52 624	182 466 826	13 085	255 383	166 242 381	52
66	479	1 398 179	276	17 212	10 611 291	53
36	151	518 881	389	28 766	18 118 026	54
1 427	6 359	24 577 229	1 715	31 389	19 842 276	55
740	5 049	16 152 824	838	15 571	10 307 895	56
895	4 324	15 378 813	1 367	23 156	14 948 396	57
4 609	20 650	74 251 989	5 684	73 471	48 806 318	58
2 255	15 612	50 188 911	2 816	65 818	43 608 179	59
172 068	1 732 622	7 077 398 008	331 768	16 154 539	9 697 458 426	60
1 421	12 323	43 706 113	16 912	911 021	536 816 395	61
41 510	230 362	1 129 379 552	49 597	832 459	566 152 382	62
55 306	619 603	2 451 389 144	87 119	3 722 668	2 409 411 739	63
3 134	49 565	251 057 600	9 283	701 876	386 334 049	64
9 936	143 426	535 697 170	36 771	2 731 023	1 539 643 763	65
31 219	403 309	1 526 358 576	89 783	5 791 701	3 324 905 806	66
4	29	86 505	33	2 109	1 171 032	67
7 950	62 363	255 510 101	13 969	545 938	331 078 759	68
5 504	49 905	165 229 398	7 022	220 983	148 032 840	69
360	2 095	7 935 399	715	23 736	14 942 508	70
15 724	159 642	711 048 450	20 564	671 025	438 969 153	71

第7表　医科診療　件数・診療実日数・実施件数・回数・点数,

1 総数

行番号	傷病（中分類）	件数	診療実日数	総数 実施件数	総数 回数	総数 点数
72	Ⅹ 呼吸器系の疾患	11 905 140	19 485 275	11 905 140	140 450 466	19 063 398 525
73	急性鼻咽頭炎［かぜ］〈感冒〉	458 181	681 956	458 181	4 297 642	370 110 226
74	急性咽頭炎及び急性扁桃炎	1 059 610	1 459 141	1 059 610	9 577 669	892 390 030
75	その他の急性上気道感染症	2 692 766	3 730 430	2 692 766	22 666 581	1 976 465 646
76	肺炎	233 494	1 356 310	233 494	8 480 882	3 630 494 916
77	急性気管支炎及び急性細気管支炎	1 658 182	2 433 385	1 658 182	14 413 391	1 528 289 843
78	アレルギー性鼻炎	2 277 333	3 063 305	2 277 333	26 642 249	1 547 690 604
79	慢性副鼻腔炎	574 101	963 077	574 101	7 063 082	649 423 556
80	急性又は慢性と明示されない気管支炎	193 008	291 862	193 008	3 080 538	213 526 931
81	慢性閉塞性肺疾患	299 337	637 643	299 337	6 950 497	1 035 970 686
82	喘息	1 949 406	2 983 187	1 949 406	25 339 672	2 163 967 661
83	その他の呼吸器系の疾患	509 722	1 884 979	509 722	11 938 263	5 055 068 426
84	XI 消化器系の疾患	5 542 479	9 826 181	5 542 479	114 358 037	15 754 226 559
85	う蝕	265	747	265	5 476	1 733 914
86	歯肉炎及び歯周疾患	4 100	9 127	4 100	84 145	12 160 142
87	その他の歯及び歯の支持組織の障害	8 519	13 750	8 519	90 601	15 159 044
88	胃潰瘍及び十二指腸潰瘍	506 680	859 260	506 680	11 624 726	1 120 703 996
89	胃炎及び十二指腸炎	1 682 252	2 631 134	1 682 252	33 454 090	2 165 934 415
90	痔核	218 195	327 846	218 195	2 936 126	324 549 928
91	アルコール性肝疾患	32 221	79 332	32 221	854 122	160 144 541
92	慢性肝炎（アルコール性のものを除く）	93 840	171 218	93 840	2 659 076	145 175 214
93	肝硬変（アルコール性のものを除く）	44 946	111 106	44 946	1 347 751	229 262 569
94	その他の肝疾患	454 860	752 379	454 860	10 397 804	989 857 186
95	胆石症及び胆のう炎	136 514	449 206	136 514	3 473 665	1 709 876 499
96	膵疾患	78 004	172 765	78 004	2 045 018	448 121 682
97	その他の消化器系の疾患	2 282 083	4 248 311	2 282 083	45 385 437	8 431 547 429
98	XII 皮膚及び皮下組織の疾患	6 640 286	9 708 526	6 640 286	60 766 769	6 548 179 742
99	皮膚及び皮下組織の感染症	396 555	772 170	396 555	4 192 267	770 997 885
100	皮膚炎及び湿疹	3 564 123	4 863 534	3 564 123	31 211 300	2 705 883 854
101	その他の皮膚及び皮下組織の疾患	2 679 608	4 072 822	2 679 608	25 363 202	3 071 298 003
102	XIII 筋骨格系及び結合組織の疾患	8 132 557	20 282 972	8 132 557	137 779 770	18 553 910 716
103	炎症性多発性関節障害	679 298	1 211 740	679 298	14 143 226	1 776 826 068
104	関節症	1 623 967	4 371 632	1 623 967	25 987 261	4 351 345 144
105	脊椎障害（脊椎症を含む）	1 687 040	5 070 873	1 687 040	29 658 556	4 079 324 829
106	椎間板障害	592 587	1 594 222	592 587	7 964 380	1 085 574 288
107	頚腕症候群	186 370	376 680	186 370	3 100 765	172 795 082
108	腰痛症及び坐骨神経痛	701 436	1 373 263	701 436	12 932 789	879 099 290
109	その他の脊柱障害	250 838	612 099	250 838	3 519 775	687 748 913
110	肩の傷害〈損傷〉	490 395	1 351 601	490 395	7 537 563	618 309 574
111	骨の密度及び構造の障害	661 986	1 334 995	661 986	12 239 190	1 152 497 586
112	その他の筋骨格系及び結合組織の疾患	1 258 640	2 985 867	1 258 640	20 696 265	3 750 389 942
113	XIV 腎尿路生殖器系の疾患	3 034 917	7 226 500	3 034 917	63 593 603	14 345 189 048
114	糸球体疾患及び腎尿細管間質性疾患	173 032	466 061	173 032	4 224 341	1 148 436 063
115	腎不全	333 818	2 789 284	333 818	17 898 845	8 420 194 022
116	尿路結石症	134 915	226 948	134 915	2 179 251	565 368 033
117	その他の腎尿路系の疾患	731 414	1 354 829	731 414	14 278 882	1 847 202 990
118	前立腺肥大（症）	498 091	649 147	498 091	10 429 775	693 516 488
119	その他の男性生殖器の疾患	107 153	155 688	107 153	1 315 992	173 356 059
120	月経障害及び閉経周辺期障害	352 048	530 191	352 048	6 132 447	296 227 396
121	乳房及びその他の女性生殖器の疾患	704 446	1 054 352	704 446	7 134 070	1 200 887 997
122	XV 妊娠，分娩及び産じょく	278 263	774 131	278 263	3 557 921	1 763 541 995
123	流産	27 569	54 523	27 569	290 569	104 672 135
124	妊娠高血圧症候群	5 863	24 019	5 863	105 226	103 147 063
125	その他の妊娠，分娩及び産じょく	244 831	695 589	244 831	3 162 126	1 555 722 797
126	XVI 周産期に発生した病態	64 598	248 666	64 598	666 142	1 126 193 274
127	妊娠及び胎児発育に関連する障害	29 008	124 693	29 008	327 157	685 078 357
128	その他の周産期に発生した病態	35 590	123 973	35 590	338 985	441 114 917
129	XVII 先天奇形，変形及び染色体異常	200 410	386 748	200 410	2 338 453	1 098 967 349
130	心臓の先天奇形	27 747	50 307	27 747	390 537	291 332 082
131	その他の先天奇形，変形及び染色体異常	172 663	336 441	172 663	1 947 916	807 635 267
132	XVIII 症状，徴候等で他に分類されないもの	1 894 056	3 450 127	1 894 056	30 579 357	4 214 154 663
133	症状，徴候等で他に分類されないもの	1 894 056	3 450 127	1 894 056	30 579 357	4 214 154 663
134	XIX 損傷，中毒及びその他の外因の影響	2 931 345	9 029 031	2 931 345	48 293 812	16 448 531 671
135	骨折	959 391	4 389 683	959 391	25 652 933	10 313 693 501
136	頭蓋内損傷及び内臓の損傷	49 286	324 127	49 286	1 791 094	1 127 431 350
137	熱傷及び腐食	54 859	132 082	54 859	516 810	127 248 915
138	中毒	132 521	176 130	132 521	771 187	138 544 694
139	その他の損傷及びその他の外因の影響	1 735 288	4 007 009	1 735 288	19 561 788	4 741 613 211

平成30年６月審査分

初・再診			医学管理等			在宅医療			行番号
実施件数	回数	点数	実施件数	回数	点数	実施件数	回数	点数	
10 906 290	15 320 202	2 921 696 653	4 831 838	7 072 422	1 563 285 271	174 975	289 931	820 672 276	72
402 173	583 429	126 969 281	172 457	252 224	67 759 534	3 401	5 963	10 693 673	73
963 255	1 275 277	306 148 918	420 315	605 221	134 347 555	5 311	9 501	17 484 138	74
2 446 758	3 324 771	733 728 982	845 556	1 198 766	304 351 468	10 185	16 777	28 440 932	75
168 087	293 747	53 665 562	112 615	209 946	55 614 134	10 798	20 301	54 585 061	76
1 410 090	1 933 119	468 019 955	744 194	1 129 657	302 061 693	9 359	19 134	34 594 244	77
2 230 946	2 983 039	462 732 738	636 640	839 150	129 649 033	29 651	34 792	66 063 199	78
563 520	936 125	129 314 343	102 751	135 990	18 319 637	4 825	5 162	9 947 197	79
188 976	266 811	52 996 118	90 126	132 404	15 285 208	3 126	6 171	10 354 533	80
277 693	414 064	49 750 043	199 003	291 812	52 783 534	31 803	59 243	208 295 650	81
1 817 305	2 652 530	434 191 603	1 318 174	1 982 189	414 361 129	26 796	42 208	100 746 129	82
437 487	657 290	104 179 110	190 007	295 063	68 752 346	39 720	70 679	279 467 520	83
5 187 406	7 645 094	1 013 896 418	3 257 209	4 692 815	874 749 495	137 497	240 029	427 524 283	84
219	328	65 299	150	235	58 630	12	18	48 746	85
3 818	5 899	1 057 439	1 940	3 009	479 400	137	308	667 920	86
8 188	11 738	2 230 503	3 019	3 953	709 202	160	284	537 366	87
487 982	731 909	93 030 713	348 217	510 426	92 066 706	11 449	20 675	34 285 630	88
1 637 251	2 513 266	338 451 866	1 125 427	1 649 852	284 925 781	26 488	47 618	71 127 131	89
205 341	279 818	41 803 129	74 956	97 857	13 804 407	2 908	6 523	9 952 289	90
29 562	43 788	5 350 579	20 500	29 983	5 948 291	1 210	2 395	3 517 263	91
91 676	159 983	19 104 800	74 648	116 693	20 975 191	2 564	4 555	6 283 451	92
40 862	64 077	6 734 246	28 581	40 800	8 590 821	2 302	4 867	7 494 915	93
438 195	632 186	78 644 846	291 826	408 800	77 292 656	16 426	26 710	42 928 748	94
113 574	167 570	21 889 508	74 423	120 668	29 751 894	3 995	6 524	12 032 626	95
72 322	105 878	12 762 543	44 781	67 280	13 838 395	3 539	5 031	8 984 836	96
2 058 416	2 928 654	392 770 947	1 168 741	1 643 259	326 308 121	66 307	114 521	229 663 362	97
6 310 482	8 624 094	1 472 221 117	2 408 129	3 052 107	459 992 105	82 495	169 121	276 737 076	98
372 109	619 417	107 341 257	126 814	176 019	29 296 744	6 996	14 377	22 335 424	99
3 379 270	4 444 439	795 536 150	1 344 826	1 697 385	250 849 281	33 375	67 411	102 411 298	100
2 559 103	3 560 238	569 343 710	936 489	1 178 703	179 846 080	42 124	87 333	151 990 354	101
7 918 727	18 173 988	1 972 950 629	3 018 537	4 008 162	543 708 518	153 497	252 940	523 677 271	102
663 553	1 088 587	134 678 503	256 681	336 681	46 610 995	33 934	44 243	169 013 414	103
1 581 766	3 919 014	400 267 571	569 048	761 321	97 145 222	17 990	31 092	50 364 676	104
1 643 807	4 607 145	452 282 914	597 535	792 365	99 409 172	24 094	42 495	66 224 126	105
582 737	1 510 961	166 471 634	194 243	246 612	30 188 624	2 578	3 385	5 968 898	106
184 955	371 870	43 943 430	90 116	121 539	16 490 758	1 768	2 892	4 002 158	107
684 886	1 286 897	158 595 455	344 036	467 910	64 678 122	13 722	25 156	37 197 945	108
245 327	562 579	65 185 230	73 956	96 590	12 994 191	2 869	4 016	9 419 762	109
484 926	1 320 675	135 301 170	177 255	232 436	26 673 960	4 461	6 816	11 576 489	110
642 243	1 220 954	123 339 946	258 459	341 908	47 413 247	24 770	41 111	65 481 782	111
1 204 527	2 285 306	292 884 776	457 208	610 800	102 104 227	27 311	51 734	104 428 021	112
2 879 350	5 820 149	678 571 929	1 096 572	1 660 158	554 063 833	101 792	143 313	354 762 524	113
153 871	232 643	30 432 932	71 393	109 201	26 995 900	6 670	9 743	23 319 060	114
297 182	2 180 763	171 015 687	239 735	540 663	389 559 781	36 333	49 058	177 749 965	115
126 032	171 366	27 817 382	49 400	68 991	14 067 638	2 256	2 746	6 483 755	116
695 408	997 959	145 638 260	286 107	399 626	64 629 062	39 846	59 955	103 014 094	117
489 980	617 861	69 245 283	161 514	201 252	26 391 434	12 143	16 269	29 522 736	118
102 909	135 160	24 306 676	28 092	36 409	6 041 788	1 151	1 416	3 426 004	119
348 065	525 858	72 562 962	108 510	120 917	6 477 254	543	633	1 858 075	120
665 903	958 539	137 552 747	151 821	183 099	19 900 976	2 850	3 493	9 388 835	121
168 811	265 698	46 368 614	92 192	130 008	22 545 564	5 045	4 918	8 647 427	122
22 769	43 862	6 723 322	6 396	8 291	1 263 929	73	73	189 762	123
2 536	3 310	578 890	2 447	4 089	1 024 296	96	91	161 950	124
143 506	218 526	39 066 402	83 349	117 628	20 257 339	4 876	4 754	8 295 715	125
41 635	53 713	11 142 105	22 130	29 169	7 980 424	1 773	3 158	14 012 005	126
21 139	27 410	4 663 776	10 584	13 806	3 332 684	946	1 295	7 611 393	127
20 496	26 303	6 478 329	11 546	15 363	4 647 740	827	1 863	6 400 612	128
182 817	259 779	34 676 810	59 373	74 410	17 665 648	7 767	13 503	68 184 035	129
24 377	29 670	3 883 073	12 368	15 212	3 905 692	1 579	2 006	12 324 754	130
158 440	230 109	30 793 737	47 005	59 198	13 759 956	6 188	11 497	55 859 281	131
1 791 517	2 724 114	432 393 164	773 106	1 076 738	213 365 474	48 133	93 032	177 636 931	132
1 791 517	2 724 114	432 393 164	773 106	1 076 738	213 365 474	48 133	93 032	177 636 931	133
2 689 689	5 586 191	839 211 259	880 578	1 272 751	265 518 218	62 423	111 465	184 701 870	134
823 242	1 921 996	235 021 843	294 712	476 860	109 997 078	35 690	57 978	92 922 671	135
36 052	51 770	9 811 556	20 100	34 270	10 380 732	2 141	5 907	7 156 217	136
52 648	112 118	18 852 820	15 666	22 746	3 925 243	548	942	1 394 073	137
125 451	155 355	40 348 645	38 388	50 968	10 061 802	709	871	1 395 143	138
1 652 296	3 344 952	535 176 395	511 712	687 907	131 153 363	23 335	45 767	81 833 766	139

１ 総 数

行番号	傷病（中分類）	検査			画像診断		
		実施件数	回数	点数	実施件数	回数	点数
72	Ⅹ 呼吸器系の疾患	2 739 743	14 289 809	1 723 189 097	966 772	2 311 577	543 406 076
73	急性鼻咽頭炎［かぜ］〈感冒〉	70 149	301 042	36 375 068	12 940	28 422	6 303 092
74	急性咽頭炎及び急性扁桃炎	234 220	1 109 618	112 696 995	26 472	59 550	13 313 725
75	その他の急性上気道感染症	529 391	1 800 005	281 520 403	121 198	258 345	47 897 382
76	肺炎	133 875	1 663 800	148 697 575	138 982	411 295	110 713 072
77	急性気管支炎及び急性細気管支炎	283 147	1 549 134	146 394 568	118 865	260 389	42 412 077
78	アレルギー性鼻炎	452 688	1 751 193	275 305 883	89 093	189 004	36 992 147
79	慢性副鼻腔炎	149 258	450 436	95 724 168	79 599	171 742	47 042 857
80	急性又は慢性と明示されない気管支炎	44 746	284 912	26 782 716	23 532	53 151	10 289 620
81	慢性閉塞性肺疾患	99 096	729 974	76 095 006	57 689	145 419	46 261 341
82	喘息	455 724	2 583 558	284 507 980	161 985	365 662	68 423 777
83	その他の呼吸器系の疾患	287 449	2 066 137	239 088 735	136 417	368 598	113 756 986
84	ⅩⅠ 消化器系の疾患	2 183 175	14 212 092	2 036 705 852	511 538	1 303 529	532 526 079
85	う蝕	65	542	57 187	34	75	20 093
86	歯肉炎及び歯周疾患	891	6 830	672 263	238	633	294 904
87	その他の歯及び歯の支持組織の障害	1 313	8 215	968 899	1 526	3 841	1 656 451
88	胃潰瘍及び十二指腸潰瘍	177 170	1 158 587	179 934 890	40 555	101 975	37 754 321
89	胃炎及び十二指腸炎	541 050	3 087 090	519 634 396	104 766	264 641	78 652 829
90	痔核	120 817	391 643	64 066 100	9 564	24 755	7 985 846
91	アルコール性肝疾患	17 954	153 565	17 293 175	3 952	8 934	5 604 243
92	慢性肝炎（アルコール性のものを除く）	41 435	320 388	33 418 173	5 641	13 957	5 245 528
93	肝硬変（アルコール性のものを除く）	29 568	292 242	33 953 666	5 816	14 449	8 778 676
94	その他の肝疾患	300 066	2 337 671	242 348 450	41 234	100 153	44 604 632
95	胆石症及び胆のう炎	77 158	632 204	84 248 265	34 987	91 913	49 143 692
96	膵疾患	48 781	413 519	49 669 294	18 447	39 851	31 007 526
97	その他の消化器系の疾患	826 907	5 409 596	810 441 094	244 778	638 352	261 777 338
98	ⅩⅡ 皮膚及び皮下組織の疾患	821 569	4 261 457	487 869 301	114 424	307 401	104 543 971
99	皮膚及び皮下組織の感染症	77 210	496 516	50 470 096	23 346	57 783	18 116 597
100	皮膚炎及び湿疹	420 720	1 930 079	232 678 876	40 780	111 923	37 367 127
101	その他の皮膚及び皮下組織の疾患	323 639	1 834 862	204 720 329	50 298	137 695	49 060 247
102	ⅩⅢ 筋骨格系及び結合組織の疾患	1 466 978	10 868 356	1 100 563 998	2 272 098	6 646 349	1 578 468 046
103	炎症性多発性関節障害	308 902	2 907 783	258 509 451	168 461	526 836	95 696 575
104	関節症	195 137	1 348 664	137 921 853	449 685	1 384 462	259 595 056
105	脊椎障害（脊椎症を含む）	219 715	1 459 371	154 976 791	486 810	1 473 492	430 049 808
106	椎間板障害	45 439	307 102	31 256 467	224 317	640 677	209 953 668
107	頚腕症候群	21 913	116 955	11 915 308	31 389	87 252	23 090 263
108	腰痛症及び坐骨神経痛	105 334	631 923	63 980 824	150 092	391 593	94 835 073
109	その他の脊柱障害	32 236	226 119	24 618 036	108 326	309 485	83 908 981
110	肩の傷害〈損傷〉	54 591	296 496	31 821 984	130 608	368 591	71 678 632
111	骨の密度及び構造の障害	194 146	1 011 072	122 375 108	108 877	323 971	71 537 277
112	その他の筋骨格系及び結合組織の疾患	289 565	2 562 871	263 188 176	413 533	1 139 990	238 122 713
113	ⅩⅣ 腎尿路生殖器系の疾患	1 994 896	10 335 807	1 177 581 251	433 912	848 889	340 710 056
114	糸球体疾患及び腎尿細管間質性疾患	137 428	1 102 432	105 655 726	30 052	74 532	31 742 512
115	腎不全	210 474	1 715 185	170 276 061	156 334	150 087	59 677 006
116	尿路結石症	100 789	580 948	64 743 643	65 414	183 959	65 012 413
117	その他の腎尿路系の疾患	541 440	2 809 268	252 738 786	53 476	144 701	60 138 295
118	前立腺肥大（症）	361 439	1 717 761	159 795 088	25 947	69 985	34 911 147
119	その他の男性生殖器の疾患	71 756	339 622	32 091 088	4 951	12 082	5 802 197
120	月経障害及び閉経周辺期障害	102 148	437 848	75 862 960	3 534	8 476	4 187 365
121	乳房及びその他の女性生殖器の疾患	469 422	1 632 743	316 417 899	94 204	205 067	79 239 121
122	ⅩⅤ 妊娠，分娩及び産じょく	191 232	767 890	148 755 316	10 736	20 865	4 207 325
123	流産	20 912	109 677	18 930 977	1 249	2 443	724 322
124	妊娠高血圧症候群	2 902	20 427	1 968 872	350	553	105 637
125	その他の妊娠，分娩及び産じょく	167 418	637 786	127 855 467	9 137	17 869	3 377 366
126	ⅩⅥ 周産期に発生した病態	29 198	148 233	18 467 130	3 609	7 073	1 821 553
127	妊娠及び胎児発育に関連する障害	12 056	56 741	9 164 803	1 987	3 964	997 322
128	その他の周産期に発生した病態	17 142	91 492	9 302 327	1 622	3 109	824 231
129	ⅩⅦ 先天奇形，変形及び染色体異常	73 439	410 286	74 607 266	43 523	106 028	32 844 262
130	心臓の先天奇形	19 788	88 271	28 912 474	10 043	21 562	3 892 001
131	その他の先天奇形，変形及び染色体異常	53 651	322 015	45 694 792	33 480	84 466	28 952 261
132	ⅩⅧ 症状，徴候等で他に分類されないもの	771 657	5 043 087	616 849 135	361 032	937 932	459 654 180
133	症状，徴候等で他に分類されないもの	771 657	5 043 087	616 849 135	361 032	937 932	459 654 180
134	ⅩⅨ 損傷，中毒及びその他の外因の影響	493 146	3 682 308	373 834 178	1 384 918	4 191 962	966 243 023
135	骨折	171 536	1 629 375	153 493 757	589 970	2 065 508	414 220 810
136	頭蓋内損傷及び内臓の損傷	12 399	120 391	11 328 706	27 630	64 321	39 232 154
137	熱傷及び腐食	4 656	31 685	2 992 057	1 090	3 354	999 416
138	中毒	10 084	52 644	5 604 284	1 923	4 190	1 676 902
139	その他の損傷及びその他の外因の影響	294 471	1 848 213	200 415 374	764 305	2 054 589	510 113 741

平成30年６月審査分

投薬			注射			リハビリテーション			行番号
実施件数	回数	点数	実施件数	回数	点数	実施件数	回数	点数	
10 343 670	80 590 664	1 889 581 473	493 076	1 289 997	698 334 878	96 746	1 906 892	393 286 387	72
361 591	2 544 816	55 326 057	12 543	26 396	13 658 561	1 045	11 506	2 139 479	73
936 545	5 922 669	133 666 184	54 583	90 263	34 268 606	1 475	16 319	3 094 528	74
2 331 037	11 243 843	293 810 793	63 996	106 967	36 584 650	2 471	23 300	4 604 015	75
162 260	3 432 833	71 659 286	49 786	311 406	145 315 834	29 598	656 506	136 794 193	76
1 393 004	8 881 425	207 494 370	74 865	123 114	39 902 654	2 413	30 271	6 243 891	77
2 086 567	16 660 323	335 152 610	48 226	96 571	48 835 905	4 598	34 527	6 782 435	78
499 022	3 018 260	77 004 496	8 132	15 689	18 381 189	693	5 923	1 210 992	79
186 235	2 216 300	39 243 937	15 851	31 443	13 383 019	788	11 766	2 278 056	80
262 840	4 793 131	93 697 976	20 121	61 964	40 612 910	7 681	128 683	25 258 001	81
1 759 570	16 686 983	435 922 054	98 644	197 825	105 952 893	5 469	54 930	10 993 144	82
364 999	5 190 081	146 603 710	46 329	228 359	201 438 657	40 515	933 161	193 887 653	83
4 583 876	80 211 048	1 308 688 694	398 744	1 052 505	1 019 496 051	65 329	1 035 506	212 498 011	84
165	3 526	92 529	14	28	29 627	19	87	17 145	85
3 407	57 706	969 181	393	1 026	819 759	99	2 039	436 568	86
5 270	52 349	1 028 946	464	1 155	702 598	127	1 319	276 025	87
453 415	8 628 758	132 099 823	40 019	101 905	60 647 670	5 552	76 936	15 643 730	88
1 474 458	24 823 000	371 344 653	139 456	310 125	98 421 822	15 068	119 533	21 573 988	89
193 960	2 008 888	38 368 993	8 228	17 084	18 360 296	693	13 230	2 784 530	90
24 917	547 946	10 257 564	2 908	11 590	2 797 393	651	11 505	2 374 061	91
81 646	1 950 208	28 475 227	15 522	58 245	11 205 737	435	5 629	1 057 212	92
36 537	831 656	22 137 919	4 337	19 472	7 987 006	1 009	19 512	3 917 632	93
361 379	6 548 847	115 529 028	28 946	81 587	54 069 283	3 756	57 396	11 690 168	94
88 461	1 907 368	30 639 668	11 229	45 034	31 605 824	5 965	117 371	24 880 163	95
54 165	1 283 339	23 135 959	6 021	19 751	18 932 637	1 180	22 142	4 615 447	96
1 806 096	31 567 457	534 609 204	141 207	385 503	713 916 399	30 775	588 807	123 231 342	97
5 912 871	39 689 781	994 932 786	217 765	515 506	542 399 464	32 975	519 291	103 322 762	98
343 087	2 279 388	62 775 242	20 105	58 663	49 006 131	4 739	71 652	14 780 165	99
3 263 848	21 065 349	517 302 154	97 367	229 597	186 549 108	11 833	166 234	32 951 993	100
2 305 936	16 345 044	414 855 390	100 293	227 246	306 844 225	16 403	281 405	55 590 604	101
6 308 913	75 571 538	1 495 195 476	1 712 029	4 345 369	1 670 054 722	988 197	7 728 859	1 448 534 168	102
595 204	8 401 611	157 745 102	108 762	227 056	506 014 294	25 863	223 169	42 170 184	103
1 220 683	12 600 696	266 385 935	671 469	1 715 981	363 222 510	249 190	2 078 410	398 848 981	104
1 312 029	15 526 668	314 531 600	276 485	799 973	213 314 815	244 145	1 981 859	371 884 442	105
427 305	3 620 008	83 009 958	66 118	181 946	35 385 424	110 266	581 051	105 896 112	106
152 903	2 106 321	33 281 733	18 238	47 066	8 078 426	13 239	65 559	11 358 550	107
600 750	9 132 247	154 223 138	70 269	188 739	65 500 748	28 177	171 244	31 014 767	108
164 064	1 693 421	35 857 062	30 458	83 247	25 317 453	36 757	239 001	45 272 462	109
371 239	3 769 149	77 250 633	153 413	371 624	74 892 571	110 538	608 341	106 340 569	110
568 043	8 159 742	146 203 677	143 027	331 177	177 488 424	38 795	316 053	58 731 028	111
896 693	10 561 675	226 706 638	173 790	398 560	200 840 057	131 227	1 464 172	277 017 073	112
2 167 702	38 405 328	787 133 665	277 925	610 324	467 202 357	35 662	751 503	152 840 476	113
118 769	2 209 804	45 731 947	17 695	55 159	54 907 555	5 488	110 865	23 758 640	114
275 299	9 723 348	232 364 693	100 222	132 111	180 799 596	15 438	316 731	60 980 153	115
86 422	1 037 833	19 944 559	11 038	17 669	11 416 287	931	16 376	3 520 375	116
610 918	8 901 976	171 426 762	40 338	124 372	104 601 118	11 189	259 291	54 365 780	117
447 894	7 636 521	134 570 592	12 085	22 949	43 931 476	1 289	31 866	6 845 551	118
70 336	734 570	14 766 228	4 360	8 449	7 062 316	361	6 649	1 403 819	119
268 269	4 751 177	91 357 317	50 015	166 798	14 128 920	226	1 813	345 135	120
289 795	3 410 099	76 971 567	42 172	82 817	50 355 089	740	7 912	1 621 023	121
144 415	1 783 306	21 435 861	36 954	95 035	23 946 856	110	1 147	245 638	122
11 285	82 390	1 210 141	3 240	2 913	594 883	3	29	5 790	123
3 377	54 760	529 162	639	1 627	554 845	5	60	15 595	124
129 753	1 646 156	19 696 558	33 075	90 495	22 797 128	102	1 058	224 253	125
16 764	172 379	2 558 697	3 057	9 714	8 501 667	3 299	23 550	5 611 068	126
9 248	99 468	1 448 620	1 289	5 235	4 468 901	2 180	15 002	3 604 565	127
7 516	72 911	1 110 077	1 768	4 479	4 032 766	1 119	8 548	2 006 503	128
92 110	1 075 671	38 970 686	5 726	15 832	14 861 388	18 302	142 034	32 057 199	129
11 671	199 598	5 557 002	701	2 453	3 318 229	621	4 752	1 110 052	130
80 439	876 073	33 413 684	5 025	13 379	11 543 159	17 681	137 282	30 947 147	131
1 327 839	18 030 605	340 016 780	189 991	469 716	338 426 441	47 095	578 500	116 185 638	132
1 327 839	18 030 605	340 016 780	189 991	469 716	338 426 441	47 095	578 500	116 185 638	133
1 808 043	17 737 105	383 718 074	257 918	706 341	327 828 840	373 459	8 651 777	1 768 157 277	134
540 782	9 234 865	165 681 171	114 577	374 017	189 355 724	207 586	6 481 902	1 289 382 755	135
20 688	540 760	8 526 359	3 211	15 840	7 179 173	12 230	611 022	153 600 532	136
44 202	211 654	6 931 257	1 296	4 571	2 525 184	809	16 909	3 326 762	137
118 100	429 319	13 241 209	6 249	9 483	3 924 356	453	7 577	1 651 136	138
1 084 271	7 320 507	189 338 078	132 585	302 430	124 844 403	152 381	1 534 367	320 196 092	139

第７表　医科診療　件数・診療実日数・実施件数・回数・点数,

１ 総　数

行番号	傷病（中分類）	精神科専門療法 実施件数	精神科専門療法 回数	精神科専門療法 点数	処置 実施件数	処置 回数	処置 点数
72	Ⅹ 呼吸器系の疾患	39 924	73 733	25 355 383	3 630 860	14 400 722	716 394 083
73	急性鼻咽頭炎［かぜ］〈感冒〉	3 309	6 536	2 242 623	166 914	523 988	30 937 154
74	急性咽頭炎及び急性扁桃炎	2 548	5 140	1 829 674	132 648	444 484	27 108 237
75	その他の急性上気道感染症	3 358	6 786	2 367 953	1 161 930	4 643 230	145 910 490
76	肺炎	1 545	5 104	1 354 998	33 838	411 846	82 056 550
77	急性気管支炎及び急性細気管支炎	1 567	3 503	1 306 985	155 512	403 959	32 022 559
78	アレルギー性鼻炎	15 427	23 458	8 241 204	1 117 382	3 997 209	121 677 274
79	慢性副鼻腔炎	728	1 163	362 615	450 205	2 285 456	61 049 668
80	急性又は慢性と明示されない気管支炎	1 082	2 127	826 478	14 311	55 461	6 141 385
81	慢性閉塞性肺疾患	2 148	4 672	1 739 277	18 142	115 782	28 844 421
82	喘息	5 414	8 907	3 160 041	260 903	660 823	43 147 704
83	その他の呼吸器系の疾患	2 798	6 337	1 923 535	119 075	858 484	137 498 641
84	ⅩⅠ 消化器系の疾患	109 223	186 274	62 828 601	311 258	1 104 997	417 122 770
85	う蝕	3	3	990	16	239	177 045
86	歯肉炎及び歯周疾患	55	149	55 140	332	3 610	851 066
87	その他の歯及び歯の支持組織の障害	187	381	115 210	1 326	5 103	1 014 146
88	胃潰瘍及び十二指腸潰瘍	12 093	19 500	6 690 463	19 615	93 828	53 704 347
89	胃炎及び十二指腸炎	45 239	70 818	24 417 310	82 723	337 579	105 004 921
90	痔核	1 091	2 735	871 035	30 831	36 508	9 095 015
91	アルコール性肝疾患	596	1 153	378 028	957	4 190	1 721 612
92	慢性肝炎（アルコール性のものを除く）	1 383	3 249	1 103 798	3 162	14 223	3 298 627
93	肝硬変（アルコール性のものを除く）	355	1 077	272 985	1 523	9 722	4 512 280
94	その他の肝疾患	9 462	19 501	6 468 670	14 242	61 834	16 647 230
95	胆石症及び胆のう炎	725	1 717	501 195	6 530	44 665	20 905 334
96	膵疾患	494	1 157	397 122	2 237	11 828	6 795 987
97	その他の消化器系の疾患	37 540	64 834	21 556 655	147 764	481 668	193 395 160
98	ⅩⅡ 皮膚及び皮下組織の疾患	18 651	45 005	15 396 480	1 418 353	2 753 380	542 935 878
99	皮膚及び皮下組織の感染症	1 210	3 351	1 101 849	119 686	254 453	46 917 240
100	皮膚炎及び湿疹	9 261	22 089	7 417 484	694 474	1 275 434	216 120 548
101	その他の皮膚及び皮下組織の疾患	8 180	19 565	6 877 147	604 193	1 223 493	279 898 090
102	ⅩⅢ 筋骨格系及び結合組織の疾患	35 360	64 952	22 176 337	1 792 217	6 959 703	613 006 118
103	炎症性多発性関節障害	1 900	3 486	1 134 482	72 548	229 900	26 127 415
104	関節症	2 961	5 767	2 027 842	380 381	1 474 045	107 685 717
105	脊椎障害（脊椎症を含む）	3 150	6 182	2 242 496	483 503	2 148 770	146 993 712
106	椎間板障害	565	1 021	360 695	192 075	669 225	38 006 992
107	頸腕症候群	2 987	4 414	1 423 445	40 607	145 297	8 233 964
108	腰痛症及び坐骨神経痛	9 996	18 044	6 223 589	135 615	461 106	50 996 500
109	その他の脊柱障害	631	1 156	388 755	57 396	213 794	16 326 268
110	肩の傷害〈損傷〉	1 990	3 454	1 218 909	114 963	465 877	30 573 720
111	骨の密度及び構造の障害	1 460	3 514	1 277 825	84 616	344 745	49 574 302
112	その他の筋骨格系及び結合組織の疾患	9 720	17 914	5 878 299	230 513	806 944	138 487 528
113	ⅩⅣ 腎尿路生殖器系の疾患	16 890	31 445	9 186 645	469 657	2 982 420	5 561 021 807
114	糸球体疾患及び腎尿細管間質性疾患	931	1 993	578 319	10 555	59 872	46 628 477
115	腎不全	1 348	4 017	1 150 318	184 790	2 448 731	5 411 315 001
116	尿路結石症	285	598	176 486	8 585	13 137	5 568 899
117	その他の腎尿路系の疾患	4 654	10 825	3 386 767	46 158	174 124	55 263 880
118	前立腺肥大（症）	1 096	2 268	714 175	17 691	35 118	11 047 999
119	その他の男性生殖器の疾患	240	427	160 745	9 907	13 533	4 136 969
120	月経障害及び閉経周辺期障害	6 715	8 917	2 294 015	35 353	45 740	6 287 355
121	乳房及びその他の女性生殖器の疾患	1 621	2 400	725 820	156 618	192 165	20 773 227
122	ⅩⅤ 妊娠，分娩及び産じょく	559	904	256 480	40 934	59 902	4 998 901
123	流産	25	32	9 610	3 377	4 112	227 850
124	妊娠高血圧症候群	35	46	12 330	454	796	85 080
125	その他の妊娠，分娩及び産じょく	499	826	234 540	37 103	54 994	4 685 971
126	ⅩⅥ 周産期に発生した病態	77	97	38 080	8 560	33 845	9 269 200
127	妊娠及び胎児発育に関連する障害	63	75	31 160	2 163	8 990	3 167 739
128	その他の周産期に発生した病態	14	22	6 920	6 397	24 855	6 101 461
129	ⅩⅦ 先天奇形，変形及び染色体異常	1 749	3 288	1 307 673	24 991	97 898	57 356 081
130	心臓の先天奇形	74	96	34 925	740	3 678	4 102 109
131	その他の先天奇形，変形及び染色体異常	1 675	3 192	1 272 748	24 251	94 220	53 253 972
132	ⅩⅧ 症状，徴候等で他に分類されないもの	41 762	69 425	23 249 397	186 583	781 824	169 599 552
133	症状，徴候等で他に分類されないもの	41 762	69 425	23 249 397	186 583	781 824	169 599 552
134	ⅩⅨ 損傷，中毒及びその他の外因の影響	10 179	28 995	9 486 279	966 658	2 568 387	656 378 487
135	骨折	3 981	11 950	3 607 220	253 768	750 239	244 204 583
136	頭蓋内損傷及び内臓の損傷	547	1 648	529 802	5 507	60 365	16 906 334
137	熱傷及び腐食	157	508	161 602	39 579	91 559	16 942 337
138	中毒	1 119	2 356	713 085	35 568	44 262	4 942 818
139	その他の損傷及びその他の外因の影響	4 375	12 533	4 474 570	632 236	1 621 962	373 382 415

平成30年６月審査分

手術 実施件数	手術 回数	手術 点数	麻酔 実施件数	麻酔 回数	麻酔 点数	放射線治療 実施件数	放射線治療 回数	放射線治療 点数	行番号
42 303	65 894	429 656 016	25 190	48 473	90 699 044	667	4 517	9 564 063	72
1 385	1 750	3 796 259	1 245	2 813	600 667	15	183	314 900	73
1 326	1 808	8 922 745	1 804	4 356	3 232 568	34	317	592 346	74
5 941	7 100	12 580 498	2 079	4 401	1 206 401	38	468	1 021 240	75
3 644	8 288	34 636 936	810	1 300	2 330 968	156	687	1 594 680	76
1 082	1 311	5 541 865	1 217	2 360	885 739	12	65	89 830	77
8 180	10 161	28 865 799	3 258	6 190	3 078 119	31	118	280 802	78
5 515	9 816	118 243 499	2 436	3 950	18 498 684	20	197	391 994	79
295	362	3 251 054	594	1 320	648 297	10	138	203 600	80
813	1 063	5 578 305	1 855	3 642	1 214 658	45	357	809 016	81
1 995	2 271	8 991 207	3 493	6 586	1 720 107	19	196	399 780	82
12 127	21 964	199 247 849	6 399	11 555	57 282 836	287	1 791	3 865 875	83
149 464	187 612	1 771 539 921	78 840	144 767	324 948 339	1 580	10 705	25 270 177	84
2	1	121 887	2	3	8 681	-	-	-	85
15	24	185 871	29	65	23 367	-	-	-	86
137	235	1 929 992	156	295	527 993	1	2	220	87
6 165	14 775	64 889 813	4 752	8 943	7 150 414	212	751	1 090 442	88
12 421	12 200	69 212 725	18 784	36 447	9 297 636	79	806	1 986 000	89
9 732	9 924	43 711 004	4 129	5 194	4 735 168	97	1 165	3 440 120	90
959	1 914	9 460 610	151	281	223 441	15	38	23 510	91
258	248	1 262 061	787	1 889	438 483	2	19	53 280	92
1 067	1 939	11 172 394	180	302	165 642	26	132	231 970	93
2 392	3 662	29 106 288	2 173	4 279	2 542 786	71	383	851 076	94
16 982	21 416	439 224 223	8 513	16 390	80 454 616	42	233	383 930	95
1 777	2 532	39 470 697	455	783	1 386 553	29	155	264 240	96
97 557	118 742	1 061 792 356	38 729	69 896	217 993 559	1 006	7 021	16 945 389	97
76 766	82 668	190 136 068	21 141	41 729	24 205 540	1 354	15 985	28 241 332	98
21 196	22 572	29 890 291	2 337	4 158	5 132 915	56	427	1 047 570	99
10 093	10 536	45 049 802	10 020	21 636	7 053 380	284	3 154	6 069 152	100
45 477	49 560	115 195 975	8 784	15 935	12 019 245	1 014	12 404	21 124 610	101
93 788	100 787	2 537 569 545	565 935	1 039 465	570 570 470	618	4 187	7 883 237	102
2 888	3 367	52 282 987	15 016	27 942	11 082 332	39	233	490 110	103
22 619	33 787	1 140 843 424	103 933	200 639	164 417 992	65	334	465 322	104
18 485	15 526	636 485 336	185 114	347 361	187 207 764	91	442	971 320	105
6 826	4 038	125 368 906	69 153	118 614	69 709 195	8	77	234 230	106
1 018	253	1 144 269	15 863	27 747	4 880 468	5	61	138 174	107
4 436	2 134	19 659 008	50 451	86 491	16 870 521	64	594	1 419 109	108
2 752	3 992	215 988 663	20 272	36 429	33 837 793	29	129	129 696	109
2 816	1 020	7 811 400	39 102	73 719	12 471 656	49	567	1 032 062	110
3 729	3 800	75 725 293	22 326	43 861	17 157 434	84	760	1 339 892	111
28 219	32 870	262 260 259	44 705	76 662	52 935 315	184	990	1 663 322	112
65 382	74 435	819 205 633	29 908	42 413	115 984 449	623	4 341	10 532 650	113
6 334	8 598	70 286 401	2 429	3 710	11 770 780	81	359	770 530	114
20 910	23 567	289 368 186	4 973	2 947	6 633 412	173	459	612 060	115
9 335	9 526	152 849 894	4 315	6 551	23 733 147	14	138	305 470	116
4 685	6 576	54 489 582	4 375	7 534	9 709 678	151	1 294	3 544 635	117
3 235	3 713	56 539 320	3 276	5 134	12 411 267	107	1 245	3 671 212	118
1 368	1 561	8 120 142	1 095	1 566	5 063 298	12	143	353 090	119
896	1 010	3 715 466	638	1 107	809 263	5	22	38 360	120
18 619	19 884	183 836 642	8 807	13 864	45 853 604	80	681	1 237 293	121
27 635	33 122	409 452 955	18 997	34 375	43 624 266	93	128	29 660	122
6 158	6 437	29 665 135	5 074	5 688	7 539 612	5	5	1 100	123
987	1 236	23 076 699	774	1 647	2 155 990	6	7	1 650	124
20 490	25 449	356 711 121	13 149	27 040	33 928 664	82	116	26 910	125
2 668	3 789	33 176 315	623	1 009	5 590 089	78	128	14 520	126
776	1 400	14 474 775	205	324	2 187 025	62	104	11 440	127
1 892	2 389	18 701 540	418	685	3 403 064	16	24	3 080	128
5 205	8 368	242 806 498	5 016	8 941	55 659 509	166	292	2 090 460	129
641	2 065	99 079 423	945	1 780	16 638 562	85	108	17 930	130
4 564	6 303	143 727 075	4 071	7 161	39 020 947	81	184	2 072 530	131
20 763	24 231	123 130 927	20 636	38 375	27 224 350	522	4 841	12 131 603	132
20 763	24 231	123 130 927	20 636	38 375	27 224 350	522	4 841	12 131 603	133
212 797	255 892	2 597 758 007	97 717	166 838	400 750 732	582	2 076	2 806 962	134
79 228	111 431	1 677 275 708	58 533	100 266	289 536 153	296	735	658 620	135
5 484	8 397	96 883 492	1 550	1 923	11 192 135	70	180	150 860	136
478	1 058	12 801 907	476	1 086	2 499 504	19	133	194 090	137
391	417	648 668	181	323	145 274	3	38	79 030	138
127 216	134 589	810 148 232	36 977	63 240	97 377 666	194	990	1 724 362	139

第7表　医科診療　件数・診療実日数・実施件数・回数・点数,

1 総　数

行番号	傷病（中分類）	病理診断 実施件数	病理診断 回数	病理診断 点数	入院料等 実施件数	入院料等 回数	入院料等 点数
72	Ⅹ 呼吸器系の疾患	27 874	50 170	21 464 068	182 088	1 600 328	3 156 108 814
73	急性鼻咽頭炎［かぜ］〈感冒〉	370	774	258 774	503	7 082	9 586 358
74	急性咽頭炎及び急性扁桃炎	971	1 840	806 265	4 254	14 521	26 603 321
75	その他の急性上気道感染症	1 317	2 825	1 191 598	3 549	15 683	26 807 729
76	肺炎	3 964	6 797	2 305 166	71 340	649 243	1 297 217 849
77	急性気管支炎及び急性細気管支炎	1 110	2 407	845 432	8 345	35 619	71 902 104
78	アレルギー性鼻炎	1 568	3 311	1 384 827	962	12 305	20 339 345
79	慢性副鼻腔炎	2 586	3 844	2 280 638	2 539	5 951	11 424 597
80	急性又は慢性と明示されない気管支炎	423	939	364 176	986	15 265	25 722 631
81	慢性閉塞性肺疾患	1 979	4 110	1 687 465	9 537	163 583	283 914 750
82	喘息	3 320	7 029	2 609 095	8 402	51 111	98 549 762
83	その他の呼吸器系の疾患	10 266	16 294	7 730 632	71 671	629 965	1 284 040 368
84	XI 消化器系の疾患	208 454	423 863	239 639 175	188 694	915 727	1 946 622 878
85	う蝕	1	2	1 630	32	315	633 964
86	歯肉炎及び歯周疾患	13	25	8 226	118	2 737	5 345 673
87	その他の歯及び歯の支持組織の障害	15	29	15 636	127	1 329	2 230 182
88	胃潰瘍及び十二指腸潰瘍	20 439	41 343	22 763 389	9 286	61 058	129 381 333
89	胃炎及び十二指腸炎	54 830	119 008	64 538 081	5 247	57 306	91 753 326
90	痔核	3 270	7 205	3 784 459	5 176	28 515	48 998 581
91	アルコール性肝疾患	616	1 051	534 506	2 481	13 848	28 565 617
92	慢性肝炎（アルコール性のものを除く）	613	1 340	654 380	482	8 438	12 569 690
93	肝硬変（アルコール性のものを除く）	942	1 570	823 718	2 816	25 584	45 807 682
94	その他の肝疾患	5 400	10 798	4 775 585	6 813	62 860	108 612 774
95	胆石症及び胆のう炎	10 865	14 470	7 647 847	25 181	97 371	217 488 245
96	膵疾患	1 743	3 159	1 628 852	5 678	19 236	43 619 705
97	その他の消化器系の疾患	109 707	223 863	132 462 866	125 257	537 130	1 211 616 106
98	XII 皮膚及び皮下組織の疾患	29 651	59 891	30 800 781	34 071	500 569	871 851 359
99	皮膚及び皮下組織の感染症	3 559	6 911	3 516 520	9 733	66 365	130 027 442
100	皮膚炎及び湿疹	9 040	18 750	8 114 127	7 495	139 659	235 233 222
101	その他の皮膚及び皮下組織の疾患	17 052	34 230	19 170 134	16 843	294 545	506 590 695
102	XIII 筋骨格系及び結合組織の疾患	17 415	33 900	14 448 982	117 364	1 337 592	2 473 546 979
103	炎症性多発性関節障害	1 874	3 591	1 613 301	8 156	79 186	144 267 623
104	関節症	1 988	3 740	1 632 481	25 391	254 737	490 277 133
105	脊椎障害（脊椎症を含む）	2 539	4 982	2 119 648	27 296	294 625	540 090 637
106	椎間板障害	526	1 022	453 058	6 555	43 568	81 859 296
107	頸腕症候群	144	302	120 926	186	3 079	4 266 810
108	腰痛症及び坐骨神経痛	2 241	4 732	1 605 588	4 576	59 245	98 629 819
109	その他の脊柱障害	359	750	307 012	3 376	26 601	50 886 529
110	肩の傷害〈損傷〉	435	926	385 234	939	16 508	25 545 403
111	骨の密度及び構造の障害	1 871	4 021	1 294 409	5 174	63 593	115 728 540
112	その他の筋骨格系及び結合組織の疾患	5 438	9 834	4 917 325	35 715	496 450	921 995 189
113	XIV 腎尿路生殖器系の疾患	250 471	523 069	120 990 907	97 516	867 626	1 561 201 200
114	糸球体疾患及び腎尿細管間質性疾患	6 077	10 512	3 471 641	19 086	94 761	199 450 759
115	腎不全	3 857	7 071	2 938 120	32 022	449 168	749 028 794
116	尿路結石症	5 100	10 193	2 334 913	8 269	27 107	63 632 647
117	その他の腎尿路系の疾患	22 545	45 397	10 025 315	20 762	243 668	447 531 550
118	前立腺肥大（症）	13 680	26 089	6 908 910	3 979	25 186	47 679 482
119	その他の男性生殖器の疾患	2 209	4 173	1 101 965	2 548	6 684	15 040 854
120	月経障害及び閉経周辺期障害	27 580	59 770	10 787 454	300	1 448	2 616 593
121	乳房及びその他の女性生殖器の疾患	169 423	359 864	83 422 589	10 550	19 604	36 220 521
122	XV 妊娠，分娩及び産じょく	18 241	31 525	13 225 966	45 418	101 867	274 405 393
123	流産	7 969	14 173	7 019 328	4 908	3 983	8 338 073
124	妊娠高血圧症候群	445	533	318 004	2 031	3 222	24 762 797
125	その他の妊娠，分娩及び産じょく	9 827	16 819	5 888 634	38 479	94 662	241 304 523
126	XVI 周産期に発生した病態	197	294	143 644	19 583	39 850	105 610 556
127	妊娠及び胎児発育に関連する障害	93	139	60 688	5 554	12 598	43 537 001
128	その他の周産期に発生した病態	104	155	82 956	14 029	27 252	62 073 555
129	XVII 先天奇形，変形及び染色体異常	1 902	3 049	1 584 146	8 783	68 916	158 657 134
130	心臓の先天奇形	61	109	55 698	1 571	5 118	18 423 220
131	その他の先天奇形，変形及び染色体異常	1 841	2 940	1 528 448	7 212	63 798	140 233 914
132	XVIII 症状，徴候等で他に分類されないもの	38 410	81 440	26 130 459	36 958	609 779	1 078 919 252
133	症状，徴候等で他に分類されないもの	38 410	81 440	26 130 459	36 958	609 779	1 078 919 252
134	XIX 損傷，中毒及びその他の外因の影響	7 735	15 341	7 275 346	204 498	2 360 782	4 728 992 861
135	骨折	2 050	3 724	1 524 179	138 108	1 757 509	3 539 242 351
136	頭蓋内損傷及び内臓の損傷	354	525	228 050	16 913	172 670	345 181 810
137	熱傷及び腐食	78	158	70 324	1 102	9 198	19 182 617
138	中毒	179	373	167 696	2 130	6 509	14 940 549
139	その他の損傷及びその他の外因の影響	5 074	10 561	5 285 097	46 245	414 896	810 445 534

注：1）「件数」は、明細書の数である。
2）「実施件数」は、当該診療行為が実施された明細書の数である。
3）「回数」は、当該診療行為が実施された延べ算定回数である。
4）総数には、「療養担当手当等」、「合算薬剤料」、「補正点数」を含む。
5）総数には、入院時食事療養等を含まない。
6）総数には、「XX　傷病及び死亡の外因」、「XXI　健康状態に影響を及ぼす要因及び保健サービスの利用」、「XXII　特殊目的用コード」、「不詳」を含む。

平成30年６月審査分

診断群分類による包括評価等 実施件数	回数	点数	入院時食事療養等（別掲） 実施件数	回数	金額(円)	行番号
110 709	1 134 082	4 060 721 597	173 653	6 572 428	4 035 719 314	72
157	703	3 148 641	468	21 991	14 011 068	73
3 563	16 746	68 273 934	4 441	72 556	46 626 528	74
2 837	13 201	54 440 261	3 388	67 527	43 087 758	75
39 252	397 722	1 431 975 319	68 384	2 474 499	1 550 566 272	76
7 047	37 811	168 571 032	7 892	162 543	102 541 868	77
143	805	2 308 633	876	35 265	22 271 643	78
2 209	13 353	40 226 774	2 676	45 029	29 269 441	79
200	1 959	5 756 040	928	47 243	27 887 087	80
2 898	32 961	119 428 070	9 367	611 084	346 249 379	81
5 906	36 674	150 290 198	8 716	226 937	141 628 696	82
46 497	582 147	2 016 302 695	66 517	2 807 754	1 711 579 574	83
127 450	990 660	3 540 208 475	180 691	4 022 536	2 596 190 634	84
21	74	400 461	30	1 043	673 170	85
14	84	293 358	112	7 924	4 951 874	86
58	373	1 215 675	126	4 687	2 880 904	87
5 840	53 288	189 573 543	8 690	254 877	165 296 100	88
804	4 717	15 591 281	4 808	165 580	101 441 926	89
1 090	5 042	12 788 586	4 725	80 326	50 566 109	90
1 966	21 908	66 094 321	2 584	93 265	64 152 699	91
1	10	29 562	459	23 829	14 650 917	92
1 831	20 341	66 680 936	2 911	123 559	81 670 947	93
3 596	41 070	153 744 915	6 736	262 928	171 478 224	94
21 583	188 594	659 077 944	24 881	565 332	368 980 331	95
4 960	49 351	191 611 665	5 359	121 946	83 511 569	96
85 686	605 808	2 183 106 228	119 270	2 317 240	1 485 935 864	97
12 601	128 480	402 610 974	33 905	1 779 009	1 087 161 050	98
6 723	60 176	199 248 070	10 105	344 281	222 809 294	99
947	7 507	25 192 960	7 187	413 011	253 499 023	100
4 931	60 797	178 169 944	16 613	1 021 717	610 852 733	101
55 990	642 843	1 981 545 088	122 116	5 710 931	3 586 716 578	102
3 678	39 510	129 388 402	8 298	340 480	216 009 675	103
14 203	174 475	470 242 493	26 979	1 245 592	800 810 066	104
13 822	157 158	460 538 918	28 691	1 335 376	845 263 181	105
3 942	35 001	101 450 459	7 064	209 423	137 139 771	106
16	153	426 365	186	9 597	5 785 110	107
720	4 711	13 668 859	4 517	184 608	115 676 662	108
2 069	22 406	67 310 422	3 604	134 736	87 857 954	109
144	1 349	3 735 077	930	53 292	32 319 476	110
2 302	28 897	77 829 398	5 299	271 691	173 388 353	111
15 094	179 183	656 954 695	36 548	1 926 136	1 172 466 330	112
58 154	491 496	1 634 191 532	98 111	3 753 490	2 387 275 628	113
15 227	140 038	472 933 739	19 758	601 159	397 217 058	114
13 738	154 460	516 720 692	32 182	1 825 302	1 165 917 495	115
6 473	32 083	103 760 237	8 617	138 434	85 682 891	116
9 565	92 175	306 698 139	20 087	899 311	552 457 429	117
2 368	16 540	49 330 731	4 205	108 431	69 743 107	118
2 172	13 538	44 478 786	2 667	49 316	32 740 757	119
181	886	2 898 713	291	5 506	3 494 713	120
8 430	41 776	137 370 495	10 304	126 031	80 022 178	121
28 696	226 645	741 390 030	44 479	810 770	515 770 845	122
2 184	6 445	22 228 156	2 776	12 597	8 060 457	123
1 612	12 798	47 795 029	2 073	40 239	27 201 404	124
24 900	207 402	671 366 845	39 630	757 934	480 508 984	125
13 992	137 883	902 234 067	16 409	334 164	212 261 277	126
5 304	79 750	586 307 956	5 455	180 334	116 142 483	127
8 688	58 133	315 926 111	10 954	153 830	96 118 794	128
6 886	49 614	265 633 505	8 697	271 124	173 813 097	129
1 557	13 869	90 075 421	1 646	38 828	25 430 662	130
5 329	35 745	175 558 084	7 051	232 296	148 382 435	131
2 640	15 472	59 276 530	33 738	1 653 084	959 873 494	132
2 640	15 472	59 276 530	33 738	1 653 084	959 873 494	133
95 765	954 800	2 935 856 076	206 627	9 856 384	6 163 337 276	134
59 087	674 302	1 907 559 475	141 079	7 394 010	4 644 471 940	135
10 366	101 023	409 142 621	16 554	786 149	465 456 653	136
743	9 131	34 449 722	1 139	53 090	33 769 369	137
1 751	6 484	39 003 923	1 841	28 729	18 368 513	138
23 818	163 860	545 700 335	46 014	1 594 406	1 001 270 801	139

第7表　医科診療　件数・診療実日数・実施件数・回数・点数,

2 入院

行番号	傷病（中分類）	件数	診療実日数	総数 実施件数	総数 回数	総数 点数
1	総数	2 268 216	34 490 318	2 268 216	166 476 048	120 383 908 951
2	Ⅰ感染症及び寄生虫症	52 332	662 956	52 332	3 584 414	2 347 069 545
3	腸管感染症	18 235	136 044	18 235	725 101	456 452 367
4	結核	2 413	49 499	2 413	437 042	125 252 658
5	主として性的伝播様式をとる感染症	548	5 575	548	29 131	13 755 974
6	皮膚及び粘膜の病変を伴うウイルス性疾患	4 909	54 823	4 909	301 495	173 183 727
7	ウイルス性肝炎	3 337	41 082	3 337	230 050	150 637 077
8	その他のウイルス性疾患	2 199	27 869	2 199	153 668	95 103 298
9	真菌症	5 130	110 175	5 130	593 727	318 746 387
10	感染症及び寄生虫症の続発・後遺症	363	9 284	363	44 473	18 939 705
11	その他の感染症及び寄生虫症	15 198	228 605	15 198	1 069 727	994 998 352
12	Ⅱ新生物＜腫瘍＞	300 252	3 400 042	300 252	15 190 255	19 586 993 082
13	胃の悪性新生物＜腫瘍＞	24 385	287 975	24 385	1 315 971	1 568 069 592
14	結腸の悪性新生物＜腫瘍＞	24 444	280 263	24 444	1 323 873	1 602 372 604
15	直腸S状結腸移行部及び直腸の悪性新生物＜腫瘍＞	13 627	164 222	13 627	755 474	1 031 297 187
16	肝及び肝内胆管の悪性新生物＜腫瘍＞	13 026	144 537	13 026	679 511	775 736 304
17	気管，気管支及び肺の悪性新生物＜腫瘍＞	33 985	403 858	33 985	1 893 993	2 197 899 083
18	乳房の悪性新生物＜腫瘍＞	14 608	124 826	14 608	569 973	816 269 760
19	子宮の悪性新生物＜腫瘍＞	7 639	74 648	7 639	342 135	465 545 060
20	悪性リンパ腫	12 269	193 127	12 269	873 148	1 162 759 704
21	白血病	5 729	109 585	5 729	508 583	831 447 337
22	その他の悪性新生物＜腫瘍＞	108 995	1 281 524	108 995	5 358 378	6 934 648 568
23	良性新生物＜腫瘍＞及びその他の新生物＜腫瘍＞	41 545	335 477	41 545	1 569 216	2 200 947 883
24	Ⅲ血液及び造血器の疾患並びに免疫機構の障害	22 121	271 561	22 121	1 429 168	1 093 636 874
25	貧血	14 072	160 645	14 072	907 306	475 107 686
26	その他の血液及び造血器の疾患並びに免疫機構の障害	8 049	110 916	8 049	521 862	618 529 188
27	Ⅳ内分泌，栄養及び代謝疾患	67 611	1 000 879	67 611	5 361 114	2 766 023 710
28	甲状腺障害	3 118	41 642	3 118	245 083	129 534 069
29	糖尿病	33 300	525 897	33 300	2 730 313	1 394 020 657
30	脂質異常症	3 674	61 413	3 674	370 442	133 865 037
31	その他の内分泌，栄養及び代謝疾患	27 519	371 927	27 519	2 015 276	1 108 603 947
32	Ⅴ精神及び行動の障害	214 499	5 911 424	214 499	23 074 749	8 560 548 680
33	血管性及び詳細不明の認知症	22 389	620 960	22 389	1 773 560	914 702 138
34	精神作用物質使用による精神及び行動の障害	9 816	213 775	9 816	964 848	344 109 495
35	統合失調症，統合失調症型障害及び妄想性障害	124 156	3 614 740	124 156	13 907 263	4 851 752 667
36	気分［感情］障害（躁うつ病を含む）	28 987	725 875	28 987	3 216 986	1 188 494 638
37	神経症性障害，ストレス関連障害及び身体表現性障害	7 652	165 108	7 652	773 969	293 088 660
38	知的障害〈精神遅滞〉	4 851	139 342	4 851	632 182	222 172 045
39	その他の精神及び行動の障害	16 648	431 624	16 648	1 805 941	746 229 037
40	Ⅵ神経系の疾患	139 352	3 030 076	139 352	13 726 541	6 921 486 025
41	パーキンソン病	16 569	415 433	16 569	1 993 357	973 795 098
42	アルツハイマー病	39 858	1 097 779	39 858	3 333 609	1 600 829 598
43	てんかん	13 554	237 092	13 554	1 284 586	638 249 969
44	脳性麻痺及びその他の麻痺性症候群	9 655	272 928	9 655	1 639 573	602 933 203
45	自律神経系の障害	2 327	55 764	2 327	326 408	148 639 596
46	その他の神経系の疾患	57 389	951 080	57 389	5 149 008	2 957 038 561
47	Ⅶ眼及び付属器の疾患	64 648	371 475	64 648	1 701 371	2 269 494 562
48	結膜炎	2 613	42 742	2 613	233 211	103 079 375
49	白内障	34 898	138 522	34 898	580 247	1 008 189 591
50	屈折及び調節の障害	2 970	18 225	2 970	125 028	100 863 588
51	その他の眼及び付属器の疾患	24 167	171 986	24 167	762 885	1 057 362 008
52	Ⅷ耳及び乳様突起の疾患	13 665	103 046	13 665	554 758	450 289 471
53	外耳炎	302	6 370	302	40 934	17 304 530
54	その他の外耳疾患	404	10 222	404	53 493	22 848 716
55	中耳炎	1 887	13 525	1 887	71 059	76 549 949
56	その他の中耳及び乳様突起の疾患	866	6 617	866	23 890	62 005 233
57	メニエール病	1 419	9 325	1 419	55 578	28 989 723
58	その他の内耳疾患	5 872	31 527	5 872	175 033	117 950 747
59	その他の耳疾患	2 915	25 460	2 915	134 771	124 640 573
60	Ⅸ循環器系の疾患	349 165	5 618 498	349 165	30 082 061	25 412 705 012
61	高血圧性疾患	18 372	318 714	18 372	1 737 846	659 221 522
62	虚血性心疾患	50 918	346 338	50 918	2 734 195	3 641 608 869
63	その他の心疾患	93 697	1 358 488	93 697	7 017 938	7 482 761 217
64	くも膜下出血	10 043	230 836	10 043	946 856	947 876 739
65	脳内出血	38 824	888 005	38 824	4 572 503	2 778 405 419
66	脳梗塞	93 139	1 926 867	93 139	10 058 927	6 130 545 188
67	脳動脈硬化(症)	35	675	35	2 541	1 097 152
68	その他の脳血管疾患	14 337	194 024	14 337	1 133 264	1 013 518 529
69	動脈硬化(症)	7 137	82 090	7 137	451 023	564 375 771
70	低血圧(症)	741	8 664	741	48 015	25 510 928
71	その他の循環器系の疾患	21 922	263 797	21 922	1 378 953	2 167 783 678

平成30年６月審査分

初・再診			医学管理等			在宅医療			行番号
実施件数	回数	点数	実施件数	回数	点数	実施件数	回数	点数	
362 106	285 685	133 400 339	1 199 213	2 746 358	957 390 442	53 167	52 545	187 542 122	1
16 709	13 444	6 524 824	28 726	61 400	20 692 118	1 077	1 064	3 776 036	2
8 967	7 251	3 821 567	9 803	17 985	6 117 432	239	226	801 604	3
458	438	141 204	1 690	4 886	1 410 487	41	36	136 337	4
88	73	29 351	253	459	176 664	5	5	16 014	5
1 325	1 182	424 252	2 874	5 884	1 830 256	86	77	289 685	6
799	704	268 683	1 936	4 091	1 345 233	74	68	174 576	7
654	590	240 330	1 074	2 110	741 867	34	33	250 216	8
397	278	125 746	2 241	5 367	1 909 307	183	194	817 767	9
18	18	5 406	95	176	60 990	12	11	113 887	10
4 003	2 910	1 468 285	8 760	20 442	7 099 882	403	414	1 175 950	11
20 592	13 776	6 118 615	228 049	557 446	195 293 838	7 607	7 418	22 074 193	12
1 953	1 322	579 323	19 070	50 143	16 568 135	522	539	1 715 431	13
2 321	1 735	717 539	18 185	47 520	16 355 156	490	456	1 161 724	14
865	561	256 292	10 955	29 641	10 137 917	419	410	749 354	15
911	559	266 068	9 845	23 179	7 892 371	385	336	763 926	16
2 140	1 297	616 516	25 957	66 102	23 554 424	1 272	1 291	5 828 297	17
476	263	131 016	11 887	29 079	10 553 459	194	207	615 946	18
329	173	97 931	6 303	14 982	5 206 469	229	233	595 207	19
874	653	252 964	10 209	29 211	10 378 495	265	251	542 690	20
582	439	176 218	4 360	12 422	4 868 979	155	125	337 941	21
7 791	4 871	2 215 440	82 453	195 804	69 109 945	3 285	3 209	8 474 092	22
2 350	1 903	809 308	28 825	59 363	20 668 488	391	361	1 289 585	23
3 771	2 782	1 290 046	10 976	24 571	8 739 760	412	395	3 784 548	24
1 879	1 476	628 821	5 805	12 663	4 613 855	204	193	546 606	25
1 892	1 306	661 225	5 171	11 908	4 125 905	208	202	3 237 942	26
10 925	8 446	3 827 726	35 567	91 271	29 613 479	7 475	6 908	18 247 694	27
373	306	122 627	1 743	4 031	1 629 090	58	56	183 558	28
3 402	2 848	1 107 956	18 841	54 917	16 709 869	6 476	5 939	15 049 144	29
211	150	62 940	1 182	2 673	1 010 021	99	90	260 471	30
6 939	5 142	2 534 203	13 801	29 650	10 264 499	842	823	2 754 521	31
5 613	5 069	2 222 384	46 104	103 071	38 803 742	413	373	829 635	32
809	776	245 055	2 558	5 306	1 940 304	51	49	78 678	33
1 647	1 548	954 989	3 112	6 042	2 407 455	29	26	37 257	34
1 029	897	316 531	26 581	61 536	23 184 457	100	79	95 223	35
883	796	277 935	7 073	15 975	5 829 820	103	90	178 506	36
603	478	235 888	1 857	4 031	1 486 385	47	50	118 230	37
43	40	12 035	1 179	2 304	949 511	1	1	18 560	38
599	534	179 951	3 744	7 877	3 005 810	82	78	303 181	39
12 786	10 253	4 560 368	45 212	96 970	34 754 923	2 942	3 083	10 230 740	40
932	781	280 502	5 353	12 877	4 379 117	379	395	698 880	41
1 196	1 142	355 997	4 113	8 488	3 092 510	97	85	141 729	42
3 661	2 459	1 436 259	7 611	16 842	6 752 715	237	269	1 042 693	43
135	117	44 874	2 501	4 278	1 697 814	101	104	654 507	44
164	130	51 010	895	2 013	656 382	92	101	335 066	45
6 698	5 624	2 391 726	24 739	52 472	18 176 385	2 036	2 129	7 357 865	46
2 244	2 145	692 079	36 118	63 907	18 140 938	391	346	1 095 553	47
116	106	40 827	712	1 433	451 214	48	50	154 500	48
262	239	78 683	20 916	38 491	10 559 218	143	122	414 775	49
111	104	32 983	813	1 409	410 932	28	25	121 838	50
1 755	1 696	539 586	13 677	22 574	6 719 574	172	149	404 440	51
5 330	4 303	2 070 183	8 936	17 698	6 100 269	143	144	484 566	52
19	16	7 037	143	296	101 463	8	8	41 906	53
14	11	4 332	119	226	84 241	7	8	26 997	54
282	240	116 380	1 169	2 190	778 221	18	20	74 886	55
27	25	10 265	636	1 326	458 088	5	5	31 383	56
644	496	256 021	838	1 613	555 922	9	8	22 230	57
3 545	2 737	1 429 067	3 922	7 642	2 724 783	41	43	76 786	58
799	778	247 081	2 109	4 405	1 397 551	55	52	210 378	59
66 278	53 523	24 362 771	193 414	461 081	153 338 646	7 860	8 020	24 791 369	60
1 734	1 180	585 884	6 136	13 598	4 760 410	376	363	1 144 652	61
9 024	7 408	3 493 872	41 794	98 658	31 582 103	1 220	1 158	3 085 878	62
20 504	14 789	7 316 639	60 944	151 500	49 601 227	3 380	3 482	15 172 863	63
1 721	1 575	707 140	4 187	9 110	3 145 698	99	128	168 068	64
6 374	5 653	2 498 675	13 043	28 245	9 839 854	521	584	726 783	65
19 572	16 841	7 101 179	37 482	90 694	31 313 982	1 400	1 416	2 185 238	66
5	4	1 768	8	19	7 135	-	-	-	67
2 407	2 017	837 427	8 456	18 666	6 248 457	147	149	301 849	68
446	379	136 823	5 256	11 849	3 933 106	204	179	549 218	69
209	144	75 668	375	798	309 944	13	13	21 451	70
4 282	3 533	1 607 696	15 733	37 944	12 596 730	500	548	1 435 369	71

2 入院

行番号	傷病（中分類）	検査			画像診断		
		実施件数	回数	点数	実施件数	回数	点数
1	総数	877 314	12 915 885	1 529 375 474	689 597	2 183 855	756 015 690
2	Ⅰ 感染症及び寄生虫症	25 931	504 812	49 567 901	21 522	70 155	22 182 515
3	腸管感染症	7 686	108 213	11 410 321	6 755	18 356	6 377 171
4	結核	2 079	81 822	7 721 897	1 947	11 395	2 673 485
5	主として性的伝播様式をとる感染症	275	4 161	412 001	127	403	138 784
6	皮膚及び粘膜の病変を伴うウイルス性疾患	1 574	27 670	2 500 415	1 446	3 850	1 164 952
7	ウイルス性肝炎	1 815	32 610	3 878 188	1 487	4 443	1 733 408
8	その他のウイルス性疾患	1 201	22 281	2 265 856	857	2 538	867 044
9	真菌症	2 629	64 087	5 620 957	1 936	8 913	2 512 806
10	感染症及び寄生虫症の続発・後遺症	129	2 754	247 073	98	398	108 637
11	その他の感染症及び寄生虫症	8 543	161 214	15 511 193	6 869	19 859	6 606 228
12	Ⅱ 新生物＜腫瘍＞	105 194	1 131 032	197 238 469	83 114	192 192	78 377 002
13	胃の悪性新生物＜腫瘍＞	10 463	104 050	17 991 127	6 602	19 810	6 783 245
14	結腸の悪性新生物＜腫瘍＞	9 851	109 480	18 066 025	7 114	22 703	7 853 012
15	直腸S状結腸移行部及び直腸の悪性新生物＜腫瘍＞	4 496	47 718	6 958 360	3 608	10 291	3 648 375
16	肝及び肝内胆管の悪性新生物＜腫瘍＞	3 653	45 704	5 857 957	5 141	6 621	4 995 291
17	気管，気管支及び肺の悪性新生物＜腫瘍＞	14 273	143 828	38 963 007	11 333	29 966	10 736 297
18	乳房の悪性新生物＜腫瘍＞	2 782	32 477	3 244 795	3 380	6 299	2 710 403
19	子宮の悪性新生物＜腫瘍＞	1 085	8 521	1 060 474	1 214	1 317	593 286
20	悪性リンパ腫	4 910	68 607	9 455 917	4 571	7 500	2 990 753
21	白血病	3 278	63 093	8 713 236	2 188	6 763	1 807 142
22	その他の悪性新生物＜腫瘍＞	40 193	393 015	68 578 816	29 744	62 249	26 672 886
23	良性新生物＜腫瘍＞及びその他の新生物＜腫瘍＞	10 210	114 539	18 348 755	8 219	18 673	9 586 312
24	Ⅲ 血液及び造血器の疾患並びに免疫機構の障害	13 200	187 506	22 427 435	7 195	23 041	7 311 401
25	貧血	8 976	121 733	14 347 921	3 972	15 069	4 727 482
26	その他の血液及び造血器の疾患並びに免疫機構の障害	4 224	65 773	8 079 514	3 223	7 972	2 583 919
27	Ⅳ 内分泌，栄養及び代謝疾患	30 049	725 235	55 711 429	23 949	82 322	27 432 217
28	甲状腺障害	1 628	30 865	3 394 325	1 107	4 097	1 452 247
29	糖尿病	12 908	391 931	24 426 366	10 402	32 500	11 281 185
30	脂質異常症	1 956	35 018	3 781 572	1 337	6 591	2 035 160
31	その他の内分泌，栄養及び代謝疾患	13 557	267 421	24 109 166	11 103	39 134	12 663 625
32	Ⅴ 精神及び行動の障害	84 116	918 258	76 372 582	26 863	95 823	29 280 254
33	血管性及び詳細不明の認知症	5 625	92 744	6 849 736	3 376	12 607	4 479 930
34	精神作用物質使用による精神及び行動の障害	4 522	65 641	5 071 114	1 774	5 821	2 012 953
35	統合失調症，統合失調症型障害及び妄想性障害	50 870	454 166	37 156 239	12 064	38 709	10 013 391
36	気分［感情］障害（躁うつ病を含む）	11 352	138 254	11 983 515	4 401	16 318	5 734 659
37	神経症性障害，ストレス関連障害及び身体表現性障害	3 364	45 524	4 974 464	1 593	7 055	2 464 411
38	知的障害〈精神遅滞〉	2 211	23 810	2 032 216	724	2 609	600 663
39	その他の精神及び行動の障害	6 172	98 119	8 305 298	2 931	12 704	3 974 247
40	Ⅵ 神経系の疾患	49 316	762 234	78 212 015	38 096	118 711	44 005 750
41	パーキンソン病	4 792	87 753	7 593 542	5 349	17 922	7 913 524
42	アルツハイマー病	11 323	180 503	13 468 365	6 392	24 283	7 881 134
43	てんかん	5 789	74 475	8 363 932	5 178	10 442	4 872 468
44	脳性麻痺及びその他の麻痺性症候群	4 544	63 082	5 936 220	2 124	7 978	1 811 466
45	自律神経系の障害	934	20 390	1 660 343	911	3 181	1 147 257
46	その他の神経系の疾患	21 934	336 031	41 189 613	18 142	54 905	20 379 901
47	Ⅶ 眼及び付属器の疾患	15 576	238 770	18 958 905	3 276	13 518	4 046 433
48	結膜炎	1 424	25 366	1 877 333	529	2 703	774 297
49	白内障	5 273	69 439	5 477 288	669	2 868	888 032
50	屈折及び調節の障害	1 839	29 197	2 376 467	221	1 186	401 669
51	その他の眼及び付属器の疾患	7 040	114 768	9 227 817	1 857	6 761	1 982 435
52	Ⅷ 耳及び乳様突起の疾患	3 284	45 947	4 664 353	5 020	8 246	3 892 568
53	外耳炎	140	2 926	253 930	93	418	111 859
54	その他の外耳疾患	164	3 648	299 840	108	507	154 941
55	中耳炎	558	5 990	555 430	207	760	227 339
56	その他の中耳及び乳様突起の疾患	148	1 137	150 251	98	209	106 942
57	メニエール病	424	5 595	612 950	662	1 155	546 933
58	その他の内耳疾患	1 333	15 819	1 697 308	3 013	3 557	2 100 995
59	その他の耳疾患	517	10 832	1 094 644	839	1 640	643 559
60	Ⅸ 循環器系の疾患	128 050	1 917 692	401 227 446	124 804	349 491	158 920 535
61	高血圧性疾患	9 402	181 038	17 717 232	7 783	34 835	11 085 612
62	虚血性心疾患	32 000	205 307	168 087 830	11 773	27 409	10 458 657
63	その他の心疾患	42 245	700 637	131 275 026	36 619	120 879	35 199 995
64	くも膜下出血	2 322	33 695	2 903 811	3 873	8 644	7 639 445
65	脳内出血	7 061	138 197	10 878 358	11 665	29 915	15 009 025
66	脳梗塞	19 432	415 303	37 017 339	32 501	81 471	45 472 398
67	脳動脈硬化(症)	16	219	21 205	17	58	24 057
68	その他の脳血管疾患	4 229	78 732	7 641 940	8 542	18 816	20 912 939
69	動脈硬化(症)	2 357	37 332	7 975 169	1 960	4 203	2 481 821
70	低血圧(症)	298	5 515	559 196	306	884	314 786
71	その他の循環器系の疾患	8 688	121 717	17 150 340	9 765	22 377	10 321 800

平成30年６月審査分

投薬 実施件数	投薬 回数	投薬 点数	注射 実施件数	注射 回数	注射 点数	リハビリテーション 実施件数	リハビリテーション 回数	リハビリテーション 点数	行番号
1 165 852	68 604 154	1 241 098 605	466 808	3 419 253	1 954 174 361	757 855	30 054 007	6 710 811 760	1
30 199	1 532 557	46 988 840	15 158	127 231	73 602 478	14 112	390 047	82 510 769	2
11 208	330 795	4 852 946	4 642	28 991	13 706 293	1 991	51 570	10 764 304	3
2 020	226 028	4 164 258	1 117	13 687	4 938 370	929	21 483	4 235 266	4
374	14 053	318 454	192	966	735 445	40	1 006	202 996	5
3 414	154 112	2 838 820	1 065	7 347	6 451 578	1 018	31 955	7 310 158	6
1 794	113 939	19 342 625	950	6 594	4 760 885	630	17 298	3 622 523	7
1 283	62 090	3 143 029	635	5 194	4 521 447	521	16 788	3 946 048	8
3 026	251 557	5 571 401	1 448	18 752	13 158 920	2 342	86 307	18 165 868	9
203	20 540	278 365	53	658	157 400	190	4 298	886 891	10
6 877	359 443	6 478 942	5 056	45 042	25 172 140	6 451	159 342	33 376 715	11
153 586	7 214 121	206 097 230	88 656	473 531	516 785 337	60 105	1 185 773	260 404 192	12
13 680	629 397	13 036 965	6 853	43 861	30 253 231	5 508	97 768	20 493 243	13
12 449	629 406	12 421 925	7 484	42 762	30 382 929	5 803	108 996	22 796 721	14
7 434	382 676	8 883 338	4 257	21 162	20 523 382	3 075	54 040	11 271 784	15
6 613	384 890	14 731 582	1 882	13 147	5 674 480	1 983	32 582	6 843 884	16
18 180	975 600	35 016 170	13 031	51 162	105 087 108	7 456	114 231	24 501 901	17
7 714	274 431	5 793 511	4 101	11 839	25 622 877	2 947	35 170	7 561 917	18
4 628	197 210	2 562 069	3 829	8 713	2 288 739	607	10 287	2 190 639	19
7 269	423 423	9 903 203	7 789	40 560	38 353 623	3 688	76 094	16 558 920	20
3 104	207 772	13 581 519	3 505	38 593	46 486 329	1 875	34 582	7 260 528	21
53 184	2 443 570	75 669 185	30 687	165 281	180 557 718	21 477	436 164	96 459 524	22
19 331	665 746	14 497 763	5 238	36 451	31 554 921	5 686	185 859	44 465 131	23
13 826	663 318	14 846 855	7 814	52 310	63 587 749	5 223	131 953	27 481 925	24
10 071	451 018	9 479 024	5 746	33 830	16 169 625	2 625	69 031	14 004 893	25
3 755	212 300	5 367 831	2 068	18 480	47 418 124	2 598	62 922	13 477 032	26
37 317	2 481 979	40 542 734	17 844	174 090	97 899 014	20 037	540 920	112 199 890	27
1 969	125 068	1 804 945	868	5 537	8 628 683	680	19 261	4 084 142	28
18 091	1 280 277	19 145 127	7 294	79 788	24 898 740	9 754	259 304	52 888 125	29
2 548	193 330	3 010 784	1 322	8 141	4 684 817	1 046	47 083	9 964 224	30
14 709	883 304	16 581 878	8 360	80 624	59 686 774	8 557	215 272	45 263 399	31
108 396	12 443 841	204 649 055	23 977	185 477	73 753 856	13 142	339 177	72 040 518	32
6 725	680 463	8 534 702	2 224	31 958	8 023 063	3 526	70 684	13 468 943	33
5 200	541 338	7 571 902	1 459	11 923	2 306 710	282	5 723	1 175 360	34
64 179	7 655 481	135 314 095	13 397	77 995	40 629 163	2 615	40 207	8 593 962	35
16 321	1 882 138	27 310 825	2 844	25 078	8 576 061	2 225	47 637	9 952 639	36
4 604	446 106	6 096 661	1 329	8 369	3 686 727	608	18 892	3 989 610	37
2 874	355 302	5 525 882	453	3 552	1 784 135	1 030	14 726	2 892 384	38
8 493	883 013	14 294 988	2 271	26 602	8 747 997	2 856	141 308	31 967 620	39
61 471	5 938 842	107 206 315	17 429	202 142	122 132 739	55 751	1 920 163	445 512 335	40
6 309	795 496	21 717 505	1 986	26 625	8 213 861	11 514	470 582	108 530 000	41
13 812	1 347 682	19 543 261	4 716	73 203	18 733 059	5 244	101 606	19 472 412	42
7 667	656 786	13 405 461	1 625	13 913	5 566 414	5 371	145 456	35 280 938	43
7 096	877 024	12 752 299	830	6 124	2 455 929	7 187	165 805	37 180 887	44
1 086	121 916	2 846 561	370	5 450	1 688 067	1 629	68 615	15 924 866	45
25 501	2 139 938	36 941 228	7 902	76 827	85 475 409	24 806	968 099	229 123 232	46
44 742	692 273	17 360 349	9 100	27 458	31 401 303	2 780	129 647	27 789 538	47
1 914	103 494	1 801 487	866	7 560	4 658 394	688	27 016	5 569 969	48
25 106	237 621	6 562 159	2 907	5 289	4 516 452	487	23 954	5 169 974	49
2 410	51 129	1 577 876	1 047	2 228	2 670 072	228	15 232	3 396 637	50
15 312	300 029	7 418 827	4 280	12 381	19 556 385	1 377	63 445	13 652 958	51
8 839	297 401	4 048 020	1 945	9 837	6 944 867	1 488	36 898	8 003 114	52
201	20 201	365 181	58	489	205 844	146	3 864	818 662	53
230	25 320	437 758	66	732	415 296	280	6 662	1 392 310	54
1 244	33 869	579 019	262	1 555	2 111 497	153	4 542	984 700	55
488	10 193	149 742	60	154	411 042	41	1 355	311 542	56
932	32 911	429 872	314	1 488	300 374	96	2 283	465 721	57
3 611	100 714	1 052 606	878	3 069	1 197 683	497	8 846	1 980 009	58
2 133	74 193	1 033 842	307	2 350	2 303 131	275	9 346	2 050 170	59
153 012	9 738 511	176 561 507	53 066	436 631	193 005 786	185 283	10 330 466	2 532 347 352	60
11 570	857 112	11 888 106	6 549	53 867	19 674 249	5 637	190 539	38 454 880	61
30 345	1 758 276	31 550 089	6 255	25 824	12 464 017	10 540	177 602	42 196 350	62
47 900	3 328 698	78 850 234	18 183	144 929	59 702 790	40 637	840 978	185 114 666	63
2 153	140 793	1 858 994	892	7 846	3 486 733	7 204	462 402	113 664 599	64
8 783	549 077	6 982 465	3 291	34 073	13 496 062	30 524	2 746 340	678 516 013	65
30 094	1 858 949	25 451 941	10 817	120 550	58 300 241	72 532	5 269 626	1 319 540 410	66
18	1 246	12 638	11	61	6 660	13	182	34 830	67
6 812	389 269	5 270 781	2 380	18 162	8 521 234	6 932	369 401	93 043 461	68
3 631	228 372	3 817 594	899	7 189	2 341 114	2 253	48 880	10 432 852	69
382	21 768	352 173	172	1 179	405 728	206	6 687	1 418 610	70
11 324	604 951	10 526 492	3 617	22 951	14 606 958	8 805	217 829	49 930 681	71

第７表　医科診療　件数・診療実日数・実施件数・回数・点数,

２ 入　院

行番号	傷病（中分類）	精神科専門療法 実施件数	精神科専門療法 回数	精神科専門療法 点数	処置 実施件数	処置 回数	処置 点数
1	総数	257 371	3 137 350	633 309 792	455 785	6 862 266	2 109 114 944
2	Ⅰ 感染症及び寄生虫症	1 297	10 454	2 114 195	11 387	193 972	56 597 343
3	腸管感染症	98	471	101 120	1 950	23 258	6 746 419
4	結核	102	865	153 810	1 271	25 903	3 511 537
5	主として性的伝播様式をとる感染症	74	889	200 635	140	1 087	181 738
6	皮膚及び粘膜の病変を伴うウイルス性疾患	78	544	107 365	800	12 731	2 520 125
7	ウイルス性肝炎	102	694	163 820	630	7 070	2 867 101
8	その他のウイルス性疾患	43	210	44 350	418	13 431	1 822 358
9	真菌症	433	5 189	1 020 045	1 783	41 845	9 147 717
10	感染症及び寄生虫症の続発・後遺症	20	221	36 420	175	6 095	1 216 937
11	その他の感染症及び寄生虫症	347	1 371	286 630	4 220	62 552	28 583 411
12	Ⅱ 新生物＜腫瘍＞	3 309	10 206	2 297 655	28 498	310 828	76 404 465
13	胃の悪性新生物＜腫瘍＞	235	651	144 265	2 574	28 989	6 179 841
14	結腸の悪性新生物＜腫瘍＞	263	992	208 030	2 859	32 110	8 529 849
15	直腸Ｓ状結腸移行部及び直腸の悪性新生物＜腫瘍＞	134	352	82 320	1 346	14 580	4 269 269
16	肝及び肝内胆管の悪性新生物＜腫瘍＞	76	300	67 360	1 274	10 779	3 384 454
17	気管，気管支及び肺の悪性新生物＜腫瘍＞	366	994	227 475	3 124	42 139	8 779 304
18	乳房の悪性新生物＜腫瘍＞	149	604	145 975	1 685	17 279	2 413 739
19	子宮の悪性新生物＜腫瘍＞	97	257	50 310	288	2 424	693 460
20	悪性リンパ腫	193	488	108 680	904	9 459	2 549 277
21	白血病	135	433	101 080	545	5 585	1 998 050
22	その他の悪性新生物＜腫瘍＞	1 354	3 639	829 535	10 209	109 703	27 715 941
23	良性新生物＜腫瘍＞及びその他の新生物＜腫瘍＞	307	1 496	332 625	3 690	37 781	9 891 281
24	Ⅲ 血液及び造血器の疾患並びに免疫機構の障害	609	5 991	1 224 175	5 126	52 263	16 947 344
25	貧血	413	4 965	982 470	3 772	33 924	10 844 912
26	その他の血液及び造血器の疾患並びに免疫機構の障害	196	1 026	241 705	1 354	18 339	6 102 432
27	Ⅳ 内分泌，栄養及び代謝疾患	3 032	27 339	5 614 240	14 856	216 110	64 872 383
28	甲状腺障害	200	1 809	388 850	721	10 270	2 412 987
29	糖尿病	1 220	10 548	2 203 455	6 379	85 745	37 191 765
30	脂質異常症	487	6 262	1 212 190	1 052	10 923	2 712 033
31	その他の内分泌，栄養及び代謝疾患	1 125	8 720	1 809 745	6 704	109 172	22 555 598
32	Ⅴ 精神及び行動の障害	186 765	2 465 511	497 467 044	33 399	608 988	55 905 161
33	血管性及び詳細不明の認知症	13 858	161 029	31 293 755	4 247	96 580	10 540 671
34	精神作用物質使用による精神及び行動の障害	7 896	94 957	19 941 543	1 107	17 932	1 583 493
35	統合失調症，統合失調症型障害及び妄想性障害	119 353	1 668 214	325 718 775	17 554	298 303	21 892 313
36	気分［感情］障害（躁うつ病を含む）	25 936	306 585	71 899 168	4 079	58 477	5 669 335
37	神経症性障害，ストレス関連障害及び身体表現性障害	5 640	62 023	13 699 250	1 209	16 163	2 347 244
38	知的障害〈精神遅滞〉	2 983	39 980	7 780 833	1 637	50 470	5 001 916
39	その他の精神及び行動の障害	11 099	132 723	27 133 720	3 566	71 063	8 870 189
40	Ⅵ 神経系の疾患	34 990	405 781	80 689 575	38 706	1 220 951	237 883 808
41	パーキンソン病	704	6 171	1 285 000	4 680	158 216	18 208 157
42	アルツハイマー病	26 815	318 737	63 092 655	8 556	179 171	17 682 723
43	てんかん	2 094	25 681	5 012 820	3 311	100 516	14 916 756
44	脳性麻痺及びその他の麻痺性症候群	88	557	102 890	6 074	211 442	32 848 261
45	自律神経系の障害	55	355	72 300	1 027	48 355	11 714 956
46	その他の神経系の疾患	5 234	54 280	11 123 910	15 058	493 251	142 512 955
47	Ⅶ 眼及び付属器の疾患	636	6 554	1 432 695	9 632	68 680	17 195 325
48	結膜炎	186	2 159	443 335	1 045	20 320	3 709 846
49	白内障	105	846	195 590	3 215	11 450	2 837 470
50	屈折及び調節の障害	45	467	114 350	1 085	3 894	1 103 244
51	その他の眼及び付属器の疾患	300	3 082	679 420	4 287	33 016	9 544 765
52	Ⅷ 耳及び乳様突起の疾患	122	725	168 475	1 480	24 079	12 348 812
53	外耳炎	11	140	28 790	140	6 091	1 442 363
54	その他の外耳疾患	13	98	19 935	225	5 918	1 258 886
55	中耳炎	15	111	25 690	241	5 065	1 494 338
56	その他の中耳及び乳様突起の疾患	9	77	19 200	63	747	221 076
57	メニエール病	23	94	22 120	65	552	177 145
58	その他の内耳疾患	23	71	18 970	182	698	563 999
59	その他の耳疾患	28	134	33 770	564	5 008	7 191 005
60	Ⅸ 循環器系の疾患	5 181	34 493	7 181 645	66 148	969 823	351 727 755
61	高血圧性疾患	719	7 987	1 663 315	5 993	81 638	20 223 325
62	虚血性心疾患	446	2 794	594 670	6 625	48 048	34 910 721
63	その他の心疾患	1 811	10 411	2 233 945	22 753	283 149	110 071 612
64	くも膜下出血	89	593	109 680	1 782	45 239	9 273 438
65	脳内出血	345	2 187	448 040	6 377	145 355	37 294 204
66	脳梗塞	1 007	6 012	1 156 870	13 681	262 391	76 890 742
67	脳動脈硬化（症）	4	23	3 520	16	48	4 940
68	その他の脳血管疾患	187	1 609	327 785	2 349	34 020	9 841 820
69	動脈硬化（症）	106	836	153 465	2 283	21 332	24 827 985
70	低血圧（症）	40	282	46 915	163	1 905	806 127
71	その他の循環器系の疾患	427	1 759	443 440	4 126	46 698	27 582 841

平成30年６月審査分

手術			麻酔			放射線治療			行番号
実施件数	回数	点数	実施件数	回数	点数	実施件数	回数	点数	
546 430	914 091	21 453 401 253	335 059	598 184	2 686 199 992	21 836	157 529	414 970 358	1
4 980	13 221	110 711 046	1 785	3 838	14 772 553	238	761	808 684	2
576	1 137	8 161 214	206	344	895 266	11	18	4 340	3
101	231	2 382 834	41	85	405 211	1	1	110	4
177	206	943 071	146	191	329 263	-	-	-	5
193	385	4 075 613	270	980	828 910	6	23	21 630	6
425	926	7 785 406	74	106	417 620	13	81	141 020	7
88	289	2 339 918	32	35	152 888	8	15	1 760	8
581	1 542	17 087 147	261	538	2 365 259	29	123	162 424	9
5	10	66 161	3	5	13 249	-	-	-	10
2 834	8 495	67 869 682	752	1 554	9 364 887	170	500	477 400	11
120 725	219 136	4 600 411 603	76 536	175 502	832 815 408	17 018	144 693	395 037 363	12
11 315	20 929	452 071 563	4 840	15 770	67 895 952	322	1 708	2 844 346	13
9 870	16 828	450 328 716	6 084	19 165	83 432 623	193	923	1 667 650	14
5 710	9 266	318 751 945	3 927	12 360	57 124 466	321	3 021	6 159 504	15
6 579	9 409	237 324 330	1 287	3 483	16 492 411	290	1 779	5 844 982	16
4 616	7 067	332 059 448	3 430	10 472	70 152 718	2 757	27 430	55 003 316	17
7 600	8 850	267 059 255	6 832	11 303	62 045 857	408	4 726	7 565 422	18
2 404	4 485	102 251 869	1 823	4 733	21 884 239	984	10 676	30 125 602	19
3 703	12 213	83 427 811	793	1 270	5 653 940	801	5 840	10 337 290	20
3 594	23 583	147 235 273	463	738	993 941	546	1 779	1 706 704	21
37 656	64 927	1 466 732 360	29 221	59 875	272 123 342	9 839	84 542	260 640 149	22
27 678	41 579	743 169 033	17 836	36 333	175 015 919	557	2 269	13 142 398	23
7 587	24 658	139 603 060	1 411	2 266	7 684 324	301	797	661 208	24
5 299	16 626	75 108 995	901	1 287	3 224 709	170	377	130 400	25
2 288	8 032	64 494 065	510	979	4 459 615	131	420	530 808	26
6 373	10 233	162 642 736	3 637	5 428	16 936 783	179	860	1 406 678	27
669	876	12 625 526	562	898	4 702 591	104	594	881 582	28
3 364	5 264	99 990 850	2 024	2 731	5 634 244	32	123	257 136	29
418	586	12 581 446	257	532	1 165 594	2	4	440	30
1 922	3 507	37 444 914	794	1 267	5 434 354	41	139	267 520	31
1 351	2 215	19 913 391	526	836	2 653 013	37	291	741 273	32
211	380	2 305 111	41	55	204 842	1	20	30 960	33
59	96	885 973	7	15	38 537	3	15	30 720	34
432	550	4 092 658	176	285	765 102	3	51	138 923	35
196	294	3 059 892	100	174	379 244	7	49	174 130	36
170	330	4 830 179	94	145	432 837	11	88	178 600	37
35	41	455 921	16	22	108 639	-	-	-	38
248	524	4 283 657	92	140	723 812	12	68	187 940	39
7 214	10 709	225 934 956	5 269	8 500	39 331 511	95	309	1 675 580	40
521	754	32 170 584	168	276	2 127 341	4	9	990	41
451	709	3 238 377	52	123	198 320	-	-	-	42
359	525	16 689 853	331	446	1 815 875	17	46	245 970	43
161	283	5 522 369	191	254	2 002 362	2	16	30 910	44
86	106	745 779	21	28	155 260	-	-	-	45
5 636	8 332	167 567 994	4 506	7 373	33 032 353	72	238	1 397 710	46
47 585	63 766	1 108 560 954	32 037	37 652	24 260 759	44	263	627 914	47
673	950	12 634 334	374	430	250 573	7	22	181 200	48
28 660	39 233	537 860 483	18 068	21 461	8 520 632	7	23	32 880	49
1 609	2 258	37 502 940	1 087	1 428	474 154	8	38	73 064	50
16 643	21 325	520 563 197	12 508	14 333	15 015 400	22	180	340 770	51
2 170	3 006	97 799 126	1 879	3 159	16 688 249	13	180	210 172	52
42	51	1 003 787	37	63	336 896	1	11	16 300	53
40	53	476 761	30	64	207 847	1	42	44 100	54
1 081	1 723	23 377 398	894	1 368	6 944 455	4	83	58 010	55
635	704	34 288 708	607	1 001	6 259 942	-	-	-	56
16	20	455 589	13	42	59 434	-	-	-	57
136	163	3 742 146	96	148	760 116	3	7	20 660	58
220	292	34 454 737	202	473	2 119 559	4	37	71 102	59
66 665	126 226	6 806 934 599	24 419	36 273	321 944 264	1 409	2 704	2 155 327	60
1 480	2 462	40 958 287	822	1 748	3 768 197	11	42	91 460	61
19 945	31 973	1 884 758 162	2 399	2 960	41 705 107	217	412	214 050	62
19 909	43 577	2 807 473 644	8 991	11 692	108 144 848	639	1 204	648 942	63
1 696	3 441	206 734 299	1 344	2 412	21 640 370	32	44	55 390	64
1 867	3 127	70 212 754	1 037	1 644	14 079 197	18	22	191 530	65
3 813	6 577	183 360 710	994	1 415	8 562 800	47	196	402 230	66
3	4	6 082	-	-	-	-	-	-	67
4 065	5 071	335 112 058	2 179	2 989	24 281 006	17	55	157 530	68
4 136	6 598	275 543 016	1 010	1 578	8 145 116	46	76	13 420	69
74	89	1 505 920	53	87	280 422	-	-	-	70
9 677	23 307	1 001 269 667	5 590	9 748	91 337 201	382	653	380 775	71

２ 入 院

行番号	傷病（中分類）	病理診断			入院料等		
		実施件数	回数	点数	実施件数	回数	点数
1	総数	230 981	317 774	192 977 537	2 130 828	24 255 790	42 193 621 230
2	Ⅰ 感染症及び寄生虫症	3 788	5 960	2 875 734	48 328	404 227	789 954 525
3	腸管感染症	794	1 304	685 452	16 963	71 008	151 751 872
4	結核	304	740	270 830	2 393	47 917	88 041 695
5	主として性的伝播様式をとる感染症	130	196	100 340	491	4 364	6 460 096
6	皮膚及び粘膜の病変を伴うウイルス性疾患	200	276	122 720	4 573	31 883	63 631 701
7	ウイルス性肝炎	454	693	412 450	3 121	25 359	48 364 895
8	その他のウイルス性疾患	165	270	143 840	2 079	18 470	39 795 840
9	真菌症	449	687	326 512	4 826	88 831	153 364 402
10	感染症及び寄生虫症の続発・後遺症	2	7	3 010	363	9 282	15 745 279
11	その他の感染症及び寄生虫症	1 290	1 787	810 580	13 519	107 113	222 798 745
12	Ⅱ 新生物＜腫瘍＞	113 258	159 302	110 169 242	272 142	1 043 649	2 656 371 928
13	胃の悪性新生物＜腫瘍＞	9 492	13 304	9 085 557	22 299	96 234	227 974 893
14	結腸の悪性新生物＜腫瘍＞	8 379	11 168	6 704 820	22 200	103 466	238 712 910
15	直腸Ｓ状結腸移行部及び直腸の悪性新生物＜腫瘍＞	4 095	5 292	3 370 796	12 156	47 499	113 880 421
16	肝及び肝内胆管の悪性新生物＜腫瘍＞	1 863	2 248	1 422 575	11 864	42 592	105 073 242
17	気管，気管支及び肺の悪性新生物＜腫瘍＞	10 076	18 853	12 241 920	30 544	131 852	328 913 771
18	乳房の悪性新生物＜腫瘍＞	6 469	12 647	13 781 290	13 199	46 476	108 059 372
19	子宮の悪性新生物＜腫瘍＞	2 141	3 456	2 140 580	6 441	14 073	41 376 165
20	悪性リンパ腫	3 336	4 455	2 716 661	10 938	41 246	122 757 283
21	白血病	2 094	3 055	1 744 306	5 172	27 290	151 819 876
22	その他の悪性新生物＜腫瘍＞	39 472	52 065	35 542 832	99 053	378 580	968 490 264
23	良性新生物＜腫瘍＞及びその他の新生物＜腫瘍＞	25 841	32 759	21 417 905	38 276	114 341	249 313 731
24	Ⅲ 血液及び造血器の疾患並びに免疫機構の障害	2 407	3 408	1 816 768	17 814	150 199	289 972 788
25	貧血	1 107	1 651	869 008	10 510	111 132	201 067 433
26	その他の血液及び造血器の疾患並びに免疫機構の障害	1 300	1 757	947 760	7 304	39 067	88 905 355
27	Ⅳ 内分泌，栄養及び代謝疾患	2 983	4 792	2 794 729	63 652	733 429	1 303 652 708
28	甲状腺障害	583	882	587 330	2 817	30 401	52 685 733
29	糖尿病	1 075	1 662	868 017	31 298	377 000	648 064 072
30	脂質異常症	154	365	202 330	3 474	58 694	91 181 015
31	その他の内分泌，栄養及び代謝疾患	1 171	1 883	1 137 052	26 063	267 334	511 721 888
32	Ⅴ 精神及び行動の障害	378	816	358 273	213 906	5 893 023	7 448 277 767
33	血管性及び詳細不明の認知症	46	85	26 910	22 377	617 969	818 565 203
34	精神作用物質使用による精神及び行動の障害	40	85	42 900	9 739	211 325	288 378 020
35	統合失調症，統合失調症型障害及び妄想性障害	85	188	75 359	123 959	3 610 301	4 243 713 812
36	気分［感情］障害（躁うつ病を含む）	53	112	50 642	28 868	721 973	1 030 371 969
37	神経症性障害，ストレス関連障害及び身体表現性障害	72	167	83 462	7 583	164 499	248 463 220
38	知的障害〈精神遅滞〉	3	6	1 690	4 829	139 253	195 007 000
39	その他の精神及び行動の障害	79	173	77 310	16 551	427 703	623 778 543
40	Ⅵ 神経系の疾患	2 338	3 099	1 367 322	135 986	2 756 833	4 362 322 759
41	パーキンソン病	120	159	57 946	16 481	382 374	657 284 448
42	アルツハイマー病	81	155	54 316	39 815	1 091 991	1 417 936 796
43	てんかん	170	214	88 360	12 981	188 995	318 974 100
44	脳性麻痺及びその他の麻痺性症候群	24	36	10 260	9 492	269 240	487 825 247
45	自律神経系の障害	23	34	15 970	2 297	50 995	95 349 161
46	その他の神経系の疾患	1 920	2 501	1 140 470	54 920	773 238	1 384 953 007
47	Ⅶ 眼及び付属器の疾患	481	782	436 450	61 025	188 268	517 428 864
48	結膜炎	20	45	26 070	2 453	41 500	70 320 524
49	白内障	62	132	76 890	33 001	46 225	212 547 044
50	屈折及び調節の障害	25	54	29 480	2 942	16 370	50 546 019
51	その他の眼及び付属器の疾患	374	551	304 010	22 629	84 173	184 015 277
52	Ⅷ 耳及び乳様突起の疾患	634	755	477 300	12 536	49 647	103 921 481
53	外耳炎	27	41	26 330	285	5 840	11 146 003
54	その他の外耳疾患	26	33	20 260	400	10 020	17 486 331
55	中耳炎	112	139	87 130	1 713	7 041	14 558 187
56	その他の中耳及び乳様突起の疾患	380	406	270 410	780	1 478	3 163 578
57	メニエール病	12	23	10 750	1 317	4 944	9 695 549
58	その他の内耳疾患	49	67	34 760	5 450	10 787	26 298 720
59	その他の耳疾患	28	46	27 660	2 591	9 537	21 573 113
60	Ⅸ 循環器系の疾患	8 339	10 922	5 373 969	334 570	3 871 916	7 175 423 508
61	高血圧性疾患	554	1 217	604 208	17 564	297 843	442 895 052
62	虚血性心疾患	744	961	488 440	47 458	114 706	246 641 525
63	その他の心疾患	3 951	4 895	2 332 909	88 942	736 943	1 438 234 454
64	くも膜下出血	65	79	38 710	9 804	181 207	325 391 934
65	脳内出血	286	359	162 030	38 244	744 233	1 382 365 779
66	脳梗塞	960	1 239	551 710	91 296	1 522 751	2 806 876 952
67	脳動脈硬化（症）	1	2	1 010	35	646	886 802
68	その他の脳血管疾患	324	417	229 700	13 552	131 445	245 279 611
69	動脈硬化（症）	159	197	101 880	6 535	32 110	58 693 714
70	低血圧（症）	17	40	21 270	711	6 529	11 457 319
71	その他の循環器系の疾患	1 278	1 516	842 102	20 429	103 503	216 700 366

平成30年６月審査分

診断群分類による包括評価等 実施件数	回数	点数	入院時食事療養等（別掲） 実施件数	回数	金額(円)	行番号
1 067 470	9 959 419	37 230 440 823	2 107 107	92 745 986	58 164 041 419	1
27 316	251 024	1 063 404 259	46 242	1 606 470	1 013 801 532	2
11 859	64 161	230 254 916	16 169	278 871	178 559 534	3
96	1 473	5 064 807	2 274	136 436	87 695 354	4
189	1 067	3 511 072	458	14 125	9 019 570	5
2 900	22 591	79 065 497	4 746	145 694	92 692 859	6
1 580	15 348	55 358 384	3 138	109 184	71 648 515	7
1 088	9 324	34 819 687	2 014	69 586	42 888 664	8
1 247	19 487	87 401 650	4 678	293 829	180 903 670	9
-	-	-	352	28 438	16 855 683	10
8 357	117 573	567 928 246	12 413	530 307	333 537 683	11
238 164	2 350 160	9 431 040 782	284 174	7 794 605	5 118 052 095	12
18 771	191 402	694 454 369	22 470	578 339	384 677 565	13
17 484	176 134	703 032 685	22 071	567 932	371 923 572	14
10 851	116 583	465 229 444	12 580	345 241	229 392 092	15
10 677	101 865	359 101 011	12 590	354 561	240 352 630	16
26 306	271 555	1 146 215 871	32 639	1 001 759	653 141 765	17
11 229	78 278	298 964 476	14 284	300 068	194 643 630	18
6 845	60 545	252 427 521	7 226	166 618	109 527 247	19
10 434	151 781	846 771 227	11 808	492 364	325 287 043	20
4 623	82 271	442 633 743	5 475	282 862	188 158 528	21
87 300	900 281	3 374 768 687	103 086	2 936 198	1 926 081 843	22
33 644	219 465	847 441 748	39 945	768 663	494 866 180	23
9 192	103 664	486 257 028	17 306	626 482	400 654 959	24
3 418	32 313	118 361 352	10 199	374 565	235 656 232	25
5 774	71 351	367 895 676	7 107	251 917	164 998 727	26
27 124	251 455	822 627 141	62 554	2 736 889	1 734 252 205	27
1 144	10 122	33 949 753	2 828	110 610	68 919 709	28
13 443	139 581	434 303 180	31 679	1 531 933	976 165 897	29
-	-	-	3 338	171 177	108 133 100	30
12 537	101 752	354 374 208	24 709	923 169	581 033 499	31
1 730	11 123	37 266 101	210 896	17 112 612	11 179 967 395	32
242	2 837	8 114 487	21 803	1 811 050	1 129 864 464	33
1 047	2 311	11 670 069	8 921	604 418	410 942 375	34
3	11	47 982	123 281	10 550 692	6 950 479 016	35
241	2 856	7 040 829	28 617	2 072 824	1 350 561 803	36
-	-	-	7 396	454 942	297 527 450	37
-	-	-	4 740	402 019	262 455 214	38
197	3 108	10 392 734	16 138	1 216 667	778 137 073	39
31 293	267 355	1 125 653 200	128 066	8 591 161	5 266 700 868	40
2 444	32 900	103 333 031	15 870	1 282 870	712 357 033	41
489	5 641	15 937 305	38 574	3 141 643	2 003 496 336	42
6 115	47 467	203 784 815	12 591	641 277	398 955 203	43
398	3 120	12 055 778	8 983	761 699	482 856 499	44
405	4 739	16 276 618	2 090	154 876	87 957 645	45
21 442	173 488	774 265 653	49 958	2 608 796	1 581 078 152	46
37 653	167 267	480 065 753	60 108	872 948	560 981 243	47
10	57	185 472	2 181	112 954	67 094 070	48
23 330	82 854	212 452 021	32 843	282 448	186 244 121	49
1	9	31 863	2 464	44 285	27 931 878	50
14 312	84 347	267 396 397	22 620	433 261	279 711 174	51
10 028	52 624	182 466 826	13 085	255 383	166 242 381	52
66	479	1 398 179	276	17 212	10 611 291	53
36	151	518 881	389	28 766	18 118 026	54
1 427	6 359	24 577 229	1 715	31 389	19 842 276	55
740	5 049	16 152 824	838	15 571	10 307 895	56
895	4 324	15 378 813	1 367	23 156	14 948 396	57
4 609	20 650	74 251 989	5 684	73 471	48 806 318	58
2 255	15 612	50 188 911	2 816	65 818	43 608 179	59
172 068	1 732 622	7 077 398 008	331 768	16 154 539	9 697 458 426	60
1 421	12 323	43 706 113	16 912	911 021	536 816 395	61
41 510	230 362	1 129 379 552	49 597	832 459	566 152 382	62
55 306	619 603	2 451 389 144	87 119	3 722 668	2 409 411 739	63
3 134	49 565	251 057 600	9 283	701 876	386 334 049	64
9 936	143 426	535 697 170	36 771	2 731 023	1 539 643 763	65
31 219	403 309	1 526 358 576	89 783	5 791 701	3 324 905 806	66
4	29	86 505	33	2 109	1 171 032	67
7 950	62 363	255 510 101	13 969	545 938	331 078 759	68
5 504	49 905	165 229 398	7 022	220 983	148 032 840	69
360	2 095	7 935 399	715	23 736	14 942 508	70
15 724	159 642	711 048 450	20 564	671 025	438 969 153	71

第7表　医科診療　件数・診療実日数・実施件数・回数・点数,

2 入 院

行番号	傷病（中分類）	件数	診療実日数	総数		
				実施件数	回数	点数
72	X 呼吸器系の疾患	193 738	2 743 904	193 738	13 094 203	8 894 292 665
73	急性鼻咽頭炎［かぜ］〈感冒〉	682	8 765	682	46 681	17 153 030
74	急性咽頭炎及び急性扁桃炎	4 837	32 235	4 837	157 803	114 786 787
75	その他の急性上気道感染症	4 011	29 609	4 011	151 868	95 503 328
76	肺炎	75 020	1 047 814	75 020	5 540 836	3 271 622 952
77	急性気管支炎及び急性細気管支炎	9 478	73 824	9 478	367 825	269 542 553
78	アレルギー性鼻炎	1 142	14 532	1 142	94 236	45 289 934
79	慢性副鼻腔炎	2 772	19 514	2 772	118 112	184 978 245
80	急性又は慢性と明示されない気管支炎	1 045	17 514	1 045	96 099	41 447 425
81	慢性閉塞性肺疾患	9 763	197 167	9 763	762 020	477 122 180
82	喘息	9 411	88 851	9 411	495 464	290 165 961
83	その他の呼吸器系の疾患	75 577	1 214 079	75 577	5 263 259	4 086 680 270
84	XI 消化器系の疾患	202 993	1 942 900	202 993	9 441 878	8 115 292 451
85	う蝕	33	392	33	1 799	1 252 732
86	歯肉炎及び歯周疾患	119	2 826	119	15 852	7 022 855
87	その他の歯及び歯の支持組織の障害	143	1 762	143	8 065	6 491 391
88	胃潰瘍及び十二指腸潰瘍	9 680	115 069	9 680	656 320	436 959 077
89	胃炎及び十二指腸炎	5 518	63 849	5 518	394 378	163 654 763
90	痔核	6 275	38 775	6 275	262 945	106 121 906
91	アルコール性肝疾患	2 694	35 819	2 694	179 787	115 299 595
92	慢性肝炎（アルコール性のものを除く）	484	8 457	484	48 408	17 090 041
93	肝硬変（アルコール性のものを除く）	3 017	45 998	3 017	245 453	141 310 649
94	その他の肝疾患	7 250	104 580	7 250	556 084	334 489 326
95	胆石症及び胆のう炎	27 063	286 425	27 063	1 175 242	1 495 634 402
96	膵疾患	6 119	68 714	6 119	302 281	300 083 152
97	その他の消化器系の疾患	134 598	1 170 234	134 598	5 595 264	4 989 882 562
98	XII 皮膚及び皮下組織の疾患	36 464	636 711	36 464	3 186 826	1 667 056 221
99	皮膚及び皮下組織の感染症	10 511	127 236	10 511	616 207	396 975 076
100	皮膚炎及び湿疹	8 246	151 518	8 246	898 988	368 132 157
101	その他の皮膚及び皮下組織の疾患	17 707	357 957	17 707	1 671 631	901 948 988
102	XIII 筋骨格系及び結合組織の疾患	125 852	1 993 231	125 852	10 872 290	8 364 669 896
103	炎症性多発性関節障害	8 620	119 605	8 620	796 947	403 112 022
104	関節症	27 144	430 107	27 144	2 416 677	2 485 392 993
105	脊椎障害（脊椎症を含む）	28 932	452 774	28 932	2 524 637	2 003 270 123
106	椎間板障害	7 123	78 952	7 123	462 236	385 802 740
107	頚腕症候群	199	3 315	199	19 708	7 095 613
108	腰痛症及び坐骨神経痛	5 824	69 973	5 824	415 611	156 558 379
109	その他の脊柱障害	3 653	49 086	3 653	292 122	386 668 399
110	肩の傷害〈損傷〉	980	18 111	980	100 741	45 446 368
111	骨の密度及び構造の障害	5 471	94 263	5 471	508 090	321 557 946
112	その他の筋骨格系及び結合組織の疾患	37 906	677 045	37 906	3 335 521	2 169 765 313
113	XIV 腎尿路生殖器系の疾患	104 240	1 368 104	104 240	6 947 552	4 825 855 335
114	糸球体疾患及び腎尿細管間質性疾患	20 632	235 167	20 632	1 137 372	829 878 490
115	腎不全	33 288	604 217	33 288	3 179 792	2 052 362 460
116	尿路結石症	9 044	59 745	9 044	260 332	336 201 489
117	その他の腎尿路系の疾患	21 630	337 153	21 630	1 747 454	948 115 200
118	前立腺肥大（症）	4 296	42 481	4 296	224 971	180 463 981
119	その他の男性生殖器の疾患	2 733	20 256	2 733	97 282	78 136 381
120	月経障害及び閉経周辺期障害	345	2 461	345	15 240	9 221 326
121	乳房及びその他の女性生殖器の疾患	12 272	66 624	12 272	285 109	391 476 008
122	XV 妊娠，分娩及び産じょく	57 339	391 236	57 339	1 389 226	1 540 495 707
123	流産	5 058	10 466	5 058	71 534	70 164 510
124	妊娠高血圧症候群	2 305	18 068	2 305	69 912	100 847 283
125	その他の妊娠，分娩及び産じょく	49 976	362 702	49 976	1 247 780	1 369 483 914
126	XVI 周産期に発生した病態	23 699	189 395	23 699	433 108	1 080 755 109
127	妊娠及び胎児発育に関連する障害	6 725	93 079	6 725	188 047	658 111 706
128	その他の周産期に発生した病態	16 974	96 316	16 974	245 061	422 643 403
129	XVII 先天奇形，変形及び染色体異常	10 148	119 546	10 148	609 506	780 419 266
130	心臓の先天奇形	1 953	19 383	1 953	101 502	240 013 822
131	その他の先天奇形，変形及び染色体異常	8 195	100 163	8 195	508 004	540 405 444
132	XVIII 症状，徴候等で他に分類されないもの	38 615	634 217	38 615	3 314 528	1 531 751 222
133	症状，徴候等で他に分類されないもの	38 615	634 217	38 615	3 314 528	1 531 751 222
134	XIX 損傷，中毒及びその他の外因の影響	213 241	3 330 144	213 241	18 633 805	12 471 066 213
135	骨折	142 866	2 438 771	142 866	13 880 322	8 861 614 804
136	頭蓋内損傷及び内臓の損傷	17 542	274 686	17 542	1 376 957	1 057 146 222
137	熱傷及び腐食	1 190	18 537	1 190	83 934	77 329 435
138	中毒	2 196	13 028	2 196	63 518	60 806 933
139	その他の損傷及びその他の外因の影響	49 447	585 122	49 447	3 229 074	2 414 168 819

初・再診			医学管理等			在宅医療			行番号
実施件数	回数	点数	実施件数	回数	点数	実施件数	回数	点数	
56 227	42 712	20 667 298	109 357	240 350	81 160 508	7 557	7 762	42 990 265	72
142	116	65 210	238	502	185 835	6	5	11 242	73
2 304	2 023	908 923	2 782	5 017	1 647 530	26	27	165 017	74
1 995	1 714	862 310	2 104	3 759	1 248 711	44	41	185 842	75
22 889	17 152	8 189 821	41 888	92 583	30 769 323	2 586	2 594	13 350 707	76
4 201	3 382	1 811 509	5 228	9 610	3 114 578	192	186	1 268 564	77
58	47	19 604	452	997	408 783	39	38	96 314	78
73	61	23 502	2 283	5 141	1 818 324	22	17	63 358	79
183	113	59 726	451	1 046	404 649	29	30	134 554	80
1 564	1 074	525 187	4 676	11 842	3 904 394	881	939	6 506 824	81
3 400	2 440	1 465 830	5 479	11 449	3 722 852	244	236	1 462 459	82
19 418	14 590	6 735 676	43 776	98 404	33 935 529	3 488	3 649	19 745 384	83
48 572	36 493	17 972 906	122 055	256 763	87 971 675	2 870	2 765	8 777 021	84
8	8	2 631	15	20	6 640	－	－	－	85
7	4	1 553	37	74	23 857	－	－	－	86
17	13	5 201	75	165	77 063	1	1	4 842	87
3 659	3 016	1 434 770	6 223	14 615	4 862 152	171	176	521 882	88
857	673	318 386	2 276	4 849	1 978 191	75	74	258 049	89
315	240	99 205	3 000	5 496	2 154 550	23	23	52 703	90
642	495	219 640	1 817	4 155	1 326 812	92	90	176 337	91
33	26	9 992	195	382	153 144	4	4	3 998	92
450	312	141 728	1 833	4 094	1 333 943	85	74	153 032	93
1 412	967	455 484	4 112	8 951	3 044 990	208	195	517 647	94
7 412	5 551	2 728 618	19 984	45 133	15 675 065	329	307	806 386	95
2 148	1 554	820 122	4 282	9 335	3 013 516	174	166	479 205	96
31 612	23 634	11 735 576	78 206	159 494	54 321 752	1 708	1 655	5 802 940	97
5 434	4 525	1 850 750	17 218	38 401	13 428 969	1 000	995	2 597 176	98
3 088	2 515	1 066 068	6 511	14 230	4 632 655	286	276	611 040	99
785	646	264 254	3 238	7 403	2 907 367	193	199	627 086	100
1 561	1 364	520 428	7 469	16 768	5 888 947	521	520	1 359 050	101
12 417	10 737	4 252 634	75 719	198 870	75 355 239	2 851	2 686	9 851 421	102
1 250	1 014	421 577	5 185	12 148	4 261 958	288	268	1 708 163	103
746	671	232 046	19 201	56 197	22 388 980	361	325	1 203 887	104
2 258	1 957	734 194	18 394	48 292	18 016 193	599	554	1 843 392	105
1 050	944	365 933	5 389	14 898	5 972 827	62	50	128 286	106
40	33	13 155	73	144	60 334	6	6	28 682	107
1 073	890	418 779	2 282	4 876	1 874 911	75	74	205 379	108
235	200	82 230	2 545	6 758	2 595 639	91	81	407 346	109
61	55	20 154	491	1 154	434 349	17	17	201 011	110
725	630	248 294	3 112	8 047	2 968 845	294	271	1 294 416	111
4 979	4 343	1 716 272	19 047	46 356	16 781 203	1 058	1 040	2 830 859	112
17 787	12 789	6 131 584	61 386	136 639	46 213 988	3 029	2 850	14 207 265	113
5 517	3 871	1 896 081	13 533	30 192	9 986 161	604	593	1 340 363	114
3 696	2 773	1 141 234	17 316	40 875	13 678 026	1 315	1 172	10 111 985	115
1 401	1 095	558 669	6 337	12 793	4 344 739	88	85	191 152	116
5 039	3 445	1 745 678	11 350	25 763	8 914 675	773	754	2 048 913	117
233	170	77 505	2 942	7 100	2 482 659	127	132	280 620	118
809	621	292 426	1 858	3 827	1 200 836	68	65	135 649	119
69	53	25 706	184	353	133 146	1	－	539	120
1 023	761	394 285	7 866	15 736	5 473 746	53	49	98 044	121
8 134	3 264	3 312 768	25 231	47 900	16 320 699	645	562	1 319 606	122
705	533	273 566	1 510	2 415	769 162	7	7	24 659	123
455	281	182 367	1 384	2 778	894 468	24	18	37 533	124
6 974	2 450	2 856 835	22 337	42 707	14 657 069	614	537	1 257 414	125
10 293	9 991	4 926 187	9 089	12 785	2 945 141	436	653	2 186 574	126
3 035	2 982	1 496 399	3 682	5 556	1 260 564	121	168	514 776	127
7 258	7 009	3 429 788	5 407	7 229	1 684 577	315	485	1 671 798	128
788	698	331 766	4 963	8 625	2 757 686	454	495	3 051 261	129
194	182	84 904	1 132	2 106	603 692	196	206	1 386 838	130
594	516	246 862	3 831	6 519	2 153 994	258	289	1 664 423	131
7 217	5 617	2 816 660	14 195	29 527	10 948 636	778	786	2 419 823	132
7 217	5 617	2 816 660	14 195	29 527	10 948 636	778	786	2 419 823	133
48 102	42 510	18 502 390	115 824	275 201	104 670 487	4 736	4 785	13 336 429	134
30 260	27 137	11 074 338	75 749	186 948	70 775 577	3 228	3 084	8 941 111	135
6 330	5 523	2 573 287	9 583	20 620	7 257 441	340	452	692 571	136
345	318	146 970	693	1 491	507 189	44	48	56 226	137
1 557	1 384	745 497	1 507	2 727	1 114 722	47	65	88 344	138
9 610	8 148	3 962 298	28 292	63 415	25 015 558	1 077	1 136	3 558 177	139

2 入院

行番号	傷病（中分類）	検査			画像診断		
		実施件数	回数	点数	実施件数	回数	点数
72	Ⅹ 呼吸器系の疾患	101 426	1 640 471	145 480 459	82 007	273 244	84 483 698
73	急性鼻咽頭炎［かぜ］〈感冒〉	341	3 310	336 810	124	524	161 428
74	急性咽頭炎及び急性扁桃炎	3 013	17 590	1 845 064	913	2 247	662 521
75	その他の急性上気道感染症	2 454	15 111	2 026 800	861	1 921	600 321
76	肺炎	42 704	849 257	69 641 489	37 740	145 722	45 028 295
77	急性気管支炎及び急性細気管支炎	5 367	36 949	2 951 235	1 966	5 041	1 448 050
78	アレルギー性鼻炎	513	6 520	904 012	233	982	322 356
79	慢性副鼻腔炎	949	5 972	1 159 684	345	804	311 970
80	急性又は慢性と明示されない気管支炎	566	10 640	898 125	456	1 819	526 940
81	慢性閉塞性肺疾患	4 092	69 474	6 065 934	3 736	12 273	3 993 924
82	喘息	4 851	51 042	4 310 661	2 532	7 610	2 196 138
83	その他の呼吸器系の疾患	36 576	574 606	55 340 645	33 101	94 301	29 231 755
84	XI 消化器系の疾患	84 561	979 123	142 043 043	71 381	183 205	64 684 222
85	う蝕	7	69	7 686	3	12	2 976
86	歯肉炎及び歯周疾患	68	1 017	100 104	33	153	64 519
87	その他の歯及び歯の支持組織の障害	50	909	109 845	39	191	49 304
88	胃潰瘍及び十二指腸潰瘍	6 798	70 629	13 478 279	4 255	10 665	3 759 679
89	胃炎及び十二指腸炎	3 543	44 679	6 192 562	2 120	8 920	2 807 736
90	痔核	3 233	20 830	2 987 222	773	2 543	588 729
91	アルコール性肝疾患	1 317	15 636	2 082 116	1 042	1 799	775 515
92	慢性肝炎（アルコール性のものを除く）	297	6 407	608 764	231	1 036	360 201
93	肝硬変（アルコール性のものを除く）	1 596	25 292	2 823 442	1 131	2 996	1 121 347
94	その他の肝疾患	4 152	70 775	7 633 263	3 157	8 597	3 262 554
95	胆石症及び胆のう炎	9 364	117 496	14 698 217	10 986	23 318	9 271 458
96	膵疾患	2 888	34 471	5 067 513	3 312	5 021	2 653 945
97	その他の消化器系の疾患	51 248	570 913	86 254 030	44 299	117 954	39 966 259
98	XII 皮膚及び皮下組織の疾患	14 776	318 734	24 741 409	11 413	45 335	13 035 146
99	皮膚及び皮下組織の感染症	4 055	67 956	5 247 789	3 671	8 904	2 944 944
100	皮膚炎及び湿疹	4 174	85 430	7 192 152	2 566	13 603	3 684 711
101	その他の皮膚及び皮下組織の疾患	6 547	165 348	12 301 468	5 176	22 828	6 405 491
102	XIII 筋骨格系及び結合組織の疾患	41 623	701 603	60 057 802	45 080	173 273	53 373 008
103	炎症性多発性関節障害	4 050	68 944	6 524 543	3 465	13 782	3 650 141
104	関節症	7 273	109 113	8 663 615	8 315	36 534	8 316 829
105	脊椎障害（脊椎症を含む）	8 811	144 133	11 679 825	11 760	42 040	15 698 145
106	椎間板障害	2 323	31 394	2 461 698	3 189	11 652	4 635 053
107	頚腕症候群	108	1 298	123 602	82	311	113 370
108	腰痛症及び坐骨神経痛	2 726	40 671	3 616 006	1 852	8 467	2 686 532
109	その他の脊柱障害	1 173	18 003	1 411 287	1 615	6 307	2 266 955
110	肩の傷害〈損傷〉	399	8 152	624 686	402	1 917	506 985
111	骨の密度及び構造の障害	1 806	30 722	2 713 563	2 153	8 747	2 477 016
112	その他の筋骨格系及び結合組織の疾患	12 954	249 173	22 238 977	12 247	43 516	13 021 982
113	XIV 腎尿路生殖器系の疾患	40 642	767 177	65 325 495	35 327	101 516	32 501 438
114	糸球体疾患及び腎尿細管間質性疾患	8 619	126 899	12 656 324	7 930	16 277	5 939 884
115	腎不全	14 127	346 279	26 957 262	13 478	41 732	12 401 130
116	尿路結石症	2 026	27 152	2 597 701	2 548	7 699	2 402 817
117	その他の腎尿路系の疾患	10 429	205 400	16 563 916	8 610	29 228	9 391 814
118	前立腺肥大（症）	1 445	25 594	2 566 134	799	3 677	1 241 224
119	その他の男性生殖器の疾患	731	10 433	976 838	747	1 181	467 977
120	月経障害及び閉経周辺期障害	144	1 484	159 273	68	135	45 582
121	乳房及びその他の女性生殖器の疾患	3 121	23 936	2 848 047	1 147	1 587	611 010
122	XV 妊娠，分娩及び産じょく	23 774	176 783	21 450 291	2 565	3 420	621 766
123	流産	2 284	8 020	977 335	258	208	59 009
124	妊娠高血圧症候群	782	8 453	781 078	196	221	50 812
125	その他の妊娠，分娩及び産じょく	20 708	160 310	19 691 878	2 111	2 991	511 945
126	XVI 周産期に発生した病態	12 200	72 295	6 708 420	1 897	3 197	694 552
127	妊娠及び胎児発育に関連する障害	2 677	18 186	1 773 171	946	1 612	361 453
128	その他の周産期に発生した病態	9 523	54 109	4 935 249	951	1 585	333 099
129	XVII 先天奇形，変形及び染色体異常	3 078	34 539	10 830 014	2 529	6 756	2 309 997
130	心臓の先天奇形	976	6 300	6 096 496	517	1 197	257 008
131	その他の先天奇形，変形及び染色体異常	2 102	28 239	4 733 518	2 012	5 559	2 052 989
132	XVIII 症状，徴候等で他に分類されないもの	21 640	479 846	42 508 197	16 564	82 919	28 160 401
133	症状，徴候等で他に分類されないもの	21 640	479 846	42 508 197	16 564	82 919	28 160 401
134	XIX 損傷，中毒及びその他の外因の影響	60 637	995 327	79 187 196	75 097	298 308	83 361 817
135	骨折	39 092	656 011	50 623 511	50 488	223 164	58 644 829
136	頭蓋内損傷及び内臓の損傷	4 265	66 153	5 020 269	8 176	14 374	6 952 681
137	熱傷及び腐食	381	7 773	660 807	284	1 256	300 311
138	中毒	993	7 391	661 746	704	1 028	383 706
139	その他の損傷及びその他の外因の影響	15 906	257 999	22 220 863	15 445	58 486	17 080 290

平成30年６月審査分

投薬			注射			リハビリテーション			行番号
実施件数	回数	点数	実施件数	回数	点数	実施件数	回数	点数	
105 015	4 934 286	82 347 435	45 478	478 292	204 775 760	75 070	1 778 341	369 060 888	72
517	25 627	318 089	186	797	369 045	97	5 244	1 081 981	73
3 425	78 871	1 176 786	738	4 060	2 274 441	248	8 237	1 706 916	74
2 603	80 478	1 160 346	581	3 186	1 768 647	291	9 703	2 043 736	75
43 761	2 078 194	31 429 756	23 369	255 032	102 840 757	28 840	651 675	135 875 244	76
6 665	188 363	2 329 721	1 434	9 584	4 334 071	984	21 703	4 548 283	77
900	54 470	891 416	373	1 643	1 805 212	222	9 973	2 116 864	78
2 135	68 867	1 066 241	356	1 121	1 448 008	117	2 748	556 282	79
668	46 364	640 722	391	3 336	1 476 608	371	8 961	1 814 580	80
4 045	285 945	4 957 706	1 683	16 505	6 976 669	5 201	112 760	22 371 540	81
6 803	267 583	4 617 969	1 932	12 728	7 514 701	1 555	30 903	6 326 964	82
33 493	1 759 524	33 758 683	14 435	170 300	73 967 601	37 144	916 434	190 618 498	83
105 973	4 375 320	66 930 188	41 097	276 060	133 518 261	33 293	837 194	177 000 407	84
17	1 071	17 601	1	1	83	9	48	8 610	85
94	7 151	125 884	16	141	42 368	78	1 902	410 213	86
89	3 170	43 961	28	208	150 315	23	794	184 155	87
6 537	331 724	4 780 898	2 240	18 270	7 905 800	2 321	56 640	11 955 672	88
3 851	202 154	2 643 276	2 375	11 984	5 841 218	1 084	35 932	7 372 708	89
5 516	160 547	1 851 268	2 906	6 620	3 269 431	257	10 443	2 205 208	90
1 474	102 097	2 738 955	420	4 103	1 080 863	568	10 958	2 281 407	91
288	22 980	305 046	252	2 473	1 034 998	112	3 613	734 377	92
1 578	131 998	4 561 943	692	6 819	2 260 295	864	18 535	3 734 509	93
4 137	269 778	5 851 632	2 156	18 224	6 488 713	1 772	45 177	9 498 622	94
12 906	466 863	5 618 900	3 712	32 182	12 629 299	5 554	114 620	24 365 398	95
2 852	141 865	1 799 814	981	9 426	4 059 231	982	20 899	4 387 679	96
66 634	2 533 922	36 591 010	25 318	165 609	88 755 647	19 669	517 633	109 861 849	97
22 136	1 393 224	25 954 343	8 901	89 061	59 806 094	12 823	392 672	80 869 883	98
6 646	283 745	4 753 400	2 185	16 162	9 243 472	2 764	59 923	12 655 848	99
6 153	431 044	7 972 555	2 674	24 403	16 715 694	2 779	109 131	23 149 067	100
9 337	678 435	13 228 388	4 042	48 496	33 846 928	7 280	223 618	45 064 968	101
69 123	4 232 862	64 307 063	25 427	165 885	91 373 283	81 661	2 968 514	626 650 150	102
5 412	439 334	7 398 037	2 569	12 425	22 613 315	4 079	109 299	22 717 737	103
14 760	807 433	10 846 788	4 932	26 120	8 793 692	22 757	861 047	187 468 342	104
14 794	982 646	13 583 699	5 077	31 687	13 439 761	20 347	739 781	163 695 418	105
4 597	205 946	2 965 348	1 581	6 100	1 758 295	4 601	93 064	21 555 302	106
145	9 631	126 595	86	554	209 947	75	3 307	727 319	107
4 730	226 053	3 116 467	2 069	11 310	3 936 363	1 473	41 996	8 652 749	108
1 961	122 860	1 713 377	674	3 669	2 629 524	2 433	72 152	15 791 643	109
642	43 514	695 768	304	2 154	1 028 129	638	20 782	4 335 061	110
3 078	215 721	2 958 546	1 157	8 193	4 029 953	3 664	123 256	25 919 029	111
19 004	1 179 724	20 902 438	6 978	63 673	32 934 304	21 594	903 830	175 787 550	112
57 496	3 118 249	50 160 744	22 561	185 649	69 121 638	27 972	691 768	142 017 356	113
11 783	534 885	7 873 320	3 685	31 984	14 426 072	5 059	108 314	23 243 026	114
16 603	1 444 034	26 047 687	7 586	72 041	23 184 303	12 698	289 486	56 451 316	115
4 928	110 930	1 401 450	1 444	5 960	2 366 112	688	14 843	3 154 284	116
12 409	740 568	11 301 075	5 879	59 436	21 783 030	8 392	240 636	50 835 540	117
2 449	97 705	1 459 748	1 003	5 343	2 868 320	554	26 507	5 815 223	118
1 749	47 407	737 666	400	2 311	906 990	262	6 070	1 288 335	119
228	8 657	110 511	86	269	62 577	30	691	138 083	120
7 347	134 063	1 229 287	2 478	8 305	3 524 234	289	5 221	1 091 549	121
37 309	666 137	4 486 451	22 337	68 493	20 044 901	91	1 067	229 379	122
4 259	32 137	307 417	2 020	1 488	230 316	1	5	1 120	123
1 512	36 675	196 315	559	1 453	524 066	4	59	15 350	124
31 538	597 325	3 982 719	19 758	65 552	19 290 519	86	1 003	212 909	125
4 311	98 951	932 520	2 039	8 381	4 517 347	810	11 106	2 688 000	126
1 576	45 719	390 655	666	4 403	1 132 867	538	7 076	1 727 525	127
2 735	53 232	541 865	1 373	3 978	3 384 480	272	4 030	960 475	128
5 065	297 325	6 388 460	1 111	8 145	5 511 033	2 098	61 826	14 267 827	129
1 028	60 708	1 326 833	276	1 864	1 645 652	202	2 725	645 504	130
4 037	236 617	5 061 627	835	6 281	3 865 381	1 896	59 101	13 622 323	131
22 086	1 312 895	22 521 341	16 583	141 904	63 783 144	12 368	376 987	77 928 322	132
22 086	1 312 895	22 521 341	16 583	141 904	63 783 144	12 368	376 987	77 928 322	133
105 077	5 644 760	74 581 878	33 994	214 135	75 973 044	138 163	7 215 643	1 504 717 189	134
70 953	4 073 722	50 501 896	21 327	144 186	43 560 692	104 677	5 791 782	1 164 760 682	135
6 413	318 122	4 272 680	1 545	13 554	4 845 855	10 895	599 193	150 934 188	136
571	31 481	739 866	154	1 410	878 477	521	14 942	2 982 241	137
714	26 476	337 550	318	1 254	675 672	251	6 121	1 368 393	138
26 426	1 194 959	18 729 886	10 650	53 731	26 012 348	21 819	803 605	184 671 685	139

第７表　医科診療　件数・診療実日数・実施件数・回数・点数，

２ 入 院

行番号	傷病（中分類）	精神科専門療法 実施件数	精神科専門療法 回数	精神科専門療法 点数	処置 実施件数	処置 回数	処置 点数
72	X 呼吸器系の疾患	2 910	16 578	3 486 200	45 732	879 018	190 365 441
73	急性鼻咽頭炎［かぜ］〈感冒〉	98	1 260	243 405	145	1 309	227 016
74	急性咽頭炎及び急性扁桃炎	82	1 081	197 855	402	5 887	931 664
75	その他の急性上気道感染症	121	1 474	273 410	394	5 038	932 450
76	肺炎	920	3 994	858 085	21 088	384 992	67 984 772
77	急性気管支炎及び急性細気管支炎	85	874	174 880	1 162	18 230	3 609 114
78	アレルギー性鼻炎	120	1 429	306 565	337	3 743	847 141
79	慢性副鼻腔炎	25	238	43 465	299	3 182	628 595
80	急性又は慢性と明示されない気管支炎	43	291	46 530	375	5 999	1 283 180
81	慢性閉塞性肺疾患	171	1 225	232 780	2 529	52 200	13 741 409
82	喘息	120	908	193 780	1 702	21 923	3 932 949
83	その他の呼吸器系の疾患	1 125	3 804	915 445	17 299	376 515	96 247 151
84	XI 消化器系の疾患	3 589	26 357	5 404 623	31 731	301 342	90 938 929
85	う蝕	−	−	−	6	177	41 512
86	歯肉炎及び歯周疾患	6	68	25 670	60	2 501	421 871
87	その他の歯及び歯の支持組織の障害	12	99	16 840	31	613	123 403
88	胃潰瘍及び十二指腸潰瘍	243	1 910	416 130	1 491	17 339	5 210 337
89	胃炎及び十二指腸炎	337	3 704	726 335	1 651	15 270	3 395 795
90	痔核	93	1 088	212 675	2 734	12 983	1 471 942
91	アルコール性肝疾患	146	443	103 828	277	2 049	542 118
92	慢性肝炎（アルコール性のものを除く）	48	617	134 200	157	2 210	301 180
93	肝硬変（アルコール性のものを除く）	76	648	128 670	557	6 313	1 609 355
94	その他の肝疾患	464	3 691	679 520	1 758	20 801	6 724 511
95	胆石症及び胆のう炎	251	1 013	208 625	3 488	35 711	10 564 770
96	膵疾患	129	498	98 005	564	6 797	2 570 256
97	その他の消化器系の疾患	1 784	12 578	2 654 125	18 957	178 578	57 961 879
98	XII 皮膚及び皮下組織の疾患	1 704	16 658	3 440 720	12 047	241 697	66 595 401
99	皮膚及び皮下組織の感染症	191	1 498	303 850	2 137	30 365	9 330 518
100	皮膚炎及び湿疹	750	8 057	1 652 110	3 316	68 701	14 307 951
101	その他の皮膚及び皮下組織の疾患	763	7 103	1 484 760	6 594	142 631	42 956 932
102	XIII 筋骨格系及び結合組織の疾患	2 031	15 118	3 223 720	27 239	283 604	83 310 107
103	炎症性多発性関節障害	122	955	204 775	1 558	15 520	3 410 027
104	関節症	231	1 603	340 725	5 532	35 874	8 582 731
105	脊椎障害（脊椎症を含む）	328	1 744	380 990	5 727	49 372	19 745 489
106	椎間板障害	26	164	37 300	1 690	8 578	1 839 446
107	頚腕症候群	32	244	73 060	68	633	83 273
108	腰痛症及び坐骨神経痛	312	3 530	681 700	1 730	10 994	2 620 035
109	その他の脊柱障害	47	296	59 950	758	6 507	1 365 171
110	肩の傷害〈損傷〉	44	436	82 020	323	3 956	984 378
111	骨の密度及び構造の障害	103	1 161	227 620	1 249	14 158	3 089 213
112	その他の筋骨格系及び結合組織の疾患	786	4 985	1 135 580	8 604	138 012	41 590 344
113	XIV 腎尿路生殖器系の疾患	1 480	9 399	1 901 410	35 563	467 125	489 503 952
114	糸球体疾患及び腎尿細管間質性疾患	236	967	189 990	2 985	36 233	10 047 307
115	腎不全	545	2 529	510 475	23 092	316 477	458 487 297
116	尿路結石症	35	241	46 440	938	7 347	1 310 926
117	その他の腎尿路系の疾患	500	4 356	877 810	5 804	93 053	16 835 902
118	前立腺肥大（症）	79	793	159 365	939	6 863	1 165 839
119	その他の男性生殖器の疾患	19	90	17 900	264	2 017	631 649
120	月経障害及び閉経周辺期障害	21	161	37 020	49	550	123 946
121	乳房及びその他の女性生殖器の疾患	45	262	62 410	1 492	4 585	901 086
122	XV 妊娠，分娩及び産じょく	218	439	103 680	9 838	16 589	2 491 521
123	流産	5	7	1 300	604	117	18 285
124	妊娠高血圧症候群	21	29	6 840	259	545	69 732
125	その他の妊娠，分娩及び産じょく	192	403	95 540	8 975	15 927	2 403 504
126	XVI 周産期に発生した病態	1	1	400	5 979	30 894	8 779 667
127	妊娠及び胎児発育に関連する障害	1	1	400	727	7 294	2 946 497
128	その他の周産期に発生した病態	−	−	−	5 252	23 600	5 833 170
129	XVII 先天奇形，変形及び染色体異常	111	895	202 875	2 010	55 170	17 670 849
130	心臓の先天奇形	1	1	400	189	3 122	3 841 982
131	その他の先天奇形，変形及び染色体異常	110	894	202 475	1 821	52 048	13 828 867
132	XVIII 症状，徴候等で他に分類されないもの	1 204	10 963	2 340 920	14 743	234 415	48 562 642
133	症状，徴候等で他に分類されないもの	1 204	10 963	2 340 920	14 743	234 415	48 562 642
134	XIX 損傷，中毒及びその他の外因の影響	3 467	17 050	3 801 090	46 899	415 754	156 666 198
135	骨折	1 886	8 441	1 878 875	29 357	194 502	75 100 357
136	頭蓋内損傷及び内臓の損傷	278	1 136	263 720	2 466	54 739	13 650 204
137	熱傷及び腐食	49	275	63 940	321	5 226	2 554 456
138	中毒	506	1 417	355 175	263	2 497	779 854
139	その他の損傷及びその他の外因の影響	748	5 781	1 239 380	14 492	158 790	64 581 327

手術			麻酔			放射線治療			行番号
実施件数	回数	点数	実施件数	回数	点数	実施件数	回数	点数	
16 565	34 806	360 488 460	8 741	15 551	83 034 601	284	1 017	1 755 760	72
62	75	1 294 893	45	115	118 713	-	-	-	73
348	704	5 884 775	315	537	2 366 352	2	5	1 650	74
149	221	2 465 825	94	172	469 960	4	42	160 330	75
3 210	7 601	32 359 741	390	583	2 170 368	97	253	661 060	76
158	237	3 013 550	69	113	404 192	3	5	4 180	77
287	815	13 089 438	243	384	1 791 127	-	-	-	78
2 153	5 506	106 988 180	2 047	3 351	18 060 065	4	29	49 500	79
78	131	2 215 284	48	89	437 846	-	-	-	80
251	488	3 506 966	96	217	637 005	15	119	221 996	81
191	316	5 024 989	91	176	422 615	2	17	31 270	82
9 678	18 712	184 644 819	5 303	9 814	56 156 358	157	547	625 774	83
87 648	126 571	1 494 143 013	39 688	71 265	306 719 065	737	1 864	2 029 640	84
2	1	121 887	2	3	8 681	-	-	-	85
6	17	156 635	1	2	10 380	-	-	-	86
52	116	1 794 789	47	72	482 286	1	2	220	87
4 020	12 647	56 427 389	623	1 310	5 726 030	155	251	88 000	88
1 196	1 671	21 332 256	730	1 097	2 764 484	5	9	63 880	89
3 580	3 988	24 697 931	2 723	3 422	3 867 775	7	13	288 000	90
809	1 730	8 996 089	37	43	159 722	13	26	4 180	91
45	64	656 077	26	50	127 802	-	-	-	92
870	1 699	10 465 009	42	51	112 384	19	85	100 780	93
1 365	2 605	25 242 641	323	598	1 686 202	32	108	131 590	94
16 481	20 850	436 868 985	8 172	15 867	80 266 372	30	78	96 880	95
1 524	2 256	38 167 102	172	314	1 278 832	21	41	6 930	96
57 698	78 927	869 216 223	26 790	48 436	210 228 115	454	1 251	1 249 180	97
5 489	8 832	80 650 079	2 630	4 201	16 703 397	116	587	1 387 412	98
1 543	2 333	11 686 246	659	971	4 457 298	20	69	383 590	99
813	1 284	25 294 595	582	1 088	3 168 314	20	192	430 274	100
3 133	5 215	43 669 238	1 389	2 142	9 077 785	76	326	573 548	101
34 423	63 881	2 456 413 596	35 256	67 675	377 559 573	255	625	695 120	102
987	2 142	49 122 287	881	1 616	6 996 279	15	34	41 900	103
12 114	26 634	1 129 582 593	11 990	25 069	138 031 325	40	67	32 470	104
7 911	12 422	629 027 894	9 338	17 233	114 211 920	58	125	220 370	105
2 918	3 362	122 775 297	3 896	7 279	37 898 344	-	-	-	106
27	38	719 455	44	273	121 206	-	-	-	107
692	848	14 632 892	782	1 586	1 606 318	2	16	19 540	108
1 319	3 308	214 666 480	1 445	2 770	25 387 462	24	64	55 510	109
206	267	5 954 214	213	444	1 289 251	1	3	330	110
1 246	2 364	70 699 102	1 180	2 065	11 121 003	13	78	139 940	111
7 003	12 496	219 233 382	5 487	9 340	40 896 465	102	238	185 060	112
32 203	44 342	591 444 946	20 288	31 234	111 563 548	242	573	600 257	113
4 072	5 995	56 758 436	2 069	3 250	11 559 518	48	120	127 210	114
8 096	14 562	150 704 697	1 703	1 461	5 698 132	127	250	188 010	115
5 914	6 380	126 689 179	4 026	6 184	23 574 198	1	1	110	116
2 534	4 377	44 137 783	1 606	2 558	8 555 072	39	84	124 995	117
2 374	2 762	51 935 948	2 386	3 810	11 810 711	7	84	138 532	118
1 026	1 186	6 821 451	936	1 386	4 913 854	1	1	1 800	119
142	222	2 172 120	115	158	613 983	2	3	440	120
8 045	8 858	152 225 332	7 447	12 427	44 838 080	17	30	19 160	121
24 612	29 953	403 944 078	17 692	33 086	43 201 998	92	127	28 270	122
4 610	4 885	26 119 119	4 030	4 659	7 190 015	5	5	1 100	123
977	1 224	23 069 566	774	1 647	2 155 990	6	7	1 650	124
19 025	23 844	354 755 393	12 888	26 780	33 855 993	81	115	25 520	125
2 581	3 691	32 894 948	600	985	5 481 130	77	127	14 410	126
751	1 368	14 447 248	197	317	2 151 944	62	104	11 440	127
1 830	2 323	18 447 700	403	668	3 329 186	15	23	2 970	128
3 818	6 828	235 787 432	4 283	7 918	54 499 268	158	205	1 896 560	129
595	2 023	98 978 423	904	1 741	16 598 010	85	108	17 930	130
3 223	4 805	136 809 009	3 379	6 177	37 901 258	73	97	1 878 630	131
3 965	6 869	79 267 610	1 811	2 805	9 850 000	64	470	1 179 760	132
3 965	6 869	79 267 610	1 811	2 805	9 850 000	64	470	1 179 760	133
64 322	106 004	2 304 518 986	52 641	83 825	384 777 538	457	943	672 140	134
42 228	74 695	1 595 543 476	39 185	62 825	282 619 037	262	473	244 640	135
4 327	7 198	95 213 153	1 400	1 683	10 925 318	63	149	92 870	136
290	883	12 392 932	233	458	2 404 783	10	24	4 070	137
91	117	282 586	19	21	65 206	-	-	-	138
17 386	23 111	601 086 839	11 804	18 838	88 763 194	122	297	330 560	139

２ 入 院

行番号	傷病（中分類）	病理診断			入院料等		
		実施件数	回数	点数	実施件数	回数	点数
72	Ⅹ 呼吸器系の疾患	12 578	16 896	7 465 143	182 069	1 600 300	3 156 028 846
73	急性鼻咽頭炎［かぜ］〈感冒〉	6	13	7 220	502	7 081	9 583 502
74	急性咽頭炎及び急性扁桃炎	226	246	145 690	4 252	14 519	26 597 609
75	その他の急性上気道感染症	59	104	56 450	3 549	15 683	26 807 729
76	肺炎	2 793	4 183	1 295 226	71 339	649 242	1 297 214 993
77	急性気管支炎及び急性細気管支炎	52	100	57 310	8 345	35 619	71 902 104
78	アレルギー性鼻炎	47	86	45 980	961	12 304	20 336 489
79	慢性副鼻腔炎	1 586	1 765	1 123 870	2 536	5 946	11 410 317
80	急性又は慢性と明示されない気管支炎	25	56	30 010	986	15 265	25 722 631
81	慢性閉塞性肺疾患	256	395	148 210	9 535	163 579	283 903 326
82	喘息	182	295	107 986	8 401	51 109	98 544 050
83	その他の呼吸器系の疾患	7 346	9 653	4 447 191	71 663	629 953	1 284 006 096
84	ⅩⅠ 消化器系の疾患	48 500	61 425	32 746 648	187 866	914 894	1 944 243 830
85	う蝕	－	－	－	32	315	633 964
86	歯肉炎及び歯周疾患	1	1	770	118	2 737	5 345 673
87	その他の歯及び歯の支持組織の障害	7	10	3 310	127	1 329	2 230 182
88	胃潰瘍及び十二指腸潰瘍	2 112	2 765	1 463 570	9 280	61 050	129 358 485
89	胃炎及び十二指腸炎	649	1 353	749 182	5 201	57 259	91 619 094
90	痔核	612	1 132	616 360	5 166	28 505	48 970 021
91	アルコール性肝疾患	311	375	151 755	2 481	13 848	28 565 617
92	慢性肝炎（アルコール性のものを除く）	45	98	61 010	482	8 438	12 569 690
93	肝硬変（アルコール性のものを除く）	499	607	278 390	2 815	25 583	45 804 826
94	その他の肝疾患	1 121	1 644	933 760	6 806	62 853	108 592 782
95	胆石症及び胆のう炎	8 854	10 153	5 287 812	25 174	97 364	217 468 253
96	膵疾患	779	1 045	472 340	5 670	19 228	43 596 857
97	その他の消化器系の疾患	33 510	42 242	22 728 389	124 514	536 385	1 209 488 386
98	ⅩⅡ 皮膚及び皮下組織の疾患	2 037	2 796	1 631 842	34 045	500 541	871 771 391
99	皮膚及び皮下組織の感染症	553	701	391 510	9 732	66 364	130 024 586
100	皮膚炎及び湿疹	369	647	379 156	7 487	139 650	235 207 518
101	その他の皮膚及び皮下組織の疾患	1 115	1 448	861 176	16 826	294 527	506 539 287
102	ⅩⅢ 筋骨格系及び結合組織の疾患	4 404	6 040	3 277 821	117 326	1 337 546	2 473 415 603
103	炎症性多発性関節障害	551	763	405 110	8 150	79 179	144 247 631
104	関節症	581	741	406 050	25 386	254 731	490 259 997
105	脊椎障害（脊椎症を含む）	558	768	396 430	27 288	294 613	540 056 365
106	椎間板障害	129	180	99 296	6 555	43 568	81 859 296
107	頚腕症候群	2	4	2 440	186	3 079	4 266 810
108	腰痛症及び坐骨神経痛	155	344	192 030	4 576	59 245	98 629 819
109	その他の脊柱障害	57	95	41 270	3 375	26 600	50 883 673
110	肩の傷害〈損傷〉	20	36	18 120	936	16 505	25 536 835
111	骨の密度及び構造の障害	122	189	119 180	5 172	63 591	115 722 828
112	その他の筋骨格系及び結合組織の疾患	2 229	2 920	1 597 895	35 702	496 435	921 952 349
113	ⅩⅣ 腎尿路生殖器系の疾患	14 501	18 453	9 859 076	97 484	867 592	1 561 104 096
114	糸球体疾患及び腎尿細管間質性疾患	2 383	2 891	1 454 972	19 084	94 759	199 445 047
115	腎不全	1 486	2 086	1 078 656	32 011	449 157	748 997 378
116	尿路結石症	295	409	179 136	8 266	27 104	63 624 079
117	その他の腎尿路系の疾患	1 318	1 861	791 156	20 756	243 660	447 508 702
118	前立腺肥大（症）	2 144	2 701	1 466 130	3 974	25 181	47 665 202
119	その他の男性生殖器の疾患	375	457	223 290	2 548	6 684	15 040 854
120	月経障害及び閉経周辺期障害	119	170	83 094	300	1 448	2 616 593
121	乳房及びその他の女性生殖器の疾患	6 381	7 878	4 582 642	10 545	19 599	36 206 241
122	ⅩⅤ 妊娠，分娩及び産じょく	8 745	12 347	7 139 406	45 418	101 867	274 405 393
123	流産	4 249	6 609	3 625 768	4 908	3 983	8 338 073
124	妊娠高血圧症候群	419	479	303 460	2 031	3 222	24 762 797
125	その他の妊娠，分娩及び産じょく	4 077	5 259	3 210 178	38 479	94 662	241 304 523
126	ⅩⅥ 周産期に発生した病態	152	202	120 030	19 583	39 850	105 610 556
127	妊娠及び胎児発育に関連する障害	61	74	43 420	5 554	12 598	43 537 001
128	その他の周産期に発生した病態	91	128	76 610	14 029	27 252	62 073 555
129	ⅩⅦ 先天奇形，変形及び染色体異常	944	1 056	704 400	8 761	68 886	158 571 454
130	心臓の先天奇形	34	46	30 020	1 571	5 118	18 423 220
131	その他の先天奇形，変形及び染色体異常	910	1 010	674 380	7 190	63 768	140 148 234
132	ⅩⅧ 症状，徴候等で他に分類されないもの	1 494	3 196	1 455 313	36 911	609 726	1 078 767 884
133	症状，徴候等で他に分類されないもの	1 494	3 196	1 455 313	36 911	609 726	1 078 767 884
134	ⅩⅨ 損傷，中毒及びその他の外因の影響	2 118	3 461	1 817 489	204 393	2 360 649	4 728 613 013
135	骨折	915	1 317	543 502	138 105	1 757 506	3 539 233 783
136	頭蓋内損傷及び内臓の損傷	240	288	129 600	16 912	172 669	345 178 954
137	熱傷及び腐食	14	22	10 540	1 101	9 196	19 176 905
138	中毒	10	11	3 850	2 130	6 509	14 940 549
139	その他の損傷及びその他の外因の影響	939	1 823	1 129 997	46 145	414 769	810 082 822

注：１）「件数」は、明細書の数である。
　　２）「実施件数」は、当該診療行為が実施された明細書の数である。
　　３）「回数」は、当該診療行為が実施された延べ算定回数である。
　　４）総数には、「療養担当手当等」、「合算薬剤料」、「補正点数」を含む。
　　５）総数には、入院時食事療養等を含まない。
　　６）総数には、「ⅩⅩ 傷病及び死亡の外因」、「ⅩⅩⅠ 健康状態に影響を及ぼす要因及び保健サービスの利用」、「ⅩⅩⅡ 特殊目的用コード」、「不詳」を含む。

平成30年６月審査分

診断群分類による包括評価等			入院時食事療養等（別掲）			行番号
実施件数	回数	点数	実施件数	回数	金額(円)	
110 709	1 134 082	4 060 721 597	173 653	6 572 428	4 035 719 314	72
157	703	3 148 641	468	21 991	14 011 068	73
3 563	16 746	68 273 934	4 441	72 556	46 626 528	74
2 837	13 201	54 440 261	3 388	67 527	43 087 758	75
39 252	397 722	1 431 975 319	68 384	2 474 499	1 550 566 272	76
7 047	37 811	168 571 032	7 892	162 543	102 541 868	77
143	805	2 308 633	876	35 265	22 271 643	78
2 209	13 353	40 226 774	2 676	45 029	29 269 441	79
200	1 959	5 756 040	928	47 243	27 887 087	80
2 898	32 961	119 428 070	9 367	611 084	346 249 379	81
5 906	36 674	150 290 198	8 716	226 937	141 628 696	82
46 497	582 147	2 016 302 695	66 517	2 807 754	1 711 579 574	83
127 450	990 660	3 540 208 475	180 691	4 022 536	2 596 190 634	84
21	74	400 461	30	1 043	673 170	85
14	84	293 358	112	7 924	4 951 874	86
58	373	1 215 675	126	4 687	2 880 904	87
5 840	53 288	189 573 543	8 690	254 877	165 296 100	88
804	4 717	15 591 281	4 808	165 580	101 441 926	89
1 090	5 042	12 788 586	4 725	80 326	50 566 109	90
1 966	21 908	66 094 321	2 584	93 265	64 152 699	91
1	10	29 562	459	23 829	14 650 917	92
1 831	20 341	66 680 936	2 911	123 559	81 670 947	93
3 596	41 070	153 744 915	6 736	262 928	171 478 224	94
21 583	188 594	659 077 944	24 881	565 332	368 980 331	95
4 960	49 351	191 611 665	5 359	121 946	83 511 569	96
85 686	605 808	2 183 106 228	119 270	2 317 240	1 485 935 864	97
12 601	128 480	402 610 974	33 905	1 779 009	1 087 161 050	98
6 723	60 176	199 248 070	10 105	344 281	222 809 294	99
947	7 507	25 192 960	7 187	413 011	253 499 023	100
4 931	60 797	178 169 944	16 613	1 021 717	610 852 733	101
55 990	642 843	1 981 545 088	122 116	5 710 931	3 586 716 578	102
3 678	39 510	129 388 402	8 298	340 480	216 009 675	103
14 203	174 475	470 242 493	26 979	1 245 592	800 810 066	104
13 822	157 158	460 538 918	28 691	1 335 376	845 263 181	105
3 942	35 001	101 450 459	7 064	209 423	137 139 771	106
16	153	426 365	186	9 597	5 785 110	107
720	4 711	13 668 859	4 517	184 608	115 676 662	108
2 069	22 406	67 310 422	3 604	134 736	87 857 954	109
144	1 349	3 735 077	930	53 292	32 319 476	110
2 302	28 897	77 829 398	5 299	271 691	173 388 353	111
15 094	179 183	656 954 695	36 548	1 926 136	1 172 466 330	112
58 154	491 496	1 634 191 532	98 111	3 753 490	2 387 275 628	113
15 227	140 038	472 933 739	19 758	601 159	397 217 058	114
13 738	154 460	516 720 692	32 182	1 825 302	1 165 917 495	115
6 473	32 083	103 760 237	8 617	138 434	85 682 891	116
9 565	92 175	306 698 139	20 087	899 311	552 457 429	117
2 368	16 540	49 330 731	4 205	108 431	69 743 107	118
2 172	13 538	44 478 786	2 667	49 316	32 740 757	119
181	886	2 898 713	291	5 506	3 494 713	120
8 430	41 776	137 370 495	10 304	126 031	80 022 178	121
28 696	226 645	741 390 030	44 479	810 770	515 770 845	122
2 184	6 445	22 228 156	2 776	12 597	8 060 457	123
1 612	12 798	47 795 029	2 073	40 239	27 201 404	124
24 900	207 402	671 366 845	39 630	757 934	480 508 984	125
13 992	137 883	902 234 067	16 409	334 164	212 261 277	126
5 304	79 750	586 307 956	5 455	180 334	116 142 483	127
8 688	58 133	315 926 111	10 954	153 830	96 118 794	128
6 886	49 614	265 633 505	8 697	271 124	173 813 097	129
1 557	13 869	90 075 421	1 646	38 828	25 430 662	130
5 329	35 745	175 558 084	7 051	232 296	148 382 435	131
2 640	15 472	59 276 530	33 738	1 653 084	959 873 494	132
2 640	15 472	59 276 530	33 738	1 653 084	959 873 494	133
95 765	954 800	2 935 856 076	206 627	9 856 384	6 163 337 276	134
59 087	674 302	1 907 559 475	141 079	7 394 010	4 644 471 940	135
10 366	101 023	409 142 621	16 554	786 149	465 456 653	136
743	9 131	34 449 722	1 139	53 090	33 769 369	137
1 751	6 484	39 003 923	1 841	28 729	18 368 513	138
23 818	163 860	545 700 335	46 014	1 594 406	1 001 270 801	139

3 入院外

行番号	傷病（中分類）	件数	診療実日数	総数 実施件数	総数 回数	総数 点数
1	総数	83 458 976	129 592 050	83 458 976	1 320 269 649	113 428 498 772
2	Ⅰ 感染症及び寄生虫症	3 263 378	4 883 473	3 263 378	32 939 362	3 847 491 253
3	腸管感染症	960 896	1 317 233	960 896	8 573 354	886 083 966
4	結核	22 502	35 784	22 502	475 567	58 477 491
5	主として性的伝播様式をとる感染症	65 074	100 904	65 074	655 821	76 637 015
6	皮膚及び粘膜の病変を伴うウイルス性疾患	874 804	1 450 019	874 804	6 303 022	683 597 495
7	ウイルス性肝炎	201 690	322 710	201 690	4 804 871	820 818 761
8	その他のウイルス性疾患	122 457	207 049	122 457	1 515 608	273 803 686
9	真菌症	724 636	996 985	724 636	6 937 947	636 454 994
10	感染症及び寄生虫症の続発・後遺症	6 118	9 447	6 118	111 470	15 230 299
11	その他の感染症及び寄生虫症	285 201	443 342	285 201	3 561 702	396 387 546
12	Ⅱ 新生物＜腫瘍＞	3 043 417	4 674 234	3 043 417	50 515 685	11 993 071 793
13	胃の悪性新生物＜腫瘍＞	229 241	364 009	229 241	4 258 799	812 818 641
14	結腸の悪性新生物＜腫瘍＞	241 590	382 312	241 590	4 360 431	912 943 550
15	直腸Ｓ状結腸移行部及び直腸の悪性新生物＜腫瘍＞	68 102	113 396	68 102	1 416 128	395 309 203
16	肝及び肝内胆管の悪性新生物＜腫瘍＞	68 505	110 344	68 505	1 600 839	260 064 004
17	気管，気管支及び肺の悪性新生物＜腫瘍＞	183 622	296 522	183 622	3 528 509	1 360 710 017
18	乳房の悪性新生物＜腫瘍＞	269 239	446 653	269 239	4 550 792	1 321 531 743
19	子宮の悪性新生物＜腫瘍＞	86 824	126 123	86 824	973 443	208 990 128
20	悪性リンパ腫	61 445	99 207	61 445	1 389 319	385 285 975
21	白血病	25 280	38 718	25 280	711 254	199 051 080
22	その他の悪性新生物＜腫瘍＞	858 980	1 364 352	858 980	17 579 554	4 380 492 120
23	良性新生物＜腫瘍＞及びその他の新生物＜腫瘍＞	950 589	1 332 598	950 589	10 146 617	1 755 875 332
24	Ⅲ 血液及び造血器の疾患並びに免疫機構の障害	487 017	744 536	487 017	10 005 078	1 416 424 825
25	貧血	357 148	551 336	357 148	7 254 841	720 366 255
26	その他の血液及び造血器の疾患並びに免疫機構の障害	129 869	193 200	129 869	2 750 237	696 058 570
27	Ⅳ 内分泌，栄養及び代謝疾患	7 595 914	10 368 731	7 595 914	186 666 410	11 414 119 772
28	甲状腺障害	561 717	744 943	561 717	14 019 720	913 252 686
29	糖尿病	3 216 457	4 395 660	3 216 457	84 581 706	5 717 650 457
30	脂質異常症	3 081 101	4 108 830	3 081 101	73 605 359	3 200 631 255
31	その他の内分泌，栄養及び代謝疾患	736 639	1 119 298	736 639	14 459 625	1 582 585 374
32	Ⅴ 精神及び行動の障害	3 278 804	5 141 119	3 278 804	54 136 972	3 710 363 785
33	血管性及び詳細不明の認知症	85 914	185 038	85 914	1 376 453	188 164 401
34	精神作用物質使用による精神及び行動の障害	63 715	115 193	63 715	1 234 378	95 826 126
35	統合失調症，統合失調症型障害及び妄想性障害	560 012	1 131 593	560 012	14 222 337	995 268 694
36	気分［感情］障害（躁うつ病を含む）	1 187 956	1 762 063	1 187 956	19 719 356	1 137 545 900
37	神経症性障害，ストレス関連障害及び身体表現性障害	958 301	1 309 643	958 301	12 919 934	818 963 994
38	知的障害〈精神遅滞〉	37 706	58 772	37 706	608 798	39 504 011
39	その他の精神及び行動の障害	385 200	578 817	385 200	4 055 716	435 090 659
40	Ⅵ 神経系の疾患	2 386 626	3 767 581	2 386 626	39 734 594	3 474 749 215
41	パーキンソン病	126 670	207 511	126 670	2 532 189	241 015 046
42	アルツハイマー病	376 480	726 744	376 480	6 629 092	683 888 396
43	てんかん	232 582	310 294	232 582	4 152 368	296 712 398
44	脳性麻痺及びその他の麻痺性症候群	38 863	91 916	38 863	517 525	80 595 381
45	自律神経系の障害	45 432	65 842	45 432	944 092	49 271 151
46	その他の神経系の疾患	1 566 599	2 365 274	1 566 599	24 959 328	2 123 266 843
47	Ⅶ 眼及び付属器の疾患	8 375 600	10 007 713	8 375 600	73 706 291	8 056 944 067
48	結膜炎	1 509 051	1 840 385	1 509 051	12 962 222	1 139 446 022
49	白内障	871 208	1 137 903	871 208	10 141 308	1 275 366 927
50	屈折及び調節の障害	2 683 504	3 001 211	2 683 504	18 504 995	1 948 892 964
51	その他の眼及び付属器の疾患	3 311 837	4 028 214	3 311 837	32 097 766	3 693 238 154
52	Ⅷ 耳及び乳様突起の疾患	1 478 876	2 356 839	1 478 876	13 874 387	1 312 753 442
53	外耳炎	255 575	376 176	255 575	1 848 031	155 782 980
54	その他の外耳疾患	281 294	353 332	281 294	1 484 987	187 126 247
55	中耳炎	367 167	756 495	367 167	4 052 161	372 767 425
56	その他の中耳及び乳様突起の疾患	69 806	123 598	69 806	777 368	63 419 792
57	メニエール病	111 303	171 046	111 303	1 655 052	102 782 617
58	その他の内耳疾患	75 362	106 238	75 362	1 077 380	101 896 596
59	その他の耳疾患	318 369	469 954	318 369	2 979 408	328 977 785
60	Ⅸ 循環器系の疾患	12 143 096	17 283 884	12 143 096	298 057 517	16 226 699 533
61	高血圧性疾患	8 524 249	11 850 314	8 524 249	215 750 860	9 471 872 698
62	虚血性心疾患	807 534	1 177 705	807 534	22 312 038	1 509 266 800
63	その他の心疾患	1 246 905	1 859 695	1 246 905	29 029 871	2 451 667 723
64	くも膜下出血	28 828	42 500	28 828	460 320	50 372 510
65	脳内出血	99 284	171 135	99 284	1 902 444	202 294 262
66	脳梗塞	752 095	1 168 208	752 095	16 000 444	1 196 008 322
67	脳動脈硬化(症)	4 159	6 355	4 159	88 887	6 072 922
68	その他の脳血管疾患	259 319	348 329	259 319	4 484 214	439 520 541
69	動脈硬化(症)	129 313	217 917	129 313	2 745 657	240 331 830
70	低血圧(症)	24 775	36 747	24 775	351 499	33 097 549
71	その他の循環器系の疾患	266 635	404 979	266 635	4 931 283	626 194 376

平成30年６月審査分

初・再診			医学管理等			在宅医療			行番号
実施件数	回数	点数	実施件数	回数	点数	実施件数	回数	点数	
80 369 793	124 506 517	16 879 679 212	38 464 126	52 756 971	9 715 539 585	2 543 759	4 461 408	7 821 724 146	1
3 073 704	4 578 864	841 808 909	1 112 394	1 564 699	307 252 556	42 007	82 307	172 963 806	2
859 036	1 145 245	300 231 934	426 663	632 081	153 471 163	5 961	11 659	20 269 190	3
21 317	34 690	4 066 350	8 613	12 445	2 330 035	1 103	2 126	5 297 129	4
62 591	97 805	16 777 516	16 634	19 947	1 424 274	231	398	819 470	5
854 207	1 425 116	219 967 937	182 647	243 516	38 158 541	3 960	7 053	13 311 628	6
195 832	320 497	34 689 241	104 807	149 821	29 211 347	6 303	11 262	41 398 788	7
109 159	175 547	36 132 329	52 410	84 760	23 504 702	1 013	2 038	14 687 521	8
696 804	951 894	148 301 554	218 967	272 382	28 832 006	18 277	38 320	53 317 534	9
5 441	7 909	917 305	2 631	3 555	648 206	933	2 224	5 881 189	10
269 317	420 161	80 724 743	99 022	146 192	29 672 282	4 226	7 227	17 981 357	11
2 949 036	4 551 973	503 106 187	1 440 724	1 983 942	494 060 345	80 188	203 540	391 998 036	12
216 030	355 774	37 556 496	127 451	179 860	43 812 355	6 629	19 081	34 663 101	13
234 421	379 341	42 366 863	137 745	194 416	47 896 244	8 274	21 940	37 598 959	14
65 648	110 825	10 241 379	48 057	68 831	18 650 022	2 918	8 041	13 368 417	15
65 971	108 865	10 550 231	41 182	57 072	15 305 569	3 484	9 027	18 315 164	16
177 041	287 521	30 838 194	109 406	145 910	39 807 654	8 388	24 464	58 873 982	17
260 878	403 279	39 564 885	162 326	249 396	68 098 199	3 800	11 657	20 847 552	18
84 222	122 704	13 256 463	34 053	41 106	12 186 286	1 237	4 108	7 618 246	19
59 593	98 001	8 834 178	41 933	53 695	15 344 985	2 271	5 495	10 496 288	20
24 785	39 030	3 455 475	9 333	12 135	2 620 008	800	2 002	3 862 049	21
835 120	1 313 522	127 476 484	486 207	691 495	176 395 421	31 840	80 775	149 203 458	22
925 327	1 333 111	178 965 539	243 031	290 026	53 943 602	10 547	16 950	37 150 820	23
445 847	683 511	84 700 086	225 111	305 675	57 782 313	18 645	32 486	303 359 759	24
319 187	489 259	62 319 205	169 955	233 606	41 727 466	12 695	24 199	42 682 563	25
126 660	194 252	22 380 881	55 156	72 069	16 054 847	5 950	8 287	260 677 196	26
7 453 183	10 192 799	1 207 978 988	5 658 937	7 850 025	1 477 361 772	612 263	766 470	1 425 840 323	27
547 593	730 860	87 398 272	372 514	514 451	89 965 423	13 916	23 699	49 585 792	28
3 149 087	4 319 318	491 416 355	2 231 688	3 035 813	586 731 004	491 282	579 360	931 670 944	29
3 043 564	4 068 984	485 640 006	2 707 764	3 826 441	715 605 912	67 842	100 262	143 430 560	30
712 939	1 073 637	143 524 355	346 971	473 320	85 059 433	39 223	63 149	301 153 027	31
3 184 633	4 969 676	459 471 181	703 297	865 487	116 585 523	61 174	157 507	169 298 665	32
56 677	106 282	11 876 374	24 558	33 034	6 206 356	23 078	74 939	70 351 376	33
62 797	114 714	14 014 979	31 734	46 497	8 579 859	1 167	2 176	2 868 382	34
537 944	1 092 165	83 788 848	125 373	147 671	12 648 655	11 214	26 711	25 647 704	35
1 175 046	1 747 261	151 217 044	225 335	271 840	27 093 330	11 548	24 827	27 582 854	36
948 374	1 301 688	136 107 188	203 674	252 921	32 528 606	7 989	15 192	20 280 755	37
31 438	48 359	4 670 031	9 605	12 198	2 617 704	915	1 952	2 856 973	38
372 357	559 207	57 796 717	83 018	101 326	26 911 013	5 263	11 710	19 710 621	39
2 209 835	3 360 260	382 771 642	943 637	1 244 511	223 180 262	391 040	684 991	920 877 747	40
111 294	169 029	17 151 422	72 282	88 778	18 880 430	17 223	48 808	60 199 128	41
271 469	452 324	48 082 300	128 359	168 839	29 125 201	84 942	265 263	234 155 082	42
215 640	281 098	28 136 421	161 130	218 867	57 051 906	7 495	16 177	27 433 372	43
33 569	77 349	7 210 448	10 116	13 360	2 744 948	4 420	14 626	21 618 949	44
44 037	62 653	7 731 060	19 828	27 483	3 919 259	2 041	6 874	13 174 861	45
1 533 826	2 317 807	274 459 991	551 922	727 184	111 458 518	274 919	333 243	564 296 355	46
8 312 030	9 973 199	1 328 002 232	1 742 283	1 953 800	143 225 093	46 657	69 651	113 892 701	47
1 475 058	1 778 617	277 076 118	449 858	535 547	57 497 002	13 016	23 861	35 143 952	48
865 128	1 145 963	121 915 160	218 641	247 604	19 036 671	9 198	11 793	19 409 444	49
2 679 687	3 010 362	486 374 773	330 604	351 368	17 087 372	5 613	6 093	12 318 772	50
3 292 157	4 038 257	442 636 181	743 180	819 281	49 604 048	18 830	27 904	47 020 533	51
1 450 153	2 319 160	380 817 493	245 257	337 278	62 976 774	8 392	10 584	21 340 613	52
252 543	374 127	67 163 716	27 506	33 473	4 080 273	1 229	1 532	2 829 038	53
276 392	349 503	80 147 460	21 003	25 737	5 408 521	912	1 128	1 585 381	54
348 760	713 234	108 570 656	86 661	136 179	32 396 746	1 091	1 373	3 980 793	55
69 585	124 470	15 211 657	7 232	8 579	889 533	291	310	809 173	56
110 804	171 732	22 962 191	32 998	47 124	6 854 077	1 008	1 733	2 590 700	57
74 901	108 661	16 923 116	23 988	31 816	5 263 290	1 195	1 494	2 849 134	58
317 168	477 433	69 838 697	45 869	54 370	8 084 334	2 666	3 014	6 696 394	59
11 698 163	16 408 430	1 936 802 369	9 821 620	13 894 315	2 607 019 555	490 297	1 055 250	1 374 589 862	60
8 286 592	11 364 052	1 353 174 957	7 573 222	10 804 932	2 014 544 862	270 891	563 209	648 403 121	61
782 677	1 150 837	129 960 248	547 006	766 387	144 915 349	40 204	67 635	104 903 612	62
1 179 239	1 733 729	201 133 246	813 242	1 137 163	230 638 366	82 239	179 361	318 117 739	63
24 819	33 462	4 001 331	12 133	15 520	2 701 069	2 743	8 931	11 085 257	64
82 508	130 744	16 074 308	50 489	67 375	11 812 983	12 712	37 783	46 833 328	65
677 280	990 352	117 444 533	494 329	665 835	117 978 804	58 308	157 754	179 862 675	66
3 995	5 966	753 005	2 946	4 141	760 318	132	295	278 784	67
251 147	342 532	40 723 374	150 254	194 455	36 654 458	8 388	15 754	20 763 417	68
126 956	217 714	22 390 906	68 718	94 470	19 469 781	5 348	7 401	12 421 745	69
24 266	36 145	5 349 702	8 309	11 219	2 637 556	569	1 207	2 052 533	70
258 684	402 897	45 796 759	100 972	132 818	24 906 009	8 763	15 920	29 867 651	71

第７表　医科診療　件数・診療実日数・実施件数・回数・点数，

3　入院外

行番号	傷病（中分類）	検査			画像診断		
		実施件数	回数	点数	実施件数	回数	点数
1	総数	32 023 543	190 618 624	20 676 561 620	9 357 062	24 323 671	8 839 918 096
2	Ⅰ 感染症及び寄生虫症	1 195 000	6 786 260	781 737 035	170 902	438 844	179 188 923
3	腸管感染症	246 834	1 510 917	161 164 506	54 308	132 007	46 383 847
4	結核	14 610	137 185	17 854 625	13 354	34 486	10 452 916
5	主として性的伝播様式をとる感染症	42 401	225 573	28 269 032	1 798	4 759	2 840 571
6	皮膚及び粘膜の病変を伴うウイルス性疾患	95 352	498 928	50 868 988	10 669	26 853	10 836 561
7	ウイルス性肝炎	145 961	1 581 639	206 092 247	29 585	80 113	53 138 743
8	その他のウイルス性疾患	98 635	555 860	58 910 826	6 148	16 349	5 848 858
9	真菌症	334 820	1 119 057	123 209 769	16 383	42 802	15 196 122
10	感染症及び寄生虫症の続発・後遺症	2 259	17 847	2 050 878	2 177	5 461	1 881 915
11	その他の感染症及び寄生虫症	214 128	1 139 254	133 316 164	36 480	96 014	32 609 390
12	Ⅱ 新生物＜腫瘍＞	2 055 462	13 479 394	1 961 321 125	905 451	2 342 457	1 965 067 993
13	胃の悪性新生物＜腫瘍＞	166 832	1 127 936	217 985 044	51 618	137 666	109 480 624
14	結腸の悪性新生物＜腫瘍＞	176 585	1 173 692	200 308 730	61 435	158 211	132 374 676
15	直腸Ｓ状結腸移行部及び直腸の悪性新生物＜腫瘍＞	48 264	359 339	48 887 014	23 640	63 104	59 767 185
16	肝及び肝内胆管の悪性新生物＜腫瘍＞	54 846	518 261	66 187 809	25 197	60 041	70 326 233
17	気管，気管支及び肺の悪性新生物＜腫瘍＞	108 942	952 454	116 336 774	141 544	395 088	269 921 081
18	乳房の悪性新生物＜腫瘍＞	163 278	903 092	124 799 542	93 392	255 504	189 817 189
19	子宮の悪性新生物＜腫瘍＞	63 059	303 635	51 602 605	16 221	39 323	42 948 451
20	悪性リンパ腫	49 471	486 509	62 221 112	18 680	45 570	67 596 191
21	白血病	22 988	234 116	45 681 318	3 784	9 478	3 862 207
22	その他の悪性新生物＜腫瘍＞	649 144	4 646 449	568 009 263	241 562	639 424	624 440 376
23	良性新生物＜腫瘍＞及びその他の新生物＜腫瘍＞	552 053	2 773 911	459 301 914	228 378	539 048	394 533 780
24	Ⅲ 血液及び造血器の疾患並びに免疫機構の障害	312 928	2 618 763	267 820 396	55 238	144 865	63 206 573
25	貧血	211 925	1 619 971	161 933 685	26 604	66 396	25 349 861
26	その他の血液及び造血器の疾患並びに免疫機構の障害	101 003	998 792	105 886 711	28 634	78 469	37 856 712
27	Ⅳ 内分泌，栄養及び代謝疾患	4 193 767	30 478 152	2 909 495 442	454 961	1 083 937	380 865 136
28	甲状腺障害	373 429	3 366 682	406 945 586	38 078	92 049	39 448 935
29	糖尿病	2 430 861	18 079 839	1 557 918 555	213 198	512 075	185 414 744
30	脂質異常症	1 027 420	6 577 022	637 353 490	142 562	329 327	93 312 123
31	その他の内分泌，栄養及び代謝疾患	362 057	2 454 609	307 277 811	61 123	150 486	62 689 334
32	Ⅴ 精神及び行動の障害	389 669	2 080 005	226 462 646	55 627	137 904	77 428 185
33	血管性及び詳細不明の認知症	24 762	169 167	16 859 640	10 631	26 675	19 694 765
34	精神作用物質使用による精神及び行動の障害	11 847	85 494	8 435 050	2 771	7 056	3 502 809
35	統合失調症，統合失調症型障害及び妄想性障害	55 110	352 228	31 291 446	4 644	11 653	5 012 929
36	気分［感情］障害（躁うつ病を含む）	112 224	601 607	59 885 032	10 571	26 340	13 397 392
37	神経症性障害，ストレス関連障害及び身体表現性障害	125 936	614 356	75 161 614	17 736	43 298	21 049 114
38	知的障害〈精神遅滞〉	5 374	23 339	2 972 077	534	1 271	452 946
39	その他の精神及び行動の障害	54 416	233 814	31 857 787	8 740	21 611	14 318 230
40	Ⅵ 神経系の疾患	481 440	3 054 918	360 216 480	234 917	603 893	345 082 710
41	パーキンソン病	25 364	177 647	19 327 688	13 690	35 646	38 222 830
42	アルツハイマー病	90 143	598 406	58 873 926	34 057	84 976	58 569 859
43	てんかん	55 099	323 475	47 575 849	13 927	32 595	22 256 621
44	脳性麻痺及びその他の麻痺性症候群	4 995	31 974	3 593 090	3 732	11 038	3 850 347
45	自律神経系の障害	9 064	51 850	5 797 812	2 030	4 834	2 374 384
46	その他の神経系の疾患	296 775	1 871 566	225 048 115	167 481	434 804	219 808 669
47	Ⅶ 眼及び付属器の疾患	7 681 732	41 980 651	3 290 279 122	82 998	192 986	75 449 825
48	結膜炎	1 223 248	5 337 617	395 915 154	7 888	17 928	5 388 047
49	白内障	788 763	5 810 437	457 922 591	26 090	59 492	18 580 087
50	屈折及び調節の障害	2 614 748	12 453 733	948 886 128	10 506	25 545	10 191 942
51	その他の眼及び付属器の疾患	3 054 973	18 378 864	1 487 555 249	38 514	90 021	41 289 749
52	Ⅷ 耳及び乳様突起の疾患	633 137	1 756 430	366 692 601	60 067	137 204	66 201 751
53	外耳炎	51 194	131 380	26 171 823	3 954	8 672	2 756 655
54	その他の外耳疾患	49 447	119 034	26 327 027	3 766	8 340	2 193 534
55	中耳炎	152 351	405 419	88 437 119	13 312	29 695	8 467 317
56	その他の中耳及び乳様突起の疾患	37 387	93 990	22 306 497	4 239	9 437	4 955 074
57	メニエール病	64 295	220 788	35 455 399	5 040	11 755	6 337 774
58	その他の内耳疾患	45 040	209 929	31 316 929	12 616	30 119	20 447 252
59	その他の耳疾患	233 423	575 890	136 677 807	17 140	39 186	21 044 145
60	Ⅸ 循環器系の疾患	4 107 484	26 997 761	2 982 017 756	1 311 501	3 021 002	1 319 042 280
61	高血圧性疾患	2 362 168	15 069 734	1 457 696 009	493 582	1 105 801	279 717 520
62	虚血性心疾患	431 520	3 052 980	393 960 681	157 489	368 578	196 669 761
63	その他の心疾患	732 585	5 063 934	699 790 183	271 085	635 615	183 867 952
64	くも膜下出血	6 502	43 418	4 546 687	9 695	22 733	17 178 480
65	脳内出血	26 190	179 819	18 681 637	26 535	63 300	43 472 953
66	脳梗塞	230 595	1 471 194	153 025 834	167 099	386 015	280 187 217
67	脳動脈硬化(症)	1 131	5 929	688 210	1 180	2 688	2 097 600
68	その他の脳血管疾患	89 850	525 393	66 316 474	92 992	208 252	177 774 616
69	動脈硬化(症)	80 081	483 312	50 952 385	17 124	41 096	19 676 034
70	低血圧(症)	7 790	55 145	6 399 735	2 383	5 561	2 658 048
71	その他の循環器系の疾患	139 072	1 046 903	129 959 921	72 337	181 363	115 742 099

平成30年６月審査分

投薬			注射			リハビリテーション			行番号
実施件数	回数	点数	実施件数	回数	点数	実施件数	回数	点数	
67 069 409	852 744 225	17 440 848 141	5 453 754	11 779 627	11 891 994 509	1 671 586	9 390 740	1 715 063 771	1
2 518 906	17 541 267	903 126 424	217 839	356 501	258 784 948	6 768	43 030	8 128 528	2
817 087	4 855 089	110 402 687	142 069	172 607	51 133 972	1 080	6 897	1 344 559	3
13 821	245 445	4 857 796	1 514	3 220	8 875 832	89	564	102 973	4
44 240	271 460	12 949 668	3 412	4 448	2 968 510	47	336	70 387	5
525 969	3 126 671	109 792 920	16 483	42 732	40 674 097	1 404	8 414	1 633 280	6
132 999	2 560 098	359 681 114	18 964	66 040	61 903 460	657	4 260	779 443	7
94 973	653 602	121 982 917	3 659	5 287	8 157 434	481	2 963	643 055	8
665 810	4 109 202	135 307 976	15 832	36 963	54 316 123	2 267	15 284	2 695 299	9
4 001	71 770	1 616 609	329	658	1 599 435	181	1 180	247 022	10
220 006	1 647 930	46 534 737	15 577	24 546	29 156 085	562	3 132	612 510	11
1 533 502	25 808 557	1 350 293 751	319 305	669 191	3 999 829 068	12 118	66 297	20 288 652	12
127 785	2 284 299	52 071 143	22 691	50 415	237 985 778	574	3 634	660 119	13
124 948	2 309 273	60 578 428	21 801	48 221	299 021 266	613	4 090	772 374	14
40 121	758 675	28 648 542	9 411	23 795	188 616 701	145	739	141 974	15
39 173	821 427	48 787 199	5 402	14 852	14 665 654	189	1 263	229 221	16
91 314	1 625 329	128 455 664	20 662	54 853	656 021 766	828	3 879	736 112	17
158 097	2 483 483	99 071 503	39 108	94 160	592 734 408	2 172	8 854	1 740 429	18
26 957	329 151	8 271 690	4 219	9 347	29 528 910	333	867	159 657	19
35 781	657 540	24 766 382	8 143	22 730	172 262 888	131	833	159 971	20
18 060	400 569	102 201 369	2 331	7 292	21 444 151	94	480	104 351	21
497 695	9 567 950	664 047 880	142 408	262 942	1 590 157 197	2 959	16 186	10 410 640	22
373 571	4 570 861	133 393 951	43 129	80 584	197 390 349	4 080	25 472	5 173 804	23
360 898	5 992 457	156 302 598	57 177	119 112	371 421 703	2 205	13 046	2 681 183	24
276 891	4 648 229	93 244 691	42 980	90 067	207 722 239	1 463	8 794	1 694 959	25
84 007	1 344 228	63 057 907	14 197	29 045	163 699 464	742	4 252	986 224	26
6 719 650	134 143 663	2 110 315 320	398 165	810 767	858 746 551	28 550	190 797	34 565 620	27
434 099	9 169 135	109 516 891	19 691	41 056	85 956 578	1 417	8 494	1 901 153	28
2 837 591	57 240 874	997 902 044	127 782	263 688	332 910 546	11 012	78 615	14 243 187	29
2 888 697	57 910 419	820 241 031	133 169	312 173	115 519 840	12 027	78 793	13 354 516	30
559 263	9 823 235	182 655 354	117 523	193 850	324 359 587	4 094	24 895	5 066 764	31
2 855 092	41 165 993	664 058 032	80 500	147 161	183 661 066	69 392	333 265	77 496 034	32
51 606	888 485	14 571 980	3 278	8 013	4 277 704	348	2 467	447 595	33
52 373	892 624	16 605 817	4 277	6 788	3 113 532	75	488	88 216	34
529 583	11 383 844	172 836 403	36 267	53 356	117 398 930	947	2 679	1 668 337	35
1 128 711	15 399 830	244 039 840	14 612	34 178	24 296 922	1 082	6 189	1 211 327	36
842 124	9 619 818	144 808 814	17 850	36 622	25 620 741	2 875	18 265	3 849 278	37
24 932	467 973	6 388 632	331	483	796 842	4 481	19 715	4 506 298	38
225 763	2 513 419	64 806 546	3 885	7 721	8 156 395	59 584	283 462	65 724 983	39
1 854 967	29 094 783	557 316 263	112 319	266 901	197 990 105	72 806	476 431	97 480 381	40
102 923	1 920 953	58 918 828	4 566	9 510	5 980 298	6 464	62 283	13 624 227	41
277 218	4 795 941	103 515 247	13 521	31 244	13 726 744	1 101	7 937	1 366 693	42
207 155	3 172 362	62 063 015	4 916	8 036	12 909 140	4 126	23 819	5 293 825	43
14 351	236 023	4 063 812	1 000	2 326	1 518 711	18 484	113 157	25 245 698	44
39 963	761 122	9 638 872	2 553	5 835	1 235 939	576	6 753	1 500 651	45
1 213 357	18 208 382	319 116 489	85 763	209 950	162 619 273	42 055	262 482	50 449 287	46
5 826 904	18 246 568	898 550 735	97 905	139 034	768 388 816	22 632	60 716	11 166 634	47
1 320 050	4 964 038	189 765 951	15 786	29 993	80 450 296	2 695	10 668	1 995 779	48
720 419	2 651 511	116 711 652	15 408	20 291	88 566 764	1 152	8 113	1 632 484	49
1 099 138	2 485 104	144 272 689	11 070	14 451	82 583 003	7 174	14 830	2 709 783	50
2 687 297	8 145 915	447 800 443	55 641	74 299	516 788 753	11 611	27 105	4 828 588	51
941 547	5 339 964	144 404 389	43 694	88 782	41 579 981	6 759	30 613	6 850 768	52
170 507	573 572	19 852 092	2 121	4 185	2 896 158	310	1 874	382 791	53
98 756	354 055	12 220 028	1 123	2 178	1 648 288	418	2 179	472 512	54
268 309	1 177 885	41 780 889	3 218	6 243	7 883 349	825	3 404	750 135	55
39 499	202 371	5 840 314	827	1 912	1 383 562	107	481	238 286	56
102 195	1 074 269	18 640 033	15 687	32 717	4 446 204	226	1 401	248 231	57
61 516	638 563	12 639 247	11 420	17 305	6 674 488	370	2 504	490 224	58
200 765	1 319 249	33 431 786	9 298	24 242	16 647 932	4 503	18 770	4 268 589	59
10 935 381	232 800 877	3 484 898 679	599 839	1 332 734	648 278 570	84 818	675 854	129 699 942	60
8 099 328	174 451 710	2 418 036 021	409 822	942 463	311 549 769	32 144	229 523	39 034 891	61
689 809	16 609 513	265 030 953	41 587	81 785	59 894 517	8 949	76 120	15 188 771	62
987 193	19 872 151	416 682 664	69 073	133 875	138 759 937	9 908	79 435	15 658 719	63
18 681	321 543	5 109 246	1 068	1 675	982 140	1 078	9 897	2 220 874	64
66 451	1 328 656	21 301 101	4 955	8 286	5 649 100	6 798	69 464	14 998 256	65
603 248	11 970 349	197 134 666	37 897	83 629	40 495 136	16 682	151 075	31 212 557	66
3 117	67 708	949 955	390	937	250 033	25	128	17 194	67
174 764	3 130 957	55 002 402	8 741	17 092	12 898 925	2 304	18 375	3 750 606	68
106 741	1 800 870	32 593 209	8 512	25 664	11 515 551	2 312	15 043	2 678 596	69
18 282	231 700	3 999 662	1 587	2 485	1 570 645	130	817	165 260	70
167 767	3 015 720	69 058 800	16 207	34 843	64 712 817	4 488	25 977	4 774 218	71

第7表　医科診療　件数・診療実日数・実施件数・回数・点数,

3　入院外

行番号	傷病（中分類）	精神科専門療法 実施件数	精神科専門療法 回数	精神科専門療法 点数	処置 実施件数	処置 回数	処置 点数
1	総数	3 337 581	5 332 090	2 197 924 494	12 339 358	39 409 236	11 065 596 499
2	Ⅰ 感染症及び寄生虫症	10 036	15 905	6 292 959	769 271	1 431 266	311 998 982
3	腸管感染症	4 703	7 024	2 570 191	43 563	85 010	24 511 476
4	結核	70	129	65 197	1 071	2 634	3 148 689
5	主として性的伝播様式をとる感染症	228	357	152 470	13 469	19 879	6 394 184
6	皮膚及び粘膜の病変を伴うウイルス性疾患	1 182	1 759	635 692	490 345	895 937	180 113 117
7	ウイルス性肝炎	1 036	1 510	604 941	4 972	19 891	22 455 118
8	その他のウイルス性疾患	268	402	139 865	9 438	17 264	1 471 100
9	真菌症	2 044	4 025	1 877 723	181 293	328 105	63 168 622
10	感染症及び寄生虫症の続発・後遺症	64	93	30 080	190	576	193 762
11	その他の感染症及び寄生虫症	441	606	216 800	24 930	61 970	10 542 914
12	Ⅱ 新生物＜腫瘍＞	9 499	12 725	4 369 836	202 700	344 953	213 397 981
13	胃の悪性新生物＜腫瘍＞	550	714	250 775	6 907	13 661	12 518 930
14	結腸の悪性新生物＜腫瘍＞	672	936	317 760	10 205	16 654	17 285 129
15	直腸Ｓ状結腸移行部及び直腸の悪性新生物＜腫瘍＞	192	243	81 700	7 427	8 355	4 436 428
16	肝及び肝内胆管の悪性新生物＜腫瘍＞	222	313	113 330	1 646	5 447	7 749 361
17	気管，気管支及び肺の悪性新生物＜腫瘍＞	611	797	268 420	5 364	10 308	10 678 428
18	乳房の悪性新生物＜腫瘍＞	1 187	1 552	543 395	9 789	11 456	7 543 763
19	子宮の悪性新生物＜腫瘍＞	298	365	112 230	8 226	8 034	2 140 739
20	悪性リンパ腫	245	331	115 472	3 797	4 546	2 907 212
21	白血病	129	181	62 965	905	907	759 026
22	その他の悪性新生物＜腫瘍＞	2 411	3 300	1 179 540	42 556	77 662	94 114 504
23	良性新生物＜腫瘍＞及びその他の新生物＜腫瘍＞	2 982	3 993	1 324 249	105 878	187 923	53 264 461
24	Ⅲ 血液及び造血器の疾患並びに免疫機構の障害	6 136	9 624	3 476 685	18 627	52 150	55 964 293
25	貧血	5 362	8 477	3 032 525	13 018	42 131	45 716 455
26	その他の血液及び造血器の疾患並びに免疫機構の障害	774	1 147	444 160	5 609	10 019	10 247 838
27	Ⅳ 内分泌，栄養及び代謝疾患	60 817	100 109	40 233 409	217 564	838 590	758 738 499
28	甲状腺障害	7 784	12 238	4 570 074	11 469	42 468	27 671 208
29	糖尿病	17 997	31 673	13 626 007	87 175	376 351	467 540 282
30	脂質異常症	25 864	41 215	16 176 271	74 828	294 013	126 120 243
31	その他の内分泌，栄養及び代謝疾患	9 172	14 983	5 861 057	44 092	125 758	137 406 766
32	Ⅴ 精神及び行動の障害	2 605 120	4 167 035	1 699 982 457	28 064	97 520	23 931 021
33	血管性及び詳細不明の認知症	26 107	56 242	35 011 453	2 569	10 221	7 957 864
34	精神作用物質使用による精神及び行動の障害	34 931	76 494	37 576 947	710	1 589	581 290
35	統合失調症，統合失調症型障害及び妄想性障害	523 302	1 144 806	541 798 191	1 889	6 189	2 449 114
36	気分［感情］障害（躁うつ病を含む）	1 077 393	1 588 777	582 903 287	4 721	13 536	3 223 838
37	神経症性障害，ストレス関連障害及び身体表現性障害	709 256	953 333	347 152 951	14 804	57 597	6 601 405
38	知的障害〈精神遅滞〉	20 887	32 433	13 758 697	317	1 010	323 527
39	その他の精神及び行動の障害	213 244	314 950	141 780 931	3 054	7 378	2 793 983
40	Ⅵ 神経系の疾患	260 980	431 686	211 412 206	115 227	434 850	98 995 962
41	パーキンソン病	6 267	9 619	3 614 091	3 474	8 243	3 357 654
42	アルツハイマー病	94 473	197 832	125 453 002	7 426	23 789	9 513 688
43	てんかん	43 768	62 762	23 719 985	3 925	11 460	7 292 951
44	脳性麻痺及びその他の麻痺性症候群	824	1 109	395 180	3 444	15 320	3 570 977
45	自律神経系の障害	8 120	10 433	2 566 533	1 821	5 123	954 826
46	その他の神経系の疾患	107 528	149 931	55 663 415	95 137	370 915	74 305 866
47	Ⅶ 眼及び付属器の疾患	8 574	13 267	5 291 665	672 572	837 261	123 080 628
48	結膜炎	3 197	5 263	2 171 410	140 550	241 877	24 967 554
49	白内障	1 057	1 408	521 843	87 473	119 574	26 332 051
50	屈折及び調節の障害	1 010	1 495	521 531	97 757	101 650	13 355 811
51	その他の眼及び付属器の疾患	3 310	5 101	2 076 881	346 792	374 160	58 425 212
52	Ⅷ 耳及び乳様突起の疾患	4 061	5 507	1 640 632	948 329	3 811 421	177 329 305
53	外耳炎	194	268	91 310	221 662	715 579	27 287 194
54	その他の外耳疾患	166	208	71 690	264 130	620 474	54 929 472
55	中耳炎	190	233	80 695	272 362	1 555 694	49 378 178
56	その他の中耳及び乳様突起の疾患	113	150	36 015	49 734	334 301	10 093 352
57	メニエール病	1 118	1 535	494 500	20 456	90 608	4 195 375
58	その他の内耳疾患	628	828	254 760	9 514	34 806	3 934 967
59	その他の耳疾患	1 652	2 285	611 662	110 471	459 959	27 510 767
60	Ⅸ 循環器系の疾患	51 080	86 794	39 404 328	344 739	1 540 411	1 446 413 943
61	高血圧性疾患	28 956	50 742	23 395 076	216 591	1 009 907	845 074 154
62	虚血性心疾患	2 616	4 470	1 970 048	22 011	118 230	180 857 329
63	その他の心疾患	6 207	10 905	5 032 628	33 735	158 743	215 373 521
64	くも膜下出血	220	384	178 745	1 126	2 421	1 424 453
65	脳内出血	709	1 393	666 956	4 915	13 705	12 500 195
66	脳梗塞	7 389	11 835	5 383 638	28 517	99 164	59 969 489
67	脳動脈硬化(症)	68	93	42 370	230	915	205 675
68	その他の脳血管疾患	1 417	2 006	821 940	6 891	25 584	20 634 014
69	動脈硬化(症)	320	501	197 004	12 042	53 969	61 268 868
70	低血圧(症)	1 921	2 587	967 265	779	4 319	7 018 422
71	その他の循環器系の疾患	1 257	1 878	748 658	17 902	53 454	42 087 823

平成30年６月審査分

手術 実施件数	手術 回数	手術 点数	麻酔 実施件数	麻酔 回数	麻酔 点数	放射線治療 実施件数	放射線治療 回数	放射線治療 点数	行番号
764 233	809 613	3 271 189 033	917 956	1 659 106	416 009 139	25 450	253 221	615 174 037	1
12 927	13 900	35 378 031	10 242	22 890	10 074 650	241	2 340	5 361 242	2
1 449	1 660	6 297 160	945	1 892	349 869	62	747	1 729 028	3
70	98	352 035	58	72	34 531	5	59	205 950	4
1 087	1 134	1 584 473	101	85	76 743	4	19	28 480	5
2 940	2 833	6 243 547	5 910	14 864	7 892 464	36	410	618 794	6
1 168	1 339	5 267 939	741	1 327	432 842	56	407	1 277 470	7
349	518	1 579 785	64	75	154 191	12	63	113 580	8
2 419	2 549	4 947 809	2 083	4 105	949 532	37	418	959 480	9
15	17	48 487	22	45	63 038	–	–	–	10
3 430	3 752	9 056 796	318	425	121 440	29	217	428 460	11
72 523	88 047	288 110 100	9 244	11 174	4 184 275	18 671	196 420	491 024 205	12
2 402	3 109	12 383 847	893	1 270	298 604	181	1 277	2 952 250	13
7 919	8 226	41 684 736	735	1 153	234 653	184	1 183	4 207 840	14
1 459	1 643	7 783 807	158	197	47 029	390	4 076	9 141 104	15
411	546	1 549 094	171	292	62 875	175	1 277	5 025 284	16
574	807	2 740 189	440	688	188 024	1 218	9 428	32 083 420	17
2 517	2 769	16 936 557	518	649	507 354	6 023	80 104	134 700 120	18
1 075	1 341	2 926 943	84	111	46 189	535	4 509	14 863 525	19
906	1 697	6 538 786	155	124	65 593	472	4 207	7 798 398	20
835	2 774	13 426 007	33	43	38 685	83	198	93 974	21
8 130	10 785	45 308 848	2 151	2 839	915 715	8 681	85 710	266 989 425	22
46 295	54 350	136 831 286	3 906	3 808	1 779 554	729	4 451	13 168 865	23
5 162	11 381	38 431 207	1 485	2 635	714 618	432	2 165	3 364 354	24
3 929	9 297	29 628 714	1 053	2 004	424 641	270	774	766 048	25
1 233	2 084	8 802 493	432	631	289 977	162	1 391	2 598 306	26
20 571	21 960	148 246 553	32 428	59 560	11 722 626	1 207	3 853	8 504 960	27
752	804	3 720 090	1 336	2 372	526 097	793	1 279	2 058 000	28
12 633	14 279	117 638 924	11 992	21 014	4 423 280	189	1 482	3 500 732	29
4 443	3 605	14 174 558	16 224	31 201	5 475 778	37	288	863 914	30
2 743	3 272	12 712 981	2 876	4 973	1 297 471	188	804	2 082 314	31
1 202	1 262	5 441 616	3 797	7 168	2 906 694	78	667	1 499 840	32
148	135	498 877	203	450	123 990	8	79	182 330	33
96	106	284 224	59	92	42 143	3	22	31 470	34
91	101	271 161	189	395	203 964	9	64	140 690	35
258	283	947 253	1 482	2 798	968 196	15	149	271 020	36
485	494	3 037 066	1 666	3 109	1 096 206	29	234	538 970	37
8	12	28 625	17	18	123 646	–	–	–	38
116	131	374 410	181	306	348 549	14	119	335 360	39
6 710	4 969	24 484 638	37 613	65 353	47 979 336	152	1 310	3 096 963	40
222	214	528 264	542	912	929 716	3	26	81 350	41
400	418	890 049	695	1 337	262 061	4	13	84 740	42
252	249	754 766	598	846	1 679 355	14	127	347 272	43
190	151	1 363 096	729	1 037	5 342 456	1	1	63 000	44
57	39	65 262	277	552	194 884	1	2	220	45
5 589	3 898	20 883 201	34 772	60 669	39 570 864	129	1 141	2 520 381	46
140 166	172 578	1 250 687 662	37 529	47 077	17 797 837	136	1 150	2 498 834	47
9 071	10 838	65 523 715	3 100	4 423	1 617 812	17	198	424 470	48
35 358	45 465	388 609 987	10 337	13 480	3 987 728	35	260	558 880	49
23 668	29 055	221 108 747	5 934	7 752	3 150 995	14	107	173 406	50
72 069	87 220	575 445 213	18 158	21 422	9 041 302	70	585	1 342 078	51
24 046	30 196	39 388 743	1 861	3 384	1 303 034	44	364	675 080	52
2 429	2 703	1 908 850	129	206	94 970	3	40	64 520	53
1 419	1 635	1 786 467	107	151	113 330	3	32	50 830	54
16 796	22 081	30 440 463	187	176	318 244	7	31	38 790	55
925	1 048	1 454 154	51	76	22 918	4	27	64 980	56
201	197	296 745	445	896	145 786	1	1	1 390	57
182	206	511 228	316	550	177 847	9	84	205 200	58
2 094	2 326	2 990 836	626	1 329	429 939	17	149	249 370	59
28 385	28 179	174 939 523	69 121	126 461	38 945 094	403	2 630	6 337 744	60
13 290	10 412	40 723 468	48 561	90 833	14 838 602	110	399	1 105 860	61
1 843	1 868	10 325 931	3 446	6 264	1 151 761	58	485	1 271 194	62
3 348	4 046	17 495 533	5 111	8 765	1 852 368	131	849	1 907 540	63
92	69	227 950	113	159	673 466	–	–	–	64
526	503	1 479 280	743	961	8 566 280	6	42	85 310	65
1 430	1 296	4 879 004	4 500	8 388	6 555 373	23	194	487 340	66
9	8	13 143	38	61	11 254	–	–	–	67
552	564	2 246 268	999	1 551	868 029	14	132	359 100	68
788	749	5 611 716	1 898	3 866	838 739	1	2	4 400	69
53	42	182 792	75	128	31 031	–	–	–	70
6 454	8 622	91 754 438	3 637	5 485	3 558 191	60	527	1 117 000	71

３　入院外

行番号	傷病（中分類）	病理診断 実施件数	病理診断 回数	病理診断 点数	入院料等 実施件数	入院料等 回数	入院料等 点数
1	総数	1 015 148	2 208 737	848 875 177	8 354	11 335	32 372 760
2	Ⅰ感染症及び寄生虫症	28 040	61 092	25 262 116	38	46	131 376
3	腸管感染症	4 177	10 447	6 195 390	9	10	28 560
4	結核	1 007	2 412	833 623	-	-	-
5	主として性的伝播様式をとる感染症	4 633	9 616	2 275 504	1	2	5 712
6	皮膚及び粘膜の病変を伴うウイルス性疾患	3 864	7 901	2 835 416	4	5	14 280
7	ウイルス性肝炎	2 949	6 634	3 837 534	13	17	48 552
8	その他のウイルス性疾患	371	873	468 927	2	3	8 568
9	真菌症	6 159	12 823	3 366 750	3	3	8 568
10	感染症及び寄生虫症の続発・後遺症	63	134	52 366	-	-	-
11	その他の感染症及び寄生虫症	4 817	10 252	5 396 606	6	6	17 136
12	Ⅱ新生物＜腫瘍＞	344 322	756 322	304 683 275	460	467	1 333 752
13	胃の悪性新生物＜腫瘍＞	37 905	80 002	49 933 763	92	93	265 608
14	結腸の悪性新生物＜腫瘍＞	17 946	42 921	27 833 136	161	162	462 672
15	直腸Ｓ状結腸移行部及び直腸の悪性新生物＜腫瘍＞	3 618	8 238	5 429 336	24	24	68 544
16	肝及び肝内胆管の悪性新生物＜腫瘍＞	982	2 130	1 159 761	13	13	37 128
17	気管，気管支及び肺の悪性新生物＜腫瘍＞	6 829	16 946	13 745 805	5	5	14 280
18	乳房の悪性新生物＜腫瘍＞	15 949	44 819	24 612 206	5	5	14 280
19	子宮の悪性新生物＜腫瘍＞	48 809	108 827	23 322 347	2	2	5 712
20	悪性リンパ腫	3 235	8 031	6 178 372	-	-	-
21	白血病	893	2 046	1 439 459	-	-	-
22	その他の悪性新生物＜腫瘍＞	86 185	180 389	61 699 191	46	50	142 800
23	良性新生物＜腫瘍＞及びその他の新生物＜腫瘍＞	121 971	261 973	89 329 899	112	113	322 728
24	Ⅲ血液及び造血器の疾患並びに免疫機構の障害	7 735	17 141	7 118 779	25	28	79 968
25	貧血	5 307	11 614	4 111 609	3	4	11 424
26	その他の血液及び造血器の疾患並びに免疫機構の障害	2 428	5 527	3 007 170	22	24	68 544
27	Ⅳ内分泌，栄養及び代謝疾患	58 713	125 128	40 629 196	221	306	873 936
28	甲状腺障害	6 812	14 087	3 951 228	11	13	37 128
29	糖尿病	12 480	26 920	11 939 557	191	271	773 976
30	脂質異常症	14 667	31 517	13 322 481	12	14	39 984
31	その他の内分泌，栄養及び代謝疾患	24 754	52 604	11 415 930	7	8	22 848
32	Ⅴ精神及び行動の障害	2 456	5 320	2 051 696	18	29	82 824
33	血管性及び詳細不明の認知症	117	261	104 076	-	-	-
34	精神作用物質使用による精神及び行動の障害	100	222	101 296	-	-	-
35	統合失調症，統合失調症型障害及び妄想性障害	144	310	111 131	-	-	-
36	気分［感情］障害（躁うつ病を含む）	605	1 312	503 255	1	1	2 856
37	神経症性障害，ストレス関連障害及び身体表現性障害	1 271	2 755	1 049 750	17	28	79 968
38	知的障害〈精神遅滞〉	13	26	7 950	-	-	-
39	その他の精神及び行動の障害	206	434	174 238	-	-	-
40	Ⅵ神経系の疾患	4 440	9 520	3 695 278	53	59	168 504
41	パーキンソン病	249	516	196 304	1	1	2 856
42	アルツハイマー病	351	746	266 766	1	1	2 856
43	てんかん	209	449	194 920	1	1	2 856
44	脳性麻痺及びその他の麻痺性症候群	24	49	14 634	-	-	-
45	自律神経系の障害	251	535	116 560	-	-	-
46	その他の神経系の疾患	3 356	7 225	2 906 094	50	56	159 936
47	Ⅶ眼及び付属器の疾患	4 535	9 716	4 474 986	5 894	8 458	24 156 048
48	結膜炎	435	941	406 157	288	386	1 102 416
49	白内障	1 021	2 185	951 483	2 565	3 722	10 630 032
50	屈折及び調節の障害	680	1 445	651 109	1 319	1 928	5 506 368
51	その他の眼及び付属器の疾患	2 399	5 145	2 466 237	1 722	2 422	6 917 232
52	Ⅷ耳及び乳様突起の疾患	1 626	3 456	1 540 574	4	4	11 424
53	外耳炎	203	416	203 562	-	-	-
54	その他の外耳疾患	156	331	168 844	1	1	2 856
55	中耳炎	231	495	243 918	-	-	-
56	その他の中耳及び乳様突起の疾患	105	214	114 263	-	-	-
57	メニエール病	133	290	111 321	1	1	2 856
58	その他の内耳疾患	239	515	208 914	-	-	-
59	その他の耳疾患	559	1 195	489 752	2	2	5 712
60	Ⅸ循環器系の疾患	40 259	86 130	37 630 054	176	237	676 872
61	高血圧性疾患	26 742	56 773	24 413 754	47	57	162 792
62	虚血性心疾患	3 153	6 820	3 114 901	16	18	51 408
63	その他の心疾患	5 111	11 221	5 268 351	27	31	88 536
64	くも膜下出血	48	108	42 812	-	-	-
65	脳内出血	189	408	166 842	2	2	5 712
66	脳梗塞	1 572	3 340	1 380 560	4	4	11 424
67	脳動脈硬化（症）	9	18	5 381	-	-	-
68	その他の脳血管疾患	724	1 557	698 301	2	3	8 568
69	動脈硬化（症）	415	888	401 571	67	109	311 304
70	低血圧（症）	63	138	59 158	2	2	5 712
71	その他の循環器系の疾患	2 233	4 859	2 078 423	9	11	31 416

平成30年６月審査分

診断群分類による包括評価等			入院時食事療養等（別掲）			行番号
実施件数	回数	点数	実施件数	回数	金額(円)	
·	·	·	·	·	·	1
·	·	·	·	·	·	2
·	·	·	·	·	·	3
·	·	·	·	·	·	4
·	·	·	·	·	·	5
·	·	·	·	·	·	6
·	·	·	·	·	·	7
·	·	·	·	·	·	8
·	·	·	·	·	·	9
·	·	·	·	·	·	10
·	·	·	·	·	·	11
·	·	·	·	·	·	12
·	·	·	·	·	·	13
·	·	·	·	·	·	14
·	·	·	·	·	·	15
·	·	·	·	·	·	16
·	·	·	·	·	·	17
·	·	·	·	·	·	18
·	·	·	·	·	·	19
·	·	·	·	·	·	20
·	·	·	·	·	·	21
·	·	·	·	·	·	22
·	·	·	·	·	·	23
·	·	·	·	·	·	24
·	·	·	·	·	·	25
·	·	·	·	·	·	26
·	·	·	·	·	·	27
·	·	·	·	·	·	28
·	·	·	·	·	·	29
·	·	·	·	·	·	30
·	·	·	·	·	·	31
·	·	·	·	·	·	32
·	·	·	·	·	·	33
·	·	·	·	·	·	34
·	·	·	·	·	·	35
·	·	·	·	·	·	36
·	·	·	·	·	·	37
·	·	·	·	·	·	38
·	·	·	·	·	·	39
·	·	·	·	·	·	40
·	·	·	·	·	·	41
·	·	·	·	·	·	42
·	·	·	·	·	·	43
·	·	·	·	·	·	44
·	·	·	·	·	·	45
·	·	·	·	·	·	46
·	·	·	·	·	·	47
·	·	·	·	·	·	48
·	·	·	·	·	·	49
·	·	·	·	·	·	50
·	·	·	·	·	·	51
·	·	·	·	·	·	52
·	·	·	·	·	·	53
·	·	·	·	·	·	54
·	·	·	·	·	·	55
·	·	·	·	·	·	56
·	·	·	·	·	·	57
·	·	·	·	·	·	58
·	·	·	·	·	·	59
·	·	·	·	·	·	60
·	·	·	·	·	·	61
·	·	·	·	·	·	62
·	·	·	·	·	·	63
·	·	·	·	·	·	64
·	·	·	·	·	·	65
·	·	·	·	·	·	66
·	·	·	·	·	·	67
·	·	·	·	·	·	68
·	·	·	·	·	·	69
·	·	·	·	·	·	70
·	·	·	·	·	·	71

第７表　医科診療　件数・診療実日数・実施件数・回数・点数,

３　入院外

行番号	傷病（中分類）	件数	診療実日数	総数 実施件数	総数 回数	総数 点数
72	Ⅹ 呼吸器系の疾患	11 711 402	16 741 371	11 711 402	127 356 263	10 169 105 860
73	急性鼻咽頭炎［かぜ］〈感冒〉	457 499	673 191	457 499	4 250 961	352 957 196
74	急性咽頭炎及び急性扁桃炎	1 054 773	1 426 906	1 054 773	9 419 866	777 603 243
75	その他の急性上気道感染症	2 688 755	3 700 821	2 688 755	22 514 713	1 880 962 318
76	肺炎	158 474	308 496	158 474	2 940 046	358 871 964
77	急性気管支炎及び急性細気管支炎	1 648 704	2 359 561	1 648 704	14 045 566	1 258 747 290
78	アレルギー性鼻炎	2 276 191	3 048 773	2 276 191	26 548 013	1 502 400 670
79	慢性副鼻腔炎	571 329	943 563	571 329	6 944 970	464 445 311
80	急性又は慢性と明示されない気管支炎	191 963	274 348	191 963	2 984 439	172 079 506
81	慢性閉塞性肺疾患	289 574	440 476	289 574	6 188 477	558 848 506
82	喘息	1 939 995	2 894 336	1 939 995	24 844 208	1 873 801 700
83	その他の呼吸器系の疾患	434 145	670 900	434 145	6 675 004	968 388 156
84	Ⅺ 消化器系の疾患	5 339 486	7 883 281	5 339 486	104 916 159	7 638 934 108
85	う蝕	232	355	232	3 677	481 182
86	歯肉炎及び歯周疾患	3 981	6 301	3 981	68 293	5 137 287
87	その他の歯及び歯の支持組織の障害	8 376	11 988	8 376	82 536	8 667 653
88	胃潰瘍及び十二指腸潰瘍	497 000	744 191	497 000	10 968 406	683 744 919
89	胃炎及び十二指腸炎	1 676 734	2 567 285	1 676 734	33 059 712	2 002 279 652
90	痔核	211 920	289 071	211 920	2 673 181	218 428 022
91	アルコール性肝疾患	29 527	43 513	29 527	674 335	44 844 946
92	慢性肝炎（アルコール性のものを除く）	93 356	162 761	93 356	2 610 668	128 085 173
93	肝硬変（アルコール性のものを除く）	41 929	65 108	41 929	1 102 298	87 951 920
94	その他の肝疾患	447 610	647 799	447 610	9 841 720	655 367 860
95	胆石症及び胆のう炎	109 451	162 781	109 451	2 298 423	214 242 097
96	膵疾患	71 885	104 051	71 885	1 742 737	148 038 530
97	その他の消化器系の疾患	2 147 485	3 078 077	2 147 485	39 790 173	3 441 664 867
98	Ⅻ 皮膚及び皮下組織の疾患	6 603 822	9 071 815	6 603 822	57 579 943	4 881 123 521
99	皮膚及び皮下組織の感染症	386 044	644 934	386 044	3 576 060	374 022 809
100	皮膚炎及び湿疹	3 555 877	4 712 016	3 555 877	30 312 312	2 337 751 697
101	その他の皮膚及び皮下組織の疾患	2 661 901	3 714 865	2 661 901	23 691 571	2 169 349 015
102	XIII 筋骨格系及び結合組織の疾患	8 006 705	18 289 741	8 006 705	126 907 480	10 189 240 820
103	炎症性多発性関節障害	670 678	1 092 135	670 678	13 346 279	1 373 714 046
104	関節症	1 596 823	3 941 525	1 596 823	23 570 584	1 865 952 151
105	脊椎障害（脊椎症を含む）	1 658 108	4 618 099	1 658 108	27 133 919	2 076 054 706
106	椎間板障害	585 464	1 515 270	585 464	7 502 144	699 771 548
107	頚腕症候群	186 171	373 365	186 171	3 081 057	165 699 469
108	腰痛症及び坐骨神経痛	695 612	1 303 290	695 612	12 517 178	722 540 911
109	その他の脊柱障害	247 185	563 013	247 185	3 227 653	301 080 514
110	肩の傷害〈損傷〉	489 415	1 333 490	489 415	7 436 822	572 863 206
111	骨の密度及び構造の障害	656 515	1 240 732	656 515	11 731 100	830 939 640
112	その他の筋骨格系及び結合組織の疾患	1 220 734	2 308 822	1 220 734	17 360 744	1 580 624 629
113	XIV 腎尿路生殖器系の疾患	2 930 677	5 858 396	2 930 677	56 646 051	9 519 333 713
114	糸球体疾患及び腎尿細管間質性疾患	152 400	230 894	152 400	3 086 969	318 557 573
115	腎不全	300 530	2 185 067	300 530	14 719 053	6 367 831 562
116	尿路結石症	125 871	167 203	125 871	1 918 919	229 166 544
117	その他の腎尿路系の疾患	709 784	1 017 676	709 784	12 531 428	899 087 790
118	前立腺肥大（症）	493 795	606 666	493 795	10 204 804	513 052 507
119	その他の男性生殖器の疾患	104 420	135 432	104 420	1 218 710	95 219 678
120	月経障害及び閉経周辺期障害	351 703	527 730	351 703	6 117 207	287 006 070
121	乳房及びその他の女性生殖器の疾患	692 174	987 728	692 174	6 848 961	809 411 989
122	XV 妊娠，分娩及び産じょく	220 924	382 895	220 924	2 168 695	223 046 288
123	流産	22 511	44 057	22 511	219 035	34 507 625
124	妊娠高血圧症候群	3 558	5 951	3 558	35 314	2 299 780
125	その他の妊娠，分娩及び産じょく	194 855	332 887	194 855	1 914 346	186 238 883
126	XVI 周産期に発生した病態	40 899	59 271	40 899	233 034	45 438 165
127	妊娠及び胎児発育に関連する障害	22 283	31 614	22 283	139 110	26 966 651
128	その他の周産期に発生した病態	18 616	27 657	18 616	93 924	18 471 514
129	XVII 先天奇形，変形及び染色体異常	190 262	267 202	190 262	1 728 947	318 548 083
130	心臓の先天奇形	25 794	30 924	25 794	289 035	51 318 260
131	その他の先天奇形，変形及び染色体異常	164 468	236 278	164 468	1 439 912	267 229 823
132	XVIII 症状，徴候等で他に分類されないもの	1 855 441	2 815 910	1 855 441	27 264 829	2 682 403 441
133	症状，徴候等で他に分類されないもの	1 855 441	2 815 910	1 855 441	27 264 829	2 682 403 441
134	XIX 損傷，中毒及びその他の外因の影響	2 718 104	5 698 887	2 718 104	29 660 007	3 977 465 458
135	骨折	816 525	1 950 912	816 525	11 772 611	1 452 078 697
136	頭蓋内損傷及び内臓の損傷	31 744	49 441	31 744	414 137	70 285 128
137	熱傷及び腐食	53 669	113 545	53 669	432 876	49 919 480
138	中毒	130 325	163 102	130 325	707 669	77 737 761
139	その他の損傷及びその他の外因の影響	1 685 841	3 421 887	1 685 841	16 332 714	2 327 444 392

平成30年６月審査分

初・再診			医学管理等			在宅医療			行番号
実施件数	回数	点数	実施件数	回数	点数	実施件数	回数	点数	
10 850 063	15 277 490	2 901 029 355	4 722 481	6 832 072	1 482 124 763	167 418	282 169	777 682 011	72
402 031	583 313	126 904 071	172 219	251 722	67 573 699	3 395	5 958	10 682 431	73
960 951	1 273 254	305 239 995	417 533	600 204	132 700 025	5 285	9 474	17 319 121	74
2 444 763	3 323 057	732 866 672	843 452	1 195 007	303 102 757	10 141	16 736	28 255 090	75
145 198	276 595	45 475 741	70 727	117 363	24 844 811	8 212	17 707	41 234 354	76
1 405 889	1 929 737	466 208 446	738 966	1 120 047	298 947 115	9 167	18 948	33 325 680	77
2 230 888	2 982 992	462 713 134	636 188	838 153	129 240 250	29 612	34 754	65 966 885	78
563 447	936 064	129 290 841	100 468	130 849	16 501 313	4 803	5 145	9 883 839	79
188 793	266 698	52 936 392	89 675	131 358	14 880 559	3 097	6 141	10 219 979	80
276 129	412 990	49 224 856	194 327	279 970	48 879 140	30 922	58 304	201 788 826	81
1 813 905	2 650 090	432 725 773	1 312 695	1 970 740	410 638 277	26 552	41 972	99 283 670	82
418 069	642 700	97 443 434	146 231	196 659	34 816 817	36 232	67 030	259 722 136	83
5 138 834	7 608 601	995 923 512	3 135 154	4 436 052	786 777 820	134 627	237 264	418 747 262	84
211	320	62 668	135	215	51 990	12	18	48 746	85
3 811	5 895	1 055 886	1 903	2 935	455 543	137	308	667 920	86
8 171	11 725	2 225 302	2 944	3 788	632 139	159	283	532 524	87
484 323	728 893	91 595 943	341 994	495 811	87 204 554	11 278	20 499	33 763 748	88
1 636 394	2 512 593	338 133 480	1 123 151	1 645 003	282 947 590	26 413	47 544	70 869 082	89
205 026	279 578	41 703 924	71 956	92 361	11 649 857	2 885	6 500	9 899 586	90
28 920	43 293	5 130 939	18 683	25 828	4 621 479	1 118	2 305	3 340 926	91
91 643	159 957	19 094 808	74 453	116 311	20 822 047	2 560	4 551	6 279 453	92
40 412	63 765	6 592 518	26 748	36 706	7 256 878	2 217	4 793	7 341 883	93
436 783	631 219	78 189 362	287 714	399 849	74 247 666	16 218	26 515	42 411 101	94
106 162	162 019	19 160 890	54 439	75 535	14 076 829	3 666	6 217	11 226 240	95
70 174	104 324	11 942 421	40 499	57 945	10 824 879	3 365	4 865	8 505 631	96
2 026 804	2 905 020	381 035 371	1 090 535	1 483 765	271 986 369	64 599	112 866	223 860 422	97
6 305 048	8 619 569	1 470 370 367	2 390 911	3 013 706	446 563 136	81 495	168 126	274 139 900	98
369 021	616 902	106 275 189	120 303	161 789	24 664 089	6 710	14 101	21 724 384	99
3 378 485	4 443 793	795 271 896	1 341 588	1 689 982	247 941 914	33 182	67 212	101 784 212	100
2 557 542	3 558 874	568 823 282	929 020	1 161 935	173 957 133	41 603	86 813	150 631 304	101
7 906 310	18 163 251	1 968 697 995	2 942 818	3 809 292	468 353 279	150 646	250 254	513 825 850	102
662 303	1 087 573	134 256 926	251 496	324 533	42 349 037	33 646	43 975	167 305 251	103
1 581 020	3 918 343	400 035 525	549 847	705 124	74 756 242	17 629	30 767	49 160 789	104
1 641 549	4 605 188	451 548 720	579 141	744 073	81 392 979	23 495	41 941	64 380 734	105
581 687	1 510 017	166 105 701	188 854	231 714	24 215 797	2 516	3 335	5 840 612	106
184 915	371 837	43 930 275	90 043	121 395	16 430 424	1 762	2 886	3 973 476	107
683 813	1 286 007	158 176 676	341 754	463 034	62 803 211	13 647	25 082	36 992 566	108
245 092	562 379	65 103 000	71 411	89 832	10 398 552	2 778	3 935	9 012 416	109
484 865	1 320 620	135 281 016	176 764	231 282	26 239 611	4 444	6 799	11 375 478	110
641 518	1 220 324	123 091 652	255 347	333 861	44 444 402	24 476	40 840	64 187 366	111
1 199 548	2 280 963	291 168 504	438 161	564 444	85 323 024	26 253	50 694	101 597 162	112
2 861 563	5 807 360	672 440 345	1 035 186	1 523 519	507 849 845	98 763	140 463	340 555 259	113
148 354	228 772	28 536 851	57 860	79 009	17 009 739	6 066	9 150	21 978 697	114
293 486	2 177 990	169 874 453	222 419	499 788	375 881 755	35 018	47 886	167 637 980	115
124 631	170 271	27 258 713	43 063	56 198	9 722 899	2 168	2 661	6 292 603	116
690 369	994 514	143 892 582	274 757	373 863	55 714 387	39 073	59 201	100 965 181	117
489 747	617 691	69 167 778	158 572	194 152	23 908 775	12 016	16 137	29 242 116	118
102 100	134 539	24 014 250	26 234	32 582	4 840 952	1 083	1 351	3 290 355	119
347 996	525 805	72 537 256	108 326	120 564	6 344 108	542	633	1 857 536	120
664 880	957 778	137 158 462	143 955	167 363	14 427 230	2 797	3 444	9 290 791	121
160 677	262 434	43 055 846	66 961	82 108	6 224 865	4 400	4 356	7 327 821	122
22 064	43 329	6 449 756	4 886	5 876	494 767	66	66	165 103	123
2 081	3 029	396 523	1 063	1 311	129 828	72	73	124 417	124
136 532	216 076	36 209 567	61 012	74 921	5 600 270	4 262	4 217	7 038 301	125
31 342	43 722	6 215 918	13 041	16 384	5 035 283	1 337	2 505	11 825 431	126
18 104	24 428	3 167 377	6 902	8 250	2 072 120	825	1 127	7 096 617	127
13 238	19 294	3 048 541	6 139	8 134	2 963 163	512	1 378	4 728 814	128
182 029	259 081	34 345 044	54 410	65 785	14 907 962	7 313	13 008	65 132 774	129
24 183	29 488	3 798 169	11 236	13 106	3 302 000	1 383	1 800	10 937 916	130
157 846	229 593	30 546 875	43 174	52 679	11 605 962	5 930	11 208	54 194 858	131
1 784 300	2 718 497	429 576 504	758 911	1 047 211	202 416 838	47 355	92 246	175 217 108	132
1 784 300	2 718 497	429 576 504	758 911	1 047 211	202 416 838	47 355	92 246	175 217 108	133
2 641 587	5 543 681	820 708 869	764 754	997 550	160 847 731	57 687	106 680	171 365 441	134
792 982	1 894 859	223 947 505	218 963	289 912	39 221 501	32 462	54 894	83 981 560	135
29 722	46 247	7 238 269	10 517	13 650	3 123 291	1 801	5 455	6 463 646	136
52 303	111 800	18 705 850	14 973	21 255	3 418 054	504	894	1 337 847	137
123 894	153 971	39 603 148	36 881	48 241	8 947 080	662	806	1 306 799	138
1 642 686	3 336 804	531 214 097	483 420	624 492	106 137 805	22 258	44 631	78 275 589	139

第7表　医科診療　件数・診療実日数・実施件数・回数・点数，

3 入院外

行番号	傷病（中分類）	検査			画像診断		
		実施件数	回数	点数	実施件数	回数	点数
72	Ⅹ 呼吸器系の疾患	2 638 317	12 649 338	1 577 708 638	884 765	2 038 333	458 922 378
73	急性鼻咽頭炎［かぜ］〈感冒〉	69 808	297 732	36 038 258	12 816	27 898	6 141 664
74	急性咽頭炎及び急性扁桃炎	231 207	1 092 028	110 851 931	25 559	57 303	12 651 204
75	その他の急性上気道感染症	526 937	1 784 894	279 493 603	120 337	256 424	47 297 061
76	肺炎	91 171	814 543	79 056 086	101 242	265 573	65 684 777
77	急性気管支炎及び急性細気管支炎	277 780	1 512 185	143 443 333	116 899	255 348	40 964 027
78	アレルギー性鼻炎	452 175	1 744 673	274 401 871	88 860	188 022	36 669 791
79	慢性副鼻腔炎	148 309	444 464	94 564 484	79 254	170 938	46 730 887
80	急性又は慢性と明示されない気管支炎	44 180	274 272	25 884 591	23 076	51 332	9 762 680
81	慢性閉塞性肺疾患	95 004	660 500	70 029 072	53 953	133 146	42 267 417
82	喘息	450 873	2 532 516	280 197 319	159 453	358 052	66 227 639
83	その他の呼吸器系の疾患	250 873	1 491 531	183 748 090	103 316	274 297	84 525 231
84	Ⅺ 消化器系の疾患	2 098 614	13 232 969	1 894 662 809	440 157	1 120 324	467 841 857
85	う蝕	58	473	49 501	31	63	17 117
86	歯肉炎及び歯周疾患	823	5 813	572 159	205	480	230 385
87	その他の歯及び歯の支持組織の障害	1 263	7 306	859 054	1 487	3 650	1 607 147
88	胃潰瘍及び十二指腸潰瘍	170 372	1 087 958	166 456 611	36 300	91 310	33 994 642
89	胃炎及び十二指腸炎	537 507	3 042 411	513 441 834	102 646	255 721	75 845 093
90	痔核	117 584	370 813	61 078 878	8 791	22 212	7 397 117
91	アルコール性肝疾患	16 637	137 929	15 211 059	2 910	7 135	4 828 728
92	慢性肝炎（アルコール性のものを除く）	41 138	313 981	32 809 409	5 410	12 921	4 885 327
93	肝硬変（アルコール性のものを除く）	27 972	266 950	31 130 224	4 685	11 453	7 657 329
94	その他の肝疾患	295 914	2 266 896	234 715 187	38 077	91 556	41 342 078
95	胆石症及び胆のう炎	67 794	514 708	69 550 048	24 001	68 595	39 872 234
96	膵疾患	45 893	379 048	44 601 781	15 135	34 830	28 353 581
97	その他の消化器系の疾患	775 659	4 838 683	724 187 064	200 479	520 398	221 811 079
98	Ⅻ 皮膚及び皮下組織の疾患	806 793	3 942 723	463 127 892	103 011	262 066	91 508 825
99	皮膚及び皮下組織の感染症	73 155	428 560	45 222 307	19 675	48 879	15 171 653
100	皮膚炎及び湿疹	416 546	1 844 649	225 486 724	38 214	98 320	33 682 416
101	その他の皮膚及び皮下組織の疾患	317 092	1 669 514	192 418 861	45 122	114 867	42 654 756
102	ⅩⅢ 筋骨格系及び結合組織の疾患	1 425 355	10 166 753	1 040 506 196	2 227 018	6 473 076	1 525 095 038
103	炎症性多発性関節障害	304 852	2 838 839	251 984 908	164 996	513 054	92 046 434
104	関節症	187 864	1 239 551	129 258 238	441 370	1 347 928	251 278 227
105	脊椎障害（脊椎症を含む）	210 904	1 315 238	143 296 966	475 050	1 431 452	414 351 663
106	椎間板障害	43 116	275 708	28 794 769	221 128	629 025	205 318 615
107	頚腕症候群	21 805	115 657	11 791 706	31 307	86 941	22 976 893
108	腰痛症及び坐骨神経痛	102 608	591 252	60 364 818	148 240	383 126	92 148 541
109	その他の脊柱障害	31 063	208 116	23 206 749	106 711	303 178	81 642 026
110	肩の傷害〈損傷〉	54 192	288 344	31 197 298	130 206	366 674	71 171 647
111	骨の密度及び構造の障害	192 340	980 350	119 661 545	106 724	315 224	69 060 261
112	その他の筋骨格系及び結合組織の疾患	276 611	2 313 698	240 949 199	401 286	1 096 474	225 100 731
113	ⅩⅣ 腎尿路生殖器系の疾患	1 954 254	9 568 630	1 112 255 756	398 585	747 373	308 208 618
114	糸球体疾患及び腎尿細管間質性疾患	128 809	975 533	92 999 402	22 122	58 255	25 802 628
115	腎不全	196 347	1 368 906	143 318 799	142 856	108 355	47 275 876
116	尿路結石症	98 763	553 796	62 145 942	62 866	176 260	62 609 596
117	その他の腎尿路系の疾患	531 011	2 603 868	236 174 870	44 866	115 473	50 746 481
118	前立腺肥大（症）	359 994	1 692 167	157 228 954	25 148	66 308	33 669 923
119	その他の男性生殖器の疾患	71 025	329 189	31 114 250	4 204	10 901	5 774 230
120	月経障害及び閉経周辺期障害	102 004	436 364	75 700 007	3 466	8 341	4 141 783
121	乳房及びその他の女性生殖器の疾患	466 301	1 608 807	313 569 852	93 057	203 480	78 628 111
122	ⅩⅤ 妊娠，分娩及び産じょく	167 458	591 107	127 305 025	8 171	17 445	3 585 559
123	流産	18 628	101 657	17 953 642	991	2 235	665 313
124	妊娠高血圧症候群	2 120	11 974	1 187 794	154	332	54 825
125	その他の妊娠，分娩及び産じょく	146 710	477 476	108 163 589	7 026	14 878	2 865 421
126	ⅩⅥ 周産期に発生した病態	16 998	75 938	11 758 710	1 712	3 876	1 127 001
127	妊娠及び胎児発育に関連する障害	9 379	38 555	7 391 632	1 041	2 352	635 869
128	その他の周産期に発生した病態	7 619	37 383	4 367 078	671	1 524	491 132
129	ⅩⅦ 先天奇形，変形及び染色体異常	70 361	375 747	63 777 252	40 994	99 272	30 534 265
130	心臓の先天奇形	18 812	81 971	22 815 978	9 526	20 365	3 634 993
131	その他の先天奇形，変形及び染色体異常	51 549	293 776	40 961 274	31 468	78 907	26 899 272
132	ⅩⅧ 症状，徴候等で他に分類されないもの	750 017	4 563 241	574 340 938	344 468	855 013	431 493 779
133	症状，徴候等で他に分類されないもの	750 017	4 563 241	574 340 938	344 468	855 013	431 493 779
134	ⅩⅨ 損傷，中毒及びその他の外因の影響	432 509	2 686 981	294 646 982	1 309 821	3 893 654	882 881 206
135	骨折	132 444	973 364	102 870 246	539 482	1 842 344	355 575 981
136	頭蓋内損傷及び内臓の損傷	8 134	54 238	6 308 437	19 454	49 947	32 279 473
137	熱傷及び腐食	4 275	23 912	2 331 250	806	2 098	699 105
138	中毒	9 091	45 253	4 942 538	1 219	3 162	1 293 196
139	その他の損傷及びその他の外因の影響	278 565	1 590 214	178 194 511	748 860	1 996 103	493 033 451

平成30年６月審査分

投薬			注射			リハビリテーション			行番号
実施件数	回数	点数	実施件数	回数	点数	実施件数	回数	点数	
10 238 655	75 656 378	1 807 234 038	447 598	811 705	493 559 118	21 676	128 551	24 225 499	72
361 074	2 519 189	55 007 968	12 357	25 599	13 289 516	948	6 262	1 057 498	73
933 120	5 843 798	132 489 398	53 845	86 203	31 994 165	1 227	8 082	1 387 612	74
2 328 434	11 163 365	292 650 447	63 415	103 781	34 816 003	2 180	13 597	2 560 279	75
118 499	1 354 639	40 229 530	26 417	56 374	42 475 077	758	4 831	918 949	76
1 386 339	8 693 062	205 164 649	73 431	113 530	35 568 583	1 429	8 568	1 695 608	77
2 085 667	16 605 853	334 261 194	47 853	94 928	47 030 693	4 376	24 554	4 665 571	78
496 887	2 949 393	75 938 255	7 776	14 568	16 933 181	576	3 175	654 710	79
185 567	2 169 936	38 603 215	15 460	28 107	11 906 411	417	2 805	463 476	80
258 795	4 507 186	88 740 270	18 438	45 459	33 636 241	2 480	15 923	2 886 461	81
1 752 767	16 419 400	431 304 085	96 712	185 097	98 438 192	3 914	24 027	4 666 180	82
331 506	3 430 557	112 845 027	31 894	58 059	127 471 056	3 371	16 727	3 269 155	83
4 477 903	75 835 728	1 241 758 506	357 647	776 445	885 977 790	32 036	198 312	35 497 604	84
148	2 455	74 928	13	27	29 544	10	39	8 535	85
3 313	50 555	843 297	377	885	777 391	21	137	26 355	86
5 181	49 179	984 985	436	947	552 283	104	525	91 870	87
446 878	8 297 034	127 318 925	37 779	83 635	52 741 870	3 231	20 296	3 688 058	88
1 470 607	24 620 846	368 701 377	137 081	298 141	92 580 604	13 984	83 601	14 201 280	89
188 444	1 848 341	36 517 725	5 322	10 464	15 090 865	436	2 787	579 322	90
23 443	445 849	7 518 609	2 488	7 487	1 716 530	83	547	92 654	91
81 358	1 927 228	28 170 181	15 270	55 772	10 170 739	323	2 016	322 835	92
34 959	699 658	17 575 976	3 645	12 653	5 726 711	145	977	183 123	93
357 242	6 279 069	109 677 396	26 790	63 363	47 580 570	1 984	12 219	2 191 546	94
75 555	1 440 505	25 020 768	7 517	12 852	18 976 525	411	2 751	514 765	95
51 313	1 141 474	21 336 145	5 040	10 325	14 873 406	198	1 243	227 768	96
1 739 462	29 033 535	498 018 194	115 889	219 894	625 160 752	11 106	71 174	13 369 493	97
5 890 735	38 296 557	968 978 443	208 864	426 445	482 593 370	20 152	126 619	22 452 879	98
336 441	1 995 643	58 021 842	17 920	42 501	39 762 659	1 975	11 729	2 124 317	99
3 257 695	20 634 305	509 329 599	94 693	205 194	169 833 414	9 054	57 103	9 802 926	100
2 296 599	15 666 609	401 627 002	96 251	178 750	272 997 297	9 123	57 787	10 525 636	101
6 239 790	71 338 676	1 430 888 413	1 686 602	4 179 484	1 578 681 439	906 536	4 760 345	821 884 018	102
589 792	7 962 277	150 347 065	106 193	214 631	483 400 979	21 784	113 870	19 452 447	103
1 205 923	11 793 263	255 539 147	666 537	1 689 861	354 428 818	226 433	1 217 363	211 380 639	104
1 297 235	14 544 022	300 947 901	271 408	768 286	199 875 054	223 798	1 242 078	208 189 024	105
422 708	3 414 062	80 044 610	64 537	175 846	33 627 129	105 665	487 987	84 340 810	106
152 758	2 096 690	33 155 138	18 152	46 512	7 868 479	13 164	62 252	10 631 231	107
596 020	8 906 194	151 106 671	68 200	177 429	61 564 385	26 704	129 248	22 362 018	108
162 103	1 570 561	34 143 685	29 784	79 578	22 687 929	34 324	166 849	29 480 819	109
370 597	3 725 635	76 554 865	153 109	369 470	73 864 442	109 900	587 559	102 005 508	110
564 965	7 944 021	143 245 131	141 870	322 984	173 458 471	35 131	192 797	32 811 999	111
877 689	9 381 951	205 804 200	166 812	334 887	167 905 753	109 633	560 342	101 229 523	112
2 110 206	35 287 079	736 972 921	255 364	424 675	398 080 719	7 690	59 735	10 823 120	113
106 986	1 674 919	37 858 627	14 010	23 175	40 481 483	429	2 551	515 614	114
258 696	8 279 314	206 317 006	92 636	60 070	157 615 293	2 740	27 245	4 528 837	115
81 494	926 903	18 543 109	9 594	11 709	9 050 175	243	1 533	366 091	116
598 509	8 161 408	160 125 687	34 459	64 936	82 818 088	2 797	18 655	3 530 240	117
445 445	7 538 816	133 110 844	11 082	17 606	41 063 156	735	5 359	1 030 328	118
68 587	687 163	14 028 562	3 960	6 138	6 155 326	99	579	115 484	119
268 041	4 742 520	91 246 806	49 929	166 529	14 066 343	196	1 122	207 052	120
282 448	3 276 036	75 742 280	39 694	74 512	46 830 855	451	2 691	529 474	121
107 106	1 117 169	16 949 410	14 617	26 542	3 901 955	19	80	16 259	122
7 026	50 253	902 724	1 220	1 425	364 567	2	24	4 670	123
1 865	18 085	332 847	80	174	30 779	1	1	245	124
98 215	1 048 831	15 713 839	13 317	24 943	3 506 609	16	55	11 344	125
12 453	73 428	1 626 177	1 018	1 333	3 984 320	2 489	12 444	2 923 068	126
7 672	53 749	1 057 965	623	832	3 336 034	1 642	7 926	1 877 040	127
4 781	19 679	568 212	395	501	648 286	847	4 518	1 046 028	128
87 045	778 346	32 582 226	4 615	7 687	9 350 355	16 204	80 208	17 789 372	129
10 643	138 890	4 230 169	425	589	1 672 577	419	2 027	464 548	130
76 402	639 456	28 352 057	4 190	7 098	7 677 778	15 785	78 181	17 324 824	131
1 305 753	16 717 710	317 495 439	173 408	327 812	274 643 297	34 727	201 513	38 257 316	132
1 305 753	16 717 710	317 495 439	173 408	327 812	274 643 297	34 727	201 513	38 257 316	133
1 702 966	12 092 345	309 136 196	223 924	492 206	251 855 796	235 296	1 436 134	263 440 088	134
469 829	5 161 143	115 179 275	93 250	229 831	145 795 032	102 909	690 120	124 622 073	135
14 275	222 638	4 253 679	1 666	2 286	2 333 318	1 335	11 829	2 666 344	136
43 631	180 173	6 191 391	1 142	3 161	1 646 707	288	1 967	344 521	137
117 386	402 843	12 903 659	5 931	8 229	3 248 684	202	1 456	282 743	138
1 057 845	6 125 548	170 608 192	121 935	248 699	98 832 055	130 562	730 762	135 524 407	139

第７表　医科診療　件数・診療実日数・実施件数・回数・点数,

３ 入院外

行番号	傷病（中分類）	精神科専門療法			処置		
		実施件数	回数	点数	実施件数	回数	点数
72	Ⅹ 呼吸器系の疾患	37 014	57 155	21 869 183	3 585 128	13 521 704	526 028 642
73	急性鼻咽頭炎［かぜ］〈感冒〉	3 211	5 276	1 999 218	166 769	522 679	30 710 138
74	急性咽頭炎及び急性扁桃炎	2 466	4 059	1 631 819	132 246	438 597	26 176 573
75	その他の急性上気道感染症	3 237	5 312	2 094 543	1 161 536	4 638 192	144 978 040
76	肺炎	625	1 110	496 913	12 750	26 854	14 071 778
77	急性気管支炎及び急性細気管支炎	1 482	2 629	1 132 105	154 350	385 729	28 413 445
78	アレルギー性鼻炎	15 307	22 029	7 934 639	1 117 045	3 993 466	120 830 133
79	慢性副鼻腔炎	703	925	319 150	449 906	2 282 274	60 421 073
80	急性又は慢性と明示されない気管支炎	1 039	1 836	779 948	13 936	49 462	4 858 205
81	慢性閉塞性肺疾患	1 977	3 447	1 506 497	15 613	63 582	15 103 012
82	喘息	5 294	7 999	2 966 261	259 201	638 900	39 214 755
83	その他の呼吸器系の疾患	1 673	2 533	1 008 090	101 776	481 969	41 251 490
84	ⅩⅠ 消化器系の疾患	105 634	159 917	57 423 978	279 527	803 655	326 183 841
85	う蝕	3	3	990	10	62	135 533
86	歯肉炎及び歯周疾患	49	81	29 470	272	1 109	429 195
87	その他の歯及び歯の支持組織の障害	175	282	98 370	1 295	4 490	890 743
88	胃潰瘍及び十二指腸潰瘍	11 850	17 590	6 274 333	18 124	76 489	48 494 010
89	胃炎及び十二指腸炎	44 902	67 114	23 690 975	81 072	322 309	101 609 126
90	痔核	998	1 647	658 360	28 097	23 525	7 623 073
91	アルコール性肝疾患	450	710	274 200	680	2 141	1 179 494
92	慢性肝炎（アルコール性のものを除く）	1 335	2 632	969 598	3 005	12 013	2 997 447
93	肝硬変（アルコール性のものを除く）	279	429	144 315	966	3 409	2 902 925
94	その他の肝疾患	8 998	15 810	5 789 150	12 484	41 033	9 922 719
95	胆石症及び胆のう炎	474	704	292 570	3 042	8 954	10 340 564
96	膵疾患	365	659	299 117	1 673	5 031	4 225 731
97	その他の消化器系の疾患	35 756	52 256	18 902 530	128 807	303 090	135 433 281
98	ⅩⅡ 皮膚及び皮下組織の疾患	16 947	28 347	11 955 760	1 406 306	2 511 683	476 340 477
99	皮膚及び皮下組織の感染症	1 019	1 853	797 999	117 549	224 088	37 586 722
100	皮膚炎及び湿疹	8 511	14 032	5 765 374	691 158	1 206 733	201 812 597
101	その他の皮膚及び皮下組織の疾患	7 417	12 462	5 392 387	597 599	1 080 862	236 941 158
102	ⅩⅢ 筋骨格系及び結合組織の疾患	33 329	49 834	18 952 617	1 764 978	6 676 099	529 696 011
103	炎症性多発性関節障害	1 778	2 531	929 707	70 990	214 380	22 717 388
104	関節症	2 730	4 164	1 687 117	374 849	1 438 171	99 102 986
105	脊椎障害（脊椎症を含む）	2 822	4 438	1 861 506	477 776	2 099 398	127 248 223
106	椎間板障害	539	857	323 395	190 385	660 647	36 167 546
107	頚腕症候群	2 955	4 170	1 350 385	40 539	144 664	8 150 691
108	腰痛症及び坐骨神経痛	9 684	14 514	5 541 889	133 885	450 112	48 376 465
109	その他の脊柱障害	584	860	328 805	56 638	207 287	14 961 097
110	肩の傷害〈損傷〉	1 946	3 018	1 136 889	114 640	461 921	29 589 342
111	骨の密度及び構造の障害	1 357	2 353	1 050 205	83 367	330 587	46 485 089
112	その他の筋骨格系及び結合組織の疾患	8 934	12 929	4 742 719	221 909	668 932	96 897 184
113	ⅩⅣ 腎尿路生殖器系の疾患	15 410	22 046	7 285 235	434 094	2 515 295	5 071 517 855
114	糸球体疾患及び腎尿細管間質性疾患	695	1 026	388 329	7 570	23 639	36 581 170
115	腎不全	803	1 488	639 843	161 698	2 132 254	4 952 827 704
116	尿路結石症	250	357	130 046	7 647	5 790	4 257 973
117	その他の腎尿路系の疾患	4 154	6 469	2 508 957	40 354	81 071	38 427 978
118	前立腺肥大（症）	1 017	1 475	554 810	16 752	28 255	9 882 160
119	その他の男性生殖器の疾患	221	337	142 845	9 643	11 516	3 505 320
120	月経障害及び閉経周辺期障害	6 694	8 756	2 256 995	35 304	45 190	6 163 409
121	乳房及びその他の女性生殖器の疾患	1 576	2 138	663 410	155 126	187 580	19 872 141
122	ⅩⅤ 妊娠，分娩及び産じょく	341	465	152 800	31 096	43 313	2 507 380
123	流産	20	25	8 310	2 773	3 995	209 565
124	妊娠高血圧症候群	14	17	5 490	195	251	15 348
125	その他の妊娠，分娩及び産じょく	307	423	139 000	28 128	39 067	2 282 467
126	ⅩⅥ 周産期に発生した病態	76	96	37 680	2 581	2 951	489 533
127	妊娠及び胎児発育に関連する障害	62	74	30 760	1 436	1 696	221 242
128	その他の周産期に発生した病態	14	22	6 920	1 145	1 255	268 291
129	ⅩⅦ 先天奇形，変形及び染色体異常	1 638	2 393	1 104 798	22 981	42 728	39 685 232
130	心臓の先天奇形	73	95	34 525	551	556	260 127
131	その他の先天奇形，変形及び染色体異常	1 565	2 298	1 070 273	22 430	42 172	39 425 105
132	ⅩⅧ 症状，徴候等で他に分類されないもの	40 558	58 462	20 908 477	171 840	547 409	121 036 910
133	症状，徴候等で他に分類されないもの	40 558	58 462	20 908 477	171 840	547 409	121 036 910
134	ⅩⅨ 損傷，中毒及びその他の外因の影響	6 712	11 945	5 685 189	919 759	2 152 633	499 712 289
135	骨折	2 095	3 509	1 728 345	224 411	555 737	169 104 226
136	頭蓋内損傷及び内臓の損傷	269	512	266 082	3 041	5 626	3 256 130
137	熱傷及び腐食	108	233	97 662	39 258	86 333	14 387 881
138	中毒	613	939	357 910	35 305	41 765	4 162 964
139	その他の損傷及びその他の外因の影響	3 627	6 752	3 235 190	617 744	1 463 172	308 801 088

平成30年６月審査分

手術 実施件数	手術 回数	手術 点数	麻酔 実施件数	麻酔 回数	麻酔 点数	放射線治療 実施件数	放射線治療 回数	放射線治療 点数	行番号
25 738	31 088	69 167 556	16 449	32 922	7 664 443	383	3 500	7 808 303	72
1 323	1 675	2 501 366	1 200	2 698	481 954	15	183	314 900	73
978	1 104	3 037 970	1 489	3 819	866 216	32	312	590 696	74
5 792	6 879	10 114 673	1 985	4 229	736 441	34	426	860 910	75
434	687	2 277 195	420	717	160 600	59	434	933 620	76
924	1 074	2 528 315	1 148	2 247	481 547	9	60	85 650	77
7 893	9 346	15 776 361	3 015	5 806	1 286 992	31	118	280 802	78
3 362	4 310	11 255 319	389	599	438 619	16	168	342 494	79
217	231	1 035 770	546	1 231	210 451	10	138	203 600	80
562	575	2 071 339	1 759	3 425	577 653	30	238	587 020	81
1 804	1 955	3 966 218	3 402	6 410	1 297 492	17	179	368 510	82
2 449	3 252	14 603 030	1 096	1 741	1 126 478	130	1 244	3 240 101	83
61 816	61 041	277 396 908	39 152	73 502	18 229 274	843	8 841	23 240 537	84
－	－	－	－	－	－	－	－	－	85
9	7	29 236	28	63	12 987	－	－	－	86
85	119	135 203	109	223	45 707	－	－	－	87
2 145	2 128	8 462 424	4 129	7 633	1 424 384	57	500	1 002 442	88
11 225	10 529	47 880 469	18 054	35 350	6 533 152	74	797	1 922 120	89
6 152	5 936	19 013 073	1 406	1 772	867 393	90	1 152	3 152 120	90
150	184	464 521	114	238	63 719	2	12	19 330	91
213	184	605 984	761	1 839	310 681	2	19	53 280	92
197	240	707 385	138	251	53 258	7	47	131 190	93
1 027	1 057	3 863 647	1 850	3 681	856 584	39	275	719 486	94
501	566	2 355 238	341	523	188 244	12	155	287 050	95
253	276	1 303 595	283	469	107 721	8	114	257 310	96
39 859	39 815	192 576 133	11 939	21 460	7 765 444	552	5 770	15 696 209	97
71 277	73 836	109 485 989	18 511	37 528	7 502 143	1 238	15 398	26 853 920	98
19 653	20 239	18 204 045	1 678	3 187	675 617	36	358	663 980	99
9 280	9 252	19 755 207	9 438	20 548	3 885 066	264	2 962	5 638 878	100
42 344	44 345	71 526 737	7 395	13 793	2 941 460	938	12 078	20 551 062	101
59 365	36 906	81 155 949	530 679	971 790	193 010 897	363	3 562	7 188 117	102
1 901	1 225	3 160 700	14 135	26 326	4 086 053	24	199	448 210	103
10 505	7 153	11 260 831	91 943	175 570	26 386 667	25	267	432 852	104
10 574	3 104	7 457 442	175 776	330 128	72 995 844	33	317	750 950	105
3 908	676	2 593 609	65 257	111 335	31 810 851	8	77	234 230	106
991	215	424 814	15 819	27 474	4 759 262	5	61	138 174	107
3 744	1 286	5 026 116	49 669	84 905	15 264 203	62	578	1 399 569	108
1 433	684	1 322 183	18 827	33 659	8 450 331	5	65	74 186	109
2 610	753	1 857 186	38 889	73 275	11 182 405	48	564	1 031 732	110
2 483	1 436	5 026 191	21 146	41 796	6 036 431	71	682	1 199 952	111
21 216	20 374	43 026 877	39 218	67 322	12 038 850	82	752	1 478 262	112
33 179	30 093	227 760 687	9 620	11 179	4 420 901	381	3 768	9 932 393	113
2 262	2 603	13 527 965	360	460	211 262	33	239	643 320	114
12 814	9 005	138 663 489	3 270	1 486	935 280	46	209	424 050	115
3 421	3 146	26 160 715	289	367	158 949	13	137	305 360	116
2 151	2 199	10 351 799	2 769	4 976	1 154 606	112	1 210	3 419 640	117
861	951	4 603 372	890	1 324	600 556	100	1 161	3 532 680	118
342	375	1 298 691	159	180	149 444	11	142	351 290	119
754	788	1 543 346	523	949	195 280	3	19	37 920	120
10 574	11 026	31 611 310	1 360	1 437	1 015 524	63	651	1 218 133	121
3 023	3 169	5 508 877	1 305	1 289	422 268	1	1	1 390	122
1 548	1 552	3 546 016	1 044	1 029	349 597	－	－	－	123
10	12	7 133	－	－	－	－	－	－	124
1 465	1 605	1 955 728	261	260	72 671	1	1	1 390	125
87	98	281 367	23	24	108 959	1	1	110	126
25	32	27 527	8	7	35 081	－	－	－	127
62	66	253 840	15	17	73 878	1	1	110	128
1 387	1 540	7 019 066	733	1 023	1 160 241	8	87	193 900	129
46	42	101 000	41	39	40 552	－	－	－	130
1 341	1 498	6 918 066	692	984	1 119 689	8	87	193 900	131
16 798	17 362	43 863 317	18 825	35 570	17 374 350	458	4 371	10 951 843	132
16 798	17 362	43 863 317	18 825	35 570	17 374 350	458	4 371	10 951 843	133
148 475	149 888	293 239 021	45 076	83 013	15 973 194	125	1 133	2 134 822	134
37 000	36 736	81 732 232	19 348	37 441	6 917 116	34	262	413 980	135
1 157	1 199	1 670 339	150	240	266 817	7	31	57 990	136
188	175	408 975	243	628	94 721	9	109	190 020	137
300	300	366 082	162	302	80 068	3	38	79 030	138
109 830	111 478	209 061 393	25 173	44 402	8 614 472	72	693	1 393 802	139

第7表　医科診療　件数・診療実日数・実施件数・回数・点数,

3　入院外

行番号	傷病（中分類）	病理診断			入院料等		
		実施件数	回数	点数	実施件数	回数	点数
72	Ⅹ 呼吸器系の疾患	15 296	33 274	13 998 925	19	28	79 968
73	急性鼻咽頭炎［かぜ］〈感冒〉	364	761	251 554	1	1	2 856
74	急性咽頭炎及び急性扁桃炎	745	1 594	660 575	2	2	5 712
75	その他の急性上気道感染症	1 258	2 721	1 135 148	−	−	−
76	肺炎	1 171	2 614	1 009 940	1	1	2 856
77	急性気管支炎及び急性細気管支炎	1 058	2 307	788 122	−	−	−
78	アレルギー性鼻炎	1 521	3 225	1 338 847	1	1	2 856
79	慢性副鼻腔炎	1 000	2 079	1 156 768	3	5	14 280
80	急性又は慢性と明示されない気管支炎	398	883	334 166	−	−	−
81	慢性閉塞性肺疾患	1 723	3 715	1 539 255	2	4	11 424
82	喘息	3 138	6 734	2 501 109	1	2	5 712
83	その他の呼吸器系の疾患	2 920	6 641	3 283 441	8	12	34 272
84	ⅩⅠ 消化器系の疾患	159 954	362 438	206 892 527	828	833	2 379 048
85	う蝕	1	2	1 630	−	−	−
86	歯肉炎及び歯周疾患	12	24	7 456	−	−	−
87	その他の歯及び歯の支持組織の障害	8	19	12 326	−	−	−
88	胃潰瘍及び十二指腸潰瘍	18 327	38 578	21 299 819	6	8	22 848
89	胃炎及び十二指腸炎	54 181	117 655	63 788 899	46	47	134 232
90	痔核	2 658	6 073	3 168 099	10	10	28 560
91	アルコール性肝疾患	305	676	382 751	−	−	−
92	慢性肝炎（アルコール性のものを除く）	568	1 242	593 370	−	−	−
93	肝硬変（アルコール性のものを除く）	443	963	545 328	1	1	2 856
94	その他の肝疾患	4 279	9 154	3 841 825	7	7	19 992
95	胆石症及び胆のう炎	2 011	4 317	2 360 035	7	7	19 992
96	膵疾患	964	2 114	1 156 512	8	8	22 848
97	その他の消化器系の疾患	76 197	181 621	109 734 477	743	745	2 127 720
98	ⅩⅡ 皮膚及び皮下組織の疾患	27 614	57 095	29 168 939	26	28	79 968
99	皮膚及び皮下組織の感染症	3 006	6 210	3 125 010	1	1	2 856
100	皮膚炎及び湿疹	8 671	18 103	7 734 971	8	9	25 704
101	その他の皮膚及び皮下組織の疾患	15 937	32 782	18 308 958	17	18	51 408
102	ⅩⅢ 筋骨格系及び結合組織の疾患	13 011	27 860	11 171 161	38	46	131 376
103	炎症性多発性関節障害	1 323	2 828	1 208 191	6	7	19 992
104	関節症	1 407	2 999	1 226 431	5	6	17 136
105	脊椎障害（脊椎症を含む）	1 981	4 214	1 723 218	8	12	34 272
106	椎間板障害	397	842	353 762	−	−	−
107	頸腕症候群	142	298	118 486	−	−	−
108	腰痛症及び坐骨神経痛	2 086	4 388	1 413 558	−	−	−
109	その他の脊柱障害	302	655	265 742	1	1	2 856
110	肩の傷害〈損傷〉	415	890	367 114	3	3	8 568
111	骨の密度及び構造の障害	1 749	3 832	1 175 229	2	2	5 712
112	その他の筋骨格系及び結合組織の疾患	3 209	6 914	3 319 430	13	15	42 840
113	ⅩⅣ 腎尿路生殖器系の疾患	235 970	504 616	111 131 831	32	34	97 104
114	糸球体疾患及び腎尿細管間質性疾患	3 694	7 621	2 016 669	2	2	5 712
115	腎不全	2 371	4 985	1 859 464	11	11	31 416
116	尿路結石症	4 805	9 784	2 155 777	3	3	8 568
117	その他の腎尿路系の疾患	21 227	43 536	9 234 159	6	8	22 848
118	前立腺肥大（症）	11 536	23 388	5 442 780	5	5	14 280
119	その他の男性生殖器の疾患	1 834	3 716	878 675	−	−	−
120	月経障害及び閉経周辺期障害	27 461	59 600	10 704 360	−	−	−
121	乳房及びその他の女性生殖器の疾患	163 042	351 986	78 839 947	5	5	14 280
122	ⅩⅤ 妊娠，分娩及び産じょく	9 496	19 178	6 086 560	−	−	−
123	流産	3 720	7 564	3 393 560	−	−	−
124	妊娠高血圧症候群	26	54	14 544	−	−	−
125	その他の妊娠，分娩及び産じょく	5 750	11 560	2 678 456	−	−	−
126	ⅩⅥ 周産期に発生した病態	45	92	23 614	−	−	−
127	妊娠及び胎児発育に関連する障害	32	65	17 268	−	−	−
128	その他の周産期に発生した病態	13	27	6 346	−	−	−
129	ⅩⅦ 先天奇形，変形及び染色体異常	958	1 993	879 746	22	30	85 680
130	心臓の先天奇形	27	63	25 678	−	−	−
131	その他の先天奇形，変形及び染色体異常	931	1 930	854 068	22	30	85 680
132	ⅩⅧ 症状，徴候等で他に分類されないもの	36 916	78 244	24 675 146	47	53	151 368
133	症状，徴候等で他に分類されないもの	36 916	78 244	24 675 146	47	53	151 368
134	ⅩⅨ 損傷，中毒及びその他の外因の影響	5 617	11 880	5 457 857	105	133	379 848
135	骨折	1 135	2 407	980 677	3	3	8 568
136	頭蓋内損傷及び内臓の損傷	114	237	98 450	1	1	2 856
137	熱傷及び腐食	64	136	59 784	1	2	5 712
138	中毒	169	362	163 846	−	−	−
139	その他の損傷及びその他の外因の影響	4 135	8 738	4 155 100	100	127	362 712

注：1）「件数」は、明細書の数である。
2）「実施件数」は、当該診療行為が実施された明細書の数である。
3）「回数」は、当該診療行為が実施された延べ算定回数である。
4）総数には、「療養担当手当等」、「補正点数」を含む。
5）総数には、「ⅩⅩ　傷病及び死亡の外因」、「ⅩⅩⅠ　健康状態に影響を及ぼす要因及び保健サービスの利用」、「ⅩⅩⅡ　特殊目的用コード」、「不詳」を含む。

平成30年６月審査分

診断群分類による包括評価等			入院時食事療養等（別掲）			行番号
実施件数	回数	点数	実施件数	回数	金額(円)	
・	・	・	・	・	・	72
・	・	・	・	・	・	73
・	・	・	・	・	・	74
・	・	・	・	・	・	75
・	・	・	・	・	・	76
・	・	・	・	・	・	77
・	・	・	・	・	・	78
・	・	・	・	・	・	79
・	・	・	・	・	・	80
・	・	・	・	・	・	81
・	・	・	・	・	・	82
・	・	・	・	・	・	83
・	・	・	・	・	・	84
・	・	・	・	・	・	85
・	・	・	・	・	・	86
・	・	・	・	・	・	87
・	・	・	・	・	・	88
・	・	・	・	・	・	89
・	・	・	・	・	・	90
・	・	・	・	・	・	91
・	・	・	・	・	・	92
・	・	・	・	・	・	93
・	・	・	・	・	・	94
・	・	・	・	・	・	95
・	・	・	・	・	・	96
・	・	・	・	・	・	97
・	・	・	・	・	・	98
・	・	・	・	・	・	99
・	・	・	・	・	・	100
・	・	・	・	・	・	101
・	・	・	・	・	・	102
・	・	・	・	・	・	103
・	・	・	・	・	・	104
・	・	・	・	・	・	105
・	・	・	・	・	・	106
・	・	・	・	・	・	107
・	・	・	・	・	・	108
・	・	・	・	・	・	109
・	・	・	・	・	・	110
・	・	・	・	・	・	111
・	・	・	・	・	・	112
・	・	・	・	・	・	113
・	・	・	・	・	・	114
・	・	・	・	・	・	115
・	・	・	・	・	・	116
・	・	・	・	・	・	117
・	・	・	・	・	・	118
・	・	・	・	・	・	119
・	・	・	・	・	・	120
・	・	・	・	・	・	121
・	・	・	・	・	・	122
・	・	・	・	・	・	123
・	・	・	・	・	・	124
・	・	・	・	・	・	125
・	・	・	・	・	・	126
・	・	・	・	・	・	127
・	・	・	・	・	・	128
・	・	・	・	・	・	129
・	・	・	・	・	・	130
・	・	・	・	・	・	131
・	・	・	・	・	・	132
・	・	・	・	・	・	133
・	・	・	・	・	・	134
・	・	・	・	・	・	135
・	・	・	・	・	・	136
・	・	・	・	・	・	137
・	・	・	・	・	・	138
・	・	・	・	・	・	139

第８表　医科診療　件数・診療実日数・回数・点数，診療行為（細分類）、入院－入院外別

平成30年６月審査分

行番号	診療行為（細分類）	固定点数	総数 件数 / 回数	総数 診療実日数 / 点数	入院 件数 / 回数	入院 診療実日数 / 点数	入院外 件数 / 回数	入院外 診療実日数 / 点数
			85 727 192	164 082 368	2 268 216	34 490 318	83 458 976	129 592 050
1	**総計**		1 486 745 697	233 812 407 723	166 476 048	120 383 908 951	1 320 269 649	113 428 498 772
2	**初・再診料計**		124 792 202	17 013 079 551	285 685	133 400 339	124 506 517	16 879 679 212
3	初診小計		21 916 146	6 837 153 946	285 685	114 839 874	21 630 461	6 722 314 072
4	初診料	282	21 686 979	6 115 728 078	285 483	80 506 206	21 401 496	6 035 221 872
5	初診料（他の医療機関からの文書による紹介がない患者）	209	1 031	215 479	17	3 553	1 014	211 926
6	初診料（特定妥結率初診料）	209	–	–	–	–	–	–
7	初診料　同一日２科目	141	228 060	32 156 460	185	26 085	227 875	32 130 375
8	初診料　同一日２科目（他の医療機関からの文書による紹介がない患者）	104	71	7 384	–	–	71	7 384
9	初診料　同一日２科目（特定妥結率初診料）	104	5	520	–	–	5	520
10	初診料　乳幼児　加算	75	2 144 163	160 812 225	18 556	1 391 700	2 125 607	159 420 525
11	初診料　時間外　加算	85	75 915	6 452 775	9 309	791 265	66 606	5 661 510
12	初診料　休日　加算	250	450 668	112 667 000	29 010	7 252 500	421 658	105 414 500
13	初診料　深夜　加算	480	135 092	64 844 160	22 563	10 830 240	112 529	54 013 920
14	初診料　時間外特例医療機関　加算	230	188 249	43 297 270	31 074	7 147 020	157 175	36 150 250
15	初診料　乳幼児　時間外　加算	200	24 423	4 884 600	1 193	238 600	23 230	4 646 000
16	初診料　乳幼児　休日　加算	365	111 992	40 877 080	3 264	1 191 360	108 728	39 685 720
17	初診料　乳幼児　深夜　加算	695	28 103	19 531 585	2 885	2 005 075	25 218	17 526 510
18	初診料　乳幼児　時間外特例医療機関　加算	345	42 597	14 695 965	3 958	1 365 510	38 639	13 330 455
19	初診料　妊婦　時間外　加算	200	452	90 400	102	20 400	350	70 000
20	初診料　妊婦　休日　加算	365	1 520	554 800	168	61 320	1 352	493 480
21	初診料　妊婦　深夜　加算	695	665	462 175	229	159 155	436	303 020
22	初診料　妊婦　時間外特例医療機関　加算	345	769	265 305	263	90 735	506	174 570
23	初診料　小児科　乳幼児夜間　加算	200	45 752	9 150 400	32	6 400	45 720	9 144 000
24	初診料　小児科　乳幼児休日　加算	365	17 045	6 221 425	101	36 865	16 944	6 184 560
25	初診料　小児科　乳幼児深夜　加算	695	709	492 755	60	41 700	649	451 055
26	初診料　夜間・早朝等　加算	50	1 090 681	54 534 050	64	3 200	1 090 617	54 530 850
27	初診料　妊婦　加算	75	82 745	6 205 875	1 366	102 450	81 379	6 103 425
28	初診料　産科又は産婦人科　妊婦夜間　加算	200	869	173 800	19	3 800	850	170 000
29	初診料　産科又は産婦人科　妊婦休日　加算	365	355	129 575	30	10 950	325	118 625
30	初診料　産科又は産婦人科　妊婦深夜　加算	695	83	57 685	31	21 545	52	36 140
31	初診料　機能強化　加算	80	1 783 064	142 645 120	19 153	1 532 240	1 763 911	141 112 880
32	再診小計		102 876 056	10 175 925 678	–	18 560 465	102 876 056	10 157 365 213
33	再診料	72	87 244 915	6 281 633 880	–	–	87 244 915	6 281 633 880
34	再診料（特定妥結率再診料）	53	–	–	–	–	–	–
35	再診料　電話等	72	181 211	13 047 192	–	–	181 211	13 047 192
36	再診料　電話等（特定妥結率再診料）	53	–	–	–	–	–	–
37	再診料　同日再診	72	131 431	9 463 032	–	–	131 431	9 463 032
38	再診料　同日再診（特定妥結率再診料）	53	–	–	–	–	–	–
39	再診料　同日再診　電話等	72	18 285	1 316 520	–	–	18 285	1 316 520
40	再診料　同日再診　電話等（特定妥結率再診料）	53	–	–	–	–	–	–
41	再診料　同一日２科目	36	687 267	24 741 612	–	–	687 267	24 741 612
42	再診料　同一日２科目（特定妥結率再診料）	26	4	104	–	–	4	104
43	再診料　同一日２科目　電話等	36	28	1 008	–	–	28	1 008
44	再診料　同一日２科目　電話等（特定妥結率再診料）	26	–	–	–	–	–	–
45	再診料　乳幼児　加算	38	3 093 650	117 558 700	–	–	3 093 650	117 558 700
46	再診料　時間外　加算	65	107 147	6 964 555	3 967	257 855	103 180	6 706 700
47	再診料　休日　加算	190	102 934	19 557 460	6 765	1 285 350	96 169	18 272 110
48	再診料　深夜　加算	420	22 928	9 629 760	3 788	1 590 960	19 140	8 038 800
49	再診料　時間外特例医療機関　加算	180	19 808	3 565 440	4 504	810 720	15 304	2 754 720
50	再診料　乳幼児時間外　加算	135	20 743	2 800 305	57	7 695	20 686	2 792 610
51	再診料　乳幼児休日　加算	260	13 874	3 607 240	130	33 800	13 744	3 573 440
52	再診料　乳幼児深夜　加算	590	1 054	621 860	76	44 840	978	577 020
53	再診料　乳幼児時間外特例医療機関　加算	250	2 287	571 750	70	17 500	2 217	554 250
54	再診料　妊婦時間外　加算	135	4 404	594 540	381	51 435	4 023	543 105
55	再診料　妊婦休日　加算	260	3 781	983 060	267	69 420	3 514	913 640
56	再診料　妊婦深夜　加算	590	1 947	1 148 730	662	390 580	1 285	758 150
57	再診料　妊婦時間外特例医療機関　加算	250	372	93 000	84	21 000	288	72 000
58	再診料　小児科　乳幼児夜間　加算	135	54 628	7 374 780	7	945	54 621	7 373 835
59	再診料　小児科　乳幼児休日　加算	260	9 629	2 503 540	18	4 680	9 611	2 498 860
60	再診料　小児科　乳幼児深夜　加算	590	155	91 450	1	590	154	90 860
61	再診料　夜間・早朝等　加算	50	2 498 288	124 914 400	–	–	2 498 288	124 914 400
62	再診料　外来管理　加算	52	42 847 904	2 228 091 008	–	–	42 847 904	2 228 091 008
63	再診料　時間外対応　加算１	5	10 041 957	50 209 785	–	–	10 041 957	50 209 785
64	再診料　時間外対応　加算２	3	12 758 221	38 274 663	–	–	12 758 221	38 274 663
65	再診料　時間外対応　加算３	1	159 023	159 023	–	–	159 023	159 023
66	再診料　明細書発行体制等　加算	1	69 929 175	69 929 175	–	–	69 929 175	69 929 175
67	再診料　地域包括診療　加算１	25	430 277	10 756 925	–	–	430 277	10 756 925
68	再診料　地域包括診療　加算２	18	829 548	14 931 864	–	–	829 548	14 931 864
69	再診料　認知症地域包括診療　加算１	35	15 916	557 060	–	–	15 916	557 060
70	再診料　認知症地域包括診療　加算２	28	18 614	521 192	–	–	18 614	521 192
71	再診料　薬剤適正使用連携　加算	30	28	840	–	–	28	840
72	再診料　妊婦　加算	38	253 753	9 642 614	–	–	253 753	9 642 614
73	再診料　産科又は産婦人科　妊婦夜間　加算	135	4 409	595 215	189	25 515	4 220	569 700
74	再診料　産科又は産婦人科　妊婦休日　加算	260	1 898	493 480	209	54 340	1 689	439 140
75	再診料　産科又は産婦人科　妊婦深夜　加算	590	857	505 630	392	231 280	465	274 350
76	外来診療料	73	13 934 417	1 017 212 441	–	–	13 934 417	1 017 212 441
77	外来診療料（他の医療機関に対して文書による紹介を行う旨の申出を行っている患者）	54	–	–	–	–	–	–
78	外来診療料（特定妥結率外来診療料）	54	–	–	–	–	–	–
79	外来診療料　同日	73	16 043	1 171 139	–	–	16 043	1 171 139
80	外来診療料　同日（他の医療機関に対して文書による紹介を行う旨の申出を行っている患者）	54	–	–	–	–	–	–
81	外来診療料　同日（特定妥結率外来診療料）	54	1	54	–	–	1	54
82	外来診療料　同一日２科目	36	662 387	23 845 932	–	–	662 387	23 845 932
83	外来診療料　同一日２科目（他の医療機関に対して文書による紹介を行う旨の申出を行っている患者）	26	1	26	–	–	1	26
84	外来診療料　同一日２科目（特定妥結率外来診療料）	26	1	26	–	–	1	26
85	外来診療料　乳幼児　加算	38	446 649	16 972 662	–	–	446 649	16 972 662
86	外来診療料　時間外　加算	65	15 222	989 430	4 860	315 900	10 362	673 530
87	外来診療料　休日　加算	190	75 350	14 316 500	16 504	3 135 760	58 846	11 180 740
88	外来診療料　深夜　加算	420	42 037	17 655 540	11 688	4 908 960	30 349	12 746 580
89	外来診療料　時間外特例医療機関　加算	180	65 163	11 729 340	17 204	3 096 720	47 959	8 632 620
90	外来診療料　乳幼児時間外　加算	135	1 755	236 925	354	47 790	1 401	189 135
91	外来診療料　乳幼児休日　加算	260	13 202	3 432 520	1 247	324 220	11 955	3 108 300
92	外来診療料　乳幼児深夜　加算	590	5 869	3 462 710	713	420 670	5 156	3 042 040
93	外来診療料　乳幼児時間外特例医療機関　加算	250	10 978	2 744 500	1 277	319 250	9 701	2 425 250
94	外来診療料　妊婦時間外　加算	135	555	74 925	156	21 060	399	53 865
95	外来診療料　妊婦休日　加算	260	1 834	476 840	447	116 220	1 387	360 620
96	外来診療料　妊婦深夜　加算	590	1 988	1 172 920	1 094	645 460	894	527 460
97	外来診療料　妊婦時間外特例医療機関　加算	250	2 043	510 750	658	164 500	1 385	346 250
98	外来診療料　小児科　乳幼児夜間　加算	135	165	22 275	16	2 160	149	20 115
99	外来診療料　小児科　乳幼児休日　加算	260	207	53 820	88	22 880	119	30 940
100	外来診療料　小児科　乳幼児深夜　加算	590	169	99 710	50	29 500	119	70 210
101	外来診療料　妊婦　加算	38	53 782	2 043 716	–	–	53 782	2 043 716
102	外来診療料　産科又は産婦人科　妊婦夜間　加算	135	95	12 825	28	3 780	67	9 045
103	外来診療料　産科又は産婦人科　妊婦休日　加算	260	238	61 880	56	14 560	182	47 320
104	外来診療料　産科又は産婦人科　妊婦深夜　加算	590	287	169 330	123	72 570	164	96 760
105	オンライン診療料	70	65	4 550	–	–	65	4 550
106	補正点数（＋）初診・再診		–	–	–	–	–	–
107	補正点数（－）初診・再診		–	-73	–	–	–	-73

第８表　医科診療　件数・診療実日数・回数・点数，診療行為（細分類）、入院－入院外別

平成30年６月審査分

行番号	診療行為（細分類）	固定点数	総数 回数	総数 点数	入院 回数	入院 点数	入院外 回数	入院外 点数
108	**入院料等計**		24 267 125	42 225 993 990	24 255 790	42 193 621 230	11 335	32 372 760
109	入院計		24 255 790	42 192 445 931	24 255 790	42 192 445 931	-	-
110	入院基本料計		16 096 392	21 048 127 644	16 096 392	21 048 127 644	-	-
111	病院計		15 127 291	20 237 174 740	15 127 291	20 237 174 740	-	-
112	一般病棟入院基本料計		4 296 194	6 622 715 898	4 296 194	6 622 715 898	-	-
113	急性期一般入院料１	1591	950 957	1 512 972 587	950 957	1 512 972 587	-	-
114	急性期一般入院料２	1561	30 314	47 320 154	30 314	47 320 154	-	-
115	急性期一般入院料３	1491	-	-	-	-	-	-
116	急性期一般入院料４	1387	473 596	656 877 652	473 596	656 877 652	-	-
117	急性期一般入院料５	1377	813 024	1 119 534 048	813 024	1 119 534 048	-	-
118	急性期一般入院料６	1357	578 895	785 560 515	578 895	785 560 515	-	-
119	急性期一般入院料７	1332	319 809	425 985 588	319 809	425 985 588	-	-
120	地域一般入院料１	1126	214 282	241 281 532	214 282	241 281 532	-	-
121	地域一般入院料２	1121	128 890	144 485 690	128 890	144 485 690	-	-
122	地域一般入院料３	960	671 883	645 007 680	671 883	645 007 680	-	-
123	一般病棟特別入院基本料	584	65 564	38 289 376	65 564	38 289 376	-	-
124	急性期一般入院料１　月平均夜勤時間超過減算	1352	-	-	-	-	-	-
125	急性期一般入院料２　月平均夜勤時間超過減算	1327	-	-	-	-	-	-
126	急性期一般入院料３　月平均夜勤時間超過減算	1267	-	-	-	-	-	-
127	急性期一般入院料４　月平均夜勤時間超過減算	1179	-	-	-	-	-	-
128	急性期一般入院料５　月平均夜勤時間超過減算	1170	469	548 730	469	548 730	-	-
129	急性期一般入院料６　月平均夜勤時間超過減算	1153	2	2 306	2	2 306	-	-
130	急性期一般入院料７　月平均夜勤時間超過減算	1132	-	-	-	-	-	-
131	地域一般入院料１　月平均夜勤時間超過減算	957	-	-	-	-	-	-
132	地域一般入院料２　月平均夜勤時間超過減算	953	-	-	-	-	-	-
133	地域一般入院料３　月平均夜勤時間超過減算	816	-	-	-	-	-	-
134	一般病棟入院基本料　特定時間退院減算		309	381 253	309	381 253	-	-
135	一般病棟入院基本料　特定曜日入退院減算		55	67 375	55	67 375	-	-
136	一般病棟入院基本料　夜間看護体制特定日減算		207	251 154	207	251 154	-	-
137	急性期一般入院料１　夜勤時間特別入院基本料	1114	-	-	-	-	-	-
138	急性期一般入院料２　夜勤時間特別入院基本料	1093	-	-	-	-	-	-
139	急性期一般入院料３　夜勤時間特別入院基本料	1044	-	-	-	-	-	-
140	急性期一般入院料４　夜勤時間特別入院基本料	971	-	-	-	-	-	-
141	急性期一般入院料５　夜勤時間特別入院基本料	964	-	-	-	-	-	-
142	急性期一般入院料６　夜勤時間特別入院基本料	950	-	-	-	-	-	-
143	急性期一般入院料７　夜勤時間特別入院基本料	932	-	-	-	-	-	-
144	地域一般入院料１　夜勤時間特別入院基本料	788	-	-	-	-	-	-
145	地域一般入院料２　夜勤時間特別入院基本料	785	-	-	-	-	-	-
146	地域一般入院料３　夜勤時間特別入院基本料	672	259	174 048	259	174 048	-	-
147	一般病棟選定療養（入院期間180日超）入院基本料		18 837	17 187 191	18 837	17 187 191	-	-
148	一般病棟入院期間（14日以内）加算	450	1 712 527	770 637 150	1 712 527	770 637 150	-	-
149	一般病棟入院期間（14日以内・特別入院基本料等）加算	300	14 487	4 346 100	14 487	4 346 100	-	-
150	一般病棟入院期間（15日以上30日以内）加算	192	827 868	158 950 656	827 868	158 950 656	-	-
151	一般病棟入院期間（15日以上30日以内・特別入院基本料等）加算	155	5 403	837 465	5 403	837 465	-	-
152	地域一般入院基本料　重症児（者）受入連携　加算	2000	-	-	-	-	-	-
153	地域一般入院基本料　救急・在宅等支援病床初期　加算	150	219 259	32 888 850	219 259	32 888 850	-	-
154	急性期一般入院基本料　ＡＤＬ維持向上等体制　加算	80	28 146	2 251 680	28 146	2 251 680	-	-
155	一般病棟入院基本料　通常外泊		17 198	3 754 436	17 198	3 754 436	-	-
156	一般病棟入院基本料　精神外泊		137	43 929	137	43 929	-	-
157	一般病棟入院基本料　他医療機関受診（出来高入院料）10%控除		11 076	12 539 315	11 076	12 539 315	-	-
158	一般病棟入院基本料　90日超入院患者　他医療機関受診（包括診療行為算定）（特定機能病院入院基本料・専門病院入院基本料算定の者も含む）40%控除		1	738	1	738	-	-
159	一般病棟入院基本料　90日超入院患者　他医療機関受診（包括診療行為未算定）（特定機能病院入院基本料・専門病院入院基本料算定の者も含む）10%控除		-	-	-	-	-	-
160	一般病棟入院基本料　高度な放射線治療機器等を有する他医療機関受診（出来高入院料）5%控除		430	538 700	430	538 700	-	-
161	一般病棟入院基本料　90日超入院患者　高度な放射線治療機器等を有する他医療機関受診（包括診療行為算定）（特定機能病院入院基本料・専門病院入院基本料算定の者も含む）35%控除		-	-	-	-	-	-
162	一般病棟入院基本料　90日超入院患者　高度な放射線治療機器等を有する他医療機関受診（包括診療行為未算定）（特定機能病院入院基本料・専門病院入院基本料算定の者も含む）5%控除		-	-	-	-	-	-
163	療養病棟入院基本料計		5 601 387	8 075 448 540	5 601 387	8 075 448 540	-	-
164	療養病棟入院料１　入院料Ａ	1810	111 558	201 919 980	111 558	201 919 980	-	-
165	療養病棟入院料１　入院料Ａ（生活療養）	1795	1 309 471	2 350 500 445	1 309 471	2 350 500 445	-	-
166	療養病棟入院料１　入院料Ｂ	1755	9 934	17 434 170	9 934	17 434 170	-	-
167	療養病棟入院料１　入院料Ｂ（生活療養）	1741	149 124	259 624 884	149 124	259 624 884	-	-
168	療養病棟入院料１　入院料Ｃ	1468	3 778	5 546 104	3 778	5 546 104	-	-
169	療養病棟入院料１　入院料Ｃ（生活療養）	1454	37 934	55 156 036	37 934	55 156 036	-	-
170	療養病棟入院料１　入院料Ｄ	1412	147 757	208 632 884	147 757	208 632 884	-	-
171	療養病棟入院料１　入院料Ｄ（生活療養）	1397	1 310 145	1 830 272 565	1 310 145	1 830 272 565	-	-
172	療養病棟入院料１　入院料Ｅ	1384	55 476	76 778 784	55 476	76 778 784	-	-
173	療養病棟入院料１　入院料Ｅ（生活療養）	1370	548 412	751 324 440	548 412	751 324 440	-	-
174	療養病棟入院料１　入院料Ｆ	1230	32 223	39 634 290	32 223	39 634 290	-	-
175	療養病棟入院料１　入院料Ｆ（生活療養）	1215	248 816	302 311 440	248 816	302 311 440	-	-
176	療養病棟入院料１　入院料Ｇ	967	20 679	19 996 593	20 679	19 996 593	-	-
177	療養病棟入院料１　入院料Ｇ（生活療養）	952	163 324	155 484 448	163 324	155 484 448	-	-
178	療養病棟入院料１　入院料Ｈ	919	17 107	15 721 333	17 107	15 721 333	-	-
179	療養病棟入院料１　入院料Ｈ（生活療養）	904	154 208	139 404 032	154 208	139 404 032	-	-
180	療養病棟入院料１　入院料Ｉ	814	16 241	13 220 174	16 241	13 220 174	-	-
181	療養病棟入院料１　入院料Ｉ（生活療養）	800	100 675	80 540 000	100 675	80 540 000	-	-
182	療養病棟入院料２　入院料Ａ	1745	5 402	9 426 490	5 402	9 426 490	-	-
183	療養病棟入院料２　入院料Ａ（生活療養）	1731	135 179	233 994 849	135 179	233 994 849	-	-
184	療養病棟入院料２　入院料Ｂ	1691	387	654 417	387	654 417	-	-
185	療養病棟入院料２　入院料Ｂ（生活療養）	1677	15 514	26 016 978	15 514	26 016 978	-	-
186	療養病棟入院料２　入院料Ｃ	1403	313	439 139	313	439 139	-	-
187	療養病棟入院料２　入院料Ｃ（生活療養）	1389	4 054	5 631 006	4 054	5 631 006	-	-
188	療養病棟入院料２　入院料Ｄ	1347	12 869	17 334 543	12 869	17 334 543	-	-
189	療養病棟入院料２　入院料Ｄ（生活療養）	1333	172 390	229 795 870	172 390	229 795 870	-	-
190	療養病棟入院料２　入院料Ｅ	1320	4 139	5 463 480	4 139	5 463 480	-	-
191	療養病棟入院料２　入院料Ｅ（生活療養）	1305	77 611	101 282 355	77 611	101 282 355	-	-
192	療養病棟入院料２　入院料Ｆ	1165	2 829	3 295 785	2 829	3 295 785	-	-
193	療養病棟入院料２　入院料Ｆ（生活療養）	1151	41 577	47 855 127	41 577	47 855 127	-	-
194	療養病棟入院料２　入院料Ｇ	902	3 319	2 993 738	3 319	2 993 738	-	-
195	療養病棟入院料２　入院料Ｇ（生活療養）	888	81 360	72 247 680	81 360	72 247 680	-	-
196	療養病棟入院料２　入院料Ｈ	854	2 637	2 251 998	2 637	2 251 998	-	-
197	療養病棟入院料２　入院料Ｈ（生活療養）	840	81 914	68 807 760	81 914	68 807 760	-	-
198	療養病棟入院料２　入院料Ｉ	750	3 837	2 877 750	3 837	2 877 750	-	-
199	療養病棟入院料２　入院料Ｉ（生活療養）	735	55 483	40 780 005	55 483	40 780 005	-	-
200	療養病棟特別入院基本料	576	716	412 416	716	412 416	-	-
201	療養病棟特別入院基本料（生活療養）	562	9 883	5 554 246	9 883	5 554 246	-	-
202	療養病棟入院料２　入院料Ａ（経過措置１）	1571	2 440	3 833 240	2 440	3 833 240	-	-
203	療養病棟入院料２　入院料Ａ（生活療養）（経過措置１）	1558	53 490	83 337 420	53 490	83 337 420	-	-
204	療養病棟入院料２　入院料Ｂ（経過措置１）	1522	228	347 016	228	347 016	-	-

第８表　医科診療　件数・診療実日数・回数・点数，診療行為（細分類）、入院－入院外別

平成30年６月審査分

行番号	診療行為（細分類）	固定点数	総数		入院		入院外	
			回数	点数	回数	点数	回数	点数
205	療養病棟入院料２　入院料B（生活療養）（経過措置１）	1509	7 164	10 810 476	7 164	10 810 476	–	–
206	療養病棟入院料２　入院料C（経過措置１）	1263	73	92 199	73	92 199	–	–
207	療養病棟入院料２　入院料C（生活療養）（経過措置１）	1250	2 067	2 583 750	2 067	2 583 750	–	–
208	療養病棟入院料２　入院料D（経過措置１）	1212	6 413	7 772 556	6 413	7 772 556	–	–
209	療養病棟入院料２　入院料D（生活療養）（経過措置１）	1200	87 923	105 507 600	87 923	105 507 600	–	–
210	療養病棟入院料２　入院料E（経過措置１）	1188	2 141	2 543 508	2 141	2 543 508	–	–
211	療養病棟入院料２　入院料E（生活療養）（経過措置１）	1175	37 028	43 507 900	37 028	43 507 900	–	–
212	療養病棟入院料２　入院料F（経過措置１）	1049	1 615	1 694 135	1 615	1 694 135	–	–
213	療養病棟入院料２　入院料F（生活療養）（経過措置１）	1036	19 980	20 699 280	19 980	20 699 280	–	–
214	療養病棟入院料２　入院料G（経過措置１）	812	2 772	2 250 864	2 772	2 250 864	–	–
215	療養病棟入院料２　入院料G（生活療養）（経過措置１）	799	65 789	52 565 411	65 789	52 565 411	–	–
216	療養病棟入院料２　入院料H（経過措置１）	769	2 966	2 280 854	2 966	2 280 854	–	–
217	療養病棟入院料２　入院料H（生活療養）（経過措置１）	756	64 329	48 632 724	64 329	48 632 724	–	–
218	療養病棟入院料２　入院料I（経過措置１）	675	3 102	2 093 850	3 102	2 093 850	–	–
219	療養病棟入院料２　入院料I（生活療養）（経過措置１）	662	49 589	32 827 918	49 589	32 827 918	–	–
220	療養病棟入院料２　入院料A（経過措置２）	1396	126	175 896	126	175 896	–	–
221	療養病棟入院料２　入院料A（生活療養）（経過措置２）	1385	1 643	2 275 555	1 643	2 275 555	–	–
222	療養病棟入院料２　入院料B（経過措置２）	1353	–	–	–	–	–	–
223	療養病棟入院料２　入院料B（生活療養）（経過措置２）	1342	270	362 340	270	362 340	–	–
224	療養病棟入院料２　入院料C（経過措置２）	1122	31	34 782	31	34 782	–	–
225	療養病棟入院料２　入院料C（生活療養）（経過措置２）	1111	234	259 974	234	259 974	–	–
226	療養病棟入院料２　入院料D（経過措置２）	1078	501	540 078	501	540 078	–	–
227	療養病棟入院料２　入院料D（生活療養）（経過措置２）	1066	4 750	5 063 500	4 750	5 063 500	–	–
228	療養病棟入院料２　入院料E（経過措置２）	1056	93	98 208	93	98 208	–	–
229	療養病棟入院料２　入院料E（生活療養）（経過措置２）	1044	1 872	1 954 368	1 872	1 954 368	–	–
230	療養病棟入院料２　入院料F（経過措置２）	932	65	60 580	65	60 580	–	–
231	療養病棟入院料２　入院料F（生活療養）（経過措置２）	921	1 632	1 503 072	1 632	1 503 072	–	–
232	療養病棟入院料２　入院料G（経過措置２）	722	431	311 182	431	311 182	–	–
233	療養病棟入院料２　入院料G（生活療養）（経過措置２）	710	7 743	5 497 530	7 743	5 497 530	–	–
234	療養病棟入院料２　入院料H（経過措置２）	683	321	219 243	321	219 243	–	–
235	療養病棟入院料２　入院料H（生活療養）（経過措置２）	672	7 822	5 256 384	7 822	5 256 384	–	–
236	療養病棟入院料２　入院料I（経過措置２）	600	443	265 800	443	265 800	–	–
237	療養病棟入院料２　入院料I（生活療養）（経過措置２）	588	7 508	4 414 704	7 508	4 414 704	–	–
238	療養病棟入院料２　入院料I（経過措置２）栄養管理体制　減算	586	–	–	–	–	–	–
239	療養病棟入院料２　入院料I（生活療養）（経過措置２）栄養管理体制　減算	572	–	–	–	–	–	–
240	療養病棟入院基本料　褥瘡対策　加算１	15	2 993 208	44 898 120	2 993 208	44 898 120	–	–
241	療養病棟入院基本料　褥瘡対策　加算２	5	8 972	44 860	8 972	44 860	–	–
242	療養病棟入院基本料　重症児（者）受入連携　加算	2000	–	–	–	–	–	–
243	療養病棟入院基本料　急性期患者支援療養病床初期　加算	300	144 057	43 217 100	144 057	43 217 100	–	–
244	療養病棟入院基本料　在宅患者支援療養病床初期　加算	350	56 035	19 612 250	56 035	19 612 250	–	–
245	療養病棟入院基本料　慢性維持透析管理　加算	100	269 244	26 924 400	269 244	26 924 400	–	–
246	療養病棟入院基本料　在宅復帰機能強化　加算	50	1 092 445	54 622 250	1 092 445	54 622 250	–	–
247	療養病棟入院基本料　夜間看護　加算	35	800 564	28 019 740	800 564	28 019 740	–	–
248	療養病棟入院基本料　通常外泊		2 032	331 594	2 032	331 594	–	–
249	療養病棟入院基本料　精神外泊		50	17 678	50	17 678	–	–
250	療養病棟入院基本料　他医療機関受診（包括診療行為算定）40%控除		4 966	3 758 973	4 966	3 758 973	–	–
251	療養病棟入院基本料　他医療機関受診（包括診療行為未算定）10%控除		1 456	1 697 708	1 456	1 697 708	–	–
252	療養病棟入院基本料　高度な放射線治療機器等を有する他医療機関受診（包括診療行為算定）35%控除		13	10 355	13	10 355	–	–
253	療養病棟入院基本料　高度な放射線治療機器等を有する他医療機関受診（包括診療行為未算定）5%控除		1	1 381	1	1 381	–	–
254	結核病棟入院基本料計		37 729	59 815 464	37 729	59 815 464	–	–
255	結核病棟７対１入院基本料	1591	14 827	23 589 757	14 827	23 589 757	–	–
256	結核病棟10対１入院基本料	1332	17 963	23 926 716	17 963	23 926 716	–	–
257	結核病棟13対１入院基本料	1121	1 679	1 882 159	1 679	1 882 159	–	–
258	結核病棟15対１入院基本料	960	2 516	2 415 360	2 516	2 415 360	–	–
259	結核病棟18対１入院基本料	822	–	–	–	–	–	–
260	結核病棟20対１入院基本料	775	–	–	–	–	–	–
261	結核病棟特別入院基本料	559	659	368 381	659	368 381	–	–
262	結核病棟７対１入院基本料　月平均夜勤時間超過減算	1352	–	–	–	–	–	–
263	結核病棟10対１入院基本料　月平均夜勤時間超過減算	1132	–	–	–	–	–	–
264	結核病棟13対１入院基本料　月平均夜勤時間超過減算	953	–	–	–	–	–	–
265	結核病棟15対１入院基本料　月平均夜勤時間超過減算	816	–	–	–	–	–	–
266	結核病棟18対１入院基本料　月平均夜勤時間超過減算	699	–	–	–	–	–	–
267	結核病棟20対１入院基本料　月平均夜勤時間超過減算	659	–	–	–	–	–	–
268	結核病棟７対１入院基本料　夜勤時間特別入院基本料	1114	–	–	–	–	–	–
269	結核病棟10対１入院基本料　夜勤時間特別入院基本料	932	–	–	–	–	–	–
270	結核病棟13対１入院基本料　夜勤時間特別入院基本料	785	–	–	–	–	–	–
271	結核病棟15対１入院基本料　夜勤時間特別入院基本料	672	–	–	–	–	–	–
272	結核病棟18対１入院基本料　夜勤時間特別入院基本料	575	–	–	–	–	–	–
273	結核病棟20対１入院基本料　夜勤時間特別入院基本料	569	–	–	–	–	–	–
274	結核病棟入院基本料　重症患者割合特別入院基本料	1511	70	105 770	70	105 770	–	–
275	結核病棟入院基本料　夜間看護体制特定日減算		–	–	–	–	–	–
276	結核病棟入院期間（14日以内）加算	400	6 552	2 620 800	6 552	2 620 800	–	–
277	結核病棟入院期間（14日以内・特別入院基本料等）加算	320	207	66 240	207	66 240	–	–
278	結核病棟入院期間（15日以上30日以内）加算	300	7 086	2 125 800	7 086	2 125 800	–	–
279	結核病棟入院期間（15日以上30日以内・特別入院基本料等）加算	240	107	25 680	107	25 680	–	–
280	結核病棟入院期間（31日以上60日以内）加算	200	10 333	2 066 600	10 333	2 066 600	–	–
281	結核病棟入院期間（31日以上60日以内・特別入院基本料等）加算	160	119	19 040	119	19 040	–	–
282	結核病棟入院期間（61日以上90日以内）加算	100	5 871	587 100	5 871	587 100	–	–
283	結核病棟入院期間（61日以上90日以内・特別入院基本料等）加算	100	58	5 800	58	5 800	–	–
284	結核病棟入院基本料　通常外泊		7	1 336	7	1 336	–	–
285	結核病棟入院基本料　精神外泊		–	–	–	–	–	–
286	結核病棟入院基本料　他医療機関受診（出来高入院料）10%控除		8	8 925	8	8 925	–	–
287	結核病棟入院基本料　高度な放射線治療機器等を有する他医療機関受診（出来高入院料）5%控除		–	–	–	–	–	–
288	精神病棟入院基本料計		3 262 884	2 798 384 404	3 262 884	2 798 384 404	–	–
289	精神病棟10対１入院基本料	1271	18 647	23 700 337	18 647	23 700 337	–	–
290	精神病棟13対１入院基本料	946	91 697	86 745 362	91 697	86 745 362	–	–
291	精神病棟15対１入院基本料	824	2 962 099	2 440 769 576	2 962 099	2 440 769 576	–	–
292	精神病棟18対１入院基本料	735	84 646	62 214 810	84 646	62 214 810	–	–
293	精神病棟20対１入院基本料	680	30 334	20 627 120	30 334	20 627 120	–	–
294	精神病棟特別入院基本料	559	38 161	21 331 999	38 161	21 331 999	–	–
295	精神病棟10対１入院基本料　月平均夜勤時間超過減算	1080	–	–	–	–	–	–
296	精神病棟13対１入院基本料　月平均夜勤時間超過減算	804	–	–	–	–	–	–
297	精神病棟15対１入院基本料　月平均夜勤時間超過減算	700	–	–	–	–	–	–
298	精神病棟18対１入院基本料　月平均夜勤時間超過減算	625	–	–	–	–	–	–
299	精神病棟20対１入院基本料　月平均夜勤時間超過減算	578	–	–	–	–	–	–
300	精神病棟10対１入院基本料　夜勤時間特別入院基本料	890	–	–	–	–	–	–
301	精神病棟13対１入院基本料　夜勤時間特別入院基本料	662	–	–	–	–	–	–
302	精神病棟15対１入院基本料　夜勤時間特別入院基本料	577	781	450 637	781	450 637	–	–
303	精神病棟18対１入院基本料　夜勤時間特別入院基本料	569	–	–	–	–	–	–
304	精神病棟20対１入院基本料　夜勤時間特別入院基本料	569	–	–	–	–	–	–
305	精神病棟入院基本料　夜間看護体制特定日減算		–	–	–	–	–	–

第８表　医科診療　件数・診療実日数・回数・点数，診療行為（細分類）、入院－入院外別

平成30年６月審査分

行番号	診療行為（細分類）	固定点数	総数 回数	総数 点数	入院 回数	入院 点数	入院外 回数	入院外 点数
306	精神病棟入院期間（14日以内）加算	465	106 914	49 715 010	106 914	49 715 010	-	-
307	精神病棟入院期間（14日以内・特別入院基本料等）加算	300	679	203 700	679	203 700	-	-
308	精神病棟入院期間（15日以上30日以内）加算	250	106 944	26 736 000	106 944	26 736 000	-	-
309	精神病棟入院期間（15日以上30日以内・特別入院基本料等）加算	155	597	92 535	597	92 535	-	-
310	精神病棟入院期間（31日以上90日以内）加算	125	304 508	38 063 500	304 508	38 063 500	-	-
311	精神病棟入院期間（31日以上90日以内・特別入院基本料等）加算	100	1 814	181 400	1 814	181 400	-	-
312	精神病棟入院期間（91日以上180日以内）加算	10	279 150	2 791 500	279 150	2 791 500	-	-
313	精神病棟入院期間（91日以上180日以内・特別入院基本料等）加算	10	1 332	13 320	1 332	13 320	-	-
314	精神病棟入院期間（181日以上１年以内）加算	3	296 962	890 886	296 962	890 886	-	-
315	精神病棟入院期間（181日以上１年以内・特別入院基本料等）加算	3	2 289	6 867	2 289	6 867	-	-
316	精神病棟入院基本料　重度認知症　加算	300	24 966	7 489 800	24 966	7 489 800	-	-
317	精神病棟入院基本料　救急支援精神病棟初期　加算	100	93	9 300	93	9 300	-	-
318	精神病棟入院基本料　精神保健福祉士配置　加算	30	19 941	598 230	19 941	598 230	-	-
319	精神病棟入院基本料　通常外泊		3 757	469 475	3 757	469 475	-	-
320	精神病棟入院基本料　精神外泊		18 274	4 559 492	18 274	4 559 492	-	-
321	精神病棟入院基本料　他医療機関受診（出来高入院料）10%控除		14 444	10 688 864	14 444	10 688 864	-	-
322	精神病棟入院基本料　高度な放射線治療機器等を有する他医療機関受診（出来高入院料）5%控除		44	34 684	44	34 684	-	-
323	特定機能病院入院基本料計		195 394	308 703 698	195 394	308 703 698	-	-
324	特定機能病院一般病棟７対１入院基本料	1599	133 435	213 362 565	133 435	213 362 565	-	-
325	特定機能病院一般病棟10対１入院基本料	1339	526	704 314	526	704 314	-	-
326	特定機能病院結核病棟７対１入院基本料	1599	800	1 279 200	800	1 279 200	-	-
327	特定機能病院結核病棟10対１入院基本料	1339	760	1 017 640	760	1 017 640	-	-
328	特定機能病院結核病棟13対１入院基本料	1126	-	-	-	-	-	-
329	特定機能病院結核病棟15対１入院基本料	965	-	-	-	-	-	-
330	特定機能病院精神病棟７対１入院基本料	1350	7 826	10 565 100	7 826	10 565 100	-	-
331	特定機能病院精神病棟10対１入院基本料	1278	10 134	12 951 252	10 134	12 951 252	-	-
332	特定機能病院精神病棟13対１入院基本料	951	33 344	31 710 144	33 344	31 710 144	-	-
333	特定機能病院精神病棟15対１入院基本料	868	3 128	2 715 104	3 128	2 715 104	-	-
334	特定機能病院一般病棟入院基本料　特定時間退院減算		85	125 035	85	125 035	-	-
335	特定機能病院一般病棟入院基本料　特定曜日入退院減算		-	-	-	-	-	-
336	特定機能病院一般病棟選定療養（入院期間180日超）入院基本料		462	625 648	462	625 648	-	-
337	特定機能病院一般病棟入院期間（14日以内）加算	712	24 454	17 411 248	24 454	17 411 248	-	-
338	特定機能病院一般病棟入院期間（15日以上30日以内）加算	207	14 558	3 013 506	14 558	3 013 506	-	-
339	特定機能病院結核病棟入院期間（30日以内）加算	330	534	176 220	534	176 220	-	-
340	特定機能病院結核病棟入院期間（31日以上90日以内）加算	200	712	142 400	712	142 400	-	-
341	特定機能病院精神病棟入院期間（14日以内）加算	505	11 070	5 590 350	11 070	5 590 350	-	-
342	特定機能病院精神病棟入院期間（15日以上30日以内）加算	250	10 305	2 576 250	10 305	2 576 250	-	-
343	特定機能病院精神病棟入院期間（31日以上90日以内）加算	125	20 672	2 584 000	20 672	2 584 000	-	-
344	特定機能病院精神病棟入院期間（91日以上180日以内）加算	30	8 327	249 810	8 327	249 810	-	-
345	特定機能病院精神病棟入院期間（181日以上１年以内）加算	15	2 941	44 115	2 941	44 115	-	-
346	特定機能病院精神病棟　重度認知症　加算	300	240	72 000	240	72 000	-	-
347	特定機能病院入院基本料　看護必要度　加算１	55	8 806	484 330	8 806	484 330	-	-
348	特定機能病院入院基本料　看護必要度　加算２	45	-	-	-	-	-	-
349	特定機能病院入院基本料　看護必要度　加算３	25	-	-	-	-	-	-
350	特定機能病院入院基本料　ＡＤＬ維持向上等体制　加算	80	1 076	86 080	1 076	86 080	-	-
351	特定機能病院入院基本料　通常外泊		3 840	891 779	3 840	891 779	-	-
352	特定機能病院入院基本料　精神外泊		1 051	323 040	1 051	323 040	-	-
353	特定機能病院入院基本料　他医療機関受診（出来高入院料）10%控除		3	2 568	3	2 568	-	-
354	特定機能病院入院基本料　高度な放射線治療機器等を有する他医療機関受診（出来高入院料）5%控除		-	-	-	-	-	-
355	専門病院入院基本料計		24 804	41 839 691	24 804	41 839 691	-	-
356	専門病院７対１入院基本料	1591	14 491	23 055 181	14 491	23 055 181	-	-
357	専門病院10対１入院基本料	1332	9 860	13 133 520	9 860	13 133 520	-	-
358	専門病院13対１入院基本料	1121	-	-	-	-	-	-
359	専門病院入院基本料　特定時間退院減算		39	57 096	39	57 096	-	-
360	専門病院入院基本料　特定曜日入退院減算		-	-	-	-	-	-
361	専門病院入院基本料　夜間看護体制特定日減算		-	-	-	-	-	-
362	専門病院選定療養（入院期間180日超）入院基本料		101	114 332	101	114 332	-	-
363	専門病院入院期間（14日以内）加算	512	6 987	3 577 344	6 987	3 577 344	-	-
364	専門病院入院期間（15日以上30日以内）加算	207	4 015	831 105	4 015	831 105	-	-
365	専門病院入院基本料　看護必要度　加算１	55	12 921	710 655	12 921	710 655	-	-
366	専門病院入院基本料　看護必要度　加算２	45	3 715	167 175	3 715	167 175	-	-
367	専門病院入院基本料　看護必要度　加算３	25	1 996	49 900	1 996	49 900	-	-
368	専門病院入院基本料　一般病棟看護必要度評価　加算	5	68	340	68	340	-	-
369	専門病院入院基本料　ＡＤＬ維持向上等体制　加算	80	-	-	-	-	-	-
370	専門病院入院基本料　通常外泊		246	57 351	246	57 351	-	-
371	専門病院入院基本料　精神外泊		-	-	-	-	-	-
372	専門病院入院基本料　他医療機関受診（出来高入院料）10%控除		67	85 692	67	85 692	-	-
373	専門病院入院基本料　高度な放射線治療機器等を有する他医療機関受診（出来高入院料）5%控除		-	-	-	-	-	-
374	障害者施設等入院基本料計		1 708 899	2 330 267 045	1 708 899	2 330 267 045	-	-
375	障害者施設等７対１入院基本料	1588	333 312	529 299 456	333 312	529 299 456	-	-
376	障害者施設等10対１入院基本料	1329	1 094 450	1 454 524 050	1 094 450	1 454 524 050	-	-
377	障害者施設等13対１入院基本料	1118	187 212	209 303 016	187 212	209 303 016	-	-
378	障害者施設等15対１入院基本料	978	54 586	53 385 108	54 586	53 385 108	-	-
379	障害者施設等７対１入院基本料　月平均夜勤時間超過減算	1350	-	-	-	-	-	-
380	障害者施設等10対１入院基本料　月平均夜勤時間超過減算	1130	-	-	-	-	-	-
381	障害者施設等13対１入院基本料　月平均夜勤時間超過減算	950	-	-	-	-	-	-
382	障害者施設等15対１入院基本料　月平均夜勤時間超過減算	831	-	-	-	-	-	-
383	障害者施設等特定入院基本料	966	13 059	12 614 994	13 059	12 614 994	-	-
384	障害者施設等特定入院基本料　月平均夜勤時間超過減算	860	-	-	-	-	-	-
385	障害者施設等７対１入院基本料　医療区分２の患者に相当するもの	1465	62	90 830	62	90 830	-	-
386	障害者施設等７対１入院基本料　医療区分１の患者に相当するもの	1331	-	-	-	-	-	-
387	障害者施設等10対１入院基本料　医療区分２の患者に相当するもの	1465	7 067	10 353 155	7 067	10 353 155	-	-
388	障害者施設等10対１入院基本料　医療区分１の患者に相当するもの	1331	3 519	4 683 789	3 519	4 683 789	-	-
389	障害者施設等13対１入院基本料　医療区分２の患者に相当するもの	1317	2 441	3 214 797	2 441	3 214 797	-	-
390	障害者施設等13対１入院基本料　医療区分１の患者に相当するもの	1184	1 682	1 991 488	1 682	1 991 488	-	-
391	障害者施設等15対１入院基本料　医療区分２の患者に相当するもの	1219	1 161	1 415 259	1 161	1 415 259	-	-
392	障害者施設等15対１入院基本料　医療区分１の患者に相当するもの	1086	509	552 774	509	552 774	-	-
393	障害者施設等７対１入院基本料　医療区分２の患者に相当するもの　月平均夜勤時間超過減算	1245	-	-	-	-	-	-
394	障害者施設等７対１入院基本料　医療区分１の患者に相当するもの　月平均夜勤時間超過減算	1131	-	-	-	-	-	-
395	障害者施設等10対１入院基本料　医療区分２の患者に相当するもの　月平均夜勤時間超過減算	1245	-	-	-	-	-	-
396	障害者施設等10対１入院基本料　医療区分１の患者に相当するもの　月平均夜勤時間超過減算	1131	-	-	-	-	-	-
397	障害者施設等13対１入院基本料　医療区分２の患者に相当するもの　月平均夜勤時間超過減算	1119	-	-	-	-	-	-
398	障害者施設等13対１入院基本料　医療区分１の患者に相当するもの　月平均夜勤時間超過減算	1006	-	-	-	-	-	-
399	障害者施設等15対１入院基本料　医療区分２の患者に相当するもの　月平均夜勤時間超過減算	1036	-	-	-	-	-	-
400	障害者施設等15対１入院基本料　医療区分１の患者に相当するもの　月平均夜勤時間超過減算	923	-	-	-	-	-	-
401	障害者施設等入院基本料　夜間看護体制特定日減算		48	60 753	48	60 753	-	-
402	障害者施設等入院期間（14日以内）加算	312	82 326	25 685 712	82 326	25 685 712	-	-
403	障害者施設等入院期間（15日以上30日以内）加算	167	79 809	13 328 103	79 809	13 328 103	-	-

第８表　医科診療　件数・診療実日数・回数・点数，診療行為（細分類）、入院－入院外別

平成30年６月審査分

行番号	診療行為（細分類）	固定点数	総数 回数	総数 点数	入院 回数	入院 点数	入院外 回数	入院外 点数
404	障害者施設等入院基本料　重症児（者）受入連携　加算	2000	–	–	–	–	–	–
405	障害者施設等入院基本料　看護補助（14日以内）加算	129	18 744	2 417 976	18 744	2 417 976	–	–
406	障害者施設等入院基本料　看護補助（15日以上30日以内）加算	104	18 067	1 878 968	18 067	1 878 968	–	–
407	障害者施設等入院基本料　夜間看護体制　加算	150	1 252	187 800	1 252	187 800	–	–
408	障害者施設等入院基本料　通常外泊		6 226	1 289 222	6 226	1 289 222	–	–
409	障害者施設等入院基本料　精神外泊		314	126 173	314	126 173	–	–
410	障害者施設等入院基本料　他医療機関受診（出来高入院料）10%控除		3 230	3 837 099	3 230	3 837 099	–	–
411	障害者施設等入院基本料　他医療機関受診（包括診療行為算定）40%控除		–	–	–	–	–	–
412	障害者施設等入院基本料　他医療機関受診（包括診療行為未算定）10%控除		–	–	–	–	–	–
413	障害者施設等入院基本料　高度な放射線治療機器等を有する他医療機関受診（出来高入院料）5%控除		21	26 523	21	26 523	–	–
414	障害者施設等入院基本料　90日超入院患者　高度な放射線治療機器等を有する他医療機関受診（包括診療行為算定）（特定機能病院入院基本料・専門病院入院基本料算定の者も含む）35%控除		–	–	–	–	–	–
415	障害者施設等入院基本料　90日超入院患者　高度な放射線治療機器等を有する他医療機関受診（包括診療行為未算定）（特定機能病院入院基本料・専門病院入院基本料算定の者も含む）5%控除		–	–	–	–	–	–
416	診療所計		969 101	810 952 904	969 101	810 952 904	–	–
417	有床診療所入院基本料計		888 950	751 265 718	888 950	751 265 718	–	–
418	有床診療所入院基本料１（14日以内）	861	275 868	237 522 348	275 868	237 522 348	–	–
419	有床診療所入院基本料１（15日以上30日以内）	669	98 313	65 771 397	98 313	65 771 397	–	–
420	有床診療所入院基本料１（31日以上）	567	267 694	151 782 498	267 694	151 782 498	–	–
421	有床診療所入院基本料２（14日以内）	770	25 975	20 000 750	25 975	20 000 750	–	–
422	有床診療所入院基本料２（15日以上30日以内）	578	11 482	6 636 596	11 482	6 636 596	–	–
423	有床診療所入院基本料２（31日以上）	521	58 327	30 388 367	58 327	30 388 367	–	–
424	有床診療所入院基本料３（14日以内）	568	3 008	1 708 544	3 008	1 708 544	–	–
425	有床診療所入院基本料３（15日以上30日以内）	530	1 477	782 810	1 477	782 810	–	–
426	有床診療所入院基本料３（31日以上）	500	7 798	3 899 000	7 798	3 899 000	–	–
427	有床診療所入院基本料４（14日以内）	775	45 633	35 365 575	45 633	35 365 575	–	–
428	有床診療所入院基本料４（15日以上30日以内）	602	7 933	4 775 666	7 933	4 775 666	–	–
429	有床診療所入院基本料４（31日以上）	510	20 336	10 371 360	20 336	10 371 360	–	–
430	有床診療所入院基本料５（14日以内）	693	17 409	12 064 437	17 409	12 064 437	–	–
431	有床診療所入院基本料５（15日以上30日以内）	520	3 187	1 657 240	3 187	1 657 240	–	–
432	有床診療所入院基本料５（31日以上）	469	12 893	6 046 817	12 893	6 046 817	–	–
433	有床診療所入院基本料６（14日以内）	511	13 797	7 050 267	13 797	7 050 267	–	–
434	有床診療所入院基本料６（15日以上30日以内）	477	1 613	769 401	1 613	769 401	–	–
435	有床診療所入院基本料６（31日以上）	450	7 122	3 204 900	7 122	3 204 900	–	–
436	有床診療所入院基本料　重症児（者）受入連携　加算	2000	–	–	–	–	–	–
437	有床診療所入院基本料　有床診療所一般病床初期　加算	100	172 390	17 239 000	172 390	17 239 000	–	–
438	有床診療所入院基本料　夜間緊急体制確保　加算	15	675 723	10 135 845	675 723	10 135 845	–	–
439	有床診療所入院基本料　医師配置　加算１	88	434 345	38 222 360	434 345	38 222 360	–	–
440	有床診療所入院基本料　医師配置　加算２	60	24 181	1 450 860	24 181	1 450 860	–	–
441	有床診療所入院基本料　看護配置　加算１	40	435 253	17 410 120	435 253	17 410 120	–	–
442	有床診療所入院基本料　看護配置　加算２	20	33 864	677 280	33 864	677 280	–	–
443	有床診療所入院基本料　夜間看護配置　加算１	85	316 921	26 938 285	316 921	26 938 285	–	–
444	有床診療所入院基本料　夜間看護配置　加算２	35	479 018	16 765 630	479 018	16 765 630	–	–
445	有床診療所入院基本料　看護補助配置　加算１	10	510 813	5 108 130	510 813	5 108 130	–	–
446	有床診療所入院基本料　看護補助配置　加算２	5	82 630	413 150	82 630	413 150	–	–
447	有床診療所入院基本料　看取り　加算	1000	172	172 000	172	172 000	–	–
448	有床診療所入院基本料　看取り　加算（在宅療養支援診療所）	2000	288	576 000	288	576 000	–	–
449	有床診療所入院基本料　栄養管理実施　加算	12	261 102	3 133 224	261 102	3 133 224	–	–
450	有床診療所入院基本料　有床診療所在宅復帰機能強化　加算	20	127 676	2 553 520	127 676	2 553 520	–	–
451	有床診療所入院基本料　介護連携　加算１	192	34 856	6 692 352	34 856	6 692 352	–	–
452	有床診療所入院基本料　介護連携　加算２	38	365	13 870	365	13 870	–	–
453	有床診療所入院基本料　通常外泊		2 894	265 912	2 894	265 912	–	–
454	有床診療所入院基本料　精神外泊		35	6 039	35	6 039	–	–
455	有床診療所入院基本料　他医療機関受診（出来高入院料）10%控除		5 996	3 588 245	5 996	3 588 245	–	–
456	有床診療所入院基本料　高度な放射線治療機器等を有する他医療機関受診（出来高入院料）5%控除		160	105 923	160	105 923	–	–
457	有床診療所療養病床入院基本料計		80 151	59 687 186	80 151	59 687 186	–	–
458	有床診療所療養病床入院基本料Ａ	994	387	384 678	387	384 678	–	–
459	有床診療所療養病床入院基本料Ａ（生活療養）	980	8 166	8 002 680	8 166	8 002 680	–	–
460	有床診療所療養病床入院基本料Ｂ	888	1 378	1 223 664	1 378	1 223 664	–	–
461	有床診療所療養病床入院基本料Ｂ（生活療養）	874	29 504	25 786 496	29 504	25 786 496	–	–
462	有床診療所療養病床入院基本料Ｃ	779	1 204	937 916	1 204	937 916	–	–
463	有床診療所療養病床入院基本料Ｃ（生活療養）	765	5 939	4 543 335	5 939	4 543 335	–	–
464	有床診療所療養病床入院基本料Ｄ	614	171	104 994	171	104 994	–	–
465	有床診療所療養病床入院基本料Ｄ（生活療養）	599	8 365	5 010 635	8 365	5 010 635	–	–
466	有床診療所療養病床入院基本料Ｅ	530	479	253 870	479	253 870	–	–
467	有床診療所療養病床入院基本料Ｅ（生活療養）	516	23 886	12 325 176	23 886	12 325 176	–	–
468	有床診療所療養病床特別入院基本料	459	–	–	–	–	–	–
469	有床診療所療養病床特別入院基本料（生活療養）	444	247	109 668	247	109 668	–	–
470	有床診療所療養病床入院基本料　褥瘡対策　加算１	15	14 868	223 020	14 868	223 020	–	–
471	有床診療所療養病床入院基本料　褥瘡対策　加算２	5	93	465	93	465	–	–
472	有床診療所療養病床入院基本料　重症児（者）受入連携　加算	2000	–	–	–	–	–	–
473	有床診療所療養病床入院基本料　救急・在宅等支援療養病床初期　加算	150	1 413	211 950	1 413	211 950	–	–
474	有床診療所療養病床入院基本料　看取り　加算	1000	4	4 000	4	4 000	–	–
475	有床診療所療養病床入院基本料　看取り　加算（在宅療養支援診療所）	2000	8	16 000	8	16 000	–	–
476	有床診療所療養病床入院基本料　栄養管理実施　加算	12	22 575	270 900	22 575	270 900	–	–
477	有床診療所療養病床入院基本料　有床診療所療養病床在宅復帰機能強化加算	10	11 992	119 920	11 992	119 920	–	–
478	有床診療所療養病床入院基本料　通常外泊		191	20 894	191	20 894	–	–
479	有床診療所療養病床入院基本料　精神外泊		12	2 796	12	2 796	–	–
480	有床診療所療養病床入院基本料　他医療機関受診（包括診療行為算定）20%控除		173	100 134	173	100 134	–	–
481	有床診療所療養病床入院基本料　他医療機関受診（包括診療行為未算定）10%控除		48	33 505	48	33 505	–	–
482	有床診療所療養病床入院基本料　高度な放射線治療機器等を有する他医療機関受診（包括診療行為算定）15%控除		–	–	–	–	–	–
483	有床診療所療養病床入院基本料　高度な放射線治療機器等を有する他医療機関受診（包括診療行為未算定）5%控除		1	490	1	490	–	–
484	定数超過入院基本料計		–	–	–	–	–	–
485	定数超過　一般病棟入院基本料		–	–	–	–	–	–
486	定数超過　療養病棟入院基本料		–	–	–	–	–	–
487	定数超過　結核病棟入院基本料		–	–	–	–	–	–
488	定数超過　精神病棟入院基本料		–	–	–	–	–	–
489	定数超過　特定機能病院一般病棟入院基本料		–	–	–	–	–	–
490	定数超過　特定機能病院結核病棟入院基本料		–	–	–	–	–	–
491	定数超過　特定機能病院精神病棟入院基本料		–	–	–	–	–	–
492	定数超過　専門病院入院基本料		–	–	–	–	–	–
493	定数超過　障害者施設等入院基本料		–	–	–	–	–	–
494	定数超過　有床診療所入院基本料		–	–	–	–	–	–
495	定数超過　有床診療所療養病床入院基本料		–	–	–	–	–	–
496	定数超過入院基本料　特定時間退院減算		–	–	–	–	–	–

第８表　医科診療　件数・診療実日数・回数・点数，診療行為（細分類）、入院－入院外別

平成30年６月審査分

行番号	診療行為（細分類）	固定点数	総数 回数	総数 点数	入院 回数	入院 点数	入院外 回数	入院外 点数
497	定数超過入院基本料　特定曜日入退院減算		-	-	-	-	-	-
498	定数超過入院基本料　夜間看護体制特定日減算		-	-	-	-	-	-
499	定数超過入院基本料　通常外泊		-	-	-	-	-	-
500	定数超過入院基本料　精神外泊		-	-	-	-	-	-
501	定数超過入院基本料　他医療機関受診（出来高入院料）10%控除		-	-	-	-	-	-
502	定数超過入院基本料　他医療機関受診（包括診療行為算定）40%控除		-	-	-	-	-	-
503	定数超過入院基本料　他医療機関受診（包括診療行為算定）20%控除		-	-	-	-	-	-
504	定数超過入院基本料　他医療機関受診（包括診療行為未算定）10%控除		-	-	-	-	-	-
505	定数超過入院基本料　高度な放射線治療機器等を有する他医療機関受診（出来高入院料）5%控除		-	-	-	-	-	-
506	定数超過入院基本料　高度な放射線治療機器等を有する他医療機関受診（包括診療行為算定）35%控除		-	-	-	-	-	-
507	定数超過入院基本料　高度な放射線治療機器等を有する他医療機関受診（包括診療行為算定）15%控除		-	-	-	-	-	-
508	定数超過入院基本料　高度な放射線治療機器等を有する他医療機関受診（包括診療行為未算定）5%控除		-	-	-	-	-	-
509	標欠入院基本料計		14 102	15 062 142	14 102	15 062 142	-	-
510	標欠　一般病棟入院基本料		3 705	4 062 612	3 705	4 062 612	-	-
511	標欠　療養病棟入院基本料		2 625	2 878 787	2 625	2 878 787	-	-
512	標欠　結核病棟入院基本料		-	-	-	-	-	-
513	標欠　精神病棟入院基本料		2 768	2 286 854	2 768	2 286 854	-	-
514	標欠　障害者施設等入院基本料		4 945	5 775 387	4 945	5 775 387	-	-
515	標欠入院基本料　特定時間退院減算		-	-	-	-	-	-
516	標欠入院基本料　特定曜日入退院減算		-	-	-	-	-	-
517	標欠入院基本料　夜間看護体制特定日減算		36	35 034	36	35 034	-	-
518	標欠入院基本料　通常外泊		-	-	-	-	-	-
519	標欠入院基本料　精神外泊		-	-	-	-	-	-
520	標欠入院基本料　他医療機関受診（出来高入院料）10%控除		23	23 468	23	23 468	-	-
521	標欠入院基本料　他医療機関受診（包括診療行為算定）40%控除		-	-	-	-	-	-
522	標欠入院基本料　他医療機関受診（包括診療行為未算定）10%控除		-	-	-	-	-	-
523	標欠入院基本料　高度な放射線治療機器等を有する他医療機関受診（出来高入院料）5%控除		-	-	-	-	-	-
524	標欠入院基本料　高度な放射線治療機器等を有する他医療機関受診（包括診療行為算定）35%控除		-	-	-	-	-	-
525	標欠入院基本料　高度な放射線治療機器等を有する他医療機関受診（包括診療行為未算定）5%控除		-	-	-	-	-	-
526	特定入院料計		8 121 805	16 110 953 665	8 121 805	16 110 953 665	-	-
527	救命救急入院料１（３日以内）	9869	1 752	17 290 488	1 752	17 290 488	-	-
528	救命救急入院料１（４日以上７日以内）	8929	299	2 669 771	299	2 669 771	-	-
529	救命救急入院料１（８日以上14日以内）	7623	295	2 248 785	295	2 248 785	-	-
530	救命救急入院料２（３日以内）	11393	426	4 853 418	426	4 853 418	-	-
531	救命救急入院料２（４日以上７日以内）	10316	88	907 808	88	907 808	-	-
532	救命救急入院料２（８日以上14日以内）	9046	56	506 576	56	506 576	-	-
533	救命救急入院料３　救命救急入院料（３日以内）	9869	761	7 510 309	761	7 510 309	-	-
534	救命救急入院料３　救命救急入院料（４日以上７日以内）	8929	122	1 089 338	122	1 089 338	-	-
535	救命救急入院料３　救命救急入院料（８日以上14日以内）	7623	129	983 367	129	983 367	-	-
536	救命救急入院料３　広範囲熱傷特定集中治療管理料（３日以内）	9869	6	59 214	6	59 214	-	-
537	救命救急入院料３　広範囲熱傷特定集中治療管理料（４日以上７日以内）	8929	3	26 787	3	26 787	-	-
538	救命救急入院料３　広範囲熱傷特定集中治療管理料（８日以上60日以内）	8030	63	505 890	63	505 890	-	-
539	救命救急入院料４　救命救急入院料（３日以内）	11393	1 077	12 270 261	1 077	12 270 261	-	-
540	救命救急入院料４　救命救急入院料（４日以上７日以内）	10316	217	2 238 572	217	2 238 572	-	-
541	救命救急入院料４　救命救急入院料（８日以上14日以内）	9046	174	1 574 004	174	1 574 004	-	-
542	救命救急入院料４　広範囲熱傷特定集中治療管理料（３日以内）	11393	1	11 393	1	11 393	-	-
543	救命救急入院料４　広範囲熱傷特定集中治療管理料（４日以上７日以内）	10316	-	-	-	-	-	-
544	救命救急入院料４　広範囲熱傷特定集中治療管理料（８日以上14日以内）	9046	-	-	-	-	-	-
545	救命救急入院料４　広範囲熱傷特定集中治療管理料（15日以上60日以内）	8030	41	329 230	41	329 230	-	-
546	救命救急入院料　精神疾患診断治療初回　加算	3000	37	111 000	37	111 000	-	-
547	救命救急入院料　充実段階Ａ　加算	1000	6 369	6 369 000	6 369	6 369 000	-	-
548	救命救急入院料　充実段階Ｂ　加算	500	8	4 000	8	4 000	-	-
549	救命救急入院料　高度医療体制　加算	100	1 363	136 300	1 363	136 300	-	-
550	救命救急入院料　急性薬毒物中毒　加算１（機器分析）	5000	-	-	-	-	-	-
551	救命救急入院料　急性薬毒物中毒　加算２（その他のもの）	350	6	2 100	6	2 100	-	-
552	救命救急入院料　小児　加算	5000	14	70 000	14	70 000	-	-
553	特定集中治療室管理料１（７日以内）	13650	882	12 039 300	882	12 039 300	-	-
554	特定集中治療室管理料１（８日以上14日以内）	12126	194	2 352 444	194	2 352 444	-	-
555	特定集中治療室管理料２　特定集中治療室管理料（７日以内）	13650	230	3 139 500	230	3 139 500	-	-
556	特定集中治療室管理料２　特定集中治療室管理料（８日以上14日以内）	12126	64	776 064	64	776 064	-	-
557	特定集中治療室管理料２　広範囲熱傷特定集中治療管理料（７日以内）	13650	5	68 250	5	68 250	-	-
558	特定集中治療室管理料２　広範囲熱傷特定集中治療管理料（８日以上60日以内）	12319	42	517 398	42	517 398	-	-
559	特定集中治療室管理料３（７日以内）	9361	2 294	21 474 134	2 294	21 474 134	-	-
560	特定集中治療室管理料３（８日以上14日以内）	7837	504	3 949 848	504	3 949 848	-	-
561	特定集中治療室管理料４　特定集中治療室管理料（７日以内）	9361	485	4 540 085	485	4 540 085	-	-
562	特定集中治療室管理料４　特定集中治療室管理料（８日以上14日以内）	7837	125	979 625	125	979 625	-	-
563	特定集中治療室管理料４　広範囲熱傷特定集中治療管理料（７日以内）	9361	-	-	-	-	-	-
564	特定集中治療室管理料４　広範囲熱傷特定集中治療管理料（８日以上60日以内）	8030	-	-	-	-	-	-
565	特定集中治療室管理料　小児　加算（７日以内）	2000	165	330 000	165	330 000	-	-
566	特定集中治療室管理料　小児　加算（８日以上14日以内）	1500	80	120 000	80	120 000	-	-
567	特定集中治療室管理料　早期離床・リハビリテーション　加算	500	7 649	3 824 500	7 649	3 824 500	-	-
568	ハイケアユニット入院医療管理料１	6584	5 012	32 999 008	5 012	32 999 008	-	-
569	ハイケアユニット入院医療管理料２	4084	117	477 828	117	477 828	-	-
570	脳卒中ケアユニット入院医療管理料	5804	2 890	16 773 560	2 890	16 773 560	-	-
571	小児特定集中治療室管理料（７日以内）	15752	100	1 575 200	100	1 575 200	-	-
572	小児特定集中治療室管理料（８日以上）	13720	44	603 680	44	603 680	-	-
573	新生児特定集中治療室管理料１	10174	776	7 895 024	776	7 895 024	-	-
574	新生児特定集中治療室管理料２	8109	505	4 095 045	505	4 095 045	-	-
575	総合周産期特定集中治療室管理料（母体・胎児集中治療室管理料）	7125	252	1 795 500	252	1 795 500	-	-
576	総合周産期特定集中治療室管理料（新生児集中治療室管理料）	10174	1 261	12 829 414	1 261	12 829 414	-	-
577	新生児治療回復室入院医療管理料	5499	1 930	10 613 070	1 930	10 613 070	-	-
578	一類感染症患者入院医療管理料（14日以内）	9046	-	-	-	-	-	-
579	一類感染症患者入院医療管理料（15日以上）	7826	-	-	-	-	-	-
580	特殊疾患入院医療管理料	2009	7 971	16 013 739	7 971	16 013 739	-	-
581	特殊疾患入院医療管理料　人工呼吸器　加算	600	892	535 200	892	535 200	-	-
582	特殊疾患入院医療管理料　重症児（者）受入連携　加算	2000	-	-	-	-	-	-
583	特殊疾患入院医療管理料　医療区分２の患者に相当するもの	1857	284	527 388	284	527 388	-	-
584	特殊疾患入院医療管理料　医療区分１の患者に相当するもの	1701	498	847 098	498	847 098	-	-
585	小児入院医療管理料１	4584	21 646	99 225 264	21 646	99 225 264	-	-
586	小児入院医療管理料２	4076	25 984	105 910 784	25 984	105 910 784	-	-
587	小児入院医療管理料３	3670	7 514	27 576 380	7 514	27 576 380	-	-
588	小児入院医療管理料４	3060	11 028	33 745 680	11 028	33 745 680	-	-
589	小児入院医療管理料５	2145	10 648	22 839 960	10 648	22 839 960	-	-
590	小児入院医療管理料　プレイルーム、保育士等　加算	100	63 877	6 387 700	63 877	6 387 700	-	-
591	小児入院医療管理料　人工呼吸器使用　加算	600	11 321	6 792 600	11 321	6 792 600	-	-
592	小児入院医療管理料３，４又は５　重症児受入体制　加算	200	746	149 200	746	149 200	-	-
593	回復期リハビリテーション病棟入院料１	2085	410 295	855 465 075	410 295	855 465 075	-	-
594	回復期リハビリテーション病棟入院料１（生活療養）	2071	413 464	856 283 944	413 464	856 283 944	-	-
595	回復期リハビリテーション病棟入院料２	2025	236 784	479 487 600	236 784	479 487 600	-	-
596	回復期リハビリテーション病棟入院料２（生活療養）	2011	263 506	529 910 566	263 506	529 910 566	-	-
597	回復期リハビリテーション病棟入院料３	1861	239 739	446 154 279	239 739	446 154 279	-	-
598	回復期リハビリテーション病棟入院料３（生活療養）	1846	232 115	428 484 290	232 115	428 484 290	-	-
599	回復期リハビリテーション病棟入院料４	1806	90 333	163 141 398	90 333	163 141 398	-	-

第８表　医科診療　件数・診療実日数・回数・点数，診療行為（細分類）、入院－入院外別

平成30年６月審査分

行番号	診療行為（細分類）	固定点数	総数 回数	総数 点数	入院 回数	入院 点数	入院外 回数	入院外 点数
600	回復期リハビリテーション病棟入院料４（生活療養）	1791	133 579	239 239 989	133 579	239 239 989	−	−
601	回復期リハビリテーション病棟入院料５	1702	19 441	33 088 582	19 441	33 088 582	−	−
602	回復期リハビリテーション病棟入院料５（生活療養）	1687	16 768	28 287 616	16 768	28 287 616	−	−
603	回復期リハビリテーション病棟入院料６	1647	33 852	55 754 244	33 852	55 754 244	−	−
604	回復期リハビリテーション病棟入院料６（生活療養）	1632	29 603	48 312 096	29 603	48 312 096	−	−
605	回復期リハビリテーション病棟入院料３～６　休日リハビリテーション提供体制　加算	60	584 818	35 089 080	584 818	35 089 080	−	−
606	回復期リハビリテーション病棟入院料１又は２　体制強化　加算１	200	823 029	164 605 800	823 029	164 605 800	−	−
607	回復期リハビリテーション病棟入院料１又は２　体制強化　加算２	120	109 786	13 174 320	109 786	13 174 320	−	−
608	地域包括ケア病棟入院料１	2738	210 657	576 778 866	210 657	576 778 866	−	−
609	地域包括ケア病棟入院料１（生活療養）	2724	25 062	68 268 888	25 062	68 268 888	−	−
610	地域包括ケア入院医療管理料１	2738	87 963	240 842 694	87 963	240 842 694	−	−
611	地域包括ケア入院医療管理料１（生活療養）	2724	14 577	39 707 748	14 577	39 707 748	−	−
612	地域包括ケア病棟入院料２	2558	867 343	2 218 663 394	867 343	2 218 663 394	−	−
613	地域包括ケア病棟入院料２（生活療養）	2544	79 150	201 357 600	79 150	201 357 600	−	−
614	地域包括ケア入院医療管理料２	2558	265 719	679 709 202	265 719	679 709 202	−	−
615	地域包括ケア入院医療管理料２（生活療養）	2544	31 664	80 553 216	31 664	80 553 216	−	−
616	地域包括ケア病棟入院料３	2238	3 847	8 609 586	3 847	8 609 586	−	−
617	地域包括ケア病棟入院料３（生活療養）	2224	1 980	4 403 520	1 980	4 403 520	−	−
618	地域包括ケア入院医療管理料３	2238	1 317	2 947 446	1 317	2 947 446	−	−
619	地域包括ケア入院医療管理料３（生活療養）	2224	2 336	5 195 264	2 336	5 195 264	−	−
620	地域包括ケア病棟入院料４	2038	18 001	36 686 038	18 001	36 686 038	−	−
621	地域包括ケア病棟入院料４（生活療養）	2024	5 624	11 382 976	5 624	11 382 976	−	−
622	地域包括ケア入院医療管理料４	2038	15 925	32 455 150	15 925	32 455 150	−	−
623	地域包括ケア入院医療管理料４（生活療養）	2024	2 285	4 624 840	2 285	4 624 840	−	−
624	地域包括ケア病棟入院料１（特定地域）	2371	−	−	−	−	−	−
625	地域包括ケア病棟入院料１（生活療養）（特定地域）	2357	−	−	−	−	−	−
626	地域包括ケア入院医療管理料１（特定地域）	2371	−	−	−	−	−	−
627	地域包括ケア入院医療管理料１（生活療養）（特定地域）	2357	−	−	−	−	−	−
628	地域包括ケア病棟入院料２（特定地域）	2191	−	−	−	−	−	−
629	地域包括ケア病棟入院料２（生活療養）（特定地域）	2177	−	−	−	−	−	−
630	地域包括ケア入院医療管理料２（特定地域）	2191	−	−	−	−	−	−
631	地域包括ケア入院医療管理料２（生活療養）（特定地域）	2177	−	−	−	−	−	−
632	地域包括ケア病棟入院料３（特定地域）	1943	−	−	−	−	−	−
633	地域包括ケア病棟入院料３（生活療養）（特定地域）	1929	−	−	−	−	−	−
634	地域包括ケア入院医療管理料３（特定地域）	1943	−	−	−	−	−	−
635	地域包括ケア入院医療管理料３（生活療養）（特定地域）	1929	−	−	−	−	−	−
636	地域包括ケア病棟入院料４（特定地域）	1743	−	−	−	−	−	−
637	地域包括ケア病棟入院料４（生活療養）（特定地域）	1729	562	971 698	562	971 698	−	−
638	地域包括ケア入院医療管理料４（特定地域）	1743	−	−	−	−	−	−
639	地域包括ケア入院医療管理料４（生活療養）（特定地域）	1729	−	−	−	−	−	−
640	地域包括ケア病棟入院料　夜間看護体制特定日減算		29	75 416	29	75 416	−	−
641	地域包括ケア病棟入院料　看護職員配置　加算	150	1 389 758	208 463 700	1 389 758	208 463 700	−	−
642	地域包括ケア病棟入院料　看護補助者配置　加算	150	999 926	149 988 900	999 926	149 988 900	−	−
643	地域包括ケア病棟入院料　急性期患者支援病床初期　加算	150	464 908	69 736 200	464 908	69 736 200	−	−
644	地域包括ケア病棟入院料　在宅患者支援病床初期　加算	300	142 256	42 676 800	142 256	42 676 800	−	−
645	地域包括ケア病棟入院料　看護職員夜間配置　加算	55	58 710	3 229 050	58 710	3 229 050	−	−
646	特殊疾患病棟入院料１	2008	132 555	266 170 440	132 555	266 170 440	−	−
647	特殊疾患病棟入院料２	1625	180 976	294 086 000	180 976	294 086 000	−	−
648	特殊疾患病棟入院料　人工呼吸器　加算	600	12 365	7 419 000	12 365	7 419 000	−	−
649	特殊疾患病棟入院料　重症児（者）受入連携　加算	2000	−	−	−	−	−	−
650	特殊疾患病棟入院料１　医療区分２の患者に相当するもの	1857	9 384	17 426 088	9 384	17 426 088	−	−
651	特殊疾患病棟入院料１　医療区分１の患者に相当するもの	1701	4 949	8 418 249	4 949	8 418 249	−	−
652	特殊疾患病棟入院料２　医療区分２の患者に相当するもの	1608	−	−	−	−	−	−
653	特殊疾患病棟入院料２　医療区分１の患者に相当するもの	1452	408	592 416	408	592 416	−	−
654	緩和ケア病棟入院料１（30日以内）	5051	105 918	534 991 818	105 918	534 991 818	−	−
655	緩和ケア病棟入院料１（31日以上60日以内）	4514	35 307	159 375 798	35 307	159 375 798	−	−
656	緩和ケア病棟入院料１（61日以上）	3350	35 372	118 496 200	35 372	118 496 200	−	−
657	緩和ケア病棟入院料２（30日以内）	4826	1 083	5 226 558	1 083	5 226 558	−	−
658	緩和ケア病棟入院料２（31日以上60日以内）	4370	140	611 800	140	611 800	−	−
659	緩和ケア病棟入院料２（61日以上）	3300	137	452 100	137	452 100	−	−
660	緩和ケア病棟入院料　緩和ケア病棟緊急入院初期　加算	200	1 839	367 800	1 839	367 800	−	−
661	精神科救急入院料１（30日以内）	3557	95 867	340 998 919	95 867	340 998 919	−	−
662	精神科救急入院料１（31日以上）	3125	103 508	323 462 500	103 508	323 462 500	−	−
663	精神科救急入院料２（30日以内）	3351	1 090	3 652 590	1 090	3 652 590	−	−
664	精神科救急入院料２（31日以上）	2920	1 155	3 372 600	1 155	3 372 600	−	−
665	精神科救急入院料　非定型抗精神病薬　加算（２種類以下）	15	85 511	1 282 665	85 511	1 282 665	−	−
666	精神科救急入院料　院内標準診療計画　加算	200	286	57 200	286	57 200	−	−
667	精神科救急入院料　看護職員夜間配置　加算	55	27 859	1 532 245	27 859	1 532 245	−	−
668	精神科急性期治療病棟入院料１（30日以内）	1984	127 859	253 672 256	127 859	253 672 256	−	−
669	精神科急性期治療病棟入院料１（31日以上）	1655	147 916	244 800 980	147 916	244 800 980	−	−
670	精神科急性期治療病棟入院料２（30日以内）	1881	3 481	6 547 761	3 481	6 547 761	−	−
671	精神科急性期治療病棟入院料２（31日以上）	1552	4 186	6 496 672	4 186	6 496 672	−	−
672	精神科急性期治療病棟入院料　非定型抗精神病薬　加算（２種類以下）	15	93 266	1 398 990	93 266	1 398 990	−	−
673	精神科急性期治療病棟入院料　院内標準診療計画　加算	200	132	26 400	132	26 400	−	−
674	精神科救急・合併症入院料（30日以内）	3560	3 774	13 435 440	3 774	13 435 440	−	−
675	精神科救急・合併症入院料（31日以上）	3128	3 804	11 898 912	3 804	11 898 912	−	−
676	精神科救急・合併症入院料　非定型抗精神病薬　加算（２種類以下）	15	1 455	21 825	1 455	21 825	−	−
677	精神科救急・合併症入院料　院内標準診療計画　加算	200	−	−	−	−	−	−
678	精神科救急・合併症入院料　看護職員夜間配置　加算	55	2 345	128 975	2 345	128 975	−	−
679	児童・思春期精神科入院医療管理料	2957	19 841	58 669 837	19 841	58 669 837	−	−
680	精神療養病棟入院料	1090	2 212 065	2 411 150 850	2 212 065	2 411 150 850	−	−
681	精神療養病棟入院料　非定型抗精神病薬　加算（２種類以下）	15	1 091 636	16 374 540	1 091 636	16 374 540	−	−
682	精神療養病棟入院料　重症者　加算１	60	1 650 328	99 019 680	1 650 328	99 019 680	−	−
683	精神療養病棟入院料　重症者　加算２	30	482 062	14 461 860	482 062	14 461 860	−	−
684	精神療養病棟入院料　退院調整　加算	500	379	189 500	379	189 500	−	−
685	精神療養病棟入院料　精神保健福祉士配置　加算	30	47 658	1 429 740	47 658	1 429 740	−	−
686	認知症治療病棟入院料１（30日以内）	1809	48 342	87 450 678	48 342	87 450 678	−	−
687	認知症治療病棟入院料１（31日以上60日以内）	1501	50 032	75 098 032	50 032	75 098 032	−	−
688	認知症治療病棟入院料１（61日以上）	1203	808 842	973 036 926	808 842	973 036 926	−	−
689	認知症治療病棟入院料２（30日以内）	1316	472	621 152	472	621 152	−	−
690	認知症治療病棟入院料２（31日以上60日以内）	1111	447	496 617	447	496 617	−	−
691	認知症治療病棟入院料２（61日以上）	987	15 606	15 403 122	15 606	15 403 122	−	−
692	認知症治療病棟入院料　退院調整　加算	300	106	31 800	106	31 800	−	−
693	認知症治療病棟入院料　認知症夜間対応　加算（30日以内）	84	27 113	2 277 492	27 113	2 277 492	−	−
694	認知症治療病棟入院料　認知症夜間対応　加算（31日以上）	40	458 892	18 355 680	458 892	18 355 680	−	−
695	特定一般病棟入院料１	1121	2 549	2 857 429	2 549	2 857 429	−	−
696	特定一般病棟入院料２	960	1 680	1 612 800	1 680	1 612 800	−	−
697	特定一般病棟入院料　地域包括ケア入院医療管理１	2371	−	−	−	−	−	−
698	特定一般病棟入院料　地域包括ケア入院医療管理２	2191	−	−	−	−	−	−
699	特定一般病棟入院料　地域包括ケア入院医療管理３	1943	−	−	−	−	−	−
700	特定一般病棟入院料　地域包括ケア入院医療管理４	1743	−	−	−	−	−	−
701	特定一般病棟入院料　入院期間　加算（14日以内）	450	1 879	845 550	1 879	845 550	−	−
702	特定一般病棟入院料　入院期間　加算（15日以上30日以内）	192	831	159 552	831	159 552	−	−
703	特定一般病棟入院料　重症児（者）受入連携　加算	2000	−	−	−	−	−	−
704	特定一般病棟入院料　救急・在宅等支援病床初期　加算	150	1 156	173 400	1 156	173 400	−	−
705	特定一般病棟入院料　一般病棟看護必要度評価　加算	5	1 446	7 230	1 446	7 230	−	−
706	地域移行機能強化病棟入院料	1527	49 940	76 258 380	49 940	76 258 380	−	−
707	地域移行機能強化病棟入院料　非定型抗精神病薬　加算（２種類以下）	15	25 679	385 185	25 679	385 185	−	−
708	地域移行機能強化病棟入院料　重症者　加算１	60	32 519	1 951 140	32 519	1 951 140	−	−
709	地域移行機能強化病棟入院料　重症者　加算２	30	13 663	409 890	13 663	409 890	−	−

第８表　医科診療　件数・診療実日数・回数・点数，診療行為（細分類）、入院－入院外別

平成30年６月審査分

行番号	診療行為（細分類）	固定点数	総数 回数	総数 点数	入院 回数	入院 点数	入院外 回数	入院外 点数
710	特定入院料　通常外泊		15 579	6 196 773	15 579	6 196 773	－	－
711	特定入院料　精神外泊		17 871	9 671 002	17 871	9 671 002	－	－
712	特定入院料　他医療機関受診（包括診療行為算定）40%控除		8 231	10 577 710	8 231	10 577 710	－	－
713	特定入院料　他医療機関受診（包括診療行為算定）20%控除		7 789	7 132 258	7 789	7 132 258	－	－
714	特定入院料　他医療機関受診（包括診療行為未算定）10%控除		1 191	2 146 278	1 191	2 146 278	－	－
715	特定入院料　高度な放射線治療機器等を有する他医療機関受診（包括診療行為算定）35%控除		63	90 967	63	90 967	－	－
716	特定入院料　高度な放射線治療機器等を有する他医療機関受診（包括診療行為算定）15%控除		74	73 869	74	73 869	－	－
717	特定入院料　高度な放射線治療機器等を有する他医療機関受診（包括診療行為未算定）5%控除		7	21 397	7	21 397	－	－
718	短期滞在手術等基本料計		34 826	498 008 748	23 491	465 635 988	11 335	32 372 760
719	短期滞在手術等基本料１	2856	11 335	32 372 760	－	－	11 335	32 372 760
720	短期滞在手術等基本料２	4918	79	388 522	79	388 522	－	－
721	短期滞在手術等基本料２（生活療養）	4890	－	－	－	－	－	－
722	短期滞在手術等基本料３　D237 終夜睡眠ポリグラフィー（3　1及び2以外の場合）	9265	1 329	12 313 185	1 329	12 313 185	－	－
723	短期滞在手術等基本料３　D237 終夜睡眠ポリグラフィー（3　1及び2以外の場合）（生活療養）	9194	17	156 298	17	156 298	－	－
724	短期滞在手術等基本料３　D291-2 小児食物アレルギー負荷検査	6090	325	1 979 250	325	1 979 250	－	－
725	短期滞在手術等基本料３　D291-2 小児食物アレルギー負荷検査（生活療養）	6019	－	－	－	－	－	－
726	短期滞在手術等基本料３　D413 前立腺針生検法	11334	784	8 885 856	784	8 885 856	－	－
727	短期滞在手術等基本料３　D413 前立腺針生検法（生活療養）	11263	3	33 789	3	33 789	－	－
728	短期滞在手術等基本料３　K093-2 関節鏡下手根管開放手術	19394	91	1 764 854	91	1 764 854	－	－
729	短期滞在手術等基本料３　K093-2 関節鏡下手根管開放手術（生活療養）	19323	－	－	－	－	－	－
730	短期滞在手術等基本料３　K196-2 胸腔鏡下交感神経節切除術（両側）	41072	7	287 504	7	287 504	－	－
731	短期滞在手術等基本料３　K196-2 胸腔鏡下交感神経節切除術（両側）（生活療養）	41001	－	－	－	－	－	－
732	短期滞在手術等基本料３　K282 水晶体再建術　眼内レンズを挿入する場合　その他のもの（片側）	22010	8 541	187 987 410	8 541	187 987 410	－	－
733	短期滞在手術等基本料３　K282 水晶体再建術　眼内レンズを挿入する場合　その他のもの（片側）（生活療養）	21939	207	4 541 373	207	4 541 373	－	－
734	短期滞在手術等基本料３　K282 水晶体再建術　眼内レンズを挿入する場合　その他のもの（両側）	37272	634	23 630 448	634	23 630 448	－	－
735	短期滞在手術等基本料３　K282 水晶体再建術　眼内レンズを挿入する場合　その他のもの（両側）（生活療養）	37201	2	74 402	2	74 402	－	－
736	短期滞在手術等基本料３　K474 乳腺腫瘍摘出術　長径５㎝未満	19967	26	519 142	26	519 142	－	－
737	短期滞在手術等基本料３　K474 乳腺腫瘍摘出術　長径５㎝未満（生活療養）	19896	1	19 896	1	19 896	－	－
738	短期滞在手術等基本料３　K616-4 経皮的シャント拡張術・血栓除去術	37350	654	24 426 900	654	24 426 900	－	－
739	短期滞在手術等基本料３　K616-4 経皮的シャント拡張術・血栓除去術（生活療養）	37279	57	2 124 903	57	2 124 903	－	－
740	短期滞在手術等基本料３　K617 下肢静脈瘤手術　抜去切除術	23655	88	2 081 640	88	2 081 640	－	－
741	短期滞在手術等基本料３　K617 下肢静脈瘤手術　抜去切除術（生活療養）	23584	－	－	－	－	－	－
742	短期滞在手術等基本料３　K617 下肢静脈瘤手術　硬化療法	12082	－	－	－	－	－	－
743	短期滞在手術等基本料３　K617 下肢静脈瘤手術　硬化療法（生活療養）	12011	－	－	－	－	－	－
744	短期滞在手術等基本料３　K617 下肢静脈瘤手術　高位結紮術	11390	20	227 800	20	227 800	－	－
745	短期滞在手術等基本料３　K617 下肢静脈瘤手術　高位結紮術（生活療養）	11319	－	－	－	－	－	－
746	短期滞在手術等基本料３　K633 鼠径ヘルニア手術（３歳未満）	34388	12	412 656	12	412 656	－	－
747	短期滞在手術等基本料３　K633 鼠径ヘルニア手術（３歳未満）（生活療養）	34317	－	－	－	－	－	－
748	短期滞在手術等基本料３　K633 鼠径ヘルニア手術（３歳以上６歳未満）	27515	12	330 180	12	330 180	－	－
749	短期滞在手術等基本料３　K633 鼠径ヘルニア手術（３歳以上６歳未満）（生活療養）	27444	－	－	－	－	－	－
750	短期滞在手術等基本料３　K633 鼠径ヘルニア手術（６歳以上15歳未満）	24715	7	173 005	7	173 005	－	－
751	短期滞在手術等基本料３　K633 鼠径ヘルニア手術（６歳以上15歳未満）（生活療養）	24644	－	－	－	－	－	－
752	短期滞在手術等基本料３　K633 鼠径ヘルニア手術（15歳以上）	24540	1 034	25 374 360	1 034	25 374 360	－	－
753	短期滞在手術等基本料３　K633 鼠径ヘルニア手術（15歳以上）（生活療養）	24469	14	342 566	14	342 566	－	－
754	短期滞在手術等基本料３　K634 腹腔鏡下鼠径ヘルニア手術(両側)(３歳未満)	68168	5	340 840	5	340 840	－	－
755	短期滞在手術等基本料３　K634 腹腔鏡下鼠径ヘルニア手術(両側)(３歳未満)(生活療養)	68097	－	－	－	－	－	－
756	短期滞在手術等基本料３　K634 腹腔鏡下鼠径ヘルニア手術(両側)(３歳以上６歳未満)	54494	4	217 976	4	217 976	－	－
757	短期滞在手術等基本料３　K634 腹腔鏡下鼠径ヘルニア手術(両側)(３歳以上６歳未満)(生活療養)	54423	－	－	－	－	－	－
758	短期滞在手術等基本料３　K634 腹腔鏡下鼠径ヘルニア手術(両側)(６歳以上15歳未満)	43122	－	－	－	－	－	－
759	短期滞在手術等基本料３　K634 腹腔鏡下鼠径ヘルニア手術(両側)(６歳以上15歳未満)(生活療養)	43051	－	－	－	－	－	－
760	短期滞在手術等基本料３　K634 腹腔鏡下鼠径ヘルニア手術(両側)(15歳以上)	50397	433	21 821 901	433	21 821 901	－	－
761	短期滞在手術等基本料３　K634 腹腔鏡下鼠径ヘルニア手術(両側)(15歳以上)(生活療養)	50326	2	100 652	2	100 652	－	－
762	短期滞在手術等基本料３　K721 内視鏡的大腸ポリープ・粘膜切除術　長径２㎝未満	14163	7 257	102 780 891	7 257	102 780 891	－	－
763	短期滞在手術等基本料３　K721 内視鏡的大腸ポリープ・粘膜切除術　長径２㎝未満(生活療養)	14092	210	2 959 320	210	2 959 320	－	－
764	短期滞在手術等基本料３　K721 内視鏡的大腸ポリープ・粘膜切除術　長径２㎝以上	17699	512	9 061 888	512	9 061 888	－	－
765	短期滞在手術等基本料３　K721 内視鏡的大腸ポリープ・粘膜切除術　長径２㎝以上(生活療養)	17628	14	246 792	14	246 792	－	－
766	短期滞在手術等基本料３　K743 痔核手術（脱肛を含む）硬化療法（四段階注射法によるもの）	12079	313	3 780 727	313	3 780 727	－	－
767	短期滞在手術等基本料３　K743 痔核手術（脱肛を含む）硬化療法（四段階注射法によるもの）（生活療養）	12008	7	84 056	7	84 056	－	－
768	短期滞在手術等基本料３　K768 体外衝撃波腎・尿管結石破砕術	27934	441	12 318 894	441	12 318 894	－	－
769	短期滞在手術等基本料３　K768 体外衝撃波腎・尿管結石破砕術（生活療養）	27863	4	111 452	4	111 452	－	－
770	短期滞在手術等基本料３　K867 子宮頸部（腟部）切除術	17552	123	2 158 896	123	2 158 896	－	－
771	短期滞在手術等基本料３　K867 子宮頸部（腟部）切除術（生活療養）	17481	－	－	－	－	－	－
772	短期滞在手術等基本料３　K873 子宮鏡下子宮筋腫摘出術	34354	68	2 336 072	68	2 336 072	－	－
773	短期滞在手術等基本料３　K873 子宮鏡下子宮筋腫摘出術（生活療養）	34283	－	－	－	－	－	－
774	短期滞在手術等基本料３　M001-2 ガンマナイフによる定位放射線治療	59998	154	9 239 692	154	9 239 692	－	－
775	短期滞在手術等基本料３　M001-2 ガンマナイフによる定位放射線治療（生活療養）	59927	－	－	－	－	－	－
776	入院基本料等加算計		47 643 805	4 553 071 692	47 643 805	4 553 071 692	－	－
777	総合入院体制加算１	240	6 840	1 641 600	6 840	1 641 600	－	－
778	総合入院体制加算２	180	15 740	2 833 200	15 740	2 833 200	－	－
779	総合入院体制加算３	120	13 593	1 631 160	13 593	1 631 160	－	－
780	地域医療支援病院入院診療加算	1000	11 837	11 837 000	11 837	11 837 000	－	－
781	臨床研修病院入院診療加算（基幹型）	40	33 717	1 348 680	33 717	1 348 680	－	－
782	臨床研修病院入院診療加算（協力型）	20	16 077	321 540	16 077	321 540	－	－
783	救急医療管理加算１	900	721 356	649 220 400	721 356	649 220 400	－	－
784	救急医療管理加算２	300	549 913	164 973 900	549 913	164 973 900	－	－
785	救急医療管理加算　乳幼児加算	400	9 239	3 695 600	9 239	3 695 600	－	－
786	救急医療管理加算　小児加算	200	4 595	919 000	4 595	919 000	－	－
787	超急性期脳卒中加算	12000	920	11 040 000	920	11 040 000	－	－
788	妊産婦緊急搬送入院加算	7000	2 197	15 379 000	2 197	15 379 000	－	－
789	在宅患者緊急入院診療加算　１　在宅療養支援診療所、在宅療養支援病院又は在宅療養後方支援病院である場合	2500	456	1 140 000	456	1 140 000	－	－
790	在宅患者緊急入院診療加算　２　連携医療機関である場合（１以外の場合）	2000	834	1 668 000	834	1 668 000	－	－
791	在宅患者緊急入院診療加算　３　１及び２以外の場合	1000	1 706	1 706 000	1 706	1 706 000	－	－
792	診療録管理体制加算１	100	46 206	4 620 600	46 206	4 620 600	－	－
793	診療録管理体制加算２	30	114 177	3 425 310	114 177	3 425 310	－	－
794	医師事務作業補助体制加算１　15対１補助体制加算	920	9 547	8 783 240	9 547	8 783 240	－	－
795	医師事務作業補助体制加算１　20対１補助体制加算	708	21 283	15 068 364	21 283	15 068 364	－	－
796	医師事務作業補助体制加算１　25対１補助体制加算	580	14 055	8 151 900	14 055	8 151 900	－	－
797	医師事務作業補助体制加算１　30対１補助体制加算	495	6 115	3 026 925	6 115	3 026 925	－	－
798	医師事務作業補助体制加算１　40対１補助体制加算	405	10 263	4 156 515	10 263	4 156 515	－	－
799	医師事務作業補助体制加算１　50対１補助体制加算	325	13 012	4 228 900	13 012	4 228 900	－	－
800	医師事務作業補助体制加算１　75対１補助体制加算	245	8 963	2 195 935	8 963	2 195 935	－	－
801	医師事務作業補助体制加算１　100対１補助体制加算	198	2 868	567 864	2 868	567 864	－	－
802	医師事務作業補助体制加算２　15対１補助体制加算	860	2 450	2 107 000	2 450	2 107 000	－	－
803	医師事務作業補助体制加算２　20対１補助体制加算	660	4 373	2 886 180	4 373	2 886 180	－	－

第８表　医科診療　件数・診療実日数・回数・点数，診療行為（細分類）、入院−入院外別

平成30年６月審査分

行番号	診療行為（細分類）	固定点数	総数 回数	総数 点数	入院 回数	入院 点数	入院外 回数	入院外 点数
804	医師事務作業補助体制加算２　25対１補助体制加算	540	8 806	4 755 240	8 806	4 755 240	−	−
805	医師事務作業補助体制加算２　30対１補助体制加算	460	5 035	2 316 100	5 035	2 316 100	−	−
806	医師事務作業補助体制加算２　40対１補助体制加算	380	8 029	3 051 020	8 029	3 051 020	−	−
807	医師事務作業補助体制加算２　50対１補助体制加算	305	9 065	2 764 825	9 065	2 764 825	−	−
808	医師事務作業補助体制加算２　75対１補助体制加算	230	7 781	1 789 630	7 781	1 789 630	−	−
809	医師事務作業補助体制加算２　100対１補助体制加算	188	3 414	641 832	3 414	641 832	−	−
810	急性期看護補助体制加算　25対１急性期看護補助体制加算（看護補助者５割以上）	210	589 021	123 694 410	589 021	123 694 410	−	−
811	急性期看護補助体制加算　25対１急性期看護補助体制加算（看護補助者５割未満）	190	75 644	14 372 360	75 644	14 372 360	−	−
812	急性期看護補助体制加算　50対１急性期看護補助体制加算	170	290 956	49 462 520	290 956	49 462 520	−	−
813	急性期看護補助体制加算　75対１急性期看護補助体制加算	130	17 824	2 317 120	17 824	2 317 120	−	−
814	急性期看護補助体制加算　夜間30対１急性期看護補助体制加算	90	24 867	2 238 030	24 867	2 238 030	−	−
815	急性期看護補助体制加算　夜間50対１急性期看護補助体制加算	85	216 254	18 381 590	216 254	18 381 590	−	−
816	急性期看護補助体制加算　夜間100対１急性期看護補助体制加算	70	127 687	8 938 090	127 687	8 938 090	−	−
817	急性期看護補助体制加算　夜間看護体制加算	60	196 038	11 762 280	196 038	11 762 280	−	−
818	看護職員夜間配置加算　看護職員夜間12対１配置加算１	95	54 987	5 223 765	54 987	5 223 765	−	−
819	看護職員夜間配置加算　看護職員夜間12対１配置加算２	75	27 410	2 055 750	27 410	2 055 750	−	−
820	看護職員夜間配置加算　看護職員夜間16対１配置加算１	55	80 848	4 446 640	80 848	4 446 640	−	−
821	看護職員夜間配置加算　看護職員夜間16対１配置加算２	30	19 032	570 960	19 032	570 960	−	−
822	乳幼児加算　病院（特別入院基本料等を除く）	333	81 300	27 072 900	81 300	27 072 900	−	−
823	乳幼児加算　病院（特別入院基本料等）	289	885	255 765	885	255 765	−	−
824	乳幼児加算　診療所	289	17 190	4 967 910	17 190	4 967 910	−	−
825	幼児加算　病院（特別入院基本料等を除く）	283	20 494	5 799 802	20 494	5 799 802	−	−
826	幼児加算　病院（特別入院基本料等）	239	107	25 573	107	25 573	−	−
827	幼児加算　診療所	239	415	99 185	415	99 185	−	−
828	難病等特別入院診療加算　難病患者等入院診療加算	250	138 681	34 670 250	138 681	34 670 250	−	−
829	難病等特別入院診療加算　二類感染症患者入院診療加算	250	2 046	511 500	2 046	511 500	−	−
830	特殊疾患入院施設管理加算	350	1 737 687	608 190 450	1 737 687	608 190 450	−	−
831	超重症児（者）入院診療加算（６歳未満）	800	9 056	7 244 800	9 056	7 244 800	−	−
832	超重症児（者）入院診療加算（６歳以上）	400	246 061	98 424 400	246 061	98 424 400	−	−
833	準超重症児（者）入院診療加算（６歳未満）	200	6 928	1 385 600	6 928	1 385 600	−	−
834	準超重症児（者）入院診療加算（６歳以上）	100	619 973	61 997 300	619 973	61 997 300	−	−
835	超重症児（者）・準超重症児（者）入院診療加算　救急・在宅重症児（者）受入加算	200	2 571	514 200	2 571	514 200	−	−
836	看護配置加算	25	2 268 028	56 700 700	2 268 028	56 700 700	−	−
837	看護補助加算１	129	2 370 212	305 757 348	2 370 212	305 757 348	−	−
838	看護補助加算２	104	1 846 710	192 057 840	1 846 710	192 057 840	−	−
839	看護補助加算３	76	161 340	12 261 840	161 340	12 261 840	−	−
840	看護補助加算　夜間75対１看護補助加算	40	57 356	2 294 240	57 356	2 294 240	−	−
841	看護補助加算　夜間看護体制加算	165	5 691	939 015	5 691	939 015	−	−
842	地域加算（１級地）	18	874 232	15 736 176	874 232	15 736 176	−	−
843	地域加算（２級地）	15	1 288 440	19 326 600	1 288 440	19 326 600	−	−
844	地域加算（３級地）	14	1 161 905	16 266 670	1 161 905	16 266 670	−	−
845	地域加算（４級地）	11	832 053	9 152 583	832 053	9 152 583	−	−
846	地域加算（５級地）	9	2 492 785	22 435 065	2 492 785	22 435 065	−	−
847	地域加算（６級地）	5	3 096 770	15 483 850	3 096 770	15 483 850	−	−
848	地域加算（７級地）	3	4 184 447	12 553 341	4 184 447	12 553 341	−	−
849	離島加算	18	109 720	1 974 960	109 720	1 974 960	−	−
850	療養環境加算	25	8 119 756	202 993 900	8 119 756	202 993 900	−	−
851	ＨＩＶ感染者療養環境特別加算（個室）	350	1 278	447 300	1 278	447 300	−	−
852	ＨＩＶ感染者療養環境特別加算（２人部屋）	150	230	34 500	230	34 500	−	−
853	二類感染症患者療養環境特別加算（個室）	300	18 038	5 411 400	18 038	5 411 400	−	−
854	二類感染症患者療養環境特別加算（陰圧室）	200	31 186	6 237 200	31 186	6 237 200	−	−
855	重症者等療養環境特別加算（個室）	300	351 371	105 411 300	351 371	105 411 300	−	−
856	重症者等療養環境特別加算（２人部屋）	150	79 442	11 916 300	79 442	11 916 300	−	−
857	小児療養環境特別加算	300	42 563	12 768 900	42 563	12 768 900	−	−
858	療養病棟療養環境加算１	132	3 325 635	438 983 820	3 325 635	438 983 820	−	−
859	療養病棟療養環境加算２	115	736 371	84 682 665	736 371	84 682 665	−	−
860	療養病棟療養環境改善加算１	80	474 807	37 984 560	474 807	37 984 560	−	−
861	療養病棟療養環境改善加算２	20	60 400	1 208 000	60 400	1 208 000	−	−
862	診療所療養病床療養環境加算	100	48 121	4 812 100	48 121	4 812 100	−	−
863	診療所療養病床療養環境改善加算	35	10 354	362 390	10 354	362 390	−	−
864	無菌治療室管理加算１	3000	32 013	96 039 000	32 013	96 039 000	−	−
865	無菌治療室管理加算２	2000	38 328	76 656 000	38 328	76 656 000	−	−
866	放射線治療病室管理加算	2500	1 147	2 867 500	1 147	2 867 500	−	−
867	重症皮膚潰瘍管理加算	18	46 410	835 380	46 410	835 380	−	−
868	緩和ケア診療加算	390	49 763	19 407 570	49 763	19 407 570	−	−
869	緩和ケア診療加算（特定地域）	200	−	−	−	−	−	−
870	緩和ケア診療加算　小児加算	100	518	51 800	518	51 800	−	−
871	緩和ケア診療加算　個別栄養食事管理加算	70	9 065	634 550	9 065	634 550	−	−
872	有床診療所緩和ケア診療加算	150	6 564	984 600	6 564	984 600	−	−
873	精神科措置入院診療加算	2500	413	1 032 500	413	1 032 500	−	−
874	精神科措置入院退院支援加算	600	18	10 800	18	10 800	−	−
875	精神科応急入院施設管理加算	2500	100	250 000	100	250 000	−	−
876	精神科隔離室管理加算	220	51 044	11 229 680	51 044	11 229 680	−	−
877	精神病棟入院時医学管理加算	5	342 058	1 710 290	342 058	1 710 290	−	−
878	精神科地域移行実施加算	20	1 320 163	26 403 260	1 320 163	26 403 260	−	−
879	精神科身体合併症管理加算（７日以内）	450	28 568	12 855 600	28 568	12 855 600	−	−
880	精神科身体合併症管理加算（８日以上10日以内）	225	8 675	1 951 875	8 675	1 951 875	−	−
881	精神科リエゾンチーム加算	300	6 509	1 952 700	6 509	1 952 700	−	−
882	強度行動障害入院医療管理加算	300	29 891	8 967 300	29 891	8 967 300	−	−
883	重度アルコール依存症入院医療管理加算（30日以内）	200	19 230	3 846 000	19 230	3 846 000	−	−
884	重度アルコール依存症入院医療管理加算（31日以上60日以内）	100	15 458	1 545 800	15 458	1 545 800	−	−
885	摂食障害入院医療管理加算（30日以内）	200	1 898	379 600	1 898	379 600	−	−
886	摂食障害入院医療管理加算（31日以上60日以内）	100	1 206	120 600	1 206	120 600	−	−
887	がん拠点病院加算　がん診療連携拠点病院加算　がん診療連携拠点病院	500	17 756	8 878 000	17 756	8 878 000	−	−
888	がん拠点病院加算　がん診療連携拠点病院加算　地域がん診療病院	300	304	91 200	304	91 200	−	−
889	がん拠点病院加算　小児がん拠点病院加算	750	39	29 250	39	29 250	−	−
890	がん拠点病院加算　がんゲノム医療提供保険医療機関加算	250	1 519	379 750	1 519	379 750	−	−
891	栄養サポートチーム加算	200	58 756	11 751 200	58 756	11 751 200	−	−
892	栄養サポートチーム加算（特定地域）	100	7	700	7	700	−	−
893	栄養サポートチーム加算　歯科医師連携加算	50	16 734	836 700	16 734	836 700	−	−
894	医療安全対策加算１	85	74 230	6 309 550	74 230	6 309 550	−	−
895	医療安全対策加算２	30	93 360	2 800 800	93 360	2 800 800	−	−
896	医療安全対策加算　医療安全対策地域連携加算１	50	47 037	2 351 850	47 037	2 351 850	−	−
897	医療安全対策加算　医療安全対策地域連携加算２	20	56 684	1 133 680	56 684	1 133 680	−	−
898	感染防止対策加算１	390	51 999	20 279 610	51 999	20 279 610	−	−
899	感染防止対策加算２	90	137 625	12 386 250	137 625	12 386 250	−	−
900	感染防止対策加算　感染防止地域連携加算	100	51 344	5 134 400	51 344	5 134 400	−	−
901	感染防止対策加算　抗菌薬適正使用支援加算	100	38 412	3 841 200	38 412	3 841 200	−	−
902	患者サポート体制充実加算	70	770 005	53 900 350	770 005	53 900 350	−	−
903	褥瘡ハイリスク患者ケア加算	500	54 295	27 147 500	54 295	27 147 500	−	−
904	褥瘡ハイリスク患者ケア加算（特定地域）	250	−	−	−	−	−	−
905	ハイリスク妊娠管理加算	1200	34 122	40 946 400	34 122	40 946 400	−	−
906	ハイリスク分娩管理加算	3200	23 987	76 758 400	23 987	76 758 400	−	−
907	精神科救急搬送患者地域連携紹介加算	1000	41	41 000	41	41 000	−	−
908	精神科救急搬送患者地域連携受入加算	2000	17	34 000	17	34 000	−	−
909	総合評価加算	100	148 281	14 828 100	148 281	14 828 100	−	−
910	呼吸ケアチーム加算	150	1 315	197 250	1 315	197 250	−	−
911	後発医薬品使用体制加算１	45	41 782	1 880 190	41 782	1 880 190	−	−
912	後発医薬品使用体制加算２	40	22 063	882 520	22 063	882 520	−	−
913	後発医薬品使用体制加算３	35	30 705	1 074 675	30 705	1 074 675	−	−
914	後発医薬品使用体制加算４	22	12 661	278 542	12 661	278 542	−	−

第８表　医科診療　件数・診療実日数・回数・点数，診療行為（細分類）、入院－入院外別

平成30年６月審査分

行番号	診療行為（細分類）	固定点数	総数 回数	総数 点数	入院 回数	入院 点数	入院外 回数	入院外 点数
915	病棟薬剤業務実施加算１	100	212 878	21 287 800	212 878	21 287 800	-	-
916	病棟薬剤業務実施加算２	80	117 209	9 376 720	117 209	9 376 720	-	-
917	データ提出加算１（許可病床数200床以上）	150	11 964	1 794 600	11 964	1 794 600	-	-
918	データ提出加算１（許可病床数200床未満）	200	76 789	15 357 800	76 789	15 357 800	-	-
919	データ提出加算２（許可病床数200床以上）	160	41 613	6 658 080	41 613	6 658 080	-	-
920	データ提出加算２（許可病床数200床未満）	210	48 400	10 164 000	48 400	10 164 000	-	-
921	データ提出加算　提出データ評価加算	20	75 730	1 514 600	75 730	1 514 600	-	-
922	入退院支援加算１（一般病棟入院基本料等の場合）	600	162 604	97 562 400	162 604	97 562 400	-	-
923	入退院支援加算１（療養病棟入院基本料等の場合）	1200	2 568	3 081 600	2 568	3 081 600	-	-
924	入退院支援加算２（一般病棟入院基本料等の場合）	190	34 840	6 619 600	34 840	6 619 600	-	-
925	入退院支援加算２（療養病棟入院基本料等の場合）	635	2 352	1 493 520	2 352	1 493 520	-	-
926	入退院支援加算２（特定地域）（一般病棟入院基本料等の場合）	95	5	475	5	475	-	-
927	入退院支援加算２（特定地域）（療養病棟入院基本料等の場合）	318	-	-	-	-	-	-
928	入退院支援加算３	1200	1 095	1 314 000	1 095	1 314 000	-	-
929	入退院支援加算　地域連携診療計画加算	300	7 297	2 189 100	7 297	2 189 100	-	-
930	入退院支援加算１又は２　小児加算	200	2 862	572 400	2 862	572 400	-	-
931	入退院支援加算　入院時支援加算	200	10 581	2 116 200	10 581	2 116 200	-	-
932	認知症ケア加算１（14日以内の期間）	150	63 538	9 530 700	63 538	9 530 700	-	-
933	認知症ケア加算１（15日以上の期間）	30	180 731	5 421 930	180 731	5 421 930	-	-
934	認知症ケア加算２（14日以内の期間）	30	341 576	10 247 280	341 576	10 247 280	-	-
935	認知症ケア加算２（15日以上の期間）	10	1 774 131	17 741 310	1 774 131	17 741 310	-	-
936	認知症ケア加算１（14日以内の期間）身体的拘束実施	90	32 108	2 889 720	32 108	2 889 720	-	-
937	認知症ケア加算１（15日以上の期間）身体的拘束実施	18	75 842	1 365 156	75 842	1 365 156	-	-
938	認知症ケア加算２（14日以内の期間）身体的拘束実施	18	171 889	3 094 002	171 889	3 094 002	-	-
939	認知症ケア加算２（15日以上の期間）身体的拘束実施	6	787 629	4 725 774	787 629	4 725 774	-	-
940	精神疾患診療体制加算１	1000	369	369 000	369	369 000	-	-
941	精神疾患診療体制加算２	330	416	137 280	416	137 280	-	-
942	精神科急性期医師配置加算	500	234 238	117 119 000	234 238	117 119 000	-	-
943	薬剤総合評価調整加算	250	2 848	712 000	2 848	712 000	-	-
944	入院基本料等減算計		10 130	-405 200	10 130	-405 200	-	-
945	栄養管理体制減算（入院基本料）	-40	9 788	-391 520	9 788	-391 520	-	-
946	栄養管理体制減算（特定入院料及び短期滞在手術等基本料２）	-40	342	-13 680	342	-13 680	-	-
947	補正点数（＋）入院料等		-	1 557 971	-	1 557 971	-	-
948	補正点数（－）入院料等		-	-382 672	-	-382 672	-	-
949	**医学管理等計**		55 503 329	10 672 930 027	2 746 358	957 390 442	52 756 971	9 715 539 585
950	オンライン医学管理料	100X	15	1 500	-	-	15	1 500
951	特定疾患療養管理料　診療所	225	22 807 465	5 131 679 625	-	-	22 807 465	5 131 679 625
952	特定疾患療養管理料　許可病床数が100床未満の病院	147	1 602 135	235 513 845	-	-	1 602 135	235 513 845
953	特定疾患療養管理料　許可病床数が100床以上200床未満の病院	87	1 681 319	146 274 753	-	-	1 681 319	146 274 753
954	特定疾患治療管理料							
955	ウイルス疾患指導料１	240	2 106	505 440	232	55 680	1 874	449 760
956	ウイルス疾患指導料２	330	8 546	2 820 180	86	28 380	8 460	2 791 800
957	ウイルス疾患指導料２　後天性免疫不全症候群療養指導　加算	220	5 697	1 253 340	73	16 060	5 624	1 237 280
958	特定薬剤治療管理料１	470	246 064	115 650 080	67 112	31 542 640	178 952	84 107 440
959	特定薬剤治療管理料１　ジギタリス製剤の急速飽和	740	123	91 020	48	35 520	75	55 500
960	特定薬剤治療管理料１　抗てんかん剤注射精密管理	740	117	86 580	54	39 960	63	46 620
961	特定薬剤治療管理料１　４月目以降	235	102 214	24 020 290	16 835	3 956 225	85 379	20 064 065
962	特定薬剤治療管理料１　加算　臓器移植月から３月	2740	633	1 734 420	481	1 317 940	152	416 480
963	特定薬剤治療管理料１　加算　臓器移植後の患者以外の第１回目	280	36 508	10 222 240	17 394	4 870 320	19 114	5 351 920
964	特定薬剤治療管理料２	100	4 689	468 900	334	33 400	4 355	435 500
965	悪性腫瘍特異物質治療管理料　尿中ＢＴＡに係るもの	220	2 151	473 220	20	4 400	2 131	468 820
966	悪性腫瘍特異物質治療管理料　その他のもの・１項目	360	397 816	143 213 760	18 889	6 800 040	378 927	136 413 720
967	悪性腫瘍特異物質治療管理料　その他のもの・２項目以上	400	692 437	276 974 800	53 528	21 411 200	638 909	255 563 600
968	悪性腫瘍特異物質治療管理料　腫瘍マーカー検査　初回月　加算	150	62 273	9 340 950	14 370	2 155 500	47 903	7 185 450
969	小児特定疾患カウンセリング料　１回目	500	65 860	32 930 000	-	-	65 860	32 930 000
970	小児特定疾患カウンセリング料　２回目	400	13 300	5 320 000	-	-	13 300	5 320 000
971	小児科療養指導料	270	35 742	9 650 340	-	-	35 742	9 650 340
972	小児科療養指導料　人工呼吸器導入時相談支援　加算	500	1	500	-	-	1	500
973	てんかん指導料	250	250 338	62 584 500	-	-	250 338	62 584 500
974	難病外来指導管理料	270	427 447	115 410 690	-	-	427 447	115 410 690
975	難病外来指導管理料　人工呼吸器導入時相談支援　加算	500	9	4 500	-	-	9	4 500
976	皮膚科特定疾患指導管理料（Ⅰ）	250	160 698	40 174 500	-	-	160 698	40 174 500
977	皮膚科特定疾患指導管理料（Ⅱ）	100	840 446	84 044 600	-	-	840 446	84 044 600
978	外来栄養食事指導料　初回	260	59 527	15 477 020	-	-	59 527	15 477 020
979	外来栄養食事指導料　２回目以降	200	188 702	37 740 400	-	-	188 702	37 740 400
980	入院栄養食事指導料１　初回	260	112 813	29 331 380	112 813	29 331 380	-	-
981	入院栄養食事指導料１　２回目	200	26 600	5 320 000	26 600	5 320 000	-	-
982	入院栄養食事指導料２　初回	250	112	28 000	112	28 000	-	-
983	入院栄養食事指導料２　２回目	190	24	4 560	24	4 560	-	-
984	集団栄養食事指導料	80	14 002	1 120 160	7 364	589 120	6 638	531 040
985	心臓ペースメーカー指導管理料　着用型自動除細動器による場合	360	149	53 640	40	14 400	109	39 240
986	心臓ペースメーカー指導管理料　着用型自動除細動器による場合以外	360	70 569	25 404 840	-	-	70 569	25 404 840
987	心臓ペースメーカー指導管理料　導入期　加算	140	2 331	326 340	-	-	2 331	326 340
988	心臓ペースメーカー指導管理料　植込型除細動器移行期　加算	31510	51	1 607 010	32	1 008 320	19	598 690
989	心臓ペースメーカー指導管理料　遠隔モニタリング　加算	320X	7 978	10 680 640	-	-	7 978	10 680 640
990	在宅療養指導料	170	75 576	12 847 920	2 314	393 380	73 262	12 454 540
991	高度難聴指導管理料　人工内耳植込術後３月以内	500	211	105 500	12	6 000	199	99 500
992	高度難聴指導管理料　人工内耳植込術後３月以外の場合	420	5 235	2 198 700	18	7 560	5 217	2 191 140
993	慢性維持透析患者外来医学管理料	2250	249 969	562 430 250	-	-	249 969	562 430 250
994	慢性維持透析患者外来医学管理料　腎代替療法実績　加算	·100	38 857	3 885 700	-	-	38 857	3 885 700
995	喘息治療管理料１　１月目	75	4 508	338 100	-	-	4 508	338 100
996	喘息治療管理料１　２月目以降	25	46 859	1 171 475	-	-	46 859	1 171 475
997	喘息治療管理料１　重度喘息患者治療管理　加算　１月目	2525	1	2 525	-	-	1	2 525
998	喘息治療管理料１　重度喘息患者治療管理　加算　２月目以降６月目まで	1975	3	5 925	-	-	3	5 925
999	喘息治療管理料２	280	1 092	305 760	-	-	1 092	305 760
1000	慢性疼痛疾患管理料	130	698 129	90 756 770	-	-	698 129	90 756 770
1001	小児悪性腫瘍患者指導管理料	550	2 008	1 104 400	-	-	2 008	1 104 400
1002	糖尿病合併症管理料	170	22 506	3 826 020	-	-	22 506	3 826 020
1003	耳鼻咽喉科特定疾患指導管理料	150	57 457	8 618 550	-	-	57 457	8 618 550
1004	がん性疼痛緩和指導管理料	200	26 087	5 217 400	9 933	1 986 600	16 154	3 230 800
1005	がん性疼痛緩和指導管理料　小児　加算　15歳未満	50	17	850	14	700	3	150
1006	がん患者指導管理料　医師が看護師と共同して診療方針等を話し合い，その内容を文書等により提供した場合	500	9 480	4 740 000	2 477	1 238 500	7 003	3 501 500
1007	がん患者指導管理料　医師又は看護師が心理的不安を軽減するための面接を行った場合	200	11 482	2 296 400	3 615	723 000	7 867	1 573 400
1008	がん患者指導管理料　医師又は薬剤師が抗悪性腫瘍剤の投薬又は注射の必要性等について文書により説明を行った場合	200	18 380	3 676 000	171	34 200	18 209	3 641 800
1009	外来緩和ケア管理料	290	1 086	314 940	-	-	1 086	314 940
1010	外来緩和ケア管理料（特定地域）	150	-	-	-	-	-	-
1011	外来緩和ケア管理料　小児　加算　15歳未満	150	1	150	-	-	1	150
1012	移植後患者指導管理料　臓器移植後の場合	300	9 985	2 995 500	-	-	9 985	2 995 500
1013	移植後患者指導管理料　造血幹細胞移植後の場合	300	1 677	503 100	-	-	1 677	503 100
1014	植込型輸液ポンプ持続注入療法指導管理料	810	384	311 040	-	-	384	311 040
1015	植込型輸液ポンプ持続注入療法指導管理料　導入期　加算	140	11	1 540	-	-	11	1 540
1016	糖尿病透析予防指導管理料	350	10 390	3 636 500	-	-	10 390	3 636 500
1017	糖尿病透析予防指導管理料（特定地域）	175	-	-	-	-	-	-
1018	糖尿病透析予防指導管理料　高度腎機能障害患者指導　加算	100	316	31 600	-	-	316	31 600
1019	小児運動器疾患指導管理料	250	1 990	497 500	-	-	1 990	497 500

第８表　医科診療　件数・診療実日数・回数・点数，診療行為（細分類）、入院－入院外別

平成30年６月審査分

行番号	診療行為（細分類）	固定点数	総数		入院		入院外	
			回数	点数	回数	点数	回数	点数
1020	乳腺炎重症化予防ケア・指導料　初回	500	2 740	1 370 000	－	－	2 740	1 370 000
1021	乳腺炎重症化予防ケア・指導料　２回目から４回目まで	150	1 061	159 150	－	－	1 061	159 150
1022	小児科外来診療料　処方箋を交付する　初診時	572	702 109	401 606 348	－	－	702 109	401 606 348
1023	小児科外来診療料　処方箋を交付する　再診時	383	945 136	361 987 088	－	－	945 136	361 987 088
1024	小児科外来診療料　処方箋を交付しない　初診時	682	274 232	187 026 224	－	－	274 232	187 026 224
1025	小児科外来診療料　処方箋を交付しない　再診時	493	202 741	99 951 313	－	－	202 741	99 951 313
1026	小児科外来診療料　初診時　乳幼児夜間　加算	85	36 805	3 128 425	－	－	36 805	3 128 425
1027	小児科外来診療料　初診時　乳幼児時間外　加算	85	10 747	913 495	－	－	10 747	913 495
1028	小児科外来診療料　初診時　乳幼児休日　加算	250	59 215	14 803 750	－	－	59 215	14 803 750
1029	小児科外来診療料　初診時　乳幼児深夜　加算	580	6 722	3 898 760	－	－	6 722	3 898 760
1030	小児科外来診療料　初診時　時間外特例医療機関　加算	230	10 104	2 323 920	－	－	10 104	2 323 920
1031	小児科外来診療料　初診時　機能強化　加算	80	137 736	11 018 880	－	－	137 736	11 018 880
1032	小児科外来診療料　再診時　乳幼児夜間　加算	65	40 631	2 641 015	－	－	40 631	2 641 015
1033	小児科外来診療料　再診時　乳幼児時間外　加算	65	9 293	604 045	－	－	9 293	604 045
1034	小児科外来診療料　再診時　乳幼児休日　加算	190	16 967	3 223 730	－	－	16 967	3 223 730
1035	小児科外来診療料　再診時　乳幼児深夜　加算	520	503	261 560	－	－	503	261 560
1036	小児科外来診療料　再診時　時間外特例医療機関　加算	180	1 565	281 700	－	－	1 565	281 700
1037	小児科外来診療料　外来診療料　乳幼児夜間　加算	65	117	7 605	－	－	117	7 605
1038	小児科外来診療料　外来診療料　乳幼児時間外　加算	65	80	5 200	－	－	80	5 200
1039	小児科外来診療料　外来診療料　乳幼児休日　加算	190	969	184 110	－	－	969	184 110
1040	小児科外来診療料　外来診療料　乳幼児深夜　加算	520	238	123 760	－	－	238	123 760
1041	小児科外来診療料　外来診療料　時間外特例医療機関　加算	180	699	125 820	－	－	699	125 820
1042	小児科外来診療料　小児抗菌薬適正使用支援　加算	80	242 576	19 406 080	－	－	242 576	19 406 080
1043	地域連携小児夜間・休日診療料１	450	80 392	36 176 400	296	133 200	80 096	36 043 200
1044	地域連携小児夜間・休日診療料２	600	45 495	27 297 000	2 322	1 393 200	43 173	25 903 800
1045	乳幼児育児栄養指導料	130	306 769	39 879 970	－	－	306 769	39 879 970
1046	地域連携夜間・休日診療料	200	113 264	22 652 800	8 243	1 648 600	105 021	21 004 200
1047	院内トリアージ実施料	300	208 501	62 550 300	9 600	2 880 000	198 901	59 670 300
1048	夜間休日救急搬送医学管理料	600	105 796	63 477 600	38 901	23 340 600	66 895	40 137 000
1049	夜間休日救急搬送医学管理料　精神科疾患患者等受入　加算	400	658	263 200	307	122 800	351	140 400
1050	夜間休日救急搬送医学管理料　救急搬送看護体制　加算	200	83 814	16 762 800	30 452	6 090 400	53 362	10 672 400
1051	外来リハビリテーション診療料１	72	36 029	2 594 088	－	－	36 029	2 594 088
1052	外来リハビリテーション診療料２	109	91 262	9 947 558	－	－	91 262	9 947 558
1053	外来放射線照射診療料	292	29 515	8 618 380	－	－	29 515	8 618 380
1054	外来放射線照射診療料　４日以上予定なし	146	5 827	850 742	－	－	5 827	850 742
1055	地域包括診療料１	1560	5 110	7 971 600	－	－	5 110	7 971 600
1056	地域包括診療料２	1503	2 066	3 105 198	－	－	2 066	3 105 198
1057	地域包括診療料　再診時　時間外　加算	65	10	650	－	－	10	650
1058	地域包括診療料　再診時　休日　加算	190	12	2 280	－	－	12	2 280
1059	地域包括診療料　再診時　深夜　加算	420	2	840	－	－	2	840
1060	地域包括診療料　再診時　時間外特例医療機関　加算	180	5	900	－	－	5	900
1061	地域包括診療料　再診時　乳幼児時間外　加算	135	－	－	－	－	－	－
1062	地域包括診療料　再診時　乳幼児休日　加算	260	－	－	－	－	－	－
1063	地域包括診療料　再診時　乳幼児深夜　加算	590	－	－	－	－	－	－
1064	地域包括診療料　再診時　乳幼児時間外特例医療機関　加算	250	－	－	－	－	－	－
1065	地域包括診療料　小児科外来診療料　再診時　乳幼児夜間　加算	135	－	－	－	－	－	－
1066	地域包括診療料　小児科外来診療料　再診時　乳幼児休日　加算	260	－	－	－	－	－	－
1067	地域包括診療料　小児科外来診療料　再診時　乳幼児深夜　加算	590	－	－	－	－	－	－
1068	地域包括診療料　再診時　夜間・早朝等　加算	50	99	4 950	－	－	99	4 950
1069	地域包括診療料　再診時　妊婦時間外　加算	135	2	270	－	－	2	270
1070	地域包括診療料　再診時　妊婦休日　加算	260	－	－	－	－	－	－
1071	地域包括診療料　再診時　妊婦深夜　加算	590	－	－	－	－	－	－
1072	地域包括診療料　再診時　妊婦時間外特例医療機関　加算	250	1	250	－	－	1	250
1073	地域包括診療料　産科又は産婦人科　再診時　妊婦夜間　加算	135	11	1 485	－	－	11	1 485
1074	地域包括診療料　産科又は産婦人科　再診時　妊婦休日　加算	260	10	2 600	－	－	10	2 600
1075	地域包括診療料　産科又は産婦人科　再診時　妊婦深夜　加算	590	4	2 360	－	－	4	2 360
1076	地域包括診療料　薬剤適正使用連携　加算	30	－	－	－	－	－	－
1077	認知症地域包括診療料１	1580	942	1 488 360	－	－	942	1 488 360
1078	認知症地域包括診療料２	1515	397	601 455	－	－	397	601 455
1079	認知症地域包括診療料　再診時　時間外　加算	65	3	195	－	－	3	195
1080	認知症地域包括診療料　再診時　休日　加算	190	2	380	－	－	2	380
1081	認知症地域包括診療料　再診時　深夜　加算	420	－	－	－	－	－	－
1082	認知症地域包括診療料　再診時　乳幼児時間外　加算	135	－	－	－	－	－	－
1083	認知症地域包括診療料　再診時　乳幼児休日　加算	260	－	－	－	－	－	－
1084	認知症地域包括診療料　再診時　乳幼児深夜　加算	590	－	－	－	－	－	－
1085	認知症地域包括診療料　再診時　時間外特例医療機関　加算	180	－	－	－	－	－	－
1086	認知症地域包括診療料　再診時　乳幼児時間外特例医療機関　加算	250	－	－	－	－	－	－
1087	認知症地域包括診療料　小児科　再診時　乳幼児夜間　加算	135	－	－	－	－	－	－
1088	認知症地域包括診療料　小児科　再診時　乳幼児休日　加算	260	－	－	－	－	－	－
1089	認知症地域包括診療料　小児科　再診時　乳幼児深夜　加算	590	－	－	－	－	－	－
1090	認知症地域包括診療料　再診時　夜間・早朝等　加算	50	15	750	－	－	15	750
1091	認知症地域包括診療料　再診時　妊婦時間外　加算	135	－	－	－	－	－	－
1092	認知症地域包括診療料　再診時　妊婦休日　加算	260	－	－	－	－	－	－
1093	認知症地域包括診療料　再診時　妊婦深夜　加算	590	－	－	－	－	－	－
1094	認知症地域包括診療料　再診時　妊婦時間外特例医療機関　加算	250	－	－	－	－	－	－
1095	認知症地域包括診療料　産科又は産婦人科　再診時　妊婦夜間　加算	135	－	－	－	－	－	－
1096	認知症地域包括診療料　産科又は産婦人科　再診時　妊婦休日　加算	260	－	－	－	－	－	－
1097	認知症地域包括診療料　産科又は産婦人科　再診時　妊婦深夜　加算	590	－	－	－	－	－	－
1098	認知症地域包括診療料　薬剤適正使用連携　加算	30	－	－	－	－	－	－
1099	小児かかりつけ診療料　処方箋を交付する　初診時	602	49 605	29 862 210	－	－	49 605	29 862 210
1100	小児かかりつけ診療料　処方箋を交付する　再診時	413	89 118	36 805 734	－	－	89 118	36 805 734
1101	小児かかりつけ診療料　処方箋を交付しない　初診時	712	19 141	13 628 392	－	－	19 141	13 628 392
1102	小児かかりつけ診療料　処方箋を交付しない　再診時	523	19 340	10 114 820	－	－	19 340	10 114 820
1103	小児かかりつけ診療料　初診時　時間外　加算	85	－	－	－	－	－	－
1104	小児かかりつけ診療料　初診時　休日　加算	250	－	－	－	－	－	－
1105	小児かかりつけ診療料　初診時　深夜　加算	480	－	－	－	－	－	－
1106	小児かかりつけ診療料　初診時　時間外特例医療機関　加算	230	－	－	－	－	－	－
1107	小児かかりつけ診療料　初診時　乳幼児時間外　加算	200	1 668	333 600	－	－	1 668	333 600
1108	小児かかりつけ診療料　初診時　乳幼児時間外特例医療機関　加算	345	31	10 695	－	－	31	10 695
1109	小児かかりつけ診療料　初診時　機能強化　加算	80	56 428	4 514 240	－	－	56 428	4 514 240
1110	小児かかりつけ診療料　小児科　初診時　乳幼児夜間　加算	200	2 440	488 000	－	－	2 440	488 000
1111	小児かかりつけ診療料　小児科　初診時　乳幼児休日　加算	365	1 018	371 570	－	－	1 018	371 570
1112	小児かかりつけ診療料　小児科　初診時　乳幼児深夜　加算	695	15	10 425	－	－	15	10 425
1113	小児かかりつけ診療料　再診時　時間外　加算	65	－	－	－	－	－	－
1114	小児かかりつけ診療料　再診時　休日　加算	190	－	－	－	－	－	－
1115	小児かかりつけ診療料　再診時　深夜　加算	420	－	－	－	－	－	－
1116	小児かかりつけ診療料　再診時　時間外特例医療機関　加算	180	－	－	－	－	－	－
1117	小児かかりつけ診療料　再診時　乳幼児時間外　加算	135	2 054	277 290	－	－	2 054	277 290
1118	小児かかりつけ診療料　再診時　乳幼児時間外特例医療機関　加算	250	63	15 750	－	－	63	15 750
1119	小児かかりつけ診療料　小児科　再診時　乳幼児夜間　加算	135	4 124	556 740	－	－	4 124	556 740
1120	小児かかりつけ診療料　小児科　再診時　乳幼児休日　加算	260	1 709	444 340	－	－	1 709	444 340
1121	小児かかりつけ診療料　小児科　再診時　乳幼児深夜　加算	590	35	20 650	－	－	35	20 650
1122	小児かかりつけ診療料　外来診療料　時間外　加算	65	－	－	－	－	－	－
1123	小児かかりつけ診療料　外来診療料　休日　加算	190	－	－	－	－	－	－
1124	小児かかりつけ診療料　外来診療料　深夜　加算	420	－	－	－	－	－	－
1125	小児かかりつけ診療料　外来診療料　時間外特例医療機関　加算	180	－	－	－	－	－	－
1126	小児かかりつけ診療料　外来診療料　乳幼児時間外　加算	135	2	270	－	－	2	270
1127	小児かかりつけ診療料　外来診療料　乳幼児時間外特例医療機関　加算	250	－	－	－	－	－	－
1128	小児かかりつけ診療料　小児科外来診療料　乳幼児夜間　加算	135	1	135	－	－	1	135
1129	小児かかりつけ診療料　小児科外来診療料　乳幼児休日　加算	260	－	－	－	－	－	－
1130	小児かかりつけ診療料　小児科外来診療料　乳幼児深夜　加算	590	－	－	－	－	－	－
1131	小児かかりつけ診療料　小児抗菌薬適正使用支援　加算	80	34 986	2 798 880	－	－	34 986	2 798 880

第８表　医科診療　件数・診療実日数・回数・点数，診療行為（細分類）、入院－入院外別

平成30年６月審査分

行番号	診療行為（細分類）	固定点数	総数 回数	総数 点数	入院 回数	入院 点数	入院外 回数	入院外 点数
1132	生活習慣病管理料　処方箋を交付する　脂質異常症	650	34 255	22 265 750	–	–	34 255	22 265 750
1133	生活習慣病管理料　処方箋を交付する　高血圧症	700	157 455	110 218 500	–	–	157 455	110 218 500
1134	生活習慣病管理料　処方箋を交付する　糖尿病	800	49 129	39 303 200	–	–	49 129	39 303 200
1135	生活習慣病管理料　処方箋を交付しない　脂質異常症	1175	23 895	28 076 625	–	–	23 895	28 076 625
1136	生活習慣病管理料　処方箋を交付しない　高血圧症	1035	19 873	20 568 555	–	–	19 873	20 568 555
1137	生活習慣病管理料　処方箋を交付しない　糖尿病	1280	7 830	10 022 400	–	–	7 830	10 022 400
1138	生活習慣病管理料　血糖自己測定指導　加算	500	24	12 000	–	–	24	12 000
1139	ニコチン依存症管理料　初回	230	11 217	2 579 910	–	–	11 217	2 579 910
1140	ニコチン依存症管理料　初回　施設基準適合以外	161	257	41 377	–	–	257	41 377
1141	ニコチン依存症管理料　2回目から4回目まで	184	23 195	4 267 880	–	–	23 195	4 267 880
1142	ニコチン依存症管理料　2回目から4回目まで　施設基準適合以外	129	515	66 435	–	–	515	66 435
1143	ニコチン依存症管理料　5回目	180	3 331	599 580	–	–	3 331	599 580
1144	ニコチン依存症管理料　5回目　施設基準適合以外	126	55	6 930	–	–	55	6 930
1145	手術前医学管理料	1192	10 572	12 601 824	10 084	12 020 128	488	581 696
1146	手術後医学管理料（1日につき）病院	1188	35 084	41 679 792	35 084	41 679 792	–	–
1147	手術後医学管理料（1日につき）病院　手術前医学管理料を算定	1129	8 749	9 877 621	8 749	9 877 621	–	–
1148	手術後医学管理料（1日につき）診療所	1056	6 909	7 295 904	6 909	7 295 904	–	–
1149	手術後医学管理料（1日につき）診療所　手術前医学管理料を算定	1003	3 054	3 063 162	3 054	3 063 162	–	–
1150	肺血栓塞栓症予防管理料	305	216 322	65 978 210	216 322	65 978 210	–	–
1151	リンパ浮腫指導管理料	100	3 363	336 300	2 341	234 100	1 022	102 200
1152	臍ヘルニア圧迫指導管理料	100	1 078	107 800	20	2 000	1 058	105 800
1153	療養・就労両立支援指導料	1000	10	10 000	–	–	10	10 000
1154	療養・就労両立支援指導料　相談体制充実　加算	500	5	2 500	–	–	5	2 500
1155	開放型病院共同指導料（Ⅰ）	350	6 617	2 315 950	–	–	6 617	2 315 950
1156	開放型病院共同指導料（Ⅱ）	220	6 081	1 337 820	6 081	1 337 820	–	–
1157	退院時共同指導料１　１　在宅療養支援診療所	1500	2 039	3 058 500	–	–	2 039	3 058 500
1158	退院時共同指導料１　２　在宅療養支援診療所以外	900	191	171 900	–	–	191	171 900
1159	退院時共同指導料１　特別管理指導　加算	200	770	154 000	–	–	770	154 000
1160	退院時共同指導料２	400	5 229	2 091 600	5 229	2 091 600	–	–
1161	退院時共同指導料２　保険医共同指導　加算	300	277	83 100	277	83 100	–	–
1162	退院時共同指導料２　多機関共同指導　加算	2000	1 315	2 630 000	1 315	2 630 000	–	–
1163	介護支援等連携指導料	400	45 447	18 178 800	45 447	18 178 800	–	–
1164	介護保険リハビリテーション移行支援料	500	31	15 500	–	–	31	15 500
1165	ハイリスク妊産婦共同管理料（Ⅰ）	800	24	19 200	14	11 200	10	8 000
1166	ハイリスク妊産婦共同管理料（Ⅱ）	500	26	13 000	26	13 000	–	–
1167	がん治療連携計画策定料１	750	1 352	1 014 000	683	512 250	669	501 750
1168	がん治療連携計画策定料２	300	18	5 400	8	2 400	10	3 000
1169	がん治療連携指導料	300	11 606	3 481 800	–	–	11 606	3 481 800
1170	がん治療連携管理料　がん診療連携拠点病院	500	1 362	681 000	–	–	1 362	681 000
1171	がん治療連携管理料　地域がん診療病院	300	71	21 300	–	–	71	21 300
1172	がん治療連携管理料　小児がん拠点病院	750	1	750	–	–	1	750
1173	外来がん患者在宅連携指導料	500	303	151 500	–	–	303	151 500
1174	認知症専門診断管理料１　基幹型又は地域型	700	1 873	1 311 100	–	–	1 873	1 311 100
1175	認知症専門診断管理料１　連携型	500	80	40 000	–	–	80	40 000
1176	認知症専門診断管理料２	300	358	107 400	–	–	358	107 400
1177	認知症療養指導料１	350	281	98 350	–	–	281	98 350
1178	認知症療養指導料２	300	244	73 200	–	–	244	73 200
1179	認知症療養指導料３	300	2 738	821 400	–	–	2 738	821 400
1180	認知症サポート指導料	450	540	243 000	–	–	540	243 000
1181	肝炎インターフェロン治療計画料	700	5	3 500	3	2 100	2	1 400
1182	排尿自立指導料	200	7 884	1 576 800	7 884	1 576 800	–	–
1183	ハイリスク妊産婦連携指導料１	1000	108	108 000	–	–	108	108 000
1184	ハイリスク妊産婦連携指導料２	750	72	54 000	–	–	72	54 000
1185	救急救命管理料	500	340	170 000	244	122 000	96	48 000
1186	退院時リハビリテーション指導料	300	130 963	39 288 900	130 963	39 288 900	–	–
1187	退院前訪問指導料	580	2 596	1 505 680	2 596	1 505 680	–	–
1188	退院後訪問指導料	580	1 872	1 085 760	7	4 060	1 865	1 081 700
1189	退院後訪問指導料　訪問看護同行　加算	20	211	4 220	2	40	209	4 180
1190	薬剤管理指導料　１　安全管理が必要な医薬品投与患者	380	576 566	219 095 080	576 566	219 095 080	–	–
1191	薬剤管理指導料　２　安全管理が必要な医薬品投与患者以外	325	730 130	237 292 250	730 130	237 292 250	–	–
1192	薬剤管理指導料　麻薬管理指導　加算	50	27 890	1 394 500	27 890	1 394 500	–	–
1193	薬剤総合評価調整管理料	250	5 612	1 403 000	–	–	5 612	1 403 000
1194	薬剤総合評価調整管理料　連携管理　加算	50	593	29 650	–	–	593	29 650
1195	診療情報提供料（Ⅰ）	250	2 605 578	651 394 500	269 478	67 369 500	2 336 100	584 025 000
1196	診療情報提供料（Ⅰ）退院時診療状況添付　加算	200	224 476	44 895 200	202 032	40 406 400	22 444	4 488 800
1197	診療情報提供料（Ⅰ）ハイリスク妊婦紹介　加算	200	145	29 000	28	5 600	117	23 400
1198	診療情報提供料（Ⅰ）認知症専門医療機関紹介　加算	100	1 616	161 600	6	600	1 610	161 000
1199	診療情報提供料（Ⅰ）認知症専門医療機関連携　加算	50	394	19 700	–	–	394	19 700
1200	診療情報提供料（Ⅰ）精神科医連携　加算	200	656	131 200	–	–	656	131 200
1201	診療情報提供料（Ⅰ）肝炎インターフェロン治療連携　加算	50	4	200	–	–	4	200
1202	診療情報提供料（Ⅰ）歯科医療機関連携　加算	100	1 819	181 900	110	11 000	1 709	170 900
1203	診療情報提供料（Ⅰ）地域連携診療計画　加算	50	162	8 100	57	2 850	105	5 250
1204	診療情報提供料（Ⅰ）療養情報提供　加算	50	422	21 100	19	950	403	20 150
1205	診療情報提供料（Ⅰ）検査・画像情報提供　加算　退院患者	200	643	128 600	594	118 800	49	9 800
1206	診療情報提供料（Ⅰ）検査・画像情報提供　加算　入院外患者	30	9 585	287 550	–	–	9 585	287 550
1207	電子的診療情報評価料	30	4 399	131 970	158	4 740	4 241	127 230
1208	診療情報提供料（Ⅱ）	500	8 742	4 371 000	599	299 500	8 143	4 071 500
1209	診療情報連携共有料	120	3 371	404 520	144	17 280	3 227	387 240
1210	薬剤情報提供料	10	15 726 130	157 261 300	–	–	15 726 130	157 261 300
1211	薬剤情報提供料　手帳記載　加算	3	3 935 508	11 806 524	–	–	3 935 508	11 806 524
1212	医療機器安全管理料　生命維持管理装置使用	100	47 895	4 789 500	45 860	4 586 000	2 035	203 500
1213	医療機器安全管理料　放射線治療計画策定	1100	15 834	17 417 400	7 122	7 834 200	8 712	9 583 200
1214	傷病手当金意見書交付料	100	165 075	16 507 500	9 007	900 700	156 068	15 606 800
1215	感染症法申請診断書交付料	100	1 288	128 800	802	80 200	486	48 600
1216	感染症法申請手続代行料	100	500	50 000	257	25 700	243	24 300
1217	感染症法申請診断書交付・申請手続代行料	200	783	156 600	415	83 000	368	73 600
1218	療養費同意書交付料	100	118 445	11 844 500	203	20 300	118 242	11 824 200
1219	退院時薬剤情報管理指導料	90	241 876	21 768 840	241 876	21 768 840	–	–
1220	補正点数（＋）医学管理等		–	–	–	–	–	–
1221	補正点数（－）医学管理等		–	–	–	–	–	–
1222	在宅医療計		4 513 953	8 009 266 268	52 545	187 542 122	4 461 408	7 821 724 146
1223	在宅患者診療・指導料小計		2 814 888	2 748 548 568	15 441	9 378 145	2 799 447	2 739 170 423
1224	往診料	720	201 389	145 000 080	1 573	1 132 560	199 816	143 867 520
1225	往診料　緊急往診　加算　機能強化した在宅療養支援診療所等　病床あり	850	3 389	2 880 650	2	1 700	3 387	2 878 950
1226	往診料　夜間往診　加算　機能強化した在宅療養支援診療所等　病床あり	1700	2 885	4 904 500	–	–	2 885	4 904 500
1227	往診料　休日往診　加算　機能強化した在宅療養支援診療所等　病床あり	1700	4 272	7 262 400	–	–	4 272	7 262 400
1228	往診料　深夜往診　加算　機能強化した在宅療養支援診療所等　病床あり	2700	1 554	4 195 800	–	–	1 554	4 195 800
1229	往診料　緊急往診　加算　機能強化した在宅療養支援診療所等　病床なし	750	2 121	1 590 750	–	–	2 121	1 590 750
1230	往診料　夜間往診　加算　機能強化した在宅療養支援診療所等　病床なし	1500	2 452	3 678 000	–	–	2 452	3 678 000
1231	往診料　休日往診　加算　機能強化した在宅療養支援診療所等　病床なし	1500	2 615	3 922 500	–	–	2 615	3 922 500
1232	往診料　深夜往診　加算　機能強化した在宅療養支援診療所等　病床なし	2500	1 737	4 342 500	–	–	1 737	4 342 500
1233	往診料　緊急往診　加算　在宅療養支援診療所等	650	2 714	1 764 100	1	650	2 713	1 763 450
1234	往診料　夜間往診　加算　在宅療養支援診療所等	1300	3 755	4 881 500	–	–	3 755	4 881 500
1235	往診料　休日往診　加算　在宅療養支援診療所等	1300	3 524	4 581 200	–	–	3 524	4 581 200
1236	往診料　深夜往診　加算　在宅療養支援診療所等	2300	2 039	4 689 700	–	–	2 039	4 689 700
1237	往診料　緊急往診　加算　在宅療養支援診療所等以外	325	2 419	786 175	409	132 925	2 010	653 250
1238	往診料　夜間往診　加算　在宅療養支援診療所等以外	650	2 521	1 638 650	205	133 250	2 316	1 505 400
1239	往診料　休日往診　加算　在宅療養支援診療所等以外	650	1 657	1 077 050	188	122 200	1 469	954 850
1240	往診料　深夜往診　加算　在宅療養支援診療所等以外	1300	1 070	1 391 000	100	130 000	970	1 261 000

第８表　医科診療　件数・診療実日数・回数・点数，診療行為（細分類）、入院－入院外別

平成30年６月審査分

行番号	診療行為（細分類）	固定点数	総数 回数	総数 点数	入院 回数	入院 点数	入院外 回数	入院外 点数
1241	往診料　患家診療時間　加算	100X	2 176	291 700	–	–	2 176	291 700
1242	往診料　死亡診断　加算	200	3 953	790 600	–	–	3 953	790 600
1243	往診料　在宅緩和ケア充実診療所・病院　加算	100	10 328	1 032 800	–	–	10 328	1 032 800
1244	往診料　在宅療養実績　加算１	75	4 818	361 350	–	–	4 818	361 350
1245	往診料　在宅療養実績　加算２	50	345	17 250	–	–	345	17 250
1246	往診料　その他　加算		4	3 500	–	–	4	3 500
1247	在宅患者訪問診療料（Ⅰ）１　同一建物居住者以外	833	650 483	541 852 339	–	–	650 483	541 852 339
1248	在宅患者訪問診療料（Ⅰ）１　同一建物居住者	203	799 099	162 217 097	–	–	799 099	162 217 097
1249	在宅患者訪問診療料（Ⅰ）２　同一建物居住者以外	830	1 159	961 970	–	–	1 159	961 970
1250	在宅患者訪問診療料（Ⅰ）２　同一建物居住者	178	4 888	870 064	–	–	4 888	870 064
1251	在宅患者訪問診療料（Ⅰ）乳幼児　加算	400	2 078	831 200	–	–	2 078	831 200
1252	在宅患者訪問診療料（Ⅰ）患家診療時間　加算	100X	2 140	274 600	–	–	2 140	274 600
1253	在宅患者訪問診療料（Ⅰ）在宅緩和ケア充実診療所・病院　加算	1000	2 541	2 541 000	–	–	2 541	2 541 000
1254	在宅患者訪問診療料（Ⅰ）在宅療養実績　加算１	750	1 041	780 750	–	–	1 041	780 750
1255	在宅患者訪問診療料（Ⅰ）在宅療養実績　加算２	500	66	33 000	–	–	66	33 000
1256	在宅患者訪問診療料（Ⅰ）酸素療法　加算	2000	236	472 000	–	–	236	472 000
1257	在宅患者訪問診療料（Ⅰ）在宅ターミナルケア　加算(有料老人ホーム等に入居する患者以外)(機能強化した在宅療養支援診療所等)(病床あり)	6500	2 325	15 112 500	–	–	2 325	15 112 500
1258	在宅患者訪問診療料（Ⅰ）在宅ターミナルケア　加算(有料老人ホーム等に入居する患者以外)(機能強化した在宅療養支援診療所等)(病床なし)	5500	1 793	9 861 500	–	–	1 793	9 861 500
1259	在宅患者訪問診療料（Ⅰ）在宅ターミナルケア　加算(有料老人ホーム等に入居する患者以外)(在宅療養支援診療所等)	4500	1 904	8 568 000	–	–	1 904	8 568 000
1260	在宅患者訪問診療料（Ⅰ）在宅ターミナルケア　加算(有料老人ホーム等に入居する患者以外)(在宅療養支援診療所等以外)	3500	490	1 715 000	–	–	490	1 715 000
1261	在宅患者訪問診療料（Ⅰ）在宅ターミナルケア　加算(有料老人ホーム等に入居する患者)(機能強化した在宅療養支援診療所等)(病床あり)	6500	508	3 302 000	–	–	508	3 302 000
1262	在宅患者訪問診療料（Ⅰ）在宅ターミナルケア　加算(有料老人ホーム等に入居する患者)(機能強化した在宅療養支援診療所)(病床なし)	5500	269	1 479 500	–	–	269	1 479 500
1263	在宅患者訪問診療料（Ⅰ）在宅ターミナルケア　加算(有料老人ホーム等に入居する患者)(在宅療養支援診療所等)	4500	303	1 363 500	–	–	303	1 363 500
1264	在宅患者訪問診療料（Ⅰ）在宅ターミナルケア　加算(有料老人ホーム等に入居する患者)(在宅療養支援診療所等以外)	3500	92	322 000	–	–	92	322 000
1265	在宅患者訪問診療料（Ⅰ）看取り　加算	3000	8 167	24 501 000	–	–	8 167	24 501 000
1266	在宅患者訪問診療料（Ⅰ）死亡診断　加算	200	147	29 400	–	–	147	29 400
1267	在宅患者訪問診療料（Ⅰ）その他　加算		16	10 800	–	–	16	10 800
1268	在宅患者訪問診療料（Ⅱ）有料老人ホーム等に入居する患者	144	58 724	8 456 256	–	–	58 724	8 456 256
1269	在宅患者訪問診療料（Ⅱ）他の保険医療機関から紹介された患者	144	107	15 408	–	–	107	15 408
1270	在宅患者訪問診療料（Ⅱ）在宅ターミナルケア　加算(機能強化した在宅療養支援診療所等)(病床あり)	6200	65	403 000	–	–	65	403 000
1271	在宅患者訪問診療料（Ⅱ）在宅ターミナルケア　加算(機能強化した在宅療養支援診療所)(病床なし)	5200	43	223 600	–	–	43	223 600
1272	在宅患者訪問診療料（Ⅱ）在宅ターミナルケア　加算(在宅療養支援診療所等)	4200	80	336 000	–	–	80	336 000
1273	在宅患者訪問診療料（Ⅱ）在宅ターミナルケア　加算(在宅療養支援診療所等以外)	3200	23	73 600	–	–	23	73 600
1274	在宅患者訪問診療料（Ⅱ）在宅緩和ケア充実診療所・病院　加算	1000	50	50 000	–	–	50	50 000
1275	在宅患者訪問診療料（Ⅱ）在宅療養実績　加算１	750	31	23 250	–	–	31	23 250
1276	在宅患者訪問診療料（Ⅱ）在宅療養実績　加算２	500	14	7 000	–	–	14	7 000
1277	在宅患者訪問診療料（Ⅱ）酸素療法　加算	2000	6	12 000	–	–	6	12 000
1278	在宅時医学総合管理料１　機能強化した在宅療養支援診療所等　病床あり　難病等　月２回以上　１人	5400	19 537	105 499 800	–	–	19 537	105 499 800
1279	在宅時医学総合管理料１　機能強化した在宅療養支援診療所等　病床あり　難病等　月２回以上　２～９人	4500	299	1 345 500	–	–	299	1 345 500
1280	在宅時医学総合管理料１　機能強化した在宅療養支援診療所等　病床あり　難病等　月２回以上　10人以上	2880	173	498 240	–	–	173	498 240
1281	在宅時医学総合管理料１　機能強化した在宅療養支援診療所等　病床あり　月２回以上　１人	4500	37 905	170 572 500	–	–	37 905	170 572 500
1282	在宅時医学総合管理料１　機能強化した在宅療養支援診療所等　病床あり　月２回以上　２～９人	2400	1 284	3 081 600	–	–	1 284	3 081 600
1283	在宅時医学総合管理料１　機能強化した在宅療養支援診療所等　病床あり　月２回以上　10人以上	1200	855	1 026 000	–	–	855	1 026 000
1284	在宅時医学総合管理料１　機能強化した在宅療養支援診療所等　病床あり　月１回　１人	2760	17 041	47 033 160	–	–	17 041	47 033 160
1285	在宅時医学総合管理料１　機能強化した在宅療養支援診療所等　病床あり　月１回　２～９人	1500	384	576 000	–	–	384	576 000
1286	在宅時医学総合管理料１　機能強化した在宅療養支援診療所等　病床あり　月１回　10人以上	780	241	187 980	–	–	241	187 980
1287	在宅時医学総合管理料１　機能強化した在宅療養支援診療所等　病床なし　難病等　月２回以上　１人	5000	14 307	71 535 000	–	–	14 307	71 535 000
1288	在宅時医学総合管理料１　機能強化した在宅療養支援診療所等　病床なし　難病等　月２回以上　２～９人	4140	146	604 440	–	–	146	604 440
1289	在宅時医学総合管理料１　機能強化した在宅療養支援診療所等　病床なし　難病等　月２回以上　10人以上	2640	137	361 680	–	–	137	361 680
1290	在宅時医学総合管理料１　機能強化した在宅療養支援診療所等　病床なし　月２回以上　１人	4100	26 236	107 567 600	–	–	26 236	107 567 600
1291	在宅時医学総合管理料１　機能強化した在宅療養支援診療所等　病床なし　月２回以上　２～９人	2200	766	1 685 200	–	–	766	1 685 200
1292	在宅時医学総合管理料１　機能強化した在宅療養支援診療所等　病床なし　月２回以上　10人以上	1100	618	679 800	–	–	618	679 800
1293	在宅時医学総合管理料１　機能強化した在宅療養支援診療所等　病床なし　月１回　１人	2520	10 514	26 495 280	–	–	10 514	26 495 280
1294	在宅時医学総合管理料１　機能強化した在宅療養支援診療所等　病床なし　月１回　２～９人	1380	222	306 360	–	–	222	306 360
1295	在宅時医学総合管理料１　機能強化した在宅療養支援診療所等　病床なし　月１回　10人以上	720	171	123 120	–	–	171	123 120
1296	在宅時医学総合管理料２　１以外の在宅療養支援診療所等　難病等　月２回以上　１人	4600	13 277	61 074 200	–	–	13 277	61 074 200
1297	在宅時医学総合管理料２　１以外の在宅療養支援診療所等　難病等　月２回以上　２～９人	3780	262	990 360	–	–	262	990 360
1298	在宅時医学総合管理料２　１以外の在宅療養支援診療所等　難病等　月２回以上　10人以上	2400	363	871 200	–	–	363	871 200
1299	在宅時医学総合管理料２　１以外の在宅療養支援診療所等　月２回以上　１人	3700	38 230	141 451 000	–	–	38 230	141 451 000
1300	在宅時医学総合管理料２　１以外の在宅療養支援診療所等　月２回以上　２～９人	2000	3 190	6 380 000	–	–	3 190	6 380 000
1301	在宅時医学総合管理料２　１以外の在宅療養支援診療所等　月２回以上　10人以上	1000	3 858	3 858 000	–	–	3 858	3 858 000
1302	在宅時医学総合管理料２　１以外の在宅療養支援診療所等　月１回　１人	2300	22 564	51 897 200	–	–	22 564	51 897 200
1303	在宅時医学総合管理料２　１以外の在宅療養支援診療所等　月１回　２～９人	1280	1 070	1 369 600	–	–	1 070	1 369 600
1304	在宅時医学総合管理料２　１以外の在宅療養支援診療所等　月１回　10人以上	680	656	446 080	–	–	656	446 080
1305	在宅時医学総合管理料３　１及び２に掲げるもの以外　難病等　月２回以上　１人	3450	1 802	6 216 900	–	–	1 802	6 216 900
1306	在宅時医学総合管理料３　１及び２に掲げるもの以外　難病等　月２回以上　２～９人	2835	38	107 730	–	–	38	107 730
1307	在宅時医学総合管理料３　１及び２に掲げるもの以外　難病等　月２回以上　10人以上	1800	33	59 400	–	–	33	59 400
1308	在宅時医学総合管理料３　１及び２に掲げるもの以外　月２回以上　１人	2750	9 143	25 143 250	–	–	9 143	25 143 250
1309	在宅時医学総合管理料３　１及び２に掲げるもの以外　月２回以上　２～９人	1475	1 009	1 488 275	–	–	1 009	1 488 275
1310	在宅時医学総合管理料３　１及び２に掲げるもの以外　月２回以上　10人以上	750	1 122	841 500	–	–	1 122	841 500
1311	在宅時医学総合管理料３　１及び２に掲げるもの以外　月１回　１人	1760	9 593	16 883 680	–	–	9 593	16 883 680
1312	在宅時医学総合管理料３　１及び２に掲げるもの以外　月１回　２～９人	995	480	477 600	–	–	480	477 600
1313	在宅時医学総合管理料３　１及び２に掲げるもの以外　月１回　10人以上	560	339	189 840	–	–	339	189 840
1314	在宅時医学総合管理料３　１及び２に掲げるもの以外　難病等　月２回以上　１人　施設基準等適合以外	2760	93	256 680	–	–	93	256 680
1315	在宅時医学総合管理料３　１及び２に掲げるもの以外　難病等　月２回以上　２～９人　施設基準等適合以外	2268	1	2 268	–	–	1	2 268
1316	在宅時医学総合管理料３　１及び２に掲げるもの以外　難病等　月２回以上　10人以上　施設基準等適合以外	1440	–	–	–	–	–	–

第８表　医科診療　件数・診療実日数・回数・点数，診療行為（細分類）、入院－入院外別

平成30年６月審査分

行番号	診療行為（細分類）	固定点数	総数 回数	総数 点数	入院 回数	入院 点数	入院外 回数	入院外 点数
1317	在宅時医学総合管理料３　１及び２に掲げるもの以外　月２回以上　１人　施設基準等適合以外	2200	367	807 400	−	−	367	807 400
1318	在宅時医学総合管理料３　１及び２に掲げるもの以外　月２回以上　２～９人　施設基準等適合以外	1180	105	123 900	−	−	105	123 900
1319	在宅時医学総合管理料３　１及び２に掲げるもの以外　月２回以上　10人以上　施設基準等適合以外	600	149	89 400	−	−	149	89 400
1320	在宅時医学総合管理料３　１及び２に掲げるもの以外　月１回　１人　施設基準等適合以外	1408	384	540 672	−	−	384	540 672
1321	在宅時医学総合管理料３　１及び２に掲げるもの以外　月１回　２～９人　施設基準等適合以外	796	50	39 800	−	−	50	39 800
1322	在宅時医学総合管理料３　１及び２に掲げるもの以外　月１回　10人以上　施設基準等適合以外	448	64	28 672	−	−	64	28 672
1323	在宅時医学総合管理料　在宅緩和ケア充実診療所・病院　１人　加算	400	58 728	23 491 200	−	−	58 728	23 491 200
1324	在宅時医学総合管理料　在宅緩和ケア充実診療所・病院　２～９人　加算	200	724	144 800	−	−	724	144 800
1325	在宅時医学総合管理料　在宅緩和ケア充実診療所・病院　10人以上　加算	100	384	38 400	−	−	384	38 400
1326	在宅時医学総合管理料　在宅療養実績　加算１　１人	300	30 318	9 095 400	−	−	30 318	9 095 400
1327	在宅時医学総合管理料　在宅療養実績　加算１　２～９人	150	1 009	151 350	−	−	1 009	151 350
1328	在宅時医学総合管理料　在宅療養実績　加算１　10人以上	75	852	63 900	−	−	852	63 900
1329	在宅時医学総合管理料　在宅療養実績　加算２　１人	200	3 680	736 000	−	−	3 680	736 000
1330	在宅時医学総合管理料　在宅療養実績　加算２　２～９人	100	158	15 800	−	−	158	15 800
1331	在宅時医学総合管理料　在宅療養実績　加算２　10人以上	50	176	8 800	−	−	176	8 800
1332	在宅時医学総合管理料　オンライン在宅管理料　加算	100	4	400	−	−	4	400
1333	施設入居時等医学総合管理料１　機能強化した在宅療養支援診療所等　病床あり　難病等　月２回以上　１人	3900	731	2 850 900	−	−	731	2 850 900
1334	施設入居時等医学総合管理料１　機能強化した在宅療養支援診療所等　病床あり　難病等　月２回以上　２～９人	3240	4 116	13 335 840	−	−	4 116	13 335 840
1335	施設入居時等医学総合管理料１　機能強化した在宅療養支援診療所等　病床あり　難病等　月２回以上　10人以上	2880	12 491	35 974 080	−	−	12 491	35 974 080
1336	施設入居時等医学総合管理料１　機能強化した在宅療養支援診療所等　病床あり　月２回以上　１人	3200	2 386	7 635 200	−	−	2 386	7 635 200
1337	施設入居時等医学総合管理料１　機能強化した在宅療養支援診療所等　病床あり　月２回以上　２～９人	1700	31 607	53 731 900	−	−	31 607	53 731 900
1338	施設入居時等医学総合管理料１　機能強化した在宅療養支援診療所等　病床あり　月２回以上　10人以上	1200	72 878	87 453 600	−	−	72 878	87 453 600
1339	施設入居時等医学総合管理料１　機能強化した在宅療養支援診療所等　病床あり　月１回　１人	1980	722	1 429 560	−	−	722	1 429 560
1340	施設入居時等医学総合管理料１　機能強化した在宅療養支援診療所等　病床あり　月１回　２～９人	1080	4 452	4 808 160	−	−	4 452	4 808 160
1341	施設入居時等医学総合管理料１　機能強化した在宅療養支援診療所等　病床あり　月１回　10人以上	780	6 554	5 112 120	−	−	6 554	5 112 120
1342	施設入居時等医学総合管理料１　機能強化した在宅療養支援診療所等　病床なし　難病等　月２回以上　１人	3600	393	1 414 800	−	−	393	1 414 800
1343	施設入居時等医学総合管理料１　機能強化した在宅療養支援診療所等　病床なし　難病等　月２回以上　２～９人	2970	2 420	7 187 400	−	−	2 420	7 187 400
1344	施設入居時等医学総合管理料１　機能強化した在宅療養支援診療所等　病床なし　難病等　月２回以上　10人以上	2640	6 089	16 074 960	−	−	6 089	16 074 960
1345	施設入居時等医学総合管理料１　機能強化した在宅療養支援診療所等　病床なし　月２回以上　１人	2900	1 317	3 819 300	−	−	1 317	3 819 300
1346	施設入居時等医学総合管理料１　機能強化した在宅療養支援診療所等　病床なし　月２回以上　２～９人	1550	21 382	33 142 100	−	−	21 382	33 142 100
1347	施設入居時等医学総合管理料１　機能強化した在宅療養支援診療所等　病床なし　月２回以上　10人以上	1100	41 718	45 889 800	−	−	41 718	45 889 800
1348	施設入居時等医学総合管理料１　機能強化した在宅療養支援診療所等　病床なし　月１回　１人	1800	409	736 200	−	−	409	736 200
1349	施設入居時等医学総合管理料１　機能強化した在宅療養支援診療所等　病床なし　月１回　２～９人	990	2 579	2 553 210	−	−	2 579	2 553 210
1350	施設入居時等医学総合管理料１　機能強化した在宅療養支援診療所等　病床なし　月１回　10人以上	720	3 725	2 682 000	−	−	3 725	2 682 000
1351	施設入居時等医学総合管理料２　１以外の在宅療養支援診療所等　難病等　月２回以上　１人	3300	577	1 904 100	−	−	577	1 904 100
1352	施設入居時等医学総合管理料２　１以外の在宅療養支援診療所等　難病等　月２回以上　２～９人	2700	3 074	8 299 800	−	−	3 074	8 299 800
1353	施設入居時等医学総合管理料２　１以外の在宅療養支援診療所等　難病等　月２回以上　10人以上	2400	6 963	16 711 200	−	−	6 963	16 711 200
1354	施設入居時等医学総合管理料２　１以外の在宅療養支援診療所等　月２回以上　１人	2600	3 033	7 885 800	−	−	3 033	7 885 800
1355	施設入居時等医学総合管理料２　１以外の在宅療養支援診療所等　月２回以上　２～９人	1400	40 072	56 100 800	−	−	40 072	56 100 800
1356	施設入居時等医学総合管理料２　１以外の在宅療養支援診療所等　月２回以上　10人以上	1000	60 708	60 708 000	−	−	60 708	60 708 000
1357	施設入居時等医学総合管理料２　１以外の在宅療養支援診療所等　月１回　１人	1640	1 355	2 222 200	−	−	1 355	2 222 200
1358	施設入居時等医学総合管理料２　１以外の在宅療養支援診療所等　月１回　２～９人	920	8 268	7 606 560	−	−	8 268	7 606 560
1359	施設入居時等医学総合管理料２　１以外の在宅療養支援診療所等　月１回　10人以上	680	9 262	6 298 160	−	−	9 262	6 298 160
1360	施設入居時等医学総合管理料３　１及び２に掲げるもの以外　難病等　月２回以上　１人	2450	82	200 900	−	−	82	200 900
1361	施設入居時等医学総合管理料３　１及び２に掲げるもの以外　難病等　月２回以上　２～９人	2025	319	645 975	−	−	319	645 975
1362	施設入居時等医学総合管理料３　１及び２に掲げるもの以外　難病等　月２回以上　10人以上	1800	574	1 033 200	−	−	574	1 033 200
1363	施設入居時等医学総合管理料３　１及び２に掲げるもの以外　月２回以上　１人	1950	656	1 279 200	−	−	656	1 279 200
1364	施設入居時等医学総合管理料３　１及び２に掲げるもの以外　月２回以上　２～９人	1025	8 062	8 263 550	−	−	8 062	8 263 550
1365	施設入居時等医学総合管理料３　１及び２に掲げるもの以外　月２回以上　10人以上	750	9 731	7 298 250	−	−	9 731	7 298 250
1366	施設入居時等医学総合管理料３　１及び２に掲げるもの以外　月１回　１人	1280	513	656 640	−	−	513	656 640
1367	施設入居時等医学総合管理料３　１及び２に掲げるもの以外　月１回　２～９人	725	3 844	2 786 900	−	−	3 844	2 786 900
1368	施設入居時等医学総合管理料３　１及び２に掲げるもの以外　月１回　10人以上	560	3 305	1 850 800	−	−	3 305	1 850 800
1369	施設入居時等医学総合管理料３　１及び２に掲げるもの以外　難病等　月２回以上　１人　施設基準等適合以外	1960	8	15 680	−	−	8	15 680
1370	施設入居時等医学総合管理料３　１及び２に掲げるもの以外　難病等　月２回以上　２～９人　施設基準等適合以外	1620	18	29 160	−	−	18	29 160
1371	施設入居時等医学総合管理料３　１及び２に掲げるもの以外　難病等　月２回以上　10人以上　施設基準等適合以外	1440	50	72 000	−	−	50	72 000
1372	施設入居時等医学総合管理料３　１及び２に掲げるもの以外　月２回以上　１人　施設基準等適合以外	1560	51	79 560	−	−	51	79 560
1373	施設入居時等医学総合管理料３　１及び２に掲げるもの以外　月２回以上　２～９人　施設基準等適合以外	820	492	403 440	−	−	492	403 440
1374	施設入居時等医学総合管理料３　１及び２に掲げるもの以外　月２回以上　10人以上　施設基準等適合以外	600	809	485 400	−	−	809	485 400
1375	施設入居時等医学総合管理料３　１及び２に掲げるもの以外　月１回　１人　施設基準等適合以外	1024	35	35 840	−	−	35	35 840
1376	施設入居時等医学総合管理料３　１及び２に掲げるもの以外　月１回　２～９人　施設基準等適合以外	580	98	56 840	−	−	98	56 840
1377	施設入居時等医学総合管理料３　１及び２に掲げるもの以外　月１回　10人以上　施設基準等適合以外	448	526	235 648	−	−	526	235 648
1378	施設入居時等医学総合管理料　在宅緩和ケア充実診療所・病院　１人　加算	300	2 245	673 500	−	−	2 245	673 500
1379	施設入居時等医学総合管理料　在宅緩和ケア充実診療所・病院　２～９人　加算	150	20 075	3 011 250	−	−	20 075	3 011 250
1380	施設入居時等医学総合管理料　在宅緩和ケア充実診療所・病院　10人以上　加算	75	40 054	3 004 050	−	−	40 054	3 004 050

第８表　医科診療　件数・診療実日数・回数・点数，診療行為（細分類）、入院－入院外別

平成30年６月審査分

行番号	診療行為（細分類）	固定点数	総数 回数	総数 点数	入院 回数	入院 点数	入院外 回数	入院外 点数
1381	施設入居時等医学総合管理料　在宅療養実績　加算１　１人	225	1 600	360 000	-	-	1 600	360 000
1382	施設入居時等医学総合管理料　在宅療養実績　加算１　２～９人	110	18 830	2 071 300	-	-	18 830	2 071 300
1383	施設入居時等医学総合管理料　在宅療養実績　加算１　10人以上	56	30 798	1 724 688	-	-	30 798	1 724 688
1384	施設入居時等医学総合管理料　在宅療養実績　加算２　１人	150	283	42 450	-	-	283	42 450
1385	施設入居時等医学総合管理料　在宅療養実績　加算２　２～９人	75	2 727	204 525	-	-	2 727	204 525
1386	施設入居時等医学総合管理料　在宅療養実績　加算２　10人以上	40	2 789	111 560	-	-	2 789	111 560
1387	在宅時医学総合管理料　施設入居時等医学総合管理料　処方箋を交付しない場合　加算	300	21 334	6 400 200	-	-	21 334	6 400 200
1388	在宅時医学総合管理料　施設入居時等医学総合管理料　在宅移行早期　加算	100	45 044	4 504 400	-	-	45 044	4 504 400
1389	在宅時医学総合管理料　施設入居時等医学総合管理料　頻回訪問　加算	600	7 840	4 704 000	-	-	7 840	4 704 000
1390	在宅時医学総合管理料　施設入居時等医学総合管理料　継続診療　加算	216	2 753	594 648	-	-	2 753	594 648
1391	在宅時医学総合管理料　施設入居時等医学総合管理料　包括的支援　加算	150	376 868	56 530 200	-	-	376 868	56 530 200
1392	在宅がん医療総合診療料１　機能強化した在宅療養支援診療所等　病床あり（処方箋を交付する場合）	1800	17 220	30 996 000	-	-	17 220	30 996 000
1393	在宅がん医療総合診療料１　機能強化した在宅療養支援診療所等　病床あり（処方箋を交付しない場合）	2000	12 001	24 002 000	-	-	12 001	24 002 000
1394	在宅がん医療総合診療料１　機能強化した在宅療養支援診療所等　病床なし（処方箋を交付する場合）	1650	10 660	17 589 000	-	-	10 660	17 589 000
1395	在宅がん医療総合診療料１　機能強化した在宅療養支援診療所等　病床なし（処方箋を交付しない場合）	1850	3 951	7 309 350	-	-	3 951	7 309 350
1396	在宅がん医療総合診療料２　１以外の在宅療養支援診療所等（処方箋を交付する場合）	1495	5 602	8 374 990	-	-	5 602	8 374 990
1397	在宅がん医療総合診療料２　１以外の在宅療養支援診療所等（処方箋を交付しない場合）	1685	6 773	11 412 505	-	-	6 773	11 412 505
1398	在宅がん医療総合診療料　死亡診断　加算	200	4	800	-	-	4	800
1399	在宅がん医療総合診療料　在宅緩和ケア充実診療所・病院　加算	150	30 876	4 631 400	-	-	30 876	4 631 400
1400	在宅がん医療総合診療料　在宅療養実績　加算１	110	7 162	787 820	-	-	7 162	787 820
1401	在宅がん医療総合診療料　在宅療養実績　加算２	75	391	29 325	-	-	391	29 325
1402	救急搬送診療料	1300	6 999	9 098 700	2 370	3 081 000	4 629	6 017 700
1403	救急搬送診療料　新生児　加算	1500	408	612 000	384	576 000	24	36 000
1404	救急搬送診療料　乳幼児　加算	700	253	177 100	80	56 000	173	121 100
1405	救急搬送診療料　長時間　加算	700	1 384	968 800	606	424 200	778	544 600
1406	在宅患者訪問看護・指導料(１日につき)保健師，助産師又は看護師(週３日目まで)	580	28 902	16 763 160	-	-	28 902	16 763 160
1407	在宅患者訪問看護・指導料(１日につき)保健師，助産師又は看護師(週４日目以降)	680	3 483	2 368 440	-	-	3 483	2 368 440
1408	在宅患者訪問看護・指導料(１日につき)准看護師(週３日目まで)	530	7 741	4 102 730	-	-	7 741	4 102 730
1409	在宅患者訪問看護・指導料(１日につき)准看護師(週４日目以降)	630	1 202	757 260	-	-	1 202	757 260
1410	在宅患者訪問看護・指導料(１日につき)悪性腫瘍の患者に対する緩和、褥瘡ケア又は人工肛門、人工膀胱ケア専門看護師	1285	192	246 720	-	-	192	246 720
1411	同一建物居住者訪問看護・指導料（１日につき）保健師，助産師又は看護師（同一日に２人）（週３日目まで）	580	5 593	3 243 940	-	-	5 593	3 243 940
1412	同一建物居住者訪問看護・指導料（１日につき）保健師，助産師又は看護師（同一日に２人）（週４日目以降）	680	1 279	869 720	-	-	1 279	869 720
1413	同一建物居住者訪問看護・指導料（１日につき）保健師，助産師又は看護師（同一日に３人以上）（週３日目まで）	293	15 511	4 544 723	-	-	15 511	4 544 723
1414	同一建物居住者訪問看護・指導料（１日につき）保健師，助産師又は看護師（同一日に３人以上）（週４日目以降）	343	5 561	1 907 423	-	-	5 561	1 907 423
1415	同一建物居住者訪問看護・指導料（１日につき）准看護師（同一日に２人）（週３日目まで）	530	2 044	1 083 320	-	-	2 044	1 083 320
1416	同一建物居住者訪問看護・指導料（１日につき）准看護師（同一日に２人）（週４日目以降）	630	528	332 640	-	-	528	332 640
1417	同一建物居住者訪問看護・指導料（１日につき）准看護師（同一日に３人以上）（週３日目まで）	268	3 811	1 021 348	-	-	3 811	1 021 348
1418	同一建物居住者訪問看護・指導料（１日につき）准看護師（同一日に３人以上）（週４日目以降）	318	1 248	396 864	-	-	1 248	396 864
1419	同一建物居住者訪問看護・指導料（１日につき）悪性腫瘍の患者に対する緩和、褥瘡ケア又は人工肛門、人工膀胱ケア専門看護師	1285	1	1 285	-	-	1	1 285
1420	在宅患者訪問看護・指導料　同一建物居住者訪問看護・指導料　難病等複数回訪問　加算　１日２回	450	4 173	1 877 850	-	-	4 173	1 877 850
1421	在宅患者訪問看護・指導料　同一建物居住者訪問看護・指導料　難病等複数回訪問　加算　１日３回以上	800	3 740	2 992 000	-	-	3 740	2 992 000
1422	在宅患者訪問看護・指導料　同一建物居住者訪問看護・指導料　緊急訪問看護　加算	265	1 446	383 190	-	-	1 446	383 190
1423	在宅患者訪問看護・指導料　同一建物居住者訪問看護・指導料　長時間訪問看護・指導　加算	520	551	286 520	-	-	551	286 520
1424	在宅患者訪問看護・指導料　同一建物居住者訪問看護・指導料　乳幼児　加算	150	246	36 900	-	-	246	36 900
1425	在宅患者訪問看護・指導料　複数名訪問看護・指導　加算（保健師，助産師又は看護師）	450	924	415 800	-	-	924	415 800
1426	在宅患者訪問看護・指導料　複数名訪問看護・指導　加算（准看護師）	380	204	77 520	-	-	204	77 520
1427	在宅患者訪問看護・指導料　複数名訪問看護・指導　加算（看護補助者）看護困難者等以外	300	790	237 000	-	-	790	237 000
1428	在宅患者訪問看護・指導料　複数名訪問看護・指導　加算（看護補助者）看護困難者等　１日１回	300	814	244 200	-	-	814	244 200
1429	在宅患者訪問看護・指導料　複数名訪問看護・指導　加算（看護補助者）看護困難者等　１日２回	600	146	87 600	-	-	146	87 600
1430	在宅患者訪問看護・指導料　複数名訪問看護・指導　加算（看護補助者）看護困難者等　１日３回以上	1000	15	15 000	-	-	15	15 000
1431	在宅患者訪問看護・指導料　在宅患者連携指導　加算	300	49	14 700	-	-	49	14 700
1432	在宅患者訪問看護・指導料　在宅患者緊急時等カンファレンス　加算	200	111	22 200	-	-	111	22 200
1433	在宅患者訪問看護・指導料　在宅ターミナルケア　加算　在宅又は特別養護老人ホーム等(看取り介護加算未算定)	2500	185	462 500	-	-	185	462 500
1434	在宅患者訪問看護・指導料　在宅ターミナルケア　加算　特別養護老人ホーム等（看取り介護加算算定）	1000	32	32 000	-	-	32	32 000
1435	在宅患者訪問看護・指導料　在宅移行管理　加算	250	57	14 250	-	-	57	14 250
1436	在宅患者訪問看護・指導料　在宅移行管理　重症者　加算	500	51	25 500	-	-	51	25 500
1437	在宅患者訪問看護・指導料　夜間・早朝訪問看護　加算	210	2 392	502 320	-	-	2 392	502 320
1438	在宅患者訪問看護・指導料　深夜訪問看護　加算	420	2 240	940 800	-	-	2 240	940 800
1439	在宅患者訪問看護・指導料　看護・介護職員連携強化　加算	250	22	5 500	-	-	22	5 500
1440	在宅患者訪問看護・指導料　特別地域訪問看護　加算		-	-	-	-	-	-
1441	在宅患者訪問点滴注射管理指導料（１週につき）	100	13 736	1 373 600	-	-	13 736	1 373 600
1442	在宅患者訪問リハビリテーション指導管理料　１単位　同一建物居住者以外	300	41 356	12 406 800	-	-	41 356	12 406 800
1443	在宅患者訪問リハビリテーション指導管理料　１単位　同一建物居住者	255	2 319	591 345	-	-	2 319	591 345
1444	訪問看護指示料	300	279 111	83 733 300	11 441	3 432 300	267 670	80 301 000
1445	訪問看護指示料　特別訪問看護指示　加算	100	14 785	1 478 500	1 304	130 400	13 481	1 348 100
1446	訪問看護指示料　衛生材料等提供　加算	80	1 244	99 520	141	11 280	1 103	88 240
1447	介護職員等喀痰吸引等指示料	240	1 770	424 800	57	13 680	1 713	411 120
1448	在宅患者訪問薬剤管理指導料　単一建物診療患者　１人	650	303	196 950	-	-	303	196 950
1449	在宅患者訪問薬剤管理指導料　単一建物診療患者　２～９人	320	90	28 800	-	-	90	28 800
1450	在宅患者訪問薬剤管理指導料　単一建物診療患者　10人以上	290	66	19 140	-	-	66	19 140
1451	在宅患者訪問薬剤管理指導料　麻薬管理指導　加算	100	12	1 200	-	-	12	1 200
1452	在宅患者訪問薬剤管理指導料　乳幼児　加算	100	4	400	-	-	4	400
1453	在宅患者訪問栄養食事指導料　単一建物診療患者　１人	530	215	113 950	-	-	215	113 950
1454	在宅患者訪問栄養食事指導料　単一建物診療患者　２～９人	480	47	22 560	-	-	47	22 560
1455	在宅患者訪問栄養食事指導料　単一建物診療患者　10人以上	440	2	880	-	-	2	880
1456	在宅患者連携指導料	900	42	37 800	-	-	42	37 800
1457	在宅患者緊急時等カンファレンス料	200	2 132	426 400	-	-	2 132	426 400
1458	在宅患者共同診療料　往診	1500	3	4 500	-	-	3	4 500
1459	在宅患者共同診療料　訪問診療　同一建物居住者以外	1000	1	1 000	-	-	1	1 000
1460	在宅患者共同診療料　訪問診療　同一建物居住者	240	-	-	-	-	-	-
1461	在宅患者訪問褥瘡管理指導料	750	6	4 500	-	-	6	4 500
1462	緊急時施設治療管理料	500	2	1 000	-	-	2	1 000
1463	施設入所者共同指導料	600	4	2 400	-	-	4	2 400

第８表　医科診療　件数・診療実日数・回数・点数，診療行為（細分類）、入院－入院外別

平成30年６月審査分

行番号	診療行為（細分類）	固定点数	総数 回数	総数 点数	入院 回数	入院 点数	入院外 回数	入院外 点数
1464	在宅療養指導管理料小計		1 699 065	1 465 202 510	37 104	53 514 770	1 661 961	1 411 687 740
1465	退院前在宅療養指導管理料	120	1 168	140 160	1 168	140 160	-	-
1466	退院前在宅療養指導管理料　乳幼児　加算	200	41	8 200	41	8 200	-	-
1467	在宅自己注射指導管理料　複雑な場合	1230	7 460	9 175 800	110	135 300	7 350	9 040 500
1468	在宅自己注射指導管理料　複雑な場合以外　月27回以下	650	142 885	92 875 250	6 030	3 919 500	136 855	88 955 750
1469	在宅自己注射指導管理料　複雑な場合以外　月28回以上	750	829 916	622 437 000	12 458	9 343 500	817 458	613 093 500
1470	在宅自己注射指導管理料　導入初期　加算	580	47 076	27 304 080	6 932	4 020 560	40 144	23 283 520
1471	在宅小児低血糖症患者指導管理料	820	169	138 580	11	9 020	158	129 560
1472	在宅妊娠糖尿病患者指導管理料	150	3 042	456 300	158	23 700	2 884	432 600
1473	在宅自己腹膜灌流指導管理料	4000	8 352	33 408 000	520	2 080 000	7 832	31 328 000
1474	在宅自己連続携行式腹膜灌流頻回指導管理	2000	1 624	3 248 000	7	14 000	1 617	3 234 000
1475	在宅血液透析指導管理料	8000	738	5 904 000	1	8 000	737	5 896 000
1476	在宅血液透析頻回指導管理	2000	7	14 000	-	-	7	14 000
1477	在宅酸素療法指導管理料　チアノーゼ型先天性心疾患	520	167	86 840	14	7 280	153	79 560
1478	在宅酸素療法指導管理料　その他	2400	128 296	307 910 400	8 115	19 476 000	120 181	288 434 400
1479	在宅酸素療法指導管理料　遠隔モニタリング　加算	150X	8	1 200	-	-	8	1 200
1480	在宅中心静脈栄養法指導管理料	3000	6 185	18 555 000	868	2 604 000	5 317	15 951 000
1481	在宅成分栄養経管栄養法指導管理料	2500	6 368	15 920 000	243	607 500	6 125	15 312 500
1482	在宅小児経管栄養法指導管理料	1050	3 243	3 405 150	217	227 850	3 026	3 177 300
1483	在宅半固形栄養経管栄養法指導管理料	2500	1 640	4 100 000	150	375 000	1 490	3 725 000
1484	在宅自己導尿指導管理料	1800	54 790	98 622 000	1 216	2 188 800	53 574	96 433 200
1485	在宅人工呼吸指導管理料	2800	18 258	51 122 400	1 368	3 830 400	16 890	47 292 000
1486	在宅持続陽圧呼吸療法指導管理料１	2250	1 193	2 684 250	24	54 000	1 169	2 630 250
1487	在宅持続陽圧呼吸療法指導管理料２	250	442 237	110 559 250	1 931	482 750	440 306	110 076 500
1488	在宅持続陽圧呼吸療法指導管理料２　遠隔モニタリング　加算	150X	2 343	368 400	6	900	2 337	367 500
1489	在宅悪性腫瘍等患者指導管理料	1500	705	1 057 500	53	79 500	652	978 000
1490	在宅悪性腫瘍患者共同指導管理料	1500	5	7 500	-	-	5	7 500
1491	在宅寝たきり患者処置指導管理料	1050	28 983	30 432 150	1 919	2 014 950	27 064	28 417 200
1492	在宅自己疼痛管理指導管理料	1300	580	754 000	26	33 800	554	720 200
1493	在宅振戦等刺激装置治療指導管理料	810	1 984	1 607 040	106	85 860	1 878	1 521 180
1494	在宅振戦等刺激装置治療指導管理料　導入期　加算	140	96	13 440	31	4 340	65	9 100
1495	在宅迷走神経電気刺激治療指導管理料	810	539	436 590	4	3 240	535	433 350
1496	在宅迷走神経電気刺激治療指導管理料　導入期　加算	140	30	4 200	3	420	27	3 780
1497	在宅仙骨神経刺激療法指導管理料	810	78	63 180	4	3 240	74	59 940
1498	在宅肺高血圧症患者指導管理料	1500	172	258 000	13	19 500	159	238 500
1499	在宅気管切開患者指導管理料	900	7 513	6 761 700	318	286 200	7 195	6 475 500
1500	在宅難治性皮膚疾患処置指導管理料	1000	169	169 000	1	1 000	168	168 000
1501	在宅植込型補助人工心臓（非拍動流型）指導管理料	45000	328	14 760 000	31	1 395 000	297	13 365 000
1502	在宅経腸投薬指導管理料	1500	246	369 000	19	28 500	227	340 500
1503	在宅腫瘍治療電場療法指導管理料	2800	22	61 600	1	2 800	21	58 800
1504	在宅経肛門的自己洗腸指導管理料	950	3	2 850	-	-	3	2 850
1505	在宅経肛門的自己洗腸指導管理料　導入初期　加算	500	1	500	-	-	1	500
1506	在宅療養指導管理材料加算小計		2 735 931	2 261 085 780	70 326	80 696 265	2 665 605	2 180 389 515
1507	血糖自己測定器加算　月20回以上測定（１型糖尿病の患者を除く）	350	82 273	28 795 550	1 129	395 150	81 144	28 400 400
1508	血糖自己測定器加算　月20回以上測定（１型糖尿病・小児低血糖症等）	350	5 203	1 821 050	58	20 300	5 145	1 800 750
1509	血糖自己測定器加算　月30回以上測定（１型糖尿病の患者を除く）	465	94 094	43 753 710	870	404 550	93 224	43 349 160
1510	血糖自己測定器加算　月30回以上測定（１型糖尿病・小児低血糖症等）	465	5 096	2 369 640	39	18 135	5 057	2 351 505
1511	血糖自己測定器加算　月40回以上測定（１型糖尿病の患者を除く）	580	71 820	41 655 600	800	464 000	71 020	41 191 600
1512	血糖自己測定器加算　月40回以上測定（１型糖尿病・小児低血糖症等）	580	5 615	3 256 700	68	39 440	5 547	3 217 260
1513	血糖自己測定器加算　月60回以上測定（１型糖尿病の患者を除く）	830	372 323	309 028 090	7 929	6 581 070	364 394	302 447 020
1514	血糖自己測定器加算　月60回以上測定（１型糖尿病・小児低血糖症等）	830	21 641	17 962 030	271	224 930	21 370	17 737 100
1515	血糖自己測定器加算　月90回以上測定	1170	19 327	22 612 590	226	264 420	19 101	22 348 170
1516	血糖自己測定器加算　月120回以上測定	1490	47 699	71 071 510	681	1 014 690	47 018	70 056 820
1517	注入器加算	300	2 701	810 300	83	24 900	2 618	785 400
1518	間歇注入シリンジポンプ加算　プログラム付きシリンジポンプ	2500	5 388	13 470 000	66	165 000	5 322	13 305 000
1519	間歇注入シリンジポンプ加算　プログラム付き以外のシリンジポンプ	1500	257	385 500	7	10 500	250	375 000
1520	持続血糖測定器加算　２個以下	1320	334	440 880	9	11 880	325	429 000
1521	持続血糖測定器加算　４個以下	2640	259	683 760	4	10 560	255	673 200
1522	持続血糖測定器加算　５個以上	3300	1 728	5 702 400	31	102 300	1 697	5 600 100
1523	持続血糖測定器加算　プログラム付きシリンジポンプ使用加算	3230	2 289	7 393 470	38	122 740	2 251	7 270 730
1524	持続血糖測定器加算　プログラム付きシリンジポンプ以外使用加算	2230	11	24 530	-	-	11	24 530
1525	経腸投薬用ポンプ加算	2500	207	517 500	19	47 500	188	470 000
1526	注入器用注射針加算　１型糖尿病・血友病又はこれらに準ずる患者	200	42 174	8 434 800	1 545	309 000	40 629	8 125 800
1527	注入器用注射針加算　１型糖尿病・血友病又はこれらに準ずる患者以外の場合	130	230 618	29 980 340	11 489	1 493 570	219 129	28 486 770
1528	紫外線殺菌器加算	360	5 649	2 033 640	376	135 360	5 273	1 898 280
1529	紫外線殺菌器加算　在宅自己連続携行式腹膜灌流液交換用熱殺菌器	360	225	81 000	5	1 800	220	79 200
1530	自動腹膜灌流装置加算	2500	3 718	9 295 000	246	615 000	3 472	8 680 000
1531	透析液供給装置加算	10000	741	7 410 000	3	30 000	738	7 380 000
1532	酸素ボンベ加算　携帯用酸素ボンベ	880	130 897	115 189 360	8 360	7 356 800	122 537	107 832 560
1533	酸素ボンベ加算　携帯用以外の酸素ボンベ	3950	244	963 800	35	138 250	209	825 550
1534	酸素濃縮装置加算	4000	151 618	606 472 000	9 154	36 616 000	142 464	569 856 000
1535	液化酸素装置加算　設置型液化酸素装置	3970	3 169	12 580 930	208	825 760	2 961	11 755 170
1536	液化酸素装置加算　携帯型液化酸素装置	880	6 208	5 463 040	338	297 440	5 870	5 165 600
1537	呼吸同調式デマンドバルブ加算	300	111 521	33 456 300	6 802	2 040 600	104 719	31 415 700
1538	在宅中心静脈栄養法用輸液セット加算	2000	4 799	9 598 000	720	1 440 000	4 079	8 158 000
1539	注入ポンプ加算	1250	9 763	12 203 750	938	1 172 500	8 825	11 031 250
1540	在宅経管栄養法用栄養管セット加算	2000	14 300	28 600 000	983	1 966 000	13 317	26 634 000
1541	特殊カテーテル加算　間歇導尿用ディスポーザブルカテーテル　親水性コーティングを有するもの	960	2 928	2 810 880	114	109 440	2 814	2 701 440
1542	特殊カテーテル加算　間歇導尿用ディスポーザブルカテーテル　親水性コーティングを有するもの以外	600	25 021	15 012 600	532	319 200	24 489	14 693 400
1543	特殊カテーテル加算　間歇バルーンカテーテル	600	2 659	1 595 400	58	34 800	2 601	1 560 600
1544	人工呼吸器加算　陽圧式人工呼吸器	7480	6 286	47 019 280	565	4 226 200	5 721	42 793 080
1545	人工呼吸器加算　人工呼吸器	6480	12 132	78 615 360	784	5 080 320	11 348	73 535 040
1546	人工呼吸器加算　陰圧式人工呼吸器	7480	150	1 122 000	10	74 800	140	1 047 200
1547	在宅持続陽圧呼吸療法用治療器加算　ＡＳＶ使用	3750	8 879	33 296 250	392	1 470 000	8 487	31 826 250
1548	在宅持続陽圧呼吸療法用治療器加算　ＣＰＡＰ使用	1000	533 540	533 540 000	2 048	2 048 000	531 492	531 492 000
1549	携帯型ディスポーザブル注入ポンプ加算	2500	255	637 500	36	90 000	219	547 500
1550	疼痛等管理用送信器加算	600	2 627	1 576 200	111	66 600	2 516	1 509 600
1551	携帯型精密輸液ポンプ加算	10000	469	4 690 000	30	300 000	439	4 390 000
1552	携帯型精密ネブライザー加算	3200	84	268 800	13	41 600	71	227 200
1553	気管切開患者用人工鼻加算	1500	8 789	13 183 500	595	892 500	8 194	12 291 000
1554	排痰補助装置加算	1800	3 543	6 377 400	245	441 000	3 298	5 936 400
1555	在宅酸素療法材料加算　チアノーゼ型先天性心疾患の場合	780	188	146 640	17	13 260	171	133 380
1556	在宅酸素療法材料加算　その他の場合	100	143 354	14 335 400	8 874	887 400	134 480	13 448 000
1557	在宅持続陽圧呼吸療法材料加算	100	533 418	53 341 800	2 410	241 000	531 008	53 100 800
1558	薬剤料（在宅医療）		417 451	1 436 707 570	35 966	39 199 630	381 485	1 397 507 940
1559	特定保険医療材料料小計		73 750	97 715 760	1 296	4 748 712	72 454	92 967 048
1560	腹膜透析液交換セット		7 267	52 806 055	421	2 858 857	6 846	49 947 198
1561	在宅中心静脈栄養用輸液セット		3 535	1 867 833	179	111 546	3 356	1 756 287
1562	在宅寝たきり患者処置用気管切開後留置用チューブ		5 450	3 177 128	73	70 592	5 377	3 106 536
1563	在宅寝たきり患者処置用膀胱留置用ディスポーザブルカテーテル		20 218	1 845 830	85	15 217	20 133	1 830 613
1564	在宅寝たきり患者処置用栄養用ディスポーザブルカテーテル		2 579	260 966	15	2 755	2 564	258 211
1565	在宅血液透析用特定保険医療材料（回路を含む）		1 337	1 113 472	-	-	1 337	1 113 472
1566	携帯型ディスポーザブル注入ポンプ		48	22 332	1	443	47	21 889
1567	皮膚欠損用創傷被覆材		1 897	1 440 142	9	893	1 888	1 439 249
1568	非固着性シリコンガーゼ		11	483 247	-	-	11	483 247
1569	水循環回路セット		-	-	-	-	-	-
1570	その他の特定保険医療材料料		31 408	34 698 755	513	1 688 409	30 895	33 010 346
1571	補正点数（＋）在宅医療		-	6 080	-	4 600	-	1 480
1572	補正点数（－）在宅医療		-	-	-	-	-	-

第８表　医科診療　件数・診療実日数・回数・点数，診療行為（細分類）、入院－入院外別

平成30年６月審査分

行番号	診療行為（細分類）	固定点数	総数 回数	総数 点数	入院 回数	入院 点数	入院外 回数	入院外 点数
1573	**検査計**		203 534 509	22 205 937 094	12 915 885	1 529 375 474	190 618 624	20 676 561 620
1574	（検体検査料）							
1575	（検体検査実施料）							
1576	尿・糞便等検査小計		8 839 396	272 253 270	558 024	16 957 627	8 281 372	255 295 643
1577	尿中一般物質定性半定量検査	26	6 027 537	156 715 962	328 134	8 531 484	5 699 403	148 184 478
1578	尿中特殊物質定性定量検査							
1579	尿蛋白	7	173 689	1 215 823	12 488	87 416	161 201	1 128 407
1580	ＶＭＡ定性（尿）	9	236	2 124	9	81	227	2 043
1581	Ｂｅｎｃｅ　Ｊｏｎｅｓ蛋白定性（尿）	9	1 030	9 270	135	1 215	895	8 055
1582	尿グルコース	9	50 258	452 322	4 194	37 746	46 064	414 576
1583	ウロビリノゲン（尿）	16	75	1 200	4	64	71	1 136
1584	先天性代謝異常症スクリーニングテスト（尿）	16	6	96	－	－	6	96
1585	尿浸透圧	16	9 490	151 840	2 729	43 664	6 761	108 176
1586	ポルフィリン症スクリーニングテスト（尿）	17	－	－	－	－	－	－
1587	Ｎ－アセチルグルコサミニダーゼ（ＮＡＧ）（尿）	41	17 222	706 102	1 649	67 609	15 573	638 493
1588	アルブミン定性（尿）	49	28 521	1 397 529	212	10 388	28 309	1 387 141
1589	黄体形成ホルモン（ＬＨ）定性（尿）	72	45 334	3 264 048	6	432	45 328	3 263 616
1590	フィブリン・フィブリノゲン分解産物（ＦＤＰ）（尿）	72	474	34 128	57	4 104	417	30 024
1591	アルブミン定量（尿）	105	191 290	20 085 450	1 837	192 885	189 453	19 892 565
1592	トランスフェリン（尿）	107	421	45 047	25	2 675	396	42 372
1593	ウロポルフィリン（尿）	108	61	6 588	7	756	54	5 832
1594	δアミノレブリン酸（δ-ＡＬＡ）（尿）	112	22	2 464	7	784	15	1 680
1595	ポリアミン（尿）	115	－	－	－	－	－	－
1596	ミオイノシトール（尿）	120	2	240	－	－	2	240
1597	コプロポルフィリン（尿）	139	51	7 089	7	973	44	6 116
1598	ポルフォビリノゲン（尿）	191	17	3 247	7	1 337	10	1 910
1599	総ヨウ素（尿）	191	327	62 457	17	3 247	310	59 210
1600	Ⅳ型コラーゲン（尿）	194	269	52 186	3	582	266	51 604
1601	シュウ酸（尿）	200	4	800	－	－	4	800
1602	Ｌ型脂肪酸結合蛋白（Ｌ-ＦＡＢＰ）（尿）	210	6 411	1 346 310	207	43 470	6 204	1 302 840
1603	好中球ゼラチナーゼ結合性リポカリン（ＮＧＡＬ）（尿）	210	151	31 710	28	5 880	123	25 830
1604	尿の蛋白免疫学的検査		15 264	1 662 579	1 386	151 194	13 878	1 511 385
1605	尿中特殊物質定性定量検査　その他		109 404	2 892 221	8 268	253 010	101 136	2 639 211
1606	尿沈渣（鏡検法）	27	1 618 444	43 697 988	147 703	3 987 981	1 470 741	39 710 007
1607	尿沈渣（鏡検法）染色標本　加算	9	345 311	3 107 799	38 264	344 376	307 047	2 763 423
1608	尿沈渣（フローサイトメトリー法）	24	209 826	5 035 824	16 601	398 424	193 225	4 637 400
1609	糞便検査							
1610	虫卵検出（集卵法）（糞便）	15	629	9 435	109	1 635	520	7 800
1611	ウロビリン（糞便）	15	4	60	3	45	1	15
1612	糞便塗抹顕微鏡検査（虫卵，脂肪及び消化状況観察を含む。）	20	2 070	41 400	468	9 360	1 602	32 040
1613	虫体検出（糞便）	23	206	4 738	19	437	187	4 301
1614	糞便中脂質	25	8	200	－	－	8	200
1615	糞便中ヘモグロビン定性	37	151 489	5 605 093	16 944	626 928	134 545	4 978 165
1616	虫卵培養（糞便）	40	140	5 600	85	3 400	55	2 200
1617	糞便中ヘモグロビン	41	49 684	2 037 044	4 645	190 445	45 039	1 846 599
1618	糞便中ヘモグロビン及びトランスフェリン定性・定量	56	19 739	1 105 384	4 533	253 848	15 206	851 536
1619	カルプロテクチン（糞便）	276	770	212 520	8	2 208	762	210 312
1620	穿刺液・採取液検査							
1621	ヒューナー検査	20	8 352	167 040	2	40	8 350	167 000
1622	胃液又は十二指腸液一般検査	55	154	8 470	80	4 400	74	4 070
1623	髄液一般検査	62	4 430	274 660	1 860	115 320	2 570	159 340
1624	精液一般検査	70	16 311	1 141 770	2	140	16 309	1 141 630
1625	頸管粘液一般検査	75	55 001	4 125 075	3	225	54 998	4 124 850
1626	顆粒球エラスターゼ定性（子宮頸管粘液）	100	1 548	154 800	310	31 000	1 238	123 800
1627	ＩｇＥ定性（涙液）	100	6 789	678 900	3	300	6 786	678 600
1628	顆粒球エラスターゼ（子宮頸管粘液）	125	1 440	180 000	340	42 500	1 100	137 500
1629	マイクロバブルテスト	200	2	400	2	400	－	－
1630	ＩｇＧインデックス	426	329	140 154	150	63 900	179	76 254
1631	オリゴクローナルバンド	538	322	173 236	116	62 408	206	110 828
1632	ミエリン塩基性蛋白（ＭＢＰ）（髄液）	593	310	183 830	121	71 753	189	112 077
1633	リン酸化タウ蛋白（髄液）	641	115	73 715	60	38 460	55	35 255
1634	タウ蛋白（髄液）	641	29	18 589	19	12 179	10	6 410
1635	髄液蛋白免疫学的検査		95	12 985	15	702	80	12 283
1636	髄液塗抹染色標本検査		6	387	3	183	3	204
1637	穿刺液・採取液検査　その他		8 666	345 242	1 945	47 934	6 721	297 308
1638	悪性腫瘍組織検査							
1639	悪性腫瘍遺伝子検査　ＥＧＦＲ遺伝子検査（リアルタイムＰＣＲ法）	2500	1 162	2 905 000	91	227 500	1 071	2 677 500
1640	悪性腫瘍遺伝子検査　ＥＧＦＲ遺伝子検査（リアルタイムＰＣＲ法以外）	2100	699	1 467 900	37	77 700	662	1 390 200
1641	悪性腫瘍遺伝子検査　Ｋ－ｒａｓ遺伝子検査	2100	65	136 500	19	39 900	46	96 600
1642	悪性腫瘍遺伝子検査　ＥＷＳ－Ｆｌｉ１遺伝子検査	2100	－	－	－	－	－	－
1643	悪性腫瘍遺伝子検査　ＴＬＳ－ＣＨＯＰ遺伝子検査	2100	2	4 200	－	－	2	4 200
1644	悪性腫瘍遺伝子検査　ＳＹＴ－ＳＳＸ遺伝子検査	2100	3	6 300	－	－	3	6 300
1645	悪性腫瘍遺伝子検査　ｃ－ｋｉｔ遺伝子検査	2500	12	30 000	－	－	12	30 000
1646	悪性腫瘍遺伝子検査　マイクロサテライト不安定性検査	2100	47	98 700	－	－	47	98 700
1647	悪性腫瘍遺伝子検査　センチネルリンパ節生検に係る遺伝子検査	2100	－	－	－	－	－	－
1648	悪性腫瘍遺伝子検査　ＢＲＡＦ遺伝子検査	6520	50	326 000	5	32 600	45	293 400
1649	悪性腫瘍遺伝子検査　ＲＡＳ遺伝子検査	2500	1 576	3 940 000	246	615 000	1 330	3 325 000
1650	悪性腫瘍遺伝子検査　ＲＯＳ１融合遺伝子検査	2500	376	940 000	19	47 500	357	892 500
1651	悪性腫瘍遺伝子検査　２項目	4000	910	3 640 000	38	152 000	872	3 488 000
1652	悪性腫瘍遺伝子検査　３項目以上	6000	5	30 000	1	6 000	4	24 000
1653	抗悪性腫瘍剤感受性検査	2500	15	37 500	3	7 500	12	30 000
1654	血液学的検査小計		24 285 761	835 232 912	2 208 962	62 566 267	22 076 799	772 666 645
1655	血液形態・機能検査							
1656	赤血球沈降速度（ＥＳＲ）	9	305 479	2 749 311	31 173	280 557	274 306	2 468 754
1657	網赤血球数	12	159 935	1 919 220	34 179	410 148	125 756	1 509 072
1658	血液浸透圧	15	12 389	185 835	4 989	74 835	7 400	111 000
1659	好酸球（鼻汁・喀痰）	15	176 020	2 640 300	117	1 755	175 903	2 638 545
1660	末梢血液像（自動機械法）	15	3 786 113	56 791 695	546 236	8 193 540	3 239 877	48 598 155
1661	好酸球数	17	8 791	149 447	134	2 278	8 657	147 169
1662	末梢血液一般検査	21	9 170 666	192 583 986	1 018 189	21 381 969	8 152 477	171 202 017
1663	末梢血液像（鏡検法）	25	309 058	7 726 450	73 909	1 847 725	235 149	5 878 725
1664	末梢血液像　特殊染色　加算	27	567	15 309	44	1 188	523	14 121
1665	血中微生物検査	40	71	2 840	19	760	52	2 080
1666	赤血球抵抗試験	45	19	855	2	90	17	765
1667	ヘモグロビンＡ１ｃ（ＨｂＡ１ｃ）	49	6 659 252	326 303 348	107 648	5 274 752	6 551 604	321 028 596
1668	自己溶血試験	50	1	50	－	－	1	50
1669	血液粘稠度	50	24	1 200	10	500	14	700
1670	ヘモグロビンＦ（ＨｂＦ）	60	129	7 740	39	2 340	90	5 400
1671	デオキシチミジンキナーゼ（ＴＫ）活性	233	2 048	477 184	32	7 456	2 016	469 728
1672	ターミナルデオキシヌクレオチジルトランスフェラーゼ（ＴｄＴ）	250	42	10 500	5	1 250	37	9 250
1673	骨髄像	837	6 795	5 687 415	909	760 833	5 886	4 926 582
1674	骨髄像　特殊染色　加算	40	5 604	224 160	658	26 320	4 946	197 840
1675	造血器腫瘍細胞抗原検査（一連につき）	2000	6 534	13 068 000	674	1 348 000	5 860	11 720 000
1676	出血・凝固検査							
1677	出血時間	15	50 968	764 520	7 206	108 090	43 762	656 430
1678	プロトロンビン時間（ＰＴ）	18	1 648 652	29 675 736	140 238	2 524 284	1 508 414	27 151 452
1679	トロンボテスト	18	27 691	498 438	1 690	30 420	26 001	468 018
1680	血餅収縮能	19	2	38	－	－	2	38

第８表　医科診療　件数・診療実日数・回数・点数，診療行為（細分類）、入院－入院外別

平成30年６月審査分

行番号	診療行為（細分類）	固定点数	総数 回数	総数 点数	入院 回数	入院 点数	入院外 回数	入院外 点数
1681	毛細血管抵抗試験	19	55	1 045	4	76	51	969
1682	フィブリノゲン半定量	23	146 008	3 358 184	22 218	511 014	123 790	2 847 170
1683	フィブリノゲン定量	23	164 258	3 777 934	19 649	451 927	144 609	3 326 007
1684	クリオフィブリノゲン	23	52	1 196	4	92	48	1 104
1685	トロンビン時間	25	829	20 725	136	3 400	693	17 325
1686	蛇毒試験	28	1	28	－	－	1	28
1687	トロンボエラストグラフ	28	24	672	1	28	23	644
1688	ヘパリン抵抗試験	28	13	364	4	112	9	252
1689	活性化部分トロンボプラスチン時間（ＡＰＴＴ）	29	992 969	28 796 101	107 999	3 131 971	884 970	25 664 130
1690	血小板凝集能	50	7 259	362 950	758	37 900	6 501	325 050
1691	血小板粘着能	64	180	11 520	11	704	169	10 816
1692	アンチトロンビン活性	70	33 261	2 328 270	8 438	590 660	24 823	1 737 610
1693	アンチトロンビン抗原	70	836	58 520	170	11 900	666	46 620
1694	フィブリン・フィブリノゲン分解産物（ＦＤＰ）定性	80	52 632	4 210 560	10 450	836 000	42 182	3 374 560
1695	フィブリン・フィブリノゲン分解産物（ＦＤＰ）半定量	80	1 029	82 320	491	39 280	538	43 040
1696	フィブリン・フィブリノゲン分解産物（ＦＤＰ）定量	80	57 210	4 576 800	10 254	820 320	46 956	3 756 480
1697	プラスミン	80	1	80	－	－	1	80
1698	プラスミン活性	80	10	800	1	80	9	720
1699	α１－アンチトリプシン	80	148	11 840	17	1 360	131	10 480
1700	フィブリンモノマー複合体定性	93	3 841	357 213	441	41 013	3 400	316 200
1701	プラスミノゲン活性	100	800	80 000	134	13 400	666	66 600
1702	プラスミノゲン抗原	100	40	4 000	3	300	37	3 700
1703	凝固因子インヒビター定性（クロスミキシング試験）	100	106	10 600	8	800	98	9 800
1704	Ｄダイマー定性	128	31 082	3 978 496	3 255	416 640	27 827	3 561 856
1705	プラスミンインヒビター（アンチプラスミン）	131	324	42 444	68	8 908	256	33 536
1706	Ｄダイマー半定量	131	19 165	2 510 615	2 215	290 165	16 950	2 220 450
1707	von Willebrand因子（ＶＷＦ）活性	136	784	106 624	12	1 632	772	104 992
1708	Ｄダイマー	137	394 001	53 978 137	50 524	6 921 788	343 477	47 056 349
1709	α２－マクログロブリン	138	38	5 244	7	966	31	4 278
1710	ＰＩＶＫＡ－Ⅱ	143	896	128 128	54	7 722	842	120 406
1711	凝固因子インヒビター	152	859	130 568	30	4 560	829	126 008
1712	von Willebrand因子（ＶＷＦ）抗原	155	155	24 025	5	775	150	23 250
1713	プラスミン・プラスミンインヒビター複合体（ＰＩＣ）	162	616	99 792	133	21 546	483	78 246
1714	プロテインＳ抗原	162	221	35 802	27	4 374	194	31 428
1715	プロテインＳ活性	170	999	169 830	45	7 650	954	162 180
1716	β－トロンボグロブリン（β-ＴＧ）	177	61	10 797	2	354	59	10 443
1717	血小板第４因子（ＰＦ$_4$）	178	60	10 680	7	1 246	53	9 434
1718	トロンビン・アンチトロンビン複合体（ＴＡＴ）	186	3 423	636 678	824	153 264	2 599	483 414
1719	プロトロンビンフラグメントＦ１＋２	193	297	57 321	13	2 509	284	54 812
1720	トロンボモジュリン	205	112	22 960	7	1 435	105	21 525
1721	凝固因子（第Ⅱ因子，第Ⅴ因子，第Ⅶ因子，第Ⅷ因子，第Ⅸ因子，第Ⅹ因子，第ⅩⅠ因子，第ⅩⅡ因子，第ⅩⅢ因子）	229	2 760	632 040	223	51 067	2 537	580 973
1722	フィブリンモノマー複合体	233	2 313	538 929	302	70 366	2 011	468 563
1723	プロテインＣ抗原	246	67	16 482	12	2 952	55	13 530
1724	ｔＰＡ・ＰＡＩ－１複合体	247	180	44 460	93	22 971	87	21 489
1725	プロテインＣ活性	248	792	196 416	83	20 584	709	175 832
1726	ＡＤＡＭＴＳ１３活性	400	38	15 200	18	7 200	20	8 000
1727	ＡＤＡＭＴＳ１３インヒビター	600	22	13 200	12	7 200	10	6 000
1728	出血・凝固検査　３項目又は４項目	530	3 060	1 621 800	343	181 790	2 717	1 440 010
1729	出血・凝固検査　５項目以上	722	623	449 806	57	41 154	566	408 652
1730	造血器腫瘍遺伝子検査	2100	2 616	5 493 600	115	241 500	2 501	5 252 100
1731	Major BCR-ABL1 mRNA定量（国際標準値）診断補助	2520	961	2 421 720	8	20 160	953	2 401 560
1732	Major BCR-ABL1 mRNA定量（国際標準値）モニタリング	2520	5 129	12 925 080	21	52 920	5 108	12 872 160
1733	Major BCR-ABL1 mRNA定量（国際標準値以外）	1200	602	722 400	1	1 200	601	721 200
1734	遺伝学的検査　処理が容易なもの	3880	327	1 268 760	15	58 200	312	1 210 560
1735	遺伝学的検査　処理が複雑なもの	5000	70	350 000	8	40 000	62	310 000
1736	遺伝学的検査　処理が極めて複雑なもの	8000	58	464 000	1	8 000	57	456 000
1737	染色体検査（全ての費用を含む）	2631	10 185	26 796 735	1 116	2 936 196	9 069	23 860 539
1738	染色体検査　分染法　加算	397	9 128	3 623 816	1 022	405 734	8 106	3 218 082
1739	免疫関連遺伝子再構成	2504	707	1 770 328	58	145 232	649	1 625 096
1740	ＵＤＰグルクロン酸転移酵素遺伝子多型	2100	1 468	3 082 800	65	136 500	1 403	2 946 300
1741	サイトケラチン19（ＫＲＴ19）ｍＲＮＡ検出	2400	138	331 200	125	300 000	13	31 200
1742	ＷＴ１　ｍＲＮＡ	2520	8 040	20 260 800	449	1 131 480	7 591	19 129 320
1743	ＣＣＲ４タンパク（フローサイトメトリー法）	10000	16	160 000	3	30 000	13	130 000
1744	ＦＩＰ１Ｌ１－ＰＤＧＦＲα融合遺伝子検査	3300	12	39 600	1	3 300	11	36 300
1745	ＥＧＦＲ遺伝子検査（血漿）	2100	243	510 300	16	33 600	227	476 700
1746	骨髄微小残存病変量測定　遺伝子再構成の同定に用いるもの	3500	－	－	－	－	－	－
1747	骨髄微小残存病変量測定　モニタリングに用いるもの	2100	－	－	－	－	－	－
1748	生化学的検査（Ｉ）小計		22 373 614	1 744 573 734	3 430 516	158 094 112	18 943 098	1 586 479 622
1749	血液化学検査							
1750	総ビリルビン	11	111 669	1 228 359	15 968	175 648	95 701	1 052 711
1751	直接ビリルビン又は抱合型ビリルビン	11	36 113	397 243	1 962	21 582	34 151	375 661
1752	総蛋白	11	96 810	1 064 910	6 333	69 663	90 477	995 247
1753	アルブミン	11	102 657	1 129 227	6 776	74 536	95 881	1 054 691
1754	尿素窒素	11	213 303	2 346 333	18 810	206 910	194 493	2 139 423
1755	クレアチニン	11	255 175	2 806 925	19 619	215 809	235 556	2 591 116
1756	尿酸	11	126 135	1 387 485	2 198	24 178	123 937	1 363 307
1757	アルカリホスファターゼ（ＡＬＰ）	11	104 878	1 153 658	3 644	40 084	101 234	1 113 574
1758	コリンエステラーゼ（ＣｈＥ）	11	33 835	372 185	1 124	12 364	32 711	359 821
1759	γ－グルタミルトランスフェラーゼ（γ－ＧＴ）	11	121 093	1 332 023	3 120	34 320	117 973	1 297 703
1760	中性脂肪	11	224 293	2 467 223	2 163	23 793	222 130	2 443 430
1761	ナトリウム及びクロール	11	174 721	1 921 931	29 605	325 655	145 116	1 596 276
1762	カリウム	11	181 854	2 000 394	29 755	327 305	152 099	1 673 089
1763	カルシウム	11	198 196	2 180 156	5 530	60 830	192 666	2 119 326
1764	マグネシウム	11	15 403	169 433	1 483	16 313	13 920	153 120
1765	クレアチン	11	887	9 757	106	1 166	781	8 591
1766	グルコース	11	2 345 257	25 797 827	751 528	8 266 808	1 593 729	17 531 019
1767	乳酸デヒドロゲナーゼ（ＬＤ）	11	120 728	1 328 008	4 983	54 813	115 745	1 273 195
1768	アミラーゼ	11	57 570	633 270	3 126	34 386	54 444	598 884
1769	ロイシンアミノペプチダーゼ（ＬＡＰ）	11	3 695	40 645	135	1 485	3 560	39 160
1770	クレアチンキナーゼ（ＣＫ）	11	97 454	1 071 994	4 442	48 862	93 012	1 023 132
1771	アルドラーゼ	11	1 021	11 231	29	319	992	10 912
1772	遊離コレステロール	11	222	2 442	1	11	221	2 431
1773	鉄（Ｆｅ）	11	112 961	1 242 571	4 082	44 902	108 879	1 197 669
1774	血中ケトン体・糖・クロール検査（試験紙法・アンプル法・固定化酵素電極によるもの）	11	1 712 341	18 835 751	1 349 710	14 846 810	362 631	3 988 941
1775	不飽和鉄結合能（ＵＩＢＣ）（比色法）	11	20 449	224 939	948	10 428	19 501	214 511
1776	総鉄結合能（ＴＩＢＣ）（比色法）	11	34 345	377 795	1 477	16 247	32 868	361 548
1777	リン脂質	15	1 063	15 945	52	780	1 011	15 165
1778	ＨＤＬ－コレステロール	17	170 148	2 892 516	1 232	20 944	168 916	2 871 572
1779	無機リン及びリン酸	17	145 774	2 478 158	2 714	46 138	143 060	2 432 020
1780	総コレステロール	17	130 328	2 215 576	1 608	27 336	128 720	2 188 240
1781	アスパラギン酸アミノトランスフェラーゼ（ＡＳＴ）	17	187 230	3 182 910	6 770	115 090	180 460	3 067 820
1782	アラニンアミノトランスフェラーゼ（ＡＬＴ）	17	190 862	3 244 654	6 696	113 832	184 166	3 130 822
1783	ＬＤＬ－コレステロール	18	152 088	2 737 584	1 219	21 942	150 869	2 715 642
1784	蛋白分画	18	8 975	161 550	824	14 832	8 151	146 718
1785	銅（Ｃｕ）	23	3 035	69 805	300	6 900	2 735	62 905
1786	リパーゼ	24	10 139	243 336	389	9 336	9 750	234 000
1787	イオン化カルシウム	26	3 187	82 862	1 732	45 032	1 455	37 830
1788	マンガン（Ｍｎ）	27	11	297	3	81	8	216
1789	ムコ蛋白	29	24	696	－	－	24	696
1790	ケトン体	30	13 383	401 490	790	23 700	12 593	377 790

第８表　医科診療　件数・診療実日数・回数・点数，診療行為（細分類）、入院－入院外別

平成30年６月審査分

行番号	診療行為（細分類）	固定点数	総数 回数	総数 点数	入院 回数	入院 点数	入院外 回数	入院外 点数
1791	アポリポ蛋白　１項目の場合	31	2 072	64 232	7	217	2 065	64 015
1792	アポリポ蛋白　２項目の場合	62	528	32 736	5	310	523	32 426
1793	アポリポ蛋白　３項目以上の場合	94	11 900	1 118 600	141	13 254	11 759	1 105 346
1794	アデノシンデアミナーゼ（ＡＤＡ）	32	2 285	73 120	657	21 024	1 628	52 096
1795	グアナーゼ	35	402	14 070	27	945	375	13 125
1796	有機モノカルボン酸	47	45 412	2 134 364	5 056	237 632	40 356	1 896 732
1797	胆汁酸	47	11 399	535 753	321	15 087	11 078	520 666
1798	ＡＬＰアイソザイム	48	9 111	437 328	848	40 704	8 263	396 624
1799	アミラーゼアイソザイム	48	71 123	3 413 904	3 697	177 456	67 426	3 236 448
1800	γ－ＧＴアイソザイム	48	45	2 160	3	144	42	2 016
1801	ＬＤアイソザイム	48	4 594	220 512	551	26 448	4 043	194 064
1802	重炭酸塩	48	13 495	647 760	500	24 000	12 995	623 760
1803	ＡＳＴアイソザイム	49	411	20 139	24	1 176	387	18 963
1804	リポ蛋白分画	49	4 421	216 629	189	9 261	4 232	207 368
1805	アンモニア	50	107 026	5 351 300	17 841	892 050	89 185	4 459 250
1806	ＣＫアイソザイム	55	35 000	1 925 000	2 958	162 690	32 042	1 762 310
1807	グリコアルブミン	55	154 588	8 502 340	4 867	267 685	149 721	8 234 655
1808	コレステロール分画	57	2 029	115 653	63	3 591	1 966	112 062
1809	ケトン体分画	59	5 468	322 612	301	17 759	5 167	304 853
1810	遊離脂肪酸	59	587	34 633	12	708	575	33 925
1811	レシチン・コレステロール・アシルトランスフェラーゼ（L−CAT）	70	224	15 680	14	980	210	14 700
1812	グルコース－６－リン酸デヒドロゲナーゼ（G-6-PD）	80	1	80	1	80	－	－
1813	リポ蛋白分画（ＰＡＧディスク電気泳動法）	80	5 126	410 080	170	13 600	4 956	396 480
1814	１，５－アンヒドロ－Ｄ－グルシトール（１，５ＡＧ）	80	23 968	1 917 440	242	19 360	23 726	1 898 080
1815	グリココール酸	80	626	50 080	114	9 120	512	40 960
1816	ＣＫ－ＭＢ	90	71 696	6 452 640	7 138	642 420	64 558	5 810 220
1817	膵分泌性トリプシンインヒビター（ＰＳＴＩ）	95	52	4 940	9	855	43	4 085
1818	ＬＤアイソザイム１型	95	91	8 645	17	1 615	74	7 030
1819	遊離カルニチン	95	4 694	445 930	647	61 465	4 047	384 465
1820	総カルニチン	95	4 588	435 860	652	61 940	3 936	373 920
1821	ALPアイソザイム及び骨型アルカリホスファターゼ（BAP）	96	292	28 032	26	2 496	266	25 536
1822	リポ蛋白（ａ）	107	9 527	1 019 389	343	36 701	9 184	982 688
1823	ヘパリン	108	21	2 268	7	756	14	1 512
1824	フェリチン半定量	111	223 194	24 774 534	12 461	1 383 171	210 733	23 391 363
1825	フェリチン定量	111	323 924	35 955 564	16 231	1 801 641	307 693	34 153 923
1826	エタノール	113	2 086	235 718	274	30 962	1 812	204 756
1827	心筋トロポニンＩ	117	49 297	5 767 749	3 356	392 652	45 941	5 375 097
1828	ＫＬ－６	117	163 848	19 170 216	5 122	599 274	158 726	18 570 942
1829	ペントシジン	118	839	99 002	18	2 124	821	96 878
1830	アルミニウム（Ａｌ）	118	1 462	172 516	465	54 870	997	117 646
1831	イヌリン	120	45	5 400	1	120	44	5 280
1832	心筋トロポニンＴ（ＴｎＴ）定性・定量	120	53 414	6 409 680	6 496	779 520	46 918	5 630 160
1833	シスタチンＣ	121	40 489	4 899 169	2 120	256 520	38 369	4 642 649
1834	リポ蛋白分画（ＨＰＬＣ法）	129	156	20 124	2	258	154	19 866
1835	肺サーファクタント蛋白－Ａ（ＳＰ－Ａ）	130	774	100 620	52	6 760	722	93 860
1836	ガラクトース	130	9	1 170	1	130	8	1 040
1837	肺サーファクタント蛋白－Ｄ（ＳＰ－Ｄ）	136	52 652	7 160 672	2 014	273 904	50 638	6 886 768
1838	血液ガス分析	140	215 550	30 177 000	72 626	10 167 640	142 924	20 009 360
1839	プロコラーゲン-Ⅲ-ペプチド（Ｐ－Ⅲ－Ｐ）	140	705	98 700	21	2 940	684	95 760
1840	Ⅳ型コラーゲン	143	3 856	551 408	210	30 030	3 646	521 378
1841	ミオグロビン定性	143	5 117	731 731	446	63 778	4 671	667 953
1842	ミオグロビン定量	143	6 711	959 673	568	81 224	6 143	878 449
1843	心臓由来脂肪酸結合蛋白（Ｈ－ＦＡＢＰ）定性	143	6 629	947 947	1 045	149 435	5 584	798 512
1844	心臓由来脂肪酸結合蛋白（Ｈ－ＦＡＢＰ）定量	143	1 496	213 928	171	24 453	1 325	189 475
1845	アルブミン非結合型ビリルビン	143	622	88 946	301	43 043	321	45 903
1846	亜鉛（Ｚｎ）	144	69 496	10 007 424	7 646	1 101 024	61 850	8 906 400
1847	セレン	144	776	111 744	444	63 936	332	47 808
1848	アンギオテンシンＩ転換酵素（ＡＣＥ）	148	17 399	2 575 052	436	64 528	16 963	2 510 524
1849	Ⅳ型コラーゲン・７Ｓ	148	8 292	1 227 216	221	32 708	8 071	1 194 508
1850	ビタミンB_{12}	148	89 580	13 257 840	6 616	979 168	82 964	12 278 672
1851	ピルビン酸キナーゼ（ＰＫ）	150	4	600	－	－	4	600
1852	葉酸	158	63 813	10 082 454	6 267	990 186	57 546	9 092 268
1853	ＡＬＰアイソザイム（ＰＡＧ電気泳動法）	180	271	48 780	14	2 520	257	46 260
1854	ヒアルロン酸	184	15 590	2 868 560	535	98 440	15 055	2 770 120
1855	心室筋ミオシン軽鎖Ｉ	184	597	109 848	79	14 536	518	95 312
1856	腟分泌液中インスリン様成長因子結合蛋白１型（ＩＧＦＢＰ－１）定性	185	959	177 415	150	27 750	809	149 665
1857	レムナント様リポ蛋白コレステロール（ＲＬＰ-Ｃ）	189	27 367	5 172 363	264	49 896	27 103	5 122 467
1858	トリプシン	189	16 042	3 031 938	568	107 352	15 474	2 924 586
1859	アセトアミノフェン	190	32	6 080	6	1 140	26	4 940
1860	Ｍａｃ－２結合蛋白糖鎖修飾異性体	194	28 964	5 619 016	399	77 406	28 565	5 541 610
1861	マロンジアルデヒド修飾ＬＤＬ（ＭＤＡ－ＬＤＬ）	200	1 355	271 000	19	3 800	1 336	267 200
1862	ホスフォリパーゼA_2（ＰＬA_2）	204	5 030	1 026 120	154	31 416	4 876	994 704
1863	赤血球コプロポルフィリン	210	38	7 980	1	210	37	7 770
1864	リポ蛋白リパーゼ（ＬＰＬ）	223	262	58 426	4	892	258	57 534
1865	肝細胞増殖因子（ＨＧＦ）	227	83	18 841	11	2 497	72	16 344
1866	２，５－オリゴアデニル酸合成酵素活性	250	1	250	－	－	1	250
1867	ビタミンB_1	253	28 745	7 272 485	2 509	634 777	26 236	6 637 708
1868	ビタミンB_2	256	2 022	517 632	210	53 760	1 812	463 872
1869	赤血球プロトポルフィリン	272	86	23 392	2	544	84	22 848
1870	プロカルシトニン（ＰＣＴ）定量	301	24 146	7 267 946	6 645	2 000 145	17 501	5 267 801
1871	プロカルシトニン（ＰＣＴ）半定量	301	14 080	4 238 080	4 892	1 472 492	9 188	2 765 588
1872	プレセプシン定量	301	1 550	466 550	689	207 389	861	259 161
1873	インフリキシマブ定性	310	129	39 990	13	4 030	116	35 960
1874	ビタミンＣ	314	479	150 406	81	25 434	398	124 972
1875	１，25－ジヒドロキシビタミンD_3	388	5 060	1 963 280	353	136 964	4 707	1 826 316
1876	25－ヒドロキシビタミンＤ	400	7 852	3 140 800	583	233 200	7 269	2 907 600
1877	血液化学検査　５項目以上７項目以下	93	670 084	62 317 812	49 344	4 588 992	620 740	57 728 820
1878	血液化学検査　８項目又は９項目	99	729 576	72 228 024	62 820	6 219 180	666 756	66 008 844
1879	血液化学検査　10項目以上	112	11 268 865	1 262 112 880	814 106	91 179 872	10 454 759	1 170 933 008
1880	血液化学検査　入院時初回　加算	20	168 952	3 379 040	168 939	3 378 780	13	260
1881	生化学的検査（Ⅱ）小計		6 122 559	971 537 018	221 489	35 874 083	5 901 070	935 662 935
1882	内分泌学的検査							
1883	ヒト絨毛性ゴナドトロピン（ＨＣＧ）定性	55	4 830	265 650	49	2 695	4 781	262 955
1884	11－ハイドロキシコルチコステロイド（11－ＯＨＣＳ）	60	375	22 500	16	960	359	21 540
1885	ホモバニリン酸（ＨＶＡ）	69	387	26 703	5	345	382	26 358
1886	バニールマンデル酸（ＶＭＡ）	90	962	86 580	51	4 590	911	81 990
1887	５－ハイドロキシインドール酢酸（５－ＨＩＡＡ）	95	179	17 005	4	380	175	16 625
1888	プロラクチン（ＰＲＬ）	98	85 628	8 391 544	2 866	280 868	82 762	8 110 676
1889	レニン活性	100	40 107	4 010 700	1 634	163 400	38 473	3 847 300
1890	トリヨードサイロニン（T_3）	105	9 822	1 031 310	470	49 350	9 352	981 960
1891	甲状腺刺激ホルモン（ＴＳＨ）	107	1 276 654	136 601 978	41 964	4 490 148	1 234 690	132 111 830
1892	ガストリン	107	2 087	223 309	90	9 630	1 997	213 679
1893	インスリン（ＩＲＩ）	109	65 097	7 095 573	1 390	151 510	63 707	6 944 063
1894	レニン定量	111	4 407	489 177	150	16 650	4 257	472 527
1895	サイロキシン（T_4）	111	8 444	937 284	447	49 617	7 997	887 667
1896	成長ホルモン（ＧＨ）	114	1 799	205 086	41	4 674	1 758	200 412
1897	卵胞刺激ホルモン（ＦＳＨ）	114	24 874	2 835 636	44	5 016	24 830	2 830 620
1898	Ｃ－ペプチド（ＣＰＲ）	114	79 515	9 064 710	2 665	303 810	76 850	8 760 900
1899	黄体形成ホルモン（ＬＨ）	114	11 054	1 260 156	28	3 192	11 026	1 256 964
1900	アルドステロン	128	17 294	2 213 632	582	74 496	16 712	2 139 136
1901	テストステロン	128	13 548	1 734 144	63	8 064	13 485	1 726 080

第８表　医科診療　件数・診療実日数・回数・点数，診療行為（細分類）、入院－入院外別

平成30年６月審査分

行番号	診療行為（細分類）	固定点数	総数		入院		入院外	
			回数	点数	回数	点数	回数	点数
1902	遊離サイロキシン（ＦＴ$_4$）	130	916 970	119 206 100	28 877	3 754 010	888 093	115 452 090
1903	遊離トリヨードサイロニン（ＦＴ$_3$）	130	537 863	69 922 190	16 687	2 169 310	521 176	67 752 880
1904	コルチゾール	130	13 875	1 803 750	1 180	153 400	12 695	1 650 350
1905	サイロキシン結合グロブリン（ＴＢＧ）	130	196	25 480	13	1 690	183	23 790
1906	抗グルタミン酸デカルボキシラーゼ 抗体（抗GAD抗体）	134	20 994	2 813 196	1 043	139 762	19 951	2 673 434
1907	脳性Ｎａ利尿ペプチド（ＢＮＰ）	136	844 558	114 859 888	41 181	5 600 616	803 377	109 259 272
1908	サイログロブリン	137	31 603	4 329 611	288	39 456	31 315	4 290 155
1909	サイロキシン結合能（ＴＢＣ）	140	6	840	1	140	5	700
1910	脳性Ｎａ利尿ペプチド前駆体N端フラグメント（NT－ｐｒｏBNP）	140	376 491	52 708 740	21 116	2 956 240	355 375	49 752 500
1911	ヒト胎盤性ラクトーゲン（ＨＰＬ）	140	594	83 160	80	11 200	514	71 960
1912	ヒト絨毛性ゴナドトロピン-βサブユニット（HCG-β）	140	3 976	556 640	61	8 540	3 915	548 100
1913	カルシトニン	141	868	122 388	62	8 742	806	113 646
1914	ヒト絨毛性ゴナドトロピン（ＨＣＧ）定量	142	8 712	1 237 104	147	20 874	8 565	1 216 230
1915	ヒト絨毛性ゴナドトロピン（ＨＣＧ）半定量	142	5 074	720 508	96	13 632	4 978	706 876
1916	グルカゴン	150	1 026	153 900	24	3 600	1 002	150 300
1917	プロゲステロン	155	20 514	3 179 670	31	4 805	20 483	3 174 865
1918	Ⅰ型コラーゲン架橋N―テロペプチド（ＮＴＸ）	156	27 486	4 287 816	838	130 728	26 648	4 157 088
1919	酒石酸抵抗性酸ホスファターゼ（ＴＲＡＣＰ－５ｂ）	156	81 475	12 710 100	3 041	474 396	78 434	12 235 704
1920	骨型アルカリホスファターゼ（ＢＡＰ）	161	37 217	5 991 937	1 068	171 948	36 149	5 819 989
1921	低カルボキシル化オステオカルシン（ｕｃＯＣ）	162	2 600	421 200	82	13 284	2 518	407 916
1922	オステオカルシン（ＯＣ）	165	542	89 430	4	660	538	88 770
1923	遊離テストステロン	166	2 045	339 470	6	996	2 039	338 474
1924	インタクトⅠ型プロコラーゲン－N－プロペプチド（Ｉｎｔａｃｔ　ＰＩＮＰ）	168	10 686	1 795 248	370	62 160	10 316	1 733 088
1925	Ⅰ型コラーゲン架橋C－テロペプチド－β異性体（β－ＣＴＸ）（尿）	169	9	1 521	－	－	9	1 521
1926	セクレチン	170	27	4 590	－	－	27	4 590
1927	低単位ヒト絨毛性ゴナドトロピン（ＨＣＧ）半定量	170	396	67 320	7	1 190	389	66 130
1928	Ⅰ型コラーゲン架橋C－テロペプチド－β異性体（β－ＣＴＸ）	170	52	8 840	2	340	50	8 500
1929	Ⅰ型プロコラーゲン－Ｎ－プロペプチド（ＰＩＮＰ）	170	57 526	9 779 420	2 230	379 100	55 296	9 400 320
1930	サイクリックＡＭＰ（ｃＡＭＰ）	175	6	1 050	1	175	5	875
1931	副甲状腺ホルモン（ＰＴＨ）	175	69 795	12 214 125	6 804	1 190 700	62 991	11 023 425
1932	カテコールアミン分画	175	5 172	905 100	245	42 875	4 927	862 225
1933	デヒドロエピアンドロステロン硫酸抱合体（ＤＨＥＡ－Ｓ）	176	868	152 768	14	2 464	854	150 304
1934	エストリオール（Ｅ$_3$）	180	465	83 700	44	7 920	421	75 780
1935	エストロゲン半定量	180	734	132 120	47	8 460	687	123 660
1936	エストロゲン定量	180	233	41 940	－	－	233	41 940
1937	副甲状腺ホルモン関連蛋白C端フラグメント（Ｃ－ＰＴＨｒＰ）	180	52	9 360	11	1 980	41	7 380
1938	エストラジオール（Ｅ$_2$）	182	42 752	7 780 864	50	9 100	42 702	7 771 764
1939	デオキシピリジノリン（ＤＰＤ）（尿）	191	3 643	695 813	170	32 470	3 473	663 343
1940	副甲状腺ホルモン関連蛋白（ＰＴＨｒＰ）	194	573	111 162	101	19 594	472	91 568
1941	17－ケトジェニックステロイド（17－ＫＧＳ）	200	－	－	－	－	－	－
1942	副腎皮質刺激ホルモン（ＡＣＴＨ）	200	8 499	1 699 800	741	148 200	7 758	1 551 600
1943	カテコールアミン	200	390	78 000	9	1 800	381	76 200
1944	エリスロポエチン	209	11 203	2 341 427	1 486	310 574	9 717	2 030 853
1945	17－ケトステロイド分画（17－ＫＳ分画）	213	2	426	－	－	2	426
1946	17α－ヒドロキシプロゲステロン（17α－ＯＨＰ）	213	15	3 195	－	－	15	3 195
1947	抗ＩＡ－２抗体	213	106	22 578	12	2 556	94	20 022
1948	プレグナンジオール	213	－	－	－	－	－	－
1949	17－ケトジェニックステロイド分画（17－ＫＧＳ分画）	220	2	440	2	440	－	－
1950	メタネフリン	223	45	10 035	1	223	44	9 812
1951	ソマトメジンＣ	224	4 406	986 944	48	10 752	4 358	976 192
1952	心房性Ｎａ利尿ペプチド（ＡＮＰ）	227	10 644	2 416 188	2 576	584 752	8 068	1 831 436
1953	メタネフリン・ノルメタネフリン分画	227	282	64 014	17	3 859	265	60 155
1954	抗利尿ホルモン（ＡＤＨ）	235	1 295	304 325	335	78 725	960	225 600
1955	プレグナントリオール	240	21	5 040	－	－	21	5 040
1956	ノルメタネフリン	250	7	1 750	－	－	7	1 750
1957	インスリン様成長因子結合蛋白３型（ＩＧＦＢＰ－３）	280	4	1 120	－	－	4	1 120
1958	内分泌学的検査　３項目以上５項目以下	410	368 415	151 050 150	13 215	5 418 150	355 200	145 632 000
1959	内分泌学的検査　６項目又は７項目	623	20 879	13 007 617	473	294 679	20 406	12 712 938
1960	内分泌学的検査　８項目以上	900	7 719	6 947 100	183	164 700	7 536	6 782 400
1961	腫瘍マーカー							
1962	尿中ＢＴＡ	80	16	1 280	－	－	16	1 280
1963	癌胎児性抗原（ＣＥＡ）	105	57 378	6 024 690	2 038	213 990	55 340	5 810 700
1964	α―フェトプロテイン（ＡＦＰ）	107	52 563	5 624 241	621	66 447	51 942	5 557 794
1965	組織ポリペプタイド抗原（ＴＰＡ）	110	115	12 650	9	990	106	11 660
1966	扁平上皮癌関連抗原（ＳＣＣ抗原）	110	3 839	422 290	83	9 130	3 756	413 160
1967	ＤＵＰＡＮ―２	121	657	79 497	19	2 299	638	77 198
1968	ＮＣＣ―ＳＴ―439	121	63	7 623	－	－	63	7 623
1969	ＣＡ15－３	121	365	44 165	7	847	358	43 318
1970	前立腺酸ホスファターゼ抗原（ＰＡＰ）	124	57	7 068	－	－	57	7 068
1971	エラスターゼ１	129	5 526	712 854	158	20 382	5 368	692 472
1972	前立腺特異抗原（ＰＳＡ）	130	228 633	29 722 290	1 869	242 970	226 764	29 479 320
1973	ＣＡ19－９	130	21 637	2 812 810	284	36 920	21 353	2 775 890
1974	ＰＩＶＫＡ－Ⅱ半定量	143	7 470	1 068 210	107	15 301	7 363	1 052 909
1975	ＰＩＶＫＡ－Ⅱ定量	143	7 141	1 021 163	104	14 872	7 037	1 006 291
1976	ＣＡ72－４	146	139	20 294	1	146	138	20 148
1977	ＳＰａｎ－１	146	233	34 018	1	146	232	33 872
1978	シアリルＴｎ抗原（ＳＴＮ）	146	62	9 052	－	－	62	9 052
1979	神経特異エノラーゼ（ＮＳＥ）	146	566	82 636	28	4 088	538	78 548
1980	ＣＡ125	148	21 766	3 221 368	86	12 728	21 680	3 208 640
1981	塩基性フェトプロテイン（ＢＦＰ）	150	115	17 250	5	750	110	16 500
1982	核マトリックスプロテイン22（NMP22）定量（尿）	151	820	123 820	22	3 322	798	120 498
1983	核マトリックスプロテイン22（NMP22）定性（尿）	151	945	142 695	18	2 718	927	139 977
1984	シアリルＬｅ^x―ｉ抗原（ＳＬＸ）	152	241	36 632	5	760	236	35 872
1985	遊離型ＰＳＡ比（ＰＳＡ　Ｆ／Ｔ　比）	158	9 811	1 550 138	38	6 004	9 773	1 544 134
1986	サイトケラチン８・18（尿）	160	－	－	－	－	－	－
1987	抗ｐ53抗体	163	605	98 615	4	652	601	97 963
1988	ＢＣＡ225	165	14	2 310	－	－	14	2 310
1989	サイトケラチン19フラグメント（シフラ）	167	1 091	182 197	59	9 853	1 032	172 344
1990	シアリルＬｅ^{x}抗原（ＣＳＬＥＸ）	169	2	338	－	－	2	338
1991	Ⅰ型コラーゲン-C-テロペプチド（ＩＣＴＰ）	170	14	2 380	3	510	11	1 870
1992	ガストリン放出ペプチド前駆体（ＰｒｏＧＲＰ）	175	670	117 250	40	7 000	630	110 250
1993	ＣＡ54／61	184	28	5 152	－	－	28	5 152
1994	癌関連ガラクトース転移酵素（ＧＡＴ）	184	－	－	－	－	－	－
1995	ＣＡ602	190	29	5 510	－	－	29	5 510
1996	α－フェトプロテインレクチン分画（ＡＦＰ－Ｌ３％）	190	2 059	391 210	18	3 420	2 041	387 790
1997	γ－セミノプロテイン（γ－Ｓｍ）	194	21	4 074	1	194	20	3 880
1998	ヒト精巣上体蛋白４（ＨＥ４）	200	31	6 200	－	－	31	6 200
1999	可溶性メソテリン関連ペプチド	220	18	3 960	2	440	16	3 520
2000	癌胎児性抗原（ＣＥＡ）定性（乳頭分泌液）	314	146	45 844	1	314	145	45 530
2001	癌胎児性抗原（ＣＥＡ）半定量（乳頭分泌液）	314	67	21 038	－	－	67	21 038
2002	ＨＥＲ２蛋白	320	2	640	－	－	2	640
2003	可溶性インターロイキン－２レセプター（ｓＩＬ－２Ｒ）	438	19 525	8 551 950	794	347 772	18 731	8 204 178
2004	腫瘍マーカー　２項目	230	316 027	72 686 210	9 148	2 104 040	306 879	70 582 170
2005	腫瘍マーカー　３項目	290	89 636	25 994 440	4 238	1 229 020	85 398	24 765 420
2006	腫瘍マーカー　４項目以上	420	36 322	15 255 240	1 983	832 860	34 339	14 422 380
2007	特殊分析							
2008	糖分析（尿）	38	65	2 470	2	76	63	2 394
2009	結石分析	120	3 621	434 520	851	102 120	2 770	332 400
2010	チロシン	200	1	200	－	－	1	200
2011	総分岐鎖アミノ酸／チロシンモル比（ＢＴＲ）	288	4 414	1 271 232	230	66 240	4 184	1 204 992
2012	アミノ酸　１種類につき	295	3 685	1 087 075	263	77 585	3 422	1 009 490

第８表　医科診療　件数・診療実日数・回数・点数，診療行為（細分類）、入院－入院外別

平成30年６月審査分

行番号	診療行為（細分類）	固定点数	総数		入院		入院外	
			回数	点数	回数	点数	回数	点数
2013	アミノ酸　５種類以上	1212	1 200	1 454 400	94	113 928	1 106	1 340 472
2014	アミノ酸定性	350	133	46 550	9	3 150	124	43 400
2015	脂肪酸分画	429	14 130	6 061 770	565	242 385	13 565	5 819 385
2016	先天性代謝異常症検査	1176	174	204 624	2	2 352	172	202 272
2017	免疫学的検査小計		15 951 226	1 244 973 723	1 471 876	64 557 528	14 479 350	1 180 416 195
2018	免疫血液学的検査							
2019	ＡＢＯ血液型	24	245 597	5 894 328	34 366	824 784	211 231	5 069 544
2020	Ｒｈ（Ｄ）血液型	24	238 225	5 717 400	33 550	805 200	204 675	4 912 200
2021	Ｃｏｏｍｂｓ試験　直接	34	4 226	143 684	679	23 086	3 547	120 598
2022	Ｃｏｏｍｂｓ試験　間接	47	4 694	220 618	615	28 905	4 079	191 713
2023	Ｒｈ（その他の因子）血液型	156	200	31 200	54	8 424	146	22 776
2024	不規則抗体	159	687	109 233	527	83 793	160	25 440
2025	ＡＢＯ血液型関連糖転移酵素活性	191	13	2 483	4	764	9	1 719
2026	血小板関連ＩｇＧ（ＰＡ－ＩｇＧ）	204	3 084	629 136	221	45 084	2 863	584 052
2027	ＡＢＯ血液型亜型	260	27	7 020	9	2 340	18	4 680
2028	抗血小板抗体	262	1 139	298 418	186	48 732	953	249 686
2029	血小板第4因子－ヘパリン複合体抗体（ＩｇＧ抗体）	389	19	7 391	12	4 668	7	2 723
2030	血小板第4因子－ヘパリン複合体抗体（ＩｇＧ、ＩｇＭ及びＩｇＡ抗体）	390	139	54 210	50	19 500	89	34 710
2031	感染症免疫学的検査							
2032	梅毒血清反応（ＳＴＳ）定性	15	651 633	9 774 495	85 508	1 282 620	566 125	8 491 875
2033	抗ストレプトリジンＯ（ＡＳＯ）定性	15	20 283	304 245	814	12 210	19 469	292 035
2034	抗ストレプトリジンＯ（ＡＳＯ）半定量	15	189	2 835	2	30	187	2 805
2035	抗ストレプトリジンＯ（ＡＳＯ）定量	15	16 751	251 265	505	7 575	16 246	243 690
2036	トキソプラズマ抗体定性	26	22	572	－	－	22	572
2037	トキソプラズマ抗体半定量	26	123	3 198	2	52	121	3 146
2038	抗ストレプトキナーゼ（ＡＳＫ）定性	29	2 835	82 215	100	2 900	2 735	79 315
2039	抗ストレプトキナーゼ（ＡＳＫ）半定量	29	2 372	68 788	59	1 711	2 313	67 077
2040	梅毒トレポネーマ抗体定性	32	720 385	23 052 320	95 996	3 071 872	624 389	19 980 448
2041	マイコプラズマ抗体定性	32	36 602	1 171 264	1 537	49 184	35 065	1 122 080
2042	マイコプラズマ抗体半定量	32	21 246	679 872	890	28 480	20 356	651 392
2043	梅毒血清反応（ＳＴＳ）半定量	34	1 081	36 754	92	3 128	989	33 626
2044	梅毒血清反応（ＳＴＳ）定量	34	6 092	207 128	349	11 866	5 743	195 262
2045	梅毒トレポネーマ抗体半定量	53	4 540	240 620	396	20 988	4 144	219 632
2046	梅毒トレポネーマ抗体定量	53	2 375	125 875	222	11 766	2 153	114 109
2047	アデノウイルス抗原定性（糞便）	60	1 721	103 260	24	1 440	1 697	101 820
2048	迅速ウレアーゼ試験定性	60	38 943	2 336 580	733	43 980	38 210	2 292 600
2049	ロタウイルス抗原定性（糞便）	65	27 643	1 796 795	445	28 925	27 198	1 767 870
2050	ロタウイルス抗原定量（糞便）	65	1 249	81 185	39	2 535	1 210	78 650
2051	ヘリコバクター・ピロリ抗体定性・半定量	70	9 967	697 690	196	13 720	9 771	683 970
2052	クラミドフィラ・ニューモニエＩｇＧ抗体	70	1 934	135 380	270	18 900	1 664	116 480
2053	クラミドフィラ・ニューモニエＩｇＡ抗体	75	2 007	150 525	315	23 625	1 692	126 900
2054	ウイルス抗体価（定性・半定量・定量）（1項目当たり）	79	19 436	1 535 444	834	65 886	18 602	1 469 558
2055	クロストリジウム・ディフィシル抗原定性	80	9 917	793 360	7 300	584 000	2 617	209 360
2056	ヘリコバクター・ピロリ抗体	80	63 567	5 085 360	1 275	102 000	62 292	4 983 360
2057	百日咳菌抗体定性	80	697	55 760	13	1 040	684	54 720
2058	百日咳菌抗体半定量	80	3 542	283 360	50	4 000	3 492	279 360
2059	ＨＴＬＶ－Ｉ抗体定性	85	1 285	109 225	125	10 625	1 160	98 600
2060	ＨＴＬＶ－Ｉ抗体半定量	85	3 863	328 355	457	38 845	3 406	289 510
2061	トキソプラズマ抗体	93	1 893	176 049	120	11 160	1 773	164 889
2062	トキソプラズマＩｇＭ抗体	95	2 069	196 555	90	8 550	1 979	188 005
2063	抗酸菌抗体定量	116	2 408	279 328	101	11 716	2 307	267 612
2064	ＨＩＶ－１抗体	116	2 557	296 612	112	12 992	2 445	283 620
2065	抗酸菌抗体定性	116	8 807	1 021 612	414	48 024	8 393	973 588
2066	ＨＩＶ－１，２抗体定性	118	30 118	3 553 924	2 057	242 726	28 061	3 311 198
2067	ＨＩＶ－１，２抗体半定量	118	1 136	134 048	51	6 018	1 085	128 030
2068	ＨＩＶ－１，２抗原・抗体同時測定定性	118	14 050	1 657 900	1 075	126 850	12 975	1 531 050
2069	ＨＩＶ－１，２抗原・抗体同時測定定量	118	9 792	1 155 456	362	42 716	9 430	1 112 740
2070	ＨＩＶ－１，２抗体定量	127	1 237	157 099	138	17 526	1 099	139 573
2071	Ａ群β溶連菌迅速試験定性	130	448 702	58 331 260	619	80 470	448 083	58 250 790
2072	カンジダ抗原定性	138	957	132 066	562	77 556	395	54 510
2073	カンジダ抗原半定量	138	581	80 178	315	43 470	266	36 708
2074	カンジダ抗原定量	138	132	18 216	58	8 004	74	10 212
2075	ヘモフィルス・インフルエンザｂ型（Ｈｉｂ）抗原定性（尿・髄液）	140	26	3 640	9	1 260	17	2 380
2076	ＲＳウイルス抗原定性	142	14 598	2 072 916	617	87 614	13 981	1 985 302
2077	梅毒トレポネーマ抗体（ＦＴＡ－ＡＢＳ試験）定性	142	928	131 776	65	9 230	863	122 546
2078	梅毒トレポネーマ抗体（ＦＴＡ－ＡＢＳ試験）半定量	142	299	42 458	11	1 562	288	40 896
2079	インフルエンザウイルス抗原定性	143	388 500	55 555 500	11 514	1 646 502	376 986	53 908 998
2080	肺炎球菌抗原定性（尿・髄液）	146	6 907	1 008 422	2 508	366 168	4 399	642 254
2081	ヘリコバクター・ピロリ抗原定性	146	19 394	2 831 524	158	23 068	19 236	2 808 456
2082	ノロウイルス抗原定性	150	14 688	2 203 200	1 139	170 850	13 549	2 032 350
2083	インフルエンザ菌（無莢膜型）抗原定性	150	－	－	－	－	－	－
2084	マイコプラズマ抗原定性（免疫クロマト法）	150	30 027	4 504 050	1 311	196 650	28 716	4 307 400
2085	ヒトメタニューモウイルス抗原定性	150	29 606	4 440 900	386	57 900	29 220	4 383 000
2086	Ｄ－アラビニトール	160	－	－	－	－	－	－
2087	クラミドフィラ・ニューモニエＩｇＭ抗体	160	6 429	1 028 640	646	103 360	5 783	925 280
2088	クラミジア・トラコマチス抗原定性	160	4 999	799 840	52	8 320	4 947	791 520
2089	アスペルギルス抗原	164	3 950	647 800	794	130 216	3 156	517 584
2090	大腸菌Ｏ157抗原定性	165	118	19 470	33	5 445	85	14 025
2091	マイコプラズマ抗原定性（ＦＡ法）	170	3 647	619 990	142	24 140	3 505	595 850
2092	大腸菌Ｏ157抗体定性	173	18	3 114	1	173	17	2 941
2093	ＨＴＬＶ－Ｉ抗体	173	4 071	704 283	355	61 415	3 716	642 868
2094	クリプトコックス抗原半定量	179	456	81 624	64	11 456	392	70 168
2095	クリプトコックス抗原定性	179	1 670	298 930	209	37 411	1 461	261 519
2096	淋菌抗原定性	180	72	12 960	1	180	71	12 780
2097	単純ヘルペスウイルス抗原定性	180	2 182	392 760	46	8 280	2 136	384 480
2098	大腸菌血清型別	180	11 878	2 138 040	867	156 060	11 011	1 981 980
2099	アデノウイルス抗原定性（糞便を除く）	194	209 918	40 724 092	641	124 354	209 277	40 599 738
2100	肺炎球菌細胞壁抗原定性	194	1 798	348 812	210	40 740	1 588	308 072
2101	肺炎球菌莢膜抗原定性（尿・髄液）	204	13 586	2 771 544	4 843	987 972	8 743	1 783 572
2102	ブルセラ抗体定性	206	9	1 854	1	206	8	1 648
2103	ブルセラ抗体半定量	206	－	－	－	－	－	－
2104	グロブリンクラス別クラミジア・トラコマチス抗体	206	8 288	1 707 328	92	18 952	8 196	1 688 376
2105	単純ヘルペスウイルス抗原定性（角膜）	210	140	29 400	2	420	138	28 980
2106	単純ヘルペスウイルス抗原定性（性器）	210	1 555	326 550	10	2 100	1 545	324 450
2107	アニサキスＩｇＧ・ＩｇＡ抗体	210	241	50 610	58	12 180	183	38 430
2108	ツツガムシ抗体半定量	213	299	63 687	70	14 910	229	48 777
2109	（１→３）－β－Ｄ－グルカン	213	82 664	17 607 432	12 529	2 668 677	70 135	14 938 755
2110	ツツガムシ抗体定性	213	317	67 521	125	26 625	192	40 896
2111	グロブリンクラス別ウイルス抗体価（1項目当たり）	218	65 593	14 299 274	3 001	654 218	62 592	13 645 056
2112	サイトメガロウイルス抗体	220	869	191 180	110	24 200	759	166 980
2113	赤痢アメーバ抗体半定量	223	35	7 805	8	1 784	27	6 021
2114	レジオネラ抗原定性（尿）	223	13 786	3 074 278	4 867	1 085 341	8 919	1 988 937
2115	デングウイルス抗原定性	233	7	1 631	1	233	6	1 398
2116	デングウイルス抗原・抗体同時測定定性	233	2	466	－	－	2	466
2117	水痘ウイルス抗原定性（上皮細胞）	240	4 448	1 067 520	43	10 320	4 405	1 057 200
2118	エンドトキシン	250	754	188 500	517	129 250	237	59 250
2119	百日咳菌抗体	272	15 131	4 115 632	120	32 640	15 011	4 082 992
2120	ＨＩＶ－１抗体（ウエスタンブロット法）	280	216	60 480	17	4 760	199	55 720
2121	結核菌群抗原定性	291	1 134	329 994	330	96 030	804	233 964
2122	ＨＩＶ－２抗体（ウエスタンブロット法）	380	130	49 400	10	3 800	120	45 600
2123	サイトメガロウイルスｐｐ65抗原定性	387	18 615	7 204 005	4 275	1 654 425	14 340	5 549 580

第８表　医科診療　件数・診療実日数・回数・点数，診療行為（細分類）、入院−入院外別

平成30年６月審査分

行番号	診療行為（細分類）	固定点数	総数 回数	総数 点数	入院 回数	入院 点数	入院外 回数	入院外 点数
2124	ＨＴＬＶ−Ⅰ抗体（ウエスタンブロット法及びラインブロット法）	425	351	149 175	11	4 675	340	144 500
2125	ＨＩＶ抗原	600	39	23 400	3	1 800	36	21 600
2126	抗トリコスポロン・アサヒ抗体	900	822	739 800	70	63 000	752	676 800
2127	肝炎ウイルス関連検査							
2128	ＨＢｓ抗原定性・半定量	29	418 079	12 124 291	64 934	1 883 086	353 145	10 241 205
2129	ＨＢｓ抗体定性	32	4 759	152 288	490	15 680	4 269	136 608
2130	ＨＢｓ抗体半定量	32	10 137	324 384	1 014	32 448	9 123	291 936
2131	ＨＢｓ抗原	88	502 862	44 251 856	47 780	4 204 640	455 082	40 047 216
2132	ＨＢｓ抗体	88	15 407	1 355 816	851	74 888	14 556	1 280 928
2133	ＨＢｅ抗原	107	13 847	1 481 629	147	15 729	13 700	1 465 900
2134	ＨＢｅ抗体	107	12 813	1 370 991	131	14 017	12 682	1 356 974
2135	ＨＣＶ抗体定性・定量	111	888 112	98 580 432	106 925	11 868 675	781 187	86 711 757
2136	ＨＣＶコア蛋白	111	11 100	1 232 100	1 155	128 205	9 945	1 103 895
2137	ＨＢｃ抗体半定量・定量	141	26 540	3 742 140	2 053	289 473	24 487	3 452 667
2138	ＨＣＶコア抗体	143	256	36 608	19	2 717	237	33 891
2139	ＨＡ−ＩｇＭ抗体	146	1 599	233 454	191	27 886	1 408	205 568
2140	ＨＡ抗体	146	641	93 586	53	7 738	588	85 848
2141	ＨＢｃ−ＩｇＭ抗体	146	484	70 664	59	8 614	425	62 050
2142	ＨＣＶ構造蛋白及び非構造蛋白抗体定性	160	66	10 560	3	480	63	10 080
2143	ＨＣＶ構造蛋白及び非構造蛋白抗体半定量	160	6	960	−	−	6	960
2144	ＨＥ−ＩｇＡ抗体定性	210	391	82 110	59	12 390	332	69 720
2145	ＨＣＶ血清群別判定	233	1 587	369 771	76	17 708	1 511	352 063
2146	ＨＢＶコア関連抗原（ＨＢｃｒＡｇ）	274	819	224 406	7	1 918	812	222 488
2147	デルタ肝炎ウイルス抗体	330	−	−	−	−	−	−
2148	ＨＣＶ特異抗体価	340	22	7 480	−	−	22	7 480
2149	ＨＢＶジェノタイプ判定	340	562	191 080	19	6 460	543	184 620
2150	肝炎ウイルス関連検査　３項目	290	29 095	8 437 550	1 692	490 680	27 403	7 946 870
2151	肝炎ウイルス関連検査　４項目	360	13 538	4 873 680	709	255 240	12 829	4 618 440
2152	肝炎ウイルス関連検査　５項目以上	447	3 973	1 775 931	311	139 017	3 662	1 636 914
2153	自己抗体検査							
2154	寒冷凝集反応	11	9 773	107 503	443	4 873	9 330	102 630
2155	リウマトイド因子（ＲＦ）定量	30	298 650	8 959 500	6 039	181 170	292 611	8 778 330
2156	抗サイログロブリン抗体半定量	37	13 826	511 562	259	9 583	13 567	501 979
2157	抗甲状腺マイクロゾーム抗体半定量	37	13 576	502 312	240	8 880	13 336	493 432
2158	Ｄｏｎａｔｈ−Ｌａｎｄｓｔｅｉｎｅｒ試験	55	5	275	−	−	5	275
2159	抗核抗体（蛍光抗体法）定性	105	44 744	4 698 120	1 652	173 460	43 092	4 524 660
2160	抗核抗体（蛍光抗体法）半定量	105	78 319	8 223 495	2 567	269 535	75 752	7 953 960
2161	抗核抗体（蛍光抗体法）定量	105	18 322	1 923 810	578	60 690	17 744	1 863 120
2162	抗核抗体（蛍光抗体法を除く）	110	52 795	5 807 450	1 956	215 160	50 839	5 592 290
2163	抗インスリン抗体	110	2 783	306 130	277	30 470	2 506	275 660
2164	マトリックスメタロプロテイナーゼ−３（ＭＭＰ−３）	116	219 699	25 485 084	2 327	269 932	217 372	25 215 152
2165	抗ガラクトース欠損ＩｇＧ抗体定性	117	2 526	295 542	23	2 691	2 503	292 851
2166	抗ガラクトース欠損ＩｇＧ抗体定量	117	3 480	407 160	33	3 861	3 447	403 299
2167	抗サイログロブリン抗体	144	34 057	4 904 208	375	54 000	33 682	4 850 208
2168	抗ＲＮＰ抗体定性	144	1 627	234 288	29	4 176	1 598	230 112
2169	抗ＲＮＰ抗体半定量	144	355	51 120	5	720	350	50 400
2170	抗ＲＮＰ抗体定量	144	1 936	278 784	31	4 464	1 905	274 320
2171	抗Ｊｏ−１抗体定性	144	736	105 984	20	2 880	716	103 104
2172	抗Ｊｏ−１抗体半定量	144	178	25 632	7	1 008	171	24 624
2173	抗Ｊｏ−１抗体定量	144	720	103 680	31	4 464	689	99 216
2174	抗甲状腺ペルオキシダーゼ抗体	146	21 436	3 129 656	411	60 006	21 025	3 069 650
2175	抗Ｓｍ抗体定性	155	1 813	281 015	67	10 385	1 746	270 630
2176	抗Ｓｍ抗体半定量	155	327	50 685	9	1 395	318	49 290
2177	抗Ｓｍ抗体定量	155	2 053	318 215	56	8 680	1 997	309 535
2178	抗ＳＳ−Ｂ／Ｌａ抗体定性	161	1 332	214 452	19	3 059	1 313	211 393
2179	抗ＳＳ−Ｂ／Ｌａ抗体半定量	161	300	48 300	6	966	294	47 334
2180	抗ＳＳ−Ｂ／Ｌａ抗体定量	161	1 448	233 128	26	4 186	1 422	228 942
2181	Ｃ１ｑ結合免疫複合体	161	6 525	1 050 525	120	19 320	6 405	1 031 205
2182	抗Ｓｃｌ−70抗体定性	162	874	141 588	18	2 916	856	138 672
2183	抗Ｓｃｌ−70抗体半定量	162	283	45 846	4	648	279	45 198
2184	抗Ｓｃｌ−70抗体定量	162	1 164	188 568	29	4 698	1 135	183 870
2185	抗ＳＳ−Ａ／Ｒｏ抗体定性	163	5 947	969 361	123	20 049	5 824	949 312
2186	抗ＳＳ−Ａ／Ｒｏ抗体半定量	163	1 417	230 971	13	2 119	1 404	228 852
2187	抗ＳＳ−Ａ／Ｒｏ抗体定量	163	7 195	1 172 785	124	20 212	7 071	1 152 573
2188	抗ＲＮＡポリメラーゼⅢ抗体	170	428	72 760	4	680	424	72 080
2189	抗ＤＮＡ抗体定量	172	37 066	6 375 352	884	152 048	36 182	6 223 304
2190	抗ＤＮＡ抗体定性	172	28 876	4 966 672	685	117 820	28 191	4 848 852
2191	抗セントロメア抗体定量	184	4 644	854 496	167	30 728	4 477	823 768
2192	抗セントロメア抗体定性	184	3 505	644 920	119	21 896	3 386	623 024
2193	抗ＡＲＳ抗体	190	2 667	506 730	110	20 900	2 557	485 830
2194	抗ミトコンドリア抗体定性	191	12 331	2 355 221	426	81 366	11 905	2 273 855
2195	抗ミトコンドリア抗体半定量	191	3 111	594 201	90	17 190	3 021	577 011
2196	モノクローナルＲＦ結合免疫複合体	194	379	73 526	8	1 552	371	71 974
2197	抗ミトコンドリア抗体定量	200	15 780	3 156 000	432	86 400	15 348	3 069 600
2198	ＩｇＧ型リウマトイド因子	203	3 289	667 667	79	16 037	3 210	651 630
2199	抗シトルリン化ペプチド抗体定性	210	40 391	8 482 110	923	193 830	39 468	8 288 280
2200	抗シトルリン化ペプチド抗体定量	210	41 720	8 761 200	876	183 960	40 844	8 577 240
2201	抗ＬＫＭ−１抗体	221	507	112 047	43	9 503	464	102 544
2202	抗カルジオリピンβ２グリコプロテインⅠ複合体抗体	223	4 507	1 005 061	172	38 356	4 335	966 705
2203	抗ＴＳＨレセプター抗体（ＴＲＡｂ）	232	103 774	24 075 568	773	179 336	103 001	23 896 232
2204	抗カルジオリピン抗体	239	7 818	1 868 502	416	99 424	7 402	1 769 078
2205	ＩｇＧ２（ＴＩＡ法）	239	31	7 409	2	478	29	6 931
2206	抗デスモグレイン３抗体	270	1 828	493 560	64	17 280	1 764	476 280
2207	抗ＢＰ180−ＮＣ16ａ抗体	270	10 444	2 819 880	482	130 140	9 962	2 689 740
2208	抗ＭＤＡ５抗体	270	438	118 260	26	7 020	412	111 240
2209	抗Ｍｉ−２抗体	270	79	21 330	3	810	76	20 520
2210	抗ＴＩＦ１−γ抗体	270	120	32 400	5	1 350	115	31 050
2211	抗好中球細胞質ミエロペルオキシダーゼ抗体（ＭＰＯ−ＡＮＣＡ）	273	44 814	12 234 222	2 458	671 034	42 356	11 563 188
2212	抗好中球細胞質プロテイナーゼ３抗体（ＰＲ３−ＡＮＣＡ）	275	22 328	6 140 200	1 420	390 500	20 908	5 749 700
2213	抗糸球体基底膜抗体（抗ＧＢＭ抗体）	277	4 342	1 202 734	233	64 541	4 109	1 138 193
2214	ループスアンチコアグラント定量	281	3 774	1 060 494	177	49 737	3 597	1 010 757
2215	ループスアンチコアグラント定性	281	3 230	907 630	174	48 894	3 056	858 736
2216	抗好中球細胞質抗体（ＡＮＣＡ）定性	290	9 559	2 772 110	642	186 180	8 917	2 585 930
2217	抗デスモグレイン１抗体	300	3 748	1 124 400	140	42 000	3 608	1 082 400
2218	甲状腺刺激抗体（ＴＳＡｂ）	340	14 447	4 911 980	138	46 920	14 309	4 865 060
2219	ＩｇＧ４	377	19 101	7 201 077	577	217 529	18 524	6 983 548
2220	ＩｇＧ２（ネフェロメトリー法）	388	184	71 392	11	4 268	173	67 124
2221	抗ＧＭ１ＩｇＧ抗体	460	259	119 140	31	14 260	228	104 880
2222	抗ＧＱ１ｂＩｇＧ抗体	460	298	137 080	30	13 800	268	123 280
2223	抗アセチルコリンレセプター抗体（抗ＡＣｈＲ抗体）	847	9 427	7 984 669	263	222 761	9 164	7 761 908
2224	抗グルタミン酸レセプター抗体	970	16	15 520	9	8 730	7	6 790
2225	抗アクアポリン４抗体	1000	827	827 000	43	43 000	784	784 000
2226	抗筋特異的チロシンキナーゼ抗体	1000	763	763 000	45	45 000	718	718 000
2227	抗ＨＬＡ抗体（スクリーニング検査）	1000	461	461 000	20	20 000	441	441 000
2228	抗ＨＬＡ抗体（抗体特異性同定検査）	5000	82	410 000	8	40 000	74	370 000
2229	自己抗体検査　２項目	320	60 084	19 226 880	1 170	374 400	58 914	18 852 480
2230	自己抗体検査　３項目以上	490	14 857	7 279 930	707	346 430	14 150	6 933 500
2231	血漿蛋白免疫学的検査							
2232	Ｃ反応性蛋白（ＣＲＰ）定性	16	245 596	3 929 536	27 195	435 120	218 401	3 494 416
2233	Ｃ反応性蛋白（ＣＲＰ）	16	6 796 746	108 747 936	802 721	12 843 536	5 994 025	95 904 400
2234	赤血球コプロポルフィリン定性	30	4	120	−	−	4	120
2235	グルコース−６−ホスファターゼ（Ｇ−６−Ｐａｓｅ）	30	1	30	−	−	1	30
2236	グルコース−６−リン酸デヒドロゲナーゼ（Ｇ−６−ＰＤ）定性	34	1	34	−	−	1	34

第８表　医科診療　件数・診療実日数・回数・点数，診療行為（細分類）、入院－入院外別

平成30年６月審査分

行番号	診療行為（細分類）	固定点数	総数		入院		入院外	
			回数	点数	回数	点数	回数	点数
2237	赤血球プロトポルフィリン定性	34	3	102	-	-	3	102
2238	血清補体価（CH_{50}）	38	107 834	4 097 692	2 302	87 476	105 532	4 010 216
2239	免疫グロブリン	38	754 279	28 662 602	20 063	762 394	734 216	27 900 208
2240	クリオグロブリン定性	42	3 206	134 652	92	3 864	3 114	130 788
2241	クリオグロブリン定量	42	248	10 416	8	336	240	10 080
2242	血清アミロイドＡ蛋白（ＳＡＡ）	47	20 043	942 021	998	46 906	19 045	895 115
2243	トランスフェリン（Ｔｆ）	60	7 520	451 200	1 412	84 720	6 108	366 480
2244	C_3	70	110 625	7 743 750	2 545	178 150	108 080	7 565 600
2245	C_4	70	100 397	7 027 790	2 481	173 670	97 916	6 854 120
2246	セルロプラスミン	90	1 920	172 800	143	12 870	1 777	159 930
2247	非特異的ＩｇＥ半定量	100	126 316	12 631 600	1 078	107 800	125 238	12 523 800
2248	非特異的ＩｇＥ定量	100	131 764	13 176 400	1 415	141 500	130 349	13 034 900
2249	β_2－マイクログロブリン	107	67 276	7 198 532	5 376	575 232	61 900	6 623 300
2250	トランスサイレチン（プレアルブミン）	107	20 037	2 143 959	4 811	514 777	15 226	1 629 182
2251	特異的ＩｇＥ半定量・定量	110X	292 921	301 128 190	1 379	1 426 040	291 542	299 702 150
2252	レチノール結合蛋白（ＲＢＰ）	136	3 604	490 144	756	102 816	2 848	387 328
2253	α１－マイクログロブリン	140	2 206	308 840	70	9 800	2 136	299 040
2254	ハプトグロビン（型補正を含む）	140	8 968	1 255 520	1 056	147 840	7 912	1 107 680
2255	アレルゲン刺激性遊離ヒスタミン（ＨＲＴ）	159	134	21 306	-	-	134	21 306
2256	C_3プロアクチベータ	160	2	320	-	-	2	320
2257	免疫電気泳動法（抗ヒト全血清）	170	3 087	524 790	257	43 690	2 830	481 100
2258	ヘモペキシン	180	-	-	-	-	-	-
2259	ＴＡＲＣ	189	29 223	5 523 147	92	17 388	29 131	5 505 759
2260	ＡＰＲスコア定性	191	263	50 233	171	32 661	92	17 572
2261	アトピー鑑別試験定性	194	3 365	652 810	30	5 820	3 335	646 990
2262	Ｂｅｎｃｅ　Ｊｏｎｅｓ蛋白同定（尿）	203	5 564	1 129 492	392	79 576	5 172	1 049 916
2263	癌胎児性フィブロネクチン定性（頸管腟分泌液）	204	1 354	276 216	333	67 932	1 021	208 284
2264	免疫電気泳動法（特異抗血清）	230	7 248	1 667 040	375	86 250	6 873	1 580 790
2265	Ｃ１インアクチベータ	276	523	144 348	9	2 484	514	141 864
2266	免疫グロブリンＬ鎖κ／λ比	330	946	312 180	38	12 540	908	299 640
2267	免疫グロブリン遊離Ｌ鎖κ／λ比	400	18 167	7 266 800	627	250 800	17 540	7 016 000
2268	結核菌特異的インターフェロン－γ産生能	630	36 175	22 790 250	3 149	1 983 870	33 026	20 806 380
2269	細胞機能検査							
2270	Ｂ細胞表面免疫グロブリン	161	397	63 917	24	3 864	373	60 053
2271	Ｔ細胞サブセット検査（一連につき）	194	11 451	2 221 494	450	87 300	11 001	2 134 194
2272	顆粒球機能検査（種目数にかかわらず一連につき）	200	31	6 200	11	2 200	20	4 000
2273	Ｔ細胞・Ｂ細胞百分率	204	4 133	843 132	285	58 140	3 848	784 992
2274	顆粒球スクリーニング検査（種目数にかかわらず一連につき）	220	15	3 300	3	660	12	2 640
2275	赤血球表面抗原検査	270	221	59 670	8	2 160	213	57 510
2276	リンパ球刺激試験（ＬＳＴ）１薬剤	345	2 311	797 295	150	51 750	2 161	745 545
2277	リンパ球刺激試験（ＬＳＴ）２薬剤	425	845	359 125	47	19 975	798	339 150
2278	リンパ球刺激試験（ＬＳＴ）３薬剤以上	515	1 007	518 605	57	29 355	950	489 250
2279	微生物学的検査小計		2 996 732	447 670 285	417 441	71 890 674	2 579 291	375 779 611
2280	排泄物，滲出物又は分泌物の細菌顕微鏡検査							
2281	蛍光顕微鏡，位相差顕微鏡，暗視野装置等を使用するもの	50	52 024	2 601 200	15 247	762 350	36 777	1 838 850
2282	集菌塗抹法　加算	32	30 162	965 184	9 464	302 848	20 698	662 336
2283	保温装置使用アメーバ検査	45	81	3 645	6	270	75	3 375
2284	排泄物，滲出物又は分泌物の細菌顕微鏡検査　その他のもの	61	1 158 012	70 638 732	102 999	6 282 939	1 055 013	64 355 793
2285	細菌培養同定検査　口腔からの検体	160	52 744	8 439 040	13 187	2 109 920	39 557	6 329 120
2286	細菌培養同定検査　気道からの検体	160	92 474	14 795 840	27 859	4 457 440	64 615	10 338 400
2287	細菌培養同定検査　呼吸器からの検体	160	71 706	11 472 960	24 500	3 920 000	47 206	7 552 960
2288	細菌培養同定検査　消化管からの検体	180	68 735	12 372 300	9 684	1 743 120	59 051	10 629 180
2289	細菌培養同定検査　血液からの検体	210	76 387	16 041 270	42 159	8 853 390	34 228	7 187 880
2290	細菌培養同定検査　穿刺液からの検体	210	14 887	3 126 270	4 497	944 370	10 390	2 181 900
2291	細菌培養同定検査　泌尿器からの検体	170	212 530	36 130 100	40 877	6 949 090	171 653	29 181 010
2292	細菌培養同定検査　生殖器からの検体	170	134 964	22 943 880	2 986	507 620	131 978	22 436 260
2293	細菌培養同定検査　その他の部位からの検体	160	144 296	23 087 360	13 686	2 189 760	130 610	20 897 600
2294	細菌培養同定検査　簡易培養	60	37 429	2 245 740	787	47 220	36 642	2 198 520
2295	細菌培養同定検査　嫌気性培養　加算	115	97 018	11 157 070	47 306	5 440 190	49 712	5 716 880
2296	細菌培養同定検査　質量分析装置　加算	40	1 283	51 320	1 283	51 320	-	-
2297	細菌薬剤感受性検査　１菌種	170	236 095	40 136 150	52 416	8 910 720	183 679	31 225 430
2298	細菌薬剤感受性検査　２菌種	220	68 064	14 974 080	19 877	4 372 940	48 187	10 601 140
2299	細菌薬剤感受性検査　３菌種以上	280	24 006	6 721 680	8 568	2 399 040	15 438	4 322 640
2300	酵母様真菌薬剤感受性検査	150	551	82 650	366	54 900	185	27 750
2301	抗酸菌分離培養検査　抗酸菌分離培養（液体培地法）	280	46 245	12 948 600	13 051	3 654 280	33 194	9 294 320
2302	抗酸菌分離培養検査　抗酸菌分離培養（それ以外のもの）	204	28 535	5 821 140	8 348	1 702 992	20 187	4 118 148
2303	抗酸菌同定（種目数にかかわらず一連につき）	361	1 382	498 902	241	87 001	1 141	411 901
2304	抗酸菌薬剤感受性（培地数に関係なく）	380	2 621	995 980	657	249 660	1 964	746 320
2305	微生物核酸同定・定量検査							
2306	細菌核酸検出（白血球）（１菌種当たり）	130	3	390	-	-	3	390
2307	淋菌核酸検出	204	2 920	595 680	9	1 836	2 911	593 844
2308	クラミジア・トラコマチス核酸検出	204	63 923	13 040 292	151	30 804	63 772	13 009 488
2309	ＨＢＶ核酸定量	279	124 174	34 644 546	2 003	558 837	122 171	34 085 709
2310	淋菌及びクラミジア・トラコマチス同時核酸検出	286	52 388	14 982 968	93	26 598	52 295	14 956 370
2311	レジオネラ核酸検出	292	53	15 476	30	8 760	23	6 716
2312	マイコプラズマ核酸検出	300	3 618	1 085 400	125	37 500	3 493	1 047 900
2313	ＥＢウイルス核酸定量	310	287	88 970	46	14 260	241	74 710
2314	ＨＣＶ核酸検出	360	471	169 560	2	720	469	168 840
2315	ＨＰＶ核酸検出	360	6 971	2 509 560	2	720	6 969	2 508 840
2316	ＨＰＶ核酸検出（簡易ジェノタイプ判定）	360	2 122	763 920	2	720	2 120	763 200
2317	百日咳菌核酸検出	360	2 724	980 640	14	5 040	2 710	975 600
2318	インフルエンザ核酸検出	410	2	820	-	-	2	820
2319	抗酸菌核酸同定	410	3 527	1 446 070	763	312 830	2 764	1 133 240
2320	結核菌群核酸検出	410	27 633	11 329 530	7 965	3 265 650	19 668	8 063 880
2321	マイコバクテリウム・アビウム及びイントラセルラー（MAC）核酸検出	421	13 942	5 869 582	2 653	1 116 913	11 289	4 752 669
2322	ＨＣＶ核酸定量	437	57 075	24 941 775	744	325 128	56 331	24 616 647
2323	ＨＢＶ核酸プレコア変異及びコアプロモーター変異検出	450	190	85 500	6	2 700	184	82 800
2324	ブドウ球菌メチシリン耐性遺伝子検出	450	24	10 800	9	4 050	15	6 750
2325	ＳＡＲＳコロナウイルス核酸検出	450	-	-	-	-	-	-
2326	ＨＴＬＶ－１核酸検出	450	22	9 900	1	450	21	9 450
2327	単純疱疹ウイルス・水痘帯状疱疹ウイルス核酸定量	450	47	21 150	6	2 700	41	18 450
2328	ＨＩＶ－１核酸定量	520	8 893	4 624 360	43	22 360	8 850	4 602 000
2329	ＨＩＶ－１核酸定量　濃縮前処理　加算	130	2 117	275 210	7	910	2 110	274 300
2330	結核菌群リファンピシン耐性遺伝子検出	850	40	34 000	34	28 900	6	5 100
2331	結核菌群ピラジナミド耐性遺伝子検出	850	4	3 400	1	850	3	2 550
2332	結核菌群イソニアジド耐性遺伝子検出	850	1	850	1	850	-	-
2333	サイトメガロウイルス核酸検出	850	30	25 500	16	13 600	14	11 900
2334	細菌核酸・薬剤耐性遺伝子同時検出	1700	-	-	-	-	-	-
2335	ＨＰＶジェノタイプ判定	2000	2 116	4 232 000	-	-	2 116	4 232 000
2336	ＨＩＶジェノタイプ薬剤耐性	6000	46	276 000	4	24 000	42	252 000
2337	迅速微生物核酸同定・定量検査　加算	100	122	12 200	39	3 900	83	8 300
2338	その他の微生物学的検査							
2339	黄色ブドウ球菌ペニシリン結合蛋白２'（ＰＢＰ２'）定性	55	87	4 785	60	3 300	27	1 485
2340	尿素呼気試験（ＵＢＴ）	70	96 694	6 768 580	368	25 760	96 326	6 742 820
2341	大腸菌ベロトキシン定性	194	2 937	569 778	292	56 648	2 645	513 130
2342	動物使用検査	170	-	-	-	-	-	-
2343	基本的検体検査実施料小計		116 240	13 985 050	116 240	13 985 050	-	-
2344	基本的検体検査実施料　入院の日から起算して４週間以内の期間	140	39 955	5 593 700	39 955	5 593 700	-	-
2345	基本的検体検査実施料　入院の日から起算して４週間を超えた期間	110	76 285	8 391 350	76 285	8 391 350	-	-

第８表　医科診療　件数・診療実日数・回数・点数，診療行為（細分類）、入院－入院外別

平成30年６月審査分

行番号	診療行為（細分類）	固定点数	総数		入院		入院外	
			回数	点数	回数	点数	回数	点数
2346	検体検査実施料　時間外緊急院内検査　加算	200	258 627	51 725 400	20 202	4 040 400	238 425	47 685 000
2347	検体検査実施料　外来迅速検体検査　加算	10	27 452 241	274 522 410	53 485	534 850	27 398 756	273 987 560
2348	（検体検査判断料）							
2349	検体検査判断料小計		43 991 411	6 038 365 404	1 525 214	241 036 667	42 466 197	5 797 328 737
2350	検体検査判断料　尿・糞便等検査判断料	34	3 319 377	112 858 818	121 764	4 139 976	3 197 613	108 718 842
2351	検体検査判断料　血液学的検査判断料	125	13 906 132	1 738 266 500	415 005	51 875 625	13 491 127	1 686 390 875
2352	検体検査判断料　生化学的検査（Ⅰ）判断料	144	13 581 372	1 955 717 568	415 607	59 847 408	13 165 765	1 895 870 160
2353	検体検査判断料　生化学的検査（Ⅱ）判断料	144	3 640 838	524 280 672	121 267	17 462 448	3 519 571	506 818 224
2354	検体検査判断料　免疫学的検査判断料	144	7 706 433	1 109 726 352	343 104	49 406 976	7 363 329	1 060 319 376
2355	検体検査判断料　微生物学的検査判断料	150	1 830 903	274 635 450	102 111	15 316 650	1 728 792	259 318 800
2356	検体検査判断料　検体検査管理　加算（Ⅰ）	40	7 029 722	281 188 880	59 864	2 394 560	6 969 858	278 794 320
2357	検体検査判断料　検体検査管理　加算（Ⅱ）	100	153 166	15 316 600	153 166	15 316 600	－	－
2358	検体検査判断料　検体検査管理　加算（Ⅲ）	300	3 682	1 104 600	3 682	1 104 600	－	－
2359	検体検査判断料　検体検査管理　加算（Ⅳ）	500	39 606	19 803 000	39 606	19 803 000	－	－
2360	検体検査判断料　国際標準検査管理　加算	40	9 892	395 680	9 892	395 680	－	－
2361	検体検査判断料　遺伝カウンセリング　加算	1000	94	94 000	5	5 000	89	89 000
2362	検体検査判断料　骨髄像診断　加算	240	4 519	1 084 560	533	127 920	3 986	956 640
2363	検体検査判断料　免疫電気泳動法診断　加算	50	1 074	53 700	24	1 200	1 050	52 500
2364	基本的検体検査判断料	604	6 356	3 839 024	6 356	3 839 024	－	－
2365	（生体検査料）							
2366	呼吸循環機能検査等小計		4 230 977	1 001 790 884	346 595	280 519 914	3 884 382	721 270 970
2367	スパイログラフィー等検査　肺気量分画測定（安静換気量測定及び最大換気量測定を含む）	90	286 313	25 768 170	11 520	1 036 800	274 793	24 731 370
2368	スパイログラフィー等検査　フローボリュームカーブ（強制呼出曲線を含む）	100	315 068	31 506 800	11 751	1 175 100	303 317	30 331 700
2369	スパイログラフィー等検査　機能的残気量測定	140	15 811	2 213 540	586	82 040	15 225	2 131 500
2370	スパイログラフィー等検査　呼気ガス分析	100	101 387	10 138 700	265	26 500	101 122	10 112 200
2371	スパイログラフィー等検査　左右別肺機能検査	1010	7	7 070	－	－	7	7 070
2372	換気力学的検査　呼吸抵抗測定（広域周波オシレーション法を用いた場合）	150	23 519	3 527 850	117	17 550	23 402	3 510 300
2373	換気力学的検査　呼吸抵抗測定（その他の場合）	60	3 259	195 540	81	4 860	3 178	190 680
2374	換気力学的検査　コンプライアンス測定	135	200	27 000	156	21 060	44	5 940
2375	換気力学的検査　気道抵抗測定	135	937	126 495	40	5 400	897	121 095
2376	換気力学的検査　肺粘性抵抗測定	135	5	675	－	－	5	675
2377	換気力学的検査　１回呼吸法による吸気分布検査	135	51	6 885	12	1 620	39	5 265
2378	肺内ガス分布　指標ガス洗い出し検査	135	417	56 295	22	2 970	395	53 325
2379	肺内ガス分布　クロージングボリューム測定	135	2 149	290 115	101	13 635	2 048	276 480
2380	肺胞機能検査　肺拡散能力検査	180	15 823	2 848 140	579	104 220	15 244	2 743 920
2381	肺胞機能検査　死腔量測定	135	63	8 505	4	540	59	7 965
2382	肺胞機能検査　肺内シャント検査	135	－	－	－	－	－	－
2383	基礎代謝測定	85	275	23 375	84	7 140	191	16 235
2384	呼吸機能検査等判断料	140	376 515	52 712 100	11 873	1 662 220	364 642	51 049 880
2385	心臓カテーテル法による諸検査　右心カテーテル	3600	8 080	29 088 000	8 018	28 864 800	62	223 200
2386	心臓カテーテル法による諸検査　右心カテーテル　２回目以降	3240	66	213 840	66	213 840	－	－
2387	心臓カテーテル法による諸検査　左心カテーテル	4000	37 000	148 000 000	35 830	143 320 000	1 170	4 680 000
2388	心臓カテーテル法による諸検査　左心カテーテル　２回目以降	3600	130	468 000	130	468 000	－	－
2389	心臓カテーテル法による諸検査　左心カテーテル　卵円孔　加算	800	34	27 200	34	27 200	－	－
2390	心臓カテーテル法による諸検査　左心カテーテル　欠損孔　加算	800	35	28 000	35	28 000	－	－
2391	心臓カテーテル法による諸検査　経中隔左心カテーテル　ブロッケンブロー　加算	2000	6	12 000	6	12 000	－	－
2392	心臓カテーテル法による諸検査　伝導機能検査　加算	200	373	74 600	371	74 200	2	400
2393	心臓カテーテル法による諸検査　ヒス束心電図　加算	200	386	77 200	384	76 800	2	400
2394	心臓カテーテル法による諸検査　診断ペーシング　加算	200	441	88 200	439	87 800	2	400
2395	心臓カテーテル法による諸検査　期外刺激法　加算	600	375	225 000	373	223 800	2	1 200
2396	心臓カテーテル法による諸検査　冠攣縮誘発薬物負荷試験　加算	600	1 065	639 000	1 047	628 200	18	10 800
2397	心臓カテーテル法による諸検査　冠動脈造影　加算	1400	36 479	51 070 600	35 316	49 442 400	1 163	1 628 200
2398	心臓カテーテル法による諸検査　血管内超音波検査　加算	400	292	116 800	291	116 400	1	400
2399	心臓カテーテル法による諸検査　血管内光断層撮影　加算	400	356	142 400	354	141 600	2	800
2400	心臓カテーテル法による諸検査　冠動脈血流予備能測定検査　加算	600	5 212	3 127 200	5 107	3 064 200	105	63 000
2401	心臓カテーテル法による諸検査　血管内視鏡検査　加算	400	113	45 200	113	45 200	－	－
2402	心臓カテーテル法による諸検査　心腔内超音波検査　加算	400	10	4 000	10	4 000	－	－
2403	心臓カテーテル法による諸検査　右心カテーテル　新生児　加算	10800	1	10 800	1	10 800	－	－
2404	心臓カテーテル法による諸検査　右心カテーテル　乳幼児　加算	3600	56	201 600	56	201 600	－	－
2405	心臓カテーテル法による諸検査　左心カテーテル　新生児　加算	12000	3	36 000	3	36 000	－	－
2406	心臓カテーテル法による諸検査　左心カテーテル　乳幼児　加算	4000	308	1 232 000	308	1 232 000	－	－
2407	体液量等測定　体液量測定	60	21 824	1 309 440	1 048	62 880	20 776	1 246 560
2408	体液量等測定　体液量測定　２回目以降	54	558	30 132	74	3 996	484	26 136
2409	体液量等測定　細胞外液量測定	60	2 784	167 040	123	7 380	2 661	159 660
2410	体液量等測定　細胞外液量測定　２回目以降	54	181	9 774	5	270	176	9 504
2411	体液量等測定　血流量測定	100	12 079	1 207 900	600	60 000	11 479	1 147 900
2412	体液量等測定　血流量測定　２回目以降	90	365	32 850	199	17 910	166	14 940
2413	体液量等測定　皮膚灌流圧測定	100	5 097	509 700	190	19 000	4 907	490 700
2414	体液量等測定　皮膚灌流圧測定　２回目以降	90	120	10 800	22	1 980	98	8 820
2415	体液量等測定　皮弁血流検査	100	3	300	－	－	3	300
2416	体液量等測定　皮弁血流検査　２回目以降	90	－	－	－	－	－	－
2417	体液量等測定　循環血流量測定（色素希釈法）	100	107	10 700	4	400	103	10 300
2418	体液量等測定　循環血流量測定（色素希釈法）２回目以降	90	3	270	1	90	2	180
2419	体液量等測定　電子授受式発消色性インジケーター使用皮膚表面温度測定	100	7	700	2	200	5	500
2420	体液量等測定　心拍出量測定	150	486	72 900	319	47 850	167	25 050
2421	体液量等測定　心拍出量測定　２回目以降	135	438	59 130	438	59 130	－	－
2422	体液量等測定　心拍出量測定　加算	1300	56	72 800	56	72 800	－	－
2423	体液量等測定　循環時間測定	150	1	150	1	150	－	－
2424	体液量等測定　循環時間測定　２回目以降	135	－	－	－	－	－	－
2425	体液量等測定　循環血液量測定（色素希釈法以外）	150	5	750	－	－	5	750
2426	体液量等測定　循環血液量測定（色素希釈法以外）２回目以降	135	1	135	－	－	1	135
2427	体液量等測定　脳循環測定（色素希釈法）	150	5	750	5	750	－	－
2428	体液量等測定　脳循環測定（色素希釈法）２回目以降	135	2	270	2	270	－	－
2429	体液量等測定　血管内皮機能検査(一連につき)	200	3 288	657 600	160	32 000	3 128	625 600
2430	体液量等測定　脳循環測定（笑気法によるもの）	1350	－	－	－	－	－	－
2431	体液量等測定　脳循環測定（笑気法によるもの）２回目以降	1215	－	－	－	－	－	－
2432	心電図検査　四肢単極誘導及び胸部誘導を含む最低12誘導	130	2 388 968	310 565 840	213 106	27 703 780	2 175 862	282 862 060
2433	心電図検査　四肢単極誘導及び胸部誘導を含む最低12誘導　２回目以降	117	92 397	10 810 449	26 699	3 123 783	65 698	7 686 666
2434	心電図検査　ベクトル心電図	150	8	1 200	2	300	6	900
2435	心電図検査　ベクトル心電図　２回目以降	135	15	2 025	1	135	14	1 890
2436	心電図検査　体表ヒス束心電図	150	63	9 450	－	－	63	9 450
2437	心電図検査　体表ヒス束心電図　２回目以降	135	24	3 240	1	135	23	3 105
2438	心電図検査　携帯型発作時心電図記憶伝達装置使用心電図検査	150	1 067	160 050	－	－	1 067	160 050
2439	心電図検査　携帯型発作時心電図記憶伝達装置使用心電図検査　２回目以降	135	412	55 620	－	－	412	55 620
2440	心電図検査　加算平均心電図による心室遅延電位測定	200	414	82 800	5	1 000	409	81 800
2441	心電図検査　加算平均心電図による心室遅延電位測定　２回目以降	180	63	11 340	9	1 620	54	9 720
2442	心電図検査　その他（６誘導以上）	90	2 006	180 540	265	23 850	1 741	156 690
2443	心電図検査　その他（６誘導以上）２回目以降	81	377	30 537	229	18 549	148	11 988
2444	心電図診断（他医描写）	70	16 910	1 183 700	318	22 260	16 592	1 161 440
2445	負荷心電図検査　四肢単極誘導及び胸部誘導を含む最低12誘導	380	39 714	15 091 320	496	188 480	39 218	14 902 840
2446	負荷心電図検査　四肢単極誘導及び胸部誘導を含む最低12誘導　２回目以降	342	152	51 984	61	20 862	91	31 122
2447	負荷心電図検査　その他（６誘導以上）	190	343	65 170	8	1 520	335	63 650
2448	負荷心電図検査　その他（６誘導以上）２回目以降	171	12	2 052	5	855	7	1 197
2449	負荷心電図診断（他医描写）	70	116	8 120	1	70	115	8 050

第８表　医科診療　件数・診療実日数・回数・点数，診療行為（細分類）、入院－入院外別

平成30年６月審査分

行番号	診療行為（細分類）	固定点数	総数 回数	総数 点数	入院 回数	入院 点数	入院外 回数	入院外 点数
2450	ホルター型心電図検査　30分又はその端数を増すごとに	90X	423	164 790	32	24 840	391	139 950
2451	ホルター型心電図検査　30分又はその端数を増すごとに　２回目以降	81X	5	69 903	–	–	5	69 903
2452	ホルター型心電図検査　８時間超	1750	127 153	222 517 750	8 143	14 250 250	119 010	208 267 500
2453	ホルター型心電図検査　８時間超　２回目以降	1575	448	705 600	94	148 050	354	557 550
2454	体表面心電図	1500	29	43 500	–	–	29	43 500
2455	体表面心電図　２回目以降	1350	–	–	–	–	–	–
2456	心外膜興奮伝播図	1500	–	–	–	–	–	–
2457	心外膜興奮伝播図　２回目以降	1350	–	–	–	–	–	–
2458	植込型心電図検査	90X	448	65 520	2	180	446	65 340
2459	植込型心電図検査　２回目以降	81X	19	33 696	–	–	19	33 696
2460	Ｔ波オルタナンス検査	1100	1	1 100	–	–	1	1 100
2461	Ｔ波オルタナンス検査　２回目以降	990	–	–	–	–	–	–
2462	トレッドミルによる負荷心肺機能検査	1400	18 592	26 028 800	233	326 200	18 359	25 702 600
2463	トレッドミルによる負荷心肺機能検査　２回目以降	1260	20	25 200	3	3 780	17	21 420
2464	サイクルエルゴメーターによる心肺機能検査	1400	7 062	9 886 800	250	350 000	6 812	9 536 800
2465	サイクルエルゴメーターによる心肺機能検査　２回目以降	1260	14	17 640	5	6 300	9	11 340
2466	心肺機能検査　連続呼気ガス分析　加算	520	3 931	2 044 120	221	114 920	3 710	1 929 200
2467	心肺機能検査　連続呼気ガス分析　加算　２回目以降	468	14	6 552	5	2 340	9	4 212
2468	喘息運動負荷試験	800	55	44 000	1	800	54	43 200
2469	喘息運動負荷試験　２回目以降	720	2	1 440	2	1 440	–	–
2470	時間内歩行試験	200	1 523	304 600	206	41 200	1 317	263 400
2471	時間内歩行試験　２回目以降	180	20	3 600	16	2 880	4	720
2472	シャトルウォーキングテスト	200	12	2 400	–	–	12	2 400
2473	シャトルウォーキングテスト　２回目以降	180	–	–	–	–	–	–
2474	リアルタイム解析型心電図	600	74	44 400	–	–	74	44 400
2475	リアルタイム解析型心電図　２回目以降	540	–	–	–	–	–	–
2476	携帯型発作時心電図記録計使用心電図検査	500	366	183 000	2	1 000	364	182 000
2477	携帯型発作時心電図記録計使用心電図検査　２回目以降	450	32	14 400	–	–	32	14 400
2478	心音図検査	150	64	9 600	7	1 050	57	8 550
2479	心音図検査　２回目以降	135	–	–	–	–	–	–
2480	脈波図，心機図，ポリグラフ検査　１検査	60	8 854	531 240	366	21 960	8 488	509 280
2481	脈波図，心機図，ポリグラフ検査　１検査　２回目以降	54	82	4 428	45	2 430	37	1 998
2482	脈波図，心機図，ポリグラフ検査　２検査	80	36 970	2 957 600	2 504	200 320	34 466	2 757 280
2483	脈波図，心機図，ポリグラフ検査　２検査　２回目以降	72	201	14 472	115	8 280	86	6 192
2484	脈波図，心機図，ポリグラフ検査　３～４検査	130	70 602	9 178 260	2 526	328 380	68 076	8 849 880
2485	脈波図，心機図，ポリグラフ検査　３～４検査　２回目以降	117	323	37 791	117	13 689	206	24 102
2486	脈波図，心機図，ポリグラフ検査　５～６検査	180	386	69 480	40	7 200	346	62 280
2487	脈波図，心機図，ポリグラフ検査　５～６検査　２回目以降	162	1	162	–	–	1	162
2488	脈波図，心機図，ポリグラフ検査　７検査以上	220	205	45 100	2	440	203	44 660
2489	脈波図，心機図，ポリグラフ検査　７検査以上　２回目以降	198	4	792	–	–	4	792
2490	脈波図，心機図，ポリグラフ検査　血管伸展性検査	100	178 873	17 887 300	6 041	604 100	172 832	17 283 200
2491	脈波図，心機図，ポリグラフ検査　血管伸展性検査　２回目以降	90	624	56 160	209	18 810	415	37 350
2492	エレクトロキモグラフ	260	–	–	–	–	–	–
2493	エレクトロキモグラフ　２回目以降	234	–	–	–	–	–	–
2494	呼吸循環機能検査等　新生児　加算		404	87 459	89	22 526	315	64 933
2495	呼吸循環機能検査等　乳幼児　加算（３歳未満）		9 951	1 118 890	231	32 657	9 720	1 086 233
2496	呼吸循環機能検査等　幼児　加算（３歳以上６歳未満）		11 328	728 916	94	9 142	11 234	719 774
2497	超音波検査等小計		4 628 609	2 235 988 977	184 815	95 831 030	4 443 794	2 140 157 947
2498	超音波検査							
2499	Ａモード法	150	43 946	6 591 900	270	40 500	43 676	6 551 400
2500	Ａモード法　２回目以降	135	465	62 775	35	4 725	430	58 050
2501	断層撮影法（心臓超音波検査を除く）胸腹部	530	1 942 744	1 029 654 320	40 087	21 246 110	1 902 657	1 008 408 210
2502	断層撮影法（心臓超音波検査を除く）胸腹部　２回目以降	477	163 787	78 126 399	16 477	7 859 529	147 310	70 266 870
2503	断層撮影法（心臓超音波検査を除く）下肢血管	450	59 051	26 572 950	4 689	2 110 050	54 362	24 462 900
2504	断層撮影法（心臓超音波検査を除く）下肢血管　２回目以降	405	6 076	2 460 780	1 671	676 755	4 405	1 784 025
2505	断層撮影法（心臓超音波検査を除く）その他（頭頸部，四肢，体表，末梢血管等）	350	859 752	300 913 200	15 644	5 475 400	844 108	295 437 800
2506	断層撮影法（心臓超音波検査を除く）その他（頭頸部，四肢，体表，末梢血管等）２回目以降	315	32 943	10 377 045	4 835	1 523 025	28 108	8 854 020
2507	断層撮影法（心臓超音波検査を除く）パルスドプラ法　加算	200	248 881	49 776 200	13 532	2 706 400	235 349	47 069 800
2508	断層撮影法（心臓超音波検査を除く）パルスドプラ法　２回目以降　加算	180	13 535	2 436 300	4 229	761 220	9 306	1 675 080
2509	心臓超音波検査　経胸壁心エコー法	880	581 416	511 646 080	48 256	42 465 280	533 160	469 180 800
2510	心臓超音波検査　経胸壁心エコー法　２回目以降	792	11 436	9 057 312	4 318	3 419 856	7 118	5 637 456
2511	心臓超音波検査　Ｍモード法	500	1 210	605 000	119	59 500	1 091	545 500
2512	心臓超音波検査　Ｍモード法　２回目以降	450	57	25 650	4	1 800	53	23 850
2513	心臓超音波検査　経食道心エコー法	1500	2 379	3 568 500	418	627 000	1 961	2 941 500
2514	心臓超音波検査　経食道心エコー法　２回目以降	1350	739	997 650	235	317 250	504	680 400
2515	心臓超音波検査　胎児心エコー法	300	810	243 000	7	2 100	803	240 900
2516	心臓超音波検査　胎児心エコー法　胎児心エコー法診断　加算	700	546	382 200	3	2 100	543	380 100
2517	心臓超音波検査　負荷心エコー法	2010	402	808 020	9	18 090	393	789 930
2518	心臓超音波検査　負荷心エコー法　２回目以降	1809	66	119 394	5	9 045	61	110 349
2519	断層撮影法　心臓超音波検査　造影剤使用　加算	180	2 931	527 580	59	10 620	2 872	516 960
2520	断層撮影法　心臓超音波検査　造影剤使用　２回目以降　加算	162	324	52 488	37	5 994	287	46 494
2521	ドプラ法（１日につき）胎児心音観察	20	1 820	36 400	1 528	30 560	292	5 840
2522	ドプラ法（１日につき）胎児心音観察　２回目以降	18	17 597	316 746	17 448	314 064	149	2 682
2523	ドプラ法（１日につき）末梢血管血行動態検査	20	10 229	204 580	943	18 860	9 286	185 720
2524	ドプラ法（１日につき）末梢血管血行動態検査　２回目以降	18	4 001	72 018	3 166	56 988	835	15 030
2525	ドプラ法（１日につき）脳動脈血流速度連続測定	150	174	26 100	29	4 350	145	21 750
2526	ドプラ法（１日につき）脳動脈血流速度連続測定　２回目以降	135	36	4 860	32	4 320	4	540
2527	ドプラ法（１日につき）脳動脈血流速度連続測定　微小栓子シグナル　加算	150	38	5 700	–	–	38	5 700
2528	ドプラ法（１日につき）脳動脈血流速度連続測定　微小栓子シグナル　２回目以降　加算	135	–	–	–	–	–	–
2529	ドプラ法（１日につき）脳動脈血流速度マッピング法	400	40	16 000	11	4 400	29	11 600
2530	ドプラ法（１日につき）脳動脈血流速度マッピング法　２回目以降	360	4	1 440	1	360	3	1 080
2531	血管内超音波法	4290	6	25 740	2	8 580	4	17 160
2532	血管内超音波法　２回目以降	3861	1	3 861	1	3 861	–	–
2533	肝硬度測定	200	8 147	1 629 400	84	16 800	8 063	1 612 600
2534	超音波エラストグラフィー	200	915	183 000	28	5 600	887	177 400
2535	サーモグラフィー検査	200	1 299	259 800	132	26 400	1 167	233 400
2536	サーモグラフィー検査　２回目以降	180	11	1 980	2	360	9	1 620
2537	サーモグラフィー検査　負荷検査　加算	100	103	10 300	10	1 000	93	9 300
2538	サーモグラフィー検査　負荷検査　２回目以降　加算	90	1	90	–	–	1	90
2539	残尿測定検査　超音波検査によるもの	55	248 519	13 668 545	8 202	451 110	240 317	13 217 435
2540	残尿測定検査　導尿によるもの	45	3 800	171 000	513	23 085	3 287	147 915
2541	骨塩定量検査　ＤＥＸＡ法による腰椎撮影	360	269 361	96 969 960	8 502	3 060 720	260 859	93 909 240
2542	骨塩定量検査　大腿骨同時撮影　加算	90	236 737	21 306 330	7 268	654 120	229 469	20 652 210
2543	骨塩定量検査　ＭＤ法，ＳＥＸＡ法等	140	298 123	41 737 220	5 534	774 760	292 589	40 962 460
2544	骨塩定量検査　超音波法	80	57 247	4 579 760	1 578	126 240	55 669	4 453 520
2545	超音波検査等　新生児　加算		1 898	1 365 889	731	526 820	1 167	839 069
2546	超音波検査等　乳幼児　加算（３歳未満）		28 873	13 196 109	732	349 982	28 141	12 846 127
2547	超音波検査等　幼児　加算（３歳以上６歳未満）		21 006	5 191 406	112	25 341	20 894	5 166 065
2548	監視装置による諸検査小計		2 086 425	147 882 511	1 614 798	118 129 488	471 627	29 753 023
2549	分娩監視装置による諸検査　１時間以内	480	1 512	725 760	1 490	715 200	22	10 560
2550	分娩監視装置による諸検査　１時間超１時間30分以内	660	589	388 740	585	386 100	4	2 640
2551	分娩監視装置による諸検査　１時間30分超	840	8 837	7 423 080	8 831	7 418 040	6	5 040
2552	ノンストレステスト（一連につき）	200	44 691	8 938 200	23 956	4 791 200	20 735	4 147 000
2553	呼吸心拍監視　１時間以内又は１時間につき	50X	123 176	9 157 900	25 921	2 096 400	97 255	7 061 500
2554	呼吸心拍監視　３時間を超えた場合（１日につき）７日以内	150	240 920	36 138 000	234 921	35 238 150	5 999	899 850
2555	呼吸心拍監視　３時間を超えた場合（１日につき）７日超14日以内	130	116 310	15 120 300	115 347	14 995 110	963	125 190
2556	呼吸心拍監視　３時間を超えた場合（１日につき）14日超	50	394 580	19 729 000	373 825	18 691 250	20 755	1 037 750
2557	新生児心拍・呼吸監視装置　１時間以内又は１時間につき	50X	79	6 950	75	6 750	4	200

第８表　医科診療　件数・診療実日数・回数・点数，診療行為（細分類）、入院－入院外別

平成30年６月審査分

行番号	診療行為（細分類）	固定点数	総数		入院		入院外	
			回数	点数	回数	点数	回数	点数
2558	新生児心拍・呼吸監視装置　3時間を超えた場合（1日につき）7日以内	150	757	113 550	757	113 550	–	–
2559	新生児心拍・呼吸監視装置　3時間を超えた場合（1日につき）7日超14日以内	130	39	5 070	39	5 070	–	–
2560	新生児心拍・呼吸監視装置　3時間を超えた場合（1日につき）14日超	50	30	1 500	30	1 500	–	–
2561	カルジオスコープ（ハートスコープ）1時間以内又は1時間につき	50X	2 576	207 000	738	64 850	1 838	142 150
2562	カルジオスコープ（ハートスコープ）3時間を超えた場合（1日につき）7日以内	150	6 516	977 400	6 276	941 400	240	36 000
2563	カルジオスコープ（ハートスコープ）3時間を超えた場合（1日につき）7日超14日以内	130	3 363	437 190	3 312	430 560	51	6 630
2564	カルジオスコープ（ハートスコープ）3時間を超えた場合（1日につき）14日超	50	11 565	578 250	10 750	537 500	815	40 750
2565	カルジオタコスコープ　1時間以内又は1時間につき	50X	261	24 100	162	15 450	99	8 650
2566	カルジオタコスコープ　3時間を超えた場合（1日につき）7日以内	150	1 084	162 600	1 071	160 650	13	1 950
2567	カルジオタコスコープ　3時間を超えた場合（1日につき）7日超14日以内	130	450	58 500	440	57 200	10	1 300
2568	カルジオタコスコープ　3時間を超えた場合（1日につき）14日超	50	1 134	56 700	1 037	51 850	97	4 850
2569	筋肉コンパートメント内圧測定	620	8	4 960	2	1 240	6	3 720
2570	経皮的血液ガス分圧測定　１時間以内又は１時間につき	100X	317	99 900	293	95 400	24	4 500
2571	経皮的血液ガス分圧測定　５時間超（１日につき）	600	508	304 800	483	289 800	25	15 000
2572	血液ガス連続測定　１時間以内又は１時間につき	100X	5	500	4	400	1	100
2573	血液ガス連続測定　５時間超（１日につき）	600	1	600	1	600	–	–
2574	経皮的酸素ガス分圧測定（１日につき）	100	207	20 700	8	800	199	19 900
2575	経皮的動脈血酸素飽和度測定（１日につき）	30	1 050 851	31 525 530	744 907	22 347 210	305 944	9 178 320
2576	終夜経皮的動脈血酸素飽和度測定（一連につき）	100	3 099	309 900	439	43 900	2 660	266 000
2577	終末呼気炭酸ガス濃度測定（１日につき）	100	37 613	3 761 300	36 556	3 655 600	1 057	105 700
2578	観血的動脈圧測定（カテーテルの挿入に要する費用及びエックス線透視の費用を含む）1時間以内	130	178	23 140	121	15 730	57	7 410
2579	観血的動脈圧測定（カテーテルの挿入に要する費用及びエックス線透視の費用を含む）1時間超（1日につき）	260	7 282	1 893 320	7 224	1 878 240	58	15 080
2580	非観血的連続血圧測定（１日につき）	100	10 939	1 093 900	9 068	906 800	1 871	187 100
2581	24時間自由行動下血圧測定	200	4 477	895 400	426	85 200	4 051	810 200
2582	ヘッドアップティルト試験	980	716	701 680	55	53 900	661	647 780
2583	中心静脈圧測定　４回以下	120	3 069	368 280	3 045	365 400	24	2 880
2584	中心静脈圧測定　５回以上	240	1 211	290 640	1 210	290 400	1	240
2585	頭蓋内圧持続測定　１時間以内又は１時間	125X	–	–	–	–	–	–
2586	頭蓋内圧持続測定　３時間超（１日につき）	600	73	43 800	73	43 800	–	–
2587	深部体温計による深部体温測定（１日につき）	100	231	23 100	206	20 600	25	2 500
2588	前額部，胸部，手掌部又は足底部体表面体温測定による末梢循環不全状態観察（1日につき）	100	429	42 900	104	10 400	325	32 500
2589	観血的肺動脈圧測定　1時間以内又は1時間	180X	15	5 580	14	5 220	1	360
2590	観血的肺動脈圧測定　2時間超（1日につき）	540	430	232 200	429	231 660	1	540
2591	観血的肺動脈圧測定　バルーン付肺動脈カテーテル挿入　加算	1300	79	102 700	78	101 400	1	1 300
2592	人工膵臓検査（一連につき）	5000	5	25 000	5	25 000	–	–
2593	皮下連続式グルコース測定（一連につき）診療所	700	467	326 900	20	14 000	447	312 900
2594	皮下連続式グルコース測定（一連につき）病院	700	2 062	1 443 400	138	96 600	1 924	1 346 800
2595	食道内圧測定検査	780	169	131 820	5	3 900	164	127 920
2596	直腸肛門機能検査　１項目	800	3 031	2 424 800	296	236 800	2 735	2 188 000
2597	直腸肛門機能検査　２項目以上	1200	526	631 200	88	105 600	438	525 600
2598	胃・食道内24時間ｐＨ測定	1300	37	48 100	15	19 500	22	28 600
2599	監視装置による諸検査　新生児　加算		3 885	117 080	3 669	110 530	216	6 550
2600	監視装置による諸検査　乳幼児　加算（３歳未満）		15 893	545 027	5 544	310 870	10 349	234 157
2601	監視装置による諸検査　幼児　加算（３歳以上６歳未満）		13 722	194 564	2 139	45 208	11 583	149 356
2602	脳波検査等小計		154 608	96 534 181	25 922	25 355 535	128 686	71 178 646
2603	脳波検査（過呼吸，光及び音刺激による負荷検査を含む）	720	45 709	32 910 480	8 274	5 957 280	37 435	26 953 200
2604	脳波検査（過呼吸，光及び音刺激による負荷検査を含む）賦活検査　加算	250	22 262	5 565 500	2 299	574 750	19 963	4 990 750
2605	脳波検査（過呼吸，光及び音刺激による負荷検査を含む）脳派診断（他医描写）	70	445	31 150	1	70	444	31 080
2606	長期継続頭蓋内脳波検査（１日につき）	500	27	13 500	27	13 500	–	–
2607	長期脳波ビデオ同時記録検査１（１日につき）	3500	335	1 172 500	334	1 169 000	1	3 500
2608	長期脳波ビデオ同時記録検査２（１日につき）	900	107	96 300	105	94 500	2	1 800
2609	脳誘発電位検査（脳波検査を含む）体性感覚誘発電位	804	1 004	807 216	404	324 816	600	482 400
2610	脳誘発電位検査（脳波検査を含む）視覚誘発電位	804	307	246 828	105	84 420	202	162 408
2611	脳誘発電位検査（脳波検査を含む）聴性誘発反応検査	804	2 550	2 050 200	375	301 500	2 175	1 748 700
2612	脳誘発電位検査（脳波検査を含む）脳波聴力検査	804	46	36 984	3	2 412	43	34 572
2613	脳誘発電位検査（脳波検査を含む）脳幹反応聴力検査	804	683	549 132	52	41 808	631	507 324
2614	脳誘発電位検査（脳波検査を含む）中間潜時反応聴力検査	804	2	1 608	2	1 608	–	–
2615	脳誘発電位検査（脳波検査を含む）聴性定常反応	960	674	647 040	3	2 880	671	644 160
2616	光トポグラフィー　脳外科手術の術前検査	670	–	–	–	–	–	–
2617	光トポグラフィー　脳外科手術の術前検査　施設基準適合以外	536	3	1 608	–	–	3	1 608
2618	光トポグラフィー　抑うつ症状の鑑別診断の補助　イ　精神科救急体制の精神保健指定医	400	39	15 600	9	3 600	30	12 000
2619	光トポグラフィー　抑うつ症状の鑑別診断の補助　イ　精神科救急体制の精神保健指定医　施設基準適合以外	320	89	28 480	39	12 480	50	16 000
2620	光トポグラフィー　抑うつ症状の鑑別診断の補助　ロ　イ以外	200	6	1 200	6	1 200	–	–
2621	光トポグラフィー　抑うつ症状の鑑別診断の補助　ロ　イ以外　施設基準適合以外	160	2	320	–	–	2	320
2622	脳磁図	5100	52	265 200	34	173 400	18	91 800
2623	終夜睡眠ポリグラフィー　1　携帯用装置を使用した場合	720	23 144	16 663 680	930	669 600	22 214	15 994 080
2624	終夜睡眠ポリグラフィー　2　多点感圧センサーを有する睡眠評価装置を使用した場合	250	58	14 500	4	1 000	54	13 500
2625	終夜睡眠ポリグラフィー　3　1及び2以外の場合	3960	4 034	15 974 640	3 114	12 331 440	920	3 643 200
2626	反復睡眠潜時試験（ＭＳＬＴ）	5000	278	1 390 000	194	970 000	84	420 000
2627	脳波検査判断料１	350	6 637	2 322 950	722	252 700	5 915	2 070 250
2628	遠隔脳波検査判断料１	350	4	1 400	–	–	4	1 400
2629	脳波検査判断料２	180	68 373	12 307 140	11 185	2 013 300	57 188	10 293 840
2630	脳波検査等　新生児　加算		164	132 764	83	66 812	81	65 952
2631	脳波検査等　乳幼児　加算（３歳未満）		3 358	2 165 373	206	182 429	3 152	1 982 944
2632	脳波検査等　幼児　加算（３歳以上６歳未満）		2 993	1 120 888	131	109 030	2 862	1 011 858
2633	神経・筋検査小計		255 875	79 119 726	6 724	2 256 799	249 151	76 862 927
2634	筋電図検査　筋電図（１肢につき）	300	2 082	624 600	246	73 800	1 836	550 800
2635	筋電図検査　筋電図（１筋につき）	300	8 739	2 621 700	943	282 900	7 796	2 338 800
2636	筋電図検査　誘発筋電図（神経伝導速度測定を含む）（1神経につき）	200	27 254	5 450 800	1 132	226 400	26 122	5 224 400
2637	筋電図検査　誘発筋電図（神経伝導速度測定を含む）（1神経につき）複数神経　加算	150X	20 312	11 296 800	894	542 700	19 418	10 754 100
2638	筋電図検査　中枢神経磁気刺激による誘発筋電図（一連につき）	800	41	32 800	1	800	40	32 000
2639	筋電図検査　中枢神経磁気刺激による誘発筋電図（一連につき）施設基準適合以外	640	120	76 800	6	3 840	114	72 960
2640	電流知覚閾値測定（一連につき）	200	968	193 600	38	7 600	930	186 000
2641	神経学的検査	500	53 897	26 948 500	841	420 500	53 056	26 528 000
2642	全身温熱発汗試験	600	26	15 600	–	–	26	15 600
2643	精密知覚機能検査	280	1 548	433 440	58	16 240	1 490	417 200
2644	神経・筋負荷テスト　テンシロンテスト（ワゴスチグミン眼筋力テストを含む）	130	274	35 620	8	1 040	266	34 580
2645	神経・筋負荷テスト　瞳孔薬物負荷テスト	130	19	2 470	–	–	19	2 470
2646	神経・筋負荷テスト　乏血運動負荷テスト（乳酸測定等を含む）	200	6	1 200	6	1 200	–	–
2647	神経・筋検査判断料	180	80 464	14 483 520	2 051	369 180	78 413	14 114 340
2648	尿水力学的検査　膀胱内圧測定	260	1 498	389 480	158	41 080	1 340	348 400
2649	尿水力学的検査　尿道圧測定図	260	420	109 200	15	3 900	405	105 300
2650	尿水力学的検査　尿流測定	205	77 678	15 923 990	1 150	235 750	76 528	15 688 240
2651	尿水力学的検査　括約筋筋電図	310	841	260 710	71	22 010	770	238 700
2652	神経・筋検査　新生児　加算		2	1 000	–	–	2	1 000
2653	神経・筋検査　乳幼児　加算（３歳未満）		409	133 812	14	5 145	395	128 667
2654	神経・筋検査　幼児　加算（３歳以上６歳未満）		499	84 084	15	2 714	484	81 370
2655	耳鼻咽喉科学的検査小計		1 846 096	449 572 061	8 792	1 932 533	1 837 304	447 639 528
2656	自覚的聴力検査							
2657	標準純音聴力検査	350	499 292	174 752 200	1 429	500 150	497 863	174 252 050
2658	自記オージオメーターによる聴力検査	350	583	204 050	38	13 300	545	190 750
2659	標準語音聴力検査	350	11 746	4 111 100	104	36 400	11 642	4 074 700
2660	ことばのききとり検査	350	2 722	952 700	2	700	2 720	952 000

第８表　医科診療　件数・診療実日数・回数・点数，診療行為（細分類）、入院－入院外別

平成30年６月審査分

行番号	診療行為（細分類）	固定点数	総数 回数	総数 点数	入院 回数	入院 点数	入院外 回数	入院外 点数
2661	簡易聴力検査　気導純音聴力検査	110	222 154	24 436 940	476	52 360	221 678	24 384 580
2662	簡易聴力検査　その他（種目数にかかわらず一連につき）	40	43 313	1 732 520	161	6 440	43 152	1 726 080
2663	後迷路機能検査（種目数にかかわらず一連につき）	400	259	103 600	6	2 400	253	101 200
2664	内耳機能検査（種目数にかかわらず一連につき）	400	5 664	2 265 600	20	8 000	5 644	2 257 600
2665	耳鳴検査（種目数にかかわらず一連につき）	400	10 119	4 047 600	15	6 000	10 104	4 041 600
2666	中耳機能検査（種目数にかかわらず一連につき）	150	1 034	155 100	7	1 050	1 027	154 050
2667	補聴器適合検査　１回目	1300	1 603	2 083 900	12	15 600	1 591	2 068 300
2668	補聴器適合検査　２回目以降	700	5 589	3 912 300	10	7 000	5 579	3 905 300
2669	鼻腔通気度検査	300	5 105	1 531 500	200	60 000	4 905	1 471 500
2670	アコースティックオトスコープを用いた鼓膜音響反射率検査	100	1 020	102 000	-	-	1 020	102 000
2671	他覚的聴力検査又は行動観察による聴力検査							
2672	鼓膜音響インピーダンス検査	290	329	95 410	19	5 510	310	89 900
2673	チンパノメトリー	340	351 121	119 381 140	351	119 340	350 770	119 261 800
2674	耳小骨筋反射検査	450	7 727	3 477 150	94	42 300	7 633	3 434 850
2675	遊戯聴力検査	450	7 092	3 191 400	30	13 500	7 062	3 177 900
2676	耳音響放射（ＯＡＥ）検査　自発耳音響放射（ＳＯＡＥ）	100	303	30 300	2	200	301	30 100
2677	耳音響放射（ＯＡＥ）検査　その他の場合	300	8 705	2 611 500	38	11 400	8 667	2 600 100
2678	耳管機能測定装置を用いた耳管機能測定	450	5 688	2 559 600	51	22 950	5 637	2 536 650
2679	蝸電図	750	46	34 500	-	-	46	34 500
2680	平衡機能検査							
2681	標準検査（一連につき）	20	321 598	6 431 960	2 332	46 640	319 266	6 385 320
2682	刺激又は負荷を加える特殊検査（１種目につき）	120	20 120	2 414 400	416	49 920	19 704	2 364 480
2683	頭位及び頭位変換眼振検査　赤外線ＣＣＤカメラ等	300	141 739	42 521 700	553	165 900	141 186	42 355 800
2684	頭位及び頭位変換眼振検査　その他の場合	140	101 868	14 261 520	660	92 400	101 208	14 169 120
2685	電気眼振図（誘導数にかかわらず一連につき）皿電極により４誘導以上の記録を行った場合	400	1 355	542 000	103	41 200	1 252	500 800
2686	電気眼振図（誘導数にかかわらず一連につき）その他の場合	260	4 023	1 045 980	93	24 180	3 930	1 021 800
2687	重心動揺計	250	43 173	10 793 250	646	161 500	42 527	10 631 750
2688	下肢加重検査	250	1 465	366 250	326	81 500	1 139	284 750
2689	フォースプレート分析	250	118	29 500	29	7 250	89	22 250
2690	動作分析検査	250	472	118 000	99	24 750	373	93 250
2691	パワー・ベクトル分析　加算	200	24 516	4 903 200	494	98 800	24 022	4 804 400
2692	刺激又は負荷　加算	120	8 175	981 000	75	9 000	8 100	972 000
2693	音声言語医学的検査　喉頭ストロボスコピー	450	4 336	1 951 200	32	14 400	4 304	1 936 800
2694	音声言語医学的検査　音響分析	450	2 328	1 047 600	159	71 550	2 169	976 050
2695	音声言語医学的検査　音声機能検査	450	2 526	1 136 700	116	52 200	2 410	1 084 500
2696	扁桃マッサージ法	40	8	320	-	-	8	320
2697	嗅覚検査　基準嗅覚検査	450	2 000	900 000	72	32 400	1 928	867 600
2698	嗅覚検査　静脈性嗅覚検査	45	5 787	260 415	10	450	5 777	259 965
2699	電気味覚検査（一連につき）	300	1 966	589 800	81	24 300	1 885	565 500
2700	耳鼻咽喉科学的検査　新生児　加算		44	12 720	3	640	41	12 080
2701	耳鼻咽喉科学的検査　乳幼児　加算（３歳未満）		31 929	7 492 436	28	8 953	31 901	7 483 483
2702	耳鼻咽喉科学的検査　幼児　加算（３歳以上６歳未満）		-	-	-	-	-	-
2703	眼科学的検査小計		46 056 558	3 544 622 493	210 795	16 053 579	45 845 763	3 528 568 914
2704	精密眼底検査（片側）	56	12 817 462	717 777 872	57 220	3 204 320	12 760 242	714 573 552
2705	汎網膜硝子体検査（片側）	150	109 144	16 371 600	155	23 250	108 989	16 348 350
2706	眼底カメラ撮影　通常の方法の場合　アナログ撮影	54	17 466	943 164	106	5 724	17 360	937 440
2707	眼底カメラ撮影　通常の方法の場合　デジタル撮影	58	342 617	19 871 786	2 264	131 312	340 353	19 740 474
2708	眼底カメラ撮影　蛍光眼底法の場合	400	15 193	6 077 200	83	33 200	15 110	6 044 000
2709	眼底カメラ撮影　自発蛍光撮影法の場合	510	19 062	9 721 620	132	67 320	18 930	9 654 300
2710	眼底カメラ撮影　広角眼底撮影　加算	100	57	5 700	11	1 100	46	4 600
2711	眼底三次元画像解析	200	1 326 829	265 365 800	2 535	507 000	1 324 294	264 858 800
2712	光干渉断層血管撮影	400	20 419	8 167 600	56	22 400	20 363	8 145 200
2713	細隙燈顕微鏡検査（前眼部及び後眼部）	112	1 886 677	211 307 824	25 532	2 859 584	1 861 145	208 448 240
2714	網膜電位図（ＥＲＧ）	230	10 303	2 369 690	88	20 240	10 215	2 349 450
2715	網膜機能精密電気生理検査（多局所網膜電位図）	500	234	117 000	6	3 000	228	114 000
2716	精密視野検査（片側）	38	76 023	2 888 874	154	5 852	75 869	2 883 022
2717	量的視野検査　動的量的視野検査（片側）	195	124 924	24 360 180	848	165 360	124 076	24 194 820
2718	量的視野検査　静的量的視野検査（片側）	290	925 450	268 380 500	976	283 040	924 474	268 097 460
2719	屈折検査　６歳未満の場合	69	52 354	3 612 426	29	2 001	52 325	3 610 425
2720	屈折検査　６歳以上の場合	69	2 349 531	162 117 639	9 554	659 226	2 339 977	161 458 413
2721	屈折検査　散瞳剤又は調節麻痺剤の使用前後　６歳未満の場合	138	4 210	580 980	2	276	4 208	580 704
2722	屈折検査　散瞳剤又は調節麻痺剤の使用前後　６歳以上の場合	138	36 842	5 084 196	16	2 208	36 826	5 081 988
2723	調節検査	70	390 741	27 351 870	440	30 800	390 301	27 321 070
2724	矯正視力検査　眼鏡処方箋の交付の場合	69	362 451	25 009 119	151	10 419	362 300	24 998 700
2725	矯正視力検査　眼鏡処方箋の交付以外の場合	69	5 891 444	406 509 636	20 972	1 447 068	5 870 472	405 062 568
2726	コントラスト感度検査	207	9 922	2 053 854	122	25 254	9 800	2 028 600
2727	精密眼圧測定	82	6 579 526	539 521 132	38 557	3 161 674	6 540 969	536 359 458
2728	精密眼圧測定　負荷測定　加算	55	5 708	313 940	202	11 110	5 506	302 830
2729	角膜曲率半径計測	84	1 801 175	151 298 700	8 394	705 096	1 792 781	150 593 604
2730	角膜形状解析検査	105	16 393	1 721 265	47	4 935	16 346	1 716 330
2731	光覚検査	42	230	9 660	-	-	230	9 660
2732	色覚検査　アノマロスコープを行った場合	70	605	42 350	3	210	602	42 140
2733	色覚検査　色相配列検査を行った場合	70	4 096	286 720	9	630	4 087	286 090
2734	色覚検査　アノマロスコープ，色相配列検査以外の場合	48	5 129	246 192	30	1 440	5 099	244 752
2735	眼筋機能精密検査及び輻輳検査	48	164 464	7 894 272	493	23 664	163 971	7 870 608
2736	眼球突出度測定	38	4 879	185 402	143	5 434	4 736	179 968
2737	光学的眼軸長測定	150	62 180	9 327 000	417	62 550	61 763	9 264 450
2738	ロービジョン検査判断料	250	1 458	364 500	3	750	1 455	363 750
2739	角膜知覚計検査	38	271	10 298	1	38	270	10 260
2740	両眼視機能精密検査	48	90 695	4 353 360	150	7 200	90 545	4 346 160
2741	立体視検査（三杆法又はステレオテスト法による）	48	67 457	3 237 936	129	6 192	67 328	3 231 744
2742	網膜対応検査（残像法又はバゴリニ線条試験による）	48	15 106	725 088	141	6 768	14 965	718 320
2743	細隙燈顕微鏡検査（前眼部）	48	8 757 191	420 345 168	33 193	1 593 264	8 723 998	418 751 904
2744	前房隅角検査	38	37 816	1 437 008	385	14 630	37 431	1 422 378
2745	前眼部三次元画像解析	265	10 989	2 912 085	83	21 995	10 906	2 890 090
2746	圧迫隅角検査	76	2 976	226 176	36	2 736	2 940	223 440
2747	前房水漏出検査	149	1 747	260 303	225	33 525	1 522	226 778
2748	網膜中心血管圧測定　簡単なもの	42	224	9 408	-	-	224	9 408
2749	網膜中心血管圧測定　複雑なもの	100	1	100	-	-	1	100
2750	涙液分泌機能検査	38	73 198	2 781 524	180	6 840	73 018	2 774 684
2751	涙管通水・通色素検査	38	62 498	2 374 924	1 513	57 494	60 985	2 317 430
2752	涙道内視鏡検査	640	447	286 080	8	5 120	439	280 960
2753	眼球電位図（ＥＯＧ）	260	75	19 500	32	8 320	43	11 180
2754	角膜内皮細胞顕微鏡検査	160	301 546	48 247 360	2 309	369 440	299 237	47 877 920
2755	レーザー前房蛋白細胞数検査	160	55 888	8 942 080	2 481	396 960	53 407	8 545 120
2756	瞳孔機能検査（電子瞳孔計使用）	160	433	69 280	16	2 560	417	66 720
2757	中心フリッカー試験	38	17 008	646 304	351	13 338	16 657	632 966
2758	行動観察による視力検査　ＰＬ（Ｐｒｅｆｅｒｅｎｔｉａｌ　Ｌｏｏｋｉｎｇ）法	100	521	52 100	6	600	515	51 500
2759	行動観察による視力検査　乳児用視力測定（テラーカード等によるもの）	60	2 535	152 100	18	1 080	2 517	151 020
2760	コンタクトレンズ検査料１	200	556 778	111 355 600	-	-	556 778	111 355 600
2761	コンタクトレンズ検査料２	180	141	25 380	-	-	141	25 380
2762	コンタクトレンズ検査料３	56	544 543	30 494 408	1	56	544 542	30 494 352
2763	コンタクトレンズ検査料４	50	27 041	1 352 050	-	-	27 041	1 352 050
2764	眼科学的検査　新生児　加算		741	45 037	13	1 274	728	43 763
2765	眼科学的検査　乳幼児　加算（３歳未満）		171 203	7 004 554	263	16 702	170 940	6 987 852
2766	眼科学的検査　幼児　加算（３歳以上６歳未満）		1	19	-	-	1	19
2767	皮膚科学的検査小計		106 086	7 796 141	34	2 664	106 052	7 793 477
2768	ダーモスコピー	72	106 086	7 638 192	34	2 448	106 052	7 635 744
2769	皮膚科学的検査　新生児　加算		10	720	3	216	7	504
2770	皮膚科学的検査　乳幼児　加算（３歳未満）		3 144	157 200	-	-	3 144	157 200
2771	皮膚科学的検査　幼児　加算（３歳以上６歳未満）		1	29	-	-	1	29

第８表　医科診療　件数・診療実日数・回数・点数，診療行為（細分類）、入院－入院外別

平成30年６月審査分

行番号	診療行為（細分類）	固定点数	総数 回数	総数 点数	入院 回数	入院 点数	入院外 回数	入院外 点数
2772	臨床心理・神経心理検査小計		290 931	42 441 551	17 532	2 597 766	273 399	39 843 785
2773	発達及び知能検査　操作が容易	80	13 701	1 096 080	1 237	98 960	12 464	997 120
2774	発達及び知能検査　操作が複雑	280	10 038	2 810 640	230	64 400	9 808	2 746 240
2775	発達及び知能検査　操作が極めて複雑	450	14 033	6 314 850	775	348 750	13 258	5 966 100
2776	人格検査　操作が容易	80	10 027	802 160	377	30 160	9 650	772 000
2777	人格検査　操作が複雑	280	22 228	6 223 840	1 792	501 760	20 436	5 722 080
2778	人格検査　操作と処理が極めて複雑	450	2 404	1 081 800	339	152 550	2 065	929 250
2779	認知機能検査その他の心理検査　操作が容易	80	198 691	15 895 280	11 369	909 520	187 322	14 985 760
2780	認知機能検査その他の心理検査　操作が複雑	280	6 919	1 937 320	860	240 800	6 059	1 696 520
2781	認知機能検査その他の心理検査　操作と処理が極めて複雑	450	12 890	5 800 500	553	248 850	12 337	5 551 650
2782	臨床心理・神経心理検査　新生児　加算		5	400	–	–	5	400
2783	臨床心理・神経心理検査　乳幼児　加算（３歳未満）		4 536	478 681	16	2 016	4 520	476 665
2784	臨床心理・神経心理検査　幼児　加算（３歳以上６歳未満）		–	–	–	–	–	–
2785	負荷試験等小計		149 093	28 962 867	1 761	692 302	147 332	28 270 565
2786	肝のクリアランステスト	150	620	93 000	47	7 050	573	85 950
2787	腎のクリアランステスト	150	202	30 300	57	8 550	145	21 750
2788	肝及び腎のクリアランステスト　尿管カテーテル法　加算	1200	–	–	–	–	–	–
2789	肝及び腎のクリアランステスト　膀胱尿道ファイバースコピー　加算	950	3	2 850	–	–	3	2 850
2790	肝及び腎のクリアランステスト　膀胱尿道鏡検査　加算	890	–	–	–	–	–	–
2791	イヌリンクリアランス測定	1280	24	30 720	6	7 680	18	23 040
2792	内分泌負荷試験							
2793	下垂体前葉負荷試験　成長ホルモン（GH）	1200	1 208	1 449 600	53	63 600	1 155	1 386 000
2794	下垂体前葉負荷試験　ゴナドトロピン（LH及びFSH）	1600	1 448	2 316 800	13	20 800	1 435	2 296 000
2795	下垂体前葉負荷試験　甲状腺刺激ホルモン（TSH）	1200	189	226 800	13	15 600	176	211 200
2796	下垂体前葉負荷試験　プロラクチン（PRL）	1200	1 381	1 657 200	9	10 800	1 372	1 646 400
2797	下垂体前葉負荷試験　副腎皮質刺激ホルモン（ACTH）	1200	369	442 800	41	49 200	328	393 600
2798	下垂体後葉負荷試験	1200	17	20 400	4	4 800	13	15 600
2799	甲状腺負荷試験	1200	19	22 800	–	–	19	22 800
2800	副甲状腺負荷試験	1200	3	3 600	–	–	3	3 600
2801	副腎皮質負荷試験　鉱質コルチコイド	1200	1 285	1 542 000	19	22 800	1 266	1 519 200
2802	副腎皮質負荷試験　糖質コルチコイド	1200	668	801 600	51	61 200	617	740 400
2803	性腺負荷試験	1200	13	15 600	–	–	13	15 600
2804	糖負荷試験　常用負荷試験（血糖及び尿糖検査を含む）	200	17 775	3 555 000	333	66 600	17 442	3 488 400
2805	糖負荷試験　耐糖能精密検査（常用負荷試験及び血中インスリン測定又は常用負荷試験及び血中Ｃ－ペプタイド測定）	900	11 280	10 152 000	267	240 300	11 013	9 911 700
2806	糖負荷試験　グルカゴン負荷試験	900	259	233 100	78	70 200	181	162 900
2807	その他の機能テスト							
2808	膵機能テスト（PFDテスト）	100	60	6 000	14	1 400	46	4 600
2809	肝機能テスト（ICG１回又は２回法，BSP２回法）	100	1 387	138 700	198	19 800	1 189	118 900
2810	ビリルビン負荷試験	100	3	300	–	–	3	300
2811	馬尿酸合成試験	100	5	500	–	–	5	500
2812	フィッシュバーグ	100	11	1 100	5	500	6	600
2813	水利尿試験	100	4	400	1	100	3	300
2814	アジスカウント（Ａｄｄｉｓ尿沈渣定量検査）	100	1	100	–	–	1	100
2815	モーゼンタール法	100	–	–	–	–	–	–
2816	ヨードカリ試験	100	1	100	–	–	1	100
2817	胆道機能テスト	700	–	–	–	–	–	–
2818	胃液分泌刺激テスト	700	29	20 300	–	–	29	20 300
2819	セクレチン試験	3000	–	–	–	–	–	–
2820	卵管通気・通水・通色素検査	100	3 028	302 800	42	4 200	2 986	298 600
2821	ルビンテスト	100	65	6 500	–	–	65	6 500
2822	尿失禁定量テスト（パッドテスト）	100	324	32 400	12	1 200	312	31 200
2823	皮内反応検査　21箇所以内	16	100 418	1 606 688	456	7 296	99 962	1 599 392
2824	ヒナルゴンテスト　21箇所以内	16	10	160	10	160	–	–
2825	鼻アレルギー誘発試験　21箇所以内	16	340	5 440	–	–	340	5 440
2826	過敏性転嫁検査　21箇所以内	16	27	432	–	–	27	432
2827	薬物光線貼布試験　21箇所以内	16	450	7 200	–	–	450	7 200
2828	最小紅斑量（MED）測定　21箇所以内	16	1 870	29 920	27	432	1 843	29 488
2829	皮内反応検査　22箇所以上	350	1 700	595 000	1	350	1 699	594 650
2830	ヒナルゴンテスト　22箇所以上	350	–	–	–	–	–	–
2831	鼻アレルギー誘発試験　22箇所以上	350	–	–	–	–	–	–
2832	過敏性転嫁検査　22箇所以上	350	–	–	–	–	–	–
2833	薬物光線貼布試験　22箇所以上	350	20	7 000	–	–	20	7 000
2834	最小紅斑量（MED）測定　22箇所以上	350	2	700	–	–	2	700
2835	小児食物アレルギー負荷検査	1000	2 578	2 578 000	4	4 000	2 574	2 574 000
2836	内服・点滴誘発試験	1000	–	–	–	–	–	–
2837	負荷試験等　新生児　加算		–	–	–	–	–	–
2838	負荷試験等　乳幼児　加算（３歳未満）		2 912	1 026 957	9	3 684	2 903	1 023 273
2839	負荷試験等　幼児　加算（３歳以上６歳未満）		–	–	–	–	–	–
2840	ラジオアイソトープを用いた諸検査小計		388	94 670	2	685	386	93 985
2841	体外からの計測によらない諸検査							
2842	循環血液量測定	480	–	–	–	–	–	–
2843	血漿量測定	480	–	–	–	–	–	–
2844	血球量測定	800	–	–	–	–	–	–
2845	吸収機能検査	1550	–	–	–	–	–	–
2846	赤血球寿命測定	1550	–	–	–	–	–	–
2847	造血機能検査	2600	–	–	–	–	–	–
2848	血小板寿命測定	2600	–	–	–	–	–	–
2849	シンチグラム（画像を伴わないもの）							
2850	甲状腺ラジオアイソトープ摂取率	365	182	66 430	–	–	182	66 430
2851	レノグラム	575	12	6 900	1	575	11	6 325
2852	肝血流量（ヘパトグラム）	575	–	–	–	–	–	–
2853	ラジオアイソトープ検査判断料	110	194	21 340	1	110	193	21 230
2854	ラジオアイソトープを用いた諸検査　新生児　加算		–	–	–	–	–	–
2855	ラジオアイソトープを用いた諸検査　乳幼児　加算（３歳未満）		–	–	–	–	–	–
2856	ラジオアイソトープを用いた諸検査　幼児　加算（３歳以上６歳未満）		–	–	–	–	–	–
2857	内視鏡検査小計		1 970 440	1 768 460 766	154 799	185 971 160	1 815 641	1 582 489 606
2858	関節鏡検査（片側）	720	217	156 240	203	146 160	14	10 080
2859	関節鏡検査（片側）２回目以降	648	10	6 480	10	6 480	–	–
2860	喉頭直達鏡検査	190	18 521	3 518 990	32	6 080	18 489	3 512 910
2861	喉頭直達鏡検査　２回目以降	171	365	62 415	2	342	363	62 073
2862	鼻咽腔直達鏡検査	220	32 055	7 052 100	20	4 400	32 035	7 047 700
2863	鼻咽腔直達鏡検査　２回目以降	198	948	187 704	8	1 584	940	186 120
2864	嗅裂部・鼻咽腔・副鼻腔入口部ファイバースコピー	600	203 130	121 878 000	3 253	1 951 800	199 877	119 926 200
2865	嗅裂部・鼻咽腔・副鼻腔入口部ファイバースコピー　２回目以降	540	5 670	3 061 800	787	424 980	4 883	2 636 820
2866	内視鏡下嚥下機能検査	720	9 214	6 634 080	6 789	4 888 080	2 425	1 746 000
2867	内視鏡下嚥下機能検査　２回目以降	648	484	313 632	453	293 544	31	20 088
2868	喉頭ファイバースコピー	600	367 256	220 353 600	11 837	7 102 200	355 419	213 251 400
2869	喉頭ファイバースコピー　２回目以降	540	14 689	7 932 060	4 505	2 432 700	10 184	5 499 360
2870	中耳ファイバースコピー	240	32 445	7 786 800	558	133 920	31 887	7 652 880
2871	中耳ファイバースコピー　２回目以降	216	1 069	230 904	96	20 736	973	210 168
2872	顎関節鏡検査（片側）	1000	2	2 000	–	–	2	2 000
2873	顎関節鏡検査（片側）２回目以降	900	–	–	–	–	–	–
2874	気管支ファイバースコピー	2500	5 932	14 830 000	4 441	11 102 500	1 491	3 727 500
2875	気管支ファイバースコピー　２回目以降	2250	634	1 426 500	584	1 314 000	50	112 500
2876	気管支ファイバースコピー　気管支肺胞洗浄法検査同時　加算	200	1 032	206 400	862	172 400	170	34 000
2877	気管支ファイバースコピー　気管支肺胞洗浄法検査同時　２回目以降　加算	180	9	1 620	9	1 620	–	–
2878	気管支カテーテル気管支肺胞洗浄法検査	320	2	640	1	320	1	320
2879	気管支カテーテル気管支肺胞洗浄法検査　２回目以降	288	–	–	–	–	–	–

第８表　医科診療　件数・診療実日数・回数・点数，診療行為（細分類）、入院－入院外別

平成30年６月審査分

行番号	診療行為（細分類）	固定点数	総数 回数	総数 点数	入院 回数	入院 点数	入院外 回数	入院外 点数
2880	胸腔鏡検査	7200	176	1 267 200	174	1 252 800	2	14 400
2881	胸腔鏡検査　２回目以降	6480	1	6 480	1	6 480	–	–
2882	縦隔鏡検査	7000	15	105 000	15	105 000	–	–
2883	縦隔鏡検査　２回目以降	6300	–	–	–	–	–	–
2884	食道ファイバースコピー	800	1 939	1 551 200	740	592 000	1 199	959 200
2885	食道ファイバースコピー　２回目以降	720	203	146 160	114	82 080	89	64 080
2886	胃・十二指腸ファイバースコピー	1140	694 846	792 124 440	66 998	76 377 720	627 848	715 746 720
2887	胃・十二指腸ファイバースコピー　2回目以降	1026	9 235	9 475 110	7 081	7 265 106	2 154	2 210 004
2888	胃・十二指腸ファイバースコピー　胆管・膵管造影法　加算	600	1 855	1 113 000	1 801	1 080 600	54	32 400
2889	胃・十二指腸ファイバースコピー　胆管・膵管造影法　2回目以降　加算	540	401	216 540	398	214 920	3	1 620
2890	胃・十二指腸ファイバースコピー　胆管・膵管鏡　加算	2800	332	929 600	172	481 600	160	448 000
2891	胃・十二指腸ファイバースコピー　胆管・膵管鏡　2回目以降　加算	2520	55	138 600	44	110 880	11	27 720
2892	胆道ファイバースコピー	4000	43	172 000	30	120 000	13	52 000
2893	胆道ファイバースコピー　２回目以降	3600	2	7 200	2	7 200	–	–
2894	小腸内視鏡検査　ダブルバルーン内視鏡	7800	464	3 619 200	382	2 979 600	82	639 600
2895	小腸内視鏡検査　ダブルバルーン内視鏡　２回目以降	7020	68	477 360	65	456 300	3	21 060
2896	小腸内視鏡検査　シングルバルーン内視鏡	5000	245	1 225 000	183	915 000	62	310 000
2897	小腸内視鏡検査　シングルバルーン内視鏡　２回目以降	4500	16	72 000	15	67 500	1	4 500
2898	小腸内視鏡検査　カプセル型内視鏡	1700	1 081	1 837 700	455	773 500	626	1 064 200
2899	小腸内視鏡検査　カプセル型内視鏡　２回目以降	1530	9	13 770	7	10 710	2	3 060
2900	小腸内視鏡検査　その他のもの	1700	2 280	3 876 000	400	680 000	1 880	3 196 000
2901	小腸内視鏡検査　その他のもの　２回目以降	1530	15	22 950	15	22 950	–	–
2902	消化管通過性検査	600	403	241 800	127	76 200	276	165 600
2903	消化管通過性検査　２回目以降	540	–	–	–	–	–	–
2904	直腸鏡検査	300	22 173	6 651 900	407	122 100	21 766	6 529 800
2905	直腸鏡検査　２回目以降	270	504	136 080	24	6 480	480	129 600
2906	肛門鏡検査	200	148 662	29 732 400	2 039	407 800	146 623	29 324 600
2907	肛門鏡検査　２回目以降	180	16 117	2 901 060	413	74 340	15 704	2 826 720
2908	直腸ファイバースコピー	550	9 135	5 024 250	1 470	808 500	7 665	4 215 750
2909	直腸ファイバースコピー　２回目以降	495	135	66 825	83	41 085	52	25 740
2910	大腸内視鏡検査　ファイバースコピーによるもの　S状結腸	900	14 722	13 249 800	4 423	3 980 700	10 299	9 269 100
2911	大腸内視鏡検査　ファイバースコピーによるもの　S状結腸　2回目以降	810	512	414 720	377	305 370	135	109 350
2912	大腸内視鏡検査　ファイバースコピーによるもの　下行結腸及び横行結腸	1350	7 311	9 869 850	2 304	3 110 400	5 007	6 759 450
2913	大腸内視鏡検査　ファイバースコピーによるもの　下行結腸及び横行結腸　2回目以降	1215	245	297 675	211	256 365	34	41 310
2914	大腸内視鏡検査　ファイバースコピーによるもの　上行結腸及び盲腸	1550	235 200	364 560 000	26 431	40 968 050	208 769	323 591 950
2915	大腸内視鏡検査　ファイバースコピーによるもの　上行結腸及び盲腸　2回目以降	1395	1 547	2 158 065	1 151	1 605 645	396	552 420
2916	大腸内視鏡検査　カプセル型内視鏡によるもの	1550	64	99 200	12	18 600	52	80 600
2917	大腸内視鏡検査　カプセル型内視鏡によるもの　2回目以降	1395	–	–	–	–	–	–
2918	腹腔鏡検査	2160	68	146 880	61	131 760	7	15 120
2919	腹腔鏡検査　２回目以降	1944	1	1 944	1	1 944	–	–
2920	腹腔ファイバースコピー	2160	33	71 280	33	71 280	–	–
2921	腹腔ファイバースコピー　２回目以降	1944	8	15 552	8	15 552	–	–
2922	クルドスコピー	400	1	400	1	400	–	–
2923	クルドスコピー　２回目以降	360	–	–	–	–	–	–
2924	膀胱尿道ファイバースコピー	950	57 499	54 624 050	2 848	2 705 600	54 651	51 918 450
2925	膀胱尿道ファイバースコピー　２回目以降	855	275	235 125	124	106 020	151	129 105
2926	膀胱尿道鏡検査	890	6 441	5 732 490	616	548 240	5 825	5 184 250
2927	膀胱尿道鏡検査　２回目以降	801	34	27 234	17	13 617	17	13 617
2928	尿管カテーテル法（ファイバースコープによるもの）（両側）	1200	283	339 600	191	229 200	92	110 400
2929	尿管カテーテル法（ファイバースコープによるもの）（両側）2回目以降	1080	2	2 160	1	1 080	1	1 080
2930	腎盂尿管ファイバースコピー（片側）	1800	259	466 200	258	464 400	1	1 800
2931	腎盂尿管ファイバースコピー（片側）２回目以降	1620	12	19 440	12	19 440	–	–
2932	ヒステロスコピー	220	351	77 220	24	5 280	327	71 940
2933	ヒステロスコピー　２回目以降	198	2	396	–	–	2	396
2934	コルポスコピー	210	31 818	6 681 780	231	48 510	31 587	6 633 270
2935	コルポスコピー　２回目以降	189	87	16 443	8	1 512	79	14 931
2936	子宮ファイバースコピー	800	4 745	3 796 000	102	81 600	4 643	3 714 400
2937	子宮ファイバースコピー　２回目以降	720	9	6 480	3	2 160	6	4 320
2938	乳管鏡検査	960	3	2 880	–	–	3	2 880
2939	乳管鏡検査　２回目以降	864	–	–	–	–	–	–
2940	血管内視鏡検査	2040	–	–	–	–	–	–
2941	肺臓カテーテル法	3600	2	7 200	2	7 200	–	–
2942	肺臓カテーテル法　２回目以降	3240	–	–	–	–	–	–
2943	肝臓カテーテル法	3600	24	86 400	23	82 800	1	3 600
2944	肝臓カテーテル法　２回目以降	3240	1	3 240	1	3 240	–	–
2945	膵臓カテーテル法	3600	2	7 200	2	7 200	–	–
2946	膵臓カテーテル法　２回目以降	3240	–	–	–	–	–	–
2947	肺臓・肝臓・膵臓カテーテル法　新生児　加算	10800	–	–	–	–	–	–
2948	肺臓・肝臓・膵臓カテーテル法　乳幼児　加算	3600	–	–	–	–	–	–
2949	内視鏡検査　超音波内視鏡検査　加算	300	11 976	3 592 800	2 401	720 300	9 575	2 872 500
2950	内視鏡検査　超音波内視鏡検査　２回目以降　加算	270	2	540	2	540	–	–
2951	内視鏡検査　粘膜点墨法　加算	60	136 740	8 204 400	10 990	659 400	125 750	7 545 000
2952	内視鏡検査　粘膜点墨法　２回目以降　加算	54	1 431	77 274	773	41 742	658	35 532
2953	内視鏡検査　狭帯域光強調　加算	200	128 234	25 646 800	11 940	2 388 000	116 294	23 258 800
2954	内視鏡検査　狭帯域光強調　２回目以降　加算	180	1 522	273 960	836	150 480	686	123 480
2955	内視鏡検査　新生児　加算		90	70 340	72	61 340	18	9 000
2956	内視鏡検査　乳幼児　加算（３歳未満）		13 500	4 222 992	847	664 809	12 653	3 558 183
2957	内視鏡検査　幼児　加算（３歳以上６歳未満）		–	–	–	–	–	–
2958	内視鏡写真診断（他医撮影）	70	8 469	592 830	504	35 280	7 965	557 550
2959	内視鏡検査　休日　加算		4 370	2 312 484	734	598 782	3 636	1 713 702
2960	内視鏡検査　時間外　加算		1 647	487 632	336	143 504	1 311	344 128
2961	内視鏡検査　深夜　加算		1 187	771 698	465	399 825	722	371 873
2962	内視鏡検査　時間外特例　加算		1 258	397 322	404	171 696	854	225 626
2963	（診断穿刺・検体採取料）							
2964	診断穿刺・検体採取料小計		17 081 484	736 846 508	393 554	104 516 915	16 687 930	632 329 593
2965	血液採取　静脈	30	14 354 582	430 637 460	–	–	14 354 582	430 637 460
2966	血液採取　その他	6	457 843	2 747 058	–	–	457 843	2 747 058
2967	血液採取　乳幼児　加算	25	204 673	5 116 825	–	–	204 673	5 116 825
2968	脳室穿刺	500	53	26 500	45	22 500	8	4 000
2969	脳室穿刺　乳幼児　加算	100	4	400	4	400	–	–
2970	後頭下穿刺	300	5	1 500	4	1 200	1	300
2971	後頭下穿刺　乳幼児　加算	100	1	100	1	100	–	–
2972	腰椎穿刺（脳脊髄圧測定を含む）	220	12 929	2 844 380	11 340	2 494 800	1 589	349 580
2973	胸椎穿刺（脳脊髄圧測定を含む）	220	28	6 160	24	5 280	4	880
2974	頸椎穿刺（脳脊髄圧測定を含む）	220	22	4 840	19	4 180	3	660
2975	腰椎・胸椎・頸椎穿刺　乳幼児　加算	100	1 409	140 900	1 392	139 200	17	1 700
2976	骨髄穿刺　胸骨	260	884	229 840	485	126 100	399	103 740
2977	骨髄穿刺　その他	280	9 303	2 604 840	5 156	1 443 680	4 147	1 161 160
2978	骨髄穿刺　胸骨・その他　乳幼児　加算	100	212	21 200	202	20 200	10	1 000
2979	骨髄生検	730	3 807	2 779 110	1 828	1 334 440	1 979	1 444 670
2980	骨髄生検　乳幼児　加算	100	21	2 100	21	2 100	–	–
2981	関節穿刺（片側）	100	5 363	536 300	1 784	178 400	3 579	357 900
2982	関節穿刺（片側）乳幼児　加算	100	6	600	6	600	–	–
2983	上顎洞穿刺（片側）	60	70	4 200	1	60	69	4 140
2984	扁桃周囲炎試験穿刺（片側）	180	25	4 500	10	1 800	15	2 700
2985	扁桃周囲膿瘍試験穿刺（片側）	180	110	19 800	66	11 880	44	7 920
2986	腎嚢胞穿刺	240	10	2 400	7	1 680	3	720
2987	水腎症穿刺	240	6	1 440	5	1 200	1	240
2988	腎嚢胞又は水腎症穿刺　乳幼児　加算	100	–	–	–	–	–	–

第８表　医科診療　件数・診療実日数・回数・点数，診療行為（細分類）、入院－入院外別

平成30年６月審査分

行番号	診療行為（細分類）	固定点数	総数 回数	総数 点数	入院 回数	入院 点数	入院外 回数	入院外 点数
2989	ダグラス窩穿刺	240	68	16 320	25	6 000	43	10 320
2990	リンパ節等穿刺又は針生検	200	5 958	1 191 600	448	89 600	5 510	1 102 000
2991	センチネルリンパ節生検（片側）併用法	5000	22	110 000	12	60 000	10	50 000
2992	センチネルリンパ節生検（片側）単独法	3000	17	51 000	13	39 000	4	12 000
2993	乳腺穿刺又は針生検（片側）生検針	650	7 453	4 844 450	145	94 250	7 308	4 750 200
2994	乳腺穿刺又は針生検（片側）その他	200	12 056	2 411 200	106	21 200	11 950	2 390 000
2995	甲状腺穿刺又は針生検	150	12 972	1 945 800	373	55 950	12 599	1 889 850
2996	経皮的針生検法（透視，心電図検査及び超音波検査を含む）	1600	6 365	10 184 000	6 109	9 774 400	256	409 600
2997	前立腺針生検法	1400	10 191	14 267 400	8 897	12 455 800	1 294	1 811 600
2998	内視鏡下生検法（１臓器につき）	310	346 847	107 522 570	29 722	9 213 820	317 125	98 308 750
2999	超音波内視鏡下穿刺吸引生検法（ＥＵＳ－ＦＮＡ）	4800	2 077	9 969 600	1 993	9 566 400	84	403 200
3000	経気管肺生検法	4800	7 202	34 569 600	5 609	26 923 200	1 593	7 646 400
3001	経気管肺生検法　ガイドシース　加算	500	2 615	1 307 500	1 976	988 000	639	319 500
3002	経気管肺生検法　ＣＴ透視下気管支鏡検査　加算	1000	13	13 000	10	10 000	3	3 000
3003	超音波気管支鏡下穿刺吸引生検法（ＥＢＵＳ－ＴＢＮＡ）	5500	1 270	6 985 000	1 029	5 659 500	241	1 325 500
3004	経気管肺生検法　ナビゲーションによるもの	5500	155	852 500	101	555 500	54	297 000
3005	臓器穿刺，組織採取　開胸によるもの	9070	8	72 560	8	72 560	－	－
3006	臓器穿刺，組織採取　開腹によるもの（腎を含む）	5550	72	399 600	72	399 600	－	－
3007	臓器穿刺，組織採取　乳幼児　加算	2000	10	20 000	10	20 000	－	－
3008	組織試験採取，切採法　皮膚（皮下，筋膜，腱及び腱鞘を含む）	500	19 320	9 660 000	2 371	1 185 500	16 949	8 474 500
3009	組織試験採取，切採法　筋肉（心筋を除く）	1500	472	708 000	267	400 500	205	307 500
3010	組織試験採取，切採法　骨	4600	224	1 030 400	179	823 400	45	207 000
3011	組織試験採取，切採法　骨盤	4600	11	50 600	10	46 000	1	4 600
3012	組織試験採取，切採法　脊椎	4600	40	184 000	36	165 600	4	18 400
3013	組織試験採取，切採法　眼・後眼部	650	1	650	1	650	－	－
3014	組織試験採取，切採法　眼・その他（前眼部を含む）	350	60	21 000	8	2 800	52	18 200
3015	組織試験採取，切採法　耳	400	491	196 400	60	24 000	431	172 400
3016	組織試験採取，切採法　鼻	400	946	378 400	68	27 200	878	351 200
3017	組織試験採取，切採法　副鼻腔	400	305	122 000	23	9 200	282	112 800
3018	組織試験採取，切採法　口腔	400	1 410	564 000	112	44 800	1 298	519 200
3019	組織試験採取，切採法　咽頭	650	1 497	973 050	125	81 250	1 372	891 800
3020	組織試験採取，切採法　喉頭	650	472	306 800	53	34 450	419	272 350
3021	組織試験採取，切採法　甲状腺	650	80	52 000	18	11 700	62	40 300
3022	組織試験採取，切採法　乳腺	650	3 059	1 988 350	44	28 600	3 015	1 959 750
3023	組織試験採取，切採法　直腸	650	89	57 850	43	27 950	46	29 900
3024	組織試験採取，切採法　精巣（睾丸）	400	22	8 800	17	6 800	5	2 000
3025	組織試験採取，切採法　精巣上体（副睾丸）	400	5	2 000	4	1 600	1	400
3026	組織試験採取，切採法　末梢神経	1620	25	40 500	24	38 880	1	1 620
3027	組織試験採取，切採法　心筋	6000	777	4 662 000	775	4 650 000	2	12 000
3028	組織試験採取，切採法　乳幼児　加算	100	197	19 700	63	6 300	134	13 400
3029	子宮腟部等からの検体採取　子宮頸管粘液採取	40	340 676	13 627 040	3 457	138 280	337 219	13 488 760
3030	子宮腟部等からの検体採取　子宮腟部組織採取	200	8 021	1 604 200	269	53 800	7 752	1 550 400
3031	子宮腟部等からの検体採取　子宮内膜組織採取	370	90 157	33 358 090	1 043	385 910	89 114	32 972 180
3032	その他の検体採取　胃液・十二指腸液採取	210	947	198 870	470	98 700	477	100 170
3033	その他の検体採取　胸水採取（簡単な液検査を含む）	180	6 545	1 178 100	5 207	937 260	1 338	240 840
3034	その他の検体採取　腹水採取（簡単な液検査を含む）	180	3 249	584 820	2 598	467 640	651	117 180
3035	その他の検体採取　動脈血採取（１日につき）	50	280 429	14 021 450	225 153	11 257 650	55 276	2 763 800
3036	その他の検体採取　前房水採取	420	90	37 800	38	15 960	52	21 840
3037	その他の検体採取　副腎静脈サンプリング	4800	292	1 401 600	284	1 363 200	8	38 400
3038	その他の検体採取　鼻腔・咽頭拭い液採取	5	1 063 977	5 319 885	75 351	376 755	988 626	4 943 130
3039	眼内液（前房水・硝子体液）検査	1000	22	22 000	10	10 000	12	12 000
3040	薬剤料（検査）		－	145 047 119	－	7 172 862	－	137 874 257
3041	特定保険医療材料料（検査）フィルム		76 870	3 081 071	2 238	156 356	74 632	2 924 715
3042	特定保険医療材料料（検査）酸素・ガス等		－	75 815	－	29 043	－	46 772
3043	特定保険医療材料料（検査）フィルム・酸素・ガス等以外		24 256	28 871 232	7 784	18 423 104	16 472	10 448 128
3044	補正点数（＋）検査		－	4 634 294	－	516 474	－	4 117 820
3045	補正点数（－）検査		－	-10 724 979	－	-319 993	－	-10 404 986
3046	**画像診断計**		26 507 526	9 595 933 786	2 183 855	756 015 690	24 323 671	8 839 918 096
3047	透視小計		27 940	3 073 400	8 211	903 210	19 729	2 170 190
3048	透視診断（Ｘ－Ｄ）	110	27 940	3 073 400	8 211	903 210	19 729	2 170 190
3049	エックス線単純撮影小計		19 436 950	2 577 344 565	1 496 898	173 298 281	17 940 052	2 404 046 284
3050	写真診断　単純　頭部，胸部，腹部，脊椎　1枚　単独	85	3 391 006	288 235 510	523 326	44 482 710	2 867 680	243 752 800
3051	写真診断　単純　頭部，胸部，腹部，脊椎　1枚　同時・手術	43	1 548	66 564	795	34 185	753	32 379
3052	写真診断　単純　頭部，胸部，腹部，脊椎　2枚　単独	128	2 442 474	312 636 672	139 575	17 865 600	2 302 899	294 771 072
3053	写真診断　単純　頭部，胸部，腹部，脊椎　2枚　同時・手術	85	450	38 250	88	7 480	362	30 770
3054	写真診断　単純　頭部，胸部，腹部，脊椎　3枚　単独	170	260 513	44 287 210	10 522	1 788 740	249 991	42 498 470
3055	写真診断　単純　頭部，胸部，腹部，脊椎　3枚　同時・手術	128	163	20 864	94	12 032	69	8 832
3056	写真診断　単純　頭部，胸部，腹部，脊椎　4枚　単独	213	654 812	139 474 956	9 088	1 935 744	645 724	137 539 212
3057	写真診断　単純　頭部，胸部，腹部，脊椎　4枚　同時・手術	170	47	7 990	15	2 550	32	5 440
3058	写真診断　単純　頭部，胸部，腹部，脊椎　5枚以上　単独	255	166 390	42 429 450	3 022	770 610	163 368	41 658 840
3059	写真診断　単純　その他　１枚　単独	43	186 429	8 016 447	5 440	233 920	180 989	7 782 527
3060	写真診断　単純　その他　１枚　同時	22	145	3 190	23	506	122	2 684
3061	写真診断　単純　その他　２枚　単独	65	1 671 022	108 616 430	41 536	2 699 840	1 629 486	105 916 590
3062	写真診断　単純　その他　２枚　同時	43	207	8 901	12	516	195	8 385
3063	写真診断　単純　その他　３枚　単独	86	472 094	40 600 084	8 612	740 632	463 482	39 859 452
3064	写真診断　単純　その他　３枚　同時	65	68	4 420	7	455	61	3 965
3065	写真診断　単純　その他　４枚　単独	108	414 801	44 798 508	7 432	802 656	407 369	43 995 852
3066	写真診断　単純　その他　４枚　同時	86	58	4 988	－	－	58	4 988
3067	写真診断　単純　その他　５枚以上　単独	129	108 935	14 052 615	1 800	232 200	107 135	13 820 415
3068	写真診断　単純　間接		920	41 758	69	4 907	851	36 851
3069	撮影　単純　アナログ　１枚　単独	60	141 922	8 515 320	6 892	413 520	135 030	8 101 800
3070	撮影　単純　アナログ　１枚　手術	30	12	360	10	300	2	60
3071	撮影　単純　アナログ　２枚　単独	90	81 619	7 345 710	1 352	121 680	80 267	7 224 030
3072	撮影　単純　アナログ　２枚　手術	60	－	－	－	－	－	－
3073	撮影　単純　アナログ　３枚　単独	120	6 628	795 360	117	14 040	6 511	781 320
3074	撮影　単純　アナログ　３枚　手術	90	－	－	－	－	－	－
3075	撮影　単純　アナログ　４枚　単独	150	13 944	2 091 600	124	18 600	13 820	2 073 000
3076	撮影　単純　アナログ　４枚　手術	120	1	120	－	－	1	120
3077	撮影　単純　アナログ　５枚以上　単独	180	2 438	438 840	19	3 420	2 419	435 420
3078	撮影　単純　デジタル　１枚　単独	68	3 328 656	226 348 608	516 078	35 093 304	2 812 578	191 255 304
3079	撮影　単純　デジタル　１枚　手術	34	983	33 422	775	26 350	208	7 072
3080	撮影　単純　デジタル　２枚　単独	102	4 032 071	411 271 242	179 640	18 323 280	3 852 431	392 947 962
3081	撮影　単純　デジタル　２枚　手術	68	143	9 724	99	6 732	44	2 992
3082	撮影　単純　デジタル　３枚　単独	136	726 027	98 739 672	18 987	2 582 232	707 040	96 157 440
3083	撮影　単純　デジタル　３枚　手術	102	191	19 482	125	12 750	66	6 732
3084	撮影　単純　デジタル　４枚　単独	170	1 055 850	179 494 500	16 350	2 779 500	1 039 500	176 715 000
3085	撮影　単純　デジタル　４枚　手術	136	47	6 392	30	4 080	17	2 312
3086	撮影　単純　デジタル　５枚以上　単独	204	272 923	55 676 292	4 788	976 752	268 135	54 699 540
3087	撮影　単純　間接　アナログ		6	195	－	－	6	195
3088	撮影　単純　間接　デジタル		1 407	55 726	56	4 318	1 351	51 408
3089	単純撮影　アナログ　新生児　加算		32	1 704	31	1 656	1	48
3090	単純撮影　デジタル　新生児　加算		1 832	108 007	1 106	62 972	726	45 035
3091	単純撮影　アナログ　乳幼児　加算		1 455	48 180	91	2 760	1 364	45 420
3092	単純撮影　デジタル　乳幼児　加算		70 068	3 105 288	3 040	111 724	67 028	2 993 564
3093	単純撮影　アナログ　幼児　加算		3 124	67 293	22	432	3 102	66 861
3094	単純撮影　デジタル　幼児　加算		97 539	2 897 551	853	20 922	96 686	2 876 629
3095	単純撮影　電子画像管理　加算	57	9 419 810	536 929 170	721 082	41 101 674	8 698 728	495 827 496

第８表　医科診療　件数・診療実日数・回数・点数，診療行為（細分類）、入院－入院外別

平成30年６月審査分

行番号	診療行為（細分類）	固定点数	総数		入院		入院外	
			回数	点数	回数	点数	回数	点数
3096	エックス線特殊撮影小計		35 880	6 151 803	3 074	538 434	32 806	5 613 369
3097	写真診断　特殊　単独	96	7 969	765 024	652	62 592	7 317	702 432
3098	写真診断　特殊　同時	48	11 189	537 072	931	44 688	10 258	492 384
3099	写真診断　特殊　間接		13	624	2	96	11	528
3100	撮影　特殊　アナログ	260	2 229	579 540	117	30 420	2 112	549 120
3101	撮影　特殊　デジタル	270	14 477	3 908 790	1 369	369 630	13 108	3 539 160
3102	撮影　特殊　間接　アナログ	130	-	-	-	-	-	-
3103	撮影　特殊　間接　デジタル	135	3	405	3	405	-	-
3104	特殊撮影　アナログ　新生児　加算		-	-	-	-	-	-
3105	特殊撮影　デジタル　新生児　加算		-	-	-	-	-	-
3106	特殊撮影　アナログ　乳幼児　加算		-	-	-	-	-	-
3107	特殊撮影　デジタル　乳幼児　加算		43	5 805	5	675	38	5 130
3108	特殊撮影　アナログ　幼児　加算		-	-	-	-	-	-
3109	特殊撮影　デジタル　幼児　加算		55	4 455	-	-	55	4 455
3110	特殊撮影　電子画像管理　加算	58	6 036	350 088	516	29 928	5 520	320 160
3111	エックス線造影剤使用撮影小計		161 061	75 848 060	48 584	41 876 185	112 477	33 971 875
3112	写真診断　造影剤使用　１枚　単独	72	33 854	2 437 488	13 123	944 856	20 731	1 492 632
3113	写真診断　造影剤使用　１枚　同時	36	747	26 892	98	3 528	649	23 364
3114	写真診断　造影剤使用　２枚　単独	108	9 015	973 620	1 790	193 320	7 225	780 300
3115	写真診断　造影剤使用　２枚　同時	72	68	4 896	5	360	63	4 536
3116	写真診断　造影剤使用　３枚　単独	144	5 700	820 800	1 144	164 736	4 556	656 064
3117	写真診断　造影剤使用　３枚　同時	108	183	19 764	28	3 024	155	16 740
3118	写真診断　造影剤使用　４枚　単独	180	4 514	812 520	1 227	220 860	3 287	591 660
3119	写真診断　造影剤使用　４枚　同時	144	113	16 272	2	288	111	15 984
3120	写真診断　造影剤使用　５枚以上　単独	216	27 777	5 999 832	6 865	1 482 840	20 912	4 516 992
3121	写真診断　造影剤使用　間接		178	8 586	24	1 584	154	7 002
3122	撮影　造影剤使用　アナログ　脳脊髄腔　１枚	292	1	292	-	-	1	292
3123	撮影　造影剤使用　アナログ　脳脊髄腔　２枚	438	-	-	-	-	-	-
3124	撮影　造影剤使用　アナログ　脳脊髄腔　３枚	584	1	584	1	584	-	-
3125	撮影　造影剤使用　アナログ　脳脊髄腔　４枚	730	2	1 460	2	1 460	-	-
3126	撮影　造影剤使用　アナログ　脳脊髄腔　５枚以上	876	12	10 512	11	9 636	1	876
3127	撮影　造影剤使用　デジタル　脳脊髄腔　１枚	302	111	33 522	97	29 294	14	4 228
3128	撮影　造影剤使用　デジタル　脳脊髄腔　２枚	453	43	19 479	35	15 855	8	3 624
3129	撮影　造影剤使用　デジタル　脳脊髄腔　３枚	604	45	27 180	41	24 764	4	2 416
3130	撮影　造影剤使用　デジタル　脳脊髄腔　４枚	755	110	83 050	97	73 235	13	9 815
3131	撮影　造影剤使用　デジタル　脳脊髄腔　５枚以上	906	1 304	1 181 424	1 198	1 085 388	106	96 036
3132	撮影　造影剤使用　アナログ　その他　１枚	144	1 262	181 728	556	80 064	706	101 664
3133	撮影　造影剤使用　アナログ　その他　２枚	216	1 105	238 680	62	13 392	1 043	225 288
3134	撮影　造影剤使用　アナログ　その他　３枚	288	293	84 384	25	7 200	268	77 184
3135	撮影　造影剤使用　アナログ　その他　４枚	360	367	132 120	48	17 280	319	114 840
3136	撮影　造影剤使用　アナログ　その他　５枚以上	432	2 163	934 416	164	70 848	1 999	863 568
3137	撮影　造影剤使用　デジタル　その他　１枚	154	29 656	4 567 024	12 499	1 924 846	17 157	2 642 178
3138	撮影　造影剤使用　デジタル　その他　２枚	231	7 934	1 832 754	1 698	392 238	6 236	1 440 516
3139	撮影　造影剤使用　デジタル　その他　３枚	308	5 557	1 711 556	1 107	340 956	4 450	1 370 600
3140	撮影　造影剤使用　デジタル　その他　４枚	385	4 155	1 599 675	1 086	418 110	3 069	1 181 565
3141	撮影　造影剤使用　デジタル　その他　５枚以上	462	24 465	11 302 830	5 516	2 548 392	18 949	8 754 438
3142	撮影　造影剤使用　同時　アナログ		-	-	-	-	-	-
3143	撮影　造影剤使用　同時　デジタル		-	-	-	-	-	-
3144	撮影　造影剤使用　間接　アナログ		71	5 220	5	360	66	4 860
3145	撮影　造影剤使用　間接　デジタル		255	30 403	30	4 622	225	25 781
3146	造影剤使用撮影　アナログ　新生児　加算		-	-	-	-	-	-
3147	造影剤使用撮影　デジタル　新生児　加算		20	6 474	11	3 576	9	2 898
3148	造影剤使用撮影　アナログ　乳幼児　加算		1	180	-	-	1	180
3149	造影剤使用撮影　デジタル　乳幼児　加算		879	165 995	68	12 015	811	153 980
3150	造影剤使用撮影　アナログ　幼児　加算		-	-	-	-	-	-
3151	造影剤使用撮影　デジタル　幼児　加算		333	34 719	29	2 241	304	32 478
3152	造影剤使用撮影　電子画像管理　加算	66	68 393	4 513 938	21 275	1 404 150	47 118	3 109 788
3153	造影剤注入手技　点滴注射　１　乳幼児（100mL以上）	98	7	686	-	-	7	686
3154	造影剤注入手技　点滴注射　２　１以外（500mL以上）	97	118	11 446	39	3 783	79	7 663
3155	造影剤注入手技　点滴注射　３　その他	49	1 271	62 279	-	-	1 271	62 279
3156	造影剤注入手技　点滴注射　乳幼児　加算	45	-	-	-	-	-	-
3157	造影剤注入手技　動脈注射　内臓	155	13	2 015	9	1 395	4	620
3158	造影剤注入手技　動脈注射　その他	45	89	4 005	17	765	72	3 240
3159	造影剤注入手技　動脈造影カテーテル法　イ　選択的血管造影	3600	8 004	28 814 400	7 937	28 573 200	67	241 200
3160	造影剤注入手技　動脈造影カテーテル法　イ　選択的血管造影　血流予備能測定検査　加算	400	11	4 400	11	4 400	-	-
3161	造影剤注入手技　動脈造影カテーテル法　イ　選択的血管造影　頸動脈閉塞試験　加算	1000	61	61 000	61	61 000	-	-
3162	造影剤注入手技　動脈造影カテーテル法　ロ　イ以外	1180	148	174 640	93	109 740	55	64 900
3163	造影剤注入手技　動脈造影カテーテル法　ロ　イ以外　血流予備能測定検査　加算	400	6	2 400	6	2 400	-	-
3164	造影剤注入手技　静脈造影カテーテル法	3600	42	151 200	23	82 800	19	68 400
3165	造影剤注入手技　内視鏡下　気管支ファイバースコピー挿入	2500	-	-	-	-	-	-
3166	造影剤注入手技　内視鏡下　気管支ファイバースコピー挿入　気管支肺胞洗浄法検査　加算	200	-	-	-	-	-	-
3167	造影剤注入手技　内視鏡下　尿管カテーテル法（両側）	1200	588	705 600	52	62 400	536	643 200
3168	造影剤注入手技　腔内注入及び穿刺注入　注腸	300	8 290	2 487 000	972	291 600	7 318	2 195 400
3169	造影剤注入手技　腔内注入及び穿刺注入　その他	120	23 184	2 782 080	5 618	674 160	17 566	2 107 920
3170	造影剤注入手技　嚥下造影	240	3 186	764 640	2 136	512 640	1 050	252 000
3171	エックス線乳房撮影小計		352 899	118 756 387	348	4 151 959	352 551	114 604 428
3172	写真診断　乳房　単独	306	179 343	54 878 958	178	54 468	179 165	54 824 490
3173	写真診断　乳房　同時	153	36	5 508	-	-	36	5 508
3174	写真診断　乳房　間接		33	5 049	1	153	32	4 896
3175	撮影　乳房　アナログ	192	2 691	516 672	6	1 152	2 685	515 520
3176	撮影　乳房　デジタル	202	170 796	34 500 792	163	32 926	170 633	34 467 866
3177	撮影　乳房　間接　アナログ	96	-	-	-	-	-	-
3178	撮影　乳房　間接　デジタル	101	-	-	-	-	-	-
3179	乳房撮影　電子画像管理　加算	54	162 302	8 764 308	155	8 370	162 147	8 755 938
3180	写真診断　画像診断管理　加算１	70	286 930	20 085 100	57 927	4 054 890	229 003	16 030 210
3181	基本的エックス線診断料小計		83 421	4 221 455	83 421	3 901 555	-	319 900
3182	基本的エックス線診断料　４週間以内	55	29 229	1 607 595	29 229	1 607 595	-	-
3183	基本的エックス線診断料　４週間超	40	54 192	2 167 680	54 192	2 167 680	-	-
3184	基本的エックス線診断料　画像診断管理　加算１	70	6 374	446 180	1 804	126 280	4 570	319 900
3185	核医学診断料小計		196 922	709 313 519	6 694	23 132 679	190 228	686 180 840
3186	シンチグラム　部分（静態）	1300	3 415	4 439 500	252	327 600	3 163	4 111 900
3187	シンチグラム　部分（動態）	1800	1 969	3 544 200	89	160 200	1 880	3 384 000
3188	シンチグラム　全身	2200	24 399	53 677 800	586	1 289 200	23 813	52 388 600
3189	シンチグラム　甲状腺ラジオアイソトープ摂取率測定　加算	100	635	63 500	13	1 300	622	62 200
3190	シングルホトンエミッションコンピューター断層撮影	1800	29 909	53 836 200	2 363	4 253 400	27 546	49 582 800
3191	シングルホトンエミッションコンピューター断層撮影　甲状腺ラジオアイソトープ摂取率測定　加算	100	28	2 800	-	-	28	2 800
3192	シングルホトンエミッションコンピューター断層撮影　断層撮影負荷試験　加算	900	13 764	12 387 600	354	318 600	13 410	12 069 000
3193	核医学診断　新生児　加算		2	2 480	1	1 440	1	1 040
3194	核医学診断　乳幼児　加算		250	198 550	13	11 700	237	186 850
3195	核医学診断　幼児　加算		123	60 510	7	3 900	116	56 610
3196	ポジトロン断層撮影　^{15}O標識ガス剤使用	7000	30	210 000	10	70 000	20	140 000
3197	ポジトロン断層撮影　^{15}O標識ガス剤使用　施設基準適合以外	5600	2	11 200	-	-	2	11 200
3198	ポジトロン断層撮影　^{18}ＦＤＧ使用	7500	6 743	50 572 500	182	1 365 000	6 561	49 207 500
3199	ポジトロン断層撮影　^{18}ＦＤＧ使用　施設基準適合以外	6000	609	3 654 000	35	210 000	574	3 444 000

第８表　医科診療　件数・診療実日数・回数・点数，診療行為（細分類）、入院－入院外別

平成30年６月審査分

行番号	診療行為（細分類）	固定点数	総数 回数	総数 点数	入院 回数	入院 点数	入院外 回数	入院外 点数
3200	ポジトロン断層撮影　^{13}N標識アンモニア剤使用	9000	73	657 000	1	9 000	72	648 000
3201	ポジトロン断層撮影　^{13}N標識アンモニア剤使用　施設基準適合以外	7200	7	50 400	-	-	7	50 400
3202	ポジトロン断層・コンピューター断層複合撮影　^{15}O標識ガス剤使用	7625	2	15 250	-	-	2	15 250
3203	ポジトロン断層・コンピューター断層複合撮影　^{15}O標識ガス剤使用　施設基準適合以外	6100	4	24 400	-	-	4	24 400
3204	ポジトロン断層・コンピューター断層複合撮影　^{18}FDG使用	8625	32 319	278 751 375	89	767 625	32 230	277 983 750
3205	ポジトロン断層・コンピューター断層複合撮影　^{18}FDG使用　施設基準適合以外	6900	1 767	12 192 300	23	158 700	1 744	12 033 600
3206	ポジトロン断層・磁気共鳴コンピューター断層複合撮影	9160	202	1 850 320	-	-	202	1 850 320
3207	ポジトロン断層・磁気共鳴コンピューター断層複合撮影　施設基準適合以外	7328	-	-	-	-	-	-
3208	乳房用ポジトロン断層撮影	4000	155	620 000	-	-	155	620 000
3209	乳房用ポジトロン断層撮影　施設基準適合以外	3200	5	16 000	-	-	5	16 000
3210	核医学診断（E101-2～E101-5に掲げる撮影）	450	39 858	17 936 100	307	138 150	39 551	17 797 950
3211	核医学診断（E101-2～E101-5に掲げる撮影以外）	370	55 454	20 517 980	2 757	1 020 090	52 697	19 497 890
3212	ラジオアイソトープ（薬剤料）		-	160 821 494	-	9 683 034	-	151 138 460
3213	核医学診断　電子画像管理　加算	120	99 608	11 952 960	3 550	426 000	96 058	11 526 960
3214	核医学診断　画像診断管理　加算１	70	23 162	1 621 340	2 406	168 420	20 756	1 452 920
3215	核医学診断　画像診断管理　加算２	180	103 237	18 582 660	14 029	2 525 220	89 208	16 057 440
3216	核医学診断　画像診断管理　加算３	300	3 477	1 043 100	747	224 100	2 730	819 000
3217	コンピューター断層撮影診断料小計		6 212 453	5 566 342 833	536 625	478 285 472	5 675 828	5 088 057 361
3218	コンピューター断層撮影（ＣＴ撮影）（一連につき）１　ＣＴ撮影　イ　64列以上マルチスライス型機器　共同利用施設	1020	24 118	24 600 360	1 044	1 064 880	23 074	23 535 480
3219	コンピューター断層撮影（ＣＴ撮影）（一連につき）１　ＣＴ撮影　イ　64列以上マルチスライス型機器　共同利用施設　２回目以降	816	1 343	1 095 888	364	297 024	979	798 864
3220	コンピューター断層撮影（ＣＴ撮影）（一連につき）１　ＣＴ撮影　イ　64列以上マルチスライス型機器　その他	1000	598 444	598 444 000	19 341	19 341 000	579 103	579 103 000
3221	コンピューター断層撮影（ＣＴ撮影）（一連につき）１　ＣＴ撮影　イ　64列以上マルチスライス型機器　その他　２回目以降	800	38 797	31 037 600	8 946	7 156 800	29 851	23 880 800
3222	コンピューター断層撮影（ＣＴ撮影）（一連につき）１　ＣＴ撮影　ロ　16列以上64列未満のマルチスライス型機器	900	1 123 003	1 010 702 700	145 686	131 117 400	977 317	879 585 300
3223	コンピューター断層撮影（ＣＴ撮影）（一連につき）１　ＣＴ撮影　ロ　16列以上64列未満のマルチスライス型機器　２回目以降	720	107 632	77 495 040	59 203	42 626 160	48 429	34 868 880
3224	コンピューター断層撮影（ＣＴ撮影）（一連につき）１　ＣＴ撮影　ハ　４列以上16列未満のマルチスライス型機器	750	76 982	57 736 500	15 216	11 412 000	61 766	46 324 500
3225	コンピューター断層撮影（ＣＴ撮影）（一連につき）１　ＣＴ撮影　ハ　４列以上16列未満のマルチスライス型機器　２回目以降	600	6 820	4 092 000	4 547	2 728 200	2 273	1 363 800
3226	コンピューター断層撮影（ＣＴ撮影）（一連につき）１　ＣＴ撮影　ニ　イ・ロ又はハ以外	560	60 460	33 857 600	8 550	4 788 000	51 910	29 069 600
3227	コンピューター断層撮影（ＣＴ撮影）（一連につき）１　ＣＴ撮影　ニ　イ・ロ又はハ以外　２回目以降	448	3 040	1 361 920	1 950	873 600	1 090	488 320
3228	コンピューター断層撮影（ＣＴ撮影）（一連につき）１　ＣＴ撮影　造影剤使用　加算	500	455 010	227 505 000	20 724	10 362 000	434 286	217 143 000
3229	コンピューター断層撮影（ＣＴ撮影）（一連につき）１　ＣＴ撮影　冠動脈ＣＴ撮影　加算	600	24 604	14 762 400	287	172 200	24 317	14 590 200
3230	コンピューター断層撮影（ＣＴ撮影）（一連につき）１　ＣＴ撮影　外傷全身ＣＴ　加算	800	433	346 400	91	72 800	342	273 600
3231	コンピューター断層撮影（ＣＴ撮影）（一連につき）１　ＣＴ撮影　大腸ＣＴ撮影　加算（64列以上マルチスライス型機器）	620	657	407 340	23	14 260	634	393 080
3232	コンピューター断層撮影（ＣＴ撮影）（一連につき）１　ＣＴ撮影　大腸ＣＴ撮影　加算（16列以上64列未満のマルチスライス型機器）	500	2 569	1 284 500	186	93 000	2 383	1 191 500
3233	コンピューター断層撮影（ＣＴ撮影）（一連につき）２　脳槽ＣＴ撮影（造影を含む）	2300	12	27 600	7	16 100	5	11 500
3234	コンピューター断層撮影（ＣＴ撮影）（一連につき）２　脳槽ＣＴ撮影（造影を含む）　２回目以降	1840	17	31 280	16	29 440	1	1 840
3235	非放射性キセノン脳血流動態検査	2000	238	476 000	141	282 000	97	194 000
3236	磁気共鳴コンピューター断層撮影（ＭＲＩ撮影）１　３テスラ以上の機器　共同利用施設	1620	17 519	28 380 780	129	208 980	17 390	28 171 800
3237	磁気共鳴コンピューター断層撮影（ＭＲＩ撮影）１　３テスラ以上の機器　共同利用施設　２回目以降	1296	1 830	2 371 680	120	155 520	1 710	2 216 160
3238	磁気共鳴コンピューター断層撮影（ＭＲＩ撮影）１　３テスラ以上の機器　その他	1600	86 784	138 854 400	1 408	2 252 800	85 376	136 601 600
3239	磁気共鳴コンピューター断層撮影（ＭＲＩ撮影）１　３テスラ以上の機器　その他　２回目以降	1280	11 055	14 150 400	1 375	1 760 000	9 680	12 390 400
3240	磁気共鳴コンピューター断層撮影（ＭＲＩ撮影）２　1.5テスラ以上３テスラ未満の機器	1330	792 309	1 053 770 970	22 297	29 655 010	770 012	1 024 115 960
3241	磁気共鳴コンピューター断層撮影（ＭＲＩ撮影）２　1.5テスラ以上３テスラ未満の機器　２回目以降	1064	87 824	93 444 736	22 160	23 578 240	65 664	69 866 496
3242	磁気共鳴コンピューター断層撮影（ＭＲＩ撮影）３　１又は２以外	900	167 045	150 340 500	5 073	4 565 700	161 972	145 774 800
3243	磁気共鳴コンピューター断層撮影（ＭＲＩ撮影）３　１又は２以外　２回目以降	720	7 206	5 188 320	3 047	2 193 840	4 159	2 994 480
3244	磁気共鳴コンピューター断層撮影（ＭＲＩ撮影）造影剤使用　加算	250	107 204	26 801 000	2 804	701 000	104 400	26 100 000
3245	磁気共鳴コンピューター断層撮影（ＭＲＩ撮影）心臓ＭＲＩ撮影　加算	400	1 801	720 400	56	22 400	1 745	698 000
3246	磁気共鳴コンピューター断層撮影（ＭＲＩ撮影）乳房ＭＲＩ撮影　加算	100	3 611	361 100	5	500	3 606	360 600
3247	磁気共鳴コンピューター断層撮影（ＭＲＩ撮影）小児鎮静下ＭＲＩ撮影　加算　３テスラ以上の機器　共同利用施設	1296	-	-	-	-	-	-
3248	磁気共鳴コンピューター断層撮影（ＭＲＩ撮影）小児鎮静下ＭＲＩ撮影　加算　３テスラ以上の機器　共同利用施設　２回目以降	1037	-	-	-	-	-	-
3249	磁気共鳴コンピューター断層撮影（ＭＲＩ撮影）小児鎮静下ＭＲＩ撮影　加算　３テスラ以上の機器　その他	1280	15	19 200	-	-	15	19 200
3250	磁気共鳴コンピューター断層撮影（ＭＲＩ撮影）小児鎮静下ＭＲＩ撮影　加算　３テスラ以上の機器　その他　２回目以降	1024	2	2 048	-	-	2	2 048
3251	磁気共鳴コンピューター断層撮影（ＭＲＩ撮影）小児鎮静下ＭＲＩ撮影　加算　1.5テスラ以上３テスラ未満の機器	1064	85	90 440	-	-	85	90 440
3252	磁気共鳴コンピューター断層撮影（ＭＲＩ撮影）小児鎮静下ＭＲＩ撮影　加算　1.5テスラ以上３テスラ未満の機器　２回目以降	851	1	851	-	-	1	851
3253	磁気共鳴コンピューター断層撮影（ＭＲＩ撮影）頭部ＭＲＩ撮影　加算	100	6 388	638 800	291	29 100	6 097	609 700
3254	コンピューター断層撮影　新生児　加算		70	64 201	28	27 417	42	36 784
3255	コンピューター断層撮影　乳幼児　加算		5 180	2 845 937	251	148 478	4 929	2 697 459
3256	コンピューター断層撮影　幼児　加算		5 579	1 714 912	106	36 203	5 473	1 678 709
3257	コンピューター断層診断	450	2 999 975	1 349 988 750	216 005	97 202 250	2 783 970	1 252 786 500
3258	コンピューター断層撮影診断　電子画像管理　加算	120	3 112 861	373 543 320	302 203	36 264 360	2 810 658	337 278 960
3259	コンピューター断層撮影診断　画像診断管理　加算１	70	337 556	23 628 920	58 055	4 063 850	279 501	19 565 070
3260	コンピューター断層撮影診断　画像診断管理　加算２	180	1 128 453	203 121 540	227 222	40 899 960	901 231	162 221 580
3261	コンピューター断層撮影診断　画像診断管理　加算３	300	36 785	11 035 500	6 910	2 073 000	29 875	8 962 500
3262	画像診断　時間外緊急院内画像診断　加算	110	320 405	35 244 550	23 807	2 618 770	296 598	32 625 780
3263	薬剤料（画像診断）		-	475 951 484	-	22 605 891	-	453 345 593
3264	特定保険医療材料料（画像診断）フィルム		547 367	19 603 593	61 487	2 545 821	485 880	17 057 772
3265	特定保険医療材料料（画像診断）フィルム以外		20 736	3 980 981	2 486	2 138 006	18 250	1 842 975
3266	補正点数（＋）画像診断		-	207 049	-	48 144	-	158 905
3267	補正点数（－）画像診断		-	-105 893	-	-28 717	-	-77 176
3268	**投薬計**		921 348 379	18 681 946 746	68 604 154	1 241 098 605	852 744 225	17 440 848 141
3269	調剤料　入院外　内服薬・浸煎薬・屯服薬	9	16 492 211	148 429 899	-	-	16 492 211	148 429 899
3270	調剤料　入院外　外用薬	6	8 750 422	52 502 532	-	-	8 750 422	52 502 532
3271	調剤料　入院外　麻薬等　加算	1	2 111 866	2 111 866	-	-	2 111 866	2 111 866
3272	調剤料　入院	7	9 122 579	63 858 053	9 122 579	63 858 053	-	-
3273	調剤料　入院　麻薬等　加算	1	3 512 247	3 512 247	3 512 247	3 512 247	-	-
3274	処方料　１　向精神薬多剤投与の場合	18	19 896	358 128	-	-	19 896	358 128
3275	処方料　１　向精神薬多剤投与の場合（紹介率が低い大病院で30日以上投薬）	7	-	-	-	-	-	-
3276	処方料　２　１以外の場合　７種類以上の内服薬又は向精神薬長期処方の投薬	29	236 012	6 844 348	-	-	236 012	6 844 348

第８表　医科診療　件数・診療実日数・回数・点数，診療行為（細分類）、入院−入院外別

平成30年６月審査分

行番号	診療行為（細分類）	固定点数	総数 回数	総数 点数	入院 回数	入院 点数	入院外 回数	入院外 点数
3277	処方料　２　１以外の場合　７種類以上の内服薬又は向精神薬長期処方の投薬（紹介率が低い大病院で30日以上投薬）	12	−	−	−	−	−	−
3278	処方料　３　１及び２以外の場合	42	20 241 660	850 149 720	−	−	20 241 660	850 149 720
3279	処方料　３　１及び２以外の場合（紹介率が低い大病院で30日以上投薬）	17	1	17	−	−	1	17
3280	処方料　麻薬等　加算	1	2 111 013	2 111 013	−	−	2 111 013	2 111 013
3281	処方料　乳幼児　加算	3	298 575	895 725	−	−	298 575	895 725
3282	処方料　特定疾患処方管理　加算１	18	2 409 041	43 362 738	−	−	2 409 041	43 362 738
3283	処方料　特定疾患処方管理　加算２	66	4 583 158	302 488 428	−	−	4 583 158	302 488 428
3284	処方料　抗悪性腫瘍剤処方管理　加算	70	29 584	2 070 880	−	−	29 584	2 070 880
3285	処方料　外来後発医薬品使用体制　加算１	5	2 379 106	11 895 530	−	−	2 379 106	11 895 530
3286	処方料　外来後発医薬品使用体制　加算２	4	1 653 515	6 614 060	−	−	1 653 515	6 614 060
3287	処方料　外来後発医薬品使用体制　加算３	2	588 868	1 177 736	−	−	588 868	1 177 736
3288	処方料　向精神薬調整連携　加算	12	1 033	12 396	−	−	1 033	12 396
3289	薬剤料　内服薬・浸煎薬		819 397 318	10 107 606 935	63 433 048	1 041 941 271	755 964 270	9 065 665 664
3290	薬剤料　屯服薬		23 692 374	75 376 751	3 771 016	15 412 939	19 921 358	59 963 812
3291	薬剤料　外用薬		13 990 674	1 386 773 214	1 400 090	103 480 394	12 590 584	1 283 292 820
3292	特定保険医療材料料（投薬）		253	1 088 498	155	1 007 035	98	81 463
3293	処方箋料　１　向精神薬多剤投与の場合	28	135 699	3 799 572	−	−	135 699	3 799 572
3294	処方箋料　１　向精神薬多剤投与の場合（紹介率が低い大病院で30日以上投薬）	11	1	11	−	−	1	11
3295	処方箋料　２　１以外の場合　７種類以上の内服薬又は向精神薬長期処方	40	2 253 150	90 126 000	−	−	2 253 150	90 126 000
3296	処方箋料　２　１以外の場合　７種類以上の内服薬又は向精神薬長期処方（紹介率が低い大病院で30日以上投薬）	16	267	4 272	−	−	267	4 272
3297	処方箋料　３　１及び２以外の場合	68	61 876 756	4 207 619 408	−	−	61 876 756	4 207 619 408
3298	処方箋料　３　１及び２以外の場合（紹介率が低い大病院で30日以上投薬）	27	2 140	57 780	−	−	2 140	57 780
3299	処方箋料　乳幼児　加算	3	1 541 311	4 623 933	−	−	1 541 311	4 623 933
3300	処方箋料　特定疾患処方管理　加算１	18	6 042 162	108 758 916	−	−	6 042 162	108 758 916
3301	処方箋料　特定疾患処方管理　加算２	66	14 811 674	977 570 484	−	−	14 811 674	977 570 484
3302	処方箋料　抗悪性腫瘍剤処方管理　加算	70	127 794	8 945 580	−	−	127 794	8 945 580
3303	処方箋料　一般名処方　加算１	6	15 897 689	95 386 134	−	−	15 897 689	95 386 134
3304	処方箋料　一般名処方　加算２	4	16 902 764	67 611 056	−	−	16 902 764	67 611 056
3305	処方箋料　向精神薬調整連携　加算	12	2 759	33 108	−	−	2 759	33 108
3306	調剤技術基本料　入院	42	282 263	11 855 046	282 263	11 855 046	−	−
3307	調剤技術基本料　入院　院内製剤　加算	10	3 162	31 620	3 162	31 620	−	−
3308	調剤技術基本料　その他	8	4 535 389	36 283 112	−	−	4 535 389	36 283 112
3309	補正点数（＋）投薬		−	−	−	−	−	−
3310	補正点数（−）投薬		−	−	−	−	−	−
3311	**注射計**		15 198 880	13 846 168 870	3 419 253	1 954 174 361	11 779 627	11 891 994 509
3312	注射料小計		14 241 748	1 127 904 902	2 462 121	287 312 540	11 779 627	840 592 362
3313	皮内、皮下及び筋肉内注射	20	2 621 082	52 421 640	−	−	2 621 082	52 421 640
3314	皮内、皮下及び筋肉内注射に準ずる注射	20	36 465	729 300	−	−	36 465	729 300
3315	静脈内注射	32	1 966 261	62 920 352	−	−	1 966 261	62 920 352
3316	静脈内注射　乳幼児　加算	45	1 747	78 615	−	−	1 747	78 615
3317	動脈注射　内臓	155	98	15 190	12	1 860	86	13 330
3318	動脈注射　その他	45	391	17 595	153	6 885	238	10 710
3319	抗悪性腫瘍剤局所持続注入	165	68 598	11 318 670	9 068	1 496 220	59 530	9 822 450
3320	肝動脈塞栓を伴う抗悪性腫瘍剤肝動脈内注入	165	26	4 290	6	990	20	3 300
3321	点滴注射　１　乳幼児（100ｍＬ以上）	98	66 882	6 554 436	16 634	1 630 132	50 248	4 924 304
3322	点滴注射　２　１以外（500ｍＬ以上）	97	2 427 550	235 472 350	1 540 541	149 432 477	887 009	86 039 873
3323	点滴注射　３　その他	49	1 844 737	90 392 113	−	−	1 844 737	90 392 113
3324	点滴注射　乳幼児　加算	45	68 742	3 093 390	16 621	747 945	52 121	2 345 445
3325	点滴注射　血漿成分製剤　加算	50	139	6 950	124	6 200	15	750
3326	中心静脈注射	140	501 137	70 159 180	496 330	69 486 200	4 807	672 980
3327	中心静脈注射　血漿成分製剤　加算	50	80	4 000	80	4 000	−	−
3328	中心静脈注射　乳幼児　加算	50	7 689	384 450	7 539	376 950	150	7 500
3329	中心静脈注射用カテーテル挿入	1400	15 437	21 611 800	15 040	21 056 000	397	555 800
3330	中心静脈注射用カテーテル挿入　乳幼児　加算	500	180	90 000	179	89 500	1	500
3331	中心静脈注射用カテーテル挿入　静脈切開法　加算	2000	−	−	−	−	−	−
3332	末梢留置型中心静脈注射用カテーテル挿入	700	1 095	766 500	1 036	725 200	59	41 300
3333	末梢留置型中心静脈注射用カテーテル挿入　乳幼児　加算	500	67	33 500	65	32 500	2	1 000
3334	カフ型緊急時ブラッドアクセス用留置カテーテル挿入	2500	196	490 000	158	395 000	38	95 000
3335	カフ型緊急時ブラッドアクセス用留置カテーテル挿入　乳幼児　加算	500	−	−	−	−	−	−
3336	植込型カテーテルによる中心静脈注射	125	83 419	10 427 375	78 351	9 793 875	5 068	633 500
3337	植込型カテーテルによる中心静脈注射　乳幼児　加算	50	901	45 050	889	44 450	12	600
3338	腱鞘内注射	27	156 272	4 219 344	388	10 476	155 884	4 208 868
3339	骨髄内注射　胸骨	80	2	160	−	−	2	160
3340	骨髄内注射　その他	90	110	9 900	84	7 560	26	2 340
3341	脳脊髄腔注射　脳室	300	180	54 000	154	46 200	26	7 800
3342	脳脊髄腔注射　後頭下	220	1	220	1	220	−	−
3343	脳脊髄腔注射　腰椎	140	469	65 660	301	42 140	168	23 520
3344	脳脊髄腔注射　乳幼児　加算	60	157	9 420	153	9 180	4	240
3345	関節腔内注射	80	3 826 457	306 116 560	11 238	899 040	3 815 219	305 217 520
3346	滑液嚢穿刺後の注入	80	5 589	447 120	5	400	5 584	446 720
3347	気管内注入	100	420	42 000	335	33 500	85	8 500
3348	結膜下注射	27	3 209	86 643	310	8 370	2 899	78 273
3349	自家血清の眼球注射	27	2	54	−	−	2	54
3350	角膜内注射	35	9	315	2	70	7	245
3351	球後注射	60	1 404	84 240	164	9 840	1 240	74 400
3352	テノン氏嚢内注射	60	8 382	502 920	293	17 580	8 089	485 340
3353	硝子体内注射	580	54 972	31 883 760	804	466 320	54 168	31 417 440
3354	腋窩多汗症注射（片側につき）	200	4 430	886 000	6	1 200	4 424	884 800
3355	無菌製剤処理料１　閉鎖式接続器具使用	180	68 023	12 244 140	23 723	4 270 140	44 300	7 974 000
3356	無菌製剤処理料１　閉鎖式接続器具使用以外	45	318 506	14 332 770	108 524	4 883 580	209 982	9 449 190
3357	無菌製剤処理料２	40	159 937	6 397 480	158 460	6 338 400	1 477	59 080
3358	生物学的製剤注射　加算	15	22 286	334 290	42	630	22 244	333 660
3359	精密持続点滴注射　加算	80	203 152	16 252 160	185 490	14 839 200	17 662	1 412 960
3360	麻薬注射　加算	5	21 670	108 350	20 422	102 110	1 248	6 240
3361	外来化学療法加算１　外来化学療法加算Ａ（15歳未満）	820	375	307 500	−	−	375	307 500
3362	外来化学療法加算１　外来化学療法加算Ａ（15歳以上）	600	241 863	145 117 800	−	−	241 863	145 117 800
3363	外来化学療法加算１　外来化学療法加算Ｂ（15歳未満）	670	342	229 140	−	−	342	229 140
3364	外来化学療法加算１　外来化学療法加算Ｂ（15歳以上）	450	32 749	14 737 050	−	−	32 749	14 737 050
3365	外来化学療法加算２　外来化学療法加算Ａ（15歳未満）	740	52	38 480	−	−	52	38 480
3366	外来化学療法加算２　外来化学療法加算Ａ（15歳以上）	470	8 496	3 993 120	−	−	8 496	3 993 120
3367	外来化学療法加算２　外来化学療法加算Ｂ（15歳未満）	640	71	45 440	−	−	71	45 440
3368	外来化学療法加算２　外来化学療法加算Ｂ（15歳以上）	370	6 276	2 322 120	−	−	6 276	2 322 120
3369	薬剤料小計		957 132	12 697 250 887	957 132	1 653 897 228	−	11 043 353 659
3370	皮内，皮下及び筋肉内注射　薬剤料　入院		596 357	134 612 762	596 357	134 612 762	−	−
3371	皮内，皮下及び筋肉内注射　薬剤料　入院外		2 648 987	3 201 980 134	−	−	2 648 987	3 201 980 134
3372	静脈内注射　薬剤料　入院		360 775	120 217 814	360 775	120 217 814	−	−
3373	静脈内注射　薬剤料　入院外		2 454 269	321 814 667	−	−	2 454 269	321 814 667
3374	その他の注射　薬剤料		10 632 716	8 918 625 510	2 650 570	1 399 066 652	7 982 146	7 519 558 858
3375	特定保険医療材料料（注射）		453 360	21 013 081	353 332	12 964 593	100 028	8 048 488
3376	補正点数（＋）注射		−	−	−	−	−	−
3377	補正点数（−）注射		−	−	−	−	−	−

第８表　医科診療　件数・診療実日数・回数・点数，診療行為（細分類）、入院－入院外別

平成30年６月審査分

行番号	診療行為（細分類）	固定点数	総数 回数	総数 点数	入院 回数	入院 点数	入院外 回数	入院外 点数
3378	リハビリテーション計		39 444 747	8 425 875 531	30 054 007	6 710 811 760	9 390 740	1 715 063 771
3379	心大血管疾患リハビリテーション料（Ⅰ）１単位	205	763 276	156 471 580	584 687	119 860 835	178 589	36 610 745
3380	心大血管疾患リハビリテーション料（Ⅱ）１単位	125	10 950	1 368 750	4 634	579 250	6 316	789 500
3381	心大血管疾患リハビリテーション料　早期リハビリテーション　加算　１単位	30	420 031	12 600 930	420 031	12 600 930	－	－
3382	心大血管疾患リハビリテーション料　初期　加算　１単位	45	267 724	12 047 580	267 724	12 047 580	－	－
3383	脳血管疾患等リハビリテーション料（Ⅰ）１単位	245	13 012 767	3 188 127 915	12 164 305	2 980 254 725	848 462	207 873 190
3384	脳血管疾患等リハビリテーション料（Ⅱ）１単位	200	922 358	184 471 600	781 482	156 296 400	140 876	28 175 200
3385	脳血管疾患等リハビリテーション料（Ⅲ）１単位	100	158 641	15 864 100	110 363	11 036 300	48 278	4 827 800
3386	脳血管疾患等リハビリテーション料（Ⅰ）１単位　要介護被保険者等　180日超	147	67 580	9 934 260	54 991	8 083 677	12 589	1 850 583
3387	脳血管疾患等リハビリテーション料（Ⅱ）１単位　要介護被保険者等　180日超	120	37 638	4 516 560	32 056	3 846 720	5 582	669 840
3388	脳血管疾患等リハビリテーション料（Ⅲ）１単位　要介護被保険者等　180日超	60	12 313	738 780	11 092	665 520	1 221	73 260
3389	脳血管疾患等リハビリテーション料（Ⅰ）１単位　要介護被保険者等　180日超　施設基準適合以外	118	13 626	1 607 868	－	－	13 626	1 607 868
3390	脳血管疾患等リハビリテーション料（Ⅱ）１単位　要介護被保険者等　180日超　施設基準適合以外	96	3 577	343 392	－	－	3 577	343 392
3391	脳血管疾患等リハビリテーション料（Ⅲ）１単位　要介護被保険者等　180日超　施設基準適合以外	48	3 658	175 584	－	－	3 658	175 584
3392	脳血管疾患等リハビリテーション料（Ⅰ）１単位　60日以上180日以内　３ヶ月以内に目標設定等支援・管理料を算定していない	221	307 143	67 878 603	293 252	64 808 692	13 891	3 069 911
3393	脳血管疾患等リハビリテーション料（Ⅱ）１単位　60日以上180日以内　３ヶ月以内に目標設定等支援・管理料を算定していない	180	53 047	9 548 460	51 100	9 198 000	1 947	350 460
3394	脳血管疾患等リハビリテーション料（Ⅲ）１単位　60日以上180日以内　３ヶ月以内に目標設定等支援・管理料を算定していない	90	10 531	947 790	9 529	857 610	1 002	90 180
3395	脳血管疾患等リハビリテーション料（Ⅰ）１単位　要介護被保険者等　180日超　３ヶ月以内に目標設定等支援・管理料を算定していない	132	40 133	5 297 556	36 424	4 807 968	3 709	489 588
3396	脳血管疾患等リハビリテーション料（Ⅱ）１単位　要介護被保険者等　180日超　３ヶ月以内に目標設定等支援・管理料を算定していない	108	36 494	3 941 352	34 992	3 779 136	1 502	162 216
3397	脳血管疾患等リハビリテーション料（Ⅲ）１単位　要介護被保険者等　180日超　３ヶ月以内に目標設定等支援・管理料を算定していない	54	11 917	643 518	11 361	613 494	556	30 024
3398	脳血管疾患等リハビリテーション料（Ⅰ）１単位　要介護被保険者等　180日超　施設基準適合以外　３ヶ月以内に目標設定等支援・管理料を算定していない	106	7 787	825 422	－	－	7 787	825 422
3399	脳血管疾患等リハビリテーション料（Ⅱ）１単位　要介護被保険者等　180日超　施設基準適合以外　３ヶ月以内に目標設定等支援・管理料を算定していない	86	2 457	211 302	－	－	2 457	211 302
3400	脳血管疾患等リハビリテーション料（Ⅲ）１単位　要介護被保険者等　180日超　施設基準適合以外　３ヶ月以内に目標設定等支援・管理料を算定していない	43	1 714	73 702	－	－	1 714	73 702
3401	脳血管疾患等リハビリテーション料　早期リハビリテーション　加算　１単位	30	2 734 350	82 030 500	2 733 570	82 007 100	780	23 400
3402	脳血管疾患等リハビリテーション料　初期　加算　１単位	45	1 209 240	54 415 800	1 209 110	54 409 950	130	5 850
3403	廃用症候群リハビリテーション料（Ⅰ）１単位	180	2 456 801	442 224 180	2 448 578	440 744 040	8 223	1 480 140
3404	廃用症候群リハビリテーション料（Ⅱ）１単位	146	357 036	52 127 256	354 739	51 791 894	2 297	335 362
3405	廃用症候群リハビリテーション料（Ⅲ）１単位	77	64 491	4 965 807	63 193	4 865 861	1 298	99 946
3406	廃用症候群リハビリテーション料（Ⅰ）１単位　要介護被保険者等　120日超	108	24 021	2 594 268	23 680	2 557 440	341	36 828
3407	廃用症候群リハビリテーション料（Ⅱ）１単位　要介護被保険者等　120日超	88	10 514	925 232	10 249	901 912	265	23 320
3408	廃用症候群リハビリテーション料（Ⅲ）１単位　要介護被保険者等　120日超	46	2 328	107 088	2 294	105 524	34	1 564
3409	廃用症候群リハビリテーション料（Ⅰ）１単位　要介護被保険者等　120日超　施設基準適合以外	86	433	37 238	－	－	433	37 238
3410	廃用症候群リハビリテーション料（Ⅱ）１単位　要介護被保険者等　120日超　施設基準適合以外	70	139	9 730	－	－	139	9 730
3411	廃用症候群リハビリテーション料（Ⅲ）１単位　要介護被保険者等　120日超　施設基準適合以外	37	113	4 181	－	－	113	4 181
3412	廃用症候群リハビリテーション料（Ⅰ）１単位　40日以上120日以内　３ヶ月以内に目標設定等支援・管理料を算定していない	162	112 812	18 275 544	112 514	18 227 268	298	48 276
3413	廃用症候群リハビリテーション料（Ⅱ）１単位　40日以上120日以内　３ヶ月以内に目標設定等支援・管理料を算定していない	131	29 623	3 880 613	29 495	3 863 845	128	16 768
3414	廃用症候群リハビリテーション料（Ⅲ）１単位　40日以上120日以内　３ヶ月以内に目標設定等支援・管理料を算定していない	69	6 196	427 524	6 190	427 110	6	414
3415	廃用症候群リハビリテーション料（Ⅰ）１単位　要介護被保険者等　120日超　３ヶ月以内に目標設定等支援・管理料を算定していない	97	14 338	1 390 786	14 231	1 380 407	107	10 379
3416	廃用症候群リハビリテーション料（Ⅱ）１単位　要介護被保険者等　120日超　３ヶ月以内に目標設定等支援・管理料を算定していない	79	9 129	721 191	9 036	713 844	93	7 347
3417	廃用症候群リハビリテーション料（Ⅲ）１単位　要介護被保険者等　120日超　３ヶ月以内に目標設定等支援・管理料を算定していない	41	3 515	144 115	3 502	143 582	13	533
3418	廃用症候群リハビリテーション料（Ⅰ）１単位　要介護被保険者等　120日超　施設基準適合以外　３ヶ月以内に目標設定等支援・管理料を算定していない	78	250	19 500	－	－	250	19 500
3419	廃用症候群リハビリテーション料（Ⅱ）１単位　要介護被保険者等　120日超　施設基準適合以外　３ヶ月以内に目標設定等支援・管理料を算定していない	63	254	16 002	－	－	254	16 002
3420	廃用症候群リハビリテーション料（Ⅲ）１単位　要介護被保険者等　120日超　施設基準適合以外　３ヶ月以内に目標設定等支援・管理料を算定していない	33	94	3 102	－	－	94	3 102
3421	廃用症候群リハビリテーション料　早期リハビリテーション　加算　１単位	30	1 237 677	37 130 310	1 237 647	37 129 410	30	900
3422	廃用症候群リハビリテーション料　初期　加算　１単位	45	584 980	26 324 100	584 966	26 323 470	14	630
3423	運動器リハビリテーション料（Ⅰ）１単位	185	13 347 001	2 469 195 185	9 282 049	1 717 179 065	4 064 952	752 016 120
3424	運動器リハビリテーション料（Ⅱ）１単位	170	1 655 646	281 459 820	378 875	64 408 750	1 276 771	217 051 070
3425	運動器リハビリテーション料（Ⅲ）１単位	85	1 592 695	135 379 075	145 164	12 338 940	1 447 531	123 040 135
3426	運動器リハビリテーション料（Ⅰ）１単位　要介護被保険者等　150日超	111	77 597	8 613 267	37 599	4 173 489	39 998	4 439 778
3427	運動器リハビリテーション料（Ⅱ）１単位　要介護被保険者等　150日超	102	22 530	2 298 060	12 141	1 238 382	10 389	1 059 678
3428	運動器リハビリテーション料（Ⅲ）１単位　要介護被保険者等　150日超	51	7 354	375 054	4 512	230 112	2 842	144 942
3429	運動器リハビリテーション料（Ⅰ）１単位　要介護被保険者等　150日超　施設基準適合以外	89	33 165	2 951 685	－	－	33 165	2 951 685
3430	運動器リハビリテーション料（Ⅱ）１単位　要介護被保険者等　150日超　施設基準適合以外	82	12 795	1 049 190	－	－	12 795	1 049 190
3431	運動器リハビリテーション料（Ⅲ）１単位　要介護被保険者等　150日超　施設基準適合以外	41	5 633	230 953	－	－	5 633	230 953
3432	運動器リハビリテーション料（Ⅰ）１単位　50日以上150日以内　３ヶ月以内に目標設定等支援・管理料を算定していない	167	214 900	35 888 300	191 178	31 926 726	23 722	3 961 574
3433	運動器リハビリテーション料（Ⅱ）１単位　50日以上150日以内　３ヶ月以内に目標設定等支援・管理料を算定していない	153	27 109	4 147 677	18 816	2 878 848	8 293	1 268 829
3434	運動器リハビリテーション料（Ⅲ）１単位　50日以上150日以内　３ヶ月以内に目標設定等支援・管理料を算定していない	77	10 585	815 045	5 917	455 609	4 668	359 436
3435	運動器リハビリテーション料（Ⅰ）１単位　要介護被保険者等　150日超　３ヶ月以内に目標設定等支援・管理料を算定していない	100	37 871	3 787 100	27 916	2 791 600	9 955	995 500
3436	運動器リハビリテーション料（Ⅱ）１単位　要介護被保険者等　150日超　３ヶ月以内に目標設定等支援・管理料を算定していない	92	13 660	1 256 720	10 147	933 524	3 513	323 196
3437	運動器リハビリテーション料（Ⅲ）１単位　要介護被保険者等　150日超　３ヶ月以内に目標設定等支援・管理料を算定していない	46	4 802	220 892	3 710	170 660	1 092	50 232
3438	運動器リハビリテーション料（Ⅰ）１単位　要介護被保険者等　150日超　施設基準適合以外　３ヶ月以内に目標設定等支援・管理料を算定していない	80	18 665	1 493 200	－	－	18 665	1 493 200
3439	運動器リハビリテーション料（Ⅱ）１単位　要介護被保険者等　150日超　施設基準適合以外　３ヶ月以内に目標設定等支援・管理料を算定していない	73	6 898	503 554	－	－	6 898	503 554
3440	運動器リハビリテーション料（Ⅲ）１単位　要介護被保険者等　150日超　施設基準適合以外　３ヶ月以内に目標設定等支援・管理料を算定していない	37	3 529	130 573	－	－	3 529	130 573
3441	運動器リハビリテーション料　早期リハビリテーション　加算　１単位	30	3 673 477	110 204 310	3 673 242	110 197 260	235	7 050
3442	運動器リハビリテーション料　初期　加算　１単位	45	1 568 165	70 567 425	1 568 134	70 566 030	31	1 395
3443	呼吸器リハビリテーション料（Ⅰ）１単位	175	930 348	162 810 900	903 798	158 164 650	26 550	4 646 250
3444	呼吸器リハビリテーション料（Ⅱ）１単位	85	18 424	1 566 040	17 550	1 491 750	874	74 290
3445	呼吸器リハビリテーション料　早期リハビリテーション　加算　１単位	30	573 656	17 209 680	573 656	17 209 680	－	－
3446	呼吸器リハビリテーション料　初期　加算　１単位	45	334 009	15 030 405	334 009	15 030 405	－	－
3447	リハビリテーション総合計画評価料１	300	1 174 877	352 463 100	380 709	114 212 700	794 168	238 250 400
3448	リハビリテーション総合計画評価料２	240	114 717	27 532 080	80 442	19 306 080	34 275	8 226 000
3449	リハビリテーション総合計画評価料　入院時訪問指導　加算	150	1 227	184 050	1 227	184 050	－	－
3450	リハビリテーション計画提供料１	275	2 157	593 175	1 968	541 200	189	51 975
3451	リハビリテーション計画提供料１　電子化連携　加算	5	20	100	19	95	1	5
3452	リハビリテーション計画提供料２	100	32	3 200	32	3 200	－	－
3453	目標設定等支援・管理料　初回の場合	250	44 078	11 019 500	36 666	9 166 500	7 412	1 853 000
3454	目標設定等支援・管理料　２回目以降の場合	100	24 304	2 430 400	12 633	1 263 300	11 671	1 167 100
3455	摂食機能療法　30分以上の場合	185	704 356	130 305 860	699 337	129 377 345	5 019	928 515

第８表　医科診療　件数・診療実日数・回数・点数，診療行為（細分類）、入院－入院外別

平成30年６月審査分

行番号	診療行為（細分類）	固定点数	総数 回数	総数 点数	入院 回数	入院 点数	入院外 回数	入院外 点数
3456	摂食機能療法　30分未満の場合	130	4 147	539 110	4 132	537 160	15	1 950
3457	摂食機能療法　経口摂取回復促進　加算１	185	2 307	426 795	2 307	426 795	−	−
3458	摂食機能療法　経口摂取回復促進　加算２	20	−	−	−	−	−	−
3459	視能訓練　斜視視能訓練	135	7 681	1 036 935	181	24 435	7 500	1 012 500
3460	視能訓練　弱視視能訓練	135	11 683	1 577 205	71	9 585	11 612	1 567 620
3461	難病患者リハビリテーション料	640	2 430	1 555 200	−	−	2 430	1 555 200
3462	難病患者リハビリテーション料　短期集中リハビリテーション実施　加算　1月以内	280	15	4 200	−	−	15	4 200
3463	難病患者リハビリテーション料　短期集中リハビリテーション実施　加算　1月超3月以内	140	94	13 160	−	−	94	13 160
3464	障害児（者）リハビリテーション料　１単位６歳未満	225	119 096	26 796 600	5 685	1 279 125	113 411	25 517 475
3465	障害児（者）リハビリテーション料　１単位６歳以上18歳未満	195	78 216	15 252 120	13 931	2 716 545	64 285	12 535 575
3466	障害児（者）リハビリテーション料　１単位18歳以上	155	87 051	13 492 905	69 165	10 720 575	17 886	2 772 330
3467	がん患者リハビリテーション料　１単位	205	432 715	88 706 575	432 715	88 706 575	−	−
3468	認知症患者リハビリテーション料（１日につき）	240	13 805	3 313 200	13 805	3 313 200	−	−
3469	リンパ浮腫複合的治療料　重症の場合	200	1 000	200 000	18	3 600	982	196 400
3470	リンパ浮腫複合的治療料　重症以外の場合	100	460	46 000	7	700	453	45 300
3471	集団コミュニケーション療法料　１単位	50	11 041	552 050	5 169	258 450	5 872	293 600
3472	薬剤料（診療識別80）		−	15 026 170	−	2 380 607	−	12 645 563
3473	特定保険医療材料料（診療識別80）酸素料		−	−	−	−	−	−
3474	特定保険医療材料料（診療識別80）酸素料以外		3 090	211 060	2 660	64 964	430	146 096
3475	補正点数（＋）リハビリテーション		−	−	−	−	−	−
3476	補正点数（－）リハビリテーション		−	−	−	−	−	−
3477	**精神科専門療法計**		8 469 440	2 831 234 286	3 137 350	633 309 792	5 332 090	2 197 924 494
3478	精神科電気痙攣療法　1　マスク又は気管内挿管による閉鎖循環式全身麻酔	2800	6 670	18 676 000	6 139	17 189 200	531	1 486 800
3479	精神科電気痙攣療法　1　麻酔医師　加算（許可を受けた医師が麻酔を行った場合）	900	3 916	3 524 400	3 748	3 373 200	168	151 200
3480	精神科電気痙攣療法　2　1以外の場合	150	743	111 450	700	105 000	43	6 450
3481	入院精神療法（Ⅰ）	400	186 589	74 635 600	186 589	74 635 600	−	−
3482	入院精神療法（Ⅱ）６月以内	150	191 245	28 686 750	191 245	28 686 750	−	−
3483	入院精神療法（Ⅱ）６月超	80	694 192	55 535 360	694 192	55 535 360	−	−
3484	通院精神療法　イ　入院措置後退院患者・支援計画の療養担当精神科医師が行った場合	660	62	40 920	−	−	62	40 920
3485	通院精神療法　ロ　初診日に60分以上	540	35 146	18 978 840	−	−	35 146	18 978 840
3486	通院精神療法　ハ　イ及びロ以外の場合　30分以上	400	309 016	123 606 400	−	−	309 016	123 606 400
3487	通院精神療法　ハ　イ及びロ以外の場合　30分未満	330	3 683 977	1 215 712 410	−	−	3 683 977	1 215 712 410
3488	通院精神療法　イ　入院措置後退院患者・支援計画の療養担当精神科医師が行った場合　３種類以上の抗うつ薬等	330	618	203 940	−	−	618	203 940
3489	通院精神療法　ロ　初診日に60分以上　３種類以上の抗うつ薬等	270	33	8 910	−	−	33	8 910
3490	通院精神療法　ハ　イ及びロ以外の場合　30分以上　３種類以上の抗うつ薬等	200	902	180 400	−	−	902	180 400
3491	通院精神療法　ハ　イ及びロ以外の場合　30分未満　３種類以上の抗うつ薬等	165	27 558	4 547 070	−	−	27 558	4 547 070
3492	通院精神療法　措置入院後継続支援　加算	275	4	1 100	−	−	4	1 100
3493	通院精神療法　措置入院後継続支援　加算　入院措置後退院患者　３種類以上の抗うつ薬等	138	−	−	−	−	−	−
3494	在宅精神療法　イ　入院措置後退院患者・支援計画の療養担当精神科医師が行った場合	660	−	−	−	−	−	−
3495	在宅精神療法　ロ　初診日に60分以上	600	127	76 200	−	−	127	76 200
3496	在宅精神療法　ハ　イ及びロ以外の場合　60分以上	540	285	153 900	−	−	285	153 900
3497	在宅精神療法　ハ　イ及びロ以外の場合　30分以上60分未満	400	1 986	794 400	−	−	1 986	794 400
3498	在宅精神療法　ハ　イ及びロ以外の場合　30分未満	330	43 576	14 380 080	−	−	43 576	14 380 080
3499	在宅精神療法　イ　入院措置後退院患者・支援計画の療養担当精神科医師が行った場合　３種類以上の抗うつ薬等	330	−	−	−	−	−	−
3500	在宅精神療法　ロ　初診日に60分以上　３種類以上の抗うつ薬等	300	−	−	−	−	−	−
3501	在宅精神療法　ハ　イ及びロ以外の場合　60分以上　３種類以上の抗うつ薬等	270	1	270	−	−	1	270
3502	在宅精神療法　ハ　イ及びロ以外の場合　30分以上60分未満　３種類以上の抗うつ薬等	200	8	1 600	−	−	8	1 600
3503	在宅精神療法　ハ　イ及びロ以外の場合　30分未満　３種類以上の抗うつ薬等	165	179	29 535	−	−	179	29 535
3504	通院・在宅精神療法　20歳未満　加算	350	91 911	32 168 850	−	−	91 911	32 168 850
3505	通院・在宅精神療法　児童思春期精神科専門管理　加算（16歳未満・２年以内）	500	20 832	10 416 000	−	−	20 832	10 416 000
3506	通院・在宅精神療法　児童思春期精神科専門管理　加算（20歳未満・３ヶ月以内60分以上）	1200	1 129	1 354 800	−	−	1 129	1 354 800
3507	通院・在宅精神療法　特定薬剤副作用評価　加算	25	7 476	186 900	−	−	7 476	186 900
3508	精神科継続外来支援・指導料	55	108 899	5 989 445	−	−	108 899	5 989 445
3509	精神科継続外来支援・指導料　３種類以上の抗うつ薬等	28	157	4 396	−	−	157	4 396
3510	精神科継続外来支援・指導料　療養生活環境整備支援　加算	40	25 409	1 016 360	−	−	25 409	1 016 360
3511	精神科継続外来支援・指導料　特定薬剤副作用評価　加算	25	1 416	35 400	−	−	1 416	35 400
3512	救急患者精神科継続支援料　入院中の患者	435	13	5 655	13	5 655	−	−
3513	救急患者精神科継続支援料　入院中の患者以外	135	13	1 755	−	−	13	1 755
3514	標準型精神分析療法	390	35 161	13 712 790	22 457	8 758 230	12 704	4 954 560
3515	認知療法・認知行動療法　1　医師による場合	480	3 263	1 566 240	−	−	3 263	1 566 240
3516	認知療法・認知行動療法　2　医師及び看護師が共同して行う場合	350	3	1 050	−	−	3	1 050
3517	心身医学療法　入院	150	3 018	452 700	3 018	452 700	−	−
3518	心身医学療法　入院外（初診時）	110	4 646	511 060	−	−	4 646	511 060
3519	心身医学療法　入院外（再診時）	80	48 505	3 880 400	−	−	48 505	3 880 400
3520	心身医学療法　20歳未満　加算		10 270	1 687 180	111	33 300	10 159	1 653 880
3521	入院集団精神療法	100	4 601	460 100	4 601	460 100	−	−
3522	通院集団精神療法	270	2 642	713 340	−	−	2 642	713 340
3523	依存症集団療法	340	108	36 720	−	−	108	36 720
3524	精神科作業療法	220	1 995 455	439 000 100	1 957 689	430 691 580	37 766	8 308 520
3525	入院生活技能訓練療法　６月以内	100	7 254	725 400	7 254	725 400	−	−
3526	入院生活技能訓練療法　６月超	75	34 262	2 569 650	34 262	2 569 650	−	−
3527	精神科ショート・ケア　小規模	275	25 007	6 876 925	−	−	25 007	6 876 925
3528	精神科ショート・ケア　小規模（入院中の患者）	138	10	1 380	9	1 242	1	138
3529	精神科ショート・ケア　大規模	330	67 259	22 195 470	−	−	67 259	22 195 470
3530	精神科ショート・ケア　大規模（入院中の患者）	165	34	5 610	34	5 610	−	−
3531	精神科ショート・ケア　早期　加算	20	34 896	697 920	−	−	34 896	697 920
3532	精神科ショート・ケア　早期　加算（入院中の患者）	10	25	250	24	240	1	10
3533	精神科ショート・ケア　小規模　疾患別等専門プログラム　加算	200	364	72 800	−	−	364	72 800
3534	精神科デイ・ケア　小規模	590	78 488	46 307 920	−	−	78 488	46 307 920
3535	精神科デイ・ケア　小規模　３年超・週３日超	531	2 928	1 554 768	−	−	2 928	1 554 768
3536	精神科デイ・ケア　小規模（入院中の患者）	295	40	11 800	40	11 800	−	−
3537	精神科デイ・ケア　小規模（入院中の患者）３年超・週３日超	266	−	−	−	−	−	−
3538	精神科デイ・ケア　大規模	700	386 876	270 813 200	−	−	386 876	270 813 200
3539	精神科デイ・ケア　大規模　３年超・週３日超	630	16 740	10 546 200	−	−	16 740	10 546 200
3540	精神科デイ・ケア　大規模（入院中の患者）	350	223	78 050	222	77 700	1	350
3541	精神科デイ・ケア　大規模（入院中の患者）３年超・週３日超	315	−	−	−	−	−	−
3542	精神科デイ・ケア　早期　加算	50	135 448	6 772 400	−	−	135 448	6 772 400
3543	精神科デイ・ケア　早期　加算（入院中の患者）	25	119	2 975	119	2 975	−	−
3544	精神科ナイト・ケア	540	8 320	4 492 800	−	−	8 320	4 492 800
3545	精神科ナイト・ケア　３年超・週３日超	486	487	236 682	−	−	487	236 682
3546	精神科ナイト・ケア　早期　加算	50	1 799	89 950	−	−	1 799	89 950
3547	精神科デイ・ナイト・ケア	1000	107 070	107 070 000	−	−	107 070	107 070 000
3548	精神科デイ・ナイト・ケア　３年超・週３日超	900	6 115	5 503 500	−	−	6 115	5 503 500
3549	精神科デイ・ナイト・ケア　早期　加算	50	29 903	1 495 150	−	−	29 903	1 495 150
3550	精神科デイ・ナイト・ケア　疾患別等診療計画　加算	40	110 001	4 400 040	−	−	110 001	4 400 040
3551	精神科退院指導料	320	12 063	3 860 160	12 063	3 860 160	−	−
3552	精神科退院指導料　精神科地域移行支援　加算	200	479	95 800	479	95 800	−	−
3553	精神科退院前訪問指導料	380	2 337	888 060	2 337	888 060	−	−
3554	精神科退院前訪問指導料　保健師、看護師、作業療法士又は精神保健福祉士共同訪問指導　加算	320	1 646	526 720	1 646	526 720	−	−

第８表　医科診療　件数・診療実日数・回数・点数，診療行為（細分類）、入院－入院外別

平成30年６月審査分

行番号	診療行為（細分類）	固定点数	総数 回数	総数 点数	入院 回数	入院 点数	入院外 回数	入院外 点数
3555	精神科訪問看護・指導料（Ⅰ）（保健師等）週３日目まで30分以上	580	79 018	45 830 440	-	-	79 018	45 830 440
3556	精神科訪問看護・指導料（Ⅰ）（保健師等）週３日目まで30分未満	445	6 379	2 838 655	-	-	6 379	2 838 655
3557	精神科訪問看護・指導料（Ⅰ）（保健師等）週４日目以降30分以上	680	113	76 840	-	-	113	76 840
3558	精神科訪問看護・指導料（Ⅰ）（保健師等）週４日目以降30分未満	530	53	28 090	-	-	53	28 090
3559	精神科訪問看護・指導料（Ⅰ）（准看護師）週３日目まで30分以上	530	1 265	670 450	-	-	1 265	670 450
3560	精神科訪問看護・指導料（Ⅰ）（准看護師）週３日目まで30分未満	405	335	135 675	-	-	335	135 675
3561	精神科訪問看護・指導料（Ⅰ）（准看護師）週４日目以降30分以上	630	2	1 260	-	-	2	1 260
3562	精神科訪問看護・指導料（Ⅰ）（准看護師）週４日目以降30分未満	490	27	13 230	-	-	27	13 230
3563	精神科訪問看護・指導料（Ⅲ）（保健師等）同一日に２人　週３日目まで30分以上	580	6 442	3 736 360	-	-	6 442	3 736 360
3564	精神科訪問看護・指導料（Ⅲ）（保健師等）同一日に２人　週３日目まで30分未満	445	1 400	623 000	-	-	1 400	623 000
3565	精神科訪問看護・指導料（Ⅲ）（保健師等）同一日に２人　週４日目以降30分以上	680	13	8 840	-	-	13	8 840
3566	精神科訪問看護・指導料（Ⅲ）（保健師等）同一日に２人　週４日目以降30分未満	530	27	14 310	-	-	27	14 310
3567	精神科訪問看護・指導料（Ⅲ）（保健師等）同一日に３人以上　週３日目まで30分以上	293	4 633	1 357 469	-	-	4 633	1 357 469
3568	精神科訪問看護・指導料（Ⅲ）（保健師等）同一日に３人以上　週３日目まで30分未満	225	3 866	869 850	-	-	3 866	869 850
3569	精神科訪問看護・指導料（Ⅲ）（保健師等）同一日に３人以上　週４日目以降30分以上	343	13	4 459	-	-	13	4 459
3570	精神科訪問看護・指導料（Ⅲ）（保健師等）同一日に３人以上　週４日目以降30分未満	268	23	6 164	-	-	23	6 164
3571	精神科訪問看護・指導料（Ⅲ）（准看護師）同一日に２人　週３日目まで30分以上	530	202	107 060	-	-	202	107 060
3572	精神科訪問看護・指導料（Ⅲ）（准看護師）同一日に２人　週３日目まで30分未満	405	71	28 755	-	-	71	28 755
3573	精神科訪問看護・指導料（Ⅲ）（准看護師）同一日に２人　週４日目以降30分以上	630	-	-	-	-	-	-
3574	精神科訪問看護・指導料（Ⅲ）（准看護師）同一日に２人　週４日目以降30分未満	490	-	-	-	-	-	-
3575	精神科訪問看護・指導料（Ⅲ）（准看護師）同一日に３人以上　週３日目まで30分以上	268	211	56 548	-	-	211	56 548
3576	精神科訪問看護・指導料（Ⅲ）（准看護師）同一日に３人以上　週３日目まで30分未満	205	822	168 510	-	-	822	168 510
3577	精神科訪問看護・指導料（Ⅲ）（准看護師）同一日に３人以上　週４日目以降30分以上	318	-	-	-	-	-	-
3578	精神科訪問看護・指導料（Ⅲ）（准看護師）同一日に３人以上　週４日目以降30分未満	248	3	744	-	-	3	744
3579	精神科訪問看護・指導料　複数名精神科訪問看護・指導　加算（他の保健師等と同時に指導）１日に１回	450	48 246	21 710 700	-	-	48 246	21 710 700
3580	精神科訪問看護・指導料　複数名精神科訪問看護・指導　加算（他の保健師等と同時に指導）１日に２回	900	9	8 100	-	-	9	8 100
3581	精神科訪問看護・指導料　複数名精神科訪問看護・指導　加算（他の保健師等と同時に指導）１日に３回以上	1450	1	1 450	-	-	1	1 450
3582	精神科訪問看護・指導料　複数名精神科訪問看護・指導　加算（准看護師と同時に指導）１日に１回	380	4 627	1 758 260	-	-	4 627	1 758 260
3583	精神科訪問看護・指導料　複数名精神科訪問看護・指導　加算（准看護師と同時に指導）１日に２回	760	-	-	-	-	-	-
3584	精神科訪問看護・指導料　複数名精神科訪問看護・指導　加算（准看護師と同時に指導）１日に３回以上	1240	-	-	-	-	-	-
3585	精神科訪問看護・指導料　複数名精神科訪問看護・指導　加算（看護補助者と同時に指導）	300	775	232 500	-	-	775	232 500
3586	精神科訪問看護・指導料　長時間精神科訪問看護・指導　加算	520	504	262 080	-	-	504	262 080
3587	精神科訪問看護・指導料　夜間・早朝訪問看護　加算	210	819	171 990	-	-	819	171 990
3588	精神科訪問看護・指導料　深夜訪問看護　加算	420	379	159 180	-	-	379	159 180
3589	精神科訪問看護・指導料　精神科緊急訪問看護　加算	265	165	43 725	-	-	165	43 725
3590	精神科訪問看護・指導料　精神科複数回訪問　加算　（１日に２回）	450	1	450	-	-	1	450
3591	精神科訪問看護・指導料　精神科複数回訪問　加算　（１日に３回以上）	800	6	4 800	-	-	6	4 800
3592	精神科訪問看護・指導料　看護・介護職員連携強化　加算	250	-	-	-	-	-	-
3593	精神科訪問看護・指導料　特別地域訪問看護　加算		67	19 430	-	-	67	19 430
3594	精神科訪問看護指示料	300	18 575	5 572 500	678	203 400	17 897	5 369 100
3595	精神科訪問看護指示料　精神科特別訪問看護指示　加算	100	269	26 900	-	-	269	26 900
3596	精神科訪問看護指示料　衛生材料等提供　加算	80	13	1 040	2	160	11	880
3597	抗精神病特定薬剤治療指導管理料　持続性抗精神病注射薬剤治療指導管理料	250	34 855	8 713 750	-	-	34 855	8 713 750
3598	抗精神病特定薬剤治療指導管理料　治療抵抗性統合失調症治療指導管理料	500	3 033	1 516 500	1 359	679 500	1 674	837 000
3599	医療保護入院等診療料	300	12 449	3 734 700	12 449	3 734 700	-	-
3600	重度認知症患者デイ・ケア料	1040	149 404	155 380 160	-	-	149 404	155 380 160
3601	重度認知症患者デイ・ケア料　早期　加算	50	45 740	2 287 000	-	-	45 740	2 287 000
3602	重度認知症患者デイ・ケア料　夜間ケア　加算	100	21	2 100	-	-	21	2 100
3603	精神科在宅患者支援管理料１　イ　集中的支援必要者　単一建物診療患者１人	3000	4	12 000	-	-	4	12 000
3604	精神科在宅患者支援管理料１　イ　集中的支援必要者　単一建物診療患者２人以上	2250	-	-	-	-	-	-
3605	精神科在宅患者支援管理料１　ロ　重度精神障害者　単一建物診療患者１人	2500	37	92 500	-	-	37	92 500
3606	精神科在宅患者支援管理料１　ロ　重度精神障害者　単一建物診療患者２人以上	1875	-	-	-	-	-	-
3607	精神科在宅患者支援管理料１　ハ　イ及びロ以外　単一建物診療患者１人	2030	513	1 041 390	-	-	513	1 041 390
3608	精神科在宅患者支援管理料１　ハ　イ及びロ以外　単一建物診療患者２人以上	1248	742	926 016	-	-	742	926 016
3609	精神科在宅患者支援管理料２　集中的支援必要者　単一建物診療患者１人	2467	-	-	-	-	-	-
3610	精神科在宅患者支援管理料２　集中的支援必要者　単一建物診療患者２人以上	1850	-	-	-	-	-	-
3611	精神科在宅患者支援管理料２　重度精神障害者　単一建物診療患者１人	2056	-	-	-	-	-	-
3612	精神科在宅患者支援管理料２　重度精神障害者　単一建物診療患者２人以上	1542	-	-	-	-	-	-
3613	精神科在宅患者支援管理料　精神科オンライン在宅管理料　加算	100	-	-	-	-	-	-
3614	補正点数（＋）精神科専門療法		-	-	-	-	-	-
3615	補正点数（－）精神科専門療法		-	-	-	-	-	-
3616	**処置計**		46 271 502	13 174 711 443	6 862 266	2 109 114 944	39 409 236	11 065 596 499
3617	一般処置小計		9 820 926	9 395 892 357	3 940 770	1 218 414 870	5 880 156	8 177 477 487
3618	創傷処置　100㎠未満	52	1 798 242	93 508 584	160 263	8 333 676	1 637 979	85 174 908
3619	創傷処置　100㎠以上500㎠未満	60	376 412	22 584 720	215 787	12 947 220	160 625	9 637 500
3620	創傷処置　500㎠以上3,000㎠未満	90	36 378	3 274 020	18 348	1 651 320	18 030	1 622 700
3621	創傷処置　3,000㎠以上6,000㎠未満	160	2 772	443 520	1 683	269 280	1 089	174 240
3622	創傷処置　6,000㎠以上	275	327	89 925	255	70 125	72	19 800
3623	創傷処置　6,000㎠以上　乳幼児　加算（６歳未満）	55	1	55	-	-	1	55
3624	熱傷処置　100㎠未満	135	89 365	12 064 275	92	12 420	89 273	12 051 855
3625	熱傷処置　100㎠以上500㎠未満	147	30 013	4 411 911	2 182	320 754	27 831	4 091 157
3626	熱傷処置　500㎠以上3,000㎠未満	270	4 048	1 092 960	748	201 960	3 300	891 000
3627	熱傷処置　3,000㎠以上6,000㎠未満	504	380	191 520	153	77 112	227	114 408
3628	熱傷処置　3,000㎠以上6,000㎠未満　乳幼児　加算（６歳未満）	55	15	825	-	-	15	825
3629	熱傷処置　6,000㎠以上	1500	229	343 500	223	334 500	6	9 000
3630	熱傷処置　6,000㎠以上　乳幼児　加算（６歳未満）	55	1	55	1	55	-	-
3631	絆創膏固定術	500	63 360	31 680 000	72	36 000	63 288	31 644 000
3632	鎖骨骨折固定術	500	3 094	1 547 000	101	50 500	2 993	1 496 500
3633	肋骨骨折固定術	500	24 531	12 265 500	400	200 000	24 131	12 065 500
3634	重度褥瘡処置　100㎠未満	90	14 840	1 335 600	2 375	213 750	12 465	1 121 850
3635	重度褥瘡処置　100㎠以上500㎠未満	98	40 457	3 964 786	37 654	3 690 092	2 803	274 694
3636	重度褥瘡処置　500㎠以上3,000㎠未満	150	2 202	330 300	2 062	309 300	140	21 000
3637	重度褥瘡処置　3,000㎠以上6,000㎠未満	280	232	64 960	232	64 960	-	-
3638	重度褥瘡処置　6,000㎠以上	500	1	500	-	-	1	500
3639	長期療養患者褥瘡等処置	24	34 127	819 048	34 127	819 048	-	-
3640	精神病棟等長期療養患者褥瘡等処置	30	303 962	9 118 860	303 962	9 118 860	-	-
3641	爪甲除去（麻酔を要しないもの）	60	69 836	4 190 160	-	-	69 836	4 190 160
3642	穿刺排膿後薬液注入	45	817	36 765	-	-	817	36 765
3643	空洞切開術後ヨードホルムガーゼ処置	45	21	945	1	45	20	900
3644	ドレーン法（ドレナージ）持続的吸引	50	60 168	3 008 400	59 652	2 982 600	516	25 800
3645	ドレーン法（ドレナージ）持続的吸引　乳幼児　加算（３歳未満）	110	565	62 150	565	62 150	-	-
3646	ドレーン法（ドレナージ）その他	25	140 601	3 515 025	127 750	3 193 750	12 851	321 275
3647	ドレーン法（ドレナージ）その他　乳幼児　加算（３歳未満）	110	899	98 890	892	98 120	7	770
3648	局所陰圧閉鎖処置（入院）100㎠未満	1040	26 072	27 114 880	26 072	27 114 880	-	-
3649	局所陰圧閉鎖処置（入院）100㎠未満　初回　加算	1690	1 427	2 411 630	1 427	2 411 630	-	-
3650	局所陰圧閉鎖処置（入院）100㎠以上200㎠未満	1060	7 587	8 042 220	7 587	8 042 220	-	-
3651	局所陰圧閉鎖処置（入院）100㎠以上200㎠未満　初回　加算	2650	402	1 065 300	402	1 065 300	-	-
3652	局所陰圧閉鎖処置（入院）200㎠以上	1100	4 824	5 306 400	4 824	5 306 400	-	-
3653	局所陰圧閉鎖処置（入院）200㎠以上　初回　加算	3300	255	841 500	255	841 500	-	-

第８表　医科診療　件数・診療実日数・回数・点数，診療行為（細分類）、入院−入院外別

平成30年６月審査分

行番号	診療行為（細分類）	固定点数	総数 回数	総数 点数	入院 回数	入院 点数	入院外 回数	入院外 点数
3654	局所陰圧閉鎖処置（入院外）100㎠未満	240	450	108 000	−	−	450	108 000
3655	局所陰圧閉鎖処置（入院外）100㎠未満　初回　加算	1690	81	136 890	−	−	81	136 890
3656	局所陰圧閉鎖処置（入院外）100㎠以上200㎠未満	270	118	31 860	−	−	118	31 860
3657	局所陰圧閉鎖処置（入院外）100㎠以上200㎠未満　初回　加算	2650	24	63 600	−	−	24	63 600
3658	局所陰圧閉鎖処置（入院外）200㎠以上	330	78	25 740	−	−	78	25 740
3659	局所陰圧閉鎖処置（入院外）200㎠以上　初回　加算	3300	13	42 900	−	−	13	42 900
3660	流注膿瘍穿刺	190	40	7 600	3	570	37	7 030
3661	脳室穿刺	600	42	25 200	25	15 000	17	10 200
3662	脳室穿刺　乳幼児　加算（６歳未満）	110	28	3 080	25	2 750	3	330
3663	後頭下穿刺	300	4	1 200	2	600	2	600
3664	後頭下穿刺　乳幼児　加算（６歳未満）	110	−	−	−	−	−	−
3665	頸椎穿刺	264	2	528	2	528	−	−
3666	頸椎穿刺　乳幼児　加算（６歳未満）	110	−	−	−	−	−	−
3667	胸椎穿刺	264	11	2 904	3	792	8	2 112
3668	胸椎穿刺　乳幼児　加算（６歳未満）	110	−	−	−	−	−	−
3669	腰椎穿刺	264	588	155 232	255	67 320	333	87 912
3670	腰椎穿刺　乳幼児　加算（６歳未満）	110	11	1 210	9	990	2	220
3671	硬膜外自家血注入	800	38	30 400	37	29 600	1	800
3672	胸腔穿刺（洗浄、注入及び排液を含む）	220	5 254	1 155 880	2 304	506 880	2 950	649 000
3673	胸腔穿刺（洗浄、注入及び排液を含む）乳幼児　加算（６歳未満）	110	−	−	−	−	−	−
3674	腹腔穿刺（人工気腹、洗浄、注入及び排液を含む）	230	5 937	1 365 510	2 084	479 320	3 853	886 190
3675	腹腔穿刺（人工気腹、洗浄、注入及び排液を含む）乳幼児　加算（６歳未満）	110	14	1 540	14	1 540	−	−
3676	経皮的肝膿瘍等穿刺術	1450	676	980 200	670	971 500	6	8 700
3677	骨髄穿刺　胸骨	310	17	5 270	4	1 240	13	4 030
3678	骨髄穿刺　胸骨　乳幼児　加算（６歳未満）	110	−	−	−	−	−	−
3679	骨髄穿刺　その他	330	215	70 950	29	9 570	186	61 380
3680	骨髄穿刺　その他　乳幼児　加算（６歳未満）	110	−	−	−	−	−	−
3681	腎嚢胞穿刺	280	4	1 120	3	840	1	280
3682	腎嚢胞穿刺　乳幼児　加算（６歳未満）	110	−	−	−	−	−	−
3683	水腎症穿刺	280	−	−	−	−	−	−
3684	水腎症穿刺　乳幼児　加算（６歳未満）	110	−	−	−	−	−	−
3685	ダグラス窩穿刺	240	43	10 320	2	480	41	9 840
3686	乳腺穿刺	200	1 274	254 800	19	3 800	1 255	251 000
3687	甲状腺穿刺	150	754	113 100	6	900	748	112 200
3688	リンパ節等穿刺	200	609	121 800	8	1 600	601	120 200
3689	エタノール局所注入	1200	199	238 800	186	223 200	13	15 600
3690	エタノール局所注入（甲状腺に対する）	1200	70	84 000	−	−	70	84 000
3691	エタノール局所注入（副甲状腺に対する）	1200	1	1 200	1	1 200	−	−
3692	リンパ管腫局所注入	1020	66	67 320	31	31 620	35	35 700
3693	リンパ管腫局所注入　乳幼児　加算（６歳未満）	55	12	660	12	660	−	−
3694	喀痰吸引	48	1 383 241	66 395 568	1 335 797	64 118 256	47 444	2 277 312
3695	喀痰吸引　乳幼児　加算（６歳未満）	83	30 347	2 518 801	4 351	361 133	25 996	2 157 668
3696	内視鏡下気管支分泌物吸引	120	984	118 080	873	104 760	111	13 320
3697	干渉低周波去痰器による喀痰排出	48	335	16 080	331	15 888	4	192
3698	干渉低周波去痰器による喀痰排出　乳幼児　加算（６歳未満）	83	−	−	−	−	−	−
3699	持続的胸腔ドレナージ（開始日）	660	1 892	1 248 720	1 754	1 157 640	138	91 080
3700	持続的胸腔ドレナージ（開始日）乳幼児　加算（３歳未満）	110	13	1 430	13	1 430	−	−
3701	胃持続ドレナージ（開始日）	50	4 949	247 450	4 488	224 400	461	23 050
3702	胃持続ドレナージ（開始日）乳幼児　加算（３歳未満）	110	83	9 130	73	8 030	10	1 100
3703	持続的腹腔ドレナージ（開始日）	550	264	145 200	234	128 700	30	16 500
3704	持続的腹腔ドレナージ（開始日）乳幼児　加算（３歳未満）	110	2	220	1	110	1	110
3705	高位浣腸	65	2 942	191 230	1 971	128 115	971	63 115
3706	高位浣腸　乳幼児　加算（３歳未満）	55	138	7 590	111	6 105	27	1 485
3707	高圧浣腸	65	1 319	85 735	520	33 800	799	51 935
3708	高圧浣腸　乳幼児　加算（３歳未満）	55	4	220	−	−	4	220
3709	洗腸	65	738	47 970	331	21 515	407	26 455
3710	洗腸　乳幼児　加算（３歳未満）	55	160	8 800	97	5 335	63	3 465
3711	摘便	100	257 904	25 790 400	229 662	22 966 200	28 242	2 824 200
3712	腰椎麻酔下直腸内異物除去	45	2	90	−	−	2	90
3713	腸内ガス排気処置（開腹手術後）	45	1 018	45 810	903	40 635	115	5 175
3714	持続的難治性下痢便ドレナージ（開始日）	50	7	350	6	300	1	50
3715	気管支カテーテル薬液注入法	120	21	2 520	19	2 280	2	240
3716	酸素吸入	65	888 712	57 766 280	816 380	53 064 700	72 332	4 701 580
3717	突発性難聴に対する酸素療法	65	1 502	97 630	98	6 370	1 404	91 260
3718	酸素テント	65	132	8 580	98	6 370	34	2 210
3719	間歇的陽圧吸入法	160	4 351	696 160	3 634	581 440	717	114 720
3720	鼻マスク式補助換気法	160	23 795	3 807 200	23 049	3 687 840	746	119 360
3721	体外式陰圧人工呼吸器治療	160	3 645	583 200	2 310	369 600	1 335	213 600
3722	ハイフローセラピー　15歳未満の患者の場合	282	722	203 604	722	203 604	−	−
3723	ハイフローセラピー　15歳以上の患者の場合	192	4 448	854 016	4 446	853 632	2	384
3724	高気圧酸素治療　減圧症又は空気塞栓	5000	43	215 000	9	45 000	34	170 000
3725	高気圧酸素治療　減圧症又は空気塞栓　長時間　加算	500X	−	−	−	−	−	−
3726	高気圧酸素治療　その他のもの	3000	17 547	52 641 000	14 600	43 800 000	2 947	8 841 000
3727	インキュベーター	120	9 953	1 194 360	9 876	1 185 120	77	9 240
3728	鉄の肺	260	−	−	−	−	−	−
3729	減圧タンク療法	260	−	−	−	−	−	−
3730	食道ブジー法	120	99	11 880	60	7 200	39	4 680
3731	直腸ブジー法	120	1 824	218 880	1 440	172 800	384	46 080
3732	肛門拡張法（徒手又はブジー）	150	4 131	619 650	1 328	199 200	2 803	420 450
3733	イレウス用ロングチューブ挿入法	610	812	495 320	788	480 680	24	14 640
3734	経鼻栄養・薬剤投与用チューブ挿入術	180	2 140	385 200	1 629	293 220	511	91 980
3735	内視鏡的結腸軸捻転解除術	5360	423	2 267 280	356	1 908 160	67	359 120
3736	非還納性ヘルニア徒手整復法	290	1 179	341 910	163	47 270	1 016	294 640
3737	非還納性ヘルニア徒手整復法　新生児　加算	110	4	440	−	−	4	440
3738	非還納性ヘルニア徒手整復法　乳幼児　加算（３歳未満）	55	316	17 380	1	55	315	17 325
3739	痔核嵌頓整復法（脱肛を含む）	290	4 199	1 217 710	1 013	293 770	3 186	923 940
3740	人工腎臓　慢性維持透析１　４時間未満	1980	629 899	1 247 200 020	116 537	230 743 260	513 362	1 016 456 760
3741	人工腎臓　慢性維持透析１　４時間以上５時間未満	2140	2 688 152	5 752 645 280	214 940	459 971 600	2 473 212	5 292 673 680
3742	人工腎臓　慢性維持透析１　５時間以上	2275	322 127	732 838 925	12 932	29 420 300	309 195	703 418 625
3743	人工腎臓　慢性維持透析２　４時間未満	1940	22 315	43 291 100	2 246	4 357 240	20 069	38 933 860
3744	人工腎臓　慢性維持透析２　４時間以上５時間未満	2100	95 447	200 438 700	2 434	5 111 400	93 013	195 327 300
3745	人工腎臓　慢性維持透析２　５時間以上	2230	4 870	10 860 100	58	129 340	4 812	10 730 760
3746	人工腎臓　慢性維持透析３　４時間未満	1900	11 650	22 135 000	3 051	5 796 900	8 599	16 338 100
3747	人工腎臓　慢性維持透析３　４時間以上５時間未満	2055	41 348	84 970 140	6 644	13 653 420	34 704	71 316 720
3748	人工腎臓　慢性維持透析３　５時間以上	2185	3 155	6 893 675	282	616 170	2 873	6 277 505
3749	人工腎臓　その他	1580	115 547	182 564 260	51 196	80 889 680	64 351	101 674 580
3750	人工腎臓　時間外・休日　加算	380	677 181	257 328 780	−	−	677 181	257 328 780
3751	人工腎臓　導入期　加算１	300	20 181	6 054 300	11 071	3 321 300	9 110	2 733 000
3752	人工腎臓　導入期　加算２	400	13 812	5 524 800	11 273	4 509 200	2 539	1 015 600
3753	人工腎臓　障害者等　加算	140	1 237 015	173 182 100	239 061	33 468 540	997 954	139 713 560
3754	人工腎臓　透析液水質確保加算	10	3 552 127	35 521 270	343 855	3 438 550	3 208 272	32 082 720
3755	人工腎臓　下肢末梢動脈疾患指導管理　加算	100	223 821	22 382 100	18 471	1 847 100	205 350	20 535 000
3756	人工腎臓　長時間　加算	150	33 386	5 007 900	1 025	153 750	32 361	4 854 150
3757	人工腎臓　慢性維持透析濾過　加算	50	1 256 930	62 846 500	60 438	3 021 900	1 196 492	59 824 600
3758	持続緩徐式血液濾過	1990	10 904	21 698 960	10 884	21 659 160	20	39 800
3759	持続緩徐式血液濾過　時間外・休日　加算	300	2	600	−	−	2	600
3760	持続緩徐式血液濾過　障害者等　加算	120	7 884	946 080	7 884	946 080	−	−
3761	血漿交換療法	4200	3 510	14 742 000	2 202	9 248 400	1 308	5 493 600
3762	局所灌流　悪性腫瘍	4300	−	−	−	−	−	−
3763	局所灌流　骨膜・骨髄炎	1700	634	1 077 800	634	1 077 800	−	−
3764	吸着式血液浄化法	2000	832	1 664 000	829	1 658 000	3	6 000
3765	血球成分除去療法	2000	2 453	4 906 000	1 202	2 404 000	1 251	2 502 000

第８表　医科診療　件数・診療実日数・回数・点数，診療行為（細分類）、入院－入院外別

平成30年６月審査分

行番号	診療行為（細分類）	固定点数	総数 回数	総数 点数	入院 回数	入院 点数	入院外 回数	入院外 点数
3766	腹膜灌流　連続携行式腹膜灌流	330	20 191	6 663 030	19 758	6 520 140	433	142 890
3767	腹膜灌流　連続携行式腹膜灌流　導入期　加算	500	1 825	912 500	1 824	912 000	1	500
3768	腹膜灌流　連続携行式腹膜灌流　乳幼児　加算（6歳未満）（14日以内）	1100	17	18 700	17	18 700	−	−
3769	腹膜灌流　連続携行式腹膜灌流　乳幼児　加算（6歳未満）（15日以上30日以内）	550	−	−	−	−	−	−
3770	腹膜灌流　その他の腹膜灌流	1100	415	456 500	402	442 200	13	14 300
3771	新生児高ビリルビン血症に対する光線療法	140	7 769	1 087 660	7 715	1 080 100	54	7 560
3772	瀉血療法	250	3 235	808 750	13	3 250	3 222	805 500
3773	ストーマ処置　１個	70	21 733	1 521 310	−	−	21 733	1 521 310
3774	ストーマ処置　１個　乳幼児　加算（６歳未満）	55	63	3 465	−	−	63	3 465
3775	ストーマ処置　２個以上	100	753	75 300	−	−	753	75 300
3776	ストーマ処置　２個以上　乳幼児　加算（６歳未満）	55	−	−	−	−	−	−
3777	経管栄養・薬剤投与用カテーテル交換法	200	32 419	6 483 800	15 179	3 035 800	17 240	3 448 000
3778	尿路ストーマカテーテル交換法	100	4 851	485 100	409	40 900	4 442	444 200
3779	尿路ストーマカテーテル交換法　乳幼児　加算（６歳未満）	55	5	275	−	−	5	275
3780	人工腎臓療法	3500	56	196 000	56	196 000	−	−
3781	救急処置小計		472 754	398 916 361	463 514	390 206 988	9 240	8 709 373
3782	救命のための気管内挿管	500	6 384	3 192 000	5 340	2 670 000	1 044	522 000
3783	救命のための気管内挿管　乳幼児　加算（６歳未満）	55	98	5 390	77	4 235	21	1 155
3784	体表面ペーシング法	400	124	49 600	89	35 600	35	14 000
3785	食道ペーシング法	400	5	2 000	5	2 000	−	−
3786	人工呼吸　30分まで	242	16 421	3 973 882	14 293	3 458 906	2 128	514 976
3787	人工呼吸　時間　加算	50X	8 597	1 487 000	7 594	1 347 750	1 003	139 250
3788	人工呼吸　５時間超	819	433 211	354 799 809	430 773	352 803 087	2 438	1 996 722
3789	一酸化窒素吸入療法　新生児低酸素性呼吸不全に対して実施する場合	1680	216	362 880	216	362 880	−	−
3790	一酸化窒素吸入療法　新生児低酸素性呼吸不全に対して実施する場合　一酸化窒素ガス　加算	900X	3 118	2 806 200	3 118	2 806 200	−	−
3791	一酸化窒素吸入療法　その他	1680	680	1 142 400	680	1 142 400	−	−
3792	一酸化窒素吸入療法　その他　一酸化窒素ガス　加算	900X	10 078	9 070 200	10 078	9 070 200	−	−
3793	非開胸的心マッサージ　30分まで	250	8 797	2 199 250	6 874	1 718 500	1 923	480 750
3794	非開胸的心マッサージ　時間　加算	40X	2 575	129 440	2 042	104 240	533	25 200
3795	カウンターショック　非医療従事者向け自動除細動器を用いた場合	2500	354	885 000	277	692 500	77	192 500
3796	カウンターショック　その他の場合	3500	5 223	18 280 500	3 866	13 531 000	1 357	4 749 500
3797	心腔内除細動	3500	10	35 000	10	35 000	−	−
3798	心膜穿刺	500	144	72 000	119	59 500	25	12 500
3799	食道圧迫止血チューブ挿入法	3240	29	93 960	29	93 960	−	−
3800	気管内洗浄	280	778	217 840	764	213 920	14	3 920
3801	気管内洗浄　乳幼児　加算（６歳未満）	110	5	550	4	440	1	110
3802	胃洗浄	250	374	93 500	175	43 750	199	49 750
3803	胃洗浄　乳幼児　加算（３歳未満）	110	100	11 000	36	3 960	64	7 040
3804	ショックパンツ（１日目）	150	−	−	−	−	−	−
3805	ショックパンツ（２日目以降）	50	−	−	−	−	−	−
3806	熱傷温浴療法	1740	4	6 960	4	6 960	−	−
3807	皮膚科処置小計		3 923 922	593 004 731	714 146	60 050 072	3 209 776	532 954 659
3808	皮膚科軟膏処置　100㎠以上500㎠未満	55	1 129 152	62 103 360	454 312	24 987 160	674 840	37 116 200
3809	皮膚科軟膏処置　500㎠以上3,000㎠未満	85	499 677	42 472 545	154 678	13 147 630	344 999	29 324 915
3810	皮膚科軟膏処置　3,000㎠以上6,000㎠未満	155	160 641	24 899 355	66 867	10 364 385	93 774	14 534 970
3811	皮膚科軟膏処置　6,000㎠以上	270	46 710	12 611 700	36 228	9 781 560	10 482	2 830 140
3812	皮膚科光線療法　赤外線又は紫外線療法	45	270 933	12 191 985	−	−	270 933	12 191 985
3813	皮膚科光線療法　長波紫外線又は中波紫外線療法（概ね290nm以上315nm以下）	150	16 164	2 424 600	22	3 300	16 142	2 421 300
3814	皮膚科光線療法　中波紫外線療法（308nm以上313nm以下に限定したもの）	340	166 095	56 472 300	112	38 080	165 983	56 434 220
3815	皮膚レーザー照射療法　色素レーザー照射療法	2170	6 024	13 072 080	105	227 850	5 919	12 844 230
3816	皮膚レーザー照射療法　色素レーザー照射療法　照射面積拡大　加算	500X	2 678	6 958 000	78	399 500	2 600	6 558 500
3817	皮膚レーザー照射療法　Ｑスイッチ付レーザー照射療法　４㎠未満	2000	1 356	2 712 000	11	22 000	1 345	2 690 000
3818	皮膚レーザー照射療法　Ｑスイッチ付レーザー照射療法　４㎠以上16㎠未満	2370	1 598	3 787 260	15	35 550	1 583	3 751 710
3819	皮膚レーザー照射療法　Ｑスイッチ付レーザー照射療法　16㎠以上64㎠未満	2900	1 099	3 187 100	25	72 500	1 074	3 114 600
3820	皮膚レーザー照射療法　Ｑスイッチ付レーザー照射療法　64㎠以上	3950	853	3 369 350	80	316 000	773	3 053 350
3821	皮膚レーザー照射療法　乳幼児　加算	2200	4 932	10 850 400	155	341 000	4 777	10 509 400
3822	いぼ焼灼法　３箇所以下	210	20 016	4 203 360	43	9 030	19 973	4 194 330
3823	いぼ焼灼法　４箇所以上	260	8 518	2 214 680	8	2 080	8 510	2 212 600
3824	イオントフォレーゼ	220	5 456	1 200 320	8	1 760	5 448	1 198 560
3825	臍肉芽腫切除術	220	1 299	285 780	35	7 700	1 264	278 080
3826	いぼ等冷凍凝固法　３箇所以下	210	938 008	196 981 680	396	83 160	937 612	196 898 520
3827	いぼ等冷凍凝固法　４箇所以上	270	239 068	64 548 360	68	18 360	239 000	64 530 000
3828	軟属腫摘除　10箇所未満	120	70 460	8 455 200	9	1 080	70 451	8 454 120
3829	軟属腫摘除　10箇所以上30箇所未満	220	48 366	10 640 520	4	880	48 362	10 639 640
3830	軟属腫摘除　30箇所以上	350	11 784	4 124 400	−	−	11 784	4 124 400
3831	面皰圧出法	49	23 470	1 150 030	5	245	23 465	1 149 785
3832	鶏眼・胼胝処置	170	238 279	40 507 430	1 112	189 040	237 167	40 318 390
3833	稗粒腫摘除　10箇所未満	74	16 428	1 215 672	3	222	16 425	1 215 450
3834	稗粒腫摘除　10箇所以上	148	2 468	365 264	−	−	2 468	365 264
3835	泌尿器科処置小計		332 749	17 593 250	170 345	7 903 666	162 404	9 689 584
3836	膀胱穿刺	80	53	4 240	41	3 280	12	960
3837	陰嚢水腫穿刺	80	5 043	403 440	25	2 000	5 018	401 440
3838	血腫穿刺	80	6 485	518 800	215	17 200	6 270	501 600
3839	膿腫穿刺	80	5 768	461 440	39	3 120	5 729	458 320
3840	膀胱洗浄	60	79 640	4 778 400	40 026	2 401 560	39 614	2 376 840
3841	後部尿道洗浄（ウルツマン）	60	3	180	1	60	2	120
3842	腎盂洗浄（片側）	60	8 413	504 780	1 034	62 040	7 379	442 740
3843	腎盂内注入（尿管カテーテル法を含む）	1290	25	32 250	8	10 320	17	21 930
3844	留置カテーテル設置	40	147 908	5 916 320	83 083	3 323 320	64 825	2 593 000
3845	導尿（尿道拡張を要するもの）	40	55 376	2 215 040	43 675	1 747 000	11 701	468 040
3846	間歇的導尿	150	1 997	299 550	1 812	271 800	185	27 750
3847	尿道拡張法	216	5 142	1 110 672	103	22 248	5 039	1 088 424
3848	タイダール自動膀胱洗浄	180	170	30 600	168	30 240	2	360
3849	誘導ブジー法	216	453	97 848	8	1 728	445	96 120
3850	嵌頓包茎整復法（陰茎絞扼等）	290	1 647	477 630	10	2 900	1 637	474 730
3851	前立腺液圧出法	50	5 780	289 000	35	1 750	5 745	287 250
3852	前立腺冷温罨	50	41	2 050	−	−	41	2 050
3853	干渉低周波による膀胱等刺激法	50	8 098	404 900	−	−	8 098	404 900
3854	冷却痔処置	50	169	8 450	62	3 100	107	5 350
3855	磁気による膀胱等刺激法	70	538	37 660	−	−	538	37 660
3856	産婦人科処置小計		487 307	32 656 154	5 433	2 201 345	481 874	30 454 809
3857	羊水穿刺（羊水過多症の場合）	144	11	1 584	9	1 296	2	288
3858	腟洗浄（熱性洗浄を含む）	47	445 872	20 955 984	−	−	445 872	20 955 984
3859	子宮腔洗浄（薬液注入を含む）	47	667	31 349	39	1 833	628	29 516
3860	卵管内薬液注入法	60	61	3 660	−	−	61	3 660
3861	陣痛誘発のための卵膜外薬液注入法	408	−	−	−	−	−	−
3862	子宮頸管内への薬物挿入法	45	32	1 440	3	135	29	1 305
3863	子宮出血止血法　分娩時のもの	624	2 016	1 257 984	2 008	1 252 992	8	4 992
3864	子宮出血止血法　分娩外のもの	45	785	35 325	25	1 125	760	34 200
3865	子宮腟部薬物焼灼法	100	1 992	199 200	35	3 500	1 957	195 700
3866	子宮腟部焼灼法	180	506	91 080	5	900	501	90 180
3867	子宮頸管拡張及び分娩誘発法　ラミナリア	120	445	53 400	331	39 720	114	13 680
3868	子宮頸管拡張及び分娩誘発法　コルポイリンテル	120	35	4 200	6	720	29	3 480
3869	子宮頸管拡張及び分娩誘発法　金属拡張器（ヘガール等）	180	130	23 400	6	1 080	124	22 320
3870	子宮頸管拡張及び分娩誘発法　メトロイリンテル	340	1 654	562 360	1 651	561 340	3	1 020
3871	分娩時鈍性頸管拡張法	456	613	279 528	609	277 704	4	1 824
3872	子宮脱非観血的整復法（ペッサリー）	290	29 813	8 645 770	51	14 790	29 762	8 630 980

第８表　医科診療　件数・診療実日数・回数・点数，診療行為（細分類）、入院－入院外別

平成30年６月審査分

行番号	診療行為（細分類）	固定点数	総数 回数	総数 点数	入院 回数	入院 点数	入院外 回数	入院外 点数
3873	薬物放出子宮内システム処置　挿入術	240	1 810	434 400	4	960	1 806	433 440
3874	薬物放出子宮内システム処置　除去術	150	215	32 250	2	300	213	31 950
3875	妊娠子宮嵌頓非観血的整復法	290	2	580	1	290	1	290
3876	胎盤圧出法	45	21	945	21	945	-	-
3877	クリステル胎児圧出法	45	607	27 315	607	27 315	-	-
3878	人工羊水注入法	720	20	14 400	20	14 400	-	-
3879	眼科処置小計		558 739	27 081 675	994	113 260	557 745	26 968 415
3880	眼処置	25	82 608	2 065 200	-	-	82 608	2 065 200
3881	義眼処置	25	545	13 625	-	-	545	13 625
3882	前房穿刺（前房内注入を含む）	180	603	108 540	89	16 020	514	92 520
3883	前房注射（前房内注入を含む）	180	27	4 860	9	1 620	18	3 240
3884	前房穿刺又は注射（前房内注入を含む）顕微鏡下処置　加算	180	517	93 060	96	17 280	421	75 780
3885	霰粒腫の穿刺	45	6 798	305 910	-	-	6 798	305 910
3886	睫毛抜去（少数）	25	76 665	1 916 625	-	-	76 665	1 916 625
3887	睫毛抜去（多数）	45	232 889	10 480 005	217	9 765	232 672	10 470 240
3888	結膜異物除去（１眼瞼ごと）	100	87 145	8 714 500	88	8 800	87 057	8 705 700
3889	鼻涙管ブジー法	45	15 654	704 430	8	360	15 646	704 070
3890	鼻涙管ブジー法後薬液涙嚢洗浄	45	5 567	250 515	27	1 215	5 540	249 300
3891	涙嚢ブジー法（洗浄を含む）	45	48 679	2 190 555	240	10 800	48 439	2 179 755
3892	強膜マッサージ	150	1 559	233 850	316	47 400	1 243	186 450
3893	耳鼻咽喉科処置小計		18 583 720	469 944 079	61 562	1 721 441	18 522 158	468 222 638
3894	耳処置（耳浴及び耳洗浄を含む）	25	1 247 532	31 188 300	-	-	1 247 532	31 188 300
3895	鼓室処置（片側）	55	209 092	11 500 060	422	23 210	208 670	11 476 850
3896	耳管処置（耳管通気法，鼓膜マッサージ及び鼻内処置を含む）カテーテルによる耳管通気法（片側）	30	813 760	24 412 800	-	-	813 760	24 412 800
3897	耳管処置（耳管通気法，鼓膜マッサージ及び鼻内処置を含む）ポリッツェル球による耳管通気法	20	120 391	2 407 820	-	-	120 391	2 407 820
3898	鼻処置（鼻吸引，単純鼻出血及び鼻前庭の処置を含む）	12	4 774 798	57 297 576	-	-	4 774 798	57 297 576
3899	副鼻腔自然口開大処置	25	1 681 351	42 033 775	105	2 625	1 681 246	42 031 150
3900	口腔，咽頭処置	12	525 215	6 302 580	-	-	525 215	6 302 580
3901	扁桃処置	40	96 165	3 846 600	51	2 040	96 114	3 844 560
3902	間接喉頭鏡下喉頭処置（喉頭注入を含む）	27	1 564 165	42 232 455	-	-	1 564 165	42 232 455
3903	副鼻腔手術後の処置（片側）	45	7 179	323 055	1 228	55 260	5 951	267 795
3904	鼓室穿刺（片側）	50	6 988	349 400	28	1 400	6 960	348 000
3905	上顎洞穿刺（片側）	60	2 392	143 520	-	-	2 392	143 520
3906	扁桃周囲膿瘍穿刺（扁桃周囲炎を含む）	180	797	143 460	19	3 420	778	140 040
3907	唾液腺管洗浄（片側）	60	188	11 280	11	660	177	10 620
3908	副鼻腔洗浄（注入を含む）（片側）１　副鼻腔炎治療用カテーテルによる場合	55	1 328	73 040	6	330	1 322	72 710
3909	副鼻腔吸引（注入を含む）（片側）１　副鼻腔炎治療用カテーテルによる場合	55	242	13 310	-	-	242	13 310
3910	副鼻腔洗浄（注入を含む）（その他）（片側）２　１以外の場合	25	625 674	15 641 850	117	2 925	625 557	15 638 925
3911	副鼻腔吸引（注入を含む）（その他）（片側）２　１以外の場合	25	769 465	19 236 625	34	850	769 431	19 235 775
3912	鼻出血止血法（ガーゼタンポン又はバルーンによるもの）	240	21 330	5 119 200	236	56 640	21 094	5 062 560
3913	鼻咽腔止血法（ベロック止血法）	440	51	22 440	6	2 640	45	19 800
3914	耳管ブジー法（通気法又は鼓膜マッサージの併施を含む）（片側）	45	9 571	430 695	1	45	9 570	430 650
3915	唾液腺管ブジー法（片側）	45	815	36 675	12	540	803	36 135
3916	耳垢栓塞除去（複雑なもの）片側	100	189 475	18 947 500	373	37 300	189 102	18 910 200
3917	耳垢栓塞除去（複雑なもの）両側	180	511 084	91 995 120	744	133 920	510 340	91 861 200
3918	耳垢栓塞除去（複雑なもの）乳幼児　加算（６歳未満）	55	229 145	12 602 975	28	1 540	229 117	12 601 435
3919	ネブライザー	12	3 840 220	46 082 640	-	-	3 840 220	46 082 640
3920	超音波ネブライザー	24	1 564 328	37 543 872	58 167	1 396 008	1 506 161	36 147 864
3921	排痰誘発法	44	124	5 456	2	88	122	5 368
3922	整形外科処置小計		10 553 087	387 031 652	278 364	10 713 195	10 274 723	376 318 457
3923	関節穿刺（片側）	100	222 152	22 215 200	3 611	361 100	218 541	21 854 100
3924	関節穿刺（片側）乳幼児　加算（３歳未満）	110	1	110	-	-	1	110
3925	粘（滑）液嚢穿刺注入（片側）	80	14 855	1 188 400	44	3 520	14 811	1 184 880
3926	ガングリオン穿刺術	80	27 310	2 184 800	21	1 680	27 289	2 183 120
3927	ガングリオン圧砕法	80	682	54 560	-	-	682	54 560
3928	酵素注射療法	2490	173	430 770	40	99 600	133	331 170
3929	鋼線等による直達牽引	50	1 207	60 350	1 207	60 350	-	-
3930	鋼線等による直達牽引　乳幼児　加算（３歳未満）	55	-	-	-	-	-	-
3931	介達牽引	35	205 001	7 175 035	5 556	194 460	199 445	6 980 575
3932	矯正固定	35	1 777	62 195	93	3 255	1 684	58 940
3933	変形機械矯正術	35	1 927	67 445	46	1 610	1 881	65 835
3934	歩行運動処置（ロボットスーツによるもの）	900	343	308 700	194	174 600	149	134 100
3935	歩行運動処置（ロボットスーツによるもの）難病患者処置　加算	900	296	266 400	183	164 700	113	101 700
3936	歩行運動処置（ロボットスーツによるもの）導入期　加算	2000	197	394 000	142	284 000	55	110 000
3937	消炎鎮痛等処置　マッサージ等の手技による療法	35	1 697 124	59 399 340	169 068	5 917 380	1 528 056	53 481 960
3938	消炎鎮痛等処置　器具等による療法	35	8 186 229	286 518 015	90 378	3 163 230	8 095 851	283 354 785
3939	消炎鎮痛等処置　湿布処置	35	54 569	1 909 915	-	-	54 569	1 909 915
3940	腰部固定帯固定	35	89 386	3 128 510	5 780	202 300	83 606	2 926 210
3941	胸部固定帯固定	35	21 809	763 315	2 181	76 335	19 628	686 980
3942	低出力レーザー照射	35	19 960	698 600	145	5 075	19 815	693 525
3943	肛門処置	24	8 583	205 992	-	-	8 583	205 992
3944	栄養処置小計		1 234 874	74 304 240	1 205 368	72 515 595	29 506	1 788 645
3945	鼻腔栄養	60	1 234 534	74 072 040	1 205 357	72 321 420	29 177	1 750 620
3946	鼻腔栄養　間歇的経管栄養法　加算	60	3 615	216 900	3 228	193 680	387	23 220
3947	滋養浣腸	45	340	15 300	11	495	329	14 805
3948	ギプス小計		303 424	199 569 942	21 770	18 323 048	281 654	181 246 894
3949	四肢ギプス包帯　鼻ギプス	310	85	26 350	12	3 720	73	22 630
3950	四肢ギプス包帯　手指及び手，足（片側）	490	46 744	22 904 560	396	194 040	46 348	22 710 520
3951	四肢ギプス包帯　半肢（片側）	780	96 364	75 163 920	4 245	3 311 100	92 119	71 852 820
3952	四肢ギプス包帯　内反足矯正ギプス包帯（片側）	1140	497	566 580	49	55 860	448	510 720
3953	四肢ギプス包帯　上肢，下肢（片側）	1200	38 742	46 490 400	7 341	8 809 200	31 401	37 681 200
3954	四肢ギプス包帯　体幹より四肢にわたるギプス包帯（片側）	1840	373	686 320	169	310 960	204	375 360
3955	四肢ギプスシャーレ　鼻ギプス	62	2	124	-	-	2	124
3956	四肢ギプスシャーレ　手指及び手，足（片側）	98	978	95 844	7	686	971	95 158
3957	四肢ギプスシャーレ　半肢（片側）	156	7 602	1 185 912	243	37 908	7 359	1 148 004
3958	四肢ギプスシャーレ　内反足矯正ギプス包帯（片側）	228	5	1 140	4	912	1	228
3959	四肢ギプスシャーレ　上肢，下肢（片側）	240	2 548	611 520	167	40 080	2 381	571 440
3960	四肢ギプスシャーレ　体幹より四肢にわたるギプス包帯（片側）	368	37	13 616	20	7 360	17	6 256
3961	四肢ギプス除去・修理料　鼻ギプス	31	10	310	3	93	7	217
3962	四肢ギプス除去・修理料　手指及び手，足（片側）	49	947	46 403	16	784	931	45 619
3963	四肢ギプス除去・修理料　半肢（片側）	78	3 180	248 040	135	10 530	3 045	237 510
3964	四肢ギプス除去・修理料　内反足矯正ギプス包帯（片側）	114	4	456	1	114	3	342
3965	四肢ギプス除去・修理料　上肢，下肢（片側）	120	1 417	170 040	103	12 360	1 314	157 680
3966	四肢ギプス除去・修理料　体幹より四肢にわたるギプス包帯（片側）	184	26	4 784	9	1 656	17	3 128
3967	体幹ギプス包帯	1500	1 591	2 386 500	681	1 021 500	910	1 365 000
3968	体幹ギプスシャーレ	300	90	27 000	34	10 200	56	16 800
3969	体幹ギプス除去・修理料	150	90	13 500	36	5 400	54	8 100
3970	鎖骨ギプス包帯（片側）	1250	94	117 500	7	8 750	87	108 750
3971	鎖骨ギプスシャーレ（片側）	250	1	250	-	-	1	250
3972	鎖骨ギプス除去・修理料（片側）	125	4	500	-	-	4	500
3973	ギプスベッド	1400	22	30 800	18	25 200	4	5 600
3974	ギプスベッド修理料	140	6	840	-	-	6	840
3975	斜頸矯正ギプス包帯	1670	2	3 340	-	-	2	3 340
3976	斜頸矯正ギプスシャーレ	334	1	334	-	-	1	334
3977	斜頸矯正ギプス除去・修理料	167	-	-	-	-	-	-

第８表　医科診療　件数・診療実日数・回数・点数，診療行為（細分類）、入院－入院外別

平成30年６月審査分

行番号	診療行為（細分類）	固定点数	総数 回数	総数 点数	入院 回数	入院 点数	入院外 回数	入院外 点数
3978	先天性股関節脱臼ギプス包帯	2400	13	31 200	9	21 600	4	9 600
3979	先天性股関節脱臼ギプスシャーレ	480	2	960	1	480	1	480
3980	先天性股関節脱臼ギプス除去・修理料	240	-	-	-	-	-	-
3981	脊椎側弯矯正ギプス包帯	3440	29	99 760	27	92 880	2	6 880
3982	脊椎側弯矯正ギプスシャーレ	688	-	-	-	-	-	-
3983	脊椎側弯矯正ギプス除去・修理料	344	-	-	-	-	-	-
3984	治療装具の採型ギプス　義肢装具採型法（1肢につき）	200	20 019	4 003 800	1 271	254 200	18 748	3 749 600
3985	治療装具の採型ギプス　義肢装具採型法（四肢切断の場合）（1肢につき）	700	1 664	1 164 800	113	79 100	1 551	1 085 700
3986	治療装具の採型ギプス　体幹硬性装具採型法	700	9 862	6 903 400	2 068	1 447 600	7 794	5 455 800
3987	治療装具の採型ギプス　義肢装具採型法（股関節，肩関節離断の場合）（1肢につき）	1050	32	33 600	10	10 500	22	23 100
3988	練習用仮義足　義肢装具採型法（四肢切断の場合）（1肢につき）	700	7	4 900	5	3 500	2	1 400
3989	練習用仮義手　義肢装具採型法（四肢切断の場合）（1肢につき）	700	2	1 400	-	-	2	1 400
3990	練習用仮義足　義肢装具採型法（股関節，肩関節離断の場合）（1肢につき）	1050	2	2 100	1	1 050	1	1 050
3991	練習用仮義手　義肢装具採型法（股関節，肩関節離断の場合）（1肢につき）	1050	-	-	-	-	-	-
3992	義肢装具採寸法（１肢につき）	200	35 724	7 144 800	2 304	460 800	33 420	6 684 000
3993	治療装具採型法（１肢につき）	700	34 606	24 224 200	2 265	1 585 500	32 341	22 638 700
3994	プラスチックギプス　加算（20/100）		948	284 372	358	107 420	590	176 952
3995	ギプス処置　乳幼児　加算		10 358	4 873 767	589	390 005	9 769	4 483 762
3996	処置　休日　加算１　イ　1,000点以上		219	601 750	66	256 824	153	344 926
3997	処置　時間外　加算１　イ　1,000点以上		57	80 415	18	35 848	39	44 567
3998	処置　深夜　加算１　イ　1,000点以上		92	323 162	55	235 344	37	87 818
3999	処置　時間外特例医療機関　加算１　イ　1,000点以上		102	130 517	31	55 400	71	75 117
4000	処置　休日　加算２　ロ　イに該当する場合は除く		19 637	10 881 981	2 886	1 693 584	16 751	9 188 397
4001	処置　時間外　加算２　ロ　イに該当する場合は除く		7 812	2 071 880	1 588	468 990	6 224	1 602 890
4002	処置　深夜　加算２　ロ　イに該当する場合は除く		6 420	3 220 815	2 937	1 541 916	3 483	1 678 899
4003	処置　時間外特例医療機関　加算２　ロ　イに該当する場合は除く		7 734	2 135 705	2 339	611 144	5 395	1 524 561
4004	処置医療機器等加算小計		1 433 376	150 952 575	1 201 890	120 467 588	231 486	30 484 987
4005	腰部固定帯加算（初回のみ）	170	128 292	21 809 640	2 298	390 660	125 994	21 418 980
4006	胸部固定帯加算（初回のみ）	170	22 277	3 787 090	659	112 030	21 618	3 675 060
4007	頸部固定帯加算（初回のみ）	170	10 890	1 851 300	354	60 180	10 536	1 791 120
4008	酸素加算（特定保険医療材料料）		1 271 917	123 504 545	1 198 579	119 904 718	73 338	3 599 827
4009	薬剤料（処置）		-	399 863 575	-	53 633 048	-	346 230 527
4010	特定保険医療材料料（処置）		4 530 651	1 008 453 862	653 823	147 951 605	3 876 828	860 502 257
4011	補正点数（＋）処置		-	944	-	173	-	771
4012	補正点数（－）処置		-	-179	-	-	-	-179
4013	**手術計**		1 723 704	24 724 590 286	914 091	21 453 401 253	809 613	3 271 189 033
4014	皮膚・皮下組織小計		257 061	417 519 450	28 507	145 664 790	228 554	271 854 660
4015	（皮膚，皮下組織）							
4016	創傷処理　筋肉，臓器に達するもの（長径５cm未満）	1250	9 709	12 136 250	2 279	2 848 750	7 430	9 287 500
4017	創傷処理　筋肉，臓器に達するもの（長径５cm以上10cm未満）	1680	3 910	6 568 800	1 310	2 200 800	2 600	4 368 000
4018	創傷処理　筋肉，臓器に達するもの　頭頸部のもの（長径20cm以上）	8600	29	249 400	28	240 800	1	8 600
4019	創傷処理　筋肉，臓器に達するもの　その他（長径10cm以上）	2400	1 995	4 788 000	1 331	3 194 400	664	1 593 600
4020	創傷処理　筋肉，臓器に達しないもの（長径５cm未満）	470	71 724	33 710 280	6 387	3 001 890	65 337	30 708 390
4021	創傷処理　筋肉，臓器に達しないもの（長径５cm以上10cm未満）	850	10 591	9 002 350	1 484	1 261 400	9 107	7 740 950
4022	創傷処理　筋肉，臓器に達しないもの（長径10cm以上）	1320	2 279	3 008 280	580	765 600	1 699	2 242 680
4023	創傷処理　真皮縫合　加算	460	8 201	3 772 460	693	318 780	7 508	3 453 680
4024	創傷処理　デブリードマン　加算	100	12 924	1 292 400	1 745	174 500	11 179	1 117 900
4025	小児創傷処理（６歳未満）筋肉，臓器に達するもの（長径2.5cm未満）	1250	626	782 500	37	46 250	589	736 250
4026	小児創傷処理（６歳未満）筋肉，臓器に達するもの（長径2.5cm以上５cm未満）	1400	249	348 600	22	30 800	227	317 800
4027	小児創傷処理（６歳未満）筋肉，臓器に達するもの（長径５cm以上10cm未満）	2220	28	62 160	12	26 640	16	35 520
4028	小児創傷処理（６歳未満）筋肉，臓器に達するもの（長径10cm以上）	3430	7	24 010	6	20 580	1	3 430
4029	小児創傷処理（６歳未満）筋肉，臓器に達しないもの（長径2.5cm未満）	450	5 751	2 587 950	33	14 850	5 718	2 573 100
4030	小児創傷処理（６歳未満）筋肉，臓器に達しないもの（長径2.5cm以上5cm未満）	500	1 275	637 500	17	8 500	1 258	629 000
4031	小児創傷処理（６歳未満）筋肉，臓器に達しないもの（長径５cm以上10cm未満）	950	120	114 000	5	4 750	115	109 250
4032	小児創傷処理（６歳未満）筋肉，臓器に達しないもの（長径10cm以上）	1740	8	13 920	-	-	8	13 920
4033	小児創傷処理（６歳未満）真皮縫合　加算	460	916	421 360	8	3 680	908	417 680
4034	小児創傷処理（６歳未満）デブリードマン　加算	100	643	64 300	11	1 100	632	63 200
4035	皮膚切開術　長径10cm未満	470	57 911	27 218 170	3 224	1 515 280	54 687	25 702 890
4036	皮膚切開術　長径10cm以上20cm未満	820	1 086	890 520	418	342 760	668	547 760
4037	皮膚切開術　長径20cm以上	1470	142	208 740	104	152 880	38	55 860
4038	デブリードマン　100cm²未満	1020	940	958 800	700	714 000	240	244 800
4039	デブリードマン　100cm²以上3,000cm²未満	3580	561	2 008 380	544	1 947 520	17	60 860
4040	デブリードマン　3,000cm²以上	10030	30	300 900	30	300 900	-	-
4041	デブリードマン　深部デブリードマン　加算	1000	147	147 000	134	134 000	13	13 000
4042	デブリードマン　水圧式デブリードマン　加算	2500	65	162 500	63	157 500	2	5 000
4043	皮膚，皮下，粘膜下血管腫摘出術（露出部）長径３cm未満	3480	649	2 258 520	70	243 600	579	2 014 920
4044	皮膚，皮下，粘膜下血管腫摘出術（露出部）長径３cm以上６cm未満	9180	85	780 300	53	486 540	32	293 760
4045	皮膚，皮下，粘膜下血管腫摘出術（露出部）長径６cm以上	17810	28	498 680	27	480 870	1	17 810
4046	皮膚，皮下，粘膜下血管腫摘出術（露出部以外）長径３cm未満	2110	170	358 700	7	14 770	163	343 930
4047	皮膚，皮下，粘膜下血管腫摘出術（露出部以外）長径３cm以上６cm未満	4070	41	166 870	17	69 190	24	97 680
4048	皮膚，皮下，粘膜下血管腫摘出術（露出部以外）長径６cm以上	11370	18	204 660	17	193 290	1	11 370
4049	皮膚，皮下腫瘍摘出術（露出部）長径２cm未満	1660	32 313	53 639 580	714	1 185 240	31 599	52 454 340
4050	皮膚，皮下腫瘍摘出術（露出部）長径２cm以上４cm未満	3670	8 702	31 936 340	614	2 253 380	8 088	29 682 960
4051	皮膚，皮下腫瘍摘出術（露出部）長径４cm以上	4360	1 994	8 693 840	483	2 105 880	1 511	6 587 960
4052	皮膚，皮下腫瘍摘出術（露出部以外）長径３cm未満	1280	21 636	27 694 080	706	903 680	20 930	26 790 400
4053	皮膚，皮下腫瘍摘出術（露出部以外）長径３cm以上６cm未満	3230	8 174	26 402 020	624	2 015 520	7 550	24 386 500
4054	皮膚，皮下腫瘍摘出術（露出部以外）長径６cm以上12cm未満	4160	1 935	8 049 600	575	2 392 000	1 360	5 657 600
4055	皮膚，皮下腫瘍摘出術（露出部以外）長径12cm以上	8320	287	2 387 840	217	1 805 440	70	582 400
4056	鶏眼・胼胝切除術（露出部で縫合を伴うもの）長径２cm未満	1660	114	189 240	8	13 280	106	175 960
4057	鶏眼・胼胝切除術（露出部で縫合を伴うもの）長径２cm以上４cm未満	3670	34	124 780	2	7 340	32	117 440
4058	鶏眼・胼胝切除術（露出部で縫合を伴うもの）長径４cm以上	4360	3	13 080	1	4 360	2	8 720
4059	鶏眼・胼胝切除術（露出部以外で縫合を伴うもの）長径３cm未満	1280	143	183 040	2	2 560	141	180 480
4060	鶏眼・胼胝切除術（露出部以外で縫合を伴うもの）長径３cm以上６cm未満	3230	6	19 380	1	3 230	5	16 150
4061	鶏眼・胼胝切除術（露出部以外で縫合を伴うもの）長径６cm以上	4160	1	4 160	1	4 160	-	-
4062	皮膚腫瘍冷凍凝固摘出術（一連につき）長径３cm未満の良性皮膚腫瘍	1280	2 225	2 848 000	15	19 200	2 210	2 828 800
4063	皮膚腫瘍冷凍凝固摘出術（一連につき）長径３cm未満の悪性皮膚腫瘍	2050	58	118 900	-	-	58	118 900
4064	皮膚腫瘍冷凍凝固摘出術（一連につき）長径３cm以上６cm未満の良性皮膚腫瘍	3230	98	316 540	-	-	98	316 540
4065	皮膚腫瘍冷凍凝固摘出術（一連につき）長径３cm以上６cm未満の悪性皮膚腫瘍	3230	8	25 840	2	6 460	6	19 380
4066	皮膚腫瘍冷凍凝固摘出術（一連につき）長径６cm以上の良性皮膚腫瘍	4160	20	83 200	1	4 160	19	79 040
4067	皮膚腫瘍冷凍凝固摘出術（一連につき）長径６cm以上の悪性皮膚腫瘍	4160	2	8 320	2	8 320	-	-
4068	皮膚悪性腫瘍切除術　広汎切除	28210	29	818 090	26	733 460	3	84 630
4069	皮膚悪性腫瘍切除術　単純切除	11000	2 642	29 062 000	1 454	15 994 000	1 188	13 068 000
4070	皮膚悪性腫瘍切除術　悪性黒色腫等　センチネルリンパ節　加算	5000	72	360 000	72	360 000	-	-
4071	経皮的放射線治療用金属マーカー留置術	10000	313	3 130 000	269	2 690 000	44	440 000
4072	腋臭症手術　皮弁法	6870	744	5 111 280	81	556 470	663	4 554 810
4073	腋臭症手術　皮膚有毛部切除術	3000	2	6 000	-	-	2	6 000
4074	腋臭症手術　その他のもの	1660	1	1 660	-	-	1	1 660
4075	（形成）							
4076	皮膚剥削術　25cm²未満	1490	709	1 056 410	5	7 450	704	1 048 960
4077	皮膚剥削術　25cm²以上100cm²未満	4370	79	345 230	2	8 740	77	336 490
4078	皮膚剥削術　100cm²以上200cm²未満	9610	4	38 440	-	-	4	38 440
4079	皮膚剥削術　200cm²以上	13640	3	40 920	2	27 280	1	13 640
4080	瘢痕拘縮形成手術　顔面	12660	188	2 380 080	80	1 012 800	108	1 367 280
4081	瘢痕拘縮形成手術　その他	8060	235	1 894 100	144	1 160 640	91	733 460
4082	顔面神経麻痺形成手術　静的なもの	19110	122	2 331 420	80	1 528 800	42	802 620
4083	顔面神経麻痺形成手術　動的なもの	64350	14	900 900	14	900 900	-	-

第８表　医科診療　件数・診療実日数・回数・点数，診療行為（細分類）、入院－入院外別

平成30年６月審査分

行番号	診療行為（細分類）	固定点数	総数 回数	総数 点数	入院 回数	入院 点数	入院外 回数	入院外 点数
4084	分層植皮術　25㎠未満	3520	249	876 480	204	718 080	45	158 400
4085	分層植皮術　25㎠以上100㎠未満	6270	292	1 830 840	286	1 793 220	6	37 620
4086	分層植皮術　100㎠以上200㎠未満	9000	230	2 070 000	230	2 070 000	－	－
4087	分層植皮術　200㎠以上	25820	255	6 584 100	255	6 584 100	－	－
4088	全層植皮術　25㎠未満	10000	827	8 270 000	685	6 850 000	142	1 420 000
4089	全層植皮術　25㎠以上100㎠未満	12500	311	3 887 500	301	3 762 500	10	125 000
4090	全層植皮術　100㎠以上200㎠未満	28210	92	2 595 320	92	2 595 320	－	－
4091	全層植皮術　200㎠以上	40290	31	1 248 990	30	1 208 700	1	40 290
4092	皮膚移植術（生体・培養）	6110	21	128 310	20	122 200	1	6 110
4093	生体皮膚移植　提供者の療養上の費用		－	－	－	－	－	－
4094	皮膚移植術（死体）200㎠未満	8000	－	－	－	－	－	－
4095	皮膚移植術（死体）200㎠以上500㎠未満	16000	－	－	－	－	－	－
4096	皮膚移植術（死体）500㎠以上1,000㎠未満	32000	－	－	－	－	－	－
4097	皮膚移植術（死体）1,000㎠以上3,000㎠未満	80000	－	－	－	－	－	－
4098	皮膚移植術（死体）3,000㎠以上	96000	－	－	－	－	－	－
4099	皮弁作成術，移動術，切断術，遷延皮弁術　25㎠未満	4510	662	2 985 620	289	1 303 390	373	1 682 230
4100	皮弁作成術，移動術，切断術，遷延皮弁術　25㎠以上100㎠未満	13720	242	3 320 240	222	3 045 840	20	274 400
4101	皮弁作成術，移動術，切断術，遷延皮弁術　100㎠以上	22310	94	2 097 140	93	2 074 830	1	22 310
4102	動脈（皮）弁術	41120	249	10 238 880	247	10 156 640	2	82 240
4103	筋（皮）弁術	41120	160	6 579 200	159	6 538 080	1	41 120
4104	遊離皮弁術（顕微鏡下血管柄付きのもの）乳房再建術の場合	87880	78	6 854 640	78	6 854 640	－	－
4105	遊離皮弁術（顕微鏡下血管柄付きのもの）その他の場合	92460	157	14 516 220	156	14 423 760	1	92 460
4106	複合組織移植術	19420	54	1 048 680	49	951 580	5	97 100
4107	自家遊離複合組織移植術（顕微鏡下血管柄付きのもの）	127310	109	13 876 790	107	13 622 170	2	254 620
4108	粘膜移植術　４㎠未満	6510	14	91 140	13	84 630	1	6 510
4109	粘膜移植術　４㎠以上	7820	8	62 560	8	62 560	－	－
4110	粘膜弁手術　４㎠未満	13190	3	39 570	3	39 570	－	－
4111	粘膜弁手術　４㎠以上	13460	3	40 380	3	40 380	－	－
4112	組織拡張器による再建手術（一連につき）乳房（再建手術）の場合	18460	90	1 661 400	80	1 476 800	10	184 600
4113	組織拡張器による再建手術（一連につき）その他の場合	19400	18	349 200	18	349 200	－	－
4114	象皮病根治手術　大腿	27380	6	164 280	6	164 280	－	－
4115	象皮病根治手術　下腿	23400	6	140 400	6	140 400	－	－
4116	筋骨格系・四肢・体幹小計		194 670	2 509 238 060	109 692	2 337 332 300	84 978	171 905 760
4117	（筋膜，筋，腱，腱鞘）							
4118	筋膜切離術	840	11	9 240	10	8 400	1	840
4119	筋膜切開術	840	55	46 200	49	41 160	6	5 040
4120	筋切離術	3690	13	47 970	12	44 280	1	3 690
4121	股関節内転筋切離術	5290	81	428 490	80	423 200	1	5 290
4122	股関節筋群解離術	12140	57	691 980	57	691 980	－	－
4123	股関節周囲筋腱解離術（変形性股関節症）	16700	3	50 100	3	50 100	－	－
4124	筋炎手術　腸腰筋	2060	4	8 240	4	8 240	－	－
4125	筋炎手術　殿筋	2060	－	－	－	－	－	－
4126	筋炎手術　大腿筋	2060	2	4 120	2	4 120	－	－
4127	筋炎手術　その他の筋	1210	5	6 050	5	6 050	－	－
4128	腱鞘切開術（関節鏡下によるものを含む）	2050	7 429	15 229 450	639	1 309 950	6 790	13 919 500
4129	筋肉内異物摘出術	2840	317	900 280	81	230 040	236	670 240
4130	四肢・躯幹軟部腫瘍摘出術　肩	7390	149	1 101 110	88	650 320	61	450 790
4131	四肢・躯幹軟部腫瘍摘出術　上腕	7390	119	879 410	80	591 200	39	288 210
4132	四肢・躯幹軟部腫瘍摘出術　前腕	7390	122	901 580	78	576 420	44	325 160
4133	四肢・躯幹軟部腫瘍摘出術　大腿	7390	174	1 285 860	134	990 260	40	295 600
4134	四肢・躯幹軟部腫瘍摘出術　下腿	7390	129	953 310	100	739 000	29	214 310
4135	四肢・躯幹軟部腫瘍摘出術　躯幹	7390	610	4 507 900	381	2 815 590	229	1 692 310
4136	四肢・躯幹軟部腫瘍摘出術　手	3750	340	1 275 000	154	577 500	186	697 500
4137	四肢・躯幹軟部腫瘍摘出術　足	3750	150	562 500	115	431 250	35	131 250
4138	四肢・躯幹軟部悪性腫瘍手術　肩	24130	3	72 390	3	72 390	－	－
4139	四肢・躯幹軟部悪性腫瘍手術　上腕	24130	11	265 430	11	265 430	－	－
4140	四肢・躯幹軟部悪性腫瘍手術　前腕	24130	7	168 910	7	168 910	－	－
4141	四肢・躯幹軟部悪性腫瘍手術　大腿	24130	80	1 930 400	80	1 930 400	－	－
4142	四肢・躯幹軟部悪性腫瘍手術　下腿	24130	16	386 080	16	386 080	－	－
4143	四肢・躯幹軟部悪性腫瘍手術　躯幹	24130	89	2 147 570	88	2 123 440	1	24 130
4144	四肢・躯幹軟部悪性腫瘍手術　手	12870	2	25 740	1	12 870	1	12 870
4145	四肢・躯幹軟部悪性腫瘍手術　足	12870	3	38 610	3	38 610	－	－
4146	筋膜移植術　指（手，足）	8720	－	－	－	－	－	－
4147	筋膜移植術　その他のもの	10310	50	515 500	50	515 500	－	－
4148	腱切離・切除術（関節鏡下によるものを含む）	4290	202	866 580	152	652 080	50	214 500
4149	腱剥離術（関節鏡下によるものを含む）	13580	160	2 172 800	121	1 643 180	39	529 620
4150	腱滑膜切除術	9060	179	1 621 740	129	1 168 740	50	453 000
4151	腱縫合術	13580	527	7 156 660	332	4 508 560	195	2 648 100
4152	アキレス腱断裂手術	8710	1 293	11 262 030	1 181	10 286 510	112	975 520
4153	腱延長術	10750	208	2 236 000	205	2 203 750	3	32 250
4154	腱移植術（人工腱形成術を含む）指（手，足）	18780	83	1 558 740	80	1 502 400	3	56 340
4155	腱移植術（人工腱形成術を含む）その他のもの	23860	27	644 220	27	644 220	－	－
4156	腱移行術　指（手，足）	15570	287	4 468 590	255	3 970 350	32	498 240
4157	腱移行術　その他のもの	18080	83	1 500 640	81	1 464 480	2	36 160
4158	指伸筋腱脱臼観血的整復術	13610	79	1 075 190	48	653 280	31	421 910
4159	腓骨筋腱腱鞘形成術	18080	26	470 080	24	433 920	2	36 160
4160	（四肢骨）							
4161	骨穿孔術	1730	34	58 820	25	43 250	9	15 570
4162	骨掻爬術　肩甲骨	12270	1	12 270	1	12 270	－	－
4163	骨掻爬術　上腕	12270	11	134 970	11	134 970	－	－
4164	骨掻爬術　大腿	12270	19	233 130	19	233 130	－	－
4165	骨掻爬術　前腕	8040	5	40 200	5	40 200	－	－
4166	骨掻爬術　下腿	8040	27	217 080	27	217 080	－	－
4167	骨掻爬術　鎖骨	3590	1	3 590	1	3 590	－	－
4168	骨掻爬術　膝蓋骨	3590	1	3 590	1	3 590	－	－
4169	骨掻爬術　手	3590	44	157 960	28	100 520	16	57 440
4170	骨掻爬術　足その他	3590	76	272 840	67	240 530	9	32 310
4171	骨折非観血的整復術　肩甲骨	1600	75	120 000	5	8 000	70	112 000
4172	骨折非観血的整復術　上腕	1600	2 340	3 744 000	248	396 800	2 092	3 347 200
4173	骨折非観血的整復術　大腿	1600	422	675 200	280	448 000	142	227 200
4174	骨折非観血的整復術　前腕	1780	12 322	21 933 160	629	1 119 620	11 693	20 813 540
4175	骨折非観血的整復術　下腿	1780	2 548	4 535 440	252	448 560	2 296	4 086 880
4176	骨折非観血的整復術　鎖骨	1440	1 065	1 533 600	39	56 160	1 026	1 477 440
4177	骨折非観血的整復術　膝蓋骨	1440	474	682 560	52	74 880	422	607 680
4178	骨折非観血的整復術　手	1440	10 479	15 089 760	94	135 360	10 385	14 954 400
4179	骨折非観血的整復術　足その他	1440	9 180	13 219 200	424	610 560	8 756	12 608 640
4180	骨折経皮的鋼線刺入固定術　肩甲骨	7060	1	7 060	1	7 060	－	－
4181	骨折経皮的鋼線刺入固定術　上腕	7060	461	3 254 660	461	3 254 660	－	－
4182	骨折経皮的鋼線刺入固定術　大腿	7060	6	42 360	6	42 360	－	－
4183	骨折経皮的鋼線刺入固定術　前腕	4100	955	3 915 500	892	3 657 200	63	258 300
4184	骨折経皮的鋼線刺入固定術　下腿	4100	65	266 500	64	262 400	1	4 100
4185	骨折経皮的鋼線刺入固定術　鎖骨	1660	17	28 220	17	28 220	－	－
4186	骨折経皮的鋼線刺入固定術　膝蓋骨	1660	3	4 980	3	4 980	－	－
4187	骨折経皮的鋼線刺入固定術　手	1660	367	609 220	166	275 560	201	333 660
4188	骨折経皮的鋼線刺入固定術　足	1660	157	260 620	141	234 060	16	26 560
4189	骨折経皮的鋼線刺入固定術　指（手，足）	1660	1 528	2 536 480	546	906 360	982	1 630 120
4190	骨折経皮的鋼線刺入固定術　その他	1660	28	46 480	11	18 260	17	28 220
4191	骨折観血的手術　肩甲骨	18810	45	846 450	45	846 450	－	－
4192	骨折観血的手術　上腕	18810	2 340	44 015 400	2 334	43 902 540	6	112 860
4193	骨折観血的手術　大腿	18810	10 306	193 855 860	10 305	193 837 050	1	18 810
4194	骨折観血的手術　前腕	15980	5 172	82 648 560	4 946	79 037 080	226	3 611 480

第８表　医科診療　件数・診療実日数・回数・点数，診療行為（細分類）、入院−入院外別

平成30年６月審査分

行番号	診療行為（細分類）	固定点数	総数 回数	総数 点数	入院 回数	入院 点数	入院外 回数	入院外 点数
4195	骨折観血的手術　下腿	15980	3 535	56 489 300	3 528	56 377 440	7	111 860
4196	骨折観血的手術　手舟状骨	15980	226	3 611 480	172	2 748 560	54	862 920
4197	骨折観血的手術　鎖骨	11370	1 644	18 692 280	1 638	18 624 060	6	68 220
4198	骨折観血的手術　膝蓋骨	11370	762	8 663 940	762	8 663 940	−	−
4199	骨折観血的手術　手（舟状骨を除く）	11370	372	4 229 640	266	3 024 420	106	1 205 220
4200	骨折観血的手術　足	11370	774	8 800 380	758	8 618 460	16	181 920
4201	骨折観血的手術　指（手，足）	11370	724	8 231 880	482	5 480 340	242	2 751 540
4202	骨折観血的手術　その他	11370	30	341 100	25	284 250	5	56 850
4203	観血的整復固定術（インプラント周囲骨折に対するもの）肩甲骨	23420	−	−	−	−	−	−
4204	観血的整復固定術（インプラント周囲骨折に対するもの）上腕	23420	12	281 040	12	281 040	−	−
4205	観血的整復固定術（インプラント周囲骨折に対するもの）大腿	23420	250	5 855 000	250	5 855 000	−	−
4206	観血的整復固定術（インプラント周囲骨折に対するもの）前腕	18800	6	112 800	6	112 800	−	−
4207	観血的整復固定術（インプラント周囲骨折に対するもの）下腿	18800	11	206 800	11	206 800	−	−
4208	観血的整復固定術（インプラント周囲骨折に対するもの）手	13120	1	13 120	−	−	1	13 120
4209	観血的整復固定術（インプラント周囲骨折に対するもの）足	13120	−	−	−	−	−	−
4210	観血的整復固定術（インプラント周囲骨折に対するもの）指（手，足）	13120	2	26 240	2	26 240	−	−
4211	一時的創外固定骨折治療術	34000	314	10 676 000	311	10 574 000	3	102 000
4212	難治性骨折電磁波電気治療法（一連につき）	12500	17	212 500	5	62 500	12	150 000
4213	難治性骨折超音波治療法（一連につき）	12500	671	8 387 500	78	975 000	593	7 412 500
4214	超音波骨折治療法（一連につき）	4620	3 134	14 479 080	2 881	13 310 220	253	1 168 860
4215	骨内異物（挿入物を含む）除去術　頭蓋（複数切開を要するもの）	12100	15	181 500	15	181 500	−	−
4216	骨内異物（挿入物を含む）除去術　顔面（複数切開を要するもの）	12100	18	217 800	16	193 600	2	24 200
4217	骨内異物（挿入物を含む）除去術　その他の頭蓋	7870	28	220 360	26	204 620	2	15 740
4218	骨内異物（挿入物を含む）除去術　その他の顔面	7870	38	299 060	28	220 360	10	78 700
4219	骨内異物（挿入物を含む）除去術　肩甲骨	7870	14	110 180	13	102 310	1	7 870
4220	骨内異物（挿入物を含む）除去術　上腕	7870	445	3 502 150	398	3 132 260	47	369 890
4221	骨内異物（挿入物を含む）除去術　大腿	7870	436	3 431 320	427	3 360 490	9	70 830
4222	骨内異物（挿入物を含む）除去術　前腕	5200	2 180	11 336 000	1 800	9 360 000	380	1 976 000
4223	骨内異物（挿入物を含む）除去術　下腿	5200	2 484	12 916 800	2 404	12 500 800	80	416 000
4224	骨内異物（挿入物を含む）除去術　鎖骨	3620	778	2 816 360	699	2 530 380	79	285 980
4225	骨内異物（挿入物を含む）除去術　膝蓋骨	3620	402	1 455 240	391	1 415 420	11	39 820
4226	骨内異物（挿入物を含む）除去術　手	3620	262	948 440	114	412 680	148	535 760
4227	骨内異物（挿入物を含む）除去術　足	3620	482	1 744 840	400	1 448 000	82	296 840
4228	骨内異物（挿入物を含む）除去術　指（手，足）	3620	406	1 469 720	174	629 880	232	839 840
4229	骨内異物（挿入物を含む）除去術　その他	3620	60	217 200	47	170 140	13	47 060
4230	骨部分切除術　肩甲骨	5900	5	29 500	4	23 600	1	5 900
4231	骨部分切除術　上腕	5900	8	47 200	7	41 300	1	5 900
4232	骨部分切除術　大腿	5900	14	82 600	14	82 600	−	−
4233	骨部分切除術　前腕	4410	29	127 890	23	101 430	6	26 460
4234	骨部分切除術　下腿	4410	44	194 040	42	185 220	2	8 820
4235	骨部分切除術　鎖骨	3280	6	19 680	6	19 680	−	−
4236	骨部分切除術　膝蓋骨	3280	9	29 520	8	26 240	1	3 280
4237	骨部分切除術　手	3280	32	104 960	22	72 160	10	32 800
4238	骨部分切除術　足	3280	50	164 000	46	150 880	4	13 120
4239	骨部分切除術　指（手，足）	3280	68	223 040	35	114 800	33	108 240
4240	骨部分切除術　その他	3280	12	39 360	8	26 240	4	13 120
4241	腐骨摘出術　肩甲骨	15570	−	−	−	−	−	−
4242	腐骨摘出術　上腕	15570	2	31 140	2	31 140	−	−
4243	腐骨摘出術　大腿	15570	11	171 270	11	171 270	−	−
4244	腐骨摘出術　前腕	12510	2	25 020	1	12 510	1	12 510
4245	腐骨摘出術　下腿	12510	16	200 160	16	200 160	−	−
4246	腐骨摘出術　鎖骨	3420	6	20 520	6	20 520	−	−
4247	腐骨摘出術　膝蓋骨	3420	1	3 420	1	3 420	−	−
4248	腐骨摘出術　手	3420	12	41 040	6	20 520	6	20 520
4249	腐骨摘出術　足その他	3420	214	731 880	196	670 320	18	61 560
4250	骨全摘術　肩甲骨	27890	−	−	−	−	−	−
4251	骨全摘術　上腕	27890	−	−	−	−	−	−
4252	骨全摘術　大腿	27890	−	−	−	−	−	−
4253	骨全摘術　前腕	15570	−	−	−	−	−	−
4254	骨全摘術　下腿	15570	−	−	−	−	−	−
4255	骨全摘術　鎖骨	5160	−	−	−	−	−	−
4256	骨全摘術　膝蓋骨	5160	−	−	−	−	−	−
4257	骨全摘術　手	5160	4	20 640	1	5 160	3	15 480
4258	骨全摘術　足その他	5160	2	10 320	1	5 160	1	5 160
4259	中手骨摘除術（２本以上）	5160	1	5 160	1	5 160	−	−
4260	中足骨摘除術（２本以上）	5160	5	25 800	5	25 800	−	−
4261	骨腫瘍切除術　肩甲骨	17410	2	34 820	2	34 820	−	−
4262	骨腫瘍切除術　上腕	17410	16	278 560	15	261 150	1	17 410
4263	骨腫瘍切除術　大腿	17410	40	696 400	40	696 400	−	−
4264	骨腫瘍切除術　前腕	9370	10	93 700	10	93 700	−	−
4265	骨腫瘍切除術　下腿	9370	30	281 100	30	281 100	−	−
4266	骨腫瘍切除術　鎖骨	4340	2	8 680	1	4 340	1	4 340
4267	骨腫瘍切除術　膝蓋骨	4340	−	−	−	−	−	−
4268	骨腫瘍切除術　手	4340	27	117 180	22	95 480	5	21 700
4269	骨腫瘍切除術　足	4340	32	138 880	28	121 520	4	17 360
4270	骨腫瘍切除術　指（手，足）	4340	124	538 160	82	355 880	42	182 280
4271	骨腫瘍切除術　その他	4340	31	134 540	10	43 400	21	91 140
4272	骨悪性腫瘍手術　肩甲骨	32550	3	97 650	3	97 650	−	−
4273	骨悪性腫瘍手術　上腕	32550	7	227 850	7	227 850	−	−
4274	骨悪性腫瘍手術　大腿	32550	27	878 850	27	878 850	−	−
4275	骨悪性腫瘍手術　前腕	32040	−	−	−	−	−	−
4276	骨悪性腫瘍手術　下腿	32040	6	192 240	6	192 240	−	−
4277	骨悪性腫瘍手術　鎖骨	22010	1	22 010	1	22 010	−	−
4278	骨悪性腫瘍手術　膝蓋骨	22010	−	−	−	−	−	−
4279	骨悪性腫瘍手術　手	22010	2	44 020	2	44 020	−	−
4280	骨悪性腫瘍手術　足その他	22010	2	44 020	2	44 020	−	−
4281	骨切り術　肩甲骨	28210	−	−	−	−	−	−
4282	骨切り術　上腕	28210	5	141 050	5	141 050	−	−
4283	骨切り術　大腿	28210	41	1 156 610	41	1 156 610	−	−
4284	骨切り術　前腕	22680	41	929 880	41	929 880	−	−
4285	骨切り術　下腿	22680	775	17 577 000	775	17 577 000	−	−
4286	骨切り術　鎖骨	8150	1	8 150	1	8 150	−	−
4287	骨切り術　膝蓋骨	8150	2	16 300	2	16 300	−	−
4288	骨切り術　手	8150	11	89 650	10	81 500	1	8 150
4289	骨切り術　足	8150	75	611 250	75	611 250	−	−
4290	骨切り術　指（手，足）	8150	242	1 972 300	242	1 972 300	−	−
4291	骨切り術　その他	8150	3	24 450	3	24 450	−	−
4292	骨切り術　患者適合型変形矯正ガイド　加算	6000	−	−	−	−	−	−
4293	大腿骨頭回転骨切り術	44070	4	176 280	4	176 280	−	−
4294	大腿骨近位部（転子間を含む）骨切り術	37570	29	1 089 530	29	1 089 530	−	−
4295	偽関節手術　肩甲骨	30310	−	−	−	−	−	−
4296	偽関節手術　上腕	30310	27	818 370	27	818 370	−	−
4297	偽関節手術　大腿	30310	42	1 273 020	42	1 273 020	−	−
4298	偽関節手術　前腕	28210	36	1 015 560	35	987 350	1	28 210
4299	偽関節手術　下腿	28210	59	1 664 390	59	1 664 390	−	−
4300	偽関節手術　手舟状骨	28210	56	1 579 760	54	1 523 340	2	56 420
4301	偽関節手術　鎖骨	15570	25	389 250	25	389 250	−	−
4302	偽関節手術　膝蓋骨	15570	9	140 130	9	140 130	−	−
4303	偽関節手術　手（舟状骨を除く）	15570	3	46 710	3	46 710	−	−
4304	偽関節手術　足	15570	25	389 250	24	373 680	1	15 570
4305	偽関節手術　指（手，足）	15570	21	326 970	13	202 410	8	124 560
4306	偽関節手術　その他	15570	1	15 570	1	15 570	−	−

第８表　医科診療　件数・診療実日数・回数・点数，診療行為（細分類）、入院－入院外別

平成30年６月審査分

行番号	診療行為（細分類）	固定点数	総数 回数	総数 点数	入院 回数	入院 点数	入院外 回数	入院外 点数
4307	難治性感染性偽関節手術（創外固定器によるもの）	48820	5	244 100	5	244 100	–	–
4308	変形治癒骨折矯正手術　肩甲骨	34400	–	–	–	–	–	–
4309	変形治癒骨折矯正手術　上腕	34400	5	172 000	5	172 000	–	–
4310	変形治癒骨折矯正手術　大腿	34400	4	137 600	4	137 600	–	–
4311	変形治癒骨折矯正手術　前腕	27550	41	1 129 550	41	1 129 550	–	–
4312	変形治癒骨折矯正手術　下腿	27550	16	440 800	16	440 800	–	–
4313	変形治癒骨折矯正手術　鎖骨	15770	–	–	–	–	–	–
4314	変形治癒骨折矯正手術　膝蓋骨	15770	–	–	–	–	–	–
4315	変形治癒骨折矯正手術　手	15770	5	78 850	4	63 080	1	15 770
4316	変形治癒骨折矯正手術　足	15770	1	15 770	1	15 770	–	–
4317	変形治癒骨折矯正手術　指（手，足）	15770	24	378 480	20	315 400	4	63 080
4318	変形治癒骨折矯正手術　その他	15770	–	–	–	–	–	–
4319	変形治癒骨折矯正手術　患者適合型変形矯正ガイド　加算	6000	–	–	–	–	–	–
4320	骨長調整手術　骨端軟骨発育抑制術	16340	27	441 180	27	441 180	–	–
4321	骨長調整手術　骨短縮術	15200	40	608 000	40	608 000	–	–
4322	骨長調整手術　骨延長術（指（手，足））	16390	10	163 900	10	163 900	–	–
4323	骨長調整手術　骨延長術（指（手，足）以外）	29370	15	440 550	15	440 550	–	–
4324	骨移植術（軟骨移植術を含む）自家骨移植	16830	3 288	55 337 040	3 272	55 067 760	16	269 280
4325	骨移植術（軟骨移植術を含む）同種骨移植（生体）	28660	76	2 178 160	76	2 178 160	–	–
4326	骨移植術（軟骨移植術を含む）同種骨移植（非生体）特殊なもの	39720	13	516 360	13	516 360	–	–
4327	骨移植術（軟骨移植術を含む）同種骨移植（非生体）その他	21050	2 653	55 845 650	2 649	55 761 450	4	84 200
4328	骨移植術（軟骨移植術を含む）自家培養軟骨移植術	14030	6	84 180	6	84 180	–	–
4329	関節鏡下自家骨軟骨移植術	22340	35	781 900	35	781 900	–	–
4330	（四肢関節，靱帯）							
4331	関節切開術　肩	3600	13	46 800	4	14 400	9	32 400
4332	関節切開術　股	3600	11	39 600	11	39 600	–	–
4333	関節切開術　膝	3600	18	64 800	18	64 800	–	–
4334	関節切開術　胸鎖	1280	–	–	–	–	–	–
4335	関節切開術　肘	1280	5	6 400	4	5 120	1	1 280
4336	関節切開術　手	1280	–	–	–	–	–	–
4337	関節切開術　足	1280	2	2 560	1	1 280	1	1 280
4338	関節切開術　肩鎖	680	–	–	–	–	–	–
4339	関節切開術　指（手，足）	680	14	9 520	9	6 120	5	3 400
4340	肩甲関節周囲沈着石灰摘出術　観血的に行うもの	8640	5	43 200	–	–	5	43 200
4341	肩甲関節周囲沈着石灰摘出術　関節鏡下で行うもの	12720	4	50 880	4	50 880	–	–
4342	化膿性又は結核性関節炎掻爬術　肩	20020	45	900 900	45	900 900	–	–
4343	化膿性又は結核性関節炎掻爬術　股	20020	77	1 541 540	77	1 541 540	–	–
4344	化膿性又は結核性関節炎掻爬術　膝	20020	145	2 902 900	145	2 902 900	–	–
4345	化膿性又は結核性関節炎掻爬術　胸鎖	13130	2	26 260	2	26 260	–	–
4346	化膿性又は結核性関節炎掻爬術　肘	13130	9	118 170	9	118 170	–	–
4347	化膿性又は結核性関節炎掻爬術　手	13130	12	157 560	11	144 430	1	13 130
4348	化膿性又は結核性関節炎掻爬術　足	13130	14	183 820	13	170 690	1	13 130
4349	化膿性又は結核性関節炎掻爬術　肩鎖	3330	2	6 660	1	3 330	1	3 330
4350	化膿性又は結核性関節炎掻爬術　指（手，足）	3330	42	139 860	26	86 580	16	53 280
4351	関節脱臼非観血的整復術　肩	1500	2 719	4 078 500	299	448 500	2 420	3 630 000
4352	関節脱臼非観血的整復術　股	1500	645	967 500	480	720 000	165	247 500
4353	関節脱臼非観血的整復術　膝	1500	141	211 500	19	28 500	122	183 000
4354	関節脱臼非観血的整復術　胸鎖	1300	14	18 200	2	2 600	12	15 600
4355	関節脱臼非観血的整復術　肘	1300	501	651 300	70	91 000	431	560 300
4356	関節脱臼非観血的整復術　手	1300	205	266 500	27	35 100	178	231 400
4357	関節脱臼非観血的整復術　足	1300	176	228 800	62	80 600	114	148 200
4358	関節脱臼非観血的整復術　肩鎖	800	141	112 800	6	4 800	135	108 000
4359	関節脱臼非観血的整復術　指（手，足）	800	1 763	1 410 400	42	33 600	1 721	1 376 800
4360	関節脱臼非観血的整復術　小児肘内障	800	11 254	9 003 200	3	2 400	11 251	9 000 800
4361	先天性股関節脱臼非観血的整復術（両側）リーメンビューゲル法	2050	57	116 850	7	14 350	50	102 500
4362	先天性股関節脱臼非観血的整復術（両側）その他	2950	11	32 450	9	26 550	2	5 900
4363	関節脱臼観血的整復術　肩	28210	29	818 090	29	818 090	–	–
4364	関節脱臼観血的整復術　股	28210	40	1 128 400	40	1 128 400	–	–
4365	関節脱臼観血的整復術　膝	28210	19	535 990	19	535 990	–	–
4366	関節脱臼観血的整復術　胸鎖	18810	1	18 810	1	18 810	–	–
4367	関節脱臼観血的整復術　肘	18810	39	733 590	38	714 780	1	18 810
4368	関節脱臼観血的整復術　手	18810	50	940 500	45	846 450	5	94 050
4369	関節脱臼観血的整復術　足	18810	63	1 185 030	62	1 166 220	1	18 810
4370	関節脱臼観血的整復術　肩鎖	15080	98	1 477 840	97	1 462 760	1	15 080
4371	関節脱臼観血的整復術　指（手，足）	15080	151	2 277 080	118	1 779 440	33	497 640
4372	先天性股関節脱臼観血的整復術	23240	1	23 240	1	23 240	–	–
4373	関節内異物（挿入物を含む）除去術　肩	12540	7	87 780	7	87 780	–	–
4374	関節内異物（挿入物を含む）除去術　股	12540	13	163 020	13	163 020	–	–
4375	関節内異物（挿入物を含む）除去術　膝	12540	37	463 980	35	438 900	2	25 080
4376	関節内異物（挿入物を含む）除去術　胸鎖	4600	–	–	–	–	–	–
4377	関節内異物（挿入物を含む）除去術　肘	4600	31	142 600	29	133 400	2	9 200
4378	関節内異物（挿入物を含む）除去術　手	4600	51	234 600	44	202 400	7	32 200
4379	関節内異物（挿入物を含む）除去術　足	4600	46	211 600	44	202 400	2	9 200
4380	関節内異物（挿入物を含む）除去術　肩鎖	2950	22	64 900	17	50 150	5	14 750
4381	関節内異物（挿入物を含む）除去術　指（手，足）	2950	8	23 600	3	8 850	5	14 750
4382	関節鏡下関節内異物（挿入物を含む）除去術　肩	13950	1	13 950	1	13 950	–	–
4383	関節鏡下関節内異物（挿入物を含む）除去術　股	13950	2	27 900	2	27 900	–	–
4384	関節鏡下関節内異物（挿入物を含む）除去術　膝	13950	18	251 100	18	251 100	–	–
4385	関節鏡下関節内異物（挿入物を含む）除去術　胸鎖	12300	–	–	–	–	–	–
4386	関節鏡下関節内異物（挿入物を含む）除去術　肘	12300	1	12 300	1	12 300	–	–
4387	関節鏡下関節内異物（挿入物を含む）除去術　手	12300	–	–	–	–	–	–
4388	関節鏡下関節内異物（挿入物を含む）除去術　足	12300	2	24 600	2	24 600	–	–
4389	関節鏡下関節内異物（挿入物を含む）除去術　肩鎖	7930	–	–	–	–	–	–
4390	関節鏡下関節内異物（挿入物を含む）除去術　指（手，足）	7930	–	–	–	–	–	–
4391	関節滑膜切除術　肩	17750	22	390 500	22	390 500	–	–
4392	関節滑膜切除術　股	17750	9	159 750	9	159 750	–	–
4393	関節滑膜切除術　膝	17750	45	798 750	45	798 750	–	–
4394	関節滑膜切除術　胸鎖	11200	3	33 600	1	11 200	2	22 400
4395	関節滑膜切除術　肘	11200	38	425 600	26	291 200	12	134 400
4396	関節滑膜切除術　手	11200	48	537 600	41	459 200	7	78 400
4397	関節滑膜切除術　足	11200	5	56 000	4	44 800	1	11 200
4398	関節滑膜切除術　肩鎖	7930	1	7 930	1	7 930	–	–
4399	関節滑膜切除術　指（手，足）	7930	104	824 720	42	333 060	62	491 660
4400	関節鏡下関節滑膜切除術　肩	17610	176	3 099 360	175	3 081 750	1	17 610
4401	関節鏡下関節滑膜切除術　股	17610	17	299 370	17	299 370	–	–
4402	関節鏡下関節滑膜切除術　膝	17610	968	17 046 480	963	16 958 430	5	88 050
4403	関節鏡下関節滑膜切除術　胸鎖	17030	–	–	–	–	–	–
4404	関節鏡下関節滑膜切除術　肘	17030	74	1 260 220	72	1 226 160	2	34 060
4405	関節鏡下関節滑膜切除術　手	17030	67	1 141 010	62	1 055 860	5	85 150
4406	関節鏡下関節滑膜切除術　足	17030	91	1 549 730	89	1 515 670	2	34 060
4407	関節鏡下関節滑膜切除術　肩鎖	16060	6	96 360	6	96 360	–	–
4408	関節鏡下関節滑膜切除術　指（手，足）	16060	4	64 240	2	32 120	2	32 120
4409	滑液膜摘出術　肩	17750	2	35 500	2	35 500	–	–
4410	滑液膜摘出術　股	17750	6	106 500	6	106 500	–	–
4411	滑液膜摘出術　膝	17750	18	319 500	18	319 500	–	–
4412	滑液膜摘出術　胸鎖	11200	1	11 200	1	11 200	–	–
4413	滑液膜摘出術　肘	11200	31	347 200	21	235 200	10	112 000
4414	滑液膜摘出術　手	11200	4	44 800	3	33 600	1	11 200
4415	滑液膜摘出術　足	11200	18	201 600	13	145 600	5	56 000
4416	滑液膜摘出術　肩鎖	7930	–	–	–	–	–	–
4417	滑液膜摘出術　指（手，足）	7930	11	87 230	1	7 930	10	79 300
4418	関節鏡下滑液膜摘出術　肩	17610	10	176 100	10	176 100	–	–

第８表　医科診療　件数・診療実日数・回数・点数，診療行為（細分類）、入院－入院外別

平成30年６月審査分

行番号	診療行為（細分類）	固定点数	総数 回数	総数 点数	入院 回数	入院 点数	入院外 回数	入院外 点数
4419	関節鏡下滑液膜摘出術　股	17610	-	-	-	-	-	-
4420	関節鏡下滑液膜摘出術　膝	17610	22	387 420	18	316 980	4	70 440
4421	関節鏡下滑液膜摘出術　胸鎖	17030	-	-	-	-	-	-
4422	関節鏡下滑液膜摘出術　肘	17030	-	-	-	-	-	-
4423	関節鏡下滑液膜摘出術　手	17030	1	17 030	1	17 030	-	-
4424	関節鏡下滑液膜摘出術　足	17030	5	85 150	5	85 150	-	-
4425	関節鏡下滑液膜摘出術　肩鎖	16060	-	-	-	-	-	-
4426	関節鏡下滑液膜摘出術　指（手，足）	16060	-	-	-	-	-	-
4427	膝蓋骨滑液嚢切除術	11200	10	112 000	6	67 200	4	44 800
4428	関節鏡下膝蓋骨滑液嚢切除術	17030	3	51 090	2	34 060	1	17 030
4429	掌指関節滑膜切除術	7930	1	7 930	-	-	1	7 930
4430	関節鏡下掌指関節滑膜切除術	16060	-	-	-	-	-	-
4431	関節鼠摘出手術　肩	15600	-	-	-	-	-	-
4432	関節鼠摘出手術　股	15600	-	-	-	-	-	-
4433	関節鼠摘出手術　膝	15600	13	202 800	13	202 800	-	-
4434	関節鼠摘出手術　胸鎖	10580	-	-	-	-	-	-
4435	関節鼠摘出手術　肘	10580	11	116 380	10	105 800	1	10 580
4436	関節鼠摘出手術　手	10580	1	10 580	1	10 580	-	-
4437	関節鼠摘出手術　足	10580	17	179 860	15	158 700	2	21 160
4438	関節鼠摘出手術　肩鎖	3970	-	-	-	-	-	-
4439	関節鼠摘出手術　指（手，足）	3970	6	23 820	2	7 940	4	15 880
4440	関節鏡下関節鼠摘出手術　肩	17780	-	-	-	-	-	-
4441	関節鏡下関節鼠摘出手術　股	17780	3	53 340	3	53 340	-	-
4442	関節鏡下関節鼠摘出手術　膝	17780	213	3 787 140	205	3 644 900	8	142 240
4443	関節鏡下関節鼠摘出手術　胸鎖	19100	-	-	-	-	-	-
4444	関節鏡下関節鼠摘出手術　肘	19100	62	1 184 200	61	1 165 100	1	19 100
4445	関節鏡下関節鼠摘出手術　手	19100	1	19 100	1	19 100	-	-
4446	関節鏡下関節鼠摘出手術　足	19100	74	1 413 400	74	1 413 400	-	-
4447	関節鏡下関節鼠摘出手術　肩鎖	12000	-	-	-	-	-	-
4448	関節鏡下関節鼠摘出手術　指（手，足）	12000	-	-	-	-	-	-
4449	半月板切除術	9200	6	55 200	6	55 200	-	-
4450	関節鏡下半月板切除術	15090	1 910	28 821 900	1 862	28 097 580	48	724 320
4451	半月板縫合術	11200	11	123 200	11	123 200	-	-
4452	関節鏡下三角線維軟骨複合体切除・縫合術	16730	68	1 137 640	66	1 104 180	2	33 460
4453	関節鏡下半月板縫合術	18810	707	13 298 670	706	13 279 860	1	18 810
4454	ガングリオン摘出術　手	3050	264	805 200	67	204 350	197	600 850
4455	ガングリオン摘出術　足	3050	112	341 600	34	103 700	78	237 900
4456	ガングリオン摘出術　指（手，足）	3050	328	1 000 400	48	146 400	280	854 000
4457	ガングリオン摘出術　その他（ヒグローム摘出術を含む）	3190	44	140 360	20	63 800	24	76 560
4458	関節切除術　肩	23280	-	-	-	-	-	-
4459	関節切除術　股	23280	10	232 800	10	232 800	-	-
4460	関節切除術　膝	23280	1	23 280	1	23 280	-	-
4461	関節切除術　胸鎖	16070	1	16 070	1	16 070	-	-
4462	関節切除術　肘	16070	1	16 070	-	-	1	16 070
4463	関節切除術　手	16070	4	64 280	4	64 280	-	-
4464	関節切除術　足	16070	3	48 210	3	48 210	-	-
4465	関節切除術　肩鎖	6800	-	-	-	-	-	-
4466	関節切除術　指（手，足）	6800	103	700 400	100	680 000	3	20 400
4467	関節内骨折観血的手術　肩	20760	143	2 968 680	143	2 968 680	-	-
4468	関節内骨折観血的手術　股	20760	337	6 996 120	337	6 996 120	-	-
4469	関節内骨折観血的手術　膝	20760	395	8 200 200	395	8 200 200	-	-
4470	関節内骨折観血的手術　肘	20760	732	15 196 320	718	14 905 680	14	290 640
4471	関節内骨折観血的手術　胸鎖	17070	-	-	-	-	-	-
4472	関節内骨折観血的手術　手	17070	1 047	17 872 290	997	17 018 790	50	853 500
4473	関節内骨折観血的手術　足	17070	599	10 224 930	599	10 224 930	-	-
4474	関節内骨折観血的手術　肩鎖	11990	13	155 870	13	155 870	-	-
4475	関節内骨折観血的手術　指（手，足）	11990	302	3 620 980	197	2 362 030	105	1 258 950
4476	関節鏡下関節内骨折観血的手術　肩	27720	26	720 720	26	720 720	-	-
4477	関節鏡下関節内骨折観血的手術　股	27720	-	-	-	-	-	-
4478	関節鏡下関節内骨折観血的手術　膝	27720	88	2 439 360	88	2 439 360	-	-
4479	関節鏡下関節内骨折観血的手術　肘	27720	1	27 720	1	27 720	-	-
4480	関節鏡下関節内骨折観血的手術　胸鎖	22690	-	-	-	-	-	-
4481	関節鏡下関節内骨折観血的手術　手	22690	70	1 588 300	67	1 520 230	3	68 070
4482	関節鏡下関節内骨折観血的手術　足	22690	8	181 520	8	181 520	-	-
4483	関節鏡下関節内骨折観血的手術　肩鎖	14360	-	-	-	-	-	-
4484	関節鏡下関節内骨折観血的手術　指（手，足）	14360	1	14 360	1	14 360	-	-
4485	靱帯断裂縫合術　十字靱帯	17070	1	17 070	1	17 070	-	-
4486	靱帯断裂縫合術　膝側副靱帯	16560	27	447 120	27	447 120	-	-
4487	靱帯断裂縫合術　指（手，足）	7600	141	1 071 600	70	532 000	71	539 600
4488	靱帯断裂縫合術　その他の靱帯	7600	262	1 991 200	245	1 862 000	17	129 200
4489	関節鏡下靱帯断裂縫合術　十字靱帯	24170	18	435 060	18	435 060	-	-
4490	関節鏡下靱帯断裂縫合術　膝側副靱帯	16510	3	49 530	3	49 530	-	-
4491	関節鏡下靱帯断裂縫合術　指（手，足）	15720	-	-	-	-	-	-
4492	関節鏡下靱帯断裂縫合術　その他の靱帯	15720	34	534 480	33	518 760	1	15 720
4493	非観血的関節授動術　肩	1320	463	611 160	45	59 400	418	551 760
4494	非観血的関節授動術　股	1320	3	3 960	3	3 960	-	-
4495	非観血的関節授動術　膝	1320	115	151 800	48	63 360	67	88 440
4496	非観血的関節授動術　胸鎖	1260	-	-	-	-	-	-
4497	非観血的関節授動術　肘	1260	11	13 860	6	7 560	5	6 300
4498	非観血的関節授動術　手	1260	23	28 980	5	6 300	18	22 680
4499	非観血的関節授動術　足	1260	5	6 300	1	1 260	4	5 040
4500	非観血的関節授動術　肩鎖	490	5	2 450	-	-	5	2 450
4501	非観血的関節授動術　指（手，足）	490	88	43 120	17	8 330	71	34 790
4502	観血的関節授動術　肩	38890	61	2 372 290	61	2 372 290	-	-
4503	観血的関節授動術　股	38890	12	466 680	12	466 680	-	-
4504	観血的関節授動術　膝	38890	36	1 400 040	36	1 400 040	-	-
4505	観血的関節授動術　胸鎖	28210	-	-	-	-	-	-
4506	観血的関節授動術　肘	28210	57	1 607 970	56	1 579 760	1	28 210
4507	観血的関節授動術　手	28210	12	338 520	11	310 310	1	28 210
4508	観血的関節授動術　足	28210	20	564 200	20	564 200	-	-
4509	観血的関節授動術　肩鎖	10150	-	-	-	-	-	-
4510	観血的関節授動術　指（手，足）	10150	117	1 187 550	73	740 950	44	446 600
4511	関節鏡下関節授動術　肩	46660	123	5 739 180	123	5 739 180	-	-
4512	関節鏡下関節授動術　股	46660	-	-	-	-	-	-
4513	関節鏡下関節授動術　膝	46660	36	1 679 760	36	1 679 760	-	-
4514	関節鏡下関節授動術　胸鎖	33850	-	-	-	-	-	-
4515	関節鏡下関節授動術　肘	33850	13	440 050	13	440 050	-	-
4516	関節鏡下関節授動術　手	33850	-	-	-	-	-	-
4517	関節鏡下関節授動術　足	33850	4	135 400	4	135 400	-	-
4518	関節鏡下関節授動術　肩鎖	10150	-	-	-	-	-	-
4519	関節鏡下関節授動術　指（手，足）	10150	-	-	-	-	-	-
4520	観血的関節制動術　肩	27380	38	1 040 440	38	1 040 440	-	-
4521	観血的関節制動術　股	27380	6	164 280	6	164 280	-	-
4522	観血的関節制動術　膝	27380	13	355 940	13	355 940	-	-
4523	観血的関節制動術　胸鎖	16040	1	16 040	1	16 040	-	-
4524	観血的関節制動術　肘	16040	5	80 200	5	80 200	-	-
4525	観血的関節制動術　手	16040	8	128 320	6	96 240	2	32 080
4526	観血的関節制動術　足	16040	15	240 600	15	240 600	-	-
4527	観血的関節制動術　肩鎖	5550	4	22 200	3	16 650	1	5 550
4528	観血的関節制動術　指（手，足）	5550	17	94 350	8	44 400	9	49 950
4529	観血的関節固定術　肩	21640	-	-	-	-	-	-
4530	観血的関節固定術　股	21640	2	43 280	2	43 280	-	-

第８表　医科診療　件数・診療実日数・回数・点数，診療行為（細分類）、入院－入院外別

平成30年６月審査分

行番号	診療行為（細分類）	固定点数	総数 回数	総数 点数	入院 回数	入院 点数	入院外 回数	入院外 点数
4531	観血的関節固定術　膝	21640	5	108 200	5	108 200	−	−
4532	観血的関節固定術　胸鎖	22300	−	−	−	−	−	−
4533	観血的関節固定術　肘	22300	−	−	−	−	−	−
4534	観血的関節固定術　手	22300	91	2 029 300	87	1 940 100	4	89 200
4535	観血的関節固定術　足	22300	182	4 058 600	182	4 058 600	−	−
4536	観血的関節固定術　肩鎖	8640	−	−	−	−	−	−
4537	観血的関節固定術　指（手，足）	8640	312	2 695 680	234	2 021 760	78	673 920
4538	靱帯断裂形成手術　十字靱帯	28210	11	310 310	11	310 310	−	−
4539	靱帯断裂形成手術　膝側副靱帯	18810	16	300 960	16	300 960	−	−
4540	靱帯断裂形成手術　指（手，足）	16350	40	654 000	29	474 150	11	179 850
4541	靱帯断裂形成手術　その他の靱帯	16350	149	2 436 150	143	2 338 050	6	98 100
4542	関節鏡下靱帯断裂形成手術　十字靱帯	34980	1 106	38 687 880	1 106	38 687 880	−	−
4543	関節鏡下靱帯断裂形成手術　膝側副靱帯	17280	5	86 400	5	86 400	−	−
4544	関節鏡下靱帯断裂形成手術　指（手，足）	18250	−	−	−	−	−	−
4545	関節鏡下靱帯断裂形成手術　その他の靱帯	18250	28	511 000	28	511 000	−	−
4546	関節鏡下靱帯断裂形成手術　内側膝蓋大腿靱帯	24210	39	944 190	39	944 190	−	−
4547	関節形成手術　肩	45720	29	1 325 880	29	1 325 880	−	−
4548	関節形成手術　股	45720	4	182 880	4	182 880	−	−
4549	関節形成手術　膝	45720	51	2 331 720	51	2 331 720	−	−
4550	関節形成手術　胸鎖	28210	−	−	−	−	−	−
4551	関節形成手術　肘	28210	36	1 015 560	36	1 015 560	−	−
4552	関節形成手術　手	28210	276	7 785 960	259	7 306 390	17	479 570
4553	関節形成手術　足	28210	18	507 780	18	507 780	−	−
4554	関節形成手術　肩鎖	14050	7	98 350	7	98 350	−	−
4555	関節形成手術　指（手，足）	14050	240	3 372 000	226	3 175 300	14	196 700
4556	関節形成手術　関節挿入膜作成　加算	880	9	7 920	9	7 920	−	−
4557	内反足手術	25930	28	726 040	28	726 040	−	−
4558	肩腱板断裂手術　簡単なもの	18700	166	3 104 200	166	3 104 200	−	−
4559	肩腱板断裂手術　複雑なもの	24310	27	656 370	27	656 370	−	−
4560	関節鏡下肩腱板断裂手術　簡単なもの	27040	1 257	33 989 280	1 257	33 989 280	−	−
4561	関節鏡下肩腱板断裂手術　複雑なもの	38670	164	6 341 880	164	6 341 880	−	−
4562	関節鏡下肩関節唇形成術　腱板断裂を伴うもの	45200	90	4 068 000	90	4 068 000	−	−
4563	関節鏡下肩関節唇形成術　腱板断裂を伴わないもの	32160	254	8 168 640	254	8 168 640	−	−
4564	関節鏡下股関節唇形成術	44830	38	1 703 540	38	1 703 540	−	−
4565	人工骨頭挿入術　肩	19500	93	1 813 500	93	1 813 500	−	−
4566	人工骨頭挿入術　股	19500	5 420	105 690 000	5 420	105 690 000	−	−
4567	人工骨頭挿入術　肘	18810	27	507 870	27	507 870	−	−
4568	人工骨頭挿入術　手	18810	−	−	−	−	−	−
4569	人工骨頭挿入術　足	18810	3	56 430	3	56 430	−	−
4570	人工骨頭挿入術　指（手，足）	10880	−	−	−	−	−	−
4571	人工関節置換術　肩	37690	249	9 384 810	249	9 384 810	−	−
4572	人工関節置換術　股	37690	5 129	193 312 010	5 129	193 312 010	−	−
4573	人工関節置換術　膝	37690	7 161	269 898 090	7 161	269 898 090	−	−
4574	人工関節置換術　胸鎖	28210	−	−	−	−	−	−
4575	人工関節置換術　肘	28210	40	1 128 400	40	1 128 400	−	−
4576	人工関節置換術　手	28210	3	84 630	3	84 630	−	−
4577	人工関節置換術　足	28210	19	535 990	19	535 990	−	−
4578	人工関節置換術　肩鎖	15970	−	−	−	−	−	−
4579	人工関節置換術　指（手，足）	15970	177	2 826 690	163	2 603 110	14	223 580
4580	人工関節抜去術　肩	30230	1	30 230	1	30 230	−	−
4581	人工関節抜去術　股	30230	46	1 390 580	46	1 390 580	−	−
4582	人工関節抜去術　膝	30230	36	1 088 280	36	1 088 280	−	−
4583	人工関節抜去術　胸鎖	23650	−	−	−	−	−	−
4584	人工関節抜去術　肘	23650	2	47 300	2	47 300	−	−
4585	人工関節抜去術　手	23650	−	−	−	−	−	−
4586	人工関節抜去術　足	23650	−	−	−	−	−	−
4587	人工関節抜去術　肩鎖	15990	1	15 990	1	15 990	−	−
4588	人工関節抜去術　指（手，足）	15990	3	47 970	3	47 970	−	−
4589	人工関節再置換術　肩	54810	9	493 290	9	493 290	−	−
4590	人工関節再置換術　股	54810	218	11 948 580	218	11 948 580	−	−
4591	人工関節再置換術　膝	54810	127	6 960 870	127	6 960 870	−	−
4592	人工関節再置換術　胸鎖	34190	−	−	−	−	−	−
4593	人工関節再置換術　肘	34190	10	341 900	10	341 900	−	−
4594	人工関節再置換術　手	34190	1	34 190	1	34 190	−	−
4595	人工関節再置換術　足	34190	1	34 190	1	34 190	−	−
4596	人工関節再置換術　肩鎖	21930	−	−	−	−	−	−
4597	人工関節再置換術　指（手，足）	21930	10	219 300	9	197 370	1	21 930
4598	自家肋骨肋軟骨関節全置換術	91500	1	91 500	1	91 500	−	−
4599	鋼線等による直達牽引（初日）	3010	1 072	3 226 720	1 069	3 217 690	3	9 030
4600	内反足足板挺子固定	2030	−	−	−	−	−	−
4601	（四肢切断，離断，再接合）							
4602	四肢切断術　上腕	24320	4	97 280	4	97 280	−	−
4603	四肢切断術　前腕	24320	6	145 920	6	145 920	−	−
4604	四肢切断術　手	24320	6	145 920	6	145 920	−	−
4605	四肢切断術　大腿	24320	309	7 514 880	308	7 490 560	1	24 320
4606	四肢切断術　下腿	24320	340	8 268 800	339	8 244 480	1	24 320
4607	四肢切断術　足	24320	133	3 234 560	133	3 234 560	−	−
4608	四肢切断術　指（手，足）	3330	852	2 837 160	809	2 693 970	43	143 190
4609	肩甲帯離断術	36500	2	73 000	2	73 000	−	−
4610	四肢関節離断術　肩	31000	−	−	−	−	−	−
4611	四肢関節離断術　股	31000	5	155 000	5	155 000	−	−
4612	四肢関節離断術　膝	31000	5	155 000	5	155 000	−	−
4613	四肢関節離断術　肘	11360	1	11 360	1	11 360	−	−
4614	四肢関節離断術　手	11360	1	11 360	1	11 360	−	−
4615	四肢関節離断術　足	11360	12	136 320	12	136 320	−	−
4616	四肢関節離断術　指（手，足）	3330	51	169 830	46	153 180	5	16 650
4617	断端形成術（軟部形成のみのもの）指（手，足）	2770	92	254 840	43	119 110	49	135 730
4618	断端形成術（軟部形成のみのもの）その他	3300	9	29 700	7	23 100	2	6 600
4619	断端形成術（骨形成を要するもの）指（手，足）	7410	390	2 889 900	274	2 030 340	116	859 560
4620	断端形成術（骨形成を要するもの）その他	10630	37	393 310	37	393 310	−	−
4621	切断四肢再接合術　四肢	144680	1	144 680	1	144 680	−	−
4622	切断四肢再接合術　指（手，足）	81900	39	3 194 100	39	3 194 100	−	−
4623	（手，足）							
4624	爪甲除去術	640	4 136	2 647 040	136	87 040	4 000	2 560 000
4625	ひょう疽手術　軟部組織のもの	990	1 992	1 972 080	22	21 780	1 970	1 950 300
4626	ひょう疽手術　骨，関節のもの	1280	23	29 440	1	1 280	22	28 160
4627	風棘手術	990	12	11 880	−	−	12	11 880
4628	陥入爪手術　簡単なもの	1400	6 740	9 436 000	205	287 000	6 535	9 149 000
4629	陥入爪手術　爪床爪母の形成を伴う複雑なもの	2490	1 454	3 620 460	86	214 140	1 368	3 406 320
4630	手根管開放手術	4110	2 681	11 018 910	1 003	4 122 330	1 678	6 896 580
4631	関節鏡下手根管開放手術	10400	722	7 508 800	254	2 641 600	468	4 867 200
4632	足三関節固定（ランブリヌディ）手術	27890	10	278 900	10	278 900	−	−
4633	手掌，足底腱膜切離・切除術　鏡視下によるもの	4340	2	8 680	2	8 680	−	−
4634	手掌，足底腱膜切離・切除術　その他のもの	2750	14	38 500	6	16 500	8	22 000
4635	体外衝撃波疼痛治療術（一連につき）	5000	191	955 000	1	5 000	190	950 000
4636	手掌異物摘出術	3190	387	1 234 530	5	15 950	382	1 218 580
4637	足底異物摘出術	3190	204	650 760	20	63 800	184	586 960
4638	手掌屈筋腱縫合術	13300	12	159 600	10	133 000	2	26 600
4639	指瘢痕拘縮手術	8150	47	383 050	34	277 100	13	105 950
4640	デュプイトレン拘縮手術　１指	10430	52	542 360	32	333 760	20	208 600
4641	デュプイトレン拘縮手術　２指から３指	22480	45	1 011 600	39	876 720	6	134 880
4642	デュプイトレン拘縮手術　４指以上	32710	1	32 710	1	32 710	−	−

第８表　医科診療　件数・診療実日数・回数・点数，診療行為（細分類）、入院－入院外別

平成30年６月審査分

行番号	診療行為（細分類）	固定点数	総数 回数	総数 点数	入院 回数	入院 点数	入院外 回数	入院外 点数
4643	多指症手術　軟部形成のみのもの	2640	38	100 320	31	81 840	7	18 480
4644	多指症手術　骨関節，腱の形成を要するもの	15570	106	1 650 420	105	1 634 850	1	15 570
4645	合指症手術　軟部形成のみのもの	8720	65	566 800	65	566 800	-	-
4646	合指症手術　骨関節，腱の形成を要するもの	15570	40	622 800	40	622 800	-	-
4647	指癒着症手術　軟部形成のみのもの	7320	-	-	-	-	-	-
4648	指癒着症手術　骨関節，腱の形成を要するもの	13910	-	-	-	-	-	-
4649	巨指症手術　軟部形成のみのもの	8720	-	-	-	-	-	-
4650	巨指症手術　骨関節，腱の形成を要するもの	21240	2	42 480	2	42 480	-	-
4651	屈指症手術　軟部形成のみのもの	13810	4	55 240	4	55 240	-	-
4652	斜指症手術　軟部形成のみのもの	13810	-	-	-	-	-	-
4653	屈指症手術　骨関節，腱の形成を要するもの	15570	39	607 230	39	607 230	-	-
4654	斜指症手術　骨関節，腱の形成を要するもの	15570	2	31 140	2	31 140	-	-
4655	裂手手術	27890	5	139 450	5	139 450	-	-
4656	裂足手術	27890	3	83 670	3	83 670	-	-
4657	母指化手術	35610	1	35 610	1	35 610	-	-
4658	指移植手術	116670	-	-	-	-	-	-
4659	母指対立再建術	22740	77	1 750 980	67	1 523 580	10	227 400
4660	神経血管柄付植皮術（手）	40460	-	-	-	-	-	-
4661	神経血管柄付植皮術（足）	40460	-	-	-	-	-	-
4662	第四足指短縮症手術	10790	-	-	-	-	-	-
4663	第一足指外反症矯正手術	10790	310	3 344 900	309	3 334 110	1	10 790
4664	（脊柱，骨盤）							
4665	腸骨窩膿瘍切開術	4670	6	28 020	6	28 020	-	-
4666	腸骨窩膿瘍掻爬術	13920	17	236 640	17	236 640	-	-
4667	脊椎骨掻爬術	17170	36	618 120	36	618 120	-	-
4668	骨盤骨掻爬術	17170	10	171 700	10	171 700	-	-
4669	脊椎脱臼非観血的整復術	2570	14	35 980	8	20 560	6	15 420
4670	頸椎非観血的整復術	2570	5	12 850	3	7 710	2	5 140
4671	椎間板ヘルニア徒手整復術	2570	25	64 250	-	-	25	64 250
4672	脊椎，骨盤脱臼観血的手術	31030	3	93 090	3	93 090	-	-
4673	仙腸関節脱臼観血的手術	24320	6	145 920	6	145 920	-	-
4674	恥骨結合離開観血的手術	7890	1	7 890	1	7 890	-	-
4675	恥骨結合離開非観血的整復固定術	1580	1	1 580	1	1 580	-	-
4676	骨盤骨折非観血的整復術	2570	28	71 960	20	51 400	8	20 560
4677	腸骨翼骨折観血的手術	15760	18	283 680	18	283 680	-	-
4678	寛骨臼骨折観血的手術	52540	41	2 154 140	41	2 154 140	-	-
4679	骨盤骨折観血的手術（腸骨翼骨折観血的手術及び寛骨臼骨折観血的手術を除く）	32110	92	2 954 120	92	2 954 120	-	-
4680	脊椎，骨盤骨（軟骨）組織採取術（試験切除によるもの）棘突起	3150	7	22 050	7	22 050	-	-
4681	脊椎，骨盤骨（軟骨）組織採取術（試験切除によるもの）腸骨翼	3150	13	40 950	12	37 800	1	3 150
4682	脊椎，骨盤骨（軟骨）組織採取術（試験切除によるもの）その他のもの	4510	68	306 680	67	302 170	1	4 510
4683	自家培養軟骨組織採取術	4510	7	31 570	7	31 570	-	-
4684	脊椎内異物（挿入物）除去術	13520	274	3 704 480	274	3 704 480	-	-
4685	骨盤内異物（挿入物）除去術	13520	40	540 800	40	540 800	-	-
4686	内視鏡下椎弓切除術	17300	293	5 068 900	293	5 068 900	-	-
4687	内視鏡下椎弓切除術　椎弓　加算	8650	403	3 485 950	403	3 485 950	-	-
4688	黄色靱帯骨化症手術	28730	63	1 809 990	63	1 809 990	-	-
4689	後縦靱帯骨化症手術　前方進入によるもの	69000	4	276 000	4	276 000	-	-
4690	椎間板摘出術　前方摘出術	40180	49	1 968 820	49	1 968 820	-	-
4691	椎間板摘出術　後方摘出術	23520	1 469	34 550 880	1 469	34 550 880	-	-
4692	椎間板摘出術　後方摘出術　複数椎間板　加算	11760	107	1 258 320	107	1 258 320	-	-
4693	椎間板摘出術　側方摘出術	28210	20	564 200	20	564 200	-	-
4694	椎間板摘出術　経皮的髄核摘出術	15310	40	612 400	37	566 470	3	45 930
4695	内視鏡下椎間板摘出（切除）術　前方摘出術	75600	4	302 400	4	302 400	-	-
4696	内視鏡下椎間板摘出（切除）術　後方摘出術	30390	1 011	30 724 290	973	29 569 470	38	1 154 820
4697	内視鏡下椎間板摘出（切除）術　後方摘出術　複数椎間板　加算	15195	15	227 925	15	227 925	-	-
4698	脊椎腫瘍切除術	36620	13	476 060	13	476 060	-	-
4699	骨盤腫瘍切除術	36620	7	256 340	7	256 340	-	-
4700	脊椎悪性腫瘍手術	90470	26	2 352 220	26	2 352 220	-	-
4701	骨盤悪性腫瘍手術	90470	6	542 820	6	542 820	-	-
4702	腫瘍脊椎骨全摘術	113830	-	-	-	-	-	-
4703	骨盤切断術	48650	1	48 650	1	48 650	-	-
4704	脊椎披裂手術　神経処置を伴うもの	29370	22	646 140	22	646 140	-	-
4705	脊椎披裂手術　その他のもの	22780	-	-	-	-	-	-
4706	脊椎骨切り術	60330	5	301 650	5	301 650	-	-
4707	骨盤骨切り術	36990	6	221 940	6	221 940	-	-
4708	臼蓋形成手術	28220	5	141 100	5	141 100	-	-
4709	寛骨臼移動術	40040	62	2 482 480	62	2 482 480	-	-
4710	脊椎制動術	16810	-	-	-	-	-	-
4711	脊椎固定術，椎弓切除術，椎弓形成術（多椎間又は多椎弓の場合を含む）前方椎体固定	37240	612	22 790 880	612	22 790 880	-	-
4712	脊椎固定術，椎弓切除術，椎弓形成術（多椎間又は多椎弓の場合を含む）前方椎体固定 椎間又は椎弓　加算	18620	494	9 198 280	494	9 198 280	-	-
4713	脊椎固定術，椎弓切除術，椎弓形成術（多椎間又は多椎弓の場合を含む）後方又は後側方固定	32890	1 623	53 380 470	1 618	53 216 020	5	164 450
4714	脊椎固定術，椎弓切除術，椎弓形成術（多椎間又は多椎弓の場合を含む）後方又は後側方固定 椎間又は椎弓　加算	16445	3 574	58 774 430	3 564	58 609 980	10	164 450
4715	脊椎固定術，椎弓切除術，椎弓形成術（多椎間又は多椎弓の場合を含む）後方椎体固定	41160	2 410	99 195 600	2 410	99 195 600	-	-
4716	脊椎固定術，椎弓切除術，椎弓形成術（多椎間又は多椎弓の場合を含む）後方椎体固定 椎間又は椎弓　加算	20580	910	18 727 800	910	18 727 800	-	-
4717	脊椎固定術，椎弓切除術，椎弓形成術（多椎間又は多椎弓の場合を含む）前方後方同時固定	66590	369	24 571 710	369	24 571 710	-	-
4718	脊椎固定術，椎弓切除術，椎弓形成術（多椎間又は多椎弓の場合を含む）前方後方同時固定 椎間又は椎弓　加算	33295	321	10 687 695	321	10 687 695	-	-
4719	脊椎固定術，椎弓切除術，椎弓形成術（多椎間又は多椎弓の場合を含む）椎弓切除	13310	2 024	26 939 440	2 024	26 939 440	-	-
4720	脊椎固定術，椎弓切除術，椎弓形成術（多椎間又は多椎弓の場合を含む）椎弓切除 椎間又は椎弓　加算	6655	5 063	33 694 265	5 063	33 694 265	-	-
4721	脊椎固定術，椎弓切除術，椎弓形成術（多椎間又は多椎弓の場合を含む）椎弓形成	24260	3 178	77 098 280	3 178	77 098 280	-	-
4722	脊椎固定術，椎弓切除術，椎弓形成術（多椎間又は多椎弓の場合を含む）椎弓形成 椎間又は椎弓　加算	12130	7 180	87 093 400	7 180	87 093 400	-	-
4723	脊椎側彎症手術　固定術	55950	98	5 483 100	98	5 483 100	-	-
4724	脊椎側彎症手術　固定術　椎間　加算	27975	369	10 322 775	369	10 322 775	-	-
4725	脊椎側彎症手術　矯正術　初回挿入	112260	5	561 300	5	561 300	-	-
4726	脊椎側彎症手術　矯正術　交換術	48650	4	194 600	4	194 600	-	-
4727	脊椎側彎症手術　矯正術　交換術　椎間　加算	24325	-	-	-	-	-	-
4728	脊椎側彎症手術　矯正術　伸展術	20540	27	554 580	27	554 580	-	-
4729	内視鏡下脊椎固定術（胸椎又は腰椎前方固定）	101910	16	1 630 560	16	1 630 560	-	-
4730	内視鏡下脊椎固定術（胸椎又は腰椎前方固定）椎間　加算	50955	10	509 550	10	509 550	-	-
4731	経皮的椎体形成術	19960	816	16 287 360	813	16 227 480	3	59 880
4732	経皮的椎体形成術　椎体　加算	9980	61	608 780	61	608 780	-	-
4733	内視鏡下椎弓形成術	30390	195	5 926 050	195	5 926 050	-	-
4734	歯突起骨折骨接合術	23750	5	118 750	5	118 750	-	-
4735	腰椎分離部修復術	28210	1	28 210	1	28 210	-	-
4736	仙腸関節固定術	29190	2	58 380	2	58 380	-	-
4737	体外式脊椎固定術	25800	89	2 296 200	89	2 296 200	-	-
4738	神経系・頭蓋小計		17 233	702 996 894	16 457	696 950 794	776	6 046 100
4739	（頭蓋，脳）							
4740	穿頭脳室ドレナージ術	1940	553	1 072 820	552	1 070 880	1	1 940
4741	頭蓋開溝術	17310	3	51 930	3	51 930	-	-
4742	穿頭術（トレパナチオン）	1840	41	75 440	41	75 440	-	-
4743	試験開頭術	15850	84	1 331 400	84	1 331 400	-	-
4744	減圧開頭術　キアリ奇形，脊髄空洞症の場合	28280	20	565 600	20	565 600	-	-
4745	減圧開頭術　その他の場合	26470	174	4 605 780	174	4 605 780	-	-
4746	後頭蓋窩減圧術	31000	4	124 000	4	124 000	-	-
4747	脳膿瘍排膿術	21470	55	1 180 850	55	1 180 850	-	-

第８表　医科診療　件数・診療実日数・回数・点数，診療行為（細分類）、入院－入院外別

平成30年６月審査分

行番号	診療行為（細分類）	固定点数	総数		入院		入院外	
			回数	点数	回数	点数	回数	点数
4748	広範囲頭蓋底腫瘍切除・再建術	193060	20	3 861 200	20	3 861 200	－	－
4749	耳性頭蓋内合併症手術	56950	1	56 950	1	56 950	－	－
4750	耳科的硬脳膜外膿瘍切開術	49520	1	49 520	1	49 520	－	－
4751	鼻性頭蓋内合併症手術	52870	1	52 870	1	52 870	－	－
4752	機能的定位脳手術　片側の場合	52300	16	836 800	16	836 800	－	－
4753	機能的定位脳手術　両側の場合	94500	3	283 500	3	283 500	－	－
4754	顕微鏡使用によるてんかん手術（焦点切除術）	131630	12	1 579 560	12	1 579 560	－	－
4755	顕微鏡使用によるてんかん手術（側頭葉切除術）	131630	7	921 410	7	921 410	－	－
4756	顕微鏡使用によるてんかん手術（脳梁離断術）	131630	10	1 316 300	10	1 316 300	－	－
4757	定位脳腫瘍生検術	20040	90	1 803 600	90	1 803 600	－	－
4758	脳切截術（開頭して行うもの）	19600	－	－	－	－	－	－
4759	延髄における脊髄視床路切截術	40950	－	－	－	－	－	－
4760	三叉神経節後線維切截術	36290	－	－	－	－	－	－
4761	視神経管開放術	36290	3	108 870	3	108 870	－	－
4762	顔面神経減圧手術（乳様突起経由）	44500	67	2 981 500	67	2 981 500	－	－
4763	顔面神経管開放術	44500	3	133 500	3	133 500	－	－
4764	脳神経手術（開頭して行うもの）	37620	2	75 240	2	75 240	－	－
4765	頭蓋内微小血管減圧術	43920	214	9 398 880	214	9 398 880	－	－
4766	頭蓋骨腫瘍摘出術	23490	33	775 170	30	704 700	3	70 470
4767	頭皮，頭蓋骨悪性腫瘍手術	36290	24	870 960	24	870 960	－	－
4768	頭蓋骨膜下血腫摘出術	10680	1	10 680	1	10 680	－	－
4769	頭蓋内血腫除去術（開頭して行うもの）硬膜外のもの	35790	76	2 720 040	76	2 720 040	－	－
4770	頭蓋内血腫除去術（開頭して行うもの）硬膜下のもの	36970	308	11 386 760	308	11 386 760	－	－
4771	頭蓋内血腫除去術（開頭して行うもの）脳内のもの	47020	565	26 566 300	565	26 566 300	－	－
4772	慢性硬膜下血腫穿孔洗浄術	10900	4 485	48 886 500	4 484	48 875 600	1	10 900
4773	脳血管塞栓摘出術	37560	1	37 560	1	37 560	－	－
4774	脳血管血栓摘出術	37560	5	187 800	5	187 800	－	－
4775	定位的脳内血腫除去術	18220	52	947 440	52	947 440	－	－
4776	内視鏡下脳内血腫除去術	47020	143	6 723 860	143	6 723 860	－	－
4777	脳内異物摘出術	45630	1	45 630	1	45 630	－	－
4778	脳膿瘍全摘術	36500	13	474 500	13	474 500	－	－
4779	頭蓋内腫瘤摘出術	61720	22	1 357 840	22	1 357 840	－	－
4780	脳切除術	36290	6	217 740	6	217 740	－	－
4781	頭蓋内腫瘍摘出術　松果体部腫瘍	158100	11	1 739 100	11	1 739 100	－	－
4782	頭蓋内腫瘍摘出術　その他のもの	132130	1 269	167 672 970	1 269	167 672 970	－	－
4783	頭蓋内腫瘍摘出術　脳腫瘍覚醒下マッピング　加算	4500	11	49 500	11	49 500	－	－
4784	頭蓋内腫瘍摘出術　原発性悪性脳腫瘍光線力学療法　加算	12000	12	144 000	12	144 000	－	－
4785	経耳的聴神経腫瘍摘出術	76890	1	76 890	1	76 890	－	－
4786	経鼻的下垂体腫瘍摘出術	83700	37	3 096 900	37	3 096 900	－	－
4787	内視鏡下経鼻的腫瘍摘出術　下垂体腫瘍	108470	207	22 453 290	207	22 453 290	－	－
4788	内視鏡下経鼻的腫瘍摘出術　頭蓋底脳腫瘍（下垂体腫瘍を除く）	123620	38	4 697 560	38	4 697 560	－	－
4789	脳動静脈奇形摘出術	149830	65	9 738 950	65	9 738 950	－	－
4790	脳・脳膜脱手術	36290	1	36 290	1	36 290	－	－
4791	水頭症手術　脳室穿破術（神経内視鏡手術によるもの）	38840	77	2 990 680	77	2 990 680	－	－
4792	水頭症手術　シャント手術	24310	1 180	28 685 800	1 180	28 685 800	－	－
4793	髄液シャント抜去術	1680	62	104 160	62	104 160	－	－
4794	脳動脈瘤被包術　１箇所	82020	17	1 394 340	17	1 394 340	－	－
4795	脳動脈瘤被包術　２箇所以上	94040	1	94 040	1	94 040	－	－
4796	脳動脈瘤流入血管クリッピング（開頭して行うもの）１箇所	82730	35	2 895 550	35	2 895 550	－	－
4797	脳動脈瘤流入血管クリッピング（開頭して行うもの）２箇所以上	108200	4	432 800	4	432 800	－	－
4798	脳動脈瘤頸部クリッピング　１箇所	114070	1 134	129 355 380	1 134	129 355 380	－	－
4799	脳動脈瘤頸部クリッピング　２箇所以上	128400	111	14 252 400	111	14 252 400	－	－
4800	脳動脈瘤頸部クリッピング　ローフローバイパス術併用　加算	16060	18	289 080	18	289 080	－	－
4801	脳動脈瘤頸部クリッピング　ハイフローバイパス術併用　加算	30000	5	150 000	5	150 000	－	－
4802	脳血管内手術　１箇所	66270	843	55 865 610	841	55 733 070	2	132 540
4803	脳血管内手術　２箇所以上	84800	36	3 052 800	36	3 052 800	－	－
4804	脳血管内手術　脳血管内ステントを用いるもの	82850	216	17 895 600	216	17 895 600	－	－
4805	経皮的脳血管形成術	39780	111	4 415 580	111	4 415 580	－	－
4806	経皮的選択的脳血栓・塞栓溶解術　頭蓋内脳血管の場合	36280	23	834 440	23	834 440	－	－
4807	経皮的選択的脳血栓・塞栓溶解術　頸部脳血管の場合（内頸動脈，椎骨動脈）	25880	7	181 160	7	181 160	－	－
4808	経皮的脳血栓回収術	33150	794	26 321 100	794	26 321 100	－	－
4809	経皮的脳血管ステント留置術	35560	24	853 440	24	853 440	－	－
4810	髄液漏閉鎖術	39380	46	1 811 480	46	1 811 480	－	－
4811	頭蓋骨形成手術　頭蓋骨のみのもの	17530	241	4 224 730	241	4 224 730	－	－
4812	頭蓋骨形成手術　硬膜形成を伴うもの	23660	101	2 389 660	101	2 389 660	－	－
4813	頭蓋骨形成手術　骨移動を伴うもの	40950	11	450 450	11	450 450	－	－
4814	脳刺激装置植込術（頭蓋内電極植込術を含む）片側の場合	65100	21	1 367 100	21	1 367 100	－	－
4815	脳刺激装置植込術（頭蓋内電極植込術を含む）両側の場合	71350	46	3 282 100	46	3 282 100	－	－
4816	脳刺激装置交換術	14270	101	1 441 270	101	1 441 270	－	－
4817	頭蓋内電極抜去術	12880	5	64 400	5	64 400	－	－
4818	迷走神経刺激装置植込術	28030	17	476 510	17	476 510	－	－
4819	迷走神経刺激装置交換術	14270	14	199 780	14	199 780	－	－
4820	（脊髄，末梢神経，交感神経）							
4821	神経縫合術　指（手，足）	15160	157	2 380 120	97	1 470 520	60	909 600
4822	神経縫合術　その他のもの	24510	70	1 715 700	59	1 446 090	11	269 610
4823	神経交差縫合術　指（手，足）	43580	－	－	－	－	－	－
4824	神経交差縫合術　その他のもの	46180	2	92 360	2	92 360	－	－
4825	神経再生誘導術　指（手，足）	12640	10	126 400	8	101 120	2	25 280
4826	神経再生誘導術　その他のもの	21590	13	280 670	10	215 900	3	64 770
4827	脊髄硬膜切開術	25840	5	129 200	5	129 200	－	－
4828	空洞・くも膜下腔シャント術（脊髄空洞症に対するもの）	26450	9	238 050	9	238 050	－	－
4829	減圧脊髄切開術	26960	3	80 880	3	80 880	－	－
4830	脊髄切截術	38670	1	38 670	1	38 670	－	－
4831	脊髄硬膜内神経切断術	38670	23	889 410	23	889 410	－	－
4832	脊髄視床路切截術	42370	－	－	－	－	－	－
4833	神経剥離術　鏡視下によるもの	14170	49	694 330	39	552 630	10	141 700
4834	神経剥離術　その他のもの	10900	618	6 736 200	465	5 068 500	153	1 667 700
4835	硬膜外腔癒着剥離術	11000	11	121 000	7	77 000	4	44 000
4836	脊髄ドレナージ術	408	468	190 944	468	190 944	－	－
4837	脊髄刺激装置植込術　脊髄刺激電極を留置した場合	24200	83	2 008 600	82	1 984 400	1	24 200
4838	脊髄刺激装置植込術　ジェネレーターを留置した場合	16100	39	627 900	39	627 900	－	－
4839	脊髄刺激装置植込術　脊髄刺激電極２本留置　加算	8000	62	496 000	61	488 000	1	8 000
4840	脊髄刺激装置交換術	15650	9	140 850	9	140 850	－	－
4841	重症痙性麻痺治療薬髄腔内持続注入用植込型ポンプ設置術	37130	20	742 600	20	742 600	－	－
4842	重症痙性麻痺治療薬髄腔内持続注入用植込型ポンプ交換術	7290	7	51 030	7	51 030	－	－
4843	重症痙性麻痺治療薬髄腔内持続注入用植込型ポンプ薬剤再充填	650	392	254 800	73	47 450	319	207 350
4844	仙骨神経刺激装置植込術　脊髄刺激電極を留置した場合	24200	15	363 000	15	363 000	－	－
4845	仙骨神経刺激装置植込術　ジェネレーターを留置した場合	16100	12	193 200	12	193 200	－	－
4846	仙骨神経刺激装置交換術	13610	－	－	－	－	－	－
4847	脊髄腫瘍摘出術　髄外のもの	62000	217	13 454 000	217	13 454 000	－	－
4848	脊髄腫瘍摘出術　髄内のもの	118230	33	3 901 590	33	3 901 590	－	－
4849	脊髄血管腫摘出術	106460	9	958 140	9	958 140	－	－
4850	神経腫切除術　指（手，足）	5770	31	178 870	16	92 320	15	86 550
4851	神経腫切除術　指（手，足）神経腫　加算	2800	4	11 200	4	11 200	－	－
4852	神経腫切除術　その他のもの	10770	79	850 830	69	743 130	10	107 700
4853	神経腫切除術　その他のもの　神経腫　加算	4000	8	32 000	8	32 000	－	－
4854	レックリングハウゼン病偽神経腫切除術（露出部）長径２cm未満	1660	16	26 560	4	6 640	12	19 920
4855	レックリングハウゼン病偽神経腫切除術（露出部）長径２cm以上４cm未満	3670	17	62 390	5	18 350	12	44 040
4856	レックリングハウゼン病偽神経腫切除術（露出部）長径４cm以上	4360	34	148 240	8	34 880	26	113 360
4857	レックリングハウゼン病偽神経腫切除術（露出部以外）長径３cm未満	1280	11	14 080	2	2 560	9	11 520
4858	レックリングハウゼン病偽神経腫切除術（露出部以外）長径３cm以上６cm未満	3230	17	54 910	1	3 230	16	51 680
4859	レックリングハウゼン病偽神経腫切除術（露出部以外）長径６cm以上	4160	39	162 240	20	83 200	19	79 040

第８表　医科診療　件数・診療実日数・回数・点数，診療行為（細分類）、入院－入院外別

平成30年６月審査分

行番号	診療行為（細分類）	固定点数	総数 回数	総数 点数	入院 回数	入院 点数	入院外 回数	入院外 点数
4860	神経捻除術　後頭神経	4410	－	－	－	－	－	－
4861	神経捻除術　上眼窩神経	4410	－	－	－	－	－	－
4862	神経捻除術　眼窩下神経	4410	－	－	－	－	－	－
4863	神経捻除術　おとがい神経	4410	－	－	－	－	－	－
4864	神経捻除術　下顎神経	7750	－	－	－	－	－	－
4865	横隔神経麻痺術	4410	－	－	－	－	－	－
4866	眼窩下孔部神経切断術	4410	－	－	－	－	－	－
4867	おとがい孔部神経切断術	4410	－	－	－	－	－	－
4868	交感神経切除術　頸動脈周囲	8810	－	－	－	－	－	－
4869	交感神経切除術　股動脈周囲	8810	－	－	－	－	－	－
4870	尾動脈腺摘出術	7750	－	－	－	－	－	－
4871	交感神経節切除術　頸部	26030	－	－	－	－	－	－
4872	交感神経節切除術　胸部	16340	－	－	－	－	－	－
4873	交感神経節切除術　腰部	17530	－	－	－	－	－	－
4874	胸腔鏡下交感神経節切除術（両側）	18500	157	2 904 500	139	2 571 500	18	333 000
4875	ストッフェル手術	12490	－	－	－	－	－	－
4876	閉鎖神経切除術	12490	－	－	－	－	－	－
4877	末梢神経遮断（挫滅又は切断）術（浅腓骨神経）	12490	1	12 490	1	12 490	－	－
4878	末梢神経遮断（挫滅又は切断）術（深腓骨神経）	12490	－	－	－	－	－	－
4879	末梢神経遮断（挫滅又は切断）術（後脛骨神経）	12490	3	37 470	3	37 470	－	－
4880	末梢神経遮断（挫滅又は切断）術（腓腹神経）	12490	2	24 980	1	12 490	1	12 490
4881	神経移行術	23660	495	11 711 700	428	10 126 480	67	1 585 220
4882	神経移植術	23520	30	705 600	29	682 080	1	23 520
4883	眼小計		278 305	2 489 390 080	69 215	1 093 565 920	209 090	1 395 824 160
4884	（涙道）							
4885	涙点形成術	550	356	195 800	1	550	355	195 250
4886	涙小管形成術	550	52	28 600	3	1 650	49	26 950
4887	涙嚢切開術	690	71	48 990	6	4 140	65	44 850
4888	涙点プラグ挿入術，涙点閉鎖術	630	4 133	2 603 790	15	9 450	4 118	2 594 340
4889	先天性鼻涙管閉塞開放術	3720	348	1 294 560	24	89 280	324	1 205 280
4890	涙管チューブ挿入術　涙道内視鏡を用いるもの	2350	1 319	3 099 650	92	216 200	1 227	2 883 450
4891	涙管チューブ挿入術　その他のもの	1810	526	952 060	14	25 340	512	926 720
4892	涙嚢摘出術	4590	18	82 620	12	55 080	6	27 540
4893	涙嚢鼻腔吻合術	23490	314	7 375 860	251	5 895 990	63	1 479 870
4894	涙嚢瘻管閉鎖術	3720	6	22 320	2	7 440	4	14 880
4895	涙小管形成手術	16730	106	1 773 380	40	669 200	66	1 104 180
4896	（眼瞼）							
4897	瞼縁縫合術（瞼板縫合術を含む）	1580	64	101 120	15	23 700	49	77 420
4898	麦粒腫切開術	410	6 189	2 537 490	3	1 230	6 186	2 536 260
4899	眼瞼膿瘍切開術	470	160	75 200	1	470	159	74 730
4900	外眥切開術	470	70	32 900	48	22 560	22	10 340
4901	睫毛電気分解術（毛根破壊）	560	345	193 200	3	1 680	342	191 520
4902	兎眼矯正術	6700	53	355 100	20	134 000	33	221 100
4903	マイボーム腺梗塞摘出術	360	8 357	3 008 520	12	4 320	8 345	3 004 200
4904	マイボーム腺切開術	360	2 539	914 040	1	360	2 538	913 680
4905	霰粒腫摘出術	580	3 688	2 139 040	26	15 080	3 662	2 123 960
4906	瞼板切除術（巨大霰粒腫摘出）	1440	455	655 200	18	25 920	437	629 280
4907	眼瞼結膜腫瘍手術	5140	411	2 112 540	38	195 320	373	1 917 220
4908	眼瞼結膜悪性腫瘍手術	11900	42	499 800	38	452 200	4	47 600
4909	眼瞼内反症手術　縫合法	1660	594	986 040	91	151 060	503	834 980
4910	眼瞼内反症手術　皮膚切開法	2160	1 479	3 194 640	408	881 280	1 071	2 313 360
4911	眼瞼外反症手術	4400	68	299 200	28	123 200	40	176 000
4912	眼瞼下垂症手術　眼瞼挙筋前転法	7200	7 567	54 482 400	2 234	16 084 800	5 333	38 397 600
4913	眼瞼下垂症手術　筋膜移植法	18530	114	2 112 420	81	1 500 930	33	611 490
4914	眼瞼下垂症手術　その他のもの	6070	3 130	18 999 100	894	5 426 580	2 236	13 572 520
4915	（結膜）							
4916	結膜縫合術	1260	507	638 820	78	98 280	429	540 540
4917	結膜結石除去術　少数のもの（１眼瞼ごと）	260	12 690	3 299 400	16	4 160	12 674	3 295 240
4918	結膜結石除去術　多数のもの	390	5 171	2 016 690	7	2 730	5 164	2 013 960
4919	結膜下異物除去術	390	2 114	824 460	6	2 340	2 108	822 120
4920	結膜嚢形成手術　部分形成	2250	1 065	2 396 250	157	353 250	908	2 043 000
4921	結膜嚢形成手術　皮膚及び結膜の形成	14960	21	314 160	3	44 880	18	269 280
4922	結膜嚢形成手術　全部形成（皮膚又は粘膜の移植を含む）	16730	8	133 840	6	100 380	2	33 460
4923	内眥形成術	16730	44	736 120	18	301 140	26	434 980
4924	翼状片手術（弁の移植を要するもの）	3650	2 187	7 982 550	365	1 332 250	1 822	6 650 300
4925	結膜腫瘍冷凍凝固術	800	39	31 200	1	800	38	30 400
4926	結膜腫瘍摘出術	6290	276	1 736 040	47	295 630	229	1 440 410
4927	結膜肉芽腫摘除術	800	180	144 000	5	4 000	175	140 000
4928	（眼窩，涙腺）							
4929	眼窩膿瘍切開術	1390	9	12 510	3	4 170	6	8 340
4930	眼窩骨折観血的手術（眼窩ブローアウト骨折手術を含む）	14960	165	2 468 400	164	2 453 440	1	14 960
4931	眼窩骨折整復術	29170	25	729 250	24	700 080	1	29 170
4932	眼窩内異物除去術（表在性）	8240	46	379 040	27	222 480	19	156 560
4933	眼窩内異物除去術（深在性）視神経周囲	27460	10	274 600	1	27 460	9	247 140
4934	眼窩内異物除去術（深在性）眼窩尖端	27460	－	－	－	－	－	－
4935	眼窩内異物除去術（深在性）その他	14960	5	74 800	4	59 840	1	14 960
4936	眼窩内容除去術	16980	1	16 980	1	16 980	－	－
4937	眼窩内腫瘍摘出術（表在性）	6770	163	1 103 510	73	494 210	90	609 300
4938	眼窩内腫瘍摘出術（深在性）	45230	49	2 216 270	39	1 763 970	10	452 300
4939	眼窩悪性腫瘍手術	51940	9	467 460	8	415 520	1	51 940
4940	眼窩縁形成手術（骨移植によるもの）	19300	2	38 600	2	38 600	－	－
4941	（眼球，眼筋）							
4942	眼球内容除去術	6130	19	116 470	18	110 340	1	6 130
4943	眼球摘出術	3670	16	58 720	16	58 720	－	－
4944	斜視手術　前転法	4280	76	325 280	52	222 560	24	102 720
4945	斜視手術　後転法	4200	507	2 129 400	415	1 743 000	92	386 400
4946	斜視手術　前転法及び後転法の併施	10970	347	3 806 590	250	2 742 500	97	1 064 090
4947	斜視手術　斜筋手術	9970	74	737 780	63	628 110	11	109 670
4948	斜視手術　直筋の前後転法及び斜筋手術の併施	12300	90	1 107 000	52	639 600	38	467 400
4949	義眼台包埋術	8010	3	24 030	2	16 020	1	8 010
4950	眼筋移動術	19330	43	831 190	40	773 200	3	57 990
4951	眼球摘出及び組織又は義眼台充填術	8790	5	43 950	5	43 950	－	－
4952	（角膜，強膜）							
4953	角膜・強膜縫合術	2980	138	411 240	82	244 360	56	166 880
4954	角膜新生血管手術（冷凍凝固術を含む）	980	4	3 920	－	－	4	3 920
4955	顕微鏡下角膜抜糸術	950	774	735 300	25	23 750	749	711 550
4956	角膜潰瘍掻爬術	990	3 119	3 087 810	45	44 550	3 074	3 043 260
4957	角膜潰瘍焼灼術	990	38	37 620	3	2 970	35	34 650
4958	角膜切開術	990	26	25 740	5	4 950	21	20 790
4959	角膜・強膜異物除去術	640	15 931	10 195 840	81	51 840	15 850	10 144 000
4960	治療的角膜切除術　エキシマレーザーによるもの（角膜ジストロフィー又は帯状角膜変性に係るものに限る）	10000	205	2 050 000	65	650 000	140	1 400 000
4961	治療的角膜切除術　その他のもの	2650	71	188 150	16	42 400	55	145 750
4962	強角膜瘻孔閉鎖術	11610	3	34 830	2	23 220	1	11 610
4963	角膜潰瘍結膜被覆術	2650	3	7 950	1	2 650	2	5 300
4964	角膜表層除去併用結膜被覆術	8300	5	41 500	3	24 900	2	16 600
4965	角膜移植術	54800	228	12 494 400	225	12 330 000	3	164 400
4966	角膜移植術　レーザー使用　加算	5500	10	55 000	10	55 000	－	－
4967	強膜移植術	18810	2	37 620	2	37 620	－	－
4968	羊膜移植術	10530	22	231 660	18	189 540	4	42 120
4969	角膜形成手術	3060	59	180 540	3	9 180	56	171 360

第８表　医科診療　件数・診療実日数・回数・点数，診療行為（細分類）、入院－入院外別

平成30年６月審査分

行番号	診療行為（細分類）	固定点数	総数		入院		入院外	
			回数	点数	回数	点数	回数	点数
4970	(ぶどう膜)							
4971	虹彩腫瘍切除術	20140	1	20 140	1	20 140	–	–
4972	毛様体腫瘍切除術	35820	–	–	–	–	–	–
4973	脈絡膜腫瘍切除術	35820	–	–	–	–	–	–
4974	緑内障手術　虹彩切除術	4740	97	459 780	49	232 260	48	227 520
4975	緑内障手術　流出路再建術	19020	1 911	36 347 220	1 353	25 734 060	558	10 613 160
4976	緑内障手術　濾過手術	23600	1 581	37 311 600	1 321	31 175 600	260	6 136 000
4977	緑内障手術　緑内障治療用インプラント挿入術（プレートのないもの）	34480	461	15 895 280	318	10 964 640	143	4 930 640
4978	緑内障手術　緑内障治療用インプラント挿入術（プレートのあるもの）	45480	178	8 095 440	170	7 731 600	8	363 840
4979	緑内障手術　水晶体再建術併用眼内ドレーン挿入術	27990	150	4 198 500	72	2 015 280	78	2 183 220
4980	虹彩整復・瞳孔形成術	4730	251	1 187 230	107	506 110	144	681 120
4981	虹彩光凝固術	6620	3 230	21 382 600	83	549 460	3 147	20 833 140
4982	毛様体光凝固術	5600	131	733 600	45	252 000	86	481 600
4983	毛様体冷凍凝固術	2160	10	21 600	4	8 640	6	12 960
4984	隅角光凝固術	9660	1 375	13 282 500	19	183 540	1 356	13 098 960
4985	(眼房，網膜)							
4986	前房，虹彩内異物除去術	8800	110	968 000	48	422 400	62	545 600
4987	網膜復位術	34940	435	15 198 900	394	13 766 360	41	1 432 540
4988	網膜光凝固術　通常のもの（一連につき）	10020	11 561	115 841 220	355	3 557 100	11 206	112 284 120
4989	網膜光凝固術　その他特殊なもの（一連につき）	15960	8 159	130 217 640	589	9 400 440	7 570	120 817 200
4990	網膜冷凍凝固術	15750	25	393 750	15	236 250	10	157 500
4991	黄斑下手術	47150	41	1 933 150	29	1 367 350	12	565 800
4992	(水晶体，硝子体)							
4993	硝子体注入・吸引術	1900	343	651 700	98	186 200	245	465 500
4994	硝子体切除術	15560	575	8 947 000	377	5 866 120	198	3 080 880
4995	硝子体茎顕微鏡下離断術　網膜付着組織を含むもの	38950	8 752	340 890 400	6 751	262 951 450	2 001	77 938 950
4996	硝子体茎顕微鏡下離断術　その他のもの	29720	1 723	51 207 560	1 345	39 973 400	378	11 234 160
4997	網膜付着組織を含む硝子体切除術（眼内内視鏡を用いるもの）	47780	5	238 900	2	95 560	3	143 340
4998	増殖性硝子体網膜症手術	54860	699	38 347 140	588	32 257 680	111	6 089 460
4999	網膜再建術	69880	8	559 040	8	559 040	–	–
5000	水晶体再建術　眼内レンズを挿入する場合　縫着レンズを挿入するもの	17840	571	10 186 640	452	8 063 680	119	2 122 960
5001	水晶体再建術　眼内レンズを挿入する場合　その他のもの	12100	116 666	1 411 658 600	47 185	570 938 500	69 481	840 720 100
5002	水晶体再建術　眼内レンズを挿入しない場合	7430	355	2 637 650	191	1 419 130	164	1 218 520
5003	水晶体再建術　計画的後嚢切開を伴う場合	21780	10	217 800	10	217 800	–	
5004	水晶体再建術　水晶体嚢拡張リング使用　加算	1600	678	1 084 800	164	262 400	514	822 400
5005	後発白内障手術	1380	29 533	40 755 540	127	175 260	29 406	40 580 280
5006	硝子体置換術	6890	190	1 309 100	146	1 005 940	44	303 160
5007	耳鼻咽喉小計		106 442	360 034 480	24 155	268 991 580	82 287	91 042 900
5008	(外耳)							
5009	耳介血腫開窓術	380	281	106 780	4	1 520	277	105 260
5010	外耳道異物除去術　単純なもの	220	15 028	3 306 160	26	5 720	15 002	3 300 440
5011	外耳道異物除去術　複雑なもの	710	1 197	849 870	48	34 080	1 149	815 790
5012	先天性耳瘻管摘出術	3900	348	1 357 200	242	943 800	106	413 400
5013	副耳（介）切除術	2240	188	421 120	129	288 960	59	132 160
5014	耳茸摘出術	830	105	87 150	2	1 660	103	85 490
5015	外耳道骨増生（外骨腫）切除術	10120	5	50 600	3	30 360	2	20 240
5016	外耳道骨腫切除術	7670	6	46 020	4	30 680	2	15 340
5017	耳介腫瘍摘出術	4730	211	998 030	17	80 410	194	917 620
5018	外耳道腫瘍摘出術（外耳道真珠腫手術を含む）	6330	80	506 400	48	303 840	32	202 560
5019	耳介悪性腫瘍手術	22290	20	445 800	16	356 640	4	89 160
5020	外耳道悪性腫瘍手術（悪性外耳道炎手術を含む）	35590	22	782 980	22	782 980	–	–
5021	耳後瘻孔閉鎖術	4000	1	4 000	1	4 000	–	–
5022	耳介形成手術　耳介軟骨形成を要するもの	19240	52	1 000 480	30	577 200	22	423 280
5023	耳介形成手術　耳介軟骨形成を要しないもの	9960	84	836 640	11	109 560	73	727 080
5024	外耳道形成手術	19240	18	346 320	18	346 320	–	–
5025	外耳道造設術・閉鎖症手術	36700	2	73 400	2	73 400	–	–
5026	小耳症手術　軟骨移植による耳介形成手術	56140	9	505 260	9	505 260	–	–
5027	小耳症手術　耳介挙上	14740	6	88 440	6	88 440	–	–
5028	(中耳)							
5029	鼓膜切開術	690	35 907	24 775 830	733	505 770	35 174	24 270 060
5030	鼓室開放術	7280	4	29 120	3	21 840	1	7 280
5031	上鼓室開放術	13140	3	39 420	2	26 280	1	13 140
5032	上鼓室乳突洞開放術	24720	–	–	–	–	–	–
5033	乳突洞開放術（アントロトミー）	13480	1	13 480	1	13 480	–	–
5034	乳突削開術	24490	14	342 860	14	342 860	–	–
5035	錐体部手術	38470	1	38 470	1	38 470	–	–
5036	耳管内チューブ挿入術	1420	3	4 260	2	2 840	1	1 420
5037	耳管狭窄ビニール管挿入術	1420	3	4 260	–	–	3	4 260
5038	鼓膜（排液，換気）チューブ挿入術	2670	5 754	15 363 180	1 349	3 601 830	4 405	11 761 350
5039	乳突充填術	7470	1	7 470	1	7 470	–	–
5040	鼓膜穿孔閉鎖術（一連につき）	1580	285	450 300	7	11 060	278	439 240
5041	鼓膜鼓室肉芽切除術	3020	55	166 100	6	18 120	49	147 980
5042	中耳，側頭骨腫瘍摘出術	38330	3	114 990	3	114 990	–	–
5043	中耳悪性腫瘍手術　切除	41520	1	41 520	1	41 520	–	–
5044	中耳悪性腫瘍手術　側頭骨摘出術	68640	3	205 920	3	205 920	–	–
5045	鼓室神経叢切除，鼓索神経切断術	9900	1	9 900	1	9 900	–	–
5046	Ｓ状洞血栓（静脈炎）手術	24730	–	–	–	–	–	–
5047	中耳根治手術	42440	5	212 200	4	169 760	1	42 440
5048	鼓膜形成手術	18100	254	4 597 400	171	3 095 100	83	1 502 300
5049	鼓室形成手術　耳小骨温存術	34660	474	16 428 840	460	15 943 600	14	485 240
5050	鼓室形成手術　耳小骨再建術	51330	536	27 512 880	525	26 948 250	11	564 630
5051	アブミ骨摘出術	32140	36	1 157 040	36	1 157 040	–	–
5052	アブミ骨可動化手術	32140	26	835 640	26	835 640	–	–
5053	人工中耳植込術	32140	5	160 700	5	160 700	–	–
5054	(内耳)							
5055	内耳開窓術	31970	–	–	–	–	–	–
5056	経迷路的内耳道開放術	64930	1	64 930	1	64 930	–	–
5057	内リンパ嚢開放術	28890	3	86 670	3	86 670	–	–
5058	迷路摘出術　部分摘出（膜迷路摘出術を含む）	29220	–	–	–	–	–	–
5059	迷路摘出術　全摘出	38890	–	–	–	–	–	–
5060	内耳窓閉鎖術	23250	27	627 750	27	627 750	–	–
5061	人工内耳植込術	40810	104	4 244 240	104	4 244 240	–	–
5062	植込型骨導補聴器移植術	10620	–	–	–	–	–	–
5063	植込型骨導補聴器交換術	1840	–	–	–	–	–	–
5064	(鼻)							
5065	鼻中隔膿瘍切開術	620	1	620	–	–	1	620
5066	鼻中隔血腫切開術	820	2	1 640	1	820	1	820
5067	鼻腔粘膜焼灼術	900	12 444	11 199 600	433	389 700	12 011	10 809 900
5068	下甲介粘膜焼灼術	900	1 124	1 011 600	35	31 500	1 089	980 100
5069	下甲介粘膜レーザー焼灼術（両側）	2910	1 447	4 210 770	25	72 750	1 422	4 138 020
5070	鼻骨骨折整復固定術	2130	647	1 378 110	355	756 150	292	621 960
5071	鼻骨脱臼整復術	1640	1	1 640	–	–	1	1 640
5072	鼻骨骨折徒手整復術	1640	375	615 000	108	177 120	267	437 880
5073	鼻骨骨折観血的手術	5720	21	120 120	10	57 200	11	62 920
5074	鼻骨変形治癒骨折矯正術	23060	29	668 740	28	645 680	1	23 060
5075	鼻中隔骨折観血的手術	3280	1	3 280	–	–	1	3 280
5076	上顎洞鼻内手術（スツルマン氏，吉田氏変法を含む）	2740	7	19 180	6	16 440	1	2 740
5077	上顎洞鼻外手術	2740	–	–	–	–	–	–
5078	鼻内異物摘出術	690	2 550	1 759 500	6	4 140	2 544	1 755 360
5079	鼻前庭嚢胞摘出術	4980	35	174 300	26	129 480	9	44 820
5080	鼻甲介切除術　高周波電気凝固法によるもの	900	168	151 200	16	14 400	152	136 800
5081	鼻甲介切除術　その他のもの	2770	219	606 630	139	385 030	80	221 600

第８表　医科診療　件数・診療実日数・回数・点数，診療行為（細分類）、入院－入院外別

平成30年６月審査分

行番号	診療行為（細分類）	固定点数	総数 回数	総数 点数	入院 回数	入院 点数	入院外 回数	入院外 点数
5082	粘膜下下鼻甲介骨切除術	3550	388	1 377 400	340	1 207 000	48	170 400
5083	鼻茸摘出術	1090	431	469 790	53	57 770	378	412 020
5084	内視鏡下鼻・副鼻腔手術Ⅰ型（副鼻腔自然口開窓術）	3600	140	504 000	64	230 400	76	273 600
5085	内視鏡下鼻・副鼻腔手術Ⅱ型（副鼻腔単洞手術）	12000	468	5 616 000	397	4 764 000	71	852 000
5086	内視鏡下鼻・副鼻腔手術Ⅱ型（副鼻腔単洞手術）自家腸骨片充填　加算	3150	1	3 150	－	－	1	3 150
5087	内視鏡下鼻・副鼻腔手術Ⅲ型（選択的（複数洞）副鼻腔手術）	24910	2 414	60 132 740	2 194	54 652 540	220	5 480 200
5088	内視鏡下鼻・副鼻腔手術Ⅳ型（汎副鼻腔手術）	32080	1 272	40 805 760	1 252	40 164 160	20	641 600
5089	内視鏡下鼻・副鼻腔手術Ⅴ型（拡大副鼻腔手術）	51630	20	1 032 600	20	1 032 600	－	－
5090	上顎洞性後鼻孔ポリープ切除術	1510	28	42 280	9	13 590	19	28 690
5091	鼻副鼻腔腫瘍摘出術	15200	154	2 340 800	134	2 036 800	20	304 000
5092	鼻副鼻腔悪性腫瘍手術　切除	25040	17	425 680	17	425 680	－	－
5093	鼻副鼻腔悪性腫瘍手術　全摘	49690	15	745 350	15	745 350	－	－
5094	経鼻腔的翼突管神経切除術	30460	657	20 012 220	447	13 615 620	210	6 396 600
5095	萎縮性鼻炎手術（両側）	22370	1	22 370	1	22 370	－	－
5096	後鼻孔閉鎖症手術　単純なもの（膜性閉鎖）	4360	－	－	－	－	－	－
5097	後鼻孔閉鎖症手術　複雑なもの（骨性閉鎖）	27040	1	27 040	1	27 040	－	－
5098	鼻中隔矯正術	8230	955	7 859 650	836	6 880 280	119	979 370
5099	変形外鼻手術	16390	25	409 750	23	376 970	2	32 780
5100	内視鏡下鼻中隔手術Ⅰ型（骨，軟骨手術）	6620	939	6 216 180	801	5 302 620	138	913 560
5101	内視鏡下鼻中隔手術Ⅱ型（粘膜手術）	2030	83	168 490	15	30 450	68	138 040
5102	内視鏡下鼻腔手術Ⅰ型（下鼻甲介手術）	6620	2 163	14 319 060	1 769	11 710 780	394	2 608 280
5103	内視鏡下鼻腔手術Ⅱ型（鼻腔内手術）	3170	35	110 950	17	53 890	18	57 060
5104	内視鏡下鼻腔手術Ⅲ型（鼻孔閉鎖症手術）	19940	2	39 880	2	39 880	－	－
5105	（副鼻腔）							
5106	前頭洞充填術	13200	－	－	－	－	－	－
5107	上顎洞根治手術	7990	11	87 890	11	87 890	－	－
5108	鼻内上顎洞根治手術	3330	3	9 990	1	3 330	2	6 660
5109	副鼻腔炎術後後出血止血法	6660	2	13 320	1	6 660	1	6 660
5110	鼻内篩骨洞根治手術	5000	16	80 000	7	35 000	9	45 000
5111	鼻外前頭洞手術	16290	7	114 030	7	114 030	－	－
5112	鼻内蝶形洞根治手術	3820	－	－	－	－	－	－
5113	上顎洞篩骨洞根治手術	11310	10	113 100	10	113 100	－	－
5114	前頭洞篩骨洞根治手術	11290	－	－	－	－	－	－
5115	篩骨洞蝶形洞根治手術	11290	－	－	－	－	－	－
5116	上顎洞篩骨洞蝶形洞根治手術	12630	2	25 260	2	25 260	－	－
5117	上顎洞篩骨洞前頭洞根治手術	14110	3	42 330	3	42 330	－	－
5118	経上顎洞的顎動脈結紮術	28630	3	85 890	3	85 890	－	－
5119	前頭洞篩骨洞蝶形洞根治手術	13440	－	－	－	－	－	－
5120	汎副鼻腔根治手術	20010	2	40 020	2	40 020	－	－
5121	経上顎洞的翼突管神経切除術	28210	1	28 210	1	28 210	－	－
5122	（咽頭，扁桃）							
5123	咽後膿瘍切開術	1900	67	127 300	61	115 900	6	11 400
5124	扁桃周囲膿瘍切開術	1830	1 023	1 872 090	703	1 286 490	320	585 600
5125	咽頭異物摘出術　簡単なもの	420	3 708	1 557 360	26	10 920	3 682	1 546 440
5126	咽頭異物摘出術　複雑なもの	2100	1 044	2 192 400	36	75 600	1 008	2 116 800
5127	アデノイド切除術	1600	802	1 283 200	802	1 283 200	－	－
5128	上咽頭腫瘍摘出術　経口腔によるもの	5350	6	32 100	6	32 100	－	－
5129	上咽頭腫瘍摘出術　経鼻腔によるもの	6070	3	18 210	3	18 210	－	－
5130	上咽頭腫瘍摘出術　経副鼻腔によるもの	8790	2	17 580	2	17 580	－	－
5131	上咽頭腫瘍摘出術　外切開によるもの	16590	－	－	－	－	－	－
5132	上咽頭ポリープ摘出術　経口腔によるもの	4460	1	4 460	－	－	1	4 460
5133	上咽頭ポリープ摘出術　経鼻腔によるもの	5060	－	－	－	－	－	－
5134	上咽頭ポリープ摘出術　経副鼻腔によるもの	8270	－	－	－	－	－	－
5135	上咽頭ポリープ摘出術　外切開によるもの	15080	－	－	－	－	－	－
5136	中咽頭腫瘍摘出術　経口腔によるもの	2710	134	363 140	84	227 640	50	135 500
5137	中咽頭腫瘍摘出術　外切開によるもの	16260	－	－	－	－	－	－
5138	下咽頭腫瘍摘出術　経口腔によるもの	7290	74	539 460	73	532 170	1	7 290
5139	下咽頭腫瘍摘出術　外切開によるもの	16300	1	16 300	1	16 300	－	－
5140	咽頭悪性腫瘍手術（軟口蓋悪性腫瘍手術を含む）	35340	168	5 937 120	168	5 937 120	－	－
5141	鼻咽腔線維腫手術　切除	9630	－	－	－	－	－	－
5142	鼻咽腔線維腫手術　摘出	37850	－	－	－	－	－	－
5143	鼻咽腔閉鎖術	23790	1	23 790	1	23 790	－	－
5144	上咽頭悪性腫瘍手術	35830	－	－	－	－	－	－
5145	口蓋扁桃手術　切除	1430	78	111 540	16	22 880	62	88 660
5146	口蓋扁桃手術　摘出	3600	3 894	14 018 400	3 886	13 989 600	8	28 800
5147	舌扁桃切除術	1230	2	2 460	2	2 460	－	－
5148	副咽頭間隙腫瘍摘出術　経頸部によるもの	34320	14	480 480	14	480 480	－	－
5149	副咽頭間隙腫瘍摘出術　経側頭下窩によるもの（下顎離断によるものを含む）	55200	－	－	－	－	－	－
5150	副咽頭間隙悪性腫瘍摘出術　経頸部によるもの	47580	1	47 580	1	47 580	－	－
5151	副咽頭間隙悪性腫瘍摘出術　経側頭下窩によるもの（下顎離断によるものを含む）	91500	－	－	－	－	－	－
5152	過長茎状突起切除術	6440	6	38 640	6	38 640	－	－
5153	上咽頭形成手術	10110	3	30 330	3	30 330	－	－
5154	咽頭瘻閉鎖術	12770	10	127 700	10	127 700	－	－
5155	咽頭皮膚瘻孔閉鎖術	12770	12	153 240	12	153 240	－	－
5156	（喉頭，気管）							
5157	喉頭切開・截開術	13420	1	13 420	1	13 420	－	－
5158	喉頭膿瘍切開術	2140	9	19 260	7	14 980	2	4 280
5159	深頸部膿瘍切開術	4800	119	571 200	118	566 400	1	4 800
5160	喉頭浮腫乱切術	2040	3	6 120	3	6 120	－	－
5161	気管切開術	2570	2 489	6 396 730	2 481	6 376 170	8	20 560
5162	喉頭粘膜焼灼術（直達鏡によるもの）	2860	13	37 180	13	37 180	－	－
5163	喉頭粘膜下異物挿入術	3630	274	994 620	31	112 530	243	882 090
5164	喉頭粘膜下軟骨片挿入術	12240	1	12 240	1	12 240	－	－
5165	喉頭ポリープ切除術　間接喉頭鏡によるもの	2990	－	－	－	－	－	－
5166	声帯ポリープ切除術　間接喉頭鏡によるもの	2990	1	2 990	－	－	1	2 990
5167	喉頭ポリープ切除術　直達喉頭鏡によるもの	4300	39	167 700	39	167 700	－	－
5168	声帯ポリープ切除術　直達喉頭鏡によるもの	4300	491	2 111 300	480	2 064 000	11	47 300
5169	喉頭ポリープ切除術　ファイバースコープによるもの	4300	5	21 500	2	8 600	3	12 900
5170	声帯ポリープ切除術　ファイバースコープによるもの	4300	51	219 300	9	38 700	42	180 600
5171	喉頭異物摘出術　直達鏡によらないもの	2920	61	178 120	16	46 720	45	131 400
5172	喉頭異物摘出術　直達鏡によるもの	5250	17	89 250	9	47 250	8	42 000
5173	気管異物除去術　直達鏡によるもの	5320	17	90 440	15	79 800	2	10 640
5174	気管異物除去術　開胸手術によるもの	43340	－	－	－	－	－	－
5175	喉頭蓋切除術	3190	1	3 190	1	3 190	－	－
5176	喉頭蓋嚢腫摘出術	3190	55	175 450	54	172 260	1	3 190
5177	喉頭腫瘍摘出術　間接喉頭鏡によるもの	3420	3	10 260	1	3 420	2	6 840
5178	喉頭腫瘍摘出術　直達鏡によるもの	4310	527	2 271 370	525	2 262 750	2	8 620
5179	喉頭悪性腫瘍手術　切除	38800	59	2 289 200	59	2 289 200	－	－
5180	喉頭悪性腫瘍手術　全摘	63710	80	5 096 800	80	5 096 800	－	－
5181	喉頭悪性腫瘍手術（頸部，胸部，腹部等の操作による再建を含む）	113880	18	2 049 840	18	2 049 840	－	－
5182	下咽頭悪性腫瘍手術（頸部，胸部，腹部等の操作による再建を含む）	113880	72	8 199 360	72	8 199 360	－	－
5183	気管切開孔閉鎖術	1040	222	230 880	193	200 720	29	30 160
5184	気管縫合術	1040	7	7 280	6	6 240	1	1 040
5185	喉頭横隔膜切除術（ステント挿入固定術を含む）	13390	4	53 560	4	53 560	－	－
5186	喉頭狭窄症手術　前方開大術	23430	6	140 580	6	140 580	－	－
5187	喉頭狭窄症手術　前壁形成手術	23320	1	23 320	1	23 320	－	－
5188	喉頭狭窄症手術　Ｔチューブ挿入術	14040	18	252 720	15	210 600	3	42 120
5189	気管狭窄症手術	38540	6	231 240	6	231 240	－	－
5190	喉頭形成手術　人工形成材料挿置術，軟骨片挿置術	18750	33	618 750	33	618 750	－	－
5191	喉頭形成手術　筋弁転位術，軟骨転位術，軟骨除去術	28510	35	997 850	35	997 850	－	－
5192	喉頭形成手術　甲状軟骨固定用器具を用いたもの	34840	－	－	－	－	－	－
5193	気管口狭窄拡大術	2690	46	123 740	43	115 670	3	8 070

第８表　医科診療　件数・診療実日数・回数・点数，診療行為（細分類）、入院－入院外別

平成30年６月審査分

行番号	診療行為（細分類）	固定点数	総数		入院		入院外	
			回数	点数	回数	点数	回数	点数
5194	縦隔気管口形成手術	76040	1	76 040	1	76 040	–	–
5195	気管形成手術（管状気管，気管移植等）頸部からのもの	49940	4	199 760	4	199 760	–	–
5196	気管形成手術（管状気管，気管移植等）開胸又は胸骨正中切開によるもの	76040	1	76 040	1	76 040	–	–
5197	嚥下機能手術　輪状咽頭筋切断術	18810	10	188 100	10	188 100	–	–
5198	嚥下機能手術　喉頭挙上術	18370	6	110 220	6	110 220	–	–
5199	嚥下機能手術　喉頭気管分離術	30260	57	1 724 820	57	1 724 820	–	–
5200	嚥下機能手術　喉頭全摘術	28210	13	366 730	13	366 730	–	–
5201	顔面・口腔・頸部小計		6 819	111 233 825	5 276	107 486 590	1 543	3 747 235
5202	（歯，歯肉，歯槽部，口蓋）							
5203	抜歯手術（１歯につき）乳歯	130	6	780	4	520	2	260
5204	抜歯手術（１歯につき）前歯	155	11	1 705	10	1 550	1	155
5205	抜歯手術（１歯につき）臼歯	265	32	8 480	24	6 360	8	2 120
5206	抜歯手術（１歯につき）埋伏歯	1050	26	27 300	26	27 300	–	–
5207	抜歯手術（１歯につき）難抜歯　加算	210	5	1 050	5	1 050	–	–
5208	抜歯手術　下顎完全埋伏智歯，水平埋伏智歯　加算	100	12	1 200	12	1 200	–	–
5209	口蓋腫瘍摘出術　口蓋粘膜に限局するもの	520	48	24 960	14	7 280	34	17 680
5210	口蓋腫瘍摘出術　口蓋骨に及ぶもの	8050	3	24 150	3	24 150	–	–
5211	顎・口蓋裂形成手術　軟口蓋のみのもの	15770	17	268 090	17	268 090	–	–
5212	顎・口蓋裂形成手術　硬口蓋に及ぶもの	24170	52	1 256 840	52	1 256 840	–	–
5213	顎・口蓋裂形成手術　顎裂を伴うもの　片側	25170	21	528 570	21	528 570	–	–
5214	顎・口蓋裂形成手術　顎裂を伴うもの　両側	31940	10	319 400	10	319 400	–	–
5215	軟口蓋形成手術	9700	266	2 580 200	59	572 300	207	2 007 900
5216	（口腔前庭，口腔底，頬粘膜，舌）							
5217	口腔底膿瘍切開術	700	27	18 900	11	7 700	16	11 200
5218	口腔底腫瘍摘出術	7210	6	43 260	6	43 260	–	–
5219	口腔底悪性腫瘍手術	29360	21	616 560	21	616 560	–	–
5220	頬粘膜腫瘍摘出術	4460	24	107 040	10	44 600	14	62 440
5221	頬粘膜悪性腫瘍手術	26310	25	657 750	25	657 750	–	–
5222	舌腫瘍摘出術　粘液嚢胞摘出術	1220	56	68 320	2	2 440	54	65 880
5223	舌腫瘍摘出術　その他のもの	2940	139	408 660	75	220 500	64	188 160
5224	舌根甲状腺腫摘出術	11760	–	–	–	–	–	–
5225	甲状舌管嚢胞摘出術	8970	50	448 500	50	448 500	–	–
5226	舌悪性腫瘍手術　切除	26410	149	3 935 090	148	3 908 680	1	26 410
5227	舌悪性腫瘍手術　亜全摘	75070	40	3 002 800	40	3 002 800	–	–
5228	舌形成手術（巨舌症手術）	9100	–	–	–	–	–	–
5229	舌繋瘢痕性短縮矯正術	2650	10	26 500	3	7 950	7	18 550
5230	頬小帯形成手術	560	1	560	–	–	1	560
5231	口唇小帯形成手術	560	4	2 240	4	2 240	–	–
5232	舌小帯形成手術	560	88	49 280	49	27 440	39	21 840
5233	（顔面）							
5234	口唇腫瘍摘出術　粘液嚢胞摘出術	910	197	179 270	10	9 100	187	170 170
5235	口唇腫瘍摘出術　その他のもの	3050	87	265 350	1	3 050	86	262 300
5236	口唇悪性腫瘍手術	33010	10	330 100	10	330 100	–	–
5237	頬腫瘍摘出術　粘液嚢胞摘出術	910	3	2 730	–	–	3	2 730
5238	頬腫瘍摘出術　その他のもの	5250	23	120 750	6	31 500	17	89 250
5239	頬悪性腫瘍手術	20940	10	209 400	10	209 400	–	–
5240	口腔，顎，顔面悪性腫瘍切除術	108700	28	3 043 600	27	2 934 900	1	108 700
5241	口唇裂形成手術（片側）口唇のみの場合	13180	18	237 240	17	224 060	1	13 180
5242	口唇裂形成手術（片側）口唇裂鼻形成を伴う場合	18810	21	395 010	21	395 010	–	–
5243	口唇裂形成手術（片側）鼻腔底形成を伴う場合	24350	55	1 339 250	55	1 339 250	–	–
5244	口唇裂形成手術（両側）口唇のみの場合	18810	3	56 430	3	56 430	–	–
5245	口唇裂形成手術（両側）口唇裂鼻形成を伴う場合	23790	3	71 370	2	47 580	1	23 790
5246	口唇裂形成手術（両側）鼻腔底形成を伴う場合	36620	18	659 160	18	659 160	–	–
5247	（顔面骨，顎関節）							
5248	頬骨骨折観血的整復術	18100	212	3 837 200	207	3 746 700	5	90 500
5249	頬骨変形治癒骨折矯正術	38610	2	77 220	2	77 220	–	–
5250	下顎骨折非観血的整復術	1240	14	17 360	11	13 640	3	3 720
5251	下顎骨折非観血的整復術　連続歯結紮法　三内式線副子以上　加算	650	3	1 950	2	1 300	1	650
5252	下顎骨折観血的手術　片側	13000	14	182 000	14	182 000	–	–
5253	下顎骨折観血的手術　両側	27320	6	163 920	6	163 920	–	–
5254	下顎関節突起骨折観血的手術　片側	28210	9	253 890	9	253 890	–	–
5255	下顎関節突起骨折観血的手術　両側	47020	–	–	–	–	–	–
5256	顎関節脱臼非観血的整復術	410	929	380 890	369	151 290	560	229 600
5257	顎関節脱臼観血的手術	26210	–	–	–	–	–	–
5258	上顎骨折非観血的整復術	1570	1	1 570	–	–	1	1 570
5259	上顎骨折観血的手術	16400	19	311 600	19	311 600	–	–
5260	顔面多発骨折観血的手術	39700	26	1 032 200	26	1 032 200	–	–
5261	顔面多発骨折変形治癒矯正術	47630	1	47 630	1	47 630	–	–
5262	術後性上顎嚢胞摘出術	6660	6	39 960	6	39 960	–	–
5263	顎骨腫瘍摘出術　長径３cm未満	2820	12	33 840	12	33 840	–	–
5264	顎骨腫瘍摘出術　長径３cm以上	13390	14	187 460	14	187 460	–	–
5265	下顎骨部分切除術	16780	8	134 240	8	134 240	–	–
5266	下顎骨離断術	32560	2	65 120	2	65 120	–	–
5267	下顎骨悪性腫瘍手術　切除	40360	12	484 320	12	484 320	–	–
5268	下顎骨悪性腫瘍手術　切断	64590	13	839 670	13	839 670	–	–
5269	上顎骨切除術	15310	2	30 620	2	30 620	–	–
5270	上顎骨全摘術	42590	–	–	–	–	–	–
5271	上顎骨悪性腫瘍手術　掻爬	9160	1	9 160	1	9 160	–	–
5272	上顎骨悪性腫瘍手術　切除	34420	18	619 560	18	619 560	–	–
5273	上顎骨悪性腫瘍手術　全摘	68480	19	1 301 120	19	1 301 120	–	–
5274	上顎骨形成術　単純な場合	27880	16	446 080	16	446 080	–	–
5275	上顎骨形成術　単純な場合　上顎骨複数分割　加算	5000	2	10 000	2	10 000	–	–
5276	上顎骨形成術　複雑な場合及び２次的再建の場合	45510	2	91 020	2	91 020	–	–
5277	上顎骨形成術　骨移動を伴う場合	72900	–	–	–	–	–	–
5278	下顎骨形成術　おとがい形成の場合	7780	5	38 900	5	38 900	–	–
5279	下顎骨形成術　短縮の場合	30790	18	554 220	18	554 220	–	–
5280	下顎骨形成術　伸長の場合	30790	4	123 160	4	123 160	–	–
5281	下顎骨形成術　両側を同時に行った場合　加算	3000	17	51 000	17	51 000	–	–
5282	下顎骨形成術　再建の場合	51120	1	51 120	1	51 120	–	–
5283	下顎骨形成術　骨移動を伴う場合	54210	1	54 210	1	54 210	–	–
5284	下顎骨延長術　片側	30790	–	–	–	–	–	–
5285	下顎骨延長術　両側	47550	1	47 550	1	47 550	–	–
5286	顎関節形成術	40870	1	40 870	1	40 870	–	–
5287	顎関節授動術　徒手的授動術　パンピングを併用した場合	990	2	1 980	–	–	2	1 980
5288	顎関節授動術　徒手的授動術　関節腔洗浄療法を併用した場合	2400	–	–	–	–	–	–
5289	顎関節授動術　顎関節鏡下授動術	10520	1	10 520	1	10 520	–	–
5290	顎関節授動術　開放授動術	25100	1	25 100	1	25 100	–	–
5291	顎関節円板整位術　顎関節鏡下円板整位術	22100	–	–	–	–	–	–
5292	顎関節円板整位術　開放円板整位術	27300	–	–	–	–	–	–
5293	（唾液腺）							
5294	がま腫切開術	820	11	9 020	–	–	11	9 020
5295	唾液腺膿瘍切開術	900	9	8 100	7	6 300	2	1 800
5296	唾石摘出術（一連につき）表在性のもの	640	215	137 600	22	14 080	193	123 520
5297	唾石摘出術（一連につき）深在性のもの	3770	47	177 190	34	128 180	13	49 010
5298	唾石摘出術（一連につき）腺体内に存在するもの	6550	14	91 700	13	85 150	1	6 550
5299	唾石摘出術　内視鏡　加算	1000	5	5 000	5	5 000	–	–
5300	がま腫摘出術	7140	8	57 120	7	49 980	1	7 140
5301	舌下腺腫瘍摘出術	7180	8	57 440	8	57 440	–	–
5302	顎下腺腫瘍摘出術	9640	70	674 800	69	665 160	1	9 640
5303	顎下腺摘出術	10210	166	1 694 860	165	1 684 650	1	10 210
5304	顎下腺悪性腫瘍手術	33010	23	759 230	23	759 230	–	–

第８表　医科診療　件数・診療実日数・回数・点数，診療行為（細分類）、入院－入院外別

平成30年６月審査分

行番号	診療行為（細分類）	固定点数	総数		入院		入院外	
			回数	点数	回数	点数	回数	点数
5305	耳下腺腫瘍摘出術　耳下腺浅葉摘出術	27210	412	11 210 520	409	11 128 890	3	81 630
5306	耳下腺腫瘍摘出術　耳下腺深葉摘出術	34210	106	3 626 260	106	3 626 260	–	–
5307	耳下腺悪性腫瘍手術　切除	33010	36	1 188 360	36	1 188 360	–	–
5308	耳下腺悪性腫瘍手術　全摘	44020	46	2 024 920	46	2 024 920	–	–
5309	唾液腺管形成手術	13630	1	13 630	1	13 630	–	–
5310	唾液腺管移動術　上顎洞内へのもの	13630	–	–	–	–	–	–
5311	唾液腺管移動術　結膜嚢内へのもの	15490	–	–	–	–	–	–
5312	（甲状腺，副甲状腺（上皮小体））							
5313	甲状腺部分切除術，甲状腺腫摘出術　片葉のみの場合	8860	599	5 307 140	599	5 307 140	–	–
5314	甲状腺部分切除術，甲状腺腫摘出術　両葉の場合	10760	88	946 880	88	946 880	–	–
5315	内視鏡下甲状腺部分切除，腺腫摘出術　片葉のみの場合	17410	43	748 630	43	748 630	–	–
5316	内視鏡下甲状腺部分切除，腺腫摘出術　両葉の場合	25210	–	–	–	–	–	–
5317	バセドウ甲状腺全摘（亜全摘）術（両葉）	22880	180	4 118 400	180	4 118 400	–	–
5318	内視鏡下バセドウ甲状腺全摘（亜全摘）術（両葉）	25210	3	75 630	3	75 630	–	–
5319	甲状腺悪性腫瘍手術　切除	24180	632	15 281 760	632	15 281 760	–	–
5320	甲状腺悪性腫瘍手術　全摘及び亜全摘	33790	515	17 401 850	515	17 401 850	–	–
5321	内視鏡下甲状腺悪性腫瘍手術　切除	27550	14	385 700	14	385 700	–	–
5322	内視鏡下甲状腺悪性腫瘍手術　全摘及び亜全摘	37160	4	148 640	4	148 640	–	–
5323	副甲状腺（上皮小体）腺腫過形成手術　副甲状腺(上皮小体)摘出術	15680	204	3 198 720	204	3 198 720	–	–
5324	副甲状腺（上皮小体）腺腫過形成手術　副甲状腺(上皮小体)全摘術(一部筋肉移植)	33790	25	844 750	25	844 750	–	–
5325	内視鏡下副甲状腺（上皮小体）腺腫過形成手術	20660	3	61 980	3	61 980	–	–
5326	副甲状腺（上皮小体）悪性腫瘍手術（広汎）	39000	2	78 000	2	78 000	–	–
5327	（その他の頸部）							
5328	斜角筋切断術	3760	–	–	–	–	–	–
5329	頸瘻摘出術	13710	13	178 230	13	178 230	–	–
5330	頸嚢摘出術	13710	90	1 233 900	88	1 206 480	2	27 420
5331	頸肋切除術	15240	–	–	–	–	–	–
5332	頸部郭清術　片側	27670	201	5 561 670	201	5 561 670	–	–
5333	頸部郭清術　両側	37140	16	594 240	16	594 240	–	–
5334	頸部悪性腫瘍手術	41920	9	377 280	9	377 280	–	–
5335	筋性斜頸手術	3720	5	18 600	5	18 600	–	–
5336	胸部小計		24 987	826 315 770	19 918	787 548 730	5 069	38 767 040
5337	（乳腺）							
5338	乳腺膿瘍切開術	820	331	271 420	16	13 120	315	258 300
5339	乳腺腫瘍摘出術　長径５cm未満	2660	755	2 008 300	307	816 620	448	1 191 680
5340	乳腺腫瘍摘出術　長径５cm以上	6730	283	1 904 590	216	1 453 680	67	450 910
5341	乳管腺葉区域切除術	12820	49	628 180	39	499 980	10	128 200
5342	乳腺腫瘍画像ガイド下吸引術（一連につき）マンモグラフィー又は超音波装置によるもの	6240	2 515	15 693 600	76	474 240	2 439	15 219 360
5343	乳腺腫瘍画像ガイド下吸引術（一連につき）MRＩによるもの	8210	3	24 630	–	–	3	24 630
5344	乳房切除術	6040	31	187 240	26	157 040	5	30 200
5345	乳房切除術　性同一性障害の患者	6040	4	24 160	4	24 160	–	–
5346	乳癌冷凍凝固摘出術	7240	–	–	–	–	–	–
5347	乳腺悪性腫瘍手術　単純乳房切除術（乳腺全摘術）	14820	95	1 407 900	94	1 393 080	1	14 820
5348	乳腺悪性腫瘍手術　乳房部分切除術（腋窩部郭清を伴わないもの）	28210	2 317	65 362 570	2 256	63 641 760	61	1 720 810
5349	乳腺悪性腫瘍手術　乳房切除術（腋窩部郭清を伴わないもの）	22520	1 999	45 017 480	1 999	45 017 480	–	–
5350	乳腺悪性腫瘍手術　乳房部分切除術（腋窩部郭清を伴うもの（内視鏡下によるものを含む））	42350	583	24 690 050	574	24 308 900	9	381 150
5351	乳腺悪性腫瘍手術　乳房切除術（腋窩鎖骨下部郭清を伴うもの）・胸筋切除を併施しないもの	42350	1 397	59 162 950	1 385	58 654 750	12	508 200
5352	乳腺悪性腫瘍手術　乳房切除術（腋窩鎖骨下部郭清を伴うもの）・胸筋切除を併施するもの	42350	79	3 345 650	79	3 345 650	–	–
5353	乳腺悪性腫瘍手術　拡大乳房切除術（胸骨旁，鎖骨上，下窩など郭清を併施するもの）	52820	7	369 740	7	369 740	–	–
5354	乳腺悪性腫瘍手術　乳輪温存乳房切除術（腋窩郭清を伴わない）	27810	150	4 171 500	150	4 171 500	–	–
5355	乳腺悪性腫瘍手術　乳輪温存乳房切除術（腋窩郭清を伴う）	48340	23	1 111 820	23	1 111 820	–	–
5356	乳腺悪性腫瘍手術　乳がんセンチネルリンパ節　加算1	5000	2 670	13 350 000	2 670	13 350 000	–	–
5357	乳腺悪性腫瘍手術　乳がんセンチネルリンパ節　加算2	3000	1 465	4 395 000	1 465	4 395 000	–	–
5358	陥没乳頭形成術	7350	298	2 190 300	10	73 500	288	2 116 800
5359	再建乳房乳頭形成術	7350	153	1 124 550	46	338 100	107	786 450
5360	動脈（皮）弁及び筋（皮）弁を用いた乳房再建術（乳房切除後）一次的に行うもの	49120	71	3 487 520	71	3 487 520	–	–
5361	動脈（皮）弁及び筋（皮）弁を用いた乳房再建術（乳房切除後）二次的に行うもの	53560	23	1 231 880	23	1 231 880	–	–
5362	ゲル充填人工乳房を用いた乳房再建術（乳房切除後）	25000	500	12 500 000	421	10 525 000	79	1 975 000
5363	（胸壁）							
5364	胸壁膿瘍切開術	700	8	5 600	6	4 200	2	1 400
5365	肋骨・胸骨カリエス手術	8950	1	8 950	1	8 950	–	–
5366	肋骨骨髄炎手術	8950	4	35 800	4	35 800	–	–
5367	胸壁冷膿瘍手術	7810	–	–	–	–	–	–
5368	流注膿瘍切開掻爬術	7670	–	–	–	–	–	–
5369	肋骨骨折観血的手術	10330	10	103 300	10	103 300	–	–
5370	肋骨切除術　第１肋骨	16900	13	219 700	13	219 700	–	–
5371	肋骨切除術　その他の肋骨	5160	7	36 120	7	36 120	–	–
5372	胸骨切除術	12120	7	84 840	7	84 840	–	–
5373	胸骨骨折観血手術	12120	1	12 120	1	12 120	–	–
5374	胸壁悪性腫瘍摘出術　胸壁形成手術を併施するもの	56000	19	1 064 000	19	1 064 000	–	–
5375	胸壁悪性腫瘍摘出術　その他のもの	28210	24	677 040	24	677 040	–	–
5376	胸骨悪性腫瘍摘出術　胸壁形成手術を併施するもの	43750	1	43 750	1	43 750	–	–
5377	胸骨悪性腫瘍摘出術　その他のもの	28210	–	–	–	–	–	–
5378	胸壁腫瘍摘出術	12960	22	285 120	18	233 280	4	51 840
5379	胸壁瘻手術	23520	4	94 080	4	94 080	–	–
5380	漏斗胸手術　胸骨挙上法によるもの	28210	10	282 100	10	282 100	–	–
5381	漏斗胸手術　胸骨翻転法によるもの	37370	–	–	–	–	–	–
5382	漏斗胸手術　胸腔鏡によるもの	39260	5	196 300	5	196 300	–	–
5383	（胸腔，胸膜）							
5384	試験開胸術	10800	85	918 000	85	918 000	–	–
5385	試験的開胸開腹術	17380	10	173 800	10	173 800	–	–
5386	胸腔鏡下試験開胸術	13500	50	675 000	50	675 000	–	–
5387	胸腔鏡下試験切除術	15800	282	4 455 600	282	4 455 600	–	–
5388	骨膜外，胸膜外充填術	23520	–	–	–	–	–	–
5389	胸腔内（胸膜内）血腫除去術	15350	42	644 700	42	644 700	–	–
5390	醸膿胸膜，胸膜胼胝切除術　１肺葉に相当する範囲以内のもの	26340	7	184 380	7	184 380	–	–
5391	醸膿胸膜，胸膜胼胝切除術　１肺葉に相当する範囲を超えるもの	33150	10	331 500	10	331 500	–	–
5392	胸腔鏡下醸膿胸膜又は胸膜胼胝切除術	51850	72	3 733 200	72	3 733 200	–	–
5393	胸膜外肺剥皮術　１肺葉に相当する範囲以内のもの	26340	1	26 340	1	26 340	–	–
5394	胸膜外肺剥皮術　１肺葉に相当する範囲を超えるもの	33150	1	33 150	1	33 150	–	–
5395	胸腔鏡下膿胸腔掻爬術	32690	118	3 857 420	118	3 857 420	–	–
5396	膿胸腔有茎筋肉弁充填術	38610	4	154 440	4	154 440	–	–
5397	膿胸腔有茎大網充填術	57100	15	856 500	15	856 500	–	–
5398	胸郭形成手術（膿胸手術の場合）肋骨切除を主とするもの	42020	20	840 400	20	840 400	–	–
5399	胸郭形成手術（膿胸手術の場合）胸膜胼胝切除を併施するもの	49200	7	344 400	7	344 400	–	–
5400	胸郭形成手術（肺切除後遺残腔を含む）	16540	4	66 160	4	66 160	–	–
5401	乳糜胸手術	17290	2	34 580	2	34 580	–	–
5402	胸腔・腹腔シャントバルブ設置術	12530	6	75 180	6	75 180	–	–
5403	胸腔鏡下胸管結紮術（乳糜胸手術）	15230	6	91 380	6	91 380	–	–
5404	（縦隔）							
5405	縦隔腫瘍，胸腺摘出術	38850	69	2 680 650	69	2 680 650	–	–
5406	縦隔切開術　頸部からのもの	6390	7	44 730	7	44 730	–	–
5407	縦隔切開術　経食道によるもの	6390	–	–	–	–	–	–
5408	縦隔切開術　経胸腔によるもの	20050	6	120 300	6	120 300	–	–
5409	縦隔切開術　経腹によるもの	20050	1	20 050	1	20 050	–	–
5410	胸腔鏡下縦隔切開術	31300	8	250 400	8	250 400	–	–
5411	拡大胸腺摘出術	33870	8	270 960	8	270 960	–	–
5412	胸腔鏡下拡大胸腺摘出術	58950	10	589 500	10	589 500	–	–
5413	縦隔郭清術	37010	8	296 080	8	296 080	–	–

第８表　医科診療　件数・診療実日数・回数・点数，診療行為（細分類）、入院－入院外別

平成30年６月審査分

行番号	診療行為（細分類）	固定点数	総数 回数	総数 点数	入院 回数	入院 点数	入院外 回数	入院外 点数
5414	縦隔悪性腫瘍手術　単純摘出	38850	13	505 050	13	505 050	-	-
5415	縦隔悪性腫瘍手術　広汎摘出	58820	35	2 058 700	35	2 058 700	-	-
5416	胸腔鏡下縦隔悪性腫瘍手術	58950	73	4 303 350	73	4 303 350	-	-
5417	胸腔鏡下縦隔悪性腫瘍手術　内視鏡下手術用支援機器使用	58950	2	117 900	2	117 900	-	-
5418	（気管支，肺）							
5419	肺膿瘍切開排膿術	31030	2	62 060	2	62 060	-	-
5420	気管支狭窄拡張術（気管支鏡によるもの）	10150	30	304 500	28	284 200	2	20 300
5421	気管・気管支ステント留置術　硬性鏡によるもの	9400	20	188 000	20	188 000	-	-
5422	気管・気管支ステント留置術　軟性鏡によるもの	8960	18	161 280	18	161 280	-	-
5423	気管支熱形成術	10150	53	537 950	53	537 950	-	-
5424	気管支異物除去術　直達鏡によるもの	9260	61	564 860	53	490 780	8	74 080
5425	気管支異物除去術　開胸手術によるもの	45650	-	-	-	-	-	-
5426	気管支肺胞洗浄術	4800	24	115 200	22	105 600	2	9 600
5427	気管支内視鏡的放射線治療用マーカー留置術	10000	19	190 000	14	140 000	5	50 000
5428	気管支瘻孔閉鎖術	9130	93	849 090	92	839 960	1	9 130
5429	気管支腫瘍摘出術（気管支鏡又は気管支ファイバースコープによるもの）	8040	24	192 960	23	184 920	1	8 040
5430	光線力学療法　早期肺がん（０期又は１期に限る）に対するもの	10450	2	20 900	2	20 900	-	-
5431	光線力学療法　その他のもの	10450	1	10 450	-	-	1	10 450
5432	気管支鏡下レーザー腫瘍焼灼術	12020	13	156 260	13	156 260	-	-
5433	肺切除術　楔状部分切除	27520	35	963 200	35	963 200	-	-
5434	肺切除術　区域切除（１肺葉に満たないもの）	58430	13	759 590	13	759 590	-	-
5435	肺切除術　肺葉切除	58350	30	1 750 500	30	1 750 500	-	-
5436	肺切除術　複合切除（１肺葉を超えるもの）	64850	6	389 100	6	389 100	-	-
5437	肺切除術　１側肺全摘	59830	2	119 660	2	119 660	-	-
5438	肺切除術　気管支形成を伴う肺切除術	76230	1	76 230	1	76 230	-	-
5439	胸腔鏡下肺切除術　肺嚢胞手術（楔状部分切除によるもの）	39830	1 303	51 898 490	1 303	51 898 490	-	-
5440	胸腔鏡下肺切除術　その他のもの	58950	338	19 925 100	338	19 925 100	-	-
5441	胸腔鏡下良性縦隔腫瘍手術	58950	159	9 373 050	159	9 373 050	-	-
5442	胸腔鏡下良性縦隔腫瘍手術　内視鏡下手術用支援機器使用	58950	11	648 450	11	648 450	-	-
5443	胸腔鏡下良性胸壁腫瘍手術	58950	23	1 355 850	23	1 355 850	-	-
5444	胸腔鏡下肺縫縮術	53130	89	4 728 570	89	4 728 570	-	-
5445	肺悪性腫瘍手術　部分切除	60350	84	5 069 400	84	5 069 400	-	-
5446	肺悪性腫瘍手術　区域切除	69250	48	3 324 000	48	3 324 000	-	-
5447	肺悪性腫瘍手術　肺葉切除又は１肺葉を超えるもの	72640	390	28 329 600	390	28 329 600	-	-
5448	肺悪性腫瘍手術　肺全摘	72640	19	1 380 160	19	1 380 160	-	-
5449	肺悪性腫瘍手術　隣接臓器合併切除を伴う肺切除	78400	43	3 371 200	43	3 371 200	-	-
5450	肺悪性腫瘍手術　気管支形成を伴う肺切除	80460	38	3 057 480	38	3 057 480	-	-
5451	肺悪性腫瘍手術　気管分岐部切除を伴う肺切除	124860	1	124 860	1	124 860	-	-
5452	肺悪性腫瘍手術　気管分岐部再建を伴う肺切除	127130	3	381 390	3	381 390	-	-
5453	肺悪性腫瘍手術　胸膜肺全摘	92000	1	92 000	1	92 000	-	-
5454	肺悪性腫瘍手術　壁側・臓側胸膜全切除（横隔膜心膜合併切除を伴うもの）	105000	2	210 000	2	210 000	-	-
5455	胸腔鏡下肺悪性腫瘍手術　部分切除	60170	995	59 869 150	995	59 869 150	-	-
5456	胸腔鏡下肺悪性腫瘍手術　区域切除	72640	408	29 637 120	408	29 637 120	-	-
5457	胸腔鏡下肺悪性腫瘍手術　肺葉切除又は１肺葉を超えるもの	92000	1 793	164 956 000	1 793	164 956 000	-	-
5458	胸腔鏡下肺悪性腫瘍手術　肺葉切除又は１肺葉を超えるもの　内視鏡下手術用支援機器使用	92000	27	2 484 000	27	2 484 000	-	-
5459	移植用肺採取術（死体）（両側）	63200	3	189 600	3	189 600	-	-
5460	同種死体肺移植術	139230	3	417 690	3	417 690	-	-
5461	同種死体肺移植術　両側肺移植　加算	45000	1	45 000	1	45 000	-	-
5462	移植用部分肺採取術（生体）	60750	-	-	-	-	-	-
5463	生体部分肺移植術	130260	-	-	-	-	-	-
5464	生体部分肺移植術　提供者の療養上の費用		-	-	-	-	-	-
5465	生体部分肺移植術　両側肺移植　加算	45000	-	-	-	-	-	-
5466	肺剥皮術	32600	2	65 200	2	65 200	-	-
5467	気管支瘻閉鎖術	59170	8	473 360	8	473 360	-	-
5468	肺縫縮術	28220	18	507 960	18	507 960	-	-
5469	気管支形成手術　楔状切除術	64030	-	-	-	-	-	-
5470	気管支形成手術　輪状切除術	66010	-	-	-	-	-	-
5471	先天性気管狭窄症手術	146950	-	-	-	-	-	-
5472	（食道）							
5473	食道縫合術（穿孔，損傷）頸部手術	17070	5	85 350	5	85 350	-	-
5474	食道縫合術（穿孔，損傷）開胸手術	28210	11	310 310	11	310 310	-	-
5475	食道縫合術（穿孔，損傷）開腹手術	17750	5	88 750	5	88 750	-	-
5476	食道縫合術（穿孔，損傷）内視鏡によるもの	10300	-	-	-	-	-	-
5477	食道周囲膿瘍切開誘導術　開胸手術	28210	1	28 210	1	28 210	-	-
5478	食道周囲膿瘍切開誘導術　胸骨切開によるもの	23290	-	-	-	-	-	-
5479	食道周囲膿瘍切開誘導術　その他のもの（頸部手術を含む）	7920	8	63 360	8	63 360	-	-
5480	食道狭窄拡張術　内視鏡によるもの	9450	208	1 965 600	75	708 750	133	1 256 850
5481	食道狭窄拡張術　食道ブジー法	2950	112	330 400	35	103 250	77	227 150
5482	食道狭窄拡張術　拡張用バルーンによるもの	12480	1 506	18 794 880	547	6 826 560	959	11 968 320
5483	食道ステント留置術	6300	325	2 047 500	324	2 041 200	1	6 300
5484	食道空置バイパス作成術	65900	8	527 200	8	527 200	-	-
5485	食道異物摘出術　頸部手術によるもの	27890	4	111 560	4	111 560	-	-
5486	食道異物摘出術　開胸手術によるもの	28210	-	-	-	-	-	-
5487	食道異物摘出術　開腹手術によるもの	27720	-	-	-	-	-	-
5488	硬性内視鏡下食道異物摘出術	5360	6	32 160	6	32 160	-	-
5489	食道憩室切除術　頸部手術によるもの	24730	4	98 920	4	98 920	-	-
5490	食道憩室切除術　開胸によるもの	34570	-	-	-	-	-	-
5491	胸腔鏡下食道憩室切除術	39930	2	79 860	2	79 860	-	-
5492	腹腔鏡下食道憩室切除術	39930	-	-	-	-	-	-
5493	食道切除再建術　頸部，胸部，腹部の操作によるもの	77040	4	308 160	4	308 160	-	-
5494	食道切除再建術　胸部，腹部の操作によるもの	69690	2	139 380	2	139 380	-	-
5495	食道切除再建術　腹部の操作によるもの	51420	1	51 420	1	51 420	-	-
5496	胸壁外皮膚管形成吻合術　頸部，胸部，腹部の操作によるもの	77040	-	-	-	-	-	-
5497	胸壁外皮膚管形成吻合術　胸部，腹部の操作によるもの	69690	-	-	-	-	-	-
5498	胸壁外皮膚管形成吻合術　腹部の操作によるもの	51420	-	-	-	-	-	-
5499	胸壁外皮膚管形成吻合術　バイパスのみ作成する場合	45230	-	-	-	-	-	-
5500	非開胸食道抜去術（消化管再建手術を併施するもの）	69690	2	139 380	2	139 380	-	-
5501	食道腫瘍摘出術　内視鏡によるもの	8480	39	330 720	29	245 920	10	84 800
5502	食道腫瘍摘出術　開胸又は開腹手術によるもの	37550	3	112 650	3	112 650	-	-
5503	食道腫瘍摘出術　腹腔鏡下によるもの	50250	2	100 500	2	100 500	-	-
5504	食道腫瘍摘出術　縦隔鏡下によるもの	50250	-	-	-	-	-	-
5505	食道腫瘍摘出術　胸腔鏡下によるもの	50250	3	150 750	3	150 750	-	-
5506	内視鏡的食道粘膜切除術　早期悪性腫瘍粘膜切除術	8840	114	1 007 760	103	910 520	11	97 240
5507	内視鏡的食道粘膜切除術　早期悪性腫瘍粘膜下層剥離術	22100	852	18 829 200	851	18 807 100	1	22 100
5508	内視鏡的表在性食道悪性腫瘍光線力学療法	12950	-	-	-	-	-	-
5509	内視鏡的食道悪性腫瘍光線力学療法	14510	8	116 080	8	116 080	-	-
5510	食道悪性腫瘍手術（単に切除のみのもの）頸部食道の場合	47530	5	237 650	5	237 650	-	-
5511	食道悪性腫瘍手術（単に切除のみのもの）胸部食道の場合	56950	8	455 600	8	455 600	-	-
5512	先天性食道閉鎖症根治手術	64820	8	518 560	8	518 560	-	-
5513	先天性食道狭窄症根治手術	51220	-	-	-	-	-	-
5514	胸腔鏡下先天性食道閉鎖症根治手術	76320	1	76 320	1	76 320	-	-
5515	食道悪性腫瘍手術（消化管再建手術を併施するもの）　頸部，胸部，腹部の操作によるもの	122540	114	13 969 560	114	13 969 560	-	-
5516	食道悪性腫瘍手術（消化管再建手術を併施するもの）胸部，腹部の操作によるもの	101490	67	6 799 830	67	6 799 830	-	-
5517	食道悪性腫瘍手術（消化管再建手術を併施するもの）腹部の操作によるもの	69840	11	768 240	11	768 240	-	-
5518	食道悪性腫瘍手術（消化管再建手術を併施するもの）有茎腸管移植　加算	7500	6	45 000	6	45 000	-	-
5519	食道悪性腫瘍手術（消化管再建手術を併施するもの）血行再建　加算	3000	6	18 000	6	18 000	-	-
5520	胸腔鏡下食道悪性腫瘍手術　頸部，胸部，腹部の操作によるもの	125240	263	32 938 120	263	32 938 120	-	-
5521	胸腔鏡下食道悪性腫瘍手術　頸部，胸部，腹部の操作によるもの　内視鏡下手術用支援機器使用	125240	5	626 200	5	626 200	-	-
5522	胸腔鏡下食道悪性腫瘍手術　胸部，腹部の操作によるもの	104190	32	3 334 080	32	3 334 080	-	-
5523	胸腔鏡下食道悪性腫瘍手術　胸部，腹部の操作によるもの　内視鏡下手術用支援機器使用	104190	1	104 190	1	104 190	-	-

第８表　医科診療　件数・診療実日数・回数・点数，診療行為（細分類）、入院－入院外別

平成30年６月審査分

行番号	診療行為（細分類）	固定点数	総数 回数	総数 点数	入院 回数	入院 点数	入院外 回数	入院外 点数
5524	胸腔鏡下食道悪性腫瘍手術　有茎腸管移植　加算	7500	9	67 500	9	67 500	-	-
5525	縦隔鏡下食道悪性腫瘍手術	109240	8	873 920	8	873 920	-	-
5526	食道アカラシア形成手術	32710	-	-	-	-	-	-
5527	腹腔鏡下食道アカラシア形成手術	44500	7	311 500	7	311 500	-	-
5528	内視鏡下筋層切開術	11340	43	487 620	43	487 620	-	-
5529	食道切除後２次的再建術　皮弁形成によるもの	43920	1	43 920	1	43 920	-	-
5530	食道切除後２次的再建術　消化管利用によるもの	64300	20	1 286 000	20	1 286 000	-	-
5531	食道・胃静脈瘤手術　血行遮断術を主とするもの	37620	5	188 100	5	188 100	-	-
5532	食道・胃静脈瘤手術　食道離断術を主とするもの	37620	1	37 620	1	37 620	-	-
5533	食道静脈瘤手術（開腹）	34240	1	34 240	1	34 240	-	-
5534	腹腔鏡下食道静脈瘤手術（胃上部血行遮断術）	49800	1	49 800	1	49 800	-	-
5535	食道・胃静脈瘤硬化療法（内視鏡によるもの）（一連として）	8990	678	6 095 220	678	6 095 220	-	-
5536	内視鏡的食道・胃静脈瘤結紮術	8990	1 315	11 821 850	1 308	11 758 920	7	62 930
5537	（横隔膜）							
5538	横隔膜縫合術　経胸	33460	5	167 300	5	167 300	-	-
5539	横隔膜縫合術　経腹	33460	7	234 220	7	234 220	-	-
5540	横隔膜縫合術　経胸及び経腹	40910	3	122 730	3	122 730	-	-
5541	横隔膜レラクサチオ手術　経胸	27890	-	-	-	-	-	-
5542	横隔膜レラクサチオ手術　経腹	27890	-	-	-	-	-	-
5543	横隔膜レラクサチオ手術　経胸及び経腹	37620	-	-	-	-	-	-
5544	胸腔鏡下（腹腔鏡下を含む）横隔膜縫合術	31990	10	319 900	10	319 900	-	-
5545	胸腹裂孔ヘルニア手術　経胸	29560	1	29 560	1	29 560	-	-
5546	胸腹裂孔ヘルニア手術　経腹	29560	7	206 920	7	206 920	-	-
5547	胸腹裂孔ヘルニア手術　経胸及び経腹	39040	-	-	-	-	-	-
5548	後胸骨ヘルニア手術	27380	-	-	-	-	-	-
5549	食道裂孔ヘルニア手術　経胸	27380	3	82 140	3	82 140	-	-
5550	食道裂孔ヘルニア手術　経腹	27380	13	355 940	13	355 940	-	-
5551	食道裂孔ヘルニア手術　経胸及び経腹	38290	-	-	-	-	-	-
5552	腹腔鏡下食道裂孔ヘルニア手術	42180	68	2 868 240	68	2 868 240	-	-
5553	心・脈管小計		109 437	2 506 802 310	88 655	2 200 110 370	20 782	306 691 940
5554	（心，心膜，肺動静脈，冠血管等）							
5555	心膜縫合術	9180	3	27 540	3	27 540	-	-
5556	心筋縫合止血術（外傷性）	11800	6	70 800	6	70 800	-	-
5557	心膜切開術	9420	109	1 026 780	108	1 017 360	1	9 420
5558	心膜嚢胞，心膜腫瘍切除術	15240	-	-	-	-	-	-
5559	胸腔鏡下心膜開窓術	16540	9	148 860	9	148 860	-	-
5560	収縮性心膜炎手術	51650	15	774 750	15	774 750	-	-
5561	試験開心術	24700	5	123 500	5	123 500	-	-
5562	心腔内異物除去術	39270	11	431 970	11	431 970	-	-
5563	心房内血栓除去術	39270	8	314 160	8	314 160	-	-
5564	心腫瘍摘出術　単独のもの	60600	23	1 393 800	23	1 393 800	-	-
5565	心腔内粘液腫摘出術　単独のもの	60600	10	606 000	10	606 000	-	-
5566	心腫瘍摘出術　冠動脈血行再建術（１吻合）を伴うもの	77770	2	155 540	2	155 540	-	-
5567	心腔内粘液腫摘出術　冠動脈血行再建術（１吻合）を伴うもの	77770	-	-	-	-	-	-
5568	心腫瘍摘出術　冠動脈血行再建術（２吻合以上）を伴うもの	91910	-	-	-	-	-	-
5569	心腔内粘液腫摘出術　冠動脈血行再建術（２吻合以上）を伴うもの	91910	-	-	-	-	-	-
5570	開胸心臓マッサージ	9400	43	404 200	39	366 600	4	37 600
5571	経皮的冠動脈形成術　急性心筋梗塞に対するもの	32000	224	7 168 000	224	7 168 000	-	-
5572	経皮的冠動脈形成術　不安定狭心症に対するもの	22000	337	7 414 000	337	7 414 000	-	-
5573	経皮的冠動脈形成術　その他のもの	19300	1 790	34 547 000	1 788	34 508 400	2	38 600
5574	経皮的冠動脈粥腫切除術	28280	132	3 732 960	132	3 732 960	-	-
5575	経皮的冠動脈形成術（特殊カテーテルによるもの）高速回転式経皮経管アテレクトミーカテーテルによるもの	24720	808	19 973 760	808	19 973 760	-	-
5576	経皮的冠動脈形成術（特殊カテーテルによるもの）エキシマレーザー血管形成用カテーテル	24720	175	4 326 000	175	4 326 000	-	-
5577	経皮的冠動脈ステント留置術　急性心筋梗塞に対するもの	34380	2 257	77 595 660	2 255	77 526 900	2	68 760
5578	経皮的冠動脈ステント留置術　不安定狭心症に対するもの	24380	2 280	55 586 400	2 280	55 586 400	-	-
5579	経皮的冠動脈ステント留置術　その他のもの	21680	12 145	263 303 600	12 124	262 848 320	21	455 280
5580	冠動脈内血栓溶解療法	17720	9	159 480	9	159 480	-	-
5581	経皮的冠動脈血栓吸引術	19640	75	1 473 000	74	1 453 360	1	19 640
5582	冠動脈形成術（血栓内膜摘除）１箇所のもの	76550	2	153 100	2	153 100	-	-
5583	冠動脈形成術（血栓内膜摘除）２箇所以上のもの	79860	-	-	-	-	-	-
5584	冠動脈，大動脈バイパス移植術　１吻合のもの	71570	13	930 410	13	930 410	-	-
5585	冠動脈，大動脈バイパス移植術　２吻合以上のもの	89250	463	41 322 750	463	41 322 750	-	-
5586	冠動脈，大動脈バイパス移植術　冠動脈形成術（血栓内膜摘除）併施　加算	10000	6	60 000	6	60 000	-	-
5587	冠動脈，大動脈バイパス移植術（人工心肺を使用しないもの）１吻合のもの	71570	72	5 153 040	72	5 153 040	-	-
5588	冠動脈，大動脈バイパス移植術（人工心肺を使用しないもの）２吻合以上のもの	91350	550	50 242 500	550	50 242 500	-	-
5589	冠動脈，大動脈バイパス移植術（人工心肺を使用しないもの）冠動脈形成術（血栓内膜摘除）併施　加算	10000	9	90 000	9	90 000	-	-
5590	自家血管採取料	1680	2	3 360	2	3 360	-	-
5591	小児自家血管採取料	2220	-	-	-	-	-	-
5592	心室瘤切除術（梗塞切除を含む）単独のもの	63390	5	316 950	5	316 950	-	-
5593	心室瘤切除術（梗塞切除を含む）冠動脈血行再建術（１吻合）を伴うもの	80060	1	80 060	1	80 060	-	-
5594	心室瘤切除術（梗塞切除を含む）冠動脈血行再建術（２吻合以上）を伴うもの	100200	-	-	-	-	-	-
5595	左室形成術　単独のもの	114300	6	685 800	6	685 800	-	-
5596	心室中隔穿孔閉鎖術　単独のもの	114300	21	2 400 300	21	2 400 300	-	-
5597	左室自由壁破裂修復術　単独のもの	114300	7	800 100	7	800 100	-	-
5598	左室形成術　冠動脈血行再建術（１吻合）を伴うもの	147890	9	1 331 010	9	1 331 010	-	-
5599	心室中隔穿孔閉鎖術　冠動脈血行再建術（１吻合）を伴うもの	147890	9	1 331 010	9	1 331 010	-	-
5600	左室自由壁破裂修復術　冠動脈血行再建術（１吻合）を伴うもの	147890	-	-	-	-	-	-
5601	左室形成術　冠動脈血行再建術（２吻合以上）を伴うもの	167180	6	1 003 080	6	1 003 080	-	-
5602	心室中隔穿孔閉鎖術　冠動脈血行再建術（２吻合以上）を伴うもの	167180	-	-	-	-	-	-
5603	左室自由壁破裂修復術　冠動脈血行再建術（２吻合以上）を伴うもの	167180	1	167 180	1	167 180	-	-
5604	弁形成術　１弁のもの	79860	175	13 975 500	175	13 975 500	-	-
5605	弁形成術　２弁のもの	93170	105	9 782 850	105	9 782 850	-	-
5606	弁形成術　３弁のもの	106480	2	212 960	2	212 960	-	-
5607	胸腔鏡下弁形成術　１弁のもの	109860	40	4 394 400	40	4 394 400	-	-
5608	胸腔鏡下弁形成術　１弁のもの　内視鏡下手術用支援機器使用	109860	10	1 098 600	10	1 098 600	-	-
5609	胸腔鏡下弁形成術　２弁のもの	123170	9	1 108 530	9	1 108 530	-	-
5610	胸腔鏡下弁形成術　２弁のもの　内視鏡下手術用支援機器使用	123170	2	246 340	2	246 340	-	-
5611	弁置換術　１弁のもの	85500	650	55 575 000	650	55 575 000	-	-
5612	弁置換術　２弁のもの	100200	254	25 450 800	254	25 450 800	-	-
5613	弁置換術　３弁のもの	114510	77	8 817 270	77	8 817 270	-	-
5614	弁置換術　心臓弁再置換術　加算（１弁）		58	2 479 500	58	2 479 500	-	-
5615	弁置換術　心臓弁再置換術　加算（２弁）		28	1 402 800	28	1 402 800	-	-
5616	弁置換術　心臓弁再置換術　加算（３弁）		9	515 295	9	515 295	-	-
5617	経カテーテル大動脈弁置換術　経心尖大動脈弁置換術	61530	7	430 710	7	430 710	-	-
5618	経カテーテル大動脈弁置換術　経皮的大動脈弁置換術	37560	453	17 014 680	453	17 014 680	-	-
5619	胸腔鏡下弁置換術　１弁のもの	115500	26	3 003 000	26	3 003 000	-	-
5620	胸腔鏡下弁置換術　２弁のもの	130200	3	390 600	3	390 600	-	-
5621	胸腔鏡下弁置換術　心臓弁再置換術　加算（１弁）	57750	-	-	-	-	-	-
5622	胸腔鏡下弁置換術　心臓弁再置換術　加算（２弁）	65100	-	-	-	-	-	-
5623	大動脈弁狭窄直視下切開術	42940	-	-	-	-	-	-
5624	経皮的大動脈弁拡張術	37430	51	1 908 930	51	1 908 930	-	-
5625	大動脈弁上狭窄手術	71570	2	143 140	2	143 140	-	-
5626	大動脈弁下狭窄切除術（線維性，筋肥厚性を含む）	78260	5	391 300	5	391 300	-	-
5627	弁輪拡大術を伴う大動脈弁置換術	157840	13	2 051 920	13	2 051 920	-	-
5628	弁輪拡大術を伴う大動脈弁置換術　心臓弁再置換術　加算（１弁）	42750	-	-	-	-	-	-
5629	弁輪拡大術を伴う大動脈弁置換術　心臓弁再置換術　加算（２弁）	50100	4	200 400	4	200 400	-	-
5630	弁輪拡大術を伴う大動脈弁置換術　心臓弁再置換術　加算（３弁）	57255	1	57 255	1	57 255	-	-
5631	ダムス・ケー・スタンセル（DKS）吻合を伴う大動脈狭窄症手術	115750	5	578 750	5	578 750	-	-

第８表　医科診療　件数・診療実日数・回数・点数，診療行為（細分類）、入院－入院外別

平成30年６月審査分

行番号	診療行為（細分類）	固定点数	総数 回数	総数 点数	入院 回数	入院 点数	入院外 回数	入院外 点数
5632	ロス手術（自己肺動脈弁組織による大動脈基部置換術）	192920	1	192 920	1	192 920	–	–
5633	閉鎖式僧帽弁交連切開術	38450	–	–	–	–	–	–
5634	経皮的僧帽弁拡張術	34930	5	174 650	5	174 650	–	–
5635	経皮的僧帽弁クリップ術	34930	26	908 180	26	908 180	–	–
5636	大動脈瘤切除術（吻合又は移植を含む）上行大動脈　大動脈弁置換術又は形成術を伴うもの	114510	124	14 199 240	124	14 199 240	–	–
5637	大動脈瘤切除術（吻合又は移植を含む）上行大動脈　人工弁置換術を伴う大動脈基部置換術	128820	65	8 373 300	65	8 373 300	–	–
5638	大動脈瘤切除術（吻合又は移植を含む）上行大動脈　自己弁温存型大動脈基部置換術	148860	25	3 721 500	25	3 721 500	–	–
5639	大動脈瘤切除術（吻合又は移植を含む）上行大動脈　その他のもの	100200	251	25 150 200	251	25 150 200	–	–
5640	大動脈瘤切除術（吻合又は移植を含む）弓部大動脈	114510	127	14 542 770	127	14 542 770	–	–
5641	大動脈瘤切除術（吻合又は移植を含む）上行大動脈及び弓部大動脈の同時手術　大動脈弁置換術又は形成術を伴うもの	187370	18	3 372 660	18	3 372 660	–	–
5642	大動脈瘤切除術（吻合又は移植を含む）上行大動脈及び弓部大動脈の同時手術　人工弁置換術を伴う大動脈基部置換術	210790	6	1 264 740	6	1 264 740	–	–
5643	大動脈瘤切除術（吻合又は移植を含む）上行大動脈及び弓部大動脈の同時手術　自己弁温存型大動脈基部置換術	243580	–	–	–	–	–	–
5644	大動脈瘤切除術（吻合又は移植を含む）上行大動脈及び弓部大動脈の同時手術　その他のもの	171760	140	24 046 400	140	24 046 400	–	–
5645	大動脈瘤切除術（吻合又は移植を含む）下行大動脈	89250	48	4 284 000	48	4 284 000	–	–
5646	大動脈瘤切除術（吻合又は移植を含む）胸腹部大動脈	249750	38	9 490 500	38	9 490 500	–	–
5647	大動脈瘤切除術（吻合又は移植を含む）腹部大動脈（分枝血管の再建を伴うもの）	59080	299	17 664 920	299	17 664 920	–	–
5648	大動脈瘤切除術（吻合又は移植を含む）腹部大動脈（その他のもの）	52000	245	12 740 000	245	12 740 000	–	–
5649	大動脈瘤切除術（吻合又は移植を含む）心臓弁再置換術　加算（１弁）	42750	4	171 000	4	171 000	–	–
5650	大動脈瘤切除術（吻合又は移植を含む）心臓弁再置換術　加算（２弁）	50100	–	–	–	–	–	–
5651	大動脈瘤切除術（吻合又は移植を含む）心臓弁再置換術　加算（３弁）	57255	–	–	–	–	–	–
5652	オープン型ステントグラフト内挿術　弓部大動脈	114510	60	6 870 600	60	6 870 600	–	–
5653	オープン型ステントグラフト内挿術　上行大動脈及び弓部大動脈の同時手術　大動脈弁置換術又は形成術を伴うもの	187370	4	749 480	4	749 480	–	–
5654	オープン型ステントグラフト内挿術　上行大動脈及び弓部大動脈の同時手術　人工弁置換術を伴う大動脈基部置換術	210790	5	1 053 950	5	1 053 950	–	–
5655	オープン型ステントグラフト内挿術　上行大動脈及び弓部大動脈の同時手術　自己弁温存型大動脈基部置換術	243580	–	–	–	–	–	–
5656	オープン型ステントグラフト内挿術　上行大動脈及び弓部大動脈の同時手術　その他のもの	171760	65	11 164 400	65	11 164 400	–	–
5657	オープン型ステントグラフト内挿術　下行大動脈	89250	1	89 250	1	89 250	–	–
5658	ステントグラフト内挿術　１　血管損傷の場合	43830	14	613 620	14	613 620	–	–
5659	ステントグラフト内挿術　２　１以外の場合　胸部大動脈	56560	422	23 868 320	422	23 868 320	–	–
5660	ステントグラフト内挿術　２　１以外の場合　腹部大動脈	49440	744	36 783 360	743	36 733 920	1	49 440
5661	ステントグラフト内挿術　２　１以外の場合　腸骨動脈	43830	118	5 171 940	118	5 171 940	–	–
5662	動脈管開存症手術　経皮的動脈管開存閉鎖術	22780	49	1 116 220	49	1 116 220	–	–
5663	動脈管開存症手術　動脈管開存閉鎖術（直視下）	22000	36	792 000	36	792 000	–	–
5664	胸腔鏡下動脈管開存閉鎖術	27400	1	27 400	1	27 400	–	–
5665	肺動脈絞扼術	39410	34	1 339 940	34	1 339 940	–	–
5666	血管輪又は重複大動脈弓離断手術	43150	1	43 150	1	43 150	–	–
5667	巨大側副血管手術（肺内肺動脈統合術）	94420	–	–	–	–	–	–
5668	体動脈肺動脈短絡手術（ブラロック手術，ウォーターストン手術）	44670	28	1 250 760	28	1 250 760	–	–
5669	大動脈縮窄（離断）症手術　単独のもの	57250	4	229 000	4	229 000	–	–
5670	大動脈縮窄（離断）症手術　心室中隔欠損症手術を伴うもの	100200	8	801 600	8	801 600	–	–
5671	大動脈縮窄（離断）症手術　複雑心奇形手術を伴うもの	173620	–	–	–	–	–	–
5672	経皮的大動脈形成術	37430	15	561 450	15	561 450	–	–
5673	大動脈肺動脈中隔欠損症手術　単独のもの	80840	–	–	–	–	–	–
5674	大動脈肺動脈中隔欠損症手術　心内奇形手術を伴うもの	97690	–	–	–	–	–	–
5675	三尖弁手術（エプスタイン氏奇形，ウール氏病手術）	103640	–	–	–	–	–	–
5676	肺動脈狭窄症手術　肺動脈弁切開術（単独のもの）	35750	–	–	–	–	–	–
5677	純型肺動脈弁閉鎖症手術　肺動脈弁切開術（単独のもの）	35750	–	–	–	–	–	–
5678	肺動脈狭窄症手術　右室流出路形成又は肺動脈形成を伴うもの	74460	11	819 060	11	819 060	–	–
5679	純型肺動脈弁閉鎖症手術　右室流出路形成又は肺動脈形成を伴うもの	74460	1	74 460	1	74 460	–	–
5680	経皮的肺動脈弁拡張術	34410	20	688 200	20	688 200	–	–
5681	経皮的肺動脈形成術	31280	213	6 662 640	213	6 662 640	–	–
5682	肺静脈還流異常症手術　部分肺静脈還流異常	50970	4	203 880	4	203 880	–	–
5683	肺静脈還流異常症手術　総肺静脈還流異常　心臓型	109310	3	327 930	3	327 930	–	–
5684	肺静脈還流異常症手術　総肺静脈還流異常　その他のもの	129310	3	387 930	3	387 930	–	–
5685	肺静脈形成術	58930	2	117 860	2	117 860	–	–
5686	心房中隔欠損作成術　経皮的心房中隔欠損作成術（ラシュキンド法）	16090	13	209 170	13	209 170	–	–
5687	心房中隔欠損作成術　心房中隔欠損作成術	36900	–	–	–	–	–	–
5688	心房中隔欠損閉鎖術　単独のもの	39130	44	1 721 720	44	1 721 720	–	–
5689	心房中隔欠損閉鎖術　肺動脈弁狭窄を合併するもの	45130	2	90 260	2	90 260	–	–
5690	経皮的心房中隔欠損閉鎖術	31850	81	2 579 850	81	2 579 850	–	–
5691	三心房心手術	68940	–	–	–	–	–	–
5692	心室中隔欠損閉鎖術　単独のもの	52320	63	3 296 160	63	3 296 160	–	–
5693	心室中隔欠損閉鎖術　肺動脈絞扼術後肺動脈形成を伴うもの	65830	15	987 450	15	987 450	–	–
5694	心室中隔欠損閉鎖術　大動脈弁形成を伴うもの	66060	–	–	–	–	–	–
5695	心室中隔欠損閉鎖術　右室流出路形成を伴うもの	71570	5	357 850	5	357 850	–	–
5696	バルサルバ洞動脈瘤手術　単独のもの	71570	3	214 710	3	214 710	–	–
5697	バルサルバ洞動脈瘤手術　大動脈閉鎖不全症手術を伴うもの	85880	1	85 880	1	85 880	–	–
5698	右室二腔症手術	80490	1	80 490	1	80 490	–	–
5699	不完全型房室中隔欠損症手術　心房中隔欠損パッチ閉鎖術（単独のもの）	60330	–	–	–	–	–	–
5700	不完全型房室中隔欠損症手術　心房中隔欠損パッチ閉鎖術及び弁形成術を伴うもの	66060	4	264 240	4	264 240	–	–
5701	完全型房室中隔欠損症手術　心房及び心室中隔欠損パッチ閉鎖術を伴うもの	107350	12	1 288 200	12	1 288 200	–	–
5702	完全型房室中隔欠損症手術　ファロー四徴症手術を伴うもの	192920	2	385 840	2	385 840	–	–
5703	ファロー四徴症手術　右室流出路形成術を伴うもの	71000	18	1 278 000	18	1 278 000	–	–
5704	ファロー四徴症手術　末梢肺動脈形成術を伴うもの	94060	6	564 360	6	564 360	–	–
5705	肺動脈閉鎖症手術　単独のもの	100200	1	100 200	1	100 200	–	–
5706	肺動脈閉鎖症手術　ラステリ手術を伴うもの	173620	8	1 388 960	8	1 388 960	–	–
5707	肺動脈閉鎖症手術　ラステリ手術を伴うもの　人工血管等再置換術　加算		1	86 810	1	86 810	–	–
5708	肺動脈閉鎖症手術　巨大側副血管術を伴うもの	231500	–	–	–	–	–	–
5709	両大血管右室起始症手術　単独のもの	85880	1	85 880	1	85 880	–	–
5710	両大血管右室起始症手術　右室流出路形成を伴うもの	128820	3	386 460	3	386 460	–	–
5711	両大血管右室起始症手術　心室中隔欠損閉鎖術及び大血管血流転換を伴うもの（タウシッヒ・ビング奇形手術）	192920	–	–	–	–	–	–
5712	大血管転位症手術　心房内血流転換手術（マスタード・セニング手術）	114510	–	–	–	–	–	–
5713	大血管転位症手術　大血管血流転換術（ジャテーン手術）	144690	2	289 380	2	289 380	–	–
5714	大血管転位症手術　心室中隔欠損閉鎖術を伴うもの	173620	2	347 240	2	347 240	–	–
5715	大血管転位症手術　ラステリ手術を伴うもの	154330	2	308 660	2	308 660	–	–
5716	大血管転位症手術　ラステリ手術を伴うもの　人工血管等再置換術　加算		–	–	–	–	–	–
5717	修正大血管転位症手術　心室中隔欠損パッチ閉鎖術	85790	–	–	–	–	–	–
5718	修正大血管転位症手術　根治手術（ダブルスイッチ手術）	201630	–	–	–	–	–	–
5719	修正大血管転位症手術　根治手術（ダブルスイッチ手術）人工血管等再置換術　加算		–	–	–	–	–	–
5720	総動脈幹症手術	143860	2	287 720	2	287 720	–	–
5721	単心室症手術　両方向性グレン手術	71570	13	930 410	13	930 410	–	–
5722	三尖弁閉鎖症手術　両方向性グレン手術	71570	1	71 570	1	71 570	–	–
5723	単心室症手術　フォンタン手術	85880	12	1 030 560	12	1 030 560	–	–
5724	単心室症手術　フォンタン手術　人工血管等再置換術　加算		1	42 940	1	42 940	–	–
5725	三尖弁閉鎖症手術　フォンタン手術	85880	3	257 640	3	257 640	–	–
5726	三尖弁閉鎖症手術　フォンタン手術　人工血管等再置換術　加算		–	–	–	–	–	–
5727	単心室症手術　心室中隔造成術	181350	–	–	–	–	–	–
5728	三尖弁閉鎖症手術　心室中隔造成術	181350	–	–	–	–	–	–
5729	左心低形成症候群手術　（ノルウッド手術）	179310	4	717 240	4	717 240	–	–
5730	冠動静脈瘻開胸的遮断術	53240	3	159 720	3	159 720	–	–
5731	冠動脈起始異常症手術	85880	1	85 880	1	85 880	–	–
5732	心室憩室切除術	76710	–	–	–	–	–	–

第８表　医科診療　件数・診療実日数・回数・点数，診療行為（細分類）、入院－入院外別

平成30年６月審査分

行番号	診療行為（細分類）	固定点数	総数 回数	総数 点数	入院 回数	入院 点数	入院外 回数	入院外 点数
5733	心臓脱手術	113400	-	-	-	-	-	-
5734	肺動脈塞栓除去術	48880	6	293 280	6	293 280	-	-
5735	肺動脈血栓内膜摘除術	135040	2	270 080	2	270 080	-	-
5736	肺静脈血栓除去術	39270	1	39 270	1	39 270	-	-
5737	不整脈手術　副伝導路切断術	89250	-	-	-	-	-	-
5738	不整脈手術　心室頻拍症手術	147890	-	-	-	-	-	-
5739	不整脈手術　メイズ手術	98640	161	15 881 040	161	15 881 040	-	-
5740	肺静脈隔離術	72230	9	650 070	9	650 070	-	-
5741	経皮的カテーテル心筋焼灼術　心房中隔穿刺又は心外膜アプローチを伴うもの	40760	5 775	235 389 000	5 775	235 389 000	-	-
5742	経皮的カテーテル心筋焼灼術　その他のもの	34370	1 694	58 222 780	1 694	58 222 780	-	-
5743	経皮的カテーテル心筋焼灼術　三次元カラーマッピング　加算	17000	2 101	35 717 000	2 101	35 717 000	-	-
5744	経皮的カテーテル心筋焼灼術　磁気ナビゲーション　加算	5000	93	465 000	93	465 000	-	-
5745	経皮的中隔心筋焼灼術	24390	18	439 020	18	439 020	-	-
5746	体外ペースメーキング術	3370	962	3 241 940	956	3 221 720	6	20 220
5747	ペースメーカー移植術　心筋電極の場合	15060	21	316 260	21	316 260	-	-
5748	ペースメーカー移植術　経静脈電極の場合	9520	3 055	29 083 600	3 052	29 055 040	3	28 560
5749	ペースメーカー移植術　リードレスペースメーカーの場合	9520	173	1 646 960	173	1 646 960	-	-
5750	ペースメーカー交換術	4000	1 385	5 540 000	1 365	5 460 000	20	80 000
5751	植込型心電図記録計移植術	1260	262	330 120	240	302 400	22	27 720
5752	植込型心電図記録計摘出術	840	43	36 120	31	26 040	12	10 080
5753	両心室ペースメーカー移植術	31510	65	2 048 150	65	2 048 150	-	-
5754	両心室ペースメーカー交換術	5000	17	85 000	16	80 000	1	5 000
5755	植込型除細動器移植術　経静脈リードを用いるもの	31510	227	7 152 770	227	7 152 770	-	-
5756	植込型除細動器移植術　皮下植込型リードを用いるもの	24310	69	1 677 390	69	1 677 390	-	-
5757	植込型除細動器交換術	7200	155	1 116 000	152	1 094 400	3	21 600
5758	両室ペーシング機能付き植込型除細動器移植術	35200	145	5 104 000	145	5 104 000	-	-
5759	両室ペーシング機能付き植込型除細動器交換術	7200	58	417 600	58	417 600	-	-
5760	経静脈電極抜去術　レーザーシースを用いるもの	28600	31	886 600	31	886 600	-	-
5761	経静脈電極抜去術　レーザーシースを用いないもの	22210	17	377 570	17	377 570	-	-
5762	大動脈バルーンパンピング法（ＩＡＢＰ法）初日	8780	927	8 139 060	913	8 016 140	14	122 920
5763	大動脈バルーンパンピング法（ＩＡＢＰ法）２日目以降	3680	4 027	14 819 360	4 027	14 819 360	-	-
5764	人工心肺（１日につき）初日	30150	3 373	101 695 950	3 373	101 695 950	-	-
5765	人工心肺（１日につき）初日　補助循環併施　加算	4800	14	67 200	14	67 200	-	-
5766	人工心肺（１日につき）初日　選択的冠灌流併施　加算	4800	874	4 195 200	874	4 195 200	-	-
5767	人工心肺（１日につき）初日　逆行性冠灌流併施　加算	4800	1 284	6 163 200	1 284	6 163 200	-	-
5768	人工心肺（１日につき）初日　選択的脳灌流　加算	7000	651	4 557 000	651	4 557 000	-	-
5769	人工心肺（１日につき）２日目以降	3000	17	51 000	17	51 000	-	-
5770	経皮的心肺補助法（１日につき）初日	11100	421	4 673 100	418	4 639 800	3	33 300
5771	経皮的心肺補助法（１日につき）２日目以降	3120	878	2 739 360	878	2 739 360	-	-
5772	経皮的循環補助法　ポンプカテーテルを使用（１日につき）初日	11100	7	77 700	7	77 700	-	-
5773	経皮的循環補助法　ポンプカテーテルを使用（１日につき）２日目以降	3680	29	106 720	29	106 720	-	-
5774	補助人工心臓（１日につき）初日	54370	4	217 480	4	217 480	-	-
5775	補助人工心臓（１日につき）２日目以降30日目まで	5000	56	280 000	56	280 000	-	-
5776	補助人工心臓（１日につき）31日目以降	4000	256	1 024 000	256	1 024 000	-	-
5777	小児補助人工心臓（１日につき）初日	63150	-	-	-	-	-	-
5778	小児補助人工心臓（１日につき）２日目以降30日目まで	8680	25	217 000	25	217 000	-	-
5779	小児補助人工心臓（１日につき）31日目以降	7680	371	2 849 280	371	2 849 280	-	-
5780	植込型補助人工心臓（非拍動流型）初日（１日につき）	58500	6	351 000	6	351 000	-	-
5781	植込型補助人工心臓（非拍動流型）２日目以降30日目まで（１日につき）	5000	262	1 310 000	262	1 310 000	-	-
5782	植込型補助人工心臓（非拍動流型）31日目以降90日目まで（１日につき）	2780	682	1 895 960	682	1 895 960	-	-
5783	植込型補助人工心臓（非拍動流型）91日目以降（１日につき）	1500	2 116	3 174 000	2 116	3 174 000	-	-
5784	移植用心採取術	62720	3	188 160	3	188 160	-	-
5785	同種心移植術	192920	3	578 760	3	578 760	-	-
5786	移植用心肺採取術	100040	-	-	-	-	-	-
5787	同種心肺移植術	286010	-	-	-	-	-	-
5788	骨格筋由来細胞シート心表面移植術	9420	1	9 420	1	9 420	-	-
5789	（動脈）							
5790	血管露出術	530	12	6 360	11	5 830	1	530
5791	血管結紮術　開胸を伴うもの	12660	7	88 620	7	88 620	-	-
5792	血管結紮術　開腹を伴うもの	12660	20	253 200	20	253 200	-	-
5793	血管結紮術　その他のもの	3750	387	1 451 250	272	1 020 000	115	431 250
5794	血管縫合術（簡単なもの）	3130	84	262 920	74	231 620	10	31 300
5795	上腕動脈表在化法	5000	224	1 120 000	190	950 000	34	170 000
5796	動脈塞栓除去術　開胸を伴うもの	28560	-	-	-	-	-	-
5797	動脈塞栓除去術　開腹を伴うもの	28560	8	228 480	8	228 480	-	-
5798	動脈塞栓除去術　その他のもの（観血的なもの）	11180	180	2 012 400	178	1 990 040	2	22 360
5799	外シャント血栓除去術	1680	9	15 120	4	6 720	5	8 400
5800	内シャント血栓除去術	3130	442	1 383 460	225	704 250	217	679 210
5801	動脈血栓内膜摘出術　大動脈に及ぶもの	40950	3	122 850	3	122 850	-	-
5802	動脈血栓内膜摘出術　内頸動脈	43880	320	14 041 600	320	14 041 600	-	-
5803	動脈血栓内膜摘出術　その他のもの	28450	128	3 641 600	126	3 584 700	2	56 900
5804	経皮的頸動脈ステント留置術	34740	746	25 916 040	746	25 916 040	-	-
5805	動脈形成術，吻合術　頭蓋内動脈	99700	229	22 831 300	229	22 831 300	-	-
5806	動脈形成術，吻合術　胸腔内動脈（大動脈を除く）	52570	4	210 280	4	210 280	-	-
5807	動脈形成術，吻合術　腹腔内動脈（大動脈を除く）	47790	19	908 010	19	908 010	-	-
5808	動脈形成術，吻合術　指（手，足）の動脈	18400	51	938 400	46	846 400	5	92 000
5809	動脈形成術，吻合術　その他の動脈	21700	266	5 772 200	201	4 361 700	65	1 410 500
5810	脳新生血管造成術	52550	9	472 950	9	472 950	-	-
5811	内シャント設置術	18080	4 779	86 404 320	3 911	70 710 880	868	15 693 440
5812	外シャント設置術	18080	4	72 320	4	72 320	-	-
5813	四肢の血管吻合術	18080	23	415 840	19	343 520	4	72 320
5814	血管吻合術及び神経再接合術（上腕動脈，正中神経及び尺骨神経）	18080	2	36 160	2	36 160	-	-
5815	抗悪性腫瘍剤動脈内持続注入用植込型カテーテル設置　開腹して設置した場合	17940	2	35 880	2	35 880	-	-
5816	抗悪性腫瘍剤静脈内持続注入用植込型カテーテル設置　開腹して設置した場合	17940	4	71 760	3	53 820	1	17 940
5817	抗悪性腫瘍剤腹腔内持続注入用植込型カテーテル設置　開腹して設置した場合	17940	27	484 380	27	484 380	-	-
5818	抗悪性腫瘍剤動脈内持続注入用植込型カテーテル設置　四肢に設置した場合	16250	87	1 413 750	67	1 088 750	20	325 000
5819	抗悪性腫瘍剤静脈内持続注入用植込型カテーテル設置　四肢に設置した場合	16250	529	8 596 250	388	6 305 000	141	2 291 250
5820	抗悪性腫瘍剤動脈内持続注入用植込型カテーテル設置　頭頸部その他に設置した場合	16640	715	11 897 600	567	9 434 880	148	2 462 720
5821	抗悪性腫瘍剤静脈内持続注入用植込型カテーテル設置　頭頸部その他に設置した場合	16640	4 220	70 220 800	3 637	60 519 680	583	9 701 120
5822	末梢動静脈瘻造設術　静脈転位を伴うもの	21300	4	85 200	4	85 200	-	-
5823	末梢動静脈瘻造設術　その他のもの	7760	3	23 280	3	23 280	-	-
5824	腎血管性高血圧症手術（経皮的腎血管拡張術）	31840	96	3 056 640	96	3 056 640	-	-
5825	血管移植術，バイパス移植術　大動脈	70700	13	919 100	13	919 100	-	-
5826	血管移植術，バイパス移植術　胸腔内動脈	64050	5	320 250	5	320 250	-	-
5827	血管移植術，バイパス移植術　腹腔内動脈	56560	24	1 357 440	24	1 357 440	-	-
5828	血管移植術，バイパス移植術　頭，頸部動脈	55050	11	605 550	11	605 550	-	-
5829	血管移植術，バイパス移植術　下腿，足部動脈	62670	95	5 953 650	95	5 953 650	-	-
5830	血管移植術，バイパス移植術　膝窩動脈	42500	77	3 272 500	77	3 272 500	-	-
5831	血管移植術，バイパス移植術　その他の動脈	30290	1 186	35 923 940	940	28 472 600	246	7 451 340
5832	血管塞栓術（頭部，胸腔，腹腔内血管等）止血術	23110	627	14 489 970	627	14 489 970	-	-
5833	血管塞栓術（頭部，胸腔，腹腔内血管等）選択的動脈化学塞栓術	20040	3 201	64 148 040	3 201	64 148 040	-	-
5834	血管塞栓術（頭部，胸腔，腹腔内血管等）その他のもの	18620	1 774	33 031 880	1 772	32 994 640	2	37 240
5835	経皮的大動脈遮断術	1660	15	24 900	15	24 900	-	-
5836	四肢の血管拡張術・血栓除去術	22590	4 755	107 415 450	4 718	106 579 620	37	835 830
5837	頸動脈球摘出術	10800	-	-	-	-	-	-
5838	経皮的胸部血管拡張術（先天性心疾患術後に限る）	24550	22	540 100	22	540 100	-	-
5839	経皮的シャント拡張術・血栓除去術	18080	12 186	220 322 880	3 090	55 867 200	9 096	164 455 680
5840	経皮的血管内異物除去術	14000	33	462 000	33	462 000	-	-
5841	（静脈）							
5842	下肢静脈瘤手術　抜去切除術	10200	468	4 773 600	295	3 009 000	173	1 764 600
5843	下肢静脈瘤手術　硬化療法（一連として）	1720	1 452	2 497 440	59	101 480	1 393	2 395 960
5844	下肢静脈瘤手術　高位結紮術	3130	419	1 311 470	152	475 760	267	835 710

第８表　医科診療　件数・診療実日数・回数・点数，診療行為（細分類）、入院－入院外別

平成30年６月審査分

行番号	診療行為（細分類）	固定点数	総数		入院		入院外	
			回数	点数	回数	点数	回数	点数
5845	大伏在静脈抜去術	11020	371	4 088 420	280	3 085 600	91	1 002 820
5846	静脈瘤切除術（下肢以外）	1820	19	34 580	9	16 380	10	18 200
5847	下肢静脈瘤血管内焼灼術	14360	8 216	117 981 760	2 055	29 509 800	6 161	88 471 960
5848	内視鏡下下肢静脈瘤不全穿通枝切離術	10200	6	61 200	6	61 200	–	–
5849	中心静脈注射用植込型カテーテル設置　四肢に設置した場合	10500	356	3 738 000	321	3 370 500	35	367 500
5850	中心静脈注射用植込型カテーテル設置　頭頸部その他に設置した場合	10800	2 452	26 481 600	2 268	24 494 400	184	1 987 200
5851	中心静脈注射用植込型カテーテル設置　乳幼児　加算	300	19	5 700	19	5 700	–	–
5852	静脈血栓摘出術　開腹を伴うもの	22070	2	44 140	2	44 140	–	–
5853	静脈血栓摘出術　その他のもの（観血的なもの）	13100	22	288 200	21	275 100	1	13 100
5854	総腸骨静脈及び股静脈血栓除去術	32100	–	–	–	–	–	–
5855	下大静脈フィルター留置術	10160	306	3 108 960	303	3 078 480	3	30 480
5856	下大静脈フィルター除去術	6490	132	856 680	129	837 210	3	19 470
5857	門脈体循環静脈吻合術（門脈圧亢進症手術）	40650	–	–	–	–	–	–
5858	胸管内頸静脈吻合術	37620	–	–	–	–	–	–
5859	静脈形成術，吻合術　胸腔内静脈	25200	5	126 000	4	100 800	1	25 200
5860	静脈形成術，吻合術　腹腔内静脈	25200	7	176 400	7	176 400	–	–
5861	静脈形成術，吻合術　その他の静脈	16140	38	613 320	31	500 340	7	112 980
5862	脾腎静脈吻合術	21220	–	–	–	–	–	–
5863	（リンパ管，リンパ節）							
5864	リンパ管腫摘出術　長径５cm未満	13090	14	183 260	10	130 900	4	52 360
5865	リンパ管腫摘出術　長径５cm以上	16390	14	229 460	14	229 460	–	–
5866	リンパ節摘出術　長径３cm未満	1200	1 302	1 562 400	762	914 400	540	648 000
5867	リンパ節摘出術　長径３cm以上	2880	593	1 707 840	441	1 270 080	152	437 760
5868	リンパ節膿瘍切開術	910	7	6 370	6	5 460	1	910
5869	リンパ節群郭清術　顎下部又は舌下部（浅在性）	10870	7	76 090	7	76 090	–	–
5870	リンパ節群郭清術　頸部（深在性）	24090	38	915 420	38	915 420	–	–
5871	リンパ節群郭清術　鎖骨上窩及び下窩	14460	9	130 140	9	130 140	–	–
5872	リンパ節群郭清術　腋窩	17750	106	1 881 500	103	1 828 250	3	53 250
5873	リンパ節群郭清術　胸骨旁	23190	1	23 190	1	23 190	–	–
5874	リンパ節群郭清術　鼠径部及び股部	8710	38	330 980	37	322 270	1	8 710
5875	リンパ節群郭清術　後腹膜	41380	56	2 317 280	56	2 317 280	–	–
5876	リンパ節群郭清術　骨盤	26800	37	991 600	37	991 600	–	–
5877	腹腔鏡下骨盤内リンパ節群郭清術	41090	11	451 990	11	451 990	–	–
5878	腹腔鏡下小切開骨盤内リンパ節群郭清術	26460	–	–	–	–	–	–
5879	腹腔鏡下小切開後腹膜リンパ節群郭清術	39720	–	–	–	–	–	–
5880	リンパ管吻合術	34450	307	10 576 150	273	9 404 850	34	1 171 300
5881	腹部小計		222 846	2 789 002 308	143 608	2 413 312 852	79 238	375 689 456
5882	（腹壁，ヘルニア）							
5883	腹壁膿瘍切開術	1270	30	38 100	24	30 480	6	7 620
5884	腹壁瘻手術　腹壁に限局するもの	1820	11	20 020	9	16 380	2	3 640
5885	腹壁瘻手術　腹腔に通ずるもの	10050	10	100 500	10	100 500	–	–
5886	腹壁腫瘍摘出術　形成手術を必要としない場合	4310	27	116 370	22	94 820	5	21 550
5887	腹壁腫瘍摘出術　形成手術を必要とする場合	11210	14	156 940	14	156 940	–	–
5888	ヘルニア手術　腹壁瘢痕ヘルニア	9950	493	4 905 350	489	4 865 550	4	39 800
5889	ヘルニア手術　半月状線ヘルニア	6200	6	37 200	6	37 200	–	–
5890	ヘルニア手術　白線ヘルニア	6200	32	198 400	28	173 600	4	24 800
5891	ヘルニア手術　腹直筋離開	6200	5	31 000	5	31 000	–	–
5892	ヘルニア手術　臍ヘルニア	4200	443	1 860 600	429	1 801 800	14	58 800
5893	ヘルニア手術　臍帯ヘルニア	18810	7	131 670	7	131 670	–	–
5894	ヘルニア手術　鼠径ヘルニア	6000	6 425	38 550 000	6 042	36 252 000	383	2 298 000
5895	ヘルニア手術　大腿ヘルニア	8860	296	2 622 560	292	2 587 120	4	35 440
5896	ヘルニア手術　腰ヘルニア	8880	2	17 760	2	17 760	–	–
5897	ヘルニア手術　骨盤部ヘルニア（閉鎖孔ヘルニア）	18810	99	1 862 190	99	1 862 190	–	–
5898	ヘルニア手術　骨盤部ヘルニア（坐骨ヘルニア）	18810	2	37 620	2	37 620	–	–
5899	ヘルニア手術　骨盤部ヘルニア（会陰ヘルニア）	18810	3	56 430	3	56 430	–	–
5900	ヘルニア手術　内ヘルニア	18810	37	695 970	37	695 970	–	–
5901	腹腔鏡下ヘルニア手術　腹壁瘢痕ヘルニア	16520	266	4 394 320	265	4 377 800	1	16 520
5902	腹腔鏡下ヘルニア手術　大腿ヘルニア	18550	74	1 372 700	74	1 372 700	–	–
5903	腹腔鏡下ヘルニア手術　半月状線ヘルニア、白線ヘルニア	13820	6	82 920	6	82 920	–	–
5904	腹腔鏡下ヘルニア手術　臍ヘルニア	11420	39	445 380	39	445 380	–	–
5905	腹腔鏡下ヘルニア手術　閉鎖孔ヘルニア	24130	51	1 230 630	51	1 230 630	–	–
5906	腹腔鏡下鼠径ヘルニア手術（両側）	22960	3 977	91 311 920	3 846	88 304 160	131	3 007 760
5907	（腹膜，後腹膜，腸間膜，網膜）							
5908	胸水・腹水濾過濃縮再静注法	4990	2 840	14 171 600	2 613	13 038 870	227	1 132 730
5909	腹腔・静脈シャントバルブ設置術	6730	33	222 090	33	222 090	–	–
5910	連続携行式腹膜灌流用カテーテル腹腔内留置術	12000	230	2 760 000	227	2 724 000	3	36 000
5911	試験開腹術	5550	525	2 913 750	524	2 908 200	1	5 550
5912	ダメージコントロール手術	11240	10	112 400	10	112 400	–	–
5913	腹腔鏡下試験開腹術	11320	303	3 429 960	303	3 429 960	–	–
5914	腹腔鏡下試験切除術	11320	188	2 128 160	188	2 128 160	–	–
5915	限局性腹腔膿瘍手術　横隔膜下膿瘍	10690	8	85 520	8	85 520	–	–
5916	限局性腹腔膿瘍手術　ダグラス窩膿瘍	5710	17	97 070	17	97 070	–	–
5917	限局性腹腔膿瘍手術　虫垂周囲膿瘍	5340	6	32 040	6	32 040	–	–
5918	限局性腹腔膿瘍手術　その他のもの	9270	53	491 310	53	491 310	–	–
5919	経皮的腹腔膿瘍ドレナージ術	10800	892	9 633 600	889	9 601 200	3	32 400
5920	骨盤腹膜外膿瘍切開排膿術	3290	23	75 670	23	75 670	–	–
5921	急性汎発性腹膜炎手術	14400	586	8 438 400	586	8 438 400	–	–
5922	結核性腹膜炎手術	12000	–	–	–	–	–	–
5923	腹腔鏡下汎発性腹膜炎手術	23040	168	3 870 720	168	3 870 720	–	–
5924	腸間膜損傷手術　縫合，修復のみのもの	10390	13	135 070	13	135 070	–	–
5925	腸間膜損傷手術　腸管切除を伴うもの	26880	7	188 160	7	188 160	–	–
5926	大網切除術	8720	15	130 800	15	130 800	–	–
5927	大網，腸間膜，後腹膜腫瘍摘出術　腸切除を伴わないもの	14290	115	1 643 350	113	1 614 770	2	28 580
5928	大網，腸間膜，後腹膜腫瘍摘出術　腸切除を伴うもの	29970	17	509 490	17	509 490	–	–
5929	腹腔鏡下大網，腸間膜，後腹膜腫瘍摘出術	32310	69	2 229 390	69	2 229 390	–	–
5930	腹腔鏡下小切開後腹膜腫瘍摘出術	30310	–	–	–	–	–	–
5931	後腹膜悪性腫瘍手術	48510	102	4 948 020	102	4 948 020	–	–
5932	腹腔鏡下小切開後腹膜悪性腫瘍手術	50610	1	50 610	1	50 610	–	–
5933	臍腸管瘻手術　腸管切除を伴わないもの	5260	–	–	–	–	–	–
5934	臍腸管瘻手術　腸管切除を伴うもの	18280	1	18 280	1	18 280	–	–
5935	骨盤内臓全摘術	120980	29	3 508 420	29	3 508 420	–	–
5936	（胃，十二指腸）							
5937	胃血管結紮術（急性胃出血手術）	11360	9	102 240	9	102 240	–	–
5938	胃縫合術（大網充填術又は被覆術を含む）	12190	139	1 694 410	139	1 694 410	–	–
5939	腹腔鏡下胃，十二指腸潰瘍穿孔縫合術	23940	161	3 854 340	161	3 854 340	–	–
5940	内視鏡下胃，十二指腸穿孔瘻孔閉鎖術	10300	11	113 300	11	113 300	–	–
5941	胃切開術	11140	4	44 560	4	44 560	–	–
5942	胃吊上げ固定術（胃下垂症手術）	11800	–	–	–	–	–	–
5943	胃捻転症手術	11800	3	35 400	3	35 400	–	–
5944	腹腔鏡下胃吊上げ固定術（胃下垂症手術）	22320	1	22 320	1	22 320	–	–
5945	腹腔鏡下胃捻転症手術	22320	–	–	–	–	–	–
5946	内視鏡的胃，十二指腸ステント留置術	9210	569	5 240 490	567	5 222 070	2	18 420
5947	胃，十二指腸憩室切除術・ポリープ切除術（開腹によるもの）	11530	10	115 300	10	115 300	–	–
5948	内視鏡的胃，十二指腸ポリープ・粘膜切除術　早期悪性腫瘍粘膜切除術	6460	233	1 505 180	225	1 453 500	8	51 680
5949	内視鏡的胃，十二指腸ポリープ・粘膜切除術　早期悪性腫瘍粘膜下層剥離術	18370	4 148	76 198 760	4 144	76 125 280	4	73 480
5950	内視鏡的胃，十二指腸ポリープ・粘膜切除術　早期悪性腫瘍ポリープ切除術	6230	36	224 280	34	211 820	2	12 460
5951	内視鏡的胃，十二指腸ポリープ・粘膜切除術　その他のポリープ・粘膜切除術	5200	1 773	9 219 600	1 062	5 522 400	711	3 697 200
5952	食道・胃内異物除去摘出術（マグネットカテーテルによるもの）	3200	46	147 200	8	25 600	38	121 600
5953	内視鏡的食道及び胃内異物摘出術	3250	3 393	11 027 250	500	1 625 000	2 893	9 402 250
5954	内視鏡的表在性胃悪性腫瘍光線力学療法	6460	3	19 380	3	19 380	–	–
5955	内視鏡的胃，十二指腸狭窄拡張術	12480	209	2 608 320	170	2 121 600	39	486 720

第８表　医科診療　件数・診療実日数・回数・点数，診療行為（細分類）、入院－入院外別

平成30年６月審査分

行番号	診療行為（細分類）	固定点数	総数 回数	総数 点数	入院 回数	入院 点数	入院外 回数	入院外 点数
5956	内視鏡的消化管止血術	4600	8 776	40 369 600	8 117	37 338 200	659	3 031 400
5957	胃局所切除術	13830	43	594 690	43	594 690	-	-
5958	腹腔鏡下胃局所切除術　内視鏡処置を併施するもの	26500	114	3 021 000	114	3 021 000	-	-
5959	腹腔鏡下胃局所切除術　その他のもの	20400	92	1 876 800	92	1 876 800	-	-
5960	胃切除術　単純切除術	33850	55	1 861 750	55	1 861 750	-	-
5961	胃切除術　悪性腫瘍手術	55870	1 090	60 898 300	1 090	60 898 300	-	-
5962	胃切除術　有茎腸管移植　加算	5000	3	15 000	3	15 000	-	-
5963	腹腔鏡下胃切除術　単純切除術	45470	36	1 636 920	36	1 636 920	-	-
5964	腹腔鏡下胃切除術　単純切除術　内視鏡下手術用支援機器使用	45470	1	45 470	1	45 470	-	-
5965	腹腔鏡下胃切除術　悪性腫瘍手術	64120	1 262	80 919 440	1 262	80 919 440	-	-
5966	腹腔鏡下胃切除術　悪性腫瘍手術　内視鏡下手術用支援機器使用	64120	54	3 462 480	54	3 462 480	-	-
5967	腹腔鏡下胃切除術　有茎腸管移植　加算	5000	3	15 000	3	15 000	-	-
5968	十二指腸窓（内方）憩室摘出術	26910	-	-	-	-	-	-
5969	噴門側胃切除術　単純切除術	40170	5	200 850	5	200 850	-	-
5970	噴門側胃切除術　悪性腫瘍切除術	71630	73	5 228 990	73	5 228 990	-	-
5971	噴門側胃切除術　有茎腸管移植　加算	5000	9	45 000	9	45 000	-	-
5972	腹腔鏡下噴門側胃切除術　単純切除術	54010	3	162 030	3	162 030	-	-
5973	腹腔鏡下噴門側胃切除術　単純切除術　内視鏡下手術用支援機器使用	54010	1	54 010	1	54 010	-	-
5974	腹腔鏡下噴門側胃切除術　悪性腫瘍切除術	75730	111	8 406 030	111	8 406 030	-	-
5975	腹腔鏡下噴門側胃切除術　悪性腫瘍切除術　内視鏡下手術用支援機器使用	75730	5	378 650	5	378 650	-	-
5976	腹腔鏡下噴門側胃切除術　有茎腸管移植　加算	5000	7	35 000	7	35 000	-	-
5977	胃縮小術	28210	-	-	-	-	-	-
5978	腹腔鏡下胃縮小術（スリーブ状切除によるもの）	40050	38	1 521 900	38	1 521 900	-	-
5979	胃全摘術　単純全摘術	50920	19	967 480	19	967 480	-	-
5980	胃全摘術　悪性腫瘍手術	69840	758	52 938 720	758	52 938 720	-	-
5981	胃全摘術　有茎腸管移植　加算	5000	7	35 000	7	35 000	-	-
5982	腹腔鏡下胃全摘術　単純全摘術	64740	-	-	-	-	-	-
5983	腹腔鏡下胃全摘術　単純全摘術　内視鏡下手術用支援機器使用	64740	-	-	-	-	-	-
5984	腹腔鏡下胃全摘術　悪性腫瘍手術	83090	255	21 187 950	255	21 187 950	-	-
5985	腹腔鏡下胃全摘術　悪性腫瘍手術　内視鏡下手術用支援機器使用	83090	11	913 990	11	913 990	-	-
5986	腹腔鏡下胃全摘術　有茎腸管移植　加算	5000	1	5 000	1	5 000	-	-
5987	食道下部迷走神経切除術（幹迷切）単独のもの	13600	-	-	-	-	-	-
5988	食道下部迷走神経切除術（幹迷切）ドレナージを併施するもの	19000	1	19 000	1	19 000	-	-
5989	食道下部迷走神経切除術（幹迷切）胃切除術を併施するもの	37620	-	-	-	-	-	-
5990	腹腔鏡下食道下部迷走神経切断術（幹迷切）	30570	-	-	-	-	-	-
5991	食道下部迷走神経選択的切除術　単独のもの	19500	-	-	-	-	-	-
5992	食道下部迷走神経選択的切除術　ドレナージを併施するもの	28210	-	-	-	-	-	-
5993	食道下部迷走神経選択的切除術　胃切除術を併施するもの	37620	-	-	-	-	-	-
5994	腹腔鏡下食道下部迷走神経選択的切除術	34100	-	-	-	-	-	-
5995	胃冠状静脈結紮及び切除術	17400	-	-	-	-	-	-
5996	胃腸吻合術（ブラウン吻合を含む）	16010	285	4 562 850	285	4 562 850	-	-
5997	腹腔鏡下胃腸吻合術	18890	126	2 380 140	126	2 380 140	-	-
5998	十二指腸空腸吻合術	13400	12	160 800	12	160 800	-	-
5999	胃瘻造設術（経皮的内視鏡下胃瘻造設術，腹腔鏡下胃瘻造設術を含む）	6070	3 917	23 776 190	3 848	23 357 360	69	418 830
6000	胃瘻造設術（経皮的内視鏡下胃瘻造設術，腹腔鏡下胃瘻造設術を含む）施設基準適合以外	4856	808	3 923 648	797	3 870 232	11	53 416
6001	経皮経食道胃管挿入術（ＰＴＥＧ）	14610	66	964 260	63	920 430	3	43 830
6002	薬剤投与用胃瘻造設術	8570	16	137 120	16	137 120	-	-
6003	胃瘻閉鎖術　開腹によるもの	12040	11	132 440	10	120 400	1	12 040
6004	胃瘻閉鎖術　腹腔鏡によるもの	12040	2	24 080	2	24 080	-	-
6005	胃瘻閉鎖術　内視鏡によるもの	10300	2	20 600	2	20 600	-	-
6006	胃瘻抜去術	2000	174	348 000	56	112 000	118	236 000
6007	幽門形成術（粘膜外幽門筋切開術を含む）	10500	30	315 000	30	315 000	-	-
6008	腹腔鏡下幽門形成術	17060	7	119 420	7	119 420	-	-
6009	噴門形成術	16980	7	118 860	7	118 860	-	-
6010	腹腔鏡下噴門形成術	37620	36	1 354 320	36	1 354 320	-	-
6011	胃横断術（静脈瘤手術）	28210	-	-	-	-	-	-
6012	バルーン閉塞下逆行性経静脈的塞栓術	31710	44	1 395 240	44	1 395 240	-	-
6013	（胆嚢，胆道）							
6014	胆管切開術	12460	-	-	-	-	-	-
6015	胆嚢切開結石摘出術	11800	2	23 600	2	23 600	-	-
6016	胆管切開結石摘出術（チューブ挿入を含む）胆嚢摘出を含むもの	33850	148	5 009 800	148	5 009 800	-	-
6017	胆管切開結石摘出術（チューブ挿入を含む）胆嚢摘出を含まないもの	26880	17	456 960	17	456 960	-	-
6018	腹腔鏡下胆管切開結石摘出術　胆嚢摘出を含むもの	39890	59	2 353 510	59	2 353 510	-	-
6019	腹腔鏡下胆管切開結石摘出術　胆嚢摘出を含まないもの	33610	2	67 220	2	67 220	-	-
6020	胆嚢摘出術	27670	894	24 736 980	894	24 736 980	-	-
6021	腹腔鏡下胆嚢摘出術	21500	7 903	169 914 500	7 900	169 850 000	3	64 500
6022	胆管形成手術（胆管切除術を含む）	37620	9	338 580	9	338 580	-	-
6023	総胆管拡張症手術	59490	22	1 308 780	22	1 308 780	-	-
6024	総胆管拡張症手術　乳頭形成併施　加算	5000	-	-	-	-	-	-
6025	腹腔鏡下総胆管拡張症手術	110000	6	660 000	6	660 000	-	-
6026	腹腔鏡下総胆管拡張症手術　乳頭形成併施　加算	5000	-	-	-	-	-	-
6027	胆嚢悪性腫瘍手術　胆嚢に限局するもの（リンパ節郭清を含む）	45520	90	4 096 800	90	4 096 800	-	-
6028	胆嚢悪性腫瘍手術　肝切除（亜区域切除以上）を伴うもの	57790	41	2 369 390	41	2 369 390	-	-
6029	胆嚢悪性腫瘍手術　肝切除（葉以上）を伴うもの	77450	9	697 050	9	697 050	-	-
6030	胆嚢悪性腫瘍手術　膵頭十二指腸切除を伴うもの	101590	3	304 770	3	304 770	-	-
6031	胆嚢悪性腫瘍手術　膵頭十二指腸切除及び肝切除（葉以上）を伴うもの	173500	1	173 500	1	173 500	-	-
6032	胆管悪性腫瘍手術　膵頭十二指腸切除及び肝切除（葉以上）を伴うもの	173500	16	2 776 000	16	2 776 000	-	-
6033	胆管悪性腫瘍手術　その他	84700	58	4 912 600	58	4 912 600	-	-
6034	肝門部胆管悪性腫瘍手術　血行再建あり	180990	22	3 981 780	22	3 981 780	-	-
6035	肝門部胆管悪性腫瘍手術　血行再建なし	101090	60	6 065 400	60	6 065 400	-	-
6036	体外衝撃波胆石破砕術(一連につき)	16300	28	456 400	25	407 500	3	48 900
6037	胆嚢胃（腸）吻合術	11580	-	-	-	-	-	-
6038	総胆管胃（腸）吻合術	33850	79	2 674 150	79	2 674 150	-	-
6039	胆嚢外瘻造設術	9420	1 040	9 796 800	1 039	9 787 380	1	9 420
6040	胆管外瘻造設術　開腹によるもの	14760	5	73 800	5	73 800	-	-
6041	胆管外瘻造設術　経皮経肝によるもの	10800	162	1 749 600	160	1 728 000	2	21 600
6042	経皮的胆管ドレナージ術	10800	896	9 676 800	891	9 622 800	5	54 000
6043	内視鏡的経鼻胆管ドレナージ術（ＥＮＢＤ）	10800	1 752	18 921 600	1 752	18 921 600	-	-
6044	超音波内視鏡下瘻孔形成術（腹腔内膿瘍に対するもの）	25570	186	4 756 020	186	4 756 020	-	-
6045	先天性胆道閉鎖症手術	60000	6	360 000	6	360 000	-	-
6046	腹腔鏡下胆道閉鎖症手術	119200	2	238 400	2	238 400	-	-
6047	内視鏡的胆道結石除去術　胆道砕石術を伴うもの	14300	810	11 583 000	808	11 554 400	2	28 600
6048	内視鏡的胆道結石除去術　その他のもの	9980	1 222	12 195 560	1 216	12 135 680	6	59 880
6049	内視鏡的胆道結石除去術　バルーン内視鏡　加算	3500	53	185 500	53	185 500	-	-
6050	内視鏡的胆道拡張術	13820	484	6 688 880	481	6 647 420	3	41 460
6051	内視鏡的胆道拡張術　バルーン内視鏡　加算	3500	58	203 000	58	203 000	-	-
6052	内視鏡的乳頭切開術　乳頭括約筋切開のみのもの	11270	4 087	46 060 490	4 086	46 049 220	1	11 270
6053	内視鏡的乳頭切開術　胆道砕石術を伴うもの	24550	1 470	36 088 500	1 468	36 039 400	2	49 100
6054	内視鏡的乳頭切開術　バルーン内視鏡　加算	3500	58	203 000	58	203 000	-	-
6055	内視鏡的胆道ステント留置術	11540	9 904	114 292 160	9 890	114 130 600	14	161 560
6056	内視鏡的胆道ステント留置術　バルーン内視鏡　加算	3500	69	241 500	69	241 500	-	-
6057	経皮経肝胆管ステント挿入術	12270	200	2 454 000	200	2 454 000	-	-
6058	経皮経肝バルーン拡張術	12270	14	171 780	14	171 780	-	-
6059	（肝）							
6060	肝縫合術	17400	11	191 400	11	191 400	-	-
6061	肝膿瘍切開術　開腹によるもの	11860	1	11 860	1	11 860	-	-
6062	肝膿瘍切開術　開胸によるもの	12520	-	-	-	-	-	-
6063	経皮的肝膿瘍ドレナージ術	10800	487	5 259 600	487	5 259 600	-	-
6064	肝嚢胞切開又は縫縮術	13710	3	41 130	3	41 130	-	-
6065	腹腔鏡下肝嚢胞切開術	28210	53	1 495 130	53	1 495 130	-	-
6066	肝内結石摘出術（開腹）	28210	-	-	-	-	-	-

第８表　医科診療　件数・診療実日数・回数・点数，診療行為（細分類）、入院－入院外別

平成30年６月審査分

行番号	診療行為（細分類）	固定点数	総数 回数	総数 点数	入院 回数	入院 点数	入院外 回数	入院外 点数
6067	肝囊胞，肝膿瘍摘出術	28210	1	28 210	1	28 210	-	-
6068	肝切除術　部分切除	39040	488	19 051 520	488	19 051 520	-	-
6069	肝切除術　亜区域切除	56280	194	10 918 320	194	10 918 320	-	-
6070	肝切除術　外側区域切除	46130	79	3 644 270	79	3 644 270	-	-
6071	肝切除術　１区域切除（外側区域切除を除く）	60700	169	10 258 300	169	10 258 300	-	-
6072	肝切除術　２区域切除	76210	233	17 756 930	233	17 756 930	-	-
6073	肝切除術　３区域切除以上のもの	97050	27	2 620 350	27	2 620 350	-	-
6074	肝切除術　２区域切除以上であって，血行再建を伴うもの	126230	11	1 388 530	11	1 388 530	-	-
6075	肝切除術　局所穿刺療法併用　加算	6000	24	144 000	24	144 000	-	-
6076	腹腔鏡下肝切除術　部分切除	59680	268	15 994 240	268	15 994 240	-	-
6077	腹腔鏡下肝切除術　外側区域切除	74880	48	3 594 240	48	3 594 240	-	-
6078	腹腔鏡下肝切除術　亜区域切除	108820	49	5 332 180	49	5 332 180	-	-
6079	腹腔鏡下肝切除術　１区域切除（外側区域切除を除く）	130730	16	2 091 680	16	2 091 680	-	-
6080	腹腔鏡下肝切除術　２区域切除	152440	18	2 743 920	18	2 743 920	-	-
6081	腹腔鏡下肝切除術　３区域切除以上	174090	3	522 270	3	522 270	-	-
6082	肝内胆管（肝管）胃（腸）吻合術	30940	10	309 400	10	309 400	-	-
6083	肝内胆管外瘻造設術　開腹によるもの	18810	-	-	-	-	-	-
6084	肝内胆管外瘻造設術　経皮経肝によるもの	10800	36	388 800	36	388 800	-	-
6085	肝悪性腫瘍マイクロ波凝固法(一連として) 腹腔鏡によるもの	18710	1	18 710	1	18 710	-	-
6086	肝悪性腫瘍マイクロ波凝固法(一連として) その他のもの	17410	89	1 549 490	89	1 549 490	-	-
6087	肝悪性腫瘍ラジオ波焼灼療法(一連として) ２cm以内のもの　腹腔鏡によるもの	16300	10	163 000	10	163 000	-	-
6088	肝悪性腫瘍ラジオ波焼灼療法(一連として) ２cm以内のもの　その他のもの	15000	837	12 555 000	837	12 555 000	-	-
6089	肝悪性腫瘍ラジオ波焼灼療法(一連として) ２cmを超えるもの　腹腔鏡によるもの	23260	9	209 340	9	209 340	-	-
6090	肝悪性腫瘍ラジオ波焼灼療法(一連として) ２cmを超えるもの　その他のもの	21960	610	13 395 600	608	13 351 680	2	43 920
6091	移植用部分肝採取術（生体）	82800	-	-	-	-	-	-
6092	生体部分肝移植術	227140	-	-	-	-	-	-
6093	生体部分肝移植術　提供者の療養上の費用		-	-	-	-	-	-
6094	移植用肝採取術（死体）	86700	1	86 700	1	86 700	-	-
6095	同種死体肝移植術	193060	1	193 060	1	193 060	-	-
6096	（膵）							
6097	急性膵炎手術　感染性壊死部切除を伴うもの	49390	4	197 560	4	197 560	-	-
6098	急性膵炎手術　その他のもの	28210	3	84 630	3	84 630	-	-
6099	膵結石手術　膵切開によるもの	28210	-	-	-	-	-	-
6100	膵結石手術　経十二指腸乳頭によるもの	28210	71	2 002 910	71	2 002 910	-	-
6101	体外衝撃波膵石破砕術(一連につき)	19300	40	772 000	40	772 000	-	-
6102	体外衝撃波膵石破砕術　内視鏡的膵石除去　加算	5640	18	101 520	18	101 520	-	-
6103	膵中央切除術	53560	5	267 800	5	267 800	-	-
6104	膵腫瘍摘出術	26100	5	130 500	5	130 500	-	-
6105	腹腔鏡下膵腫瘍摘出術	39950	3	119 850	3	119 850	-	-
6106	膵破裂縫合術	22080	1	22 080	1	22 080	-	-
6107	膵体尾部腫瘍切除術　膵尾部切除術の場合　脾同時切除の場合	24000	63	1 512 000	63	1 512 000	-	-
6108	膵体尾部腫瘍切除術　膵尾部切除術の場合　脾温存の場合	21750	7	152 250	7	152 250	-	-
6109	膵体尾部腫瘍切除術　リンパ節・神経叢郭清等を伴う腫瘍切除術の場合	57190	211	12 067 090	211	12 067 090	-	-
6110	膵体尾部腫瘍切除術　周辺臓器(胃，結腸，腎，副腎等）の合併切除を伴う腫瘍切除術の場合	52730	31	1 634 630	31	1 634 630	-	-
6111	膵体尾部腫瘍切除術　血行再建を伴う腫瘍切除術の場合	55870	14	782 180	14	782 180	-	-
6112	腹腔鏡下膵体尾部腫瘍切除術　脾同時切除の場合	53480	80	4 278 400	80	4 278 400	-	-
6113	腹腔鏡下膵体尾部腫瘍切除術　脾温存の場合	56240	25	1 406 000	25	1 406 000	-	-
6114	膵頭部腫瘍切除術　膵頭十二指腸切除術の場合	78620	120	9 434 400	120	9 434 400	-	-
6115	膵頭部腫瘍切除術　リンパ節・神経叢郭清等を伴う腫瘍切除術の場合	83810	561	47 017 410	561	47 017 410	-	-
6116	膵頭部腫瘍切除術　十二指腸温存膵頭切除術の場合	83810	15	1 257 150	15	1 257 150	-	-
6117	膵頭部腫瘍切除術　周辺臓器(胃，結腸，腎，副腎等）の合併切除を伴う腫瘍切除術の場合	83810	55	4 609 550	55	4 609 550	-	-
6118	膵頭部腫瘍切除術　血行再建を伴う腫瘍切除術の場合	128230	163	20 901 490	163	20 901 490	-	-
6119	腹腔鏡下膵頭十二指腸切除術	158450	7	1 109 150	7	1 109 150	-	-
6120	膵全摘術	103030	43	4 430 290	43	4 430 290	-	-
6121	膵囊胞胃（腸）吻合術	31310	-	-	-	-	-	-
6122	膵管空腸吻合術	37620	16	601 920	16	601 920	-	-
6123	膵囊胞外瘻造設術　内視鏡によるもの	18370	49	900 130	49	900 130	-	-
6124	膵囊胞外瘻造設術　開腹によるもの	12460	-	-	-	-	-	-
6125	膵管外瘻造設術	18810	7	131 670	7	131 670	-	-
6126	膵管誘導手術	18810	2	37 620	2	37 620	-	-
6127	内視鏡的膵管ステント留置術	22240	1 102	24 508 480	1 098	24 419 520	4	88 960
6128	膵瘻閉鎖術	28210	1	28 210	1	28 210	-	-
6129	移植用膵採取術（死体）	77240	-	-	-	-	-	-
6130	同種死体膵移植術	112570	-	-	-	-	-	-
6131	移植用膵腎採取術（死体）	84080	-	-	-	-	-	-
6132	同種死体膵腎移植術	140420	-	-	-	-	-	-
6133	（脾）							
6134	脾縫合術（部分切除を含む）	24410	4	97 640	4	97 640	-	-
6135	脾摘出術	31030	44	1 365 320	44	1 365 320	-	-
6136	腹腔鏡下脾摘出術	37060	40	1 482 400	40	1 482 400	-	-
6137	（空腸，回腸，盲腸，虫垂，結腸）							
6138	破裂腸管縫合術	10400	12	124 800	12	124 800	-	-
6139	腸切開術	9650	17	164 050	17	164 050	-	-
6140	腸管癒着症手術	12010	798	9 583 980	798	9 583 980	-	-
6141	腹腔鏡下腸管癒着剥離術	20650	323	6 669 950	321	6 628 650	2	41 300
6142	腸重積症整復術　非観血的なもの	4490	427	1 917 230	391	1 755 590	36	161 640
6143	腸重積症整復術　観血的なもの	6040	19	114 760	19	114 760	-	-
6144	腹腔鏡下腸重積症整復術	14660	7	102 620	7	102 620	-	-
6145	小腸切除術　悪性腫瘍手術以外の切除術	15940	1 044	16 641 360	1 044	16 641 360	-	-
6146	小腸切除術　悪性腫瘍手術	34150	134	4 576 100	134	4 576 100	-	-
6147	腹腔鏡下小腸切除術　悪性腫瘍手術以外の切除術	31370	219	6 870 030	219	6 870 030	-	-
6148	腹腔鏡下小腸切除術　悪性腫瘍手術	37380	46	1 719 480	46	1 719 480	-	-
6149	移植用部分小腸採取術（生体）	56850	-	-	-	-	-	-
6150	生体部分小腸移植術	164240	-	-	-	-	-	-
6151	生体部分小腸移植術　提供者の療養上の費用		-	-	-	-	-	-
6152	移植用小腸採取術（死体）	65140	-	-	-	-	-	-
6153	同種死体小腸移植術	177980	-	-	-	-	-	-
6154	小腸腫瘍，小腸憩室摘出術（メッケル憩室炎手術を含む）	18810	15	282 150	15	282 150	-	-
6155	虫垂切除術　虫垂周囲膿瘍を伴わないもの	6740	636	4 286 640	636	4 286 640	-	-
6156	虫垂切除術　虫垂周囲膿瘍を伴うもの	8880	429	3 809 520	429	3 809 520	-	-
6157	腹腔鏡下虫垂切除術　虫垂周囲膿瘍を伴わないもの	13760	2 578	35 473 280	2 577	35 459 520	1	13 760
6158	腹腔鏡下虫垂切除術　虫垂周囲膿瘍を伴うもの	22050	1 159	25 555 950	1 159	25 555 950	-	-
6159	結腸切除術　小範囲切除	24170	784	18 949 280	784	18 949 280	-	-
6160	結腸切除術　結腸半側切除	29940	244	7 305 360	244	7 305 360	-	-
6161	結腸切除術　全切除，亜全切除又は悪性腫瘍手術	35680	1 858	66 293 440	1 858	66 293 440	-	-
6162	腹腔鏡下結腸切除術　小範囲切除，結腸半側切除	42680	499	21 297 320	499	21 297 320	-	-
6163	腹腔鏡下結腸切除術　全切除，亜全切除	59510	31	1 844 810	31	1 844 810	-	-
6164	腹腔鏡下結腸悪性腫瘍切除術	59510	3 492	207 808 920	3 492	207 808 920	-	-
6165	ピックレル氏手術	13700	1	13 700	1	13 700	-	-
6166	全結腸・直腸切除囊肛門吻合術	51860	9	466 740	9	466 740	-	-
6167	結腸腫瘍（回盲部腫瘍摘出術を含む）	16610	7	116 270	7	116 270	-	-
6168	結腸憩室摘出術	16610	-	-	-	-	-	-
6169	結腸ポリープ切除術（開腹によるもの）	16610	3	49 830	3	49 830	-	-
6170	内視鏡的大腸ポリープ・粘膜切除術　長径２cm未満	5000	86 926	434 630 000	25 775	128 875 000	61 151	305 755 000
6171	内視鏡的大腸ポリープ・粘膜切除術　長径２cm以上	7000	4 194	29 358 000	2 822	19 754 000	1 372	9 604 000
6172	内視鏡的結腸異物摘出術	5360	75	402 000	38	203 680	37	198 320
6173	早期悪性腫瘍大腸粘膜下層剥離術	22040	1 702	37 512 080	1 700	37 468 000	2	44 080
6174	小腸結腸内視鏡的止血術	10390	2 514	26 120 460	2 236	23 232 040	278	2 888 420
6175	腸吻合術	9330	163	1 520 790	163	1 520 790	-	-

第８表　医科診療　件数・診療実日数・回数・点数，診療行為（細分類）、入院－入院外別

平成30年６月審査分

行番号	診療行為（細分類）	固定点数	総数 回数	総数 点数	入院 回数	入院 点数	入院外 回数	入院外 点数
6176	腸瘻造設術	7360	110	809 600	110	809 600	–	–
6177	虫垂瘻造設術	7360	–	–	–	–	–	–
6178	腹腔鏡下腸瘻，虫垂瘻造設術	13250	10	132 500	10	132 500	–	–
6179	人工肛門造設術	9570	820	7 847 400	820	7 847 400	–	–
6180	腹腔鏡下人工肛門造設術	16700	342	5 711 400	342	5 711 400	–	–
6181	腹壁外腸管前置術	8340	–	–	–	–	–	–
6182	腸狭窄部切開縫合術	11220	1	11 220	1	11 220	–	–
6183	腸閉鎖症手術　腸管切除を伴わないもの	12190	16	195 040	16	195 040	–	–
6184	腸閉鎖症手術　腸管切除を伴うもの	28210	12	338 520	12	338 520	–	–
6185	多発性小腸閉鎖症手術	47020	–	–	–	–	–	–
6186	腹腔鏡下腸閉鎖症手術	32310	2	64 620	2	64 620	–	–
6187	小腸瘻閉鎖術　腸管切除を伴わないもの	11580	5	57 900	5	57 900	–	–
6188	小腸瘻閉鎖術　腸管切除を伴うもの	17900	20	358 000	20	358 000	–	–
6189	小腸瘻閉鎖術　内視鏡によるもの	10300	–	–	–	–	–	–
6190	結腸瘻閉鎖術　腸管切除を伴わないもの	11750	6	70 500	6	70 500	–	–
6191	結腸瘻閉鎖術　腸管切除を伴うもの	28210	5	141 050	5	141 050	–	–
6192	結腸瘻閉鎖術　内視鏡によるもの	10300	6	61 800	6	61 800	–	–
6193	人工肛門閉鎖術　腸管切除を伴わないもの	11470	89	1 020 830	89	1 020 830	–	–
6194	人工肛門閉鎖術　腸管切除を伴うもの	28210	990	27 927 900	990	27 927 900	–	–
6195	盲腸縫縮術	4400	–	–	–	–	–	–
6196	腸回転異常症手術	18810	13	244 530	13	244 530	–	–
6197	腹腔鏡下腸回転異常症手術	26800	4	107 200	4	107 200	–	–
6198	先天性巨大結腸症手術	50830	3	152 490	3	152 490	–	–
6199	小腸・結腸狭窄部拡張術（内視鏡によるもの）	11090	377	4 180 930	265	2 938 850	112	1 242 080
6200	小腸・結腸狭窄部拡張術（内視鏡によるもの）バルーン内視鏡　加算	3500	100	350 000	79	276 500	21	73 500
6201	腹腔鏡下先天性巨大結腸症手術	63710	9	573 390	9	573 390	–	–
6202	下部消化管ステント留置術	10920	841	9 183 720	837	9 140 040	4	43 680
6203	腸管延長術	76000	–	–	–	–	–	–
6204	人工肛門形成術　開腹を伴うもの	10030	19	190 570	19	190 570	–	–
6205	人工肛門形成術　その他のもの	3670	28	102 760	26	95 420	2	7 340
6206	（直腸）							
6207	直腸周囲膿瘍切開術	2610	266	694 260	155	404 550	111	289 710
6208	直腸異物除去術　経肛門（内視鏡によるもの）	8040	38	305 520	26	209 040	12	96 480
6209	直腸異物除去術　開腹によるもの	11530	2	23 060	2	23 060	–	–
6210	直腸腫瘍摘出術（ポリープ摘出を含む）経肛門	4010	181	725 810	143	573 430	38	152 380
6211	直腸腫瘍摘出術（ポリープ摘出を含む）経括約筋	9940	15	149 100	6	59 640	9	89 460
6212	直腸腫瘍摘出術（ポリープ摘出を含む）経腹及び経肛	18810	5	94 050	5	94 050	–	–
6213	経肛門的内視鏡下手術（直腸腫瘍に限る）	26100	17	443 700	17	443 700	–	–
6214	低侵襲経肛門的局所切除術（ＭＩＴＡＳ）	16700	13	217 100	13	217 100	–	–
6215	直腸切除・切断術　切除術	42850	367	15 725 950	367	15 725 950	–	–
6216	直腸切除・切断術　低位前方切除術	66300	346	22 939 800	346	22 939 800	–	–
6217	直腸切除・切断術　超低位前方切除術（経肛門的結腸嚢肛門吻合によるもの）	69840	21	1 466 640	21	1 466 640	–	–
6218	直腸切除・切断術　切断術	77120	198	15 269 760	198	15 269 760	–	–
6219	直腸切除・切断術　人工肛門造設　加算	2000	227	454 000	227	454 000	–	–
6220	腹腔鏡下直腸切除・切断術　切除術	75460	641	48 369 860	641	48 369 860	–	–
6221	腹腔鏡下直腸切除・切断術　切除術　内視鏡下手術用支援機器使用	75460	11	830 060	11	830 060	–	–
6222	腹腔鏡下直腸切除・切断術　低位前方切除術	83930	1 192	100 044 560	1 192	100 044 560	–	–
6223	腹腔鏡下直腸切除・切断術　低位前方切除術　内視鏡下手術用支援機器使用	83930	53	4 448 290	53	4 448 290	–	–
6224	腹腔鏡下直腸切除・切断術　切断術	83930	297	24 927 210	297	24 927 210	–	–
6225	腹腔鏡下直腸切除・切断術　切断術　内視鏡下手術用支援機器使用	83930	10	839 300	10	839 300	–	–
6226	腹腔鏡下直腸切除・切断術　人工肛門造設　加算	3470	454	1 575 380	454	1 575 380	–	–
6227	直腸狭窄形成手術	28210	5	141 050	5	141 050	–	–
6228	直腸瘤手術	5760	9	51 840	9	51 840	–	–
6229	直腸脱手術　経会陰によるもの　腸管切除を伴わないもの	8410	342	2 876 220	315	2 649 150	27	227 070
6230	直腸脱手術　経会陰によるもの　腸管切除を伴うもの	25780	83	2 139 740	83	2 139 740	–	–
6231	直腸脱手術　直腸挙上固定を行うもの	10900	16	174 400	16	174 400	–	–
6232	直腸脱手術　骨盤底形成を行うもの	18810	12	225 720	9	169 290	3	56 430
6233	直腸脱手術　腹会陰からのもの（腸切除を含む）	37620	4	150 480	4	150 480	–	–
6234	腹腔鏡下直腸脱手術	30810	112	3 450 720	112	3 450 720	–	–
6235	（肛門，その周辺）							
6236	痔核手術（脱肛を含む）硬化療法	1380	807	1 113 660	21	28 980	786	1 084 680
6237	痔核手術（脱肛を含む）硬化療法（四段階注射法によるもの）	4010	2 172	8 709 720	738	2 959 380	1 434	5 750 340
6238	痔核手術（脱肛を含む）結紮術	1390	1 196	1 662 440	125	173 750	1 071	1 488 690
6239	痔核手術（脱肛を含む）焼灼術	1390	135	187 650	7	9 730	128	177 920
6240	痔核手術（脱肛を含む）血栓摘出術	1390	1 699	2 361 610	20	27 800	1 679	2 333 810
6241	痔核手術（脱肛を含む）根治手術（硬化療法（四段階注射法によるもの）を伴わないもの）	5190	2 932	15 217 080	2 334	12 113 460	598	3 103 620
6242	痔核手術（脱肛を含む）根治手術（硬化療法（四段階注射法によるもの）を伴うもの）	6520	2 144	13 978 880	1 304	8 502 080	840	5 476 800
6243	痔核手術（脱肛を含む）ＰＰＨ	11260	109	1 227 340	108	1 216 080	1	11 260
6244	肛門括約筋切開術	1380	12	16 560	5	6 900	7	9 660
6245	痔核手術後狭窄拡張手術	5360	7	37 520	7	37 520	–	–
6246	モルガニー氏洞及び肛門管切開術	3750	–	–	–	–	–	–
6247	肛門部皮膚剥離切除術	3750	6	22 500	1	3 750	5	18 750
6248	裂肛根治手術	3110	179	556 690	103	320 330	76	236 360
6249	肛門潰瘍根治手術	3110	19	59 090	11	34 210	8	24 880
6250	肛門周囲膿瘍切開術	2050	3 310	6 785 500	389	797 450	2 921	5 988 050
6251	痔瘻根治手術　単純なもの	3750	819	3 071 250	567	2 126 250	252	945 000
6252	痔瘻根治手術　複雑なもの	7470	1 416	10 577 520	1 202	8 978 940	214	1 598 580
6253	高位直腸瘻手術	8120	11	89 320	11	89 320	–	–
6254	肛門良性腫瘍切除術	1040	69	71 760	26	27 040	43	44 720
6255	肛門ポリープ切除術	1040	333	346 320	88	91 520	245	254 800
6256	肛門尖圭コンジローム切除術	1040	252	262 080	47	48 880	205	213 200
6257	肛門悪性腫瘍手術　切除	28210	10	282 100	8	225 680	2	56 420
6258	肛門悪性腫瘍手術　直腸切断を伴うもの	70680	3	212 040	3	212 040	–	–
6259	肛門拡張術（観血的なもの）	1630	43	70 090	31	50 530	12	19 560
6260	肛門括約筋形成手術　瘢痕切除によるもの	3990	5	19 950	5	19 950	–	–
6261	肛門括約筋形成手術　縫縮によるもの	3990	3	11 970	2	7 980	1	3 990
6262	肛門括約筋形成手術　組織置換によるもの	23660	10	236 600	10	236 600	–	–
6263	鎖肛手術　肛門膜状閉鎖切開	2100	1	2 100	1	2 100	–	–
6264	鎖肛手術　会陰式	18810	11	206 910	11	206 910	–	–
6265	鎖肛手術　仙骨会陰式	35270	8	282 160	8	282 160	–	–
6266	鎖肛手術　腹会陰式	62660	–	–	–	–	–	–
6267	鎖肛手術　腹仙骨式	62660	–	–	–	–	–	–
6268	仙尾部奇形腫手術	46950	1	46 950	1	46 950	–	–
6269	腹腔鏡下鎖肛手術（腹会陰式）	70140	2	140 280	2	140 280	–	–
6270	腹腔鏡下鎖肛手術（腹仙骨式）	70140	1	70 140	1	70 140	–	–
6271	肛門形成手術　肛門狭窄形成手術	5210	196	1 021 160	173	901 330	23	119 830
6272	肛門形成手術　直腸粘膜脱形成手術	7710	517	3 986 070	441	3 400 110	76	585 960
6273	毛巣嚢手術	3680	6	22 080	6	22 080	–	–
6274	毛巣瘻手術	3680	7	25 760	5	18 400	2	7 360
6275	毛巣洞手術	3680	82	301 760	66	242 880	16	58 880
6276	尿路系・副腎小計		36 068	499 431 039	25 986	444 947 459	10 082	54 483 580
6277	（副腎）							
6278	副腎摘出術（副腎部分切除術を含む）	28210	4	112 840	4	112 840	–	–
6279	腹腔鏡下副腎摘出術	40100	146	5 854 600	146	5 854 600	–	–
6280	腹腔鏡下小切開副腎摘出術	34390	3	103 170	3	103 170	–	–
6281	副腎腫瘍摘出術　皮質腫瘍	39410	6	236 460	6	236 460	–	–
6282	副腎腫瘍摘出術　髄質腫瘍（褐色細胞腫）	47020	6	282 120	6	282 120	–	–
6283	腹腔鏡下副腎髄質腫瘍摘出術（褐色細胞腫）	47030	21	987 630	21	987 630	–	–
6284	副腎悪性腫瘍手術	47020	19	893 380	19	893 380	–	–
6285	腹腔鏡下副腎悪性腫瘍手術	51120	32	1 635 840	32	1 635 840	–	–

第８表　医科診療　件数・診療実日数・回数・点数，診療行為（細分類）、入院－入院外別

平成30年６月審査分

行番号	診療行為（細分類）	固定点数	総数 回数	総数 点数	入院 回数	入院 点数	入院外 回数	入院外 点数
6286	（腎，腎盂）							
6287	腎破裂縫合術	37620	1	37 620	1	37 620	-	-
6288	腎破裂手術	38270	-	-	-	-	-	-
6289	腎周囲膿瘍切開術	3480	6	20 880	6	20 880	-	-
6290	腎切半術	37620	-	-	-	-	-	-
6291	癒合腎離断術	47020	-	-	-	-	-	-
6292	腎被膜剥離術（除神経術を含む）	10660	-	-	-	-	-	-
6293	腎固定術	10350	-	-	-	-	-	-
6294	腎切石術	27550	-	-	-	-	-	-
6295	経皮的尿路結石除去術（経皮的腎瘻造設術を含む）	32800	225	7 380 000	225	7 380 000	-	-
6296	経皮的腎盂腫瘍切除術（経皮的腎瘻造設術を含む）	33040	1	33 040	1	33 040	-	-
6297	経皮的尿管拡張術（経皮的腎瘻造設術を含む）	13000	46	598 000	43	559 000	3	39 000
6298	腎盂切石術	27210	2	54 420	2	54 420	-	-
6299	体外衝撃波腎・尿管結石破砕術（一連につき）	19300	2 753	53 132 900	1 421	27 425 300	1 332	25 707 600
6300	腎部分切除術	35880	21	753 480	21	753 480	-	-
6301	腹腔鏡下腎部分切除術	43930	24	1 054 320	24	1 054 320	-	-
6302	腹腔鏡下小切開腎部分切除術	42900	-	-	-	-	-	-
6303	腎嚢胞切除縮小術	11580	1	11 580	1	11 580	-	-
6304	腹腔鏡下腎嚢胞切除縮小術	18850	1	18 850	1	18 850	-	-
6305	腹腔鏡下腎嚢胞切除術	20360	2	40 720	2	40 720	-	-
6306	経皮的腎嚢胞穿刺術	1490	53	78 970	48	71 520	5	7 450
6307	腎摘出術	18760	43	806 680	43	806 680	-	-
6308	腹腔鏡下腎摘出術	54250	60	3 255 000	60	3 255 000	-	-
6309	腹腔鏡下小切開腎摘出術	40240	1	40 240	1	40 240	-	-
6310	腎（尿管）悪性腫瘍手術	42770	383	16 380 910	383	16 380 910	-	-
6311	腹腔鏡下腎（尿管）悪性腫瘍手術	64720	1 065	68 926 800	1 065	68 926 800	-	-
6312	腹腔鏡下小切開腎（尿管）悪性腫瘍手術	49870	33	1 645 710	33	1 645 710	-	-
6313	腎腫瘍凝固・焼灼術（冷凍凝固によるもの）	52800	22	1 161 600	22	1 161 600	-	-
6314	腹腔鏡下腎悪性腫瘍手術　内視鏡手術用支援機器を用いるもの	70730	288	20 370 240	288	20 370 240	-	-
6315	経皮的腎（腎盂）瘻造設術	13860	969	13 430 340	957	13 264 020	12	166 320
6316	腎（腎盂）皮膚瘻閉鎖術	27890	-	-	-	-	-	-
6317	腎（腎盂）腸瘻閉鎖術　内視鏡によるもの	10300	-	-	-	-	-	-
6318	腎（腎盂）腸瘻閉鎖術　その他のもの	28210	-	-	-	-	-	-
6319	腎盂形成手術	33120	23	761 760	23	761 760	-	-
6320	腹腔鏡下腎盂形成手術	51600	40	2 064 000	40	2 064 000	-	-
6321	移植用腎採取術（生体）	35700	1	35 700	1	35 700	-	-
6322	移植用腎採取術（死体）	43400	1	43 400	1	43 400	-	-
6323	腹腔鏡下移植用腎採取術（生体）	51850	2	103 700	2	103 700	-	-
6324	同種死体腎移植術	98770	2	197 540	2	197 540	-	-
6325	同種死体腎移植術　死体腎移植　加算	40000	1	40 000	1	40 000	-	-
6326	生体腎移植術	62820	24	1 507 680	24	1 507 680	-	-
6327	生体腎移植術　提供者の療養上の費用		21	2 324 289	21	2 324 289	-	-
6328	（尿管）							
6329	経尿道的尿路結石除去術　レーザーによるもの	22270	3 093	68 881 110	3 072	68 413 440	21	467 670
6330	経尿道的尿路結石除去術　その他のもの	14800	237	3 507 600	236	3 492 800	1	14 800
6331	経尿道的腎盂尿管凝固止血術	8250	10	82 500	10	82 500	-	-
6332	尿管切石術　上部及び中部	10310	4	41 240	4	41 240	-	-
6333	尿管切石術　膀胱近接部	15310	1	15 310	1	15 310	-	-
6334	経尿道的尿管狭窄拡張術	20930	181	3 788 330	179	3 746 470	2	41 860
6335	経尿道的尿管ステント留置術	3400	10 624	36 121 600	5 604	19 053 600	5 020	17 068 000
6336	経尿道的尿管ステント抜去術	1300	3 546	4 609 800	788	1 024 400	2 758	3 585 400
6337	残存尿管摘出術	18810	1	18 810	1	18 810	-	-
6338	尿管剥離術	18810	2	37 620	2	37 620	-	-
6339	経尿道的腎盂尿管腫瘍摘出術	21420	40	856 800	39	835 380	1	21 420
6340	腹腔鏡下小切開尿管腫瘍摘出術	31040	-	-	-	-	-	-
6341	尿管膀胱吻合術	25570	27	690 390	27	690 390	-	-
6342	尿管膀胱吻合術　尿管形成　加算	9400	5	47 000	5	47 000	-	-
6343	尿管尿管吻合術	27210	14	380 940	14	380 940	-	-
6344	尿管腸吻合術	17070	1	17 070	1	17 070	-	-
6345	尿管腸膀胱吻合術	46450	1	46 450	1	46 450	-	-
6346	尿管皮膚瘻造設術	14200	19	269 800	19	269 800	-	-
6347	尿管皮膚瘻閉鎖術	30450	-	-	-	-	-	-
6348	尿管腸瘻閉鎖術　内視鏡によるもの	10300	-	-	-	-	-	-
6349	尿管腸瘻閉鎖術　その他のもの	36840	1	36 840	1	36 840	-	-
6350	尿管腟瘻閉鎖術	28210	-	-	-	-	-	-
6351	尿管口形成手術	16580	2	33 160	2	33 160	-	-
6352	経尿道的尿管瘤切除術	15500	11	170 500	11	170 500	-	-
6353	（膀胱）							
6354	膀胱破裂閉鎖術	11170	11	122 870	11	122 870	-	-
6355	膀胱周囲膿瘍切開術	3300	3	9 900	3	9 900	-	-
6356	膀胱内凝血除去術	2980	474	1 412 520	314	935 720	160	476 800
6357	膀胱結石　経尿道的手術	8320	950	7 904 000	801	6 664 320	149	1 239 680
6358	異物摘出術　経尿道的手術	8320	95	790 400	68	565 760	27	224 640
6359	膀胱結石　膀胱高位切開術	3150	20	63 000	20	63 000	-	-
6360	異物摘出術　膀胱高位切開術	3150	5	15 750	3	9 450	2	6 300
6361	経尿道的尿管凝血除去術（バスケットワイヤーカテーテル使用）	8320	-	-	-	-	-	-
6362	膀胱壁切除術	9270	11	101 970	11	101 970	-	-
6363	膀胱憩室切除術	9060	8	72 480	8	72 480	-	-
6364	経尿道的電気凝固術	9060	555	5 028 300	444	4 022 640	111	1 005 660
6365	膀胱水圧拡張術	6410	270	1 730 700	102	653 820	168	1 076 880
6366	膀胱単純摘除術　腸管利用の尿路変更を行うもの	59350	2	118 700	2	118 700	-	-
6367	膀胱単純摘除術　その他のもの	51510	1	51 510	1	51 510	-	-
6368	膀胱腫瘍摘出術	10610	38	403 180	37	392 570	1	10 610
6369	膀胱脱手術　メッシュを使用するもの	30880	361	11 147 680	359	11 085 920	2	61 760
6370	膀胱脱手術　その他のもの	23260	74	1 721 240	24	558 240	50	1 163 000
6371	膀胱後腫瘍摘出術　腸管切除を伴わないもの	11100	-	-	-	-	-	-
6372	膀胱後腫瘍摘出術　腸管切除を伴うもの	21700	-	-	-	-	-	-
6373	腹腔鏡下小切開膀胱腫瘍摘出術	12710	-	-	-	-	-	-
6374	腹腔鏡下膀胱部分切除術	22410	6	134 460	6	134 460	-	-
6375	腹腔鏡下膀胱脱手術	41160	42	1 728 720	42	1 728 720	-	-
6376	膀胱悪性腫瘍手術　切除	34150	28	956 200	28	956 200	-	-
6377	膀胱悪性腫瘍手術　全摘（腸管等を利用して尿路変更を行わないもの）	66890	45	3 010 050	45	3 010 050	-	-
6378	膀胱悪性腫瘍手術　全摘（尿管Ｓ状結腸吻合を利用して尿路変更を行うもの）	80160	2	160 320	2	160 320	-	-
6379	膀胱悪性腫瘍手術　全摘（回腸又は結腸導管を利用して尿路変更を行うもの）	107800	167	18 002 600	167	18 002 600	-	-
6380	膀胱悪性腫瘍手術　全摘（代用膀胱を利用して尿路変更を行うもの）	110600	24	2 654 400	24	2 654 400	-	-
6381	膀胱悪性腫瘍手術　経尿道的手術　電解質溶液利用のもの	12300	5 043	62 028 900	5 010	61 623 000	33	405 900
6382	膀胱悪性腫瘍手術　経尿道的手術　その他のもの	10400	1 872	19 468 800	1 853	19 271 200	19	197 600
6383	膀胱悪性腫瘍手術　狭帯域光強調　加算	200	242	48 400	235	47 000	7	1 400
6384	腹腔鏡下膀胱悪性腫瘍手術　全摘（腸管等を利用して尿路変更を行わないもの）	76880	23	1 768 240	23	1 768 240	-	-
6385	腹腔鏡下膀胱悪性腫瘍手術　全摘（腸管等を利用して尿路変更を行わないもの）内視鏡下手術用支援機器使用	76880	3	230 640	3	230 640	-	-
6386	腹腔鏡下膀胱悪性腫瘍手術　全摘（回腸又は結腸導管を利用して尿路変更を行うもの）	117790	44	5 182 760	44	5 182 760	-	-
6387	腹腔鏡下膀胱悪性腫瘍手術　全摘（回腸又は結腸導管を利用して尿路変更を行うもの）内視鏡下手術用支援機器使用	117790	17	2 002 430	17	2 002 430	-	-
6388	腹腔鏡下膀胱悪性腫瘍手術　全摘（代用膀胱を利用して尿路変更を行うもの）	120590	5	602 950	5	602 950	-	-
6389	腹腔鏡下膀胱悪性腫瘍手術　全摘（代用膀胱を利用して尿路変更を行うもの）内視鏡下手術用支援機器使用	120590	5	602 950	5	602 950	-	-
6390	腹腔鏡下小切開膀胱悪性腫瘍手術　全摘（腸管等を利用して尿路変更を行わないもの）	74880	-	-	-	-	-	-
6391	腹腔鏡下小切開膀胱悪性腫瘍手術　全摘（回腸又は結腸導管を利用して尿路変更を行うもの）	115790	4	463 160	4	463 160	-	-

第８表　医科診療　件数・診療実日数・回数・点数，診療行為（細分類）、入院－入院外別

平成30年６月審査分

行番号	診療行為（細分類）	固定点数	総数 回数	総数 点数	入院 回数	入院 点数	入院外 回数	入院外 点数
6392	腹腔鏡下小切開膀胱悪性腫瘍手術　全摘（代用膀胱を利用して尿路変更を行うもの）	118590	－	－	－	－	－	－
6393	尿膜管摘出術	10950	56	613 200	56	613 200	－	－
6394	腹腔鏡下尿膜管摘出術	22030	63	1 387 890	63	1 387 890	－	－
6395	膀胱瘻造設術	3530	301	1 062 530	263	928 390	38	134 140
6396	膀胱皮膚瘻造設術	25200	4	100 800	4	100 800	－	－
6397	導尿路造設術	49400	1	49 400	1	49 400	－	－
6398	膀胱皮膚瘻閉鎖術	8700	2	17 400	2	17 400	－	－
6399	膀胱腟瘻閉鎖術	27700	3	83 100	3	83 100	－	－
6400	膀胱腸瘻閉鎖術　内視鏡によるもの	10300	－	－	－	－	－	－
6401	膀胱腸瘻閉鎖術　その他のもの	27700	3	83 100	3	83 100	－	－
6402	膀胱子宮瘻閉鎖術	37180	－	－	－	－	－	－
6403	膀胱尿管逆流手術	25570	44	1 125 080	44	1 125 080	－	－
6404	膀胱尿管逆流手術　尿管形成　加算	9400	－	－	－	－	－	－
6405	腹腔鏡下膀胱内手術	39280	6	235 680	6	235 680	－	－
6406	ボアリー氏手術	36840	1	36 840	1	36 840	－	－
6407	腸管利用膀胱拡大術	48200	－	－	－	－	－	－
6408	回腸（結腸）導管造設術	49570	12	594 840	12	594 840	－	－
6409	排泄腔外反症手術　外反膀胱閉鎖術	70430	－	－	－	－	－	－
6410	排泄腔外反症手術　膀胱腸裂閉鎖術	103710	－	－	－	－	－	－
6411	（尿道）							
6412	尿道周囲膿瘍切開術	1160	8	9 280	5	5 800	3	3 480
6413	外尿道口切開術	1010	53	53 530	41	41 410	12	12 120
6414	尿道結石摘出術　前部尿道	2180	14	30 520	3	6 540	11	23 980
6415	尿道異物摘出術　前部尿道	2180	12	26 160	6	13 080	6	13 080
6416	尿道結石摘出術　後部尿道	6300	26	163 800	11	69 300	15	94 500
6417	尿道異物摘出術　後部尿道	6300	23	144 900	14	88 200	9	56 700
6418	外尿道腫瘍切除術	2180	134	292 120	99	215 820	35	76 300
6419	尿道悪性腫瘍摘出術　摘出	32230	5	161 150	5	161 150	－	－
6420	尿道悪性腫瘍摘出術　内視鏡による場合	23130	9	208 170	9	208 170	－	－
6421	尿道悪性腫瘍摘出術　尿路変更を行う場合	54060	－	－	－	－	－	－
6422	尿道形成手術　前部尿道	17030	45	766 350	43	732 290	2	34 060
6423	尿道形成手術　前部尿道　性同一性障害の患者	17030	－	－	－	－	－	－
6424	尿道形成手術　後部尿道	37700	11	414 700	11	414 700	－	－
6425	尿道下裂形成手術	33790	74	2 500 460	74	2 500 460	－	－
6426	尿道下裂形成手術　性同一性障害の患者	33790	－	－	－	－	－	－
6427	陰茎形成術	52710	11	579 810	11	579 810	－	－
6428	陰茎形成術　性同一性障害の患者	52710	－	－	－	－	－	－
6429	尿道上裂形成手術	39000	－	－	－	－	－	－
6430	尿道狭窄内視鏡手術	15040	323	4 857 920	308	4 632 320	15	225 600
6431	尿道狭窄拡張術（尿道バルーンカテーテル）	14200	93	1 320 600	65	923 000	28	397 600
6432	尿道ステント前立腺部尿道拡張術	12300	96	1 180 800	78	959 400	18	221 400
6433	女子尿道脱手術	7560	36	272 160	30	226 800	6	45 360
6434	尿失禁手術　恥骨固定式膀胱頸部吊上術を行うもの	23510	7	164 570	6	141 060	1	23 510
6435	尿失禁手術　その他のもの	20680	189	3 908 520	186	3 846 480	3	62 040
6436	尿失禁コラーゲン注入手術	23320	1	23 320	－	－	1	23 320
6437	膀胱尿管逆流現象コラーゲン注入手術	23320	2	46 640	2	46 640	－	－
6438	膀胱尿管逆流症手術（治療用注入材によるもの）	23320	30	699 600	28	652 960	2	46 640
6439	腹腔鏡下尿失禁手術	32440	－	－	－	－	－	－
6440	人工尿道括約筋植込・置換術	23920	17	406 640	17	406 640	－	－
6441	性器小計		84 139	1 188 731 920	64 622	1 139 887 800	19 517	48 844 120
6442	（陰茎）							
6443	陰茎尖圭コンジローム切除術	1130	581	656 530	13	14 690	568	641 840
6444	陰茎全摘術	16630	4	66 520	4	66 520	－	－
6445	陰茎全摘術　性同一性障害の患者	16630	－	－	－	－	－	－
6446	陰茎切断術	7020	2	14 040	2	14 040	－	－
6447	陰茎折症手術	8550	9	76 950	9	76 950	－	－
6448	陰茎様陰核形成手術	7020	2	14 040	2	14 040	－	－
6449	陰茎悪性腫瘍手術　陰茎切除	23200	19	440 800	19	440 800	－	－
6450	陰茎悪性腫瘍手術　陰茎全摘	36500	9	328 500	9	328 500	－	－
6451	包茎手術　背面切開術	740	151	111 740	75	55 500	76	56 240
6452	包茎手術　環状切除術	2040	380	775 200	225	459 000	155	316 200
6453	陰茎持続勃起症手術　亀頭－陰茎海綿体瘻作成術（ウィンター法）によるもの	4670	1	4 670	1	4 670	－	－
6454	陰茎持続勃起症手術　その他のシャント術によるもの	18600	－	－	－	－	－	－
6455	（陰嚢，精巣，精巣上体，精管，精索）							
6456	精管切断，切除術（両側）	2550	9	22 950	9	22 950	－	－
6457	精巣摘出術	2770	571	1 581 670	569	1 576 130	2	5 540
6458	精巣摘出術　性同一性障害の患者	2770	－	－	－	－	－	－
6459	精巣外傷手術　陰嚢内血腫除去術	3200	8	25 600	7	22 400	1	3 200
6460	精巣外傷手術　精巣白膜縫合術	3400	12	40 800	12	40 800	－	－
6461	精巣上体摘出術	4200	22	92 400	22	92 400	－	－
6462	精巣悪性腫瘍手術	12340	225	2 776 500	224	2 764 160	1	12 340
6463	精索静脈瘤手術	2970	25	74 250	24	71 280	1	2 970
6464	腹腔鏡下内精巣静脈結紮術	20500	28	574 000	28	574 000	－	－
6465	顕微鏡下精索静脈瘤手術	12500	182	2 275 000	84	1 050 000	98	1 225 000
6466	陰嚢水腫手術　交通性陰嚢水腫手術	3620	62	224 440	61	220 820	1	3 620
6467	陰嚢水腫手術　その他	2290	396	906 840	391	895 390	5	11 450
6468	停留精巣固定術	9740	717	6 983 580	702	6 837 480	15	146 100
6469	腹腔鏡下腹腔内停留精巣陰嚢内固定術	37170	14	520 380	14	520 380	－	－
6470	精管形成手術	12470	8	99 760	8	99 760	－	－
6471	精索捻転手術　対側の精巣固定術を伴うもの	7810	96	749 760	96	749 760	－	－
6472	精索捻転手術　その他のもの	8230	63	518 490	63	518 490	－	－
6473	（精嚢，前立腺）							
6474	前立腺膿瘍切開術	2770	5	13 850	5	13 850	－	－
6475	前立腺被膜下摘出術	15920	14	222 880	14	222 880	－	－
6476	経尿道的前立腺手術　電解質溶液利用のもの	20400	929	18 951 600	920	18 768 000	9	183 600
6477	経尿道的前立腺手術　その他のもの	18500	471	8 713 500	471	8 713 500	－	－
6478	経尿道的レーザー前立腺切除術　ホルミウムレーザーを用いるもの	20470	728	14 902 160	699	14 308 530	29	593 630
6479	経尿道的レーザー前立腺切除術　その他のもの	19000	309	5 871 000	285	5 415 000	24	456 000
6480	経尿道的前立腺高温度治療（一連につき）	5000	6	30 000	6	30 000	－	－
6481	焦点式高エネルギー超音波療法（一連につき）	5000	－	－	－	－	－	－
6482	経尿道的前立腺核出術	21500	116	2 494 000	103	2 214 500	13	279 500
6483	前立腺悪性腫瘍手術	41080	310	12 734 800	310	12 734 800	－	－
6484	腹腔鏡下前立腺悪性腫瘍手術	77430	244	18 892 920	244	18 892 920	－	－
6485	腹腔鏡下小切開前立腺悪性腫瘍手術	59780	62	3 706 360	62	3 706 360	－	－
6486	腹腔鏡下前立腺悪性腫瘍手術（内視鏡手術用支援機器を用いるもの）	95280	1 423	135 583 440	1 423	135 583 440	－	－
6487	（外陰，会陰）							
6488	バルトリン腺膿瘍切開術	780	1 013	790 140	26	20 280	987	769 860
6489	処女膜切開術	790	11	8 690	3	2 370	8	6 320
6490	処女膜切除術	980	2	1 960	－	－	2	1 960
6491	輪状処女膜切除術	2230	3	6 690	2	4 460	1	2 230
6492	バルトリン腺嚢胞腫瘍摘出術（造袋術を含む）	2760	209	576 840	100	276 000	109	300 840
6493	女子外性器腫瘍摘出術	2340	184	430 560	67	156 780	117	273 780
6494	女子外性器悪性腫瘍手術　切除	29190	22	642 180	21	612 990	1	29 190
6495	女子外性器悪性腫瘍手術　皮膚移植（筋皮弁使用）を行った場合	63200	9	568 800	9	568 800	－	－
6496	腟絨毛性腫瘍摘出術	23830	－	－	－	－	－	－
6497	会陰形成手術　筋層に及ばないもの	2330	13	30 290	10	23 300	3	6 990
6498	会陰形成手術　筋層に及ばないもの　性同一性障害の患者	2330	－	－	－	－	－	－
6499	会陰形成手術　筋層に及ぶもの	6910	17	117 470	16	110 560	1	6 910
6500	外陰・腟血腫除去術	1600	206	329 600	189	302 400	17	27 200
6501	癒合陰唇形成手術　筋層に及ばないもの	2330	40	93 200	14	32 620	26	60 580
6502	癒合陰唇形成手術　筋層に及ぶもの	6240	2	12 480	2	12 480	－	－

第８表　医科診療　件数・診療実日数・回数・点数，診療行為（細分類）、入院－入院外別

平成30年６月審査分

行番号	診療行為（細分類）	固定点数	総数		入院		入院外	
			回数	点数	回数	点数	回数	点数
6503	(腟)							
6504	腟壁裂創縫合術（分娩時を除く）前壁裂創	2760	17	46 920	12	33 120	5	13 800
6505	腟壁裂創縫合術（分娩時を除く）後壁裂創	2760	13	35 880	7	19 320	6	16 560
6506	腟壁裂創縫合術（分娩時を除く）前後壁裂創	6330	6	37 980	6	37 980	-	-
6507	腟壁裂創縫合術（分娩時を除く）腟円蓋に及ぶ裂創	8280	15	124 200	13	107 640	2	16 560
6508	腟壁裂創縫合術（分娩時を除く）直腸裂傷を伴うもの	31940	1	31 940	1	31 940	-	-
6509	腟閉鎖術　中央腟閉鎖術（子宮全脱）	7410	86	637 260	83	615 030	3	22 230
6510	腟閉鎖術　その他	2580	22	56 760	22	56 760	-	-
6511	腟式子宮旁結合織炎（膿瘍）切開術	2230	-	-	-	-	-	-
6512	後腟円蓋切開（異所性妊娠）	2230	-	-	-	-	-	-
6513	腟中隔切除術　不全隔のもの	1260	6	7 560	5	6 300	1	1 260
6514	腟中隔切除術　全中隔のもの	2540	4	10 160	4	10 160	-	-
6515	腟壁腫瘍摘出術	2540	44	111 760	33	83 820	11	27 940
6516	腟壁嚢腫切除術	2540	7	17 780	5	12 700	2	5 080
6517	腟ポリープ切除術	1040	141	146 640	15	15 600	126	131 040
6518	腟壁尖圭コンジローム切除術	1040	688	715 520	86	89 440	602	626 080
6519	腟壁悪性腫瘍手術	44480	8	355 840	8	355 840	-	-
6520	腟腸瘻閉鎖術　内視鏡によるもの	10300	-	-	-	-	-	-
6521	腟腸瘻閉鎖術　その他のもの	35130	10	351 300	10	351 300	-	-
6522	造腟術　拡張器利用によるもの	2130	1	2 130	1	2 130	-	-
6523	腟閉鎖症術　拡張器利用によるもの	2130	2	4 260	1	2 130	1	2 130
6524	造腟術　遊離植皮によるもの	18810	1	18 810	1	18 810	-	-
6525	造腟術　遊離植皮によるもの　性同一性障害の患者	18810	-	-	-	-	-	-
6526	腟閉鎖症術　遊離植皮によるもの	18810	-	-	-	-	-	-
6527	腟閉鎖症術　遊離植皮によるもの　性同一性障害の患者	18810	-	-	-	-	-	-
6528	造腟術　腟断端挙上によるもの	28210	1	28 210	1	28 210	-	-
6529	腟閉鎖症術　腟断端挙上によるもの	28210	1	28 210	1	28 210	-	-
6530	造腟術　腸管形成によるもの	47040	-	-	-	-	-	-
6531	造腟術　腸管形成によるもの　性同一性障害の患者	47040	-	-	-	-	-	-
6532	腟閉鎖症術　腸管形成によるもの	47040	-	-	-	-	-	-
6533	腟閉鎖症術　腸管形成によるもの　性同一性障害の患者	47040	-	-	-	-	-	-
6534	造腟術　筋皮弁移植によるもの	55810	-	-	-	-	-	-
6535	造腟術　筋皮弁移植によるもの　性同一性障害の患者	55810	-	-	-	-	-	-
6536	腟閉鎖症術　筋皮弁移植によるもの	55810	-	-	-	-	-	-
6537	腟閉鎖症術　筋皮弁移植によるもの　性同一性障害の患者	55810	-	-	-	-	-	-
6538	腹腔鏡下造腟術	38690	1	38 690	1	38 690	-	-
6539	腟壁形成手術	7880	81	638 280	77	606 760	4	31 520
6540	腟断端挙上術（腟式，腹式）	29190	11	321 090	11	321 090	-	-
6541	（子宮）							
6542	子宮内膜掻爬術	1180	2 793	3 295 740	1 524	1 798 320	1 269	1 497 420
6543	クレニッヒ手術	7710	-	-	-	-	-	-
6544	腹腔鏡下子宮内膜症病巣除去術	20610	104	2 143 440	92	1 896 120	12	247 320
6545	子宮鏡下子宮中隔切除術	18590	12	223 080	10	185 900	2	37 180
6546	子宮内腔癒着切除術（癒着剥離術を含む）	18590	16	297 440	14	260 260	2	37 180
6547	子宮鏡下子宮内膜焼灼術	17810	57	1 015 170	48	854 880	9	160 290
6548	子宮位置矯正術　アレキサンダー手術	4040	-	-	-	-	-	-
6549	子宮位置矯正術　開腹による位置矯正術	8140	-	-	-	-	-	-
6550	子宮位置矯正術　癒着剥離矯正術	16420	-	-	-	-	-	-
6551	子宮脱手術　腟壁形成手術及び子宮位置矯正術	16900	31	523 900	31	523 900	-	-
6552	子宮脱手術　ハルバン・シャウタ手術	16900	2	33 800	2	33 800	-	-
6553	子宮脱手術　マンチェスター手術	14110	18	253 980	18	253 980	-	-
6554	子宮脱手術　腟壁形成手術及び子宮全摘術（腟式，腹式）	28210	561	15 825 810	561	15 825 810	-	-
6555	腹腔鏡下仙骨腟固定術	48240	243	11 722 320	243	11 722 320	-	-
6556	子宮頸管ポリープ切除術	990	10 427	10 322 730	187	185 130	10 240	10 137 600
6557	子宮腟部冷凍凝固術	990	126	124 740	5	4 950	121	119 790
6558	子宮頸部（腟部）切除術	3330	2 109	7 022 970	2 015	6 709 950	94	313 020
6559	子宮腟部糜爛等子宮腟部乱切除術	470	13	6 110	2	940	11	5 170
6560	子宮頸部摘出術（腟部切断術を含む）	3330	68	226 440	68	226 440	-	-
6561	子宮頸部異形成上皮レーザー照射治療	3330	380	1 265 400	164	546 120	216	719 280
6562	子宮頸部上皮内癌レーザー照射治療	3330	20	66 600	17	56 610	3	9 990
6563	子宮息肉様筋腫摘出術（腟式）	3810	172	655 320	54	205 740	118	449 580
6564	子宮筋腫摘出（核出）術　腹式	24510	621	15 220 710	621	15 220 710	-	-
6565	子宮筋腫摘出（核出）術　腟式	14290	61	871 690	59	843 110	2	28 580
6566	腹腔鏡下子宮筋腫摘出（核出）術	37620	951	35 776 620	951	35 776 620	-	-
6567	子宮鏡下有茎粘膜下筋腫切出術	4730	136	643 280	132	624 360	4	18 920
6568	子宮内膜ポリープ切除術	4730	1 412	6 678 760	975	4 611 750	437	2 067 010
6569	痕跡副角子宮手術　腹式	15240	-	-	-	-	-	-
6570	痕跡副角子宮手術　腟式	8450	-	-	-	-	-	-
6571	子宮頸部初期癌光線力学療法	8450	1	8 450	1	8 450	-	-
6572	子宮頸部異形成光線力学療法	8450	-	-	-	-	-	-
6573	子宮鏡下子宮筋腫摘出術	17100	413	7 062 300	388	6 634 800	25	427 500
6574	子宮腟上部切断術	10390	7	72 730	7	72 730	-	-
6575	腹腔鏡下子宮腟上部切断術	17540	12	210 480	12	210 480	-	-
6576	子宮全摘術	28210	2 319	65 418 990	2 319	65 418 990	-	-
6577	子宮全摘術　性同一性障害の患者	28210	-	-	-	-	-	-
6578	腹腔鏡下腟式子宮全摘術	42050	1 881	79 096 050	1 881	79 096 050	-	-
6579	腹腔鏡下腟式子宮全摘術　性同一性障害の患者	42050	-	-	-	-	-	-
6580	腹腔鏡下腟式子宮全摘術　内視鏡下手術用支援機器使用	42050	17	714 850	17	714 850	-	-
6581	腹腔鏡下腟式子宮全摘術　性同一性障害の患者　内視鏡下手術用支援機器使用	42050	-	-	-	-	-	-
6582	広靱帯内腫瘍摘出術	16120	-	-	-	-	-	-
6583	腹腔鏡下広靱帯内腫瘍摘出術	28130	-	-	-	-	-	-
6584	子宮悪性腫瘍手術	62000	975	60 450 000	975	60 450 000	-	-
6585	腹腔鏡下子宮悪性腫瘍手術　子宮体がんに限る	70200	192	13 478 400	192	13 478 400	-	-
6586	腹腔鏡下子宮悪性腫瘍手術　子宮体がんに限る　内視鏡下手術用支援機器使用	70200	3	210 600	3	210 600	-	-
6587	腹腔鏡下子宮悪性腫瘍手術　子宮頸がんに限る	70200	45	3 159 000	45	3 159 000	-	-
6588	腹壁子宮瘻手術	23290	-	-	-	-	-	-
6589	重複子宮手術	25280	-	-	-	-	-	-
6590	双角子宮手術	25280	-	-	-	-	-	-
6591	子宮頸管形成手術	3590	8	28 720	6	21 540	2	7 180
6592	子宮頸管閉鎖症手術　非観血的	180	35	6 300	8	1 440	27	4 860
6593	子宮頸管閉鎖症手術　観血的	3590	10	35 900	10	35 900	-	-
6594	奇形子宮形成手術（ストラスマン手術）	23290	3	69 870	3	69 870	-	-
6595	（子宮附属器）							
6596	腟式卵巣嚢腫内容排除術	1350	115	155 250	33	44 550	82	110 700
6597	経皮的卵巣嚢腫内容排除術	1490	-	-	-	-	-	-
6598	子宮附属器癒着剥離術（両側）開腹によるもの	13890	11	152 790	11	152 790	-	-
6599	子宮附属器癒着剥離術（両側）腹腔鏡によるもの	21370	223	4 765 510	222	4 744 140	1	21 370
6600	卵巣部分切除術（腟式を含む）開腹によるもの	6150	30	184 500	30	184 500	-	-
6601	卵巣部分切除術（腟式を含む）腹腔鏡によるもの	18810	38	714 780	38	714 780	-	-
6602	卵管結紮術（腟式を含む）（両側）開腹によるもの	4350	-	-	-	-	-	-
6603	卵管結紮術（腟式を含む）（両側）腹腔鏡によるもの	18810	1	18 810	1	18 810	-	-
6604	卵管口切開術　開腹によるもの	5220	-	-	-	-	-	-
6605	卵管口切開術　腹腔鏡によるもの	18810	3	56 430	3	56 430	-	-
6606	腹腔鏡下多嚢胞性卵巣焼灼術	24130	30	723 900	30	723 900	-	-
6607	子宮附属器腫瘍摘出術（両側）開腹によるもの	17080	969	16 550 520	969	16 550 520	-	-
6608	子宮附属器腫瘍摘出術（両側）開腹によるもの　性同一性障害の患者	17080	-	-	-	-	-	-
6609	子宮附属器腫瘍摘出術（両側）腹腔鏡によるもの	25940	2 675	69 389 500	2 673	69 337 620	2	51 880
6610	子宮附属器腫瘍摘出術（両側）腹腔鏡によるもの　性同一性障害の患者	25940	-	-	-	-	-	-
6611	卵管全摘除術（両側）開腹によるもの	12460	7	87 220	7	87 220	-	-
6612	卵管腫瘤全摘除術（両側）開腹によるもの	12460	3	37 380	3	37 380	-	-
6613	子宮卵管留血腫手術（両側）開腹によるもの	12460	-	-	-	-	-	-
6614	卵管全摘除術（両側）腹腔鏡によるもの	25540	72	1 838 880	72	1 838 880	-	-

第８表　医科診療　件数・診療実日数・回数・点数，診療行為（細分類）、入院－入院外別

平成30年６月審査分

行番号	診療行為（細分類）	固定点数	総数		入院		入院外	
			回数	点数	回数	点数	回数	点数
6615	卵管腫瘤全摘除術（両側）腹腔鏡によるもの	25540	11	280 940	11	280 940	–	–
6616	子宮卵管留血腫手術（両側）腹腔鏡によるもの	25540	7	178 780	7	178 780	–	–
6617	子宮附属器悪性腫瘍手術（両側）	58500	683	39 955 500	683	39 955 500	–	–
6618	卵管形成手術（卵管・卵巣移植，卵管架橋等）	27380	5	136 900	–	–	5	136 900
6619	卵管鏡下卵管形成術	46410	598	27 753 180	204	9 467 640	394	18 285 540
6620	腹腔鏡下卵管形成術	46410	39	1 809 990	27	1 253 070	12	556 920
6621	（産科手術）							
6622	分娩時頸部切開術（縫合を含む）	3170	1	3 170	1	3 170	–	–
6623	骨盤位娩出術	3800	40	152 000	40	152 000	–	–
6624	吸引娩出術	2550	5 788	14 759 400	5 788	14 759 400	–	–
6625	鉗子娩出術　低位（出口）鉗子	2700	493	1 331 100	493	1 331 100	–	–
6626	鉗子娩出術　中位鉗子	4760	131	623 560	131	623 560	–	–
6627	会陰（陰門）切開及び縫合術（分娩時）	1530	1 539	2 354 670	1 538	2 353 140	1	1 530
6628	会陰（腟壁）裂創縫合術（分娩時）筋層に及ぶもの	1650	1 611	2 658 150	1 608	2 653 200	3	4 950
6629	会陰（腟壁）裂創縫合術（分娩時）肛門に及ぶもの	4630	1 354	6 269 020	1 352	6 259 760	2	9 260
6630	会陰（腟壁）裂創縫合術（分娩時）腟円蓋に及ぶもの	4320	491	2 121 120	490	2 116 800	1	4 320
6631	会陰（腟壁）裂創縫合術（分娩時）直腸裂創を伴うもの	8920	107	954 440	107	954 440	–	–
6632	頸管裂創縫合術（分娩時）	5880	967	5 685 960	965	5 674 200	2	11 760
6633	帝王切開術　緊急帝王切開	22200	6 343	140 814 600	6 343	140 814 600	–	–
6634	帝王切開術　選択帝王切開	20140	9 687	195 096 180	9 687	195 096 180	–	–
6635	帝王切開術　複雑な場合　加算	2000	9 648	19 296 000	9 648	19 296 000	–	–
6636	胎児縮小術（娩出術を含む）	3220	–	–	–	–	–	–
6637	臍帯還納術	1240	1	1 240	1	1 240	–	–
6638	脱垂肢整復術	1240	1	1 240	1	1 240	–	–
6639	子宮双手圧迫術（大動脈圧迫術を含む）	2460	527	1 296 420	527	1 296 420	–	–
6640	胎盤用手剥離術	2350	726	1 706 100	724	1 701 400	2	4 700
6641	子宮破裂手術　子宮全摘除を行うもの	29190	2	58 380	2	58 380	–	–
6642	子宮破裂手術　子宮腟上部切断を行うもの	29190	–	–	–	–	–	–
6643	子宮破裂手術　その他のもの	16130	2	32 260	2	32 260	–	–
6644	妊娠子宮摘出術（ポロー手術）	33120	21	695 520	21	695 520	–	–
6645	子宮内反症整復手術（腟式）非観血的	340	11	3 740	11	3 740	–	–
6646	子宮内反症整復手術（腹式）非観血的	340	1	340	1	340	–	–
6647	子宮内反症整復手術（腟式）観血的	15490	–	–	–	–	–	–
6648	子宮内反症整復手術（腹式）観血的	15490	2	30 980	2	30 980	–	–
6649	子宮頸管縫縮術　マクドナルド法	1680	215	361 200	215	361 200	–	–
6650	子宮頸管縫縮術　シロッカー法	3090	376	1 161 840	376	1 161 840	–	–
6651	子宮頸管縫縮術　ラッシュ法	3090	2	6 180	2	6 180	–	–
6652	子宮頸管縫縮術　縫縮解除術（チューブ抜去術）	1500	377	565 500	195	292 500	182	273 000
6653	胎児外回転術	670	457	306 190	140	93 800	317	212 390
6654	胎児内（双合）回転術	1190	–	–	–	–	–	–
6655	流産手術　妊娠11週までの場合　手動真空吸引法によるもの	4000	1 138	4 552 000	768	3 072 000	370	1 480 000
6656	流産手術　妊娠11週までの場合　その他のもの	2000	5 655	11 310 000	3 689	7 378 000	1 966	3 932 000
6657	流産手術　妊娠11週を超え妊娠21週までの場合	5110	140	715 400	122	623 420	18	91 980
6658	子宮内容除去術（不全流産）	1980	1 064	2 106 720	592	1 172 160	472	934 560
6659	内視鏡的胎盤吻合血管レーザー焼灼術	40000	22	880 000	22	880 000	–	–
6660	胎児胸腔・羊水腔シャント術（一連につき）	11880	2	23 760	2	23 760	–	–
6661	胞状奇胎除去術	4120	170	700 400	152	626 240	18	74 160
6662	異所性妊娠手術　開腹によるもの	14110	74	1 044 140	74	1 044 140	–	–
6663	異所性妊娠手術　腹腔鏡によるもの	22950	376	8 629 200	376	8 629 200	–	–
6664	新生児仮死蘇生術　仮死第１度のもの	840	953	800 520	917	770 280	36	30 240
6665	新生児仮死蘇生術　仮死第２度のもの	2700	376	1 015 200	372	1 004 400	4	10 800
6666	（その他）							
6667	性腺摘出術　開腹によるもの	6280	6	37 680	6	37 680	–	–
6668	性腺摘出術　腹腔鏡によるもの	18590	5	92 950	5	92 950	–	–
6669	臓器提供管理料小計		12	165 000	12	165 000	–	–
6670	脳死臓器提供管理料	20000	7	140 000	7	140 000	–	–
6671	生体臓器提供管理料	5000	5	25 000	5	25 000	–	–
6672	複数手術の従の小計		21 859	184 148 311	18 477	167 560 411	3 382	16 587 900
6673	K006　皮膚，皮下腫瘍摘出術（露出部以外）長径６cm以上12cm未満の従	2080	31	64 480	19	39 520	12	24 960
6674	K006　皮膚，皮下腫瘍摘出術（露出部以外）長径12cm以上の従	4160	7	29 120	7	29 120	–	–
6675	K015　皮弁作成術，移動術，切断術，遷延皮弁術　25㎠未満の従	2255	502	1 132 010	315	710 325	187	421 685
6676	K015　皮弁作成術，移動術，切断術，遷延皮弁術　25㎠以上100㎠未満の従	6860	55	377 300	51	349 860	4	27 440
6677	K015　皮弁作成術，移動術，切断術，遷延皮弁術　100㎠以上の従	11155	25	278 875	25	278 875	–	–
6678	K021-2　粘膜弁手術　４㎠未満の従	6595	2	13 190	2	13 190	–	–
6679	K021-2　粘膜弁手術　４㎠以上の従	6730	2	13 460	2	13 460	–	–
6680	K022　組織拡張器による再建手術（一連につき）乳房（再建手術）の場合の従	9230	376	3 470 480	376	3 470 480	–	–
6681	K022　組織拡張器による再建手術（一連につき）その他の場合の従	9700	1	9 700	1	9 700	–	–
6682	K034　腱切離・切除術（関節鏡下によるものを含む）の従	2145	–	–	–	–	–	–
6683	K035　腱剥離術（関節鏡下によるものを含む）の従	6790	1	6 790	1	6 790	–	–
6684	K035-2　腱滑膜切除術の従	4530	1	4 530	–	–	1	4 530
6685	K037　腱縫合術の従	6790	71	482 090	60	407 400	11	74 690
6686	K038　腱延長術の従	5375	–	–	–	–	–	–
6687	K039　腱移植術（人工腱形成術を含む）指（手，足）の従	9390	–	–	–	–	–	–
6688	K039　腱移植術（人工腱形成術を含む）その他のものの従	11930	1	11 930	1	11 930	–	–
6689	K040　腱移行術　指（手，足）の従	7785	–	–	–	–	–	–
6690	K040　腱移行術　その他のものの従	9040	2	18 080	2	18 080	–	–
6691	K046　骨折観血的手術　手舟状骨の従	7990	1	7 990	1	7 990	–	–
6692	K046　骨折観血的手術　手（舟状骨を除く）の従	5685	6	34 110	6	34 110	–	–
6693	K046　骨折観血的手術　指（手，足）の従	5685	24	136 440	22	125 070	2	11 370
6694	K046　骨折観血的手術　その他の従	5685	1	5 685	1	5 685	–	–
6695	K053　骨悪性腫瘍手術　肩甲骨の従	16275	–	–	–	–	–	–
6696	K053　骨悪性腫瘍手術　上腕の従	16275	–	–	–	–	–	–
6697	K053　骨悪性腫瘍手術　大腿の従	16275	4	65 100	4	65 100	–	–
6698	K053　骨悪性腫瘍手術　前腕の従	16020	–	–	–	–	–	–
6699	K053　骨悪性腫瘍手術　下腿の従	16020	–	–	–	–	–	–
6700	K053　骨悪性腫瘍手術　鎖骨の従	11005	–	–	–	–	–	–
6701	K053　骨悪性腫瘍手術　膝蓋骨の従	11005	–	–	–	–	–	–
6702	K053　骨悪性腫瘍手術　手の従	11005	–	–	–	–	–	–
6703	K053　骨悪性腫瘍手術　足その他の従	11005	–	–	–	–	–	–
6704	K068-2　関節鏡下半月板切除術の従	7545	76	573 420	76	573 420	–	–
6705	K069-3　関節鏡下半月板縫合術の従	9405	277	2 605 185	277	2 605 185	–	–
6706	K079-2　関節鏡下靱帯断裂形成手術　十字靱帯の従	17490	1	17 490	1	17 490	–	–
6707	K081　人工骨頭挿入術　肩の従	9750	2	19 500	2	19 500	–	–
6708	K081　人工骨頭挿入術　股の従	9750	8	78 000	8	78 000	–	–
6709	K081　人工骨頭挿入術　肘の従	9405	–	–	–	–	–	–
6710	K081　人工骨頭挿入術　手の従	9405	–	–	–	–	–	–
6711	K081　人工骨頭挿入術　足の従	9405	–	–	–	–	–	–
6712	K081　人工骨頭挿入術　指（手，足）の従	5440	–	–	–	–	–	–
6713	K082　人工関節置換術　肩の従	18845	–	–	–	–	–	–
6714	K082　人工関節置換術　股の従	18845	–	–	–	–	–	–
6715	K082　人工関節置換術　膝の従	18845	1	18 845	1	18 845	–	–
6716	K082　人工関節置換術　胸鎖の従	14105	–	–	–	–	–	–
6717	K082　人工関節置換術　肘の従	14105	1	14 105	1	14 105	–	–
6718	K082　人工関節置換術　手の従	14105	–	–	–	–	–	–
6719	K082　人工関節置換術　足の従	14105	–	–	–	–	–	–
6720	K082　人工関節置換術　肩鎖の従	7985	–	–	–	–	–	–
6721	K082　人工関節置換術　指（手，足）の従	7985	–	–	–	–	–	–
6722	K107　指移植手術の従	58335	–	–	–	–	–	–
6723	K116　脊椎骨掻爬術の従	8585	–	–	–	–	–	–
6724	K116　骨盤骨掻爬術の従	8585	–	–	–	–	–	–

第８表　医科診療　件数・診療実日数・回数・点数，診療行為（細分類）、入院－入院外別

平成30年６月審査分

行番号	診療行為（細分類）	固定点数	総数 回数	総数 点数	入院 回数	入院 点数	入院外 回数	入院外 点数
6725	K118　脊椎，骨盤脱臼観血的手術の従	15515	－	－	－	－	－	－
6726	K131-2　内視鏡下椎弓切除術の従	8650	54	467 100	54	467 100	－	－
6727	K134　椎間板摘出術　前方摘出術の従	20090	9	180 810	9	180 810	－	－
6728	K134　椎間板摘出術　後方摘出術の従	11760	131	1 540 560	131	1 540 560	－	－
6729	K134　椎間板摘出術　側方摘出術の従	14105	－	－	－	－	－	－
6730	K134　椎間板摘出術　経皮的髄核摘出術の従	7655	－	－	－	－	－	－
6731	K134-2　内視鏡下椎間板摘出（切除）術　前方摘出術の従	37800	－	－	－	－	－	－
6732	K134-2　内視鏡下椎間板摘出（切除）術　後方摘出術の従	15195	5	75 975	5	75 975	－	－
6733	K135　脊椎腫瘍切除術の従	18310	－	－	－	－	－	－
6734	K135　骨盤腫瘍切除術の従	18310	－	－	－	－	－	－
6735	K136　脊椎悪性腫瘍手術の従	45235	－	－	－	－	－	－
6736	K136　骨盤悪性腫瘍手術の従	45235	－	－	－	－	－	－
6737	K142　脊椎固定術，椎弓切除術，椎弓形成術（多椎間又は多椎弓の場合を含む）前方椎体固定の従	18620	12	223 440	12	223 440	－	－
6738	K142　脊椎固定術，椎弓切除術，椎弓形成術（多椎間又は多椎弓の場合を含む）後方又は後側方固定の従	16445	82	1 348 490	82	1 348 490	－	－
6739	K142　脊椎固定術，椎弓切除術，椎弓形成術（多椎間又は多椎弓の場合を含む）後方椎体固定の従	20580	11	226 380	11	226 380	－	－
6740	K142　脊椎固定術，椎弓切除術，椎弓形成術（多椎間又は多椎弓の場合を含む）前方後方同時固定の従	33295	－	－	－	－	－	－
6741	K142　脊椎固定術，椎弓切除術，椎弓形成術（多椎間又は多椎弓の場合を含む）椎弓切除の従	6655	344	2 289 320	344	2 289 320	－	－
6742	K142　脊椎固定術，椎弓切除術，椎弓形成術（多椎間又は多椎弓の場合を含む）椎弓形成の従	12130	74	897 620	74	897 620	－	－
6743	K144　体外式脊椎固定術の従	12900	7	90 300	7	90 300	－	－
6744	K182　神経縫合術　指（手，足）の従	7580	39	295 620	31	234 980	8	60 640
6745	K182　神経縫合術　その他のものの従	12255	－	－	－	－	－	－
6746	K182-3　神経再生誘導術　指（手，足）の従	6320	－	－	－	－	－	－
6747	K182-3　神経再生誘導術　その他のものの従	10795	－	－	－	－	－	－
6748	K259　角膜移植術の従	27400	－	－	－	－	－	－
6749	K268　緑内障手術　虹彩切除術の従	2370	11	26 070	8	18 960	3	7 110
6750	K268　緑内障手術　流出路再建術の従	9510	13	123 630	9	85 590	4	38 040
6751	K268　緑内障手術　濾過手術の従	11800	4	47 200	3	35 400	1	11 800
6752	K268　緑内障手術　緑内障治療用インプラント挿入術（プレートのないもの）の従	17240	2	34 480	2	34 480	－	－
6753	K268　緑内障手術　緑内障治療用インプラント挿入術（プレートのあるもの）の従	22740	1	22 740	1	22 740	－	－
6754	K268　緑内障手術　水晶体再建術併用眼内ドレーン挿入術の従	13995	－	－	－	－	－	－
6755	K277-2　黄斑下手術の従	23575	－	－	－	－	－	－
6756	K279　硝子体切除術の従	7780	380	2 956 400	302	2 349 560	78	606 840
6757	K280　硝子体茎顕微鏡下離断術　網膜付着組織を含むものの従	19475	16	311 600	16	311 600	－	－
6758	K280　硝子体茎顕微鏡下離断術　その他のものの従	14860	38	564 680	34	505 240	4	59 440
6759	K281　増殖性硝子体網膜症手術の従	27430	2	54 860	1	27 430	1	27 430
6760	K282　水晶体再建術　眼内レンズを挿入する場合　縫着レンズを挿入するものの従	8920	626	5 583 920	513	4 575 960	113	1 007 960
6761	K282　水晶体再建術　眼内レンズを挿入する場合　その他のものの従	6050	8 772	53 070 600	6 672	40 365 600	2 100	12 705 000
6762	K282　水晶体再建術　眼内レンズを挿入しない場合の従	3715	285	1 058 775	249	925 035	36	133 740
6763	K282　水晶体再建術　計画的後嚢切開を伴う場合の従	10890	－	－	－	－	－	－
6764	K284　硝子体置換術の従	3445	3	10 335	3	10 335	－	－
6765	K296　耳介形成手術　耳介軟骨形成を要するものの従	9620	－	－	－	－	－	－
6766	K299　小耳症手術　軟骨移植による耳介形成手術の従	28070	－	－	－	－	－	－
6767	K299　小耳症手術　耳介挙上の従	7370	－	－	－	－	－	－
6768	K305　乳突削開術の従	12245	482	5 902 090	475	5 816 375	7	85 715
6769	K319　鼓室形成手術　耳小骨温存術の従	17330	－	－	－	－	－	－
6770	K319　鼓室形成手術　耳小骨再建術の従	25665	－	－	－	－	－	－
6771	K395　喉頭悪性腫瘍手術（頸部，胸部，腹部等の操作による再建を含む）の従	56940	1	56 940	1	56 940	－	－
6772	K395　下咽頭悪性腫瘍手術（頸部，胸部，腹部等の操作による再建を含む）の従	56940	2	113 880	2	113 880	－	－
6773	K403　気管形成手術（管状気管，気管移植等）頸部からのものの従	24970	－	－	－	－	－	－
6774	K403　気管形成手術（管状気管，気管移植等）開胸又は胸骨正中切開によるものの従	38020	1	38 020	1	38 020	－	－
6775	K404　抜歯手術（１歯につき）乳歯の従	65	－	－	－	－	－	－
6776	K404　抜歯手術（１歯につき）前歯の従	78	1	78	1	78	－	－
6777	K404　抜歯手術（１歯につき）臼歯の従	133	5	665	5	665	－	－
6778	K404　抜歯手術（１歯につき）埋伏歯の従	525	6	3 150	6	3 150	－	－
6779	K436　顎骨腫瘍摘出術　長径３㎝未満の従	1410	1	1 410	1	1 410	－	－
6780	K436　顎骨腫瘍摘出術　長径３㎝以上の従	6695	－	－	－	－	－	－
6781	K437　下顎骨部分切除術の従	8390	－	－	－	－	－	－
6782	K438　下顎骨離断術の従	16280	－	－	－	－	－	－
6783	K444　下顎骨形成術　おとがい形成の場合の従	3890	1	3 890	1	3 890	－	－
6784	K444　下顎骨形成術　短縮の場合の従	15395	－	－	－	－	－	－
6785	K444　下顎骨形成術　伸長の場合の従	15395	－	－	－	－	－	－
6786	K476　乳腺悪性腫瘍手術　単純乳房切除術（乳腺全摘術）の従	7410	2	14 820	2	14 820	－	－
6787	K476　乳腺悪性腫瘍手術　乳房切除術（腋窩部郭清を伴わないもの）の従	11260	1	11 260	1	11 260	－	－
6788	K476　乳腺悪性腫瘍手術　乳房切除術（腋窩鎖骨下部郭清を伴うもの）・胸筋切除を併施しないものの従	21175	－	－	－	－	－	－
6789	K476　乳腺悪性腫瘍手術　乳輪温存乳房切除術（腋窩郭清を伴わない）の従	13905	－	－	－	－	－	－
6790	K476　乳腺悪性腫瘍手術　乳輪温存乳房切除術（腋窩郭清を伴う）の従	24170	－	－	－	－	－	－
6791	K476-4　ゲル充填人工乳房を用いた乳房再建術（乳房切除後）の従	12500	29	362 500	19	237 500	10	125 000
6792	K504　縦隔悪性腫瘍手術　単純摘出の従	19425	－	－	－	－	－	－
6793	K504　縦隔悪性腫瘍手術　広汎摘出の従	29410	1	29 410	1	29 410	－	－
6794	K511　肺切除術　楔状部分切除の従	13760	6	82 560	6	82 560	－	－
6795	K511　肺切除術　区域切除（１肺葉に満たないもの）の従	29215	2	58 430	2	58 430	－	－
6796	K511　肺切除術　肺葉切除の従	29175	－	－	－	－	－	－
6797	K511　肺切除術　複合切除（１肺葉を超えるもの）の従	32425	－	－	－	－	－	－
6798	K511　肺切除術　１側肺全摘の従	29915	－	－	－	－	－	－
6799	K511　肺切除術　気管支形成を伴う肺切除術の従	38115	－	－	－	－	－	－
6800	K514　肺悪性腫瘍手術　部分切除の従	30175	－	－	－	－	－	－
6801	K514　肺悪性腫瘍手術　区域切除の従	34625	－	－	－	－	－	－
6802	K514　肺悪性腫瘍手術　肺葉切除又は１肺葉を超えるものの従	36320	－	－	－	－	－	－
6803	K514　肺悪性腫瘍手術　肺全摘の従	36320	－	－	－	－	－	－
6804	K514　肺悪性腫瘍手術　隣接臓器合併切除を伴う肺切除の従	39200	－	－	－	－	－	－
6805	K514　肺悪性腫瘍手術　気管支形成を伴う肺切除の従	40230	－	－	－	－	－	－
6806	K514　肺悪性腫瘍手術　気管分岐部切除を伴う肺切除の従	62430	－	－	－	－	－	－
6807	K514　肺悪性腫瘍手術　気管分岐部再建を伴う肺切除の従	63565	－	－	－	－	－	－
6808	K514　肺悪性腫瘍手術　胸膜肺全摘の従	46000	－	－	－	－	－	－
6809	K514　肺悪性腫瘍手術　壁側・臓側胸膜全切除（横隔膜心膜合併切除を伴うもの）の従	52500	－	－	－	－	－	－
6810	K527　食道悪性腫瘍手術（単に切除のみのもの）頸部食道の場合の従	23765	－	－	－	－	－	－
6811	K527　食道悪性腫瘍手術（単に切除のみのもの）胸部食道の場合の従	28475	－	－	－	－	－	－
6812	K529　食道悪性腫瘍手術（消化管再建手術を併施するもの）頸部，胸部，腹部の操作によるものの従	61270	－	－	－	－	－	－
6813	K529　食道悪性腫瘍手術（消化管再建手術を併施するもの）胸部，腹部の操作によるものの従	50745	－	－	－	－	－	－
6814	K529　食道悪性腫瘍手術（消化管再建手術を併施するもの）腹部の操作によるものの従	34920	1	34 920	1	34 920	－	－
6815	K534　横隔膜縫合術　経胸の従	16730	－	－	－	－	－	－
6816	K534　横隔膜縫合術　経腹の従	16730	3	50 190	3	50 190	－	－
6817	K534　横隔膜縫合術　経胸及び経腹の従	20455	－	－	－	－	－	－
6818	K535　胸腹裂孔ヘルニア手術　経胸の従	14780	－	－	－	－	－	－
6819	K535　胸腹裂孔ヘルニア手術　経腹の従	14780	－	－	－	－	－	－
6820	K535　胸腹裂孔ヘルニア手術　経胸及び経腹の従	19520	－	－	－	－	－	－

第８表　医科診療　件数・診療実日数・回数・点数，診療行為（細分類）、入院－入院外別

平成30年６月審査分

行番号	診療行為（細分類）	固定点数	総数 回数	総数 点数	入院 回数	入院 点数	入院外 回数	入院外 点数
6821	K545　開胸心臓マッサージの従	4700	2	9 400	2	9 400	−	−
6822	K552　冠動脈，大動脈バイパス移植術　１吻合のものの従	35785	142	5 081 470	142	5 081 470	−	−
6823	K552　冠動脈，大動脈バイパス移植術　２吻合以上のものの従	44625	74	3 302 250	74	3 302 250	−	−
6824	K552-2　冠動脈，大動脈バイパス移植術（人工心肺を使用しないもの）１吻合のものの従	35785	1	35 785	1	35 785	−	−
6825	K552-2　冠動脈，大動脈バイパス移植術（人工心肺を使用しないもの）２吻合以上のものの従	45675	−	−	−	−	−	−
6826	K554　弁形成術　１弁のものの従	39930	68	2 715 240	68	2 715 240	−	−
6827	K554　弁形成術　２弁のものの従	46585	53	2 469 005	53	2 469 005	−	−
6828	K554　弁形成術　３弁のものの従	53240	−	−	−	−	−	−
6829	K555　弁置換術　１弁のものの従	42750	150	6 412 500	150	6 412 500	−	−
6830	K555　弁置換術　２弁のものの従	50100	4	200 400	4	200 400	−	−
6831	K555　弁置換術　３弁のものの従	57255	−	−	−	−	−	−
6832	K560　大動脈瘤切除術（吻合又は移植を含む）上行大動脈　大動脈弁置換術又は形成術を伴うものの従	57255	1	57 255	1	57 255	−	−
6833	K560　大動脈瘤切除術（吻合又は移植を含む）上行大動脈　人工弁置換術を伴う大動脈基部置換術の従	64410	−	−	−	−	−	−
6834	K560　大動脈瘤切除術（吻合又は移植を含む）上行大動脈　自己弁温存型大動脈基部置換術の従	74430	−	−	−	−	−	−
6835	K560　大動脈瘤切除術（吻合又は移植を含む）上行大動脈　その他のものの従	50100	1	50 100	1	50 100	−	−
6836	K560　大動脈瘤切除術（吻合又は移植を含む）弓部大動脈の従	57255	−	−	−	−	−	−
6837	K560　大動脈瘤切除術（吻合又は移植を含む）上行大動脈及び弓部大動脈の同時手術　大動脈弁置換術又は形成術を伴うものの従	93685	−	−	−	−	−	−
6838	K560　大動脈瘤切除術（吻合又は移植を含む）上行大動脈及び弓部大動脈の同時手術　人工弁置換術を伴う大動脈基部置換術の従	105395	−	−	−	−	−	−
6839	K560　大動脈瘤切除術（吻合又は移植を含む）上行大動脈及び弓部大動脈の同時手術　自己弁温存型大動脈基部置換術の従	121790	−	−	−	−	−	−
6840	K560　大動脈瘤切除術（吻合又は移植を含む）上行大動脈及び弓部大動脈の同時手術　その他のものの従	85880	−	−	−	−	−	−
6841	K560　大動脈瘤切除術（吻合又は移植を含む）下行大動脈の従	44625	−	−	−	−	−	−
6842	K560　大動脈瘤切除術（吻合又は移植を含む）胸腹部大動脈の従	124875	−	−	−	−	−	−
6843	K560　大動脈瘤切除術（吻合又は移植を含む）腹部大動脈（分枝血管の再建を伴うもの）の従	29540	−	−	−	−	−	−
6844	K560　大動脈瘤切除術（吻合又は移植を含む）腹部大動脈（その他のもの）の従	26000	2	52 000	2	52 000	−	−
6845	K560-2　オープン型ステントグラフト内挿術　弓部大動脈の従	57255	−	−	−	−	−	−
6846	K560-2　オープン型ステントグラフト内挿術　上行大動脈及び弓部大動脈の同時手術　大動脈弁置換術又は形成術を伴うものの従	93685	−	−	−	−	−	−
6847	K560-2　オープン型ステントグラフト内挿術　上行大動脈及び弓部大動脈の同時手術　人工弁置換術を伴う大動脈基部置換術の従	105395	−	−	−	−	−	−
6848	K560-2　オープン型ステントグラフト内挿術　上行大動脈及び弓部大動脈の同時手術　自己弁温存型大動脈基部置換術の従	121790	−	−	−	−	−	−
6849	K560-2　オープン型ステントグラフト内挿術　上行大動脈及び弓部大動脈の同時手術　その他のものの従	85880	−	−	−	−	−	−
6850	K560-2　オープン型ステントグラフト内挿術　下行大動脈の従	44625	−	−	−	−	−	−
6851	K561　ステントグラフト内挿術　１　血管損傷の場合の従	21915	−	−	−	−	−	−
6852	K561　ステントグラフト内挿術　２　１以外の場合　胸部大動脈の従	28280	−	−	−	−	−	−
6853	K561　ステントグラフト内挿術　２　１以外の場合　腹部大動脈の従	24720	1	24 720	1	24 720	−	−
6854	K561　ステントグラフト内挿術　２　１以外の場合　腸骨動脈の従	21915	−	−	−	−	−	−
6855	K570　肺動脈狭窄症手術　右室流出路形成又は肺動脈形成を伴うものの従	37230	−	−	−	−	−	−
6856	K570　純型肺動脈弁閉鎖症手術　右室流出路形成又は肺動脈形成を伴うものの従	37230	−	−	−	−	−	−
6857	K570-3　経皮的肺動脈形成術の従	15640	−	−	−	−	−	−
6858	K572　肺静脈形成術の従	29465	−	−	−	−	−	−
6859	K594　不整脈手術　メイズ手術の従	49320	116	5 721 120	116	5 721 120	−	−
6860	K594-2　肺静脈隔離術の従	36115	4	144 460	4	144 460	−	−
6861	K610　動脈形成術，吻合術　頭蓋内動脈の従	49850	−	−	−	−	−	−
6862	K610　動脈形成術，吻合術　胸腔内動脈（大動脈を除く）の従	26285	7	183 995	7	183 995	−	−
6863	K610　動脈形成術，吻合術　腹腔内動脈（大動脈を除く）の従	23895	−	−	−	−	−	−
6864	K610　動脈形成術，吻合術　指（手，足）の動脈の従	9200	3	27 600	2	18 400	1	9 200
6865	K610　動脈形成術，吻合術　その他の動脈の従	10850	11	119 350	11	119 350	−	−
6866	K611　抗悪性腫瘍剤動脈内持続注入用植込型カテーテル設置　開腹して設置した場合の従	8970	1	8 970	1	8 970	−	−
6867	K611　抗悪性腫瘍剤静脈内持続注入用植込型カテーテル設置　開腹して設置した場合の従	8970	7	62 790	7	62 790	−	−
6868	K611　抗悪性腫瘍剤腹腔内持続注入用植込型カテーテル設置　開腹して設置した場合の従	8970	4	35 880	4	35 880	−	−
6869	K611　抗悪性腫瘍剤動脈内持続注入用植込型カテーテル設置　四肢に設置した場合の従	8125	17	138 125	17	138 125	−	−
6870	K611　抗悪性腫瘍剤静脈内持続注入用植込型カテーテル設置　四肢に設置した場合の従	8125	8	65 000	8	65 000	−	−
6871	K611　抗悪性腫瘍剤動脈内持続注入用植込型カテーテル設置　頭頸部その他に設置した場合の従	8320	47	391 040	47	391 040	−	−
6872	K611　抗悪性腫瘍剤静脈内持続注入用植込型カテーテル設置　頭頸部その他に設置した場合の従	8320	43	357 760	43	357 760	−	−
6873	K614　血管移植術，バイパス移植術　頭，頸部動脈の従	27525	73	2 009 325	73	2 009 325	−	−
6874	K615　血管塞栓術（頭部，胸腔，腹腔内血管等）止血術の従	11555	−	−	−	−	−	−
6875	K615　血管塞栓術（頭部，胸腔，腹腔内血管等）選択的動脈化学塞栓術の従	10020	−	−	−	−	−	−
6876	K615　血管塞栓術（頭部，胸腔，腹腔内血管等）その他のものの従	9310	1	9 310	1	9 310	−	−
6877	K615-2　経皮的大動脈遮断術の従	830	4	3 320	4	3 320	−	−
6878	K617　下肢静脈瘤手術　抜去切除術の従	5100	−	−	−	−	−	−
6879	K617　下肢静脈瘤手術　硬化療法（一連として）の従	860	−	−	−	−	−	−
6880	K617　下肢静脈瘤手術　高位結紮術の従	1565	1	1 565	1	1 565	−	−
6881	K617-2　大伏在静脈抜去術の従	5510	−	−	−	−	−	−
6882	K617-4　下肢静脈瘤血管内焼灼術の従	7180	−	−	−	−	−	−
6883	K617-5　内視鏡下下肢静脈瘤不全穿通枝切離術の従	5100	4	20 400	4	20 400	−	−
6884	K618　中心静脈注射用植込型カテーテル設置　四肢に設置した場合の従	5250	1	5 250	1	5 250	−	−
6885	K618　中心静脈注射用植込型カテーテル設置　頭頸部その他に設置した場合の従	5400	10	54 000	10	54 000	−	−
6886	K619　静脈血栓摘出術　開腹を伴うものの従	11035	7	77 245	7	77 245	−	−
6887	K619　静脈血栓摘出術　その他のもの（観血的なもの）の従	6550	1	6 550	1	6 550	−	−
6888	K623　静脈形成術，吻合術　胸腔内静脈の従	12600	2	25 200	2	25 200	−	−
6889	K623　静脈形成術，吻合術　腹腔内静脈の従	12600	−	−	−	−	−	−
6890	K623　静脈形成術，吻合術　その他の静脈の従	8070	−	−	−	−	−	−
6891	K633　ヘルニア手術　腹壁瘢痕ヘルニアの従	4975	21	104 475	21	104 475	−	−
6892	K633　ヘルニア手術　半月状線ヘルニアの従	3100	−	−	−	−	−	−
6893	K633　ヘルニア手術　白線ヘルニアの従	3100	−	−	−	−	−	−
6894	K633　ヘルニア手術　腹直筋離開の従	3100	−	−	−	−	−	−
6895	K633　ヘルニア手術　臍ヘルニアの従	2100	8	16 800	7	14 700	1	2 100
6896	K633　ヘルニア手術　臍帯ヘルニアの従	9405	−	−	−	−	−	−
6897	K633　ヘルニア手術　鼠径ヘルニアの従	3000	11	33 000	11	33 000	−	−
6898	K633　ヘルニア手術　大腿ヘルニアの従	4430	39	172 770	39	172 770	−	−
6899	K633　ヘルニア手術　腰ヘルニアの従	4440	−	−	−	−	−	−
6900	K633　ヘルニア手術　骨盤部ヘルニア（閉鎖孔ヘルニア）の従	9405	9	84 645	9	84 645	−	−
6901	K633　ヘルニア手術　骨盤部ヘルニア（坐骨ヘルニア）の従	9405	−	−	−	−	−	−
6902	K633　ヘルニア手術　骨盤部ヘルニア（会陰ヘルニア）の従	9405	−	−	−	−	−	−
6903	K633　ヘルニア手術　内ヘルニアの従	9405	1	9 405	1	9 405	−	−
6904	K636-2　ダメージコントロール手術の従	5620	−	−	−	−	−	−
6905	K640　腸間膜損傷手術　縫合，修復のみのものの従	5195	3	15 585	3	15 585	−	−
6906	K640　腸間膜損傷手術　腸管切除を伴うものの従	13440	−	−	−	−	−	−
6907	K643　後腹膜悪性腫瘍手術の従	24255	−	−	−	−	−	−
6908	K644　臍腸管瘻手術　腸管切除を伴わないものの従	2630	−	−	−	−	−	−
6909	K644　臍腸管瘻手術　腸管切除を伴うものの従	9140	−	−	−	−	−	−
6910	K647　胃縫合術（大網充填術又は被覆術を含む）の従	6095	4	24 380	4	24 380	−	−
6911	K654-2　胃局所切除術の従	6915	2	13 830	2	13 830	−	−

第８表　医科診療　件数・診療実日数・回数・点数，診療行為（細分類）、入院－入院外別

平成30年６月審査分

行番号	診療行為（細分類）	固定点数	総数 回数	総数 点数	入院 回数	入院 点数	入院外 回数	入院外 点数
6912	K655　胃切除術　単純切除術の従	16925	3	50 775	3	50 775	–	–
6913	K655　胃切除術　悪性腫瘍手術の従	27935	3	83 805	3	83 805	–	–
6914	K655-2　腹腔鏡下胃切除術　単純切除術の従	22735	2	45 470	2	45 470	–	–
6915	K655-2　腹腔鏡下胃切除術　単純切除術　内視鏡下手術用支援機器使用の従	22735	–	–	–	–	–	–
6916	K655-2　腹腔鏡下胃切除術　悪性腫瘍手術の従	32060	–	–	–	–	–	–
6917	K655-2　腹腔鏡下胃切除術　悪性腫瘍手術　内視鏡下手術用支援機器使用の従	32060	–	–	–	–	–	–
6918	K655-4　噴門側胃切除術　単純切除術の従	20085	–	–	–	–	–	–
6919	K655-4　噴門側胃切除術　悪性腫瘍切除術の従	35815	–	–	–	–	–	–
6920	K657　胃全摘術　単純全摘術の従	25460	–	–	–	–	–	–
6921	K657　胃全摘術　悪性腫瘍手術の従	34920	1	34 920	1	34 920	–	–
6922	K657-2　腹腔鏡下胃全摘術　単純全摘術の従	32370	–	–	–	–	–	–
6923	K657-2　腹腔鏡下胃全摘術　単純全摘術　内視鏡下手術用支援機器使用の従	32370	–	–	–	–	–	–
6924	K657-2　腹腔鏡下胃全摘術　悪性腫瘍手術の従	41545	–	–	–	–	–	–
6925	K657-2　腹腔鏡下胃全摘術　悪性腫瘍手術　内視鏡下手術用支援機器使用の従	41545	–	–	–	–	–	–
6926	K664　胃瘻造設術（経皮的内視鏡下胃瘻造設術，腹腔鏡下胃瘻造設術を含む）の従	3035	25	75 875	25	75 875	–	–
6927	K664　胃瘻造設術（経皮的内視鏡下胃瘻造設術，腹腔鏡下胃瘻造設術を含む）施設基準適合以外の従	2428	6	14 568	6	14 568	–	–
6928	K667　噴門形成術の従	8490	–	–	–	–	–	–
6929	K667-2　腹腔鏡下噴門形成術の従	18810	–	–	–	–	–	–
6930	K671　胆管切開結石摘出術（チューブ挿入を含む）胆嚢摘出を含むものの従	16925	2	33 850	2	33 850	–	–
6931	K671　胆管切開結石摘出術（チューブ挿入を含む）胆嚢摘出を含まないものの従	13440	–	–	–	–	–	–
6932	K671-2　腹腔鏡下胆管切開結石摘出術　胆嚢摘出を含むものの従	19945	–	–	–	–	–	–
6933	K671-2　腹腔鏡下胆管切開結石摘出術　胆嚢摘出を含まないものの従	16805	–	–	–	–	–	–
6934	K672　胆嚢摘出術の従	13835	955	13 212 425	955	13 212 425	–	–
6935	K672-2　腹腔鏡下胆嚢摘出術の従	10750	389	4 181 750	389	4 181 750	–	–
6936	K690　肝縫合術の従	8700	1	8 700	1	8 700	–	–
6937	K695　肝切除術　部分切除の従	19520	66	1 288 320	66	1 288 320	–	–
6938	K695　肝切除術　亜区域切除の従	28140	2	56 280	2	56 280	–	–
6939	K695　肝切除術　外側区域切除の従	23065	6	138 390	6	138 390	–	–
6940	K695　肝切除術　１区域切除（外側区域切除を除く）の従	30350	–	–	–	–	–	–
6941	K695　肝切除術　２区域切除の従	38105	–	–	–	–	–	–
6942	K695　肝切除術　３区域切除以上のものの従	48525	–	–	–	–	–	–
6943	K695　肝切除術　２区域切除以上であって，血行再建を伴うものの従	63115	–	–	–	–	–	–
6944	K697-3　肝悪性腫瘍ラジオ波焼灼療法（一連として）２cm以内のもの　腹腔鏡によるものの従	8150	–	–	–	–	–	–
6945	K697-3　肝悪性腫瘍ラジオ波焼灼療法（一連として）２cm以内のもの　その他のものの従	7500	1	7 500	1	7 500	–	–
6946	K697-3　肝悪性腫瘍ラジオ波焼灼療法（一連として）２cmを超えるもの　腹腔鏡によるものの従	11630	–	–	–	–	–	–
6947	K697-3　肝悪性腫瘍ラジオ波焼灼療法（一連として）２cmを超えるもの　その他のものの従	10980	2	21 960	2	21 960	–	–
6948	K697-5　生体部分肝移植術の従	113570	–	–	–	–	–	–
6949	K701　膵破裂縫合術の従	11040	–	–	–	–	–	–
6950	K702　膵体尾部腫瘍切除術　膵尾部切除術の場合　脾同時切除の場合の従	12000	14	168 000	14	168 000	–	–
6951	K702　膵体尾部腫瘍切除術　膵尾部切除術の場合　脾温存の場合の従	10875	–	–	–	–	–	–
6952	K710　脾縫合術（部分切除を含む）の従	12205	–	–	–	–	–	–
6953	K711　脾摘出術の従	15515	91	1 411 865	91	1 411 865	–	–
6954	K711-2　腹腔鏡下脾摘出術の従	18530	5	92 650	5	92 650	–	–
6955	K712　破裂腸管縫合術の従	5200	2	10 400	2	10 400	–	–
6956	K714　腸管癒着症手術の従	6005	114	684 570	114	684 570	–	–
6957	K716　小腸切除術　悪性腫瘍手術以外の切除術の従	7970	31	247 070	31	247 070	–	–
6958	K716　小腸切除術　悪性腫瘍手術の従	17075	9	153 675	9	153 675	–	–
6959	K716-2　腹腔鏡下小腸切除術　悪性腫瘍手術以外の切除術の従	15685	2	31 370	2	31 370	–	–
6960	K716-2　腹腔鏡下小腸切除術　悪性腫瘍手術の従	18690	–	–	–	–	–	–
6961	K717　小腸腫瘍，小腸憩室摘出術（メッケル憩室炎手術を含む）の従	9405	1	9 405	1	9 405	–	–
6962	K719　結腸切除術　小範囲切除の従	12085	52	628 420	52	628 420	–	–
6963	K719　結腸切除術　結腸半側切除の従	14970	9	134 730	9	134 730	–	–
6964	K719　結腸切除術　全切除，亜全切除又は悪性腫瘍手術の従	17840	124	2 212 160	124	2 212 160	–	–
6965	K719-2　腹腔鏡下結腸切除術　小範囲切除，結腸半側切除の従	21340	10	213 400	10	213 400	–	–
6966	K719-2　腹腔鏡下結腸切除術　全切除，亜全切除の従	29755	11	327 305	11	327 305	–	–
6967	K719-3　腹腔鏡下結腸悪性腫瘍切除術の従	29755	51	1 517 505	51	1 517 505	–	–
6968	K726　人工肛門造設術の従	4785	28	133 980	28	133 980		
6969	K729　腸閉鎖症手術　腸管切除を伴わないものの従	6095	1	6 095	1	6 095	–	–
6970	K729　腸閉鎖症手術　腸管切除を伴うものの従	14105	–	–	–	–	–	–
6971	K734　腸回転異常症手術の従	9405	1	9 405	1	9 405	–	–
6972	K740　直腸切除・切断術　切除術の従	21425	8	171 400	8	171 400	–	–
6973	K740　直腸切除・切断術　低位前方切除術の従	33150	4	132 600	4	132 600	–	–
6974	K740　直腸切除・切断術　超低位前方切除術（経肛門的結腸嚢肛門吻合によるもの）の従	34920	–	–	–	–	–	–
6975	K740　直腸切除・切断術　切断術の従	38560	1	38 560	1	38 560	–	–
6976	K740-2　腹腔鏡下直腸切除・切断術　切除術の従	37730	–	–	–	–	–	–
6977	K740-2　腹腔鏡下直腸切除・切断術　切除術　内視鏡下手術用支援機器使用の従	37730	–	–	–	–	–	–
6978	K740-2　腹腔鏡下直腸切除・切断術　低位前方切除術の従	41965	–	–	–	–	–	–
6979	K740-2　腹腔鏡下直腸切除・切断術　低位前方切除術　内視鏡下手術用支援機器使用の従	41965	–	–	–	–	–	–
6980	K740-2　腹腔鏡下直腸切除・切断術　切断術の従	41965	–	–	–	–	–	–
6981	K740-2　腹腔鏡下直腸切除・切断術　切断術　内視鏡下手術用支援機器使用の従	41965	–	–	–	–	–	–
6982	K743　痔核手術（脱肛を含む）硬化療法の従	690	14	9 660	14	9 660	–	–
6983	K743　痔核手術（脱肛を含む）硬化療法（四段階注射法によるもの）の従	2005	89	178 445	60	120 300	29	58 145
6984	K743　痔核手術（脱肛を含む）結紮術の従	695	42	29 190	40	27 800	2	1 390
6985	K743　痔核手術（脱肛を含む）焼灼術の従	695	5	3 475	4	2 780	1	695
6986	K743　痔核手術（脱肛を含む）血栓摘出術の従	695	5	3 475	3	2 085	2	1 390
6987	K743　痔核手術（脱肛を含む）根治手術（硬化療法（四段階注射法によるもの）を伴わないもの）の従	2595	486	1 261 170	427	1 108 065	59	153 105
6988	K743　痔核手術（脱肛を含む）根治手術（硬化療法（四段階注射法によるもの）を伴うもの）の従	3260	122	397 720	115	374 900	7	22 820
6989	K743　痔核手術（脱肛を含む）ＰＰＨの従	5630	–	–	–	–	–	–
6990	K744　裂肛根治手術の従	1555	464	721 520	308	478 940	156	242 580
6991	K744　肛門潰瘍根治手術の従	1555	26	40 430	24	37 320	2	3 110
6992	K746　痔瘻根治手術　単純なものの従	1875	145	271 875	103	193 125	42	78 750
6993	K746　痔瘻根治手術　複雑なものの従	3735	6	22 410	6	22 410	–	–
6994	K747　肛門良性腫瘍切除術の従	520	23	11 960	19	9 880	4	2 080
6995	K747　肛門ポリープ切除術の従	520	335	174 200	198	102 960	137	71 240
6996	K747　肛門尖圭コンジローム切除術の従	520	5	2 600	1	520	4	2 080
6997	K749　肛門拡張術（観血的なもの）の従	815	52	42 380	44	35 860	8	6 520
6998	K751　鎖肛手術　肛門膜状閉鎖切開の従	1050	–	–	–	–	–	–
6999	K751　鎖肛手術　会陰式の従	9405	–	–	–	–	–	–
7000	K751　鎖肛手術　仙骨会陰式の従	17635	–	–	–	–	–	–
7001	K751　鎖肛手術　腹会陰式の従	31330	–	–	–	–	–	–
7002	K751　鎖肛手術　腹仙骨式の従	31330	–	–	–	–	–	–
7003	K751-2　仙尾部奇形腫手術の従	23475	–	–	–	–	–	–
7004	K752　肛門形成手術　肛門狭窄形成手術の従	2605	41	106 805	24	62 520	17	44 285
7005	K752　肛門形成手術　直腸粘膜脱形成手術の従	3855	21	80 955	18	69 390	3	11 565
7006	K757　腎破裂縫合術の従	18810	–	–	–	–	–	–
7007	K769　腎部分切除術の従	17940	2	35 880	2	35 880	–	–
7008	K772　腎摘出術の従	9380	5	46 900	5	46 900	–	–
7009	K773　腎（尿管）悪性腫瘍手術の従	21385	1	21 385	1	21 385	–	–
7010	K780　同種死体腎移植術の従	49385	–	–	–	–	–	–
7011	K787　尿管尿管吻合術の従	13605	1	13 605	1	13 605	–	–
7012	K795　膀胱破裂閉鎖術の従	5585	–	–	–	–	–	–
7013	K798　膀胱結石　経尿道的手術の従	4160	114	474 240	109	453 440	5	20 800
7014	K798　異物摘出術　経尿道的手術の従	4160	6	24 960	6	24 960	–	–

第８表　医科診療　件数・診療実日数・回数・点数，診療行為（細分類）、入院－入院外別

平成30年６月審査分

行番号	診療行為（細分類）	固定点数	総数 回数	総数 点数	入院 回数	入院 点数	入院外 回数	入院外 点数
7015	K799　膀胱壁切除術の従	4635	9	41 715	9	41 715	-	-
7016	K801　膀胱単純摘除術　腸管利用の尿路変更を行うものの従	29675	1	29 675	1	29 675	-	-
7017	K803　膀胱悪性腫瘍手術　切除の従	17075	8	136 600	8	136 600	-	-
7018	K803　膀胱悪性腫瘍手術　全摘（腸管等を利用して尿路変更を行わないもの）の従	33445	2	66 890	2	66 890	-	-
7019	K803　膀胱悪性腫瘍手術　全摘（尿管Ｓ状結腸吻合を利用して尿路変更を行うもの）の従	40080	-	-	-	-	-	-
7020	K803　膀胱悪性腫瘍手術　全摘（回腸又は結腸導管を利用して尿路変更を行うもの）の従	53900	-	-	-	-	-	-
7021	K803　膀胱悪性腫瘍手術　全摘（代用膀胱を利用して尿路変更を行うもの）の従	55300	-	-	-	-	-	-
7022	K803　膀胱悪性腫瘍手術　経尿道的手術　電解質溶液利用のものの従	6150	4	24 600	4	24 600	-	-
7023	K803　膀胱悪性腫瘍手術　経尿道的手術　その他のものの従	5200	1	5 200	1	5 200	-	-
7024	K804　尿膜管摘出術の従	5475	-	-	-	-	-	-
7025	K809-2　膀胱尿管逆流手術の従	12785	-	-	-	-	-	-
7026	K818　尿道形成手術　前部尿道　性同一性障害の患者の従	8515	-	-	-	-	-	-
7027	K819　尿道下裂形成手術の従	16895	-	-	-	-	-	-
7028	K819　尿道下裂形成手術　性同一性障害の患者の従	16895	-	-	-	-	-	-
7029	K825　陰茎全摘術　性同一性障害の患者の従	8315	-	-	-	-	-	-
7030	K836　停留精巣固定術の従	4870	6	29 220	6	29 220	-	-
7031	K841　経尿道的前立腺手術　電解質溶液利用のものの従	10200	-	-	-	-	-	-
7032	K841　経尿道的前立腺手術　その他のものの従	9250	-	-	-	-	-	-
7033	K841-2　経尿道的レーザー前立腺切除術　ホルミウムレーザーを用いるものの従	10235	1	10 235	1	10 235	-	-
7034	K843　前立腺悪性腫瘍手術の従	20540	-	-	-	-	-	-
7035	K849　女子外性器腫瘍摘出術の従	1170	-	-	-	-	-	-
7036	K859　造腟術　拡張器利用によるものの従	1065	-	-	-	-	-	-
7037	K859　腟閉鎖症術　拡張器利用によるものの従	1065	-	-	-	-	-	-
7038	K859　造腟術　遊離植皮によるものの従	9405	-	-	-	-	-	-
7039	K859　造腟術　遊離植皮によるもの　性同一性障害の患者の従	9405	-	-	-	-	-	-
7040	K859　腟閉鎖症術　遊離植皮によるものの従	9405	-	-	-	-	-	-
7041	K859　腟閉鎖症術　遊離植皮によるもの　性同一性障害の患者の従	9405	-	-	-	-	-	-
7042	K859　造腟術　腟断端挙上によるものの従	14105	-	-	-	-	-	-
7043	K859　腟閉鎖症術　腟断端挙上によるものの従	14105	-	-	-	-	-	-
7044	K859　造腟術　腸管形成によるものの従	23520	-	-	-	-	-	-
7045	K859　造腟術　腸管形成によるもの　性同一性障害の患者の従	23520	-	-	-	-	-	-
7046	K859　腟閉鎖症術　腸管形成によるものの従	23520	-	-	-	-	-	-
7047	K859　腟閉鎖症術　腸管形成によるもの　性同一性障害の患者の従	23520	-	-	-	-	-	-
7048	K859　造腟術　筋皮弁移植によるものの従	27905	-	-	-	-	-	-
7049	K859　造腟術　筋皮弁移植によるもの　性同一性障害の患者の従	27905	-	-	-	-	-	-
7050	K859　腟閉鎖症術　筋皮弁移植によるものの従	27905	-	-	-	-	-	-
7051	K859　腟閉鎖症術　筋皮弁移植によるもの　性同一性障害の患者の従	27905	-	-	-	-	-	-
7052	K863　腹腔鏡下子宮内膜症病巣除去術の従	10305	176	1 813 680	176	1 813 680	-	-
7053	K872　子宮筋腫摘出（核出）術　腹式の従	12255	91	1 115 205	91	1 115 205	-	-
7054	K872-2　腹腔鏡下子宮筋腫摘出（核出）術の従	18810	1	18 810	1	18 810	-	-
7055	K873　子宮鏡下子宮筋腫摘出術の従	8550	10	85 500	10	85 500	-	-
7056	K877　子宮全摘術の従	14105	32	451 360	32	451 360	-	-
7057	K877　子宮全摘術　性同一性障害の患者の従	14105	-	-	-	-	-	-
7058	K877-2　腹腔鏡下腟式子宮全摘術の従	21025	11	231 275	11	231 275	-	-
7059	K877-2　腹腔鏡下腟式子宮全摘術　性同一性障害の患者の従	21025	-	-	-	-	-	-
7060	K877-2　腹腔鏡下腟式子宮全摘術　内視鏡下手術用支援機器使用の従	21025	-	-	-	-	-	-
7061	K877-2　腹腔鏡下腟式子宮全摘術　性同一性障害の患者　内視鏡下手術用支援機器使用の従	21025	-	-	-	-	-	-
7062	K878　広靱帯内腫瘍摘出術の従	8060	7	56 420	7	56 420	-	-
7063	K878-2　腹腔鏡下広靱帯内腫瘍摘出術の従	14065	4	56 260	4	56 260	-	-
7064	K879　子宮悪性腫瘍手術の従	31000	10	310 000	10	310 000	-	-
7065	K886　子宮附属器癒着剥離術（両側）開腹によるものの従	6945	231	1 604 295	231	1 604 295	-	-
7066	K886　子宮附属器癒着剥離術（両側）腹腔鏡によるものの従	10685	288	3 077 280	288	3 077 280	-	-
7067	K888　子宮附属器腫瘍摘出術（両側）開腹によるものの従	8540	1 283	10 956 820	1 283	10 956 820	-	-
7068	K888　子宮附属器腫瘍摘出術（両側）開腹によるもの　性同一性障害の患者の従	8540	-	-	-	-	-	-
7069	K888　子宮附属器腫瘍摘出術（両側）腹腔鏡によるものの従	12970	787	10 207 390	787	10 207 390	-	-
7070	K888　子宮附属器腫瘍摘出術（両側）腹腔鏡によるもの　性同一性障害の患者の従	12970	1	12 970	1	12 970	-	-
7071	K889　子宮附属器悪性腫瘍手術（両側）の従	29250	32	936 000	32	936 000	-	-
7072	K898　帝王切開術　緊急帝王切開の従	11100	37	410 700	37	410 700	-	-
7073	K898　帝王切開術　選択帝王切開の従	10070	71	714 970	71	714 970	-	-
7074	K912　異所性妊娠手術　開腹によるものの従	7055	4	28 220	4	28 220	-	-
7075	K912　異所性妊娠手術　腹腔鏡によるものの従	11475	4	45 900	4	45 900	-	-
7076	その他の手術の従		790	2 000 435	470	1 577 780	320	422 655
7077	手術　極低出生体重児　加算		195	5 176 840	195	5 176 840	-	-
7078	手術　新生児　加算		1 354	20 606 742	1 314	20 483 622	40	123 120
7079	手術　乳幼児　加算		33 538	101 137 418	5 581	77 824 783	27 957	23 312 635
7080	手術　幼児　加算		25 640	29 421 393	5 092	21 212 333	20 548	8 209 060
7081	手術　頸部郭清術　片側　加算	4000	564	2 256 000	564	2 256 000	-	-
7082	手術　頸部郭清術　両側　加算	6000	172	1 032 000	172	1 032 000	-	-
7083	手術　ＨＩＶ抗体陽性患者　加算	4000	73	292 000	59	236 000	14	56 000
7084	手術　感染症患者等に対する麻酔　加算	1000	6 239	6 239 000	6 215	6 215 000	24	24 000
7085	手術　休日　加算１		2 225	27 202 046	760	25 129 502	1 465	2 072 544
7086	手術　時間外　加算１		988	7 255 042	459	6 872 962	529	382 080
7087	手術　時間外特例医療機関　加算１		1 420	9 667 114	537	9 047 082	883	620 032
7088	手術　深夜　加算１		1 656	25 433 764	779	24 202 660	877	1 231 104
7089	手術　休日　加算２		30 771	110 037 563	8 219	93 874 981	22 552	16 162 582
7090	手術　時間外　加算２		13 648	34 212 023	5 038	30 790 119	8 610	3 421 904
7091	手術　時間外特例医療機関　加算２		15 988	34 756 554	4 706	30 913 917	11 282	3 842 637
7092	手術　深夜　加算２		15 678	101 994 596	8 298	97 081 612	7 380	4 912 984
7093	手術　周術期口腔機能管理後手術　加算	200	8 878	1 775 600	8 878	1 775 600	-	-
7094	輸血料小計		385 685	1 133 064 985	317 988	963 080 734	67 697	169 984 251
7095	輸血　自家採血輸血（200mlごとに）１回目	750	18	13 500	15	11 250	3	2 250
7096	輸血　自家採血輸血（200mlごとに）２回目以降	650X	33	52 650	26	46 800	7	5 850
7097	輸血　保存血液輸血（200mlごとに）１回目	450	68 011	30 604 950	61 860	27 837 000	6 151	2 767 950
7098	輸血　保存血液輸血（200mlごとに）２回目以降	350X	195 100	132 358 450	161 987	110 787 250	33 113	21 571 200
7099	輸血　自己血貯血　６歳以上の患者の場合（200mlごとに）液状保存	250X	15 294	7 330 250	1 443	682 750	13 851	6 647 500
7100	輸血　自己血貯血　６歳以上の患者の場合（200mlごとに）凍結保存	500X	218	179 000	38	26 000	180	153 000
7101	輸血　自己血貯血　６歳未満の患者の場合（体重１Kgにつき４mlごとに）液状保存	250X	9	107 250	6	66 500	3	40 750
7102	輸血　自己血貯血　６歳未満の患者の場合（体重１Kgにつき４mlごとに）凍結保存	500X	-	-	-	-	-	-
7103	輸血　自己血輸血　６歳以上の患者の場合（200mlごとに）液状保存	750X	8 419	14 859 000	8 412	14 850 000	7	9 000
7104	輸血　自己血輸血　６歳以上の患者の場合（200mlごとに）凍結保存	1500X	81	277 500	81	277 500	-	-
7105	輸血　自己血輸血　６歳未満の患者の場合（体重１Kgにつき４mlごとに）液状保存	750X	3	247 500	3	247 500	-	-
7106	輸血　自己血輸血　６歳未満の患者の場合（体重１Kgにつき４mlごとに）凍結保存	1500X	-	-	-	-	-	-
7107	輸血　希釈式自己血輸血　６歳以上の患者の場合（200mlごとに）	1000X	284	883 000	284	883 000	-	-
7108	輸血　希釈式自己血輸血　６歳未満の患者の場合（体重１Kgにつき４mlごとに）	1000X	4	52 000	4	52 000	-	-
7109	輸血　交換輸血（１回につき）	5250	14	73 500	14	73 500	-	-
7110	輸血　骨髄内輸血（胸骨）加算	260	-	-	-	-	-	-
7111	輸血　骨髄内輸血（その他）加算	280	-	-	-	-	-	-
7112	輸血　血管露出術　加算	530	-	-	-	-	-	-
7113	輸血　血液型　加算	54	26 086	1 408 644	24 271	1 310 634	1 815	98 010
7114	輸血　不規則抗体検査　加算	197	77 917	15 349 649	62 598	12 331 806	15 319	3 017 843
7115	輸血　ＨＬＡ型検査　クラスⅠ（A，B，C）加算	1000	19	19 000	16	16 000	3	3 000
7116	輸血　ＨＬＡ型検査　クラスⅡ（DR，DQ，DP）加算	1400	4	5 600	4	5 600	-	-
7117	輸血　血液交叉試験　加算	30	200 801	6 024 030	172 164	5 164 920	28 637	859 110
7118	輸血　間接クームス検査　加算	47	188 476	8 858 372	162 115	7 619 405	26 361	1 238 967

第８表　医科診療　件数・診療実日数・回数・点数，診療行為（細分類）、入院－入院外別

平成30年６月審査分

行番号	診療行為（細分類）	固定点数	総数 回数	総数 点数	入院 回数	入院 点数	入院外 回数	入院外 点数
7119	輸血　コンピュータクロスマッチ　加算	30	9 613	288 390	8 487	254 610	1 126	33 780
7120	輸血　乳幼児　加算	26	2 955	76 830	2 928	76 128	27	702
7121	輸血　血小板洗浄術　加算	580	561	325 380	401	232 580	160	92 800
7122	輸血　保存血液代		199 260	843 423 807	165 891	713 660 948	33 369	129 762 859
7123	輸血管理料Ⅰ	220	52 508	11 551 760	43 327	9 531 940	9 181	2 019 820
7124	輸血管理料Ⅰ　輸血適正使用　加算	120	39 614	4 753 680	32 173	3 860 760	7 441	892 920
7125	輸血管理料Ⅱ	110	38 871	4 275 810	33 671	3 703 810	5 200	572 000
7126	輸血管理料Ⅱ　輸血適正使用　加算	60	19 702	1 182 120	16 747	1 004 820	2 955	177 300
7127	輸血管理料　貯血式自己血輸血管理体制　加算	50	1 419	70 950	1 415	70 750	4	200
7128	造血幹細胞採取（一連につき）骨髄採取　同種移植の場合	21640	-	-	-	-	-	-
7129	造血幹細胞採取（一連につき）骨髄採取　自家移植の場合	17440	3	52 320	3	52 320	-	-
7130	造血幹細胞採取（一連につき）末梢血幹細胞採取　同種移植の場合	21640	1	21 640	1	21 640	-	-
7131	造血幹細胞採取（一連につき）末梢血幹細胞採取　自家移植の場合	17440	225	3 924 000	224	3 906 560	1	17 440
7132	造血幹細胞移植　骨髄移植　同種移植の場合	66450	1	66 450	1	66 450	-	-
7133	造血幹細胞移植　骨髄移植　自家移植の場合	25850	2	51 700	2	51 700	-	-
7134	造血幹細胞移植　末梢血幹細胞移植　同種移植の場合	66450	1	66 450	1	66 450	-	-
7135	造血幹細胞移植　末梢血幹細胞移植　自家移植の場合	30850	189	5 830 650	189	5 830 650	-	-
7136	造血幹細胞移植　臍帯血移植	66450	69	4 585 050	69	4 585 050	-	-
7137	造血幹細胞移植　提供者の療養上の費用		2	117 491	2	117 491	-	-
7138	造血幹細胞移植　乳幼児　加算	26	7	182	7	182	-	-
7139	造血幹細胞移植　抗ＨＬＡ抗体検査　加算	4000	46	184 000	46	184 000	-	-
7140	造血幹細胞移植　非血縁者間移植　加算	10000	-	-	-	-	-	-
7141	造血幹細胞移植　コーディネート体制充実　加算	1500	25	37 500	25	37 500	-	-
7142	術中術後自己血回収術（自己血回収器具によるもの）濃縮及び洗浄	5500	5 680	31 240 000	5 680	31 240 000	-	-
7143	術中術後自己血回収術（自己血回収器具によるもの）濾過	3500	504	1 764 000	504	1 764 000	-	-
7144	自己生体組織接着剤作成術	4340	85	368 900	85	368 900	-	-
7145	自己クリオプレシピテート作製術	1760	58	102 080	58	102 080	-	-
7146	手術医療機器等加算小計		107 751	407 130 770	94 476	404 808 635	13 275	2 322 135
7147	脊髄誘発電位測定等加算　脳，脊椎，脊髄又は大動脈瘤の手術に用いた場合	3130	5 484	17 164 920	5 484	17 164 920	-	-
7148	脊髄誘発電位測定等加算　甲状腺又は副甲状腺の手術に用いた場合	2500	415	1 037 500	415	1 037 500	-	-
7149	超音波凝固切開装置等加算	3000	42 596	127 788 000	42 447	127 341 000	149	447 000
7150	創外固定器加算	10000	292	2 920 000	270	2 700 000	22	220 000
7151	イオントフォレーゼ加算	45	12 812	576 540	229	10 305	12 583	566 235
7152	副鼻腔手術用内視鏡加算	1000	5	5 000	4	4 000	1	1 000
7153	副鼻腔手術用骨軟部組織切除機器加算	1000	2 259	2 259 000	2 060	2 060 000	199	199 000
7154	止血用加熱凝固切開装置加算	700	832	582 400	827	578 900	5	3 500
7155	自動縫合器加算	2500X	22 830	182 292 500	22 830	182 292 500	-	-
7156	自動吻合器加算	5500X	5 414	30 937 500	5 414	30 937 500	-	-
7157	微小血管自動縫合器加算	2500X	56	210 000	55	205 000	1	5 000
7158	心拍動下冠動脈，大動脈バイパス移植術用機器加算	30000	603	18 090 000	603	18 090 000	-	-
7159	術中グラフト血流測定加算	2500	1 110	2 775 000	1 109	2 772 500	1	2 500
7160	体外衝撃波消耗性電極加算	3000	552	1 656 000	290	870 000	262	786 000
7161	画像等手術支援加算　ナビゲーションによるもの	2000	6 631	13 262 000	6 600	13 200 000	31	62 000
7162	画像等手術支援加算　実物大臓器立体モデルによるもの	2000	94	188 000	94	188 000	-	-
7163	画像等手術支援加算　患者適合型手術支援ガイドによるもの	2000	291	582 000	291	582 000	-	-
7164	術中血管等描出撮影加算	500	1 896	948 000	1 896	948 000	-	-
7165	人工肛門・人工膀胱造設術前処置加算	450	2 478	1 115 100	2 472	1 112 400	6	2 700
7166	胃瘻造設時嚥下機能評価加算	2500	935	2 337 500	925	2 312 500	10	25 000
7167	胃瘻造設時嚥下機能評価加算　施設基準適合以外	2000	161	322 000	160	320 000	1	2 000
7168	凍結保存同種組織加算	81610	1	81 610	1	81 610	-	-
7169	レーザー機器　加算１	50	4	200	-	-	4	200
7170	レーザー機器　加算２	100	-	-	-	-	-	-
7171	レーザー機器　加算３	200	-	-	-	-	-	-
7172	薬剤料（手術）		-	613 083 282	-	472 045 996	-	141 037 286
7173	特定保険医療材料料（手術）フィルム		671	3 857 659	457	3 486 179	214	371 480
7174	特定保険医療材料料（手術）フィルム以外		575 478	7 465 071 634	516 041	7 353 428 975	59 437	111 642 659
7175	補正点数（＋）手術		-	59 553	-	48 523	-	11 030
7176	補正点数（－）手術		-	-1 182 739	-	-1 147 398	-	-35 341
7177	**麻酔計**		2 257 290	3 102 209 131	598 184	2 686 199 992	1 659 106	416 009 139
7178	迷もう麻酔	31	180	5 580	59	1 829	121	3 751
7179	筋肉注射による全身麻酔	120	49	5 880	44	5 280	5	600
7180	注腸による麻酔	120	60	7 200	39	4 680	21	2 520
7181	静脈麻酔　短時間のもの	120	14 115	1 693 800	8 473	1 016 760	5 642	677 040
7182	静脈麻酔　十分な体制で行われる長時間のもの（単純な場合）	600	13 060	7 836 000	10 413	6 247 800	2 647	1 588 200
7183	静脈麻酔　十分な体制で行われる長時間のもの（複雑な場合）	800	1 203	962 400	1 136	908 800	67	53 600
7184	静脈麻酔　幼児　加算		1 127	46 024	981	40 672	146	5 352
7185	静脈麻酔　麻酔管理時間　加算	100	115	11 500	113	11 300	2	200
7186	硬膜外麻酔　頸・胸部	1500	2 931	4 396 500	2 910	4 365 000	21	31 500
7187	硬膜外麻酔　頸・胸部　麻酔管理時間　加算	750X	264	304 500	256	283 500	8	21 000
7188	硬膜外麻酔　腰部	800	1 732	1 385 600	1 657	1 325 600	75	60 000
7189	硬膜外麻酔　腰部　麻酔管理時間　加算	400X	428	408 400	428	408 400	-	-
7190	硬膜外麻酔　仙骨部	340	5 216	1 773 440	3 056	1 039 040	2 160	734 400
7191	硬膜外麻酔　仙骨部　麻酔管理時間　加算	170X	67	19 890	23	5 440	44	14 450
7192	硬膜外麻酔後における局所麻酔剤の持続的注入（１日につき）（麻酔当日を除く）	80	89 801	7 184 080	89 773	7 181 840	28	2 240
7193	硬膜外麻酔後における局所麻酔剤の持続的注入（１日につき）精密持続注入　加算	80	17 200	1 376 000	17 198	1 375 840	2	160
7194	脊椎麻酔	850	46 130	39 210 500	45 511	38 684 350	619	526 150
7195	脊椎麻酔　麻酔管理時間　加算	128X	4 687	1 029 120	4 666	1 024 768	21	4 352
7196	上肢伝達麻酔	170	8 175	1 389 750	5 252	892 840	2 923	496 910
7197	下肢伝達麻酔	170	887	150 790	656	111 520	231	39 270
7198	球後麻酔（瞬目麻酔及び眼輪筋内浸潤麻酔を含む）	150	69 118	10 367 700	35 363	5 304 450	33 755	5 063 250
7199	顔面・頭頸部の伝達麻酔（瞬目麻酔及び眼輪筋内浸潤麻酔を含む）	150	12 700	1 905 000	2 644	396 600	10 056	1 508 400
7200	開放点滴式全身麻酔	310	825	255 750	480	148 800	345	106 950
7201	マスク又は気管内挿管による閉鎖循環式全身麻酔　１　人工心肺を用い低体温で行う心臓手術等　麻酔困難な患者	24900	1 955	48 679 500	1 955	48 679 500	-	-
7202	マスク又は気管内挿管による閉鎖循環式全身麻酔　１　人工心肺を用い低体温で行う心臓手術等　麻酔困難な患者以外	18200	764	13 904 800	764	13 904 800	-	-
7203	マスク又は気管内挿管による閉鎖循環式全身麻酔　１　人工心肺を用い低体温で行う心臓手術等　麻酔管理時間　加算	1800X	1 608	8 951 400	1 608	8 951 400	-	-
7204	マスク又は気管内挿管による閉鎖循環式全身麻酔　２　坐位における脳脊髄手術等　麻酔困難な患者	16600	1 767	29 332 200	1 767	29 332 200	-	-
7205	マスク又は気管内挿管による閉鎖循環式全身麻酔　２　坐位における脳脊髄手術等　麻酔困難な患者以外	12100	7 886	95 420 600	7 881	95 360 100	5	60 500
7206	マスク又は気管内挿管による閉鎖循環式全身麻酔　２　坐位における脳脊髄手術等　麻酔管理時間　加算	1200X	6 467	30 140 400	6 467	30 140 400	-	-
7207	マスク又は気管内挿管による閉鎖循環式全身麻酔　３　１，２以外の心臓手術又は伏臥位　麻酔困難な患者	12450	1 830	22 783 500	1 828	22 758 600	2	24 900
7208	マスク又は気管内挿管による閉鎖循環式全身麻酔　３　１，２以外の心臓手術又は伏臥位　麻酔困難な患者以外	9050	15 768	142 700 400	15 734	142 392 700	34	307 700
7209	マスク又は気管内挿管による閉鎖循環式全身麻酔　３　１，２以外の心臓手術又は伏臥位　麻酔管理時間　加算	900X	13 203	47 405 700	13 198	47 398 500	5	7 200
7210	マスク又は気管内挿管による閉鎖循環式全身麻酔　４　腹腔鏡使用手術・検査又は側臥位　麻酔困難な患者	9130	3 914	35 734 820	3 904	35 643 520	10	91 300
7211	マスク又は気管内挿管による閉鎖循環式全身麻酔　４　腹腔鏡使用手術・検査又は側臥位　麻酔困難な患者以外	6610	47 104	311 357 440	46 930	310 207 300	174	1 150 140
7212	マスク又は気管内挿管による閉鎖循環式全身麻酔　４　腹腔鏡使用手術・検査又は側臥位　麻酔管理時間　加算	660X	24 739	56 209 560	24 733	56 203 620	6	5 940

第８表　医科診療　件数・診療実日数・回数・点数，診療行為（細分類）、入院－入院外別

平成30年６月審査分

行番号	診療行為（細分類）	固定点数	総数		入院		入院外	
			回数	点数	回数	点数	回数	点数
7213	マスク又は気管内挿管による閉鎖循環式全身麻酔　5　その他　麻酔困難な患者	8300	13 059	108 389 700	13 030	108 149 000	29	240 700
7214	マスク又は気管内挿管による閉鎖循環式全身麻酔　5　その他　麻酔困難な患者以外	6000	118 615	711 690 000	117 168	703 008 000	1 447	8 682 000
7215	マスク又は気管内挿管による閉鎖循環式全身麻酔　5　その他　麻酔管理時間　加算	600X	132 699	255 716 400	132 595	255 607 200	104	109 200
7216	マスク又は気管内挿管による閉鎖循環式全身麻酔　硬膜外麻酔　加算　頸・胸部	750	28 424	21 318 000	28 371	21 278 250	53	39 750
7217	マスク又は気管内挿管による閉鎖循環式全身麻酔　硬膜外麻酔　加算　頸・胸部　麻酔管理時間　加算	375X	23 885	55 152 750	23 875	55 145 250	10	7 500
7218	マスク又は気管内挿管による閉鎖循環式全身麻酔　硬膜外麻酔　加算　腰部	400	8 351	3 340 400	8 343	3 337 200	8	3 200
7219	マスク又は気管内挿管による閉鎖循環式全身麻酔　硬膜外麻酔　加算　腰部　麻酔管理時間　加算	200X	5 130	3 455 400	5 127	3 454 400	3	1 000
7220	マスク又は気管内挿管による閉鎖循環式全身麻酔　硬膜外麻酔　加算　仙骨部	170	1 008	171 360	1 002	170 340	6	1 020
7221	マスク又は気管内挿管による閉鎖循環式全身麻酔　硬膜外麻酔　加算　仙骨部　麻酔管理時間　加算	85X	380	107 015	380	107 015	−	−
7222	マスク又は気管内挿管による閉鎖循環式全身麻酔　心臓手術又は冠動脈疾患・弁膜症　術中経食道心エコー連続監視　加算	880	3 772	3 319 360	3 772	3 319 360	−	−
7223	マスク又は気管内挿管による閉鎖循環式全身麻酔　カテーテル使用経皮的心臓手術　術中経食道心エコー連続監視　加算	1500	283	424 500	283	424 500	−	−
7224	マスク又は気管内挿管による閉鎖循環式全身麻酔　臓器移植術　加算	15250	7	106 750	7	106 750	−	−
7225	マスク又は気管内挿管による閉鎖循環式全身麻酔　神経ブロック併施　加算	45	21 692	976 140	21 581	971 145	111	4 995
7226	マスク又は気管内挿管による閉鎖循環式全身麻酔　非侵襲的血行動態モニタリング　加算	500	11	5 500	11	5 500	−	−
7227	マスク又は気管内挿管による閉鎖循環式全身麻酔　術中脳灌流モニタリング　加算	1000	1 834	1 834 000	1 834	1 834 000	−	−
7228	低体温療法（１日につき）	12200	803	9 796 600	803	9 796 600	−	−
7229	低体温療法　低体温迅速導入　加算	5000	−	−	−	−	−	−
7230	経皮的体温調節療法（一連につき）	5000	14	70 000	14	70 000	−	−
7231	麻酔管理料（Ⅰ）硬膜外麻酔を行った場合	250	2 226	556 500	2 141	535 250	85	21 250
7232	麻酔管理料（Ⅰ）脊椎麻酔を行った場合	250	11 216	2 804 000	11 170	2 792 500	46	11 500
7233	麻酔管理料（Ⅰ）硬膜外麻酔又は脊椎麻酔　帝王切開術時麻酔　加算	700	4 246	2 972 200	4 246	2 972 200	−	−
7234	麻酔管理料（Ⅰ）マスク又は気管内挿管による閉鎖循環式全身麻酔を行った場合	1050	104 311	109 526 550	104 025	109 226 250	286	300 300
7235	麻酔管理料（Ⅰ）マスク又は気管内挿管による閉鎖循環式全身麻酔を行った場合　長時間麻酔管理　加算	7500	684	5 130 000	684	5 130 000	−	−
7236	麻酔管理料（Ⅱ）硬膜外麻酔を行った場合	150	461	69 150	461	69 150	−	−
7237	麻酔管理料（Ⅱ）脊椎麻酔を行った場合	150	2 338	350 700	2 338	350 700	−	−
7238	麻酔管理料（Ⅱ）マスク又は気管内挿管による閉鎖循環式全身麻酔を行った場合	450	28 229	12 703 050	28 212	12 695 400	17	7 650
7239	神経ブロック（局所麻酔剤又はボツリヌス毒素使用）							
7240	トータルスパイナルブロック	1500	−	−	−	−	−	−
7241	三叉神経半月神経節ブロック	1500	37	55 500	3	4 500	34	51 000
7242	胸部交感神経節ブロック	1500	12	18 000	2	3 000	10	15 000
7243	腹腔神経叢ブロック	1500	11	16 500	11	16 500	−	−
7244	頸・胸部硬膜外ブロック	1500	10 214	15 321 000	282	423 000	9 932	14 898 000
7245	神経根ブロック	1500	19 169	28 753 500	3 196	4 794 000	15 973	23 959 500
7246	下腸間膜動脈神経叢ブロック	1500	1	1 500	−	−	1	1 500
7247	上下腹神経叢ブロック	1500	4	6 000	3	4 500	1	1 500
7248	眼神経ブロック	800	5	4 000	−	−	5	4 000
7249	上顎神経ブロック	800	44	35 200	2	1 600	42	33 600
7250	下顎神経ブロック	800	64	51 200	2	1 600	62	49 600
7251	舌咽神経ブロック	800	10	8 000	−	−	10	8 000
7252	蝶形口蓋神経節ブロック	800	41	32 800	1	800	40	32 000
7253	腰部硬膜外ブロック	800	65 688	52 550 400	1 650	1 320 000	64 038	51 230 400
7254	腰部交感神経節ブロック	570	496	282 720	11	6 270	485	276 450
7255	くも膜下脊髄神経ブロック	570	157	89 490	52	29 640	105	59 850
7256	ヒッチコック療法	570	−	−	−	−	−	−
7257	腰神経叢ブロック	570	3 536	2 015 520	14	7 980	3 522	2 007 540
7258	眼瞼痙攣，片側顔面痙攣，痙性斜頸，上肢痙縮又は下肢痙縮の治療目的でボツリヌス毒素を用いた場合	400	12 179	4 871 600	613	245 200	11 566	4 626 400
7259	星状神経節ブロック	340	36 510	12 413 400	940	319 600	35 570	12 093 800
7260	仙骨部硬膜外ブロック	340	108 093	36 751 620	2 862	973 080	105 231	35 778 540
7261	顔面神経ブロック	340	298	101 320	7	2 380	291	98 940
7262	腕神経叢ブロック	170	3 330	566 100	294	49 980	3 036	516 120
7263	おとがい神経ブロック	170	234	39 780	11	1 870	223	37 910
7264	舌神経ブロック	170	−	−	−	−	−	−
7265	迷走神経ブロック	170	1	170	−	−	1	170
7266	副神経ブロック	170	89	15 130	−	−	89	15 130
7267	横隔神経ブロック	170	6	1 020	1	170	5	850
7268	深頸神経叢ブロック	170	2 238	380 460	48	8 160	2 190	372 300
7269	眼窩上神経ブロック	170	1 228	208 760	55	9 350	1 173	199 410
7270	眼窩下神経ブロック	170	494	83 980	14	2 380	480	81 600
7271	滑車神経ブロック	170	92	15 640	18	3 060	74	12 580
7272	耳介側頭神経ブロック	170	58	9 860	2	340	56	9 520
7273	浅頸神経叢ブロック	170	7 520	1 278 400	127	21 590	7 393	1 256 810
7274	肩甲背神経ブロック	170	8 044	1 367 480	34	5 780	8 010	1 361 700
7275	肩甲上神経ブロック	170	54 162	9 207 540	384	65 280	53 778	9 142 260
7276	外側大腿皮神経ブロック	170	4 599	781 830	63	10 710	4 536	771 120
7277	閉鎖神経ブロック	170	421	71 570	166	28 220	255	43 350
7278	不対神経節ブロック	170	5	850	2	340	3	510
7279	前頭神経ブロック	170	3	510	−	−	3	510
7280	頸・胸・腰傍脊椎神経ブロック	90	115 188	10 366 920	1 093	98 370	114 095	10 268 550
7281	上喉頭神経ブロック	90	2	180	−	−	2	180
7282	肋間神経ブロック	90	3 619	325 710	166	14 940	3 453	310 770
7283	腸骨下腹神経ブロック	90	36	3 240	20	1 800	16	1 440
7284	腸骨鼠径神経ブロック	90	39	3 510	5	450	34	3 060
7285	大腿神経ブロック	90	752	67 680	199	17 910	553	49 770
7286	坐骨神経ブロック	90	30 651	2 758 590	380	34 200	30 271	2 724 390
7287	陰部神経ブロック	90	240	21 600	134	12 060	106	9 540
7288	経仙骨孔神経ブロック	90	3 049	274 410	98	8 820	2 951	265 590
7289	後頭神経ブロック	90	5 893	530 370	60	5 400	5 833	524 970
7290	筋皮神経ブロック	90	61	5 490	2	180	59	5 310
7291	正中神経ブロック	90	1 860	167 400	36	3 240	1 824	164 160
7292	尺骨神経ブロック	90	222	19 980	11	990	211	18 990
7293	腋窩神経ブロック	90	255	22 950	44	3 960	211	18 990
7294	橈骨神経ブロック	90	98	8 820	3	270	95	8 550
7295	仙腸関節枝神経ブロック	90	4 152	373 680	138	12 420	4 014	361 260
7296	頸・胸・腰椎後枝内側枝神経ブロック	90	1 787	160 830	21	1 890	1 766	158 940
7297	脊髄神経前枝神経ブロック	90	13	1 170	5	450	8	720
7298	神経ブロック（神経破壊剤又は高周波凝固法使用）							
7299	下垂体ブロック	3000	−	−	−	−	−	−
7300	三叉神経半月神経節ブロック	3000	28	84 000	23	69 000	5	15 000
7301	腹腔神経叢ブロック	3000	24	72 000	24	72 000	−	−
7302	くも膜下脊髄神経ブロック	3000	8	24 000	8	24 000	−	−
7303	神経根ブロック	3000	436	1 308 000	147	441 000	289	867 000
7304	下腸間膜動脈神経叢ブロック	3000	1	3 000	1	3 000	−	−
7305	上下腹神経叢ブロック	3000	4	12 000	3	9 000	1	3 000
7306	腰神経叢ブロック	3000	3	9 000	−	−	3	9 000
7307	胸・腰交感神経節ブロック	1800	65	117 000	51	91 800	14	25 200
7308	頸・胸・腰傍脊椎神経ブロック	1800	100	180 000	20	36 000	80	144 000
7309	眼神経ブロック	1800	−	−	−	−	−	−
7310	上顎神経ブロック	1800	7	12 600	4	7 200	3	5 400
7311	下顎神経ブロック	1800	18	32 400	5	9 000	13	23 400
7312	舌咽神経ブロック	1800	−	−	−	−	−	−
7313	蝶形口蓋神経節ブロック	1800	−	−	−	−	−	−
7314	顔面神経ブロック	1800	1	1 800	−	−	1	1 800
7315	眼窩上神経ブロック	800	40	32 000	3	2 400	37	29 600
7316	眼窩下神経ブロック	800	110	88 000	3	2 400	107	85 600
7317	おとがい神経ブロック	800	39	31 200	−	−	39	31 200

第８表　医科診療　件数・診療実日数・回数・点数，診療行為（細分類）、入院－入院外別

平成30年６月審査分

行番号	診療行為（細分類）	固定点数	総数 回数	総数 点数	入院 回数	入院 点数	入院外 回数	入院外 点数
7318	舌神経ブロック	800	-	-	-	-	-	-
7319	副神経ブロック	800	-	-	-	-	-	-
7320	滑車神経ブロック	800	1	800	-	-	1	800
7321	耳介側頭神経ブロック	800	-	-	-	-	-	-
7322	閉鎖神経ブロック	800	11	8 800	5	4 000	6	4 800
7323	不対神経節ブロック	800	6	4 800	4	3 200	2	1 600
7324	前頭神経ブロック	800	-	-	-	-	-	-
7325	迷走神経ブロック	340	-	-	-	-	-	-
7326	横隔神経ブロック	340	-	-	-	-	-	-
7327	上喉頭神経ブロック	340	-	-	-	-	-	-
7328	浅頸神経叢ブロック	340	1	340	-	-	1	340
7329	肋間神経ブロック	340	20	6 800	6	2 040	14	4 760
7330	腸骨下腹神経ブロック	340	-	-	-	-	-	-
7331	腸骨鼠径神経ブロック	340	-	-	-	-	-	-
7332	外側大腿皮神経ブロック	340	3	1 020	-	-	3	1 020
7333	大腿神経ブロック	340	12	4 080	3	1 020	9	3 060
7334	坐骨神経ブロック	340	21	7 140	4	1 360	17	5 780
7335	陰部神経ブロック	340	-	-	-	-	-	-
7336	経仙骨孔神経ブロック	340	3	1 020	-	-	3	1 020
7337	後頭神経ブロック	340	7	2 380	1	340	6	2 040
7338	仙腸関節枝神経ブロック	340	24	8 160	2	680	22	7 480
7339	頸・胸・腰椎後枝内側枝神経ブロック	340	72	24 480	12	4 080	60	20 400
7340	脊髄神経前枝神経ブロック	340	1	340	1	340	-	-
7341	神経幹内注射	25	3 131	78 275	94	2 350	3 037	75 925
7342	カテラン硬膜外注射	140	21 824	3 055 360	119	16 660	21 705	3 038 700
7343	トリガーポイント注射	80	1 091 123	87 289 840	12 125	970 000	1 078 998	86 319 840
7344	神経ブロックにおける麻酔剤の持続的注入	80	4 694	375 520	4 640	371 200	54	4 320
7345	神経ブロックにおける麻酔剤の持続的注入　精密持続注入　加算	80	1 360	108 800	1 352	108 160	8	640
7346	麻酔　未熟児　加算		103	1 586 050	103	1 586 050	-	-
7347	麻酔　新生児　加算		335	5 889 600	334	5 889 360	1	240
7348	麻酔　乳児　加算		2 119	6 888 865	2 043	6 840 128	76	48 737
7349	麻酔　幼児　加算		4 232	4 605 541	3 955	4 484 912	277	120 629
7350	麻酔　時間外　加算		3 468	6 208 061	2 354	6 132 377	1 114	75 684
7351	麻酔　休日　加算		5 607	18 700 755	3 614	18 453 757	1 993	246 998
7352	麻酔　深夜　加算		3 699	19 855 119	3 541	19 819 915	158	35 204
7353	麻酔　時間外特例　加算		2 784	7 240 205	2 530	7 218 904	254	21 301
7354	薬剤料（麻酔）		-	380 497 507	-	252 062 639	-	128 434 868
7355	特定保険医療材料料（麻酔）酸素料		-	7 036 278	-	6 983 325	-	52 953
7356	特定保険医療材料料（麻酔）窒素料		-	3 639 294	-	3 639 273	-	21
7357	特定保険医療材料料（麻酔）酸素料・窒素料以外		30 574	154 438 350	29 717	153 841 488	857	596 862
7358	補正点数（＋）麻酔		-	7 096	-	7 096	-	-
7359	補正点数（－）麻酔		-	-24 221 174	-	-23 903 401	-	-317 773
7360	**放射線治療計**		410 750	1 030 144 395	157 529	414 970 358	253 221	615 174 037
7361	放射線治療管理料（分布図の作成１回につき）１門照射	2700	1 677	4 527 900	607	1 638 900	1 070	2 889 000
7362	放射線治療管理料（分布図の作成１回につき）対向２門照射	2700	2 876	7 765 200	1 838	4 962 600	1 038	2 802 600
7363	放射線治療管理料（分布図の作成１回につき）外部照射	2700	30	81 000	17	45 900	13	35 100
7364	放射線治療管理料（分布図の作成１回につき）非対向２門照射	3100	3 708	11 494 800	1 356	4 203 600	2 352	7 291 200
7365	放射線治療管理料（分布図の作成１回につき）３門照射	3100	1 517	4 702 700	750	2 325 000	767	2 377 700
7366	放射線治療管理料（分布図の作成１回につき）腔内照射	3100	407	1 261 700	220	682 000	187	579 700
7367	放射線治療管理料（分布図の作成１回につき）４門以上の照射	4000	7 941	31 764 000	3 122	12 488 000	4 819	19 276 000
7368	放射線治療管理料（分布図の作成１回につき）運動照射	4000	299	1 196 000	132	528 000	167	668 000
7369	放射線治療管理料（分布図の作成１回につき）原体照射	4000	467	1 868 000	194	776 000	273	1 092 000
7370	放射線治療管理料（分布図の作成１回につき）組織内照射	4000	345	1 380 000	294	1 176 000	51	204 000
7371	放射線治療管理料（分布図の作成１回につき）強度変調放射線治療（ＩＭＲＴ）による体外照射を行った場合	5000	3 123	15 615 000	1 247	6 235 000	1 876	9 380 000
7372	放射線治療管理料（分布図の作成１回につき）放射線治療専任　加算	330	17 572	5 798 760	7 535	2 486 550	10 037	3 312 210
7373	放射線治療管理料（分布図の作成１回につき）外来放射線治療　加算	100	184 049	18 404 900	-	-	184 049	18 404 900
7374	放射線治療管理料（分布図の作成１回につき）遠隔放射線治療計画　加算	2000	-	-	-	-	-	-
7375	放射性同位元素内用療法管理料　甲状腺癌に対するもの	1390	740	1 028 600	259	360 010	481	668 590
7376	放射性同位元素内用療法管理料　甲状腺機能亢進症に対するもの	1390	1 070	1 487 300	37	51 430	1 033	1 435 870
7377	放射性同位元素内用療法管理料　固形癌骨転移による疼痛に対するもの	1700	130	221 000	10	17 000	120	204 000
7378	放射性同位元素内用療法管理料　Ｂ細胞性非ホジキンリンパ腫に対するもの	3000	52	156 000	18	54 000	34	102 000
7379	放射性同位元素内用療法管理料　骨転移のある去勢抵抗性前立腺癌に対するもの	2630	449	1 180 870	5	13 150	444	1 167 720
7380	体外照射							
7381	エックス線表在治療　１回目	110	-	-	-	-	-	-
7382	エックス線表在治療　２回目	33	-	-	-	-	-	-
7383	高エネルギー放射線治療　１回目　１門照射を行った場合	840	14 246	11 966 640	5 498	4 618 320	8 748	7 348 320
7384	高エネルギー放射線治療　１回目　１門照射を行った場合　施設基準適合以外	588	621	365 148	247	145 236	374	219 912
7385	高エネルギー放射線治療　１回目　対向２門照射を行った場合	840	31 440	26 409 600	19 327	16 234 680	12 113	10 174 920
7386	高エネルギー放射線治療　１回目　対向２門照射を行った場合　施設基準適合以外	588	1 038	610 344	673	395 724	365	214 620
7387	高エネルギー放射線治療　１回目　非対向２門照射を行った場合	1320	55 396	73 122 720	16 181	21 358 920	39 215	51 763 800
7388	高エネルギー放射線治療　１回目　非対向２門照射を行った場合　施設基準適合以外	924	2 621	2 421 804	592	547 008	2 029	1 874 796
7389	高エネルギー放射線治療　１回目　３門照射を行った場合	1320	19 073	25 176 360	8 335	11 002 200	10 738	14 174 160
7390	高エネルギー放射線治療　１回目　３門照射を行った場合　施設基準適合以外	924	617	570 108	308	284 592	309	285 516
7391	高エネルギー放射線治療　１回目　４門以上の照射を行った場合	1800	128 957	232 122 600	44 318	79 772 400	84 639	152 350 200
7392	高エネルギー放射線治療　１回目　４門以上の照射を行った場合　施設基準適合以外	1260	4 926	6 206 760	1 605	2 022 300	3 321	4 184 460
7393	高エネルギー放射線治療　１回目　運動照射を行った場合	1800	4 072	7 329 600	1 105	1 989 000	2 967	5 340 600
7394	高エネルギー放射線治療　１回目　運動照射を行った場合　施設基準適合以外	1260	219	275 940	67	84 420	152	191 520
7395	高エネルギー放射線治療　１回目　原体照射を行った場合	1800	8 520	15 336 000	2 790	5 022 000	5 730	10 314 000
7396	高エネルギー放射線治療　１回目　原体照射を行った場合　施設基準適合以外	1260	174	219 240	77	97 020	97	122 220
7397	高エネルギー放射線治療　２回目　１門照射を行った場合	420	7 488	3 144 960	2 174	913 080	5 314	2 231 880
7398	高エネルギー放射線治療　２回目　１門照射を行った場合　施設基準適合以外	294	200	58 800	93	27 342	107	31 458
7399	高エネルギー放射線治療　２回目　対向２門照射を行った場合	420	5 465	2 295 300	2 711	1 138 620	2 754	1 156 680
7400	高エネルギー放射線治療　２回目　対向２門照射を行った場合　施設基準適合以外	294	187	54 978	92	27 048	95	27 930
7401	高エネルギー放射線治療　２回目　非対向２門照射を行った場合	660	5 939	3 919 740	1 153	760 980	4 786	3 158 760
7402	高エネルギー放射線治療　２回目　非対向２門照射を行った場合　施設基準適合以外	462	214	98 868	23	10 626	191	88 242
7403	高エネルギー放射線治療　２回目　３門照射を行った場合	660	1 753	1 156 980	669	441 540	1 084	715 440
7404	高エネルギー放射線治療　２回目　３門照射を行った場合　施設基準適合以外	462	45	20 790	12	5 544	33	15 246
7405	高エネルギー放射線治療　２回目　４門以上の照射を行った場合	900	3 030	2 727 000	1 140	1 026 000	1 890	1 701 000
7406	高エネルギー放射線治療　２回目　４門以上の照射を行った場合　施設基準適合以外	630	77	48 510	27	17 010	50	31 500
7407	高エネルギー放射線治療　２回目　運動照射を行った場合	900	54	48 600	13	11 700	41	36 900
7408	高エネルギー放射線治療　２回目　運動照射を行った場合　施設基準適合以外	630	-	-	-	-	-	-
7409	高エネルギー放射線治療　２回目　原体照射を行った場合	900	391	351 900	159	143 100	232	208 800
7410	高エネルギー放射線治療　２回目　原体照射を行った場合　施設基準適合以外	630	-	-	-	-	-	-
7411	高エネルギー放射線治療　全乳房照射　１回線量増加　加算	460	8 792	4 044 320	219	100 740	8 573	3 943 580
7412	強度変調放射線治療（ＩＭＲＴ）	3000	69 630	208 890 000	23 181	69 543 000	46 449	139 347 000
7413	術中照射療法　加算	5000	3	15 000	2	10 000	1	5 000
7414	体外照射用固定器具　加算	1000	4 165	4 165 000	2 538	2 538 000	1 627	1 627 000
7415	画像誘導放射線治療　加算　体表面の位置情報によるもの	150	3 350	502 500	165	24 750	3 185	477 750
7416	画像誘導放射線治療　加算　骨構造の位置情報によるもの	300	61 211	18 363 300	28 400	8 520 000	32 811	9 843 300
7417	画像誘導放射線治療　加算　腫瘍の位置情報によるもの	450	61 813	27 815 850	17 510	7 879 500	44 303	19 936 350
7418	体外照射呼吸性移動対策　加算	150	2 507	376 050	719	107 850	1 788	268 200
7419	強度変調放射線治療（ＩＭＲＴ）前立腺照射　１回線量増加　加算	1000	2 021	2 021 000	134	134 000	1 887	1 887 000
7420	ガンマナイフによる定位放射線治療	50000	951	47 550 000	865	43 250 000	86	4 300 000
7421	直線加速器による放射線治療（一連につき）１　定位放射線治療の場合	63000	1 133	71 379 000	585	36 855 000	548	34 524 000
7422	直線加速器による放射線治療（一連につき）１　定位放射線治療の体幹部に対する場合	63000	227	14 301 000	79	4 977 000	148	9 324 000

第８表　医科診療　件数・診療実日数・回数・点数，診療行為（細分類）、入院－入院外別

平成30年６月審査分

行番号	診療行為（細分類）	固定点数	総数 回数	総数 点数	入院 回数	入院 点数	入院外 回数	入院外 点数
7423	直線加速器による放射線治療（一連につき）定位放射線治療呼吸性移動対策 加算　動体追尾法	10000	43	430 000	13	130 000	30	300 000
7424	直線加速器による放射線治療（一連につき）定位放射線治療呼吸性移動対策 加算　その他	5000	118	590 000	41	205 000	77	385 000
7425	直線加速器による放射線治療（一連につき）２　１以外の場合	8000	283	2 264 000	176	1 408 000	107	856 000
7426	粒子線治療（一連につき）希少な疾病に対して実施　重粒子線治療の場合	187500	39	7 312 500	28	5 250 000	11	2 062 500
7427	粒子線治療（一連につき）希少な疾病に対して実施　重粒子線治療の場合 粒子線治療適応判定　加算	40000	39	1 560 000	28	1 120 000	11	440 000
7428	粒子線治療（一連につき）希少な疾病に対して実施　重粒子線治療の場合 粒子線治療医学管理　加算	10000	39	390 000	28	280 000	11	110 000
7429	粒子線治療（一連につき）希少な疾病に対して実施　陽子線治療の場合	187500	36	6 750 000	22	4 125 000	14	2 625 000
7430	粒子線治療（一連につき）希少な疾病に対して実施　陽子線治療の場合 粒子線治療適応判定　加算	40000	36	1 440 000	22	880 000	14	560 000
7431	粒子線治療（一連につき）希少な疾病に対して実施　陽子線治療の場合 粒子線治療医学管理　加算	10000	35	350 000	21	210 000	14	140 000
7432	粒子線治療（一連につき）希少な疾病以外の特定の疾病に対して実施　重粒子線治療の場合	110000	86	9 460 000	15	1 650 000	71	7 810 000
7433	粒子線治療（一連につき）希少な疾病以外の特定の疾病に対して実施　重粒子線治療の場合 粒子線治療適応判定　加算	40000	86	3 440 000	15	600 000	71	2 840 000
7434	粒子線治療（一連につき）希少な疾病以外の特定の疾病に対して実施　重粒子線治療の場合 粒子線治療医学管理　加算	10000	86	860 000	15	150 000	71	710 000
7435	粒子線治療（一連につき）希少な疾病以外の特定の疾病に対して実施　陽子線治療の場合	110000	126	13 860 000	8	880 000	118	12 980 000
7436	粒子線治療（一連につき）希少な疾病以外の特定の疾病に対して実施　陽子線治療の場合 粒子線治療適応判定　加算	40000	123	4 920 000	8	320 000	115	4 600 000
7437	粒子線治療（一連につき）希少な疾病以外の特定の疾病に対して実施　陽子線治療の場合 粒子線治療医学管理　加算	10000	117	1 170 000	7	70 000	110	1 100 000
7438	全身照射（一連につき）	30000	50	1 500 000	50	1 500 000	–	–
7439	電磁波温熱療法（一連につき）深在性悪性腫瘍に対するもの	9000	617	5 553 000	77	693 000	540	4 860 000
7440	電磁波温熱療法（一連につき）浅在性悪性腫瘍に対するもの	6000	52	312 000	5	30 000	47	282 000
7441	密封小線源治療（一連につき）外部照射	80	5	400	3	240	2	160
7442	密封小線源治療（一連につき）腔内照射　高線量率イリジウム照射を行った場合	10000	742	7 420 000	422	4 220 000	320	3 200 000
7443	密封小線源治療（一連につき）腔内照射　新型コバルト小線源治療装置を用いた場合	10000	101	1 010 000	65	650 000	36	360 000
7444	密封小線源治療（一連につき）腔内照射　その他の場合	5000	–	–	–	–	–	–
7445	密封小線源治療（一連につき）組織内照射　前立腺癌に対する永久挿入療法	48600	220	10 692 000	220	10 692 000	–	–
7446	密封小線源治療（一連につき）組織内照射　高線量率イリジウム照射を行った場合	23000	132	3 036 000	101	2 323 000	31	713 000
7447	密封小線源治療（一連につき）組織内照射　新型コバルト小線源治療装置を用いた場合	23000	1	23 000	1	23 000	–	–
7448	密封小線源治療（一連につき）組織内照射　その他の場合	19000	2	38 000	2	38 000	–	–
7449	密封小線源治療（一連につき）放射性粒子照射（本数に関係なく）	8000	–	–	–	–	–	–
7450	密封小線源治療　高線量率イリジウム料（特定保険医療材料料）		–	7 885 220	–	5 397 539	–	2 487 681
7451	密封小線源治療　低線量率イリジウム料（特定保険医療材料料）		–	–	–	–	–	–
7452	密封小線源治療　線源使用　加算	630X	826	9 478 980	826	9 478 980	–	–
7453	密封小線源治療　食道用アプリケーター　加算	6700	–	–	–	–	–	–
7454	密封小線源治療　気管，気管支用アプリケーター　加算	4500	2	9 000	1	4 500	1	4 500
7455	密封小線源治療　放射性粒子料（特定保険医療材料料）		–	–	–	–	–	–
7456	密封小線源治療　コバルト料（特定保険医療材料料）		–	252 413	–	203 963	–	48 450
7457	密封小線源治療　画像誘導密封小線源治療　加算	300	306	91 800	188	56 400	118	35 400
7458	血液照射	110X	14 723	2 158 200	12 129	1 850 750	2 594	307 450
7459	小児放射線治療加算　新生児		–	–	–	–	–	–
7460	小児放射線治療加算　乳幼児		41	74 440	41	74 440	–	–
7461	小児放射線治療加算　幼児		276	165 162	270	159 762	6	5 400
7462	小児放射線治療加算　小児		348	234 460	344	219 614	4	14 846
7463	補正点数（＋）放射線治療		–	60	–	60	–	–
7464	補正点数（－）放射線治療		–	−2 280	–	−2 280	–	–
7465	**病理診断計**		2 526 511	1 041 852 714	317 774	192 977 537	2 208 737	848 875 177
7466	病理標本作製料小計		1 264 308	665 808 386	66 375	66 739 697	1 197 933	599 068 689
7467	病理組織標本作製　組織切片によるもの（１臓器につき）	860	557 745	479 660 700	38 092	32 759 120	519 653	446 901 580
7468	病理組織標本作製　セルブロック法によるもの（１部位につき）	860	282	242 520	58	49 880	224	192 640
7469	電子顕微鏡病理組織標本作製（１臓器につき）	2000	209	418 000	151	302 000	58	116 000
7470	免疫染色（免疫抗体法）病理組織標本作製　エストロジェンレセプター	720	6 745	4 856 400	437	314 640	6 308	4 541 760
7471	免疫染色（免疫抗体法）病理組織標本作製　プロジェステロンレセプター	690	43	29 670	4	2 760	39	26 910
7472	免疫染色（免疫抗体法）病理組織標本作製　ＨＥＲ２タンパク	690	6 388	4 407 720	502	346 380	5 886	4 061 340
7473	免疫染色（免疫抗体法）病理組織標本作製　ＥＧＦＲタンパク	690	366	252 540	86	59 340	280	193 200
7474	免疫染色（免疫抗体法）病理組織標本作製　ＣＣＲ４タンパク	10000	12	120 000	3	30 000	9	90 000
7475	免疫染色（免疫抗体法）病理組織標本作製　ＡＬＫ融合タンパク	2700	1 200	3 240 000	80	216 000	1 120	3 024 000
7476	免疫染色（免疫抗体法）病理組織標本作製　ＣＤ30	400	109	43 600	5	2 000	104	41 600
7477	免疫染色（免疫抗体法）病理組織標本作製　その他（１臓器につき）	400	25 188	10 075 200	2 566	1 026 400	22 622	9 048 800
7478	免疫染色（免疫抗体法）病理組織標本作製　同一月実施　加算	180	6 007	1 081 260	416	74 880	5 591	1 006 380
7479	免疫染色（免疫抗体法）病理組織標本作製　４種類以上抗体使用　加算	1600	4 519	7 230 400	418	668 800	4 101	6 561 600
7480	術中迅速病理組織標本作製（１手術につき）	1990	14 239	28 335 610	14 166	28 190 340	73	145 270
7481	迅速細胞診　手術中の場合（１手術につき）	450	98	44 100	96	43 200	2	900
7482	迅速細胞診　検査中の場合（１検査につき）	450	52	23 400	11	4 950	41	18 450
7483	細胞診（１部位につき）婦人科材料等によるもの	150	421 498	63 224 700	603	90 450	420 895	63 134 250
7484	細胞診（１部位につき）婦人科材料等によるもの　婦人科材料等液状化検体細胞診　加算	36	123 926	4 461 336	122	4 392	123 804	4 456 944
7485	細胞診（１部位につき）穿刺吸引細胞診，体腔洗浄等によるもの	190	225 414	42 828 660	9 262	1 759 780	216 152	41 068 880
7486	細胞診（１部位につき）穿刺吸引細胞診，体腔洗浄等によるもの　液状化検体細胞診　加算	85	1 454	123 590	21	1 785	1 433	121 805
7487	ＨＥＲ２遺伝子標本作製　単独の場合	2700	589	1 590 300	42	113 400	547	1 476 900
7488	ＨＥＲ２遺伝子標本作製　Ｎ００２に掲げる免疫染色（免疫抗体法）病理組織標本作製の３による病理標本作製を併せて行った場合	3050	1 038	3 165 900	40	122 000	998	3 043 900
7489	ＡＬＫ融合遺伝子標本作製	6520	524	3 416 480	25	163 000	499	3 253 480
7490	ＰＤ－Ｌ１タンパク免疫染色（免疫抗体法）病理組織標本作製	2700	2 569	6 936 300	146	394 200	2 423	6 542 100
7491	病理診断・判断料小計		1 262 203	376 045 340	251 399	126 237 840	1 010 804	249 807 500
7492	病理診断料　組織診断料	450	337 531	151 888 950	163 989	73 795 050	173 542	78 093 900
7493	病理診断料　組織診断料（他医療機関作成の組織標本）	450	4 584	2 062 800	218	98 100	4 366	1 964 700
7494	病理診断料　組織診断料（他医療機関作成の組織標本）（デジタル病理画像）	450	1	450	–	–	1	450
7495	病理診断料　組織診断　病理診断管理　加算１	120	127 963	15 355 560	61 688	7 402 560	66 275	7 953 000
7496	病理診断料　組織診断　病理診断管理　加算２	320	147 610	47 235 200	73 865	23 636 800	73 745	23 598 400
7497	病理診断料　組織診断料　悪性腫瘍病理組織標本　加算	150	14 303	2 145 450	14 279	2 141 850	24	3 600
7498	病理診断料　組織診断料　悪性腫瘍病理組織標本　加算（他医療機関作製の組織標本）	150	9	1 350	6	900	3	450
7499	病理診断料　細胞診断料	200	140 144	28 028 800	42 100	8 420 000	98 044	19 608 800
7500	病理診断料　細胞診断料（他医療機関作成の標本）	200	811	162 200	24	4 800	787	157 400
7501	病理診断料　細胞診断料（他医療機関作成の標本）（デジタル病理画像）	200	2	400	–	–	2	400
7502	病理診断料　細胞診断　病理診断管理　加算１	60	52 890	3 173 400	15 149	908 940	37 741	2 264 460
7503	病理診断料　細胞診断　病理診断管理　加算２	160	57 008	9 121 280	19 179	3 068 640	37 829	6 052 640
7504	病理判断料	150	779 130	116 869 500	45 068	6 760 200	734 062	110 109 300
7505	補正点数（＋）病理診断		–	–	–	–	–	–
7506	補正点数（－）病理診断		–	−1 012	–	–	–	−1 012

第８表　医科診療　件数・診療実日数・回数・点数，診療行為（細分類）、入院－入院外別

平成30年６月審査分

行番号	診療行為（細分類）	固定点数	総数 回数	総数 点数	入院 回数	入院 点数	入院外 回数	入院外 点数
7507	**診断群分類による包括評価計**		9 959 419	37 230 440 823	9 959 419	37 230 440 823	–	–
7508	包括評価部分小計		9 959 419	34 236 374 395	9 959 419	34 236 374 395	–	–
7509	包括評価部分特定入院料分加算（特定機能病院）小計		107 479	549 558 715	107 479	549 558 715	–	–
7510	救命救急入院料１（３日以内の期間）（包括・特定機能病院）	7825	1 657	12 966 025	1 657	12 966 025	–	–
7511	救命救急入院料１（４日以上７日以内の期間）（包括・特定機能病院）	6885	940	6 471 900	940	6 471 900	–	–
7512	救命救急入院料１（８日以上14日以内の期間）（包括・特定機能病院）	5579	677	3 776 983	677	3 776 983	–	–
7513	救命救急入院料２（３日以内の期間）（包括・特定機能病院）	9349	143	1 336 907	143	1 336 907	–	–
7514	救命救急入院料２（４日以上７日以内の期間）（包括・特定機能病院）	8272	84	694 848	84	694 848	–	–
7515	救命救急入院料２（８日以上14日以内の期間）（包括・特定機能病院）	7002	66	462 132	66	462 132	–	–
7516	救命救急入院料３　救命救急入院料（３日以内の期間）（包括・特定機能病院）	7825	1 873	14 656 225	1 873	14 656 225	–	–
7517	救命救急入院料３　救命救急入院料（４日以上７日以内の期間）（包括・特定機能病院）	6885	925	6 368 625	925	6 368 625	–	–
7518	救命救急入院料３　救命救急入院料（８日以上14日以内の期間）（包括・特定機能病院）	5579	694	3 871 826	694	3 871 826	–	–
7519	救命救急入院料３　広範囲熱傷特定集中治療管理料（３日以内の期間）（包括・特定機能病院）	7825	–	–	–	–	–	–
7520	救命救急入院料３　広範囲熱傷特定集中治療管理料（４日以上７日以内の期間）（包括・特定機能病院）	6885	–	–	–	–	–	–
7521	救命救急入院料３　広範囲熱傷特定集中治療管理料（８日以上14日以内の期間）（包括・特定機能病院）	5986	–	–	–	–	–	–
7522	救命救急入院料３　広範囲熱傷特定集中治療管理料（15日以上30日以内の期間）（包括・特定機能病院）	6491	–	–	–	–	–	–
7523	救命救急入院料３　広範囲熱傷特定集中治療管理料（31日以上60日以内の期間）（包括・特定機能病院）	6698	–	–	–	–	–	–
7524	救命救急入院料４　救命救急入院料（３日以内の期間）（包括・特定機能病院）	9349	2 195	20 521 055	2 195	20 521 055	–	–
7525	救命救急入院料４　救命救急入院料（４日以上７日以内の期間）（包括・特定機能病院）	8272	1 215	10 050 480	1 215	10 050 480	–	–
7526	救命救急入院料４　救命救急入院料（８日以上14日以内の期間）（包括・特定機能病院）	7002	919	6 434 838	919	6 434 838	–	–
7527	救命救急入院料４　広範囲熱傷特定集中治療管理料（３日以内の期間）（包括・特定機能病院）	9349	5	46 745	5	46 745	–	–
7528	救命救急入院料４　広範囲熱傷特定集中治療管理料（４日以上７日以内の期間）（包括・特定機能病院）	8272	4	33 088	4	33 088	–	–
7529	救命救急入院料４　広範囲熱傷特定集中治療管理料（８日以上14日以内の期間）（包括・特定機能病院）	7002	7	49 014	7	49 014	–	–
7530	救命救急入院料４　広範囲熱傷特定集中治療管理料（15日以上30日以内の期間）（包括・特定機能病院）	6491	7	45 437	7	45 437	–	–
7531	救命救急入院料４　広範囲熱傷特定集中治療管理料（31日以上60日以内の期間）（包括・特定機能病院）	6698	9	60 282	9	60 282	–	–
7532	救命救急入院料　精神疾患診断治療初回加算（包括・特定機能病院）	3000	79	237 000	79	237 000	–	–
7533	救命救急入院料　充実段階Ａ加算（包括・特定機能病院）	1000	11 421	11 421 000	11 421	11 421 000	–	–
7534	救命救急入院料　充実段階Ｂ加算（包括・特定機能病院）	500	–	–	–	–	–	–
7535	救命救急入院料　高度医療体制加算（包括・特定機能病院）	100	6 434	643 400	6 434	643 400	–	–
7536	救命救急入院料　急性薬毒物中毒加算１（機器分析）（包括・特定機能病院）	5000	9	45 000	9	45 000	–	–
7537	救命救急入院料　急性薬毒物中毒加算２（機器分析以外）（包括・特定機能病院）	350	24	8 400	24	8 400	–	–
7538	救命救急入院料　小児加算（包括・特定機能病院）	5000	59	295 000	59	295 000	–	–
7539	特定集中治療室管理料１（７日以内の期間）（包括・特定機能病院）	11606	4 725	54 838 350	4 725	54 838 350	–	–
7540	特定集中治療室管理料１（８日以上14日以内の期間）（包括・特定機能病院）	10082	776	7 823 632	776	7 823 632	–	–
7541	特定集中治療室管理料２　特定集中治療室管理料（７日以内の期間）（包括・特定機能病院）	11606	2 589	30 047 934	2 589	30 047 934	–	–
7542	特定集中治療室管理料２　特定集中治療室管理料（８日以上14日以内の期間）（包括・特定機能病院）	10082	447	4 506 654	447	4 506 654	–	–
7543	特定集中治療室管理料２　広範囲熱傷特定集中治療管理料（７日以内の期間）（包括・特定機能病院）	11606	–	–	–	–	–	–
7544	特定集中治療室管理料２　広範囲熱傷特定集中治療管理料（８日以上14日以内の期間）（包括・特定機能病院）	10275	–	–	–	–	–	–
7545	特定集中治療室管理料２　広範囲熱傷特定集中治療管理料（15日以上30日以内の期間）（包括・特定機能病院）	10780	–	–	–	–	–	–
7546	特定集中治療室管理料２　広範囲熱傷特定集中治療管理料（31日以上60日以内の期間）（包括・特定機能病院）	10987	–	–	–	–	–	–
7547	特定集中治療室管理料３（７日以内の期間）（包括・特定機能病院）	7317	2 806	20 531 502	2 806	20 531 502	–	–
7548	特定集中治療室管理料３（８日以上14日以内の期間）（包括・特定機能病院）	5793	567	3 284 631	567	3 284 631	–	–
7549	特定集中治療室管理料４　特定集中治療室管理料（７日以内の期間）（包括・特定機能病院）	7317	2 198	16 082 766	2 198	16 082 766	–	–
7550	特定集中治療室管理料４　特定集中治療室管理料（８日以上14日以内の期間）（包括・特定機能病院）	5793	444	2 572 092	444	2 572 092	–	–
7551	特定集中治療室管理料４　広範囲熱傷特定集中治療管理料（７日以内の期間）（包括・特定機能病院）	7317	–	–	–	–	–	–
7552	特定集中治療室管理料４　広範囲熱傷特定集中治療管理料（８日以上14日以内の期間）（包括・特定機能病院）	5986	–	–	–	–	–	–
7553	特定集中治療室管理料４　広範囲熱傷特定集中治療管理料（15日以上30日以内の期間）（包括・特定機能病院）	6491	–	–	–	–	–	–
7554	特定集中治療室管理料４　広範囲熱傷特定集中治療管理料（31日以上60日以内の期間）（包括・特定機能病院）	6698	–	–	–	–	–	–
7555	特定集中治療室管理料　小児加算（７日以内の期間）（包括・特定機能病院）	2000	515	1 030 000	515	1 030 000	–	–
7556	特定集中治療室管理料　小児加算（８日以上14日以内の期間）（包括・特定機能病院）	1500	172	258 000	172	258 000	–	–
7557	ハイケアユニット入院医療管理料１（14日以内の期間）（包括・特定機能病院）	4540	6 135	27 852 900	6 135	27 852 900	–	–
7558	ハイケアユニット入院医療管理料１（15日以上21日以内の期間）（包括・特定機能病院）	5045	590	2 976 550	590	2 976 550	–	–
7559	ハイケアユニット入院医療管理料２（14日以内の期間）（包括・特定機能病院）	2040	543	1 107 720	543	1 107 720	–	–
7560	ハイケアユニット入院医療管理料２（15日以上21日以内の期間）（包括・特定機能病院）	2545	112	285 040	112	285 040	–	–
7561	脳卒中ケアユニット入院医療管理料（14日以内の期間）（包括・特定機能病院）	3760	2 843	10 689 680	2 843	10 689 680	–	–
7562	小児特定集中治療室管理料（７日以内の期間）（包括・特定機能病院）	13708	63	863 604	63	863 604	–	–
7563	小児特定集中治療室管理料（８日以上14日以内の期間）（包括・特定機能病院）	11676	6	70 056	6	70 056	–	–
7564	小児特定集中治療室管理料（15日以上30日以内の期間）（包括・特定機能病院）	12181	–	–	–	–	–	–
7565	小児特定集中治療室管理料（31日以上35日以内の期間）（包括・特定機能病院）	12388	–	–	–	–	–	–
7566	新生児特定集中治療室管理料１（14日以内の期間）（包括・特定機能病院）	8130	1 257	10 219 410	1 257	10 219 410	–	–
7567	新生児特定集中治療室管理料１（15日以上30日以内の期間）（包括・特定機能病院）	8635	521	4 498 835	521	4 498 835	–	–
7568	新生児特定集中治療室管理料１（31日以上90日以内の期間）（包括・特定機能病院）	8842	568	5 022 256	568	5 022 256	–	–
7569	新生児特定集中治療室管理料２（14日以内の期間）（包括・特定機能病院）	6065	303	1 837 695	303	1 837 695	–	–
7570	新生児特定集中治療室管理料２（15日以上30日以内の期間）（包括・特定機能病院）	6570	124	814 680	124	814 680	–	–
7571	新生児特定集中治療室管理料２（31日以上90日以内の期間）（包括・特定機能病院）	6777	109	738 693	109	738 693	–	–
7572	総合周産期特定集中治療室管理料　母体・胎児集中治療室管理料（14日以内の期間）（包括・特定機能病院）	5081	5 113	25 979 153	5 113	25 979 153	–	–
7573	総合周産期特定集中治療室管理料　新生児集中治療室管理料（14日以内の期間）（包括・特定機能病院）	8130	3 614	29 381 820	3 614	29 381 820	–	–
7574	総合周産期特定集中治療室管理料　新生児集中治療室管理料（15日以上30日以内の期間）（包括・特定機能病院）	8635	1 857	16 035 195	1 857	16 035 195	–	–
7575	総合周産期特定集中治療室管理料　新生児集中治療室管理料（31日以上90日以内の期間）（包括・特定機能病院）	8842	2 669	23 599 298	2 669	23 599 298	–	–
7576	新生児治療回復室入院医療管理料（14日以内の期間）（包括・特定機能病院）	3455	3 172	10 959 260	3 172	10 959 260	–	–
7577	新生児治療回復室入院医療管理料（15日以上30日以内の期間）（包括・特定機能病院）	3960	2 329	9 222 840	2 329	9 222 840	–	–
7578	新生児治療回復室入院医療管理料（31日以上120日以内の期間）（包括・特定機能病院）	4167	2 483	10 346 661	2 483	10 346 661	–	–
7579	一類感染症患者入院医療管理料（14日以内の期間）（包括・特定機能病院）	7002	–	–	–	–	–	–
7580	一類感染症患者入院医療管理料（15日以上30日以内の期間）（包括・特定機能病院）	6287	–	–	–	–	–	–
7581	一類感染症患者入院医療管理料（31日以上の期間）（包括・特定機能病院）	6494	–	–	–	–	–	–
7582	小児入院医療管理料１（14日以内の期間）（包括・特定機能病院）	2540	12 471	31 676 340	12 471	31 676 340	–	–
7583	小児入院医療管理料１（15日以上30日以内の期間）（包括・特定機能病院）	3045	2 501	7 615 545	2 501	7 615 545	–	–
7584	小児入院医療管理料１（31日以上の期間）（包括・特定機能病院）	3252	1 777	5 778 804	1 777	5 778 804	–	–
7585	小児入院医療管理料２（14日以内の期間）（包括・特定機能病院）	2032	19 383	39 386 256	19 383	39 386 256	–	–
7586	小児入院医療管理料２（15日以上30日以内の期間）（包括・特定機能病院）	2537	4 246	10 772 102	4 246	10 772 102	–	–
7587	小児入院医療管理料２（31日以上の期間）（包括・特定機能病院）	2744	4 467	12 257 448	4 467	12 257 448	–	–
7588	小児入院医療管理料３（14日以内の期間）（包括・特定機能病院）	1626	579	941 454	579	941 454	–	–
7589	小児入院医療管理料３（15日以上30日以内の期間）（包括・特定機能病院）	2131	128	272 768	128	272 768	–	–
7590	小児入院医療管理料３（31日以上の期間）（包括・特定機能病院）	2338	321	750 498	321	750 498	–	–
7591	小児入院医療管理料４（14日以内の期間）（包括・特定機能病院）	1016	865	878 840	865	878 840	–	–
7592	小児入院医療管理料４（15日以上30日以内の期間）（包括・特定機能病院）	1521	183	278 343	183	278 343	–	–
7593	小児入院医療管理料４（31日以上の期間）（包括・特定機能病院）	1728	175	302 400	175	302 400	–	–
7594	小児入院医療管理料５（14日以内の期間）（包括・特定機能病院）	101	–	–	–	–	–	–
7595	小児入院医療管理料５（15日以上30日以内の期間）（包括・特定機能病院）	606	–	–	–	–	–	–
7596	小児入院医療管理料５（31日以上の期間）（包括・特定機能病院）	813	–	–	–	–	–	–
7597	小児入院医療管理料　プレイルーム、保育士等加算（包括・特定機能病院）	100	40 472	4 047 200	40 472	4 047 200	–	–
7598	小児入院医療管理料　人工呼吸器使用加算（包括・特定機能病院）	600	1 046	627 600	1 046	627 600	–	–
7599	小児入院医療管理料３，４又は５　重症児受入体制加算（包括・特定機能病院）	200	–	–	–	–	–	–

第８表　医科診療　件数・診療実日数・回数・点数，診療行為（細分類）、入院－入院外別

平成30年６月審査分

行番号	診療行為（細分類）	固定点数	総数 回数	総数 点数	入院 回数	入院 点数	入院外 回数	入院外 点数
7600	包括評価部分入院基本料分減算（特定機能病院）小計		158	−20 224	158	−20 224	–	–
7601	特定機能病院一般病棟７対１入院基本料　特定時間退院減算（包括・特定機能病院）	−128	158	−20 224	158	−20 224	–	–
7602	特定機能病院一般病棟10対１入院基本料　特定時間退院減算（包括・特定機能病院）	−107	–	–	–	–	–	–
7603	特定機能病院一般病棟７対１入院基本料　特定曜日入退院減算（包括・特定機能病院）	−128	–	–	–	–	–	–
7604	特定機能病院一般病棟10対１入院基本料　特定曜日入退院減算（包括・特定機能病院）	−107	–	–	–	–	–	–
7605	包括評価部分特定入院料分加算（専門病院）小計		1 120	5 835 537	1 120	5 835 537	–	–
7606	救命救急入院料１（３日以内の期間）（包括・専門病院）	8025	–	–	–	–	–	–
7607	救命救急入院料１（４日以上７日以内の期間）（包括・専門病院）	7085	–	–	–	–	–	–
7608	救命救急入院料１（８日以上14日以内の期間）（包括・専門病院）	5779	–	–	–	–	–	–
7609	救命救急入院料２（３日以内の期間）（包括・専門病院）	9549	–	–	–	–	–	–
7610	救命救急入院料２（４日以上７日以内の期間）（包括・専門病院）	8472	–	–	–	–	–	–
7611	救命救急入院料２（８日以上14日以内の期間）（包括・専門病院）	7202	–	–	–	–	–	–
7612	救命救急入院料３　救命救急入院料（３日以内の期間）（包括・専門病院）	8025	–	–	–	–	–	–
7613	救命救急入院料３　救命救急入院料（４日以上７日以内の期間）（包括・専門病院）	7085	–	–	–	–	–	–
7614	救命救急入院料３　救命救急入院料（８日以上14日以内の期間）（包括・専門病院）	5779	–	–	–	–	–	–
7615	救命救急入院料３　広範囲熱傷特定集中治療管理料（３日以内の期間）（包括・専門病院）	8025	–	–	–	–	–	–
7616	救命救急入院料３　広範囲熱傷特定集中治療管理料（４日以上７日以内の期間）（包括・専門病院）	7085	–	–	–	–	–	–
7617	救命救急入院料３　広範囲熱傷特定集中治療管理料（８日以上14日以内の期間）（包括・専門病院）	6186	–	–	–	–	–	–
7618	救命救急入院料３　広範囲熱傷特定集中治療管理料（15日以上30日以内の期間）（包括・専門病院）	6491	–	–	–	–	–	–
7619	救命救急入院料３　広範囲熱傷特定集中治療管理料（31日以上60日以内の期間）（包括・専門病院）	6698	–	–	–	–	–	–
7620	救命救急入院料４　救命救急入院料（３日以内の期間）（包括・専門病院）	9549	–	–	–	–	–	–
7621	救命救急入院料４　救命救急入院料（４日以上７日以内の期間）（包括・専門病院）	8472	–	–	–	–	–	–
7622	救命救急入院料４　救命救急入院料（８日以上14日以内の期間）（包括・専門病院）	7202	–	–	–	–	–	–
7623	救命救急入院料４　広範囲熱傷特定集中治療管理料（３日以内の期間）（包括・専門病院）	9549	–	–	–	–	–	–
7624	救命救急入院料４　広範囲熱傷特定集中治療管理料（４日以上７日以内の期間）（包括・専門病院）	8472	–	–	–	–	–	–
7625	救命救急入院料４　広範囲熱傷特定集中治療管理料（８日以上14日以内の期間）（包括・専門病院）	7202	–	–	–	–	–	–
7626	救命救急入院料４　広範囲熱傷特定集中治療管理料（15日以上30日以内の期間）（包括・専門病院）	6491	–	–	–	–	–	–
7627	救命救急入院料４　広範囲熱傷特定集中治療管理料（31日以上60日以内の期間）（包括・専門病院）	6698	–	–	–	–	–	–
7628	救命救急入院料　精神疾患診断治療初回加算（包括・専門病院）	3000	–	–	–	–	–	–
7629	救命救急入院料　充実段階Ａ加算（包括・専門病院）	1000	–	–	–	–	–	–
7630	救命救急入院料　充実段階Ｂ加算（包括・専門病院）	500	–	–	–	–	–	–
7631	救命救急入院料　高度医療体制加算（包括・専門病院）	100	–	–	–	–	–	–
7632	救命救急入院料　急性薬毒物中毒加算１（機器分析）（包括・専門病院）	5000	–	–	–	–	–	–
7633	救命救急入院料　急性薬毒物中毒加算２（機器分析以外）（包括・専門病院）	350	–	–	–	–	–	–
7634	救命救急入院料　小児加算（包括・専門病院）	5000	–	–	–	–	–	–
7635	特定集中治療室管理料１（７日以内の期間）（包括・専門病院）	11806	–	–	–	–	–	–
7636	特定集中治療室管理料１（８日以上14日以内の期間）（包括・専門病院）	10282	–	–	–	–	–	–
7637	特定集中治療室管理料２　特定集中治療室管理料（７日以内の期間）（包括・専門病院）	11806	–	–	–	–	–	–
7638	特定集中治療室管理料２　特定集中治療室管理料（８日以上14日以内の期間）（包括・専門病院）	10282	–	–	–	–	–	–
7639	特定集中治療室管理料２　広範囲熱傷特定集中治療管理料（７日以内の期間）（包括・専門病院）	11806	–	–	–	–	–	–
7640	特定集中治療室管理料２　広範囲熱傷特定集中治療管理料（８日以上14日以内の期間）（包括・専門病院）	10475	–	–	–	–	–	–
7641	特定集中治療室管理料２　広範囲熱傷特定集中治療管理料（15日以上30日以内の期間）（包括・専門病院）	10780	–	–	–	–	–	–
7642	特定集中治療室管理料２　広範囲熱傷特定集中治療管理料（31日以上60日以内の期間）（包括・専門病院）	10987	–	–	–	–	–	–
7643	特定集中治療室管理料３（７日以内の期間）（包括・専門病院）	7517	287	2 157 379	287	2 157 379	–	–
7644	特定集中治療室管理料３（８日以上14日以内の期間）（包括・専門病院）	5993	26	155 818	26	155 818	–	–
7645	特定集中治療室管理料４　特定集中治療室管理料（７日以内の期間）（包括・専門病院）	7517	–	–	–	–	–	–
7646	特定集中治療室管理料４　特定集中治療室管理料（８日以上14日以内の期間）（包括・専門病院）	5993	–	–	–	–	–	–
7647	特定集中治療室管理料４　広範囲熱傷特定集中治療管理料（７日以内の期間）（包括・専門病院）	7517	–	–	–	–	–	–
7648	特定集中治療室管理料４　広範囲熱傷特定集中治療管理料（８日以上14日以内の期間）（包括・専門病院）	6186	–	–	–	–	–	–
7649	特定集中治療室管理料４　広範囲熱傷特定集中治療管理料（15日以上30日以内の期間）（包括・専門病院）	6491	–	–	–	–	–	–
7650	特定集中治療室管理料４　広範囲熱傷特定集中治療管理料（31日以上60日以内の期間）（包括・専門病院）	6698	–	–	–	–	–	–
7651	特定集中治療室管理料　小児加算（７日以内の期間）（包括・専門病院）	2000	–	–	–	–	–	–
7652	特定集中治療室管理料　小児加算（８日以上14日以内の期間）（包括・専門病院）	1500	–	–	–	–	–	–
7653	ハイケアユニット入院医療管理料１（14日以内の期間）（包括・専門病院）	4740	587	2 782 380	587	2 782 380	–	–
7654	ハイケアユニット入院医療管理料１（15日以上21日以内の期間）（包括・専門病院）	5045	24	121 080	24	121 080	–	–
7655	ハイケアユニット入院医療管理料２（14日以内の期間）（包括・専門病院）	2240	–	–	–	–	–	–
7656	ハイケアユニット入院医療管理料２（15日以上21日以内の期間）（包括・専門病院）	2545	–	–	–	–	–	–
7657	脳卒中ケアユニット入院医療管理料（14日以内の期間）（包括・専門病院）	3960	–	–	–	–	–	–
7658	小児特定集中治療室管理料（７日以内の期間）（包括・専門病院）	13908	–	–	–	–	–	–
7659	小児特定集中治療室管理料（８日以上14日以内の期間）（包括・専門病院）	11876	–	–	–	–	–	–
7660	小児特定集中治療室管理料（15日以上30日以内の期間）（包括・専門病院）	12181	–	–	–	–	–	–
7661	小児特定集中治療室管理料（31日以上35日以内の期間）（包括・専門病院）	12388	–	–	–	–	–	–
7662	新生児特定集中治療室管理料１（14日以内の期間）（包括・専門病院）	8330	–	–	–	–	–	–
7663	新生児特定集中治療室管理料１（15日以上30日以内の期間）（包括・専門病院）	8635	–	–	–	–	–	–
7664	新生児特定集中治療室管理料１（31日以上90日以内の期間）（包括・専門病院）	8842	–	–	–	–	–	–
7665	新生児特定集中治療室管理料２（14日以内の期間）（包括・専門病院）	6265	–	–	–	–	–	–
7666	新生児特定集中治療室管理料２（15日以上30日以内の期間）（包括・専門病院）	6570	–	–	–	–	–	–
7667	新生児特定集中治療室管理料２（31日以上90日以内の期間）（包括・専門病院）	6777	–	–	–	–	–	–
7668	総合周産期特定集中治療室管理料　母体・胎児集中治療室管理料（14日以内の期間）（包括・専門病院）	5281	–	–	–	–	–	–
7669	総合周産期特定集中治療室管理料　新生児集中治療室管理料（14日以内の期間）（包括・専門病院）	8330	–	–	–	–	–	–
7670	総合周産期特定集中治療室管理料　新生児集中治療室管理料（15日以上30日以内の期間）（包括・専門病院）	8635	–	–	–	–	–	–
7671	総合周産期特定集中治療室管理料　新生児集中治療室管理料（31日以上90日以内の期間）（包括・専門病院）	8842	23	203 366	23	203 366	–	–
7672	新生児治療回復室入院医療管理料（14日以内の期間）（包括・専門病院）	3655	–	–	–	–	–	–
7673	新生児治療回復室入院医療管理料（15日以上30日以内の期間）（包括・専門病院）	3960	–	–	–	–	–	–
7674	新生児治療回復室入院医療管理料（31日以上120日以内の期間）（包括・専門病院）	4167	–	–	–	–	–	–
7675	一類感染症患者入院医療管理料（14日以内の期間）（包括・専門病院）	7202	–	–	–	–	–	–
7676	一類感染症患者入院医療管理料（15日以上30日以内の期間）（包括・専門病院）	6287	–	–	–	–	–	–
7677	一類感染症患者入院医療管理料（31日以上の期間）（包括・専門病院）	6494	–	–	–	–	–	–
7678	小児入院医療管理料１（14日以内の期間）（包括・専門病院）	2740	–	–	–	–	–	–
7679	小児入院医療管理料１（15日以上30日以内の期間）（包括・専門病院）	3045	–	–	–	–	–	–
7680	小児入院医療管理料１（31日以上の期間）（包括・専門病院）	3252	–	–	–	–	–	–
7681	小児入院医療管理料２（14日以内の期間）（包括・専門病院）	2232	–	–	–	–	–	–
7682	小児入院医療管理料２（15日以上30日以内の期間）（包括・専門病院）	2537	–	–	–	–	–	–
7683	小児入院医療管理料２（31日以上の期間）（包括・専門病院）	2744	–	–	–	–	–	–
7684	小児入院医療管理料３（14日以内の期間）（包括・専門病院）	1826	–	–	–	–	–	–
7685	小児入院医療管理料３（15日以上30日以内の期間）（包括・専門病院）	2131	1	2 131	1	2 131	–	–
7686	小児入院医療管理料３（31日以上の期間）（包括・専門病院）	2338	–	–	–	–	–	–
7687	小児入院医療管理料４（14日以内の期間）（包括・専門病院）	1216	39	47 424	39	47 424	–	–
7688	小児入院医療管理料４（15日以上30日以内の期間）（包括・専門病院）	1521	51	77 571	51	77 571	–	–
7689	小児入院医療管理料４（31日以上の期間）（包括・専門病院）	1728	78	134 784	78	134 784	–	–
7690	小児入院医療管理料５（14日以内の期間）（包括・専門病院）	301	4	1 204	4	1 204	–	–
7691	小児入院医療管理料５（15日以上30日以内の期間）（包括・専門病院）	606	–	–	–	–	–	–
7692	小児入院医療管理料５（31日以上の期間）（包括・専門病院）	813	–	–	–	–	–	–
7693	小児入院医療管理料　プレイルーム、保育士等加算（包括・専門病院）	100	1 524	152 400	1 524	152 400	–	–
7694	小児入院医療管理料　人工呼吸器使用加算（包括・専門病院）	600	–	–	–	–	–	–
7695	小児入院医療管理料３，４又は５　重症児受入体制加算（包括・専門病院）	200	–	–	–	–	–	–

第８表　医科診療　件数・診療実日数・回数・点数，診療行為（細分類）、入院－入院外別

平成30年６月審査分

行番号	診療行為（細分類）	固定点数	総数		入院		入院外	
			回数	点数	回数	点数	回数	点数
7696	包括評価部分入院基本料分減算（専門病院）小計		175	-22 225	175	-22 225	-	-
7697	専門病院７対１入院基本料　特定時間退院減算（包括・専門病院）	-127	175	-22 225	175	-22 225	-	-
7698	専門病院10対１入院基本料　特定時間退院減算（包括・専門病院）	-107	-	-	-	-	-	-
7699	専門病院13対１入院基本料　特定時間退院減算（包括・専門病院）	-90	-	-	-	-	-	-
7700	専門病院７対１入院基本料　特定曜日入退院減算（包括・専門病院）	-127	-	-	-	-	-	-
7701	専門病院10対１入院基本料　特定曜日入退院減算（包括・専門病院）	-107	-	-	-	-	-	-
7702	専門病院13対１入院基本料　特定曜日入退院減算（包括・専門病院）	-90	-	-	-	-	-	-
7703	専門病院７対１入院基本料　夜間看護体制特定日減算（包括・専門病院）	-80	-	-	-	-	-	-
7704	専門病院10対１入院基本料　夜間看護体制特定日減算（包括・専門病院）	-67	-	-	-	-	-	-
7705	専門病院13対１入院基本料　夜間看護体制特定日減算（包括・専門病院）	-56	-	-	-	-	-	-
7706	包括評価部分特定入院料分加算（その他の病院）小計		555 478	2 438 725 485	555 478	2 438 725 485	-	-
7707	救命救急入院料１（３日以内の期間）（包括・その他の病院）	8087	21 014	169 940 218	21 014	169 940 218	-	-
7708	救命救急入院料１（４日以上７日以内の期間）（包括・その他の病院）	7147	8 405	60 070 535	8 405	60 070 535	-	-
7709	救命救急入院料１（８日以上14日以内の期間）（包括・その他の病院）	5841	4 304	25 139 664	4 304	25 139 664	-	-
7710	救命救急入院料２（３日以内の期間）（包括・その他の病院）	9611	1 485	14 272 335	1 485	14 272 335	-	-
7711	救命救急入院料２（４日以上７日以内の期間）（包括・その他の病院）	8534	743	6 340 762	743	6 340 762	-	-
7712	救命救急入院料２（８日以上14日以内の期間）（包括・その他の病院）	7264	525	3 813 600	525	3 813 600	-	-
7713	救命救急入院料３　救命救急入院料（３日以内の期間）（包括・その他の病院）	8087	7 563	61 161 981	7 563	61 161 981	-	-
7714	救命救急入院料３　救命救急入院料（４日以上７日以内の期間）（包括・その他の病院）	7147	3 410	24 371 270	3 410	24 371 270	-	-
7715	救命救急入院料３　救命救急入院料（８日以上14日以内の期間）（包括・その他の病院）	5841	1 961	11 454 201	1 961	11 454 201	-	-
7716	救命救急入院料３　広範囲熱傷特定集中治療管理料（３日以内の期間）（包括・その他の病院）	8087	3	24 261	3	24 261	-	-
7717	救命救急入院料３　広範囲熱傷特定集中治療管理料（４日以上７日以内の期間）（包括・その他の病院）	7147	2	14 294	2	14 294	-	-
7718	救命救急入院料３　広範囲熱傷特定集中治療管理料（８日以上14日以内の期間）（包括・その他の病院）	6248	-	-	-	-	-	-
7719	救命救急入院料３　広範囲熱傷特定集中治療管理料（15日以上30日以内の期間）（包括・その他の病院）	6506	-	-	-	-	-	-
7720	救命救急入院料３　広範囲熱傷特定集中治療管理料（31日以上60日以内の期間）（包括・その他の病院）	6698	-	-	-	-	-	-
7721	救命救急入院料４　救命救急入院料（３日以内の期間）（包括・その他の病院）	9611	3 412	32 792 732	3 412	32 792 732	-	-
7722	救命救急入院料４　救命救急入院料（４日以上７日以内の期間）（包括・その他の病院）	8534	1 686	14 388 324	1 686	14 388 324	-	-
7723	救命救急入院料４　救命救急入院料（８日以上14日以内の期間）（包括・その他の病院）	7264	1 164	8 455 296	1 164	8 455 296	-	-
7724	救命救急入院料４　広範囲熱傷特定集中治療管理料（３日以内の期間）（包括・その他の病院）	9611	5	48 055	5	48 055	-	-
7725	救命救急入院料４　広範囲熱傷特定集中治療管理料（４日以上７日以内の期間）（包括・その他の病院）	8534	2	17 068	2	17 068	-	-
7726	救命救急入院料４　広範囲熱傷特定集中治療管理料（８日以上14日以内の期間）（包括・その他の病院）	7264	-	-	-	-	-	-
7727	救命救急入院料４　広範囲熱傷特定集中治療管理料（15日以上30日以内の期間）（包括・その他の病院）	6506	6	39 036	6	39 036	-	-
7728	救命救急入院料４　広範囲熱傷特定集中治療管理料（31日以上60日以内の期間）（包括・その他の病院）	6698	-	-	-	-	-	-
7729	救命救急入院料　精神疾患診断治療初回加算（包括・その他の病院）	3000	244	732 000	244	732 000	-	-
7730	救命救急入院料　充実段階Ａ加算（包括・その他の病院）	1000	53 804	53 804 000	53 804	53 804 000	-	-
7731	救命救急入院料　充実段階Ｂ加算（包括・その他の病院）	500	144	72 000	144	72 000	-	-
7732	救命救急入院料　高度医療体制加算（包括・その他の病院）	100	4 878	487 800	4 878	487 800	-	-
7733	救命救急入院料　急性薬毒物中毒加算１（機器分析）（包括・その他の病院）	5000	-	-	-	-	-	-
7734	救命救急入院料　急性薬毒物中毒加算２（機器分析以外）（包括・その他の病院）	350	88	30 800	88	30 800	-	-
7735	救命救急入院料　小児加算（包括・その他の病院）	5000	159	795 000	159	795 000	-	-
7736	特定集中治療室管理料１（７日以内の期間）（包括・その他の病院）	11868	8 764	104 011 152	8 764	104 011 152	-	-
7737	特定集中治療室管理料１（８日以上14日以内の期間）（包括・その他の病院）	10344	1 867	19 312 248	1 867	19 312 248	-	-
7738	特定集中治療室管理料２　特定集中治療室管理料（７日以内の期間）（包括・その他の病院）	11868	4 141	49 145 388	4 141	49 145 388	-	-
7739	特定集中治療室管理料２　特定集中治療室管理料（８日以上14日以内の期間）（包括・その他の病院）	10344	997	10 312 968	997	10 312 968	-	-
7740	特定集中治療室管理料２　広範囲熱傷特定集中治療管理料（７日以内の期間）（包括・その他の病院）	11868	7	83 076	7	83 076	-	-
7741	特定集中治療室管理料２　広範囲熱傷特定集中治療管理料（８日以上14日以内の期間）（包括・その他の病院）	10537	7	73 759	7	73 759	-	-
7742	特定集中治療室管理料２　広範囲熱傷特定集中治療管理料（15日以上30日以内の期間）（包括・その他の病院）	10795	6	64 770	6	64 770	-	-
7743	特定集中治療室管理料２　広範囲熱傷特定集中治療管理料（31日以上60日以内の期間）（包括・その他の病院）	10987	9	98 883	9	98 883	-	-
7744	特定集中治療室管理料３（７日以内の期間）（包括・その他の病院）	7579	31 679	240 095 141	31 679	240 095 141	-	-
7745	特定集中治療室管理料３（８日以上14日以内の期間）（包括・その他の病院）	6055	5 856	35 458 080	5 856	35 458 080	-	-
7746	特定集中治療室管理料４　特定集中治療室管理料（７日以内の期間）（包括・その他の病院）	7579	6 668	50 536 772	6 668	50 536 772	-	-
7747	特定集中治療室管理料４　特定集中治療室管理料（８日以上14日以内の期間）（包括・その他の病院）	6055	1 287	7 792 785	1 287	7 792 785	-	-
7748	特定集中治療室管理料４　広範囲熱傷特定集中治療管理料（７日以内の期間）（包括・その他の病院）	7579	-	-	-	-	-	-
7749	特定集中治療室管理料４　広範囲熱傷特定集中治療管理料（８日以上14日以内の期間）（包括・その他の病院）	6248	-	-	-	-	-	-
7750	特定集中治療室管理料４　広範囲熱傷特定集中治療管理料（15日以上30日以内の期間）（包括・その他の病院）	6506	-	-	-	-	-	-
7751	特定集中治療室管理料４　広範囲熱傷特定集中治療管理料（31日以上60日以内の期間）（包括・その他の病院）	6698	-	-	-	-	-	-
7752	特定集中治療室管理料　小児加算（７日以内の期間）（包括・その他の病院）	2000	1 361	2 722 000	1 361	2 722 000	-	-
7753	特定集中治療室管理料　小児加算（８日以上14日以内の期間）（包括・その他の病院）	1500	348	522 000	348	522 000	-	-
7754	ハイケアユニット入院医療管理料１（14日以内の期間）（包括・その他の病院）	4802	59 821	287 260 442	59 821	287 260 442	-	-
7755	ハイケアユニット入院医療管理料１（15日以上21日以内の期間）（包括・その他の病院）	5060	4 825	24 414 500	4 825	24 414 500	-	-
7756	ハイケアユニット入院医療管理料２（14日以内の期間）（包括・その他の病院）	2302	2 539	5 844 778	2 539	5 844 778	-	-
7757	ハイケアユニット入院医療管理料２（15日以上21日以内の期間）（包括・その他の病院）	2560	201	514 560	201	514 560	-	-
7758	脳卒中ケアユニット入院医療管理料（14日以内の期間）（包括・その他の病院）	4022	25 020	100 630 440	25 020	100 630 440	-	-
7759	小児特定集中治療室管理料（７日以内の期間）（包括・その他の病院）	13970	613	8 563 610	613	8 563 610	-	-
7760	小児特定集中治療室管理料（８日以上14日以内の期間）（包括・その他の病院）	11938	172	2 053 336	172	2 053 336	-	-
7761	小児特定集中治療室管理料（15日以上30日以内の期間）（包括・その他の病院）	12196	44	536 624	44	536 624	-	-
7762	小児特定集中治療室管理料（31日以上35日以内の期間）（包括・その他の病院）	12388	1	12 388	1	12 388	-	-
7763	新生児特定集中治療室管理料１（14日以内の期間）（包括・その他の病院）	8392	4 384	36 790 528	4 384	36 790 528	-	-
7764	新生児特定集中治療室管理料１（15日以上30日以内の期間）（包括・その他の病院）	8650	1 667	14 419 550	1 667	14 419 550	-	-
7765	新生児特定集中治療室管理料１（31日以上90日以内の期間）（包括・その他の病院）	8842	1 913	16 914 746	1 913	16 914 746	-	-
7766	新生児特定集中治療室管理料２（14日以内の期間）（包括・その他の病院）	6327	8 260	52 261 020	8 260	52 261 020	-	-
7767	新生児特定集中治療室管理料２（15日以上30日以内の期間）（包括・その他の病院）	6585	2 244	14 776 740	2 244	14 776 740	-	-
7768	新生児特定集中治療室管理料２（31日以上90日以内の期間）（包括・その他の病院）	6777	1 167	7 908 759	1 167	7 908 759	-	-
7769	総合周産期特定集中治療室管理料　母体・胎児集中治療室管理料（14日以内の期間）（包括・その他の病院）	5343	8 282	44 250 726	8 282	44 250 726	-	-
7770	総合周産期特定集中治療室管理料　新生児集中治療室管理料（14日以内の期間）（包括・その他の病院）	8392	8 211	68 906 712	8 211	68 906 712	-	-
7771	総合周産期特定集中治療室管理料　新生児集中治療室管理料（15日以上30日以内の期間）（包括・その他の病院）	8650	3 639	31 477 350	3 639	31 477 350	-	-
7772	総合周産期特定集中治療室管理料　新生児集中治療室管理料（31日以上90日以内の期間）（包括・その他の病院）	8842	5 427	47 985 534	5 427	47 985 534	-	-
7773	新生児治療回復室入院医療管理料（14日以内の期間）（包括・その他の病院）	3717	7 675	28 527 975	7 675	28 527 975	-	-
7774	新生児治療回復室入院医療管理料（15日以上30日以内の期間）（包括・その他の病院）	3975	6 225	24 744 375	6 225	24 744 375	-	-
7775	新生児治療回復室入院医療管理料（31日以上120日以内の期間）（包括・その他の病院）	4167	5 268	21 951 756	5 268	21 951 756	-	-
7776	一類感染症患者入院医療管理料（14日以内の期間）（包括・その他の病院）	7264	-	-	-	-	-	-
7777	一類感染症患者入院医療管理料（15日以上30日以内の期間）（包括・その他の病院）	6302	-	-	-	-	-	-
7778	一類感染症患者入院医療管理料（31日以上の期間）（包括・その他の病院）	6494	-	-	-	-	-	-
7779	小児入院医療管理料１（14日以内の期間）（包括・その他の病院）	2802	50 690	142 033 380	50 690	142 033 380	-	-
7780	小児入院医療管理料１（15日以上30日以内の期間）（包括・その他の病院）	3060	9 686	29 639 160	9 686	29 639 160	-	-
7781	小児入院医療管理料１（31日以上の期間）（包括・その他の病院）	3252	9 468	30 789 936	9 468	30 789 936	-	-
7782	小児入院医療管理料２（14日以内の期間）（包括・その他の病院）	2294	64 724	148 476 856	64 724	148 476 856	-	-
7783	小児入院医療管理料２（15日以上30日以内の期間）（包括・その他の病院）	2552	5 454	13 918 608	5 454	13 918 608	-	-
7784	小児入院医療管理料２（31日以上の期間）（包括・その他の病院）	2744	3 250	8 918 000	3 250	8 918 000	-	-
7785	小児入院医療管理料３（14日以内の期間）（包括・その他の病院）	1888	36 917	69 699 296	36 917	69 699 296	-	-
7786	小児入院医療管理料３（15日以上30日以内の期間）（包括・その他の病院）	2146	2 224	4 772 704	2 224	4 772 704	-	-
7787	小児入院医療管理料３（31日以上の期間）（包括・その他の病院）	2338	929	2 172 002	929	2 172 002	-	-
7788	小児入院医療管理料４（14日以内の期間）（包括・その他の病院）	1278	80 741	103 186 998	80 741	103 186 998	-	-
7789	小児入院医療管理料４（15日以上30日以内の期間）（包括・その他の病院）	1536	4 737	7 276 032	4 737	7 276 032	-	-
7790	小児入院医療管理料４（31日以上の期間）（包括・その他の病院）	1728	3 130	5 408 640	3 130	5 408 640	-	-
7791	小児入院医療管理料５（14日以内の期間）（包括・その他の病院）	363	8 365	3 036 495	8 365	3 036 495	-	-
7792	小児入院医療管理料５（15日以上30日以内の期間）（包括・その他の病院）	621	418	259 578	418	259 578	-	-
7793	小児入院医療管理料５（31日以上の期間）（包括・その他の病院）	813	169	137 397	169	137 397	-	-
7794	小児入院医療管理料　プレイルーム、保育士等加算（包括・その他の病院）	100	160 041	16 004 100	160 041	16 004 100	-	-
7795	小児入院医療管理料　人工呼吸器使用加算（包括・その他の病院）	600	5 554	3 332 400	5 554	3 332 400	-	-
7796	小児入院医療管理料３，４又は５　重症児受入体制加算（包括・その他の病院）	200	2 116	423 200	2 116	423 200	-	-

第８表　医科診療　件数・診療実日数・回数・点数，診療行為（細分類）、入院－入院外別

平成30年６月審査分

行番号	診療行為（細分類）	固定点数	総数 回数	総数 点数	入院 回数	入院 点数	入院外 回数	入院外 点数
7797	包括評価部分入院基本料分減算（その他の病院）小計		93	-10 860	93	-10 860	-	-
7798	急性期一般入院料１　特定時間退院減算（包括・その他の病院）	-127	37	-4 699	37	-4 699	-	-
7799	急性期一般入院料２　特定時間退院減算（包括・その他の病院）	-125	-	-	-	-	-	-
7800	急性期一般入院料３　特定時間退院減算（包括・その他の病院）	-119	-	-	-	-	-	-
7801	急性期一般入院料４　特定時間退院減算（包括・その他の病院）	-111	1	-111	1	-111	-	-
7802	急性期一般入院料５　特定時間退院減算（包括・その他の病院）	-110	55	-6 050	55	-6 050	-	-
7803	急性期一般入院料６　特定時間退院減算（包括・その他の病院）	-109	-	-	-	-	-	-
7804	急性期一般入院料７　特定時間退院減算（包括・その他の病院）	-107	-	-	-	-	-	-
7805	地域一般入院料１　特定時間退院減算（包括・その他の病院）	-90	-	-	-	-	-	-
7806	地域一般入院料２　特定時間退院減算（包括・その他の病院）	-90	-	-	-	-	-	-
7807	地域一般入院料３　特定時間退院減算（包括・その他の病院）	-77	-	-	-	-	-	-
7808	一般病棟特別入院基本料　特定時間退院減算（包括・その他の病院）	-47	-	-	-	-	-	-
7809	急性期一般入院料１　特定時間退院減算　月平均夜勤時間超過減算（包括・その他の病院）	-108	-	-	-	-	-	-
7810	急性期一般入院料２　特定時間退院減算　月平均夜勤時間超過減算（包括・その他の病院）	-106	-	-	-	-	-	-
7811	急性期一般入院料３　特定時間退院減算　月平均夜勤時間超過減算（包括・その他の病院）	-101	-	-	-	-	-	-
7812	急性期一般入院料４　特定時間退院減算　月平均夜勤時間超過減算（包括・その他の病院）	-94	-	-	-	-	-	-
7813	急性期一般入院料５　特定時間退院減算　月平均夜勤時間超過減算（包括・その他の病院）	-94	-	-	-	-	-	-
7814	急性期一般入院料６　特定時間退院減算　月平均夜勤時間超過減算（包括・その他の病院）	-92	-	-	-	-	-	-
7815	急性期一般入院料７　特定時間退院減算　月平均夜勤時間超過減算（包括・その他の病院）	-91	-	-	-	-	-	-
7816	地域一般入院料１　特定時間退院減算　月平均夜勤時間超過減算（包括・その他の病院）	-77	-	-	-	-	-	-
7817	地域一般入院料２　特定時間退院減算　月平均夜勤時間超過減算（包括・その他の病院）	-76	-	-	-	-	-	-
7818	地域一般入院料３　特定時間退院減算　月平均夜勤時間超過減算（包括・その他の病院）	-65	-	-	-	-	-	-
7819	急性期一般入院料１　特定時間退院減算　夜勤時間特別入院基本料（包括・その他の病院）	-89	-	-	-	-	-	-
7820	急性期一般入院料２　特定時間退院減算　夜勤時間特別入院基本料（包括・その他の病院）	-87	-	-	-	-	-	-
7821	急性期一般入院料３　特定時間退院減算　夜勤時間特別入院基本料（包括・その他の病院）	-83	-	-	-	-	-	-
7822	急性期一般入院料４　特定時間退院減算　夜勤時間特別入院基本料（包括・その他の病院）	-78	-	-	-	-	-	-
7823	急性期一般入院料５　特定時間退院減算　夜勤時間特別入院基本料（包括・その他の病院）	-77	-	-	-	-	-	-
7824	急性期一般入院料６　特定時間退院減算　夜勤時間特別入院基本料（包括・その他の病院）	-76	-	-	-	-	-	-
7825	急性期一般入院料７　特定時間退院減算　夜勤時間特別入院基本料（包括・その他の病院）	-75	-	-	-	-	-	-
7826	地域一般入院料１　特定時間退院減算　夜勤時間特別入院基本料（包括・その他の病院）	-63	-	-	-	-	-	-
7827	地域一般入院料２　特定時間退院減算　夜勤時間特別入院基本料（包括・その他の病院）	-63	-	-	-	-	-	-
7828	地域一般入院料３　特定時間退院減算　夜勤時間特別入院基本料（包括・その他の病院）	-54	-	-	-	-	-	-
7829	急性期一般入院料１　特定曜日入退院減算（包括・その他の病院）	-127	-	-	-	-	-	-
7830	急性期一般入院料２　特定曜日入退院減算（包括・その他の病院）	-125	-	-	-	-	-	-
7831	急性期一般入院料３　特定曜日入退院減算（包括・その他の病院）	-119	-	-	-	-	-	-
7832	急性期一般入院料４　特定曜日入退院減算（包括・その他の病院）	-111	-	-	-	-	-	-
7833	急性期一般入院料５　特定曜日入退院減算（包括・その他の病院）	-110	-	-	-	-	-	-
7834	急性期一般入院料６　特定曜日入退院減算（包括・その他の病院）	-109	-	-	-	-	-	-
7835	急性期一般入院料７　特定曜日入退院減算（包括・その他の病院）	-107	-	-	-	-	-	-
7836	地域一般入院料１　特定曜日入退院減算（包括・その他の病院）	-90	-	-	-	-	-	-
7837	地域一般入院料２　特定曜日入退院減算（包括・その他の病院）	-90	-	-	-	-	-	-
7838	地域一般入院料３　特定曜日入退院減算（包括・その他の病院）	-77	-	-	-	-	-	-
7839	一般病棟特別入院基本料　特定曜日入退院減算（包括・その他の病院）	-47	-	-	-	-	-	-
7840	急性期一般入院料１　特定曜日入退院減算　月平均夜勤時間超過減算（包括・その他の病院）	-108	-	-	-	-	-	-
7841	急性期一般入院料２　特定曜日入退院減算　月平均夜勤時間超過減算（包括・その他の病院）	-106	-	-	-	-	-	-
7842	急性期一般入院料３　特定曜日入退院減算　月平均夜勤時間超過減算（包括・その他の病院）	-101	-	-	-	-	-	-
7843	急性期一般入院料４　特定曜日入退院減算　月平均夜勤時間超過減算（包括・その他の病院）	-94	-	-	-	-	-	-
7844	急性期一般入院料５　特定曜日入退院減算　月平均夜勤時間超過減算（包括・その他の病院）	-94	-	-	-	-	-	-
7845	急性期一般入院料６　特定曜日入退院減算　月平均夜勤時間超過減算（包括・その他の病院）	-92	-	-	-	-	-	-
7846	急性期一般入院料７　特定曜日入退院減算　月平均夜勤時間超過減算（包括・その他の病院）	-91	-	-	-	-	-	-
7847	地域一般入院料１　特定曜日入退院減算　月平均夜勤時間超過減算（包括・その他の病院）	-77	-	-	-	-	-	-
7848	地域一般入院料２　特定曜日入退院減算　月平均夜勤時間超過減算（包括・その他の病院）	-76	-	-	-	-	-	-
7849	地域一般入院料３　特定曜日入退院減算　月平均夜勤時間超過減算（包括・その他の病院）	-65	-	-	-	-	-	-
7850	急性期一般入院料１　特定曜日入退院減算　夜勤時間特別入院基本料（包括・その他の病院）	-89	-	-	-	-	-	-
7851	急性期一般入院料２　特定曜日入退院減算　夜勤時間特別入院基本料（包括・その他の病院）	-87	-	-	-	-	-	-
7852	急性期一般入院料３　特定曜日入退院減算　夜勤時間特別入院基本料（包括・その他の病院）	-83	-	-	-	-	-	-
7853	急性期一般入院料４　特定曜日入退院減算　夜勤時間特別入院基本料（包括・その他の病院）	-78	-	-	-	-	-	-
7854	急性期一般入院料５　特定曜日入退院減算　夜勤時間特別入院基本料（包括・その他の病院）	-77	-	-	-	-	-	-
7855	急性期一般入院料６　特定曜日入退院減算　夜勤時間特別入院基本料（包括・その他の病院）	-76	-	-	-	-	-	-
7856	急性期一般入院料７　特定曜日入退院減算　夜勤時間特別入院基本料（包括・その他の病院）	-75	-	-	-	-	-	-
7857	地域一般入院料１　特定曜日入退院減算　夜勤時間特別入院基本料（包括・その他の病院）	-63	-	-	-	-	-	-
7858	地域一般入院料２　特定曜日入退院減算　夜勤時間特別入院基本料（包括・その他の病院）	-63	-	-	-	-	-	-
7859	地域一般入院料３　特定曜日入退院減算　夜勤時間特別入院基本料（包括・その他の病院）	-54	-	-	-	-	-	-
7860	急性期一般入院料１　夜間看護体制特定日減算（包括・その他の病院）	-80	-	-	-	-	-	-
7861	急性期一般入院料２　夜間看護体制特定日減算（包括・その他の病院）	-78	-	-	-	-	-	-
7862	急性期一般入院料３　夜間看護体制特定日減算（包括・その他の病院）	-75	-	-	-	-	-	-
7863	急性期一般入院料４　夜間看護体制特定日減算（包括・その他の病院）	-69	-	-	-	-	-	-
7864	急性期一般入院料５　夜間看護体制特定日減算（包括・その他の病院）	-69	-	-	-	-	-	-
7865	急性期一般入院料６　夜間看護体制特定日減算（包括・その他の病院）	-68	-	-	-	-	-	-
7866	急性期一般入院料７　夜間看護体制特定日減算（包括・その他の病院）	-67	-	-	-	-	-	-
7867	地域一般入院料１　夜間看護体制特定日減算（包括・その他の病院）	-56	-	-	-	-	-	-
7868	地域一般入院料２　夜間看護体制特定日減算（包括・その他の病院）	-56	-	-	-	-	-	-
7869	地域一般入院料３　夜間看護体制特定日減算（包括・その他の病院）	-48	-	-	-	-	-	-
7870	一般病棟特別入院基本料　夜間看護体制特定日減算（包括・その他の病院）	-29	-	-	-	-	-	-

第８表　医科診療　件数・診療実日数・回数・点数，診療行為（細分類）、入院－入院外別

平成30年６月審査分

行番号	診療行為（細分類）	固定点数	総数 回数	総数 点数	入院 回数	入院 点数	入院外 回数	入院外 点数
7871	急性期一般入院料１　夜間看護体制特定日減算　月平均夜勤時間超過減算（包括・その他の病院）	-68	-	-	-	-	-	-
7872	急性期一般入院料２　夜間看護体制特定日減算　月平均夜勤時間超過減算（包括・その他の病院）	-66	-	-	-	-	-	-
7873	急性期一般入院料３　夜間看護体制特定日減算　月平均夜勤時間超過減算（包括・その他の病院）	-63	-	-	-	-	-	-
7874	急性期一般入院料４　夜間看護体制特定日減算　月平均夜勤時間超過減算（包括・その他の病院）	-59	-	-	-	-	-	-
7875	急性期一般入院料５　夜間看護体制特定日減算　月平均夜勤時間超過減算（包括・その他の病院）	-59	-	-	-	-	-	-
7876	急性期一般入院料６　夜間看護体制特定日減算　月平均夜勤時間超過減算（包括・その他の病院）	-58	-	-	-	-	-	-
7877	急性期一般入院料７　夜間看護体制特定日減算　月平均夜勤時間超過減算（包括・その他の病院）	-57	-	-	-	-	-	-
7878	地域一般入院料１　夜間看護体制特定日減算　月平均夜勤時間超過減算（包括・その他の病院）	-48	-	-	-	-	-	-
7879	地域一般入院料２　夜間看護体制特定日減算　月平均夜勤時間超過減算（包括・その他の病院）	-48	-	-	-	-	-	-
7880	地域一般入院料３　夜間看護体制特定日減算　月平均夜勤時間超過減算（包括・その他の病院）	-41	-	-	-	-	-	-
7881	急性期一般入院料１　夜間看護体制特定日減算　夜勤時間特別入院基本料（包括・その他の病院）	-56	-	-	-	-	-	-
7882	急性期一般入院料２　夜間看護体制特定日減算　夜勤時間特別入院基本料（包括・その他の病院）	-55	-	-	-	-	-	-
7883	急性期一般入院料３　夜間看護体制特定日減算　夜勤時間特別入院基本料（包括・その他の病院）	-52	-	-	-	-	-	-
7884	急性期一般入院料４　夜間看護体制特定日減算　夜勤時間特別入院基本料（包括・その他の病院）	-49	-	-	-	-	-	-
7885	急性期一般入院料５　夜間看護体制特定日減算　夜勤時間特別入院基本料（包括・その他の病院）	-48	-	-	-	-	-	-
7886	急性期一般入院料６　夜間看護体制特定日減算　夜勤時間特別入院基本料（包括・その他の病院）	-47	-	-	-	-	-	-
7887	急性期一般入院料７　夜間看護体制特定日減算　夜勤時間特別入院基本料（包括・その他の病院）	-47	-	-	-	-	-	-
7888	地域一般入院料１　夜間看護体制特定日減算　夜勤時間特別入院基本料（包括・その他の病院）	-39	-	-	-	-	-	-
7889	地域一般入院料２　夜間看護体制特定日減算　夜勤時間特別入院基本料（包括・その他の病院）	-39	-	-	-	-	-	-
7890	地域一般入院料３　夜間看護体制特定日減算　夜勤時間特別入院基本料（包括・その他の病院）	-34	-	-	-	-	-	-
7891	補正点数（＋）包括出来高分		-	-	-	-	-	-
7892	補正点数（－）包括出来高分		-	-	-	-	-	-
7893	**療養担当手当等計**		16 431	38 467	11 903	3 765	4 528	34 702
7894	療養担当手当（入院）	10	11 903	119 030	11 903	119 030	-	-
7895	療養担当手当（入院外）	7	4 528	31 696	-	-	4 528	31 696
7896	治験分控除後包括点数		95	3 006	-	-	95	3 006
7897	公害補償法控除後包括点数		-	-	-	-	-	-
7898	他医療機関受診費		11	78 701	11	78 701	-	-
7899	歯科診療費		1	1 415	1	1 415	-	-
7900	包括点数の治験減点分		30	-193 528	30	-193 528	-	-
7901	包括点数の公害補償法減点分		9	-1 853	9	-1 853	-	-
7902	補正点数（＋）療養担当手当等		-	-	-	-	-	-
7903	補正点数（－）療養担当手当等		-	-	-	-	-	-
7904	**合算薬剤料**		-	88 241	-	88 241	-	-
7905	**合算薬剤料　△　分**		-	-29 706	-	-29 706	-	-
7906	**入院時食事・生活療養金額（別掲：円）**		92 745 986	58 164 041 419	92 745 986	58 164 041 419	-	-
7907	入院時食事療養金額小計		70 271 010	46 689 145 217	70 271 010	46 689 145 217	-	-
7908	入院時食事療養（Ⅰ）（１食につき）流動食のみ以外の食事療養を行う場合	640	63 455 849	40 611 743 360	63 455 849	40 611 743 360	-	-
7909	入院時食事療養（Ⅰ）（１食につき）流動食のみを提供する場合	575	5 457 243	3 137 914 725	5 457 243	3 137 914 725	-	-
7910	入院時食事療養（Ⅰ）（１食につき）特別食　加算	76	19 166 186	1 456 630 136	19 166 186	1 456 630 136	-	-
7911	入院時食事療養（Ⅰ）（１日につき）食堂　加算	50	15 954 360	797 718 000	15 954 360	797 718 000	-	-
7912	入院時食事療養（Ⅱ）（１食につき）流動食のみ以外の食事療養を行う場合	506	1 315 146	665 463 876	1 315 146	665 463 876	-	-
7913	入院時食事療養（Ⅱ）（１食につき）流動食のみを提供する場合	460	42 772	19 675 120	42 772	19 675 120	-	-
7914	入院時生活療養金額小計		22 474 976	11 474 896 202	22 474 976	11 474 896 202	-	-
7915	入院時生活療養（Ⅰ）食事療養（１食につき）流動食のみ以外の食事の提供たる療養を行う場合	554	10 449 626	5 789 092 804	10 449 626	5 789 092 804	-	-
7916	入院時生活療養（Ⅰ）食事療養（１食につき）流動食のみを提供する場合	500	5 332 667	2 666 333 500	5 332 667	2 666 333 500	-	-
7917	入院時生活療養（Ⅰ）（１日につき）環境療養	398	6 333 751	2 520 832 898	6 333 751	2 520 832 898	-	-
7918	入院時生活療養（Ⅰ）（１食につき）特別食　加算	76	4 275 943	324 971 668	4 275 943	324 971 668	-	-
7919	入院時生活療養（Ⅰ）（１日につき）食堂　加算	50	506 948	25 347 400	506 948	25 347 400	-	-
7920	入院時生活療養（Ⅱ）（１食につき）食事療養	420	248 318	104 293 560	248 318	104 293 560	-	-
7921	入院時生活療養（Ⅱ）（１日につき）環境療養	398	110 614	44 024 372	110 614	44 024 372	-	-
7922	補正金額（＋）入院時食事・生活療養金額		-	-	-	-	-	-
7923	補正金額（－）入院時食事・生活療養金額		-	-	-	-	-	-
7924	**補正点数（＋）請求点数と決定点数の差**		-	3 965	-	3 829	-	136
7925	**補正点数（－）請求点数と決定点数の差**		-	-8 185	-	-1 900	-	-6 285

注：１）「件数」は、明細書の数である。
２）「回数」は、当該診療行為が実施された延べ算定回数である。
３）総数には、入院時食事・生活療養を含まない。
４）「結核病棟特別入院基本料」、「結核病棟７対１特別入院基本料」及び「結核病棟10対１特別入院基本料」には、それぞれ特定機能病院の特別入院基本料を含む。
５）「薬剤料（診療識別80）」は、リハビリテーション及び精神科専門療法の薬剤料である。
６）「特定保険医療材料料（診療識別80）」は、精神科専門療法及び放射線治療の特定保険医療材料料である。
７）「酸素料（診療識別80）」は、精神科専門療法の酸素料である。
８）「造血幹細胞移植（提供者の療養上の費用）」には、骨髄移植及び末梢血管細胞移植における提供者の療養上の費用を含む。

歯　科　診　療

歯科診療

第１表　歯科診療　件数・診療実日数・回数・点数，一般医療－後期医療、診療行為（大分類）、歯科病院－歯科診療所別

平成30年６月審査分

一般医療－後期医療	総数 件数	総数 診療実日数	歯科病院 件数	歯科病院 診療実日数	歯科診療所 件数	歯科診療所 診療実日数
総数	18 002 119	32 117 088	774 586	1 322 805	17 114 144	30 594 447
一般医療	14 640 402	25 535 215	550 150	897 507	14 000 332	24 483 958
後期医療	3 361 717	6 581 873	224 436	425 298	3 113 812	6 110 489

行番号	一般医療－後期医療 診療行為（大分類）	総数 回数	総数 点数	歯科病院 回数	歯科病院 点数	歯科診療所 回数	歯科診療所 点数
1	総数	193 119 190	22 479 245 096	6 626 903	1 142 009 444	185 289 546	21 196 313 173
2	初診・再診	31 053 364	2 834 100 498	1 243 130	145 222 408	29 621 863	2 671 444 233
3	医学管理等	26 751 790	2 507 847 923	823 024	114 289 821	25 761 774	2 377 398 567
4	在宅医療	1 738 482	687 296 423	26 954	10 280 694	1 689 182	670 034 163
5	検査	9 546 112	1 479 326 463	959 206	61 818 320	8 522 208	1 407 733 088
6	画像診断	11 597 601	954 293 799	589 885	116 194 534	10 936 908	831 182 732
7	投薬	13 091 229	270 928 220	923 135	23 631 118	12 096 471	245 710 725
8	注射	23 365	26 004 297	22 493	25 548 715	806	410 779
9	リハビリテーション	2 869 648	323 070 871	134 864	17 252 910	2 715 821	303 674 748
10	処置	57 746 258	4 485 989 728	986 375	80 564 896	56 377 390	4 377 021 669
11	手術	1 844 492	620 953 004	142 948	149 938 712	1 688 875	466 445 374
12	麻酔	418 474	73 367 698	37 507	48 327 867	377 368	24 092 359
13	放射線治療	1 743	3 951 862	1 743	3 951 862	−	−
14	歯冠修復及び欠損補綴	36 146 669	7 980 170 298	578 284	142 066 153	35 373 986	7 794 372 523
15	歯科矯正	191 612	40 574 793	63 357	14 011 897	123 260	25 445 307
16	病理診断	28 850	17 635 682	26 436	16 477 532	2 133	1 027 260
17	入院料等	68 204	173 648 181	67 463	172 414 131	309	252 553
18	入院時食事療養等　（別掲：円）	146 763	96 125 718	145 463	95 334 071	454	229 724
19	一般医療	156 307 842	17 651 447 575	4 661 985	823 321 316	150 689 655	16 719 379 149
20	初診・再診	25 361 214	2 367 290 699	849 115	100 253 728	24 359 912	2 252 565 242
21	医学管理等	22 303 078	2 086 837 319	570 003	79 456 136	21 594 035	1 993 925 113
22	在宅医療	246 153	102 741 877	3 463	1 519 808	240 086	100 304 043
23	検査	7 910 969	1 262 604 308	711 420	45 179 613	7 145 883	1 209 146 858
24	画像診断	9 850 414	833 785 800	460 082	91 603 198	9 329 848	736 093 130
25	投薬	10 911 354	217 997 631	663 986	16 525 608	10 186 707	200 182 463
26	注射	16 294	17 759 018	15 513	17 330 484	722	386 668
27	リハビリテーション	1 391 524	152 209 360	60 939	7 735 639	1 322 087	143 544 721
28	処置	47 579 971	3 769 382 928	683 154	58 295 192	46 588 228	3 687 510 352
29	手術	1 469 070	510 186 893	107 531	124 600 910	1 351 460	381 697 385
30	麻酔	384 398	66 622 086	34 847	43 152 652	346 206	22 560 476
31	放射線治療	937	2 214 528	937	2 214 528	−	−
32	歯冠修復及び欠損補綴	28 621 138	6 084 614 390	371 491	86 902 810	28 098 268	5 964 935 851
33	歯科矯正	191 534	40 539 542	63 354	14 005 828	123 185	25 416 615
34	病理診断	21 638	13 328 871	19 698	12 387 451	1 720	834 850
35	入院料等	47 007	123 247 310	46 368	122 137 960	249	210 527
36	入院時食事療養等　（別掲：円）	95 502	62 460 086	94 421	61 794 173	325	164 450
37	後期医療	36 811 348	4 827 797 521	1 964 918	318 688 128	34 599 891	4 476 934 024
38	初診・再診	5 692 150	466 809 799	394 015	44 968 680	5 261 951	418 878 991
39	医学管理等	4 448 712	421 010 604	253 021	34 833 685	4 167 739	383 473 454
40	在宅医療	1 492 329	584 554 546	23 491	8 760 886	1 449 096	569 730 120
41	検査	1 635 143	216 722 155	247 786	16 638 707	1 376 325	198 586 230
42	画像診断	1 747 187	120 507 999	129 803	24 591 336	1 607 060	95 089 602
43	投薬	2 179 875	52 930 589	259 149	7 105 510	1 909 764	45 528 262
44	注射	7 071	8 245 279	6 980	8 218 231	84	24 111
45	リハビリテーション	1 478 124	170 861 511	73 925	9 517 271	1 393 734	160 130 027
46	処置	10 166 287	716 606 800	303 221	22 269 704	9 789 162	689 511 317
47	手術	375 422	110 766 111	35 417	25 337 802	337 415	84 747 989
48	麻酔	34 076	6 745 612	2 660	5 175 215	31 162	1 531 883
49	放射線治療	806	1 737 334	806	1 737 334	−	−
50	歯冠修復及び欠損補綴	7 525 531	1 895 555 908	206 793	55 163 343	7 275 718	1 829 436 672
51	歯科矯正	78	35 251	3	6 069	75	28 692
52	病理診断	7 212	4 306 811	6 738	4 090 081	413	192 410
53	入院料等	21 197	50 400 871	21 095	50 276 171	60	42 026
54	入院時食事療養等　（別掲：円）	51 261	33 665 632	51 042	33 539 898	129	65 274

注：１）「件数」は、明細書の数である。
　　２）「回数」は、当該診療行為が実施された延べ算定回数である。
　　３）総数には、「療養担当手当等」、「補正点数」を含む。
　　４）総数には、入院時食事療養等を含まない。
　　５）総数には、データ上で病院、診療所別を取得できなかったものを含む。
　　６）歯科病院とは、病院併設歯科、歯科単科病院をいう。
　　７）歯科診療所とは、診療所併設歯科、歯科診療所をいう。

第２表　歯科診療　件数・診療実日数・回数・点数,

行番号	傷病分類 一般医療−後期医療 年齢階級	件数	診療実日数	総数 回数	総数 点数	初・再診 回数	初・再診 点数	医学管理等 回数	医学管理等 点数
1	総数	18 002 119	32 117 088	193 119 190	22 479 245 096	31 053 364	2 834 100 498	26 751 790	2 507 847 923
2	一般医療	14 640 402	25 535 215	156 307 842	17 651 447 575	25 361 214	2 367 290 699	22 303 078	2 086 837 319
3	後期医療	3 361 717	6 581 873	36 811 348	4 827 797 521	5 692 150	466 809 799	4 448 712	421 010 604
4	0 〜 4歳	396 387	497 950	2 405 353	345 176 296	496 565	90 108 602	584 127	64 045 096
5	5 〜 9	1 063 686	1 482 442	8 589 749	969 461 162	1 481 164	193 510 763	1 628 050	171 159 674
6	10 〜 14	611 102	793 275	4 765 119	528 533 353	792 346	106 623 636	932 475	97 934 440
7	15 〜 19	334 270	525 018	3 216 311	366 390 911	522 597	58 822 094	476 404	45 195 343
8	20 〜 24	460 502	812 589	5 269 397	586 936 721	807 608	82 343 035	697 715	62 281 594
9	25 〜 29	621 281	1 090 217	7 075 219	778 687 903	1 083 922	106 159 144	959 622	86 033 235
10	30 〜 34	762 941	1 331 332	8 542 817	939 589 339	1 324 257	127 354 910	1 178 031	106 586 106
11	35 〜 39	917 097	1 604 012	10 179 556	1 118 330 699	1 596 673	150 440 600	1 408 992	127 722 828
12	40 〜 44	1 154 308	2 046 935	12 902 214	1 420 549 363	2 037 044	185 893 146	1 765 118	160 014 822
13	45 〜 49	1 262 922	2 279 728	14 276 484	1 579 279 269	2 267 697	200 070 622	1 929 265	174 854 642
14	50 〜 54	1 199 048	2 175 158	13 491 400	1 500 513 380	2 162 325	185 231 004	1 830 705	166 454 172
15	55 〜 59	1 215 932	2 211 774	13 557 995	1 525 137 116	2 196 659	184 388 865	1 850 435	169 188 499
16	60 〜 64	1 318 308	2 432 545	14 691 648	1 670 133 603	2 412 520	198 320 350	2 005 667	184 590 382
17	65 〜 69	1 751 231	3 278 938	19 504 982	2 255 034 366	3 240 393	263 164 172	2 651 746	246 189 427
18	70 〜 74	1 624 687	3 082 506	18 451 771	2 158 326 737	3 024 141	243 054 228	2 472 488	231 133 313
19	75 〜 79	1 451 109	2 795 939	16 591 657	1 988 302 199	2 689 282	214 240 415	2 166 579	203 519 146
20	80 〜 84	1 016 084	2 006 077	11 435 535	1 467 964 286	1 810 803	146 746 000	1 402 650	132 748 156
21	85 〜 89	557 957	1 112 261	5 782 971	845 013 971	841 521	71 934 636	624 825	59 897 842
22	90歳以上	283 267	558 392	2 389 012	435 884 422	265 847	25 694 276	186 896	18 299 206
23	Ⅰ う蝕	1 799 886	2 861 724	14 715 100	1 953 978 014	2 842 752	351 322 470	1 812 201	183 028 279
24	一般医療	1 628 432	2 527 472	12 908 766	1 691 617 864	2 523 695	317 923 053	1 665 550	169 253 581
25	後期医療	171 454	334 252	1 806 334	262 360 150	319 057	33 399 417	146 651	13 774 698
26	0 〜 4歳	173 464	218 240	880 476	133 600 367	218 113	39 019 284	230 763	26 381 211
27	5 〜 9	328 267	449 695	2 262 827	283 902 834	449 612	61 747 931	409 461	44 667 996
28	10 〜 14	133 675	172 677	894 356	106 287 093	172 639	24 471 907	158 380	17 465 669
29	15 〜 19	51 851	77 318	416 407	49 203 482	77 274	9 861 141	52 162	5 191 373
30	20 〜 24	43 159	70 009	383 680	45 559 616	69 941	8 181 077	41 654	3 851 829
31	25 〜 29	52 561	85 463	464 152	56 766 066	85 367	9 809 243	49 701	4 583 049
32	30 〜 34	65 160	105 965	566 884	70 121 645	105 827	12 248 679	60 222	5 572 847
33	35 〜 39	81 196	131 923	695 551	87 612 652	131 773	15 492 981	73 273	6 774 931
34	40 〜 44	102 059	167 284	873 415	113 029 891	167 110	19 671 302	88 899	8 234 562
35	45 〜 49	107 646	178 427	926 106	122 016 886	178 166	20 912 489	92 048	8 532 416
36	50 〜 54	95 615	161 016	834 453	111 717 869	160 741	18 712 606	80 049	7 421 756
37	55 〜 59	93 385	159 878	829 589	112 650 512	159 521	18 327 414	77 186	7 149 710
38	60 〜 64	94 180	166 581	867 327	118 976 185	166 164	18 580 269	77 761	7 209 837
39	65 〜 69	114 261	209 653	1 092 211	151 366 897	208 872	22 670 011	95 117	8 842 880
40	70 〜 74	94 706	178 845	951 431	133 633 936	177 530	18 793 828	81 220	7 598 594
41	75 〜 79	79 030	152 881	822 786	115 848 532	150 546	15 540 984	68 576	6 422 456
42	80 〜 84	53 350	105 449	575 165	83 330 632	101 587	10 502 281	46 965	4 407 038
43	85 〜 89	26 355	52 022	281 576	42 487 543	47 549	5 058 264	21 728	2 053 539
44	90歳以上	9 966	18 398	96 708	15 865 376	14 420	1 720 779	7 036	666 586
45	Ⅱ 感染を伴わない歯牙慢性硬組織疾患	91 485	165 239	748 529	76 718 006	163 501	18 501 328	76 208	6 340 023
46	一般医療	77 137	133 947	591 412	59 519 240	133 448	15 559 974	61 909	5 181 094
47	後期医療	14 348	31 292	157 117	17 198 766	30 053	2 941 354	14 299	1 158 929
48	0 〜 4歳	2 107	2 594	7 317	1 132 932	2 588	579 753	1 272	124 940
49	5 〜 9	3 355	4 452	16 818	1 844 704	4 454	723 529	2 347	208 556
50	10 〜 14	2 992	3 868	14 076	1 529 157	3 859	608 785	1 916	177 604
51	15 〜 19	2 302	3 228	12 459	1 358 444	3 217	480 484	1 467	137 934
52	20 〜 24	2 335	3 543	14 417	1 718 256	3 501	482 942	1 640	149 502
53	25 〜 29	3 276	4 923	20 113	2 127 248	4 902	677 635	2 224	203 564
54	30 〜 34	4 058	6 255	26 500	2 668 276	6 234	816 247	2 986	265 625
55	35 〜 39	5 028	8 012	34 211	3 474 909	7 969	1 004 239	3 800	337 378
56	40 〜 44	6 207	10 364	45 311	4 364 486	10 327	1 209 862	4 916	421 134
57	45 〜 49	6 923	12 028	52 705	5 026 934	12 016	1 366 245	5 469	450 380
58	50 〜 54	6 526	11 782	53 536	5 208 467	11 749	1 263 907	5 436	442 860
59	55 〜 59	6 785	12 622	57 113	5 511 560	12 563	1 337 756	5 740	455 460
60	60 〜 64	7 525	14 413	66 957	6 488 197	14 365	1 478 389	6 517	511 288
61	65 〜 69	9 660	19 230	89 974	8 944 039	19 180	1 925 549	8 591	685 691
62	70 〜 74	8 271	17 116	82 251	8 381 685	16 978	1 657 043	7 801	626 417
63	75 〜 79	7 093	15 289	75 908	8 009 014	15 043	1 453 462	7 062	577 296
64	80 〜 84	4 379	9 705	48 755	5 219 155	9 428	908 318	4 519	369 916
65	85 〜 89	1 966	4 321	22 483	2 681 805	3 953	397 821	1 924	149 868
66	90歳以上	697	1 494	7 625	1 028 738	1 175	129 362	581	44 610
67	Ⅲ 歯髄炎等	285 104	715 264	3 899 704	452 661 586	712 598	52 200 209	341 245	27 181 694
68	一般医療	251 870	618 658	3 354 294	381 788 555	618 006	45 667 883	302 439	24 040 478
69	後期医療	33 234	96 606	545 410	70 873 031	94 592	6 532 326	38 806	3 141 216
70	0 〜 4歳	3 624	8 205	39 521	5 518 751	8 188	818 126	4 957	422 425
71	5 〜 9	19 998	44 506	213 431	23 498 610	44 493	3 645 854	26 661	2 245 563
72	10 〜 14	6 550	14 087	72 467	7 326 684	14 084	1 154 315	8 288	670 767
73	15 〜 19	11 356	24 445	133 710	14 091 142	24 440	1 988 092	13 630	1 067 266
74	20 〜 24	14 220	31 230	175 155	18 804 700	31 217	2 528 041	17 352	1 337 050
75	25 〜 29	15 747	34 992	196 053	21 058 023	34 960	2 729 267	19 105	1 481 718
76	30 〜 34	17 937	40 578	225 037	24 409 378	40 558	3 107 622	21 780	1 696 032
77	35 〜 39	20 650	48 278	264 525	28 710 428	48 268	3 602 143	24 567	1 923 493
78	40 〜 44	24 281	57 641	315 790	34 930 109	57 576	4 237 237	28 601	2 262 733
79	45 〜 49	24 252	59 727	324 339	36 362 053	59 697	4 291 533	28 738	2 271 392
80	50 〜 54	19 585	49 414	269 211	30 812 803	49 364	3 491 929	22 965	1 820 968
81	55 〜 59	17 412	45 633	247 599	29 129 743	45 565	3 166 515	20 130	1 600 221
82	60 〜 64	17 279	47 466	259 584	31 044 982	47 393	3 278 759	20 017	1 583 038
83	65 〜 69	21 361	60 939	333 033	40 862 401	60 785	4 157 662	24 679	1 968 848
84	70 〜 74	18 167	53 283	294 568	36 639 992	53 044	3 603 395	21 565	1 738 875
85	75 〜 79	15 929	46 343	258 495	32 524 341	46 001	3 130 966	18 620	1 505 682
86	80 〜 84	10 749	31 434	179 123	23 360 691	30 849	2 127 377	12 773	1 027 598
87	85 〜 89	4 715	13 413	76 980	10 543 493	12 856	902 728	5 408	442 570
88	90歳以上	1 292	3 650	21 083	3 033 262	3 260	238 648	1 409	115 455

平成30年６月審査分

在宅医療		検査		画像診断		投薬		注射		リハビリテーション		行番号
回数	点数	回数	点数	回数	点数	回数	点数	回数	点数	回数	点数	
1 738 482	687 296 423	9 546 112	1 479 326 463	11 597 601	954 293 799	13 091 229	270 928 220	23 365	26 004 297	2 869 648	323 070 871	1
246 153	102 741 877	7 910 969	1 262 604 308	9 850 414	833 785 800	10 911 354	217 997 631	16 294	17 759 018	1 391 524	152 209 360	2
1 492 329	584 554 546	1 635 143	216 722 155	1 747 187	120 507 999	2 179 875	52 930 589	7 071	8 245 279	1 478 124	170 861 511	3
630	457 783	141 205	10 855 547	96 411	4 678 604	46 414	1 009 772	147	45 205	2 800	559 541	4
818	544 296	435 441	35 109 334	625 156	38 138 863	320 359	6 890 190	189	60 809	3 137	587 292	5
872	499 309	302 664	43 841 634	314 116	22 244 490	178 452	3 714 067	109	49 225	1 868	242 373	6
1 546	764 043	189 975	30 796 135	257 824	24 308 225	243 498	4 318 551	432	188 589	1 909	181 298	7
3 777	1 645 328	298 967	47 053 846	437 319	50 783 786	593 556	10 518 994	836	410 789	1 931	165 647	8
5 057	2 110 095	394 935	64 747 813	526 729	60 084 279	721 928	12 810 903	995	485 039	2 956	261 716	9
7 209	2 850 301	467 088	80 307 214	602 416	63 747 937	730 720	13 129 998	882	665 676	5 001	449 444	10
9 008	3 544 271	543 324	95 367 064	697 727	68 431 699	784 873	14 281 067	945	911 852	9 314	880 363	11
14 603	5 513 348	667 609	116 936 209	855 691	77 948 215	957 989	17 798 794	1 228	910 087	20 191	2 008 580	12
18 963	7 219 165	712 188	124 199 861	918 334	79 952 766	1 059 309	20 135 697	1 325	1 144 014	40 284	4 159 085	13
19 408	7 631 872	661 366	114 385 517	839 353	70 276 046	985 746	19 541 546	1 587	1 451 080	70 171	7 413 012	14
23 615	9 685 129	653 182	111 672 507	813 965	64 532 584	956 217	19 668 539	1 582	2 554 716	122 476	13 147 500	15
31 050	13 281 760	695 810	115 891 471	851 412	63 844 263	985 457	21 065 406	1 635	2 017 201	211 804	22 989 473	16
59 657	26 129 405	919 296	145 648 920	1 083 075	78 704 857	1 246 429	27 752 637	2 226	3 538 263	411 819	45 301 179	17
94 509	41 081 272	855 130	129 450 891	959 434	68 135 915	1 136 631	26 256 070	2 339	3 549 973	505 294	56 135 861	18
176 819	74 025 672	755 900	107 907 165	826 381	57 500 221	1 016 006	24 223 864	2 597	3 127 303	549 511	61 858 887	19
324 834	130 886 653	509 247	66 352 373	557 404	38 002 718	690 642	16 749 694	2 201	2 795 709	453 055	52 164 698	20
444 752	173 301 990	250 339	29 178 621	257 736	17 696 875	329 599	8 248 839	1 396	1 557 984	289 166	34 170 720	21
501 355	186 124 731	92 446	9 624 341	77 118	5 281 456	107 404	2 813 592	714	540 783	166 961	20 394 202	22
25 905	14 268 715	231 762	33 276 420	1 145 166	51 783 839	583 353	11 442 341	346	386 429	113 141	12 660 434	23
4 483	2 570 187	200 310	29 425 916	1 017 075	46 951 412	499 424	9 621 834	212	295 838	57 563	6 357 888	24
21 422	11 698 528	31 452	3 850 504	128 091	4 832 427	83 929	1 820 507	134	90 591	55 578	6 302 546	25
61	44 831	6 050	409 851	40 732	1 722 600	10 978	230 808	7	3 938	414	90 862	26
108	71 264	22 693	1 765 984	196 654	9 341 293	60 167	1 282 443	4	4 125	493	98 913	27
48	28 551	12 774	1 696 118	79 859	3 843 162	26 935	561 360	4	6 103	120	19 503	28
32	20 180	6 240	1 007 928	39 582	1 967 262	17 671	302 238	8	6 056	63	7 524	29
58	35 899	7 324	1 114 678	35 874	2 000 485	24 452	422 831	5	2 303	54	4 960	30
58	36 534	8 841	1 421 631	39 449	2 216 206	27 942	484 066	15	6 402	83	7 732	31
73	31 680	10 929	1 816 453	47 118	2 484 483	29 967	514 293	14	99 838	137	13 701	32
122	66 350	12 998	2 212 569	57 474	2 887 597	34 106	597 806	14	5 250	326	32 739	33
218	112 620	16 293	2 775 839	70 438	3 333 679	37 738	683 539	40	77 454	729	75 532	34
267	139 302	17 158	2 896 130	72 040	3 338 949	39 620	714 283	29	47 576	1 511	158 554	35
332	165 139	15 204	2 551 116	64 524	2 891 251	34 839	668 010	20	5 707	2 737	293 291	36
435	239 812	14 523	2 415 166	63 526	2 660 640	34 518	673 179	7	4 241	4 921	527 152	37
575	324 332	14 968	2 393 342	65 132	2 652 855	35 740	715 303	19	5 245	8 989	972 199	38
1 092	703 671	18 407	2 756 509	80 209	3 126 890	45 934	945 837	15	5 736	17 266	1 884 489	39
1 805	1 054 488	16 471	2 264 147	66 655	2 576 325	40 089	854 482	12	34 981	20 434	2 251 008	40
3 198	1 844 365	14 319	1 885 610	56 892	2 169 073	36 516	787 651	39	39 774	21 866	2 437 441	41
5 165	2 886 938	10 455	1 238 127	41 223	1 542 776	28 119	608 552	87	22 438	18 104	2 062 141	42
6 316	3 397 179	4 712	505 511	20 781	773 285	13 411	296 991	3	7 616	10 506	1 208 023	43
5 942	3 065 580	1 403	149 711	7 004	255 028	4 611	98 669	4	1 646	4 388	514 670	44
1 733	986 469	19 456	2 437 136	75 701	3 593 818	102 209	2 027 184	147	116 555	8 719	966 040	45
342	179 665	14 877	2 010 664	60 483	2 918 488	78 774	1 530 640	55	34 569	4 701	514 435	46
1 391	806 804	4 579	426 472	15 218	675 330	23 435	496 544	92	81 986	4 018	451 605	47
-	-	77	4 300	1 191	51 402	655	16 238	1	6	-	-	48
-	-	127	10 335	2 981	127 480	1 647	35 119	-	-	3	555	49
1	123	309	28 717	1 984	102 830	1 151	21 247	1	237	3	675	50
3	1 921	302	33 742	1 679	100 397	1 284	22 256	1	857	4	710	51
2	1 411	541	60 584	1 722	112 584	1 497	26 920	7	2 450	6	562	52
10	2 901	680	88 112	2 148	123 826	1 941	34 639	1	2 578	6	559	53
8	3 379	750	118 697	2 696	150 140	2 666	48 882	-	1 633	15	1 288	54
5	3 956	1 030	150 049	3 472	189 137	3 681	68 947	3	5 359	24	2 776	55
46	18 827	1 336	191 824	4 374	219 647	5 493	101 619	4	2 943	52	5 219	56
8	3 326	1 352	202 637	5 278	261 864	7 207	135 598	4	1 206	121	12 243	57
17	4 938	1 489	205 048	5 016	251 731	7 799	145 986	11	2 638	235	25 020	58
48	28 222	1 291	195 591	5 439	259 829	8 841	172 459	5	1 477	416	44 085	59
49	26 336	1 442	205 446	6 477	281 406	10 367	201 472	2	2 685	706	75 622	60
40	24 634	2 291	284 730	8 735	376 693	12 692	257 549	15	4 539	1 435	156 996	61
132	75 316	2 036	242 522	7 506	322 012	12 195	248 541	8	7 436	1 724	193 641	62
195	115 234	2 263	223 016	7 194	326 657	11 041	232 255	39	11 653	1 754	193 979	63
325	179 739	1 328	122 743	4 733	214 638	7 390	155 936	13	8 586	1 255	140 518	64
427	244 411	591	53 326	2 343	92 108	3 545	76 587	10	56 091	693	79 580	65
417	251 795	221	15 717	733	29 437	1 117	24 934	22	4 181	267	32 012	66
3 291	2 159 188	150 782	11 915 802	491 456	15 967 194	360 149	6 309 278	96	147 402	16 793	1 849 878	67
759	477 301	128 897	10 511 019	423 836	14 061 033	325 768	5 649 921	90	92 667	8 778	957 075	68
2 532	1 681 887	21 885	1 404 783	67 620	1 906 161	34 381	659 357	6	54 735	8 015	892 803	69
-	-	614	27 772	4 054	140 355	4 342	81 093	2	3 849	5	1 225	70
-	-	2 158	134 434	22 936	755 866	21 342	400 556	1	2 359	3	304	71
3	734	2 202	165 780	9 943	321 397	8 208	139 572	2	210	1	88	72
-	-	5 570	446 584	18 778	637 613	15 579	251 028	-	337	2	158	73
9	3 521	7 441	660 851	23 487	916 699	21 899	358 986	6	2 337	5	420	74
12	4 305	8 232	718 720	25 238	950 726	24 315	398 531	13	5 745	20	2 380	75
25	10 242	9 287	824 954	28 638	1 058 700	26 441	434 171	5	3 773	28	2 762	76
25	10 083	10 710	959 996	33 886	1 186 692	29 560	485 269	8	2 756	54	5 417	77
56	20 640	13 025	1 142 077	39 982	1 395 039	33 037	558 929	19	10 526	125	13 208	78
46	21 659	13 225	1 157 057	40 304	1 368 994	32 407	549 372	14	54 956	267	28 051	79
67	45 581	10 959	911 704	33 824	1 099 217	24 482	428 801	5	1 217	473	50 538	80
96	56 111	10 069	807 397	31 215	966 238	20 951	373 782	3	662	757	81 542	81
118	78 500	10 464	796 009	33 483	985 039	20 107	369 352	2	528	1 315	142 653	82
184	133 873	13 455	970 236	42 843	1 275 887	23 533	452 130	9	3 286	2 676	292 174	83
295	220 200	11 896	810 872	36 425	1 035 376	20 110	378 776	1	126	3 166	349 394	84
461	298 041	10 302	690 209	32 013	905 361	16 617	318 781	1	794	3 530	390 565	85
724	496 257	7 151	450 523	22 231	615 651	11 300	216 461	1	2 196	2 651	295 068	86
683	437 221	3 162	193 054	9 463	275 560	4 515	87 945	3	51 537	1 316	148 714	87
487	322 220	860	47 573	2 713	76 784	1 404	25 743	1	208	399	45 217	88

第２表　歯科診療　件数・診療実日数・回数・点数，

行番号	傷病分類 一般医療－後期医療 年齢階級	処置 回数	処置 点数	手術 回数	手術 点数	麻酔 回数	麻酔 点数	放射線治療 回数	放射線治療 点数
1	総数	57 746 258	4 485 989 728	1 844 492	620 953 004	418 474	73 367 698	1 743	3 951 862
2	一般医療	47 579 971	3 769 382 928	1 469 070	510 186 893	384 398	66 622 086	937	2 214 528
3	後期医療	10 166 287	716 606 800	375 422	110 766 111	34 076	6 745 612	806	1 737 334
4	0 ～ 4 歳	679 477	87 238 067	2 756	5 147 365	3 777	2 531 486	－	－
5	5 ～ 9	2 229 591	221 393 516	134 617	22 410 179	12 583	4 431 801	－	－
6	10 ～ 14	1 330 778	117 585 969	97 589	15 404 463	5 439	1 673 431	－	－
7	15 ～ 19	783 705	68 727 325	17 633	11 560 323	11 921	2 749 206	－	－
8	20 ～ 24	1 388 566	117 474 100	55 770	33 535 747	27 203	6 339 349	－	－
9	25 ～ 29	2 031 090	166 789 560	71 132	40 101 539	33 552	6 408 819	15	51 530
10	30 ～ 34	2 600 686	211 669 567	68 093	35 075 017	35 578	6 108 240	12	42 630
11	35 ～ 39	3 201 849	258 144 526	69 812	31 949 570	37 404	5 519 877	3	5 278
12	40 ～ 44	4 130 875	327 892 772	88 930	35 889 204	41 921	5 843 838	24	79 950
13	45 ～ 49	4 606 019	359 306 207	107 633	40 410 195	40 138	5 552 545	20	38 580
14	50 ～ 54	4 368 097	334 512 310	113 413	39 319 838	32 906	4 531 835	129	246 200
15	55 ～ 59	4 335 553	327 357 285	125 142	40 824 260	27 932	3 618 103	82	187 450
16	60 ～ 64	4 598 594	343 913 014	142 888	44 873 699	24 988	3 508 776	170	408 020
17	65 ～ 69	5 922 260	436 514 375	194 746	59 364 855	27 475	4 141 446	310	673 620
18	70 ～ 74	5 549 802	403 843 586	185 044	56 229 160	22 141	3 792 937	243	613 560
19	75 ～ 79	4 845 851	349 476 430	166 626	49 817 741	17 780	3 256 018	273	657 386
20	80 ～ 84	3 145 227	221 531 419	119 677	34 500 803	10 457	1 975 025	193	390 690
21	85 ～ 89	1 466 565	99 258 409	61 166	18 163 767	4 200	1 085 490	199	442 270
22	90 歳 以 上	531 673	33 361 291	21 825	6 375 279	1 079	299 476	70	114 698
23	Ⅰ う蝕	2 050 243	170 443 683	115 558	26 784 732	47 884	5 096 083	65	116 490
24	一般医療	1 822 518	156 195 411	95 368	21 633 835	45 015	4 850 288	－	－
25	後期医療	227 725	14 248 272	20 190	5 150 897	2 869	245 795	65	116 490
26	0 ～ 4 歳	174 648	22 799 146	418	342 249	1 602	533 870	－	－
27	5 ～ 9	330 463	38 275 089	26 872	4 006 283	4 290	973 468	－	－
28	10 ～ 14	130 499	14 114 631	17 270	2 387 031	1 536	285 046	－	－
29	15 ～ 19	39 451	3 541 429	1 004	357 616	1 814	195 953	－	－
30	20 ～ 24	43 044	3 413 216	2 112	809 391	2 500	315 543	－	－
31	25 ～ 29	56 582	4 327 225	2 701	1 008 699	2 907	308 336	－	－
32	30 ～ 34	73 778	5 437 567	2 642	954 439	3 554	354 974	－	－
33	35 ～ 39	92 980	6 632 620	2 971	1 009 909	4 134	351 297	－	－
34	40 ～ 44	121 304	8 421 659	3 360	1 036 496	4 714	378 824	－	－
35	45 ～ 49	131 031	8 859 402	4 052	1 308 466	4 433	360 323	－	－
36	50 ～ 54	119 903	7 883 235	4 144	1 182 876	3 485	218 291	－	－
37	55 ～ 59	118 547	7 644 098	4 840	1 344 953	3 020	180 151	－	－
38	60 ～ 64	120 847	7 762 198	6 104	1 543 682	2 529	125 147	－	－
39	65 ～ 69	147 142	9 346 164	9 013	2 276 035	2 567	137 160	－	－
40	70 ～ 74	126 454	8 014 878	8 147	2 141 875	1 977	135 769	－	－
41	75 ～ 79	106 502	6 757 067	7 836	2 062 383	1 475	129 734	46	63 890
42	80 ～ 84	72 152	4 528 782	6 599	1 669 589	901	73 204	8	27 600
43	85 ～ 89	33 521	2 051 974	4 004	958 013	357	24 864	11	25 000
44	90 歳 以 上	11 395	633 303	1 469	384 747	89	14 129	－	－
45	Ⅱ 感染を伴わない歯牙慢性硬組織疾患	144 233	10 609 225	22 384	5 537 839	4 308	491 501	42	103 480
46	一般医療	120 790	8 936 572	15 957	4 113 380	3 294	407 115	21	69 300
47	後期医療	23 443	1 672 653	6 427	1 424 459	1 014	84 386	21	34 180
48	0 ～ 4 歳	741	114 062	127	43 643	20	23 019	－	－
49	5 ～ 9	2 130	217 896	683	125 561	93	15 410	－	－
50	10 ～ 14	2 664	213 517	423	83 380	37	16 883	－	－
51	15 ～ 19	2 910	217 284	122	96 447	37	19 126	－	－
52	20 ～ 24	3 439	286 082	225	156 623	89	63 475	－	－
53	25 ～ 29	4 995	369 448	282	120 284	110	13 449	－	－
54	30 ～ 34	6 797	513 121	368	109 302	149	17 477	－	－
55	35 ～ 39	8 401	593 125	583	169 285	212	41 171	－	－
56	40 ～ 44	10 703	798 495	861	212 680	276	26 842	－	－
57	45 ～ 49	11 524	852 149	1 241	296 782	305	24 922	－	－
58	50 ～ 54	11 460	826 424	1 403	401 443	344	40 857	－	－
59	55 ～ 59	11 802	845 698	1 691	430 380	311	31 703	－	－
60	60 ～ 64	12 735	913 648	2 179	545 145	365	23 547	－	－
61	65 ～ 69	16 544	1 182 613	2 963	680 121	494	23 344	－	－
62	70 ～ 74	14 287	1 021 475	2 903	664 044	469	26 537	21	69 300
63	75 ～ 79	12 408	884 276	2 875	661 038	457	38 896	－	－
64	80 ～ 84	7 003	500 972	2 016	437 433	303	20 049	－	－
65	85 ～ 89	2 850	203 617	1 049	221 801	179	21 519	21	34 180
66	90 歳 以 上	840	55 323	390	82 447	58	3 275	－	－
67	Ⅲ 歯髄炎等	867 340	109 776 905	15 167	4 365 544	10 239	1 352 030	－	－
68	一般医療	753 406	97 267 435	12 891	3 800 373	9 474	1 303 883	－	－
69	後期医療	113 934	12 509 470	2 276	565 171	765	48 147	－	－
70	0 ～ 4 歳	8 179	1 920 519	47	13 860	267	175 369	－	－
71	5 ～ 9	45 098	8 574 783	920	151 650	741	234 389	－	－
72	10 ～ 14	15 132	2 343 637	316	56 839	201	48 375	－	－
73	15 ～ 19	28 001	4 190 304	185	65 731	539	77 609	－	－
74	20 ～ 24	38 983	5 495 360	633	232 223	707	115 100	－	－
75	25 ～ 29	43 921	5 884 405	940	348 881	727	85 773	－	－
76	30 ～ 34	50 803	6 669 836	943	330 574	826	98 354	－	－
77	35 ～ 39	60 678	7 744 368	903	295 864	867	83 131	－	－
78	40 ～ 44	73 437	9 129 786	1 084	379 141	904	94 790	－	－
79	45 ～ 49	75 862	9 171 397	1 174	376 263	908	88 446	－	－
80	50 ～ 54	63 315	7 483 182	1 006	294 452	697	59 310	－	－
81	55 ～ 59	56 612	6 626 450	969	282 263	591	53 246	－	－
82	60 ～ 64	58 574	6 781 780	1 180	321 204	496	37 336	－	－
83	65 ～ 69	72 921	8 368 272	1 408	353 836	562	31 798	－	－
84	70 ～ 74	63 930	7 110 975	1 225	310 237	456	22 263	－	－
85	75 ～ 79	55 125	6 044 554	1 036	267 277	374	27 171	－	－
86	80 ～ 84	37 186	4 093 062	748	186 273	260	13 927	－	－
87	85 ～ 89	15 472	1 692 042	349	73 538	93	4 560	－	－
88	90 歳 以 上	4 111	452 193	101	25 438	23	1 083	－	－

平成30年６月審査分

歯冠修復及び欠損補綴		歯科矯正		病理診断		入院料等		入院時食事療養等(別掲)		行番号
回数	点数	回数	点数	回数	点数	回数	点数	回数	金額(円)	
36 146 669	7 980 170 298	191 612	40 574 793	28 850	17 635 682	68 204	173 648 181	146 763	96 125 718	1
28 621 138	6 084 614 390	191 534	40 539 542	21 638	13 328 871	47 007	123 247 310	95 502	62 460 086	2
7 525 531	1 895 555 908	78	35 251	7 212	4 306 811	21 197	50 400 871	51 261	33 665 632	3
349 606	74 821 185	343	146 135	67	40 760	975	3 490 512	1 768	1 150 253	4
1 708 430	268 974 023	8 791	2 638 658	314	197 530	980	3 411 864	1 445	951 317	5
787 951	112 306 159	19 450	4 553 408	426	267 800	496	1 591 289	814	530 346	6
655 312	102 977 614	51 312	10 728 660	421	264 120	1 755	4 805 839	3 385	2 215 021	7
910 467	156 057 089	41 641	8 357 175	590	370 900	3 411	9 593 838	6 005	3 931 079	8
1 211 475	216 218 251	27 243	5 517 650	774	496 240	3 751	10 407 675	6 761	4 432 197	9
1 501 631	279 048 712	17 007	3 370 564	954	614 810	3 195	8 557 638	5 804	3 780 893	10
1 805 520	350 817 521	9 975	2 000 375	1 322	850 765	2 767	7 457 206	5 062	3 303 567	11
2 309 129	473 065 510	6 957	1 369 053	1 746	1 086 816	3 083	8 290 411	5 871	3 817 543	12
2 565 191	551 349 835	4 673	972 529	2 123	1 345 405	3 246	8 559 917	6 423	4 201 791	13
2 397 737	538 513 486	2 635	540 543	2 173	1 315 311	3 573	9 139 608	7 662	5 011 233	14
2 444 429	568 191 860	993	200 444	2 191	1 346 800	3 466	8 568 061	7 442	4 873 786	15
2 722 702	644 055 560	375	93 183	2 380	1 445 186	4 081	9 829 341	9 378	6 161 497	16
3 735 756	900 779 229	98	29 095	3 209	1 935 321	6 372	15 163 845	14 581	9 525 948	17
3 634 977	877 595 393	45	22 624	3 069	1 825 897	6 387	15 597 065	14 256	9 339 307	18
3 367 505	819 164 477	32	11 532	3 162	1 881 977	7 287	17 634 144	17 472	11 490 652	19
2 400 060	606 074 189	29	14 534	2 220	1 327 996	6 790	15 703 271	16 323	10 708 155	20
1 205 517	318 025 379	10	7 389	1 215	736 832	4 743	11 306 664	11 756	7 690 443	21
433 274	122 134 826	3	1 242	494	285 216	1 846	4 539 993	4 555	3 010 690	22
5 741 710	1 088 093 028	2 758	696 277	300	166 890	1 688	4 406 880	3 503	2 319 212	23
4 973 408	923 168 529	2 755	695 835	217	125 240	916	2 544 130	1 583	1 045 932	24
768 302	164 924 499	3	442	83	41 650	772	1 862 750	1 920	1 273 280	25
196 563	41 759 234	18	8 016	2	1 630	67	252 357	91	60 005	26
761 157	121 202 865	684	236 434	10	6 590	66	220 580	65	43 850	27
293 573	41 196 046	646	158 395	2	1 310	17	51 459	17	10 192	28
180 289	26 488 872	763	166 039	2	1 010	31	88 609	46	30 440	29
156 375	25 246 539	236	45 330	2	1 310	45	114 177	40	25 546	30
190 287	32 388 525	162	34 705	4	1 650	51	132 039	52	32 990	31
232 441	40 389 800	104	14 405	10	5 600	65	182 501	101	67 140	32
285 231	51 392 689	90	21 991	15	11 640	41	122 247	57	37 512	33
362 487	68 122 492	25	3 727	13	6 140	45	95 954	100	65 950	34
385 612	74 498 067	9	1 519	30	18 630	90	230 574	174	115 230	35
348 359	69 537 181	12	1 255	35	21 050	62	164 571	126	82 444	36
348 450	71 279 549	4	777	14	9 950	74	193 954	172	115 050	37
368 424	76 549 785	－	111	19	11 150	47	130 622	105	66 855	38
466 488	98 489 395	1	1 592	28	13 620	57	166 786	104	71 102	39
410 436	87 486 345	1	1 539	35	16 280	161	408 909	338	225 002	40
354 711	75 080 944	2	140	25	11 500	232	615 455	556	370 429	41
243 399	52 944 872	1	301	31	16 590	368	799 391	979	642 873	42
118 531	25 817 768	－	1	21	9 930	123	299 561	282	191 654	43
38 897	8 222 060	－	－	2	1 310	46	137 134	98	64 948	44
129 175	23 365 376	71	16 625	82	50 230	553	1 575 141	1 079	720 017	45
96 305	17 087 655	71	16 625	62	38 480	316	920 548	578	383 348	46
32 870	6 277 721	－	－	20	11 750	237	654 593	501	336 669	47
637	146 544	－	－	－	－	7	29 013	6	4 090	48
2 351	369 634	－	－	－	－	2	10 677	2	1 380	49
1 720	256 349	4	930	－	－	4	17 880	4	2 760	50
1 409	216 785	14	3 649	－	－	9	26 840	16	10 640	51
1 680	261 915	27	5 606	4	2 940	37	104 660	76	49 865	52
2 777	431 827	15	1 686	4	2 940	16	53 776	25	16 650	53
3 804	571 545	6	2 614	6	4 050	15	44 276	23	15 370	54
4 984	793 652	1	234	4	2 440	41	113 149	71	45 905	55
6 903	1 110 568	－	－	6	4 170	14	40 656	10	6 700	56
8 168	1 393 663	－	－	2	1 430	10	24 489	20	13 250	57
8 533	1 510 767	4	1 906	14	7 710	26	77 232	55	36 582	58
8 940	1 628 331	－	－	2	1 630	24	78 939	43	28 520	59
11 722	2 148 631	－	－	7	3 850	23	70 720	38	26 514	60
16 950	3 236 275	－	－	11	6 010	33	99 295	63	41 748	61
16 131	3 089 095	－	－	2	1 310	57	136 984	129	85 394	62
15 447	2 967 206	－	－	14	7 800	116	316 246	259	175 792	63
10 381	1 994 069	－	－	6	3 950	55	162 288	117	77 009	64
4 850	920 225	－	－	－	－	48	130 671	110	73 210	65
1 788	318 295	－	－	－	－	16	37 350	12	8 638	66
930 096	218 638 302	84	14 790	38	23 250	293	759 522	546	351 244	67
769 537	177 250 492	84	14 709	32	18 540	263	675 242	481	308 494	68
160 559	41 387 810	－	81	6	4 710	30	84 280	65	42 750	69
8 835	1 823 591	－	－	－	－	26	90 507	21	13 722	70
49 047	7 268 056	－	31	－	－	25	84 693	19	12 560	71
14 078	2 393 301	2	508	－	－	6	31 149	5	3 350	72
26 924	5 342 863	55	9 945	－	－	5	13 588	8	5 002	73
33 397	7 100 671	1	240	－	－	18	53 201	28	18 620	74
38 536	8 382 350	1	242	－	－	31	64 956	54	35 560	75
45 694	10 156 338	1	243	2	550	5	15 215	6	4 040	76
54 975	12 392 039	12	1 012	2	1 630	6	16 487	7	4 680	77
67 892	15 581 938	1	246	4	2 940	44	100 843	102	65 830	78
71 675	16 943 011	－	－	9	5 800	13	34 122	22	14 630	79
62 045	15 112 080	2	440	4	2 020	3	11 268	4	2 660	80
60 622	15 078 331	－	2	4	2 020	12	34 927	15	10 150	81
66 416	16 650 768	9	1 800	5	3 190	4	15 014	5	3 200	82
89 941	22 801 311	－	－	2	390	32	52 662	90	57 600	83
82 419	21 002 857	－	－	－	－	33	56 610	95	56 890	84
74 406	18 928 334	－	17	2	1 310	6	15 267	11	7 190	85
53 227	13 776 348	－	64	－	－	21	59 816	46	30 290	86
23 655	6 230 612	－	－	4	3 400	－	－	－	－	87
6 312	1 673 503	－	－	－	－	3	9 197	8	5 270	88

行番号	傷病分類 一般医療－後期医療 年齢階級	件数	診療実日数	総数 回数	総数 点数	初・再診 回数	初・再診 点数	医学管理等 回数	医学管理等 点数
89	Ⅳ 根尖性歯周炎（歯根膜炎）等	590 453	1 395 274	7 465 968	782 879 095	1 378 300	115 121 679	698 968	55 936 204
90	一般医療	492 134	1 139 445	6 064 209	619 735 899	1 133 553	94 420 006	580 459	46 048 638
91	後期医療	98 319	255 829	1 401 759	163 143 196	244 747	20 701 673	118 509	9 887 566
92	0 ～ 4 歳	5 368	11 419	50 874	5 555 605	11 417	1 238 586	6 616	572 338
93	5 ～ 9	45 147	90 136	430 367	41 672 792	90 081	8 672 903	56 500	4 702 330
94	10 ～ 14	14 876	25 171	130 827	11 977 451	25 126	2 894 037	17 675	1 418 373
95	15 ～ 19	8 796	18 111	98 121	8 910 986	18 053	1 641 317	9 977	760 692
96	20 ～ 24	14 595	30 104	170 232	16 256 587	29 967	2 768 398	16 875	1 283 437
97	25 ～ 29	19 044	40 212	224 622	21 447 587	40 079	3 504 644	22 206	1 698 052
98	30 ～ 34	24 174	52 207	286 173	27 840 643	52 001	4 382 691	28 073	2 192 100
99	35 ～ 39	31 541	69 276	376 037	37 183 720	69 023	5 716 696	36 138	2 816 203
100	40 ～ 44	42 740	95 905	516 420	51 478 711	95 500	7 721 798	49 354	3 902 008
101	45 ～ 49	48 203	110 953	594 379	59 696 346	110 492	8 801 751	55 744	4 367 923
102	50 ～ 54	45 829	107 357	572 570	58 510 214	106 817	8 522 156	53 119	4 184 579
103	55 ～ 59	44 288	106 916	568 413	58 822 381	106 263	8 472 228	51 442	4 059 526
104	60 ～ 64	44 667	112 865	602 763	64 003 184	112 088	8 859 713	53 032	4 161 379
105	65 ～ 69	55 672	144 514	770 324	83 359 301	143 424	11 422 353	66 396	5 298 823
106	70 ～ 74	48 822	128 628	695 397	76 059 487	127 197	10 196 340	59 347	4 816 950
107	75 ～ 79	42 999	113 162	614 873	68 956 410	110 973	9 000 194	52 350	4 332 989
108	80 ～ 84	31 189	82 113	453 315	52 191 324	79 189	6 650 370	38 238	3 193 750
109	85 ～ 89	16 537	41 912	231 982	28 139 342	38 866	3 480 655	19 560	1 635 223
110	90 歳 以 上	5 966	14 313	78 279	10 817 024	11 744	1 174 849	6 326	539 529
111	Ⅴ 歯肉炎	1 434 011	1 920 169	12 112 675	1 348 154 953	1 917 351	256 690 664	2 463 043	257 409 272
112	一般医療	1 425 663	1 904 070	12 028 038	1 337 759 794	1 902 033	255 398 295	2 450 750	256 248 188
113	後期医療	8 348	16 099	84 637	10 395 159	15 318	1 292 369	12 293	1 161 084
114	0 ～ 4 歳	189 837	229 284	1 350 755	180 137 458	229 044	42 744 320	326 975	35 023 090
115	5 ～ 9	612 525	821 436	5 344 117	576 105 629	821 144	107 623 957	1 087 600	115 180 279
116	10 ～ 14	409 572	520 491	3 364 960	364 403 454	520 146	69 151 117	705 332	74 432 894
117	15 ～ 19	129 362	188 653	1 162 016	127 063 078	188 318	21 534 396	206 924	20 193 840
118	20 ～ 24	23 582	38 279	228 742	24 720 902	38 041	4 048 698	36 024	3 312 177
119	25 ～ 29	10 376	16 862	97 789	10 747 097	16 750	1 814 168	15 173	1 385 638
120	30 ～ 34	6 904	11 299	63 677	7 056 529	11 202	1 207 243	9 780	898 636
121	35 ～ 39	6 229	10 269	56 626	6 309 399	10 215	1 087 720	8 720	802 442
122	40 ～ 44	5 901	9 984	54 004	6 179 411	9 944	1 028 575	8 317	768 446
123	45 ～ 49	5 318	9 312	50 698	5 761 929	9 276	905 455	7 529	690 477
124	50 ～ 54	4 715	8 335	43 930	4 922 279	8 313	786 062	6 695	617 695
125	55 ～ 59	4 850	8 720	46 382	5 275 759	8 690	787 965	7 008	645 684
126	60 ～ 64	5 279	9 834	52 007	5 874 367	9 771	857 358	7 893	730 811
127	65 ～ 69	6 209	11 680	61 358	7 164 416	11 571	1 008 480	9 125	854 320
128	70 ～ 74	5 139	9 907	52 754	6 368 067	9 822	831 127	7 826	731 290
129	75 ～ 79	4 097	7 945	42 396	4 937 384	7 827	656 938	6 241	585 746
130	80 ～ 84	2 571	4 963	26 061	3 172 984	4 788	408 717	3 826	362 566
131	85 ～ 89	1 114	2 136	10 759	1 400 718	1 924	159 963	1 563	146 550
132	90 歳 以 上	431	780	3 644	554 093	565	48 405	492	46 691
133	Ⅵ 歯周炎等	12 441 806	22 610 675	143 380 781	15 807 707 518	21 853 375	1 810 872 208	20 421 493	1 865 609 903
134	一般医療	9 939 769	17 804 010	114 565 106	12 350 075 551	17 690 865	1 488 868 366	16 590 523	1 510 960 610
135	後期医療	2 502 037	4 806 665	28 815 675	3 457 631 967	4 162 510	322 003 842	3 830 970	354 649 293
136	0 ～ 4 歳	440	624	2 768	344 909	620	113 942	547	48 956
137	5 ～ 9	2 480	4 009	21 917	2 141 540	4 008	515 012	3 536	308 893
138	10 ～ 14	7 131	10 021	65 780	7 310 670	9 986	1 331 058	11 756	1 164 129
139	15 ～ 19	102 186	172 021	1 152 367	124 868 859	171 562	18 280 391	171 773	15 805 738
140	20 ～ 24	321 517	573 054	3 892 768	412 643 348	571 483	56 296 098	547 924	48 680 653
141	25 ～ 29	478 679	838 890	5 660 014	597 231 490	836 265	79 442 751	812 723	72 702 033
142	30 ～ 34	607 178	1 053 067	7 019 510	747 408 828	1 049 266	98 262 536	1 021 186	92 304 516
143	35 ～ 39	736 892	1 278 033	8 431 237	900 796 009	1 273 442	116 696 470	1 230 774	111 685 258
144	40 ～ 44	933 212	1 640 589	10 747 373	1 150 420 194	1 633 931	144 584 171	1 550 575	140 616 931
145	45 ～ 49	1 026 585	1 836 390	11 948 055	1 281 680 663	1 827 896	155 909 523	1 702 313	154 225 565
146	50 ～ 54	980 259	1 758 325	11 320 891	1 215 376 318	1 749 518	144 452 612	1 624 535	147 443 037
147	55 ～ 59	993 010	1 779 818	11 336 614	1 224 956 576	1 769 011	142 859 318	1 644 618	149 834 256
148	60 ～ 64	1 073 255	1 942 714	12 206 308	1 323 310 999	1 928 509	152 607 766	1 782 882	163 076 336
149	65 ～ 69	1 414 541	2 587 344	16 081 488	1 759 763 360	2 559 605	200 211 827	2 353 313	216 357 062
150	70 ～ 74	1 303 615	2 411 872	15 165 980	1 670 029 821	2 368 490	183 145 197	2 190 416	202 193 635
151	75 ～ 79	1 139 327	2 140 917	13 446 392	1 504 825 545	2 059 906	157 012 720	1 902 415	175 868 450
152	80 ～ 84	758 663	1 466 002	8 943 023	1 054 528 849	1 318 321	100 842 656	1 204 161	111 455 374
153	85 ～ 89	387 307	764 927	4 300 816	565 751 617	565 349	44 707 421	519 140	48 184 392
154	90 歳 以 上	175 529	352 058	1 637 480	264 317 923	156 207	13 600 739	146 906	13 654 689
155	Ⅶ 歯冠周囲炎	73 738	133 095	804 045	80 414 016	131 126	16 660 057	89 529	6 917 808
156	一般医療	71 921	129 384	784 349	77 980 827	127 618	16 274 316	87 524	6 718 345
157	後期医療	1 817	3 711	19 696	2 433 189	3 508	385 741	2 005	199 463
158	0 ～ 4 歳	259	307	825	106 457	307	69 109	159	13 640
159	5 ～ 9	733	1 064	4 731	369 304	1 065	149 805	751	50 996
160	10 ～ 14	765	1 078	5 688	442 361	1 078	171 560	812	51 149
161	15 ～ 19	4 727	7 514	47 244	4 606 823	7 417	1 075 380	5 449	390 277
162	20 ～ 24	12 753	21 870	135 727	14 053 420	21 554	2 937 589	15 309	1 145 711
163	25 ～ 29	12 875	22 753	140 155	14 151 512	22 470	2 888 419	15 842	1 218 038
164	30 ～ 34	10 074	18 111	111 087	11 161 634	17 870	2 268 925	12 268	976 794
165	35 ～ 39	7 785	14 316	87 102	8 360 383	14 180	1 755 021	9 687	736 701
166	40 ～ 44	6 409	12 039	73 777	7 238 291	11 883	1 459 786	8 086	615 788
167	45 ～ 49	5 005	9 557	58 425	5 539 287	9 439	1 131 914	6 307	474 863
168	50 ～ 54	3 364	6 393	37 987	3 717 697	6 283	758 580	4 128	317 543
169	55 ～ 59	2 287	4 472	26 369	2 503 126	4 409	520 190	2 829	222 206
170	60 ～ 64	1 843	3 662	21 151	2 163 722	3 580	411 578	2 222	181 972
171	65 ～ 69	1 780	3 590	19 795	2 053 194	3 495	398 004	2 168	192 717
172	70 ～ 74	1 313	2 769	15 032	1 568 671	2 698	291 134	1 554	135 005
173	75 ～ 79	941	1 921	9 844	1 065 617	1 862	200 361	1 038	96 240
174	80 ～ 84	487	1 005	5 381	774 560	950	105 197	579	59 270
175	85 ～ 89	255	516	2 952	437 561	448	50 420	263	30 864
176	90 歳 以 上	83	158	773	100 396	138	17 085	78	8 034

平成30年６月審査分

在宅医療		検査		画像診断		投薬		注射		リハビリテーション		行番号
回数	点数	回数	点数	回数	点数	回数	点数	回数	点数	回数	点数	
13 866	7 925 803	303 399	22 898 108	850 588	41 941 445	1 316 235	25 473 757	3 777	1 597 423	54 798	6 178 074	89
2 338	1 263 038	238 413	18 798 765	700 186	34 774 650	1 084 353	20 673 245	2 825	1 225 332	27 269	3 020 349	90
11 528	6 662 765	64 986	4 099 343	150 402	7 166 795	231 882	4 800 512	952	372 091	27 529	3 157 725	91
-	-	771	37 539	5 549	199 851	7 140	150 199	6	1 212	6	1 358	92
8	4 955	4 977	331 382	50 479	1 858 526	60 910	1 302 517	52	11 769	24	4 328	93
4	4 376	3 154	269 730	18 854	792 196	21 611	428 419	14	6 346	21	4 029	94
-	-	4 316	321 041	12 832	592 386	19 720	339 125	64	16 111	3	162	95
3	1 460	7 875	628 896	20 889	1 091 842	36 922	634 416	96	26 190	12	1 403	96
32	12 963	9 919	809 361	26 066	1 410 712	47 515	825 697	97	26 976	23	2 260	97
70	31 047	12 824	1 062 041	33 262	1 808 316	57 175	1 005 485	148	55 098	56	5 526	98
59	31 930	16 190	1 344 080	44 052	2 396 013	73 368	1 305 167	199	127 999	154	15 428	99
71	43 758	22 416	1 826 693	59 512	3 179 832	98 159	1 778 938	304	77 131	376	39 185	100
137	73 318	25 204	2 058 875	67 864	3 661 229	111 259	2 045 910	307	112 971	761	82 969	101
230	116 252	23 591	1 948 404	65 168	3 472 417	105 634	1 993 111	321	75 035	1 333	143 555	102
273	144 106	23 286	1 891 083	65 350	3 318 912	101 221	1 949 505	280	129 274	2 521	273 837	103
325	163 740	24 591	1 925 046	69 063	3 374 536	104 420	2 066 030	297	109 114	4 345	479 929	104
609	351 175	30 806	2 332 797	87 193	4 155 527	129 033	2 585 730	317	329 585	8 087	899 433	105
918	549 486	29 799	2 096 794	76 533	3 621 289	113 976	2 340 249	334	124 661	9 851	1 101 633	106
1 692	994 069	27 065	1 828 611	65 948	3 123 065	101 250	2 088 210	386	152 129	10 700	1 208 599	107
2 720	1 553 220	21 299	1 320 053	48 830	2 306 041	75 286	1 548 190	287	120 452	9 098	1 043 855	108
3 502	2 009 808	11 247	649 221	25 047	1 193 696	38 533	813 274	160	65 923	5 302	617 799	109
3 213	1 840 140	4 069	216 461	8 097	385 059	13 103	273 585	108	29 447	2 125	252 786	110
4 892	2 563 476	936 869	108 065 014	622 463	46 196 976	334 023	6 919 724	108	79 186	9 629	1 083 821	111
3 672	1 966 535	930 918	107 350 542	618 335	46 038 833	330 476	6 833 571	64	44 202	6 391	719 970	112
1 220	596 941	5 951	714 472	4 128	158 143	3 547	86 153	44	34 984	3 238	363 851	113
441	311 202	129 703	10 208 958	36 834	2 064 402	12 460	280 046	-	605	311	52 690	114
649	430 965	390 180	32 035 194	297 710	21 807 641	135 874	2 929 753	1	2 596	680	103 704	115
701	403 408	270 700	40 076 487	165 341	13 438 889	85 737	1 798 504	2	5 073	760	74 319	116
650	307 962	82 549	15 026 478	68 809	5 757 210	52 186	934 524	12	6 889	496	43 623	117
494	180 178	15 367	2 749 924	15 555	1 321 520	17 216	313 565	-	9	73	6 923	118
196	71 780	7 109	1 288 954	6 444	473 766	6 062	118 318	-	401	32	3 208	119
97	41 924	4 965	900 693	3 870	209 360	3 184	62 553	7	1 134	33	3 200	120
57	24 029	4 480	805 278	3 394	175 971	2 474	50 754	1	186	40	4 244	121
60	24 171	4 153	749 655	3 113	143 186	2 258	45 628	-	363	58	5 834	122
25	11 145	3 798	656 563	3 144	119 889	2 080	44 766	1	179	77	8 191	123
28	12 243	3 215	558 907	2 628	100 500	1 741	39 712	-	140	202	21 752	124
72	33 262	3 313	560 542	2 551	90 709	2 000	47 158	-	-	376	39 638	125
82	45 637	3 640	587 765	2 984	106 111	2 207	51 688	4	569	710	76 133	126
77	44 483	4 503	652 061	3 257	124 131	2 765	60 782	63	44 220	1 197	129 874	127
95	55 846	3 608	507 592	2 753	111 323	2 366	56 682	8	13 247	1 381	150 517	128
156	84 520	2 976	389 061	2 140	81 958	1 802	45 481	7	2 991	1 436	159 331	129
280	145 267	1 703	210 767	1 286	44 826	1 042	25 498	2	584	1 049	117 856	130
357	163 103	651	76 675	481	16 099	393	10 685	-	-	506	58 056	131
375	172 351	256	23 460	169	9 485	176	3 627	-	-	212	24 728	132
1 338 335	512 215 206	7 166 072	1 252 505 206	7 796 118	690 131 117	9 029 510	186 944 705	2 664	3 389 484	2 110 435	233 447 945	133
215 347	86 837 026	5 848 297	1 060 544 250	6 517 220	601 927 381	7 505 835	150 088 679	1 972	2 618 015	1 081 493	116 670 981	134
1 122 988	425 378 180	1 317 775	191 960 956	1 278 898	88 203 736	1 523 675	36 856 026	692	771 469	1 028 942	116 776 964	135
3	1 846	118	9 925	162	8 105	553	10 489	-	47	-	-	136
2	1 686	846	76 151	1 907	132 470	3 800	86 599	-	-	-	-	137
62	29 430	4 614	851 507	4 268	450 175	4 568	86 931	4	1 277	28	3 075	138
783	379 887	70 371	12 782 577	88 572	10 395 557	85 206	1 504 710	41	15 815	531	46 602	139
3 102	1 351 272	216 643	39 469 057	294 845	36 906 695	375 567	6 570 305	75	38 893	1 104	91 793	140
4 657	1 928 784	310 141	57 765 893	382 571	46 155 532	493 835	8 635 632	101	53 493	2 025	174 374	141
6 770	2 640 126	387 307	73 281 833	449 208	50 594 848	512 706	9 134 430	53	48 514	3 720	329 429	142
8 572	3 319 444	461 602	87 828 579	522 128	54 811 900	558 922	10 120 670	117	83 963	7 244	679 249	143
13 854	5 123 568	570 144	107 910 046	645 441	63 060 180	702 626	13 027 498	152	183 160	16 261	1 612 967	144
17 956	6 692 284	613 118	114 865 312	698 542	64 953 436	790 651	15 073 108	140	91 761	32 753	3 367 026	145
17 995	6 898 289	567 829	105 805 254	640 121	56 818 709	746 191	14 822 189	159	210 418	56 568	5 932 114	146
21 490	8 585 774	560 254	103 234 771	619 335	52 107 773	728 137	15 053 038	211	379 417	97 773	10 394 337	147
27 471	11 496 967	597 456	107 052 430	645 205	51 151 624	744 248	16 014 198	218	263 185	166 848	17 940 912	148
51 235	21 761 744	785 281	134 115 390	818 462	62 407 875	936 438	20 931 672	337	763 098	320 116	34 847 405	149
79 427	33 413 749	723 449	118 713 560	727 208	53 418 001	846 858	19 623 396	392	582 340	390 668	42 878 228	150
146 204	58 902 640	627 521	97 585 393	620 068	43 782 796	741 019	17 644 654	286	268 001	415 330	46 163 080	151
259 119	100 510 821	408 946	58 566 568	406 246	27 770 249	478 137	11 618 713	187	187 919	321 090	36 377 707	152
338 793	126 774 282	192 535	24 844 443	180 752	12 046 418	215 283	5 350 074	162	209 988	187 030	21 686 679	153
340 840	122 402 613	67 897	7 746 517	51 077	3 158 774	64 765	1 636 399	29	8 195	91 346	10 922 968	154
136	50 180	48 762	3 351 769	87 939	13 122 283	327 830	6 099 131	753	445 627	773	95 258	155
55	18 350	46 442	3 242 759	86 023	12 795 891	321 465	5 962 724	682	337 517	526	66 317	156
81	31 830	2 320	109 010	1 916	326 392	6 365	136 407	71	108 110	247	28 941	157
-	-	3	240	50	1 635	194	4 058	-	-	-	-	158
-	-	35	2 780	489	20 050	1 632	32 274	-	-	-	-	159
1	45	78	13 180	675	55 970	2 216	41 429	-	160	-	-	160
-	-	2 246	175 685	6 210	824 398	19 429	343 156	25	11 539	2	108	161
5	1 223	6 764	517 297	15 773	2 390 707	57 341	1 054 492	89	49 117	11	831	162
-	-	8 247	581 635	15 165	2 337 084	58 552	1 066 662	90	45 077	10	683	163
9	2 536	7 096	470 389	11 793	1 828 591	45 818	847 201	98	36 216	8	656	164
9	2 343	4 919	346 961	9 260	1 424 692	36 612	672 569	63	22 605	16	1 154	165
7	3 051	4 536	307 666	7 686	1 198 875	30 622	568 848	69	23 849	23	2 826	166
7	1 599	3 419	239 287	6 063	895 383	24 305	446 855	45	15 562	16	1 634	167
5	2 173	2 642	170 401	4 145	605 422	14 989	287 649	36	84 923	30	3 302	168
5	1 413	2 006	129 208	2 757	394 876	10 137	199 566	56	10 687	41	4 824	169
6	2 841	1 484	98 527	2 316	315 792	8 049	156 344	35	9 805	57	6 128	170
2	1 464	1 518	104 597	2 224	296 761	6 802	141 781	47	15 338	157	22 747	171
-	-	1 524	87 924	1 488	216 890	5 135	107 621	31	13 020	157	21 672	172
16	6 179	1 000	53 076	994	139 976	3 115	67 969	13	4 679	104	11 738	173
13	6 893	634	26 775	509	109 234	1 732	36 199	25	90 717	78	9 083	174
29	10 216	531	21 550	258	49 139	930	19 027	29	12 018	52	5 978	175
22	8 204	80	4 591	84	16 808	220	5 431	2	315	11	1 894	176

第2表　歯科診療　件数・診療実日数・回数・点数,

行番号	傷病分類 一般医療−後期医療 年齢階級	処置 回数	処置 点数	手術 回数	手術 点数	麻酔 回数	麻酔 点数	放射線治療 回数	放射線治療 点数
89	Ⅳ 根尖性歯周炎（歯根膜炎）等	1 392 266	137 378 900	196 577	57 242 332	13 072	4 900 023	86	177 306
90	一般医療	1 169 418	117 694 043	145 472	43 185 189	11 308	4 317 296	49	105 900
91	後期医療	222 848	19 684 857	51 105	14 057 143	1 764	582 727	37	71 406
92	０～４歳	11 752	1 730 152	413	112 488	137	50 622	−	−
93	５～９	85 605	12 109 147	14 696	2 224 978	798	329 034	−	−
94	１０～１４	20 660	2 390 115	9 275	1 331 753	169	132 107	−	−
95	１５～１９	19 589	2 209 733	1 168	385 907	161	60 834	−	−
96	２０～２４	33 745	3 848 886	2 693	1 050 713	426	225 388	−	−
97	２５～２９	45 130	4 907 575	3 668	1 397 182	608	222 753	−	−
98	３０～３４	58 932	6 173 537	4 280	1 689 196	664	276 670	−	−
99	３５～３９	77 169	7 941 667	5 570	2 220 512	856	321 995	−	−
100	４０～４４	106 118	10 558 367	8 280	3 204 194	1 083	469 388	−	−
101	４５～４９	120 477	11 611 122	10 615	3 780 822	1 150	439 156	12	18 550
102	５０～５４	114 609	10 854 944	11 810	3 985 260	1 042	365 099	−	−
103	５５～５９	109 699	10 210 584	13 584	4 241 379	1 043	352 451	17	18 350
104	６０～６４	111 975	10 313 207	15 950	5 086 533	988	433 089	−	−
105	６５～６９	136 834	12 443 827	22 632	6 604 828	1 195	351 336	−	−
106	７０～７４	121 040	10 746 758	21 797	6 138 520	1 015	300 992	20	69 000
107	７５～７９	102 720	9 076 078	20 205	5 698 410	832	299 744	5	7 796
108	８０～８４	71 437	6 322 167	16 501	4 511 863	568	180 500	13	27 210
109	８５～８９	34 146	2 987 734	9 547	2 582 862	251	79 747	−	−
110	９０歳以上	10 629	943 300	3 893	994 932	86	9 118	19	36 400
111	Ⅴ 歯肉炎	3 911 055	358 612 302	117 571	19 647 662	15 170	2 439 187	16	23 900
112	一般医療	3 890 663	357 238 162	117 087	19 515 109	15 089	2 435 117	−	−
113	後期医療	20 392	1 374 140	484	132 553	81	4 070	16	23 900
114	０～４歳	478 392	59 555 447	635	377 329	1 529	404 113	−	−
115	５～９	1 736 045	158 623 027	61 648	9 349 438	5 812	1 095 918	−	−
116	１０～１４	1 122 353	94 200 639	47 500	6 926 380	3 030	428 691	−	−
117	１５～１９	332 288	27 128 496	3 203	1 234 950	2 933	312 719	−	−
118	２０～２４	60 440	4 957 149	1 482	607 307	723	66 142	−	−
119	２５～２９	27 105	2 274 575	587	240 748	295	30 282	−	−
120	３０～３４	18 403	1 551 144	257	97 087	134	7 264	−	−
121	３５～３９	16 562	1 367 069	209	82 938	133	6 897	−	−
122	４０～４４	15 642	1 296 366	155	63 479	113	25 889	−	−
123	４５～４９	14 351	1 173 341	151	42 510	72	11 053	−	−
124	５０～５４	12 525	982 226	156	45 885	82	4 092	−	−
125	５５～５９	13 060	972 851	217	57 787	71	3 605	−	−
126	６０～６４	14 294	1 049 652	275	83 322	63	9 840	−	−
127	６５～６９	16 112	1 173 070	321	90 622	58	2 449	16	23 900
128	７０～７４	13 439	954 309	299	223 176	41	26 163	−	−
129	７５～７９	10 508	724 472	242	63 994	50	2 185	−	−
130	８０～８４	6 232	418 850	142	37 537	20	1 431	−	−
131	８５～８９	2 527	164 258	69	17 413	10	414	−	−
132	９０歳以上	777	45 361	23	5 760	1	40	−	−
133	Ⅵ 歯周炎等	48 452 379	3 606 986 332	1 175 701	359 568 811	288 509	21 849 806	74	152 670
134	一般医療	39 230 925	2 966 632 051	909 441	288 839 097	263 073	19 798 627	47	86 010
135	後期医療	9 221 454	640 354 281	266 260	70 729 714	25 436	2 051 179	27	66 660
136	０～４歳	454	65 659	65	16 739	5	7 087	−	−
137	５～９	4 289	465 437	728	129 493	17	1 913	−	−
138	１０～１４	20 274	1 780 691	627	126 201	90	43 620	−	−
139	１５～１９	349 734	29 154 521	5 504	2 637 534	4 255	462 416	−	−
140	２０～２４	1 190 234	96 717 746	31 779	14 087 929	16 706	1 832 018	−	−
141	２５～２９	1 831 038	145 793 509	45 833	19 302 513	22 647	1 971 623	−	−
142	３０～３４	2 368 463	187 885 572	46 530	18 345 193	25 261	2 038 971	−	−
143	３５～３９	2 920 911	230 118 901	50 128	18 439 224	27 539	2 075 967	−	−
144	４０～４４	3 772 659	293 413 606	66 913	22 832 660	31 608	2 231 065	−	−
145	４５～４９	4 215 043	322 788 927	83 134	26 759 971	30 750	2 137 238	−	−
146	５０～５４	4 006 730	301 744 434	88 729	27 388 981	25 469	1 773 786	−	−
147	５５～５９	3 976 836	295 900 798	97 508	29 248 764	21 528	1 471 853	2	6 600
148	６０～６４	4 216 017	311 152 499	109 672	31 540 542	19 307	1 173 156	10	16 310
149	６５～６９	5 427 805	395 112 540	147 198	41 294 741	21 258	1 424 600	26	33 100
150	７０～７４	5 091 540	366 176 892	139 355	37 908 361	17 045	1 190 817	9	30 000
151	７５～７９	4 431 077	316 039 207	123 137	33 225 120	13 615	1 092 509	15	46 310
152	８０～８４	2 846 554	197 437 939	84 704	21 974 623	7 734	569 900	12	20 350
153	８５～８９	1 312 281	86 894 105	40 544	10 703 037	2 962	275 221	−	−
154	９０歳以上	470 440	28 343 349	13 613	3 607 185	713	76 046	−	−
155	Ⅶ 歯冠周囲炎	43 726	4 269 909	34 195	16 688 805	8 225	2 183 894	28	52 040
156	一般医療	42 636	4 170 860	33 424	16 390 177	8 098	2 157 694	26	45 140
157	後期医療	1 090	99 049	771	298 628	127	26 200	2	6 900
158	０～４歳	63	7 916	1	345	−	−	−	−
159	５～９	290	38 964	128	18 610	13	1 506	−	−
160	１０～１４	343	36 685	171	30 945	7	348	−	−
161	１５～１９	2 311	249 793	1 612	848 075	426	120 531	−	−
162	２０～２４	6 378	631 972	6 373	3 286 678	1 508	409 925	−	−
163	２５～２９	6 714	644 589	6 884	3 447 275	1 655	408 846	−	−
164	３０～３４	5 850	574 443	5 074	2 527 663	1 248	342 903	−	−
165	３５～３９	4 750	470 269	3 664	1 799 037	958	213 151	−	−
166	４０～４４	4 371	427 380	2 892	1 438 111	735	247 646	−	−
167	４５～４９	3 619	352 651	2 189	1 080 312	572	139 984	−	−
168	５０～５４	2 435	240 990	1 353	622 834	349	77 023	21	26 460
169	５５～５９	1 834	163 777	1 015	436 386	228	53 849	−	−
170	６０～６４	1 429	132 631	770	355 395	170	70 338	−	−
171	６５～６９	1 401	123 861	755	292 265	130	40 083	−	−
172	７０～７４	870	78 711	568	214 119	103	31 765	5	18 680
173	７５～７９	640	54 367	407	159 080	65	20 868	−	−
174	８０～８４	274	25 837	192	72 757	34	3 381	2	6 900
175	８５～８９	124	13 327	115	47 439	18	1 461	−	−
176	９０歳以上	30	1 746	32	11 479	6	286	−	−

平成30年６月審査分

歯冠修復及び欠損補綴 回数	歯冠修復及び欠損補綴 点数	歯科矯正 回数	歯科矯正 点数	病理診断 回数	病理診断 点数	入院料等 回数	入院料等 点数	入院時食事療養等（別掲） 回数	入院時食事療養等（別掲） 金額(円)	行番号
1 231 682	282 361 434	326	78 528	4 106	2 650 850	7 855	21 014 307	16 226	10 742 765	89
960 068	218 979 119	325	78 344	3 258	2 119 150	4 855	13 030 045	9 668	6 397 380	90
271 614	63 382 315	1	184	848	531 700	3 000	7 984 262	6 558	4 345 385	91
7 059	1 439 828	-	-	-	-	6	21 408	9	5 860	92
66 111	9 854 542	28	10 150	12	7 660	78	248 475	122	81 030	93
14 162	2 143 254	42	7 617	11	6 060	45	148 991	82	53 185	94
12 107	2 358 149	27	6 001	32	20 940	72	198 588	141	93 190	95
20 413	4 250 981	109	21 444	56	36 500	150	386 621	307	202 217	96
29 024	6 191 758	20	4 200	98	64 750	135	368 642	234	154 545	97
38 317	8 505 201	32	7 010	145	97 360	192	549 245	363	239 720	98
52 726	12 078 517	17	4 741	250	164 460	260	698 240	445	293 564	99
74 479	17 376 251	33	7 324	333	221 540	396	1 072 136	732	482 499	100
89 529	21 221 468	6	6 349	395	260 630	423	1 153 255	805	528 316	101
88 037	21 403 250	2	1 291	407	262 260	445	1 180 911	877	575 610	102
92 562	22 173 213	7	1 098	342	221 150	519	1 365 637	1 070	705 500	103
104 743	25 239 028	1	234	332	216 090	605	1 575 420	1 297	856 526	104
142 638	34 385 107	1	862	420	274 220	735	1 923 440	1 550	1 024 506	105
132 267	31 354 035	-	23	440	274 520	858	2 328 177	1 756	1 184 196	106
119 274	28 015 246	-	40	400	248 110	1 071	2 883 096	2 283	1 530 297	107
88 540	20 555 549	1	144	256	164 790	1 050	2 693 098	2 378	1 554 067	108
45 130	10 428 883	-	-	134	82 330	556	1 512 175	1 200	796 204	109
14 564	3 387 174	-	-	43	27 480	259	706 752	575	381 733	110
1 775 770	286 817 429	4 352	976 188	124	65 615	207	562 376	388	250 092	111
1 757 923	282 527 621	4 352	976 188	110	59 425	143	405 875	237	152 658	112
17 847	4 289 808	-	-	14	6 190	64	156 501	151	97 434	113
134 402	29 093 451	18	6 927	8	4 040	2	10 826	-	-	114
806 030	126 693 475	708	179 635	12	7 490	12	41 028	9	5 910	115
441 871	63 096 646	1 441	333 510	27	14 710	8	21 663	10	6 282	116
221 792	34 142 879	1 807	373 998	18	9 810	23	55 208	50	32 650	117
43 048	7 095 753	277	61 167	2	390	-	-	-	-	118
17 971	3 024 676	61	12 766	2	1 010	2	6 807	2	1 380	119
11 720	2 052 242	19	4 869	-	-	6	19 180	10	6 700	120
10 337	1 900 381	2	480	2	1 010	-	-	-	-	121
10 171	2 002 167	6	580	6	3 450	8	21 622	19	12 560	122
10 168	2 068 936	13	2 256	2	1 310	11	25 858	27	17 765	123
8 341	1 744 068	-	-	2	1 630	2	7 367	2	1 380	124
9 019	2 034 773	-	-	5	1 785	-	-	-	-	125
10 071	2 254 824	-	-	6	2 660	7	17 997	14	9 260	126
12 224	2 834 263	-	-	4	2 080	65	119 681	135	83 145	127
11 076	2 582 590	-	-	12	6 420	28	117 785	48	31 146	128
8 989	2 079 539	-	-	6	3 650	16	57 518	31	21 020	129
5 681	1 373 260	-	-	2	1 310	8	24 515	9	6 288	130
2 272	585 092	-	-	6	2 410	-	-	-	-	131
587	158 414	-	-	2	450	9	15 321	22	14 606	132
23 725 664	5 244 327 103	9 677	1 979 945	3 979	2 320 406	6 098	15 349 494	13 160	8 587 443	133
18 692 872	4 042 173 167	9 622	1 956 781	2 904	1 682 036	4 069	10 336 995	8 429	5 490 738	134
5 032 792	1 202 153 936	55	23 164	1 075	638 370	2 029	5 012 499	4 731	3 096 705	135
238	49 814	-	-	-	-	3	12 300	2	1 280	136
2 784	423 886	-	-	-	-	-	-	-	-	137
9 447	1 408 035	47	14 050	2	1 430	6	19 049	7	4 730	138
202 606	32 807 888	1 277	262 089	27	16 990	110	313 942	233	149 655	139
640 598	109 369 119	2 356	481 688	63	37 330	266	709 307	475	312 914	140
915 697	162 145 133	2 115	404 575	97	56 240	242	696 994	404	266 821	141
1 147 473	211 772 806	1 234	228 125	121	73 070	174	464 623	319	198 991	142
1 368 561	264 028 177	871	179 560	159	90 750	235	632 162	394	261 904	143
1 741 967	354 934 083	741	148 862	232	134 930	213	598 924	371	237 596	144
1 934 839	413 920 428	410	100 773	219	121 590	234	666 809	410	266 495	145
1 796 002	400 963 034	311	59 032	327	183 580	356	873 621	752	497 110	146
1 798 987	414 654 151	123	35 226	333	194 900	410	992 557	869	567 340	147
1 967 547	458 623 834	76	22 104	356	213 245	401	959 874	928	604 338	148
2 659 037	628 378 253	36	12 676	479	282 460	773	1 824 074	1 778	1 147 976	149
2 589 779	608 684 768	27	8 174	503	284 151	743	1 776 676	1 657	1 084 604	150
2 364 309	554 656 128	23	8 169	515	297 700	906	2 231 456	2 156	1 412 064	151
1 606 903	385 672 655	21	9 333	315	189 200	539	1 324 560	1 222	800 078	152
745 370	182 901 041	8	5 245	173	107 720	420	1 061 383	1 072	700 633	153
233 520	58 933 870	1	264	58	35 120	67	191 183	111	72 914	154
28 422	4 465 944	271	56 609	368	237 220	1 955	5 716 276	3 269	2 162 568	155
27 418	4 261 264	271	56 609	333	215 160	1 801	5 266 498	2 955	1 953 136	156
1 004	204 680	-	-	35	22 060	154	449 778	314	209 432	157
48	9 514	-	-	-	-	-	-	-	-	158
313	48 904	15	5 415	-	-	-	-	-	-	159
305	39 580	-	-	2	1 310	-	-	-	-	160
1 950	262 607	55	10 012	12	7 600	99	286 930	162	107 062	161
4 240	596 122	35	6 836	19	12 160	326	1 012 736	518	342 455	162
4 132	580 610	67	15 633	26	17 750	298	899 175	465	308 890	163
3 677	537 455	4	1 166	25	14 560	248	731 722	391	256 578	164
2 778	444 966	39	6 245	26	17 170	141	447 499	194	128 308	165
2 668	441 929	-	-	44	30 180	155	472 356	238	157 070	166
2 233	370 800	56	11 302	37	22 900	118	354 241	189	124 700	167
1 438	237 418	-	-	24	14 450	109	268 529	202	132 900	168
958	160 847	-	-	32	24 270	62	181 027	105	71 422	169
916	191 689	-	-	35	22 510	82	208 172	162	104 514	170
972	180 210	-	-	33	19 150	91	224 216	188	124 861	171
809	161 085	-	-	18	11 150	72	179 895	141	94 376	172
527	106 395	-	-	17	9 650	46	135 039	89	59 518	173
299	66 649	-	-	10	6 610	50	149 058	102	67 480	174
94	15 184	-	-	6	4 490	55	156 448	117	78 444	175
65	13 980	-	-	2	1 310	3	9 233	6	3 990	176

行番号	傷病分類 一般医療－後期医療 年齢階級	件数	診療実日数	総数 回数	総数 点数	初・再診 回数	初・再診 点数	医学管理等 回数	医学管理等 点数
177	Ⅷ 顎，口腔の炎症及び膿瘍	26 695	53 930	295 831	53 249 163	47 677	5 121 820	23 747	3 478 665
178	一般医療	17 124	33 458	182 513	31 393 052	30 534	3 427 096	14 495	2 013 974
179	後期医療	9 571	20 472	113 318	21 856 111	17 143	1 694 724	9 252	1 464 691
180	0 ～ 4 歳	24	51	219	65 570	39	5 971	18	2 700
181	5 ～ 9	116	192	946	200 221	173	30 213	100	15 880
182	10 ～ 14	155	277	1 352	208 785	264	36 703	91	11 145
183	15 ～ 19	368	674	3 719	637 632	605	72 377	257	26 492
184	20 ～ 24	658	1 160	6 784	1 119 440	1 051	136 105	490	55 609
185	25 ～ 29	877	1 619	8 944	1 398 672	1 492	191 574	681	75 468
186	30 ～ 34	984	1 787	9 897	1 558 219	1 668	214 357	755	88 102
187	35 ～ 39	947	1 806	10 572	1 983 497	1 642	202 741	744	96 235
188	40 ～ 44	1 174	2 263	13 065	2 259 409	2 011	247 288	911	116 283
189	45 ～ 49	1 326	2 597	15 176	2 527 357	2 401	282 458	1 043	135 123
190	50 ～ 54	1 385	2 680	15 646	2 518 351	2 437	277 055	1 179	161 288
191	55 ～ 59	1 559	3 192	18 945	3 182 543	2 869	310 436	1 360	197 482
192	60 ～ 64	1 850	3 571	19 489	3 169 412	3 286	344 851	1 569	228 933
193	65 ～ 69	2 836	5 748	28 518	4 667 827	5 315	537 219	2 594	377 883
194	70 ～ 74	3 083	6 355	32 001	6 387 532	5 714	579 641	2 924	459 718
195	75 ～ 79	3 590	7 556	40 773	7 899 555	6 581	654 172	3 505	547 148
196	80 ～ 84	3 046	6 404	35 519	6 726 395	5 389	529 622	2 913	470 774
197	85 ～ 89	1 893	4 059	23 297	4 539 401	3 279	325 653	1 842	293 192
198	90 歳 以 上	824	1 939	10 969	2 199 345	1 461	143 384	771	119 210
199	Ⅸ 顎，口腔の先天奇形及び発育障害	140 821	214 943	1 247 828	206 921 510	206 867	26 514 854	113 020	12 791 417
200	一般医療	138 402	210 443	1 224 311	203 097 749	202 763	26 025 233	110 980	12 524 202
201	後期医療	2 419	4 500	23 517	3 823 761	4 104	489 621	2 040	267 215
202	0 ～ 4 歳	1 199	1 383	4 298	885 879	1 349	284 053	772	94 179
203	5 ～ 9	30 062	39 855	194 634	24 326 386	39 461	6 091 209	26 210	2 360 215
204	10 ～ 14	21 906	28 367	145 130	17 749 128	28 209	4 281 126	18 477	1 602 951
205	15 ～ 19	11 246	15 958	107 297	18 803 260	15 472	1 654 209	6 414	751 901
206	20 ～ 24	16 289	26 281	172 477	32 120 703	24 948	2 786 193	11 732	1 480 949
207	25 ～ 29	14 984	24 761	160 700	29 450 402	23 435	2 675 673	11 639	1 499 460
208	30 ～ 34	11 269	18 982	117 013	22 116 641	18 004	2 069 112	8 946	1 160 459
209	35 ～ 39	8 389	14 339	85 855	15 705 794	13 608	1 596 822	6 876	894 075
210	40 ～ 44	6 865	11 777	72 031	12 373 855	11 227	1 344 622	5 770	752 902
211	45 ～ 49	5 101	8 849	52 436	9 655 126	8 384	988 744	4 306	588 439
212	50 ～ 54	3 502	6 148	36 134	6 297 538	5 791	696 834	2 993	405 832
213	55 ～ 59	2 310	4 111	24 117	4 408 682	3 859	457 469	2 022	282 912
214	60 ～ 64	1 894	3 409	18 497	3 606 941	3 172	391 344	1 724	238 099
215	65 ～ 69	1 869	3 374	19 064	3 313 380	3 126	382 841	1 712	228 272
216	70 ～ 74	1 564	2 927	15 045	2 339 361	2 794	334 392	1 414	187 792
217	75 ～ 79	1 181	2 234	11 693	1 804 708	2 080	241 278	1 038	132 899
218	80 ～ 84	696	1 299	6 992	1 095 527	1 191	147 452	583	72 391
219	85 ～ 89	367	674	3 487	707 527	568	69 043	300	44 152
220	90 歳 以 上	128	215	928	160 672	189	22 438	92	13 538
221	Ⅹ 顎機能異常	77 176	118 157	579 084	79 183 340	116 771	14 218 735	72 389	8 019 026
222	一般医療	66 094	99 821	489 990	66 476 317	98 949	12 114 259	61 318	6 569 655
223	後期医療	11 082	18 336	89 094	12 707 023	17 822	2 104 476	11 071	1 449 371
224	0 ～ 4 歳	76	97	406	64 217	97	21 639	59	6 613
225	5 ～ 9	654	905	4 300	596 723	901	142 333	698	76 762
226	10 ～ 14	2 481	3 331	14 974	2 143 328	3 331	479 450	2 203	226 314
227	15 ～ 19	4 295	5 920	26 961	4 119 230	5 861	841 386	3 446	346 555
228	20 ～ 24	4 080	5 910	30 620	4 572 603	5 859	834 118	3 562	343 639
229	25 ～ 29	4 323	6 403	32 592	4 754 367	6 327	872 897	3 880	384 485
230	30 ～ 34	4 483	6 626	33 494	4 658 234	6 570	863 274	4 056	412 019
231	35 ～ 39	4 686	6 994	35 196	4 706 906	6 959	876 354	4 290	415 933
232	40 ～ 44	5 561	8 321	42 228	5 575 163	8 254	1 008 370	5 197	517 986
233	45 ～ 49	5 951	9 105	45 815	5 778 861	9 072	1 075 953	5 589	579 258
234	50 ～ 54	5 713	8 831	43 609	5 877 125	8 715	987 805	5 328	561 803
235	55 ～ 59	5 346	8 112	40 377	5 125 417	8 025	904 355	5 101	546 643
236	60 ～ 64	5 470	8 519	41 186	5 309 783	8 421	929 685	5 121	585 526
237	65 ～ 69	6 925	11 072	51 710	7 070 113	10 950	1 217 434	6 781	816 537
238	70 ～ 74	6 309	10 152	48 967	6 628 020	10 032	1 110 683	6 238	780 169
239	75 ～ 79	5 456	8 957	43 158	5 701 864	8 831	995 493	5 569	711 193
240	80 ～ 84	3 302	5 460	26 535	3 895 251	5 324	634 909	3 291	443 306
241	85 ～ 89	1 539	2 519	12 527	1 793 653	2 418	308 815	1 526	201 365
242	90 歳 以 上	526	923	4 429	812 482	824	113 782	454	62 920
243	Ⅺ 顎，口腔の嚢胞	5 219	9 346	61 808	15 924 265	7 727	822 914	3 663	713 490
244	一般医療	4 646	8 244	55 541	14 369 574	6 828	725 063	3 187	631 905
245	後期医療	573	1 102	6 267	1 554 691	899	97 851	476	81 585
246	0 ～ 4 歳	78	89	138	26 816	89	18 770	35	4 490
247	5 ～ 9	122	195	867	307 458	175	22 077	92	12 963
248	10 ～ 14	215	327	1 654	468 941	288	35 020	136	24 172
249	15 ～ 19	123	203	1 115	370 758	174	18 417	70	11 615
250	20 ～ 24	127	198	1 299	375 176	166	19 066	89	20 778
251	25 ～ 29	183	337	2 592	816 039	237	27 350	126	29 175
252	30 ～ 34	262	427	3 815	749 433	372	41 647	152	30 338
253	35 ～ 39	354	624	4 557	1 189 643	522	54 932	238	43 322
254	40 ～ 44	525	918	6 361	1 524 074	775	81 786	326	54 213
255	45 ～ 49	577	1 080	7 581	1 907 830	894	91 256	397	82 065
256	50 ～ 54	499	901	6 731	1 692 067	729	73 779	367	76 164
257	55 ～ 59	396	719	4 400	1 161 027	612	57 274	288	60 354
258	60 ～ 64	407	748	4 565	1 354 460	584	59 541	282	59 546
259	65 ～ 69	463	879	5 746	1 506 172	721	73 603	355	77 155
260	70 ～ 74	329	626	4 325	970 303	513	52 728	244	47 050
261	75 ～ 79	281	549	3 307	950 109	426	46 521	248	43 199
262	80 ～ 84	184	348	1 886	386 045	289	32 641	143	24 315
263	85 ～ 89	65	125	579	106 760	116	11 736	56	9 276
264	90 歳 以 上	29	53	290	61 154	45	4 770	19	3 300

平成30年６月審査分

在宅医療		検査		画像診断		投薬		注射		リハビリテーション		行番号
回数	点数	回数	点数	回数	点数	回数	点数	回数	点数	回数	点数	
293	167 300	76 213	3 390 261	32 531	10 195 428	80 470	1 842 945	3 498	1 763 967	1 817	288 712	177
23	12 596	45 352	2 017 021	21 678	6 667 285	49 744	1 140 701	2 263	1 252 434	621	112 389	178
270	154 704	30 861	1 373 240	10 853	3 528 143	30 726	702 244	1 235	511 533	1 196	176 323	179
-	-	32	1 302	29	8 087	70	1 239	10	1 922	2	450	180
-	-	197	12 464	173	41 219	199	5 096	25	4 282	4	980	181
-	-	390	17 865	226	67 861	279	7 654	15	3 402	1	54	182
-	-	872	34 043	437	123 372	1 196	22 289	48	13 238	-	-	183
-	-	1 696	77 110	802	208 040	2 055	40 759	74	25 625	2	407	184
-	-	2 131	88 346	1 065	290 358	2 611	57 201	162	39 644	2	495	185
-	-	2 354	101 695	1 281	354 868	2 728	63 756	128	27 354	3	309	186
-	-	2 525	115 107	1 375	421 083	3 210	71 129	130	157 325	4	523	187
-	-	3 122	146 876	1 601	486 036	4 048	76 216	159	52 484	3	422	188
2	475	4 012	181 618	1 917	610 509	4 139	90 561	228	120 482	16	2 415	189
3	938	4 275	177 777	1 881	562 475	4 171	99 924	206	75 115	36	4 461	190
5	2 042	5 262	240 722	2 155	719 708	5 335	107 215	247	91 113	54	38 532	191
-	-	4 959	212 463	2 235	699 794	5 331	120 994	204	215 918	72	8 630	192
1	338	6 719	318 821	3 206	997 326	7 149	197 453	250	155 699	176	21 263	193
12	8 803	7 606	325 497	3 507	1 129 934	8 011	205 556	410	279 107	266	35 895	194
27	19 129	11 197	502 098	4 205	1 365 562	10 131	252 372	466	273 364	417	65 366	195
62	37 311	9 043	412 301	3 340	1 080 445	10 366	223 212	362	106 853	335	45 220	196
78	55 595	6 506	284 004	2 148	708 104	6 436	139 326	244	80 533	338	52 218	197
103	42 669	3 315	140 152	948	320 647	3 005	60 993	130	40 507	86	11 072	198
188	114 193	164 061	7 599 090	160 734	27 102 758	248 592	5 049 150	1 635	985 165	1 942	291 995	199
63	41 684	159 726	7 391 907	158 103	26 605 078	244 028	4 956 108	1 547	949 267	1 455	235 823	200
125	72 509	4 335	207 183	2 631	497 680	4 564	93 042	88	35 898	487	56 172	201
4	2 822	369	16 287	726	74 329	168	3 609	3	680	82	17 574	202
7	5 514	10 033	517 165	34 750	2 604 189	20 924	458 448	41	18 244	324	70 476	203
4	2 972	5 178	451 162	22 968	1 719 457	17 362	374 162	25	10 518	174	37 125	204
1	563	11 453	516 609	10 637	2 047 518	17 610	328 125	90	53 242	98	18 918	205
-	-	26 010	1 145 764	18 119	3 873 560	39 669	765 387	290	156 898	63	9 574	206
3	896	28 447	1 213 871	17 852	4 053 086	39 533	784 376	270	143 048	34	4 407	207
-	-	18 848	827 615	13 283	3 108 409	29 952	618 295	194	125 645	52	6 070	208
-	-	14 621	650 370	10 498	2 507 206	21 990	456 362	165	111 707	37	5 018	209
-	-	13 581	597 142	8 724	2 016 115	18 319	376 495	110	59 432	38	4 872	210
6	1 947	9 069	394 252	6 373	1 515 816	13 629	275 891	109	55 656	37	4 216	211
17	11 041	6 889	327 125	4 568	1 062 636	8 792	180 198	92	62 165	38	3 827	212
1	1 151	5 192	237 003	3 024	687 131	5 546	111 723	56	27 967	49	6 011	213
1	1 151	3 425	177 498	2 465	559 156	3 781	84 228	42	92 567	98	11 083	214
9	9 180	3 868	186 028	2 294	449 051	4 180	79 855	25	17 383	152	16 609	215
12	5 440	2 868	139 221	1 877	341 145	2 619	60 221	36	14 158	186	20 827	216
35	19 911	2 049	97 387	1 294	232 980	2 407	51 728	43	18 625	214	24 323	217
25	16 976	1 300	62 448	815	158 326	1 326	24 666	27	10 667	155	17 692	218
35	20 699	743	37 025	372	72 746	664	12 980	16	6 165	88	10 640	219
28	13 930	118	5 118	95	19 902	121	2 401	1	398	23	2 733	220
526	285 137	38 048	3 074 277	85 938	15 919 420	98 970	2 089 403	571	450 032	16 596	1 325 659	221
130	83 607	30 189	2 580 084	74 043	13 661 874	84 056	1 731 001	450	397 039	12 898	961 440	222
396	201 530	7 859	494 193	11 895	2 257 546	14 914	358 402	121	52 993	3 698	364 219	223
-	-	33	1 510	75	10 539	34	611	-	-	2	108	224
-	-	165	13 261	956	157 745	397	7 260	-	32	35	2 609	225
-	-	502	61 562	2 921	563 155	1 880	35 396	3	485	289	19 147	226
-	-	892	114 641	5 249	982 892	4 510	79 135	15	4 144	522	33 251	227
-	-	2 118	156 466	5 484	1 019 379	5 647	107 120	22	8 110	492	31 778	228
2	1 226	2 174	183 063	5 555	1 050 727	5 879	137 834	28	30 118	538	37 196	229
7	2 903	2 189	181 428	5 399	987 477	5 974	113 274	22	6 132	618	39 792	230
-	-	2 083	187 573	5 610	1 009 764	6 146	120 446	18	5 436	724	47 122	231
6	6 625	2 650	224 840	6 186	1 126 868	7 714	145 804	29	7 058	950	63 188	232
12	5 857	3 020	274 147	6 594	1 206 927	8 132	158 922	34	6 333	1 037	69 613	233
20	10 395	2 416	233 176	6 003	1 094 823	8 294	165 067	51	19 425	1 214	91 242	234
26	16 923	2 652	216 092	5 297	970 159	6 975	137 693	90	85 132	1 279	98 231	235
17	13 351	2 645	221 575	5 332	1 001 586	7 137	145 530	24	5 536	1 379	105 165	236
34	19 106	3 228	266 966	7 138	1 326 536	7 653	184 917	54	93 882	2 014	176 950	237
29	18 747	3 754	255 017	6 532	1 196 954	8 062	201 156	74	129 306	1 933	164 583	238
75	41 140	3 335	236 971	5 875	1 117 081	7 087	163 951	38	8 541	1 733	154 974	239
108	51 039	2 244	146 459	3 530	651 867	4 502	109 425	52	35 204	1 114	111 446	240
91	51 862	1 289	67 684	1 643	329 420	2 227	60 807	8	2 719	566	61 330	241
99	45 963	659	31 846	559	115 521	720	15 055	9	2 439	157	17 934	242
2	648	23 645	969 746	8 539	2 502 034	11 325	192 435	309	242 660	111	14 432	243
-	-	21 834	885 227	7 721	2 254 125	9 926	170 020	282	231 008	70	9 568	244
2	648	1 811	84 519	818	247 909	1 399	22 415	27	11 652	41	4 864	245
-	-	-	-	11	2 998	1	68	-	-	2	490	246
-	-	159	6 717	221	65 197	115	2 556	1	987	2	490	247
-	-	410	16 014	349	97 859	288	3 989	3	1 608	2	490	248
-	-	404	17 743	165	54 119	176	3 206	4	2 136	1	54	249
-	-	425	16 289	191	57 691	256	3 678	6	3 541	1	54	250
-	-	917	40 058	326	94 224	637	7 852	14	9 506	-	-	251
-	-	1 893	76 589	507	149 699	627	11 698	4	5 230	-	-	252
-	-	1 885	76 364	644	186 779	802	13 372	19	12 114	7	848	253
-	-	2 777	108 695	909	268 065	986	19 750	24	10 818	2	108	254
-	-	3 096	122 507	999	302 035	1 412	22 527	56	15 550	5	520	255
-	-	2 706	108 605	926	267 083	1 337	20 744	25	16 629	5	640	256
-	-	1 684	64 964	606	164 121	682	14 101	37	99 952	3	262	257
-	-	1 620	68 506	619	186 108	884	15 201	20	13 826	6	644	258
-	-	2 185	91 393	693	203 004	1 097	18 544	20	13 528	12	1 348	259
-	-	1 752	73 111	570	157 057	681	13 396	49	26 106	23	3 744	260
-	-	992	49 237	418	129 183	727	12 240	16	7 136	17	2 068	261
-	-	483	20 085	263	77 435	465	6 793	9	3 419	14	1 616	262
-	-	143	8 007	88	29 699	106	1 793	2	482	7	848	263
2	648	114	4 862	34	9 678	46	927	-	92	2	208	264

第２表　歯科診療　件数・診療実日数・回数・点数，

行番号	傷病分類 一般医療－後期医療 年齢階級	処置 回数	処置 点数	手術 回数	手術 点数	麻酔 回数	麻酔 点数	放射線治療 回数	放射線治療 点数
177	Ⅷ 顎，口腔の炎症及び膿瘍	9 307	2 051 915	6 434	5 362 572	1 105	1 757 104	40	81 430
178	一般医療	5 955	1 237 863	4 095	3 247 667	824	967 137	6	14 830
179	後期医療	3 352	814 052	2 339	2 114 905	281	789 967	34	66 600
180	0 ～ 4 歳	7	1 054	3	3 026	-	-	-	-
181	5 ～ 9	17	2 194	33	12 193	3	7 783	-	-
182	10 ～ 14	36	6 251	18	5 461	-	-	-	-
183	15 ～ 19	96	44 732	76	69 689	22	16 619	-	-
184	20 ～ 24	131	14 634	209	185 714	74	55 382	-	-
185	25 ～ 29	209	21 389	257	194 819	79	30 876	-	-
186	30 ～ 34	252	33 184	313	223 269	93	62 732	-	-
187	35 ～ 39	314	110 152	234	225 987	67	82 113	-	-
188	40 ～ 44	354	72 780	280	249 264	110	83 591	-	-
189	45 ～ 49	491	132 948	332	251 875	79	78 419	-	-
190	50 ～ 54	546	86 641	285	181 720	49	53 334	-	-
191	55 ～ 59	622	168 540	313	257 443	51	95 164	-	-
192	60 ～ 64	649	95 652	391	264 471	52	105 687	-	-
193	65 ～ 69	1 164	193 199	651	425 792	70	81 399	-	-
194	70 ～ 74	1 131	260 880	756	744 148	79	234 214	6	14 830
195	75 ～ 79	1 268	200 048	863	1 045 540	119	337 239	-	-
196	80 ～ 84	1 132	433 506	685	496 175	78	221 403	22	41 800
197	85 ～ 89	634	123 743	503	376 266	54	148 670	12	24 800
198	90 歳以上	254	50 388	232	149 720	26	62 479	-	-
199	Ⅸ 顎，口腔の先天奇形及び発育障害	58 965	5 882 456	85 292	50 153 164	19 133	10 998 698	-	-
200	一般医療	56 771	5 726 681	84 656	49 622 647	19 019	10 890 352	-	-
201	後期医療	2 194	155 775	636	530 517	114	108 346	-	-
202	0 ～ 4 歳	367	50 110	115	102 711	18	63 813	-	-
203	5 ～ 9	16 518	1 755 963	25 753	4 306 414	568	1 094 693	-	-
204	10 ～ 14	12 191	1 192 298	19 849	3 234 117	244	360 170	-	-
205	15 ～ 19	2 144	227 103	3 634	3 238 912	1 402	683 351	-	-
206	20 ～ 24	3 872	388 933	8 377	8 907 834	3 803	1 904 421	-	-
207	25 ～ 29	3 810	396 098	8 080	8 626 830	3 761	1 677 988	-	-
208	30 ～ 34	3 104	337 855	5 881	6 778 919	2 879	1 372 602	-	-
209	35 ～ 39	2 604	267 547	3 961	4 359 841	1 968	1 015 918	-	-
210	40 ～ 44	2 386	242 149	3 140	3 233 697	1 586	771 233	-	-
211	45 ～ 49	2 118	204 528	2 095	2 648 797	1 067	653 646	-	-
212	50 ～ 54	1 800	165 953	1 307	1 375 373	636	383 736	-	-
213	55 ～ 59	1 408	125 425	832	1 077 695	422	316 594	-	-
214	60 ～ 64	1 485	126 623	578	721 588	280	245 625	-	-
215	65 ～ 69	1 471	114 075	646	627 022	233	223 859	-	-
216	70 ～ 74	1 527	134 265	421	391 458	152	122 703	-	-
217	75 ～ 79	1 108	81 149	305	278 311	62	53 722	-	-
218	80 ～ 84	678	46 142	177	135 973	30	22 924	-	-
219	85 ～ 89	278	20 901	111	91 437	19	31 375	-	-
220	90 歳以上	96	5 339	30	16 235	3	325	-	-
221	Ⅹ 顎機能異常	86 224	17 158 898	6 626	4 552 567	1 761	669 588	22	73 500
222	一般医療	75 231	15 414 051	4 939	3 493 253	1 657	546 427	22	73 500
223	後期医療	10 993	1 744 847	1 687	1 059 314	104	123 161	-	-
224	0 ～ 4 歳	66	10 082	3	5 933	-	-	-	-
225	5 ～ 9	710	114 624	62	13 723	4	6 586	-	-
226	10 ～ 14	2 240	550 017	117	33 733	6	1 080	-	-
227	15 ～ 19	3 326	971 516	167	223 792	88	54 447	-	-
228	20 ～ 24	3 459	941 126	371	476 773	152	63 813	-	-
229	25 ～ 29	4 292	1 045 111	474	384 869	220	45 896	-	-
230	30 ～ 34	4 751	1 129 165	409	303 379	209	36 514	-	-
231	35 ～ 39	5 661	1 189 359	293	286 373	163	24 161	-	-
232	40 ～ 44	6 882	1 434 318	340	304 835	158	43 162	-	-
233	45 ～ 49	7 763	1 534 692	382	187 990	165	25 928	-	-
234	50 ～ 54	7 185	1 466 373	348	284 493	131	72 399	22	73 500
235	55 ～ 59	6 827	1 209 379	399	189 939	114	29 946	-	-
236	60 ～ 64	6 999	1 248 826	387	182 969	109	49 392	-	-
237	65 ～ 69	8 233	1 432 351	613	317 858	77	72 765	-	-
238	70 ～ 74	7 114	1 183 160	650	384 346	69	52 589	-	-
239	75 ～ 79	5 897	981 863	657	280 400	53	28 308	-	-
240	80 ～ 84	3 188	475 453	559	453 443	28	33 808	-	-
241	85 ～ 89	1 297	190 047	263	116 037	11	15 060	-	-
242	90 歳以上	334	51 436	132	121 682	4	13 734	-	-
243	Ⅺ 顎，口腔の嚢胞	1 374	134 916	1 154	2 877 453	614	2 004 729	-	-
244	一般医療	1 197	119 094	1 005	2 645 177	573	1 881 094	-	-
245	後期医療	177	15 822	149	232 276	41	123 635	-	-
246	0 ～ 4 歳	-	-	-	-	-	-	-	-
247	5 ～ 9	19	1 988	31	52 951	11	52 834	-	-
248	10 ～ 14	31	3 578	43	66 339	12	67 182	-	-
249	15 ～ 19	21	1 811	25	89 452	11	58 328	-	-
250	20 ～ 24	27	3 842	40	85 807	16	43 462	-	-
251	25 ～ 29	41	4 745	78	159 546	39	124 519	-	-
252	30 ～ 34	47	4 632	60	133 457	33	93 966	-	-
253	35 ～ 39	65	7 566	81	253 778	54	165 589	-	-
254	40 ～ 44	92	10 132	111	268 207	72	210 991	-	-
255	45 ～ 49	150	13 824	122	395 931	83	243 539	-	-
256	50 ～ 54	147	14 410	102	287 826	73	240 369	-	-
257	55 ～ 59	126	13 931	80	208 803	38	118 132	-	-
258	60 ～ 64	104	9 314	81	237 142	55	187 705	-	-
259	65 ～ 69	123	12 166	106	276 630	55	191 415	-	-
260	70 ～ 74	206	17 845	50	147 005	23	90 792	-	-
261	75 ～ 79	104	7 670	72	142 691	30	102 329	-	-
262	80 ～ 84	47	4 868	49	53 372	7	13 405	-	-
263	85 ～ 89	20	1 736	14	9 667	1	120	-	-
264	90 歳以上	4	858	9	8 849	1	52	-	-

平成30年６月審査分

歯冠修復及び欠損補綴		歯科矯正		病理診断		入院料等		入院時食事療養等（別掲）		行番号
回数	点数	回数	点数	回数	点数	回数	点数	回数	金額(円)	
4 861	1 161 699	70	15 383	1 570	985 490	6 174	15 583 969	14 819	9 750 868	177
3 030	726 293	70	14 631	788	497 670	3 012	8 042 224	6 976	4 574 631	178
1 831	435 406	-	752	782	487 820	3 162	7 541 745	7 843	5 176 237	179
-	-	-	-	-	-	9	39 819	19	12 560	180
2	322	-	-	-	-	20	67 595	42	27 830	181
12	1 312	2	490	4	1 860	14	48 727	30	19 850	182
13	2 633	18	3 296	4	1 400	75	207 452	174	113 560	183
59	12 074	12	1 530	12	7 360	117	299 091	246	160 240	184
103	16 214	-	-	13	8 900	139	383 388	307	198 269	185
150	33 528	21	2 296	18	14 370	129	338 359	288	190 486	186
95	16 900	17	6 267	40	29 400	175	448 535	397	257 730	187
146	32 720	-	-	51	31 350	263	663 748	622	403 369	188
225	57 094	-	-	82	53 350	208	530 018	481	320 074	189
249	48 987	-	-	66	36 050	254	752 494	582	386 037	190
267	69 416	-	-	71	48 450	333	835 726	787	516 776	191
360	103 113	-	752	97	60 080	283	707 894	680	445 702	192
632	133 772	-	-	151	91 370	440	1 136 293	1 034	672 985	193
753	205 716	-	-	187	117 570	638	1 786 011	1 517	1 002 096	194
750	168 418	-	752	287	186 560	957	2 282 267	2 378	1 559 633	195
561	141 672	-	-	253	154 650	977	2 331 709	2 234	1 485 931	196
338	80 429	-	-	156	97 110	729	1 749 758	1 898	1 252 954	197
146	37 379	-	-	78	45 660	414	975 085	1 103	724 786	198
40 452	6 284 179	137 563	28 832 203	1 373	917 030	7 959	23 399 272	12 749	8 435 614	199
38 681	5 937 594	137 560	28 831 473	1 265	844 200	7 642	22 509 614	12 107	7 996 706	200
1 771	346 585	3	730	108	72 830	317	889 658	642	438 908	201
87	21 320	216	82 854	-	-	22	71 538	34	22 410	202
14 629	2 190 946	5 001	1 441 397	26	17 780	383	1 394 255	481	319 540	203
8 505	1 211 491	11 728	2 745 500	64	41 520	139	484 403	182	119 277	204
1 517	214 403	36 279	7 627 959	45	30 960	484	1 409 283	748	495 105	205
2 332	340 088	31 853	6 402 563	63	42 480	1 339	3 915 507	2 114	1 391 588	206
1 840	265 837	20 572	4 158 555	94	64 630	1 328	3 885 289	2 105	1 389 839	207
1 656	252 283	13 147	2 587 043	81	50 260	982	2 817 974	1 521	1 004 283	208
1 314	191 837	7 331	1 468 448	147	98 940	735	2 081 253	1 226	808 622	209
1 332	206 513	5 118	1 016 271	138	91 240	561	1 661 160	850	559 095	210
1 108	185 181	3 554	732 719	113	77 650	467	1 327 212	751	494 798	211
879	163 874	1 863	386 916	120	77 340	348	994 946	625	414 680	212
685	140 672	661	129 624	111	73 700	249	733 605	402	265 204	213
885	187 903	204	46 486	119	79 270	238	643 918	440	291 492	214
994	189 617	29	4 072	85	56 900	240	728 616	421	281 492	215
946	181 055	4	1 066	61	42 840	128	362 778	210	141 075	216
872	169 540	3	730	47	31 670	136	370 455	265	184 630	217
563	106 007	-	-	34	23 730	88	250 133	180	122 220	218
188	35 525	-	-	21	13 260	84	241 579	180	120 068	219
120	30 087	-	-	4	2 860	8	25 368	14	10 196	220
50 139	7 640 677	2 824	585 484	599	371 711	1 069	2 747 585	2 395	1 557 730	221
42 039	6 000 349	2 823	585 142	452	276 285	784	1 986 548	1 761	1 148 012	222
8 100	1 640 328	1	342	147	95 426	285	761 037	634	409 718	223
37	7 182	-	-	-	-	-	-	-	-	224
361	51 098	5	1 080	2	1 310	4	8 300	7	4 580	225
1 432	144 587	37	9 931	8	5 680	3	12 767	1	640	226
2 422	230 593	401	87 117	-	-	60	149 737	139	91 460	227
2 378	234 335	1 018	196 189	10	7 190	48	151 820	102	66 450	228
2 670	290 071	459	91 242	14	10 320	78	188 886	182	115 582	229
2 839	332 065	382	95 324	18	11 590	51	143 898	105	69 450	230
2 968	371 992	225	50 362	21	10 305	35	111 996	71	46 690	231
3 638	487 975	125	22 643	38	22 915	61	158 174	145	85 842	232
3 872	545 750	82	16 119	34	22 930	27	68 442	70	45 755	233
3 669	560 476	57	9 730	52	29 010	103	217 396	246	161 040	234
3 474	551 665	19	2 450	32	15 580	65	151 206	145	93 989	235
3 489	580 222	-	752	46	29 325	80	210 343	183	121 358	236
4 717	853 521	13	1 451	101	58 640	103	231 187	204	135 110	237
4 296	825 277	-	752	80	54 430	104	270 449	216	147 146	238
3 852	715 719	1	342	64	38 820	91	227 068	214	134 254	239
2 483	521 515	-	-	48	33 426	64	193 855	154	97 268	240
1 123	243 224	-	-	16	10 890	48	134 381	114	75 010	241
419	93 410	-	-	15	9 350	44	117 680	97	66 106	242
516	111 864	24	5 849	1 190	800 570	1 615	4 530 795	2 951	1 956 958	243
407	86 266	24	5 849	1 076	724 430	1 411	4 001 018	2 493	1 646 624	244
109	25 598	-	-	114	76 140	204	529 777	458	310 334	245
-	-	-	-	-	-	-	-	-	-	246
4	536	-	-	18	10 220	19	77 942	22	14 730	247
16	1 979	14	3 925	23	16 010	39	130 776	64	41 960	248
2	72	3	510	30	20 070	29	93 225	47	31 330	249
7	1 519	7	1 414	36	24 120	32	93 915	48	32 020	250
15	3 141	-	-	62	40 910	100	275 013	183	119 755	251
14	7 556	-	-	52	36 450	54	158 171	82	54 380	252
38	6 825	-	-	100	69 740	102	298 414	167	110 030	253
21	4 709	-	-	124	82 650	142	403 950	238	153 206	254
32	6 729	-	-	151	106 130	184	505 217	362	237 715	255
14	1 213	-	-	128	84 950	172	499 655	294	194 316	256
46	9 082	-	-	92	61 660	106	288 391	190	124 500	257
49	5 925	-	-	97	64 990	164	446 282	342	232 224	258
111	31 173	-	-	109	75 180	159	441 033	295	195 702	259
43	6 341	-	-	58	34 610	113	300 518	165	108 596	260
66	17 491	-	-	67	46 330	124	344 014	276	183 644	261
30	5 333	-	-	27	16 530	60	126 233	143	100 930	262
7	2 210	-	-	10	6 730	9	24 456	21	13 890	263
1	30	-	-	6	3 290	7	23 590	12	8 030	264

第２表　歯科診療　件数・診療実日数・回数・点数,

行番号	傷病分類 一般医療－後期医療 年齢階級	件数	診療実日数	総数 回数	総数 点数	初・再診 回数	初・再診 点数	医学管理等 回数	医学管理等 点数
265	XII 顎骨疾患等	3 018	6 246	30 761	5 743 390	5 743	593 892	2 658	397 819
266	一般医療	1 906	3 842	19 444	3 929 248	3 483	358 915	1 643	240 807
267	後期医療	1 112	2 404	11 317	1 814 142	2 260	234 977	1 015	157 012
268	0 ～ 4 歳	1	1	3	756	1	299	－	－
269	5 ～ 9	20	24	142	12 975	24	3 409	20	1 480
270	10 ～ 14	13	18	98	12 271	18	2 685	12	710
271	15 ～ 19	4	4	23	2 803	4	434	1	10
272	20 ～ 24	15	19	70	10 521	19	2 461	9	870
273	25 ～ 29	34	53	290	65 283	49	5 393	23	2 635
274	30 ～ 34	35	51	218	29 102	51	7 730	25	2 250
275	35 ～ 39	71	125	625	72 120	125	15 732	51	4 270
276	40 ～ 44	68	92	442	57 607	92	14 502	44	4 120
277	45 ～ 49	101	193	975	222 142	161	15 926	82	17 338
278	50 ～ 54	106	188	984	218 290	160	17 576	70	8 798
279	55 ～ 59	197	374	1 932	475 383	333	36 948	162	26 727
280	60 ～ 64	283	576	2 986	699 399	533	52 117	271	41 797
281	65 ～ 69	477	1 079	5 115	1 047 142	974	92 735	422	68 116
282	70 ～ 74	506	1 090	5 801	1 049 291	979	95 790	472	65 171
283	75 ～ 79	489	1 048	4 829	854 590	965	95 472	454	76 657
284	80 ～ 84	323	703	3 482	488 815	679	69 976	295	42 062
285	85 ～ 89	190	435	1 915	283 235	421	45 673	165	21 741
286	90 歳 以 上	85	173	831	141 665	155	19 034	80	13 067
287	XIII 口腔粘膜疾患	205 429	351 402	1 447 833	249 426 792	297 606	31 677 813	176 235	18 761 573
288	一般医療	104 763	169 908	745 551	136 779 266	157 557	17 583 813	98 628	11 006 432
289	後期医療	100 666	181 494	702 282	112 647 526	140 049	14 094 000	77 607	7 755 141
290	0 ～ 4 歳	3 281	4 142	9 296	2 228 725	4 045	865 527	2 121	198 000
291	5 ～ 9	4 086	5 418	16 382	2 587 776	5 313	842 116	3 301	258 474
292	10 ～ 14	2 803	3 610	11 399	1 790 967	3 525	578 457	2 393	186 940
293	15 ～ 19	1 829	2 684	11 162	2 978 813	2 373	393 678	1 629	140 116
294	20 ～ 24	2 009	3 289	16 793	6 738 434	2 528	421 165	1 808	250 350
295	25 ～ 29	2 300	3 770	19 704	8 645 635	2 844	468 598	2 106	280 872
296	30 ～ 34	2 497	4 069	20 099	6 393 387	3 358	489 988	2 335	307 479
297	35 ～ 39	3 082	4 773	22 581	6 427 504	4 109	580 267	2 875	373 785
298	40 ～ 44	4 012	6 302	27 645	6 144 133	5 639	711 498	3 742	456 278
299	45 ～ 49	5 122	8 142	37 838	7 862 305	7 295	858 715	4 976	619 549
300	50 ～ 54	6 185	9 803	46 508	8 124 399	9 015	986 757	5 898	681 239
301	55 ～ 59	8 458	13 489	62 702	10 349 266	12 701	1 312 137	8 201	955 732
302	60 ～ 64	11 956	19 657	89 830	14 211 200	18 453	1 800 842	11 678	1 336 049
303	65 ～ 69	21 799	36 917	163 281	24 673 827	34 653	3 338 165	20 990	2 322 448
304	70 ～ 74	26 518	46 231	200 018	29 385 678	43 514	4 150 672	25 543	2 746 674
305	75 ～ 79	31 048	54 501	232 784	32 177 773	50 366	4 779 549	29 400	3 032 331
306	80 ～ 84	29 392	52 942	216 392	32 855 156	45 255	4 458 311	25 086	2 504 674
307	85 ～ 89	22 322	40 860	147 382	25 796 789	29 202	3 078 989	15 448	1 501 019
308	90 歳 以 上	16 730	30 803	96 037	20 055 025	13 418	1 562 382	6 705	609 564
309	XIV 悪性新生物＜腫瘍＞等	7 005	13 636	115 334	31 910 778	9 181	819 194	8 580	1 761 345
310	一般医療	4 126	7 949	68 679	19 373 481	5 284	468 536	4 955	1 031 691
311	後期医療	2 879	5 687	46 655	12 537 297	3 897	350 658	3 625	729 654
312	0 ～ 4 歳	－	－	－	－	－	－	－	－
313	5 ～ 9	3	3	11	1 315	3	511	2	350
314	10 ～ 14	6	15	49	22 771	15	1 567	6	1 160
315	15 ～ 19	7	9	82	18 022	9	918	7	1 300
316	20 ～ 24	20	35	200	53 229	32	3 220	21	4 050
317	25 ～ 29	40	69	388	135 664	50	3 779	44	9 140
318	30 ～ 34	78	195	1 460	506 917	87	7 506	117	29 499
319	35 ～ 39	127	214	1 509	428 217	182	16 760	152	33 744
320	40 ～ 44	214	353	2 988	909 116	278	25 431	256	53 229
321	45 ～ 49	295	531	4 228	1 540 426	352	32 690	333	66 148
322	50 ～ 54	359	706	6 806	1 727 669	440	40 855	417	85 973
323	55 ～ 59	495	871	6 795	1 937 907	637	56 429	584	118 670
324	60 ～ 64	550	1 193	10 561	2 779 379	685	60 723	684	152 053
325	65 ～ 69	986	1 882	17 050	4 654 582	1 259	106 308	1 214	243 662
326	70 ～ 74	994	1 992	17 406	4 824 833	1 311	116 820	1 176	243 583
327	75 ～ 79	1 015	1 971	16 524	4 935 885	1 402	121 972	1 255	253 126
328	80 ～ 84	904	1 701	13 179	3 259 475	1 209	108 595	1 145	235 329
329	85 ～ 89	588	1 245	11 202	3 040 944	782	69 893	775	155 476
330	90 歳 以 上	324	651	4 896	1 134 427	448	45 217	392	74 853
331	XV 良性新生物＜腫瘍＞等	9 393	14 298	65 345	16 922 382	13 403	1 705 853	5 635	916 804
332	一般医療	7 426	11 278	51 702	13 871 177	10 561	1 346 548	4 343	707 425
333	後期医療	1 967	3 020	13 643	3 051 205	2 842	359 305	1 292	209 379
334	0 ～ 4 歳	135	170	444	191 923	152	25 348	40	5 515
335	5 ～ 9	165	236	910	235 517	228	32 011	93	11 935
336	10 ～ 14	252	346	1 446	388 322	329	44 255	150	25 080
337	15 ～ 19	248	370	1 605	433 962	340	40 688	132	17 555
338	20 ～ 24	232	362	1 691	465 851	343	42 540	126	20 858
339	25 ～ 29	285	461	2 356	549 703	429	53 023	164	25 955
340	30 ～ 34	339	506	2 245	634 957	476	62 398	208	34 664
341	35 ～ 39	434	646	3 392	1 004 213	589	76 194	257	45 120
342	40 ～ 44	570	882	4 730	1 211 055	827	107 213	347	58 286
343	45 ～ 49	721	1 062	4 925	1 342 448	996	132 132	427	66 255
344	50 ～ 54	688	1 046	4 749	1 486 870	948	122 160	404	81 407
345	55 ～ 59	680	1 040	4 642	1 239 909	980	127 151	388	67 889
346	60 ～ 64	735	1 082	5 137	1 091 821	1 056	133 301	406	58 926
347	65 ～ 69	1 011	1 631	7 440	1 964 246	1 521	180 034	622	99 377
348	70 ～ 74	967	1 498	6 270	1 710 759	1 405	175 574	602	91 978
349	75 ～ 79	820	1 287	5 719	1 384 581	1 211	149 492	558	89 086
350	80 ～ 84	624	926	4 007	879 759	889	110 157	396	67 382
351	85 ～ 89	317	471	2 360	437 587	436	56 739	203	30 266
352	90 歳 以 上	170	276	1 277	268 899	248	35 443	112	19 270

平成30年６月審査分

在宅医療		検査		画像診断		投薬		注射		リハビリテーション		行番号
回数	点数	回数	点数	回数	点数	回数	点数	回数	点数	回数	点数	
46	30 778	5 891	271 390	2 933	619 774	5 911	124 157	90	48 812	652	78 698	265
3	3 264	4 122	190 985	1 799	384 223	4 017	82 277	73	42 040	271	32 400	266
43	27 514	1 769	80 405	1 134	235 551	1 894	41 880	17	6 772	381	46 298	267
-	-	-	-	2	457	-	-	-	-	-	-	268
-	-	3	240	50	3 234	11	164	-	-	2	490	269
-	-	2	260	29	5 050	14	358	-	-	-	-	270
-	-	-	-	6	1 930	9	99	-	-	-	-	271
-	-	1	200	13	2 374	14	456	-	-	-	-	272
-	-	40	1 689	40	10 304	85	1 324	-	273	-	-	273
-	-	1	200	30	7 500	72	914	-	-	-	-	274
-	-	101	4 345	87	19 121	168	3 329	-	103	5	483	275
-	-	105	4 336	69	20 099	92	2 375	-	-	-	-	276
3	3 264	236	9 631	94	22 015	181	3 438	3	1 382	3	352	277
-	-	256	14 123	74	21 896	260	4 510	1	1 841	3	352	278
-	-	440	22 798	171	46 513	393	7 442	8	4 521	17	2 093	279
-	-	521	20 353	251	53 000	594	13 996	33	21 231	43	5 113	280
-	-	1 021	49 239	399	92 554	1 020	20 078	20	7 948	91	10 844	281
-	-	1 481	67 261	504	82 294	1 154	24 381	8	4 741	115	13 645	282
9	9 213	725	31 976	481	95 555	871	18 198	13	5 630	130	15 783	283
2	2 302	569	23 015	321	58 639	616	13 225	2	719	126	15 175	284
14	6 722	275	14 695	226	50 914	233	6 915	1	276	81	9 944	285
18	9 277	114	7 029	86	26 325	124	2 955	1	147	36	4 424	286
70 040	25 882 897	130 134	8 915 181	48 184	8 101 817	246 550	8 158 540	3 972	7 922 056	113 270	13 641 009	287
3 353	1 417 995	83 051	5 595 741	29 182	5 225 857	147 202	4 548 439	2 665	5 204 828	39 325	4 641 151	288
66 687	24 464 902	47 083	3 319 440	19 002	2 875 960	99 348	3 610 101	1 307	2 717 228	73 945	8 999 858	289
5	3 258	281	14 007	307	18 446	1 307	58 926	13	3 284	57	12 460	290
2	1 336	626	40 372	983	76 167	2 817	118 356	6	2 414	22	4 746	291
14	9 009	489	48 207	462	39 807	2 411	97 986	10	3 711	18	3 444	292
3	735	1 251	96 921	587	93 449	3 053	86 470	50	29 043	23	3 132	293
3	1 771	2 518	170 118	888	137 773	5 528	110 974	106	64 491	17	2 512	294
17	8 860	3 152	218 515	1 044	177 605	6 629	136 548	128	88 301	38	5 739	295
17	10 381	3 285	224 523	880	182 923	5 929	129 937	109	144 119	41	5 104	296
30	11 493	3 405	210 006	997	212 592	6 296	164 504	112	289 414	198	26 918	297
32	13 990	4 419	289 361	1 283	305 814	6 264	193 615	138	150 544	329	38 280	298
67	24 361	5 306	378 174	1 557	343 319	9 725	248 228	161	279 926	761	89 311	299
96	45 024	7 066	451 068	1 854	420 167	10 561	327 170	249	334 369	1 496	170 847	300
173	66 034	8 565	538 291	2 337	479 683	12 540	398 273	298	1 004 252	2 999	345 038	301
433	192 661	10 132	689 033	3 292	651 704	17 108	526 745	340	511 238	5 498	637 477	302
1 091	463 034	15 562	1 099 487	6 097	1 036 536	28 101	933 912	489	1 022 709	12 200	1 424 259	303
2 277	957 860	17 716	1 182 841	6 891	1 108 582	30 875	1 084 477	478	1 329 391	16 323	1 957 630	304
4 532	1 878 836	17 835	1 295 808	7 655	1 133 630	37 179	1 298 944	438	742 755	20 474	2 431 420	305
10 677	4 105 376	15 928	1 087 022	6 465	947 560	33 948	1 179 573	517	1 328 433	21 579	2 620 562	306
18 574	7 016 568	8 586	606 573	3 429	513 369	18 378	714 502	267	493 001	17 488	2 148 720	307
31 997	11 072 310	4 012	274 854	1 176	222 691	7 901	349 400	63	100 661	13 709	1 713 410	308
23	15 696	51 636	2 142 745	8 003	5 390 531	25 373	636 571	1 807	3 204 372	1 721	361 572	309
-	-	30 531	1 289 601	4 912	3 392 980	15 236	373 722	1 034	1 742 443	1 047	202 010	310
23	15 696	21 105	853 144	3 091	1 997 551	10 137	262 849	773	1 461 929	674	159 562	311
-	-	-	-	-	-	-	-	-	-	-	-	312
-	-	-	-	4	114	-	-	-	-	-	-	313
-	-	9	2 166	9	13 847	3	218	-	13	-	-	314
-	-	48	2 475	11	11 127	1	74	-	18	-	-	315
-	-	83	5 827	15	9 031	24	698	-	776	-	-	316
-	-	155	8 789	13	15 123	60	678	-	-	26	5 330	317
-	-	589	33 751	96	36 861	271	6 170	28	70 974	46	9 149	318
-	-	777	36 523	135	109 099	159	3 150	11	34 007	8	1 520	319
-	-	1 416	66 805	204	162 726	575	20 653	49	85 799	37	7 966	320
-	-	2 201	86 165	273	236 243	646	30 504	45	96 138	24	4 570	321
-	-	2 723	125 082	510	376 173	1 928	48 287	174	69 866	118	22 732	322
-	-	3 296	149 481	561	442 740	1 109	27 736	47	167 085	38	6 980	323
-	-	4 562	185 171	717	431 547	2 528	54 419	181	285 383	214	40 151	324
-	-	7 365	300 131	1 139	794 505	4 265	115 157	264	606 921	251	47 715	325
-	-	7 612	295 948	1 244	774 228	3 911	68 839	241	326 262	323	62 389	326
4	1 079	7 618	311 885	1 216	760 975	3 290	79 481	315	535 292	243	47 215	327
6	4 994	5 962	249 534	882	633 296	2 652	80 716	173	408 238	239	45 049	328
4	3 361	5 196	205 357	730	431 610	2 650	53 461	169	398 862	106	19 472	329
9	6 262	2 024	77 655	244	151 286	1 301	46 330	110	118 738	48	41 334	330
39	19 136	20 731	1 007 730	7 223	2 978 868	9 933	221 600	186	80 213	172	22 918	331
-	-	16 215	778 620	6 040	2 479 972	7 995	171 894	128	53 019	77	9 798	332
39	19 136	4 516	229 110	1 183	498 896	1 938	49 706	58	27 194	95	13 120	333
-	-	107	3 410	36	12 058	59	849	1	413	3	735	334
-	-	212	9 618	178	62 053	107	3 022	-	305	-	-	335
-	-	324	15 929	256	92 220	235	4 141	-	973	1	104	336
-	-	437	20 025	290	109 847	248	5 191	4	1 542	-	-	337
-	-	562	27 990	262	116 418	221	4 474	3	2 507	1	170	338
-	-	826	35 337	293	125 346	401	7 338	9	3 571	3	555	339
-	-	559	32 409	313	127 923	402	7 093	2	2 248	3	312	340
-	-	1 114	44 116	407	170 648	636	10 179	10	3 532	2	208	341
-	-	1 639	72 788	556	232 600	829	16 421	7	3 418	3	393	342
-	-	1 520	67 421	550	223 483	823	18 238	7	4 665	2	293	343
-	-	1 325	66 501	539	224 817	890	16 247	34	9 596	6	769	344
-	-	1 498	80 840	503	204 337	651	15 112	11	3 746	4	456	345
-	-	1 746	80 509	566	237 161	766	17 125	3	1 598	6	684	346
-	-	2 554	129 694	698	292 390	916	24 558	20	9 461	15	1 680	347
-	-	1 875	96 098	616	259 855	852	23 348	18	6 167	32	3 980	348
3	2 485	1 772	92 945	533	228 434	873	19 925	40	20 138	33	5 322	349
3	2 123	1 264	67 306	367	152 130	503	13 132	6	3 896	25	3 175	350
24	11 532	893	41 588	177	74 609	364	10 250	2	528	19	2 301	351
9	2 996	504	23 206	83	32 539	157	4 957	9	1 909	14	1 781	352

第２表　歯科診療　件数・診療実日数・回数・点数，

行番号	傷病分類 一般医療－後期医療 年齢階級	処置 回数	処置 点数	手術 回数	手術 点数	麻酔 回数	麻酔 点数	放射線治療 回数	放射線治療 点数
265	XII 顎骨疾患等	1 596	206 538	1 856	1 057 955	154	381 820	10	24 230
266	一般医療	944	148 477	1 134	812 868	128	336 706	10	24 230
267	後期医療	652	58 061	722	245 087	26	45 114	-	-
268	０～４歳	-	-	-	-	-	-	-	-
269	５～９	14	1 512	8	1 020	-	-	-	-
270	１０～１４	5	926	14	1 800	-	-	-	-
271	１５～１９	-	-	3	330	-	-	-	-
272	２０～２４	4	444	8	2 810	-	-	-	-
273	２５～２９	7	730	16	17 623	3	9 839	-	-
274	３０～３４	14	812	15	6 870	-	-	-	-
275	３５～３９	37	5 152	27	16 560	4	299	-	-
276	４０～４４	12	716	18	9 245	3	154	-	-
277	４５～４９	80	8 892	36	27 843	8	29 901	-	-
278	５０～５４	26	1 590	50	29 365	12	32 082	-	-
279	５５～５９	88	9 699	113	108 513	17	55 812	-	-
280	６０～６４	167	18 406	185	236 650	13	37 093	10	24 230
281	６５～６９	247	27 222	328	185 990	29	85 347	-	-
282	７０～７４	248	72 820	325	175 629	39	86 179	-	-
283	７５～７９	299	27 594	337	122 488	18	36 384	-	-
284	８０～８４	203	18 667	225	80 516	4	8 455	-	-
285	８５～８９	106	7 850	98	24 722	4	275	-	-
286	９０歳以上	39	3 506	50	9 981	-	-	-	-
287	XIII 口腔粘膜疾患	157 834	11 756 977	12 665	24 354 882	2 750	10 244 940	547	1 275 588
288	一般医療	83 660	6 456 998	8 373	19 998 386	2 303	9 048 816	305	712 918
289	後期医療	74 174	5 299 979	4 292	4 356 496	447	1 196 124	242	562 670
290	０～４歳	558	81 313	62	385 654	33	177 423	-	-
291	５～９	1 509	165 591	276	231 417	70	217 452	-	-
292	１０～１４	1 024	90 674	225	260 038	18	91 138	-	-
293	１５～１９	839	82 911	265	716 969	83	337 624	-	-
294	２０～２４	1 024	101 615	649	2 274 827	248	983 828	-	-
295	２５～２９	1 292	145 700	537	3 333 934	239	1 119 103	-	-
296	３０～３４	1 633	157 090	515	1 730 811	217	905 550	-	-
297	３５～３９	2 086	190 088	420	1 652 411	158	770 232	3	5 278
298	４０～４４	2 640	244 175	368	866 202	177	668 970	22	73 350
299	４５～４９	3 774	309 718	463	1 150 323	170	764 242	-	-
300	５０～５４	4 852	377 476	485	825 601	136	572 388	41	87 590
301	５５～５９	7 175	538 448	569	1 052 296	137	453 676	10	34 500
302	６０～６４	10 818	788 702	751	1 564 632	183	613 646	32	59 840
303	６５～６９	19 946	1 415 861	1 254	1 756 214	226	714 900	159	383 710
304	７０～７４	25 505	1 845 604	1 603	2 218 877	214	669 291	93	177 040
305	７５～７９	28 923	1 974 263	1 582	1 595 771	190	515 430	33	97 510
306	８０～８４	23 564	1 633 240	1 429	1 567 267	136	395 218	75	157 410
307	８５～８９	14 066	1 092 733	885	884 808	87	230 025	61	173 490
308	９０歳以上	6 606	521 775	327	286 830	28	44 804	18	25 870
309	XIV 悪性新生物＜腫瘍＞等	2 229	319 983	337	4 990 213	184	1 111 012	383	978 310
310	一般医療	1 577	249 489	234	3 255 315	115	738 106	235	647 340
311	後期医療	652	70 494	103	1 734 898	69	372 906	148	330 970
312	０～４歳	-	-	-	-	-	-	-	-
313	５～９	-	-	-	-	-	-	-	-
314	１０～１４	-	-	-	-	-	-	-	-
315	１５～１９	-	-	-	-	-	-	-	-
316	２０～２４	1	99	5	6 067	2	8 159	-	-
317	２５～２９	1	92	-	-	1	52	15	51 530
318	３０～３４	87	8 466	3	33 743	2	17 776	12	42 630
319	３５～３９	12	2 982	4	71 572	3	20 067	-	-
320	４０～４４	39	4 495	7	221 723	5	45 018	2	6 600
321	４５～４９	74	9 342	15	454 761	11	82 982	8	20 030
322	５０～５４	102	9 232	13	262 649	17	69 736	15	19 210
323	５５～５９	133	21 497	12	212 626	10	58 898	25	74 930
324	６０～６４	250	24 024	53	255 118	11	74 372	62	188 900
325	６５～６９	384	32 104	64	766 734	27	160 199	44	106 620
326	７０～７４	555	141 030	60	971 339	27	201 117	52	136 890
327	７５～７９	269	27 751	48	1 087 402	35	205 761	70	173 470
328	８０～８４	139	17 510	31	272 749	18	81 516	19	38 700
329	８５～８９	149	17 528	19	369 590	15	85 359	33	77 930
330	９０歳以上	34	3 831	3	4 140	-	-	26	40 870
331	XV 良性新生物＜腫瘍＞等	722	134 421	1 560	4 148 147	299	873 107	-	-
332	一般医療	583	104 010	1 264	3 541 676	259	814 773	-	-
333	後期医療	139	30 411	296	606 471	40	58 334	-	-
334	０～４歳	1	46	10	27 002	6	31 330	-	-
335	５～９	8	2 224	28	52 728	5	15 524	-	-
336	１０～１４	3	1 533	35	73 164	9	38 593	-	-
337	１５～１９	11	3 085	29	88 691	6	21 310	-	-
338	２０～２４	6	2 198	42	126 115	11	15 911	-	-
339	２５～２９	18	2 161	49	108 785	8	30 934	-	-
340	３０～３４	26	2 672	62	150 255	18	55 535	-	-
341	３５～３９	32	10 052	81	293 855	21	86 124	-	-
342	４０～４４	60	9 205	105	351 722	23	68 337	-	-
343	４５～４９	37	4 437	137	357 259	25	83 140	-	-
344	５０～５４	51	4 881	121	428 357	28	107 817	-	-
345	５５～５９	63	7 455	110	334 411	24	53 870	-	-
346	６０～６４	54	5 857	111	251 780	13	14 188	-	-
347	６５～６９	123	17 338	194	485 833	40	106 810	-	-
348	７０～７４	95	31 436	160	436 565	23	85 476	-	-
349	７５～７９	54	19 992	139	310 921	16	24 425	-	-
350	８０～８４	51	6 183	92	164 959	15	25 461	-	-
351	８５～８９	21	3 368	36	67 454	7	8 284	-	-
352	９０歳以上	8	298	19	38 291	1	38	-	-

傷病分類、一般医療－後期医療・年齢階級、診療行為（大分類）別

平成30年６月審査分

歯冠修復及び欠損補綴		歯科矯正		病理診断		入院料等		入院時食事療養等（別掲）		行番号
回数	点数	回数	点数	回数	点数	回数	点数	回数	金額(円)	
2 611	578 203	18	2 612	123	76 240	469	1 252 172	963	640 852	265
1 339	280 157	18	1 860	102	61 590	358	928 449	743	493 822	266
1 272	298 046	-	752	21	14 650	111	323 723	220	147 030	267
-	-	-	-	-	-	-	-	-	-	268
10	1 426	-	-	-	-	-	-	-	-	269
4	482	-	-	-	-	-	-	-	-	270
-	-	-	-	-	-	-	-	-	-	271
2	906	-	-	-	-	-	-	-	-	272
1	191	18	1 860	4	2 020	4	11 402	5	3 400	273
8	1 516	-	-	2	1 310	-	-	-	-	274
20	2 726	-	-	-	-	-	-	-	-	275
5	750	-	-	2	1 310	-	-	-	-	276
53	9 034	-	-	6	4 050	29	69 076	69	45 460	277
35	4 973	-	-	8	5 680	29	75 504	57	36 980	278
126	26 579	-	-	23	13 260	41	114 478	75	49 750	279
300	56 252	-	-	21	13 180	44	105 981	87	59 972	280
441	105 966	-	-	18	9 670	105	291 433	228	151 144	281
347	72 145	-	-	18	11 110	111	278 125	234	155 882	282
445	105 364	-	-	6	4 370	76	211 606	158	104 458	283
414	80 288	-	752	4	3 060	22	71 964	36	24 546	284
284	85 021	-	-	5	3 340	2	5 147	3	1 920	285
116	24 584	-	-	6	3 880	6	17 456	11	7 340	286
165 944	39 093 740	504	120 361	6 630	3 856 748	14 952	35 663 098	34 199	22 288 471	287
74 076	16 506 175	504	118 628	4 861	2 865 688	10 495	25 847 125	23 026	15 005 304	288
91 868	22 587 565	-	1 733	1 769	991 060	4 457	9 815 973	11 173	7 283 167	289
389	78 620	-	-	29	18 280	88	313 515	155	101 748	290
1 219	185 930	14	4 547	123	79 130	100	359 716	139	89 822	291
559	78 089	46	8 819	126	83 280	79	211 368	167	110 150	292
500	71 475	91	15 891	98	61 100	317	849 299	613	398 950	293
457	72 270	117	26 458	139	84 480	762	2 035 360	1 482	960 898	294
555	94 686	66	13 361	137	88 300	920	2 465 513	1 880	1 225 461	295
832	171 059	24	8 599	224	149 450	700	1 776 374	1 389	905 365	296
996	194 854	35	7 812	210	133 630	651	1 604 490	1 341	861 744	297
1 636	341 377	32	7 428	287	168 856	637	1 614 395	1 305	858 364	298
2 315	476 112	9	1 472	448	277 505	810	2 041 608	1 751	1 133 103	299
3 605	837 554	1	992	413	237 866	739	1 768 279	1 690	1 095 857	300
5 734	1 312 189	44	8 383	518	304 160	700	1 546 114	1 520	986 963	301
9 536	2 168 153	23	6 466	577	336 550	974	2 327 438	2 370	1 557 940	302
20 058	4 652 670	1	3 892	800	443 561	1 652	3 662 883	3 998	2 604 306	303
26 754	6 042 377	1	4 508	761	418 240	1 467	3 490 934	3 418	2 245 471	304
31 877	7 541 164	-	142	806	454 265	1 493	3 406 707	3 758	2 443 314	305
29 566	7 161 494	-	1 534	551	308 768	1 615	3 398 702	4 055	2 621 846	306
19 656	5 032 353	-	-	279	157 051	975	2 153 576	2 468	1 628 880	307
9 700	2 581 314	-	57	104	52 276	273	636 827	700	458 289	308
166	48 940	-	-	1 322	724 112	4 389	9 405 304	10 907	7 052 026	309
91	27 911	-	-	797	430 925	2 631	5 523 014	6 440	4 144 909	310
75	21 029	-	-	525	293 187	1 758	3 882 290	4 467	2 907 117	311
-	-	-	-	-	-	-	-	-	-	312
-	-	-	-	2	340	-	-	-	-	313
-	-	-	-	7	3 800	-	-	-	-	314
-	-	-	-	6	2 110	-	-	-	-	315
-	-	-	-	14	6 050	3	9 252	6	3 990	316
-	-	-	-	4	1 820	19	39 331	50	32 900	317
-	-	-	-	14	8 660	108	201 334	254	162 460	318
1	120	-	-	34	20 190	31	78 483	68	44 575	319
1	42	-	-	44	19 485	75	189 144	196	123 930	320
4	603	-	-	66	31 180	176	389 070	362	236 655	321
-	-	-	-	85	44 275	264	553 599	678	439 272	322
16	2 079	-	-	99	53 180	228	545 576	578	370 615	323
18	17 657	-	-	102	50 800	494	959 061	1 277	816 752	324
15	1 729	-	-	140	80 765	619	1 292 032	1 522	988 986	325
36	5 681	-	-	182	109 380	676	1 371 327	1 620	1 031 169	326
26	4 561	-	-	175	96 700	558	1 228 735	1 441	931 916	327
34	14 864	-	-	179	92 656	491	975 729	1 238	810 453	328
10	1 396	-	-	110	68 856	454	1 082 793	1 116	721 595	329
5	208	-	-	59	33 865	193	489 838	501	336 758	330
882	175 181	10	3 465	3 694	2 347 431	856	2 287 508	1 628	1 074 375	331
583	124 503	10	3 465	2 941	1 869 811	703	1 865 663	1 302	855 315	332
299	50 678	-	-	753	477 620	153	421 845	326	219 060	333
-	-	-	-	12	7 170	17	78 047	16	10 840	334
6	952	1	300	36	21 600	8	23 245	7	4 580	335
3	102	7	1 350	78	47 200	16	43 678	19	12 358	336
12	2 428	-	-	66	41 770	30	81 830	62	41 410	337
9	1 823	-	-	86	55 080	19	49 767	41	26 640	338
6	554	-	-	119	77 200	31	78 944	59	38 460	339
17	2 382	-	-	129	80 050	30	77 016	48	32 070	340
18	5 729	-	-	170	110 520	55	147 936	103	67 384	341
31	4 556	2	1 815	249	159 210	52	125 091	101	66 417	342
22	5 626	-	-	313	201 750	66	177 749	127	83 580	343
30	3 273	-	-	275	176 250	98	244 795	205	137 396	344
55	11 179	-	-	298	187 915	57	145 548	112	73 780	345
80	24 892	-	-	303	188 866	27	76 934	45	29 950	346
178	36 122	-	-	451	288 630	108	292 319	170	111 932	347
122	26 071	-	-	379	243 080	91	231 131	189	120 050	348
87	14 083	-	-	327	208 950	73	198 383	166	113 356	349
131	24 154	-	-	232	145 980	33	93 721	55	36 000	350
49	7 452	-	-	110	66 820	19	56 396	42	27 982	351
26	3 803	-	-	61	39 390	26	64 978	61	40 190	352

行番号	傷病分類 一般医療－後期医療 年齢階級	件数	診療実日数	総数 回数	総数 点数	初・再診 回数	初・再診 点数	医学管理等 回数	医学管理等 点数
353	XVI 口腔，顔面外傷及び療合障害等	15 162	21 973	78 435	17 048 789	20 764	3 925 351	7 727	759 386
354	一般医療	13 636	19 423	69 133	14 318 639	18 683	3 559 336	7 011	663 009
355	後期医療	1 526	2 550	9 302	2 730 150	2 081	366 015	716	96 377
356	0 ～ 4 歳	5 025	6 800	17 891	3 333 233	6 781	1 494 005	2 440	225 851
357	5 ～ 9	3 397	4 740	16 847	2 208 349	4 731	819 822	1 871	145 233
358	10 ～ 14	1 126	1 624	6 361	1 074 007	1 577	256 140	630	49 368
359	15 ～ 19	801	1 264	6 328	1 569 204	1 156	198 716	477	48 787
360	20 ～ 24	337	522	2 443	672 654	491	94 949	182	18 518
361	25 ～ 29	283	438	1 837	597 607	379	73 085	117	17 597
362	30 ～ 34	248	390	1 945	663 179	299	56 047	116	15 038
363	35 ～ 39	249	355	1 724	448 317	321	59 018	131	15 090
364	40 ～ 44	284	412	1 823	435 136	372	61 860	133	18 183
365	45 ～ 49	269	404	2 009	460 345	370	63 828	156	16 441
366	50 ～ 54	282	458	1 982	740 255	383	65 386	139	19 532
367	55 ～ 59	257	361	1 568	377 781	346	59 932	120	13 664
368	60 ～ 64	297	448	1 768	449 306	409	72 236	130	15 893
369	65 ～ 69	388	626	2 326	744 716	547	93 039	190	23 299
370	70 ～ 74	424	638	2 554	621 488	560	99 245	207	24 830
371	75 ～ 79	492	808	2 910	817 286	700	117 365	270	34 866
372	80 ～ 84	424	704	2 360	657 534	605	105 586	209	28 515
373	85 ～ 89	372	660	2 663	786 600	493	88 485	148	20 166
374	90 歳以上	207	321	1 096	391 792	244	46 607	61	8 515
375	XVII 補綴関係（歯の補綴）	607 637	1 182 417	4 659 353	1 050 023 730	1 049 670	95 217 673	298 760	40 811 885
376	一般医療	275 364	524 543	2 227 446	478 796 445	517 279	46 119 728	157 807	20 796 109
377	後期医療	332 273	657 874	2 431 907	571 227 285	532 391	49 097 945	140 953	20 015 776
378	0 ～ 4 歳	147	206	779	123 932	206	35 198	111	12 810
379	5 ～ 9	748	980	4 356	582 749	980	148 653	543	57 853
380	10 ～ 14	335	436	2 123	305 738	435	60 284	231	25 848
381	15 ～ 19	421	596	2 651	743 829	581	69 693	207	27 584
382	20 ～ 24	733	1 045	4 938	1 257 383	1 045	122 774	364	39 046
383	25 ～ 29	1 324	1 818	8 280	2 250 692	1 811	234 800	565	60 553
384	30 ～ 34	2 570	3 505	15 663	4 230 516	3 502	447 184	1 057	117 285
385	35 ～ 39	4 369	6 286	28 476	7 347 052	6 279	759 003	1 947	213 484
386	40 ～ 44	8 010	12 075	54 695	13 673 747	12 018	1 343 025	3 810	441 116
387	45 ～ 49	12 482	20 201	93 342	22 526 459	20 080	2 033 968	6 981	835 941
388	50 ～ 54	17 216	30 171	137 903	31 274 120	29 947	2 791 095	10 287	1 279 276
389	55 ～ 59	26 283	48 274	215 197	47 440 618	47 794	4 285 627	15 683	2 013 969
390	60 ～ 64	41 217	78 951	341 451	73 250 855	78 053	6 780 235	24 385	3 253 635
391	65 ～ 69	76 020	151 161	629 541	132 081 709	148 515	12 744 384	43 914	5 959 324
392	70 ～ 74	87 297	176 777	718 168	149 361 655	172 086	14 881 850	49 394	6 704 697
393	75 ～ 79	98 918	201 772	798 430	169 625 962	191 816	16 743 354	53 406	7 316 015
394	80 ～ 84	97 284	196 367	741 598	168 543 438	173 756	15 732 663	45 943	6 483 813
395	85 ～ 89	76 210	148 831	530 253	131 908 711	111 541	10 725 024	28 030	4 115 144
396	90 歳以上	56 053	102 965	331 509	93 494 565	49 225	5 278 859	11 902	1 854 492
397	XVIII その他	101 710	194 927	760 236	154 458 646	155 163	17 339 076	58 356	8 996 932
398	一般医療	53 425	89 168	369 886	78 837 367	82 195	9 516 512	35 432	5 716 177
399	後期医療	48 285	105 759	390 350	75 621 279	72 968	7 822 564	22 924	3 280 755
400	0 ～ 4 歳	5 264	7 173	20 334	8 142 107	6 501	1 253 151	3 165	500 692
401	5 ～ 9	3 382	4 443	15 725	3 349 868	4 265	610 084	1 946	269 314
402	10 ～ 14	1 906	2 428	9 353	1 897 167	2 367	300 215	954	122 035
403	15 ～ 19	1 645	2 417	10 707	3 048 940	2 158	277 680	798	111 804
404	20 ～ 24	1 237	1 788	7 435	2 101 631	1 630	214 334	561	84 299
405	25 ～ 29	1 527	2 255	9 213	2 292 870	2 104	263 392	754	112 049
406	30 ～ 34	1 792	2 621	10 340	2 743 245	2 414	303 228	917	150 853
407	35 ～ 39	2 077	2 917	11 915	2 649 419	2 754	328 313	1 069	169 369
408	40 ～ 44	2 570	3 724	15 419	3 815 573	3 436	400 716	1 594	285 283
409	45 ～ 49	3 025	4 512	19 869	4 644 799	4 172	482 307	1 988	354 595
410	50 ～ 54	3 375	5 358	23 237	5 815 352	4 868	529 203	2 376	407 680
411	55 ～ 59	3 715	6 253	28 116	5 849 960	5 670	605 209	2 745	457 070
412	60 ～ 64	4 757	8 639	37 902	7 076 496	7 929	811 022	3 573	602 547
413	65 ～ 69	8 128	16 233	69 851	12 136 180	14 820	1 470 840	6 196	1 001 068
414	70 ～ 74	9 770	20 022	86 476	14 409 516	18 208	1 804 386	7 240	1 159 736
415	75 ～ 79	11 825	25 597	108 174	18 404 578	22 363	2 231 350	8 237	1 218 787
416	80 ～ 84	12 853	28 720	110 286	19 987 354	22 789	2 382 117	7 188	1 026 900
417	85 ～ 89	11 707	26 003	92 366	18 763 743	16 652	1 840 188	4 540	622 207
418	90 歳以上	11 155	23 824	73 518	17 329 848	10 063	1 231 341	2 515	340 644

平成30年６月審査分

在宅医療		検査		画像診断		投薬		注射		リハビリテーション		行番号
回数	点数	回数	点数	回数	点数	回数	点数	回数	点数	回数	点数	
326	185 033	5 629	265 692	15 569	1 881 088	18 567	368 375	253	78 312	283	47 723	353
39	22 659	4 467	213 079	14 277	1 584 912	16 823	331 489	137	43 559	99	16 048	354
287	162 374	1 162	52 613	1 292	296 176	1 744	36 886	116	34 753	184	31 675	355
1	1 126	232	10 262	3 240	184 404	3 615	85 613	7	1 981	－	－	356
－	－	69	2 581	4 647	302 369	3 896	84 158	6	1 460	3	525	357
－	－	102	8 894	1 558	168 505	1 699	33 447	4	1 246	－	－	358
1	388	752	33 575	1 248	197 938	1 853	28 742	19	5 933	3	510	359
1	815	360	20 182	441	78 897	640	11 742	7	2 136	3	409	360
－	－	392	15 905	298	61 917	385	7 551	2	2 255	3	510	361
2	1 303	350	14 029	310	68 128	585	9 333	6	3 705	4	800	362
3	2 682	193	12 823	282	56 352	619	10 179	13	2 352	－	－	363
－	－	400	17 717	293	66 019	405	6 937	7	2 507	3	555	364
4	1 962	220	13 918	352	69 913	668	8 714	10	1 519	7	1 190	365
－	－	336	16 638	376	76 209	444	7 918	13	7 664	9	1 719	366
5	2 636	230	11 984	289	61 681	387	6 714	6	1 821	2	274	367
3	2 941	185	8 654	247	42 100	521	8 627	19	4 864	22	4 000	368
12	4 896	264	10 892	371	63 686	574	12 302	7	2 006	14	1 880	369
12	8 272	399	18 119	383	96 219	611	10 693	16	2 165	27	3 800	370
47	25 786	250	12 540	451	100 055	698	14 593	12	4 596	42	6 245	371
29	15 573	240	16 570	368	97 053	407	9 395	23	4 044	19	2 387	372
112	65 408	520	15 310	293	61 627	414	8 630	68	23 490	103	20 542	373
94	51 245	135	5 099	122	28 016	146	3 087	8	2 568	19	2 377	374
203 430	91 221 848	58 945	8 229 543	76 650	4 451 731	119 644	2 887 236	233	656 745	363 058	43 112 412	375
10 341	5 255 745	28 820	3 893 791	44 694	2 512 787	67 009	1 463 876	107	336 560	130 381	15 059 098	376
193 089	85 966 103	30 125	4 335 752	31 956	1 938 944	52 635	1 423 360	126	320 185	232 677	28 053 314	377
－	－	9	680	190	14 493	33	1 001	－	－	23	3 221	378
－	－	94	5 987	1 079	109 353	120	3 341	－	28	20	2 725	379
－	－	92	6 194	376	38 698	68	1 290	－	－	32	3 795	380
－	－	55	5 641	105	11 167	92	1 516	4	578	31	3 752	381
－	－	43	6 856	147	11 115	177	3 395	－	408	28	2 932	382
－	－	87	10 153	296	19 763	215	3 477	2	1 735	52	5 598	383
5	1 598	160	18 004	459	18 488	334	6 969	－	107	137	14 888	384
6	3 947	335	37 598	771	34 648	886	16 376	2	17 221	348	38 570	385
62	31 784	583	77 291	1 523	75 752	1 630	30 637	1	613	1 031	114 078	386
170	85 369	966	135 932	2 122	104 718	3 123	61 414	1	5 024	2 549	283 642	387
341	157 588	1 533	221 668	3 146	167 978	4 984	96 168	1	512	5 132	576 394	388
688	356 602	2 540	353 608	4 639	238 049	7 202	144 410	7	2 667	10 133	1 147 984	389
1 340	653 081	4 424	572 502	6 382	339 575	10 701	231 005	21	49 913	19 561	2 241 849	390
3 804	1 913 742	8 437	1 125 883	11 468	617 009	17 950	401 155	43	93 912	41 369	4 785 265	391
6 852	3 569 606	9 870	1 365 868	12 338	730 257	20 095	476 583	25	164 391	52 513	6 144 748	392
14 950	7 538 484	11 123	1 566 017	12 550	745 233	20 855	528 247	34	155 167	63 276	7 486 659	393
33 720	16 227 339	10 159	1 425 109	10 468	622 812	17 121	460 378	70	159 750	66 294	7 955 185	394
55 930	25 357 388	5 896	886 727	6 253	400 039	10 209	297 722	8	2 660	55 396	6 734 090	395
85 562	35 325 320	2 539	407 825	2 338	152 584	3 849	122 152	14	2 059	45 133	5 567 037	396
60 067	22 503 924	76 142	4 971 641	29 029	6 740 998	107 023	2 603 388	2 381	3 816 521	37 357	5 283 148	397
3 534	1 625 034	48 805	2 717 920	19 448	4 614 402	66 223	1 489 130	1 340	2 466 113	11 480	1 750 277	398
56 533	20 878 890	27 337	2 253 721	9 581	2 126 596	40 800	1 114 258	1 041	1 350 408	25 877	3 532 871	399
84	66 772	2 398	86 570	1 430	74 568	3 622	55 479	74	21 629	1 476	311 116	400
36	24 866	1 393	58 907	2 259	205 345	2 539	51 365	42	8 737	1 044	221 267	401
24	13 509	545	32 534	921	152 031	1 149	22 839	12	5 017	287	57 572	402
53	38 131	1 169	69 738	727	146 538	1 850	29 165	42	17 290	75	15 426	403
36	24 171	1 104	69 909	518	152 665	1 625	27 031	33	17 162	42	8 321	404
29	19 158	1 662	84 557	583	183 255	1 871	31 884	35	14 880	45	7 974	405
41	18 742	1 658	100 374	662	207 230	2 295	42 288	38	16 112	70	12 982	406
33	18 276	2 258	110 533	755	272 951	2 277	43 452	38	20 451	76	12 543	407
54	32 770	2 694	146 336	865	273 167	3 367	65 970	74	147 259	103	16 518	408
109	63 796	3 165	171 983	1 080	353 579	4 903	112 362	116	224 050	194	27 812	409
124	71 370	4 645	235 377	1 209	410 418	4 449	100 538	167	466 342	302	41 659	410
182	92 596	4 389	233 702	1 377	416 809	5 880	147 638	176	367 979	589	78 809	411
451	187 006	5 232	309 489	1 633	467 293	6 841	179 017	143	351 400	1 087	143 563	412
1 200	552 628	8 396	487 391	2 704	673 425	10 507	264 306	180	317 371	2 768	367 823	413
2 035	828 353	8 386	553 911	2 840	638 637	13 995	340 623	164	469 884	3 753	490 504	414
4 096	1 705 514	10 106	716 014	3 358	781 234	15 549	458 711	362	735 990	5 259	691 893	415
9 589	3 592 964	7 990	660 317	3 087	663 031	11 724	309 218	314	287 062	6 743	912 974	416
15 846	6 001 528	5 487	500 948	1 972	455 879	9 047	223 062	179	132 009	6 769	937 971	417
26 045	9 151 774	3 465	343 051	1 049	212 943	3 533	98 440	192	195 897	6 675	926 421	418

第２表　歯科診療　件数・診療実日数・回数・点数，

行番号	傷病分類 一般医療−後期医療 年齢階級	処置		手術		麻酔		放射線治療	
		回数	点数	回数	点数	回数	点数	回数	点数
353	XVI 口腔，顔面外傷及び癒合障害等	3 527	1 532 293	3 222	4 696 713	157	638 575	−	−
354	一般医療	3 202	1 408 416	2 283	3 911 664	139	589 338	−	−
355	後期医療	325	123 877	939	785 049	18	49 237	−	−
356	０ 〜 ４ 歳	836	462 150	428	678 880	20	73 567	−	−
357	５ 〜 ９	838	364 486	407	414 037	10	7 519	−	−
358	１０ 〜 １４	349	170 475	186	226 744	5	22 232	−	−
359	１５ 〜 １９	318	99 348	234	576 509	11	87 408	−	−
360	２０ 〜 ２４	93	55 695	152	291 288	7	25 462	−	−
361	２５ 〜 ２９	82	26 767	99	202 834	11	51 211	−	−
362	３０ 〜 ３４	69	13 478	86	199 871	13	52 328	−	−
363	３５ 〜 ３９	48	14 869	63	154 191	6	28 167	−	−
364	４０ 〜 ４４	68	28 603	68	104 408	11	40 039	−	−
365	４５ 〜 ４９	72	29 294	87	142 129	5	26 118	−	−
366	５０ 〜 ５４	96	36 591	73	248 486	12	59 687	−	−
367	５５ 〜 ５９	65	25 672	70	119 999	4	29 249	−	−
368	６０ 〜 ６４	77	26 015	86	132 874	7	26 158	−	−
369	６５ 〜 ６９	95	28 267	144	288 956	11	44 002	−	−
370	７０ 〜 ７４	103	28 994	118	139 284	6	16 191	−	−
371	７５ 〜 ７９	104	42 646	194	249 787	7	25 604	−	−
372	８０ 〜 ８４	114	36 061	227	141 496	4	152	−	−
373	８５ 〜 ８９	73	31 716	306	220 550	3	9 486	−	−
374	９０ 歳 以 上	27	11 166	194	164 390	4	13 995	−	−
375	XVII 補綴関係（歯の補綴）	334 426	20 699 119	29 428	7 385 585	1 702	428 137	53	123 010
376	一般医療	179 850	11 008 099	17 343	4 413 671	1 219	317 534	13	20 270
377	後期医療	154 576	9 691 020	12 085	2 971 914	483	110 603	40	102 740
378	０ 〜 ４ 歳	61	11 759	12	13 620	−	−	−	−
379	５ 〜 ９	525	59 505	58	10 456	4	11 132	−	−
380	１０ 〜 １４	217	18 958	34	4 728	2	7 601	−	−
381	１５ 〜 １９	214	14 673	8	68 729	10	7 613	−	−
382	２０ 〜 ２４	452	30 637	23	12 190	17	1 967	−	−
383	２５ 〜 ２９	786	52 137	28	14 347	21	18 262	−	−
384	３０ 〜 ３４	1 372	91 421	59	15 169	27	7 820	−	−
385	３５ 〜 ３９	2 487	164 631	133	33 255	48	17 265	−	−
386	４０ 〜 ４４	4 982	315 945	364	109 654	82	25 011	−	−
387	４５ 〜 ４９	8 767	572 970	753	193 058	119	35 173	−	−
388	５０ 〜 ５４	12 219	764 228	1 288	360 748	124	15 432	−	−
389	５５ 〜 ５９	18 766	1 143 363	1 984	489 860	144	23 510	−	−
390	６０ 〜 ６４	27 047	1 652 109	3 054	696 190	182	30 294	−	−
391	６５ 〜 ６９	48 899	2 961 612	4 734	1 101 128	229	51 212	−	−
392	７０ 〜 ７４	55 192	3 291 747	4 934	1 322 792	218	65 667	13	20 270
393	７５ 〜 ７９	60 342	3 669 923	4 934	1 199 082	212	40 116	18	61 200
394	８０ 〜 ８４	48 680	3 001 327	3 826	940 751	163	46 121	22	41 540
395	８５ 〜 ８９	29 688	1 882 604	2 323	592 729	82	20 815	−	−
396	９０ 歳 以 上	13 730	999 570	879	207 099	18	3 126	−	−
397	XVIII その他	108 603	17 620 205	6 218	13 448 558	1 295	4 235 310	377	769 908
398	一般医療	42 896	10 820 817	3 808	10 820 965	1 028	3 629 476	203	415 090
399	後期医療	65 707	6 799 388	2 410	2 627 593	267	605 834	174	354 818
400	０ 〜 ４ 歳	338	85 065	296	2 657 094	112	842 704	−	−
401	５ 〜 ９	329	103 630	359	742 673	46	210 037	−	−
402	１０ 〜 １４	411	259 811	160	194 073	23	58 310	−	−
403	１５ 〜 １９	590	417 535	136	604 325	42	178 041	−	−
404	２０ 〜 ２４	454	332 674	124	436 239	41	134 600	−	−
405	２５ 〜 ２９	641	465 300	134	435 915	59	112 685	−	−
406	３０ 〜 ３４	792	579 905	103	531 564	43	143 195	−	−
407	３５ 〜 ３９	1 026	766 729	98	188 300	45	127 124	−	−
408	４０ 〜 ４４	1 254	785 806	124	434 940	86	265 258	−	−
409	４５ 〜 ４９	1 814	898 408	130	662 979	77	244 975	−	−
410	５０ 〜 ５４	2 218	913 075	183	794 965	87	272 180	30	39 440
411	５５ 〜 ５９	3 272	1 007 695	262	485 789	82	189 498	28	53 070
412	６０ 〜 ６４	5 061	1 005 960	368	572 585	75	186 479	56	118 740
413	６５ 〜 ６９	10 979	1 536 306	670	927 111	110	312 866	65	126 290
414	７０ 〜 ７４	14 589	1 765 767	700	1 176 028	106	352 083	24	77 550
415	７５ 〜 ７９	18 663	1 994 660	872	914 008	104	236 993	86	207 210
416	８０ 〜 ８４	19 688	1 989 820	767	991 503	108	232 118	20	29 180
417	８５ 〜 ８９	15 805	1 600 709	516	518 929	35	87 558	61	106 870
418	９０ 歳 以 上	10 679	1 111 350	216	179 538	14	48 606	7	11 558

注：１）「件数」は、明細書の数である。
２）「回数」は、当該診療行為が実施された延べ算定回数である。
３）総数には、「療養担当手当等」、「補正点数」を含む。
４）総数には、入院時食事療養等を含まない。
５）総数には、「不詳」を含む。

平成30年６月審査分

歯冠修復及び欠損補綴		歯科矯正		病理診断		入院料等		入院時食事療養等(別掲)		行番号
回数	点数	回数	点数	回数	点数	回数	点数	回数	金額(円)	
1 371	132 923	2	1 222	27	16 770	1 009	2 517 852	2 291	1 484 715	353
1 232	118 845	2	1 100	21	12 500	716	1 842 032	1 572	1 017 598	354
139	14 078	-	122	6	4 270	293	675 820	719	467 117	355
266	28 945	-	-	2	1 430	22	85 007	38	25 020	356
359	34 836	-	80	-	-	10	31 624	20	13 300	357
207	22 466	-	-	-	-	44	114 490	108	70 150	358
143	12 292	-	119	-	-	113	278 939	275	179 260	359
38	3 880	-	-	-	-	28	68 681	57	36 015	360
12	743	1	300	2	1 310	54	134 794	120	78 200	361
12	1 212	-	-	-	-	93	227 079	214	137 480	362
11	978	-	-	1	860	33	90 756	74	48 500	363
27	2 058	-	-	6	2 710	30	83 540	53	34 270	364
28	1 935	-	-	-	-	30	83 384	64	42 110	365
26	1 525	-	-	2	1 630	73	196 688	178	113 320	366
27	1 652	-	-	-	-	16	41 847	23	15 220	367
18	1 630	-	-	6	3 250	38	100 064	80	51 850	368
24	1 666	-	-	2	1 310	71	170 387	169	110 080	369
37	3 185	1	601	-	-	74	169 890	135	89 249	370
49	4 659	-	-	2	1 630	84	176 086	218	146 004	371
33	3 055	-	-	-	-	82	197 647	235	149 545	372
31	3 378	-	122	2	1 630	97	216 060	191	118 825	373
23	2 828	-	-	2	1 010	17	50 889	39	26 317	374
2 121 577	732 271 711	430	102 568	201	103 026	1 095	2 320 889	2 751	1 795 867	375
1 071 508	366 256 720	418	96 410	87	48 150	537	1 197 501	1 293	831 758	376
1 050 069	366 014 991	12	6 158	114	54 876	558	1 123 388	1 458	964 109	377
134	31 150	-	-	-	-	-	-	-	-	378
898	159 716	35	14 000	-	-	-	-	-	-	379
474	101 785	162	36 557	-	-	-	-	-	-	380
1 224	474 301	105	18 352	-	-	15	40 230	41	26 940	381
2 621	1 021 988	21	4 075	-	-	-	-	-	-	382
4 387	1 807 211	24	5 444	-	-	6	17 212	10	6 500	383
8 547	3 483 334	2	530	-	-	2	7 719	3	1 920	384
15 215	6 001 648	14	1 714	-	-	3	7 668	7	4 630	385
28 545	11 063 397	33	5 903	6	3 010	23	36 507	42	27 230	386
47 690	18 139 308	-	4 283	2	1 430	17	34 205	39	25 710	387
68 881	24 815 936	2	632	8	5 380	9	21 073	20	13 200	388
105 541	37 096 638	6	710	12	7 180	57	136 429	143	96 225	389
166 228	56 628 109	1	1 131	8	4 150	58	117 005	132	82 650	390
299 971	99 920 961	7	1 576	30	14 090	160	390 324	383	248 623	391
334 404	110 200 322	8	1 904	21	12 910	196	407 935	497	315 264	392
364 692	122 206 158	3	1 186	37	18 076	174	350 949	423	283 606	393
331 118	114 999 544	4	1 938	33	19 000	216	426 108	593	401 422	394
224 718	80 588 486	1	1 712	36	14 750	140	288 797	364	226 437	395
116 289	43 531 719	2	921	8	3 050	19	38 728	54	35 510	396
102 312	23 837 554	5 799	1 347 656	2 081	1 314 151	8 019	19 627 549	18 719	12 250 546	397
41 217	8 244 335	5 796	1 346 865	1 504	952 521	4 968	12 709 666	11 056	7 234 900	398
61 095	15 593 219	3	791	577	361 630	3 051	6 917 883	7 663	5 015 646	399
204	184 609	43	17 478	8	4 760	581	1 980 396	1 087	707 540	400
222	33 712	1 052	319 367	33	20 090	158	470 450	317	208 080	401
475	52 406	1 936	439 375	43	25 970	46	161 470	65	42 850	402
824	88 033	1 941	382 589	57	34 270	245	638 375	544	356 345	403
640	72 431	428	92 559	54	35 470	145	399 556	319	210 018	404
900	108 353	178	44 517	72	42 040	146	366 701	296	195 190	405
1 019	132 874	37	10 221	62	41 060	189	452 617	394	252 944	406
1 192	161 690	73	8 224	78	50 960	143	370 504	292	191 547	407
1 390	197 566	18	3 436	101	63 810	259	696 738	543	348 655	408
1 669	253 446	29	4 871	145	94 800	278	694 008	616	403 531	409
2 005	369 770	39	13 647	124	77 440	411	1 072 248	949	613 744	410
2 853	553 827	6	2 764	137	90 320	466	1 066 870	1 103	723 292	411
4 799	1 000 028	12	2 460	180	104 580	461	1 034 474	1 105	742 836	412
10 260	2 210 078	2	1 540	227	149 135	765	1 737 399	1 892	1 241 843	413
13 550	3 025 754	2	3 817	197	124 636	687	1 597 847	1 567	1 018 991	414
17 876	4 127 614	-	14	272	168 000	968	2 216 550	2 400	1 575 571	415
19 264	4 838 133	2	468	162	104 140	850	1 967 397	2 038	1 337 601	416
14 537	3 854 948	1	309	91	61 865	828	1 818 763	2 175	1 409 909	417
8 633	2 572 282	-	-	38	20 805	393	885 186	1 017	670 059	418

第３表　歯科診療　件数・診療実日数・回数・点数，診療行為（細分類）、一般医療－後期医療別

平成30年６月審査分

行番号	診療行為（細分類）	固定点数	総数 件数	総数 診療実日数	一般医療 件数	一般医療 診療実日数	後期医療 件数	後期医療 診療実日数
			18 002 119	32 117 088	14 640 402	25 535 215	3 361 717	6 581 873
			回数	点数	回数	点数	回数	点数
1	**総計**		193 119 190	22 479 245 096	156 307 842	17 651 447 575	36 811 348	4 827 797 521
2	**初・再診料計**		31 053 364	2 834 100 498	25 361 214	2 367 290 699	5 692 150	466 809 799
3	初診料小計		6 302 363	1 586 570 249	5 423 203	1 367 482 090	879 160	219 088 159
4	初診料　歯科初診料	234	6 179 379	1 445 974 686	5 328 792	1 246 937 328	850 587	199 037 358
5	初診料　地域歯科診療支援病院歯科初診料	282	122 984	34 681 488	94 411	26 623 902	28 573	8 057 586
6	初診料　乳幼児　加算	40	351 734	14 069 360	351 734	14 069 360	–	–
7	初診料　歯科診療特別対応　加算	175	29 989	5 248 075	21 210	3 711 750	8 779	1 536 325
8	初診料　初診時歯科診療導入　加算	250	13 589	3 397 250	12 892	3 223 000	697	174 250
9	初診料　時間外　加算	85	2 150	182 750	1 823	154 955	327	27 795
10	初診料　休日　加算	250	13 470	3 367 500	12 054	3 013 500	1 416	354 000
11	初診料　深夜　加算	480	1 091	523 680	998	479 040	93	44 640
12	初診料　時間外特例医療機関　加算	230	845	194 350	759	174 570	86	19 780
13	初診料　乳幼児時間外　加算	125	255	31 875	255	31 875	–	–
14	初診料　乳幼児休日　加算	290	884	256 360	884	256 360	–	–
15	初診料　乳幼児深夜　加算	620	134	83 080	134	83 080	–	–
16	初診料　乳幼児時間外特例医療機関　加算	270	176	47 520	176	47 520	–	–
17	初診料　歯科外来診療環境体制　加算	25	3 139 367	78 484 175	2 746 094	68 652 350	393 273	9 831 825
18	初診料　歯科診療特別対応連携　加算	100	208	20 800	179	17 900	29	2 900
19	初診料　歯科診療特別対応地域支援　加算	100	73	7 300	56	5 600	17	1 700
20	再診料小計		24 751 001	1 247 530 249	19 938 011	999 808 609	4 812 990	247 721 640
21	再診料　歯科再診料	45	24 095 920	1 084 316 400	19 459 668	875 685 060	4 636 252	208 631 340
22	再診料　歯科再診料　電話等再診	45	2 870	129 150	2 269	102 105	601	27 045
23	再診料　歯科再診料　同日再診	45	11 218	504 810	8 039	361 755	3 179	143 055
24	再診料　歯科再診料　同日電話等再診	45	371	16 695	261	11 745	110	4 950
25	再診料　地域歯科診療支援病院歯科再診料	72	640 410	46 109 520	467 609	33 667 848	172 801	12 441 672
26	再診料　地域歯科診療支援病院歯科再診料　電話等再診	72	7	504	6	432	1	72
27	再診料　地域歯科診療支援病院歯科再診料　同日再診	72	204	14 688	158	11 376	46	3 312
28	再診料　地域歯科診療支援病院歯科再診料　同日電話等再診	72	1	72	1	72	–	–
29	再診料　乳幼児　加算	10	420 254	4 202 540	420 254	4 202 540	–	–
30	再診料　歯科診療特別対応　加算	175	186 618	32 658 150	118 279	20 698 825	68 339	11 959 325
31	再診料　時間外　加算（入院外）	65	2 699	175 435	2 122	137 930	577	37 505
32	再診料　時間外　加算（入院）	65	–	–	–	–	–	–
33	再診料　休日　加算（入院外）	190	2 875	546 250	2 274	432 060	601	114 190
34	再診料　休日　加算（入院）	190	–	–	–	–	–	–
35	再診料　深夜　加算（入院外）	420	252	105 840	204	85 680	48	20 160
36	再診料　深夜　加算（入院）	420	–	–	–	–	–	–
37	再診料　時間外特例医療機関　加算（入院外）	180	205	36 900	163	29 340	42	7 560
38	再診料　時間外特例医療機関　加算（入院）	180	–	–	–	–	–	–
39	再診料　乳幼児時間外　加算（入院外）	75	66	4 950	66	4 950	–	–
40	再診料　乳幼児時間外　加算（入院）	75	–	–	–	–	–	–
41	再診料　乳幼児休日　加算（入院外）	200	60	12 000	60	12 000	–	–
42	再診料　乳幼児休日　加算（入院）	200	–	–	–	–	–	–
43	再診料　乳幼児深夜　加算（入院外）	530	5	2 650	5	2 650	–	–
44	再診料　乳幼児深夜　加算（入院）	530	–	–	–	–	–	–
45	再診料　乳幼児時間外特例医療機関　加算（入院外）	190	12	2 280	12	2 280	–	–
46	再診料　乳幼児時間外特例医療機関　加算（入院）	190	–	–	–	–	–	–
47	再診料　歯科外来診療環境体制　加算	5	12 416 202	62 081 010	10 168 253	50 841 265	2 247 949	11 239 745
48	再診料　明細書発行体制等　加算	1	16 610 405	16 610 405	13 518 696	13 518 696	3 091 709	3 091 709
49	補正点数（＋）初・再診料		–	–	–	–	–	–
50	補正点数（－）初・再診料		–	–	–	–	–	–
51	**入院料等計**		68 204	173 648 181	47 007	123 247 310	21 197	50 400 871
52	地域歯科診療支援病院入院　加算	300	98	29 400	89	26 700	9	2 700
53	入院料等		68 204	173 618 781	47 007	123 220 610	21 197	50 398 171
54	**医学管理等計**		26 751 790	2 507 847 923	22 303 078	2 086 837 319	4 448 712	421 010 604
55	歯科疾患管理料	100	14 382 597	1 438 259 700	12 091 672	1 209 167 200	2 290 925	229 092 500
56	歯科疾患管理料　フッ化物洗口指導（13歳未満）加算	40	1 942	77 680	1 942	77 680	–	–
57	歯科疾患管理料　文書提供　加算	10	6 679 720	66 797 200	5 648 593	56 485 930	1 031 127	10 311 270
58	歯科疾患管理料　エナメル質初期う蝕管理　加算	260	330 310	85 880 600	307 005	79 821 300	23 305	6 059 300
59	歯科疾患管理料　総合医療管理　加算	50	15 855	792 750	7 539	376 950	8 316	415 800
60	歯科疾患管理料　小児口腔機能管理　加算	100	23 066	2 306 600	23 066	2 306 600	–	–
61	歯科疾患管理料　口腔機能管理　加算	100	5 766	576 600	2 086	208 600	3 680	368 000
62	周術期等口腔機能管理計画策定料	300	27 572	8 271 600	18 024	5 407 200	9 548	2 864 400
63	周術期等口腔機能管理料Ⅰ　手術前	280	9 602	2 688 560	6 440	1 803 200	3 162	885 360
64	周術期等口腔機能管理料Ⅰ　手術後	190	2 600	494 000	1 879	357 010	721	136 990
65	周術期等口腔機能管理料Ⅱ　手術前	500	16 763	8 381 500	10 887	5 443 500	5 876	2 938 000
66	周術期等口腔機能管理料Ⅱ　手術後	300	20 485	6 145 500	13 068	3 920 400	7 417	2 225 100
67	周術期等口腔機能管理料Ⅲ	190	23 560	4 476 400	17 213	3 270 470	6 347	1 205 930
68	歯科衛生実地指導料１	80	8 629 505	690 360 400	7 319 807	585 584 560	1 309 698	104 775 840
69	歯科衛生実地指導料２	100	27 786	2 778 600	25 486	2 548 600	2 300	230 000
70	歯周病患者画像活用指導料	10	542 668	5 426 680	480 767	4 807 670	61 901	619 010
71	歯周病患者画像活用指導料　撮影２枚以上　加算	10X	501 956	18 491 950	445 698	16 514 950	56 258	1 977 000
72	歯科特定疾患療養管理料	150	74 665	11 199 750	50 036	7 505 400	24 629	3 694 350
73	歯科特定疾患療養管理料　共同療養指導計画　加算	100	416	41 600	387	38 700	29	2 900
74	特定薬剤治療管理料	470	16	7 520	6	2 820	10	4 700
75	特定薬剤治療管理料　４月目以降	235	–	–	–	–	–	–
76	特定薬剤治療管理料　薬剤投与初回月　加算	280	5	1 400	1	280	4	1 120
77	悪性腫瘍特異物質治療管理料　尿中ＢＴＡに係るもの	220	1	220	–	–	1	220
78	悪性腫瘍特異物質治療管理料　その他のもの　１項目	360	2 016	725 760	1 213	436 680	803	289 080
79	悪性腫瘍特異物質治療管理料　その他のもの　２項目以上	400	1 662	664 800	954	381 600	708	283 200
80	悪性腫瘍特異物質治療管理料　腫瘍マーカー検査初回月　加算	150	296	44 400	160	24 000	136	20 400
81	がん性疼痛緩和指導管理料	200	94	18 800	45	9 000	49	9 800
82	がん性疼痛緩和指導管理料　小児　加算	50	–	–	–	–	–	–
83	がん患者指導管理料（歯科医師等の共同診療方針等を文書等で提供）	500	41	20 500	18	9 000	23	11 500
84	がん患者指導管理料（歯科医師・看護師が心理的不安軽減のため面接）	200	34	6 800	25	5 000	9	1 800
85	がん患者指導管理料（歯科医師等が抗悪性腫瘍剤の必要性等文書説明）	200	30	6 000	20	4 000	10	2 000
86	入院栄養食事指導料１（週１回）初回	260	220	57 200	125	32 500	95	24 700
87	入院栄養食事指導料１（週１回）２回目	200	42	8 400	24	4 800	18	3 600
88	入院栄養食事指導料２（週１回）初回	250	–	–	–	–	–	–
89	入院栄養食事指導料２（週１回）２回目	190	–	–	–	–	–	–

第３表　歯科診療　件数・診療実日数・回数・点数，診療行為（細分類）、一般医療－後期医療別

平成30年６月審査分

行番号	診療行為（細分類）	固定点数	総数 回数	総数 点数	一般医療 回数	一般医療 点数	後期医療 回数	後期医療 点数
90	外来緩和ケア管理料	290	1	290	–	–	1	290
91	外来緩和ケア管理料　小児　加算	150	–	–	–	–	–	–
92	外来リハビリテーション診療料１	72	–	–	–	–	–	–
93	外来リハビリテーション診療料２	109	–	–	–	–	–	–
94	外来放射線照射診療料	292	4	1 168	–	–	4	1 168
95	外来放射線照射診療料　４日以上予定なし	146	–	–	–	–	–	–
96	手術前医学管理料	1192	259	308 728	250	298 000	9	10 728
97	手術後医学管理料（１日につき）病院	1188	1 734	2 059 992	1 553	1 844 964	181	215 028
98	手術後医学管理料（１日につき）病院（手術前医学管理料を算定）	1129	494	557 726	479	540 791	15	16 935
99	手術後医学管理料（１日につき）診療所	1056	37	39 072	37	39 072	–	–
100	手術後医学管理料（１日につき）診療所（手術前医学管理料を算定）	1003	–	–	–	–	–	–
101	歯科治療時医療管理料（１日につき）	45	314 032	14 131 440	177 249	7 976 205	136 783	6 155 235
102	介護支援等連携指導料	400	64	25 600	4	1 600	60	24 000
103	開放型病院共同指導料（Ⅰ）	350	4	1 400	4	1 400	–	–
104	開放型病院共同指導料（Ⅱ）	220	4	880	4	880	–	–
105	がん治療連携計画策定料１	750	–	–	–	–	–	–
106	がん治療連携計画策定料２	300	–	–	–	–	–	–
107	がん治療連携指導料	300	–	–	–	–	–	–
108	がん治療連携管理料　がん診療連携拠点病院	500	2	1 000	1	500	1	500
109	がん治療連携管理料　地域がん診療病院	300	–	–	–	–	–	–
110	がん治療連携管理料　小児がん拠点病院	750	–	–	–	–	–	–
111	療養・就労両立支援指導料	1000	1	1 000	1	1 000	–	–
112	療養・就労両立支援指導料　相談体制充実　加算	500	–	–	–	–	–	–
113	退院前訪問指導料	580	–	–	–	–	–	–
114	薬剤管理指導料　１　安全管理を要する医薬品投与患者	380	1 706	648 280	990	376 200	716	272 080
115	薬剤管理指導料　２　１の患者以外の場合	325	7 795	2 533 375	6 098	1 981 850	1 697	551 525
116	薬剤管理指導料　麻薬管理指導　加算	50	188	9 400	97	4 850	91	4 550
117	薬剤総合評価調整管理料	250	–	–	–	–	–	–
118	薬剤総合評価調整管理料　連携管理　加算	50	–	–	–	–	–	–
119	診療情報提供料（Ⅰ）	250	136 520	34 130 000	108 924	27 231 000	27 596	6 899 000
120	診療情報提供料（Ⅰ）退院時診療状況添付　加算	200	2 011	402 200	1 535	307 000	476	95 200
121	診療情報提供料（Ⅰ）歯科診療等特別対応地域支援　加算	100	68	6 800	63	6 300	5	500
122	診療情報提供料（Ⅰ）歯科診療等特別対応連携　加算	100	355	35 500	141	14 100	214	21 400
123	診療情報提供料（Ⅰ）検査・画像情報提供　加算　退院患者	200	18	3 600	15	3 000	3	600
124	診療情報提供料（Ⅰ）検査・画像情報提供　加算　入院外患者	30	139	4 170	109	3 270	30	900
125	電子的診療情報評価料	30	28	840	16	480	12	360
126	診療情報提供料（Ⅱ）	500	207	103 500	171	85 500	36	18 000
127	診療情報連携共有料	120	15 273	1 832 760	7 337	880 440	7 936	952 320
128	薬剤情報提供料	10	2 149 596	21 495 960	1 758 878	17 588 780	390 718	3 907 180
129	薬剤情報提供料　手帳記載　加算	3	97 188	291 564	74 518	223 554	22 670	68 010
130	退院時薬剤情報管理指導料	90	2 637	237 330	2 066	185 940	571	51 390
131	傷病手当金意見書交付料	100	345	34 500	344	34 400	1	100
132	新製有床義歯管理料（１口腔につき）１　２以外の場合	190	222 883	42 347 770	143 982	27 356 580	78 901	14 991 190
133	新製有床義歯管理料（１口腔につき）２　困難な場合	230	133 878	30 791 940	55 103	12 673 690	78 775	18 118 250
134	広範囲顎骨支持型補綴物管理料（１口腔につき）	480	126	60 480	84	40 320	42	20 160
135	退院時共同指導料１　１　在宅療養支援歯科診療所	900	26	23 400	4	3 600	22	19 800
136	退院時共同指導料１　２　１以外の場合	500	–	–	–	–	–	–
137	退院時共同指導料１　特別管理指導　加算	200	–	–	–	–	–	–
138	退院時共同指導料２	400	12	4 800	3	1 200	9	3 600
139	退院時共同指導料２　保険医共同指導　加算	300	–	–	–	–	–	–
140	退院時共同指導料２　多機関共同指導管理　加算	2000	5	10 000	2	4 000	3	6 000
141	肺血栓塞栓症予防管理料	305	2 119	646 295	1 760	536 800	359	109 495
142	医療機器安全管理料（一連につき）	1100	44	48 400	27	29 700	17	18 700
143	補正点数（＋）医学管理等		–	7 293	–	4 753	–	2 540
144	補正点数（－）医学管理等		–	–	–	–	–	–
145	**在宅医療計**		1 738 482	687 296 423	246 153	102 741 877	1 492 329	584 554 546
146	歯科訪問診療料　歯科訪問診療１	1036	203 640	210 971 040	31 715	32 856 740	171 925	178 114 300
147	歯科訪問診療料　歯科訪問診療１　診療時間が20分未満	725	9 550	6 923 750	1 431	1 037 475	8 119	5 886 275
148	歯科訪問診療料　歯科訪問診療１　緊急　加算	425	191	81 175	18	7 650	173	73 525
149	歯科訪問診療料　歯科訪問診療１　夜間　加算	850	183	155 550	39	33 150	144	122 400
150	歯科訪問診療料　歯科訪問診療１　深夜　加算	1700	4	6 800	–	–	4	6 800
151	歯科訪問診療料　歯科訪問診療１　診療時間　加算	100X	2 823	282 300	425	42 500	2 398	239 800
152	歯科訪問診療料　歯科訪問診療１　その他　加算		14	4 200	–	–	14	4 200
153	歯科訪問診療料　歯科訪問診療１　歯科訪問診療補助　加算　１　在宅療養支援歯科診療所又はかかりつけ歯科医療強化型歯科診療所（同一建物居住者以外）	115	130 687	15 029 005	21 040	2 419 600	109 647	12 609 405
154	歯科訪問診療料　歯科訪問診療１　歯科訪問診療補助　加算　１　在宅療養支援歯科診療所又はかかりつけ歯科医療強化型歯科診療所（同一建物居住者）	50	2 392	119 600	312	15 600	2 080	104 000
155	歯科訪問診療料　歯科訪問診療１　歯科訪問診療補助　加算　２　１以外の保険医療機関（同一建物居住者以外）	90	13 971	1 257 390	2 331	209 790	11 640	1 047 600
156	歯科訪問診療料　歯科訪問診療１　歯科訪問診療補助　加算　２　１以外の保険医療機関（同一建物居住者）	30	5 210	156 300	509	15 270	4 701	141 030
157	歯科訪問診療料　歯科訪問診療１　在宅歯科医療推進　加算	100	43 271	4 327 100	7 905	790 500	35 366	3 536 600
158	歯科訪問診療料　歯科訪問診療１　歯科訪問診療移行　加算　かかりつけ歯科医機能強化型歯科診療所	150	3 759	563 850	491	73 650	3 268	490 200
159	歯科訪問診療料　歯科訪問診療１　歯科訪問診療移行　加算　かかりつけ歯科医機能強化型歯科診療所以外	100	2 140	214 000	226	22 600	1 914	191 400
160	歯科訪問診療料　歯科訪問診療２	338	304 113	102 790 194	34 759	11 748 542	269 354	91 041 652
161	歯科訪問診療料　歯科訪問診療２　診療時間が20分未満	237	85 704	20 311 848	9 964	2 361 468	75 740	17 950 380
162	歯科訪問診療料　歯科訪問診療２　緊急　加算	140	40	5 600	12	1 680	28	3 920
163	歯科訪問診療料　歯科訪問診療２　夜間　加算	280	13	3 640	1	280	12	3 360
164	歯科訪問診療料　歯科訪問診療２　深夜　加算	560	–	–	–	–	–	–
165	歯科訪問診療料　歯科訪問診療２　診療時間　加算	100X	697	69 700	82	8 200	615	61 500
166	歯科訪問診療料　歯科訪問診療２　その他　加算		22	6 600	–	–	22	6 600
167	歯科訪問診療料　歯科訪問診療２　歯科訪問診療補助　加算　１　在宅療養支援歯科診療所又はかかりつけ歯科医療強化型歯科診療所（同一建物居住者）	50	225 803	11 290 150	26 213	1 310 650	199 590	9 979 500
168	歯科訪問診療料　歯科訪問診療２　歯科訪問診療補助　加算　２　１以外の保険医療機関（同一建物居住者）	30	26 121	783 630	3 408	102 240	22 713	681 390
169	歯科訪問診療料　歯科訪問診療３	175	111 347	19 485 725	13 972	2 445 100	97 375	17 040 625
170	歯科訪問診療料　歯科訪問診療３　診療時間が20分未満	123	267 974	32 960 802	32 901	4 046 823	235 073	28 913 979
171	歯科訪問診療料　歯科訪問診療３　緊急　加算	70	11	770	1	70	10	700
172	歯科訪問診療料　歯科訪問診療３　夜間　加算	140	9	1 260	2	280	7	980
173	歯科訪問診療料　歯科訪問診療３　深夜　加算	280	2	560	–	–	2	560
174	歯科訪問診療料　歯科訪問診療３　診療時間　加算	100X	264	26 400	92	9 200	172	17 200
175	歯科訪問診療料　歯科訪問診療３　その他　加算		–	–	–	–	–	–
176	歯科訪問診療料　歯科訪問診療３　歯科訪問診療補助　加算　１　在宅療養支援歯科診療所又はかかりつけ歯科医療強化型歯科診療所（同一建物居住者以外）	115	82	9 430	15	1 725	67	7 705
177	歯科訪問診療料　歯科訪問診療３　歯科訪問診療補助　加算　１　在宅療養支援歯科診療所又はかかりつけ歯科医療強化型歯科診療所（同一建物居住者）	50	232 910	11 645 500	26 580	1 329 000	206 330	10 316 500
178	歯科訪問診療料　歯科訪問診療３　歯科訪問診療補助　加算　２　１以外の保険医療機関（同一建物居住者以外）	90	66	5 940	5	450	61	5 490
179	歯科訪問診療料　歯科訪問診療３　歯科訪問診療補助　加算　２　１以外の保険医療機関（同一建物居住者）	30	20 890	626 700	2 568	77 040	18 322	549 660
180	歯科訪問診療料　初診時	234	685	160 290	81	18 954	604	141 336
181	歯科訪問診療料　初診時　診療時間　加算	100X	3	300	1	100	2	200
182	歯科訪問診療料　初診時　その他　加算		–	–	–	–	–	–
183	歯科訪問診療料　再診時	45	12 470	561 150	1 206	54 270	11 264	506 880
184	歯科訪問診療料　再診時　診療時間　加算	100X	8	800	2	200	6	600
185	歯科訪問診療料　再診時　その他　加算		–	–	–	–	–	–
186	歯科訪問診療料　歯科診療特別対応　加算	175	192 656	33 714 800	38 100	6 667 500	154 556	27 047 300
187	歯科訪問診療料　初回時歯科診療導入　加算	250	1 439	359 750	396	99 000	1 043	260 750
188	歯科訪問診療料　地域医療連携体制　加算	300	310	93 000	39	11 700	271	81 300

第３表　歯科診療　件数・診療実日数・回数・点数，診療行為（細分類）、一般医療－後期医療別

平成30年６月審査分

行番号	診療行為（細分類）	固定点数	総数 回数	総数 点数	一般医療 回数	一般医療 点数	後期医療 回数	後期医療 点数
189	訪問歯科衛生指導料　1　単一建物診療患者　1人	360	17 286	6 222 960	6 797	2 446 920	10 489	3 776 040
190	訪問歯科衛生指導料　2　単一建物診療患者　2人～9人	328	55 953	18 352 584	12 105	3 970 440	43 848	14 382 144
191	訪問歯科衛生指導料　3　1及び2以外	300	395 273	118 581 900	56 345	16 903 500	338 928	101 678 400
192	歯科疾患在宅療養管理料　1　在宅療養支援歯科診療所1	320	26 987	8 635 840	4 030	1 289 600	22 957	7 346 240
193	歯科疾患在宅療養管理料　2　在宅療養支援歯科診療所2	250	172 219	43 054 750	28 694	7 173 500	143 525	35 881 250
194	歯科疾患在宅療養管理料　3　1及び2以外	190	42 399	8 055 810	7 212	1 370 280	35 187	6 685 530
195	歯科疾患在宅療養管理料　文書提供　加算	10	125 584	1 255 840	21 138	211 380	104 446	1 044 460
196	歯科疾患在宅療養管理料　在宅総合医療管理　加算	50	970	48 500	171	8 550	799	39 950
197	歯科疾患在宅療養管理料　栄養サポートチーム等連携　加算1	80	655	52 400	111	8 880	544	43 520
198	歯科疾患在宅療養管理料　栄養サポートチーム等連携　加算2	80	7 129	570 320	432	34 560	6 697	535 760
199	在宅患者歯科治療時医療管理料（1日につき）	45	20 872	939 240	2 606	117 270	18 266	821 970
200	在宅患者訪問口腔リハビリテーション指導管理料　10歯未満	350	4 902	1 715 700	348	121 800	4 554	1 593 900
201	在宅患者訪問口腔リハビリテーション指導管理料　10歯以上20歯未満	450	2 647	1 191 150	378	170 100	2 269	1 021 050
202	在宅患者訪問口腔リハビリテーション指導管理料　20歯以上	550	4 063	2 234 650	1 327	729 850	2 736	1 504 800
203	在宅患者訪問口腔リハビリテーション指導管理料　かかりつけ歯科医機能強化型歯科診療所　加算	75	829	62 175	75	5 625	754	56 550
204	在宅患者訪問口腔リハビリテーション指導管理料　在宅療養支援歯科診療所　加算1	125	2 865	358 125	545	68 125	2 320	290 000
205	在宅患者訪問口腔リハビリテーション指導管理料　在宅療養支援歯科診療所　加算2	100	6 896	689 600	1 268	126 800	5 628	562 800
206	在宅患者訪問口腔リハビリテーション指導管理料　栄養サポートチーム等連携　加算1	80	96	7 680	32	2 560	64	5 120
207	在宅患者訪問口腔リハビリテーション指導管理料　栄養サポートチーム等連携　加算2	80	447	35 760	23	1 840	424	33 920
208	小児在宅患者訪問口腔リハビリテーション指導管理料	450	227	102 150	227	102 150	－	－
209	小児在宅患者訪問口腔リハビリテーション指導管理料　かかりつけ歯科医機能強化型歯科診療所　加算	75	11	825	11	825	－	－
210	小児在宅患者訪問口腔リハビリテーション指導管理料　在宅療養支援歯科診療所　加算1	125	30	3 750	30	3 750	－	－
211	小児在宅患者訪問口腔リハビリテーション指導管理料　在宅療養支援歯科診療所　加算2	100	136	13 600	136	13 600	－	－
212	救急搬送診療料	1300	2	2 600	1	1 300	1	1 300
213	救急搬送診療料　長時間　加算	700	1	700	－	－	1	700
214	在宅患者訪問薬剤管理指導料　1　単一建物診療患者　1人	650	－	－	－	－	－	－
215	在宅患者訪問薬剤管理指導料　2　単一建物診療患者　2人～9人	320	1	320	－	－	1	320
216	在宅患者訪問薬剤管理指導料　3　1及び2以外	290	－	－	－	－	－	－
217	在宅患者訪問薬剤管理指導料　麻薬管理　加算	100	－	－	－	－	－	－
218	在宅患者訪問薬剤管理指導料　乳幼児　加算	100	－	－	－	－	－	－
219	退院前在宅療養指導管理料	120	1	120	－	－	1	120
220	退院前在宅療養指導管理料　乳幼児　加算	200	－	－	－	－	－	－
221	在宅悪性腫瘍等患者指導管理料	1500	1	1 500	－	－	1	1 500
222	在宅悪性腫瘍患者共同指導管理料	1500	1	1 500	－	－	1	1 500
223	在宅患者連携指導料	900	90	81 000	40	36 000	50	45 000
224	在宅患者緊急時等カンファレンス料	200	75	15 000	14	2 800	61	12 200
225	補正点数（＋）在宅医療		－	1 775	－	875	－	900
226	補正点数（－）在宅医療		－	－	－	－	－	－
227	**検査計**		9 546 112	1 479 326 463	7 910 969	1 262 604 308	1 635 143	216 722 155
228	電気的根管長測定検査	30	1 053 355	31 600 650	875 674	26 270 220	177 681	5 330 430
229	電気的根管長測定検査　2根管以上　加算	15	1 068 084	16 021 260	955 774	14 336 610	112 310	1 684 650
230	細菌簡易培養検査	60	56 432	3 385 920	44 646	2 678 760	11 786	707 160
231	歯周病検査　歯周基本検査　1歯以上10歯未満　1回目	50	259 434	12 971 700	107 220	5 361 000	152 214	7 610 700
232	歯周病検査　歯周基本検査　1歯以上10歯未満　2回目以後	25	41 564	1 039 100	15 667	391 675	25 897	647 425
233	歯周病検査　歯周基本検査　10歯以上20歯未満　1回目	110	657 920	72 371 200	396 250	43 587 500	261 670	28 783 700
234	歯周病検査　歯周基本検査　10歯以上20歯未満　2回目以後	55	92 493	5 087 115	50 774	2 792 570	41 719	2 294 545
235	歯周病検査　歯周基本検査　20歯以上　1回目	200	4 440 900	888 180 000	3 978 784	795 756 800	462 116	92 423 200
236	歯周病検査　歯周基本検査　20歯以上　2回目以後	100	554 283	55 428 300	483 316	48 331 600	70 967	7 096 700
237	歯周病検査　歯周精密検査　1歯以上10歯未満　1回目	100	46 903	4 690 300	19 302	1 930 200	27 601	2 760 100
238	歯周病検査　歯周精密検査　1歯以上10歯未満　2回目以後	50	9 161	458 050	3 547	177 350	5 614	280 700
239	歯周病検査　歯周精密検査　10歯以上20歯未満　1回目	220	121 864	26 810 080	69 416	15 271 520	52 448	11 538 560
240	歯周病検査　歯周精密検査　10歯以上20歯未満　2回目以後	110	18 325	2 015 750	9 839	1 082 290	8 486	933 460
241	歯周病検査　歯周精密検査　20歯以上　1回目	400	608 451	243 380 400	524 625	209 850 000	83 826	33 530 400
242	歯周病検査　歯周精密検査　20歯以上　2回目以後	200	85 710	17 142 000	73 355	14 671 000	12 355	2 471 000
243	歯周病検査　混合歯列期歯周病検査　1回目	80	553 211	44 256 880	553 208	44 256 640	3	240
244	歯周病検査　混合歯列期歯周病検査　2回目以後	40	21 844	873 760	21 844	873 760	－	－
245	歯周病部分的再評価検査（1歯につき）	15	16 747	251 205	13 479	202 185	3 268	49 020
246	顎運動関連検査（1装置につき1回）	380	32 704	12 427 520	15 551	5 909 380	17 153	6 518 140
247	歯冠補綴時色調採得検査（1枚につき）	10	25 153	251 530	18 268	182 680	6 885	68 850
248	有床義歯咀嚼機能検査1（1口腔につき）下顎運動測定と咀嚼能力測定を併せて行う場合	560	649	363 440	248	138 880	401	224 560
249	有床義歯咀嚼機能検査1（1口腔につき）咀嚼能力測定のみを行う場合	140	320	44 800	113	15 820	207	28 980
250	有床義歯咀嚼機能検査2（1口腔につき）下顎運動測定と咬合圧測定を併せて行う場合	550	27	14 850	7	3 850	20	11 000
251	有床義歯咀嚼機能検査2（1口腔につき）咬合圧測定のみを行う場合	130	226	29 380	71	9 230	155	20 150
252	咀嚼能力検査（1回につき）	140	739	103 460	272	38 080	467	65 380
253	咬合圧検査（1回につき）	130	740	96 200	367	47 710	373	48 490
254	舌圧検査（1回につき）	140	5 118	716 520	1 860	260 400	3 258	456 120
255	精密触覚機能検査	460	108	49 680	103	47 380	5	2 300
256	補綴物維持管理未届出（検査）		－	－	－	－	－	－
257	医科準用の検査		841 731	41 110 206	633 163	29 519 246	208 568	11 590 960
258	薬剤料（検査）		－	3 700	－	2 808	－	892
259	補正点数（＋）検査		－	24 696	－	17 146	－	7 550
260	補正点数（－）検査		－	-1 873 189	－	-1 409 982	－	-463 207
261	**画像診断計**		11 597 601	954 293 799	9 850 414	833 785 800	1 747 187	120 507 999
262	歯科単純撮影小計		8 222 647	226 689 601	6 857 771	190 752 961	1 364 876	35 936 640
263	歯科エックス線（全顎）撮影							
264	写真診断　全顎撮影	160	33 230	5 316 800	29 873	4 779 680	3 357	537 120
265	写真診断　全顎撮影　50/100	80	4 821	385 680	4 313	345 040	508	40 640
266	撮影　全顎撮影　アナログ撮影	250	8 275	2 068 750	7 077	1 769 250	1 198	299 500
267	撮影　全顎撮影　アナログ撮影　50/100	125	4	500	4	500	－	－
268	撮影　全顎撮影　デジタル撮影	252	29 751	7 497 252	27 086	6 825 672	2 665	671 580
269	撮影　全顎撮影　デジタル撮影　50/100	126	13	1 638	10	1 260	3	378
270	撮影　全顎撮影　咬翼法又は咬合法撮影　加算　1枚目	10	－	－	－	－	－	－
271	撮影　全顎撮影　咬翼法又は咬合法撮影　50/100　加算　2枚目以上	5	－	－	－	－	－	－
272	撮影　全顎撮影　新生児　加算		－	－	－	－	－	－
273	撮影　全顎撮影　乳幼児　加算		－	－	－	－	－	－
274	撮影　全顎撮影　幼児　加算		10	759	10	759	－	－
275	撮影　全顎撮影　電子画像管理　加算	10	322 376	3 223 760	294 104	2 941 040	28 272	282 720
276	特定保険医療材料料（歯科エックス線（全顎）撮影）フィルム		8 245	247 142	7 052	212 263	1 193	34 879
277	歯科エックス線（全顎以外・1枚につき）撮影							
278	写真診断　全顎以外	20	2 153 160	43 063 200	1 775 063	35 501 260	378 097	7 561 940
279	写真診断　全顎以外　50/100	10	1 841 571	18 415 710	1 548 958	15 489 580	292 613	2 926 130
280	撮影　全顎以外　アナログ撮影	25	1 114 196	27 854 900	878 338	21 958 450	235 858	5 896 450
281	撮影　全顎以外　アナログ撮影　50/100	12/13	1 053	13 689	882	11 466	171	2 223
282	撮影　全顎以外　デジタル撮影	28	3 023 142	84 647 976	2 574 229	72 078 412	448 913	12 569 564
283	撮影　全顎以外　デジタル撮影　50/100	14	275	3 850	232	3 248	43	602
284	撮影　全顎以外　咬翼法又は咬合法撮影　加算　1枚目	10	71 952	719 520	70 059	700 590	1 893	18 930
285	撮影　全顎以外　咬翼法又は咬合法撮影　50/100　加算　2枚目以上	5	244	1 220	221	1 105	23	115
286	撮影　全顎以外　新生児　加算		2	43	2	43	－	－
287	撮影　全顎以外　乳幼児　加算		4 175	58 026	4 175	58 026	－	－
288	撮影　全顎以外　幼児　加算		83 953	767 173	83 953	767 173	－	－
289	撮影　全顎以外　電子画像管理　加算	10	2 829 762	28 297 620	2 400 028	24 000 280	429 734	4 297 340
290	特定保険医療材料料（歯科エックス線（全顎以外）撮影）フィルム		1 115 164	3 351 656	879 172	2 643 442	235 992	708 214

第３表　歯科診療　件数・診療実日数・回数・点数，診療行為（細分類）、一般医療－後期医療別

平成30年６月審査分

行番号	診療行為（細分類）	固定点数	総数 回数	総数 点数	一般医療 回数	一般医療 点数	後期医療 回数	後期医療 点数
291	その他のエックス線撮影							
292	写真診断　その他のエックス線撮影	85	1 934	164 390	1 669	141 865	265	22 525
293	写真診断　その他のエックス線撮影　50/100	42/43	4 529	193 257	4 068	173 587	461	19 670
294	撮影　その他のエックス線撮影　アナログ撮影	65	123	7 995	108	7 020	15	975
295	撮影　その他のエックス線撮影　アナログ撮影　50/100	32/33	80	2 619	74	2 422	6	197
296	撮影　その他のエックス線撮影　デジタル撮影	68	3 468	235 824	3 063	208 284	405	27 540
297	撮影　その他のエックス線撮影　デジタル撮影　50/100	34	3 022	102 748	2 724	92 616	298	10 132
298	撮影　その他のエックス線撮影　新生児　加算		-	-	-	-	-	-
299	撮影　その他のエックス線撮影　乳幼児　加算		27	986	27	986	-	-
300	撮影　その他のエックス線撮影　幼児　加算		42	1 184	42	1 184	-	-
301	撮影　その他のエックス線撮影　電子画像管理　加算	60	695	41 700	577	34 620	118	7 080
302	特定保険医療材料料（その他のエックス線撮影）フィルム		158	2 034	140	1 838	18	196
303	歯科特殊撮影小計		3 263 772	669 221 005	2 905 601	597 935 465	358 171	71 285 540
304	歯科パノラマ断層撮影							
305	写真診断　パノラマ断層撮影	125	1 591 598	198 949 750	1 414 964	176 870 500	176 634	22 079 250
306	写真診断　パノラマ断層撮影　50/100	62/63	4 820	303 660	4 471	281 673	349	21 987
307	撮影　パノラマ断層撮影　アナログ撮影	180	165 274	29 749 320	138 913	25 004 340	26 361	4 744 980
308	撮影　パノラマ断層撮影　アナログ撮影　50/100	90	153	13 770	122	10 980	31	2 790
309	撮影　パノラマ断層撮影　デジタル撮影	182	1 424 328	259 227 696	1 274 274	231 917 868	150 054	27 309 828
310	撮影　パノラマ断層撮影　デジタル撮影　50/100	91	2 220	202 020	1 956	177 996	264	24 024
311	撮影　パノラマ断層撮影　新生児　加算		-	-	-	-	-	-
312	撮影　パノラマ断層撮影　乳幼児　加算		86	7 820	86	7 820	-	-
313	撮影　パノラマ断層撮影　幼児　加算		9 755	535 850	9 755	535 850	-	-
314	撮影　パノラマ断層撮影　電子画像管理　加算	95	1 411 846	134 125 370	1 262 835	119 969 325	149 011	14 156 045
315	歯科パノラマ断層撮影以外							
316	写真診断　パノラマ断層撮影以外	96	588	56 448	532	51 072	56	5 376
317	写真診断　パノラマ断層撮影以外　50/100	48	195	9 360	167	8 016	28	1 344
318	撮影　パノラマ断層撮影以外　アナログ撮影	264	95	25 080	86	22 704	9	2 376
319	撮影　パノラマ断層撮影以外　アナログ撮影　50/100	132	32	4 224	30	3 960	2	264
320	撮影　パノラマ断層撮影以外　デジタル撮影	266	503	133 798	444	118 104	59	15 694
321	撮影　パノラマ断層撮影以外　デジタル撮影　50/100	133	120	15 960	104	13 832	16	2 128
322	撮影　パノラマ断層撮影以外　新生児　加算		-	-	-	-	-	-
323	撮影　パノラマ断層撮影以外　乳幼児　加算		-	-	-	-	-	-
324	撮影　パノラマ断層撮影以外　幼児　加算		-	-	-	-	-	-
325	撮影　パノラマ断層撮影以外　電子画像管理　加算	60	144	8 640	131	7 860	13	780
326	特定保険医療材料料（歯科特殊撮影）フィルム		165 506	1 982 799	139 104	1 665 935	26 402	316 864
327	３次元エックス線断層撮影							
328	写真診断　３次元エックス線断層撮影	450	36 968	16 635 600	34 811	15 664 950	2 157	970 650
329	撮影　３次元エックス線断層撮影	600	36 716	22 029 600	34 571	20 742 600	2 145	1 287 000
330	撮影　３次元エックス線断層撮影　２回目以降	480	162	77 760	156	74 880	6	2 880
331	撮影　３次元エックス線断層撮影　造影剤使用　加算	500	1	500	1	500	-	-
332	撮影　３次元エックス線断層撮影　電子画像管理　加算	120	35 979	4 317 480	33 876	4 065 120	2 103	252 360
333	撮影　３次元エックス線断層撮影　歯科画像診断管理　加算２	180	4 397	791 460	3 906	703 080	491	88 380
334	撮影　３次元エックス線断層撮影　遠隔歯科画像診断管理　加算２	180	31	5 580	28	5 040	3	540
335	撮影　３次元エックス線断層撮影　新生児　加算		-	-	-	-	-	-
336	撮影　３次元エックス線断層撮影　乳幼児　加算		1	300	1	300	-	-
337	撮影　３次元エックス線断層撮影　幼児　加算		62	11 160	62	11 160	-	-
338	造影剤使用撮影小計		99	11 574	61	7 402	38	4 172
339	写真診断　造影剤使用撮影	72	40	2 880	21	1 512	19	1 368
340	写真診断　造影剤使用撮影　50/100	36	16	576	12	432	4	144
341	撮影　造影剤使用撮影　アナログ撮影	148	6	888	1	148	5	740
342	撮影　造影剤使用撮影　アナログ撮影　50/100	74	-	-	-	-	-	-
343	撮影　造影剤使用撮影　デジタル撮影	150	21	3 150	15	2 250	6	900
344	撮影　造影剤使用撮影　デジタル撮影　50/100	75	16	1 200	12	900	4	300
345	撮影　造影剤使用撮影　新生児　加算		-	-	-	-	-	-
346	撮影　造影剤使用撮影　乳幼児　加算		-	-	-	-	-	-
347	撮影　造影剤使用撮影　幼児　加算		-	-	-	-	-	-
348	撮影　造影剤使用撮影　電子画像管理　加算	60	16	960	12	720	4	240
349	造影剤注入手技	120	16	1 920	12	1 440	4	480
350	特定保険医療材料料（造影剤使用撮影）フィルム		-	-	-	-	-	-
351	基本的エックス線診断料小計		8 485	1 269 915	5 258	995 870	3 227	274 045
352	基本的エックス線診断料　４週間以内	55	6 179	339 845	4 120	226 600	2 059	113 245
353	基本的エックス線診断料　４週間超	40	2 306	92 240	1 138	45 520	1 168	46 720
354	基本的エックス線診断料　電子画像管理　加算	10/60	14	840	12	720	2	120
355	特定保険医療材料料（基本的エックス線診断）フィルム		-	-	-	-	-	-
356	基本的エックス線診断料　歯科画像診断管理　加算１	70	11 957	836 990	10 329	723 030	1 628	113 960
357	基本的エックス線診断料　遠隔歯科画像診断　加算１	70	-	-	-	-	-	-
358	医科準用撮影小計		102 598	52 185 365	81 723	40 499 052	20 875	11 686 313
359	核医学診断・コンピューター断層撮影　撮影		26 534	30 237 215	21 155	23 309 160	5 379	6 928 055
360	核医学診断・コンピューター断層撮影　核医学診断		830	349 740	522	220 420	308	129 320
361	核医学診断・コンピューター断層撮影　コンピューター断層診断		24 920	11 214 000	20 257	9 115 650	4 663	2 098 350
362	核医学診断・コンピューター断層診断　電子画像管理　加算		26 425	3 171 000	21 101	2 532 120	5 324	638 880
363	核医学診断　撮影　甲状腺ラジオアイソトープ摂取率等　加算		-	-	-	-	-	-
364	核医学診断　撮影　負荷試験　加算		2	1 800	1	900	1	900
365	コンピューター断層撮影　撮影　造影剤使用（ＣＴ）加算等		3 934	1 967 100	2 576	1 288 000	1 358	679 100
366	コンピューター断層撮影　撮影　造影剤使用（ＭＲＩ）加算等		1 016	254 150	736	184 150	280	70 000
367	核医学診断・コンピューター断層撮影　新生児，乳幼児　加算		3	2 120	3	2 120	-	-
368	その他の医科準用撮影		50 314	4 988 240	39 789	3 846 532	10 525	1 141 708
369	薬剤料（画像診断）		-	3 629 782	-	2 395 307	-	1 234 475
370	特定保険医療材料料（画像診断）フィルム以外		215	164 272	145	98 702	70	65 570
371	時間外緊急院内画像診断　加算	110	1 155	127 050	1 027	112 970	128	14 080
372	補正点数（＋）画像診断		-	1 545 262	-	1 392 760	-	152 502
373	補正点数（－）画像診断		-	-550 027	-	-404 689	-	-145 338

第３表　歯科診療　件数・診療実日数・回数・点数，診療行為（細分類）、一般医療－後期医療別

平成30年６月審査分

行番号	診療行為（細分類）	固定点数	総数 回数	総数 点数	一般医療 回数	一般医療 点数	後期医療 回数	後期医療 点数
374	**投薬計**		13 091 229	270 928 220	10 911 354	217 997 631	2 179 875	52 930 589
375	調剤料　入院外（内服薬・浸煎薬・屯服薬）	9	2 175 677	19 581 093	1 826 042	16 434 378	349 635	3 146 715
376	調剤料　入院外（外用薬）	6	529 180	3 175 080	373 794	2 242 764	155 386	932 316
377	調剤料　入院外　麻薬等　加算	1	216	216	135	135	81	81
378	調剤料　入院	7	48 848	341 936	33 203	232 421	15 645	109 515
379	調剤料　入院　麻薬等　加算	1	5 201	5 201	2 871	2 871	2 330	2 330
380	処方料　１　７種類以上の内服薬の投薬	29	12	348	3	87	9	261
381	処方料　２　１以外	42	2 528 265	106 187 130	2 059 241	86 488 122	469 024	19 699 008
382	処方料　麻薬等　加算	1	221	221	139	139	82	82
383	処方料　乳幼児　加算	3	1 792	5 376	1 792	5 376	－	－
384	処方料　特定疾患処方管理　加算１（処方期間28日未満）	18	66	1 188	29	522	37	666
385	処方料　特定疾患処方管理　加算２（処方期間28日以上）	66	4	264	3	198	1	66
386	処方料　抗悪性腫瘍剤処方管理　加算	70	31	2 170	17	1 190	14	980
387	処方料　外来後発医薬品使用体制　加算１	5	37 277	186 385	31 417	157 085	5 860	29 300
388	処方料　外来後発医薬品使用体制　加算２	4	2 920	11 680	2 333	9 332	587	2 348
389	処方料　外来後発医薬品使用体制　加算３	2	949	1 898	760	1 520	189	378
390	薬剤料（投薬）		12 531 221	101 696 459	10 466 364	80 840 936	2 064 857	20 855 523
391	特定保険医療材料料（投薬）		115	1 639	106	1 549	9	90
392	処方箋料　１　７種類以上の内服薬	40	29	1 160	19	760	10	400
393	処方箋料　２　１以外	68	559 979	38 078 572	444 971	30 258 028	115 008	7 820 544
394	処方箋料　乳幼児　加算	3	618	1 854	618	1 854	－	－
395	処方箋料　特定疾患処方管理　加算１（処方期間28日未満）	18	253	4 554	135	2 430	118	2 124
396	処方箋料　特定疾患処方管理　加算２（処方期間28日以上）	66	22	1 452	13	858	9	594
397	処方箋料　抗悪性腫瘍剤処方管理　加算	70	115	8 050	56	3 920	59	4 130
398	処方箋料　一般名処方　加算１	6	119 644	717 864	98 710	592 260	20 934	125 604
399	処方箋料　一般名処方　加算２	4	124 805	499 220	100 668	402 672	24 137	96 548
400	調剤技術基本料　入院	42	2 501	105 042	1 932	81 144	569	23 898
401	調剤技術基本料　入院　院内製剤　加算	10	1	10	－	－	1	10
402	調剤技術基本料　その他	8	39 019	312 152	29 385	235 080	9 634	77 072
403	補正点数（＋）投薬		－	6	－	－	－	6
404	補正点数（－）投薬		－	－	－	－	－	－
405	**注射計**		23 365	26 004 297	16 294	17 759 018	7 071	8 245 279
406	皮内，皮下及び筋肉内注射	20	311	6 220	198	3 960	113	2 260
407	静脈内注射	32	135	4 320	117	3 744	18	576
408	静脈内注射　乳幼児　加算	45	－	－	－	－	－	－
409	動脈注射　内臓	155	2	310	2	310	－	－
410	動脈注射　その他	45	26	1 170	4	180	22	990
411	抗悪性腫瘍剤局所持続注入	165	240	39 600	149	24 585	91	15 015
412	点滴注射　１　乳幼児（100mL以上）	98	148	14 504	148	14 504	－	－
413	点滴注射　２　１以外（500mL以上）	97	7 324	710 428	4 774	463 078	2 550	247 350
414	点滴注射　３　その他	49	6 959	340 991	5 605	274 645	1 354	66 346
415	点滴注射　乳幼児　加算	45	158	7 110	158	7 110	－	－
416	点滴注射　血漿成分製剤　加算	50	－	－	－	－	－	－
417	中心静脈注射	140	773	108 220	471	65 940	302	42 280
418	中心静脈注射　血漿成分製剤　加算	50	－	－	－	－	－	－
419	中心静脈注射　乳幼児　加算	50	－	－	－	－	－	－
420	中心静脈注射用カテーテル挿入	1400	20	28 000	12	16 800	8	11 200
421	中心静脈注射用カテーテル挿入　乳幼児　加算	500	－	－	－	－	－	－
422	中心静脈注射用カテーテル挿入　静脈切開法　加算	2000	－	－	－	－	－	－
423	末梢留置型中心静脈注射用カテーテル挿入	700	14	9 800	7	4 900	7	4 900
424	末梢留置型中心静脈注射用カテーテル挿入　乳幼児　加算	500	－	－	－	－	－	－
425	植込型カテーテルによる中心静脈注射	125	194	24 250	93	11 625	101	12 625
426	植込型カテーテルによる中心静脈注射　乳幼児　加算	50	－	－	－	－	－	－
427	関節腔内注射	80	78	6 240	59	4 720	19	1 520
428	滑液嚢穿刺後の注入	80	37	2 960	23	1 840	14	1 120
429	医科準用の注射		14	1 724	6	546	8	1 178
430	無菌製剤処理料１　悪性腫瘍　イ　閉鎖式接続器具を使用した場合	180	68	12 240	34	6 120	34	6 120
431	無菌製剤処理料１　悪性腫瘍　ロ　イ以外の場合	45	984	44 280	675	30 375	309	13 905
432	無菌製剤処理料２　１以外のもの	40	68	2 720	51	2 040	17	680
433	生物学的製剤注射　加算	15	15	225	14	210	1	15
434	精密持続点滴注射　加算	80	375	30 000	288	23 040	87	6 960
435	麻薬注射　加算	5	65	325	25	125	40	200
436	外来化学療法　加算１　加算Ａ（15歳未満）	820	－	－	－	－	－	－
437	外来化学療法　加算１　加算Ａ（15歳以上）	600	467	280 200	315	189 000	152	91 200
438	外来化学療法　加算１　加算Ｂ（15歳未満）	670	－	－	－	－	－	－
439	外来化学療法　加算１　加算Ｂ（15歳以上）	450	－	－	－	－	－	－
440	外来化学療法　加算２　加算Ａ（15歳未満）	740	－	－	－	－	－	－
441	外来化学療法　加算２　加算Ａ（15歳以上）	470	12	5 640	6	2 820	6	2 820
442	外来化学療法　加算２　加算Ｂ（15歳未満）	640	－	－	－	－	－	－
443	外来化学療法　加算２　加算Ｂ（15歳以上）	370	－	－	－	－	－	－
444	薬剤料小計		5 970	24 245 431	3 866	16 559 178	2 104	7 686 253
445	皮内，皮下及び筋肉内注射、静脈内注射　薬剤料　入院		5 970	853 422	3 866	534 258	2 104	319 164
446	その他の注射　薬剤料		42 979	23 392 009	32 594	16 024 920	10 385	7 367 089
447	特定保険医療材料料（注射）		3 900	77 389	2 865	47 623	1 035	29 766
448	補正点数（＋）注射		－	－	－	－	－	－
449	補正点数（－）注射		－	－	－	－	－	－

第３表　歯科診療　件数・診療実日数・回数・点数，診療行為（細分類）、一般医療－後期医療別

平成30年６月審査分

行番号	診療行為（細分類）	固定点数	総数 回数	総数 点数	一般医療 回数	一般医療 点数	後期医療 回数	後期医療 点数
450	**リハビリテーション計**		2 869 648	323 070 871	1 391 524	152 209 360	1 478 124	170 861 511
451	脳血管疾患等リハビリテーション料（Ⅰ）１単位	245	3 065	750 925	2 830	693 350	235	57 575
452	脳血管疾患等リハビリテーション料（Ⅱ）１単位	200	124	24 800	56	11 200	68	13 600
453	脳血管疾患等リハビリテーション料（Ⅲ）１単位	100	1 224	122 400	1 177	117 700	47	4 700
454	脳血管疾患等リハビリテーション料（Ⅰ）１単位　要介護被保険者等（入院外）	147	2	294	2	294	–	–
455	脳血管疾患等リハビリテーション料（Ⅰ）１単位　要介護被保険者等（入院）	147	–	–	–	–	–	–
456	脳血管疾患等リハビリテーション料（Ⅰ）１単位　要介護被保険者等 施設基準適合以外（入院外）	118	–	–	–	–	–	–
457	脳血管疾患等リハビリテーション料（Ⅰ）１単位　要介護被保険者等 施設基準適合以外（入院）	118	–	–	–	–	–	–
458	脳血管疾患等リハビリテーション料（Ⅱ）１単位　要介護被保険者等（入院外）	120	–	–	–	–	–	–
459	脳血管疾患等リハビリテーション料（Ⅱ）１単位　要介護被保険者等（入院）	120	–	–	–	–	–	–
460	脳血管疾患等リハビリテーション料（Ⅱ）１単位　要介護被保険者等 施設基準適合以外（入院外）	96	–	–	–	–	–	–
461	脳血管疾患等リハビリテーション料（Ⅱ）１単位　要介護被保険者等 施設基準適合以外（入院）	96	–	–	–	–	–	–
462	脳血管疾患等リハビリテーション料（Ⅲ）１単位　要介護被保険者等（入院外）	60	–	–	–	–	–	–
463	脳血管疾患等リハビリテーション料（Ⅲ）１単位　要介護被保険者等（入院）	60	–	–	–	–	–	–
464	脳血管疾患等リハビリテーション料（Ⅲ）１単位　要介護被保険者等 施設基準適合以外（入院外）	48	–	–	–	–	–	–
465	脳血管疾患等リハビリテーション料（Ⅲ）１単位　要介護被保険者等 施設基準適合以外（入院）	48	–	–	–	–	–	–
466	脳血管疾患等リハビリテーション料　早期リハビリテーション　加算　１単位	30	241	7 230	125	3 750	116	3 480
467	脳血管疾患等リハビリテーション料　初期　加算　１単位	45	80	3 600	40	1 800	40	1 800
468	廃用症候群リハビリテーション料（Ⅰ）１単位	180	1 033	185 940	202	36 360	831	149 580
469	廃用症候群リハビリテーション料（Ⅱ）１単位	146	224	32 704	30	4 380	194	28 324
470	廃用症候群リハビリテーション料（Ⅲ）１単位	77	3	231	–	–	3	231
471	廃用症候群リハビリテーション料（Ⅰ）１単位　要介護被保険者等（入院外）	108	–	–	–	–	–	–
472	廃用症候群リハビリテーション料（Ⅰ）１単位　要介護被保険者等（入院）	108	–	–	–	–	–	–
473	廃用症候群リハビリテーション料（Ⅰ）１単位　要介護被保険者等 施設基準適合以外（入院外）	86/87	–	–	–	–	–	–
474	廃用症候群リハビリテーション料（Ⅰ）１単位　要介護被保険者等 施設基準適合以外（入院）	86/87	–	–	–	–	–	–
475	廃用症候群リハビリテーション料（Ⅱ）１単位　要介護被保険者等（入院外）	88	–	–	–	–	–	–
476	廃用症候群リハビリテーション料（Ⅱ）１単位　要介護被保険者等（入院）	88	–	–	–	–	–	–
477	廃用症候群リハビリテーション料（Ⅱ）１単位　要介護被保険者等 施設基準適合以外（入院外）	70/71	–	–	–	–	–	–
478	廃用症候群リハビリテーション料（Ⅱ）１単位　要介護被保険者等 施設基準適合以外（入院）	70/71	–	–	–	–	–	–
479	廃用症候群リハビリテーション料（Ⅲ）１単位　介護被保険者等（入院外）	46	–	–	–	–	–	–
480	廃用症候群リハビリテーション料（Ⅲ）１単位　介護被保険者等（入院）	46	–	–	–	–	–	–
481	廃用症候群リハビリテーション料（Ⅲ）１単位　介護被保険者等 施設基準適合以外（入院外）	36/37	–	–	–	–	–	–
482	廃用症候群リハビリテーション料（Ⅲ）１単位　介護被保険者等 施設基準適合以外（入院）	36/37	–	–	–	–	–	–
483	廃用症候群リハビリテーション料　早期リハビリテーション　加算　１単位	30	643	19 290	113	3 390	530	15 900
484	廃用症候群リハビリテーション料　初期　加算　１単位	45	255	11 475	56	2 520	199	8 955
485	摂食機能療法（30分以上）	185	32 327	5 980 495	8 864	1 639 840	23 463	4 340 655
486	摂食機能療法（30分未満）	130	461	59 930	117	15 210	344	44 720
487	摂食機能療法　経口摂取回復促進　加算１	185	1	185	–	–	1	185
488	摂食機能療法　経口摂取回復促進　加算２	20	–	–	–	–	–	–
489	歯科口腔リハビリテーション料１　１口腔　有床義歯　イ　ロ以外	104	1 640 438	170 605 552	948 605	98 654 920	691 833	71 950 632
490	歯科口腔リハビリテーション料１　１口腔　有床義歯　ロ　困難	124	1 132 615	140 444 260	381 306	47 281 944	751 309	93 162 316
491	歯科口腔リハビリテーション料１　１口腔　舌接触補助床	194	722	140 068	225	43 650	497	96 418
492	歯科口腔リハビリテーション料１　１口腔　その他	189	2 754	520 506	1 840	347 760	914	172 746
493	歯科口腔リハビリテーション料２　１口腔	54	38 613	2 085 102	33 810	1 825 740	4 803	259 362
494	障害児(者)リハビリテーション料　１単位　６歳未満	225	367	82 575	367	82 575	–	–
495	障害児(者)リハビリテーション料　１単位　６歳以上18歳未満	195	530	103 350	530	103 350	–	–
496	障害児(者)リハビリテーション料　１単位　18歳以上	155	57	8 835	55	8 525	2	310
497	がん患者リハビリテーション料　１単位	205	3 348	686 340	1 814	371 870	1 534	314 470
498	集団コミュニケーション療法料　１単位	50	9	450	6	300	3	150
499	医科準用のリハビリテーション小計		11 732	1 079 320	9 688	882 875	2 044	196 445
500	マイオモニター	85	10 851	922 335	9 034	767 890	1 817	154 445
501	開口訓練	170	782	132 940	594	100 980	188	31 960
502	医科準用のリハビリテーション		99	24 045	60	14 005	39	10 040
503	薬剤料（リハビリテーション）		–	115 014	–	76 057	–	38 957
504	補正点数（＋）リハビリテーション		–	–	–	–	–	–
505	補正点数（－）リハビリテーション		–	–	–	–	–	–
506	**処置計**		57 746 258	4 485 989 728	47 579 971	3 769 382 928	10 166 287	716 606 800
507	歯科疾患の処置小計		9 014 364	1 005 612 878	7 704 739	880 181 601	1 309 625	125 431 277
508	う蝕処置	18	1 042 256	18 760 608	883 512	15 903 216	158 744	2 857 392
509	う蝕処置　50/100　加算	9	29 906	269 154	28 620	257 580	1 286	11 574
510	咬合調整　１歯以上10歯未満	40	511 002	20 440 080	372 000	14 880 000	139 002	5 560 080
511	咬合調整　１歯以上10歯未満　50/100　加算	20	1 749	34 980	901	18 020	848	16 960
512	咬合調整　10歯以上	60	10 789	647 340	8 888	533 280	1 901	114 060
513	咬合調整　10歯以上　50/100　加算	30	34	1 020	19	570	15	450
514	残根削合	18	32 961	593 298	10 538	189 684	22 423	403 614
515	残根削合　50/100　加算	9	781	7 029	119	1 071	662	5 958
516	歯髄保護処置　歯髄温存療法	188	2 021	379 948	1 931	363 028	90	16 920
517	歯髄保護処置　歯髄温存療法　50/100　加算	94	112	10 528	112	10 528	–	–
518	歯髄保護処置　直接歯髄保護処置	150	9 567	1 435 050	8 949	1 342 350	618	92 700
519	歯髄保護処置　直接歯髄保護処置　50/100　加算	75	194	14 550	190	14 250	4	300
520	歯髄保護処置　間接歯髄保護処置	30	292 442	8 773 260	268 091	8 042 730	24 351	730 530
521	歯髄保護処置　間接歯髄保護処置　50/100　加算	15	4 775	71 625	4 668	70 020	107	1 605
522	知覚過敏処置　３歯まで	46	438 635	20 177 210	379 545	17 459 070	59 090	2 718 140
523	知覚過敏処置　３歯まで　50/100　加算	23	1 159	26 657	794	18 262	365	8 395
524	知覚過敏処置　４歯以上	56	122 332	6 850 592	106 425	5 959 800	15 907	890 792
525	知覚過敏処置　４歯以上　50/100　加算	28	584	16 352	399	11 172	185	5 180
526	う蝕薬物塗布処置　３歯まで	46	92 417	4 251 182	89 859	4 133 514	2 558	117 668
527	う蝕薬物塗布処置　３歯まで　50/100　加算	23	51 742	1 190 066	51 575	1 186 225	167	3 841
528	う蝕薬物塗布処置　４歯以上	56	95 198	5 331 088	94 624	5 298 944	574	32 144
529	う蝕薬物塗布処置　４歯以上　50/100　加算	28	56 687	1 587 236	56 637	1 585 836	50	1 400
530	初期う蝕早期充填処置	134	614 871	82 392 714	614 870	82 392 580	1	134
531	初期う蝕早期充填処置　50/100　加算	67	150 491	10 082 897	150 491	10 082 897	–	–
532	歯科充填材料Ⅰ　複合レジン系　単純なもの　材料	11	581 065	6 391 715	581 064	6 391 704	1	11
533	歯科充填材料Ⅰ　グラスアイオノマー系　単純なもの　材料	10	33 809	338 090	33 809	338 090	–	–
534	歯髄切断　生活歯髄切断	230	9 592	2 206 160	9 211	2 118 530	381	87 630
535	歯髄切断　生活歯髄切断　50/100　加算	115	2 373	272 895	2 368	272 320	5	575
536	歯髄切断　生活歯髄切断　乳歯等　加算	40	5 751	230 040	5 751	230 040	–	–
537	歯髄切断　生活歯髄切断　乳歯等　加算　50/100　加算	20	2 345	46 900	2 345	46 900	–	–
538	歯髄切断　失活歯髄切断	70	82	5 740	64	4 480	18	1 260
539	歯髄切断　失活歯髄切断　50/100　加算	35	7	245	7	245	–	–

第３表　歯科診療　件数・診療実日数・回数・点数，診療行為（細分類）、一般医療－後期医療別

平成30年６月審査分

行番号	診療行為（細分類）	固定点数	総数 回数	総数 点数	一般医療 回数	一般医療 点数	後期医療 回数	後期医療 点数
540	抜髄　単根管	228	210 155	47 915 340	160 023	36 485 244	50 132	11 430 096
541	抜髄　単根管　30/100　加算	68	2 937	199 716	1 652	112 336	1 285	87 380
542	抜髄　単根管　歯髄温存療法　３月以内	40	18	720	12	480	6	240
543	抜髄　単根管　歯髄温存療法　３月以内　30/100　加算	12	1	12	-	-	1	12
544	抜髄　単根管　直接歯髄保護処置　１月以内	78	44	3 432	34	2 652	10	780
545	抜髄　単根管　直接歯髄保護処置　１月以内　30/100　加算	23	3	69	3	69	-	-
546	抜髄　２根管	418	91 737	38 346 066	80 861	33 799 898	10 876	4 546 168
547	抜髄　２根管　30/100　加算	125	793	99 125	628	78 500	165	20 625
548	抜髄　２根管　歯髄温存療法　３月以内	230	11	2 530	11	2 530	-	-
549	抜髄　２根管　歯髄温存療法　３月以内　30/100　加算	69	1	69	1	69	-	-
550	抜髄　２根管　直接歯髄保護処置　１月以内	268	31	8 308	31	8 308	-	-
551	抜髄　２根管　直接歯髄保護処置　１月以内　30/100　加算	80	-	-	-	-	-	-
552	抜髄　３根管以上	588	247 585	145 579 980	229 547	134 973 636	18 038	10 606 344
553	抜髄　３根管以上　50/100　加算	294	7 597	2 233 518	7 394	2 173 836	203	59 682
554	抜髄　３根管以上　歯髄温存療法　３月以内	400	49	19 600	45	18 000	4	1 600
555	抜髄　３根管以上　歯髄温存療法　３月以内　50/100　加算	200	4	800	4	800	-	-
556	抜髄　３根管以上　直接歯髄保護処置　１月以内	438	155	67 890	147	64 386	8	3 504
557	抜髄　３根管以上　直接歯髄保護処置　１月以内　50/100　加算	219	4	876	4	876	-	-
558	感染根管処置　単根管	150	293 650	44 047 500	220 499	33 074 850	73 151	10 972 650
559	感染根管処置　単根管　30/100　加算	45	6 313	284 085	3 808	171 360	2 505	112 725
560	感染根管処置　２根管	300	101 336	30 400 800	84 016	25 204 800	17 320	5 196 000
561	感染根管処置　２根管　30/100　加算	90	1 070	96 300	718	64 620	352	31 680
562	感染根管処置　３根管以上	438	295 327	129 353 226	266 141	116 569 758	29 186	12 783 468
563	感染根管処置　３根管以上　50/100　加算	219	7 327	1 604 613	6 879	1 506 501	448	98 112
564	根管貼薬処置　単根管	28	820 384	22 970 752	636 798	17 830 344	183 586	5 140 408
565	根管貼薬処置　単根管　50/100　加算	14	10 154	142 156	8 888	124 432	1 266	17 724
566	根管貼薬処置　２根管	34	363 584	12 361 856	310 645	10 561 930	52 939	1 799 926
567	根管貼薬処置　２根管　50/100　加算	17	2 688	45 696	2 442	41 514	246	4 182
568	根管貼薬処置　３根管以上	46	1 287 104	59 206 784	1 180 278	54 292 788	106 826	4 913 996
569	根管貼薬処置　３根管以上　50/100　加算	23	27 067	622 541	26 692	613 916	375	8 625
570	根管充填　単根管	72	405 791	29 216 952	304 974	21 958 128	100 817	7 258 824
571	根管充填　単根管　50/100　加算	36	4 089	147 204	3 658	131 688	431	15 516
572	根管充填　２根管	94	171 567	16 127 298	146 036	13 727 384	25 531	2 399 914
573	根管充填　２根管　50/100　加算	47	1 052	49 444	972	45 684	80	3 760
574	根管充填　３根管以上	114	450 935	51 406 590	409 285	46 658 490	41 650	4 748 100
575	根管充填　３根管以上　50/100　加算	57	11 003	627 171	10 881	620 217	122	6 954
576	抜髄即充　単根管	300	13 500	4 050 000	9 500	2 850 000	4 000	1 200 000
577	抜髄即充　単根管　乳幼児・歯科診療特別対応　加算	104	240	24 960	228	23 712	12	1 248
578	抜髄即充　単根管　訪問診療　加算	68	64	4 352	10	680	54	3 672
579	抜髄即充　単根管　抜非	112	3	336	3	336	-	-
580	抜髄即充　単根管　抜非　乳幼児・歯科診療特別対応　加算	48	-	-	-	-	-	-
581	抜髄即充　単根管　抜非　訪問診療　加算	12	-	-	-	-	-	-
582	抜髄即充　単根管　抜直	150	1	150	1	150	-	-
583	抜髄即充　単根管　抜直　乳幼児・歯科診療特別対応　加算	59	-	-	-	-	-	-
584	抜髄即充　単根管　抜直　訪問診療　加算	23	-	-	-	-	-	-
585	抜髄即充　２根管	512	3 048	1 560 576	2 529	1 294 848	519	265 728
586	抜髄即充　２根管　乳幼児・歯科診療特別対応　加算	172	34	5 848	31	5 332	3	516
587	抜髄即充　２根管　訪問診療　加算	125	9	1 125	1	125	8	1 000
588	抜髄即充　２根管　抜非	324	-	-	-	-	-	-
589	抜髄即充　２根管　抜非　乳幼児・歯科診療特別対応　加算	116	-	-	-	-	-	-
590	抜髄即充　２根管　抜非　訪問診療　加算	69	-	-	-	-	-	-
591	抜髄即充　２根管　抜直	362	3	1 086	3	1 086	-	-
592	抜髄即充　２根管　抜直　乳幼児・歯科診療特別対応　加算	127	-	-	-	-	-	-
593	抜髄即充　２根管　抜直　訪問診療　加算	80	-	-	-	-	-	-
594	抜髄即充　３根管以上	702	4 965	3 485 430	4 577	3 213 054	388	272 376
595	抜髄即充　３根管以上　50/100　加算	351	707	248 157	706	247 806	1	351
596	抜髄即充　３根管以上　訪問診療　加算	294	13	3 822	6	1 764	7	2 058
597	抜髄即充　３根管以上　抜非	514	5	2 570	5	2 570	-	-
598	抜髄即充　３根管以上　抜非　50/100　加算	257	3	771	3	771	-	-
599	抜髄即充　３根管以上　抜非　訪問診療　加算	200	-	-	-	-	-	-
600	抜髄即充　３根管以上　抜直	552	2	1 104	2	1 104	-	-
601	抜髄即充　３根管以上　抜直　50/100　加算	276	-	-	-	-	-	-
602	抜髄即充　３根管以上　抜直　訪問診療　加算	219	-	-	-	-	-	-
603	感根即充　単根管	222	19 955	4 430 010	13 466	2 989 452	6 489	1 440 558
604	感根即充　単根管　乳幼児・歯科診療特別対応　加算	81	202	16 362	163	13 203	39	3 159
605	感根即充　単根管　訪問診療　加算	45	135	6 075	34	1 530	101	4 545
606	感根即充　２根管	394	6 156	2 425 464	4 689	1 847 466	1 467	577 998
607	感根即充　２根管　乳幼児・歯科診療特別対応　加算	137	35	4 795	31	4 247	4	548
608	感根即充　２根管　訪問診療　加算	90	19	1 710	2	180	17	1 530
609	感根即充　３根管以上	552	9 734	5 373 168	8 040	4 438 080	1 694	935 088
610	感根即充　３根管以上　50/100　加算	276	245	67 620	242	66 792	3	828
611	感根即充　３根管以上　訪問診療　加算	219	23	5 037	3	657	20	4 380
612	加圧根管充填処置　単根管	136	400 023	54 403 128	301 410	40 991 760	98 613	13 411 368
613	加圧根管充填処置　単根管　50/100　加算	68	835	56 780	505	34 340	330	22 440
614	加圧根管充填処置　２根管	164	164 243	26 935 852	140 310	23 010 840	23 933	3 925 012
615	加圧根管充填処置　２根管　50/100　加算	82	171	14 022	108	8 856	63	5 166
616	加圧根管充填処置　３根管以上	200	379 098	75 819 600	342 314	68 462 800	36 784	7 356 800
617	加圧根管充填処置　３根管以上　50/100　加算	100	333	33 300	247	24 700	86	8 600
618	加圧根管充填処置　３根管以上　手術用顕微鏡　加算	400	1 511	604 400	1 416	566 400	95	38 000
619	外科後処置小計		11 832	497 668	8 624	362 868	3 208	134 800
620	外科後処置　口腔内外科後処置	22	3 439	75 658	2 629	57 838	810	17 820
621	外科後処置　口腔内外科後処置　50/100　加算	11	64	704	63	693	1	11
622	外科後処置　口腔外外科後処置	22	742	16 324	464	10 208	278	6 116
623	外科後処置　口腔外外科後処置　50/100　加算	11	54	594	54	594	-	-
624	創傷処置　100㎠未満	52	4 023	209 196	2 776	144 352	1 247	64 844
625	創傷処置　100㎠未満　50/100　加算	26	150	3 900	149	3 874	1	26
626	創傷処置　100㎠以上500㎠未満	60	369	22 140	214	12 840	155	9 300
627	創傷処置　100㎠以上500㎠未満　50/100　加算	30	1	30	1	30	-	-
628	創傷処置　500㎠以上	90	10	900	7	630	3	270
629	創傷処置　500㎠以上　50/100　加算	45	-	-	-	-	-	-
630	歯科ドレーン法（ドレナージ）	50	1 274	63 700	893	44 650	381	19 050
631	歯科ドレーン法（ドレナージ）50/100　加算	25	-	-	-	-	-	-
632	上顎洞洗浄（片側）	55	774	42 570	677	37 235	97	5 335
633	上顎洞洗浄（片側）50/100　加算	27/28	2	56	1	28	1	28
634	口腔内分泌物吸引（１日につき）	48	1 201	57 648	964	46 272	237	11 376
635	口腔内分泌物吸引（１日につき）50/100　加算	24	177	4 248	151	3 624	26	624

第３表　歯科診療　件数・診療実日数・回数・点数，診療行為（細分類）、一般医療－後期医療別

平成30年６月審査分

行番号	診療行為（細分類）	固定点数	総数 回数	総数 点数	一般医療 回数	一般医療 点数	後期医療 回数	後期医療 点数
636	歯周組織の処置小計		39 051 555	2 706 619 330	31 898 487	2 246 225 504	7 153 068	460 393 826
637	歯周疾患処置	14	266 448	3 730 272	189 629	2 654 806	76 819	1 075 466
638	歯周疾患処置　50/100　加算	7	2 432	17 024	664	4 648	1 768	12 376
639	歯周基本治療　スケーリング　3分の1顎につき　1回目	68	6 316 405	429 515 540	5 431 301	369 328 468	885 104	60 187 072
640	歯周基本治療　スケーリング　3分の1顎につき　1回目　50/100　加算	34	197 479	6 714 286	188 043	6 393 462	9 436	320 824
641	歯周基本治療　スケーリング　3分の1顎につき　2回目以降	34	271 609	9 234 706	227 394	7 731 396	44 215	1 503 310
642	歯周基本治療　スケーリング　3分の1顎につき　2回目以降　50/100　加算	17	21 377	363 409	20 445	347 565	932	15 844
643	歯周基本治療　スケーリング　同時・3分の1顎超　1回目　加算	38	17 249 277	655 472 526	15 205 180	577 796 840	2 044 097	77 675 686
644	歯周基本治療　スケーリング　同時・3分の1顎超　1回目　50/100　加算	19	584 258	11 100 902	574 179	10 909 401	10 079	191 501
645	歯周基本治療　スケーリング　同時・3分の1顎超　2回目以降	19	909 964	17 289 316	789 797	15 006 143	120 167	2 283 173
646	歯周基本治療　スケーリング　同時・3分の1顎超　2回目以降　50/100　加算	9/10	71 797	688 850	70 457	675 977	1 340	12 873
647	歯周基本治療　スケーリング・ルートプレーニング　前歯	60	6 289 534	377 372 040	5 061 542	303 692 520	1 227 992	73 679 520
648	歯周基本治療　スケーリング・ルートプレーニング　前歯　50/100　加算	30	26 798	803 940	16 283	488 490	10 515	315 450
649	歯周基本治療　スケーリング・ルートプレーニング　前歯　2回目以降	30	2 287 227	68 616 810	1 627 775	48 833 250	659 452	19 783 560
650	歯周基本治療　スケーリング・ルートプレーニング　前歯　2回目以降　50/100　加算	15	27 206	408 090	12 428	186 420	14 778	221 670
651	歯周基本治療　スケーリング・ルートプレーニング　小臼歯	64	3 972 593	254 245 952	3 282 001	210 048 064	690 592	44 197 888
652	歯周基本治療　スケーリング・ルートプレーニング　小臼歯　50/100　加算	32	16 499	527 968	10 401	332 832	6 098	195 136
653	歯周基本治療　スケーリング・ルートプレーニング　小臼歯　2回目以降	32	1 344 522	43 024 704	981 009	31 392 288	363 513	11 632 416
654	歯周基本治療　スケーリング・ルートプレーニング　小臼歯　2回目以降　50/100　加算	16	16 048	256 768	7 759	124 144	8 289	132 624
655	歯周基本治療　スケーリング・ルートプレーニング　大臼歯	72	4 003 102	288 223 344	3 437 669	247 512 168	565 433	40 711 176
656	歯周基本治療　スケーリング・ルートプレーニング　大臼歯　50/100　加算	36	15 415	554 940	10 671	384 156	4 744	170 784
657	歯周基本治療　スケーリング・ルートプレーニング　大臼歯　2回目以降	36	1 227 834	44 202 024	943 654	33 971 544	284 180	10 230 480
658	歯周基本治療　スケーリング・ルートプレーニング　大臼歯　2回目以降　50/100　加算	18	13 693	246 474	7 555	135 990	6 138	110 484
659	歯周基本治療　歯周ポケット掻爬　前歯	60	128 150	7 689 000	98 826	5 929 560	29 324	1 759 440
660	歯周基本治療　歯周ポケット掻爬　前歯　50/100　加算	30	341	10 230	196	5 880	145	4 350
661	歯周基本治療　歯周ポケット掻爬　前歯　2回目以降	30	61 881	1 856 430	43 818	1 314 540	18 063	541 890
662	歯周基本治療　歯周ポケット掻爬　前歯　2回目以降　50/100　加算	15	270	4 050	124	1 860	146	2 190
663	歯周基本治療　歯周ポケット掻爬　小臼歯	64	89 231	5 710 784	71 156	4 553 984	18 075	1 156 800
664	歯周基本治療　歯周ポケット掻爬　小臼歯　50/100　加算	32	217	6 944	140	4 480	77	2 464
665	歯周基本治療　歯周ポケット掻爬　小臼歯　2回目以降	32	38 664	1 237 248	27 715	886 880	10 949	350 368
666	歯周基本治療　歯周ポケット掻爬　小臼歯　2回目以降　50/100　加算	16	136	2 176	66	1 056	70	1 120
667	歯周基本治療　歯周ポケット掻爬　大臼歯	72	93 555	6 735 960	77 791	5 600 952	15 764	1 135 008
668	歯周基本治療　歯周ポケット掻爬　大臼歯　50/100　加算	36	188	6 768	134	4 824	54	1 944
669	歯周基本治療　歯周ポケット掻爬　大臼歯　2回目以降	36	36 823	1 325 628	27 656	995 616	9 167	330 012
670	歯周基本治療　歯周ポケット掻爬　大臼歯　2回目以降　50/100　加算	18	109	1 962	75	1 350	34	612
671	歯周病安定期治療（Ⅰ）10歯未満	200	19 265	3 853 000	7 973	1 594 600	11 292	2 258 400
672	歯周病安定期治療（Ⅰ）10歯未満　50/100　加算	100	202	20 200	32	3 200	170	17 000
673	歯周病安定期治療（Ⅰ）10歯以上20未満	250	60 114	15 028 500	34 370	8 592 500	25 744	6 436 000
674	歯周病安定期治療（Ⅰ）10歯以上20未満　50/100　加算	125	259	32 375	92	11 500	167	20 875
675	歯周病安定期治療（Ⅰ）20歯以上	350	245 595	85 958 250	200 771	70 269 850	44 824	15 688 400
676	歯周病安定期治療（Ⅰ）20歯以上　50/100　加算	175	735	128 625	555	97 125	180	31 500
677	歯周病安定期治療（Ⅱ）10歯未満	380	26 167	9 943 460	10 096	3 836 480	16 071	6 106 980
678	歯周病安定期治療（Ⅱ）10歯未満　50/100　加算	190	287	54 530	50	9 500	237	45 030
679	歯周病安定期治療（Ⅱ）10歯以上20未満	550	69 611	38 286 050	36 129	19 870 950	33 482	18 415 100
680	歯周病安定期治療（Ⅱ）10歯以上20未満　50/100　加算	275	428	117 700	127	34 925	301	82 775
681	歯周病安定期治療（Ⅱ）20歯以上	830	245 238	203 547 540	195 203	162 018 490	50 035	41 529 050
682	歯周病安定期治療（Ⅱ）20歯以上　50/100　加算	415	1 368	567 720	1 010	419 150	358	148 570
683	歯周基本治療処置	10	11 048 023	110 480 230	9 095 212	90 952 120	1 952 811	19 528 110
684	歯周基本治療処置　50/100　加算	5	280 817	1 404 085	252 712	1 263 560	28 105	140 525
685	その他の処置小計		9 668 507	770 832 430	7 968 121	640 634 716	1 700 386	130 197 714
686	暫間固定　簡単	200	87 552	17 510 400	62 309	12 461 800	25 243	5 048 600
687	暫間固定　簡単　50/100　加算	100	316	31 600	185	18 500	131	13 100
688	暫間固定　困難	500	8 610	4 305 000	7 617	3 808 500	993	496 500
689	暫間固定　困難　50/100　加算	250	1 911	477 750	1 896	474 000	15	3 750
690	暫間固定装置修理	70	3 633	254 310	2 705	189 350	928	64 960
691	暫間固定装置修理　50/100　加算	35	66	2 310	59	2 065	7	245
692	口唇プロテクター	290	10	2 900	9	2 610	1	290
693	口唇プロテクター　50/100　加算	145	7	1 015	7	1 015	-	-
694	線副子（１顎につき）	650	261	169 650	234	152 100	27	17 550
695	線副子（１顎につき）50/100　加算	325	5	1 625	5	1 625	-	-
696	口腔内装置１	1500	38 415	57 622 500	35 493	53 239 500	2 922	4 383 000
697	口腔内装置２	800	47 018	37 614 400	43 874	35 099 200	3 144	2 515 200
698	口腔内装置３	650	22 231	14 450 150	19 393	12 605 450	2 838	1 844 700
699	睡眠時無呼吸症候群に対する口腔内装置１	3000	862	2 586 000	786	2 358 000	76	228 000
700	睡眠時無呼吸症候群に対する口腔内装置２	2000	1 423	2 846 000	1 295	2 590 000	128	256 000
701	舌接触補助床（新製作）	2500	54	135 000	37	92 500	17	42 500
702	舌接触補助床（旧義歯）	1000	49	49 000	8	8 000	41	41 000
703	術後即時顎補綴装置	2500	10	25 000	7	17 500	3	7 500
704	口腔内装置調整・修理　口腔内装置調整　イ　睡眠時無呼吸症候群口腔内装置	120	1 577	189 240	1 418	170 160	159	19 080
705	口腔内装置調整・修理　口腔内装置調整　イ　睡眠時無呼吸症候群口腔内装置　50/100　加算	60	1	60	1	60	-	-
706	口腔内装置調整・修理　口腔内装置調整　ロ　歯ぎしりに対する口腔内装置	120	19 087	2 290 440	16 999	2 039 880	2 088	250 560
707	口腔内装置調整・修理　口腔内装置調整　ロ　歯ぎしりに対する口腔内装置　50/100　加算	60	54	3 240	42	2 520	12	720
708	口腔内装置調整・修理　口腔内装置調整　ハ　イ及びロ以外	220	88 379	19 443 380	77 605	17 073 100	10 774	2 370 280
709	口腔内装置調整・修理　口腔内装置調整　ハ　イ及びロ以外　50/100　加算	110	199	21 890	142	15 620	57	6 270
710	口腔内装置調整・修理　口腔内装置修理	234	4 724	1 105 416	4 084	955 656	640	149 760
711	口腔内装置調整・修理　口腔内装置修理　50/100　加算	117	22	2 574	17	1 989	5	585
712	顎外固定　簡単	600	45	27 000	26	15 600	19	11 400
713	顎外固定　簡単　50/100　加算	300	-	-	-	-	-	-
714	顎外固定　困難	1500	128	192 000	59	88 500	69	103 500
715	顎外固定　困難　50/100　加算	750	8	6 000	2	1 500	6	4 500
716	歯周治療用装置　冠形態	50	11 770	588 500	9 443	472 150	2 327	116 350
717	歯周治療用装置　冠形態　50/100　加算	25	4	100	1	25	3	75
718	歯周治療用装置　床義歯形態	750	981	735 750	771	578 250	210	157 500
719	歯周治療用装置　床義歯形態　50/100　加算	375	3	1 125	1	375	2	750
720	歯冠修復物又は補綴物の除去　簡単	20	641 638	12 832 760	533 467	10 669 340	108 171	2 163 420
721	歯冠修復物又は補綴物の除去　簡単　50/100　加算	10	7 120	71 200	6 452	64 520	668	6 680
722	歯冠修復物又は補綴物の除去　困難	36	798 807	28 757 052	627 960	22 606 560	170 847	6 150 492
723	歯冠修復物又は補綴物の除去　困難　50/100　加算	18	1 143	20 574	496	8 928	647	11 646
724	歯冠修復物又は補綴物の除去　著しく困難なもの	60	158 898	9 533 880	134 269	8 056 140	24 629	1 477 740
725	歯冠修復物又は補綴物の除去　著しく困難なもの　50/100　加算	30	170	5 100	87	2 610	83	2 490
726	暫間固定装置の除去	30	3 909	117 270	3 309	99 270	600	18 000
727	暫間固定装置の除去　50/100　加算	15	558	8 370	557	8 355	1	15
728	根管内異物除去	150	1 269	190 350	1 081	162 150	188	28 200
729	根管内異物除去　50/100　加算	75	2	150	2	150	-	-
730	有床義歯床下粘膜調整処置	110	246 994	27 169 340	93 976	10 337 360	153 018	16 831 980
731	有床義歯床下粘膜調整処置　50/100　加算	55	3 520	193 600	379	20 845	3 141	172 755

第３表　歯科診療　件数・診療実日数・回数・点数，診療行為（細分類）、一般医療−後期医療別

平成30年６月審査分

行番号	診療行為（細分類）	固定点数	総数 回数	総数 点数	一般医療 回数	一般医療 点数	後期医療 回数	後期医療 点数
732	心身医学療法　入院	150	−	−	−	−	−	−
733	心身医学療法　入院　50/100　加算	75	−	−	−	−	−	−
734	心身医学療法　入院外　初診時	110	73	8 030	57	6 270	16	1 760
735	心身医学療法　入院外　初診時　50/100　加算	55	−	−	−	−	−	−
736	心身医学療法　入院外　再診時	80	852	68 160	676	54 080	176	14 080
737	心身医学療法　入院外　再診時　50/100　加算	40	−	−	−	−	−	−
738	心身医学療法　20歳未満　加算		−	−	−	−	−	−
739	心身医学療法　20歳未満　加算　50/100　加算		−	−	−	−	−	−
740	鼻腔栄養（１日につき）	60	5 784	347 040	3 225	193 500	2 559	153 540
741	鼻腔栄養（１日につき）50/100　加算	30	40	1 200	40	1 200	−	−
742	酸素吸入（１日につき）	65	1 770	115 050	1 186	77 090	584	37 960
743	酸素吸入（１日につき）50/100　加算	32/33	27	891	27	891	−	−
744	高気圧酸素治療（１日につき）	3000	784	2 352 000	472	1 416 000	312	936 000
745	高気圧酸素治療（１日につき）50/100　加算	1500	−	−	−	−	−	−
746	人工呼吸　30分まで	242	8	1 936	3	726	5	1 210
747	人工呼吸　30分まで　50/100　加算	121	−	−	−	−	−	−
748	人工呼吸　時間　加算	50X	21	1 050	11	550	10	500
749	人工呼吸　時間　加算　50/100　加算	25X	−	−	−	−	−	−
750	人工呼吸　５時間超	819	152	124 488	69	56 511	83	67 977
751	人工呼吸　５時間超　50/100　加算	409/410	−	−	−	−	−	−
752	周術期等専門的口腔衛生処置１	92	42 779	3 935 668	29 057	2 673 244	13 722	1 262 424
753	周術期等専門的口腔衛生処置１　50/100　加算	46	563	25 898	331	15 226	232	10 672
754	周術期等専門的口腔衛生処置２	100	127	12 700	89	8 900	38	3 800
755	周術期等専門的口腔衛生処置２　50/100　加算	50	2	100	−	−	2	100
756	在宅等療養患者専門的口腔衛生処置	120	44 089	5 290 680	5 991	718 920	38 098	4 571 760
757	在宅等療養患者専門的口腔衛生処置　50/100　加算	60	5 968	358 080	1 251	75 060	4 717	283 020
758	口腔粘膜処置	30	20 036	601 080	14 572	437 160	5 464	163 920
759	口腔粘膜処置　50/100　加算	15	248	3 720	232	3 480	16	240
760	機械的歯面清掃処置	68	7 277 843	494 893 324	6 159 751	418 863 068	1 118 092	76 030 256
761	機械的歯面清掃処置　50/100　加算	34	269 321	9 156 914	261 243	8 882 262	8 078	274 652
762	フッ化物歯面塗布処置　う蝕多発傾向者	110	22 446	2 469 060	22 446	2 469 060	−	−
763	フッ化物歯面塗布処置　う蝕多発傾向者　50/100　加算	55	8 152	448 360	8 152	448 360	−	−
764	フッ化物歯面塗布処置　在宅等療養患者	110	9 944	1 093 840	1 745	191 950	8 199	901 890
765	フッ化物歯面塗布処置　在宅等療養患者　50/100　加算	55	2 017	110 935	569	31 295	1 448	79 640
766	フッ化物歯面塗布処置　エナメル質初期う蝕	130	53 486	6 953 180	50 548	6 571 240	2 938	381 940
767	フッ化物歯面塗布処置　エナメル質初期う蝕　50/100　加算	65	13 355	868 075	13 313	865 345	42	2 730
768	休日　加算１（入院外）（処置）		−	−	−	−	−	−
769	休日　加算１（入院）（処置）		−	−	−	−	−	−
770	時間外　加算１（入院外）（処置）		−	−	−	−	−	−
771	時間外　加算１（入院）（処置）		−	−	−	−	−	−
772	深夜　加算１（入院外）（処置）		−	−	−	−	−	−
773	深夜　加算１（入院）（処置）		−	−	−	−	−	−
774	時間外特例医療機関　加算１（入院外）（処置）		−	−	−	−	−	−
775	時間外特例医療機関　加算１（入院）（処置）		−	−	−	−	−	−
776	休日　加算２（入院外）（処置）		3 616	777 807	3 381	737 717	235	40 090
777	休日　加算２（入院）（処置）		2	640	2	640	−	−
778	時間外　加算２（入院外）（処置）		1 142	118 348	1 025	108 110	117	10 238
779	時間外　加算２（入院）（処置）		−	−	−	−	−	−
780	深夜　加算２（入院外）（処置）		314	86 269	299	83 650	15	2 619
781	深夜　加算２（入院）（処置）		2	920	2	920	−	−
782	時間外特例医療機関　加算２（入院外）（処置）		73	12 488	70	11 608	3	880
783	時間外特例医療機関　加算２（入院）（処置）		3	628	3	628	−	−
784	処置医療機器等加算小計		−	312 889	−	181 480	−	131 409
785	酸素　加算（特定保険医療材料料（処置））		−	312 889	−	181 480	−	131 409
786	薬剤料小計		−	133 444	−	83 950	−	49 494
787	特定薬剤料（処置）		−	6 342	−	3 877	−	2 465
788	薬剤料（処置）		−	127 102	−	80 073	−	47 029
789	特定保険医療材料料（処置）		1 787	968 225	1 288	753 392	499	214 833
790	補正点数（＋）処置		−	29 558	−	29 031	−	527
791	補正点数（−）処置		−	-13 794	−	-12 887	−	-907
792	**手術計**		1 844 492	620 953 004	1 469 070	510 186 893	375 422	110 766 111
793	手術料小計		1 843 271	582 516 818	1 468 163	478 964 478	375 108	103 552 340
794	抜歯手術　乳歯	130	218 712	28 432 560	218 671	28 427 230	41	5 330
795	抜歯手術　乳歯　50/100　加算	65	12 492	811 980	12 491	811 915	1	65
796	抜歯手術　乳歯　難抜歯　加算	210	777	163 170	777	163 170	−	−
797	抜歯手術　乳歯　難抜歯　加算　50/100　加算	105	31	3 255	31	3 255	−	−
798	抜歯手術　前歯	155	255 245	39 562 975	149 989	23 248 295	105 256	16 314 680
799	抜歯手術　前歯　50/100　加算	77/78	10 643	830 154	1 761	137 358	8 882	692 796
800	抜歯手術　前歯　難抜歯　加算	210	12 623	2 650 830	7 614	1 598 940	5 009	1 051 890
801	抜歯手術　前歯　難抜歯　加算　50/100　加算	105	106	11 130	30	3 150	76	7 980
802	抜歯手術　臼歯	265	714 728	189 402 920	577 225	152 964 625	137 503	36 438 295
803	抜歯手術　臼歯　50/100　加算	132/133	9 923	1 319 759	2 375	315 875	7 548	1 003 884
804	抜歯手術　臼歯　難抜歯　加算	210	127 069	26 684 490	111 788	23 475 480	15 281	3 209 010
805	抜歯手術　臼歯　難抜歯　加算　50/100　加算	105	288	30 240	162	17 010	126	13 230
806	抜歯手術　埋伏歯	1050	63 671	66 854 550	63 201	66 361 050	470	493 500
807	抜歯手術　埋伏歯　50/100　加算	525	96	50 400	96	50 400	−	−
808	抜歯手術　埋伏歯　下顎完全・下顎水平埋伏智歯　加算	100	52 083	5 208 300	51 789	5 178 900	294	29 400
809	抜歯手術　埋伏歯　下顎完全・下顎水平埋伏智歯　加算　50/100　加算	50	28	1 400	28	1 400	−	−
810	歯根分割掻爬術	260	2 650	689 000	2 122	551 720	528	137 280
811	歯根分割掻爬術　50/100　加算	130	4	520	2	260	2	260
812	上顎洞陥入歯等除去術　抜歯窩	470	8	3 760	8	3 760	−	−
813	上顎洞陥入歯等除去術　抜歯窩　50/100　加算	235	−	−	−	−	−	−
814	上顎洞陥入歯等除去術　犬歯窩開さく	2000	19	38 000	19	38 000	−	−
815	上顎洞陥入歯等除去術　犬歯窩開さく　50/100　加算	1000	−	−	−	−	−	−
816	ヘミセクション（分割抜歯）	470	20 055	9 425 850	16 648	7 824 560	3 407	1 601 290
817	ヘミセクション（分割抜歯）50/100　加算	235	17	3 995	11	2 585	6	1 410
818	抜歯窩再掻爬手術	130	5 837	758 810	4 475	581 750	1 362	177 060
819	抜歯窩再掻爬手術　50/100　加算	65	20	1 300	8	520	12	780
820	歯根嚢胞摘出手術　歯冠大	800	13 802	11 041 600	10 696	8 556 800	3 106	2 484 800
821	歯根嚢胞摘出手術　歯冠大　50/100　加算	400	49	19 600	21	8 400	28	11 200
822	歯根嚢胞摘出手術　拇指頭大	1350	1 065	1 437 750	889	1 200 150	176	237 600
823	歯根嚢胞摘出手術　拇指頭大　50/100　加算	675	2	1 350	1	675	1	675
824	歯根嚢胞摘出手術　鶏卵大	2040	47	95 880	43	87 720	4	8 160
825	歯根嚢胞摘出手術　鶏卵大　50/100　加算	1020	−	−	−	−	−	−
826	歯根端切除手術　1　2以外の場合	1350	5 634	7 605 900	4 961	6 697 350	673	908 550
827	歯根端切除手術　1　2以外の場合　50/100　加算	675	1	675	−	−	1	675
828	歯根端切除手術　2　歯科用３次元エックス線断層撮影装置及び手術用顕微鏡を用いた場合	2000	772	1 544 000	719	1 438 000	53	106 000
829	歯根端切除手術　2　歯科用３次元エックス線断層撮影装置及び手術用顕微鏡を用いた場合　50/100　加算	1000	−	−	−	−	−	−
830	歯の再植術	1300	1 497	1 946 100	1 398	1 817 400	99	128 700
831	歯の再植術　50/100　加算	650	354	230 100	354	230 100	−	−
832	歯の移植手術	1300	961	1 249 300	950	1 235 000	11	14 300
833	歯の移植手術　50/100　加算	650	1	650	1	650	−	−
834	歯槽骨整形手術，骨瘤除去手術	110	7 183	790 130	4 330	476 300	2 853	313 830
835	歯槽骨整形手術，骨瘤除去手術　50/100　加算	55	30	1 650	15	825	15	825
836	顎骨切断端形成術	4400	−	−	−	−	−	−
837	顎骨切断端形成術　50/100　加算	2200	−	−	−	−	−	−

第３表　歯科診療　件数・診療実日数・回数・点数，診療行為（細分類）、一般医療－後期医療別

平成30年６月審査分

行番号	診療行為（細分類）	固定点数	総数 回数	総数 点数	一般医療 回数	一般医療 点数	後期医療 回数	後期医療 点数
838	歯肉，歯槽部腫瘍手術（エプーリスを含む）軟組織に限局する	600	1 246	747 600	881	528 600	365	219 000
839	歯肉，歯槽部腫瘍手術（エプーリスを含む）軟組織に限局する　50/100　加算	300	17	5 100	8	2 400	9	2 700
840	歯肉，歯槽部腫瘍手術（エプーリスを含む）硬組織に及ぶ	1300	169	219 700	128	166 400	41	53 300
841	歯肉，歯槽部腫瘍手術（エプーリスを含む）硬組織に及ぶ　50/100　加算	650	–	–	–	–	–	–
842	浮動歯肉切除術　３分の１顎程度	400	150	60 000	76	30 400	74	29 600
843	浮動歯肉切除術　３分の１顎程度　50/100　加算	200	2	400	–	–	2	400
844	浮動歯肉切除術　２分の１顎程度	800	22	17 600	8	6 400	14	11 200
845	浮動歯肉切除術　２分の１顎程度　50/100　加算	400	–	–	–	–	–	–
846	浮動歯肉切除術　全顎	1600	3	4 800	–	–	3	4 800
847	浮動歯肉切除術　全顎　50/100　加算	800	–	–	–	–	–	–
848	顎堤形成術　簡単なもの（１顎につき）	3000	84	252 000	59	177 000	25	75 000
849	顎堤形成術　簡単なもの（１顎につき）50/100　加算	1500	–	–	–	–	–	–
850	顎堤形成術　困難なもの（２分の１顎未満）	4000	5	20 000	4	16 000	1	4 000
851	顎堤形成術　困難なもの（２分の１顎未満）50/100　加算	2000	–	–	–	–	–	–
852	顎堤形成術　困難なもの（２分の１顎以上）	6500	1	6 500	1	6 500	–	–
853	顎堤形成術　困難なもの（２分の１顎以上）50/100　加算	3250	–	–	–	–	–	–
854	上顎結節形成術　簡単なもの	2000	14	28 000	5	10 000	9	18 000
855	上顎結節形成術　簡単なもの　50/100　加算	1000	–	–	–	–	–	–
856	上顎結節形成術　簡単なもの　両側同時　加算	1000	2	2 000	–	–	2	2 000
857	上顎結節形成術　簡単なもの　両側同時　加算　50/100　加算	500	–	–	–	–	–	–
858	上顎結節形成術　困難なもの	3000	5	15 000	4	12 000	1	3 000
859	上顎結節形成術　困難なもの　50/100　加算	1500	–	–	–	–	–	–
860	上顎結節形成術　困難なもの　両側同時　加算	1500	–	–	–	–	–	–
861	上顎結節形成術　困難なもの　両側同時　加算　50/100　加算	750	–	–	–	–	–	–
862	おとがい神経移動術	1300	1	1 300	1	1 300	–	–
863	おとがい神経移動術　50/100　加算	650	–	–	–	–	–	–
864	おとがい神経移動術　両側同時　加算	650	1	650	1	650	–	–
865	おとがい神経移動術　両側同時　加算　50/100　加算	325	–	–	–	–	–	–
866	口腔内消炎手術　智歯周囲炎の歯肉弁切除等	120	6 646	797 520	6 459	775 080	187	22 440
867	口腔内消炎手術　智歯周囲炎の歯肉弁切除等　30/100　加算	36	143	5 148	143	5 148	–	–
868	口腔内消炎手術　萌出困難歯開窓術（歯槽骨の切除を行う場合を除く）	120	865	103 800	863	103 560	2	240
869	口腔内消炎手術　萌出困難歯開窓術（歯槽骨の切除を行う場合を除く）30/100　加算	36	19	684	19	684	–	–
870	口腔内消炎手術　歯肉膿瘍等	180	200 474	36 085 320	152 888	27 519 840	47 586	8 565 480
871	口腔内消炎手術　歯肉膿瘍等　30/100　加算	54	2 621	141 534	1 545	83 430	1 076	58 104
872	口腔内消炎手術　骨膜下膿瘍，口蓋膿瘍等	230	34 882	8 022 860	27 514	6 328 220	7 368	1 694 640
873	口腔内消炎手術　骨膜下膿瘍，口蓋膿瘍等　50/100　加算	115	472	54 280	424	48 760	48	5 520
874	口腔内消炎手術　顎炎又は顎骨骨髄炎等　３分の１顎未満の範囲	750	870	652 500	645	483 750	225	168 750
875	口腔内消炎手術　顎炎又は顎骨骨髄炎等　３分の１顎未満の範囲　50/100　加算	375	8	3 000	6	2 250	2	750
876	口腔内消炎手術　顎炎又は顎骨骨髄炎等　３分の１顎以上の範囲	2600	77	200 200	43	111 800	34	88 400
877	口腔内消炎手術　顎炎又は顎骨骨髄炎等　３分の１顎以上の範囲　50/100　加算	1300	–	–	–	–	–	–
878	口腔内消炎手術　顎炎又は顎骨骨髄炎等　全顎にわたる	5700	5	28 500	2	11 400	3	17 100
879	口腔内消炎手術　顎炎又は顎骨骨髄炎等　全顎にわたる　50/100　加算	2850	–	–	–	–	–	–
880	口腔底膿瘍切開術	700	19	13 300	17	11 900	2	1 400
881	口腔底膿瘍切開術　50/100　加算	350	–	–	–	–	–	–
882	口腔底腫瘍摘出術	7210	35	252 350	24	173 040	11	79 310
883	口腔底腫瘍摘出術　50/100　加算	3605	–	–	–	–	–	–
884	口腔底迷入下顎智歯除去術	5230	3	15 690	3	15 690	–	–
885	口腔底迷入下顎智歯除去術　50/100　加算	2615	–	–	–	–	–	–
886	口腔底悪性腫瘍手術	29360	31	910 160	16	469 760	15	440 400
887	口腔底悪性腫瘍手術　50/100　加算	14680	–	–	–	–	–	–
888	舌腫瘍摘出術　粘液嚢胞摘出術	1220	263	320 860	242	295 240	21	25 620
889	舌腫瘍摘出術　粘液嚢胞摘出術　50/100　加算	610	5	3 050	5	3 050	–	–
890	舌腫瘍摘出術　その他	2940	699	2 055 060	575	1 690 500	124	364 560
891	舌腫瘍摘出術　その他　50/100　加算	1470	2	2 940	1	1 470	1	1 470
892	甲状舌管嚢胞摘出術	8970	–	–	–	–	–	–
893	甲状舌管嚢胞摘出術　50/100　加算	4485	–	–	–	–	–	–
894	舌悪性腫瘍手術　切除	26410	178	4 700 980	125	3 301 250	53	1 399 730
895	舌悪性腫瘍手術　切除　50/100　加算	13205	–	–	–	–	–	–
896	舌悪性腫瘍手術　亜全摘	75070	11	825 770	8	600 560	3	225 210
897	舌悪性腫瘍手術　亜全摘　50/100　加算	37535	–	–	–	–	–	–
898	口蓋腫瘍摘出術　口蓋粘膜に限局する	520	209	108 680	158	82 160	51	26 520
899	口蓋腫瘍摘出術　口蓋粘膜に限局する　50/100　加算	260	2	520	1	260	1	260
900	口蓋腫瘍摘出術　口蓋骨に及ぶ	8050	46	370 300	39	313 950	7	56 350
901	口蓋腫瘍摘出術　口蓋骨に及ぶ　50/100　加算	4025	–	–	–	–	–	–
902	口蓋混合腫瘍摘出術	5600	4	22 400	3	16 800	1	5 600
903	口蓋混合腫瘍摘出術　50/100　加算	2800	–	–	–	–	–	–
904	口蓋悪性腫瘍手術　切除（単純）	5600	10	56 000	6	33 600	4	22 400
905	口蓋悪性腫瘍手術　切除（単純）50/100　加算	2800	–	–	–	–	–	–
906	口蓋悪性腫瘍手術　切除（広汎）	18000	2	36 000	–	–	2	36 000
907	口蓋悪性腫瘍手術　切除（広汎）50/100　加算	9000	–	–	–	–	–	–
908	顎・口蓋裂形成手術　軟口蓋のみ	15770	5	78 850	5	78 850	–	–
909	顎・口蓋裂形成手術　軟口蓋のみ　50/100　加算	7885	–	–	–	–	–	–
910	顎・口蓋裂形成手術　硬口蓋に及ぶ	24170	26	628 420	26	628 420	–	–
911	顎・口蓋裂形成手術　硬口蓋に及ぶ　50/100　加算	12085	–	–	–	–	–	–
912	顎・口蓋裂形成手術　顎裂を伴う　片側	25170	18	453 060	18	453 060	–	–
913	顎・口蓋裂形成手術　顎裂を伴う　片側　50/100　加算	12585	–	–	–	–	–	–
914	顎・口蓋裂形成手術　顎裂を伴う　両側	31940	4	127 760	4	127 760	–	–
915	顎・口蓋裂形成手術　顎裂を伴う　両側　50/100　加算	15970	1	15 970	1	15 970	–	–
916	歯槽部骨皮質切離術（コルチコトミー）６歯未満	1700	3	5 100	3	5 100	–	–
917	歯槽部骨皮質切離術（コルチコトミー）６歯未満　50/100　加算	850	–	–	–	–	–	–
918	歯槽部骨皮質切離術（コルチコトミー）６歯以上	3400	1	3 400	1	3 400	–	–
919	歯槽部骨皮質切離術（コルチコトミー）６歯以上　50/100　加算	1700	–	–	–	–	–	–
920	口唇裂形成手術（片側）口唇のみ	13180	3	39 540	3	39 540	–	–
921	口唇裂形成手術（片側）口唇のみ　50/100　加算	6590	–	–	–	–	–	–
922	口唇裂形成手術（片側）口唇裂鼻形成を伴う	18810	15	282 150	15	282 150	–	–
923	口唇裂形成手術（片側）口唇裂鼻形成を伴う　50/100　加算	9405	1	9 405	1	9 405	–	–
924	口唇裂形成手術（片側）鼻腔底形成を伴う	24350	24	584 400	24	584 400	–	–
925	口唇裂形成手術（片側）鼻腔底形成を伴う　50/100　加算	12175	–	–	–	–	–	–
926	口唇裂形成手術（両側）口唇のみ	18810	3	56 430	3	56 430	–	–
927	口唇裂形成手術（両側）口唇のみ　50/100　加算	9405	–	–	–	–	–	–
928	口唇裂形成手術（両側）口唇裂鼻形成を伴う	23790	3	71 370	3	71 370	–	–
929	口唇裂形成手術（両側）口唇裂鼻形成を伴う　50/100　加算	11895	1	11 895	1	11 895	–	–
930	口唇裂形成手術（両側）鼻腔底形成を伴う	36620	6	219 720	6	219 720	–	–
931	口唇裂形成手術（両側）鼻腔底形成を伴う　50/100　加算	18310	–	–	–	–	–	–
932	軟口蓋形成手術	9700	–	–	–	–	–	–
933	軟口蓋形成手術　50/100　加算	4850	–	–	–	–	–	–
934	鼻咽腔閉鎖術	23790	1	23 790	1	23 790	–	–
935	鼻咽腔閉鎖術　50/100　加算	11895	–	–	–	–	–	–
936	舌繋瘢痕性短縮矯正術	2650	1	2 650	1	2 650	–	–
937	舌繋瘢痕性短縮矯正術　50/100　加算	1325	–	–	–	–	–	–
938	頬，口唇，舌小帯形成術	560	4 650	2 604 000	4 050	2 268 000	600	336 000
939	頬，口唇，舌小帯形成術　50/100　加算	280	269	75 320	266	74 480	3	840
940	舌形成手術（巨舌症手術）	9100	1	9 100	1	9 100	–	–
941	舌形成手術（巨舌症手術）50/100　加算	4550	–	–	–	–	–	–

第３表　歯科診療　件数・診療実日数・回数・点数，診療行為（細分類）、一般医療－後期医療別

平成30年６月審査分

行番号	診療行為（細分類）	固定点数	総数 回数	総数 点数	一般医療 回数	一般医療 点数	後期医療 回数	後期医療 点数
942	口唇腫瘍摘出術　粘液嚢胞摘出術	910	1 663	1 513 330	1 570	1 428 700	93	84 630
943	口唇腫瘍摘出術　粘液嚢胞摘出術　50/100　加算	455	80	36 400	80	36 400	-	-
944	口唇腫瘍摘出術　その他	3050	307	936 350	234	713 700	73	222 650
945	口唇腫瘍摘出術　その他　50/100　加算	1525	3	4 575	2	3 050	1	1 525
946	口唇悪性腫瘍手術	33010	9	297 090	2	66 020	7	231 070
947	口唇悪性腫瘍手術　50/100　加算	16505	-	-	-	-	-	-
948	口腔，顎，顔面悪性腫瘍切除術	108700	1	108 700	1	108 700	-	-
949	口腔，顎，顔面悪性腫瘍切除術　50/100　加算	54350	-	-	-	-	-	-
950	頬腫瘍摘出術　粘液嚢胞摘出術	910	191	173 810	158	143 780	33	30 030
951	頬腫瘍摘出術　粘液嚢胞摘出術　50/100　加算	455	2	910	2	910	-	-
952	頬腫瘍摘出術　その他	5250	62	325 500	52	273 000	10	52 500
953	頬腫瘍摘出術　その他　50/100　加算	2625	-	-	-	-	-	-
954	頬粘膜腫瘍摘出術	4460	340	1 516 400	253	1 128 380	87	388 020
955	頬粘膜腫瘍摘出術　50/100　加算	2230	-	-	-	-	-	-
956	頬粘膜悪性腫瘍手術	26310	30	789 300	12	315 720	18	473 580
957	頬粘膜悪性腫瘍手術　50/100　加算	13155	-	-	-	-	-	-
958	口腔粘膜血管腫凝固術	2000	7	14 000	6	12 000	1	2 000
959	口腔粘膜血管腫凝固術　50/100　加算	1000	-	-	-	-	-	-
960	術後性上顎嚢胞摘出術　上顎に限局する	6660	34	226 440	22	146 520	12	79 920
961	術後性上顎嚢胞摘出術　上顎に限局する　50/100　加算	3330	-	-	-	-	-	-
962	術後性上顎嚢胞摘出術　篩骨蜂巣に及ぶ	14500	1	14 500	1	14 500	-	-
963	術後性上顎嚢胞摘出術　篩骨蜂巣に及ぶ　50/100　加算	7250	-	-	-	-	-	-
964	上顎洞口腔瘻閉鎖術　簡単	150	57	8 550	52	7 800	5	750
965	上顎洞口腔瘻閉鎖術　簡単　50/100　加算	75	-	-	-	-	-	-
966	上顎洞口腔瘻閉鎖術　困難	1000	244	244 000	216	216 000	28	28 000
967	上顎洞口腔瘻閉鎖術　困難　50/100　加算	500	-	-	-	-	-	-
968	上顎洞口腔瘻閉鎖術　著しく困難	5800	6	34 800	6	34 800	-	-
969	上顎洞口腔瘻閉鎖術　著しく困難　50/100　加算	2900	-	-	-	-	-	-
970	上顎骨切除術	15310	7	107 170	3	45 930	4	61 240
971	上顎骨切除術　50/100　加算	7655	-	-	-	-	-	-
972	上顎骨悪性腫瘍手術　掻爬	9160	2	18 320	-	-	2	18 320
973	上顎骨悪性腫瘍手術　掻爬　50/100　加算	4580	-	-	-	-	-	-
974	上顎骨悪性腫瘍手術　切除	34420	42	1 445 640	12	413 040	30	1 032 600
975	上顎骨悪性腫瘍手術　切除　50/100　加算	17210	-	-	-	-	-	-
976	上顎骨悪性腫瘍手術　全摘	68480	2	136 960	2	136 960	-	-
977	上顎骨悪性腫瘍手術　全摘　50/100　加算	34240	-	-	-	-	-	-
978	下顎骨部分切除術	16780	20	335 600	10	167 800	10	167 800
979	下顎骨部分切除術　50/100　加算	8390	-	-	-	-	-	-
980	下顎骨離断術	32560	13	423 280	7	227 920	6	195 360
981	下顎骨離断術　50/100　加算	16280	-	-	-	-	-	-
982	下顎骨悪性腫瘍手術　切除	40360	75	3 027 000	48	1 937 280	27	1 089 720
983	下顎骨悪性腫瘍手術　切除　50/100　加算	20180	-	-	-	-	-	-
984	下顎骨悪性腫瘍手術　切断	64590	26	1 679 340	12	775 080	14	904 260
985	下顎骨悪性腫瘍手術　切断　50/100　加算	32295	-	-	-	-	-	-
986	顎骨腫瘍摘出術（歯根嚢胞を除く）長径３㎝未満	2820	2 146	6 051 720	1 977	5 575 140	169	476 580
987	顎骨腫瘍摘出術（歯根嚢胞を除く）長径３㎝未満　50/100　加算	1410	7	9 870	5	7 050	2	2 820
988	顎骨腫瘍摘出術（歯根嚢胞を除く）長径３㎝以上	13390	334	4 472 260	302	4 043 780	32	428 480
989	顎骨腫瘍摘出術（歯根嚢胞を除く）長径３㎝以上　50/100　加算	6695	-	-	-	-	-	-
990	顎骨嚢胞開窓術	2040	208	424 320	193	393 720	15	30 600
991	顎骨嚢胞開窓術　50/100　加算	1020	-	-	-	-	-	-
992	埋伏歯開窓術	2820	-	-	-	-	-	-
993	埋伏歯開窓術　50/100　加算	1410	-	-	-	-	-	-
994	口蓋隆起形成術	2040	116	236 640	88	179 520	28	57 120
995	口蓋隆起形成術　50/100　加算	1020	-	-	-	-	-	-
996	下顎隆起形成術	1700	541	919 700	377	640 900	164	278 800
997	下顎隆起形成術　50/100　加算	850	-	-	-	-	-	-
998	下顎隆起形成術　両側同時　加算	850	117	99 450	86	73 100	31	26 350
999	下顎隆起形成術　両側同時　加算　50/100　加算	425	-	-	-	-	-	-
1000	腐骨除去手術　歯槽部に限局する	600	1 427	856 200	753	451 800	674	404 400
1001	腐骨除去手術　歯槽部に限局する　50/100　加算	300	6	1 800	3	900	3	900
1002	腐骨除去手術　顎骨に及ぶ　片側３分の１未満の範囲	1300	292	379 600	105	136 500	187	243 100
1003	腐骨除去手術　顎骨に及ぶ　片側３分の１未満の範囲　50/100　加算	650	2	1 300	-	-	2	1 300
1004	腐骨除去手術　顎骨に及ぶ　片側３分の１未満の範囲　骨吸収抑制薬関連顎骨壊死又は放射線性顎骨壊死　加算	1000	99	99 000	30	30 000	69	69 000
1005	腐骨除去手術　顎骨に及ぶ　片側３分の１未満の範囲　骨吸収抑制薬関連顎骨壊死又は放射線性顎骨壊死　加算　50/100　加算	500	-	-	-	-	-	-
1006	腐骨除去手術　顎骨に及ぶ　片側３分の１以上の範囲	3420	100	342 000	31	106 020	69	235 980
1007	腐骨除去手術　顎骨に及ぶ　片側３分の１以上の範囲　50/100　加算	1710	-	-	-	-	-	-
1008	口腔外消炎手術　骨膜下膿瘍，皮下膿瘍，蜂窩織炎等　２㎝未満	180	156	28 080	120	21 600	36	6 480
1009	口腔外消炎手術　骨膜下膿瘍，皮下膿瘍，蜂窩織炎等　２㎝未満　50/100　加算	90	6	540	4	360	2	180
1010	口腔外消炎手術　骨膜下膿瘍，皮下膿瘍，蜂窩織炎等　２㎝以上５㎝未満	300	71	21 300	50	15 000	21	6 300
1011	口腔外消炎手術　骨膜下膿瘍，皮下膿瘍，蜂窩織炎等　２㎝以上５㎝未満　50/100　加算	150	2	300	2	300	-	-
1012	口腔外消炎手術　骨膜下膿瘍，皮下膿瘍，蜂窩織炎等　５㎝以上	750	89	66 750	48	36 000	41	30 750
1013	口腔外消炎手術　骨膜下膿瘍，皮下膿瘍，蜂窩織炎等　５㎝以上　50/100　加算	375	-	-	-	-	-	-
1014	口腔外消炎手術　顎炎又は顎骨骨髄炎　３分の１顎以上の範囲	2600	39	101 400	27	70 200	12	31 200
1015	口腔外消炎手術　顎炎又は顎骨骨髄炎　３分の１顎以上の範囲　50/100　加算	1300	1	1 300	1	1 300	-	-
1016	口腔外消炎手術　顎炎又は顎骨骨髄炎　全顎にわたる	5700	6	34 200	5	28 500	1	5 700
1017	口腔外消炎手術　顎炎又は顎骨骨髄炎　全顎にわたる　50/100　加算	2850	-	-	-	-	-	-
1018	外歯瘻手術	1500	33	49 500	25	37 500	8	12 000
1019	外歯瘻手術　50/100　加算	750	-	-	-	-	-	-
1020	歯性扁桃周囲膿瘍切開手術	870	3	2 610	3	2 610	-	-
1021	歯性扁桃周囲膿瘍切開手術　50/100　加算	435	-	-	-	-	-	-
1022	がま腫切開術	820	129	105 780	121	99 220	8	6 560
1023	がま腫切開術　50/100　加算	410	2	820	2	820	-	-
1024	がま腫摘出術	7140	17	121 380	17	121 380	-	-
1025	がま腫摘出術　50/100　加算	3570	-	-	-	-	-	-
1026	唾石摘出術　表在性	640	179	114 560	144	92 160	35	22 400
1027	唾石摘出術　表在性　50/100　加算	320	1	320	1	320	-	-
1028	唾石摘出術　深在性	3770	53	199 810	49	184 730	4	15 080
1029	唾石摘出術　深在性　50/100　加算	1885	-	-	-	-	-	-
1030	唾石摘出術　腺体内に存在	6550	42	275 100	42	275 100	-	-
1031	唾石摘出術　腺体内に存在　50/100　加算	3275	-	-	-	-	-	-
1032	唾石摘出術　内視鏡　加算	1000	12	12 000	12	12 000	-	-
1033	舌下腺腫瘍摘出術	7180	3	21 540	2	14 360	1	7 180
1034	舌下腺腫瘍摘出術　50/100　加算	3590	-	-	-	-	-	-
1035	顎下腺摘出術	10210	28	285 880	24	245 040	4	40 840
1036	顎下腺摘出術　50/100　加算	5105	-	-	-	-	-	-
1037	顎下腺腫瘍摘出術	9640	2	19 280	2	19 280	-	-
1038	顎下腺腫瘍摘出術　50/100　加算	4820	-	-	-	-	-	-
1039	顎下腺悪性腫瘍手術	33010	1	33 010	1	33 010	-	-
1040	顎下腺悪性腫瘍手術　50/100　加算	16505	-	-	-	-	-	-
1041	耳下腺腫瘍摘出術　耳下腺浅葉摘出術	27210	3	81 630	3	81 630	-	-
1042	耳下腺腫瘍摘出術　耳下腺浅葉摘出術　50/100　加算	13605	-	-	-	-	-	-
1043	耳下腺腫瘍摘出術　耳下腺深葉摘出術	34210	2	68 420	2	68 420	-	-
1044	耳下腺腫瘍摘出術　耳下腺深葉摘出術　50/100　加算	17105	-	-	-	-	-	-
1045	耳下腺悪性腫瘍手術　切除	33010	-	-	-	-	-	-
1046	耳下腺悪性腫瘍手術　切除　50/100　加算	16505	-	-	-	-	-	-
1047	耳下腺悪性腫瘍手術　全摘	44020	-	-	-	-	-	-
1048	耳下腺悪性腫瘍手術　全摘　50/100　加算	22010	-	-	-	-	-	-
1049	唾液腺膿瘍切開術	900	6	5 400	3	2 700	3	2 700
1050	唾液腺膿瘍切開術　50/100　加算	450	-	-	-	-	-	-
1051	唾液腺管形成手術	13630	1	13 630	1	13 630	-	-
1052	唾液腺管形成手術　50/100　加算	6815	-	-	-	-	-	-

第３表　歯科診療　件数・診療実日数・回数・点数，診療行為（細分類）、一般医療－後期医療別

平成30年６月審査分

行番号	診療行為（細分類）	固定点数	総数 回数	総数 点数	一般医療 回数	一般医療 点数	後期医療 回数	後期医療 点数
1053	歯周外科手術　歯周ポケット掻爬術	80	133 245	10 659 600	103 042	8 243 360	30 203	2 416 240
1054	歯周外科手術　歯周ポケット掻爬術　50/100　加算	40	277	11 080	190	7 600	87	3 480
1055	歯周外科手術　歯周ポケット掻爬術　歯周病安定期治療開始後	40	3 403	136 120	2 501	100 040	902	36 080
1056	歯周外科手術　歯周ポケット掻爬術　歯周病安定期治療開始後　50/100　加算	20	－	－	－	－	－	－
1057	歯周外科手術　新付着手術	160	13 794	2 207 040	10 436	1 669 760	3 358	537 280
1058	歯周外科手術　新付着手術　50/100　加算	80	8	640	3	240	5	400
1059	歯周外科手術　新付着手術　歯周病安定期治療開始後	80	424	33 920	316	25 280	108	8 640
1060	歯周外科手術　新付着手術　歯周病安定期治療開始後　50/100　加算	40	－	－	－	－	－	－
1061	歯周外科手術　歯肉切除手術	320	18 562	5 939 840	13 502	4 320 640	5 060	1 619 200
1062	歯周外科手術　歯肉切除手術　50/100　加算	160	192	30 720	116	18 560	76	12 160
1063	歯周外科手術　歯肉切除手術　歯周病安定期治療開始後	160	801	128 160	561	89 760	240	38 400
1064	歯周外科手術　歯肉切除手術　歯周病安定期治療開始後　50/100　加算	80	－	－	－	－	－	－
1065	歯周外科手術　歯肉剥離掻爬手術	630	62 896	39 624 480	53 199	33 515 370	9 697	6 109 110
1066	歯周外科手術　歯肉剥離掻爬手術　50/100　加算	315	136	42 840	47	14 805	89	28 035
1067	歯周外科手術　歯肉剥離掻爬手術　歯周病安定期治療開始後	315	3 834	1 207 710	2 850	897 750	984	309 960
1068	歯周外科手術　歯肉剥離掻爬手術　歯周病安定期治療開始後　50/100　加算	157/158	13	2 054	11	1 738	2	316
1069	歯周外科手術　歯肉剥離掻爬手術　骨代用物質挿入　加算	110	828	91 080	731	80 410	97	10 670
1070	歯周外科手術　歯肉剥離掻爬手術　骨代用物質挿入　加算　50/100　加算	55	－	－	－	－	－	－
1071	歯周外科手術　歯肉剥離掻爬手術　骨代用物質挿入　加算　歯周病安定期治療開始後	55	47	2 585	30	1 650	17	935
1072	歯周外科手術　歯肉剥離掻爬手術　骨代用物質挿入　加算　歯周病安定期治療開始後　50/100　加算	27/28	－	－	－	－	－	－
1073	歯周外科手術　歯肉剥離掻爬手術　手術時歯根面レーザー応用　加算	60	6 290	377 400	5 516	330 960	774	46 440
1074	歯周外科手術　歯肉剥離掻爬手術　手術時歯根面レーザー応用　加算　50/100　加算	30	12	360	12	360	－	－
1075	歯周外科手術　歯周組織再生誘導手術　1次手術(吸収性又は非吸収性膜の固定)	840	140	117 600	118	99 120	22	18 480
1076	歯周外科手術　歯周組織再生誘導手術　1次手術(吸収性又は非吸収性膜の固定)　50/100　加算	420	－	－	－	－	－	－
1077	歯周外科手術　歯周組織再生誘導手術　1次手術(吸収性又は非吸収性膜の固定)　歯周病安定期治療開始後	420	4	1 680	3	1 260	1	420
1078	歯周外科手術　歯周組織再生誘導手術　1次手術(吸収性又は非吸収性膜の固定)　歯周病安定期治療開始後　50/100　加算	210	－	－	－	－	－	－
1079	歯周外科手術　歯周組織再生誘導手術　2次手術(非吸収性膜の除去)	380	－	－	－	－	－	－
1080	歯周外科手術　歯周組織再生誘導手術　2次手術(非吸収性膜の除去)　50/100　加算	190	－	－	－	－	－	－
1081	歯周外科手術　歯周組織再生誘導手術　2次手術(非吸収性膜の除去)　歯周病安定期治療開始後	190	－	－	－	－	－	－
1082	歯周外科手術　歯周組織再生誘導手術　2次手術(非吸収性膜の除去)　歯周病安定期治療開始後　50/100　加算	95	－	－	－	－	－	－
1083	歯周外科手術　歯周組織再生誘導手術　骨代用物質挿入　加算	110	50	5 500	44	4 840	6	660
1084	歯周外科手術　歯周組織再生誘導手術　骨代用物質挿入　加算　50/100　加算	55	－	－	－	－	－	－
1085	歯周外科手術　歯周組織再生誘導手術　骨代用物質挿入　加算　歯周病安定期治療開始後	55	3	165	2	110	1	55
1086	歯周外科手術　歯周組織再生誘導手術　骨代用物質挿入　加算　歯周病安定期治療開始後　50/100　加算	27/28	－	－	－	－	－	－
1087	歯周外科手術　歯周組織再生誘導手術　手術時歯根面レーザー応用　加算	60	39	2 340	32	1 920	7	420
1088	歯周外科手術　歯周組織再生誘導手術　手術時歯根面レーザー応用　加算　50/100　加算	30	－	－	－	－	－	－
1089	歯周外科手術　歯肉歯槽粘膜形成手術　歯肉弁根尖側移動術	600	379	227 400	333	199 800	46	27 600
1090	歯周外科手術　歯肉歯槽粘膜形成手術　歯肉弁根尖側移動術　50/100　加算	300	－	－	－	－	－	－
1091	歯周外科手術　歯肉歯槽粘膜形成手術　歯肉弁根尖側移動術　歯周病安定期治療開始後	300	27	8 100	24	7 200	3	900
1092	歯周外科手術　歯肉歯槽粘膜形成手術　歯肉弁根尖側移動術　歯周病安定期治療開始後　50/100　加算	150	－	－	－	－	－	－
1093	歯周外科手術　歯肉歯槽粘膜形成手術　歯肉弁歯冠側移動術	600	29	17 400	27	16 200	2	1 200
1094	歯周外科手術　歯肉歯槽粘膜形成手術　歯肉弁歯冠側移動術　50/100　加算	300	－	－	－	－	－	－
1095	歯周外科手術　歯肉歯槽粘膜形成手術　歯肉弁歯冠側移動術　歯周病安定期治療開始後	300	3	900	3	900	－	－
1096	歯周外科手術　歯肉歯槽粘膜形成手術　歯肉弁歯冠側移動術　歯周病安定期治療開始後　50/100　加算	150	－	－	－	－	－	－
1097	歯周外科手術　歯肉歯槽粘膜形成手術　歯肉弁側方移動術	770	260	200 200	248	190 960	12	9 240
1098	歯周外科手術　歯肉歯槽粘膜形成手術　歯肉弁側方移動術　50/100　加算	385	－	－	－	－	－	－
1099	歯周外科手術　歯肉歯槽粘膜形成手術　歯肉弁側方移動術　歯周病安定期治療開始後	385	2	770	2	770	－	－
1100	歯周外科手術　歯肉歯槽粘膜形成手術　歯肉弁側方移動術　歯周病安定期治療開始後　50/100　加算	192/193	－	－	－	－	－	－
1101	歯周外科手術　歯肉歯槽粘膜形成手術　遊離歯肉移植術	770	104	80 080	97	74 690	7	5 390
1102	歯周外科手術　歯肉歯槽粘膜形成手術　遊離歯肉移植術　50/100　加算	385	－	－	－	－	－	－
1103	歯周外科手術　歯肉歯槽粘膜形成手術　遊離歯肉移植術　歯周病安定期治療開始後	385	4	1 540	4	1 540	－	－
1104	歯周外科手術　歯肉歯槽粘膜形成手術　遊離歯肉移植術　歯周病安定期治療開始後　50/100　加算	192/193	－	－	－	－	－	－
1105	歯周外科手術　歯肉歯槽粘膜形成手術　口腔前庭拡張術	2820	257	724 740	229	645 780	28	78 960
1106	歯周外科手術　歯肉歯槽粘膜形成手術　口腔前庭拡張術　50/100　加算	1410	－	－	－	－	－	－
1107	歯周外科手術　歯肉歯槽粘膜形成手術　口腔前庭拡張術　歯周病安定期治療開始後	1410	22	31 020	15	21 150	7	9 870
1108	歯周外科手術　歯肉歯槽粘膜形成手術　口腔前庭拡張術　歯周病安定期治療開始後　50/100　加算	705	－	－	－	－	－	－
1109	骨移植術（軟骨移植術を含む）自家骨移植　簡単	1780	279	496 620	255	453 900	24	42 720
1110	骨移植術（軟骨移植術を含む）自家骨移植　簡単　50/100　加算	890	－	－	－	－	－	－
1111	骨移植術（軟骨移植術を含む）自家骨移植　困難	16830	17	286 110	15	252 450	2	33 660
1112	骨移植術（軟骨移植術を含む）自家骨移植　困難　50/100　加算	8415	－	－	－	－	－	－
1113	骨移植術（軟骨移植術を含む）同種骨移植（生体）	28660	－	－	－	－	－	－
1114	骨移植術（軟骨移植術を含む）同種骨移植（生体）50/100　加算	14330	－	－	－	－	－	－
1115	骨移植術（軟骨移植術を含む）同種骨移植（非生体）特殊	39720	－	－	－	－	－	－
1116	骨移植術（軟骨移植術を含む）同種骨移植（非生体）特殊　50/100　加算	19860	－	－	－	－	－	－
1117	骨移植術（軟骨移植術を含む）同種骨移植（非生体）その他	21050	－	－	－	－	－	－
1118	骨移植術（軟骨移植術を含む）同種骨移植（非生体）その他　50/100　加算	10525	－	－	－	－	－	－
1119	骨（軟骨）組織採取術　腸骨翼	3150	－	－	－	－	－	－
1120	骨（軟骨）組織採取術　腸骨翼　50/100　加算	1575	－	－	－	－	－	－
1121	骨（軟骨）組織採取術　その他	4510	－	－	－	－	－	－
1122	骨（軟骨）組織採取術　その他　50/100　加算	2255	－	－	－	－	－	－
1123	歯槽骨骨折非観血的整復術　1歯又は2歯にわたる	680	99	67 320	93	63 240	6	4 080
1124	歯槽骨骨折非観血的整復術　1歯又は2歯にわたる　50/100　加算	340	25	8 500	25	8 500	－	－
1125	歯槽骨骨折非観血的整復術　3歯以上にわたる	1300	52	67 600	45	58 500	7	9 100
1126	歯槽骨骨折非観血的整復術　3歯以上にわたる　50/100　加算	650	7	4 550	7	4 550	－	－
1127	歯槽骨骨折観血的整復術　1歯又は2歯にわたる	1300	17	22 100	15	19 500	2	2 600
1128	歯槽骨骨折観血的整復術　1歯又は2歯にわたる　50/100　加算	650	2	1 300	2	1 300	－	－
1129	歯槽骨骨折観血的整復術　3歯以上にわたる	2700	25	67 500	20	54 000	5	13 500
1130	歯槽骨骨折観血的整復術　3歯以上にわたる　50/100　加算	1350	－	－	－	－	－	－
1131	上顎骨折非観血的整復術	1570	9	14 130	6	9 420	3	4 710
1132	上顎骨折非観血的整復術　50/100　加算	785	1	785	1	785	－	－
1133	上顎骨折観血的手術	16400	9	147 600	8	131 200	1	16 400
1134	上顎骨折観血的手術　50/100　加算	8200	－	－	－	－	－	－
1135	上顎骨形成術　単純	27880	82	2 286 160	82	2 286 160	－	－
1136	上顎骨形成術　単純　50/100　加算	13940	－	－	－	－	－	－
1137	上顎骨形成術　上顎骨複数分割　加算	5000	8	40 000	8	40 000	－	－
1138	上顎骨形成術　上顎骨複数分割　加算　50/100　加算	2500	－	－	－	－	－	－
1139	上顎骨形成術　複雑及び２次的再建	45510	－	－	－	－	－	－
1140	上顎骨形成術　複雑及び２次的再建　50/100　加算	22755	－	－	－	－	－	－
1141	上顎骨形成術　骨移動を伴う	72900	3	218 700	3	218 700	－	－
1142	上顎骨形成術　骨移動を伴う　50/100　加算	36450	－	－	－	－	－	－

第３表　歯科診療　件数・診療実日数・回数・点数，診療行為（細分類）、一般医療－後期医療別

平成30年６月審査分

行番号	診療行為（細分類）	固定点数	総数 回数	総数 点数	一般医療 回数	一般医療 点数	後期医療 回数	後期医療 点数
1143	頬骨骨折観血的整復術	18100	19	343 900	15	271 500	4	72 400
1144	頬骨骨折観血的整復術　50/100　加算	9050	–	–	–	–	–	–
1145	頬骨変形治癒骨折矯正術	38610	–	–	–	–	–	–
1146	頬骨変形治癒骨折矯正術　50/100　加算	19305	–	–	–	–	–	–
1147	下顎骨折非観血的整復術	1240	79	97 960	62	76 880	17	21 080
1148	下顎骨折非観血的整復術　50/100　加算	620	1	620	1	620	–	–
1149	下顎骨折非観血的整復術　連続歯結紮法　加算	650	19	12 350	11	7 150	8	5 200
1150	下顎骨折非観血的整復術　連続歯結紮法　加算　50/100　加算	325	–	–	–	–	–	–
1151	下顎骨折観血的手術　片側	13000	91	1 183 000	74	962 000	17	221 000
1152	下顎骨折観血的手術　片側　50/100　加算	6500	–	–	–	–	–	–
1153	下顎骨折観血的手術　両側	27320	37	1 010 840	34	928 880	3	81 960
1154	下顎骨折観血的手術　両側　50/100　加算	13660	–	–	–	–	–	–
1155	下顎関節突起骨折観血的手術　片側	28210	18	507 780	17	479 570	1	28 210
1156	下顎関節突起骨折観血的手術　片側　50/100　加算	14105	–	–	–	–	–	–
1157	下顎関節突起骨折観血的手術　両側	47020	3	141 060	3	141 060	–	–
1158	下顎関節突起骨折観血的手術　両側　50/100　加算	23510	–	–	–	–	–	–
1159	口腔内軟組織異物（人工物）除去術　簡単	30	20 560	616 800	14 250	427 500	6 310	189 300
1160	口腔内軟組織異物（人工物）除去術　簡単　50/100　加算	15	188	2 820	159	2 385	29	435
1161	口腔内軟組織異物（人工物）除去術　困難　浅在性	680	68	46 240	49	33 320	19	12 920
1162	口腔内軟組織異物（人工物）除去術　困難　浅在性　50/100　加算	340	–	–	–	–	–	–
1163	口腔内軟組織異物（人工物）除去術　困難　深在性	1290	20	25 800	16	20 640	4	5 160
1164	口腔内軟組織異物（人工物）除去術　困難　深在性　50/100　加算	645	–	–	–	–	–	–
1165	口腔内軟組織異物（人工物）除去術　著しく困難	4400	–	–	–	–	–	–
1166	口腔内軟組織異物（人工物）除去術　著しく困難　50/100　加算	2200	–	–	–	–	–	–
1167	顎骨内異物（挿入物）除去術　簡単　顎骨の２分の１顎程度未満	850	82	69 700	73	62 050	9	7 650
1168	顎骨内異物（挿入物）除去術　簡単　顎骨の２分の１顎程度未満　50/100　加算	425	–	–	–	–	–	–
1169	顎骨内異物（挿入物）除去術　簡単　全顎にわたる	1680	14	23 520	13	21 840	1	1 680
1170	顎骨内異物（挿入物）除去術　簡単　全顎にわたる　50/100　加算	840	–	–	–	–	–	–
1171	顎骨内異物（挿入物）除去術　困難　顎骨の３分の２顎程度未満	2900	455	1 319 500	445	1 290 500	10	29 000
1172	顎骨内異物（挿入物）除去術　困難　顎骨の３分の２顎程度未満　50/100　加算	1450	–	–	–	–	–	–
1173	顎骨内異物（挿入物）除去術　困難　全顎にわたる	4180	55	229 900	54	225 720	1	4 180
1174	顎骨内異物（挿入物）除去術　困難　全顎にわたる　50/100　加算	2090	–	–	–	–	–	–
1175	下顎骨形成術　おとがい形成	7780	22	171 160	22	171 160	–	–
1176	下顎骨形成術　おとがい形成　50/100　加算	3890	–	–	–	–	–	–
1177	下顎骨形成術　短縮又は伸長	30790	158	4 864 820	158	4 864 820	–	–
1178	下顎骨形成術　短縮又は伸長　50/100　加算	15395	–	–	–	–	–	–
1179	下顎骨形成術　短縮又は伸長　両側同時　加算	3000	156	468 000	156	468 000	–	–
1180	下顎骨形成術　短縮又は伸長　両側同時　加算　50/100　加算	1500	–	–	–	–	–	–
1181	下顎骨形成術　再建	51120	6	306 720	2	102 240	4	204 480
1182	下顎骨形成術　再建　50/100　加算	25560	–	–	–	–	–	–
1183	下顎骨形成術　骨移動を伴う	54210	5	271 050	5	271 050	–	–
1184	下顎骨形成術　骨移動を伴う　50/100　加算	27105	–	–	–	–	–	–
1185	下顎骨延長術　片側	30790	–	–	–	–	–	–
1186	下顎骨延長術　片側　50/100　加算	15395	–	–	–	–	–	–
1187	下顎骨延長術　両側	47550	–	–	–	–	–	–
1188	下顎骨延長術　両側　50/100　加算	23775	–	–	–	–	–	–
1189	顔面多発骨折観血的手術	39700	11	436 700	10	397 000	1	39 700
1190	顔面多発骨折観血的手術　50/100　加算	19850	–	–	–	–	–	–
1191	顎関節脱臼非観血的整復術	410	2 606	1 068 460	1 116	457 560	1 490	610 900
1192	顎関節脱臼非観血的整復術　50/100　加算	205	174	35 670	29	5 945	145	29 725
1193	顎関節脱臼観血的手術	26210	7	183 470	2	52 420	5	131 050
1194	顎関節脱臼観血的手術　50/100　加算	13105	–	–	–	–	–	–
1195	顎関節形成術	40870	5	204 350	3	122 610	2	81 740
1196	顎関節形成術　50/100　加算	20435	–	–	–	–	–	–
1197	顎関節授動術　徒手的授動術（パンピングを併用）	990	173	171 270	127	125 730	46	45 540
1198	顎関節授動術　徒手的授動術（パンピングを併用）50/100　加算	495	–	–	–	–	–	–
1199	顎関節授動術　徒手的授動術（関節腔洗浄療法を併用）	2400	24	57 600	17	40 800	7	16 800
1200	顎関節授動術　徒手的授動術（関節腔洗浄療法を併用）50/100　加算	1200	–	–	–	–	–	–
1201	顎関節授動術　顎関節鏡下授動術	10520	3	31 560	3	31 560	–	–
1202	顎関節授動術　顎関節鏡下授動術　50/100　加算	5260	–	–	–	–	–	–
1203	顎関節授動術　開放授動術	25100	7	175 700	7	175 700	–	–
1204	顎関節授動術　開放授動術　50/100　加算	12550	–	–	–	–	–	–
1205	顎関節円板整位術　顎関節鏡下円板整位術	22100	1	22 100	1	22 100	–	–
1206	顎関節円板整位術　顎関節鏡下円板整位術　50/100　加算	11050	–	–	–	–	–	–
1207	顎関節円板整位術　開放円板整位術	27300	1	27 300	1	27 300	–	–
1208	顎関節円板整位術　開放円板整位術　50/100　加算	13650	–	–	–	–	–	–
1209	歯科インプラント摘出術　人工歯根タイプ	460	1 273	585 580	891	409 860	382	175 720
1210	歯科インプラント摘出術　人工歯根タイプ　50/100　加算	230	12	2 760	7	1 610	5	1 150
1211	歯科インプラント摘出術　人工歯根タイプ　骨の開さく　加算	230	233	53 590	164	37 720	69	15 870
1212	歯科インプラント摘出術　人工歯根タイプ　骨の開さく　加算　50/100　加算	115	–	–	–	–	–	–
1213	歯科インプラント摘出術　ブレードタイプ	1250	107	133 750	60	75 000	47	58 750
1214	歯科インプラント摘出術　ブレードタイプ　50/100　加算	625	–	–	–	–	–	–
1215	歯科インプラント摘出術　ブレードタイプ　骨の開さく　加算	625	28	17 500	18	11 250	10	6 250
1216	歯科インプラント摘出術　ブレードタイプ　骨の開さく　加算　50/100　加算	312/313	–	–	–	–	–	–
1217	歯科インプラント摘出術　骨膜下インプラント	1700	8	13 600	5	8 500	3	5 100
1218	歯科インプラント摘出術　骨膜下インプラント　50/100　加算	850	–	–	–	–	–	–
1219	歯科インプラント摘出術　骨膜下インプラント　骨の開さく　加算	850	3	2 550	2	1 700	1	850
1220	歯科インプラント摘出術　骨膜下インプラント　骨の開さく　加算　50/100　加算	425	–	–	–	–	–	–
1221	顎骨インプラント摘出術　２分の１顎未満の範囲	2040	5	10 200	3	6 120	2	4 080
1222	顎骨インプラント摘出術　２分の１顎未満の範囲　50/100　加算	1020	–	–	–	–	–	–
1223	顎骨インプラント摘出術　２分の１顎以上の範囲	6270	1	6 270	–	–	1	6 270
1224	顎骨インプラント摘出術　２分の１顎以上の範囲　50/100　加算	3135	–	–	–	–	–	–
1225	創傷処理　筋肉，臓器に達する　長径５cm未満	1250	635	793 750	472	590 000	163	203 750
1226	創傷処理　筋肉，臓器に達する　長径５cm未満　50/100　加算	625	26	16 250	24	15 000	2	1 250
1227	創傷処理　筋肉，臓器に達する　長径５cm以上10cm未満	1680	121	203 280	93	156 240	28	47 040
1228	創傷処理　筋肉，臓器に達する　長径５cm以上10cm未満　50/100　加算	840	3	2 520	2	1 680	1	840
1229	創傷処理　筋肉，臓器に達する　長径10cm以上　頭頸部のもの	8600	1	8 600	–	–	1	8 600
1230	創傷処理　筋肉，臓器に達する　長径10cm以上　頭頸部のもの　50/100　加算	4300	–	–	–	–	–	–
1231	創傷処理　筋肉，臓器に達する　長径10cm以上　その他のもの	2400	13	31 200	11	26 400	2	4 800
1232	創傷処理　筋肉，臓器に達する　長径10cm以上　その他のもの　50/100　加算	1200	1	1 200	1	1 200	–	–
1233	創傷処理　筋肉，臓器に達しない　長径５cm未満	470	3 962	1 862 140	2 611	1 227 170	1 351	634 970
1234	創傷処理　筋肉，臓器に達しない　長径５cm未満　50/100　加算	235	110	25 850	83	19 505	27	6 345
1235	創傷処理　筋肉，臓器に達しない　長径５cm以上10cm未満	850	81	68 850	58	49 300	23	19 550
1236	創傷処理　筋肉，臓器に達しない　長径５cm以上10cm未満　50/100　加算	425	3	1 275	3	1 275	–	–
1237	創傷処理　筋肉，臓器に達しない　長径10cm以上	1320	5	6 600	5	6 600	–	–
1238	創傷処理　筋肉，臓器に達しない　長径10cm以上　50/100　加算	660	–	–	–	–	–	–
1239	創傷処理　真皮縫合　加算	460	215	98 900	155	71 300	60	27 600
1240	創傷処理　真皮縫合　加算　50/100　加算	230	4	920	3	690	1	230
1241	創傷処理　デブリードマン　加算	100	347	34 700	271	27 100	76	7 600
1242	創傷処理　デブリードマン　加算　50/100　加算	50	9	450	7	350	2	100
1243	小児創傷処理（６歳未満）筋肉，臓器に達する　長径2.5cm未満	1250	131	163 750	131	163 750	–	–
1244	小児創傷処理（６歳未満）筋肉，臓器に達する　長径2.5cm未満　50/100　加算	625	127	79 375	127	79 375	–	–
1245	小児創傷処理（６歳未満）筋肉，臓器に達する　長径2.5cm以上５cm未満	1400	33	46 200	33	46 200	–	–
1246	小児創傷処理（６歳未満）筋肉，臓器に達する　長径2.5cm以上５cm未満　50/100　加算	700	32	22 400	32	22 400	–	–
1247	小児創傷処理（６歳未満）筋肉，臓器に達する　長径５cm以上10cm未満	2220	4	8 880	4	8 880	–	–
1248	小児創傷処理（６歳未満）筋肉，臓器に達する　長径５cm以上10cm未満　50/100　加算	1110	4	4 440	4	4 440	–	–
1249	小児創傷処理（６歳未満）筋肉，臓器に達する　長径10cm以上	3430	1	3 430	1	3 430	–	–
1250	小児創傷処理（６歳未満）筋肉，臓器に達する　長径10cm以上　50/100　加算	1715	1	1 715	1	1 715	–	–

第３表　歯科診療　件数・診療実日数・回数・点数，診療行為（細分類）、一般医療－後期医療別

平成30年６月審査分

行番号	診療行為（細分類）	固定点数	総数 回数	総数 点数	一般医療 回数	一般医療 点数	後期医療 回数	後期医療 点数
1251	小児創傷処理（６歳未満）筋肉，臓器に達しない　長径2.5cm未満	450	358	161 100	358	161 100	-	-
1252	小児創傷処理（６歳未満）筋肉，臓器に達しない　長径2.5cm未満　50/100　加算	225	351	78 975	351	78 975	-	-
1253	小児創傷処理（６歳未満）筋肉，臓器に達しない　長径2.5cm以上５cm未満	500	58	29 000	58	29 000	-	-
1254	小児創傷処理（６歳未満）筋肉，臓器に達しない　長径2.5cm以上５cm未満　50/100　加算	250	56	14 000	56	14 000	-	-
1255	小児創傷処理（６歳未満）筋肉，臓器に達しない　長径５cm以上10cm未満	950	7	6 650	7	6 650	-	-
1256	小児創傷処理（６歳未満）筋肉，臓器に達しない　長径５cm以上10cm未満　50/100　加算	475	7	3 325	7	3 325	-	-
1257	小児創傷処理（６歳未満）筋肉，臓器に達しない　長径10cm以上	1740	-	-	-	-	-	-
1258	小児創傷処理（６歳未満）筋肉，臓器に達しない　長径10cm以上　50/100　加算	870	-	-	-	-	-	-
1259	小児創傷処理（６歳未満）真皮縫合　加算	460	14	6 440	14	6 440	-	-
1260	小児創傷処理（６歳未満）真皮縫合　加算　50/100　加算	230	14	3 220	14	3 220	-	-
1261	小児創傷処理（６歳未満）デブリードマン　加算	100	48	4 800	48	4 800	-	-
1262	小児創傷処理（６歳未満）デブリードマン　加算　50/100　加算	50	45	2 250	45	2 250	-	-
1263	デブリードマン　100cm²未満	1020	5	5 100	5	5 100	-	-
1264	デブリードマン　100cm²未満　50/100　加算	510	1	510	1	510	-	-
1265	デブリードマン　100cm²以上3000cm²未満	3580	-	-	-	-	-	-
1266	デブリードマン　100cm²以上3000cm²未満　50/100　加算	1790	-	-	-	-	-	-
1267	デブリードマン　深部デブリードマン　加算	1000	1	1 000	1	1 000	-	-
1268	デブリードマン　深部デブリードマン　加算　50/100　加算	500	-	-	-	-	-	-
1269	上顎洞開窓術	1300	9	11 700	8	10 400	1	1 300
1270	上顎洞開窓術　50/100　加算	650	-	-	-	-	-	-
1271	内視鏡下上顎洞開窓術	3600	-	-	-	-	-	-
1272	内視鏡下上顎洞開窓術　50/100　加算	1800	-	-	-	-	-	-
1273	上顎洞根治手術	7990	37	295 630	35	279 650	2	15 980
1274	上顎洞根治手術　50/100　加算	3995	-	-	-	-	-	-
1275	上顎洞炎術後後出血止血法	6660	-	-	-	-	-	-
1276	上顎洞炎術後後出血止血法　50/100　加算	3330	-	-	-	-	-	-
1277	リンパ節摘出術　長径３cm未満	1200	22	26 400	17	20 400	5	6 000
1278	リンパ節摘出術　長径３cm未満　50/100　加算	600	-	-	-	-	-	-
1279	リンパ節摘出術　長径３cm以上	2880	4	11 520	4	11 520	-	-
1280	リンパ節摘出術　長径３cm以上　50/100　加算	1440	-	-	-	-	-	-
1281	分層植皮術　25cm²未満	3520	5	17 600	3	10 560	2	7 040
1282	分層植皮術　25cm²未満　50/100　加算	1760	-	-	-	-	-	-
1283	分層植皮術　25cm²以上100cm²未満	6270	22	137 940	14	87 780	8	50 160
1284	分層植皮術　25cm²以上100cm²未満　50/100　加算	3135	-	-	-	-	-	-
1285	分層植皮術　100cm²以上200cm²未満	9000	3	27 000	2	18 000	1	9 000
1286	分層植皮術　100cm²以上200cm²未満　50/100　加算	4500	-	-	-	-	-	-
1287	分層植皮術　200cm²以上	25820	-	-	-	-	-	-
1288	分層植皮術　200cm²以上　50/100　加算	12910	-	-	-	-	-	-
1289	全層植皮術　25cm²未満	10000	7	70 000	3	30 000	4	40 000
1290	全層植皮術　25cm²未満　50/100　加算	5000	-	-	-	-	-	-
1291	全層植皮術　25cm²以上100cm²未満	12500	24	300 000	17	212 500	7	87 500
1292	全層植皮術　25cm²以上100cm²未満　50/100　加算	6250	-	-	-	-	-	-
1293	全層植皮術　100cm²以上200cm²未満	28210	2	56 420	-	-	2	56 420
1294	全層植皮術　100cm²以上200cm²未満　50/100　加算	14105	-	-	-	-	-	-
1295	全層植皮術　200cm²以上	40290	-	-	-	-	-	-
1296	全層植皮術　200cm²以上　50/100　加算	20145	-	-	-	-	-	-
1297	皮膚移植術（生体・培養）	6110	-	-	-	-	-	-
1298	皮膚移植術（生体・培養）50/100　加算	3055	-	-	-	-	-	-
1299	提供者の療養上の費用（皮膚移植術）		-	-	-	-	-	-
1300	皮膚移植術（死体）200cm²未満	8000	-	-	-	-	-	-
1301	皮膚移植術（死体）200cm²未満　50/100　加算	4000	-	-	-	-	-	-
1302	皮膚移植術（死体）200cm²以上500cm²未満	16000	-	-	-	-	-	-
1303	皮膚移植術（死体）200cm²以上500cm²未満　50/100　加算	8000	-	-	-	-	-	-
1304	皮膚移植術（死体）500cm²以上1000cm²未満	32000	-	-	-	-	-	-
1305	皮膚移植術（死体）500cm²以上1000cm²未満　50/100　加算	16000	-	-	-	-	-	-
1306	皮膚移植術（死体）1000cm²以上3000cm²未満	80000	-	-	-	-	-	-
1307	皮膚移植術（死体）1000cm²以上3000cm²未満　50/100　加算	40000	-	-	-	-	-	-
1308	皮弁作成術，移動術，切断術，遷延皮弁術　25cm²未満	4510	3	13 530	1	4 510	2	9 020
1309	皮弁作成術，移動術，切断術，遷延皮弁術　25cm²未満　50/100　加算	2255	-	-	-	-	-	-
1310	皮弁作成術，移動術，切断術，遷延皮弁術　25cm²以上100cm²未満	13720	8	109 760	3	41 160	5	68 600
1311	皮弁作成術，移動術，切断術，遷延皮弁術　25cm²以上100cm²未満　50/100　加算	6860	-	-	-	-	-	-
1312	皮弁作成術，移動術，切断術，遷延皮弁術　100cm²以上	22310	2	44 620	1	22 310	1	22 310
1313	皮弁作成術，移動術，切断術，遷延皮弁術　100cm²以上　50/100　加算	11155	-	-	-	-	-	-
1314	動脈（皮）弁術，筋（皮）弁術	41120	16	657 920	11	452 320	5	205 600
1315	動脈（皮）弁術，筋（皮）弁術　50/100　加算	20560	-	-	-	-	-	-
1316	遊離皮弁術（顕微鏡下血管柄付き）	92460	28	2 588 880	21	1 941 660	7	647 220
1317	遊離皮弁術（顕微鏡下血管柄付き）50/100　加算	46230	-	-	-	-	-	-
1318	遊離皮弁術（顕微鏡下血管柄付き）微小血管自動縫合器　加算	2500X	12	30 000	9	22 500	3	7 500
1319	複合組織移植術	19420	-	-	-	-	-	-
1320	複合組織移植術　50/100　加算	9710	-	-	-	-	-	-
1321	自家遊離複合組織移植術（顕微鏡下血管柄付き）	127310	21	2 673 510	16	2 036 960	5	636 550
1322	自家遊離複合組織移植術（顕微鏡下血管柄付き）50/100　加算	63655	-	-	-	-	-	-
1323	自家遊離複合組織移植術（顕微鏡下血管柄付き）微小血管自動縫合器　加算	2500X	4	10 000	4	10 000	-	-
1324	粘膜移植術　４cm²未満	6510	2	13 020	2	13 020	-	-
1325	粘膜移植術　４cm²未満　50/100　加算	3255	-	-	-	-	-	-
1326	粘膜移植術　４cm²以上	7820	2	15 640	1	7 820	1	7 820
1327	粘膜移植術　４cm²以上　50/100　加算	3910	-	-	-	-	-	-
1328	血管結紮術	3750	1	3 750	1	3 750	-	-
1329	血管結紮術　50/100　加算	1875	-	-	-	-	-	-
1330	動脈形成術，吻合術	21700	1	21 700	-	-	1	21 700
1331	動脈形成術，吻合術　50/100　加算	10850	-	-	-	-	-	-
1332	抗悪性腫瘍剤動脈，静脈又は腹腔内持続注入用植込型カテーテル設置	16640	12	199 680	9	149 760	3	49 920
1333	抗悪性腫瘍剤動脈，静脈又は腹腔内持続注入用植込型カテーテル設置　50/100　加算	8320	-	-	-	-	-	-
1334	血管移植術，バイパス移植術　頭，頸部動脈	55050	-	-	-	-	-	-
1335	血管移植術，バイパス移植術　頭，頸部動脈　50/100　加算	27525	-	-	-	-	-	-
1336	血管移植術，バイパス移植術　その他の動脈	30290	-	-	-	-	-	-
1337	血管移植術，バイパス移植術　その他の動脈　50/100　加算	15145	-	-	-	-	-	-
1338	中心静脈注射用植込型カテーテル設置	10800	2	21 600	1	10 800	1	10 800
1339	中心静脈注射用植込型カテーテル設置　50/100　加算	5400	-	-	-	-	-	-
1340	中心静脈注射用植込型カテーテル設置　乳幼児　加算	300	-	-	-	-	-	-
1341	神経移植術	23520	-	-	-	-	-	-
1342	神経移植術　50/100　加算	11760	-	-	-	-	-	-
1343	神経再生誘導術	21590	-	-	-	-	-	-
1344	神経再生誘導術　50/100　加算	10795	-	-	-	-	-	-
1345	交感神経節切除術	26030	-	-	-	-	-	-
1346	交感神経節切除術　50/100　加算	13015	-	-	-	-	-	-

第３表　歯科診療　件数・診療実日数・回数・点数，診療行為（細分類）、一般医療－後期医療別

平成30年６月審査分

行番号	診療行為（細分類）	固定点数	総数 回数	総数 点数	一般医療 回数	一般医療 点数	後期医療 回数	後期医療 点数
1347	過長茎状突起切除術	6440	1	6 440	1	6 440	-	-
1348	過長茎状突起切除術　50/100　加算	3220	-	-	-	-	-	-
1349	皮膚腫瘍冷凍凝固摘出術　長径３cm未満の良性皮膚腫瘍	1280	18	23 040	15	19 200	3	3 840
1350	皮膚腫瘍冷凍凝固摘出術　長径３cm未満の良性皮膚腫瘍　50/100　加算	640	1	640	1	640	-	-
1351	皮膚腫瘍冷凍凝固摘出術　長径３cm未満の悪性皮膚腫瘍	2050	-	-	-	-	-	-
1352	皮膚腫瘍冷凍凝固摘出術　長径３cm未満の悪性皮膚腫瘍　50/100　加算	1025	-	-	-	-	-	-
1353	皮膚腫瘍冷凍凝固摘出術　長径３cm以上６cm未満の良性又は悪性皮膚腫瘍	3230	-	-	-	-	-	-
1354	皮膚腫瘍冷凍凝固摘出術　長径３cm以上６cm未満の良性又は悪性皮膚腫瘍　50/100　加算	1615	-	-	-	-	-	-
1355	皮膚腫瘍冷凍凝固摘出術　長径６cm以上の良性又は悪性皮膚腫瘍	4160	-	-	-	-	-	-
1356	皮膚腫瘍冷凍凝固摘出術　長径６cm以上の良性又は悪性皮膚腫瘍　50/100　加算	2080	-	-	-	-	-	-
1357	皮膚悪性腫瘍切除術　広汎切除	28210	-	-	-	-	-	-
1358	皮膚悪性腫瘍切除術　広汎切除　50/100　加算	14105	-	-	-	-	-	-
1359	皮膚悪性腫瘍切除術　広汎切除　センチネルリンパ節　加算	5000	-	-	-	-	-	-
1360	皮膚悪性腫瘍切除術　広汎切除　センチネルリンパ節　加算　50/100　加算	2500	-	-	-	-	-	-
1361	皮膚悪性腫瘍切除術　単純切除	11000	-	-	-	-	-	-
1362	皮膚悪性腫瘍切除術　単純切除　50/100　加算	5500	-	-	-	-	-	-
1363	皮膚悪性腫瘍切除術　単純切除　センチネルリンパ節　加算	5000	-	-	-	-	-	-
1364	皮膚悪性腫瘍切除術　単純切除　センチネルリンパ節　加算　50/100　加算	2500	-	-	-	-	-	-
1365	瘢痕拘縮形成手術	12660	4	50 640	3	37 980	1	12 660
1366	瘢痕拘縮形成手術　50/100　加算	6330	-	-	-	-	-	-
1367	気管切開術	2570	5	12 850	3	7 710	2	5 140
1368	気管切開術　50/100　加算	1285	-	-	-	-	-	-
1369	気管切開孔閉鎖術	1040	10	10 400	10	10 400	-	-
1370	気管切開孔閉鎖術　50/100　加算	520	-	-	-	-	-	-
1371	顔面神経麻痺形成手術　静的	19110	-	-	-	-	-	-
1372	顔面神経麻痺形成手術　静的　50/100　加算	9555	-	-	-	-	-	-
1373	顔面神経麻痺形成手術　動的	64350	-	-	-	-	-	-
1374	顔面神経麻痺形成手術　動的　50/100　加算	32175	-	-	-	-	-	-
1375	広範囲顎骨支持型装置埋入手術　１回法	14500	4	58 000	4	58 000	-	-
1376	広範囲顎骨支持型装置埋入手術　１回法　50/100　加算	7250	-	-	-	-	-	-
1377	広範囲顎骨支持型装置埋入手術　２回法　１次手術	11500	14	161 000	10	115 000	4	46 000
1378	広範囲顎骨支持型装置埋入手術　２回法　１次手術　50/100　加算	5750	-	-	-	-	-	-
1379	広範囲顎骨支持型装置埋入手術　２回法　２次手術	4500	14	63 000	10	45 000	4	18 000
1380	広範囲顎骨支持型装置埋入手術　２回法　２次手術　50/100　加算	2250	-	-	-	-	-	-
1381	広範囲顎骨支持型装置埋入手術　３分の２顎以上　加算	4000	4	16 000	3	12 000	1	4 000
1382	広範囲顎骨支持型装置埋入手術　３分の２顎以上　加算　50/100　加算	2000	-	-	-	-	-	-
1383	広範囲顎骨支持型装置掻爬術（１顎につき）	1800	2	3 600	1	1 800	1	1 800
1384	広範囲顎骨支持型装置掻爬術（１顎につき）50/100　加算	900	-	-	-	-	-	-
1385	複数手術の従小計		5 300	2 441 295	4 751	2 193 984	549	247 311
1386	J000の1　抜歯手術の従　乳歯	65	46	2 990	46	2 990	-	-
1387	J000の1　抜歯手術の従　乳歯　50/100　加算	32/33	-	-	-	-	-	-
1388	J000の2　抜歯手術の従　前歯	78	127	9 906	73	5 694	54	4 212
1389	J000の2　抜歯手術の従　前歯　50/100　加算	39	-	-	-	-	-	-
1390	J000の3　抜歯手術の従　臼歯	133	439	58 387	378	50 274	61	8 113
1391	J000の3　抜歯手術の従　臼歯　50/100　加算	66	2	132	1	66	1	66
1392	J000の4　抜歯手術の従　埋伏歯	525	995	522 375	933	489 825	62	32 550
1393	J000の4　抜歯手術の従　埋伏歯　50/100　加算	262/263	-	-	-	-	-	-
1394	J003の1　歯根嚢胞摘出手術の従　歯冠大のもの	400	2 714	1 085 600	2 409	963 600	305	122 000
1395	J003の1　歯根嚢胞摘出手術の従　歯冠大のもの　50/100　加算	200	2	400	1	200	1	200
1396	J003の2　歯根嚢胞摘出手術の従　拇指頭大のもの	675	395	266 625	364	245 700	31	20 925
1397	J003の2　歯根嚢胞摘出手術の従　拇指頭大のもの　50/100　加算	337/338	-	-	-	-	-	-
1398	J004の1　歯根端切除手術の従	675	491	331 425	470	317 250	21	14 175
1399	J004の1　歯根端切除手術の従　50/100　加算	337/338	-	-	-	-	-	-
1400	J004の2　歯根端切除手術の従　歯科用３次元エックス線断層撮影装置及び手術用顕微鏡を用いた場合	1000	16	16 000	15	15 000	1	1 000
1401	J004の2　歯根端切除手術の従　歯科用３次元エックス線断層撮影装置及び手術用顕微鏡を用いた場合　50/100　加算	500	-	-	-	-	-	-
1402	J004-2　歯の再植術の従	650	37	24 050	32	20 800	5	3 250
1403	J004-2　歯の再植術の従　50/100　加算	325		-	-	-	-	-
1404	J040　　下顎骨部分切除術の従	8390	-	-	-		-	-
1405	J040　　下顎骨部分切除術の従　50/100　加算	4195	-	-	-	-	-	-
1406	J066の1　歯槽骨骨折観血的整復術の従　１歯又は２歯にわたる	650	4	2 600	3	1 950	1	650
1407	J066の1　歯槽骨骨折観血的整復術の従　１歯又は２歯にわたる　50/100　加算	325	-	-	-	-	-	-
1408	J075の1　下顎骨形成術の従　おとがい形成	3890	5	19 450	5	19 450	-	-
1409	J075の1　下顎骨形成術の従　おとがい形成　50/100　加算	1945	-	-	-	-	-	-
1410	J091の1　皮弁作成術，移動術，切断術，遷延皮弁術の従	2255	3	6 765	3	6 765	-	-
1411	J091の1　皮弁作成術，移動術，切断術，遷延皮弁術の従　50/100　加算	1128	-	-	-	-	-	-
1412	J091の2　皮弁作成術，移動術，切断術，遷延皮弁術の従	6860	3	20 580	1	6 860	2	13 720
1413	J091の2　皮弁作成術，移動術，切断術，遷延皮弁術の従　50/100　加算	3430	-	-	-	-	-	-
1414	J091の3　皮弁作成術，移動術，切断術，遷延皮弁術の従	11155	3	33 465	1	11 155	2	22 310
1415	J091の3　皮弁作成術，移動術，切断術，遷延皮弁術の従　50/100　加算	5578	-	-	-	-	-	-
1416	J099-2　抗悪性腫瘍剤動脈，静脈又は腹腔内持続注入用植込型カテーテル設置の従	8320	-	-	-	-	-	-
1417	J099-2　抗悪性腫瘍剤動脈，静脈又は腹腔内持続注入用植込型カテーテル設置の従　50/100　加算	4160	-	-	-	-	-	-
1418	J100-2　中心静脈注射用植込型カテーテル設置の従	5400	-	-	-	-	-	-
1419	J100-2　中心静脈注射用植込型カテーテル設置の従　50/100　加算	2700	-	-	-	-	-	-
1420	J101-2　神経再生誘導術の従	10795	-	-	-	-	-	-
1421	J101-2　神経再生誘導術の従　50/100　加算	5398	-	-	-	-	-	-
1422	その他の複数手術の従		22	40 545	18	36 405	4	4 140
1423	その他の複数手術の従　50/100　加算							
1424	医科準用の手術小計		433	1 387 585	236	845 087	197	542 498
1425	リンパ節群郭清術	24090	27	650 430	17	409 530	10	240 900
1426	リンパ節群郭清術　乳幼児　加算		-	-	-	-	-	-
1427	その他の医科準用の手術		406	737 155	219	435 557	187	301 598
1428	極低出生体重児　加算（手術）		-	-	-	-	-	-
1429	新生児　加算（全身麻酔）（手術）		-	-	-	-	-	-
1430	乳幼児　加算（全身麻酔）（手術）		81	1 439 970	81	1 439 970	-	-
1431	頸部郭清術片側　加算	4000	67	268 000	39	156 000	28	112 000
1432	頸部郭清術両側　加算	6000	14	84 000	11	66 000	3	18 000
1433	ＨＩＶ患者　加算（手術）	4000	1	4 000	1	4 000	-	-
1434	休日　加算１（入院外）（手術）		22	7 194	11	4 488	11	2 706
1435	休日　加算１（入院）（手術）		-	-	-	-	-	-
1436	時間外　加算１（入院外）（手術）		1	376	1	376	-	-
1437	時間外　加算１（入院）（手術）		-	-	-	-	-	-
1438	深夜　加算１（入院外）（手術）		20	6 768	12	4 728	8	2 040
1439	深夜　加算１（入院）（手術）		-	-	-	-	-	-
1440	時間外特例医療機関　加算１（入院外）（手術）		21	10 616	18	9 584	3	1 032
1441	時間外特例医療機関　加算１（入院）（手術）		1	2 080	-	-	1	2 080
1442	休日　加算２（入院外）（手術）		2 002	592 532	1 675	492 552	327	99 980
1443	休日　加算２（入院）（手術）		29	39 940	17	29 200	12	10 740
1444	時間外　加算２（入院外）（手術）		785	140 000	626	116 704	159	23 296
1445	時間外　加算２（入院）（手術）		15	6 118	11	4 566	4	1 552
1446	深夜　加算２（入院外）（手術）		461	222 116	387	194 376	74	27 740
1447	深夜　加算２（入院）（手術）		26	26 348	18	15 108	8	11 240
1448	時間外特例医療機関　加算２（入院外）（手術）		336	113 102	292	101 730	44	11 372
1449	時間外特例医療機関　加算２（入院）（手術）		18	13 928	15	12 716	3	1 212
1450	感染症患者等に対する麻酔　加算（手術）	1000	41	41 000	31	31 000	10	10 000
1451	周術期口腔機能管理後手術　加算	200	167	33 400	99	19 800	68	13 600

第３表　歯科診療　件数・診療実日数・回数・点数，診療行為（細分類）、一般医療－後期医療別

平成30年６月審査分

行番号	診療行為（細分類）	固定点数	総数 回数	総数 点数	一般医療 回数	一般医療 点数	後期医療 回数	後期医療 点数
1452	輸血料小計		788	904 448	671	688 332	117	216 116
1453	輸血　自家採血輸血　１回目	750	-	-	-	-	-	-
1454	輸血　自家採血輸血　２回目以降	650X	-	-	-	-	-	-
1455	輸血　保存血輸血　１回目	450	71	31 950	38	17 100	33	14 850
1456	輸血　保存血輸血　２回目以降	350X	114	70 000	69	44 800	45	25 200
1457	輸血　自己血貯血　６歳以上　液状保存	250X	320	80 000	320	80 000	-	-
1458	輸血　自己血貯血　６歳以上　凍結保存	500X	1	500	1	500	-	-
1459	輸血　自己血貯血　６歳未満　液状保存	250X	-	-	-	-	-	-
1460	輸血　自己血貯血　６歳未満　凍結保存	500X	-	-	-	-	-	-
1461	輸血　自己血輸血　６歳以上　液状保存	750X	140	105 000	140	105 000	-	-
1462	輸血　自己血輸血　６歳以上　凍結保存	1500X	1	1 500	1	1 500	-	-
1463	輸血　自己血輸血　６歳未満　液状保存	750X	-	-	-	-	-	-
1464	輸血　自己血輸血　６歳未満　凍結保存	1500X	-	-	-	-	-	-
1465	輸血　希釈式自己血輸血　６歳以上	1000X	8	8 000	8	8 000	-	-
1466	輸血　希釈式自己血輸血　６歳未満	1000X	-	-	-	-	-	-
1467	輸血　交換輸血	5250	-	-	-	-	-	-
1468	輸血　骨髄内輸血（胸骨）加算	260	-	-	-	-	-	-
1469	輸血　骨髄内輸血（その他）加算	280	-	-	-	-	-	-
1470	輸血　血管露出術　加算	530	-	-	-	-	-	-
1471	輸血　血液型検査　加算	54	15	810	7	378	8	432
1472	輸血　不規則抗体検査　加算	197	52	10 244	28	5 516	24	4 728
1473	輸血　ＨＬＡ型　クラスⅠ（Ａ，Ｂ，Ｃ）加算	1000	-	-	-	-	-	-
1474	輸血　ＨＬＡ型　クラスⅡ（ＤＲ，ＤＱ，ＤＰ）加算	1400	-	-	-	-	-	-
1475	輸血　血液交叉試験　加算	30	115	3 450	66	1 980	49	1 470
1476	輸血　間接クームス検査　加算	47	111	5 217	63	2 961	48	2 256
1477	輸血　コンピュータクロスマッチ　加算	30	13	390	10	300	3	90
1478	輸血　乳幼児　加算	26	-	-	-	-	-	-
1479	輸血　血小板洗浄術　加算	580	-	-	-	-	-	-
1480	輸血　保存血液代		123	550 987	72	394 337	51	156 650
1481	輸血管理料Ⅰ	220	112	24 640	79	17 380	33	7 260
1482	輸血管理料Ⅰ　輸血適正使用　加算	120	72	8 640	51	6 120	21	2 520
1483	輸血管理料Ⅱ	110	21	2 310	15	1 650	6	660
1484	輸血管理料Ⅱ　輸血適正使用　加算	60	6	360	6	360	-	-
1485	輸血管理料　貯血式自己血輸血管理体制　加算	50	9	450	9	450	-	-
1486	手術医療機器等加算小計		1 328	237 600	1 109	199 950	219	37 650
1487	上顎洞手術用内視鏡　加算	1000	1	1 000	1	1 000	-	-
1488	レーザー機器　加算１	50	1 196	59 800	1 003	50 150	193	9 650
1489	レーザー機器　加算２	100	24	2 400	18	1 800	6	600
1490	レーザー機器　加算３	200	22	4 400	15	3 000	7	1 400
1491	画像等手術支援　加算　ナビゲーションによる	2000	-	-	-	-	-	-
1492	画像等手術支援　加算　実物大臓器立体モデルによる	2000	85	170 000	72	144 000	13	26 000
1493	薬剤料小計		-	21 147 144	-	16 178 952	-	4 968 192
1494	薬剤料（手術）		-	8 651 039	-	7 306 887	-	1 344 152
1495	特定薬剤料（手術）		-	12 496 105	-	8 872 065	-	3 624 040
1496	特定保険医療材料料（手術）		5 062	9 272 352	4 372	8 420 238	690	852 114
1497	補正点数（＋）手術		-	4 970	-	3 270	-	1 700
1498	補正点数（－）手術		-	-10 696	-	-10 296	-	-400
1499	**麻酔計**		418 474	73 367 698	384 398	66 622 086	34 076	6 745 612
1500	伝達麻酔	42	141 720	5 952 240	131 575	5 526 150	10 145	426 090
1501	伝達麻酔　50/100　加算	21	342	7 182	285	5 985	57	1 197
1502	浸潤麻酔	30	235 780	7 073 400	214 409	6 432 270	21 371	641 130
1503	浸潤麻酔　50/100　加算	15	1 348	20 220	1 259	18 885	89	1 335
1504	吸入鎮静法　30分まで	70	24 702	1 729 140	23 700	1 659 000	1 002	70 140
1505	吸入鎮静法　30分まで　50/100　加算	35	7 240	253 400	7 216	252 560	24	840
1506	吸入鎮静法　30分超（30分ごと）加算	10X	6 736	67 360	6 363	63 630	373	3 730
1507	吸入鎮静法　30分超（30分ごと）加算　50/100　加算	5X	1 701	8 505	1 687	8 435	14	70
1508	静脈内鎮静法	120	3 679	441 480	3 336	400 320	343	41 160
1509	静脈内鎮静法　50/100　加算	60	191	11 460	185	11 100	6	360
1510	医科準用の麻酔		12 593	45 310 141	11 378	40 819 591	1 215	4 490 550
1511	未熟児　加算（全身麻酔）（麻酔）		-	-	-	-	-	-
1512	新生児（未熟児を除く）加算（全身麻酔）（麻酔）		-	-	-	-	-	-
1513	乳児　加算（全身麻酔）（麻酔）		48	144 000	48	144 000	-	-
1514	幼児　加算（全身麻酔）（麻酔）		51	60 062	51	60 062	-	-
1515	休日　加算（入院外）（麻酔）		103	3 422	98	3 252	5	170
1516	休日　加算（入院）（麻酔）		-	-	-	-	-	-
1517	時間外　加算（入院外）（麻酔）		68	1 184	65	1 133	3	51
1518	時間外　加算（入院）（麻酔）		-	-	-	-	-	-
1519	深夜　加算（入院外）（麻酔）		11	364	11	364	-	-
1520	深夜　加算（入院）（麻酔）		-	-	-	-	-	-
1521	時間外特例医療機関　加算（入院外）（麻酔）		1	17	1	17	-	-
1522	時間外特例医療機関　加算（入院）（麻酔）		2	34	2	34	-	-
1523	薬剤料（麻酔）		-	11 204 587	-	10 239 140	-	965 447
1524	特定保険医療材料料（麻酔）酸素・窒素		-	880 240	-	835 867	-	44 373
1525	特定保険医療材料料（麻酔）酸素・窒素以外		347	278 340	303	214 571	44	63 769
1526	補正点数（＋）麻酔		-	52 920	-	52 920	-	-
1527	補正点数（－）麻酔		-	-132 000	-	-127 200	-	-4 800
1528	**放射線治療計**		1 743	3 951 862	937	2 214 528	806	1 737 334
1529	放射線治療管理料　１門照射，対向２門照射，外部照射	2700	7	18 900	5	13 500	2	5 400
1530	放射線治療管理料　非対向２門照射，３門照射，腔内照射	3100	36	111 600	14	43 400	22	68 200
1531	放射線治療管理料　４門以上，運動，原体，組織内照射	4000	26	104 000	14	56 000	12	48 000
1532	放射線治療管理料　強度変調放射線治療（ＩＭＲＴ）による体外照射	5000	22	110 000	17	85 000	5	25 000
1533	放射線治療管理料　放射線治療専任　加算	330	64	21 120	38	12 540	26	8 580
1534	放射線治療管理料　外来放射線治療　加算	100	33	3 300	14	1 400	19	1 900
1535	体外照射　エックス線表在治療　１回目	110	-	-	-	-	-	-
1536	体外照射　エックス線表在治療　２回目	33	-	-	-	-	-	-

第３表　歯科診療　件数・診療実日数・回数・点数，診療行為（細分類）、一般医療－後期医療別

平成30年６月審査分

行番号	診療行為（細分類）	固定点数	総数 回数	総数 点数	一般医療 回数	一般医療 点数	後期医療 回数	後期医療 点数
1537	体外照射　高エネルギー放射線治療　1回目　1門照射，対向2門照射	840	74	62 160	66	55 440	8	6 720
1538	体外照射　高エネルギー放射線治療　1回目　1門照射，対向2門照射　適合施設以外	588	–	–	–	–	–	–
1539	体外照射　高エネルギー放射線治療　1回目　非対向2門照射，3門照射	1320	440	580 800	171	225 720	269	355 080
1540	体外照射　高エネルギー放射線治療　1回目　非対向2門照射，3門照射　適合施設以外	924	8	7 392	2	1 848	6	5 544
1541	体外照射　高エネルギー放射線治療　1回目　4門以上，運動，原体照射	1800	467	840 600	224	403 200	243	437 400
1542	体外照射　高エネルギー放射線治療　1回目　4門以上，運動，原体照射　適合施設以外	1260	21	26 460	21	26 460	–	–
1543	体外照射　高エネルギー放射線治療　2回目　1門照射，対向2門照射	420	38	15 960	25	10 500	13	5 460
1544	体外照射　高エネルギー放射線治療　2回目　1門照射，対向2門照射　適合施設以外	294	–	–	–	–	–	–
1545	体外照射　高エネルギー放射線治療　2回目　非対向2門照射，3門照射	660	9	5 940	1	660	8	5 280
1546	体外照射　高エネルギー放射線治療　2回目　非対向2門照射，3門照射　適合施設以外	462	–	–	–	–	–	–
1547	体外照射　高エネルギー放射線治療　2回目　4門以上，運動，原体照射	900	–	–	–	–	–	–
1548	体外照射　高エネルギー放射線治療　2回目　4門以上，運動，原体照射　適合施設以外	630	–	–	–	–	–	–
1549	体外照射　強度変調放射線治療（ＩＭＲＴ）	3000	581	1 743 000	366	1 098 000	215	645 000
1550	体外照射　術中照射療法　加算	5000	–	–	–	–	–	–
1551	体外照射　体外照射用固定器具使用　加算	1000	49	49 000	28	28 000	21	21 000
1552	体外照射　画像誘導放射線治療（ＩＧＲＴ）加算　骨構造の位置情報によるもの	300	538	161 400	315	94 500	223	66 900
1553	体外照射　画像誘導放射線治療（ＩＧＲＴ）加算　腫瘍の位置情報によるもの	450	184	82 800	127	57 150	57	25 650
1554	直線加速器による放射線治療（一連につき）１　定位放射線治療の場合	63000	–	–	–	–	–	–
1555	直線加速器による放射線治療（一連につき）２　１以外の場合	8000	–	–	–	–	–	–
1556	電磁波温熱療法　深在性悪性腫瘍	9000	–	–	–	–	–	–
1557	電磁波温熱療法　浅在性悪性腫瘍	6000	1	6 000	–	–	1	6 000
1558	密封小線源治療　外部照射	80	–	–	–	–	–	–
1559	密封小線源治療　腔内照射　高線量率イリジウム照射又は新型コバルト小線源治療装置	10000	–	–	–	–	–	–
1560	密封小線源治療　腔内照射　画像誘導密封小線源治療　加算	300	–	–	–	–	–	–
1561	密封小線源治療　腔内照射　その他の場合	5000	–	–	–	–	–	–
1562	密封小線源治療　組織内照射　高線量率イリジウム照射又は新型コバルト小線源治療装置	23000	–	–	–	–	–	–
1563	密封小線源治療　組織内照射　その他の場合	19000	–	–	–	–	–	–
1564	密封小線源治療　放射性粒子照射	8000	–	–	–	–	–	–
1565	密封小線源治療　高線量率イリジウム料（特定保険医療材料料）		–	–	–	–	–	–
1566	密封小線源治療　低線量率イリジウム料（特定保険医療材料料）		–	–	–	–	–	–
1567	密封小線源治療　放射性粒子料（特定保険医療材料料）		–	–	–	–	–	–
1568	密封小線源治療　コバルト料（特定保険医療材料料）		–	–	–	–	–	–
1569	小児放射線治療加算　新生児		–	–	–	–	–	–
1570	小児放射線治療加算　乳幼児		–	–	–	–	–	–
1571	小児放射線治療加算　幼児		–	–	–	–	–	–
1572	小児放射線治療加算　小児		–	–	–	–	–	–
1573	血液照射	110X	13	1 430	11	1 210	2	220
1574	特定保険医療材料料（放射線）放射線源以外		–	–	–	–	–	–
1575	補正点数（＋）放射線治療		–	–	–	–	–	–
1576	補正点数（－）放射線治療		–	–	–	–	–	–
1577	**歯冠修復及び欠損補綴計**		36 146 669	7 980 170 298	28 621 138	6 084 614 390	7 525 531	1 895 555 908
1578	歯冠修復及び欠損補綴診療料小計		24 379 215	3 051 913 166	19 317 444	2 383 514 920	5 061 771	668 398 246
1579	補綴時診断料　１　補綴時診断（新製の場合）	90	737 201	66 348 090	460 177	41 415 930	277 024	24 932 160
1580	補綴時診断料　２　補綴時診断（１以外の場合）	70	209 757	14 682 990	85 133	5 959 310	124 624	8 723 680
1581	クラウン・ブリッジ維持管理料　歯冠補綴物	100	1 128 749	112 874 900	919 130	91 913 000	209 619	20 961 900
1582	クラウン・ブリッジ維持管理料　支台歯とポンティックの数の合計が５歯以下	330	182 961	60 377 130	150 618	49 703 940	32 343	10 673 190
1583	クラウン・ブリッジ維持管理料　支台歯とポンティックの数の合計が６歯以上	440	15 694	6 905 360	11 115	4 890 600	4 579	2 014 760
1584	広範囲顎骨支持型補綴診断料	1800	12	21 600	9	16 200	3	5 400
1585	歯冠形成　生活歯　金属冠	306	342 624	104 842 944	278 102	85 099 212	64 522	19 743 732
1586	歯冠形成　生活歯　金属冠　50/100　加算	153	735	112 455	552	84 456	183	27 999
1587	歯冠形成　生活歯　金属冠　ブリッジ支台歯形成　加算	20	187 349	3 746 980	155 270	3 105 400	32 079	641 580
1588	歯冠形成　生活歯　金属冠　ブリッジ支台歯形成　加算　50/100　加算	10	116	1 160	85	850	31	310
1589	歯冠形成　生活歯　金属冠　前歯の４分の３冠又はレジン前装金属冠　単冠　加算	490	50 061	24 529 890	33 614	16 470 860	16 447	8 059 030
1590	歯冠形成　生活歯　金属冠　前歯の４分の３冠又はレジン前装金属冠　単冠　50/100　加算	245	99	24 255	52	12 740	47	11 515
1591	歯冠形成　生活歯　金属冠　前歯の４分の３冠、レジン前装金属冠及び接着冠　ブリッジ　加算	490	59 855	29 328 950	44 945	22 023 050	14 910	7 305 900
1592	歯冠形成　生活歯　金属冠　前歯の４分の３冠、レジン前装金属冠及び接着冠　ブリッジ　50/100　加算	245	111	27 195	74	18 130	37	9 065
1593	歯冠形成　生活歯　金属冠　臼歯のレジン前装金属冠　加算	490	13 179	6 457 710	10 933	5 357 170	2 246	1 100 540
1594	歯冠形成　生活歯　金属冠　臼歯のレジン前装金属冠　加算　50/100　加算	245	12	2 940	8	1 960	4	980
1595	歯冠形成　生活歯　非金属冠	306	27 868	8 527 608	24 010	7 347 060	3 858	1 180 548
1596	歯冠形成　生活歯　非金属冠　50/100　加算	153	2 951	451 503	2 938	449 514	13	1 989
1597	歯冠形成　生活歯　非金属冠　ブリッジ支台歯形成　加算	20	214	4 280	198	3 960	16	320
1598	歯冠形成　生活歯　非金属冠　ブリッジ支台歯形成　加算　50/100　加算	10	–	–	–	–	–	–
1599	歯冠形成　生活歯　非金属冠　ＣＡＤ／ＣＡＭ冠のための支台歯形成　加算	490	14 505	7 107 450	12 579	6 163 710	1 926	943 740
1600	歯冠形成　生活歯　非金属冠　ＣＡＤ／ＣＡＭ冠のための支台歯形成　加算　50/100　加算	245	9	2 205	4	980	5	1 225
1601	歯冠形成　生活歯　非金属冠　高強度硬質レジンブリッジのための支台歯形成　加算	490	183	89 670	176	86 240	7	3 430
1602	歯冠形成　生活歯　非金属冠　高強度硬質レジンブリッジのための支台歯形成　加算　50/100　加算	245	–	–	–	–	–	–
1603	歯冠形成　生活歯　乳歯金属冠	120	2 431	291 720	2 431	291 720	–	–
1604	歯冠形成　生活歯　乳歯金属冠　50/100　加算	60	1 103	66 180	1 103	66 180	–	–
1605	歯冠形成　失活歯　金属冠	166	1 169 606	194 154 596	935 190	155 241 540	234 416	38 913 056
1606	歯冠形成　失活歯　金属冠　50/100　加算	83	2 348	194 884	1 584	131 472	764	63 412
1607	歯冠形成　失活歯　金属冠　ブリッジ支台歯形成　加算	20	307 393	6 147 860	243 138	4 862 760	64 255	1 285 100
1608	歯冠形成　失活歯　金属冠　ブリッジ支台歯形成　加算　50/100　加算	10	116	1 160	65	650	51	510
1609	歯冠形成　失活歯　金属冠　前歯の４分の３冠又はレジン前装金属冠　単冠　加算	470	276 195	129 811 650	196 419	92 316 930	79 776	37 494 720
1610	歯冠形成　失活歯　金属冠　前歯の４分の３冠又はレジン前装金属冠　単冠　加算　50/100　加算	235	301	70 735	147	34 545	154	36 190
1611	歯冠形成　失活歯　金属冠　前歯の４分の３冠又はレジン前装金属冠　ブリッジ　加算	470	98 580	46 332 600	72 365	34 011 550	26 215	12 321 050
1612	歯冠形成　失活歯　金属冠　前歯の４分の３冠又はレジン前装金属冠　ブリッジ　加算　50/100　加算	235	156	36 660	71	16 685	85	19 975
1613	歯冠形成　失活歯　金属冠　臼歯のレジン前装金属冠　加算	470	28 710	13 493 700	22 913	10 769 110	5 797	2 724 590
1614	歯冠形成　失活歯　金属冠　臼歯のレジン前装金属冠　加算　50/100　加算	235	–	–	–	–	–	–
1615	歯冠形成　失活歯　金属冠　メタルコアにより支台築造　加算	30	426 029	12 780 870	333 041	9 991 230	92 988	2 789 640
1616	歯冠形成　失活歯　金属冠　メタルコアにより支台築造　加算　50/100　加算	15	808	12 120	464	6 960	344	5 160
1617	歯冠形成　失活歯　非金属冠	166	211 447	35 100 202	185 740	30 832 840	25 707	4 267 362
1618	歯冠形成　失活歯　非金属冠　50/100　加算	83	1 205	100 015	1 123	93 209	82	6 806
1619	歯冠形成　失活歯　非金属冠　ブリッジ支台歯形成　加算	20	436	8 720	402	8 040	34	680
1620	歯冠形成　失活歯　非金属冠　ブリッジ支台歯形成　加算　50/100　加算	10	2	20	1	10	1	10
1621	歯冠形成　失活歯　非金属冠　メタルコアにより支台築造　加算	30	60 186	1 805 580	51 654	1 549 620	8 532	255 960
1622	歯冠形成　失活歯　非金属冠　メタルコアにより支台築造　加算　50/100　加算	15	66	990	33	495	33	495
1623	歯冠形成　失活歯　非金属冠　ＣＡＤ／ＣＡＭ冠のための支台歯形成　加算	470	153 063	71 939 610	137 080	64 427 600	15 983	7 512 010
1624	歯冠形成　失活歯　非金属冠　ＣＡＤ／ＣＡＭ冠のための支台歯形成　加算　50/100　加算	235	79	18 565	52	12 220	27	6 345
1625	歯冠形成　失活歯　非金属冠　高強度硬質レジンブリッジのための支台歯形成　加算	470	409	192 230	384	180 480	25	11 750
1626	歯冠形成　失活歯　非金属冠　高強度硬質レジンブリッジのための支台歯形成　加算　50/100　加算	235	–	–	–	–	–	–
1627	歯冠形成　失活歯　乳歯金属冠	114	3 934	448 476	3 934	448 476	–	–
1628	歯冠形成　失活歯　乳歯金属冠　50/100　加算	57	1 646	93 822	1 646	93 822	–	–
1629	歯冠形成　窩洞形成　単純	60	176 336	10 580 160	115 975	6 958 500	60 361	3 621 660
1630	歯冠形成　窩洞形成　単純　50/100　加算	30	4 595	137 850	3 964	118 920	631	18 930
1631	歯冠形成　窩洞形成　単純　う蝕歯無痛的窩洞形成　加算	40	679	27 160	591	23 640	88	3 520
1632	歯冠形成　窩洞形成　単純　う蝕歯無痛的窩洞形成　加算　50/100　加算	20	62	1 240	62	1 240	–	–
1633	歯冠形成　窩洞形成　複雑	86	360 542	31 006 612	322 691	27 751 426	37 851	3 255 186
1634	歯冠形成　窩洞形成　複雑　50/100　加算	43	17 654	759 122	17 433	749 619	221	9 503
1635	歯冠形成　窩洞形成　複雑　ブリッジ支台歯形成　加算	20	14 120	282 400	13 054	261 080	1 066	21 320
1636	歯冠形成　窩洞形成　複雑　ブリッジ支台歯形成　加算　50/100　加算	10	14	140	8	80	6	60
1637	歯冠形成　窩洞形成　複雑　う蝕歯無痛的窩洞形成　加算	40	1 662	66 480	1 478	59 120	184	7 360
1638	歯冠形成　窩洞形成　複雑　う蝕歯無痛的窩洞形成　加算　50/100　加算	20	145	2 900	145	2 900	–	–

第3表　歯科診療　件数・診療実日数・回数・点数，診療行為（細分類）、一般医療－後期医療別

平成30年6月審査分

行番号	診療行為（細分類）	固定点数	総数 回数	総数 点数	一般医療 回数	一般医療 点数	後期医療 回数	後期医療 点数
1639	う蝕歯即時充填形成	126	6 269 601	789 969 726	5 451 738	686 918 988	817 863	103 050 738
1640	う蝕歯即時充填形成　50/100　加算	63	309 444	19 494 972	305 351	19 237 113	4 093	257 859
1641	う蝕歯即時充填形成　う蝕歯無痛的窩洞形成　加算	40	190 809	7 632 360	170 328	6 813 120	20 481	819 240
1642	う蝕歯即時充填形成　う蝕歯無痛的窩洞形成　加算　50/100　加算	20	11 444	228 880	11 363	227 260	81	1 620
1643	う蝕歯インレー修復形成	120	637 980	76 557 600	599 271	71 912 520	38 709	4 645 080
1644	う蝕歯インレー修復形成　50/100　加算	60	4 661	279 660	4 568	274 080	93	5 580
1645	支台築造　間接法　メタルコア　大臼歯	176	192 832	33 938 432	169 734	29 873 184	23 098	4 065 248
1646	支台築造　間接法　メタルコア　大臼歯　50/100　加算	88	180	15 840	134	11 792	46	4 048
1647	支台築造　間接法　メタルコア　大臼歯　材料	66	192 831	12 726 846	169 733	11 202 378	23 098	1 524 468
1648	支台築造　間接法　メタルコア　小臼歯・前歯	150	306 047	45 907 050	226 343	33 951 450	79 704	11 955 600
1649	支台築造　間接法　メタルコア　小臼歯・前歯　50/100　加算	75	617	46 275	333	24 975	284	21 300
1650	支台築造　間接法　メタルコア　小臼歯・前歯　材料	41	306 043	12 547 763	226 339	9 279 899	79 704	3 267 864
1651	支台築造　間接法　ファイバーポスト　大臼歯	176	21 290	3 747 040	19 351	3 405 776	1 939	341 264
1652	支台築造　間接法　ファイバーポスト　大臼歯　50/100　加算	88	23	2 024	17	1 496	6	528
1653	支台築造　間接法　ファイバーポスト　大臼歯　材料	27	21 290	574 830	19 351	522 477	1 939	52 353
1654	支台築造　間接法　ファイバーポスト　大臼歯　ファイバーポスト　材料	89	36 913	3 285 257	33 490	2 980 610	3 423	304 647
1655	支台築造　間接法　ファイバーポスト　小臼歯・前歯	150	38 921	5 838 150	31 430	4 714 500	7 491	1 123 650
1656	支台築造　間接法　ファイバーポスト　小臼歯・前歯　50/100　加算	75	92	6 900	63	4 725	29	2 175
1657	支台築造　間接法　ファイバーポスト　小臼歯・前歯　材料	15	38 921	583 815	31 430	471 450	7 491	112 365
1658	支台築造　間接法　ファイバーポスト　小臼歯・前歯　ファイバーポスト　材料	89	46 263	4 117 407	37 837	3 367 493	8 426	749 914
1659	支台築造　直接法　ファイバーポスト　大臼歯	154	53 054	8 170 316	47 541	7 321 314	5 513	849 002
1660	支台築造　直接法　ファイバーポスト　大臼歯　50/100　加算	77	36	2 772	18	1 386	18	1 386
1661	支台築造　直接法　ファイバーポスト　大臼歯　材料	27	53 052	1 432 404	47 539	1 283 553	5 513	148 851
1662	支台築造　直接法　ファイバーポスト　大臼歯　ファイバーポスト　材料	89	83 256	7 409 784	74 402	6 621 778	8 854	788 006
1663	支台築造　直接法　ファイバーポスト　小臼歯・前歯	128	108 040	13 829 120	85 735	10 974 080	22 305	2 855 040
1664	支台築造　直接法　ファイバーポスト　小臼歯・前歯　50/100　加算	64	179	11 456	96	6 144	83	5 312
1665	支台築造　直接法　ファイバーポスト　小臼歯・前歯　材料	15	108 038	1 620 570	85 733	1 285 995	22 305	334 575
1666	支台築造　直接法　ファイバーポスト　小臼歯・前歯　ファイバーポスト　材料	89	121 399	10 804 511	97 163	8 647 507	24 236	2 157 004
1667	支台築造　直接法　その他	126	416 807	52 517 682	341 912	43 080 912	74 895	9 436 770
1668	支台築造　直接法　その他　50/100　加算	63	535	33 705	320	20 160	215	13 545
1669	支台築造　直接法　その他　大臼歯　材料	33	186 347	6 149 451	163 467	5 394 411	22 880	755 040
1670	支台築造　直接法　その他　小臼歯・前歯　材料	21	230 459	4 839 639	178 444	3 747 324	52 015	1 092 315
1671	支台築造印象	32	585 686	18 741 952	468 994	15 007 808	116 692	3 734 144
1672	支台築造印象　50/100　加算	16	889	14 224	532	8 512	357	5 712
1673	印象採得　歯冠修復　単純印象	32	2 954	94 528	2 760	88 320	194	6 208
1674	印象採得　歯冠修復　単純印象　50/100　加算	16	646	10 336	646	10 336	-	-
1675	印象採得　歯冠修復　連合印象	64	2 068 312	132 371 968	1 785 693	114 284 352	282 619	18 087 616
1676	印象採得　歯冠修復　連合印象　50/100　加算	32	9 840	314 880	8 966	286 912	874	27 968
1677	印象採得　欠損補綴　単純印象　簡単	42	289 797	12 171 474	135 402	5 686 884	154 395	6 484 590
1678	印象採得　欠損補綴　単純印象　簡単　50/100　加算	21	1 606	33 726	320	6 720	1 286	27 006
1679	印象採得　欠損補綴　単純印象　困難	72	3 459	249 048	1 612	116 064	1 847	132 984
1680	印象採得　欠損補綴　単純印象　困難　50/100　加算	36	34	1 224	12	432	22	792
1681	印象採得　欠損補綴　連合印象	230	492 306	113 230 380	267 305	61 480 150	225 001	51 750 230
1682	印象採得　欠損補綴　連合印象　70/100　加算	161	18 717	3 013 437	2 105	338 905	16 612	2 674 532
1683	印象採得　欠損補綴　特殊印象	272	43 378	11 798 816	18 183	4 945 776	25 195	6 853 040
1684	印象採得　欠損補綴　特殊印象　70/100　加算	190	2 300	437 000	193	36 670	2 107	400 330
1685	印象採得　欠損補綴　ブリッジ　支台歯とポンティックの数の合計が5歯以下	282	205 381	57 917 442	169 906	47 913 492	35 475	10 003 950
1686	印象採得　欠損補綴　ブリッジ　支台歯とポンティックの数の合計が5歯以下　50/100　加算	141	256	36 096	157	22 137	99	13 959
1687	印象採得　欠損補綴　ブリッジ　支台歯とポンティックの数の合計が6歯以上	334	17 079	5 704 386	12 126	4 050 084	4 953	1 654 302
1688	印象採得　欠損補綴　ブリッジ　支台歯とポンティックの数の合計が6歯以上　50/100　加算	167	37	6 179	16	2 672	21	3 507
1689	印象採得　欠損補綴　口蓋補綴，顎補綴　印象採得が困難	222	269	59 718	181	40 182	88	19 536
1690	印象採得　欠損補綴　口蓋補綴，顎補綴　印象採得が困難　50/100　加算	111	15	1 665	15	1 665	-	-
1691	印象採得　欠損補綴　口蓋補綴，顎補綴　印象採得が著しく困難	402	143	57 486	81	32 562	62	24 924
1692	印象採得　欠損補綴　口蓋補綴，顎補綴　印象採得が著しく困難　50/100　加算	201	2	402	2	402	-	-
1693	印象採得　口腔内装置等	42	109 318	4 591 356	100 892	4 237 464	8 426	353 892
1694	印象採得　口腔内装置等　50/100　加算	21	341	7 161	271	5 691	70	1 470
1695	テンポラリークラウン	34	292 961	9 960 674	206 917	7 035 178	86 044	2 925 496
1696	テンポラリークラウン　50/100　加算	17	628	10 676	317	5 389	311	5 287
1697	リテイナー　支台歯とポンティックの数の合計が5歯以下	100	199 038	19 903 800	164 628	16 462 800	34 410	3 441 000
1698	リテイナー　支台歯とポンティックの数の合計が5歯以下　50/100　加算	50	245	12 250	150	7 500	95	4 750
1699	リテイナー　支台歯とポンティックの数の合計が6歯以上	300	16 946	5 083 800	12 034	3 610 200	4 912	1 473 600
1700	リテイナー　支台歯とポンティックの数の合計が6歯以上　50/100　加算	150	37	5 550	17	2 550	20	3 000
1701	装着　歯冠修復	45	1 927 914	86 756 130	1 660 327	74 714 715	267 587	12 041 415
1702	装着　歯冠修復　50/100　加算	22/23	11 548	265 604	10 752	247 296	796	18 308
1703	装着　歯冠修復　CAD／CAM冠装着　加算	45	153 679	6 915 555	136 981	6 164 145	16 698	751 410
1704	装着　歯冠修復　CAD／CAM冠装着　加算　50/100　加算	22/23	113	2 599	72	1 656	41	943
1705	装着　欠損補綴　ブリッジ　支台歯とポンティックの数の合計が5歯以下	150	188 110	28 216 500	154 983	23 247 450	33 127	4 969 050
1706	装着　欠損補綴　ブリッジ　支台歯とポンティックの数の合計が5歯以下　50/100　加算	75	236	17 700	144	10 800	92	6 900
1707	装着　欠損補綴　ブリッジ　支台歯とポンティックの数の合計が5歯以下　高強度硬質レジンブリッジ装着　加算	90	239	21 510	228	20 520	11	990
1708	装着　欠損補綴　ブリッジ　支台歯とポンティックの数の合計が5歯以下　高強度硬質レジンブリッジ装着　加算　50/100　加算	45	-	-	-	-	-	-
1709	装着　欠損補綴　ブリッジ　支台歯とポンティックの数の合計が6歯以上	300	15 883	4 764 900	11 175	3 352 500	4 708	1 412 400
1710	装着　欠損補綴　ブリッジ　支台歯とポンティックの数の合計が6歯以上　50/100　加算	150	34	5 100	15	2 250	19	2 850
1711	装着　欠損補綴　有床義歯　少数歯欠損	60	329 255	19 755 300	202 020	12 121 200	127 235	7 634 100
1712	装着　欠損補綴　有床義歯　少数歯欠損　50/100　加算	30	1 017	30 510	335	10 050	682	20 460
1713	装着　欠損補綴　有床義歯　多数歯欠損	120	133 745	16 049 400	58 887	7 066 440	74 858	8 982 960
1714	装着　欠損補綴　有床義歯　多数歯欠損　50/100　加算	60	896	53 760	191	11 460	705	42 300
1715	装着　欠損補綴　有床義歯　総義歯	230	149 595	34 406 850	48 406	11 133 380	101 189	23 273 470
1716	装着　欠損補綴　有床義歯　総義歯　50/100　加算	115	1 707	196 305	180	20 700	1 527	175 605
1717	装着　欠損補綴　有床義歯修理　少数歯欠損	30	278 749	8 362 470	148 055	4 441 650	130 694	3 920 820
1718	装着　欠損補綴　有床義歯修理　少数歯欠損　50/100　加算	15	999	14 985	282	4 230	717	10 755
1719	装着　欠損補綴　有床義歯修理　多数歯欠損	60	206 184	12 371 040	87 518	5 251 080	118 666	7 119 960
1720	装着　欠損補綴　有床義歯修理　多数歯欠損　50/100　加算	30	1 269	38 070	232	6 960	1 037	31 110
1721	装着　欠損補綴　有床義歯修理　総義歯	115	137 471	15 809 165	44 480	5 115 200	92 991	10 693 965
1722	装着　欠損補綴　有床義歯修理　総義歯　50/100　加算	57/58	1 461	84 738	113	6 554	1 348	78 184
1723	装着　欠損補綴　口蓋補綴，顎補綴　印象採得が困難	150	69 064	10 359 600	64 489	9 673 350	4 575	686 250
1724	装着　欠損補綴　口蓋補綴，顎補綴　印象採得が困難　50/100　加算	75	249	18 675	214	16 050	35	2 625
1725	装着　欠損補綴　口蓋補綴，顎補綴　印象採得が著しく困難	300	2 450	735 000	2 198	659 400	252	75 600
1726	装着　欠損補綴　口蓋補綴，顎補綴　印象採得が著しく困難　50/100　加算	150	8	1 200	8	1 200	-	-
1727	装着　口腔内装置等の装着	30	57 525	1 725 750	48 483	1 454 490	9 042	271 260
1728	装着　口腔内装置等の装着　50/100　加算	15	926	13 890	861	12 915	65	975

第３表　歯科診療　件数・診療実日数・回数・点数，診療行為（細分類）、一般医療－後期医療別

平成30年６月審査分

行番号	診療行為（細分類）	固定点数	総数 回数	総数 点数	一般医療 回数	一般医療 点数	後期医療 回数	後期医療 点数
1729	再装着　歯冠修復	45	460 949	20 742 705	376 021	16 920 945	84 928	3 821 760
1730	再装着　歯冠修復　50/100　加算	22/23	1 126	25 898	763	17 549	363	8 349
1731	再装着　CAD／CAM冠装着　加算	45	2 992	134 640	2 577	115 965	415	18 675
1732	再装着　CAD／CAM冠装着　加算　50/100　加算	22/23	3	69	1	23	2	46
1733	再装着　欠損補綴　ブリッジ　支台歯とポンティックの数の合計が５歯以下	150	37 008	5 551 200	29 605	4 440 750	7 403	1 110 450
1734	再装着　欠損補綴　ブリッジ　支台歯とポンティックの数の合計が５歯以下　50/100　加算	75	94	7 050	50	3 750	44	3 300
1735	再装着　欠損補綴　ブリッジ　支台歯とポンティックの数の合計が５歯以下　高強度硬質　レジンブリッジ装着　加算	90	4	360	2	180	2	180
1736	再装着　欠損補綴　ブリッジ　支台歯とポンティックの数の合計が５歯以下　高強度硬質　レジンブリッジ装着　加算　50/100　加算	45	−	−	−	−	−	−
1737	再装着　欠損補綴　ブリッジ　支台歯とポンティックの数の合計が６歯以上	300	3 311	993 300	2 276	682 800	1 035	310 500
1738	再装着　欠損補綴　ブリッジ　支台歯とポンティックの数の合計が６歯以上　50/100　加算	150	14	2 100	8	1 200	6	900
1739	仮着　ブリッジ　支台歯とポンティックの数の合計が５歯以下	40	10 248	409 920	8 298	331 920	1 950	78 000
1740	仮着　ブリッジ　支台歯とポンティックの数の合計が５歯以下　50/100　加算	20	8	160	4	80	4	80
1741	仮着　ブリッジ　支台歯とポンティックの数の合計が６歯以上	80	1 477	118 160	1 048	83 840	429	34 320
1742	仮着　ブリッジ　支台歯とポンティックの数の合計が６歯以上　50/100　加算	40	5	200	2	80	3	120
1743	装着材料　合着，接着材料Ⅰ　材料　レジン系　標準型	17	2 399 390	40 789 630	2 013 249	34 225 233	386 141	6 564 397
1744	装着材料　合着，接着材料Ⅰ　材料　レジン系　自動錬和型	17	101 516	1 725 772	85 958	1 461 286	15 558	264 486
1745	装着材料　合着，接着材料Ⅰ　材料　グラスアイオノマー系　標準型	11	364 279	4 007 069	309 470	3 404 170	54 809	602 899
1746	装着材料　合着，接着材料Ⅰ　材料　グラスアイオノマー系　自動錬和型	11	7 362	80 982	6 082	66 902	1 280	14 080
1747	装着材料　合着，接着材料Ⅱ　材料	12	191 259	2 295 108	154 851	1 858 212	36 408	436 896
1748	装着材料　合着，接着材料Ⅲ，仮着　材料	4	597 285	2 389 140	479 734	1 918 936	117 551	470 204
1749	咬合採得　歯冠修復	18	2 056 936	37 024 848	1 780 691	32 052 438	276 245	4 972 410
1750	咬合採得　歯冠修復　50/100　加算	9	10 338	93 042	9 507	85 563	831	7 479
1751	咬合採得　欠損補綴　ブリッジ　支台歯とポンティックの数の合計が５歯以下	76	205 442	15 613 592	169 938	12 915 288	35 504	2 698 304
1752	咬合採得　欠損補綴　ブリッジ　支台歯とポンティックの数の合計が５歯以下　50/100　加算	38	256	9 728	156	5 928	100	3 800
1753	咬合採得　欠損補綴　ブリッジ　支台歯とポンティックの数の合計が６歯以上	150	17 093	2 563 950	12 125	1 818 750	4 968	745 200
1754	咬合採得　欠損補綴　ブリッジ　支台歯とポンティックの数の合計が６歯以上　50/100　加算	75	37	2 775	16	1 200	21	1 575
1755	咬合採得　欠損補綴　有床義歯　少数歯欠損	57	423 109	24 117 213	253 908	14 472 756	169 201	9 644 457
1756	咬合採得　欠損補綴　有床義歯　少数歯欠損　70/100　加算	40	8 622	344 880	1 261	50 440	7 361	294 440
1757	咬合採得　欠損補綴　有床義歯　多数歯欠損	187	226 234	42 305 758	111 769	20 900 803	114 465	21 404 955
1758	咬合採得　欠損補綴　有床義歯　多数歯欠損　70/100　加算	131	8 831	1 156 861	919	120 389	7 912	1 036 472
1759	咬合採得　欠損補綴　有床義歯　総義歯	283	156 548	44 303 084	54 812	15 511 796	101 736	28 791 288
1760	咬合採得　欠損補綴　有床義歯　総義歯　70/100　加算	198	10 757	2 129 886	754	149 292	10 003	1 980 594
1761	仮床試適　少数歯欠損	40	154 109	6 164 360	92 534	3 701 360	61 575	2 463 000
1762	仮床試適　少数歯欠損　50/100　加算	20	590	11 800	187	3 740	403	8 060
1763	仮床試適　多数歯欠損	100	85 566	8 556 600	38 340	3 834 000	47 226	4 722 600
1764	仮床試適　多数歯欠損　50/100　加算	50	580	29 000	116	5 800	464	23 200
1765	仮床試適　総義歯	190	94 583	17 970 770	33 709	6 404 710	60 874	11 566 060
1766	仮床試適　総義歯　50/100　加算	95	827	78 565	115	10 925	712	67 640
1767	ブリッジの試適　支台歯とポンティックの数の合計が５歯以下	40	5 494	219 760	4 118	164 720	1 376	55 040
1768	ブリッジの試適　支台歯とポンティックの数の合計が５歯以下　50/100　加算	20	12	240	6	120	6	120
1769	ブリッジの試適　支台歯とポンティックの数の合計が６歯以上	80	4 402	352 160	3 207	256 560	1 195	95 600
1770	ブリッジの試適　支台歯とポンティックの数の合計が６歯以上　50/100　加算	40	9	360	7	280	2	80
1771	歯冠修復小計		9 089 672	3 419 252 428	7 823 085	2 862 729 792	1 266 587	556 522 636
1772	充填１　単純なもの	104	2 529 392	263 056 768	2 191 630	227 929 520	337 762	35 127 248
1773	充填１　単純なもの　50/100　加算	52	79 291	4 123 132	77 826	4 046 952	1 465	76 180
1774	充填１　複雑なもの	156	4 091 494	638 273 064	3 535 623	551 557 188	555 871	86 715 876
1775	充填１　複雑なもの　50/100　加算	78	242 463	18 912 114	239 357	18 669 846	3 106	242 268
1776	充填２　単純なもの	59	25 400	1 498 600	20 710	1 221 890	4 690	276 710
1777	充填２　単純なもの　50/100　加算	29/30	3 643	109 290	3 529	105 870	114	3 420
1778	充填２　複雑なもの	107	25 305	2 707 635	19 673	2 105 011	5 632	602 624
1779	充填２　複雑なもの　50/100　加算	53/54	3 988	215 352	3 803	205 362	185	9 990
1780	充填　歯科充填材料Ⅰ　複合レジン系　単純なもの　材料	11	3 058 827	33 647 097	2 662 243	29 284 673	396 584	4 362 424
1781	充填　歯科充填材料Ⅰ　複合レジン系　複雑なもの　材料	29	4 503 150	130 591 350	3 884 068	112 637 972	619 082	17 953 378
1782	充填　歯科充填材料Ⅰ　グラスアイオノマー系　標準型　単純なもの　材料	10	12 108	121 080	10 006	100 060	2 102	21 020
1783	充填　歯科充填材料Ⅰ　グラスアイオノマー系　標準型　複雑なもの　材料	26	11 765	305 890	9 239	240 214	2 526	65 676
1784	充填　歯科充填材料Ⅰ　グラスアイオノマー系　自動錬和型　単純なもの　材料	10	645	6 450	549	5 490	96	960
1785	充填　歯科充填材料Ⅰ　グラスアイオノマー系　自動錬和型　複雑なもの　材料	26	725	18 850	567	14 742	158	4 108
1786	充填　歯科充填材料Ⅱ　複合レジン系　単純なもの　材料	4	8 160	32 640	6 404	25 616	1 756	7 024
1787	充填　歯科充填材料Ⅱ　複合レジン系　複雑なもの　材料	11	9 596	105 556	8 120	89 320	1 476	16 236
1788	充填　歯科充填材料Ⅱ　グラスアイオノマー系　標準型　単純なもの　材料	4	33 125	132 500	26 760	107 040	6 365	25 460
1789	充填　歯科充填材料Ⅱ　グラスアイオノマー系　標準型　複雑なもの　材料	10	32 320	323 200	24 695	246 950	7 625	76 250
1790	充填　歯科充填材料Ⅱ　グラスアイオノマー系　自動緩和型　単純なもの　材料	4	957	3 828	784	3 136	173	692
1791	充填　歯科充填材料Ⅱ　グラスアイオノマー系　自動錬和型　複雑なもの　材料	10	861	8 610	631	6 310	230	2 300
1792	充填　歯科充填材料Ⅲ　材料	2	201	402	135	270	66	132
1793	充填　金属小釘　材料		54	451	27	215	27	236
1794	金属歯冠修復　インレー　単純なもの	190	42 325	8 041 750	35 181	6 684 390	7 144	1 357 360
1795	金属歯冠修復　インレー　単純なもの　金銀パラジウム合金　大臼歯　材料	175	29 070	5 087 250	27 668	4 841 900	1 402	245 350
1796	金属歯冠修復　インレー　単純なもの　金銀パラジウム合金　小臼歯・前歯　材料	119	11 753	1 398 607	6 447	767 193	5 306	631 414
1797	金属歯冠修復　インレー　単純なもの　鋳造用ニッケルクロム合金　大臼歯　材料	4	33	132	30	120	3	12
1798	金属歯冠修復　インレー　単純なもの　鋳造用ニッケルクロム合金　小臼歯・前歯　材料	4	47	188	28	112	19	76
1799	金属歯冠修復　インレー　単純なもの　銀合金　大臼歯　材料	17	495	8 415	419	7 123	76	1 292
1800	金属歯冠修復　インレー　単純なもの　銀合金　小臼歯・前歯・乳歯　材料	11	926	10 186	589	6 479	337	3 707
1801	金属歯冠修復　インレー　複雑なもの	284	726 054	206 199 336	679 799	193 062 916	46 255	13 136 420
1802	金属歯冠修復　インレー　複雑なもの　14カラット金合金　材料	657	2	1 314	2	1 314	−	−
1803	金属歯冠修復　インレー　複雑なもの　金銀パラジウム合金　大臼歯　材料	324	448 795	145 409 580	422 663	136 942 812	26 132	8 466 768
1804	金属歯冠修復　インレー　複雑なもの　金銀パラジウム合金　小臼歯・前歯　材料	237	240 419	56 979 303	221 379	52 466 823	19 040	4 512 480
1805	金属歯冠修復　インレー　複雑なもの　鋳造用ニッケルクロム合金　大臼歯　材料	4	713	2 852	632	2 528	81	324
1806	金属歯冠修復　インレー　複雑なもの　鋳造用ニッケルクロム合金　小臼歯・前歯　材料	4	407	1 628	337	1 348	70	280
1807	金属歯冠修復　インレー　複雑なもの　銀合金　大臼歯　材料	30	6 265	187 950	5 661	169 830	604	18 120
1808	金属歯冠修復　インレー　複雑なもの　銀合金　小臼歯・前歯・乳歯　材料	23	29 453	677 419	29 125	669 875	328	7 544
1809	金属歯冠修復　４分の３冠	370	4 514	1 670 180	3 191	1 180 670	1 323	489 510
1810	金属歯冠修復　４分の３冠　14カラット金合金　材料	821	7	5 747	5	4 105	2	1 642
1811	金属歯冠修復　４分の３冠　金銀パラジウム合金　小臼歯・前歯　材料	293	4 406	1 290 958	3 130	917 090	1 276	373 868
1812	金属歯冠修復　４分の３冠　鋳造用ニッケルクロム合金　小臼歯・前歯　材料	6	38	228	22	132	16	96
1813	金属歯冠修復　４分の３冠　銀合金　小臼歯・前歯　材料	28	63	1 764	34	952	29	812
1814	金属歯冠修復　５分の４冠	310	41 575	12 888 250	36 931	11 448 610	4 644	1 439 640
1815	金属歯冠修復　５分の４冠　金銀パラジウム合金　大臼歯　材料	408	11 987	4 890 696	10 894	4 444 752	1 093	445 944
1816	金属歯冠修復　５分の４冠　金銀パラジウム合金　小臼歯・前歯　材料	293	29 045	8 510 185	25 570	7 492 010	3 475	1 018 175
1817	金属歯冠修復　５分の４冠　鋳造用ニッケルクロム合金　大臼歯　材料	8	59	472	52	416	7	56
1818	金属歯冠修復　５分の４冠　鋳造用ニッケルクロム合金　小臼歯・前歯　材料	6	139	834	117	702	22	132
1819	金属歯冠修復　５分の４冠　銀合金　大臼歯　材料	39	59	2 301	55	2 145	4	156
1820	金属歯冠修復　５分の４冠　銀合金　小臼歯・前歯　材料	28	283	7 924	241	6 748	42	1 176

第３表　歯科診療　件数・診療実日数・回数・点数，診療行為（細分類）、一般医療－後期医療別

平成30年６月審査分

行番号	診療行為（細分類）	固定点数	総数		一般医療		後期医療	
			回数	点数	回数	点数	回数	点数
1821	金属歯冠修復　全部金属冠	454	872 570	396 146 780	732 723	332 656 242	139 847	63 490 538
1822	金属歯冠修復　全部金属冠　金銀パラジウム合金　大臼歯　材料	513	582 676	298 912 788	507 762	260 481 906	74 914	38 430 882
1823	金属歯冠修復　全部金属冠　金銀パラジウム合金　小臼歯・前歯　材料	367	270 218	99 170 006	208 404	76 484 268	61 814	22 685 738
1824	金属歯冠修復　全部金属冠　鋳造用ニッケルクロム合金　大臼歯　材料	10	3 689	36 890	3 083	30 830	606	6 060
1825	金属歯冠修復　全部金属冠　鋳造用ニッケルクロム合金　小臼歯・前歯　材料	8	2 012	16 096	1 530	12 240	482	3 856
1826	金属歯冠修復　全部金属冠　銀合金　大臼歯　材料	49	7 751	379 799	6 535	320 215	1 216	59 584
1827	金属歯冠修復　全部金属冠　銀合金　小臼歯・前歯・乳歯　材料	36	6 223	224 028	5 409	194 724	814	29 304
1828	レジン前装金属冠　前歯	1174	437 828	514 010 072	310 876	364 968 424	126 952	149 041 648
1829	レジン前装金属冠　前歯　金銀パラジウム合金　材料	458	430 415	197 130 070	305 818	140 064 644	124 597	57 065 426
1830	レジン前装金属冠　前歯　鋳造用ニッケルクロム合金　材料	17	3 340	56 780	2 377	40 409	963	16 371
1831	レジン前装金属冠　前歯　銀合金　材料	78	4 073	317 694	2 681	209 118	1 392	108 576
1832	レジン前装金属冠　小臼歯	1174	39 615	46 508 010	31 904	37 455 296	7 711	9 052 714
1833	レジン前装金属冠　小臼歯　金銀パラジウム合金　材料	458	39 042	17 881 236	31 443	14 400 894	7 599	3 480 342
1834	レジン前装金属冠　小臼歯　鋳造用ニッケルクロム合金　材料	17	322	5 474	252	4 284	70	1 190
1835	レジン前装金属冠　小臼歯　銀合金　材料	78	247	19 266	205	15 990	42	3 276
1836	非金属歯冠修復　レジンインレー　単純なもの	104	1 146	119 184	1 088	113 152	58	6 032
1837	非金属歯冠修復　レジンインレー　単純なもの　材料	29	1 146	33 234	1 088	31 552	58	1 682
1838	非金属歯冠修復　レジンインレー　複雑なもの	156	22 188	3 461 328	21 539	3 360 084	649	101 244
1839	非金属歯冠修復　レジンインレー　複雑なもの　材料	40	22 187	887 480	21 538	861 520	649	25 960
1840	非金属歯冠修復　硬質レジンジャケット冠	768	58 940	45 265 920	48 835	37 505 280	10 105	7 760 640
1841	非金属歯冠修復　硬質レジンジャケット冠　歯冠用加熱重合硬質レジン　材料	8	2 353	18 824	1 862	14 896	491	3 928
1842	非金属歯冠修復　硬質レジンジャケット冠　歯冠用光重合硬質レジン　材料	196	56 587	11 091 052	46 973	9 206 708	9 614	1 884 344
1843	ＣＡＤ／ＣＡM冠	1200	154 805	185 766 000	137 972	165 566 400	16 833	20 199 600
1844	ＣＡＤ／ＣＡM冠用　材料Ⅰ	285	137 082	39 068 370	120 629	34 379 265	16 453	4 689 105
1845	ＣＡＤ／ＣＡM冠用　材料Ⅱ	523	17 723	9 269 129	17 343	9 070 389	380	198 740
1846	乳歯冠　1　乳歯金属冠	200	5 911	1 182 200	5 911	1 182 200	-	-
1847	乳歯冠　1　乳歯金属冠　50/100　加算	100	2 631	263 100	2 631	263 100	-	-
1848	乳歯冠　1　乳歯金属冠　乳歯金属冠　材料	30	5 911	177 330	5 911	177 330	-	-
1849	乳歯冠　2　１以外の場合	390	9 827	3 832 530	8 716	3 399 240	1 111	433 290
1850	乳歯冠　2　１以外の場合　50/100　加算	195	164	31 980	164	31 980	-	-
1851	乳歯冠　2　１以外の場合　乳歯ジャケット冠　材料	2	185	370	185	370	-	-
1852	小児保隙装置	600	783	469 800	783	469 800	-	-
1853	小児保隙装置　50/100　加算	300	101	30 300	101	30 300	-	-
1854	欠損補綴小計		1 918 141	1 244 414 325	1 146 974	729 479 321	771 167	514 935 004
1855	ポンティック	434	108 148	46 936 232	91 089	39 532 626	17 059	7 403 606
1856	ポンティック　金銀パラジウム合金　大臼歯　材料	591	53 548	31 646 868	46 269	27 344 979	7 279	4 301 889
1857	ポンティック　金銀パラジウム合金　小臼歯　材料	445	53 151	23 652 195	43 631	19 415 795	9 520	4 236 400
1858	ポンティック　銀合金又はニッケルクロム合金　大臼歯・小臼歯　材料	40	1 587	63 480	1 299	51 960	288	11 520
1859	レジン前装金属ポンティック	434	151 752	65 860 368	117 705	51 083 970	34 047	14 776 398
1860	レジン前装金属ポンティック　前歯　加算	746	69 324	51 715 704	49 319	36 791 974	20 005	14 923 730
1861	レジン前装金属ポンティック　前歯　金銀パラジウム合金　材料	355	68 313	24 251 115	48 611	17 256 905	19 702	6 994 210
1862	レジン前装金属ポンティック　銀合金又はニッケルクロム合金　前歯　材料	51	1 014	51 714	709	36 159	305	15 555
1863	レジン前装金属ポンティック　小臼歯　加算	200	48 723	9 744 600	39 482	7 896 400	9 241	1 848 200
1864	レジン前装金属ポンティック　金銀パラジウム合金　小臼歯　材料	445	47 961	21 342 645	38 866	17 295 370	9 095	4 047 275
1865	レジン前装金属ポンティック　銀合金又はニッケルクロム合金　小臼歯　材料	51	315	16 065	252	12 852	63	3 213
1866	レジン前装金属ポンティック　ニッケルクロム合金　小臼歯　材料	51	351	17 901	287	14 637	64	3 264
1867	レジン前装金属ポンティック　大臼歯　加算	50	33 706	1 685 300	28 905	1 445 250	4 801	240 050
1868	レジン前装金属ポンティック　金銀パラジウム合金　大臼歯　材料	591	33 216	19 630 656	28 482	16 832 862	4 734	2 797 794
1869	レジン前装金属ポンティック　銀合金又はニッケルクロム合金　大臼歯　材料	51	223	11 373	196	9 996	27	1 377
1870	レジン前装金属ポンティック　ニッケルクロム合金　大臼歯　材料	51	219	11 169	190	9 690	29	1 479
1871	高強度硬質レジンブリッジ	2500	243	607 500	233	582 500	10	25 000
1872	高強度硬質レジンブリッジ　材料	1600	243	388 800	233	372 800	10	16 000
1873	有床義歯　局部義歯　１歯から４歯まで	584	143 174	83 613 616	97 152	56 736 768	46 022	26 876 848
1874	有床義歯　局部義歯　５歯から８歯まで	718	108 199	77 686 882	61 265	43 988 270	46 934	33 698 612
1875	有床義歯　局部義歯　９歯から11歯まで	954	52 423	50 011 542	25 176	24 017 904	27 247	25 993 638
1876	有床義歯　局部義歯　12歯から14歯まで	1382	37 153	51 345 446	16 370	22 623 340	20 783	28 722 106
1877	有床義歯　総義歯	2162	82 583	178 544 446	30 120	65 119 440	52 463	113 425 006
1878	有床義歯　局部義歯　１歯から４歯まで　材料	2	143 172	286 344	97 150	194 300	46 022	92 044
1879	有床義歯　局部義歯　５歯から８歯まで　材料	3	108 199	324 597	61 265	183 795	46 934	140 802
1880	有床義歯　局部義歯　９歯から11歯まで　材料	5	52 423	262 115	25 176	125 880	27 247	136 235
1881	有床義歯　局部義歯　12歯から14歯まで　材料	7	37 153	260 071	16 370	114 590	20 783	145 481
1882	有床義歯　総義歯　材料	10	82 583	825 830	30 120	301 200	52 463	524 630
1883	熱可塑性樹脂有床義歯　局部義歯　1歯から4歯まで	652	17 368	11 323 936	11 614	7 572 328	5 754	3 751 608
1884	熱可塑性樹脂有床義歯　局部義歯　5歯から8歯まで	878	14 056	12 341 168	7 707	6 766 746	6 349	5 574 422
1885	熱可塑性樹脂有床義歯　局部義歯　9歯から11歯まで	1094	7 254	7 935 876	3 408	3 728 352	3 846	4 207 524
1886	熱可塑性樹脂有床義歯　局部義歯　12歯から14歯まで	1712	5 472	9 368 064	2 350	4 023 200	3 122	5 344 864
1887	熱可塑性樹脂有床義歯　総義歯	2722	15 550	42 327 100	5 620	15 297 640	9 930	27 029 460
1888	熱可塑性樹脂有床義歯　材料	39	59 700	2 328 300	30 699	1 197 261	29 001	1 131 039
1889	鋳造鉤　双子鉤	246	79 293	19 506 078	48 206	11 858 676	31 087	7 647 402
1890	鋳造鉤　双子鉤　14カラット金合金　大・小臼歯　材料	868	17	14 756	15	13 020	2	1 736
1891	鋳造鉤　双子鉤　14カラット金合金　犬歯・小臼歯　材料	706	27	19 062	14	9 884	13	9 178
1892	鋳造鉤　双子鉤　金銀パラジウム合金　大・小臼歯　材料	472	10 343	4 881 896	6 137	2 896 664	4 206	1 985 232
1893	鋳造鉤　双子鉤　金銀パラジウム合金　犬歯・小臼歯　材料	369	23 300	8 597 700	14 222	5 247 918	9 078	3 349 782
1894	鋳造鉤　双子鉤　鋳造用コバルトクロム合金　材料	5	38 852	194 260	23 808	119 040	15 044	75 220
1895	鋳造鉤　双子鉤　鋳造用ニッケルクロム合金　材料	5	8 548	42 740	5 051	25 255	3 497	17 485
1896	鋳造鉤　二腕鉤	228	568 022	129 509 016	328 891	74 987 148	239 131	54 521 868
1897	鋳造鉤　二腕鉤　14カラット金合金　大臼歯　材料	706	89	62 834	54	38 124	35	24 710
1898	鋳造鉤　二腕鉤　14カラット金合金　犬歯・小臼歯　材料	542	292	158 264	196	106 232	96	52 032
1899	鋳造鉤　二腕鉤　14カラット金合金　前歯（切歯）材料	417	29	12 093	11	4 587	18	7 506
1900	鋳造鉤　二腕鉤　金銀パラジウム合金　大臼歯　材料	324	58 037	18 803 988	34 551	11 194 524	23 486	7 609 464
1901	鋳造鉤　二腕鉤　金銀パラジウム合金　犬歯・小臼歯　材料	282	189 507	53 440 974	108 527	30 604 614	80 980	22 836 360
1902	鋳造鉤　二腕鉤　金銀パラジウム合金　前歯（切歯）材料	262	20 733	5 432 046	10 298	2 698 076	10 435	2 733 970
1903	鋳造鉤　二腕鉤　鋳造用コバルトクロム合金　材料	5	238 350	1 191 750	140 137	700 685	98 213	491 065
1904	鋳造鉤　二腕鉤　鋳造用ニッケルクロム合金　材料	5	59 189	295 945	34 075	170 375	25 114	125 570
1905	線鉤　双子鉤	212	9 286	1 968 632	5 523	1 170 876	3 763	797 756
1906	線鉤　双子鉤　不銹鋼及び特殊鋼　材料	9	9 268	83 412	5 515	49 635	3 753	33 777
1907	線鉤　双子鉤　14カラット金合金　材料	443	18	7 974	8	3 544	10	4 430
1908	線鉤　二腕鉤（レストつき）	152	198 326	30 145 552	112 558	17 108 816	85 768	13 036 736
1909	線鉤　二腕鉤（レストつき）不銹鋼及び特殊鋼　材料	9	198 131	1 783 179	112 442	1 011 978	85 689	771 201
1910	線鉤　二腕鉤（レストつき）14カラット金合金　材料	343	194	66 542	116	39 788	78	26 754
1911	線鉤　レストのないもの	132	56 440	7 450 080	30 622	4 042 104	25 818	3 407 976
1912	線鉤　レストのないもの　不銹鋼及び特殊鋼　材料	9	56 439	507 951	30 622	275 598	25 817	232 353
1913	コンビネーション鉤	232	90 238	20 935 216	50 198	11 645 936	40 040	9 289 280
1914	コンビネーション鉤　金銀パラ，不銹鋼及び特殊鋼（前歯）材料	175	5 051	883 925	2 485	434 875	2 566	449 050
1915	コンビネーション鉤　金銀パラ，不銹鋼及び特殊鋼（犬歯・小臼歯）材料	185	17 345	3 208 825	9 837	1 819 845	7 508	1 388 980
1916	コンビネーション鉤　金銀パラ，不銹鋼及び特殊鋼（大臼歯）材料	206	2 408	496 048	1 446	297 876	962	198 172
1917	コンビネーション鉤　ニッケル・コバルトクロム，不特鋼（前歯）材料	46	14 338	659 548	7 294	335 524	7 044	324 024
1918	コンビネーション鉤　ニッケル・コバルトクロム，不特鋼（犬歯・小臼歯）材料	46	43 978	2 022 988	24 921	1 146 366	19 057	876 622
1919	コンビネーション鉤　ニッケル・コバルトクロム，不特鋼（大臼歯）材料	46	7 116	327 336	4 214	193 844	2 902	133 492

第３表　歯科診療　件数・診療実日数・回数・点数，診療行為（細分類）、一般医療−後期医療別

平成30年６月審査分

行番号	診療行為（細分類）	固定点数	総数		一般医療		後期医療	
			回数	点数	回数	点数	回数	点数
1920	間接支台装置	109	13 162	1 434 658	7 966	868 294	5 196	566 364
1921	バー　鋳造バー	450	143 248	64 461 600	83 559	37 601 550	59 689	26 860 050
1922	バー　鋳造バー　金銀パラジウム合金　材料	757	41 284	31 251 988	23 729	17 962 853	17 555	13 289 135
1923	バー　鋳造バー　鋳造用コバルトクロム合金　材料	18	78 051	1 404 918	46 162	830 916	31 889	574 002
1924	バー　鋳造バー　鋳造用ニッケルクロム合金　材料	18	23 911	430 398	13 668	246 024	10 243	184 374
1925	バー　屈曲バー	260	16 405	4 265 300	9 382	2 439 320	7 023	1 825 980
1926	バー　屈曲バー　不銹鋼及び特殊鋼　材料	39	16 405	639 795	9 382	365 898	7 023	273 897
1927	バー　保持装置　加算	60	5 034	302 040	2 605	156 300	2 429	145 740
1928	口蓋補綴，顎補綴　印象採得が困難	1500	220	330 000	176	264 000	44	66 000
1929	口蓋補綴，顎補綴　印象採得が著しく困難	4000	106	424 000	70	280 000	36	144 000
1930	広範囲顎骨支持型補綴　ブリッジ形態のもの（3分の1顎につき）	20000	9	180 000	6	120 000	3	60 000
1931	広範囲顎骨支持型補綴　ブリッジ形態のもの（3分の1顎未満）	10000	1	10 000	1	10 000	−	−
1932	広範囲顎骨支持型補綴　床義歯形態のもの（1顎につき）	15000	10	150 000	7	105 000	3	45 000
1933	その他の技術小計		2 374	142 440	1 402	84 120	972	58 320
1934	補綴隙	60	2 374	142 440	1 402	84 120	972	58 320
1935	修理小計		755 063	263 029 124	330 636	107 638 541	424 427	155 390 583
1936	有床義歯修理	240	572 133	137 311 920	254 851	61 164 240	317 282	76 147 680
1937	有床義歯修理　50/100　加算	120	24 386	2 926 320	1 829	219 480	22 557	2 706 840
1938	有床義歯修理　新製作義歯装着後６月以内	120	51 449	6 173 880	25 695	3 083 400	25 754	3 090 480
1939	有床義歯修理　新製作義歯装着後６月以内　50/100　加算	60	1 601	96 060	198	11 880	1 403	84 180
1940	有床義歯修理　歯科技工　加算　1	50	84 069	4 203 450	39 108	1 955 400	44 961	2 248 050
1941	有床義歯修理　歯科技工　加算　1　50/100　加算	25	1 037	25 925	91	2 275	946	23 650
1942	有床義歯修理　歯科技工　加算　2	30	3 480	104 400	1 575	47 250	1 905	57 150
1943	有床義歯修理　歯科技工　加算　2　50/100　加算	15	172	2 580	11	165	161	2 415
1944	有床義歯内面適合法　硬質材料　局部義歯　1歯から4歯まで	216	19 268	4 161 888	10 930	2 360 880	8 338	1 801 008
1945	有床義歯内面適合法　硬質材料　局部義歯　1歯から4歯まで　70/100　加算	151	227	34 277	26	3 926	201	30 351
1946	有床義歯内面適合法　硬質材料　局部義歯　1歯から4歯まで　新製作義歯装着後6ヶ月以内	108	2 133	230 364	1 408	152 064	725	78 300
1947	有床義歯内面適合法　硬質材料　局部義歯　1歯から4歯まで　新製作義歯装着後6ヶ月以内　70/100　加算	76	16	1 216	5	380	11	836
1948	有床義歯内面適合法　硬質材料　局部義歯　5歯から8歯まで	268	23 266	6 235 288	10 885	2 917 180	12 381	3 318 108
1949	有床義歯内面適合法　硬質材料　局部義歯　5歯から8歯まで　70/100　加算	188	579	108 852	59	11 092	520	97 760
1950	有床義歯内面適合法　硬質材料　局部義歯　5歯から8歯まで　新製作義歯装着後6ヶ月以内	134	1 891	253 394	1 127	151 018	764	102 376
1951	有床義歯内面適合法　硬質材料　局部義歯　5歯から8歯まで　新製作義歯装着後6ヶ月以内　70/100　加算	94	33	3 102	6	564	27	2 538
1952	有床義歯内面適合法　硬質材料　局部義歯　9歯から11歯まで	370	14 861	5 498 570	5 685	2 103 450	9 176	3 395 120
1953	有床義歯内面適合法　硬質材料　局部義歯　9歯から11歯まで　70/100　加算	259	712	184 408	56	14 504	656	169 904
1954	有床義歯内面適合法　硬質材料　局部義歯　9歯から11歯まで　新製作義歯装着後6ヶ月以内	185	1 164	215 340	587	108 595	577	106 745
1955	有床義歯内面適合法　硬質材料　局部義歯　9歯から11歯まで　新製作義歯装着後6ヶ月以内　70/100　加算	130	26	3 380	5	650	21	2 730
1956	有床義歯内面適合法　硬質材料　局部義歯　12歯から14歯まで	572	14 398	8 235 656	4 836	2 766 192	9 562	5 469 464
1957	有床義歯内面適合法　硬質材料　局部義歯　12歯から14歯まで　70/100　加算	400	991	396 400	70	28 000	921	368 400
1958	有床義歯内面適合法　硬質材料　局部義歯　12歯から14歯まで　新製作義歯装着後6ヶ月以内	286	935	267 410	431	123 266	504	144 144
1959	有床義歯内面適合法　硬質材料　局部義歯　12歯から14歯まで　新製作義歯装着後6ヶ月以内　70/100　加算	200	50	10 000	8	1 600	42	8 400
1960	有床義歯内面適合法　硬質材料　総義歯	790	48 001	37 920 790	11 565	9 136 350	36 436	28 784 440
1961	有床義歯内面適合法　硬質材料　総義歯　70/100　加算	553	7 037	3 891 461	320	176 960	6 717	3 714 501
1962	有床義歯内面適合法　硬質材料　総義歯　新製作義歯装着後6ヶ月以内	395	2 544	1 004 880	921	363 795	1 623	641 085
1963	有床義歯内面適合法　硬質材料　総義歯　新製作義歯装着後6ヶ月以内　70/100　加算	277	171	47 367	13	3 601	158	43 766
1964	有床義歯内面適合法　軟質材料	1200	780	936 000	141	169 200	639	766 800
1965	有床義歯内面適合法　軟質材料　70/100　加算	840	73	61 320	3	2 520	70	58 800
1966	有床義歯内面適合法　軟質材料　新製作義歯装着後6ヶ月以内	600	183	109 800	39	23 400	144	86 400
1967	有床義歯内面適合法　軟質材料　新製作義歯装着後6ヶ月以内　70/100　加算	420	17	7 140	−	−	17	7 140
1968	有床義歯内面適合法　軟質材料　歯科技工　加算1	50	90	4 500	18	900	72	3 600
1969	有床義歯内面適合法　軟質材料　歯科技工　加算2	30	10	300	3	90	7	210
1970	有床義歯内面適合法　軟質材料　シリコーン系　材料	300	771	231 300	137	41 100	634	190 200
1971	有床義歯内面適合法　軟質材料　アクリル系　材料	98	170	16 660	41	4 018	129	12 642
1972	歯冠補綴物修理	70	2 052	143 640	1 530	107 100	522	36 540
1973	歯冠補綴物修理　50/100　加算	35	2	70	1	35	1	35
1974	広範囲顎骨支持型補綴物修理	1200	5	6 000	5	6 000	−	−
1975	広範囲顎骨支持型補綴物修理　50/100　加算	600	−	−	−	−	−	−
1976	人工歯　材料		−	41 963 816	−	20 376 021	−	21 587 795
1977	補綴物維持管理未届出（歯冠修復及び欠損補綴）		2 204	474 500	1 597	340 286	607	134 214
1978	特定保険医療材料料（歯冠修復及び欠損補綴）		1 524	49 072	672	25 660	852	23 412
1979	補正点数（＋）歯冠修復及び欠損補綴		−	895 770	−	801 871	−	93 899
1980	補正点数（−）歯冠修復及び欠損補綴		−	−527	−	−121	−	−406
1981	**歯科矯正計**		191 612	40 574 793	191 534	40 539 542	78	35 251
1982	歯科矯正料小計		191 612	40 370 347	191 534	40 347 406	78	22 941
1983	歯科矯正診断料	1500	394	591 000	394	591 000	−	−
1984	顎口腔機能診断料	2300	850	1 955 000	850	1 955 000	−	−
1985	歯科矯正管理料	240	23 990	5 757 600	23 988	5 757 120	2	480
1986	歯科矯正セファログラム	300	2 821	846 300	2 820	846 000	1	300
1987	模型調整　平行模型	500	1 197	598 500	1 197	598 500	−	−
1988	模型調整　平行模型　顎態模型　加算	200	372	74 400	372	74 400	−	−
1989	模型調整　予測模型	300	344	103 200	343	102 900	1	300
1990	模型調整　予測模型　１歯につき　加算	60	7 546	452 760	7 546	452 760	−	−
1991	動的処置　２年以内　同一月内の第１回目	250	9 469	2 367 250	9 468	2 367 000	1	250
1992	動的処置　２年以内　同一月内の第２回目以降	100	886	88 600	886	88 600	−	−
1993	動的処置　２年超　同一月内の第１回目	200	7 182	1 436 400	7 182	1 436 400	−	−
1994	動的処置　２年超　同一月内の第２回目以降	100	496	49 600	495	49 500	1	100
1995	印象採得　マルチブラケット装置	40	2 273	90 920	2 266	90 640	7	280
1996	印象採得　その他の装置　印象採得が簡単	143	358	51 194	356	50 908	2	286
1997	印象採得　その他の装置　印象採得が困難	265	943	249 895	943	249 895	−	−
1998	印象採得　その他の装置　印象採得が著しく困難	400	363	145 200	363	145 200	−	−
1999	咬合採得　簡単	70	768	53 760	767	53 690	1	70
2000	咬合採得　困難	140	508	71 120	508	71 120	−	−
2001	咬合採得　構成咬合	400	40	16 000	40	16 000	−	−
2002	装着　装置　可撤式装置	300	1 039	311 700	1 036	310 800	3	900
2003	装着　装置　可撤式装置　フォースシステム　加算	400	368	147 200	368	147 200	−	−
2004	装着　装置　固定式装置	400	4 182	1 672 800	4 182	1 672 800	−	−
2005	装着　装置　固定式装置　フォースシステム　加算	400	4 063	1 625 200	4 063	1 625 200	−	−
2006	装着　帯環	80	2 649	211 920	2 649	211 920	−	−
2007	装着　材料		4 090	48 712	4 081	48 559	9	153
2008	装着　ダイレクトボンドブラケット	100	13 531	1 353 100	13 531	1 353 100	−	−
2009	装着　ダイレクトボンドブラケット　ダイレクトボンド用ボンティング　材料	6	13 157	78 942	13 157	78 942	−	−

第３表　歯科診療　件数・診療実日数・回数・点数，診療行為（細分類）、一般医療－後期医療別

平成30年６月審査分

行番号	診療行為（細分類）	固定点数	総数 回数	総数 点数	一般医療 回数	一般医療 点数	後期医療 回数	後期医療 点数
2010	植立	500	288	144 000	288	144 000	−	−
2011	植立　歯科矯正用アンカースクリュー　材料	371	271	100 541	271	100 541	−	−
2012	撤去　帯環	30	1 869	56 070	1 868	56 040	1	30
2013	撤去　ダイレクトボンドブラケット	60	7 853	471 180	7 853	471 180	−	−
2014	撤去　歯科矯正用アンカースクリュー	100	125	12 500	125	12 500	−	−
2015	セパレイティング	40	2 732	109 280	2 732	109 280	−	−
2016	結紮	50	24 588	1 229 400	24 588	1 229 400	−	−
2017	床装置　簡単	1500	108	162 000	102	153 000	6	9 000
2018	床装置　複雑	2000	61	122 000	59	118 000	2	4 000
2019	床装置　床装置　材料	15	134	2 010	134	2 010	−	−
2020	スライディングプレート	1500	8	12 000	8	12 000	−	−
2021	リトラクター	2000	31	62 000	31	62 000	−	−
2022	リトラクター　スライディングプレート　加算	1500	1	1 500	1	1 500	−	−
2023	リトラクター　リトラクター　材料	618	31	19 158	31	19 158	−	−
2024	プロトラクター	2000	57	114 000	57	114 000	−	−
2025	プロトラクター　プロトラクター　材料	1200	57	68 400	57	68 400	−	−
2026	牽引装置	500	10	5 000	10	5 000	−	−
2027	拡大装置	2500	275	687 500	275	687 500	−	−
2028	拡大装置　スケレトンタイプ　加算	500	24	12 000	24	12 000	−	−
2029	拡大装置　床拡大装置　材料	128	113	14 464	113	14 464	−	−
2030	拡大装置　ポータータイプ　材料	14	137	1 918	137	1 918	−	−
2031	拡大装置　スケレトンタイプ　材料	233	23	5 359	23	5 359	−	−
2032	アクチバトール（ＦＫＯ）	3000	48	144 000	48	144 000	−	−
2033	アクチバトール　アクチバトール　材料	11	32	352	32	352	−	−
2034	アクチバトール　ダイナミックポジショナー　材料	40	12	480	12	480	−	−
2035	リンガルアーチ　簡単	1500	184	276 000	184	276 000	−	−
2036	リンガルアーチ　複雑	2500	151	377 500	151	377 500	−	−
2037	リンガルアーチ　材料	219	329	72 051	329	72 051	−	−
2038	マルチブラケット装置　ステップⅠ　３装置目まで	600	2 919	1 751 400	2 919	1 751 400	−	−
2039	マルチブラケット装置　ステップⅠ　４装置目以降	250	2 229	557 250	2 229	557 250	−	−
2040	マルチブラケット装置　ステップⅡ　２装置目まで	800	1 836	1 468 800	1 836	1 468 800	−	−
2041	マルチブラケット装置　ステップⅡ　３装置目以降	250	1 572	393 000	1 572	393 000	−	−
2042	マルチブラケット装置　ステップⅢ　２装置目まで	1000	1 529	1 529 000	1 529	1 529 000	−	−
2043	マルチブラケット装置　ステップⅢ　３装置目以降	300	2 173	651 900	2 173	651 900	−	−
2044	マルチブラケット装置　ステップⅣ　２装置目まで	1200	1 252	1 502 400	1 252	1 502 400	−	−
2045	マルチブラケット装置　ステップⅣ　３装置目以降	300	2 059	617 700	2 059	617 700	−	−
2046	マルチブラケット装置　矯正用線（丸型）材料	17	1 123	19 091	1 123	19 091	−	−
2047	マルチブラケット装置　矯正用線（角型）材料	12	5 065	60 780	5 065	60 780	−	−
2048	マルチブラケット装置　矯正用線（特殊丸型）材料	19	859	16 321	859	16 321	−	−
2049	マルチブラケット装置　矯正用線（特殊角型）材料	22	1 545	33 990	1 545	33 990	−	−
2050	マルチブラケット装置　超弾性矯正用線（丸型及び角型）材料	26	6 668	173 368	6 668	173 368	−	−
2051	保定装置　プレートタイプリテーナー	1500	592	888 000	592	888 000	−	−
2052	保定装置　プレートタイプリテーナー　材料	15	590	8 850	590	8 850	−	−
2053	保定装置　メタルリテーナー	6000	13	78 000	13	78 000	−	−
2054	保定装置　メタルリテーナー　材料	110	13	1 430	13	1 430	−	−
2055	保定装置　スプリングリテーナー	1500	40	60 000	40	60 000	−	−
2056	保定装置　スプリングリテーナー　材料	14	38	532	38	532	−	−
2057	保定装置　リンガルアーチ	1500	16	24 000	16	24 000	−	−
2058	保定装置　リンガルアーチ　材料	227	16	3 632	16	3 632	−	−
2059	保定装置　リンガルバー	2500	30	75 000	30	75 000	−	−
2060	保定装置　リンガルバー　不銹鋼及び特殊鋼　材料	47	30	1 410	30	1 410	−	−
2061	保定装置　ツースポジショナー	3000	14	42 000	14	42 000	−	−
2062	保定装置　ツースポジショナー　材料	40	13	520	13	520	−	−
2063	保定装置　フィクスドリテーナー	1000	152	152 000	152	152 000	−	−
2064	保定装置　フィクスドリテーナー　材料	48	150	7 200	150	7 200	−	−
2065	鉤　簡単	90	791	71 190	791	71 190	−	−
2066	鉤　簡単　不銹鋼及び特殊鋼　材料	8	766	6 128	766	6 128	−	−
2067	鉤　複雑	160	315	50 400	314	50 240	1	160
2068	鉤　複雑　不銹鋼及び特殊鋼　材料	15	312	4 680	312	4 680	−	−
2069	帯環	200	2 937	587 400	2 937	587 400	−	−
2070	帯環　前歯　材料	16	9	144	9	144	−	−
2071	帯環　犬歯・臼歯　材料	18	2 125	38 250	2 125	38 250	−	−
2072	帯環　ブラケット付帯環　前歯　材料	34	−	−	−	−	−	−
2073	帯環　ブラケット付帯環　犬歯・臼歯　材料	36	85	3 060	85	3 060	−	−
2074	帯環　チューブ付帯環　臼歯　材料	61	450	27 450	450	27 450	−	−
2075	ダイレクトボンドブラケット	200	13 567	2 713 400	13 567	2 713 400	−	−
2076	ダイレクトボンドブラケット　ダイレクトボンド用ブラケット　材料	29	12 382	359 078	12 382	359 078	−	−
2077	フック	70	8 858	620 060	8 829	618 030	29	2 030
2078	弾線	160	299	47 840	299	47 840	−	−
2079	弾線　材料	5	295	1 475	295	1 475	−	−
2080	トルキングアーチ	350	60	21 000	59	20 650	1	350
2081	トルキングアーチ　材料	22	58	1 276	58	1 276	−	−
2082	附加装置　パワーチェイン	20	14 391	287 820	14 391	287 820	−	−
2083	附加装置　コイルスプリング	20	904	18 080	904	18 080	−	−
2084	附加装置　ピグテイル	20	5 229	104 580	5 229	104 580	−	−
2085	附加装置　アップライトスプリング	40	80	3 200	79	3 160	1	40
2086	附加装置　エラスティクス	20	10 087	201 740	10 087	201 740	−	−
2087	附加装置　超弾性コイルスプリング	60	922	55 320	922	55 320	−	−
2088	矯正用ろう着	60	3 766	225 960	3 766	225 960	−	−
2089	床装置修理	234	309	72 306	291	68 094	18	4 212
2090	特定保険医療材料料（歯科矯正）		3 878	204 446	3 679	192 136	199	12 310
2091	補正点数（＋）歯科矯正		−	−	−	−	−	−
2092	補正点数（−）歯科矯正		−	−	−	−	−	−
2093	**病理診断計**		28 850	17 635 682	21 638	13 328 871	7 212	4 306 811
2094	口腔病理診断料　組織診断料	450	9 493	4 271 850	7 243	3 259 350	2 250	1 012 500
2095	口腔病理診断料　組織診断料　悪性腫瘍病理組織標本　加算	150	15	2 250	5	750	10	1 500
2096	口腔病理診断料　細胞診断料	200	1 470	294 000	963	192 600	507	101 400
2097	口腔病理診断管理　加算１　組織診断	120	2 301	276 120	1 764	211 680	537	64 440
2098	口腔病理診断管理　加算１　細胞診断	60	329	19 740	223	13 380	106	6 360
2099	口腔病理診断管理　加算２　組織診断	320	2 316	741 120	1 692	541 440	624	199 680
2100	口腔病理診断管理　加算２　細胞診断	160	388	62 080	250	40 000	138	22 080
2101	口腔病理判断料	150	2 667	400 050	2 082	312 300	585	87 750
2102	医科準用の病理診断		15 220	11 568 472	11 350	8 757 371	3 870	2 811 101
2103	補正点数（＋）病理診断		−	−	−	−	−	−
2104	補正点数（−）病理診断		−	−	−	−	−	−

第３表　歯科診療　件数・診療実日数・回数・点数，診療行為（細分類）、一般医療－後期医療別

平成30年６月審査分

行番号	診療行為（細分類）	固定点数	総数 回数	総数 点数	一般医療 回数	一般医療 点数	後期医療 回数	後期医療 点数
2105	**療養担当手当等計**		1 297	15 518	1 149	13 742	148	1 776
2106	療養担当手当　入院	10	23	230	23	230	－	－
2107	療養担当手当　入院外	12	1 274	15 288	1 126	13 512	148	1 776
2108	治験分控除後包括点数		－	－	－	－	－	－
2109	公害補償法控除後包括点数		－	－	－	－	－	－
2110	他医療機関診療費		－	－	－	－	－	－
2111	包括点数の治験減点分		－	－	－	－	－	－
2112	包括点数の公害補償法減点分		－	－	－	－	－	－
2113	補正点数（＋）療養担当手当等		－	－	－	－	－	－
2114	補正点数（－）療養担当手当等		－	－	－	－	－	－
2115	**合算薬剤料**		－	－	－	－	－	－
2116	**合算薬剤料（△）分**		－	－	－	－	－	－
2117	**入院時食事・生活療養金額（別掲：円）**		146 763	96 125 718	95 502	62 460 086	51 261	33 665 632
2118	入院時食事療養金額小計		146 763	96 120 474	95 502	62 455 830	51 261	33 664 644
2119	入院時食事療養（Ⅰ）（1食につき）流動食のみ以外の食事療養を行う場合	640	131 329	84 050 560	86 199	55 167 360	45 130	28 883 200
2120	入院時食事療養（Ⅰ）（1食につき）流動食のみを提供する場合	575	13 706	7 880 950	7 928	4 558 600	5 778	3 322 350
2121	入院時食事療養（Ⅰ）（1食につき）特別食　加算	76	11 496	873 696	5 095	387 220	6 401	486 476
2122	入院時食事療養（Ⅰ）（1日につき）食堂　加算	50	48 818	2 440 900	32 938	1 646 900	15 880	794 000
2123	入院時食事療養（Ⅱ）（1食につき）流動食のみ以外の食事療養を行う場合	506	1 728	874 368	1 375	695 750	353	178 618
2124	入院時食事療養（Ⅱ）（1食につき）流動食のみを提供する場合	460	－	－	－	－	－	－
2125	入院時生活療養金額小計		－	－	－	－	－	－
2126	入院時生活療養（Ⅰ）食事療養（1食につき）流動食のみ以外の食事の提供たる療養を行う場合	554	－	－	－	－	－	－
2127	入院時生活療養（Ⅰ）食事療養（1食につき）流動食のみを提供する場合	500	－	－	－	－	－	－
2128	入院時生活療養（Ⅰ）（1日につき）環境療養	398	－	－	－	－	－	－
2129	入院時生活療養（Ⅰ）（1食につき）特別食　加算	76	－	－	－	－	－	－
2130	入院時生活療養（Ⅰ）（1日につき）食堂　加算	50	－	－	－	－	－	－
2131	入院時生活療養（Ⅱ）（1食につき）食事療養	420	－	－	－	－	－	－
2132	入院時生活療養（Ⅱ）（1日につき）環境療養	398	－	－	－	－	－	－
2133	補正金額（＋）入院時食事・生活療養金額		－	5 244	－	4 256	－	988
2134	補正金額（－）入院時食事・生活療養金額		－	－	－	－	－	－
2135	**補正点数（＋）請求点数と決定点数の差**		－	81 164	－	78 845	－	2 319
2136	**補正点数（－）請求点数と決定点数の差**		－	-11 326	－	-7 572	－	-3 754

注：１）「件数」は、明細書の数である。
　　２）「回数」は、当該診療行為が実施された延べ算定回数である。
　　３）総数には、入院時食事・生活療養を含まない。
　　４）「医科準用の検査」には、入院外の画像のフィルム以外の特定保険医療材料料を含む。
　　５）「薬剤料（画像診断）」には、造影剤料及び入院外の検査の薬剤料を含む。
　　６）「特定保険医療材料料（処置）」には、入院外の手術の特定保険医療材料料を含む。
　　７）「薬剤料（手術）」には、入院外の処置の薬剤料を含む。
　　８）「特定薬剤料（手術）」には、入院外の処置の特定薬剤料を含む。

薬 局 調 剤

第1表　件数・処方箋受付回数・算定回数・

行番号	調剤行為	固定点数	総数		一般医療		後期医療	
			件数	受付回数	件数	受付回数	件数	受付回数
			54 197 752	67 103 841	38 512 777	46 599 075	15 684 975	20 504 766
			算定回数	点数	算定回数	点数	算定回数	点数
1	総計		601 393 119	57 524 038 955	401 735 860	35 817 683 065	199 657 259	21 706 355 890
2	調剤技術料計		536 756 485	11 910 528 837	355 966 240	7 577 239 690	180 790 245	4 333 289 147
3	調剤基本料小計		67 076 216	3 992 553 792	46 582 432	2 755 917 230	20 493 784	1 236 636 562
4	調剤基本料1	41	51 510 330	2 111 923 530	35 587 133	1 459 072 453	15 923 197	652 851 077
5	調剤基本料2	25	5 293 753	132 343 825	3 814 486	95 362 150	1 479 267	36 981 675
6	調剤基本料3　イ　受付回数4万回超40万回以下	20	4 418 856	88 377 120	3 107 797	62 155 940	1 311 059	26 221 180
7	調剤基本料3　ロ　受付回数40万回超	15	5 494 877	82 423 155	3 830 359	57 455 385	1 664 518	24 967 770
8	特別調剤基本料	10	265 798	2 657 980	183 091	1 830 910	82 707	827 070
9	調剤基本料1　50/100算定	21	73 090	1 534 890	44 983	944 643	28 107	590 247
10	調剤基本料2　50/100算定	13	10 177	132 301	7 861	102 193	2 316	30 108
11	調剤基本料3　イ　受付回数4万回超40万回以下　50/100算定	10	1 337	13 370	997	9 970	340	3 400
12	調剤基本料3　ロ　受付回数40万回超　50/100算定	8	2 414	19 312	1 746	13 968	668	5 344
13	特別調剤基本料　50/100算定	5	18	90	11	55	7	35
14	調剤基本料　長期投薬分割調剤	5	3 102	15 510	1 285	6 425	1 817	9 085
15	調剤基本料　後発医薬品分割調剤	5	513	2 565	337	1 685	176	880
16	調剤基本料　医師の分割指示　調剤基本料及び加算		5 566	168 029	3 968	121 766	1 598	46 263
17	調剤基本料　地域支援体制　加算	35	21 831 656	764 107 960	14 775 285	517 134 975	7 056 371	246 972 985
18	調剤基本料　後発医薬品調剤体制　加算1	18	14 828 991	266 921 838	10 152 480	182 744 640	4 676 511	84 177 198
19	調剤基本料　後発医薬品調剤体制　加算2	22	13 085 420	287 879 240	8 964 579	197 220 738	4 120 841	90 658 502
20	調剤基本料　後発医薬品調剤体制　加算3	26	9 241 790	240 286 540	6 517 711	169 460 486	2 724 079	70 826 054
21	調剤基本料　時間外　加算		21 696	1 256 556	19 172	1 097 824	2 524	158 732
22	調剤基本料　時間外特例　加算		1 816	91 469	1 738	87 293	78	4 176
23	調剤基本料　休日　加算		138 371	11 584 538	124 490	10 332 387	13 881	1 252 151
24	調剤基本料　深夜　加算		7 667	813 974	7 209	761 344	458	52 630
25	調剤料小計		469 680 269	7 917 975 045	309 383 808	4 821 322 460	160 296 461	3 096 652 585
26	調剤料　内服薬　14日分以下7日目以下	5	256 621 676	1 283 050 729	182 563 676	912 806 793	74 058 000	370 243 936
27	調剤料　内服薬　14日分以下8日目以上	4	110 726 131	442 904 066	62 663 730	250 654 870	48 062 401	192 249 196
28	調剤料　内服薬　15日分以上21日分以下	67	4 025 601	269 683 845	2 360 312	158 129 034	1 665 289	111 554 811
29	調剤料　内服薬　22日分以上30日分以下	78	34 314 618	2 676 470 057	19 754 161	1 540 787 433	14 560 457	1 135 682 624
30	調剤料　内服薬　31日分以上	86	17 202 363	1 479 377 479	10 504 030	903 327 894	6 698 333	576 049 585
31	調剤料　内服薬　嚥下困難者用製剤　加算	80	170 955	13 676 400	23 436	1 874 880	147 519	11 801 520
32	調剤料　内服薬　一包化42日分以下　加算	32	14 246 570	455 890 232	3 680 521	117 776 660	10 566 049	338 113 572
33	調剤料　内服薬　一包化43日分以上　加算	220	487 179	107 178 068	163 467	35 962 452	323 712	71 215 616
34	調剤料　内服用　滴剤	10	376 106	3 761 060	132 903	1 329 030	243 203	2 432 030
35	調剤料　屯服薬	21	5 697 948	119 656 908	4 285 023	89 985 483	1 412 925	29 671 425
36	調剤料　浸煎薬	190	904	171 760	596	113 240	308	58 520
37	調剤料　湯薬　28日分以下7日目以下	190	29 934	5 687 400	25 873	4 915 810	4 061	771 590
38	調剤料　湯薬　28日分以下8日目以上	10	345 306	3 453 060	297 220	2 972 200	48 086	480 860
39	調剤料　湯薬　29日分以上	400	4 885	1 954 000	4 068	1 627 200	817	326 800
40	調剤料　注射薬	26	816 996	21 241 896	526 899	13 699 374	290 097	7 542 522
41	調剤料　注射薬　無菌製剤処理　中心静脈栄養法用輸液　加算	67	11 085	742 695	6 782	454 394	4 303	288 301
42	調剤料　注射薬　無菌製剤処理　中心静脈栄養法用輸液　加算　6歳未満の乳幼児	135	1 592	214 920	1 592	214 920	・	・
43	調剤料　注射薬　無菌製剤処理　抗悪性腫瘍剤　加算	77	17	1 309	17	1 309	−	−
44	調剤料　注射薬　無菌製剤処理　抗悪性腫瘍剤　加算　6歳未満の乳幼児	145	−	−	−	−	・	・
45	調剤料　注射薬　無菌製剤処理　麻薬　加算	67	3 540	237 180	2 158	144 586	1 382	92 594
46	調剤料　注射薬　無菌製剤処理　麻薬　加算　6歳未満の乳幼児	135	−	−	−	−	・	・
47	調剤料　外用薬	10	39 281 524	392 815 240	26 101 779	261 017 790	13 179 745	131 797 450
48	調剤基本料　医師の分割指示　調剤料及び加算		236 277	411 193	163 538	256 617	72 739	154 576
49	調剤料　麻薬　加算	70	124 123	8 688 610	82 056	5 743 920	42 067	2 944 690
50	調剤料　向精神薬　加算	8	9 034 029	72 272 232	5 523 868	44 190 944	3 510 161	28 081 288
51	調剤料　覚醒剤原料　加算	8	29 626	237 008	14 255	114 040	15 371	122 968
52	調剤料　毒薬　加算	8	153 103	1 224 824	60 356	482 848	92 747	741 976
53	調剤料　時間外　加算		41 973	1 209 234	36 265	956 394	5 708	252 840
54	調剤料　時間外特例　加算		3 166	60 208	3 037	56 487	129	3 721
55	調剤料　休日　加算		268 071	7 816 641	241 240	6 603 432	26 831	1 213 209
56	調剤料　深夜　加算		12 725	395 096	11 996	365 490	729	29 606
57	調剤料　夜間・休日等　加算	40	2 714 703	108 588 120	2 431 133	97 245 320	283 570	11 342 800
58	調剤料　自家製剤　加算　内服薬　錠剤、丸剤、カプセル剤、散剤、顆粒剤、エキス剤	20	2 846 815	56 936 300	1 801 941	36 038 820	1 044 874	20 897 480
59	調剤料　自家製剤　加算　内服薬　錠剤、丸剤、カプセル剤、散剤、顆粒剤、エキス剤　予製剤	4	143 835	575 340	98 379	393 516	45 456	181 824
60	調剤料　自家製剤　加算　屯服薬　錠剤、丸剤、カプセル剤、散剤、顆粒剤、エキス剤	90	19 261	1 733 490	12 321	1 108 890	6 940	624 600
61	調剤料　自家製剤　加算　屯服薬　錠剤、丸剤、カプセル剤、散剤、顆粒剤、エキス剤　予製剤	18	837	15 066	700	12 600	137	2 466
62	調剤料　自家製剤　加算　内服薬及び屯服薬液剤	45	12 659	569 655	11 374	511 830	1 285	57 825
63	調剤料　自家製剤　加算　内服薬及び屯服薬液剤　予製剤	9	384	3 456	297	2 673	87	783
64	調剤料　自家製剤　加算　外用薬　錠剤、トローチ剤、軟・硬膏剤、パップ剤、リニメント剤、坐剤	90	14 998	1 349 820	11 262	1 013 580	3 736	336 240
65	調剤料　自家製剤　加算　外用薬　錠剤、トローチ剤、軟・硬膏剤、パップ剤、リニメント剤、坐剤　予製剤	18	12 446	224 028	10 249	184 482	2 197	39 546
66	調剤料　自家製剤　加算　外用薬　点眼剤、点鼻・点耳剤、浣腸剤	75	3 740	280 500	3 201	240 075	539	40 425
67	調剤料　自家製剤　加算　外用薬　点眼剤、点鼻・点耳剤、浣腸剤　予製剤	15	3 645	54 675	3 040	45 600	605	9 075
68	調剤料　自家製剤　加算　外用薬　液剤	45	7 592	341 640	6 386	287 370	1 206	54 270
69	調剤料　自家製剤　加算　外用薬　液剤　予製剤	9	5 886	52 974	5 508	49 572	378	3 402
70	調剤料　計量混合調剤　加算　液剤	35	1 226 147	42 915 145	1 188 757	41 606 495	37 390	1 308 650
71	調剤料　計量混合調剤　加算　液剤　予製剤	7	13 845	96 915	12 267	85 869	1 578	11 046
72	調剤料　計量混合調剤　加算　散剤・顆粒剤	45	3 270 748	147 183 660	3 088 606	138 987 270	182 142	8 196 390
73	調剤料　計量混合調剤　加算　散剤・顆粒剤　予製剤	9	126 489	1 138 401	103 080	927 720	23 409	210 681
74	調剤料　計量混合調剤　加算　軟・硬膏剤	80	2 145 661	171 652 880	1 760 045	140 803 600	385 616	30 849 280
75	調剤料　計量混合調剤　加算　軟・硬膏剤　予製剤	16	316 515	5 064 240	278 754	4 460 064	37 761	604 176
76	調剤料　在宅患者調剤　加算	15	581 026	8 715 390	50 106	751 590	530 920	7 963 800

平成30年６月審査分

0 ～ 4 歳		5 ～ 9		10 ～ 14		15 ～ 19		行番号
件数	受付回数	件数	受付回数	件数	受付回数	件数	受付回数	
3 215 837	4 709 731	2 084 881	2 577 707	1 443 466	1 672 885	998 517	1 141 464	
算定回数	点数	算定回数	点数	算定回数	点数	算定回数	点数	
44 887 158	1 470 553 998	24 635 606	1 130 164 106	14 881 506	930 156 627	10 562 325	665 335 689	1
40 198 436	673 041 987	22 071 572	362 359 810	13 221 225	222 076 174	9 431 614	156 402 972	2
4 709 322	283 906 498	2 577 412	155 100 363	1 672 787	100 179 256	1 141 357	67 937 318	3
3 623 731	148 572 971	1 980 584	81 203 944	1 286 833	52 760 153	874 149	35 840 109	4
409 378	10 234 450	235 847	5 896 175	150 170	3 754 250	103 239	2 580 975	5
326 391	6 527 820	169 551	3 391 020	107 224	2 144 480	71 255	1 425 100	6
329 003	4 935 045	181 063	2 715 945	120 944	1 814 160	86 999	1 304 985	7
16 753	167 530	7 939	79 390	5 666	56 660	4 350	43 500	8
2 780	58 380	1 735	36 435	1 451	30 471	972	20 412	9
1 190	15 470	560	7 280	352	4 576	258	3 354	10
71	710	68	680	57	570	66	660	11
4	32	20	160	40	320	30	240	12
-	-	-	-	-	-	-	-	13
143	715	157	785	107	535	50	250	14
3	15	5	25	3	15	2	10	15
21	713	45	1 476	50	1 665	39	1 257	16
1 417 403	49 609 105	794 825	27 818 875	521 053	18 236 855	365 278	12 784 730	17
934 274	16 816 932	519 694	9 354 492	347 837	6 261 066	242 362	4 362 516	18
929 657	20 452 454	503 290	11 072 380	323 697	7 121 334	215 440	4 739 680	19
890 363	23 149 438	465 406	12 100 556	277 241	7 208 266	163 031	4 238 806	20
4 367	244 144	2 370	133 070	1 739	99 077	1 036	59 832	21
545	26 936	243	11 820	178	8 255	84	4 067	22
34 718	2 841 488	14 396	1 179 669	7 522	621 080	5 793	488 653	23
2 466	252 150	903	96 186	519	55 468	351	38 182	24
35 489 114	389 135 489	19 494 160	207 259 447	11 548 438	121 896 918	8 290 257	88 465 654	25
28 311 050	141 555 001	13 562 695	67 813 366	7 417 262	37 086 202	5 386 973	26 934 835	26
2 997 766	11 991 064	3 257 364	13 029 453	2 099 299	8 397 195	1 470 652	5 882 608	27
43 823	2 935 644	58 504	3 919 011	49 074	3 287 891	46 859	3 139 553	28
183 608	14 320 359	328 581	25 627 577	312 434	24 368 995	218 205	17 019 050	29
54 919	4 722 841	89 870	7 728 228	98 514	8 471 791	90 717	7 801 133	30
1 924	153 920	1 336	106 880	1 029	82 320	943	75 440	31
1 046	33 472	2 948	94 336	9 151	292 832	17 903	572 892	32
37	8 140	109	23 980	339	74 580	677	148 940	33
15 046	150 460	5 829	58 290	2 612	26 120	1 462	14 620	34
353 228	7 417 788	301 836	6 338 556	242 148	5 085 108	169 581	3 561 201	35
-	-	3	570	4	760	8	1 520	36
427	81 130	431	81 890	481	91 390	677	128 630	37
2 920	29 200	3 792	37 920	4 403	44 030	5 874	58 740	38
32	12 800	49	19 600	60	24 000	95	38 000	39
1 913	49 738	5 805	150 930	6 305	163 930	4 332	112 632	40
·	·	1 116	74 772	820	54 940	679	45 493	41
1 177	158 895	415	56 025	·	·	·	·	42
·	·	-	-	-	-	-	-	43
-	-	-	-	·	·	·	·	44
·	·	-	-	-	-	-	-	45
-	-	-	-	·	·	·	·	46
3 523 654	35 236 540	1 877 342	18 773 420	1 313 903	13 139 030	893 295	8 932 950	47
728	2 997	2 059	3 197	1 939	3 186	1 527	2 459	48
141	9 870	107	7 490	136	9 520	565	39 550	49
18 389	147 112	21 967	175 736	37 714	301 712	52 953	423 624	50
3	24	-	-	-	-	-	-	51
98	784	80	640	197	1 576	491	3 928	52
8 034	131 388	4 211	84 675	3 027	62 956	1 889	44 723	53
886	12 057	391	6 192	298	5 132	139	2 577	54
66 564	1 492 546	26 928	668 093	14 143	373 037	11 383	308 319	55
3 975	96 426	1 417	38 178	843	24 492	640	20 622	56
280 074	11 202 960	198 643	7 945 720	164 063	6 562 520	118 467	4 738 680	57
28 793	575 860	97 748	1 954 960	119 983	2 399 660	36 483	729 660	58
107	428	5 503	22 012	7 447	29 788	940	3 760	59
1 370	123 300	1 433	128 970	963	86 670	371	33 390	60
188	3 384	60	1 080	20	360	29	522	61
6 252	281 340	764	34 380	126	5 670	147	6 615	62
3	27	3	27	4	36	15	135	63
1 978	178 020	1 065	95 850	629	56 610	468	42 120	64
2 546	45 828	1 313	23 634	637	11 466	360	6 480	65
1 313	98 475	595	44 625	269	20 175	67	5 025	66
1 576	23 640	397	5 955	98	1 470	47	705	67
2 523	113 535	744	33 480	331	14 895	179	8 055	68
2 934	26 406	739	6 651	274	2 466	148	1 332	69
938 947	32 863 145	99 271	3 474 485	11 854	414 890	7 397	258 895	70
3 197	22 379	1 326	9 282	744	5 208	422	2 954	71
1 972 709	88 771 905	712 543	32 064 435	48 366	2 176 470	13 408	603 360	72
33 549	301 941	10 037	90 333	893	8 037	1 483	13 347	73
410 382	32 830 560	198 493	15 879 440	104 276	8 342 080	80 663	6 453 040	74
56 585	905 360	32 043	512 688	17 417	278 672	14 775	236 400	75
1 120	16 800	829	12 435	470	7 050	476	7 140	76

行番号	調剤行為	固定点数	２０　～　２４		２５　～　２９		３０　～　３４	
			件数	受付回数	件数	受付回数	件数	受付回数
			1 054 313	1 218 643	1 298 618	1 525 670	1 623 507	1 928 877
			算定回数	点数	算定回数	点数	算定回数	点数
1	総　　計		12 127 485	710 402 633	15 505 196	937 321 541	19 615 105	1 232 273 037
2	調剤技術料計		10 922 314	172 651 624	14 003 811	221 960 685	17 718 745	284 502 813
3	調剤基本料小計		1 218 523	72 290 714	1 525 449	90 545 842	1 928 409	114 642 572
4	調剤基本料１	41	940 236	38 549 676	1 179 937	48 377 417	1 490 844	61 124 604
5	調剤基本料２	25	105 095	2 627 375	127 282	3 182 050	155 832	3 895 800
6	調剤基本料３　イ　受付回数４万回超40万回以下	20	73 685	1 473 700	92 608	1 852 160	119 450	2 389 000
7	調剤基本料３　ロ　受付回数40万回超	15	93 657	1 404 855	118 382	1 775 730	152 547	2 288 205
8	特別調剤基本料	10	4 519	45 190	5 580	55 800	7 586	75 860
9	調剤基本料１　50/100算定	21	961	20 181	1 214	25 494	1 645	34 545
10	調剤基本料２　50/100算定	13	226	2 938	271	3 523	290	3 770
11	調剤基本料３　イ　受付回数４万回超40万回以下　50/100算定	10	34	340	31	310	44	440
12	調剤基本料３　ロ　受付回数40万回超　50/100算定	8	52	416	51	408	55	440
13	特別調剤基本料　50/100算定	5	－	－	－	－	－	－
14	調剤基本料　長期投薬分割調剤	5	35	175	24	120	36	180
15	調剤基本料　後発医薬品分割調剤	5	5	25	5	25	6	30
16	調剤基本料　医師の分割指示　調剤基本料及び加算		58	1 684	93	2 861	116	3 375
17	調剤基本料　地域支援体制　加算	35	397 014	13 895 490	492 763	17 246 705	621 184	21 741 440
18	調剤基本料　後発医薬品調剤体制　加算１	18	259 788	4 676 184	325 823	5 864 814	415 402	7 477 236
19	調剤基本料　後発医薬品調剤体制　加算２	22	221 474	4 872 428	280 454	6 169 988	360 823	7 938 106
20	調剤基本料　後発医薬品調剤体制　加算３	26	159 673	4 151 498	206 380	5 365 880	268 089	6 970 314
21	調剤基本料　時間外　加算		890	51 393	984	56 373	977	56 493
22	調剤基本料　時間外特例　加算		98	4 926	94	4 693	86	4 503
23	調剤基本料　休日　加算		5 640	468 348	6 228	518 489	7 172	598 869
24	調剤基本料　深夜　加算		393	43 892	391	43 002	365	39 362
25	調剤料小計		9 703 791	100 360 910	12 478 362	131 414 843	15 790 336	169 860 241
26	調剤料　内服薬　14日分以下７日目以下	5	6 424 776	32 123 793	8 199 619	40 997 805	10 387 404	51 936 585
27	調剤料　内服薬　14日分以下８日目以上	4	1 836 823	7 347 288	2 507 860	10 031 439	3 165 478	12 661 912
28	調剤料　内服薬　15日分以上21日分以下	67	63 554	4 257 737	89 739	6 012 221	111 083	7 441 593
29	調剤料　内服薬　22日分以上30日分以下	78	239 371	18 669 323	355 679	27 742 200	511 340	39 883 018
30	調剤料　内服薬　31日分以上	86	99 345	8 543 396	134 243	11 544 460	189 956	16 335 722
31	調剤料　内服薬　嚥下困難者用製剤　加算	80	935	74 800	842	67 360	866	69 280
32	調剤料　内服薬　一包化42日分以下　加算	32	35 867	1 147 728	62 505	2 000 160	98 493	3 151 760
33	調剤料　内服薬　一包化43日分以上　加算	220	979	215 380	1 507	331 540	2 035	447 700
34	調剤料　内服用　滴剤	10	1 717	17 170	3 466	34 660	5 426	54 260
35	調剤料　屯服薬	21	184 257	3 869 397	227 965	4 787 265	282 965	5 942 265
36	調剤料　浸煎薬	190	10	1 900	21	3 990	38	7 220
37	調剤料　湯薬　28日分以下７日目以下	190	592	112 480	950	180 500	1 522	289 180
38	調剤料　湯薬　28日分以下８日目以上	10	5 537	55 370	9 652	96 520	15 828	158 280
39	調剤料　湯薬　29日分以上	400	53	21 200	74	29 600	150	60 000
40	調剤料　注射薬	26	4 465	116 090	6 949	180 674	11 614	301 964
41	調剤料　注射薬　無菌製剤処理　中心静脈栄養法用輸液　加算	67	353	23 651	74	4 958	340	22 780
42	調剤料　注射薬　無菌製剤処理　中心静脈栄養法用輸液　加算　６歳未満の乳幼児	135	・	・	・	・	・	・
43	調剤料　注射薬　無菌製剤処理　抗悪性腫瘍剤　加算	77	－	－	－	－	3	231
44	調剤料　注射薬　無菌製剤処理　抗悪性腫瘍剤　加算　６歳未満の乳幼児	145	・	・	・	・	・	・
45	調剤料　注射薬　無菌製剤処理　麻薬　加算	67	－	－	－	－	1	67
46	調剤料　注射薬　無菌製剤処理　麻薬　加算　６歳未満の乳幼児	135	・	・	・	・	・	・
47	調剤料　外用薬	10	840 967	8 409 670	938 592	9 385 920	1 102 688	11 026 880
48	調剤基本料　医師の分割指示　調剤料及び加算		2 324	3 875	3 553	6 111	4 844	8 318
49	調剤料　麻薬　加算	70	947	66 290	1 292	90 440	2 040	142 800
50	調剤料　向精神薬　加算	8	121 728	973 824	207 812	1 662 496	291 055	2 328 440
51	調剤料　覚醒剤原料　加算	8	2	16	5	40	12	96
52	調剤料　毒薬　加算	8	875	7 000	1 247	9 976	1 851	14 808
53	調剤料　時間外　加算		1 728	37 595	1 892	47 776	1 922	50 524
54	調剤料　時間外特例　加算		167	2 815	175	3 478	189	4 006
55	調剤料　休日　加算		11 470	316 212	12 690	360 014	14 618	417 356
56	調剤料　深夜　加算		736	23 220	717	24 000	635	21 150
57	調剤料　夜間・休日等　加算	40	118 433	4 737 320	147 470	5 898 800	157 493	6 299 720
58	調剤料　自家製剤　加算　内服薬　錠剤、丸剤、カプセル剤、散剤、顆粒剤、エキス剤	20	37 446	748 920	48 363	967 260	57 804	1 156 080
59	調剤料　自家製剤　加算　内服薬　錠剤、丸剤、カプセル剤、散剤、顆粒剤、エキス剤　予製剤	4	1 600	6 400	2 078	8 312	2 731	10 924
60	調剤料　自家製剤　加算　屯服薬　錠剤、丸剤、カプセル剤、散剤、顆粒剤、エキス剤	90	370	33 300	502	45 180	571	51 390
61	調剤料　自家製剤　加算　屯服薬　錠剤、丸剤、カプセル剤、散剤、顆粒剤、エキス剤　予製剤	18	22	396	31	558	43	774
62	調剤料　自家製剤　加算　内服薬及び屯服薬液剤	45	175	7 875	224	10 080	312	14 040
63	調剤料　自家製剤　加算　内服薬及び屯服薬液剤　予製剤	9	22	198	20	180	25	225
64	調剤料　自家製剤　加算　外用薬　錠剤、トローチ剤、軟・硬膏剤、パップ剤、リニメント剤、坐剤	90	438	39 420	501	45 090	546	49 140
65	調剤料　自家製剤　加算　外用薬　錠剤、トローチ剤、軟・硬膏剤、パップ剤、リニメント剤、坐剤　予製剤	18	303	5 454	280	5 040	359	6 462
66	調剤料　自家製剤　加算　外用薬　点眼剤、点鼻・点耳剤、浣腸剤	75	30	2 250	53	3 975	71	5 325
67	調剤料　自家製剤　加算　外用薬　点眼剤、点鼻・点耳剤、浣腸剤　予製剤	15	38	570	56	840	90	1 350
68	調剤料　自家製剤　加算　外用薬　液剤	45	179	8 055	184	8 280	190	8 550
69	調剤料　自家製剤　加算　外用薬　液剤　予製剤	9	107	963	136	1 224	162	1 458
70	調剤料　計量混合調剤　加算　液剤	35	8 221	287 735	9 637	337 295	12 189	426 615
71	調剤料　計量混合調剤　加算　液剤　予製剤	7	446	3 122	497	3 479	641	4 487
72	調剤料　計量混合調剤　加算　散剤・顆粒剤	45	15 139	681 255	18 259	821 655	23 099	1 039 455
73	調剤料　計量混合調剤　加算　散剤・顆粒剤　予製剤	9	2 052	18 468	2 744	24 696	3 552	31 968
74	調剤料　計量混合調剤　加算　軟・硬膏剤	80	88 493	7 079 440	91 662	7 332 960	96 132	7 690 560
75	調剤料　計量混合調剤　加算　軟・硬膏剤　予製剤	16	15 889	254 224	15 936	254 976	17 078	273 248
76	調剤料　在宅患者調剤　加算	15	555	8 325	624	9 360	685	10 275

平成30年６月審査分

35～39 算定回数	35～39 点数	40～44 算定回数	40～44 点数	45～49 算定回数	45～49 点数	50～54 算定回数	50～54 点数	行番号
件数	受付回数	件数	受付回数	件数	受付回数	件数	受付回数	
1 887 624	2 248 863	2 309 684	2 745 100	2 659 614	3 152 822	2 757 920	3 265 317	
22 371 508	1 571 371 496	25 970 276	2 156 296 247	28 163 497	2 675 085 467	27 645 973	2 867 317 673	1
20 163 335	343 059 440	23 281 757	439 476 393	25 079 669	524 892 834	24 457 631	555 308 162	2
2 248 045	133 315 059	2 743 857	162 149 657	3 151 298	185 887 046	3 263 711	192 341 287	3
1 735 153	71 141 273	2 111 106	86 555 346	2 422 052	99 304 132	2 509 045	102 870 845	4
178 882	4 472 050	215 847	5 396 175	243 329	6 083 225	249 561	6 239 025	5
142 627	2 852 540	178 550	3 571 000	207 343	4 146 860	215 163	4 303 260	6
180 189	2 702 835	224 668	3 370 020	262 715	3 940 725	272 950	4 094 250	7
8 699	86 990	10 528	105 280	12 084	120 840	12 793	127 930	8
1 921	40 341	2 395	50 295	2 735	57 435	3 033	63 693	9
318	4 134	375	4 875	437	5 681	514	6 682	10
35	350	42	420	77	770	56	560	11
53	424	85	680	136	1 088	150	1 200	12
1	5	-	-	-	-	-	-	13
51	255	49	245	82	410	65	325	14
15	75	20	100	30	150	37	185	15
167	4 790	261	8 086	390	11 866	446	13 791	16
722 628	25 291 980	883 999	30 939 965	1 024 715	35 865 025	1 058 737	37 055 795	17
488 452	8 792 136	602 974	10 853 532	698 728	12 577 104	729 520	13 131 360	18
420 875	9 259 250	514 514	11 319 308	590 308	12 986 776	612 304	13 470 688	19
306 824	7 977 424	358 920	9 331 920	393 036	10 218 936	402 361	10 461 386	20
967	56 892	973	56 583	977	57 127	927	53 459	21
92	4 965	63	3 122	61	3 168	33	2 029	22
7 035	591 662	6 539	551 621	5 766	479 918	5 064	423 054	23
313	34 688	301	31 084	249	25 810	206	21 770	24
17 915 290	209 744 381	20 537 900	277 326 736	21 928 371	339 005 788	21 193 920	362 966 875	25
11 463 113	57 315 034	12 395 734	61 978 154	12 409 502	62 046 568	11 444 887	57 223 052	26
3 712 545	14 850 177	4 554 229	18 216 914	5 135 348	20 541 390	5 019 332	20 077 326	27
135 255	9 061 488	175 191	11 737 092	205 324	13 755 055	202 497	13 566 849	28
726 410	56 658 213	1 110 760	86 637 168	1 499 989	116 996 425	1 710 945	133 450 715	29
288 143	24 779 517	496 979	42 738 947	743 146	63 908 553	916 052	78 778 880	30
787	62 960	842	67 360	944	75 520	962	76 960	31
144 362	4 619 568	222 425	7 117 604	292 175	9 349 604	309 483	9 903 468	32
3 207	705 540	5 694	1 252 680	8 601	1 892 220	11 276	2 480 720	33
6 452	64 520	7 709	77 090	9 643	96 430	9 676	96 760	34
309 265	6 494 565	337 922	7 096 362	336 006	7 056 126	295 367	6 202 707	35
38	7 220	44	8 360	69	13 110	66	12 540	36
2 213	420 410	2 782	528 580	3 152	598 880	2 814	534 660	37
24 693	246 930	32 504	325 040	37 510	375 100	33 967	339 670	38
262	104 800	419	167 600	493	197 200	451	180 400	39
17 282	449 332	27 229	707 954	39 032	1 014 832	47 066	1 223 716	40
181	12 127	249	16 683	379	25 393	482	32 294	41
・	・	・	・	・	・	・	・	42
-	-	-	-	-	-	-	-	43
・	・	・	・	・	・	・	・	44
63	4 221	133	8 911	172	11 524	243	16 281	45
・	・	・	・	・	・	・	・	46
1 223 589	12 235 890	1 386 334	13 863 340	1 493 258	14 932 580	1 493 467	14 934 670	47
6 030	11 862	10 064	15 433	15 899	23 372	17 333	26 679	48
2 787	195 090	4 380	306 600	6 094	426 580	7 501	525 070	49
384 928	3 079 424	523 606	4 188 848	603 525	4 828 200	567 275	4 538 200	50
37	296	138	1 104	330	2 640	624	4 992	51
2 440	19 520	3 282	26 256	4 156	33 248	4 570	36 560	52
1 890	56 011	1 919	60 311	1 898	69 636	1 847	72 490	53
184	4 306	125	3 089	112	2 294	76	2 421	54
14 228	409 759	13 220	401 400	11 331	351 290	9 917	321 463	55
538	18 190	523	20 110	435	18 284	333	12 978	56
163 869	6 554 760	189 180	7 567 200	203 032	8 121 280	186 747	7 469 880	57
68 609	1 372 180	93 943	1 878 860	117 574	2 351 480	127 074	2 541 480	58
3 552	14 208	5 091	20 364	6 856	27 424	7 469	29 876	59
708	63 720	857	77 130	884	79 560	772	69 480	60
39	702	63	1 134	44	792	36	648	61
343	15 435	371	16 695	361	16 245	390	17 550	62
32	288	29	261	17	153	21	189	63
594	53 460	621	55 890	655	58 950	638	57 420	64
418	7 524	461	8 298	529	9 522	466	8 388	65
77	5 775	81	6 075	101	7 575	95	7 125	66
74	1 110	61	915	75	1 125	74	1 110	67
216	9 720	199	8 955	237	10 665	236	10 620	68
152	1 368	169	1 521	120	1 080	112	1 008	69
13 277	464 695	13 316	466 060	12 536	438 760	11 121	389 235	70
633	4 431	640	4 480	647	4 529	562	3 934	71
26 319	1 184 355	31 373	1 411 785	33 504	1 507 680	31 966	1 438 470	72
4 261	38 349	5 013	45 117	5 473	49 257	5 573	50 157	73
97 222	7 777 760	98 730	7 898 400	92 589	7 407 120	74 648	5 971 840	74
17 241	275 856	16 896	270 336	15 117	241 872	11 849	189 584	75
781	11 715	1 218	18 270	1 911	28 665	2 424	36 360	76

行番号	調剤行為	固定点数	５５　～　５９		６０　～　６４		６５　～　６９	
			件　数	受付回数	件　数	受付回数	件　数	受付回数
			3 015 386	3 560 793	3 549 793	4 200 672	5 268 305	6 273 239
			算定回数	点　数	算定回数	点　数	算定回数	点　数
1	総　計		28 708 799	3 263 581 959	32 459 634	3 936 362 438	47 420 818	6 083 766 783
2	調剤技術料計		25 239 398	616 505 748	28 364 858	734 234 853	41 296 117	1 117 615 518
3	調剤基本料小計		3 559 171	209 394 607	4 198 870	246 259 252	6 270 090	367 559 667
4	調剤基本料１	41	2 718 893	111 474 613	3 172 360	130 066 760	4 716 161	193 362 601
5	調剤基本料２	25	277 598	6 939 950	339 672	8 491 800	511 971	12 799 275
6	調剤基本料３　イ　受付回数４万回超40万回以下	20	236 701	4 734 020	287 168	5 743 360	439 170	8 783 400
7	調剤基本料３　ロ　受付回数40万回超	15	306 445	4 596 675	374 886	5 623 290	565 417	8 481 255
8	特別調剤基本料	10	14 363	143 630	18 335	183 350	27 715	277 150
9	調剤基本料１　50/100算定	21	3 771	79 191	4 895	102 795	7 647	160 587
10	調剤基本料２　50/100算定	13	632	8 216	706	9 178	908	11 804
11	調剤基本料３　イ　受付回数４万回超40万回以下　50/100算定	10	105	1 050	95	950	114	1 140
12	調剤基本料３　ロ　受付回数40万回超　50/100算定	8	161	1 288	220	1 760	319	2 552
13	特別調剤基本料　50/100算定	5	5	25	−	−	1	5
14	調剤基本料　長期投薬分割調剤	5	89	445	90	450	173	865
15	調剤基本料　後発医薬品分割調剤	5	33	165	50	250	73	365
16	調剤基本料　医師の分割指示　調剤基本料及び加算		497	16 090	533	16 504	667	20 301
17	調剤基本料　地域支援体制　加算	35	1 137 263	39 804 205	1 316 074	46 062 590	1 974 885	69 120 975
18	調剤基本料　後発医薬品調剤体制　加算１	18	792 671	14 268 078	938 577	16 894 386	1 412 942	25 432 956
19	調剤基本料　後発医薬品調剤体制　加算２	22	682 210	15 008 620	823 544	18 117 968	1 240 965	27 301 230
20	調剤基本料　後発医薬品調剤体制　加算３	26	454 848	11 826 048	557 300	14 489 800	819 392	21 304 192
21	調剤基本料　時間外　加算		842	48 740	704	40 571	756	43 872
22	調剤基本料　時間外特例　加算		41	2 262	41	2 164	44	2 492
23	調剤基本料　休日　加算		4 953	419 472	4 668	392 322	5 103	431 982
24	調剤基本料　深夜　加算		212	21 824	179	19 004	189	20 668
25	調剤料小計		21 680 227	407 111 141	24 165 988	487 975 601	35 026 027	750 055 851
26	調剤料　内服薬　14日分以下７日目以下	5	11 278 643	56 392 136	12 071 230	60 355 182	16 658 771	83 290 402
27	調剤料　内服薬　14日分以下８日目以上	4	5 039 261	20 157 043	5 567 574	22 270 292	8 228 318	32 913 247
28	調剤料　内服薬　15日分以上21日分以下	67	207 954	13 932 118	233 122	15 617 544	355 184	23 795 412
29	調剤料　内服薬　22日分以上30日分以下	78	2 000 880	156 064 670	2 465 992	192 343 350	3 873 125	302 096 824
30	調剤料　内服薬　31日分以上	86	1 146 718	98 615 431	1 478 754	127 169 753	2 322 880	199 765 134
31	調剤料　内服薬　嚥下困難者用製剤　加算	80	1 290	103 200	2 140	171 200	4 665	373 200
32	調剤料　内服薬　一包化42日分以下　加算	32	356 359	11 403 480	456 617	14 611 744	813 050	26 017 592
33	調剤料　内服薬　一包化43日分以上　加算	220	15 401	3 388 220	22 714	4 996 984	42 883	9 434 068
34	調剤料　内服用　滴剤	10	10 946	109 460	12 899	128 990	21 929	219 290
35	調剤料　屯服薬	21	273 576	5 745 096	266 923	5 605 383	355 276	7 460 796
36	調剤料　浸煎薬	190	69	13 110	52	9 880	83	15 770
37	調剤料　湯薬　28日分以下７日目以下	190	2 557	485 830	2 287	434 530	2 648	503 120
38	調剤料　湯薬　28日分以下８日目以上	10	31 717	317 170	27 847	278 470	32 908	329 080
39	調剤料　湯薬　29日分以上	400	423	169 200	429	171 600	573	229 200
40	調剤料　注射薬	26	57 517	1 495 442	74 106	1 926 756	116 017	3 016 442
41	調剤料　注射薬　無菌製剤処理　中心静脈栄養法用輸液　加算	67	284	19 028	376	25 192	739	49 513
42	調剤料　注射薬　無菌製剤処理　中心静脈栄養法用輸液　加算　６歳未満の乳幼児	135	·	·	·	·	·	·
43	調剤料　注射薬　無菌製剤処理　抗悪性腫瘍剤　加算	77	−	−	−	−	14	1 078
44	調剤料　注射薬　無菌製剤処理　抗悪性腫瘍剤　加算　６歳未満の乳幼児	145	·	·	·	·	·	·
45	調剤料　注射薬　無菌製剤処理　麻薬　加算	67	244	16 348	291	19 497	403	27 001
46	調剤料　注射薬　無菌製剤処理　麻薬　加算　６歳未満の乳幼児	135	·	·	·	·	·	·
47	調剤料　外用薬	10	1 609 210	16 092 100	1 942 065	19 420 650	3 029 948	30 299 480
48	調剤基本料　医師の分割指示　調剤料及び加算		20 756	31 295	22 708	33 946	28 367	44 589
49	調剤料　麻薬　加算	70	9 270	648 900	11 697	818 790	17 959	1 257 130
50	調剤料　向精神薬　加算	8	541 882	4 335 056	532 695	4 261 560	779 629	6 237 032
51	調剤料　覚醒剤原料　加算	8	1 275	10 200	2 252	18 016	4 624	36 992
52	調剤料　毒薬　加算	8	5 730	45 840	8 111	64 888	14 576	116 608
53	調剤料　時間外　加算		1 696	65 867	1 389	54 480	1 533	61 533
54	調剤料　時間外特例　加算		69	1 658	75	1 811	86	2 885
55	調剤料　休日　加算		9 558	316 549	8 800	295 917	9 457	324 992
56	調剤料　深夜　加算		364	14 918	286	10 892	290	11 210
57	調剤料　夜間・休日等　加算	40	161 816	6 472 640	126 358	5 054 320	120 413	4 816 520
58	調剤料　自家製剤　加算　内服薬　錠剤、丸剤、カプセル剤、散剤、顆粒剤、エキス剤	20	150 381	3 007 620	188 095	3 761 900	308 184	6 163 680
59	調剤料　自家製剤　加算　内服薬　錠剤、丸剤、カプセル剤、散剤、顆粒剤、エキス剤　予製剤	4	8 927	35 708	11 378	45 512	17 978	71 912
60	調剤料　自家製剤　加算　屯服薬　錠剤、丸剤、カプセル剤、散剤、顆粒剤、エキス剤	90	660	59 400	661	59 490	1 012	91 080
61	調剤料　自家製剤　加算　屯服薬　錠剤、丸剤、カプセル剤、散剤、顆粒剤、エキス剤　予製剤	18	28	504	26	468	33	594
62	調剤料　自家製剤　加算　内服薬及び屯服薬液剤	45	440	19 800	397	17 865	595	26 775
63	調剤料　自家製剤　加算　内服薬及び屯服薬液剤　予製剤	9	29	261	30	270	30	270
64	調剤料　自家製剤　加算　外用薬　錠剤、トローチ剤、軟・硬膏剤、パップ剤、リニメント剤、坐剤	90	557	50 130	737	66 330	922	82 980
65	調剤料　自家製剤　加算　外用薬　錠剤、トローチ剤、軟・硬膏剤、パップ剤、リニメント剤、坐剤　予製剤	18	520	9 360	590	10 620	759	13 662
66	調剤料　自家製剤　加算　外用薬　点眼剤、点鼻・点耳剤、浣腸剤	75	77	5 775	94	7 050	140	10 500
67	調剤料　自家製剤　加算　外用薬　点眼剤、点鼻・点耳剤、浣腸剤　予製剤	15	82	1 230	91	1 365	148	2 220
68	調剤料　自家製剤　加算　外用薬　液剤	45	241	10 845	234	10 530	327	14 715
69	調剤料　自家製剤　加算　外用薬　液剤　予製剤	9	109	981	104	936	124	1 116
70	調剤料　計量混合調剤　加算　液剤	35	11 152	390 320	12 045	421 575	14 599	510 965
71	調剤料　計量混合調剤　加算　液剤　予製剤	7	545	3 815	609	4 263	704	4 928
72	調剤料　計量混合調剤　加算　散剤・顆粒剤	45	33 413	1 503 585	35 280	1 587 600	47 505	2 137 725
73	調剤料　計量混合調剤　加算　散剤・顆粒剤　予製剤	9	5 680	51 120	6 164	55 476	8 384	75 456
74	調剤料　計量混合調剤　加算　軟・硬膏剤	80	66 021	5 281 680	68 739	5 499 120	96 012	7 680 960
75	調剤料　計量混合調剤　加算　軟・硬膏剤　予製剤	16	10 137	162 192	10 464	167 424	13 898	222 368
76	調剤料　在宅患者調剤　加算	15	3 654	54 810	5 746	86 190	13 187	197 805

平成30年６月審査分

70～74 件数 / 算定回数	70～74 受付回数 / 点数	75～79 件数 / 算定回数	75～79 受付回数 / 点数	80～84 件数 / 算定回数	80～84 受付回数 / 点数	85～89 件数 / 算定回数	85～89 受付回数 / 点数	90歳以上 件数 / 算定回数	90歳以上 受付回数 / 点数	行番号
5 587 474	6 765 642	5 763 726	7 144 609	4 878 909	6 263 902	3 110 276	4 197 806	1 689 902	2 510 099	
51 989 211	6 793 568 832	58 528 151	7 456 234 660	57 456 001	6 735 712 271	45 153 158	4 497 299 849	33 311 712	2 411 233 649	1
45 388 493	1 242 202 405	51 601 617	1 374 513 137	51 537 993	1 301 943 060	41 424 009	953 596 788	31 353 891	614 184 434	2
6 762 062	397 420 044	7 140 702	421 887 445	6 260 444	374 566 321	4 195 585	257 049 043	2 509 122	160 121 801	3
5 110 328	209 523 448	5 433 167	222 759 847	4 835 558	198 257 878	3 314 878	135 909 998	2 055 315	84 267 915	4
542 992	13 574 800	558 692	13 967 300	463 363	11 584 075	281 707	7 042 675	143 296	3 582 400	5
472 254	9 445 080	491 796	9 835 920	408 131	8 162 620	251 500	5 030 000	128 289	2 565 780	6
597 673	8 965 095	617 214	9 258 210	518 049	7 770 735	323 652	4 854 780	168 424	2 526 360	7
28 586	285 860	29 190	291 900	25 564	255 640	16 549	165 490	8 999	89 990	8
8 278	173 838	8 845	185 745	8 265	173 565	6 304	132 384	4 243	89 103	9
853	11 089	840	10 920	780	10 140	473	6 149	194	2 522	10
107	1 070	116	1 160	91	910	85	850	43	430	11
373	2 984	325	2 600	206	1 648	103	824	31	248	12
4	20	1	5	3	15	3	15	-	-	13
185	925	290	1 450	413	2 065	597	2 985	466	2 330	14
55	275	64	320	57	285	34	170	16	80	15
614	18 022	516	15 347	434	12 707	331	9 501	288	7 993	16
2 177 777	76 222 195	2 340 347	81 912 145	2 114 375	74 003 125	1 495 598	52 345 930	975 738	34 150 830	17
1 531 717	27 570 906	1 623 053	29 214 954	1 423 887	25 629 966	960 766	17 293 788	580 524	10 449 432	18
1 325 300	29 156 600	1 395 982	30 711 604	1 240 384	27 288 448	858 543	18 887 946	545 656	12 004 432	19
847 604	22 037 704	896 095	23 298 470	807 570	20 996 820	577 953	15 026 778	389 704	10 132 304	20
727	44 220	762	45 312	698	43 987	603	38 763	397	26 648	21
37	1 999	22	1 081	25	1 319	22	1 265	7	403	22
4 307	364 814	4 080	354 343	4 013	354 041	3 150	288 454	2 224	216 259	23
181	19 100	163	18 812	148	16 332	84	10 298	54	6 342	24
38 626 431	844 782 361	44 460 915	952 625 692	45 277 549	927 376 739	37 228 424	696 547 745	28 844 769	454 062 633	25
17 597 736	87 985 679	19 780 583	98 898 133	20 308 585	101 534 257	17 267 763	86 322 138	14 255 350	71 262 407	26
9 433 774	37 735 091	11 665 378	46 661 430	13 107 510	52 429 956	11 903 737	47 614 800	10 023 883	40 095 441	27
409 228	27 416 963	481 700	32 271 218	490 862	32 881 892	390 791	26 177 284	275 857	18 477 280	28
4 431 335	345 638 600	4 978 186	388 292 774	4 595 237	358 420 761	3 095 380	241 428 382	1 677 161	130 811 653	29
2 490 981	214 222 055	2 517 938	216 539 935	2 119 044	182 235 752	1 300 167	111 812 743	623 997	53 663 208	30
7 446	595 680	13 755	1 100 400	27 266	2 181 280	41 988	3 359 040	60 995	4 879 600	31
1 139 988	36 479 616	1 810 457	57 934 636	2 779 348	88 939 140	3 073 015	98 336 492	2 621 378	83 884 108	32
58 376	12 842 528	79 945	17 587 356	97 833	21 523 228	83 996	18 479 120	51 570	11 345 144	33
27 635	276 350	40 467	404 670	56 270	562 700	64 755	647 550	72 167	721 670	34
386 620	8 119 020	440 361	9 247 581	425 416	8 933 736	313 321	6 579 741	195 915	4 114 215	35
93	17 670	98	18 620	119	22 610	51	9 690	38	7 220	36
2 440	463 600	1 927	366 130	1 270	241 300	576	109 440	188	35 720	37
29 498	294 980	23 784	237 840	15 026	150 260	5 863	58 630	1 983	19 830	38
529	211 600	400	160 000	257	102 800	107	42 800	29	11 600	39
120 681	3 137 706	114 751	2 983 526	92 399	2 402 374	50 123	1 303 198	19 410	504 660	40
1 056	70 752	1 124	75 308	827	55 409	888	59 496	1 118	74 906	41
・	・	・	・	・	・	・	・	・	・	42
-	-	-	-	-	-	-	-	-	-	43
・	・	・	・	・	・	・	・	・	・	44
622	41 674	652	43 684	327	21 909	258	17 286	131	8 777	45
・	・	・	・	・	・	・	・	・	・	46
3 668 872	36 688 720	4 391 734	43 917 340	4 045 505	40 455 050	2 821 506	28 215 060	1 685 595	16 855 950	47
27 009	42 293	23 608	38 550	20 049	41 403	14 284	33 406	13 196	38 222	48
18 572	1 300 040	16 851	1 179 570	12 662	886 340	7 567	529 690	3 555	248 850	49
927 367	7 418 936	1 092 011	8 736 088	1 077 065	8 616 520	791 147	6 329 176	461 281	3 690 248	50
5 526	44 208	6 434	51 472	5 069	40 552	2 561	20 488	734	5 872	51
18 447	147 576	23 588	188 704	26 107	208 856	21 895	175 160	15 362	122 896	52
1 548	64 536	1 644	69 629	1 584	72 103	1 380	62 015	942	40 986	53
68	1 830	38	873	44	1 370	35	1 275	9	139	54
7 819	290 996	7 551	301 953	7 487	330 089	6 315	301 557	4 592	235 099	55
281	11 584	264	10 982	228	8 808	135	5 690	85	3 362	56
104 329	4 173 160	97 466	3 898 640	84 754	3 390 160	58 741	2 349 640	33 355	1 334 200	57
346 541	6 930 820	369 937	7 398 740	328 555	6 571 100	209 150	4 183 000	112 152	2 243 040	58
17 873	71 492	18 695	74 780	14 451	57 804	8 184	32 736	2 975	11 900	59
1 357	122 130	1 856	167 040	2 031	182 790	1 682	151 380	1 201	108 090	60
39	702	34	612	31	558	42	756	29	522	61
509	22 905	535	24 075	365	16 425	233	10 485	120	5 400	62
17	153	36	324	32	288	15	135	4	36	63
1 126	101 340	1 205	108 450	1 116	100 440	719	64 710	483	43 470	64
782	14 076	766	13 788	664	11 952	474	8 532	219	3 942	65
147	11 025	171	12 825	164	12 300	105	7 875	90	6 750	66
138	2 070	171	2 565	175	2 625	173	2 595	81	1 215	67
399	17 955	411	18 495	382	17 190	258	11 610	122	5 490	68
131	1 179	132	1 188	106	954	75	675	52	468	69
13 921	487 235	14 085	492 975	11 571	404 985	7 069	247 415	3 939	137 865	70
676	4 732	633	4 431	501	3 507	280	1 960	142	994	71
50 373	2 266 785	57 395	2 582 775	55 744	2 508 480	39 829	1 792 305	24 524	1 103 580	72
8 508	76 572	9 134	82 206	7 840	70 560	4 422	39 798	1 727	15 543	73
104 240	8 339 200	118 393	9 471 440	111 466	8 917 280	86 002	6 880 160	61 498	4 919 840	74
14 172	226 752	14 441	231 056	11 446	183 136	7 321	117 136	3 810	60 960	75
23 453	351 795	48 059	720 885	108 250	1 623 750	174 233	2 613 495	193 351	2 900 265	76

行番号	調剤行為	固定点数	総数		一般医療		後期医療	
			算定回数	点数	算定回数	点数	算定回数	点数
77	薬学管理料計		64 636 634	3 216 024 232	45 769 620	2 302 501 115	18 867 014	913 523 117
78	薬剤服用歴管理指導料　6月以内再度処方箋持参　手帳あり　調剤基本料1	41	30 368 582	1 245 111 862	19 710 605	808 134 805	10 657 977	436 977 057
79	薬剤服用歴管理指導料　6月以内再度処方箋持参以外　調剤基本料1	53	7 947 765	421 231 545	7 121 497	377 439 341	826 268	43 792 204
80	薬剤服用歴管理指導料　6月以内再度処方箋持参以外　調剤基本料1以外	53	2 402 085	127 310 505	2 103 967	111 510 251	298 118	15 800 254
81	薬剤服用歴管理指導料　特別養護老人ホーム入所者を訪問　6月以内再度処方箋持参　手帳あり	41	561 065	23 003 665	31 226	1 280 266	529 839	21 723 399
82	薬剤服用歴管理指導料　特別養護老人ホーム入所者を訪問　6月以内再度処方箋持参　手帳なし	41	79 959	3 278 319	4 763	195 283	75 196	3 083 036
83	薬剤服用歴管理指導料　特別養護老人ホーム入所者を訪問　6月以内再度処方箋持参以外	41	14 988	614 508	1 117	45 797	13 871	568 711
84	薬剤服用歴管理指導料　6月以内再度処方箋持参　手帳なし　調剤基本料1	53	9 901 243	524 765 879	7 756 731	411 106 743	2 144 512	113 659 136
85	薬剤服用歴管理指導料　6月以内再度処方箋持参　手帳あり　調剤基本料1以外	53	9 400 441	498 223 373	6 232 398	330 317 094	3 168 043	167 906 279
86	薬剤服用歴管理指導料　6月以内再度処方箋持参　手帳なし　調剤基本料1以外	53	2 895 133	153 442 049	2 284 316	121 068 748	610 817	32 373 301
87	薬剤服用歴管理指導料　麻薬管理指導　加算	22	31 163	685 586	21 279	468 138	9 884	217 448
88	薬剤服用歴管理指導料　重複投薬・相互作用等防止　加算　残薬調整以外	40	177 663	7 106 520	117 949	4 717 960	59 714	2 388 560
89	薬剤服用歴管理指導料　重複投薬・相互作用等防止　加算　残薬調整	30	199 549	5 986 470	104 523	3 135 690	95 026	2 850 780
90	薬剤服用歴管理指導料　特定薬剤管理指導　加算	10	6 741 533	67 415 330	4 162 574	41 625 740	2 578 959	25 789 590
91	薬剤服用歴管理指導料　6歳未満の乳幼児服薬指導　加算	12	3 622 337	43 468 044	3 622 337	43 468 044	·	·
92	かかりつけ薬剤師指導料	73	979 838	71 528 174	479 854	35 029 342	499 984	36 498 832
93	かかりつけ薬剤師指導料　麻薬管理指導　加算	22	1 376	30 272	840	18 480	536	11 792
94	かかりつけ薬剤師指導料　重複投薬・相互作用等防止　加算　残薬調整以外	40	5 797	231 880	2 482	99 280	3 315	132 600
95	かかりつけ薬剤師指導料　重複投薬・相互作用等防止　加算　残薬調整	30	8 600	258 000	2 625	78 750	5 975	179 250
96	かかりつけ薬剤師指導料　特定薬剤管理指導　加算	10	267 335	2 673 350	119 277	1 192 770	148 058	1 480 580
97	かかりつけ薬剤師指導料　6歳未満の乳幼児服薬指導　加算	12	83 774	1 005 288	83 774	1 005 288	·	·
98	かかりつけ薬剤師包括管理料	280	836	234 080	253	70 840	583	163 240
99	かかりつけ薬剤師包括管理料　時間外　加算		-	-	-	-	-	-
100	かかりつけ薬剤師包括管理料　時間外特例　加算		-	-	-	-	-	-
101	かかりつけ薬剤師包括管理料　休日　加算		1	392	-	-	1	392
102	かかりつけ薬剤師包括管理料　深夜　加算		-	-	-	-	-	-
103	外来服薬支援料	185	7 464	1 380 840	1 433	265 105	6 031	1 115 735
104	服用薬剤調整支援料	125	189	23 625	30	3 750	159	19 875
105	在宅患者訪問薬剤管理指導料1　単一建物　診療患者1人	650	17 298	11 243 700	12 004	7 802 600	5 294	3 441 100
106	在宅患者訪問薬剤管理指導料2　単一建物　診療患者2人以上9人以下	320	1 864	596 480	1 387	443 840	477	152 640
107	在宅患者訪問薬剤管理指導料3　1及び2以外	290	4 216	1 222 640	2 748	796 920	1 468	425 720
108	在宅患者訪問薬剤管理指導料　麻薬管理指導　加算	100	537	53 700	418	41 800	119	11 900
109	在宅患者訪問薬剤管理指導料　6歳未満の乳幼児　加算	100	1 101	110 100	1 101	110 100	·	·
110	在宅患者緊急訪問薬剤管理指導料	500	4 615	2 307 500	731	365 500	3 884	1 942 000
111	在宅患者緊急訪問薬剤管理指導料　麻薬管理指導　加算	100	285	28 500	126	12 600	159	15 900
112	在宅患者緊急訪問薬剤管理指導料　6歳未満の乳幼児　加算	100	32	3 200	32	3 200	·	·
113	在宅患者緊急時等共同指導料	700	144	100 800	16	11 200	128	89 600
114	在宅患者緊急時等共同指導料　麻薬管理指導　加算	100	4	400	2	200	2	200
115	在宅患者緊急時等共同指導料　6歳未満の乳幼児　加算	100	1	100	1	100	·	·
116	退院時共同指導料	600	142	85 200	56	33 600	86	51 600
117	服薬情報等提供料１	30	13 886	416 580	9 146	274 380	4 740	142 200
118	服薬情報等提供料２	20	16 681	333 620	9 632	192 640	7 049	140 980
119	在宅患者重複投薬・相互作用等防止管理料　残薬調整以外	40	1 853	74 120	248	9 920	1 605	64 200
120	在宅患者重複投薬・相互作用等防止管理料　残薬調整	30	10 404	312 120	1 035	31 050	9 369	281 070
121	調剤基本料　医師の分割指示　薬学管理料		5 943	125 916	4 427	93 960	1 516	31 956
122	薬剤料計		4 492 603 933	42 284 758 363	2 570 378 560	25 865 254 666	1 922 225 373	16 419 503 697
123	内服薬		4 447 717 695	34 583 236 343	2 540 083 018	20 778 365 224	1 907 634 677	13 804 871 119
124	注射薬		1 100 789	2 339 367 070	739 173	1 796 755 485	361 616	542 611 585
125	外用薬		43 785 449	5 362 154 950	29 556 369	3 290 133 957	14 229 080	2 072 020 993
126	特定保険医療材料料計		492 606	103 253 039	308 854	70 374 020	183 752	32 879 019
127	注射器（材料価格11、17円）		790	73 018	467	38 239	323	34 779
128	注射針（材料価格17、18円）		480 022	75 106 351	302 804	50 941 857	177 218	24 164 494
129	その他の特定保険材料		11 794	28 073 670	5 583	19 393 924	6 211	8 679 746
130	補正点数（＋）請求点数と決定点数の差		·	9 480 474	·	2 317 502	·	7 162 972
131	補正点数（－）請求点数と決定点数の差		·	-5 990	·	-3 928	·	-2 062

平成30年６月審査分

0～4歳 算定回数	0～4歳 点数	5～9 算定回数	5～9 点数	10～14 算定回数	10～14 点数	15～19 算定回数	15～19 点数	行番号
4 688 722	262 713 344	2 564 034	130 526 947	1 660 281	82 904 403	1 130 711	57 644 702	77
2 364 272	96 935 152	1 082 062	44 364 542	539 636	22 125 076	282 490	11 582 090	78
685 784	36 346 552	519 576	27 537 528	454 219	24 073 607	365 886	19 391 958	79
201 897	10 700 541	143 692	7 615 676	127 415	6 752 995	105 490	5 590 970	80
56	2 296	20	820	8	328	21	861	81
23	943	13	533	9	369	8	328	82
22	902	16	656	14	574	12	492	83
492 617	26 108 701	337 972	17 912 516	273 040	14 471 120	214 148	11 349 844	84
722 813	38 309 089	346 719	18 376 107	177 579	9 411 687	96 067	5 091 551	85
132 202	7 006 706	91 004	4 823 212	73 626	3 902 178	61 370	3 252 610	86
25	550	14	308	36	792	117	2 574	87
16 447	657 880	11 069	442 760	6 027	241 080	2 570	102 800	88
1 411	42 330	1 002	30 060	819	24 570	995	29 850	89
18 259	182 590	33 835	338 350	47 720	477 200	52 302	523 020	90
3 187 908	38 254 896	434 429	5 213 148	·	·	·	·	91
85 614	6 249 822	40 995	2 992 635	13 494	985 062	4 166	304 118	92
-	-	-	-	1	22	-	-	93
482	19 280	265	10 600	83	3 320	24	960	94
40	1 200	38	1 140	21	630	20	600	95
751	7 510	1 402	14 020	1 730	17 300	1 214	12 140	96
72 748	872 976	11 026	132 312	·	·	·	·	97
-	-	3	840	3	840	-	-	98
-	-	-	-	-	-	-	-	99
-	-	-	-	-	-	-	-	100
-	-	-	-	-	-	-	-	101
-	-	-	-	-	-	-	-	102
-	-	5	925	22	4 070	10	1 850	103
1	125	-	-	1	125	1	125	104
1 298	843 700	1 016	660 400	584	379 600	552	358 800	105
7	2 240	16	5 120	19	6 080	33	10 560	106
-	-	5	1 450	16	4 640	68	19 720	107
4	400	4	400	2	200	16	1 600	108
924	92 400	177	17 700	·	·	·	·	109
35	17 500	20	10 000	11	5 500	10	5 000	110
-	-	-	-	-	-	-	-	111
28	2 800	4	400	·	·	·	·	112
1	700	-	-	-	-	-	-	113
-	-	-	-	-	-	-	-	114
1	100	-	-	·	·	·	·	115
2	1 200	1	600	-	-	1	600	116
854	25 620	387	11 610	310	9 300	184	5 520	117
1 173	23 460	447	8 940	214	4 280	141	2 820	118
16	640	5	200	8	320	4	160	119
14	420	14	420	4	120	9	270	120
21	2 123	46	1 019	49	1 418	40	911	121
79 809 439	534 180 345	52 072 949	636 638 504	37 266 111	624 530 334	30 142 940	450 198 111	122
75 593 706	293 523 368	49 832 788	376 182 112	35 737 706	346 680 003	29 083 700	281 684 541	123
3 369	20 905 323	7 949	89 750 118	8 557	145 293 825	6 781	72 662 038	124
4 212 364	219 751 654	2 232 212	170 706 274	1 519 848	132 556 506	1 052 459	95 851 532	125
695	618 343	2 391	638 889	3 161	645 764	1 854	1 085 346	126
1	39	1	119	7	426	11	198	127
545	74 310	2 266	302 351	3 068	448 786	1 698	381 427	128
149	543 994	124	336 419	86	196 552	145	703 721	129
·	-	·	-	·	-	·	4 592	130
·	-21	·	-44	·	-48	·	-34	131

第１表　件数・処方箋受付回数・算定回数・

行番号	調剤行為	固定点数	20～24 算定回数	20～24 点数	25～29 算定回数	25～29 点数	30～34 算定回数	30～34 点数
77	薬学管理料計		1 205 171	62 078 999	1 501 385	76 877 830	1 896 360	96 446 489
78	薬剤服用歴管理指導料　６月以内再度処方箋持参　手帳あり　調剤基本料１	41	265 191	10 872 831	376 526	15 437 566	531 275	21 782 275
79	薬剤服用歴管理指導料　６月以内再度処方箋持参以外　調剤基本料１	53	414 733	21 980 849	462 336	24 503 808	521 244	27 625 932
80	薬剤服用歴管理指導料　６月以内再度処方箋持参以外　調剤基本料１以外	53	116 310	6 164 430	128 019	6 785 007	145 413	7 706 889
81	薬剤服用歴管理指導料　特別養護老人ホーム入所者を訪問　６月以内再度処方箋持参　手帳あり	41	49	2 009	72	2 952	75	3 075
82	薬剤服用歴管理指導料　特別養護老人ホーム入所者を訪問　６月以内再度処方箋持参　手帳なし	41	13	533	38	1 558	39	1 599
83	薬剤服用歴管理指導料　特別養護老人ホーム入所者を訪問　６月以内再度処方箋持参以外	41	13	533	18	738	21	861
84	薬剤服用歴管理指導料　６月以内再度処方箋持参　手帳なし　調剤基本料１	53	247 366	13 110 398	319 456	16 931 168	408 851	21 669 103
85	薬剤服用歴管理指導料　６月以内再度処方箋持参　手帳あり　調剤基本料１以外	53	86 289	4 573 317	118 426	6 276 578	166 052	8 800 756
86	薬剤服用歴管理指導料　６月以内再度処方箋持参　手帳なし　調剤基本料１以外	53	70 171	3 719 063	89 348	4 735 444	113 229	6 001 137
87	薬剤服用歴管理指導料　麻薬管理指導　加算	22	226	4 972	347	7 634	562	12 364
88	薬剤服用歴管理指導料　重複投薬・相互作用等防止　加算　残薬調整以外	40	2 577	103 080	3 216	128 640	4 240	169 600
89	薬剤服用歴管理指導料　重複投薬・相互作用等防止　加算　残薬調整	30	1 405	42 150	1 847	55 410	2 410	72 300
90	薬剤服用歴管理指導料　特定薬剤管理指導　加算	10	78 270	782 700	109 419	1 094 190	142 736	1 427 360
91	薬剤服用歴管理指導料　６歳未満の乳幼児服薬指導　加算	12	・	・	・	・	・	・
92	かかりつけ薬剤師指導料	73	3 858	281 634	5 694	415 662	8 373	611 229
93	かかりつけ薬剤師指導料　麻薬管理指導　加算	22	1	22	2	44	6	132
94	かかりつけ薬剤師指導料　重複投薬・相互作用等防止　加算　残薬調整以外	40	12	480	24	960	34	1 360
95	かかりつけ薬剤師指導料　重複投薬・相互作用等防止　加算　残薬調整	30	15	450	17	510	37	1 110
96	かかりつけ薬剤師指導料　特定薬剤管理指導　加算	10	1 613	16 130	2 403	24 030	3 324	33 240
97	かかりつけ薬剤師指導料　６歳未満の乳幼児服薬指導　加算	12	・	・	・	・	・	・
98	かかりつけ薬剤師包括管理料	280	−	−	−	−	−	−
99	かかりつけ薬剤師包括管理料　時間外　加算		−	−	−	−	−	−
100	かかりつけ薬剤師包括管理料　時間外特例　加算		−	−	−	−	−	−
101	かかりつけ薬剤師包括管理料　休日　加算		−	−	−	−	−	−
102	かかりつけ薬剤師包括管理料　深夜　加算		−	−	−	−	−	−
103	外来服薬支援料	185	21	3 885	22	4 070	29	5 365
104	服用薬剤調整支援料	125	−	−	−	−	1	125
105	在宅患者訪問薬剤管理指導料１　単一建物　診療患者１人	650	537	349 050	602	391 300	646	419 900
106	在宅患者訪問薬剤管理指導料２　単一建物　診療患者２人以上９人以下	320	51	16 320	82	26 240	109	34 880
107	在宅患者訪問薬剤管理指導料３　１及び２以外	290	126	36 540	118	34 220	134	38 860
108	在宅患者訪問薬剤管理指導料　麻薬管理指導　加算	100	11	1 100	6	600	8	800
109	在宅患者訪問薬剤管理指導料　６歳未満の乳幼児　加算	100	・	・	・	・	・	・
110	在宅患者緊急訪問薬剤管理指導料	500	9	4 500	6	3 000	9	4 500
111	在宅患者緊急訪問薬剤管理指導料　麻薬管理指導　加算	100	3	300	−	−	−	−
112	在宅患者緊急訪問薬剤管理指導料　６歳未満の乳幼児　加算	100	・	・	・	・	・	・
113	在宅患者緊急時等共同指導料	700	1	700	1	700	−	−
114	在宅患者緊急時等共同指導料　麻薬管理指導　加算	100	−	−	−	−	−	−
115	在宅患者緊急時等共同指導料　６歳未満の乳幼児　加算	100	・	・	・	・	・	・
116	退院時共同指導料	600	−	−	−	−	−	−
117	服薬情報等提供料１	30	223	6 690	308	9 240	445	13 350
118	服薬情報等提供料２	20	144	2 880	197	3 940	271	5 420
119	在宅患者重複投薬・相互作用等防止管理料　残薬調整以外	40	2	80	4	160	1	40
120	在宅患者重複投薬・相互作用等防止管理料　残薬調整	30	7	210	17	510	18	540
121	調剤基本料　医師の分割指示　薬学管理料		57	1 163	95	1 951	125	2 387
122	薬剤料計		35 154 577	475 019 039	48 650 726	637 509 824	66 930 426	849 806 691
123	内服薬		34 138 560	339 853 282	47 525 678	471 886 898	65 623 705	643 157 133
124	注射薬		6 850	48 441 140	10 232	63 130 270	17 015	78 915 830
125	外用薬		1 009 167	86 724 617	1 114 816	102 492 656	1 289 706	127 733 728
126	特定保険医療材料料計		1 858	649 932	3 194	960 520	5 654	1 504 509
127	注射器（材料価格11、17円）		20	246	27	804	27	1 024
128	注射針（材料価格17、18円）		1 769	409 360	3 077	631 119	5 512	1 081 481
129	その他の特定保険材料		69	240 326	90	328 597	115	422 004
130	補正点数（＋）請求点数と決定点数の差		・	3 085	・	12 761	・	12 632
131	補正点数（−）請求点数と決定点数の差		・	−46	・	−79	・	−97

平成30年６月審査分

35～39 算定回数	35～39 点数	40～44 算定回数	40～44 点数	45～49 算定回数	45～49 点数	50～54 算定回数	50～54 点数	行番号
2 208 173	111 763 110	2 688 519	135 439 589	3 083 828	154 575 065	3 188 342	158 659 270	77
681 672	27 948 552	921 769	37 792 529	1 164 593	47 748 313	1 322 750	54 232 750	78
533 265	28 263 045	550 093	29 154 929	529 040	28 039 120	451 947	23 953 191	79
149 232	7 909 296	156 879	8 314 587	151 865	8 048 845	132 297	7 011 741	80
97	3 977	220	9 020	449	18 409	696	28 536	81
39	1 599	88	3 608	117	4 797	146	5 986	82
18	738	34	1 394	36	1 476	38	1 558	83
482 365	25 565 345	585 383	31 025 299	661 113	35 038 989	657 692	34 857 676	84
213 640	11 322 920	287 989	15 263 417	359 824	19 070 672	402 265	21 320 045	85
133 933	7 098 449	166 243	8 810 879	191 146	10 130 738	191 371	10 142 663	86
751	16 522	1 170	25 740	1 655	36 410	1 987	43 714	87
5 055	202 200	5 828	233 120	6 563	262 520	6 798	271 920	88
3 143	94 290	4 438	133 140	6 082	182 460	7 345	220 350	89
182 757	1 827 570	264 208	2 642 080	341 064	3 410 640	366 732	3 667 320	90
・	・	・	・	・	・	・	・	91
11 806	861 838	17 177	1 253 921	22 398	1 635 054	25 677	1 874 421	92
18	396	23	506	54	1 188	89	1 958	93
49	1 960	67	2 680	89	3 560	111	4 440	94
41	1 230	79	2 370	131	3 930	152	4 560	95
4 686	46 860	6 829	68 290	8 578	85 780	9 384	93 840	96
・	・	・	・	・	・	・	・	97
2	560	－	－	4	1 120	23	6 440	98
－	－	－	－	－	－	－	－	99
－	－	－	－	－	－	－	－	100
－	－	－	－	－	－	－	－	101
－	－	－	－	－	－	－	－	102
49	9 065	63	11 655	91	16 835	95	17 575	103
－	－	－	－	1	125	1	125	104
701	455 650	807	524 550	938	609 700	1 025	666 250	105
105	33 600	125	40 000	203	64 960	186	59 520	106
212	61 480	285	82 650	342	99 180	348	100 920	107
40	4 000	20	2 000	32	3 200	51	5 100	108
・	・	・	・	・	・	・	・	109
10	5 000	15	7 500	28	14 000	41	20 500	110
2	200	1	100	10	1 000	12	1 200	111
・	・	・	・	・	・	・	・	112
－	－	－	－	2	1 400	－	－	113
－	－	－	－	－	－	－	－	114
・	・	・	・	・	・	・	・	115
2	1 200	－	－	2	1 200	5	3 000	116
468	14 040	604	18 120	625	18 750	615	18 450	117
378	7 560	434	8 680	500	10 000	566	11 320	118
2	80	6	240	8	320	19	760	119
18	540	24	720	39	1 170	51	1 530	120
159	3 348	281	5 865	464	9 204	488	9 911	121
90 578 668	1 114 207 835	135 078 459	1 577 637 612	183 365 073	1 989 938 503	212 311 270	2 146 397 173	122
89 138 414	863 488 104	133 457 560	1 252 169 430	181 626 636	1 624 924 799	210 590 625	1 775 776 451	123
25 560	97 581 825	40 082	136 218 917	57 622	147 711 558	68 624	144 714 293	124
1 414 694	153 137 906	1 580 817	189 249 265	1 680 815	217 302 146	1 652 021	225 906 429	125
8 906	2 303 133	14 410	3 677 184	21 304	5 598 614	26 730	6 867 936	126
36	1 493	22	656	38	3 376	32	1 635	127
8 666	1 678 255	14 125	2 670 175	20 776	3 781 004	26 145	4 526 132	128
204	623 385	263	1 006 353	490	1 814 234	553	2 340 169	129
・	38 119	・	65 718	・	80 944	・	85 566	130
・	-141	・	-249	・	-493	・	-434	131

行番号	調剤行為	固定点数	５５〜５９ 算定回数	５５〜５９ 点数	６０〜６４ 算定回数	６０〜６４ 点数	６５〜６９ 算定回数	６５〜６９ 点数
77	薬学管理料計		3 469 401	171 396 272	4 094 776	200 747 031	6 124 701	298 183 745
78	薬剤服用歴管理指導料　６月以内再度処方箋持参　手帳あり　調剤基本料１	41	1 563 220	64 092 020	1 985 828	81 418 948	3 163 833	129 717 153
79	薬剤服用歴管理指導料　６月以内再度処方箋持参以外　調剤基本料１	53	402 949	21 356 297	383 570	20 329 210	458 470	24 298 910
80	薬剤服用歴管理指導料　６月以内再度処方箋持参以外　調剤基本料１以外	53	123 759	6 559 227	126 290	6 693 370	158 355	8 392 815
81	薬剤服用歴管理指導料　特別養護老人ホーム入所者を訪問　６月以内再度処方箋持参　手帳あり	41	1 394	57 154	3 197	131 077	11 596	475 436
82	薬剤服用歴管理指導料　特別養護老人ホーム入所者を訪問　６月以内再度処方箋持参　手帳なし	41	247	10 127	478	19 598	1 688	69 208
83	薬剤服用歴管理指導料　特別養護老人ホーム入所者を訪問　６月以内再度処方箋持参以外	41	46	1 886	74	3 034	313	12 833
84	薬剤服用歴管理指導料　６月以内再度処方箋持参　手帳なし　調剤基本料１	53	660 464	35 004 592	690 853	36 615 209	917 481	48 626 493
85	薬剤服用歴管理指導料　６月以内再度処方箋持参　手帳あり　調剤基本料１以外	53	483 292	25 614 476	638 911	33 862 283	1 033 126	54 755 678
86	薬剤服用歴管理指導料　６月以内再度処方箋持参　手帳なし　調剤基本料１以外	53	199 011	10 547 583	219 344	11 625 232	299 697	15 883 941
87	薬剤服用歴管理指導料　麻薬管理指導　加算	22	2 395	52 690	3 131	68 882	4 586	100 892
88	薬剤服用歴管理指導料　重複投薬・相互作用等防止　加算　残薬調整以外	40	7 559	302 360	9 072	362 880	14 364	574 560
89	薬剤服用歴管理指導料　重複投薬・相互作用等防止　加算　残薬調整	30	9 393	281 790	13 254	397 620	24 099	722 970
90	薬剤服用歴管理指導料　特定薬剤管理指導　加算	10	408 867	4 088 670	499 788	4 997 880	803 299	8 032 990
91	薬剤服用歴管理指導料　６歳未満の乳幼児服薬指導　加算	12	・	・	・	・	・	・
92	かかりつけ薬剤師指導料	73	30 996	2 262 708	41 802	3 051 546	74 546	5 441 858
93	かかりつけ薬剤師指導料　麻薬管理指導　加算	22	102	2 244	123	2 706	191	4 202
94	かかりつけ薬剤師指導料　重複投薬・相互作用等防止　加算　残薬調整以外	40	133	5 320	185	7 400	380	15 200
95	かかりつけ薬剤師指導料　重複投薬・相互作用等防止　加算　残薬調整	30	202	6 060	304	9 120	600	18 000
96	かかりつけ薬剤師指導料　特定薬剤管理指導　加算	10	10 785	107 850	13 665	136 650	24 477	244 770
97	かかりつけ薬剤師指導料　６歳未満の乳幼児服薬指導　加算	12	・	・	・	・	・	・
98	かかりつけ薬剤師包括管理料	280	37	10 360	19	5 320	78	21 840
99	かかりつけ薬剤師包括管理料　時間外　加算		−	−	−	−	−	−
100	かかりつけ薬剤師包括管理料　時間外特例　加算		−	−	−	−	−	−
101	かかりつけ薬剤師包括管理料　休日　加算		−	−	−	−	−	−
102	かかりつけ薬剤師包括管理料　深夜　加算		−	−	−	−	−	−
103	外来服薬支援料	185	123	22 755	171	31 635	302	55 870
104	服用薬剤調整支援料	125	4	500	4	500	7	875
105	在宅患者訪問薬剤管理指導料１　単一建物　診療患者１人	650	1 117	726 050	1 088	707 200	625	406 250
106	在宅患者訪問薬剤管理指導料２　単一建物　診療患者２人以上９人以下	320	192	61 440	167	53 440	72	23 040
107	在宅患者訪問薬剤管理指導料３　１及び２以外	290	421	122 090	372	107 880	296	85 840
108	在宅患者訪問薬剤管理指導料　麻薬管理指導　加算	100	75	7 500	36	3 600	61	6 100
109	在宅患者訪問薬剤管理指導料　６歳未満の乳幼児　加算	100	・	・	・	・	・	・
110	在宅患者緊急訪問薬剤管理指導料	500	73	36 500	68	34 000	171	85 500
111	在宅患者緊急訪問薬剤管理指導料　麻薬管理指導　加算	100	17	1 700	11	1 100	21	2 100
112	在宅患者緊急訪問薬剤管理指導料　６歳未満の乳幼児　加算	100	・	・	・	・	・	・
113	在宅患者緊急時等共同指導料	700	−	−	3	2 100	4	2 800
114	在宅患者緊急時等共同指導料　麻薬管理指導　加算	100	−	−	2	200	−	−
115	在宅患者緊急時等共同指導料　６歳未満の乳幼児　加算	100	・	・	・	・	・	・
116	退院時共同指導料	600	6	3 600	11	6 600	13	7 800
117	服薬情報等提供料１	30	643	19 290	860	25 800	1 299	38 970
118	服薬情報等提供料２	20	742	14 840	931	18 620	1 624	32 480
119	在宅患者重複投薬・相互作用等防止管理料　残薬調整以外	40	21	840	22	880	70	2 800
120	在宅患者重複投薬・相互作用等防止管理料　残薬調整	30	90	2 700	115	3 450	259	7 770
121	調剤基本料　医師の分割指示　薬学管理料		554	13 053	598	12 061	776	15 801
122	薬剤料計		254 211 651	2 467 089 698	319 059 920	2 990 787 464	502 990 266	4 652 109 970
123	内服薬		252 372 978	2 066 241 318	316 854 341	2 516 514 750	499 570 523	3 937 752 454
124	注射薬		81 838	153 202 145	103 177	172 937 420	158 432	236 297 527
125	外用薬		1 756 835	247 646 235	2 102 402	301 335 294	3 261 311	478 059 989
126	特定保険医療材料料計		33 342	8 436 154	44 505	10 188 763	71 983	15 115 959
127	注射器（材料価格11、17円）		51	4 013	21	3 337	76	9 965
128	注射針（材料価格17、18円）		32 607	5 481 058	43 676	7 210 554	70 772	11 471 110
129	その他の特定保険材料		684	2 951 083	808	2 974 872	1 135	3 634 884
130	補正点数（＋）請求点数と決定点数の差		・	154 575	・	404 879	・	742 221
131	補正点数（−）請求点数と決定点数の差		・	-488	・	-552	・	-630

平成30年6月審査分

70～74 算定回数	70～74 点数	75～79 算定回数	75～79 点数	80～84 算定回数	80～84 点数	85～89 算定回数	85～89 点数	90歳以上 算定回数	90歳以上 点数	行番号
6 600 718	319 528 094	6 926 534	335 005 805	5 918 008	286 936 635	3 729 149	180 790 461	1 957 821	93 806 441	77
3 638 329	149 171 489	3 930 233	161 139 553	3 383 265	138 713 865	2 126 748	87 196 668	1 044 890	42 840 490	78
398 016	21 094 848	344 406	18 253 518	256 404	13 589 412	147 273	7 805 469	68 554	3 633 362	79
141 531	7 501 143	124 963	6 623 039	92 691	4 912 623	52 301	2 771 953	23 686	1 255 358	80
23 382	958 662	49 754	2 039 914	100 268	4 110 988	149 170	6 115 970	220 541	9 042 181	81
3 261	133 701	6 793	278 513	13 955	572 155	20 823	853 743	32 181	1 319 421	82
693	28 413	1 346	55 186	2 825	115 825	4 028	165 148	5 421	222 261	83
847 685	44 927 305	825 116	43 731 148	686 967	36 409 251	400 298	21 215 794	192 376	10 195 928	84
1 164 279	61 706 787	1 230 587	65 221 111	1 011 745	53 622 485	596 873	31 634 269	263 965	13 990 145	85
267 522	14 178 666	247 079	13 095 187	193 673	10 264 669	107 127	5 677 731	48 037	2 545 961	86
4 591	101 002	4 158	91 476	2 939	64 658	1 716	37 752	757	16 654	87
17 590	703 600	21 312	852 480	19 386	775 440	12 372	494 880	5 618	224 720	88
28 145	844 350	32 168	965 040	31 294	938 820	20 626	618 780	9 673	290 190	89
881 041	8 810 410	913 959	9 139 590	809 887	8 098 870	521 961	5 219 610	265 429	2 654 290	90
・	・	・	・	・	・	・	・	・	・	91
109 319	7 980 287	157 378	11 488 594	164 539	12 011 347	112 773	8 232 429	49 233	3 594 009	92
264	5 808	202	4 444	182	4 004	88	1 936	30	660	93
623	24 920	969	38 760	1 155	46 200	791	31 640	321	12 840	94
1 062	31 860	1 700	51 000	2 055	61 650	1 461	43 830	625	18 750	95
34 450	344 500	47 214	472 140	48 358	483 580	32 834	328 340	13 638	136 380	96
・	・	・	・	・	・	・	・	・	・	97
108	30 240	172	48 160	177	49 560	137	38 360	73	20 440	98
-	-	-	-	-	-	-	-	-	-	99
-	-	-	-	-	-	-	-	-	-	100
-	-	-	-	1	392	-	-	-	-	101
-	-	-	-	-	-	-	-	-	-	102
555	102 675	1 111	205 535	1 825	337 625	1 781	329 485	1 189	219 965	103
11	1 375	16	2 000	36	4 500	57	7 125	48	6 000	104
721	468 650	1 120	728 000	1 506	978 900	1 517	986 050	898	583 700	105
73	23 360	57	18 240	104	33 280	148	47 360	115	36 800	106
233	67 570	207	60 030	302	87 580	439	127 310	292	84 680	107
62	6 200	50	5 000	35	3 500	23	2 300	1	100	108
・	・	・	・	・	・	・	・	・	・	109
289	144 500	451	225 500	864	432 000	1 151	575 500	1 354	677 000	110
55	5 500	43	4 300	59	5 900	33	3 300	18	1 800	111
・	・	・	・	・	・	・	・	・	・	112
7	4 900	17	11 900	21	14 700	44	30 800	43	30 100	113
-	-	1	100	-	-	-	-	1	100	114
・	・	・	・	・	・	・	・	・	・	115
17	10 200	20	12 000	18	10 800	28	16 800	16	9 600	116
1 426	42 780	1 608	48 240	1 570	47 100	955	28 650	502	15 060	117
1 970	39 400	2 309	46 180	2 282	45 640	1 582	31 640	776	15 520	118
102	4 080	187	7 480	361	14 440	529	21 160	486	19 440	119
488	14 640	1 029	30 870	2 166	64 980	3 089	92 670	2 953	88 590	120
701	14 273	575	11 577	444	9 896	278	6 009	192	3 946	121
565 574 357	5 215 481 912	624 288 306	5 731 681 260	591 092 181	5 135 100 359	419 844 289	3 356 387 341	244 182 325	1 700 056 388	122
561 474 032	4 401 021 392	619 424 350	4 812 836 893	586 621 211	4 324 059 760	416 730 003	2 828 201 328	242 321 179	1 427 282 327	123
160 656	229 578 015	147 124	216 906 573	114 156	167 494 312	59 548	86 471 369	23 217	31 154 572	124
3 939 669	584 882 505	4 716 832	701 937 794	4 356 814	643 546 287	3 054 738	441 714 644	1 837 929	241 619 489	125
76 378	15 337 469	72 873	13 333 215	59 102	9 691 586	31 814	4 730 581	12 452	1 869 142	126
109	12 058	113	12 581	92	11 075	79	7 936	27	2 037	127
74 948	11 844 324	71 445	10 511 579	57 613	7 767 394	30 474	3 682 380	10 840	1 153 552	128
1 321	3 481 087	1 315	2 809 055	1 397	1 913 117	1 261	1 040 265	1 585	713 553	129
・	1 019 548	・	1 701 748	・	2 041 629	・	1 794 985	・	1 317 472	130
・	-596	・	-505	・	-998	・	-307	・	-228	131

第２表　件数・処方箋受付回数・算定回数・点数，

行番号	調剤行為	固定点数	総					
			総数		病院		診療所	
			件数	受付回数	件数	受付回数	件数	受付回数
			54 197 752	67 103 841	12 312 598	14 987 528	41 288 628	51 410 522
			算定回数	点数	算定回数	点数	算定回数	点数
1	総計		601 393 119	57 524 038 955	116 622 464	23 846 360 330	479 583 715	33 383 647 809
2	調剤技術料計		536 756 485	11 910 528 837	102 291 508	2 991 407 518	429 973 821	8 827 125 099
3	調剤基本料小計		67 076 216	3 992 553 792	14 977 721	809 252 396	51 393 122	3 139 454 843
4	調剤基本料１	41	51 510 330	2 111 923 530	8 845 814	362 678 374	42 040 747	1 723 670 627
5	調剤基本料２	25	5 293 753	132 343 825	1 900 989	47 524 725	3 365 164	84 129 100
6	調剤基本料３　イ　受付回数４万回超40万回以下	20	4 418 856	88 377 120	1 674 656	33 493 120	2 719 149	54 382 980
7	調剤基本料３　ロ　受付回数40万回超	15	5 494 877	82 423 155	2 366 197	35 492 955	3 100 888	46 513 320
8	特別調剤基本料	10	265 798	2 657 980	173 650	1 736 500	91 904	919 040
9	調剤基本料１　50/100算定	21	73 090	1 534 890	11 785	247 485	60 406	1 268 526
10	調剤基本料２　50/100算定	13	10 177	132 301	2 705	35 165	7 464	97 032
11	調剤基本料３　イ　受付回数４万回超40万回以下　50/100算定	10	1 337	13 370	13	130	1 324	13 240
12	調剤基本料３　ロ　受付回数40万回超　50/100算定	8	2 414	19 312	43	344	2 366	18 928
13	特別調剤基本料　50/100算定	5	18	90	4	20	14	70
14	調剤基本料　長期投薬分割調剤	5	3 102	15 510	1 886	9 430	1 211	6 055
15	調剤基本料　後発医薬品分割調剤	5	513	2 565	219	1 095	291	1 455
16	調剤基本料　医師の分割指示　調剤基本料及び加算		5 566	168 029	1 865	44 061	3 696	123 765
17	調剤基本料　地域支援体制　加算	35	21 831 656	764 107 960	4 167 195	145 851 825	17 404 631	609 162 085
18	調剤基本料　後発医薬品調剤体制　加算１	18	14 828 991	266 921 838	3 652 465	65 744 370	11 022 567	198 406 206
19	調剤基本料　後発医薬品調剤体制　加算２	22	13 085 420	287 879 240	3 201 120	70 424 640	9 769 117	214 920 574
20	調剤基本料　後発医薬品調剤体制　加算３	26	9 241 790	240 286 540	1 652 777	42 972 202	7 509 332	195 242 632
21	調剤基本料　時間外　加算		21 696	1 256 556	4 492	251 691	16 618	970 064
22	調剤基本料　時間外特例　加算		1 816	91 469	606	34 433	1 198	56 409
23	調剤基本料　休日　加算		138 371	11 584 538	29 351	2 325 433	107 608	9 140 853
24	調剤基本料　深夜　加算		7 667	813 974	3 807	384 398	3 717	411 882
25	調剤料小計		469 680 269	7 917 975 045	87 313 787	2 182 155 122	378 580 699	5 687 670 256
26	調剤料　内服薬　14日分以下７日目以下	5	256 621 676	1 283 050 729	40 300 146	201 477 388	213 895 816	1 069 444 836
27	調剤料　内服薬　14日分以下８日目以上	4	110 726 131	442 904 066	20 110 141	80 440 267	89 980 986	359 923 783
28	調剤料　内服薬　15日分以上21日分以下	67	4 025 601	269 683 845	1 017 055	68 130 430	2 986 691	200 089 286
29	調剤料　内服薬　22日分以上30日分以下	78	34 314 618	2 676 470 057	7 022 546	547 704 494	27 132 448	2 116 315 149
30	調剤料　内服薬　31日分以上	86	17 202 363	1 479 377 479	9 521 500	818 828 951	7 617 750	655 121 062
31	調剤料　内服薬　嚥下困難者用製剤　加算	80	170 955	13 676 400	38 697	3 095 760	131 286	10 502 880
32	調剤料　内服薬　一包化42日分以下　加算	32	14 246 570	455 890 232	5 023 545	160 753 440	9 162 945	293 214 240
33	調剤料　内服薬　一包化43日分以上　加算	220	487 179	107 178 068	384 612	84 613 360	101 773	22 390 028
34	調剤料　内服用　滴剤	10	376 106	3 761 060	140 098	1 400 980	234 387	2 343 870
35	調剤料　屯服薬	21	5 697 948	119 656 908	1 483 196	31 147 116	3 987 864	83 745 144
36	調剤料　浸煎薬	190	904	171 760	70	13 300	834	158 460
37	調剤料　湯薬　28日分以下７日目以下	190	29 934	5 687 400	2 846	540 680	27 068	5 142 920
38	調剤料　湯薬　28日分以下８日目以上	10	345 306	3 453 060	41 840	418 400	303 144	3 031 440
39	調剤料　湯薬　29日分以上	400	4 885	1 954 000	1 438	575 200	3 415	1 366 000
40	調剤料　注射薬	26	816 996	21 241 896	426 640	11 092 640	387 462	10 074 012
41	調剤料　注射薬　無菌製剤処理　中心静脈栄養法用輸液　加算	67	11 085	742 695	5 470	366 490	5 576	373 592
42	調剤料　注射薬　無菌製剤処理　中心静脈栄養法用輸液　加算　６歳未満の乳幼児	135	1 592	214 920	1 383	186 705	209	28 215
43	調剤料　注射薬　無菌製剤処理　抗悪性腫瘍剤　加算	77	17	1 309	17	1 309	−	−
44	調剤料　注射薬　無菌製剤処理　抗悪性腫瘍剤　加算　６歳未満の乳幼児	145	−	−	−	−	−	−
45	調剤料　注射薬　無菌製剤処理　麻薬　加算	67	3 540	237 180	292	19 564	3 241	217 147
46	調剤料　注射薬　無菌製剤処理　麻薬　加算　６歳未満の乳幼児	135	−	−	−	−	−	−
47	調剤料　外用薬	10	39 281 524	392 815 240	7 158 337	71 583 370	31 874 836	318 748 360
48	調剤基本料　医師の分割指示　調剤料及び加算		236 277	411 193	87 934	166 754	147 998	243 510
49	調剤料　麻薬　加算	70	124 123	8 688 610	76 895	5 382 650	47 018	3 291 260
50	調剤料　向精神薬　加算	8	9 034 029	72 272 232	2 566 131	20 529 048	6 419 016	51 352 128
51	調剤料　覚醒剤原料　加算	8	29 626	237 008	17 758	142 064	11 788	94 304
52	調剤料　毒薬　加算	8	153 103	1 224 824	78 402	627 216	74 201	593 608
53	調剤料　時間外　加算		41 973	1 209 234	8 686	282 452	32 187	902 836
54	調剤料　時間外特例　加算		3 166	60 208	942	19 539	2 210	40 339
55	調剤料　休日　加算		268 071	7 816 641	49 952	1 409 456	215 790	6 344 065
56	調剤料　深夜　加算		12 725	395 096	6 166	201 728	6 294	181 408
57	調剤料　夜間・休日等　加算	40	2 714 703	108 588 120	315 018	12 600 720	2 344 732	93 789 280
58	調剤料　自家製剤　加算　内服薬　錠剤、丸剤、カプセル剤、散剤、顆粒剤、エキス剤	20	2 846 815	56 936 300	1 084 603	21 692 060	1 748 443	34 968 860
59	調剤料　自家製剤　加算　内服薬　錠剤、丸剤、カプセル剤、散剤、顆粒剤、エキス剤　予製剤	4	143 835	575 340	33 555	134 220	109 995	439 980
60	調剤料　自家製剤　加算　屯服薬　錠剤、丸剤、カプセル剤、散剤、顆粒剤、エキス剤	90	19 261	1 733 490	5 330	479 700	13 804	1 242 360
61	調剤料　自家製剤　加算　屯服薬　錠剤、丸剤、カプセル剤、散剤、顆粒剤、エキス剤　予製剤	18	837	15 066	79	1 422	758	13 644
62	調剤料　自家製剤　加算　内服薬及び屯服薬液剤	45	12 659	569 655	671	30 195	11 969	538 605
63	調剤料　自家製剤　加算　内服薬及び屯服薬液剤　予製剤	9	384	3 456	66	594	318	2 862
64	調剤料　自家製剤　加算　外用薬　錠剤、トローチ剤、軟・硬膏剤、パップ剤、リニメント剤、坐剤	90	14 998	1 349 820	1 736	156 240	13 212	1 189 080
65	調剤料　自家製剤　加算　外用薬　錠剤、トローチ剤、軟・硬膏剤、パップ剤、リニメント剤、坐剤　予製剤	18	12 446	224 028	1 118	20 124	11 126	200 268
66	調剤料　自家製剤　加算　外用薬　点眼剤、点鼻・点耳剤、浣腸剤	75	3 740	280 500	247	18 525	3 493	261 975
67	調剤料　自家製剤　加算　外用薬　点眼剤、点鼻・点耳剤、浣腸剤　予製剤	15	3 645	54 675	155	2 325	3 490	52 350
68	調剤料　自家製剤　加算　外用薬　液剤	45	7 592	341 640	935	42 075	6 634	298 530
69	調剤料　自家製剤　加算　外用薬　液剤　予製剤	9	5 886	52 974	209	1 881	5 477	49 293
70	調剤料　計量混合調剤　加算　液剤	35	1 226 147	42 915 145	84 428	2 954 980	1 134 371	39 702 985
71	調剤料　計量混合調剤　加算　液剤　予製剤	7	13 845	96 915	676	4 732	13 145	92 015
72	調剤料　計量混合調剤　加算　散剤・顆粒剤	45	3 270 748	147 183 660	309 124	13 910 580	2 947 974	132 658 830
73	調剤料　計量混合調剤　加算　散剤・顆粒剤　予製剤	9	126 489	1 138 401	14 676	132 084	111 299	1 001 691
74	調剤料　計量混合調剤　加算　軟・硬膏剤	80	2 145 661	171 652 880	219 394	17 551 520	1 918 227	153 458 160
75	調剤料　計量混合調剤　加算　軟・硬膏剤　予製剤	16	316 515	5 064 240	5 099	81 584	310 236	4 963 776
76	調剤料　在宅患者調剤　加算	15	581 026	8 715 390	79 254	1 188 810	498 122	7 471 830

平成30年６月審査分

歯科単科病院及び歯科診療所		処方箋発行医療機関無記載		調剤基本料１		調剤基本料２		行番号
件数	受付回数	件数	受付回数	件数	受付回数	件数	受付回数	
329 976	383 309	7 606	–	41 619 776	51 608 811	4 290 043	5 307 239	
算定回数	点数	算定回数	点数	算定回数	点数	算定回数	点数	
2 122 708	72 732 724	7 606	1 466 040	469 588 534	41 759 042 231	45 295 598	5 023 546 369	1
1 744 777	35 852 079	·	–	420 007 825	9 520 213 490	40 146 149	814 374 777	2
383 291	23 841 570	·	–	51 587 855	3 483 451 370	5 304 363	198 356 428	3
348 151	14 274 191	·	–	51 510 330	2 111 923 530	·	·	4
13 140	328 500	·	–	·	·	5 293 753	132 343 825	5
8 549	170 980	·	–	·	·	·	·	6
13 070	196 050	·	–	·	·	·	·	7
217	2 170	·	–	·	·	·	·	8
152	3 192	·	–	73 090	1 534 890	·	·	9
7	91	·	–	·	·	10 177	132 301	10
–	–	·	–	·	·	·	·	11
5	40	·	–	·	·	·	·	12
–	–	·	–	·	·	·	·	13
–	–	·	–	2 690	13 450	167	835	14
1	5	·	–	377	1 885	44	220	15
–	–	·	–	4 435	150 095	433	8 300	16
143 062	5 007 170	·	–	21 828 723	764 005 305	2 933	102 655	17
90 288	1 625 184	·	–	11 613 394	209 041 092	1 047 975	18 863 550	18
60 448	1 329 856	·	–	9 552 508	210 155 176	1 047 868	23 053 096	19
30 620	796 120	·	–	6 708 896	174 431 296	889 401	23 124 426	20
302	16 801	·	–	18 759	1 149 806	1 511	58 285	21
10	519	·	–	1 557	79 744	225	10 553	22
1 101	88 355	·	–	112 802	10 327 041	10 480	578 898	23
29	2 346	·	–	5 359	638 060	973	79 484	24
1 361 486	12 010 509	·	–	368 419 970	6 036 762 120	34 841 786	616 018 349	25
1 084 177	5 420 885	·	–	202 423 842	1 012 067 278	18 940 073	94 698 957	26
22 377	89 508	·	–	88 382 750	353 530 655	7 502 995	30 011 938	27
565	37 855	·	–	3 110 725	208 391 835	278 807	18 678 698	28
2 045	159 510	·	–	26 955 162	2 102 448 827	2 213 690	172 657 300	29
859	73 874	·	–	11 729 658	1 008 732 158	1 766 857	151 947 153	30
7	560	·	–	150 745	12 059 600	6 746	539 680	31
72	2 304	·	–	11 245 290	359 849 272	896 890	28 700 488	32
2	440	·	–	320 591	70 529 092	54 301	11 946 060	33
11	110	·	–	299 095	2 990 950	22 982	229 820	34
195 474	4 104 954	·	–	4 331 758	90 966 918	433 278	9 098 838	35
–	–	·	–	610	115 900	–	–	36
1	190	·	–	22 763	4 324 910	213	40 470	37
21	210	·	–	246 969	2 469 690	3 288	32 880	38
–	–	·	–	3 801	1 520 400	155	62 000	39
6	156	·	–	567 562	14 756 612	77 870	2 024 620	40
–	–	·	–	9 390	629 130	1 207	80 869	41
–	–	·	–	1 194	161 190	232	31 320	42
–	–	·	–	–	–	14	1 078	43
–	–	·	–	–	–	–	–	44
–	–	·	–	2 941	197 047	323	21 641	45
–	–	·	–	–	–	–	–	46
55 950	559 500	·	–	30 158 567	301 585 670	3 584 413	35 844 130	47
–	–	·	–	186 708	322 529	17 165	35 217	48
–	–	·	–	79 035	5 532 450	11 709	819 630	49
208	1 664	·	–	7 062 725	56 501 800	567 943	4 543 544	50
–	–	·	–	20 937	167 496	2 502	20 016	51
1	8	·	–	111 522	892 176	13 321	106 568	52
462	8 177	·	–	36 459	1 052 719	2 859	74 374	53
11	187	·	–	2 730	52 999	375	5 287	54
1 696	42 542	·	–	219 276	6 390 206	20 390	607 332	55
41	1 472	·	–	8 883	271 174	1 683	47 842	56
36 843	1 473 720	·	–	2 117 343	84 693 720	220 207	8 808 280	57
92	1 840	·	–	2 120 141	42 402 820	250 461	5 009 220	58
–	–	·	–	87 448	349 792	22 491	89 964	59
35	3 150	·	–	15 059	1 355 310	1 529	137 610	60
–	–	·	–	615	11 070	95	1 710	61
–	–	·	–	8 891	400 095	516	23 220	62
–	–	·	–	105	945	109	981	63
10	900	·	–	11 847	1 066 230	1 869	168 210	64
–	–	·	–	7 142	128 556	2 891	52 038	65
–	–	·	–	3 123	234 225	404	30 300	66
–	–	·	–	2 678	40 170	401	6 015	67
10	450	·	–	5 697	256 365	1 089	49 005	68
–	–	·	–	4 223	38 007	388	3 492	69
64	2 240	·	–	957 527	33 513 445	97 969	3 428 915	70
–	–	·	–	9 523	66 661	1 772	12 404	71
261	11 745	·	–	2 541 242	114 355 890	271 676	12 225 420	72
–	–	·	–	81 281	731 529	21 058	189 522	73
106	8 480	·	–	1 603 289	128 263 120	267 929	21 434 320	74
68	1 088	·	–	162 537	2 600 592	74 748	1 195 968	75
186	2 790	·	–	516 193	7 742 895	16 267	244 005	76

第２表　件数・処方箋受付回数・算定回数・点数，

行番号	調剤行為	固定点数	総 調剤基本料３　イ 件数	受付回数	調剤基本料３　ロ 件数	受付回数	数 特別調剤基本料 件数	受付回数
			3 589 964	4 422 388	4 484 479	5 499 509	213 490	265 894
			算定回数	点数	算定回数	点数	算定回数	点数
1	総計		37 858 048	4 556 711 251	46 428 053	5 904 019 351	2 222 886	280 719 753
2	調剤技術料計		33 550 343	687 135 735	41 086 353	848 281 773	1 965 815	40 523 062
3	調剤基本料小計		4 420 469	142 587 087	5 497 711	162 274 370	265 818	5 884 537
4	調剤基本料１	41	·	·	·	·	·	·
5	調剤基本料２	25	·	·	·	·	·	·
6	調剤基本料３　イ　受付回数４万回超40万回以下	20	4 418 856	88 377 120	·	·	·	·
7	調剤基本料３　ロ　受付回数40万回超	15	·	·	5 494 877	82 423 155	·	·
8	特別調剤基本料	10	·	·	·	·	265 798	2 657 980
9	調剤基本料１　50/100算定	21	·	·	·	·	·	·
10	調剤基本料２　50/100算定	13	·	·	·	·	·	·
11	調剤基本料３　イ　受付回数４万回超40万回以下　50/100算定	10	1 337	13 370	·	·	·	·
12	調剤基本料３　ロ　受付回数40万回超　50/100算定	8	·	·	2 414	19 312	·	·
13	特別調剤基本料　50/100算定	5	·	·	·	·	18	90
14	調剤基本料　長期投薬分割調剤	5	135	675	106	530	4	20
15	調剤基本料　後発医薬品分割調剤	5	34	170	53	265	5	25
16	調剤基本料　医師の分割指示　調剤基本料及び加算		276	4 062	420	5 557	2	15
17	調剤基本料　地域支援体制　加算	35	－	－	－	－	－	－
18	調剤基本料　後発医薬品調剤体制　加算１	18	914 769	16 465 842	1 196 957	21 545 226	55 896	1 006 128
19	調剤基本料　後発医薬品調剤体制　加算２	22	1 001 924	22 042 328	1 437 247	31 619 434	45 873	1 009 206
20	調剤基本料　後発医薬品調剤体制　加算３	26	587 136	15 265 536	1 009 924	26 258 024	46 433	1 207 258
21	調剤基本料　時間外　加算		703	24 271	701	23 974	22	220
22	調剤基本料　時間外特例　加算		11	462	23	710	－	－
23	調剤基本料　休日　加算		7 392	350 431	7 569	324 685	128	3 483
24	調剤基本料　深夜　加算		570	42 820	763	53 498	2	112
25	調剤料小計		29 129 874	544 548 648	35 588 642	686 007 403	1 699 997	34 638 525
26	調剤料　内服薬　14日分以下７日目以下	5	15 651 019	78 252 626	18 741 158	93 703 952	865 584	4 327 916
27	調剤料　内服薬　14日分以下８日目以上	4	6 436 591	25 746 305	8 011 937	32 047 738	391 858	1 567 430
28	調剤料　内服薬　15日分以上21日分以下	67	269 578	18 060 554	342 991	22 978 305	23 500	1 574 453
29	調剤料　内服薬　22日分以上30日分以下	78	2 233 986	174 248 051	2 783 977	217 147 481	127 803	9 968 398
30	調剤料　内服薬　31日分以上	86	1 519 412	130 667 486	2 080 774	178 944 019	105 662	9 086 663
31	調剤料　内服薬　嚥下困難者用製剤　加算	80	6 045	483 600	7 129	570 320	290	23 200
32	調剤料　内服薬　一包化42日分以下　加算	32	880 508	28 176 256	1 144 175	36 613 596	79 707	2 550 620
33	調剤料　内服薬　一包化43日分以上　加算	220	46 163	10 155 732	62 016	13 643 424	4 108	903 760
34	調剤料　内服用　滴剤	10	22 447	224 470	29 891	298 910	1 691	16 910
35	調剤料　屯服薬	21	404 969	8 504 349	501 358	10 528 518	26 585	558 285
36	調剤料　浸煎薬	190	6	1 140	288	54 720	－	－
37	調剤料　湯薬　28日分以下７日目以下	190	3 953	751 070	2 970	564 300	35	6 650
38	調剤料　湯薬　28日分以下８日目以上	10	71 026	710 260	23 473	234 730	550	5 500
39	調剤料　湯薬　29日分以上	400	499	199 600	417	166 800	13	5 200
40	調剤料　注射薬	26	71 017	1 846 442	96 272	2 503 072	4 275	111 150
41	調剤料　注射薬　無菌製剤処理　中心静脈栄養法用輸液　加算	67	182	12 194	306	20 502	－	－
42	調剤料　注射薬　無菌製剤処理　中心静脈栄養法用輸液　加算　６歳未満の乳幼児	135	35	4 725	131	17 685	－	－
43	調剤料　注射薬　無菌製剤処理　抗悪性腫瘍剤　加算	77	3	231	－	－	－	－
44	調剤料　注射薬　無菌製剤処理　抗悪性腫瘍剤　加算　６歳未満の乳幼児	145	－	－	－	－	－	－
45	調剤料　注射薬　無菌製剤処理　麻薬　加算	67	87	5 829	189	12 663	－	－
46	調剤料　注射薬　無菌製剤処理　麻薬　加算　６歳未満の乳幼児	135	－	－	－	－	－	－
47	調剤料　外用薬	10	2 432 890	24 328 900	2 953 266	29 532 660	152 388	1 523 880
48	調剤基本料　医師の分割指示　調剤料及び加算		12 481	22 713	19 870	30 676	53	58
49	調剤料　麻薬　加算	70	13 635	954 450	19 064	1 334 480	680	47 600
50	調剤料　向精神薬　加算	8	586 913	4 695 304	768 491	6 147 928	47 957	383 656
51	調剤料　覚醒剤原料　加算	8	2 645	21 160	3 343	26 744	199	1 592
52	調剤料　毒薬　加算	8	11 616	92 928	15 849	126 792	795	6 360
53	調剤料　時間外　加算		1 333	43 702	1 261	35 518	61	2 921
54	調剤料　時間外特例　加算		30	1 130	31	792	－	－
55	調剤料　休日　加算		13 602	386 241	14 590	426 346	213	6 516
56	調剤料　深夜　加算		942	35 362	1 214	40 658	3	60
57	調剤料　夜間・休日等　加算	40	155 181	6 207 240	212 903	8 516 120	9 069	362 760
58	調剤料　自家製剤　加算　内服薬　錠剤、丸剤、カプセル剤、散剤、顆粒剤、エキス剤	20	214 260	4 285 200	251 257	5 025 140	10 696	213 920
59	調剤料　自家製剤　加算　内服薬　錠剤、丸剤、カプセル剤、散剤、顆粒剤、エキス剤　予製剤	4	10 017	40 068	23 272	93 088	607	2 428
60	調剤料　自家製剤　加算　屯服薬　錠剤、丸剤、カプセル剤、散剤、顆粒剤、エキス剤	90	1 352	121 680	1 266	113 940	55	4 950
61	調剤料　自家製剤　加算　屯服薬　錠剤、丸剤、カプセル剤、散剤、顆粒剤、エキス剤　予製剤	18	35	630	91	1 638	1	18
62	調剤料　自家製剤　加算　内服薬及び屯服薬液剤	45	1 942	87 390	1 296	58 320	14	630
63	調剤料　自家製剤　加算　内服薬及び屯服薬液剤　予製剤	9	1	9	169	1 521	－	－
64	調剤料　自家製剤　加算　外用薬　錠剤、トローチ剤、軟・硬膏剤、パップ剤、リニメント剤、坐剤	90	657	59 130	621	55 890	4	360
65	調剤料　自家製剤　加算　外用薬　錠剤、トローチ剤、軟・硬膏剤、パップ剤、リニメント剤、坐剤　予製剤	18	1 338	24 084	466	8 388	609	10 962
66	調剤料　自家製剤　加算　外用薬　点眼剤、点鼻・点耳剤、浣腸剤	75	103	7 725	105	7 875	5	375
67	調剤料　自家製剤　加算　外用薬　点眼剤、点鼻・点耳剤、浣腸剤　予製剤	15	306	4 590	260	3 900	－	－
68	調剤料　自家製剤　加算　外用薬　液剤	45	338	15 210	439	19 755	29	1 305
69	調剤料　自家製剤　加算　外用薬　液剤　予製剤	9	547	4 923	728	6 552	－	－
70	調剤料　計量混合調剤　加算　液剤	35	88 451	3 095 785	78 802	2 758 070	3 398	118 930
71	調剤料　計量混合調剤　加算　液剤　予製剤	7	1 105	7 735	1 405	9 835	40	280
72	調剤料　計量混合調剤　加算　散剤・顆粒剤	45	219 470	9 876 150	227 607	10 242 315	10 753	483 885
73	調剤料　計量混合調剤　加算　散剤・顆粒剤　予製剤	9	11 028	99 252	12 536	112 824	586	5 274
74	調剤料　計量混合調剤　加算　軟・硬膏剤	80	137 063	10 965 040	128 886	10 310 880	8 494	679 520
75	調剤料　計量混合調剤　加算　軟・硬膏剤　予製剤	16	41 727	667 632	33 388	534 208	4 115	65 840
76	調剤料　在宅患者調剤　加算	15	23 091	346 365	24 921	373 815	554	8 310

平成30年６月審査分

一般医療						
総数		病院		診療所		行番号
件数	受付回数	件数	受付回数	件数	受付回数	
38 512 777	46 599 075	7 841 898	9 305 142	30 213 310	36 756 191	
算定回数	点数	算定回数	点数	算定回数	点数	
401 735 860	35 817 683 065	71 041 561	14 690 639 038	326 954 987	20 930 344 361	1
355 966 240	7 577 239 690	61 996 522	1 699 343 538	290 761 826	5 812 013 417	2
46 582 432	2 755 917 230	9 299 257	495 238 016	36 745 655	2 227 499 337	3
35 587 133	1 459 072 453	5 337 246	218 827 086	29 775 618	1 220 800 338	4
3 814 486	95 362 150	1 212 223	30 305 575	2 581 195	64 529 875	5
3 107 797	62 155 940	1 085 376	21 707 520	2 002 723	40 054 460	6
3 830 359	57 455 385	1 542 079	23 131 185	2 266 675	34 000 125	7
183 091	1 830 910	112 402	1 124 020	70 493	704 930	8
44 983	944 643	6 633	139 293	37 677	791 217	9
7 861	102 193	2 048	26 624	5 808	75 504	10
997	9 970	8	80	989	9 890	11
1 746	13 968	24	192	1 717	13 736	12
11	55	2	10	9	45	13
1 285	6 425	995	4 975	288	1 440	14
337	1 685	138	690	197	985	15
3 968	121 766	1 216	28 824	2 751	92 922	16
14 775 285	517 134 975	2 476 646	86 682 610	12 105 418	423 689 630	17
10 152 480	182 744 640	2 271 619	40 889 142	7 763 822	139 748 796	18
8 964 579	197 220 738	1 976 310	43 478 820	6 900 218	151 804 796	19
6 517 711	169 460 486	1 010 624	26 276 224	5 448 970	141 673 220	20
19 172	1 097 824	3 708	206 445	14 916	858 750	21
1 738	87 293	567	32 198	1 160	54 509	22
124 490	10 332 387	25 594	2 024 921	97 621	8 200 841	23
7 209	761 344	3 499	351 582	3 576	393 328	24
309 383 808	4 821 322 460	52 697 265	1 204 105 522	254 016 171	3 584 514 080	25
182 563 676	912 806 793	25 994 282	129 964 526	154 753 676	773 763 742	26
62 663 730	250 654 870	11 525 304	46 101 205	50 792 093	203 168 333	27
2 360 312	158 129 034	628 455	42 099 373	1 719 475	115 200 187	28
19 754 161	1 540 787 433	3 778 844	294 723 640	15 878 375	1 238 502 365	29
10 504 030	903 327 894	5 428 367	466 825 927	5 032 894	432 824 085	30
23 436	1 874 880	9 654	772 320	13 675	1 094 000	31
3 680 521	117 776 660	1 758 885	56 284 316	1 908 323	61 066 328	32
163 467	35 962 452	131 689	28 971 292	31 498	6 929 560	33
132 903	1 329 030	59 606	596 060	72 752	727 520	34
4 285 023	89 985 483	994 429	20 883 009	3 102 408	65 150 568	35
596	113 240	45	8 550	551	104 690	36
25 873	4 915 810	2 213	420 410	23 646	4 492 740	37
297 220	2 972 200	32 151	321 510	264 831	2 648 310	38
4 068	1 627 200	1 154	461 600	2 884	1 153 600	39
526 899	13 699 374	286 248	7 442 448	238 855	6 210 230	40
6 782	454 394	4 439	297 413	2 329	156 043	41
1 592	214 920	1 383	186 705	209	28 215	42
17	1 309	17	1 309	-	-	43
-	-	-	-	-	-	44
2 158	144 586	246	16 482	1 905	127 635	45
-	-	-	-	-	-	46
26 101 779	261 017 790	3 910 439	39 104 390	22 025 981	220 259 810	47
163 538	256 617	55 728	96 172	107 750	160 387	48
82 056	5 743 920	53 636	3 754 520	28 301	1 981 070	49
5 523 868	44 190 944	1 558 935	12 471 480	3 932 914	31 463 312	50
14 255	114 040	9 394	75 152	4 826	38 608	51
60 356	482 848	38 518	308 144	21 665	173 320	52
36 265	956 394	6 982	203 529	28 243	730 250	53
3 037	56 487	881	17 941	2 144	38 273	54
241 240	6 603 432	43 921	1 185 283	195 205	5 361 262	55
11 996	365 490	5 711	183 474	6 038	171 354	56
2 431 133	97 245 320	253 251	10 130 040	2 126 505	85 060 200	57
1 801 941	36 038 820	673 793	13 475 860	1 118 938	22 378 760	58
98 379	393 516	20 532	82 128	77 673	310 692	59
12 321	1 108 890	3 180	286 200	9 062	815 580	60
700	12 600	54	972	646	11 628	61
11 374	511 830	460	20 700	10 895	490 275	62
297	2 673	37	333	260	2 340	63
11 262	1 013 580	1 001	90 090	10 239	921 510	64
10 249	184 482	647	11 646	9 440	169 920	65
3 201	240 075	172	12 900	3 029	227 175	66
3 040	45 600	106	1 590	2 934	44 010	67
6 386	287 370	655	29 475	5 713	257 085	68
5 508	49 572	160	1 440	5 148	46 332	69
1 188 757	41 606 495	79 100	2 768 500	1 102 516	38 588 060	70
12 267	85 869	444	3 108	11 804	82 628	71
3 088 606	138 987 270	271 389	12 212 505	2 804 300	126 193 500	72
103 080	927 720	10 064	90 576	92 599	833 391	73
1 760 045	140 803 600	136 493	10 919 440	1 616 938	129 355 040	74
278 754	4 460 064	3 029	48 464	274 722	4 395 552	75
50 106	751 590	9 425	141 375	40 307	604 605	76

第２表　件数・処方箋受付回数・算定回数・点数，

行番号	調剤行為	固定点数	歯科単科病院及び歯科診療所 件数 / 算定回数	歯科単科病院及び歯科診療所 受付回数 / 点数	処方箋発行医療機関無記載 件数 / 算定回数	処方箋発行医療機関無記載 受付回数 / 点数	調剤基本料１ 件数 / 算定回数	調剤基本料１ 受付回数 / 点数	調剤基本料２ 件数 / 算定回数	調剤基本料２ 受付回数 / 点数
			268 758	311 110	1 489	－	29 506 181	35 647 823	3 122 712	3 824 254
1	総計		1 730 223	58 885 086	1 489	298 705	308 428 264	25 682 561 627	33 102 515	3 260 174 236
2	調剤技術料計		1 423 092	29 356 793	・	－	273 417 521	6 032 365 618	29 354 868	540 883 743
3	調剤基本料小計		311 093	19 336 181	・	－	35 635 394	2 394 797 455	3 822 613	143 325 691
4	調剤基本料１	41	282 448	11 580 368	・	－	35 587 133	1 459 072 453	・	・
5	調剤基本料２	25	10 471	261 775	・	－	・	・	3 814 486	95 362 150
6	調剤基本料３　イ　受付回数４万回超40万回以下	20	6 804	136 080	・	－	・	・	・	・
7	調剤基本料３　ロ　受付回数40万回超	15	11 059	165 885	・	－	・	・	・	・
8	特別調剤基本料	10	177	1 770	・	－	・	・	・	・
9	調剤基本料１　50/100算定	21	125	2 625	・	－	44 983	944 643	・	・
10	調剤基本料２　50/100算定	13	4	52	・	－	・	・	7 861	102 193
11	調剤基本料３　イ　受付回数４万回超40万回以下　50/100算定	10	－	－	・	－	・	・	・	・
12	調剤基本料３　ロ　受付回数40万回超　50/100算定	8	5	40	・	－	・	・	・	・
13	特別調剤基本料　50/100算定	5	－	－	・	－	・	・	・	・
14	調剤基本料　長期投薬分割調剤	5	－	－	・	－	1 099	5 495	84	420
15	調剤基本料　後発医薬品分割調剤	5	1	5	・	－	257	1 285	25	125
16	調剤基本料　医師の分割指示　調剤基本料及び加算		－	－	・	－	3 278	110 411	266	5 581
17	調剤基本料　地域支援体制　加算	35	115 567	4 044 845	・	－	14 773 333	517 066 655	1 952	68 320
18	調剤基本料　後発医薬品調剤体制　加算１	18	74 046	1 332 828	・	－	7 916 269	142 492 842	745 203	13 413 654
19	調剤基本料　後発医薬品調剤体制　加算２	22	48 904	1 075 888	・	－	6 508 454	143 185 988	740 128	16 282 816
20	調剤基本料　後発医薬品調剤体制　加算３	26	24 460	635 960	・	－	4 655 402	121 040 452	670 190	17 424 940
21	調剤基本料　時間外　加算		271	15 184	・	－	16 578	1 003 609	1 375	52 882
22	調剤基本料　時間外特例　加算		10	519	・	－	1 490	76 080	216	10 130
23	調剤基本料　休日　加算		994	80 011	・	－	101 543	9 201 838	9 486	524 408
24	調剤基本料　深夜　加算		29	2 346	・	－	5 042	595 704	953	78 072
25	調剤料小計		1 111 999	10 020 612	・	－	237 782 127	3 637 568 163	25 532 255	397 558 052
26	調剤料　内服薬　14日分以下７日目以下	5	889 072	4 445 360	・	－	141 171 920	705 849 468	14 924 599	74 622 344
27	調剤料　内服薬　14日分以下８日目以上	4	16 952	67 808	・	－	48 226 976	192 907 863	5 128 008	20 512 030
28	調剤料　内服薬　15日分以上21日分以下	67	388	25 996	・	－	1 772 712	118 762 653	184 501	12 360 994
29	調剤料　内服薬　22日分以上30日分以下	78	1 447	112 866	・	－	15 426 711	1 203 253 167	1 321 831	103 100 188
30	調剤料　内服薬　31日分以上	86	626	53 836	・	－	7 202 767	619 424 667	1 052 565	90 518 876
31	調剤料　内服薬　嚥下困難者用製剤　加算	80	1	80	・	－	19 416	1 553 280	1 369	109 520
32	調剤料　内服薬　一包化42日分以下　加算	32	32	1 024	・	－	2 743 009	87 776 288	266 033	8 513 064
33	調剤料　内服薬　一包化43日分以上　加算	220	1	220	・	－	106 128	23 347 872	17 974	3 954 280
34	調剤料　内服用　滴剤	10	7	70	・	－	98 714	987 140	9 683	96 830
35	調剤料　屯服薬	21	164 460	3 453 660	・	－	3 245 713	68 159 973	332 073	6 973 533
36	調剤料　浸煎薬	190	－	－	・	－	408	77 520	－	－
37	調剤料　湯薬　28日分以下７日目以下	190	1	190	・	－	19 440	3 693 540	166	31 540
38	調剤料　湯薬　28日分以下８日目以上	10	21	210	・	－	208 283	2 082 830	2 456	24 560
39	調剤料　湯薬　29日分以上	400	－	－	・	－	3 154	1 261 600	126	50 400
40	調剤料　注射薬	26	3	78	・	－	358 941	9 332 466	52 017	1 352 442
41	調剤料　注射薬　無菌製剤処理　中心静脈栄養法用輸液　加算	67	－	－	・	－	5 783	387 461	666	44 622
42	調剤料　注射薬　無菌製剤処理　中心静脈栄養法用輸液　加算　６歳未満の乳幼児	135	－	－	・	－	1 194	161 190	232	31 320
43	調剤料　注射薬　無菌製剤処理　抗悪性腫瘍剤　加算	77	－	－	・	－	－	－	14	1 078
44	調剤料　注射薬　無菌製剤処理　抗悪性腫瘍剤　加算　６歳未満の乳幼児	145	－	－	・	－	－	－	－	－
45	調剤料　注射薬　無菌製剤処理　麻薬　加算	67	－	－	・	－	1 765	118 255	213	14 271
46	調剤料　注射薬　無菌製剤処理　麻薬　加算　６歳未満の乳幼児	135	－	－	・	－	－	－	－	－
47	調剤料　外用薬	10	39 022	390 220	・	－	19 911 573	199 115 730	2 514 043	25 140 430
48	調剤基本料　医師の分割指示　調剤料及び加算		－	－	・	－	134 815	214 805	10 187	14 767
49	調剤料　麻薬　加算	70	－	－	・	－	50 157	3 510 990	8 005	560 350
50	調剤料　向精神薬　加算	8	156	1 248	・	－	4 312 520	34 500 160	336 943	2 695 544
51	調剤料　覚醒剤原料　加算	8	－	－	・	－	9 539	76 312	1 284	10 272
52	調剤料　毒薬　加算	8	1	8	・	－	40 662	325 296	6 174	49 392
53	調剤料　時間外　加算		417	7 346	・	－	31 442	828 730	2 573	62 599
54	調剤料　時間外特例　加算		11	187	・	－	2 619	49 658	361	5 094
55	調剤料　休日　加算		1 531	38 518	・	－	197 172	5 367 674	18 537	529 395
56	調剤料　深夜　加算		41	1 472	・	－	8 367	249 988	1 652	46 650
57	調剤料　夜間・休日等　加算	40	34 935	1 397 400	・	－	1 894 811	75 792 440	199 170	7 966 800
58	調剤料　自家製剤　加算　内服薬　錠剤、丸剤、カプセル剤、散剤、顆粒剤、エキス剤	20	51	1 020	・	－	1 339 560	26 791 200	158 968	3 179 360
59	調剤料　自家製剤　加算　内服薬　錠剤、丸剤、カプセル剤、散剤、顆粒剤、エキス剤　予製剤	4	－	－	・	－	60 290	241 160	15 965	63 860
60	調剤料　自家製剤　加算　屯服薬　錠剤、丸剤、カプセル剤、散剤、顆粒剤、エキス剤	90	34	3 060	・	－	9 621	865 890	962	86 580
61	調剤料　自家製剤　加算　屯服薬　錠剤、丸剤、カプセル剤、散剤、顆粒剤、エキス剤　予製剤	18	－	－	・	－	527	9 486	89	1 602
62	調剤料　自家製剤　加算　内服薬及び屯服薬液剤	45	－	－	・	－	7 974	358 830	457	20 565
63	調剤料　自家製剤　加算　内服薬及び屯服薬液剤　予製剤	9	－	－	・	－	79	711	100	900
64	調剤料　自家製剤　加算　外用薬　錠剤、トローチ剤、軟・硬膏剤、パップ剤、リニメント剤、坐剤	90	4	360	・	－	8 962	806 580	1 425	128 250
65	調剤料　自家製剤　加算　外用薬　錠剤、トローチ剤、軟・硬膏剤、パップ剤、リニメント剤、坐剤　予製剤	18	－	－	・	－	5 947	107 046	2 345	42 210
66	調剤料　自家製剤　加算　外用薬　点眼剤、点鼻・点耳剤、浣腸剤	75	－	－	・	－	2 703	202 725	340	25 500
67	調剤料　自家製剤　加算　外用薬　点眼剤、点鼻・点耳剤、浣腸剤　予製剤	15	－	－	・	－	2 312	34 680	207	3 105
68	調剤料　自家製剤　加算　外用薬　液剤	45	5	225	・	－	4 763	214 335	960	43 200
69	調剤料　自家製剤　加算　外用薬　液剤　予製剤	9	－	－	・	－	3 947	35 523	355	3 195
70	調剤料　計量混合調剤　加算　液剤	35	28	980	・	－	927 778	32 472 230	95 316	3 336 060
71	調剤料　計量混合調剤　加算　液剤　予製剤	7	－	－	・	－	8 463	59 241	1 522	10 654
72	調剤料　計量混合調剤　加算　散剤・顆粒剤	45	239	10 755	・	－	2 394 280	107 742 600	260 425	11 719 125
73	調剤料　計量混合調剤　加算　散剤・顆粒剤　予製剤	9	－	－	・	－	65 585	590 265	17 711	159 399
74	調剤料　計量混合調剤　加算　軟・硬膏剤	80	67	5 360	・	－	1 311 590	104 927 200	228 301	18 264 080
75	調剤料　計量混合調剤　加算　軟・硬膏剤　予製剤	16	50	800	・	－	142 710	2 283 360	65 652	1 050 432
76	調剤料　在宅患者調剤　加算	15	17	255	・	－	43 739	656 085	1 786	26 790

平成30年６月審査分

一般医療 調剤基本料３イ 件数	受付回数	一般医療 調剤基本料３ロ 件数	受付回数	一般医療 特別調剤基本料 件数	受付回数	行番号
2 562 715	3 110 234	3 172 233	3 833 604	148 936	183 160	
算定回数	点数	算定回数	点数	算定回数	点数	
26 395 838	2 914 484 871	32 256 950	3 785 606 217	1 552 293	174 856 114	1
23 333 884	440 529 020	28 486 742	538 198 717	1 373 225	25 262 592	2
3 108 975	100 526 665	3 832 346	113 231 481	183 104	4 035 938	3
・	・	・	・	・	・	4
・	・	・	・	・	・	5
3 107 797	62 155 940	・	・	・	・	6
・	・	3 830 359	57 455 385	・	・	7
・	・	・	・	183 091	1 830 910	8
・	・	・	・	・	・	9
・	・	・	・	・	・	10
997	9 970	・	・	・	・	11
・	・	1 746	13 968	・	・	12
・	・	・	・	11	55	13
48	240	53	265	1	5	14
20	100	33	165	2	10	15
181	2 412	241	3 347	2	15	16
–	–	–	–	–	–	17
627 667	11 298 006	825 716	14 862 888	37 625	677 250	18
698 210	15 360 620	986 955	21 713 010	30 832	678 304	19
435 690	11 327 940	723 878	18 820 828	32 551	846 326	20
587	19 963	618	21 230	14	140	21
11	462	21	621	–	–	22
6 579	312 644	6 774	290 686	108	2 811	23
510	38 368	702	49 088	2	112	24
20 224 909	340 002 355	24 654 396	424 967 236	1 190 121	21 226 654	25
11 773 236	58 865 780	14 045 450	70 226 850	648 471	3 242 351	26
3 976 925	15 907 700	5 064 194	20 256 770	267 627	1 070 507	27
168 299	11 275 609	218 912	14 665 324	15 888	1 064 454	28
1 305 201	101 803 381	1 626 609	126 873 621	73 809	5 757 076	29
924 936	79 543 090	1 262 530	108 575 513	61 232	5 265 748	30
1 152	92 160	1 417	113 360	82	6 560	31
269 137	8 612 376	369 188	11 814 004	33 154	1 060 928	32
16 001	3 520 220	21 950	4 829 000	1 414	311 080	33
10 082	100 820	13 562	135 620	862	8 620	34
308 949	6 487 929	379 199	7 963 179	19 089	400 869	35
3	570	185	35 150	–	–	36
3 670	697 300	2 572	488 680	25	4 750	37
66 535	665 350	19 585	195 850	361	3 610	38
444	177 600	333	133 200	11	4 400	39
47 447	1 233 622	65 677	1 707 602	2 817	73 242	40
144	9 648	189	12 663	–	–	41
35	4 725	131	17 685	–	–	42
3	231	–	–	–	–	43
–	–	–	–	–	–	44
79	5 293	101	6 767	–	–	45
–	–	–	–	–	–	46
1 631 156	16 311 560	1 945 131	19 451 310	99 876	998 760	47
8 026	12 589	10 457	14 398	53	58	48
9 725	680 750	13 713	959 910	456	31 920	49
362 308	2 898 464	480 004	3 840 032	32 093	256 744	50
1 453	11 624	1 859	14 872	120	960	51
5 443	43 544	7 693	61 544	384	3 072	52
1 098	32 988	1 118	30 689	34	1 388	53
30	1 130	27	605	–	–	54
12 161	328 628	13 183	372 204	187	5 531	55
847	31 262	1 127	37 530	3	60	56
138 888	5 555 520	190 309	7 612 360	7 955	318 200	57
136 635	2 732 700	159 923	3 198 460	6 855	137 100	58
6 391	25 564	15 203	60 812	530	2 120	59
892	80 280	809	72 810	37	3 330	60
25	450	58	1 044	1	18	61
1 755	78 975	1 181	53 145	7	315	62
–	–	118	1 062	–	–	63
454	40 860	419	37 710	2	180	64
1 028	18 504	389	7 002	540	9 720	65
86	6 450	69	5 175	3	225	66
287	4 305	234	3 510	–	–	67
255	11 475	381	17 145	27	1 215	68
509	4 581	697	6 273	–	–	69
86 250	3 018 750	76 167	2 665 845	3 246	113 610	70
1 045	7 315	1 201	8 407	36	252	71
208 580	9 386 100	215 177	9 682 965	10 144	456 480	72
9 190	82 710	10 173	91 557	421	3 789	73
111 951	8 956 080	101 308	8 104 640	6 895	551 600	74
37 743	603 888	29 202	467 232	3 447	55 152	75
2 127	31 905	2 410	36 150	44	660	76

第２表　件数・処方箋受付回数・算定回数・点数，

行番号	調剤行為	固定点数	後					
			総数		病院		診療所	
			件数	受付回数	件数	受付回数	件数	受付回数
			15 684 975	20 504 766	4 470 700	5 682 386	11 075 318	14 654 331
			算定回数	点数	算定回数	点数	算定回数	点数
1	総計		199 657 259	21 706 355 890	45 580 903	9 155 721 292	152 628 728	12 453 303 448
2	調剤技術料計		180 790 245	4 333 289 147	40 294 986	1 292 063 980	139 211 995	3 015 111 682
3	調剤基本料小計		20 493 784	1 236 636 562	5 678 464	314 014 380	14 647 467	911 955 506
4	調剤基本料１	41	15 923 197	652 851 077	3 508 568	143 851 288	12 265 129	502 870 289
5	調剤基本料２	25	1 479 267	36 981 675	688 766	17 219 150	783 969	19 599 225
6	調剤基本料３　イ　受付回数４万回超40万回以下	20	1 311 059	26 221 180	589 280	11 785 600	716 426	14 328 520
7	調剤基本料３　ロ　受付回数40万回超	15	1 664 518	24 967 770	824 118	12 361 770	834 213	12 513 195
8	特別調剤基本料	10	82 707	827 070	61 248	612 480	21 411	214 110
9	調剤基本料１　50/100算定	21	28 107	590 247	5 152	108 192	22 729	477 309
10	調剤基本料２　50/100算定	13	2 316	30 108	657	8 541	1 656	21 528
11	調剤基本料３　イ　受付回数４万回超40万回以下　50/100算定	10	340	3 400	5	50	335	3 350
12	調剤基本料３　ロ　受付回数40万回超　50/100算定	8	668	5 344	19	152	649	5 192
13	特別調剤基本料　50/100算定	5	7	35	2	10	5	25
14	調剤基本料　長期投薬分割調剤	5	1 817	9 085	891	4 455	923	4 615
15	調剤基本料　後発医薬品分割調剤	5	176	880	81	405	94	470
16	調剤基本料　医師の分割指示　調剤基本料及び加算		1 598	46 263	649	15 237	945	30 843
17	調剤基本料　地域支援体制　加算	35	7 056 371	246 972 985	1 690 549	59 169 215	5 299 213	185 472 455
18	調剤基本料　後発医薬品調剤体制　加算１	18	4 676 511	84 177 198	1 380 846	24 855 228	3 258 745	58 657 410
19	調剤基本料　後発医薬品調剤体制　加算２	22	4 120 841	90 658 502	1 224 810	26 945 820	2 868 899	63 115 778
20	調剤基本料　後発医薬品調剤体制　加算３	26	2 724 079	70 826 054	642 153	16 695 978	2 060 362	53 569 412
21	調剤基本料　時間外　加算		2 524	158 732	784	45 246	1 702	111 314
22	調剤基本料　時間外特例　加算		78	4 176	39	2 235	38	1 900
23	調剤基本料　休日　加算		13 881	1 252 151	3 757	300 512	9 987	940 012
24	調剤基本料　深夜　加算		458	52 630	308	32 816	141	18 554
25	調剤料小計		160 296 461	3 096 652 585	34 616 522	978 049 600	124 564 528	2 103 156 176
26	調剤料　内服薬　14日分以下７日目以下	5	74 058 000	370 243 936	14 305 864	71 512 862	59 142 140	295 681 094
27	調剤料　内服薬　14日分以下８日目以上	4	48 062 401	192 249 196	8 584 837	34 339 062	39 188 893	156 755 450
28	調剤料　内服薬　15日分以上21日分以下	67	1 665 289	111 554 811	388 600	26 031 057	1 267 216	84 889 099
29	調剤料　内服薬　22日分以上30日分以下	78	14 560 457	1 135 682 624	3 243 702	252 980 854	11 254 073	877 812 784
30	調剤料　内服薬　31日分以上	86	6 698 333	576 049 585	4 093 133	352 003 024	2 584 856	222 296 977
31	調剤料　内服薬　嚥下困難者用製剤　加算	80	147 519	11 801 520	29 043	2 323 440	117 611	9 408 880
32	調剤料　内服薬　一包化42日分以下　加算	32	10 566 049	338 113 572	3 264 660	104 469 124	7 254 622	232 147 912
33	調剤料　内服薬　一包化43日分以上　加算	220	323 712	71 215 616	252 923	55 642 068	70 275	15 460 468
34	調剤料　内服用　滴剤	10	243 203	2 432 030	80 492	804 920	161 635	1 616 350
35	調剤料　屯服薬	21	1 412 925	29 671 425	488 767	10 264 107	885 456	18 594 576
36	調剤料　浸煎薬	190	308	58 520	25	4 750	283	53 770
37	調剤料　湯薬　28日分以下７日目以下	190	4 061	771 590	633	120 270	3 422	650 180
38	調剤料　湯薬　28日分以下８日目以上	10	48 086	480 860	9 689	96 890	38 313	383 130
39	調剤料　湯薬　29日分以上	400	817	326 800	284	113 600	531	212 400
40	調剤料　注射薬	26	290 097	7 542 522	140 392	3 650 192	148 607	3 863 782
41	調剤料　注射薬　無菌製剤処理　中心静脈栄養法用輸液　加算	67	4 303	288 301	1 031	69 077	3 247	217 549
42	調剤料　注射薬　無菌製剤処理　中心静脈栄養法用輸液　加算　６歳未満の乳幼児	135	・	・	・	・	・	・
43	調剤料　注射薬　無菌製剤処理　抗悪性腫瘍剤　加算	77	－	－	－	－	－	－
44	調剤料　注射薬　無菌製剤処理　抗悪性腫瘍剤　加算　６歳未満の乳幼児	145	・	・	・	・	・	・
45	調剤料　注射薬　無菌製剤処理　麻薬　加算	67	1 382	92 594	46	3 082	1 336	89 512
46	調剤料　注射薬　無菌製剤処理　麻薬　加算　６歳未満の乳幼児	135	・	・	・	・	・	・
47	調剤料　外用薬	10	13 179 745	131 797 450	3 247 898	32 478 980	9 848 855	98 488 550
48	調剤基本料　医師の分割指示　調剤料及び加算		72 739	154 576	32 206	70 582	40 248	83 123
49	調剤料　麻薬　加算	70	42 067	2 944 690	23 259	1 628 130	18 717	1 310 190
50	調剤料　向精神薬　加算	8	3 510 161	28 081 288	1 007 196	8 057 568	2 486 102	19 888 816
51	調剤料　覚醒剤原料　加算	8	15 371	122 968	8 364	66 912	6 962	55 696
52	調剤料　毒薬　加算	8	92 747	741 976	39 884	319 072	52 536	420 288
53	調剤料　時間外　加算		5 708	252 840	1 704	78 923	3 944	172 586
54	調剤料　時間外特例　加算		129	3 721	61	1 598	66	2 066
55	調剤料　休日　加算		26 831	1 213 209	6 031	224 173	20 585	982 803
56	調剤料　深夜　加算		729	29 606	455	18 254	256	10 054
57	調剤料　夜間・休日等　加算	40	283 570	11 342 800	61 767	2 470 680	218 227	8 729 080
58	調剤料　自家製剤　加算　内服薬　錠剤、丸剤、カプセル剤、散剤、顆粒剤、エキス剤	20	1 044 874	20 897 480	410 810	8 216 200	629 505	12 590 100
59	調剤料　自家製剤　加算　内服薬　錠剤、丸剤、カプセル剤、散剤、顆粒剤、エキス剤　予製剤	4	45 456	181 824	13 023	52 092	32 322	129 288
60	調剤料　自家製剤　加算　屯服薬　錠剤、丸剤、カプセル剤、散剤、顆粒剤、エキス剤	90	6 940	624 600	2 150	193 500	4 742	426 780
61	調剤料　自家製剤　加算　屯服薬　錠剤、丸剤、カプセル剤、散剤、顆粒剤、エキス剤　予製剤	18	137	2 466	25	450	112	2 016
62	調剤料　自家製剤　加算　内服薬及び屯服薬液剤	45	1 285	57 825	211	9 495	1 074	48 330
63	調剤料　自家製剤　加算　内服薬及び屯服薬液剤　予製剤	9	87	783	29	261	58	522
64	調剤料　自家製剤　加算　外用薬　錠剤、トローチ剤、軟・硬膏剤、パップ剤、リニメント剤、坐剤	90	3 736	336 240	735	66 150	2 973	267 570
65	調剤料　自家製剤　加算　外用薬　錠剤、トローチ剤、軟・硬膏剤、パップ剤、リニメント剤、坐剤　予製剤	18	2 197	39 546	471	8 478	1 686	30 348
66	調剤料　自家製剤　加算　外用薬　点眼剤、点鼻・点耳剤、浣腸剤	75	539	40 425	75	5 625	464	34 800
67	調剤料　自家製剤　加算　外用薬　点眼剤、点鼻・点耳剤、浣腸剤　予製剤	15	605	9 075	49	735	556	8 340
68	調剤料　自家製剤　加算　外用薬　液剤	45	1 206	54 270	280	12 600	921	41 445
69	調剤料　自家製剤　加算　外用薬　液剤　予製剤	9	378	3 402	49	441	329	2 961
70	調剤料　計量混合調剤　加算　液剤	35	37 390	1 308 650	5 328	186 480	31 855	1 114 925
71	調剤料　計量混合調剤　加算　液剤　予製剤	7	1 578	11 046	232	1 624	1 341	9 387
72	調剤料　計量混合調剤　加算　散剤・顆粒剤	45	182 142	8 196 390	37 735	1 698 075	143 674	6 465 330
73	調剤料　計量混合調剤　加算　散剤・顆粒剤　予製剤	9	23 409	210 681	4 612	41 508	18 700	168 300
74	調剤料　計量混合調剤　加算　軟・硬膏剤	80	385 616	30 849 280	82 901	6 632 080	301 289	24 103 120
75	調剤料　計量混合調剤　加算　軟・硬膏剤　予製剤	16	37 761	604 176	2 070	33 120	35 514	568 224
76	調剤料　在宅患者調剤　加算	15	530 920	7 963 800	69 829	1 047 435	457 815	6 867 225

平成30年６月審査分

期		医		療				行番号
歯科単科病院及び歯科診療所		処方箋発行医療機関無記載		調剤基本料1		調剤基本料2		
件数	受付回数	件数	受付回数	件数	受付回数	件数	受付回数	
61 218	72 199	6 117	–	12 113 595	15 960 988	1 167 331	1 482 985	
算定回数	点数	算定回数	点数	算定回数	点数	算定回数	点数	
392 485	13 847 638	6 117	1 167 335	161 160 270	16 076 480 604	12 193 083	1 763 372 133	1
321 685	6 495 286	·	–	146 590 304	3 487 847 872	10 791 281	273 491 034	2
72 198	4 505 389	·	–	15 952 461	1 088 653 915	1 481 750	55 030 737	3
65 703	2 693 823	·	–	15 923 197	652 851 077	·	·	4
2 669	66 725	·	–	·	·	1 479 267	36 981 675	5
1 745	34 900	·	–	·	·	·	·	6
2 011	30 165	·	–	·	·	·	·	7
40	400	·	–	·	·	·	·	8
27	567	·	–	28 107	590 247	·	·	9
3	39	·	–	·	·	2 316	30 108	10
–	–	·	–	·	·	·	·	11
–	–	·	–	·	·	·	·	12
–	–	·	–	·	·	·	·	13
–	–	·	–	1 591	7 955	83	415	14
–	–	·	–	120	600	19	95	15
–	–	·	–	1 157	39 684	167	2 719	16
27 495	962 325	·	–	7 055 390	246 938 650	981	34 335	17
16 242	292 356	·	–	3 697 125	66 548 250	302 772	5 449 896	18
11 544	253 968	·	–	3 044 054	66 969 188	307 740	6 770 280	19
6 160	160 160	·	–	2 053 494	53 390 844	219 211	5 699 486	20
31	1 617	·	–	2 181	146 197	136	5 403	21
–	–	·	–	67	3 664	9	423	22
107	8 344	·	–	11 259	1 125 203	994	54 490	23
–	–	·	–	317	42 356	20	1 412	24
249 487	1 989 897	·	–	130 637 843	2 399 193 957	9 309 531	218 460 297	25
195 105	975 525	·	–	61 251 922	306 217 810	4 015 474	20 076 613	26
5 425	21 700	·	–	40 155 774	160 622 792	2 374 987	9 499 908	27
177	11 859	·	–	1 338 013	89 629 182	94 306	6 317 704	28
598	46 644	·	–	11 528 451	899 195 660	891 859	69 557 112	29
233	20 038	·	–	4 526 891	389 307 491	714 292	61 428 277	30
6	480	·	–	131 329	10 506 320	5 377	430 160	31
40	1 280	·	–	8 502 281	272 072 984	630 857	20 187 424	32
1	220	·	–	214 463	47 181 220	36 327	7 991 780	33
4	40	·	–	200 381	2 003 810	13 299	132 990	34
31 014	651 294	·	–	1 086 045	22 806 945	101 205	2 125 305	35
–	–	·	–	202	38 380	–	–	36
–	–	·	–	3 323	631 370	47	8 930	37
–	–	·	–	38 686	386 860	832	8 320	38
–	–	·	–	647	258 800	29	11 600	39
3	78	·	–	208 621	5 424 146	25 853	672 178	40
–	–	·	–	3 607	241 669	541	36 247	41
·	·	·	·	·	·	·	·	42
–	–	·	–	–	–	–	–	43
·	·	·	·	·	·	·	·	44
–	–	·	–	1 176	78 792	110	7 370	45
·	·	·	·	·	·	·	·	46
16 928	169 280	·	–	10 246 994	102 469 940	1 070 370	10 703 700	47
–	–	·	–	51 893	107 724	6 978	20 450	48
–	–	·	–	28 878	2 021 460	3 704	259 280	49
52	416	·	–	2 750 205	22 001 640	231 000	1 848 000	50
–	–	·	–	11 398	91 184	1 218	9 744	51
–	–	·	–	70 860	566 880	7 147	57 176	52
45	831	·	–	5 017	223 989	286	11 775	53
–	–	·	–	111	3 341	14	193	54
165	4 024	·	–	22 104	1 022 532	1 853	77 937	55
–	–	·	–	516	21 186	31	1 192	56
1 908	76 320	·	–	222 532	8 901 280	21 037	841 480	57
41	820	·	–	780 581	15 611 620	91 493	1 829 860	58
–	–	·	–	27 158	108 632	6 526	26 104	59
1	90	·	–	5 438	489 420	567	51 030	60
–	–	·	–	88	1 584	6	108	61
–	–	·	–	917	41 265	59	2 655	62
–	–	·	–	26	234	9	81	63
6	540	·	–	2 885	259 650	444	39 960	64
–	–	·	–	1 195	21 510	546	9 828	65
–	–	·	–	420	31 500	64	4 800	66
–	–	·	–	366	5 490	194	2 910	67
5	225	·	–	934	42 030	129	5 805	68
–	–	·	–	276	2 484	33	297	69
36	1 260	·	–	29 749	1 041 215	2 653	92 855	70
–	–	·	–	1 060	7 420	250	1 750	71
22	990	·	–	146 962	6 613 290	11 251	506 295	72
–	–	·	–	15 696	141 264	3 347	30 123	73
39	3 120	·	–	291 699	23 335 920	39 628	3 170 240	74
18	288	·	–	19 827	317 232	9 096	145 536	75
169	2 535	·	–	472 454	7 086 810	14 481	217 215	76

第２表　件数・処方箋受付回数・算定回数・点数，調剤行為、一般医療−後期医療、処方箋発行医療機関・調剤基本料区分別

平成30年６月審査分

行番号	調剤行為	固定点数	後期医療 調剤基本料３　イ 件数 / 算定回数	後期医療 調剤基本料３　イ 受付回数 / 点数	後期医療 調剤基本料３　ロ 件数 / 算定回数	後期医療 調剤基本料３　ロ 受付回数 / 点数	後期医療 特別調剤基本料 件数 / 算定回数	後期医療 特別調剤基本料 受付回数 / 点数
			1 027 249	1 312 154	1 312 246	1 665 905	64 554	82 734
1	総　　計		11 462 210	1 642 226 380	14 171 103	2 118 413 134	670 593	105 863 639
2	調剤技術料計		10 216 459	246 606 715	12 599 611	310 083 056	592 590	15 260 470
3	調剤基本料小計		1 311 494	42 060 422	1 665 365	49 042 889	82 714	1 848 599
4	調剤基本料１	41	・	・	・	・	・	・
5	調剤基本料２	25	・	・	・	・	・	・
6	調剤基本料３　イ　受付回数４万回超40万回以下	20	1 311 059	26 221 180	・	・	・	・
7	調剤基本料３　ロ　受付回数40万回超	15	・	・	1 664 518	24 967 770	・	・
8	特別調剤基本料	10	・	・	・	・	82 707	827 070
9	調剤基本料１　50/100算定	21	・	・	・	・	・	・
10	調剤基本料２　50/100算定	13	・	・	・	・	・	・
11	調剤基本料３　イ　受付回数４万回超40万回以下　50/100算定	10	340	3 400	・	・	・	・
12	調剤基本料３　ロ　受付回数40万回超　50/100算定	8	・	・	668	5 344	・	・
13	特別調剤基本料　50/100算定	5	・	・	・	・	7	35
14	調剤基本料　長期投薬分割調剤	5	87	435	53	265	3	15
15	調剤基本料　後発医薬品分割調剤	5	14	70	20	100	3	15
16	調剤基本料　医師の分割指示　調剤基本料及び加算		95	1 650	179	2 210	−	−
17	調剤基本料　地域支援体制　加算	35	−	−	−	−	−	−
18	調剤基本料　後発医薬品調剤体制　加算１	18	287 102	5 167 836	371 241	6 682 338	18 271	328 878
19	調剤基本料　後発医薬品調剤体制　加算２	22	303 714	6 681 708	450 292	9 906 424	15 041	330 902
20	調剤基本料　後発医薬品調剤体制　加算３	26	151 446	3 937 596	286 046	7 437 196	13 882	360 932
21	調剤基本料　時間外　加算		116	4 308	83	2 744	8	80
22	調剤基本料　時間外特例　加算		−	−	2	89	−	−
23	調剤基本料　休日　加算		813	37 787	795	33 999	20	672
24	調剤基本料　深夜　加算		60	4 452	61	4 410	−	−
25	調剤料小計		8 904 965	204 546 293	10 934 246	261 040 167	509 876	13 411 871
26	調剤料　内服薬　14日分以下７日目以下	5	3 877 783	19 386 846	4 695 708	23 477 102	217 113	1 085 565
27	調剤料　内服薬　14日分以下８日目以上	4	2 459 666	9 838 605	2 947 743	11 790 968	124 231	496 923
28	調剤料　内服薬　15日分以上21日分以下	67	101 279	6 784 945	124 079	8 312 981	7 612	509 999
29	調剤料　内服薬　22日分以上30日分以下	78	928 785	72 444 670	1 157 368	90 273 860	53 994	4 211 322
30	調剤料　内服薬　31日分以上	86	594 476	51 124 396	818 244	70 368 506	44 430	3 820 915
31	調剤料　内服薬　嚥下困難者用製剤　加算	80	4 893	391 440	5 712	456 960	208	16 640
32	調剤料　内服薬　一包化42日分以下　加算	32	611 371	19 563 880	774 987	24 799 592	46 553	1 489 692
33	調剤料　内服薬　一包化43日分以上　加算	220	30 162	6 635 512	40 066	8 814 424	2 694	592 680
34	調剤料　内服用　滴剤	10	12 365	123 650	16 329	163 290	829	8 290
35	調剤料　屯服薬	21	96 020	2 016 420	122 159	2 565 339	7 496	157 416
36	調剤料　浸煎薬	190	3	570	103	19 570	−	−
37	調剤料　湯薬　28日分以下７日目以下	190	283	53 770	398	75 620	10	1 900
38	調剤料　湯薬　28日分以下８日目以上	10	4 491	44 910	3 888	38 880	189	1 890
39	調剤料　湯薬　29日分以上	400	55	22 000	84	33 600	2	800
40	調剤料　注射薬	26	23 570	612 820	30 595	795 470	1 458	37 908
41	調剤料　注射薬　無菌製剤処理　中心静脈栄養法用輸液　加算	67	38	2 546	117	7 839	−	−
42	調剤料　注射薬　無菌製剤処理　中心静脈栄養法用輸液　加算　６歳未満の乳幼児	135	・	・	・	・	・	・
43	調剤料　注射薬　無菌製剤処理　抗悪性腫瘍剤　加算	77	−	−	−	−	−	−
44	調剤料　注射薬　無菌製剤処理　抗悪性腫瘍剤　加算　６歳未満の乳幼児	145	・	・	・	・	・	・
45	調剤料　注射薬　無菌製剤処理　麻薬　加算	67	8	536	88	5 896	−	−
46	調剤料　注射薬　無菌製剤処理　麻薬　加算　６歳未満の乳幼児	135	・	・	・	・	・	・
47	調剤料　外用薬	10	801 734	8 017 340	1 008 135	10 081 350	52 512	525 120
48	調剤基本料　医師の分割指示　調剤料及び加算		4 455	10 124	9 413	16 278	−	−
49	調剤料　麻薬　加算	70	3 910	273 700	5 351	374 570	224	15 680
50	調剤料　向精神薬　加算	8	224 605	1 796 840	288 487	2 307 896	15 864	126 912
51	調剤料　覚醒剤原料　加算	8	1 192	9 536	1 484	11 872	79	632
52	調剤料　毒薬　加算	8	6 173	49 384	8 156	65 248	411	3 288
53	調剤料　時間外　加算		235	10 714	143	4 829	27	1 533
54	調剤料　時間外特例　加算		−	−	4	187	−	−
55	調剤料　休日　加算		1 441	57 613	1 407	54 142	26	985
56	調剤料　深夜　加算		95	4 100	87	3 128	−	−
57	調剤料　夜間・休日等　加算	40	16 293	651 720	22 594	903 760	1 114	44 560
58	調剤料　自家製剤　加算　内服薬　錠剤、丸剤、カプセル剤、散剤、顆粒剤、エキス剤	20	77 625	1 552 500	91 334	1 826 680	3 841	76 820
59	調剤料　自家製剤　加算　内服薬　錠剤、丸剤、カプセル剤、散剤、顆粒剤、エキス剤　予製剤	4	3 626	14 504	8 069	32 276	77	308
60	調剤料　自家製剤　加算　屯服薬　錠剤、丸剤、カプセル剤、散剤、顆粒剤、エキス剤	90	460	41 400	457	41 130	18	1 620
61	調剤料　自家製剤　加算　屯服薬　錠剤、丸剤、カプセル剤、散剤、顆粒剤、エキス剤　予製剤	18	10	180	33	594	−	−
62	調剤料　自家製剤　加算　内服薬及び屯服薬液剤	45	187	8 415	115	5 175	7	315
63	調剤料　自家製剤　加算　内服薬及び屯服薬液剤　予製剤	9	1	9	51	459	−	−
64	調剤料　自家製剤　加算　外用薬　錠剤、トローチ剤、軟・硬膏剤、パップ剤、リニメント剤、坐剤	90	203	18 270	202	18 180	2	180
65	調剤料　自家製剤　加算　外用薬　錠剤、トローチ剤、軟・硬膏剤、パップ剤、リニメント剤、坐剤　予製剤	18	310	5 580	77	1 386	69	1 242
66	調剤料　自家製剤　加算　外用薬　点眼剤、点鼻・点耳剤、浣腸剤	75	17	1 275	36	2 700	2	150
67	調剤料　自家製剤　加算　外用薬　点眼剤、点鼻・点耳剤、浣腸剤　予製剤	15	19	285	26	390	−	−
68	調剤料　自家製剤　加算　外用薬　液剤	45	83	3 735	58	2 610	2	90
69	調剤料　自家製剤　加算　外用薬　液剤　予製剤	9	38	342	31	279	−	−
70	調剤料　計量混合調剤　加算　液剤	35	2 201	77 035	2 635	92 225	152	5 320
71	調剤料　計量混合調剤　加算　液剤　予製剤	7	60	420	204	1 428	4	28
72	調剤料　計量混合調剤　加算　散剤・顆粒剤	45	10 890	490 050	12 430	559 350	609	27 405
73	調剤料　計量混合調剤　加算　散剤・顆粒剤　予製剤	9	1 838	16 542	2 363	21 267	165	1 485
74	調剤料　計量混合調剤　加算　軟・硬膏剤	80	25 112	2 008 960	27 578	2 206 240	1 599	127 920
75	調剤料　計量混合調剤　加算　軟・硬膏剤　予製剤	16	3 984	63 744	4 186	66 976	668	10 688
76	調剤料　在宅患者調剤　加算	15	20 964	314 460	22 511	337 665	510	7 650

第２表　件数・処方箋受付回数・算定回数・点数，

行番号	調剤行為	固定点数	総 総数 算定回数	総 総数 点数	総 病院 算定回数	総 病院 点数	総 診療所 算定回数	総 診療所 点数
77	薬学管理料計		64 636 634	3 216 024 232	14 330 956	733 589 088	49 609 894	2 446 417 016
78	薬剤服用歴管理指導料　６月以内再度処方箋持参　手帳あり　調剤基本料１	41	30 368 582	1 245 111 862	5 681 968	232 960 688	24 451 538	1 002 513 058
79	薬剤服用歴管理指導料　６月以内再度処方箋持参以外　調剤基本料１	53	7 947 765	421 231 545	959 776	50 868 128	6 772 385	358 936 405
80	薬剤服用歴管理指導料　６月以内再度処方箋持参以外　調剤基本料１以外	53	2 402 085	127 310 505	801 433	42 475 949	1 576 813	83 571 089
81	薬剤服用歴管理指導料　特別養護老人ホーム入所者を訪問　６月以内再度処方箋持参　手帳あり	41	561 065	23 003 665	146 977	6 026 057	410 039	16 811 599
82	薬剤服用歴管理指導料　特別養護老人ホーム入所者を訪問　６月以内再度処方箋持参　手帳なし	41	79 959	3 278 319	24 712	1 013 192	54 546	2 236 386
83	薬剤服用歴管理指導料　特別養護老人ホーム入所者を訪問　６月以内再度処方箋持参以外	41	14 988	614 508	4 136	169 576	10 769	441 529
84	薬剤服用歴管理指導料　６月以内再度処方箋持参　手帳なし　調剤基本料１	53	9 901 243	524 765 879	1 447 001	76 691 053	8 306 780	440 259 340
85	薬剤服用歴管理指導料　６月以内再度処方箋持参　手帳あり　調剤基本料１以外	53	9 400 441	498 223 373	3 859 463	204 551 539	5 503 798	291 701 294
86	薬剤服用歴管理指導料　６月以内再度処方箋持参　手帳なし　調剤基本料１以外	53	2 895 133	153 442 049	1 053 761	55 849 333	1 823 390	96 639 670
87	薬剤服用歴管理指導料　麻薬管理指導　加算	22	31 163	685 586	21 430	471 460	9 682	213 004
88	薬剤服用歴管理指導料　重複投薬・相互作用等防止　加算　残薬調整以外	40	177 663	7 106 520	46 859	1 874 360	128 402	5 136 080
89	薬剤服用歴管理指導料　重複投薬・相互作用等防止　加算　残薬調整	30	199 549	5 986 470	71 674	2 150 220	126 603	3 798 090
90	薬剤服用歴管理指導料　特定薬剤管理指導　加算	10	6 741 533	67 415 330	2 429 207	24 292 070	4 275 994	42 759 940
91	薬剤服用歴管理指導料　６歳未満の乳幼児服薬指導　加算	12	3 622 337	43 468 044	328 635	3 943 620	3 273 211	39 278 532
92	かかりつけ薬剤師指導料	73	979 838	71 528 174	332 047	24 239 431	642 034	46 868 482
93	かかりつけ薬剤師指導料　麻薬管理指導　加算	22	1 376	30 272	1 127	24 794	249	5 478
94	かかりつけ薬剤師指導料　重複投薬・相互作用等防止　加算　残薬調整以外	40	5 797	231 880	2 304	92 160	3 437	137 480
95	かかりつけ薬剤師指導料　重複投薬・相互作用等防止　加算　残薬調整	30	8 600	258 000	3 801	114 030	4 773	143 190
96	かかりつけ薬剤師指導料　特定薬剤管理指導　加算	10	267 335	2 673 350	121 065	1 210 650	145 130	1 451 300
97	かかりつけ薬剤師指導料　６歳未満の乳幼児服薬指導　加算	12	83 774	1 005 288	7 598	91 176	75 660	907 920
98	かかりつけ薬剤師包括管理料	280	836	234 080	22	6 160	809	226 520
99	かかりつけ薬剤師包括管理料　時間外　加算		-	-	-	-	-	-
100	かかりつけ薬剤師包括管理料　時間外特例　加算		-	-	-	-	-	-
101	かかりつけ薬剤師包括管理料　休日　加算		1	392	-	-	1	392
102	かかりつけ薬剤師包括管理料　深夜　加算		-	-	-	-	-	-
103	外来服薬支援料	185	7 464	1 380 840	-	-	-	-
104	服用薬剤調整支援料	125	189	23 625	41	5 125	146	18 250
105	在宅患者訪問薬剤管理指導料１　単一建物　診療患者１人	650	17 298	11 243 700	5 055	3 285 750	12 123	7 879 950
106	在宅患者訪問薬剤管理指導料２　単一建物　診療患者２人以上９人以下	320	1 864	596 480	446	142 720	1 399	447 680
107	在宅患者訪問薬剤管理指導料３　１及び２以外	290	4 216	1 222 640	1 313	380 770	2 897	840 130
108	在宅患者訪問薬剤管理指導料　麻薬管理指導　加算	100	537	53 700	99	9 900	436	43 600
109	在宅患者訪問薬剤管理指導料　６歳未満の乳幼児　加算	100	1 101	110 100	546	54 600	555	55 500
110	在宅患者緊急訪問薬剤管理指導料	500	4 615	2 307 500	546	273 000	4 056	2 028 000
111	在宅患者緊急訪問薬剤管理指導料　麻薬管理指導　加算	100	285	28 500	16	1 600	267	26 700
112	在宅患者緊急訪問薬剤管理指導料　６歳未満の乳幼児　加算	100	32	3 200	10	1 000	22	2 200
113	在宅患者緊急時等共同指導料	700	144	100 800	18	12 600	126	88 200
114	在宅患者緊急時等共同指導料　麻薬管理指導　加算	100	4	400	-	-	4	400
115	在宅患者緊急時等共同指導料　６歳未満の乳幼児　加算	100	1	100	-	-	1	100
116	退院時共同指導料	600	142	85 200	-	-	-	-
117	服薬情報等提供料１	30	13 886	416 580	3 466	103 980	10 397	311 910
118	服薬情報等提供料２	20	16 681	333 620	4 764	95 280	11 720	234 400
119	在宅患者重複投薬・相互作用等防止管理料　残薬調整以外	40	1 853	74 120	405	16 200	1 440	57 600
120	在宅患者重複投薬・相互作用等防止管理料　残薬調整	30	10 404	312 120	1 643	49 290	8 714	261 420
121	調剤基本料　医師の分割指示　薬学管理料		5 943	125 916	1 963	41 627	3 975	84 198
122	薬剤料計		4 492 603 933	42 284 758 363	1 645 409 776	20 046 651 084	2 826 784 067	22 072 410 419
123	内服薬		4 447 717 695	34 583 236 343	1 637 067 588	16 807 898 617	2 790 511 116	17 640 289 806
124	注射薬		1 100 789	2 339 367 070	589 209	1 681 039 734	507 641	652 604 555
125	外用薬		43 785 449	5 362 154 950	7 752 979	1 557 712 733	35 765 310	3 779 516 058
126	特定保険医療材料料計		492 606	103 253 039	262 084	70 049 882	228 821	32 934 964
127	注射器（材料価格11、17円）		790	73 018	395	37 134	394	35 884
128	注射針（材料価格17、18円）		480 022	75 106 351	256 554	46 016 354	221 880	28 880 061
129	その他の特定保険材料		11 794	28 073 670	5 135	23 996 394	6 547	4 019 019
130	補正点数（＋）請求点数と決定点数の差		・	9 480 474	・	4 664 855	・	4 764 198
131	補正点数（－）請求点数と決定点数の差		・	-5 990	・	-2 097	・	-3 887

平成30年６月審査分

数								
歯科単科病院及び歯科診療所		処方処方箋発行医療機関無記載		調剤基本料1		調剤基本料2		行番号
算定回数	点数	算定回数	点数	算定回数	点数	算定回数	点数	
377 931	19 138 963	7 606	1 466 040	49 580 709	2 374 159 944	5 149 449	283 292 128	77
85 066	3 487 706	·	−	30 368 509	1 245 108 869	11	451	78
167 069	8 854 657	·	−	7 947 270	421 205 310	1	53	79
16 293	863 529	·	−	9 054	479 862	853 924	45 257 972	80
104	4 264	·	−	510 062	20 912 542	19 593	803 313	81
16	656	·	−	69 293	2 841 013	3 473	142 393	82
7	287	·	−	13 360	547 760	421	17 261	83
89 460	4 741 380	·	−	9 900 985	524 752 205	3	159	84
9 339	494 967	·	−	42 406	2 247 518	3 207 757	170 011 121	85
8 900	471 700	·	−	9 325	494 225	1 019 213	54 018 289	86
−	−	·	−	17 952	394 944	2 850	62 700	87
1 556	62 240	·	−	125 518	5 020 720	15 619	624 760	88
533	15 990	·	−	140 359	4 210 770	18 681	560 430	89
195	1 950	·	−	4 746 440	47 464 400	420 528	4 205 280	90
2 144	25 728	·	−	2 769 077	33 228 924	297 216	3 566 592	91
1 484	108 332	·	−	641 690	46 843 370	40 743	2 974 239	92
−	−	·	−	540	11 880	63	1 386	93
19	760	·	−	3 255	130 200	259	10 360	94
1	30	·	−	5 136	154 080	314	9 420	95
2	20	·	−	151 181	1 511 810	10 115	101 150	96
16	192	·	−	61 131	733 572	5 358	64 296	97
−	−	·	−	727	203 560	8	2 240	98
−	−	·	−	−	−	−	−	99
−	−	·	−	−	−	−	−	100
−	−	·	−	1	392	−	−	101
−	−	·	−	−	−	−	−	102
−	−	7 464	1 380 840	6 013	1 112 405	283	52 355	103
1	125	·	−	160	20 000	11	1 375	104
−	−	·	−	14 648	9 521 200	872	566 800	105
−	−	·	−	1 615	516 800	84	26 880	106
−	−	·	−	3 714	1 077 060	81	23 490	107
−	−	·	−	467	46 700	28	2 800	108
−	−	·	−	911	91 100	77	7 700	109
1	500	·	−	4 225	2 112 500	179	89 500	110
−	−	·	−	264	26 400	12	1 200	111
−	−	·	−	28	2 800	1	100	112
−	−	·	−	121	84 700	15	10 500	113
−	−	·	−	4	400	−	−	114
−	−	·	−	1	100	−	−	115
−	−	142	85 200	126	75 600	6	3 600	116
13	390	·	−	10 251	307 530	918	27 540	117
178	3 560	·	−	11 851	237 020	889	17 780	118
−	−	·	−	1 537	61 480	87	3 480	119
−	−	·	−	9 012	270 360	433	12 990	120
−	−	·	−	4 755	97 863	444	10 173	121
1 871 148	17 741 380	·	−	3 324 176 937	29 790 392 385	369 018 953	3 913 873 565	122
1 814 777	15 743 793	·	−	3 289 999 462	24 308 298 823	364 736 915	3 120 620 812	123
10	4 627	·	−	762 335	1 512 019 766	106 461	270 803 869	124
56 361	1 992 960	·	−	33 415 140	3 970 073 796	4 175 577	522 448 884	125
2	302	·	−	339 527	67 316 395	46 567	11 322 462	126
−	−	·	−	558	54 052	109	7 519	127
2	302	·	−	329 857	49 754 172	45 410	7 645 240	128
−	−	·	−	9 112	17 508 171	1 048	3 669 703	129
·	−	·	−	·	6 965 256	·	683 724	130
·	−	·	−	·	−5 239	·	−287	131

第２表　件数・処方箋受付回数・算定回数・点数，

行番号	調剤行為	固定点数	総数					
			調剤基本料３　イ		調剤基本料３　ロ		特別調剤基本料	
			算定回数	点数	算定回数	点数	算定回数	点数
77	薬学管理料計		4 307 705	240 546 534	5 341 700	303 675 772	257 071	14 349 854
78	薬剤服用歴管理指導料　６月以内再度処方箋持参　手帳あり　調剤基本料１	41	-	-	4	164	58	2 378
79	薬剤服用歴管理指導料　６月以内再度処方箋持参以外　調剤基本料１	53	-	-	3	159	491	26 023
80	薬剤服用歴管理指導料　６月以内再度処方箋持参以外　調剤基本料１以外	53	663 873	35 185 269	823 488	43 644 864	51 746	2 742 538
81	薬剤服用歴管理指導料　特別養護老人ホーム入所者を訪問　６月以内再度処方箋持参　手帳あり	41	15 517	636 197	15 148	621 068	745	30 545
82	薬剤服用歴管理指導料　特別養護老人ホーム入所者を訪問　６月以内再度処方箋持参　手帳なし	41	3 666	150 306	3 137	128 617	390	15 990
83	薬剤服用歴管理指導料　特別養護老人ホーム入所者を訪問　６月以内再度処方箋持参以外	41	798	32 718	322	13 202	87	3 567
84	薬剤服用歴管理指導料　６月以内再度処方箋持参　手帳なし　調剤基本料１	53	3	159	1	53	251	13 303
85	薬剤服用歴管理指導料　６月以内再度処方箋持参　手帳あり　調剤基本料１以外	53	2 694 372	142 801 716	3 296 656	174 722 768	159 250	8 440 250
86	薬剤服用歴管理指導料　６月以内再度処方箋持参　手帳なし　調剤基本料１以外	53	853 195	45 219 335	972 625	51 549 125	40 775	2 161 075
87	薬剤服用歴管理指導料　麻薬管理指導　加算	22	4 310	94 820	5 751	126 522	300	6 600
88	薬剤服用歴管理指導料　重複投薬・相互作用等防止　加算　残薬調整以外	40	12 227	489 080	23 427	937 080	872	34 880
89	薬剤服用歴管理指導料　重複投薬・相互作用等防止　加算　残薬調整	30	16 164	484 920	23 235	697 050	1 110	33 300
90	薬剤服用歴管理指導料　特定薬剤管理指導　加算	10	593 783	5 937 830	938 285	9 382 850	42 497	424 970
91	薬剤服用歴管理指導料　６歳未満の乳幼児服薬指導　加算	12	259 710	3 116 520	282 746	3 392 952	13 588	163 056
92	かかりつけ薬剤師指導料	73	72 280	5 276 440	222 267	16 225 491	2 858	208 634
93	かかりつけ薬剤師指導料　麻薬管理指導　加算	22	158	3 476	607	13 354	8	176
94	かかりつけ薬剤師指導料　重複投薬・相互作用等防止　加算　残薬調整以外	40	386	15 440	1 869	74 760	28	1 120
95	かかりつけ薬剤師指導料　重複投薬・相互作用等防止　加算　残薬調整	30	900	27 000	2 219	66 570	31	930
96	かかりつけ薬剤師指導料　特定薬剤管理指導　加算	10	20 524	205 240	84 332	843 320	1 183	11 830
97	かかりつけ薬剤師指導料　６歳未満の乳幼児服薬指導　加算	12	6 928	83 136	10 198	122 376	159	1 908
98	かかりつけ薬剤師包括管理料	280	75	21 000	26	7 280	-	-
99	かかりつけ薬剤師包括管理料　時間外　加算		-	-	-	-	-	-
100	かかりつけ薬剤師包括管理料　時間外特例　加算		-	-	-	-	-	-
101	かかりつけ薬剤師包括管理料　休日　加算		-	-	-	-	-	-
102	かかりつけ薬剤師包括管理料　深夜　加算		-	-	-	-	-	-
103	外来服薬支援料	185	383	70 855	770	142 450	15	2 775
104	服用薬剤調整支援料	125	8	1 000	10	1 250	-	-
105	在宅患者訪問薬剤管理指導料１　単一建物　診療患者１人	650	666	432 900	1 094	711 100	18	11 700
106	在宅患者訪問薬剤管理指導料２　単一建物　診療患者２人以上９人以下	320	113	36 160	50	16 000	2	640
107	在宅患者訪問薬剤管理指導料３　１及び２以外	290	340	98 600	81	23 490	-	-
108	在宅患者訪問薬剤管理指導料　麻薬管理指導　加算	100	23	2 300	19	1 900	-	-
109	在宅患者訪問薬剤管理指導料　６歳未満の乳幼児　加算	100	39	3 900	72	7 200	2	200
110	在宅患者緊急訪問薬剤管理指導料	500	110	55 000	97	48 500	4	2 000
111	在宅患者緊急訪問薬剤管理指導料　麻薬管理指導　加算	100	5	500	4	400	-	-
112	在宅患者緊急訪問薬剤管理指導料　６歳未満の乳幼児　加算	100	1	100	2	200	-	-
113	在宅患者緊急時等共同指導料	700	2	1 400	6	4 200	-	-
114	在宅患者緊急時等共同指導料　麻薬管理指導　加算	100	-	-	-	-	-	-
115	在宅患者緊急時等共同指導料　６歳未満の乳幼児　加算	100	-	-	-	-	-	-
116	退院時共同指導料	600	4	2 400	6	3 600	-	-
117	服薬情報等提供料１	30	785	23 550	1 786	53 580	146	4 380
118	服薬情報等提供料２	20	696	13 920	3 049	60 980	196	3 920
119	在宅患者重複投薬・相互作用等防止管理料　残薬調整以外	40	95	3 800	130	5 200	4	160
120	在宅患者重複投薬・相互作用等防止管理料　残薬調整	30	444	13 320	483	14 490	32	960
121	調剤基本料　医師の分割指示　薬学管理料		280	6 227	461	11 607	3	46
122	薬剤料計		337 572 026	3 617 560 497	440 289 995	4 737 594 586	21 546 022	225 337 330
123	内服薬		334 722 896	3 007 563 565	436 892 421	3 960 077 269	21 366 001	186 675 874
124	注射薬		95 575	230 241 949	130 740	310 598 846	5 678	15 702 640
125	外用薬		2 753 555	379 754 983	3 266 834	466 918 471	174 343	22 958 816
126	特定保険医療材料料計		44 693	10 682 300	59 444	13 505 404	2 375	426 478
127	注射器（材料価格11、17円）		83	8 248	38	2 663	2	536
128	注射針（材料価格17、18円）		43 885	7 389 831	58 507	9 917 683	2 363	399 425
129	その他の特定保険材料		725	3 284 221	899	3 585 058	10	26 517
130	補正点数（＋）請求点数と決定点数の差		・	786 312	・	962 152	・	83 030
131	補正点数（－）請求点数と決定点数の差		・	-127	・	-336	・	-1

平成30年６月審査分

一般医療 総数 算定回数	一般医療 総数 点数	病院 算定回数	病院 点数	診療所 算定回数	診療所 点数	行番号
45 769 620	2 302 501 115	9 045 039	467 406 032	36 193 161	1 807 924 063	77
19 710 605	808 134 805	3 315 588	135 939 108	16 237 541	665 739 181	78
7 121 497	377 439 341	775 422	41 097 366	6 159 140	326 434 420	79
2 103 967	111 510 251	645 455	34 209 115	1 437 648	76 195 344	80
31 226	1 280 266	8 656	354 896	22 360	916 760	81
4 763	195 283	1 779	72 939	2 946	120 786	82
1 117	45 797	314	12 874	788	32 308	83
7 756 731	411 106 743	1 010 221	53 541 713	6 626 596	351 209 588	84
6 232 398	330 317 094	2 355 961	124 865 933	3 850 206	204 060 918	85
2 284 316	121 068 748	771 124	40 869 572	1 498 332	79 411 596	86
21 279	468 138	14 986	329 692	6 260	137 720	87
117 949	4 717 960	26 149	1 045 960	90 042	3 601 680	88
104 523	3 135 690	37 317	1 119 510	66 443	1 993 290	89
4 162 574	41 625 740	1 506 928	15 069 280	2 633 920	26 339 200	90
3 622 337	43 468 044	328 635	3 943 620	3 273 211	39 278 532	91
479 854	35 029 342	148 678	10 853 494	328 061	23 948 453	92
840	18 480	734	16 148	106	2 332	93
2 482	99 280	910	36 400	1 543	61 720	94
2 625	78 750	1 218	36 540	1 398	41 940	95
119 277	1 192 770	58 849	588 490	59 892	598 920	96
83 774	1 005 288	7 598	91 176	75 660	907 920	97
253	70 840	4	1 120	244	68 320	98
－	－	－	－	－	－	99
－	－	－	－	－	－	100
－	－	－	－	－	－	101
－	－	－	－	－	－	102
1 433	265 105	－	－	－	－	103
30	3 750	4	500	25	3 125	104
12 004	7 802 600	4 007	2 604 550	7 922	5 149 300	105
1 387	443 840	368	117 760	1 006	321 920	106
2 748	796 920	1 100	319 000	1 642	476 180	107
418	41 800	85	8 500	331	33 100	108
1 101	110 100	546	54 600	555	55 500	109
731	365 500	97	48 500	632	316 000	110
126	12 600	11	1 100	115	11 500	111
32	3 200	10	1 000	22	2 200	112
16	11 200	4	2 800	12	8 400	113
2	200	－	－	2	200	114
1	100	－	－	1	100	115
56	33 600	－	－	－	－	116
9 146	274 380	2 110	63 300	7 024	210 720	117
9 632	192 640	2 528	50 560	6 949	138 980	118
248	9 920	75	3 000	173	6 920	119
1 035	31 050	211	6 330	821	24 630	120
4 427	93 960	1 333	29 586	3 093	64 360	121
2 570 378 560	25 865 254 666	898 100 638	12 473 306 617	1 659 710 504	13 288 475 577	122
2 540 083 018	20 778 365 224	893 435 542	10 275 742 439	1 634 261 894	10 418 597 979	123
739 173	1 796 755 485	410 560	1 351 744 735	326 078	441 010 429	124
29 556 369	3 290 133 957	4 254 536	845 819 443	25 122 532	2 428 867 169	125
308 854	70 374 020	170 444	49 135 750	137 414	21 071 269	126
467	38 239	268	20 850	199	17 389	127
302 804	50 941 857	166 723	31 676 954	135 127	19 126 146	128
5 583	19 393 924	3 453	17 437 946	2 088	1 927 734	129
・	2 317 502	・	1 448 100	・	862 963	130
・	-3 928	・	-999	・	-2 928	131

第２表　件数・処方箋受付回数・算定回数・点数，

行番号	調剤行為	固定点数	歯科単科病院及び歯科診療所		処方箋発行医療機関無記載		調剤基本料１		調剤基本料２	
			算定回数	点数	算定回数	点数	算定回数	点数	算定回数	点数
77	薬学管理料計		307 131	15 665 907	1 489	298 705	35 010 743	1 701 712 580	3 747 647	206 514 428
78	薬剤服用歴管理指導料　６月以内再度処方箋持参　手帳あり　調剤基本料１	41	59 011	2 419 451	・	−	19 710 565	808 133 165	3	123
79	薬剤服用歴管理指導料　６月以内再度処方箋持参以外　調剤基本料１	53	144 405	7 653 465	・	−	7 121 193	377 423 229	−	−
80	薬剤服用歴管理指導料　６月以内再度処方箋持参以外　調剤基本料１以外	53	14 311	758 483	・	−	7 791	412 923	754 236	39 974 508
81	薬剤服用歴管理指導料　特別養護老人ホーム入所者を訪問　６月以内再度処方箋持参　手帳あり	41	9	369	・	−	27 773	1 138 693	1 132	46 412
82	薬剤服用歴管理指導料　特別養護老人ホーム入所者を訪問　６月以内再度処方箋持参　手帳なし	41	5	205	・	−	4 185	171 585	179	7 339
83	薬剤服用歴管理指導料　特別養護老人ホーム入所者を訪問　６月以内再度処方箋持参以外	41	3	123	・	−	993	40 713	31	1 271
84	薬剤服用歴管理指導料　６月以内再度処方箋持参　手帳なし　調剤基本料１	53	74 589	3 953 217	・	−	7 756 527	411 095 931	1	53
85	薬剤服用歴管理指導料　６月以内再度処方箋持参　手帳あり　調剤基本料１以外	53	6 535	346 355	・	−	24 721	1 310 213	2 154 246	114 175 038
86	薬剤服用歴管理指導料　６月以内再度処方箋持参　手帳なし　調剤基本料１以外	53	7 404	392 412	・	−	6 944	368 032	812 634	43 069 602
87	薬剤服用歴管理指導料　麻薬管理指導　加算	22	−	−	・	−	11 860	260 920	1 940	42 680
88	薬剤服用歴管理指導料　重複投薬・相互作用等防止　加算　残薬調整以外	40	1 187	47 480	・	−	83 689	3 347 560	10 291	411 640
89	薬剤服用歴管理指導料　重複投薬・相互作用等防止　加算　残薬調整	30	408	12 240	・	−	72 013	2 160 390	10 300	309 000
90	薬剤服用歴管理指導料　特定薬剤管理指導　加算	10	123	1 230	・	−	2 914 373	29 143 730	257 614	2 576 140
91	薬剤服用歴管理指導料　６歳未満の乳幼児服薬指導　加算	12	2 144	25 728	・	−	2 769 077	33 228 924	297 216	3 566 592
92	かかりつけ薬剤師指導料	73	704	51 392	・	−	316 012	23 068 876	22 725	1 658 925
93	かかりつけ薬剤師指導料　麻薬管理指導　加算	22	−	−	・	−	272	5 984	38	836
94	かかりつけ薬剤師指導料　重複投薬・相互作用等防止　加算　残薬調整以外	40	6	240	・	−	1 369	54 760	138	5 520
95	かかりつけ薬剤師指導料　重複投薬・相互作用等防止　加算　残薬調整	30	1	30	・	−	1 467	44 010	116	3 480
96	かかりつけ薬剤師指導料　特定薬剤管理指導　加算	10	−	−	・	−	65 655	656 550	4 733	47 330
97	かかりつけ薬剤師指導料　６歳未満の乳幼児服薬指導　加算	12	16	192	・	−	61 131	733 572	5 358	64 296
98	かかりつけ薬剤師包括管理料	280	−	−	・	−	221	61 880	4	1 120
99	かかりつけ薬剤師包括管理料　時間外　加算		−	−	・	−	−	−	−	−
100	かかりつけ薬剤師包括管理料　時間外特例　加算		−	−	・	−	−	−	−	−
101	かかりつけ薬剤師包括管理料　休日　加算		−	−	・	−	−	−	−	−
102	かかりつけ薬剤師包括管理料　深夜　加算		−	−	・	−	−	−	−	−
103	外来服薬支援料	185	−	−	1 433	265 105	1 105	204 425	58	10 730
104	服用薬剤調整支援料	125	1	125	・	−	24	3 000	3	375
105	在宅患者訪問薬剤管理指導料１　単一建物　診療患者１人	650	−	−	・	−	10 160	6 604 000	674	438 100
106	在宅患者訪問薬剤管理指導料２　単一建物　診療患者２人以上９人以下	320	−	−	・	−	1 197	383 040	61	19 520
107	在宅患者訪問薬剤管理指導料３　１及び２以外	290	−	−	・	−	2 419	701 510	39	11 310
108	在宅患者訪問薬剤管理指導料　麻薬管理指導　加算	100	−	−	・	−	364	36 400	25	2 500
109	在宅患者訪問薬剤管理指導料　６歳未満の乳幼児　加算	100	−	−	・	−	911	91 100	77	7 700
110	在宅患者緊急訪問薬剤管理指導料	500	−	−	・	−	656	328 000	35	17 500
111	在宅患者緊急訪問薬剤管理指導料　麻薬管理指導　加算	100	−	−	・	−	113	11 300	8	800
112	在宅患者緊急訪問薬剤管理指導料　６歳未満の乳幼児　加算	100	−	−	・	−	28	2 800	1	100
113	在宅患者緊急時等共同指導料	700	−	−	・	−	10	7 000	4	2 800
114	在宅患者緊急時等共同指導料　麻薬管理指導　加算	100	−	−	・	−	2	200	−	−
115	在宅患者緊急時等共同指導料　６歳未満の乳幼児　加算	100	−	−	・	−	1	100	−	−
116	退院時共同指導料	600	−	−	56	33 600	50	30 000	3	1 800
117	服薬情報等提供料１	30	9	270	・	−	6 798	203 940	596	17 880
118	服薬情報等提供料２	20	145	2 900	・	−	6 713	134 260	564	11 280
119	在宅患者重複投薬・相互作用等防止管理料　残薬調整以外	40	−	−	・	−	206	8 240	17	680
120	在宅患者重複投薬・相互作用等防止管理料　残薬調整	30	−	−	・	−	885	26 550	50	1 500
121	調剤基本料　医師の分割指示　薬学管理料		−	−	・	−	3 595	75 075	352	7 948
122	薬剤料計		1 518 807	13 862 084	・	−	1 885 322 705	17 901 537 859	217 749 498	2 504 771 928
123	内服薬		1 479 542	12 562 692	・	−	1 862 434 314	14 331 335 260	214 681 103	1 960 388 973
124	注射薬		5	2 100	・	−	503 321	1 144 335 648	73 521	213 297 713
125	外用薬		39 260	1 297 292	・	−	22 385 070	2 425 866 951	2 994 874	331 085 242
126	特定保険医療材料料計		2	302	・	−	208 506	45 329 445	30 285	7 818 917
127	注射器（材料価格11、17円）		−	−	・	−	331	29 035	63	3 791
128	注射針（材料価格17、18円）		2	302	・	−	204 026	33 183 607	29 693	5 320 317
129	その他の特定保険材料		−	−	・	−	4 149	12 116 803	529	2 494 809
130	補正点数（＋）請求点数と決定点数の差		・	−	・	−	・	1 619 569	・	185 444
131	補正点数（－）請求点数と決定点数の差		・	−	・	−	・	-3 444	・	-224

平成30年６月審査分

一般医療 調剤基本料３イ 算定回数	一般医療 調剤基本料３イ 点数	一般医療 調剤基本料３ロ 算定回数	一般医療 調剤基本料３ロ 点数	一般医療 特別調剤基本料 算定回数	一般医療 特別調剤基本料 点数	行番号
3 061 954	170 922 922	3 770 208	213 337 131	179 068	10 014 054	77
-	-	3	123	34	1 394	78
-	-	1	53	303	16 059	79
581 108	30 798 724	718 403	38 075 359	42 429	2 248 737	80
1 470	60 270	811	33 251	40	1 640	81
203	8 323	175	7 175	21	861	82
64	2 624	25	1 025	4	164	83
1	53	1	53	201	10 653	84
1 774 250	94 035 250	2 175 554	115 304 362	103 627	5 492 231	85
667 789	35 392 817	766 242	40 610 826	30 707	1 627 471	86
3 108	68 376	4 173	91 806	198	4 356	87
7 918	316 720	15 519	620 760	532	21 280	88
8 631	258 930	12 979	389 370	600	18 000	89
365 727	3 657 270	597 572	5 975 720	27 288	272 880	90
259 710	3 116 520	282 746	3 392 952	13 588	163 056	91
34 972	2 552 956	104 643	7 638 939	1 502	109 646	92
99	2 178	425	9 350	6	132	93
204	8 160	763	30 520	8	320	94
280	8 400	751	22 530	11	330	95
8 371	83 710	39 819	398 190	699	6 990	96
6 928	83 136	10 198	122 376	159	1 908	97
17	4 760	11	3 080	-	-	98
-	-	-	-	-	-	99
-	-	-	-	-	-	100
-	-	-	-	-	-	101
-	-	-	-	-	-	102
82	15 170	186	34 410	2	370	103
1	125	2	250	-	-	104
453	294 450	701	455 650	16	10 400	105
99	31 680	28	8 960	2	640	106
269	78 010	21	6 090	-	-	107
17	1 700	12	1 200	-	-	108
39	3 900	72	7 200	2	200	109
15	7 500	25	12 500	-	-	110
2	200	3	300	-	-	111
1	100	2	200	-	-	112
-	-	2	1 400	-	-	113
-	-	-	-	-	-	114
-	-	-	-	-	-	115
2	1 200	1	600	-	-	116
550	16 500	1 131	33 930	71	2 130	117
353	7 060	1 900	38 000	102	2 040	118
8	320	17	680	-	-	119
42	1 260	54	1 620	4	120	120
206	4 570	271	6 321	3	46	121
197 484 286	2 295 389 037	257 480 926	3 024 299 032	12 341 145	139 256 810	122
195 536 875	1 880 227 355	255 210 358	2 493 428 009	12 220 368	112 985 627	123
66 233	180 298 146	92 224	246 495 647	3 874	12 328 331	124
1 881 178	234 863 536	2 178 344	284 375 376	116 903	13 942 852	125
29 243	7 457 893	39 247	9 461 424	1 573	306 341	126
42	3 517	30	1 717	1	179	127
28 789	5 194 671	38 732	6 963 497	1 564	279 765	128
412	2 259 705	485	2 496 210	8	26 397	129
·	186 082	·	310 089	·	16 318	130
·	-83	·	-176	·	-1	131

第２表　件数・処方箋受付回数・算定回数・点数,

行番号	調剤行為	固定点数	後 総数 算定回数	総数 点数	病院 算定回数	病院 点数	診療所 算定回数	診療所 点数
77	薬学管理料計		18 867 014	913 523 117	5 285 917	266 183 056	13 416 733	638 492 953
78	薬剤服用歴管理指導料　６月以内再度処方箋持参　手帳あり　調剤基本料１	41	10 657 977	436 977 057	2 366 380	97 021 580	8 213 997	336 773 877
79	薬剤服用歴管理指導料　６月以内再度処方箋持参以外　調剤基本料１	53	826 268	43 792 204	184 354	9 770 762	613 245	32 501 985
80	薬剤服用歴管理指導料　６月以内再度処方箋持参以外　調剤基本料１以外	53	298 118	15 800 254	155 978	8 266 834	139 165	7 375 745
81	薬剤服用歴管理指導料　特別養護老人ホーム入所者を訪問　６月以内再度処方箋持参　手帳あり	41	529 839	21 723 399	138 321	5 671 161	387 679	15 894 839
82	薬剤服用歴管理指導料　特別養護老人ホーム入所者を訪問　６月以内再度処方箋持参　手帳なし	41	75 196	3 083 036	22 933	940 253	51 600	2 115 600
83	薬剤服用歴管理指導料　特別養護老人ホーム入所者を訪問　６月以内再度処方箋持参以外	41	13 871	568 711	3 822	156 702	9 981	409 221
84	薬剤服用歴管理指導料　６月以内再度処方箋持参　手帳なし　調剤基本料１	53	2 144 512	113 659 136	436 780	23 149 340	1 680 184	89 049 752
85	薬剤服用歴管理指導料　６月以内再度処方箋持参　手帳あり　調剤基本料１以外	53	3 168 043	167 906 279	1 503 502	79 685 606	1 653 592	87 640 376
86	薬剤服用歴管理指導料　６月以内再度処方箋持参　手帳なし　調剤基本料１以外	53	610 817	32 373 301	282 637	14 979 761	325 058	17 228 074
87	薬剤服用歴管理指導料　麻薬管理指導　加算	22	9 884	217 448	6 444	141 768	3 422	75 284
88	薬剤服用歴管理指導料　重複投薬・相互作用等防止　加算　残薬調整以外	40	59 714	2 388 560	20 710	828 400	38 360	1 534 400
89	薬剤服用歴管理指導料　重複投薬・相互作用等防止　加算　残薬調整	30	95 026	2 850 780	34 357	1 030 710	60 160	1 804 800
90	薬剤服用歴管理指導料　特定薬剤管理指導　加算	10	2 578 959	25 789 590	922 279	9 222 790	1 642 074	16 420 740
91	薬剤服用歴管理指導料　６歳未満の乳幼児服薬指導　加算	12	·	·	·	·	·	·
92	かかりつけ薬剤師指導料	73	499 984	36 498 832	183 369	13 385 937	313 973	22 920 029
93	かかりつけ薬剤師指導料　麻薬管理指導　加算	22	536	11 792	393	8 646	143	3 146
94	かかりつけ薬剤師指導料　重複投薬・相互作用等防止　加算　残薬調整以外	40	3 315	132 600	1 394	55 760	1 894	75 760
95	かかりつけ薬剤師指導料　重複投薬・相互作用等防止　加算　残薬調整	30	5 975	179 250	2 583	77 490	3 375	101 250
96	かかりつけ薬剤師指導料　特定薬剤管理指導　加算	10	148 058	1 480 580	62 216	622 160	85 238	852 380
97	かかりつけ薬剤師指導料　６歳未満の乳幼児服薬指導　加算	12	·	·	·	·	·	·
98	かかりつけ薬剤師包括管理料	280	583	163 240	18	5 040	565	158 200
99	かかりつけ薬剤師包括管理料　時間外　加算		－	－	－	－	－	－
100	かかりつけ薬剤師包括管理料　時間外特例　加算		－	－	－	－	－	－
101	かかりつけ薬剤師包括管理料　休日　加算		1	392	－	－	1	392
102	かかりつけ薬剤師包括管理料　深夜　加算		－	－	－	－	－	－
103	外来服薬支援料	185	6 031	1 115 735	－	－	－	－
104	服用薬剤調整支援料	125	159	19 875	37	4 625	121	15 125
105	在宅患者訪問薬剤管理指導料１　単一建物　診療患者１人	650	5 294	3 441 100	1 048	681 200	4 201	2 730 650
106	在宅患者訪問薬剤管理指導料２　単一建物　診療患者２人以上９人以下	320	477	152 640	78	24 960	393	125 760
107	在宅患者訪問薬剤管理指導料３　１及び２以外	290	1 468	425 720	213	61 770	1 255	363 950
108	在宅患者訪問薬剤管理指導料　麻薬管理指導　加算	100	119	11 900	14	1 400	105	10 500
109	在宅患者訪問薬剤管理指導料　６歳未満の乳幼児　加算	100	·	·	·	·	·	·
110	在宅患者緊急訪問薬剤管理指導料	500	3 884	1 942 000	449	224 500	3 424	1 712 000
111	在宅患者緊急訪問薬剤管理指導料　麻薬管理指導　加算	100	159	15 900	5	500	152	15 200
112	在宅患者緊急訪問薬剤管理指導料　６歳未満の乳幼児　加算	100	·	·	·	·	·	·
113	在宅患者緊急時等共同指導料	700	128	89 600	14	9 800	114	79 800
114	在宅患者緊急時等共同指導料　麻薬管理指導　加算	100	2	200	－	－	2	200
115	在宅患者緊急時等共同指導料　６歳未満の乳幼児　加算	100	·	·	·	·	·	·
116	退院時共同指導料	600	86	51 600	－	－	－	－
117	服薬情報等提供料１	30	4 740	142 200	1 356	40 680	3 373	101 190
118	服薬情報等提供料２	20	7 049	140 980	2 236	44 720	4 771	95 420
119	在宅患者重複投薬・相互作用等防止管理料　残薬調整以外	40	1 605	64 200	330	13 200	1 267	50 680
120	在宅患者重複投薬・相互作用等防止管理料　残薬調整	30	9 369	281 070	1 432	42 960	7 893	236 790
121	調剤基本料　医師の分割指示　薬学管理料		1 516	31 956	630	12 041	882	19 838
122	薬剤料計		1 922 225 373	16 419 503 697	747 309 138	7 573 344 467	1 167 073 563	8 783 934 842
123	内服薬		1 907 634 677	13 804 871 119	743 632 046	6 532 156 178	1 156 249 222	7 221 691 827
124	注射薬		361 616	542 611 585	178 649	329 294 999	181 563	211 594 126
125	外用薬		14 229 080	2 072 020 993	3 498 443	711 893 290	10 642 778	1 350 648 889
126	特定保険医療材料料計		183 752	32 879 019	91 640	20 914 132	91 407	11 863 695
127	注射器（材料価格11、17円）		323	34 779	127	16 284	195	18 495
128	注射針（材料価格17、18円）		177 218	24 164 494	89 831	14 339 400	86 753	9 753 915
129	その他の特定保険材料		6 211	8 679 746	1 682	6 558 448	4 459	2 091 285
130	補正点数（＋）請求点数と決定点数の差		·	7 162 972	·	3 216 755	·	3 901 235
131	補正点数（－）請求点数と決定点数の差		·	-2 062	·	-1 098	·	-959

調剤行為、一般医療－後期医療、処方箋発行医療機関・調剤基本料区分別

平成30年６月審査分

期		医		療				行番号
歯科単科病院及び歯科診療所		処方箋発行医療機関無記載		調剤基本料1		調剤基本料2		
算定回数	点数	算定回数	点数	算定回数	点数	算定回数	点数	
70 800	3 473 056	6 117	1 167 335	14 569 966	672 447 364	1 401 802	76 777 700	77
26 055	1 068 255	·	-	10 657 944	436 975 704	8	328	78
22 664	1 201 192	·	-	826 077	43 782 081	1	53	79
1 982	105 046	·	-	1 263	66 939	99 688	5 283 464	80
95	3 895	·	-	482 289	19 773 849	18 461	756 901	81
11	451	·	-	65 108	2 669 428	3 294	135 054	82
4	164	·	-	12 367	507 047	390	15 990	83
14 871	788 163	·	-	2 144 458	113 656 274	2	106	84
2 804	148 612	·	-	17 685	937 305	1 053 511	55 836 083	85
1 496	79 288	·	-	2 381	126 193	206 579	10 948 687	86
-	-	·	-	6 092	134 024	910	20 020	87
369	14 760	·	-	41 829	1 673 160	5 328	213 120	88
125	3 750	·	-	68 346	2 050 380	8 381	251 430	89
72	720	·	-	1 832 067	18 320 670	162 914	1 629 140	90
·	·	·	·	·	·	·	·	91
780	56 940	·	-	325 678	23 774 494	18 018	1 315 314	92
-	-	·	-	268	5 896	25	550	93
13	520	·	-	1 886	75 440	121	4 840	94
-	-	·	-	3 669	110 070	198	5 940	95
2	20	·	-	85 526	855 260	5 382	53 820	96
·	·	·	·	·	·	·	·	97
-	-	·	-	506	141 680	4	1 120	98
-	-	·	-	-	-	-	-	99
-	-	·	-	-	-	-	-	100
-	-	·	-	1	392	-	-	101
-	-	·	-	-	-	-	-	102
-	-	6 031	1 115 735	4 908	907 980	225	41 625	103
-	-	·	-	136	17 000	8	1 000	104
-	-	·	-	4 488	2 917 200	198	128 700	105
-	-	·	-	418	133 760	23	7 360	106
-	-	·	-	1 295	375 550	42	12 180	107
-	-	·	-	103	10 300	3	300	108
·	·	·	·	·	·	·	·	109
1	500	·	-	3 569	1 784 500	144	72 000	110
-	-	·	-	151	15 100	4	400	111
·	·	·	·	·	·	·	·	112
-	-	·	-	111	77 700	11	7 700	113
-	-	·	-	2	200	-	-	114
·	·	·	·	·	·	·	·	115
-	-	86	51 600	76	45 600	3	1 800	116
4	120	·	-	3 453	103 590	322	9 660	117
33	660	·	-	5 138	102 760	325	6 500	118
-	-	·	-	1 331	53 240	70	2 800	119
-	-	·	-	8 127	243 810	383	11 490	120
-	-	·	-	1 160	22 788	92	2 225	121
352 341	3 879 296	·	-	1 438 854 232	11 888 854 526	151 269 455	1 409 101 637	122
335 235	3 181 101	·	-	1 427 565 148	9 976 963 563	150 055 812	1 160 231 839	123
5	2 527	·	-	259 014	367 684 118	32 940	57 506 156	124
17 101	695 668	·	-	11 030 070	1 544 206 845	1 180 703	191 363 642	125
-	-	·	-	131 021	21 986 950	16 282	3 503 545	126
-	-	·	-	227	25 017	46	3 728	127
-	-	·	-	125 831	16 570 565	15 717	2 324 923	128
-	-	·	-	4 963	5 391 368	519	1 174 894	129
·	-	·	-	·	5 345 687	·	498 280	130
·	-	·	-	·	-1 795	·	-63	131

第２表　件数・処方箋受付回数・算定回数・点数，調剤行為、一般医療－後期医療、処方箋発行医療機関・調剤基本料区分別

平成30年６月審査分

行番号	調剤行為	固定点数	後期医療					
			調剤基本料３　イ		調剤基本料３　ロ		特別調剤基本料	
			算定回数	点数	算定回数	点数	算定回数	点数
77	薬学管理料計		1 245 751	69 623 612	1 571 492	90 338 641	78 003	4 335 800
78	薬剤服用歴管理指導料　６月以内再度処方箋持参　手帳あり　調剤基本料１	41	－	－	1	41	24	984
79	薬剤服用歴管理指導料　６月以内再度処方箋持参以外　調剤基本料１	53	－	－	2	106	188	9 964
80	薬剤服用歴管理指導料　６月以内再度処方箋持参以外　調剤基本料１以外	53	82 765	4 386 545	105 085	5 569 505	9 317	493 801
81	薬剤服用歴管理指導料　特別養護老人ホーム入所者を訪問　６月以内再度処方箋持参　手帳あり	41	14 047	575 927	14 337	587 817	705	28 905
82	薬剤服用歴管理指導料　特別養護老人ホーム入所者を訪問　６月以内再度処方箋持参　手帳なし	41	3 463	141 983	2 962	121 442	369	15 129
83	薬剤服用歴管理指導料　特別養護老人ホーム入所者を訪問　６月以内再度処方箋持参以外	41	734	30 094	297	12 177	83	3 403
84	薬剤服用歴管理指導料　６月以内再度処方箋持参　手帳なし　調剤基本料１	53	2	106	－	－	50	2 650
85	薬剤服用歴管理指導料　６月以内再度処方箋持参　手帳あり　調剤基本料１以外	53	920 122	48 766 466	1 121 102	59 418 406	55 623	2 948 019
86	薬剤服用歴管理指導料　６月以内再度処方箋持参　手帳なし　調剤基本料１以外	53	185 406	9 826 518	206 383	10 938 299	10 068	533 604
87	薬剤服用歴管理指導料　麻薬管理指導　加算	22	1 202	26 444	1 578	34 716	102	2 244
88	薬剤服用歴管理指導料　重複投薬・相互作用等防止　加算　残薬調整以外	40	4 309	172 360	7 908	316 320	340	13 600
89	薬剤服用歴管理指導料　重複投薬・相互作用等防止　加算　残薬調整	30	7 533	225 990	10 256	307 680	510	15 300
90	薬剤服用歴管理指導料　特定薬剤管理指導　加算	10	228 056	2 280 560	340 713	3 407 130	15 209	152 090
91	薬剤服用歴管理指導料　６歳未満の乳幼児服薬指導　加算	12	・	・	・	・	・	・
92	かかりつけ薬剤師指導料	73	37 308	2 723 484	117 624	8 586 552	1 356	98 988
93	かかりつけ薬剤師指導料　麻薬管理指導　加算	22	59	1 298	182	4 004	2	44
94	かかりつけ薬剤師指導料　重複投薬・相互作用等防止　加算　残薬調整以外	40	182	7 280	1 106	44 240	20	800
95	かかりつけ薬剤師指導料　重複投薬・相互作用等防止　加算　残薬調整	30	620	18 600	1 468	44 040	20	600
96	かかりつけ薬剤師指導料　特定薬剤管理指導　加算	10	12 153	121 530	44 513	445 130	484	4 840
97	かかりつけ薬剤師指導料　６歳未満の乳幼児服薬指導　加算	12	・	・	・	・	・	・
98	かかりつけ薬剤師包括管理料	280	58	16 240	15	4 200	－	－
99	かかりつけ薬剤師包括管理料　時間外　加算		－	－	－	－	－	－
100	かかりつけ薬剤師包括管理料　時間外特例　加算		－	－	－	－	－	－
101	かかりつけ薬剤師包括管理料　休日　加算		－	－	－	－	－	－
102	かかりつけ薬剤師包括管理料　深夜　加算		－	－	－	－	－	－
103	外来服薬支援料	185	301	55 685	584	108 040	13	2 405
104	服用薬剤調整支援料	125	7	875	8	1 000	－	－
105	在宅患者訪問薬剤管理指導料１　単一建物　診療患者１人	650	213	138 450	393	255 450	2	1 300
106	在宅患者訪問薬剤管理指導料２　単一建物　診療患者２人以上９人以下	320	14	4 480	22	7 040	－	－
107	在宅患者訪問薬剤管理指導料３　１及び２以外	290	71	20 590	60	17 400	－	－
108	在宅患者訪問薬剤管理指導料　麻薬管理指導　加算	100	6	600	7	700	－	－
109	在宅患者訪問薬剤管理指導料　６歳未満の乳幼児　加算	100	・	・	・	・	・	・
110	在宅患者緊急訪問薬剤管理指導料	500	95	47 500	72	36 000	4	2 000
111	在宅患者緊急訪問薬剤管理指導料　麻薬管理指導　加算	100	3	300	1	100	－	－
112	在宅患者緊急訪問薬剤管理指導料　６歳未満の乳幼児　加算	100	・	・	・	・	・	・
113	在宅患者緊急時等共同指導料	700	2	1 400	4	2 800	－	－
114	在宅患者緊急時等共同指導料　麻薬管理指導　加算	100	－	－	－	－	－	－
115	在宅患者緊急時等共同指導料　６歳未満の乳幼児　加算	100	・	・	・	・	・	・
116	退院時共同指導料	600	2	1 200	5	3 000	－	－
117	服薬情報等提供料１	30	235	7 050	655	19 650	75	2 250
118	服薬情報等提供料２	20	343	6 860	1 149	22 980	94	1 880
119	在宅患者重複投薬・相互作用等防止管理料　残薬調整以外	40	87	3 480	113	4 520	4	160
120	在宅患者重複投薬・相互作用等防止管理料　残薬調整	30	402	12 060	429	12 870	28	840
121	調剤基本料　医師の分割指示　薬学管理料		74	1 657	190	5 286	－	－
122	薬剤料計		140 087 740	1 322 171 460	182 809 069	1 713 295 554	9 204 877	86 080 520
123	内服薬		139 186 021	1 127 336 210	181 682 063	1 466 649 260	9 145 633	73 690 247
124	注射薬		29 342	49 943 803	38 516	64 103 199	1 804	3 374 309
125	外用薬		872 377	144 891 447	1 088 490	182 543 095	57 440	9 015 964
126	特定保険医療材料料計		15 450	3 224 407	20 197	4 043 980	802	120 137
127	注射器（材料価格11、17円）		41	4 731	8	946	1	357
128	注射針（材料価格17、18円）		15 096	2 195 160	19 775	2 954 186	799	119 660
129	その他の特定保険材料		313	1 024 516	414	1 088 848	2	120
130	補正点数（＋）請求点数と決定点数の差		・	600 230	・	652 063	・	66 712
131	補正点数（－）請求点数と決定点数の差		・	-44	・	-160	・	－

注：１）総数には、データ上で病院、診療所別を取得できなかったものを含む。
　　２）病院には病院併設歯科を、診療所には診療所併設歯科を含む。

第3表　件数・処方箋受付回数・算定回数・

行番号	調剤行為	固定点数	総数 件数 / 算定回数	総数 受付回数 / 点数	協会けんぽ 件数 / 算定回数	協会けんぽ 受付回数 / 点数
			件数 54 197 752	受付回数 67 103 841	件数 12 380 599	受付回数 14 995 352
			算定回数	点数	算定回数	点数
1	総　　計		601 393 119	57524 038 955	131 290 141	10657 694 471
2	調剤技術料計		536 756 485	11910 528 837	116 569 686	2364 721 596
3	調剤基本料小計		67 076 216	3992 553 792	14 990 365	888 716 286
4	調剤基本料1	41	51 510 330	2111 923 530	11 361 416	465 818 056
5	調剤基本料2	25	5 293 753	132 343 825	1 284 710	32 117 750
6	調剤基本料3　イ　受付回数4万回超40万回以下	20	4 418 856	88 377 120	1 020 660	20 413 200
7	調剤基本料3　ロ　受付回数40万回超	15	5 494 877	82 423 155	1 243 067	18 646 005
8	特別調剤基本料	10	265 798	2 657 980	60 709	607 090
9	調剤基本料1　50/100算定	21	73 090	1 534 890	15 158	318 318
10	調剤基本料2　50/100算定	13	10 177	132 301	2 727	35 451
11	調剤基本料3　イ　受付回数4万回超40万回以下　50/100算定	10	1 337	13 370	435	4 350
12	調剤基本料3　ロ　受付回数40万回超　50/100算定	8	2 414	19 312	457	3 656
13	特別調剤基本料　50/100算定	5	18	90	4	20
14	調剤基本料　長期投薬分割調剤	5	3 102	15 510	376	1 880
15	調剤基本料　後発医薬品分割調剤	5	513	2 565	105	525
16	調剤基本料　医師の分割指示　調剤基本料及び加算		5 566	168 029	1 022	30 761
17	調剤基本料　地域支援体制　加算	35	21 831 656	764 107 960	4 607 756	161 271 460
18	調剤基本料　後発医薬品調剤体制　加算1	18	14 828 991	266 921 838	3 214 627	57 863 286
19	調剤基本料　後発医薬品調剤体制　加算2	22	13 085 420	287 879 240	2 983 956	65 647 032
20	調剤基本料　後発医薬品調剤体制　加算3	26	9 241 790	240 286 540	2 342 129	60 895 354
21	調剤基本料　時間外　加算		21 696	1 256 556	7 551	442 665
22	調剤基本料　時間外特例　加算		1 816	91 469	783	39 682
23	調剤基本料　休日　加算		138 371	11 584 538	50 129	4 235 625
24	調剤基本料　深夜　加算		7 667	813 974	3 038	324 120
25	調剤料小計		469 680 269	7917 975 045	101 579 321	1476 005 310
26	調剤料　内服薬　14日分以下7日目以下	5	256 621 676	1283 050 729	62 595 414	312 974 602
27	調剤料　内服薬　14日分以下8日目以上	4	110 726 131	442 904 066	19 292 246	77 168 973
28	調剤料　内服薬　15日分以上21日分以下	67	4 025 601	269 683 845	690 922	46 288 211
29	調剤料　内服薬　22日分以上30日分以下	78	34 314 618	2676 470 057	5 650 168	440 702 118
30	調剤料　内服薬　31日分以上	86	17 202 363	1479 377 479	2 933 851	252 303 007
31	調剤料　内服薬　嚥下困難者用製剤　加算	80	170 955	13 676 400	4 721	377 680
32	調剤料　内服薬　一包化42日分以下　加算	32	14 246 570	455 890 232	759 263	24 296 416
33	調剤料　内服薬　一包化43日分以上　加算	220	487 179	107 178 068	39 405	8 669 100
34	調剤料　内服用　滴剤	10	376 106	3 761 060	31 954	319 540
35	調剤料　屯服薬	21	5 697 948	119 656 908	1 495 950	31 414 950
36	調剤料　浸煎薬	190	904	171 760	228	43 320
37	調剤料　湯薬　28日分以下7日目以下	190	29 934	5 687 400	8 712	1 655 280
38	調剤料　湯薬　28日分以下8日目以上	10	345 306	3 453 060	101 689	1 016 890
39	調剤料　湯薬　29日分以上	400	4 885	1 954 000	1 134	453 600
40	調剤料　注射薬	26	816 996	21 241 896	155 172	4 034 472
41	調剤料　注射薬　無菌製剤処理　中心静脈栄養法用輸液　加算	67	11 085	742 695	1 919	128 573
42	調剤料　注射薬　無菌製剤処理　中心静脈栄養法用輸液　加算　6歳未満の乳幼児	135	1 592	214 920	753	101 655
43	調剤料　注射薬　無菌製剤処理　抗悪性腫瘍剤　加算	77	17	1 309	−	−
44	調剤料　注射薬　無菌製剤処理　抗悪性腫瘍剤　加算　6歳未満の乳幼児	145	−	−		−
45	調剤料　注射薬　無菌製剤処理　麻薬　加算	67	3 540	237 180	540	36 180
46	調剤料　注射薬　無菌製剤処理　麻薬　加算　6歳未満の乳幼児	135	−	−	−	−
47	調剤料　外用薬	10	39 281 524	392 815 240	8 580 483	85 804 830
48	調剤基本料　医師の分割指示　調剤料及び加算		236 277	411 193	41 398	64 739
49	調剤料　麻薬　加算	70	124 123	8 688 610	22 162	1 551 340
50	調剤料　向精神薬　加算	8	9 034 029	72 272 232	1 449 195	11 593 560
51	調剤料　覚醒剤原料　加算	8	29 626	237 008	2 568	20 544
52	調剤料　毒薬　加算	8	153 103	1 224 824	14 369	114 952
53	調剤料　時間外　加算		41 973	1 209 234	14 230	347 208
54	調剤料　時間外特例　加算		3 166	60 208	1 354	23 992
55	調剤料　休日　加算		268 071	7 816 641	98 744	2 688 712
56	調剤料　深夜　加算		12 725	395 096	5 075	152 146
57	調剤料　夜間・休日等　加算	40	2 714 703	108 588 120	868 551	34 742 040
58	調剤料　自家製剤　加算　内服薬　錠剤、丸剤、カプセル剤、散剤、顆粒剤、エキス剤	20	2 846 815	56 936 300	525 018	10 500 360
59	調剤料　自家製剤　加算　内服薬　錠剤、丸剤、カプセル剤、散剤、顆粒剤、エキス剤　予製剤	4	143 835	575 340	30 686	122 744
60	調剤料　自家製剤　加算　屯服薬　錠剤、丸剤、カプセル剤、散剤、顆粒剤、エキス剤	90	19 261	1 733 490	3 980	358 200
61	調剤料　自家製剤　加算　屯服薬　錠剤、丸剤、カプセル剤、散剤、顆粒剤、エキス剤　予製剤	18	837	15 066	297	5 346
62	調剤料　自家製剤　加算　内服薬及び屯服薬液剤	45	12 659	569 655	4 769	214 605
63	調剤料　自家製剤　加算　内服薬及び屯服薬液剤　予製剤	9	384	3 456	98	882
64	調剤料　自家製剤　加算　外用薬　錠剤、トローチ剤、軟・硬膏剤、パップ剤、リニメント剤、坐剤	90	14 998	1 349 820	4 072	366 480
65	調剤料　自家製剤　加算　外用薬　錠剤、トローチ剤、軟・硬膏剤、パップ剤、リニメント剤、坐剤　予製剤	18	12 446	224 028	4 047	72 846
66	調剤料　自家製剤　加算　外用薬　点眼剤、点鼻・点耳剤、浣腸剤	75	3 740	280 500	1 101	82 575
67	調剤料　自家製剤　加算　外用薬　点眼剤、点鼻・点耳剤、浣腸剤　予製剤	15	3 645	54 675	1 060	15 900
68	調剤料　自家製剤　加算　外用薬　液剤	45	7 592	341 640	2 362	106 290
69	調剤料　自家製剤　加算　外用薬　液剤　予製剤	9	5 886	52 974	2 117	19 053
70	調剤料　計量混合調剤　加算　液剤	35	1 226 147	42 915 145	487 619	17 066 665
71	調剤料　計量混合調剤　加算　液剤　予製剤	7	13 845	96 915	4 561	31 927
72	調剤料　計量混合調剤　加算　散剤・顆粒剤	45	3 270 748	147 183 660	1 213 773	54 619 785
73	調剤料　計量混合調剤　加算　散剤・顆粒剤　予製剤	9	126 489	1 138 401	37 938	341 442
74	調剤料　計量混合調剤　加算　軟・硬膏剤	80	2 145 661	171 652 880	640 582	51 246 560
75	調剤料　計量混合調剤　加算　軟・硬膏剤　予製剤	16	316 515	5 064 240	103 720	1 659 520
76	調剤料　在宅患者調剤　加算	15	581 026	8 715 390	5 700	85 500

点数，調剤行為、保険種別別

平成30年6月審査分

組合健保 件数	組合健保 受付回数	共済等 件数	共済等 受付回数	国保 件数	国保 受付回数	後期高齢者医療制度 件数	後期高齢者医療制度 受付回数	行番号
9 204 960	11 086 942	2 739 080	3 338 237	14 188 138	17 178 544	15 684 975	20 504 766	
算定回数	点数	算定回数	点数	算定回数	点数	算定回数	点数	
98 375 100	7175 553 164	30 304 942	2102 002 842	141 765 677	15882 432 588	199 657 259	21706 355 890	1
87 399 554	1680 201 083	27 014 402	504 062 515	124 982 598	3028 254 496	180 790 245	4333 289 147	2
11 083 845	659 445 600	3 337 556	198 185 683	17 170 666	1009 569 661	20 493 784	1236 636 562	3
8 633 619	353 978 379	2 561 207	105 009 487	13 030 891	534 266 531	15 923 197	652 851 077	4
871 134	21 778 350	281 071	7 026 775	1 377 571	34 439 275	1 479 267	36 981 675	5
701 108	14 022 160	215 732	4 314 640	1 170 297	23 405 940	1 311 059	26 221 180	6
833 196	12 497 940	263 223	3 948 345	1 490 873	22 363 095	1 664 518	24 967 770	7
33 624	336 240	12 572	125 720	76 186	761 860	82 707	827 070	8
7 467	156 807	2 857	59 997	19 501	409 521	28 107	590 247	9
2 000	26 000	531	6 903	2 603	33 839	2 316	30 108	10
155	1 550	79	790	328	3 280	340	3 400	11
390	3 120	72	576	827	6 616	668	5 344	12
1	5	1	5	5	25	7	35	13
226	1 130	71	355	612	3 060	1 817	9 085	14
62	310	11	55	159	795	176	880	15
1 151	37 549	211	6 681	1 584	46 775	1 598	46 263	16
3 681 781	128 862 335	1 036 894	36 291 290	5 448 854	190 709 890	7 056 371	246 972 985	17
2 412 841	43 431 138	702 445	12 644 010	3 822 567	68 806 206	4 676 511	84 177 198	18
2 016 455	44 362 010	634 763	13 964 786	3 329 405	73 246 910	4 120 841	90 658 502	19
1 404 301	36 511 826	513 029	13 338 754	2 258 252	58 714 552	2 724 079	70 826 054	20
5 638	314 087	2 040	114 923	3 943	226 149	2 524	158 732	21
417	19 298	202	10 824	336	17 489	78	4 176	22
36 165	2 907 612	14 727	1 241 063	23 469	1 948 087	13 881	1 252 151	23
1 885	197 754	756	79 704	1 530	159 766	458	52 630	24
76 315 709	1020 755 483	23 676 846	305 876 832	107 811 932	2018 684 835	160 296 461	3096 652 585	25
48 820 757	244 102 620	15 438 469	77 191 989	55 709 036	278 537 582	74 058 000	370 243 936	26
13 824 857	55 299 421	4 216 025	16 864 100	25 330 602	101 322 376	48 062 401	192 249 196	27
486 371	32 585 411	143 026	9 582 322	1 039 993	69 673 090	1 665 289	111 554 811	28
3 418 158	266 609 549	947 023	73 865 605	9 738 812	759 610 161	14 560 457	1135 682 624	29
1 840 692	158 294 800	510 705	43 919 310	5 218 782	448 810 777	6 698 333	576 049 585	30
3 048	243 840	970	77 600	14 697	1 175 760	147 519	11 801 520	31
291 082	9 314 632	88 933	2 845 848	2 541 243	81 319 764	10 566 049	338 113 572	32
14 297	3 145 340	4 203	924 660	105 562	23 223 352	323 712	71 215 616	33
22 354	223 540	7 195	71 950	71 400	714 000	243 203	2 432 030	34
1 104 147	23 187 087	344 362	7 231 602	1 340 564	28 151 844	1 412 925	29 671 425	35
85	16 150	72	13 680	211	40 090	308	58 520	36
6 115	1 161 850	2 458	466 960	8 588	1 631 720	4 061	771 590	37
67 052	670 520	28 955	289 550	99 524	995 240	48 086	480 860	38
976	390 400	363	145 200	1 595	638 000	817	326 800	39
81 628	2 122 328	21 470	558 220	268 629	6 984 354	290 097	7 542 522	40
1 549	103 783	484	32 428	2 830	189 610	4 303	288 301	41
638	86 130	65	8 775	136	18 360	・	・	42
3	231	−	−	14	1 078	−	−	43
−	−	−	−	−	−	・	・	44
360	24 120	52	3 484	1 206	80 802	1 382	92 594	45
−	−	−	−	−	−	・	・	46
6 597 627	65 976 270	2 008 453	20 084 530	8 915 216	89 152 160	13 179 745	131 797 450	47
44 890	67 418	8 270	12 101	68 980	112 359	72 739	154 576	48
12 837	898 590	3 473	243 110	43 584	3 050 880	42 067	2 944 690	49
992 286	7 938 288	289 540	2 316 320	2 792 847	22 342 776	3 510 161	28 081 288	50
1 515	12 120	425	3 400	9 747	77 976	15 371	122 968	51
7 884	63 072	2 235	17 880	35 868	286 944	92 747	741 976	52
10 404	261 704	3 858	95 934	7 773	251 548	5 708	252 840	53
715	12 053	369	8 084	599	12 358	129	3 721	54
68 957	1 799 200	28 988	767 156	44 551	1 348 364	26 831	1 213 209	55
3 104	89 192	1 282	41 048	2 535	83 104	729	29 606	56
839 572	33 582 880	250 128	10 005 120	472 882	18 915 280	283 570	11 342 800	57
373 732	7 474 640	111 075	2 221 500	792 116	15 842 320	1 044 874	20 897 480	58
20 183	80 732	6 103	24 412	41 407	165 628	45 456	181 824	59
2 990	269 100	1 006	90 540	4 345	391 050	6 940	624 600	60
151	2 718	57	1 026	195	3 510	137	2 466	61
3 030	136 350	1 131	50 895	2 444	109 980	1 285	57 825	62
79	711	24	216	96	864	87	783	63
2 776	249 840	1 033	92 970	3 381	304 290	3 736	336 240	64
2 329	41 922	1 192	21 456	2 681	48 258	2 197	39 546	65
1 080	81 000	307	23 025	713	53 475	539	40 425	66
951	14 265	424	6 360	605	9 075	605	9 075	67
1 857	83 565	732	32 940	1 435	64 575	1 206	54 270	68
1 744	15 696	697	6 273	950	8 550	378	3 402	69
377 094	13 198 290	144 419	5 054 665	179 625	6 286 875	37 390	1 308 650	70
3 595	25 165	1 083	7 581	3 028	21 196	1 578	11 046	71
1 022 619	46 017 855	372 323	16 754 535	479 891	21 595 095	182 142	8 196 390	72
28 697	258 273	9 292	83 628	27 153	244 377	23 409	210 681	73
538 795	43 103 600	165 795	13 263 600	414 873	33 189 840	385 616	30 849 280	74
85 107	1 361 712	27 514	440 224	62 413	998 608	37 761	604 176	75
3 834	57 510	868	13 020	39 704	595 560	530 920	7 963 800	76

行番号	調剤行為	固定点数	総数 算定回数	総数 点数	協会けんぽ 算定回数	協会けんぽ 点数
77	薬学管理料計		64 636 634	3216 024 232	14 720 455	747 206 786
78	薬剤服用歴管理指導料　６月以内再度処方箋持参　手帳あり　調剤基本料１	41	30 368 582	1245 111 862	5 816 636	238 482 076
79	薬剤服用歴管理指導料　６月以内再度処方箋持参以外　調剤基本料１	53	7 947 765	421 231 545	2 551 870	135 249 110
80	薬剤服用歴管理指導料　６月以内再度処方箋持参以外　調剤基本料１以外	53	2 402 085	127 310 505	786 213	41 669 289
81	薬剤服用歴管理指導料　特別養護老人ホーム入所者を訪問　６月以内再度処方箋持参　手帳あり	41	561 065	23 003 665	1 978	81 098
82	薬剤服用歴管理指導料　特別養護老人ホーム入所者を訪問　６月以内再度処方箋持参　手帳なし	41	79 959	3 278 319	420	17 220
83	薬剤服用歴管理指導料　特別養護老人ホーム入所者を訪問　６月以内再度処方箋持参以外	41	14 988	614 508	150	6 150
84	薬剤服用歴管理指導料　６月以内再度処方箋持参　手帳なし　調剤基本料１	53	9 901 243	524 765 879	2 685 917	142 353 601
85	薬剤服用歴管理指導料　６月以内再度処方箋持参　手帳あり　調剤基本料１以外	53	9 400 441	498 223 373	1 905 494	100 991 182
86	薬剤服用歴管理指導料　６月以内再度処方箋持参　手帳なし　調剤基本料１以外	53	2 895 133	153 442 049	818 569	43 384 157
87	薬剤服用歴管理指導料　麻薬管理指導　加算	22	31 163	685 586	5 936	130 592
88	薬剤服用歴管理指導料　重複投薬・相互作用等防止　加算　残薬調整以外	40	177 663	7 106 520	37 235	1 489 400
89	薬剤服用歴管理指導料　重複投薬・相互作用等防止　加算　残薬調整	30	199 549	5 986 470	28 665	859 950
90	薬剤服用歴管理指導料　特定薬剤管理指導　加算	10	6 741 533	67 415 330	1 171 540	11 715 400
91	薬剤服用歴管理指導料　６歳未満の乳幼児服薬指導　加算	12	3 622 337	43 468 044	1 452 108	17 425 296
92	かかりつけ薬剤師指導料	73	979 838	71 528 174	143 142	10 449 366
93	かかりつけ薬剤師指導料　麻薬管理指導　加算	22	1 376	30 272	220	4 840
94	かかりつけ薬剤師指導料　重複投薬・相互作用等防止　加算　残薬調整以外	40	5 797	231 880	689	27 560
95	かかりつけ薬剤師指導料　重複投薬・相互作用等防止　加算　残薬調整	30	8 600	258 000	611	18 330
96	かかりつけ薬剤師指導料　特定薬剤管理指導　加算	10	267 335	2 673 350	28 798	287 980
97	かかりつけ薬剤師指導料　６歳未満の乳幼児服薬指導　加算	12	83 774	1 005 288	35 609	427 308
98	かかりつけ薬剤師包括管理料	280	836	234 080	78	21 840
99	かかりつけ薬剤師包括管理料　時間外　加算		-	-	-	-
100	かかりつけ薬剤師包括管理料　時間外特例　加算		-	-	-	-
101	かかりつけ薬剤師包括管理料　休日　加算		1	392	-	-
102	かかりつけ薬剤師包括管理料　深夜　加算		-	-	-	-
103	外来服薬支援料	185	7 464	1 380 840	242	44 770
104	服用薬剤調整支援料	125	189	23 625	7	875
105	在宅患者訪問薬剤管理指導料１　単一建物　診療患者１人	650	17 298	11 243 700	2 571	1 671 150
106	在宅患者訪問薬剤管理指導料２　単一建物　診療患者２人以上９人以下	320	1 864	596 480	167	53 440
107	在宅患者訪問薬剤管理指導料３　１及び２以外	290	4 216	1 222 640	240	69 600
108	在宅患者訪問薬剤管理指導料　麻薬管理指導　加算	100	537	53 700	86	8 600
109	在宅患者訪問薬剤管理指導料　６歳未満の乳幼児　加算	100	1 101	110 100	393	39 300
110	在宅患者緊急訪問薬剤管理指導料	500	4 615	2 307 500	100	50 000
111	在宅患者緊急訪問薬剤管理指導料　麻薬管理指導　加算	100	285	28 500	17	1 700
112	在宅患者緊急訪問薬剤管理指導料　６歳未満の乳幼児　加算	100	32	3 200	14	1 400
113	在宅患者緊急時等共同指導料	700	144	100 800	3	2 100
114	在宅患者緊急時等共同指導料　麻薬管理指導　加算	100	4	400	-	-
115	在宅患者緊急時等共同指導料　６歳未満の乳幼児　加算	100	1	100	1	100
116	退院時共同指導料	600	142	85 200	13	7 800
117	服薬情報等提供料１	30	13 886	416 580	2 814	84 420
118	服薬情報等提供料２	20	16 681	333 620	2 493	49 860
119	在宅患者重複投薬・相互作用等防止管理料　残薬調整以外	40	1 853	74 120	42	1 680
120	在宅患者重複投薬・相互作用等防止管理料　残薬調整	30	10 404	312 120	139	4 170
121	調剤基本料　医師の分割指示　薬学管理料		5 943	125 916	1 157	24 076
122	薬剤料計	・	4492 603 933	42284 758 363	736 002 731	7524 809 094
123	内服薬		4447 717 695	34583 236 343	725 981 714	5912 130 868
124	注射薬		1 100 789	2339 367 070	220 126	605 161 988
125	外用薬		43 785 449	5362 154 950	9 800 891	1007 516 238
126	特定保険医療材料料計		492 606	103 253 039	88 326	20 958 098
127	注射器（材料価格11、17円）		790	73 018	102	5 918
128	注射針（材料価格17、18円）		480 022	75 106 351	86 704	14 620 961
129	その他の特定保険材料		11 794	28 073 670	1 520	6 331 219
130	補正点数（＋）請求点数と決定点数の差		・	9 480 474	・	-
131	補正点数（－）請求点数と決定点数の差		・	−5 990	・	−1 103

平成30年6月審査分

組合健保 算定回数	組合健保 点数	共済等 算定回数	共済等 点数	国保 算定回数	国保 点数	後期高齢者医療制度 算定回数	後期高齢者医療制度 点数	行番号
10 975 546	557 486 014	3 290 540	168 156 200	16 783 079	829 652 115	18 867 014	913 523 117	77
4 328 269	177 459 029	1 287 091	52 770 731	8 278 609	339 422 969	10 657 977	436 977 057	78
2 190 827	116 113 831	658 623	34 907 019	1 720 177	91 169 381	826 268	43 792 204	79
586 003	31 058 159	190 316	10 086 748	541 435	28 696 055	298 118	15 800 254	80
865	35 465	193	7 913	28 190	1 155 790	529 839	21 723 399	81
189	7 749	51	2 091	4 103	168 223	75 196	3 083 036	82
118	4 838	31	1 271	818	33 538	13 871	568 711	83
1 969 067	104 360 551	564 001	29 892 053	2 537 746	134 500 538	2 144 512	113 659 136	84
1 272 319	67 432 907	397 791	21 082 923	2 656 794	140 810 082	3 168 043	167 906 279	85
529 992	28 089 576	163 973	8 690 569	771 782	40 904 446	610 817	32 373 301	86
3 290	72 380	895	19 690	11 158	245 476	9 884	217 448	87
29 684	1 187 360	8 285	331 400	42 745	1 709 800	59 714	2 388 560	88
16 168	485 040	4 209	126 270	55 481	1 664 430	95 026	2 850 780	89
720 935	7 209 350	201 627	2 016 270	2 068 472	20 684 720	2 578 959	25 789 590	90
1 265 576	15 186 912	473 650	5 683 800	431 003	5 172 036	·	·	91
89 648	6 544 304	26 438	1 929 974	220 626	16 105 698	499 984	36 498 832	92
90	1 980	25	550	505	11 110	536	11 792	93
513	20 520	115	4 600	1 165	46 600	3 315	132 600	94
302	9 060	64	1 920	1 648	49 440	5 975	179 250	95
15 393	153 930	3 930	39 300	71 156	711 560	148 058	1 480 580	96
28 781	345 372	10 118	121 416	9 266	111 192	·	·	97
13	3 640	3	840	159	44 520	583	163 240	98
-	-	-	-	-	-	-	-	99
-	-	-	-	-	-	-	-	100
-	-	-	-	-	-	1	392	101
-	-	-	-	-	-	-	-	102
126	23 310	29	5 365	1 036	191 660	6 031	1 115 735	103
1	125	-	-	22	2 750	159	19 875	104
2 134	1 387 100	564	366 600	6 735	4 377 750	5 294	3 441 100	105
87	27 840	12	3 840	1 121	358 720	477	152 640	106
112	32 480	24	6 960	2 372	687 880	1 468	425 720	107
78	7 800	14	1 400	240	24 000	119	11 900	108
392	39 200	128	12 800	188	18 800	·	·	109
78	39 000	12	6 000	541	270 500	3 884	1 942 000	110
20	2 000	3	300	86	8 600	159	15 900	111
10	1 000	2	200	6	600	·	·	112
2	1 400	1	700	10	7 000	128	89 600	113
1	100	-	-	1	100	2	200	114
-	-	-	-	-	-	·	·	115
6	3 600	1	600	36	21 600	86	51 600	116
2 151	64 530	591	17 730	3 590	107 700	4 740	142 200	117
2 144	42 880	539	10 780	4 456	89 120	7 049	140 980	118
27	1 080	2	80	177	7 080	1 605	64 200	119
78	2 340	14	420	804	24 120	9 369	281 070	120
1 290	28 276	240	5 077	1 740	36 531	1 516	31 956	121
463 670 305	4926 452 751	132 275 642	1426 761 152	1238 429 882	11987 231 669	1922 225 373	16419 503 697	122
455 943 979	3785 559 084	129 924 312	1074 165 403	1228 233 013	10006 509 869	1907 634 677	13804 871 119	123
117 725	384 042 389	30 308	124 913 185	371 014	682 637 923	361 616	542 611 585	124
7 608 601	756 851 278	2 321 022	227 682 564	9 825 855	1298 083 877	14 229 080	2072 020 993	125
44 915	11 414 415	11 117	3 023 171	164 496	34 978 336	183 752	32 879 019	126
77	4 133	19	554	269	27 634	323	34 779	127
43 884	7 882 189	10 830	1 896 329	161 386	26 542 378	177 218	24 164 494	128
954	3 528 093	268	1 126 288	2 841	8 408 324	6 211	8 679 746	129
·	2	·	-	·	2 317 500	·	7 162 972	130
·	-1 101	·	-196	·	-1 528	·	-2 062	131

調４表(1−1)

第４表　件数，一般医療－後期医療・年齢階級、処方箋受付回数階級別

平成30年６月審査分

行番号	一般医療－後期医療 年齢階級	総数	0回*	1回	2回	3回	4回	5回	6回以上
1	総数	54 197 752	17 962	44 779 378	7 102 893	1 550 698	455 442	189 335	102 044
2	一般医療	38 512 777	8 185	32 503 564	4 602 033	962 940	275 740	105 694	54 621
3	後期医療	15 684 975	9 777	12 275 814	2 500 860	587 758	179 702	83 641	47 423
4	0 ～ 4歳	3 215 837	78	2 285 287	590 110	205 951	80 445	32 789	21 177
5	5 ～ 9	2 084 881	120	1 714 249	283 073	62 877	17 271	5 256	2 035
6	10 ～ 14	1 443 466	92	1 256 813	153 486	25 692	5 497	1 492	394
7	15 ～ 19	998 517	75	880 424	98 669	15 097	3 168	881	203
8	20 ～ 24	1 054 313	98	920 875	109 813	17 960	4 015	1 285	267
9	25 ～ 29	1 298 618	117	1 116 878	147 860	25 249	5 989	2 061	464
10	30 ～ 34	1 623 507	212	1 381 969	194 079	35 206	8 398	2 851	792
11	35 ～ 39	1 887 624	388	1 603 658	227 045	41 614	10 236	3 593	1 090
12	40 ～ 44	2 309 684	621	1 970 609	269 522	49 997	12 498	4 669	1 768
13	45 ～ 49	2 659 614	801	2 278 312	302 429	55 684	14 274	5 642	2 472
14	50 ～ 54	2 757 920	790	2 370 253	305 691	56 604	15 298	6 207	3 077
15	55 ～ 59	3 015 386	824	2 600 990	325 806	60 892	16 406	6 733	3 735
16	60 ～ 64	3 549 793	991	3 058 648	384 149	73 046	19 908	8 217	4 834
17	65 ～ 69	5 268 305	1 470	4 516 392	583 981	113 767	31 795	12 888	8 012
18	70 ～ 74	5 587 474	1 733	4 713 008	671 754	137 920	37 839	15 974	9 246
19	75 ～ 79	5 763 726	2 392	4 746 848	772 130	166 199	46 244	19 176	10 737
20	80 ～ 84	4 878 909	3 017	3 877 794	745 429	170 428	49 045	21 457	11 739
21	85 ～ 89	3 110 276	2 552	2 343 544	557 838	135 472	41 193	19 360	10 317
22	90歳以上	1 689 902	1 591	1 142 827	380 029	101 043	35 923	18 804	9 685

注：＊は分割調剤、外来服薬支援料及び退院時共同指導料等に係る明細書による受付回数０回である。

調５表(1−1)

第５表　件数，一般医療－後期医療、処方箋発行医療機関、処方箋受付回数階級別

平成30年６月審査分

行番号	一般医療－後期医療 処方箋発行医療機関	総数	0回*	1回	2回	3回	4回	5回	6回以上
1	総数	54 197 752	17 962	44 779 378	7 102 893	1 550 698	455 442	189 335	102 044
2	病院	12 312 598	4 682	10 304 880	1 539 701	326 232	88 498	32 628	15 977
3	診療所	41 288 628	5 617	33 975 680	5 492 212	1 210 682	363 308	155 602	85 527
4	歯科単科病院及び歯科診療所	329 976	10	286 133	36 330	5 959	1 198	261	85
5	処方箋発行医療機関無記載	7 606	7 606	・	・	・	・	・	・
6	一般医療	38 512 777	8 185	32 503 564	4 602 033	962 940	275 740	105 694	54 621
7	病院	7 841 898	2 932	6 721 437	874 177	174 752	44 988	16 203	7 409
8	診療所	30 213 310	3 727	25 390 460	3 676 226	778 700	228 408	88 837	46 952
9	歯科単科病院及び歯科診療所	268 758	9	233 805	29 070	4 676	937	198	63
10	処方箋発行医療機関無記載	1 489	1 489	・	・	・	・	・	・
11	後期医療	15 684 975	9 777	12 275 814	2 500 860	587 758	179 702	83 641	47 423
12	病院	4 470 700	1 750	3 583 443	665 524	151 480	43 510	16 425	8 568
13	診療所	11 075 318	1 890	8 585 220	1 815 986	431 982	134 900	66 765	38 575
14	歯科単科病院及び歯科診療所	61 218	1	52 328	7 260	1 283	261	63	22
15	処方箋発行医療機関無記載	6 117	6 117	・	・	・	・	・	・

注：１）＊は分割調剤、外来服薬支援料及び退院時共同指導料等に係る明細書による受付回数０回である。
　　２）総数には、データ上で病院、診療所別を取得できなかったものを含む。
　　３）病院には病院併設歯科を、診療所には診療所併設歯科を含む。

調６表(1−1)

第６表　件数，一般医療－後期医療、調剤基本料区分、処方箋受付回数階級別

平成30年６月審査分

行番号	一般医療－後期医療 調剤基本料区分	総数	0回*	1回	2回	3回	4回	5回	6回以上
1	総数	54 197 752	17 962	44 779 378	7 102 893	1 550 698	455 442	189 335	102 044
2	調剤基本料1	41 619 776	13 666	34 350 677	5 475 184	1 195 389	354 303	149 457	81 100
3	調剤基本料2	4 290 043	1 427	3 552 265	553 468	122 431	36 610	15 222	8 620
4	調剤基本料3イ 受付回数4万回超40万回以下	3 589 964	977	2 974 355	467 466	102 353	28 252	10 757	5 804
5	調剤基本料3ロ 受付回数40万回超	4 484 479	1 815	3 726 724	578 116	124 150	34 504	13 103	6 067
6	特別調剤基本料	213 490	77	175 357	28 659	6 375	1 773	796	453
7	一般医療	38 512 777	8 185	32 503 564	4 602 033	962 940	275 740	105 694	54 621
8	調剤基本料1	29 506 181	6 054	24 939 925	3 501 428	727 871	208 982	80 266	41 655
9	調剤基本料2	3 122 712	747	2 611 020	385 923	84 269	25 007	10 075	5 671
10	調剤基本料3イ 受付回数4万回超40万回以下	2 562 715	476	2 154 374	312 609	66 631	18 352	6 828	3 445
11	調剤基本料3ロ 受付回数40万回超	3 172 233	862	2 674 417	383 071	80 027	22 253	8 026	3 577
12	特別調剤基本料	148 936	46	123 828	19 002	4 142	1 146	499	273
13	後期医療	15 684 975	9 777	12 275 814	2 500 860	587 758	179 702	83 641	47 423
14	調剤基本料1	12 113 595	7 612	9 410 752	1 973 756	467 518	145 321	69 191	39 445
15	調剤基本料2	1 167 331	680	941 245	167 545	38 162	11 603	5 147	2 949
16	調剤基本料3イ 受付回数4万回超40万回以下	1 027 249	501	819 981	154 857	35 722	9 900	3 929	2 359
17	調剤基本料3ロ 受付回数40万回超	1 312 246	953	1 052 307	195 045	44 123	12 251	5 077	2 490
19	特別調剤基本料	64 554	31	51 529	9 657	2 233	627	297	180

注：＊は分割調剤、外来服薬支援料及び退院時共同指導料等に係る明細書による受付回数０回である。

II　薬剤の使用状況

医　科　診　療

第1表　件数・診療実日数・点数，　入院－入院外、

行番号	入院－入院外 一般医療－後期医療 年齢階級	件数	診療実日数	総点数*	全薬剤
1	総数	30 484 655	56 177 956	73 715 326 117	17 737 850 935
2	一般医療	22 907 840	37 795 125	45 498 920 060	11 474 783 472
3	後期医療	7 576 815	18 382 831	28 216 406 058	6 263 067 463
4	0 ～ 4歳	1 062 787	1 538 705	1 379 836 731	135 617 909
5	5 ～ 9	1 356 953	1 824 484	1 309 968 066	224 948 985
6	10 ～ 14	1 175 578	1 635 429	1 398 154 718	327 289 964
7	15 ～ 19	833 364	1 173 946	1 078 651 880	220 261 097
8	20 ～ 24	785 721	1 098 025	1 067 622 062	223 237 989
9	25 ～ 29	948 179	1 421 025	1 422 580 359	292 145 635
10	30 ～ 34	1 141 379	1 788 874	1 841 523 976	372 584 551
11	35 ～ 39	1 243 476	1 960 334	2 153 123 973	480 643 621
12	40 ～ 44	1 459 589	2 313 037	2 710 754 830	678 819 997
13	45 ～ 49	1 655 935	2 738 783	3 344 365 601	864 635 896
14	50 ～ 54	1 672 576	2 886 058	3 629 300 122	929 914 125
15	55 ～ 59	1 762 716	3 107 192	4 162 990 227	1 101 754 053
16	60 ～ 64	2 012 439	3 632 749	5 103 685 615	1 380 565 957
17	65 ～ 69	2 920 758	5 465 111	7 924 857 150	2 169 071 128
18	70 ～ 74	3 005 333	5 868 389	8 427 561 921	2 307 627 814
19	75 ～ 79	2 942 910	6 203 958	8 813 033 145	2 322 031 588
20	80 ～ 84	2 369 790	5 497 797	8 083 407 609	1 933 015 007
21	85 ～ 89	1 427 834	3 749 942	5 945 330 380	1 191 882 354
22	90歳以上	707 338	2 274 118	3 918 577 753	581 803 265
23	入院	631 052	9 988 877	27 109 799 494	2 409 081 229
24	一般医療	333 447	4 830 025	13 416 915 894	1 383 941 362
25	後期医療	297 605	5 158 852	13 692 883 601	1 025 139 867
26	0 ～ 4歳	18 276	109 647	430 370 903	43 860 360
27	5 ～ 9	3 129	43 231	192 128 797	34 256 528
28	10 ～ 14	3 951	68 822	263 052 649	42 812 710
29	15 ～ 19	5 679	82 944	277 010 636	28 305 152
30	20 ～ 24	10 700	117 133	318 827 006	32 300 040
31	25 ～ 29	22 029	194 812	467 079 034	35 653 297
32	30 ～ 34	30 135	263 164	618 103 924	45 640 242
33	35 ～ 39	24 478	269 376	668 279 505	54 231 155
34	40 ～ 44	18 611	295 855	755 466 294	71 604 987
35	45 ～ 49	20 047	367 086	925 711 488	89 957 233
36	50 ～ 54	22 370	420 825	1 048 856 490	98 896 915
37	55 ～ 59	26 618	491 967	1 266 886 711	129 215 095
38	60 ～ 64	32 881	591 260	1 591 512 966	172 122 523
39	65 ～ 69	52 638	921 848	2 578 949 752	279 488 308
40	70 ～ 74	56 107	929 577	2 778 556 641	281 629 494
41	75 ～ 79	66 485	1 083 834	3 221 231 901	286 498 609
42	80 ～ 84	77 352	1 299 596	3 604 870 500	280 295 332
43	85 ～ 89	74 378	1 290 294	3 335 030 821	226 697 785
44	90歳以上	65 188	1 147 606	2 767 873 477	175 615 464
45	入院外	29 853 603	46 189 079	46 605 526 623	15 328 769 706
46	一般医療	22 574 393	32 965 100	32 082 004 166	10 090 842 110
47	後期医療	7 279 210	13 223 979	14 523 522 457	5 237 927 596
48	0 ～ 4歳	1 044 511	1 429 058	949 465 828	91 757 549
49	5 ～ 9	1 353 824	1 781 253	1 117 839 269	190 692 457
50	10 ～ 14	1 171 627	1 566 607	1 135 102 069	284 477 254
51	15 ～ 19	827 685	1 091 002	801 641 244	191 955 945
52	20 ～ 24	775 021	980 892	748 795 056	190 937 949
53	25 ～ 29	926 150	1 226 213	955 501 325	256 492 338
54	30 ～ 34	1 111 244	1 525 710	1 223 420 052	326 944 309
55	35 ～ 39	1 218 998	1 690 958	1 484 844 468	426 412 466
56	40 ～ 44	1 440 978	2 017 182	1 955 288 536	607 215 010
57	45 ～ 49	1 635 888	2 371 697	2 418 654 113	774 678 663
58	50 ～ 54	1 650 206	2 465 233	2 580 443 632	831 017 210
59	55 ～ 59	1 736 098	2 615 225	2 896 103 516	972 538 958
60	60 ～ 64	1 979 558	3 041 489	3 512 172 649	1 208 443 434
61	65 ～ 69	2 868 120	4 543 263	5 345 907 398	1 889 582 820
62	70 ～ 74	2 949 226	4 938 812	5 649 005 280	2 025 998 320
63	75 ～ 79	2 876 425	5 120 124	5 591 801 244	2 035 532 979
64	80 ～ 84	2 292 438	4 198 201	4 478 537 109	1 652 719 675
65	85 ～ 89	1 353 456	2 459 648	2 610 299 559	965 184 569
66	90歳以上	642 150	1 126 512	1 150 704 276	406 187 801

注：1）「処方箋料」を算定している明細書、「投薬」「注射」を包括した診療行為が出現する明細書及びDPC／PDPSに係る明細書は集計対象外としている。
　　2）＊は入院時食事療養等（円）を点数換算（入院時食事療養等÷10）して含む。

平成30年６月審査分

投　　薬	注　　射	そ の 他 薬 剤	そ の 他 行 為*	行番号
10 806 718 738	4 976 268 041	1 954 864 156	55 977 475 182	1
6 692 969 502	3 269 076 418	1 512 737 552	34 024 136 588	2
4 113 749 236	1 707 191 623	442 126 604	21 953 338 595	3
59 377 695	50 902 797	25 337 417	1 244 218 822	4
87 119 573	43 991 657	93 837 755	1 085 019 081	5
86 123 499	58 020 123	183 146 342	1 070 864 754	6
83 150 170	53 437 883	83 673 044	858 390 783	7
112 985 886	57 804 646	52 447 457	844 384 073	8
157 852 464	78 581 220	55 711 951	1 130 434 724	9
208 779 856	103 026 308	60 778 387	1 468 939 425	10
276 085 510	126 201 090	78 357 021	1 672 480 352	11
395 651 921	195 475 145	87 692 931	2 031 934 833	12
507 809 187	250 750 415	106 076 294	2 479 729 705	13
567 236 920	260 827 192	101 850 013	2 699 385 997	14
675 567 326	319 098 310	107 088 417	3 061 236 174	15
842 393 956	410 997 112	127 174 889	3 723 119 658	16
1 327 012 798	653 409 653	188 648 677	5 755 786 022	17
1 444 724 179	667 445 645	195 457 990	6 119 934 107	18
1 506 171 195	632 278 901	183 581 492	6 491 001 557	19
1 293 207 598	505 859 314	133 948 095	6 150 392 602	20
801 395 624	323 769 991	66 716 739	4 753 448 026	21
374 073 381	184 390 639	23 339 245	3 336 774 488	22
717 988 412	1 492 770 316	198 322 501	24 700 718 265	23
391 795 272	878 387 979	113 758 111	12 032 974 532	24
326 193 140	614 382 337	84 564 390	12 667 743 734	25
3 331 917	39 125 226	1 403 217	386 510 543	26
3 052 371	30 093 736	1 110 421	157 872 269	27
5 039 998	36 380 003	1 392 709	220 239 939	28
6 085 780	19 978 334	2 241 038	248 705 484	29
8 356 219	21 487 462	2 456 359	286 526 966	30
10 228 201	22 041 170	3 383 926	431 425 737	31
14 861 905	26 486 746	4 291 591	572 463 682	32
18 410 472	30 557 687	5 262 996	614 048 350	33
25 242 923	40 521 828	5 840 236	683 861 307	34
32 806 337	49 842 753	7 308 143	835 754 255	35
35 825 679	54 628 877	8 442 359	949 959 575	36
43 307 024	75 351 161	10 556 910	1 137 671 616	37
52 923 288	105 060 903	14 138 332	1 419 390 443	38
79 306 853	176 157 627	24 023 828	2 299 461 444	39
79 460 835	175 141 459	27 027 200	2 496 927 147	40
85 554 475	171 658 542	29 285 592	2 934 733 292	41
89 568 142	165 073 703	25 653 487	3 324 575 168	42
74 293 273	136 265 211	16 139 301	3 108 333 036	43
50 332 720	116 917 888	8 364 856	2 592 258 013	44
10 088 730 326	3 483 497 725	1 756 541 655	31 276 756 917	45
6 301 174 230	2 390 688 439	1 398 979 441	21 991 162 056	46
3 787 556 096	1 092 809 286	357 562 214	9 285 594 861	47
56 045 778	11 777 571	23 934 200	857 708 279	48
84 067 202	13 897 921	92 727 334	927 146 812	49
81 083 501	21 640 120	181 753 633	850 624 815	50
77 064 390	33 459 549	81 432 006	609 685 299	51
104 629 667	36 317 184	49 991 098	557 857 107	52
147 624 263	56 540 050	52 328 025	699 008 987	53
193 917 951	76 539 562	56 486 796	896 475 743	54
257 675 038	95 643 403	73 094 025	1 058 432 002	55
370 408 998	154 953 317	81 852 695	1 348 073 526	56
475 002 850	200 907 662	98 768 151	1 643 975 450	57
531 411 241	206 198 315	93 407 654	1 749 426 422	58
632 260 302	243 747 149	96 531 507	1 923 564 558	59
789 470 668	305 936 209	113 036 557	2 303 729 215	60
1 247 705 945	477 252 026	164 624 849	3 456 324 578	61
1 365 263 344	492 304 186	168 430 790	3 623 006 960	62
1 420 616 720	460 620 359	154 295 900	3 556 268 265	63
1 203 639 456	340 785 611	108 294 608	2 825 817 434	64
727 102 351	187 504 780	50 577 438	1 645 114 990	65
323 740 661	67 472 751	14 974 389	744 516 475	66

第2表　件数・診療実日数・点数，入院－入院外、

1　総数

行番号	傷病（中分類）	件数	診療実日数	総点数*
1	総数	30 484 655	56 177 956	73 715 326 117
2	Ⅰ 感染症及び寄生虫症	1 235 605	2 008 697	2 519 581 762
3	腸管感染症	285 478	398 241	434 066 150
4	結核	12 996	55 416	136 874 385
5	主として性的伝播様式をとる感染症	37 281	57 833	50 016 689
6	皮膚及び粘膜の病変を伴うウイルス性疾患	439 826	729 957	385 561 867
7	ウイルス性肝炎	95 016	152 391	613 939 974
8	その他のウイルス性疾患	41 905	69 158	208 414 099
9	真菌症	218 888	347 640	349 252 973
10	感染症及び寄生虫症の続発・後遺症	2 693	8 235	17 380 926
11	その他の感染症及び寄生虫症	101 522	189 826	324 074 699
12	Ⅱ 新生物＜腫瘍＞	1 827 352	2 948 477	8 313 556 982
13	胃の悪性新生物＜腫瘍＞	125 069	220 092	569 665 817
14	結腸の悪性新生物＜腫瘍＞	142 172	246 397	641 991 353
15	直腸S状結腸移行部及び直腸の悪性新生物＜腫瘍＞	35 955	72 081	264 224 171
16	肝及び肝内胆管の悪性新生物＜腫瘍＞	36 525	66 830	207 759 258
17	気管，気管支及び肺の悪性新生物＜腫瘍＞	110 652	203 825	890 934 221
18	乳房の悪性新生物＜腫瘍＞	140 482	236 423	762 357 222
19	子宮の悪性新生物＜腫瘍＞	65 742	92 036	146 757 723
20	悪性リンパ腫	32 306	65 381	275 216 752
21	白血病	11 537	34 960	288 113 871
22	その他の悪性新生物＜腫瘍＞	461 538	811 798	2 907 277 868
23	良性新生物＜腫瘍＞及びその他の新生物＜腫瘍＞	665 374	898 654	1 359 258 728
24	Ⅲ 血液及び造血器の疾患並びに免疫機構の障害	217 354	410 467	1 054 108 346
25	貧血	155 559	304 747	517 188 553
26	その他の血液及び造血器の疾患並びに免疫機構の障害	61 795	105 720	536 919 793
27	Ⅳ 内分泌，栄養及び代謝疾患	2 351 917	3 514 086	5 369 353 344
28	甲状腺障害	229 657	307 727	461 009 858
29	糖尿病	900 761	1 349 634	2 414 371 432
30	脂質異常症	885 648	1 244 529	1 263 428 568
31	その他の内分泌，栄養及び代謝疾患	335 851	612 196	1 230 543 486
32	Ⅴ 精神及び行動の障害	958 061	4 093 789	5 465 348 873
33	血管性及び詳細不明の認知症	30 369	202 155	305 106 036
34	精神作用物質使用による精神及び行動の障害	26 708	151 463	220 437 241
35	統合失調症，統合失調症型障害及び妄想性障害	198 433	2 047 907	2 864 730 497
36	気分［感情］障害（躁うつ病を含む）	236 989	682 875	871 572 260
37	神経症性障害，ストレス関連障害及び身体表現性障害	250 943	425 391	432 428 537
38	知的障害＜精神遅滞＞	20 190	106 759	168 786 262
39	その他の精神及び行動の障害	194 429	477 239	602 288 040
40	Ⅵ 神経系の疾患	852 958	2 362 303	4 231 070 789
41	パーキンソン病	32 648	165 208	422 494 896
42	アルツハイマー病	92 531	469 934	712 776 058
43	てんかん	56 663	179 240	367 803 060
44	脳性麻痺及びその他の麻痺性症候群	32 599	269 940	557 474 361
45	自律神経系の障害	16 495	44 763	84 806 276
46	その他の神経系の疾患	622 022	1 233 218	2 085 716 138
47	Ⅶ 眼及び付属器の疾患	4 182 170	4 829 293	4 111 173 695
48	結膜炎	556 314	673 889	493 556 683
49	白内障	354 798	455 161	622 745 597
50	屈折及び調節の障害	1 912 308	2 067 126	1 213 489 255
51	その他の眼及び付属器の疾患	1 358 750	1 633 117	1 781 382 160
52	Ⅷ 耳及び乳様突起の疾患	641 817	905 290	614 030 596
53	外耳炎	104 662	149 835	66 129 931
54	その他の外耳疾患	189 430	212 443	120 348 820
55	中耳炎	117 583	206 503	120 567 743
56	その他の中耳及び乳様突起の疾患	35 664	60 180	34 816 897
57	メニエール病	26 290	43 680	37 213 116
58	その他の内耳疾患	26 038	39 421	62 129 962
59	その他の耳疾患	142 150	193 228	172 824 126
60	Ⅸ 循環器系の疾患	3 624 309	5 936 974	9 610 629 425
61	高血圧性疾患	2 334 337	3 403 302	3 650 887 415
62	虚血性心疾患	256 414	416 289	1 060 730 448
63	その他の心疾患	434 697	868 803	2 170 767 433
64	くも膜下出血	12 481	37 167	101 870 230
65	脳内出血	41 643	142 960	328 588 032
66	脳梗塞	237 755	554 625	1 140 465 463
67	脳動脈硬化（症）	1 801	2 923	3 851 652
68	その他の脳血管疾患	116 173	182 698	403 509 449
69	動脈硬化（症）	45 461	86 679	151 048 476
70	低血圧（症）	9 911	16 367	23 274 618
71	その他の循環器系の疾患	133 636	225 161	575 636 209

全薬剤	投薬	注射	その他薬剤	その他行為*	行番号
17 737 850 935	10 806 718 738	4 976 268 041	1 954 864 156	55 977 475 182	1
859 757 651	672 242 192	123 006 259	64 509 200	1 659 824 111	2
64 935 621	40 746 358	19 825 932	4 363 331	369 130 529	3
14 357 720	6 977 762	5 957 497	1 422 461	122 516 665	4
11 099 731	8 939 307	1 500 004	660 420	38 916 958	5
79 400 803	59 311 789	16 919 291	3 169 723	306 161 064	6
394 102 263	338 677 566	23 941 294	31 483 403	219 837 711	7
128 808 575	110 753 952	6 484 876	11 569 747	79 605 524	8
108 923 225	79 354 895	23 863 418	5 704 912	240 329 748	9
2 512 506	1 368 084	707 999	436 423	14 868 420	10
55 617 207	26 112 479	23 805 948	5 698 780	268 457 492	11
3 067 200 102	1 163 081 779	1 663 436 603	240 681 720	5 246 356 880	12
147 680 071	39 647 007	90 705 033	17 328 031	421 985 746	13
169 836 696	47 540 752	97 019 025	25 276 919	472 154 657	14
94 708 682	24 878 905	61 448 130	8 381 647	169 515 489	15
66 820 157	44 215 281	6 429 172	16 175 704	140 939 101	16
411 029 386	122 288 619	274 350 911	14 389 856	479 904 835	17
336 315 921	79 140 545	235 578 076	21 597 300	426 041 301	18
20 732 355	5 803 802	10 323 120	4 605 433	126 025 368	19
102 157 855	22 942 511	75 976 775	3 238 569	173 058 897	20
148 339 398	103 799 335	43 678 065	861 998	139 774 473	21
1 321 737 232	570 973 777	665 487 823	85 275 632	1 585 540 636	22
247 842 349	101 851 245	102 440 473	43 550 631	1 111 416 379	23
532 103 633	121 525 278	184 925 781	225 652 574	522 004 713	24
174 895 606	67 340 008	98 138 075	9 417 523	342 292 947	25
357 208 027	54 185 270	86 787 706	216 235 051	179 711 766	26
1 945 849 003	1 257 521 749	363 755 111	324 572 143	3 423 504 341	27
105 795 099	56 785 489	32 348 617	16 660 993	355 214 759	28
848 698 557	638 517 531	111 086 868	99 094 158	1 565 672 875	29
477 071 544	430 330 911	30 473 772	16 266 861	786 357 024	30
514 283 803	131 887 818	189 845 854	192 550 131	716 259 683	31
712 157 335	568 648 648	120 532 548	22 976 139	4 753 191 538	32
24 203 522	14 831 804	5 488 124	3 883 594	280 902 514	33
20 508 262	17 569 234	2 471 409	467 619	199 928 979	34
322 173 135	239 394 775	79 275 429	3 502 931	2 542 557 362	35
176 289 792	159 855 889	12 807 099	3 626 804	695 282 468	36
85 030 295	71 898 053	9 534 658	3 597 584	347 398 242	37
11 209 995	8 938 474	1 647 818	623 703	157 576 267	38
72 742 334	56 160 419	9 308 011	7 273 904	529 545 706	39
682 176 787	447 439 633	152 912 287	81 824 867	3 548 894 002	40
84 765 996	65 050 747	6 319 015	13 396 234	337 728 900	41
108 696 877	87 605 968	12 570 746	8 520 163	604 079 181	42
64 356 152	53 435 854	7 234 095	3 686 203	303 446 908	43
22 541 306	13 219 436	2 411 712	6 910 158	534 933 055	44
9 895 014	7 915 655	1 365 141	614 218	74 911 262	45
391 921 442	220 211 973	123 011 578	48 697 891	1 693 794 696	46
822 171 096	462 288 181	290 799 194	69 083 721	3 289 002 599	47
125 932 176	89 339 360	29 587 667	7 005 149	367 624 507	48
111 210 806	58 296 951	32 996 631	19 917 224	511 534 791	49
111 799 551	65 976 164	34 348 510	11 474 877	1 101 689 704	50
473 228 563	248 675 706	193 866 386	30 686 471	1 308 153 597	51
69 757 822	47 699 950	15 257 462	6 800 410	544 272 774	52
6 315 798	4 795 288	620 803	899 707	59 814 133	53
4 532 019	3 108 178	771 931	651 910	115 816 801	54
14 342 159	9 072 468	3 121 143	2 148 548	106 225 584	55
3 213 970	1 937 669	636 806	639 495	31 602 927	56
9 565 403	8 246 400	1 072 884	246 119	27 647 713	57
9 963 891	6 913 157	2 450 504	600 230	52 166 071	58
21 824 582	13 626 790	6 583 391	1 614 401	150 999 544	59
2 518 992 068	2 056 440 965	287 284 896	175 266 207	7 091 637 357	60
1 405 217 932	1 296 391 948	75 933 926	32 892 058	2 245 669 483	61
258 299 633	182 487 222	23 862 462	51 949 949	802 430 815	62
433 885 489	315 484 298	82 866 911	35 534 280	1 736 881 944	63
8 639 502	4 107 503	2 775 222	1 756 777	93 230 728	64
34 914 221	16 697 608	8 532 309	9 684 304	293 673 811	65
193 950 002	127 932 763	51 582 194	14 435 045	946 515 461	66
696 651	572 773	106 533	17 345	3 155 001	67
54 566 457	35 811 638	9 521 489	9 233 330	348 942 992	68
30 199 634	21 599 799	4 730 954	3 868 881	120 848 842	69
3 823 427	2 464 784	632 381	726 262	19 451 191	70
94 799 120	52 890 629	26 740 515	15 167 976	480 837 089	71

医薬2表

第2表　件数・診療実日数・点数，入院－入院外、

1　総数

行番号	傷病（中分類）	件数	診療実日数	総点数*
72	Ⅹ 呼吸器系の疾患	2 762 701	4 500 916	4 970 771 995
73	急性鼻咽頭炎［かぜ］＜感冒＞	124 974	179 634	111 169 921
74	急性咽頭炎及び急性扁桃炎	269 465	362 724	260 641 394
75	その他の急性上気道感染症	564 679	767 291	474 486 799
76	肺炎	77 697	412 777	1 047 181 937
77	急性気管支炎及び急性細気管支炎	358 728	506 684	374 537 520
78	アレルギー性鼻炎	506 750	700 256	475 070 312
79	慢性副鼻腔炎	137 946	244 174	164 870 274
80	急性又は慢性と明示されない気管支炎	67 690	105 005	89 847 824
81	慢性閉塞性肺疾患	79 583	154 307	270 338 781
82	喘息	400 690	602 596	618 731 740
83	その他の呼吸器系の疾患	174 499	465 468	1 083 895 493
84	Ⅺ 消化器系の疾患	1 906 063	3 223 197	4 810 988 298
85	う蝕	149	488	995 263
86	歯肉炎及び歯周疾患	1 823	4 799	7 986 016
87	その他の歯及び歯の支持組織の障害	4 630	6 770	7 314 246
88	胃潰瘍及び十二指腸潰瘍	153 186	254 697	349 755 821
89	胃炎及び十二指腸炎	574 603	916 712	923 252 669
90	痔核	71 919	117 115	151 077 749
91	アルコール性肝疾患	11 338	22 635	36 995 494
92	慢性肝炎（アルコール性のものを除く）	34 687	68 397	67 470 448
93	肝硬変（アルコール性のものを除く）	12 868	30 486	67 532 031
94	その他の肝疾患	167 841	277 108	387 533 147
95	胆石症及び胆のう炎	53 020	114 724	279 015 881
96	膵疾患	32 293	54 737	114 542 339
97	その他の消化器系の疾患	787 706	1 354 529	2 417 517 194
98	Ⅻ 皮膚及び皮下組織の疾患	1 730 249	2 636 077	2 246 377 938
99	皮膚及び皮下組織の感染症	115 380	218 622	217 181 687
100	皮膚炎及び湿疹	873 906	1 260 894	955 139 163
101	その他の皮膚及び皮下組織の疾患	740 963	1 156 561	1 074 057 088
102	XIII 筋骨格系及び結合組織の疾患	3 306 906	8 523 537	6 369 777 325
103	炎症性多発性関節障害	217 212	412 445	628 133 659
104	関節症	692 086	1 848 846	1 343 692 354
105	脊椎障害（脊椎症を含む）	669 048	2 132 194	1 355 227 269
106	椎間板障害	264 541	746 998	442 798 949
107	頚腕症候群	77 287	176 115	78 719 929
108	腰痛症及び坐骨神経痛	284 743	606 946	409 916 393
109	その他の脊柱障害	124 183	290 301	241 927 035
110	肩の傷害＜損傷＞	216 327	652 691	282 494 128
111	骨の密度及び構造の障害	215 706	461 295	427 286 843
112	その他の筋骨格系及び結合組織の疾患	545 773	1 195 706	1 159 580 766
113	XIV 腎尿路生殖器系の疾患	1 417 089	2 703 090	4 557 756 505
114	糸球体疾患及び腎尿細管間質性疾患	66 613	134 469	267 755 122
115	腎不全	100 115	703 950	2 268 357 462
116	尿路結石症	65 519	89 728	169 614 175
117	その他の腎尿路系の疾患	250 037	442 201	655 421 478
118	前立腺肥大（症）	145 531	190 922	271 009 265
119	その他の男性生殖器の疾患	51 443	65 915	57 669 115
120	月経障害及び閉経周辺期障害	198 279	321 732	194 789 408
121	乳房及びその他の女性生殖器の疾患	539 552	754 173	673 140 480
122	XV 妊娠，分娩及び産じょく	196 908	425 771	500 431 841
123	流産	22 409	40 302	46 994 933
124	妊娠高血圧症候群	3 108	7 788	13 499 354
125	その他の妊娠，分娩及び産じょく	171 391	377 681	439 937 554
126	XVI 周産期に発生した病態	37 038	87 103	145 271 139
127	妊娠及び胎児発育に関連する障害	16 635	32 969	57 625 331
128	その他の周産期に発生した病態	20 403	54 134	87 645 807
129	XVII 先天奇形，変形及び染色体異常	116 511	203 665	358 517 008
130	心臓の先天奇形	16 166	22 042	54 109 245
131	その他の先天奇形，変形及び染色体異常	100 345	181 623	304 407 764
132	XVIII 症状，徴候等で他に分類されないもの	827 179	1 408 008	2 057 742 634
133	症状，徴候等で他に分類されないもの	827 179	1 408 008	2 057 742 634
134	XIX 損傷，中毒及びその他の外因の影響	1 472 956	3 639 702	4 477 389 878
135	骨折	480 617	1 537 334	2 275 460 690
136	頭蓋内損傷及び内臓の損傷	21 702	63 533	157 330 393
137	熱傷及び腐食	20 234	44 986	38 140 759
138	中毒	33 618	44 063	32 930 090
139	その他の損傷及びその他の外因の影響	916 785	1 949 786	1 973 527 946

注：1）「処方箋料」を算定している明細書、「投薬」「注射」を包括した診療行為が出現する明細書及びDPC／PDPSに係る明細書は集計対象外としている。
2）＊は入院時食事療養等(円)を点数換算（入院時食事療養等÷10）して含む。
3）総数には、「XX 傷病及び死亡の外因」、「XXI 健康状態に影響を及ぼす要因及び保健サービスの利用」、「XXII 特殊目的用コード」、「不詳」を含む。

平成30年６月審査分

全薬剤	投　薬	注　射	その他薬剤	その他行為*	行番号
1 127 428 283	804 919 322	257 972 710	64 536 251	3 843 343 712	72
25 337 305	20 311 113	2 849 337	2 176 855	85 832 616	73
61 045 748	48 932 840	8 857 895	3 255 013	199 595 646	74
95 301 160	80 390 760	8 875 910	6 034 490	379 185 639	75
123 194 548	39 339 380	79 667 196	4 187 972	923 987 389	76
86 246 650	72 822 300	10 093 652	3 330 698	288 290 870	77
165 641 323	138 627 994	14 446 555	12 566 774	309 428 989	78
36 179 605	25 837 122	6 645 088	3 697 395	128 690 669	79
24 617 985	20 054 518	3 788 722	774 745	65 229 839	80
70 742 694	57 413 543	10 634 289	2 694 862	199 596 087	81
245 798 361	207 696 399	26 422 774	11 679 188	372 933 379	82
193 322 904	93 493 353	85 691 292	14 138 259	890 572 589	83
1 187 012 487	741 322 676	303 110 879	142 578 932	3 623 975 811	84
75 856	69 721	6 045	90	919 407	85
997 154	585 266	113 361	298 527	6 988 862	86
988 043	526 651	329 084	132 308	6 326 203	87
97 993 791	71 345 505	17 861 585	8 786 701	251 762 030	88
240 576 989	187 347 172	26 149 761	27 080 056	682 675 680	89
30 434 111	20 260 365	6 455 024	3 718 722	120 643 638	90
7 292 108	5 399 464	1 117 471	775 173	29 703 386	91
21 330 226	17 192 367	3 145 672	992 187	46 140 222	92
19 572 525	15 259 253	3 007 329	1 305 943	47 959 506	93
95 848 196	67 733 791	18 614 118	9 500 287	291 684 951	94
38 267 756	17 626 014	13 555 787	7 085 955	240 748 125	95
27 452 658	15 367 039	7 837 016	4 248 603	87 089 681	96
606 183 074	322 610 068	204 918 626	78 654 380	1 811 334 120	97
709 466 002	467 073 797	184 702 764	57 689 441	1 536 911 936	98
46 894 441	27 219 020	16 840 667	2 834 754	170 287 246	99
304 271 195	234 005 262	54 598 955	15 666 978	650 867 968	100
358 300 366	205 849 515	113 263 142	39 187 709	715 756 722	101
1 520 133 604	844 262 475	479 366 212	196 504 917	4 849 643 721	102
325 561 086	99 394 510	140 615 950	85 550 626	302 572 573	103
252 784 198	138 797 478	92 314 126	21 672 594	1 090 908 156	104
258 063 534	176 783 901	60 400 745	20 878 888	1 097 163 735	105
54 805 895	41 396 236	9 070 856	4 338 803	387 993 054	106
20 390 719	17 509 906	2 196 039	684 774	58 329 210	107
117 975 516	90 859 945	20 656 043	6 459 528	291 940 877	108
32 162 334	19 411 863	8 282 999	4 467 472	209 764 701	109
59 603 063	39 145 799	16 972 317	3 484 947	222 891 065	110
170 955 010	89 385 129	62 103 745	19 466 136	256 331 833	111
227 832 249	131 577 708	66 753 392	29 501 149	931 748 517	112
796 795 901	540 644 279	158 386 511	97 765 111	3 760 960 604	113
55 683 458	29 009 903	21 203 273	5 470 282	212 071 664	114
275 348 059	166 792 591	51 982 934	56 572 534	1 993 009 403	115
19 242 811	11 268 803	4 394 777	3 579 231	150 371 364	116
153 392 572	105 533 607	35 223 145	12 635 820	502 028 906	117
111 196 634	94 407 380	12 734 443	4 054 811	159 812 631	118
11 632 110	8 421 207	2 226 941	983 962	46 037 005	119
80 442 559	71 217 462	6 386 890	2 838 207	114 346 849	120
89 857 698	53 993 326	24 234 108	11 630 264	583 282 782	121
26 350 786	9 672 422	13 766 677	2 911 687	474 081 055	122
1 352 422	532 776	326 301	493 345	45 642 511	123
637 585	228 580	349 095	59 910	12 861 769	124
24 360 779	8 911 066	13 091 281	2 358 432	415 576 775	125
10 904 266	1 233 244	5 882 319	3 788 703	134 366 873	126
6 551 189	650 722	2 728 518	3 171 949	51 074 142	127
4 353 077	582 522	3 153 801	616 754	83 292 730	128
58 341 235	27 728 037	7 827 686	22 785 512	300 175 773	129
7 149 932	3 657 259	2 178 115	1 314 558	46 959 313	130
51 191 303	24 070 778	5 649 571	21 470 954	253 216 461	131
369 496 133	193 649 098	128 992 817	46 854 218	1 688 246 501	132
369 496 133	193 649 098	128 992 817	46 854 218	1 688 246 501	133
381 730 177	186 228 599	133 094 947	62 406 631	4 095 659 701	134
202 622 783	88 807 578	81 184 153	32 631 052	2 072 837 907	135
10 219 941	4 701 842	3 895 950	1 622 149	147 110 452	136
4 000 698	2 314 725	1 101 269	584 704	34 140 061	137
4 964 546	3 537 285	993 901	433 360	27 965 544	138
159 922 209	86 867 169	45 919 674	27 135 366	1 813 605 737	139

第2表 件数・診療実日数・点数, 入院－入院外、

2 入院

行番号	傷病（中分類）	件数	診療実日数	総点数*
1	総数	631 052	9 988 877	27 109 799 494
2	Ⅰ 感染症及び寄生虫症	18 222	239 798	716 465 796
3	腸管感染症	5 008	45 223	135 115 676
4	結核	2 031	40 425	111 410 191
5	主として性的伝播様式をとる感染症	291	2 793	7 146 632
6	皮膚及び粘膜の病変を伴うウイルス性疾患	1 357	17 272	52 048 244
7	ウイルス性肝炎	1 287	14 455	61 999 066
8	その他のウイルス性疾患	850	11 564	40 454 243
9	真菌症	2 215	45 965	119 848 298
10	感染症及び寄生虫症の続発・後遺症	188	4 740	11 246 067
11	その他の感染症及び寄生虫症	4 995	57 361	177 197 379
12	Ⅱ 新生物＜腫瘍＞	38 543	501 409	2 200 033 324
13	胃の悪性新生物＜腫瘍＞	3 493	47 173	178 656 035
14	結腸の悪性新生物＜腫瘍＞	4 386	50 609	199 128 759
15	直腸S状結腸移行部及び直腸の悪性新生物＜腫瘍＞	1 771	22 569	100 729 527
16	肝及び肝内胆管の悪性新生物＜腫瘍＞	1 343	17 593	58 930 003
17	気管，気管支及び肺の悪性新生物＜腫瘍＞	4 474	58 814	265 698 023
18	乳房の悪性新生物＜腫瘍＞	2 462	24 557	120 092 437
19	子宮の悪性新生物＜腫瘍＞	379	4 780	15 324 742
20	悪性リンパ腫	1 300	22 311	105 064 888
21	白血病	963	20 889	155 942 993
22	その他の悪性新生物＜腫瘍＞	12 840	173 472	729 513 297
23	良性新生物＜腫瘍＞及びその他の新生物＜腫瘍＞	5 132	58 642	270 952 622
24	Ⅲ 血液及び造血器の疾患並びに免疫機構の障害	10 505	103 842	315 272 867
25	貧血	8 718	79 534	206 501 956
26	その他の血液及び造血器の疾患並びに免疫機構の障害	1 787	24 308	108 770 911
27	Ⅳ 内分泌，栄養及び代謝疾患	23 455	333 397	907 940 397
28	甲状腺障害	1 452	18 403	57 194 904
29	糖尿病	9 979	143 117	366 893 036
30	脂質異常症	2 296	32 318	75 979 992
31	その他の内分泌，栄養及び代謝疾患	9 728	139 559	407 872 465
32	Ⅴ 精神及び行動の障害	97 554	2 671 597	4 061 665 386
33	血管性及び詳細不明の認知症	5 848	154 027	244 769 294
34	精神作用物質使用による精神及び行動の障害	4 738	110 551	173 992 157
35	統合失調症，統合失調症型障害及び妄想性障害	59 024	1 720 037	2 459 942 961
36	気分［感情］障害（躁うつ病を含む）	13 245	330 578	525 441 982
37	神経症性障害，ストレス関連障害及び身体表現性障害	4 246	84 326	158 218 329
38	知的障害＜精神遅滞＞	2 769	79 430	147 780 826
39	その他の精神及び行動の障害	7 684	192 648	351 519 837
40	Ⅵ 神経系の疾患	48 645	1 126 385	2 746 328 592
41	パーキンソン病	4 876	119 159	325 203 351
42	アルツハイマー病	11 993	315 245	499 901 714
43	てんかん	4 674	109 425	257 838 463
44	脳性麻痺及びその他の麻痺性症候群	7 214	209 566	511 146 380
45	自律神経系の障害	892	22 068	67 520 737
46	その他の神経系の疾患	18 996	350 922	1 084 717 947
47	Ⅶ 眼及び付属器の疾患	15 831	110 162	532 099 657
48	結膜炎	1 645	22 973	60 055 479
49	白内障	5 107	23 424	138 398 606
50	屈折及び調節の障害	1 892	10 500	61 405 264
51	その他の眼及び付属器の疾患	7 187	53 265	272 240 308
52	Ⅷ 耳及び乳様突起の疾患	2 643	30 447	104 117 025
53	外耳炎	156	3 808	10 566 635
54	その他の外耳疾患	202	5 250	13 930 596
55	中耳炎	360	4 683	20 817 048
56	その他の中耳及び乳様突起の疾患	94	983	5 986 276
57	メニエール病	398	3 012	7 327 689
58	その他の内耳疾患	958	6 196	20 265 647
59	その他の耳疾患	475	6 515	25 223 133
60	Ⅸ 循環器系の疾患	66 451	938 564	3 379 741 262
61	高血圧性疾患	10 055	146 200	320 908 503
62	虚血性心疾患	7 405	63 438	422 530 307
63	その他の心疾患	21 789	295 391	1 162 437 808
64	くも膜下出血	1 203	21 933	79 068 338
65	脳内出血	4 568	82 570	241 030 231
66	脳梗塞	13 085	221 555	658 034 386
67	脳動脈硬化（症）	16	227	363 426
68	その他の脳血管疾患	3 038	41 780	166 418 614
69	動脈硬化（症）	1 038	14 741	62 833 172
70	低血圧（症）	247	3 286	9 782 208
71	その他の循環器系の疾患	4 007	47 443	256 334 269

全薬剤	投薬	注射	その他薬剤	その他行為*	行番号
2 409 081 229	717 988 412	1 492 770 316	198 322 501	24 700 718 265	1
92 879 205	34 763 034	54 790 125	3 326 046	623 586 591	2
14 135 946	2 895 212	10 509 977	730 757	120 979 730	3
7 712 069	3 787 992	3 732 639	191 438	103 698 122	4
881 819	212 259	620 053	49 507	6 264 813	5
7 586 103	1 617 218	5 628 811	340 074	44 462 141	6
21 292 455	16 929 267	4 025 409	337 779	40 706 611	7
5 464 311	1 819 431	3 445 686	199 194	34 989 932	8
14 740 384	3 723 339	10 462 878	554 167	105 107 914	9
352 510	209 190	98 274	45 046	10 893 557	10
20 713 608	3 569 126	16 266 398	878 084	156 483 771	11
513 480 705	73 688 033	418 216 309	21 576 363	1 686 552 619	12
28 290 018	3 929 547	22 654 094	1 706 377	150 366 017	13
30 298 419	4 306 894	23 560 007	2 431 518	168 830 340	14
20 619 391	2 998 134	16 440 730	1 180 527	80 110 136	15
6 738 171	2 632 764	2 806 838	1 298 569	52 191 832	16
100 114 025	8 497 072	89 943 141	1 673 812	165 583 998	17
26 744 807	3 131 524	22 293 782	1 319 501	93 347 630	18
1 808 330	327 782	1 297 513	183 035	13 516 412	19
31 924 416	3 528 589	28 000 266	395 561	73 140 472	20
44 945 325	6 619 673	37 917 781	407 871	110 997 668	21
184 977 318	30 918 823	146 783 941	7 274 554	544 535 979	22
37 020 485	6 797 231	26 518 216	3 705 038	233 932 137	23
49 879 957	9 174 619	38 450 656	2 254 682	265 392 910	24
19 455 526	5 938 598	12 296 294	1 220 634	187 046 430	25
30 424 431	3 236 021	26 154 362	1 034 048	78 346 480	26
112 008 839	24 804 679	81 332 538	5 871 622	795 931 558	27
9 727 128	1 379 918	7 982 988	364 222	47 467 776	28
34 167 274	10 841 525	20 052 404	3 273 345	332 725 762	29
7 009 997	2 413 873	3 978 325	617 799	68 969 995	30
61 104 440	10 169 363	49 318 821	1 616 256	346 768 025	31
236 466 690	171 884 215	58 189 025	6 393 450	3 825 198 696	32
11 902 962	6 562 454	4 644 501	696 007	232 866 332	33
7 936 508	6 174 833	1 564 950	196 725	166 055 649	34
152 917 260	115 415 938	35 038 192	2 463 130	2 307 025 701	35
30 046 545	22 171 695	6 471 800	1 403 050	495 395 437	36
8 404 821	4 935 718	2 973 603	495 500	149 813 508	37
6 397 491	4 714 157	1 403 664	279 670	141 383 335	38
18 861 103	11 909 420	6 092 315	859 368	332 658 734	39
191 493 604	78 718 814	99 543 840	13 230 950	2 554 834 988	40
23 334 980	16 048 858	5 247 144	2 038 978	301 868 371	41
27 435 846	15 317 289	10 926 674	1 191 883	472 465 868	42
14 336 782	9 278 236	3 908 718	1 149 828	243 501 681	43
14 849 001	10 774 348	1 897 831	2 176 822	496 297 379	44
3 688 205	2 231 604	1 089 423	367 178	63 832 532	45
107 848 790	25 068 479	76 474 050	6 306 261	976 869 157	46
57 487 849	9 997 146	28 612 693	18 878 010	474 611 808	47
6 419 632	1 436 596	3 885 974	1 097 062	53 635 847	48
13 553 522	2 243 930	4 045 913	7 263 679	124 845 084	49
6 599 168	1 277 422	2 495 570	2 826 176	54 806 096	50
30 915 527	5 039 198	18 185 236	7 691 093	241 324 781	51
8 960 014	2 281 467	5 916 434	762 113	95 157 011	52
527 780	308 584	148 642	70 554	10 038 855	53
776 531	383 471	336 894	56 166	13 154 065	54
2 602 724	396 852	1 959 085	246 787	18 214 324	55
602 554	75 403	399 031	128 120	5 383 722	56
411 036	201 762	190 626	18 648	6 916 653	57
1 403 841	460 416	850 522	92 903	18 861 806	58
2 635 548	454 979	2 031 634	148 935	22 587 585	59
238 095 041	69 798 138	135 807 607	32 489 296	3 141 646 221	60
25 588 262	9 033 687	14 383 341	2 171 234	295 320 241	61
23 587 208	6 821 729	8 836 585	7 928 894	398 943 099	62
80 489 026	29 862 203	41 786 484	8 840 339	1 081 948 782	63
4 323 507	1 027 015	2 501 374	795 118	74 744 831	64
12 385 187	3 560 438	6 890 851	1 933 898	228 645 044	65
57 152 176	11 468 896	42 150 237	3 533 043	600 882 210	66
11 656	8 669	2 210	777	351 770	67
10 970 344	2 531 739	6 324 130	2 114 475	155 448 270	68
3 716 075	1 301 960	1 587 607	826 508	59 117 097	69
628 018	238 779	253 750	135 489	9 154 190	70
19 243 582	3 943 023	11 091 038	4 209 521	237 090 687	71

第2表 件数・診療実日数・点数，入院−入院外、

2 入院

行番号	傷病（中分類）	件数	診療実日数	総点数*
72	Ⅹ 呼吸器系の疾患	48 117	705 063	2 025 265 137
73	急性鼻咽頭炎［かぜ］＜感冒＞	427	5 686	9 876 394
74	急性咽頭炎及び急性扁桃炎	1 095	12 217	31 701 809
75	その他の急性上気道感染症	940	11 588	26 690 323
76	肺炎	22 579	326 519	923 371 933
77	急性気管支炎及び急性細気管支炎	1 856	22 998	60 353 930
78	アレルギー性鼻炎	785	9 358	26 173 663
79	慢性副鼻腔炎	472	4 433	27 880 930
80	急性又は慢性と明示されない気管支炎	535	7 907	20 142 921
81	慢性閉塞性肺疾患	2 258	38 147	99 743 818
82	喘息	2 464	28 239	76 807 816
83	その他の呼吸器系の疾患	14 706	237 971	722 521 600
84	Ⅺ 消化器系の疾患	50 662	522 819	1 610 446 185
85	う蝕	10	282	691 256
86	歯肉炎及び歯周疾患	83	2 191	5 744 149
87	その他の歯及び歯の支持組織の障害	62	762	2 529 886
88	胃潰瘍及び十二指腸潰瘍	2 503	30 730	95 640 881
89	胃炎及び十二指腸炎	3 500	35 372	96 977 444
90	痔核	4 584	27 101	71 152 069
91	アルコール性肝疾患	469	6 561	17 492 281
92	慢性肝炎（アルコール性のものを除く）	314	4 653	10 626 644
93	肝硬変（アルコール性のものを除く）	709	11 826	32 640 190
94	その他の肝疾患	2 842	42 208	104 018 352
95	胆石症及び胆のう炎	3 651	45 714	171 627 844
96	膵疾患	901	12 001	37 784 387
97	その他の消化器系の疾患	31 034	303 418	963 520 802
98	Ⅻ 皮膚及び皮下組織の疾患	13 843	243 559	657 966 130
99	皮膚及び皮下組織の感染症	2 537	35 759	100 438 821
100	皮膚炎及び湿疹	5 029	86 767	228 128 313
101	その他の皮膚及び皮下組織の疾患	6 277	121 033	329 398 996
102	XIII 筋骨格系及び結合組織の疾患	36 381	517 596	1 952 092 137
103	炎症性多発性関節障害	3 274	38 970	129 630 939
104	関節症	6 493	92 437	509 448 230
105	脊椎障害（脊椎症を含む）	7 715	111 152	444 049 496
106	椎間板障害	2 468	27 018	116 839 908
107	頚腕症候群	129	1 849	4 333 730
108	腰痛症及び坐骨神経痛	3 919	39 373	86 784 044
109	その他の脊柱障害	1 079	14 808	89 626 022
110	肩の傷害＜損傷＞	499	8 346	20 338 952
111	骨の密度及び構造の障害	1 824	31 377	87 206 298
112	その他の筋骨格系及び結合組織の疾患	8 981	152 266	463 834 518
113	XIV 腎尿路生殖器系の疾患	27 347	392 793	1 231 120 885
114	糸球体疾患及び腎尿細管間質性疾患	3 737	49 461	141 240 230
115	腎不全	9 792	181 450	608 548 529
116	尿路結石症	1 546	11 422	53 010 309
117	その他の腎尿路系の疾患	6 877	111 343	296 813 267
118	前立腺肥大（症）	1 264	14 007	50 138 401
119	その他の男性生殖器の疾患	440	4 219	12 990 773
120	月経障害及び閉経周辺期障害	140	1 160	3 028 571
121	乳房及びその他の女性生殖器の疾患	3 551	19 731	65 350 805
122	XV 妊娠，分娩及び産じょく	28 603	146 710	328 575 374
123	流産	2 868	3 976	19 180 346
124	妊娠高血圧症候群	692	4 006	11 973 558
125	その他の妊娠，分娩及び産じょく	25 043	138 728	297 421 470
126	XVI 周産期に発生した病態	9 673	48 101	118 208 694
127	妊娠及び胎児発育に関連する障害	1 419	11 856	40 044 933
128	その他の周産期に発生した病態	8 254	36 245	78 163 760
129	XVII 先天奇形，変形及び染色体異常	2 593	50 028	174 829 382
130	心臓の先天奇形	380	4 464	24 486 824
131	その他の先天奇形，変形及び染色体異常	2 213	45 564	150 342 559
132	XVIII 症状，徴候等で他に分類されないもの	21 774	271 910	771 945 581
133	症状，徴候等で他に分類されないもの	21 774	271 910	771 945 581
134	XIX 損傷，中毒及びその他の外因の影響	49 072	712 242	2 425 020 255
135	骨折	30 280	468 918	1 514 909 058
136	頭蓋内損傷及び内臓の損傷	2 182	36 718	114 723 204
137	熱傷及び腐食	257	4 329	20 156 223
138	中毒	335	3 367	9 297 754
139	その他の損傷及びその他の外因の影響	16 018	198 910	765 934 016

注：1）「処方箋料」を算定している明細書、「投薬」「注射」を包括した診療行為が出現する明細書及びDPC／PDPSに係る明細書は集計対象外としている。
2）＊は入院時食事療養等（円）を点数換算（入院時食事療養等÷10）して含む。
3）総数には、「XX 傷病及び死亡の外因」、「XXI 健康状態に影響を及ぼす要因及び保健サービスの利用」、「XXII 特殊目的用コード」、「不詳」を含む。

平成30年6月審査分

全薬剤				その他行為*	行番号
	投薬	注射	その他薬剤		
190 334 685	43 088 266	139 989 895	7 256 524	1 834 930 452	72
643 979	257 179	312 410	74 390	9 232 415	73
2 886 546	799 843	1 908 633	178 070	28 815 263	74
2 359 799	809 061	1 459 995	90 743	24 330 524	75
88 580 356	16 708 775	69 440 522	2 431 059	834 791 577	76
3 888 210	1 326 016	2 352 789	209 405	56 465 720	77
2 591 347	684 064	1 677 393	229 890	23 582 316	78
2 197 068	535 121	1 327 341	334 606	25 683 862	79
1 716 502	446 961	1 153 319	116 222	18 426 419	80
8 006 055	2 878 704	4 793 016	334 335	91 737 763	81
8 811 939	2 458 613	6 054 140	299 186	67 995 877	82
68 652 884	16 183 929	49 510 337	2 958 618	653 868 716	83
148 609 596	33 224 285	99 234 304	16 151 007	1 461 836 589	84
9 005	8 922	83	-	682 251	85
154 908	104 403	26 092	24 413	5 589 241	86
182 491	26 783	123 122	32 586	2 347 395	87
8 583 070	2 120 095	5 752 299	710 676	87 057 811	88
7 655 229	1 995 657	4 592 104	1 067 468	89 322 215	89
5 429 409	1 395 277	2 777 452	1 256 680	65 722 660	90
1 470 797	698 720	687 084	84 993	16 021 484	91
1 071 803	259 438	769 278	43 087	9 554 841	92
3 966 334	2 251 305	1 558 947	156 082	28 673 856	93
8 710 079	3 389 333	4 703 633	617 113	95 308 273	94
12 077 786	1 944 934	7 832 927	2 299 925	159 550 058	95
3 933 140	632 691	2 847 693	452 756	33 851 247	96
95 365 545	18 396 727	67 563 590	9 405 228	868 155 257	97
72 153 321	18 359 897	49 833 938	3 959 486	585 812 809	98
10 415 715	2 269 979	7 567 900	577 836	90 023 106	99
21 588 146	6 244 685	14 127 167	1 216 294	206 540 167	100
40 149 460	9 845 233	28 138 871	2 165 356	289 249 536	101
128 583 452	35 773 765	75 165 103	17 644 584	1 823 508 685	102
27 598 779	5 082 668	21 381 083	1 135 028	102 032 160	103
16 338 193	5 214 966	6 411 500	4 711 727	493 110 037	104
22 627 439	7 188 643	10 895 526	4 543 270	421 422 057	105
4 477 055	1 542 360	1 404 946	1 529 749	112 362 853	106
304 259	95 528	174 602	34 129	4 029 471	107
5 834 499	2 236 386	3 085 931	512 182	80 949 545	108
4 106 004	860 899	2 344 304	900 801	85 520 018	109
1 608 180	541 418	877 498	189 264	18 730 772	110
6 220 944	1 838 555	3 544 780	837 609	80 985 354	111
39 468 100	11 172 342	25 044 933	3 250 825	424 366 418	112
90 458 796	29 781 905	48 224 492	12 452 399	1 140 662 089	113
14 095 258	3 096 142	10 436 377	562 739	127 144 972	114
40 778 190	16 962 723	15 742 052	8 073 415	567 770 339	115
2 998 590	645 598	1 705 306	647 686	50 011 719	116
23 460 388	7 232 090	14 776 608	1 451 690	273 352 879	117
3 998 895	938 649	2 272 761	787 485	46 139 506	118
1 067 477	275 988	683 091	108 398	11 923 296	119
156 891	81 559	45 039	30 293	2 871 680	120
3 903 107	549 156	2 563 258	790 693	61 447 698	121
16 263 764	2 255 778	12 169 195	1 838 791	312 311 610	122
687 901	189 729	197 290	300 882	18 492 445	123
461 115	71 177	336 775	53 163	11 512 443	124
15 114 748	1 994 872	11 635 130	1 484 746	282 306 722	125
4 632 411	643 584	3 634 401	354 426	113 576 283	126
1 025 508	249 340	663 464	112 704	39 019 425	127
3 606 903	394 244	2 970 937	241 722	74 556 857	128
8 675 912	3 433 410	4 185 316	1 057 186	166 153 470	129
1 886 508	474 779	1 243 926	167 803	22 600 316	130
6 789 404	2 958 631	2 941 390	889 383	143 553 155	131
69 947 381	17 405 360	47 339 402	5 202 619	701 998 200	132
69 947 381	17 405 360	47 339 402	5 202 619	701 998 200	133
114 068 815	39 272 652	54 877 490	19 918 673	2 310 951 440	134
65 035 447	24 152 711	30 368 972	10 513 764	1 449 873 611	135
5 893 566	1 916 369	3 185 793	791 404	108 829 638	136
1 428 397	479 843	732 182	216 372	18 727 826	137
644 702	165 560	438 960	40 182	8 653 052	138
41 066 703	12 558 169	20 151 583	8 356 951	724 867 313	139

第2表 件数・診療実日数・点数，入院−入院外、

3 入院外

行番号	傷病（中分類）	件数	診療実日数	総点数
1	総数	29 853 603	46 189 079	46 605 526 623
2	Ⅰ 感染症及び寄生虫症	1 217 383	1 768 899	1 803 115 966
3	腸管感染症	280 470	353 018	298 950 474
4	結核	10 965	14 991	25 464 194
5	主として性的伝播様式をとる感染症	36 990	55 040	42 870 057
6	皮膚及び粘膜の病変を伴うウイルス性疾患	438 469	712 685	333 513 623
7	ウイルス性肝炎	93 729	137 936	551 940 908
8	その他のウイルス性疾患	41 055	57 594	167 959 856
9	真菌症	216 673	301 675	229 404 675
10	感染症及び寄生虫症の続発・後遺症	2 505	3 495	6 134 859
11	その他の感染症及び寄生虫症	96 527	132 465	146 877 320
12	Ⅱ 新生物＜腫瘍＞	1 788 809	2 447 068	6 113 523 658
13	胃の悪性新生物＜腫瘍＞	121 576	172 919	391 009 782
14	結腸の悪性新生物＜腫瘍＞	137 786	195 788	442 862 594
15	直腸Ｓ状結腸移行部及び直腸の悪性新生物＜腫瘍＞	34 184	49 512	163 494 644
16	肝及び肝内胆管の悪性新生物＜腫瘍＞	35 182	49 237	148 829 255
17	気管，気管支及び肺の悪性新生物＜腫瘍＞	106 178	145 011	625 236 198
18	乳房の悪性新生物＜腫瘍＞	138 020	211 866	642 264 785
19	子宮の悪性新生物＜腫瘍＞	65 363	87 256	131 432 981
20	悪性リンパ腫	31 006	43 070	170 151 864
21	白血病	10 574	14 071	132 170 878
22	その他の悪性新生物＜腫瘍＞	448 698	638 326	2 177 764 571
23	良性新生物＜腫瘍＞及びその他の新生物＜腫瘍＞	660 242	840 012	1 088 306 106
24	Ⅲ 血液及び造血器の疾患並びに免疫機構の障害	206 849	306 625	738 835 479
25	貧血	146 841	225 213	310 686 597
26	その他の血液及び造血器の疾患並びに免疫機構の障害	60 008	81 412	428 148 882
27	Ⅳ 内分泌，栄養及び代謝疾患	2 328 462	3 180 689	4 461 412 947
28	甲状腺障害	228 205	289 324	403 814 954
29	糖尿病	890 782	1 206 517	2 047 478 396
30	脂質異常症	883 352	1 212 211	1 187 448 576
31	その他の内分泌，栄養及び代謝疾患	326 123	472 637	822 671 021
32	Ⅴ 精神及び行動の障害	860 507	1 422 192	1 403 683 487
33	血管性及び詳細不明の認知症	24 521	48 128	60 336 742
34	精神作用物質使用による精神及び行動の障害	21 970	40 912	46 445 084
35	統合失調症，統合失調症型障害及び妄想性障害	139 409	327 870	404 787 536
36	気分［感情］障害（躁うつ病を含む）	223 744	352 297	346 130 278
37	神経症性障害，ストレス関連障害及び身体表現性障害	246 697	341 065	274 210 208
38	知的障害＜精神遅滞＞	17 421	27 329	21 005 436
39	その他の精神及び行動の障害	186 745	284 591	250 768 203
40	Ⅵ 神経系の疾患	804 313	1 235 918	1 484 742 197
41	パーキンソン病	27 772	46 049	97 291 545
42	アルツハイマー病	80 538	154 689	212 874 344
43	てんかん	51 989	69 815	109 964 597
44	脳性麻痺及びその他の麻痺性症候群	25 385	60 374	46 327 981
45	自律神経系の障害	15 603	22 695	17 285 539
46	その他の神経系の疾患	603 026	882 296	1 000 998 191
47	Ⅶ 眼及び付属器の疾患	4 166 339	4 719 131	3 579 074 038
48	結膜炎	554 669	650 916	433 501 204
49	白内障	349 691	431 737	484 346 991
50	屈折及び調節の障害	1 910 416	2 056 626	1 152 083 991
51	その他の眼及び付属器の疾患	1 351 563	1 579 852	1 509 141 852
52	Ⅷ 耳及び乳様突起の疾患	639 174	874 843	509 913 571
53	外耳炎	104 506	146 027	55 563 296
54	その他の外耳疾患	189 228	207 193	106 418 224
55	中耳炎	117 223	201 820	99 750 695
56	その他の中耳及び乳様突起の疾患	35 570	59 197	28 830 621
57	メニエール病	25 892	40 668	29 885 427
58	その他の内耳疾患	25 080	33 225	41 864 315
59	その他の耳疾患	141 675	186 713	147 600 993
60	Ⅸ 循環器系の疾患	3 557 858	4 998 410	6 230 888 163
61	高血圧性疾患	2 324 282	3 257 102	3 329 978 912
62	虚血性心疾患	249 009	352 851	638 200 141
63	その他の心疾患	412 908	573 412	1 008 329 625
64	くも膜下出血	11 278	15 234	22 801 892
65	脳内出血	37 075	60 390	87 557 801
66	脳梗塞	224 670	333 070	482 431 077
67	脳動脈硬化（症）	1 785	2 696	3 488 226
68	その他の脳血管疾患	113 135	140 918	237 090 835
69	動脈硬化（症）	44 423	71 938	88 215 304
70	低血圧（症）	9 664	13 081	13 492 410
71	その他の循環器系の疾患	129 629	177 718	319 301 940

平成30年6月審査分

全薬剤	投薬	注射	その他薬剤	その他行為	行番号
15 328 769 706	10 088 730 326	3 483 497 725	1 756 541 655	31 276 756 917	1
766 878 446	637 479 158	68 216 134	61 183 154	1 036 237 520	2
50 799 675	37 851 146	9 315 955	3 632 574	248 150 799	3
6 645 651	3 189 770	2 224 858	1 231 023	18 818 543	4
10 217 912	8 727 048	879 951	610 913	32 652 145	5
71 814 700	57 694 571	11 290 480	2 829 649	261 698 923	6
372 809 808	321 748 299	19 915 885	31 145 624	179 131 100	7
123 344 264	108 934 521	3 039 190	11 370 553	44 615 592	8
94 182 841	75 631 556	13 400 540	5 150 745	135 221 834	9
2 159 996	1 158 894	609 725	391 377	3 974 863	10
34 903 599	22 543 353	7 539 550	4 820 696	111 973 721	11
2 553 719 397	1 089 393 746	1 245 220 294	219 105 357	3 559 804 261	12
119 390 053	35 717 460	68 050 939	15 621 654	271 619 729	13
139 538 277	43 233 858	73 459 018	22 845 401	303 324 317	14
74 089 291	21 880 771	45 007 400	7 201 120	89 405 353	15
60 081 986	41 582 517	3 622 334	14 877 135	88 747 269	16
310 915 361	113 791 547	184 407 770	12 716 044	314 320 837	17
309 571 114	76 009 021	213 284 294	20 277 799	332 693 671	18
18 924 025	5 476 020	9 025 607	4 422 398	112 508 956	19
70 233 439	19 413 922	47 976 509	2 843 008	99 918 425	20
103 394 073	97 179 662	5 760 284	454 127	28 776 805	21
1 136 759 914	540 054 954	518 703 882	78 001 078	1 041 004 657	22
210 821 864	95 054 014	75 922 257	39 845 593	877 484 242	23
482 223 676	112 350 659	146 475 125	223 397 892	256 611 803	24
155 440 080	61 401 410	85 841 781	8 196 889	155 246 517	25
326 783 596	50 949 249	60 633 344	215 201 003	101 365 286	26
1 833 840 164	1 232 717 070	282 422 573	318 700 521	2 627 572 783	27
96 067 971	55 405 571	24 365 629	16 296 771	307 746 983	28
814 531 283	627 676 006	91 034 464	95 820 813	1 232 947 113	29
470 061 547	427 917 038	26 495 447	15 649 062	717 387 029	30
453 179 363	121 718 455	140 527 033	190 933 875	369 491 658	31
475 690 645	396 764 433	62 343 523	16 582 689	927 992 842	32
12 300 560	8 269 350	843 623	3 187 587	48 036 182	33
12 571 754	11 394 401	906 459	270 894	33 873 330	34
169 255 875	123 978 837	44 237 237	1 039 801	235 531 661	35
146 243 247	137 684 194	6 335 299	2 223 754	199 887 031	36
76 625 474	66 962 335	6 561 055	3 102 084	197 584 734	37
4 812 504	4 224 317	244 154	344 033	16 192 932	38
53 881 231	44 250 999	3 215 696	6 414 536	196 886 972	39
490 683 183	368 720 819	53 368 447	68 593 917	994 059 014	40
61 431 016	49 001 889	1 071 871	11 357 256	35 860 529	41
81 261 031	72 288 679	1 644 072	7 328 280	131 613 313	42
50 019 370	44 157 618	3 325 377	2 536 375	59 945 227	43
7 692 305	2 445 088	513 881	4 733 336	38 635 676	44
6 206 809	5 684 051	275 718	247 040	11 078 730	45
284 072 652	195 143 494	46 537 528	42 391 630	716 925 539	46
764 683 247	452 291 035	262 186 501	50 205 711	2 814 390 791	47
119 512 544	87 902 764	25 701 693	5 908 087	313 988 660	48
97 657 284	56 053 021	28 950 718	12 653 545	386 689 707	49
105 200 383	64 698 742	31 852 940	8 648 701	1 046 883 608	50
442 313 036	243 636 508	175 681 150	22 995 378	1 066 828 816	51
60 797 808	45 418 483	9 341 028	6 038 297	449 115 763	52
5 788 018	4 486 704	472 161	829 153	49 775 278	53
3 755 488	2 724 707	435 037	595 744	102 662 736	54
11 739 435	8 675 616	1 162 058	1 901 761	88 011 260	55
2 611 416	1 862 266	237 775	511 375	26 219 205	56
9 154 367	8 044 638	882 258	227 471	20 731 060	57
8 560 050	6 452 741	1 599 982	507 327	33 304 265	58
19 189 034	13 171 811	4 551 757	1 465 466	128 411 959	59
2 280 897 027	1 986 642 827	151 477 289	142 776 911	3 949 991 136	60
1 379 629 670	1 287 358 261	61 550 585	30 720 824	1 950 349 242	61
234 712 425	175 665 493	15 025 877	44 021 055	403 487 716	62
353 396 463	285 622 095	41 080 427	26 693 941	654 933 162	63
4 315 995	3 080 488	273 848	961 659	18 485 897	64
22 529 034	13 137 170	1 641 458	7 750 406	65 028 767	65
136 797 826	116 463 867	9 431 957	10 902 002	345 633 251	66
684 995	564 104	104 323	16 568	2 803 231	67
43 596 113	33 279 899	3 197 359	7 118 855	193 494 722	68
26 483 559	20 297 839	3 143 347	3 042 373	61 731 745	69
3 195 409	2 226 005	378 631	590 773	10 297 001	70
75 555 538	48 947 606	15 649 477	10 958 455	243 746 402	71

第2表 件数・診療実日数・点数，入院－入院外、

3 入院外

行番号	傷病（中分類）	件数	診療実日数	総点数
72	Ⅹ 呼吸器系の疾患	2 714 584	3 795 853	2 945 506 858
73	急性鼻咽頭炎［かぜ］＜感冒＞	124 547	173 948	101 293 527
74	急性咽頭炎及び急性扁桃炎	268 370	350 507	228 939 585
75	その他の急性上気道感染症	563 739	755 703	447 796 476
76	肺炎	55 118	86 258	123 810 004
77	急性気管支炎及び急性細気管支炎	356 872	483 686	314 183 590
78	アレルギー性鼻炎	505 965	690 898	448 896 649
79	慢性副鼻腔炎	137 474	239 741	136 989 344
80	急性又は慢性と明示されない気管支炎	67 155	97 098	69 704 903
81	慢性閉塞性肺疾患	77 325	116 160	170 594 963
82	喘息	398 226	574 357	541 923 924
83	その他の呼吸器系の疾患	159 793	227 497	361 373 893
84	Ⅺ 消化器系の疾患	1 855 401	2 700 378	3 200 542 113
85	う蝕	139	206	304 007
86	歯肉炎及び歯周疾患	1 740	2 608	2 241 867
87	その他の歯及び歯の支持組織の障害	4 568	6 008	4 784 360
88	胃潰瘍及び十二指腸潰瘍	150 683	223 967	254 114 940
89	胃炎及び十二指腸炎	571 103	881 340	826 275 225
90	痔核	67 335	90 014	79 925 680
91	アルコール性肝疾患	10 869	16 074	19 503 213
92	慢性肝炎（アルコール性のものを除く）	34 373	63 744	56 843 804
93	肝硬変（アルコール性のものを除く）	12 159	18 660	34 891 841
94	その他の肝疾患	164 999	234 900	283 514 795
95	胆石症及び胆のう炎	49 369	69 010	107 388 037
96	膵疾患	31 392	42 736	76 757 952
97	その他の消化器系の疾患	756 672	1 051 111	1 453 996 392
98	Ⅻ 皮膚及び皮下組織の疾患	1 716 406	2 392 518	1 588 411 808
99	皮膚及び皮下組織の感染症	112 843	182 863	116 742 866
100	皮膚炎及び湿疹	868 877	1 174 127	727 010 850
101	その他の皮膚及び皮下組織の疾患	734 686	1 035 528	744 658 092
102	XIII 筋骨格系及び結合組織の疾患	3 270 525	8 005 941	4 417 685 188
103	炎症性多発性関節障害	213 938	373 475	498 502 720
104	関節症	685 593	1 756 409	834 244 124
105	脊椎障害（脊椎症を含む）	661 333	2 021 042	911 177 773
106	椎間板障害	262 073	719 980	325 959 041
107	頸腕症候群	77 158	174 266	74 386 199
108	腰痛症及び坐骨神経痛	280 824	567 573	323 132 349
109	その他の脊柱障害	123 104	275 493	152 301 013
110	肩の傷害＜損傷＞	215 828	644 345	262 155 176
111	骨の密度及び構造の障害	213 882	429 918	340 080 545
112	その他の筋骨格系及び結合組織の疾患	536 792	1 043 440	695 746 248
113	XIV 腎尿路生殖器系の疾患	1 389 742	2 310 297	3 326 635 620
114	糸球体疾患及び腎尿細管間質性疾患	62 876	85 008	126 514 892
115	腎不全	90 323	522 500	1 659 808 933
116	尿路結石症	63 973	78 306	116 603 866
117	その他の腎尿路系の疾患	243 160	330 858	358 608 211
118	前立腺肥大（症）	144 267	176 915	220 870 864
119	その他の男性生殖器の疾患	51 003	61 696	44 678 342
120	月経障害及び閉経周辺期障害	198 139	320 572	191 760 837
121	乳房及びその他の女性生殖器の疾患	536 001	734 442	607 789 675
122	XV 妊娠，分娩及び産じょく	168 305	279 061	171 856 467
123	流産	19 541	36 326	27 814 587
124	妊娠高血圧症候群	2 416	3 782	1 525 796
125	その他の妊娠，分娩及び産じょく	146 348	238 953	142 516 084
126	XVI 周産期に発生した病態	27 365	39 002	27 062 445
127	妊娠及び胎児発育に関連する障害	15 216	21 113	17 580 398
128	その他の周産期に発生した病態	12 149	17 889	9 482 047
129	XVII 先天奇形，変形及び染色体異常	113 918	153 637	183 687 626
130	心臓の先天奇形	15 786	17 578	29 622 421
131	その他の先天奇形，変形及び染色体異常	98 132	136 059	154 065 205
132	XVIII 症状，徴候等で他に分類されないもの	805 405	1 136 098	1 285 797 053
133	症状，徴候等で他に分類されないもの	805 405	1 136 098	1 285 797 053
134	XIX 損傷，中毒及びその他の外因の影響	1 423 884	2 927 460	2 052 369 623
135	骨折	450 337	1 068 416	760 551 632
136	頭蓋内損傷及び内臓の損傷	19 520	26 815	42 607 189
137	熱傷及び腐食	19 977	40 657	17 984 536
138	中毒	33 283	40 696	23 632 336
139	その他の損傷及びその他の外因の影響	900 767	1 750 876	1 207 593 930

注：1）「処方箋料」を算定している明細書及び「投薬」「注射」を包括した診療行為が出現する明細書は集計対象外としている。
2）総数には、「XX 傷病及び死亡の外因」、「XXI 健康状態に影響を及ぼす要因及び保健サービスの利用」、「XXII 特殊目的用コード」、「不詳」を含む。

平成30年6月審査分

全薬剤	投薬	注射	その他薬剤	その他行為	行番号
937 093 598	761 831 056	117 982 815	57 279 727	2 008 413 260	72
24 693 326	20 053 934	2 536 927	2 102 465	76 600 201	73
58 159 202	48 132 997	6 949 262	3 076 943	170 780 383	74
92 941 361	79 581 699	7 415 915	5 943 747	354 855 115	75
34 614 192	22 630 605	10 226 674	1 756 913	89 195 812	76
82 358 440	71 496 284	7 740 863	3 121 293	231 825 150	77
163 049 976	137 943 930	12 769 162	12 336 884	285 846 673	78
33 982 537	25 302 001	5 317 747	3 362 789	103 006 807	79
22 901 483	19 607 557	2 635 403	658 523	46 803 420	80
62 736 639	54 534 839	5 841 273	2 360 527	107 858 324	81
236 986 422	205 237 786	20 368 634	11 380 002	304 937 502	82
124 670 020	77 309 424	36 180 955	11 179 641	236 703 873	83
1 038 402 891	708 098 391	203 876 575	126 427 925	2 162 139 222	84
66 851	60 799	5 962	90	237 156	85
842 246	480 863	87 269	274 114	1 399 621	86
805 552	499 868	205 962	99 722	3 978 808	87
89 410 721	69 225 410	12 109 286	8 076 025	164 704 219	88
232 921 760	185 351 515	21 557 657	26 012 588	593 353 465	89
25 004 702	18 865 088	3 677 572	2 462 042	54 920 978	90
5 821 311	4 700 744	430 387	690 180	13 681 902	91
20 258 423	16 932 929	2 376 394	949 100	36 585 381	92
15 606 191	13 007 948	1 448 382	1 149 861	19 285 650	93
87 138 117	64 344 458	13 910 485	8 883 174	196 376 678	94
26 189 970	15 681 080	5 722 860	4 786 030	81 198 067	95
23 519 518	14 734 348	4 989 323	3 795 847	53 238 434	96
510 817 529	304 213 341	137 355 036	69 249 152	943 178 863	97
637 312 681	448 713 900	134 868 826	53 729 955	951 099 127	98
36 478 726	24 949 041	9 272 767	2 256 918	80 264 140	99
282 683 049	227 760 577	40 471 788	14 450 684	444 327 801	100
318 150 906	196 004 282	85 124 271	37 022 353	426 507 186	101
1 391 550 152	808 488 710	404 201 109	178 860 333	3 026 135 036	102
297 962 307	94 311 842	119 234 867	84 415 598	200 540 413	103
236 446 005	133 582 512	85 902 626	16 960 867	597 798 119	104
235 436 095	169 595 258	49 505 219	16 335 618	675 741 678	105
50 328 840	39 853 876	7 665 910	2 809 054	275 630 201	106
20 086 460	17 414 378	2 021 437	650 645	54 299 739	107
112 141 017	88 623 559	17 570 112	5 947 346	210 991 332	108
28 056 330	18 550 964	5 938 695	3 566 671	124 244 683	109
57 994 883	38 604 381	16 094 819	3 295 683	204 160 293	110
164 734 066	87 546 574	58 558 965	18 628 527	175 346 479	111
188 364 149	120 405 366	41 708 459	26 250 324	507 382 099	112
706 337 105	510 862 374	110 162 019	85 312 712	2 620 298 515	113
41 588 200	25 913 761	10 766 896	4 907 543	84 926 692	114
234 569 869	149 829 868	36 240 882	48 499 119	1 425 239 064	115
16 244 221	10 623 205	2 689 471	2 931 545	100 359 645	116
129 932 184	98 301 517	20 446 537	11 184 130	228 676 027	117
107 197 739	93 468 731	10 461 682	3 267 326	113 673 125	118
10 564 633	8 145 219	1 543 850	875 564	34 113 709	119
80 285 668	71 135 903	6 341 851	2 807 914	111 475 169	120
85 954 591	53 444 170	21 670 850	10 839 571	521 835 084	121
10 087 022	7 416 644	1 597 482	1 072 896	161 769 445	122
664 521	343 047	129 011	192 463	27 150 066	123
176 470	157 403	12 320	6 747	1 349 326	124
9 246 031	6 916 194	1 456 151	873 686	133 270 053	125
6 271 855	589 660	2 247 918	3 434 277	20 790 590	126
5 525 681	401 382	2 065 054	3 059 245	12 054 717	127
746 174	188 278	182 864	375 032	8 735 873	128
49 665 323	24 294 627	3 642 370	21 728 326	134 022 303	129
5 263 424	3 182 480	934 189	1 146 755	24 358 997	130
44 401 899	21 112 147	2 708 181	20 581 571	109 663 306	131
299 548 752	176 243 738	81 653 415	41 651 599	986 248 301	132
299 548 752	176 243 738	81 653 415	41 651 599	986 248 301	133
267 661 362	146 955 947	78 217 457	42 487 958	1 784 708 261	134
137 587 336	64 654 867	50 815 181	22 117 288	622 964 296	135
4 326 375	2 785 473	710 157	830 745	38 280 814	136
2 572 301	1 834 882	369 087	368 332	15 412 235	137
4 319 844	3 371 725	554 941	393 178	19 312 492	138
118 855 506	74 309 000	25 768 091	18 778 415	1 088 738 424	139

第3表 件数・診療実日数・点数，入院－入院外、施設種類、診療行為区分別

平成30年６月審査分

行番号	入院－入院外 施設種類	件数	診療実日数	総点数*	全薬剤				その他行為*
						投薬	注射	その他薬剤	
1	総数	30 484 655	56 177 956	73 715 326 117	17 737 850 935	10 806 718 738	4 976 268 041	1 954 864 156	55 977 475 182
2	病院	9 034 183	21 450 025	47 317 634 045	11 254 382 081	5 567 182 801	4 188 186 946	1 499 012 334	36 063 251 964
3	精神科病院	386 596	3 041 636	4 198 555 403	464 696 794	380 508 219	79 348 863	4 839 712	3 733 858 609
4	特定機能病院	853 424	1 272 190	4 241 641 645	2 080 303 940	855 049 779	907 826 239	317 427 922	2 161 337 705
5	療養病床を有する病院	1 896 171	5 382 208	10 631 741 780	1 742 522 312	1 064 559 333	509 253 368	168 709 611	8 889 219 468
6	一般病院	5 897 992	11 753 991	28 245 695 217	6 966 859 035	3 267 065 470	2 691 758 476	1 008 035 089	21 278 836 182
7	診療所	21 314 643	34 498 310	26 194 014 375	6 442 576 480	5 208 520 476	782 332 524	451 723 480	19 751 437 895
8	有床診療所	2 723 783	5 433 539	6 054 445 970	1 122 006 300	791 194 037	233 332 300	97 479 963	4 932 439 670
9	無床診療所	18 590 860	29 064 771	20 139 568 405	5 320 570 180	4 417 326 439	549 000 224	354 243 517	14 818 998 225
10	入院	631 052	9 988 877	27 109 799 494	2 409 081 229	717 988 412	1 492 770 316	198 322 501	24 700 718 265
11	病院	519 311	9 023 234	24 773 159 068	2 240 610 825	673 684 261	1 406 250 660	160 675 904	22 532 548 243
12	精神科病院	85 909	2 452 183	3 529 881 496	202 233 473	153 124 872	45 490 880	3 617 721	3 327 648 023
13	特定機能病院	13 395	191 064	982 611 411	262 321 017	41 231 898	210 123 096	10 966 023	720 290 394
14	療養病床を有する病院	149 101	2 451 450	6 787 905 489	472 902 771	153 737 341	282 882 006	36 283 424	6 315 002 718
15	一般病院	270 906	3 928 537	13 472 760 672	1 303 153 564	325 590 150	867 754 678	109 808 736	12 169 607 108
16	診療所	110 271	950 550	2 294 794 319	166 601 465	43 567 143	85 761 192	37 273 130	2 128 192 854
17	有床診療所	110 246	950 405	2 294 485 939	166 589 979	43 565 998	85 752 868	37 271 113	2 127 895 960
18	無床診療所	25	145	308 380	11 486	1 145	8 324	2 017	296 894
19	入院外	29 853 603	46 189 079	46 605 526 623	15 328 769 706	10 088 730 326	3 483 497 725	1 756 541 655	31 276 756 917
20	病院	8 514 872	12 426 791	22 544 474 977	9 013 771 256	4 893 498 540	2 781 936 286	1 338 336 430	13 530 703 721
21	精神科病院	300 687	589 453	668 673 907	262 463 321	227 383 347	33 857 983	1 221 991	406 210 586
22	特定機能病院	840 029	1 081 126	3 259 030 234	1 817 982 923	813 817 881	697 703 143	306 461 899	1 441 047 311
23	療養病床を有する病院	1 747 070	2 930 758	3 843 836 291	1 269 619 541	910 821 992	226 371 362	132 426 187	2 574 216 750
24	一般病院	5 627 086	7 825 454	14 772 934 545	5 663 705 471	2 941 475 320	1 824 003 798	898 226 353	9 109 229 074
25	診療所	21 204 372	33 547 760	23 899 220 056	6 275 975 015	5 164 953 333	696 571 332	414 450 350	17 623 245 041
26	有床診療所	2 613 537	4 483 134	3 759 960 031	955 416 321	747 628 039	147 579 432	60 208 850	2 804 543 710
27	無床診療所	18 590 835	29 064 626	20 139 260 025	5 320 558 694	4 417 325 294	548 991 900	354 241 500	14 818 701 331

注：1）「処方箋料」を算定している明細書、「投薬」「注射」を包括した診療行為が出現する明細書及びDPC／PDPSに係る明細書は集計対象外としている。
2）＊は入院時食事療養等（円）を点数換算（入院時食事療養等÷10）して含む。
3）総数には、データ上で病院、診療所別を取得できなかったものを含む。

第4表 件数・診療実日数・点数， 入院－入院外、診療所診療科、診療行為区分別

平成30年６月審査分

行番号	入院－入院外 診療所診療科	件数	診療実日数	総点数*	全薬剤				その他行為*
						投薬	注射	その他薬剤	
1	総数	21 314 643	34 498 310	26 194 014 375	6 442 576 480	5 208 520 476	782 332 524	451 723 480	19 751 437 895
2	内科	8 188 061	11 898 680	11 273 319 303	3 604 786 127	3 201 810 047	224 381 987	178 594 093	7 668 533 176
3	精神科	260 512	418 400	339 862 061	88 659 626	81 756 615	6 672 390	230 621	251 202 435
4	小児科	667 756	904 599	642 643 700	180 936 157	94 738 884	7 997 368	78 199 905	461 707 543
5	外科	1 039 237	1 872 597	1 774 194 538	383 798 623	292 143 214	73 825 082	17 830 327	1 390 395 915
6	整形外科	2 827 922	8 218 259	3 736 352 578	781 236 525	461 616 164	253 230 043	66 390 318	2 955 116 053
7	皮膚科	1 645 695	2 232 520	1 021 625 142	254 362 916	240 692 282	10 192 066	3 478 568	767 262 226
8	泌尿器科	348 785	494 562	578 709 479	183 338 679	140 661 406	37 485 274	5 191 999	395 370 800
9	産婦人科	1 113 300	1 814 198	1 486 785 032	237 589 617	177 275 363	41 432 142	18 882 112	1 249 195 415
10	眼科	3 818 889	4 298 546	3 151 751 794	468 495 027	320 507 150	100 812 691	47 175 186	2 683 256 767
11	耳鼻いんこう科	1 225 846	1 805 567	898 159 766	114 482 063	98 554 887	2 454 036	13 473 140	783 677 703
12	その他	178 640	540 382	1 290 610 984	144 891 120	98 764 464	23 849 445	22 277 211	1 145 719 864
13	入院	110 271	950 550	2 294 794 319	166 601 465	43 567 143	85 761 192	37 273 130	2 128 192 854
14	内科	25 487	335 842	639 529 782	56 812 966	19 931 383	30 415 303	6 466 280	582 716 816
15	精神科	223	3 975	4 661 235	358 595	174 709	179 143	4 743	4 302 640
16	小児科	1 593	7 833	14 789 353	816 686	191 835	533 909	90 942	13 972 667
17	外科	13 725	143 779	323 109 686	30 272 822	7 258 911	19 133 031	3 880 880	292 836 864
18	整形外科	11 676	174 680	472 645 313	20 392 396	6 526 199	9 125 382	4 740 815	452 252 917
19	皮膚科	87	958	1 880 749	162 195	44 174	110 043	7 978	1 718 554
20	泌尿器科	1 895	17 928	48 433 050	4 334 632	1 240 209	2 278 424	815 999	44 098 418
21	産婦人科	41 636	194 086	412 633 708	19 315 068	2 904 000	13 737 074	2 673 994	393 318 640
22	眼科	10 512	27 974	247 722 081	26 471 586	2 160 863	7 712 670	16 598 053	221 250 495
23	耳鼻いんこう科	1 116	3 027	33 013 260	838 507	109 620	174 613	554 274	32 174 753
24	その他	2 321	40 468	96 376 104	6 826 012	3 025 240	2 361 600	1 439 172	89 550 092
25	入院外	21 204 372	33 547 760	23 899 220 056	6 275 975 015	5 164 953 333	696 571 332	414 450 350	17 623 245 041
26	内科	8 162 574	11 562 838	10 633 789 521	3 547 973 161	3 181 878 664	193 966 684	172 127 813	7 085 816 360
27	精神科	260 289	414 425	335 200 826	88 301 031	81 581 906	6 493 247	225 878	246 899 795
28	小児科	666 163	896 766	627 854 347	180 119 471	94 547 049	7 463 459	78 108 963	447 734 876
29	外科	1 025 512	1 728 818	1 451 084 852	353 525 801	284 884 303	54 692 051	13 949 447	1 097 559 051
30	整形外科	2 816 246	8 043 579	3 263 707 265	760 844 129	455 089 965	244 104 661	61 649 503	2 502 863 136
31	皮膚科	1 645 608	2 231 562	1 019 744 393	254 200 721	240 648 108	10 082 023	3 470 590	765 543 672
32	泌尿器科	346 890	476 634	530 276 429	179 004 047	139 421 197	35 206 850	4 376 000	351 272 382
33	産婦人科	1 071 664	1 620 112	1 074 151 324	218 274 549	174 371 363	27 695 068	16 208 118	855 876 775
34	眼科	3 808 377	4 270 572	2 904 029 713	442 023 441	318 346 287	93 100 021	30 577 133	2 462 006 272
35	耳鼻いんこう科	1 224 730	1 802 540	865 146 506	113 643 556	98 445 267	2 279 423	12 918 866	751 502 950
36	その他	176 319	499 914	1 194 234 880	138 065 108	95 739 224	21 487 845	20 838 039	1 056 169 772

注：1）「処方箋料」を算定している明細書及び「投薬」「注射」を包括した診療行為が出現する明細書は集計対象外としている。
2）＊は入院時食事療養等（円）を点数換算（入院時食事療養等÷10）して含む。

第5表　入院外件数，　一般医療－後期医療・年齢階級、処方の種類別

平成30年６月審査分

行番号	一般医療－後期医療 年齢階級	総数	院内処方	院外処方	院内院外両方	処方なし	包括点数算定
1	総数	83 458 976	15 684 028	51 084 336	285 799	14 169 575	2 235 238
2	一般医療	60 754 151	11 173 515	36 461 926	166 250	11 400 878	1 551 582
3	後期医療	22 704 825	4 510 513	14 622 410	119 549	2 768 697	683 656
4	0 ～ 4歳	4 546 803	474 001	2 168 082	11 010	570 510	1 323 200
5	5 ～ 9	3 405 473	484 296	2 045 341	5 339	869 528	969
6	10 ～ 14	2 599 461	395 173	1 423 188	4 206	776 454	440
7	15 ～ 19	1 815 904	310 154	983 766	3 889	517 531	564
8	20 ～ 24	1 808 213	349 011	1 027 395	4 895	426 010	902
9	25 ～ 29	2 195 507	433 240	1 261 785	6 387	492 910	1 185
10	30 ～ 34	2 701 060	523 755	1 580 069	7 952	587 489	1 795
11	35 ～ 39	3 069 629	566 794	1 838 920	8 726	652 204	2 985
12	40 ～ 44	3 706 712	666 084	2 249 394	9 910	774 894	6 430
13	45 ～ 49	4 246 240	770 465	2 586 881	11 588	865 423	11 883
14	50 ～ 54	4 356 695	815 764	2 676 766	12 324	834 442	17 399
15	55 ～ 59	4 695 747	924 573	2 921 204	13 706	811 525	24 739
16	60 ～ 64	5 466 733	1 111 212	3 436 710	16 125	868 346	34 340
17	65 ～ 69	8 050 048	1 667 521	5 097 702	24 853	1 200 599	59 373
18	70 ～ 74	8 442 483	1 744 446	5 388 367	29 516	1 204 780	75 374
19	75 ～ 79	8 540 561	1 741 661	5 528 916	34 340	1 134 764	100 880
20	80 ～ 84	7 088 171	1 434 129	4 613 408	34 367	858 309	147 958
21	85 ～ 89	4 413 691	862 812	2 837 979	26 687	490 644	195 569
22	90歳以上	2 309 845	408 937	1 418 463	19 979	233 213	229 253

注：　院内処方とは「処方料」が算定されている場合であり、院外処方とは「処方箋料」が算定されている場合である。

第6表　入院外投薬薬剤点数，　一般医療－後期医療・年齢階級、処方の種類別

平成30年６月審査分

行番号	一般医療－後期医療 年齢階級	総数*	院内処方	院外処方	院内院外両方	処方なし
1	総数	10 408 922 296	10 081 040 206	62 948 124	257 232 900	7 690 120
2	一般医療	6 496 371 606	6 297 553 755	41 760 482	153 430 304	3 620 475
3	後期医療	3 912 550 690	3 783 486 451	21 187 642	103 802 596	4 069 645
4	0 ～ 4歳	56 939 344	56 039 094	78 827	811 266	6 684
5	5 ～ 9	84 875 739	84 043 597	72 667	735 870	23 605
6	10 ～ 14	81 759 594	81 063 962	82 764	593 329	19 539
7	15 ～ 19	77 928 622	76 981 356	100 453	763 779	83 034
8	20 ～ 24	105 842 902	104 594 397	187 911	1 025 324	35 270
9	25 ～ 29	149 788 635	147 573 721	639 965	1 524 407	50 542
10	30 ～ 34	196 785 306	193 863 638	525 405	2 341 950	54 313
11	35 ～ 39	263 053 574	257 556 556	1 584 935	3 793 601	118 482
12	40 ～ 44	379 598 789	370 253 460	2 402 051	6 787 574	155 538
13	45 ～ 49	487 988 049	474 794 439	2 893 119	10 092 080	208 411
14	50 ～ 54	547 638 102	531 095 891	2 790 516	13 436 345	315 350
15	55 ～ 59	653 129 998	631 883 041	4 148 181	16 721 355	377 261
16	60 ～ 64	813 059 299	788 997 924	5 198 713	18 389 452	472 744
17	65 ～ 69	1 296 114 045	1 246 779 061	9 506 232	38 899 767	926 884
18	70 ～ 74	1 419 557 491	1 364 367 878	12 037 378	42 256 545	895 466
19	75 ～ 79	1 475 756 263	1 419 394 676	10 623 956	44 515 165	1 222 044
20	80 ～ 84	1 246 182 562	1 202 340 709	7 235 307	35 305 388	1 298 747
21	85 ～ 89	743 635 061	726 180 254	2 176 684	14 355 399	922 097
22	90歳以上	329 288 921	323 236 552	663 060	4 884 304	504 109

注：１）診療行為区分「投薬」に「薬剤」の出現する明細書を集計対象としている。
２）＊は包括点数算定分を含む。
３）院内処方とは「処方料」が算定されている場合であり、院外処方とは「処方箋料」が算定されている場合である。

第7表　入院外処方回数，　一般医療－後期医療・年齢階級、処方の種類別

平成30年６月審査分

行番号	一般医療－後期医療 年齢階級	総数*	院内処方	院外処方	院内院外両方	処方なし
1	総数	84 765 582	20 111 557	63 813 769	839 478	·
2	一般医療	58 759 578	13 849 748	44 453 287	456 083	·
3	後期医療	26 006 004	6 261 809	19 360 482	383 395	·
4	0 ～ 4歳	3 760 769	625 895	3 105 210	29 425	·
5	5 ～ 9	3 163 458	588 355	2 562 014	13 085	·
6	10 ～ 14	2 132 539	457 617	1 664 687	10 235	·
7	15 ～ 19	1 499 688	355 466	1 134 921	9 301	·
8	20 ～ 24	1 618 809	404 942	1 202 167	11 700	·
9	25 ～ 29	2 037 532	517 448	1 504 222	15 862	·
10	30 ～ 34	2 563 148	637 379	1 905 820	19 949	·
11	35 ～ 39	2 938 091	691 707	2 224 049	22 334	·
12	40 ～ 44	3 554 400	814 272	2 713 804	26 313	·
13	45 ～ 49	4 093 875	948 119	3 114 118	31 626	·
14	50 ～ 54	4 266 460	1 010 787	3 221 232	34 426	·
15	55 ～ 59	4 696 659	1 151 706	3 505 558	39 372	·
16	60 ～ 64	5 573 107	1 392 705	4 133 220	47 160	·
17	65 ～ 69	8 361 489	2 111 744	6 176 016	73 674	·
18	70 ～ 74	9 004 729	2 260 604	6 655 625	88 420	·
19	75 ～ 79	9 440 650	2 329 253	7 007 607	103 730	·
20	80 ～ 84	8 139 833	1 986 587	6 046 211	106 933	·
21	85 ～ 89	5 178 370	1 228 504	3 863 510	86 266	·
22	90歳以上	2 741 976	598 467	2 073 778	69 667	·

注：1）＊は包括点数算定分を含む。
　　2）院内処方とは「処方料」が算定されている場合であり、院外処方とは「処方箋料」が算定されている場合である。

第8表　入院外件数，傷病（中分類）、処方の種類別

平成30年6月審査分

行番号	傷病（中分類）	総数	院内処方	院外処方	院内院外両方	処方なし	包括点数算定
1	総数	83 458 976	15 684 028	51 084 336	285 799	14 169 575	2 235 238
2	Ⅰ 感染症及び寄生虫症	3 263 378	627 969	1 876 429	14 201	589 414	155 365
3	腸管感染症	960 896	236 039	575 419	5 528	44 431	99 479
4	結核	22 502	2 708	10 936	173	8 257	428
5	主として性的伝播様式をとる感染症	65 074	16 223	27 604	410	20 767	70
6	皮膚及び粘膜の病変を伴うウイルス性疾患	874 804	108 131	415 207	2 589	330 338	18 539
7	ウイルス性肝炎	201 690	26 776	105 256	921	66 953	1 784
8	その他のウイルス性疾患	122 457	26 258	67 980	720	14 797	12 702
9	真菌症	724 636	167 825	495 859	2 060	48 848	10 044
10	感染症及び寄生虫症の続発・後遺症	6 118	776	3 202	21	1 729	390
11	その他の感染症及び寄生虫症	285 201	43 233	174 966	1 779	53 294	11 929
12	Ⅱ 新生物＜腫瘍＞	3 043 417	303 976	1 214 525	13 798	1 484 833	26 285
13	胃の悪性新生物＜腫瘍＞	229 241	22 652	103 861	1 125	98 924	2 679
14	結腸の悪性新生物＜腫瘍＞	241 590	24 001	99 398	1 262	113 785	3 144
15	直腸S状結腸移行部及び直腸の悪性新生物＜腫瘍＞	68 102	7 159	32 452	478	27 025	988
16	肝及び肝内胆管の悪性新生物＜腫瘍＞	68 505	6 898	31 919	331	28 284	1 073
17	気管，気管支及び肺の悪性新生物＜腫瘍＞	183 622	16 788	73 339	1 103	89 390	3 002
18	乳房の悪性新生物＜腫瘍＞	269 239	28 511	128 329	1 159	109 509	1 731
19	子宮の悪性新生物＜腫瘍＞	86 824	5 961	20 720	261	59 402	480
20	悪性リンパ腫	61 445	6 093	29 122	536	24 913	781
21	白血病	25 280	3 606	14 181	258	6 968	267
22	その他の悪性新生物＜腫瘍＞	858 980	96 525	395 983	4 816	352 173	9 483
23	良性新生物＜腫瘍＞及びその他の新生物＜腫瘍＞	950 589	85 782	285 221	2 469	574 460	2 657
24	Ⅲ 血液及び造血器の疾患並びに免疫機構の障害	487 017	88 310	270 095	2 416	118 539	7 657
25	貧血	357 148	73 148	202 231	1 456	73 693	6 620
26	その他の血液及び造血器の疾患並びに免疫機構の障害	129 869	15 162	67 864	960	44 846	1 037
27	Ⅳ 内分泌，栄養及び代謝疾患	7 595 914	1 599 898	5 095 397	22 767	728 564	149 288
28	甲状腺障害	561 717	104 896	327 571	1 579	123 309	4 362
29	糖尿病	3 216 457	582 687	2 244 237	9 959	308 095	71 479
30	脂質異常症	3 081 101	752 199	2 128 172	7 654	131 153	61 923
31	その他の内分泌，栄養及び代謝疾患	736 639	160 116	395 417	3 575	166 007	11 524
32	Ⅴ 精神及び行動の障害	3 278 804	474 265	2 374 670	5 928	386 242	37 699
33	血管性及び詳細不明の認知症	85 914	9 198	41 803	581	15 323	19 009
34	精神作用物質使用による精神及び行動の障害	63 715	11 074	41 105	194	10 896	446
35	統合失調症，統合失調症型障害及び妄想性障害	560 012	114 319	413 992	1 212	25 090	5 399
36	気分［感情］障害（躁うつ病を含む）	1 187 956	169 475	957 685	1 489	54 269	5 038
37	神経症性障害，ストレス関連障害及び身体表現性障害	958 301	133 742	706 679	1 649	112 955	3 276
38	知的障害＜精神遅滞＞	37 706	5 018	19 780	132	12 403	373
39	その他の精神及び行動の障害	385 200	31 439	193 626	671	155 306	4 168
40	Ⅵ 神経系の疾患	2 386 626	376 451	1 468 574	9 119	427 862	104 620
41	パーキンソン病	126 670	13 804	88 487	596	13 968	9 815
42	アルツハイマー病	376 480	51 088	223 525	2 170	29 450	70 247
43	てんかん	232 582	29 558	176 642	915	22 431	3 036
44	脳性麻痺及びその他の麻痺性症候群	38 863	2 614	11 514	212	22 771	1 752
45	自律神経系の障害	45 432	11 361	28 446	150	4 242	1 233
46	その他の神経系の疾患	1 566 599	268 026	939 960	5 076	335 000	18 537
47	Ⅶ 眼及び付属器の疾患	8 375 600	1 651 204	4 159 085	14 784	2 515 135	35 392
48	結膜炎	1 509 051	392 721	924 807	2 351	161 948	27 224
49	白内障	871 208	199 287	516 786	3 710	150 404	1 021
50	屈折及び調節の障害	2 683 504	326 212	770 612	2 068	1 584 204	408
51	その他の眼及び付属器の疾患	3 311 837	732 984	1 946 880	6 655	618 579	6 739
52	Ⅷ 耳及び乳様突起の疾患	1 478 876	127 189	811 438	2 820	511 985	25 444
53	外耳炎	255 575	21 731	148 481	292	82 775	2 296
54	その他の外耳疾患	281 294	11 317	87 261	131	177 911	4 674
55	中耳炎	367 167	35 783	231 731	783	81 440	17 430
56	その他の中耳及び乳様突起の疾患	69 806	5 316	34 100	83	30 254	53
57	メニエール病	111 303	17 129	84 647	405	8 763	359
58	その他の内耳疾患	75 362	11 444	49 491	576	13 636	215
59	その他の耳疾患	318 369	24 469	175 727	550	117 206	417
60	Ⅸ 循環器系の疾患	12 143 096	2 692 034	8 194 785	45 342	865 824	345 111
61	高血圧性疾患	8 524 249	2 140 417	5 928 567	28 034	183 865	243 366
62	虚血性心疾患	807 534	142 676	542 861	3 979	106 333	11 685
63	その他の心疾患	1 246 905	189 474	790 890	6 531	223 434	36 576
64	くも膜下出血	28 828	3 017	15 516	139	8 261	1 895
65	脳内出血	99 284	12 558	53 272	591	24 517	8 346
66	脳梗塞	752 095	111 429	488 079	3 591	113 241	35 755
67	脳動脈硬化（症）	4 159	811	2 282	23	974	69
68	その他の脳血管疾患	259 319	31 777	142 251	690	81 358	3 243
69	動脈硬化（症）	129 313	22 912	83 331	463	21 511	1 096
70	低血圧（症）	24 775	3 385	14 775	117	6 279	219
71	その他の循環器系の疾患	266 635	33 578	132 961	1 184	96 051	2 861

第8表　入院外件数，傷病（中分類）、処方の種類別

平成30年6月審査分

行番号	傷病（中分類）	総数	院内処方	院外処方	院内院外両方	処方なし	包括点数算定
72	Ⅹ 呼吸器系の疾患	11 711 402	2 062 514	8 139 908	35 165	652 070	821 745
73	急性鼻咽頭炎［かぜ］＜感冒＞	457 499	81 051	278 579	1 408	43 496	52 965
74	急性咽頭炎及び急性扁桃炎	1 054 773	238 545	690 906	3 595	29 825	91 902
75	その他の急性上気道感染症	2 688 755	443 041	1 879 206	6 079	120 698	239 731
76	肺炎	158 474	23 578	92 109	2 784	31 540	8 463
77	急性気管支炎及び急性細気管支炎	1 648 704	334 204	1 046 682	5 331	22 668	239 819
78	アレルギー性鼻炎	2 276 191	355 997	1 726 332	3 119	149 968	40 775
79	慢性副鼻腔炎	571 329	69 917	426 079	872	67 557	6 904
80	急性又は慢性と明示されない気管支炎	191 963	61 956	122 446	1 137	5 199	1 225
81	慢性閉塞性肺疾患	289 574	54 920	202 318	1 463	22 405	8 468
82	喘息	1 939 995	330 907	1 414 694	6 907	67 319	120 168
83	その他の呼吸器系の疾患	434 145	68 398	260 557	2 470	91 395	11 325
84	Ⅺ 消化器系の疾患	5 339 486	1 071 490	3 381 870	22 766	783 911	79 449
85	う蝕	232	60	87	1	79	5
86	歯肉炎及び歯周疾患	3 981	1 162	2 086	64	578	91
87	その他の歯及び歯の支持組織の障害	8 376	1 462	3 674	42	3 106	92
88	胃潰瘍及び十二指腸潰瘍	497 000	104 743	339 587	2 411	45 940	4 319
89	胃炎及び十二指腸炎	1 676 734	376 436	1 086 968	6 762	194 667	11 901
90	痔核	211 920	45 731	141 775	876	21 604	1 934
91	アルコール性肝疾患	29 527	5 191	18 137	107	5 678	414
92	慢性肝炎（アルコール性のものを除く）	93 356	23 266	57 745	329	11 107	909
93	肝硬変（アルコール性のものを除く）	41 929	6 020	28 740	189	6 139	841
94	その他の肝疾患	447 610	79 598	276 283	1 286	85 401	5 042
95	胆石症及び胆のう炎	109 451	16 467	58 429	629	32 902	1 024
96	膵疾患	71 885	11 345	39 611	336	20 047	546
97	その他の消化器系の疾患	2 147 485	400 009	1 328 748	9 734	356 663	52 331
98	Ⅻ 皮膚及び皮下組織の疾患	6 603 822	1 249 713	4 624 509	15 989	466 693	246 918
99	皮膚及び皮下組織の感染症	386 044	76 160	257 687	2 563	36 683	12 951
100	皮膚炎及び湿疹	3 555 877	722 401	2 528 547	6 487	146 476	151 966
101	その他の皮膚及び皮下組織の疾患	2 661 901	451 152	1 838 275	6 939	283 534	82 001
102	XIII 筋骨格系及び結合組織の疾患	8 006 705	1 548 012	4 668 026	22 664	1 722 513	45 490
103	炎症性多発性関節障害	670 678	137 228	450 004	2 283	76 710	4 453
104	関節症	1 596 823	300 487	901 549	3 776	385 106	5 905
105	脊椎障害（脊椎症を含む）	1 658 108	307 284	985 125	4 691	354 049	6 959
106	椎間板障害	585 464	99 672	321 766	1 228	162 401	397
107	頸腕症候群	186 171	44 635	107 619	472	32 523	922
108	腰痛症及び坐骨神経痛	695 612	186 923	406 253	2 707	93 901	5 828
109	その他の脊柱障害	247 185	38 573	122 832	680	84 531	569
110	肩の傷害＜損傷＞	489 415	98 377	271 000	1 169	117 451	1 418
111	骨の密度及び構造の障害	656 515	129 195	433 860	1 782	84 687	6 991
112	その他の筋骨格系及び結合組織の疾患	1 220 734	205 638	668 018	3 876	331 154	12 048
113	XIV 腎尿路生殖器系の疾患	2 930 677	587 998	1 500 965	20 904	801 744	19 066
114	糸球体疾患及び腎尿細管間質性疾患	152 400	19 318	86 498	1 152	43 558	1 874
115	腎不全	300 530	52 604	196 182	9 865	37 719	4 160
116	尿路結石症	125 871	19 846	60 136	1 482	44 127	280
117	その他の腎尿路系の疾患	709 784	140 379	454 237	3 794	102 781	8 593
118	前立腺肥大（症）	493 795	97 731	346 459	1 195	46 536	1 874
119	その他の男性生殖器の疾患	104 420	16 876	51 286	418	34 127	1 713
120	月経障害及び閉経周辺期障害	351 703	114 562	152 467	975	83 577	122
121	乳房及びその他の女性生殖器の疾患	692 174	126 682	153 700	2 023	409 319	450
122	XV 妊娠，分娩及び産じょく	220 924	54 482	50 983	1 631	113 823	5
123	流産	22 511	4 056	2 785	185	15 485	－
124	妊娠高血圧症候群	3 558	723	1 113	29	1 693	－
125	その他の妊娠，分娩及び産じょく	194 855	49 703	47 085	1 417	96 645	5
126	XVI 周産期に発生した病態	40 899	3 440	8 805	189	23 925	4 540
127	妊娠及び胎児発育に関連する障害	22 283	1 973	5 568	129	13 243	1 370
128	その他の周産期に発生した病態	18 616	1 467	3 237	60	10 682	3 170
129	XVII 先天奇形，変形及び染色体異常	190 262	15 916	70 535	573	98 002	5 236
130	心臓の先天奇形	25 794	1 518	9 019	101	14 268	888
131	その他の先天奇形，変形及び染色体異常	164 468	14 398	61 516	472	83 734	4 348
132	XVIII 症状，徴候等で他に分類されないもの	1 855 441	300 150	995 216	10 024	505 255	44 796
133	症状，徴候等で他に分類されないもの	1 855 441	300 150	995 216	10 024	505 255	44 796
134	XIX 損傷，中毒及びその他の外因の影響	2 718 104	453 989	1 230 055	18 578	969 895	45 587
135	骨折	816 525	111 512	352 689	5 509	338 825	7 990
136	頭蓋内損傷及び内臓の損傷	31 744	2 984	11 033	235	16 536	956
137	熱傷及び腐食	53 669	11 208	31 749	674	8 769	1 269
138	中毒	130 325	26 664	90 259	455	6 619	6 328
139	その他の損傷及びその他の外因の影響	1 685 841	301 621	744 325	11 705	599 146	29 044

注：1）院内処方とは「処方料」が算定されている場合であり、院外処方とは「処方箋料」が算定されている場合である。
　　2）総数には、「XX 傷病及び死亡の外因」、「XXI 健康状態に影響を及ぼす要因及び保健サービスの利用」、「XXII 特殊目的用コード」、「不詳」を含む。

第9表　入院外投薬薬剤点数，傷病（中分類）、処方の種類別

平成30年6月審査分

行番号	傷病（中分類）	総数*	院内処方	院外処方	院内院外両方	処方なし
1	総数	10 408 922 296	10 081 040 206	62 948 124	257 232 900	7 690 120
2	Ⅰ 感染症及び寄生虫症	674 470 765	637 148 868	5 969 547	31 021 994	330 290
3	腸管感染症	39 245 122	37 827 097	166 321	1 227 626	24 049
4	結核	3 319 546	3 186 930	37 221	92 555	2 840
5	主として性的伝播様式をとる感染症	9 359 250	8 726 524	324 942	307 260	524
6	皮膚及び粘膜の病変を伴うウイルス性疾患	60 995 538	57 674 047	1 024 501	2 276 443	20 524
7	ウイルス性肝炎	344 213 498	321 525 429	1 225 727	21 239 472	222 870
8	その他のウイルス性疾患	113 400 757	108 932 184	2 073 701	2 392 521	2 337
9	真菌症	78 505 111	75 589 106	836 332	2 037 223	42 450
10	感染症及び寄生虫症の続発・後遺症	1 163 417	1 156 614	243	4 280	2 280
11	その他の感染症及び寄生虫症	24 268 526	22 530 937	280 559	1 444 614	12 416
12	Ⅱ 新生物＜腫瘍＞	1 186 504 293	1 088 863 309	27 970 936	69 133 170	530 437
13	胃の悪性新生物＜腫瘍＞	37 338 060	35 685 501	197 023	1 421 580	31 959
14	結腸の悪性新生物＜腫瘍＞	46 024 414	43 196 424	551 953	2 236 837	37 434
15	直腸Ｓ状結腸移行部及び直腸の悪性新生物＜腫瘍＞	24 066 458	21 871 541	292 782	1 892 056	9 230
16	肝及び肝内胆管の悪性新生物＜腫瘍＞	44 523 307	41 574 432	365 555	2 574 285	8 085
17	気管，気管支及び肺の悪性新生物＜腫瘍＞	117 916 645	113 755 508	421 925	3 702 530	36 039
18	乳房の悪性新生物＜腫瘍＞	79 915 430	75 966 221	561 125	3 345 284	42 800
19	子宮の悪性新生物＜腫瘍＞	5 927 907	5 472 866	46 324	405 563	3 154
20	悪性リンパ腫	21 306 885	19 399 666	332 413	1 560 550	14 256
21	白血病	100 232 191	97 168 533	369 192	2 683 337	11 129
22	その他の悪性新生物＜腫瘍＞	609 599 981	539 759 858	23 812 757	45 732 034	295 096
23	良性新生物＜腫瘍＞及びその他の新生物＜腫瘍＞	99 653 015	95 012 759	1 019 887	3 579 114	41 255
24	Ⅲ 血液及び造血器の疾患並びに免疫機構の障害	118 903 301	112 311 685	1 405 950	5 146 692	38 974
25	貧血	64 253 863	61 369 813	252 024	2 600 429	31 597
26	その他の血液及び造血器の疾患並びに免疫機構の障害	54 649 438	50 941 872	1 153 926	2 546 263	7 377
27	Ⅳ 内分泌，栄養及び代謝疾患	1 254 522 277	1 231 561 790	4 216 471	17 588 004	1 155 280
28	甲状腺障害	56 509 076	55 371 379	289 457	814 048	34 192
29	糖尿病	640 438 281	627 077 698	2 682 812	10 079 463	598 308
30	脂質異常症	431 882 204	427 468 811	409 166	3 555 944	448 227
31	その他の内分泌，栄養及び代謝疾患	125 692 716	121 643 902	835 036	3 138 549	74 553
32	Ⅴ 精神及び行動の障害	401 613 300	396 626 910	624 742	4 224 125	137 523
33	血管性及び詳細不明の認知症	8 462 200	8 256 254	5 739	187 111	13 096
34	精神作用物質使用による精神及び行動の障害	11 519 943	11 394 401	9 751	115 791	－
35	統合失調症，統合失調症型障害及び妄想性障害	124 739 887	123 946 360	114 758	646 292	32 477
36	気分［感情］障害（躁うつ病を含む）	139 532 646	137 650 594	308 472	1 539 980	33 600
37	神経症性障害，ストレス関連障害及び身体表現性障害	68 017 732	66 934 753	154 648	900 749	27 582
38	知的障害＜精神遅滞＞	4 266 945	4 222 021	1 351	41 277	2 296
39	その他の精神及び行動の障害	45 073 947	44 222 527	30 023	792 925	28 472
40	Ⅵ 神経系の疾患	375 520 713	368 057 402	1 307 756	5 492 128	663 417
41	パーキンソン病	49 637 691	48 966 139	76 754	559 038	35 750
42	アルツハイマー病	73 086 812	71 844 674	95 675	702 458	444 005
43	てんかん	44 589 839	44 138 879	52 219	380 002	18 739
44	脳性麻痺及びその他の麻痺性症候群	2 539 740	2 437 947	45 124	49 528	7 141
45	自律神経系の障害	5 744 383	5 677 981	3 182	57 150	6 070
46	その他の神経系の疾患	199 922 248	194 991 782	1 034 802	3 743 952	151 712
47	Ⅶ 眼及び付属器の疾患	464 765 356	452 060 699	2 601 133	9 873 174	230 336
48	結膜炎	88 705 085	87 861 029	60 739	741 568	41 735
49	白内障	61 073 421	56 010 725	1 461 972	3 558 428	42 296
50	屈折及び調節の障害	66 494 751	64 669 381	344 533	1 451 476	29 361
51	その他の眼及び付属器の疾患	248 492 099	243 519 564	733 889	4 121 702	116 944
52	Ⅷ 耳及び乳様突起の疾患	47 548 230	45 394 488	409 290	1 720 419	23 995
53	外耳炎	4 823 567	4 485 546	28 332	308 531	1 158
54	その他の外耳疾患	2 866 628	2 721 433	22 342	119 579	3 274
55	中耳炎	9 056 216	8 675 072	108 535	272 065	544
56	その他の中耳及び乳様突起の疾患	1 889 747	1 862 266	864	26 617	－
57	メニエール病	8 142 666	8 034 896	3 638	94 390	9 742
58	その他の内耳疾患	6 632 535	6 449 815	11 415	168 379	2 926
59	その他の耳疾患	14 136 871	13 165 460	234 164	730 858	6 351
60	Ⅸ 循環器系の疾患	2 014 467 250	1 984 535 037	3 170 041	24 654 382	2 107 790
61	高血圧性疾患	1 297 663 563	1 285 938 260	663 043	9 642 259	1 420 001
62	虚血性心疾患	179 740 267	175 476 957	419 604	3 655 170	188 536
63	その他の心疾患	293 167 158	285 337 016	1 369 686	6 175 377	285 079
64	くも膜下出血	3 110 497	3 076 956	817	29 192	3 532
65	脳内出血	13 355 876	13 113 951	65 139	153 567	23 219
66	脳梗塞	118 209 785	116 360 742	48 615	1 697 303	103 125
67	脳動脈硬化（症）	569 402	563 264	30	5 268	840
68	その他の脳血管疾患	34 049 322	33 256 764	99 652	669 771	23 135
69	動脈硬化（症）	20 613 635	20 284 388	24 408	291 388	13 451
70	低血圧（症）	2 248 179	2 225 442	1 711	20 463	563
71	その他の循環器系の疾患	51 739 566	48 901 297	477 336	2 314 624	46 309

第9表　入院外投薬薬剤点数，　傷病（中分類）、処方の種類別

平成30年6月審査分

行番号	傷病（中分類）	総数*	院内処方	院外処方	院内院外両方	処方なし
72	Ⅹ 呼吸器系の疾患	778 608 015	761 367 991	2 326 290	14 449 753	463 065
73	急性鼻咽頭炎［かぜ］<感冒>	20 439 218	20 034 096	30 025	355 259	19 838
74	急性咽頭炎及び急性扁桃炎	48 839 178	48 112 916	28 411	677 650	20 081
75	その他の急性上気道感染症	81 761 793	79 562 150	100 527	2 079 494	19 549
76	肺炎	25 125 432	22 612 928	382 305	2 112 522	17 677
77	急性気管支炎及び急性細気管支炎	73 104 146	71 460 318	296 725	1 310 468	35 966
78	アレルギー性鼻炎	139 359 785	137 832 624	76 004	1 339 843	111 306
79	慢性副鼻腔炎	26 262 637	25 296 698	256 481	704 155	5 303
80	急性又は慢性と明示されない気管支炎	20 088 267	19 597 170	126 333	354 377	10 387
81	慢性閉塞性肺疾患	55 565 650	54 482 289	183 094	847 717	52 550
82	喘息	208 178 507	205 103 061	540 191	2 400 484	134 725
83	その他の呼吸器系の疾患	79 883 402	77 273 741	306 194	2 267 784	35 683
84	Ⅺ 消化器系の疾患	728 651 930	707 542 599	2 845 522	17 707 794	555 792
85	う蝕	60 833	60 799	-	34	-
86	歯肉炎及び歯周疾患	496 426	479 844	1 076	14 487	1 019
87	その他の歯及び歯の支持組織の障害	506 540	499 365	3 942	2 730	503
88	胃潰瘍及び十二指腸潰瘍	71 306 928	69 163 202	367 796	1 713 722	62 208
89	胃炎及び十二指腸炎	188 929 042	185 198 460	367 332	3 210 111	153 055
90	痔核	19 329 013	18 854 388	119 353	344 572	10 700
91	アルコール性肝疾患	4 770 899	4 698 273	6 637	63 518	2 471
92	慢性肝炎（アルコール性のものを除く）	17 345 045	16 918 939	30 066	382 050	13 990
93	肝硬変（アルコール性のものを除く）	13 557 852	13 005 111	10 295	539 609	2 837
94	その他の肝疾患	66 064 795	64 307 730	335 019	1 385 318	36 728
95	胆石症及び胆のう炎	16 464 942	15 670 614	55 610	728 252	10 466
96	膵疾患	15 234 334	14 725 355	47 620	452 366	8 993
97	その他の消化器系の疾患	314 585 281	303 960 519	1 500 776	8 871 025	252 822
98	Ⅻ 皮膚及び皮下組織の疾患	464 945 165	448 536 986	2 932 079	13 297 824	176 914
99	皮膚及び皮下組織の感染症	26 433 882	24 932 380	237 466	1 247 147	16 661
100	皮膚炎及び湿疹	234 311 269	227 671 950	1 262 036	5 287 955	88 627
101	その他の皮膚及び皮下組織の疾患	204 200 014	195 932 656	1 432 577	6 762 722	71 626
102	XIII 筋骨格系及び結合組織の疾患	823 414 380	807 948 200	2 475 536	12 450 134	540 510
103	炎症性多発性関節障害	95 675 684	94 161 431	208 520	1 155 322	150 411
104	関節症	135 853 977	133 534 649	478 134	1 793 331	47 863
105	脊椎障害（脊椎症を含む）	173 269 298	169 527 130	450 741	3 223 299	68 128
106	椎間板障害	40 352 737	39 829 038	20 336	478 525	24 838
107	頸腕症候群	17 557 174	17 403 436	40 533	102 263	10 942
108	腰痛症及び坐骨神経痛	90 543 413	88 565 019	598 193	1 321 661	58 540
109	その他の脊柱障害	18 949 492	18 543 616	41 001	357 527	7 348
110	肩の傷害<損傷>	39 202 119	38 583 479	54 333	543 405	20 902
111	骨の密度及び構造の障害	89 179 121	87 479 586	294 047	1 338 500	66 988
112	その他の筋骨格系及び結合組織の疾患	122 831 365	120 320 816	289 698	2 136 301	84 550
113	XIV 腎尿路生殖器系の疾患	526 746 339	510 635 802	1 663 959	14 220 006	226 572
114	糸球体疾患及び腎尿細管間質性疾患	27 213 985	25 902 454	222 795	1 077 429	11 307
115	腎不全	157 940 209	149 806 458	408 206	7 702 135	23 410
116	尿路結石症	10 964 660	10 613 359	191 431	150 024	9 846
117	その他の腎尿路系の疾患	101 259 818	98 250 046	519 694	2 438 607	51 471
118	前立腺肥大（症）	95 070 070	93 425 314	128 275	1 473 064	43 417
119	その他の男性生殖器の疾患	8 235 088	8 139 400	3 594	86 275	5 819
120	月経障害及び閉経周辺期障害	71 765 463	71 102 059	138 659	490 901	33 844
121	乳房及びその他の女性生殖器の疾患	54 297 046	53 396 712	51 305	801 571	47 458
122	XV 妊娠，分娩及び産じょく	7 558 627	7 416 289	2 044	139 939	355
123	流産	352 931	343 047	91	9 793	-
124	妊娠高血圧症候群	159 051	157 403	10	1 638	-
125	その他の妊娠，分娩及び産じょく	7 046 645	6 915 839	1 943	128 508	355
126	XVI 周産期に発生した病態	601 497	589 468	385	10 681	192
127	妊娠及び胎児発育に関連する障害	411 009	401 375	330	8 526	7
128	その他の周産期に発生した病態	190 488	188 093	55	2 155	185
129	XVII 先天奇形，変形及び染色体異常	25 157 033	24 287 761	164 718	697 688	6 866
130	心臓の先天奇形	3 300 770	3 176 998	659	117 631	5 482
131	その他の先天奇形，変形及び染色体異常	21 856 263	21 110 763	164 059	580 057	1 384
132	XVIII 症状，徴候等で他に分類されないもの	182 724 431	176 103 490	1 177 343	5 303 217	140 248
133	症状，徴候等で他に分類されないもの	182 724 431	176 103 490	1 177 343	5 303 217	140 248
134	XIX 損傷，中毒及びその他の外因の影響	154 967 632	146 771 874	1 047 871	6 963 796	184 073
135	骨折	68 509 806	64 569 085	494 558	3 360 381	85 782
136	頭蓋内損傷及び内臓の損傷	2 831 260	2 778 414	6 419	39 368	7 059
137	熱傷及び腐食	2 087 512	1 834 882	9 506	243 124	-
138	中毒	3 599 630	3 370 471	144 785	83 120	1 254
139	その他の損傷及びその他の外因の影響	77 939 424	74 219 022	392 603	3 237 803	89 978

注：1）診療行為区分「投薬」に「薬剤」の出現する明細書を集計対象としている。
　　2）＊は包括点数算定分を含む。
　　3）院内処方とは「処方料」が算定されている場合であり、院外処方とは「処方箋料」が算定されている場合である。
　　4）総数には、「XX 傷病及び死亡の外因」、「XXI 健康状態に影響を及ぼす要因及び保健サービスの利用」、「XXII 特殊目的用コード」、「不詳」を含む。

第10表　入院外処方回数，　傷病（中分類）、処方の種類別

平成30年６月審査分

行番号	傷病（中分類）	総数*	院内処方	院外処方	院内院外両方	処方なし
1	総数	84 765 582	20 111 557	63 813 769	839 478	・
2	Ⅰ 感染症及び寄生虫症	3 213 172	787 516	2 386 978	38 647	・
3	腸管感染症	1 003 894	280 559	709 320	13 996	・
4	結核	19 689	3 865	15 272	552	・
5	主として性的伝播様式をとる感染症	55 743	20 502	34 253	988	・
6	皮膚及び粘膜の病変を伴うウイルス性疾患	706 388	146 480	552 469	7 437	・
7	ウイルス性肝炎	174 891	37 793	134 363	2 735	・
8	その他のウイルス性疾患	126 478	32 012	92 490	1 968	・
9	真菌症	818 179	206 032	605 917	6 228	・
10	感染症及び寄生虫症の続発・後遺症	5 258	1 079	4 123	56	・
11	その他の感染症及び寄生虫症	302 652	59 194	238 771	4 687	・
12	Ⅱ 新生物＜腫瘍＞	2 026 955	408 125	1 577 886	40 606	・
13	胃の悪性新生物＜腫瘍＞	173 960	32 124	138 532	3 255	・
14	結腸の悪性新生物＜腫瘍＞	171 641	34 228	133 705	3 655	・
15	直腸Ｓ状結腸移行部及び直腸の悪性新生物＜腫瘍＞	57 617	10 664	45 513	1 426	・
16	肝及び肝内胆管の悪性新生物＜腫瘍＞	53 181	9 878	42 284	1 005	・
17	気管，気管支及び肺の悪性新生物＜腫瘍＞	132 453	24 970	104 132	3 301	・
18	乳房の悪性新生物＜腫瘍＞	200 043	37 541	159 067	3 426	・
19	子宮の悪性新生物＜腫瘍＞	33 698	7 488	25 488	709	・
20	悪性リンパ腫	49 547	8 771	39 130	1 640	・
21	白血病	25 520	5 122	19 550	847	・
22	その他の悪性新生物＜腫瘍＞	665 646	131 652	519 210	14 658	・
23	良性新生物＜腫瘍＞及びその他の新生物＜腫瘍＞	463 649	105 687	351 275	6 684	・
24	Ⅲ 血液及び造血器の疾患並びに免疫機構の障害	464 429	116 207	341 140	7 076	・
25	貧血	352 445	95 757	252 393	4 289	・
26	その他の血液及び造血器の疾患並びに免疫機構の障害	111 984	20 450	88 747	2 787	・
27	Ⅳ 内分泌，栄養及び代謝疾患	8 074 359	1 984 798	6 022 554	66 991	・
28	甲状腺障害	518 656	124 774	389 200	4 680	・
29	糖尿病	3 431 817	733 940	2 667 488	30 387	・
30	脂質異常症	3 427 765	927 587	2 478 703	21 474	・
31	その他の内分泌，栄養及び代謝疾患	696 121	198 497	487 163	10 450	・
32	Ⅴ 精神及び行動の障害	3 782 157	634 951	3 128 702	18 481	・
33	血管性及び詳細不明の認知症	80 069	13 666	64 098	2 303	・
34	精神作用物質使用による精神及び行動の障害	74 549	16 334	57 463	752	・
35	統合失調症，統合失調症型障害及び妄想性障害	731 203	160 733	566 537	3 920	・
36	気分［感情］障害（躁うつ病を含む）	1 509 275	226 240	1 278 561	4 471	・
37	神経症性障害，ストレス関連障害及び身体表現性障害	1 066 681	170 406	891 574	4 697	・
38	知的障害＜精神遅滞＞	32 191	6 861	24 937	393	・
39	その他の精神及び行動の障害	288 189	40 711	245 532	1 945	・
40	Ⅵ 神経系の疾患	2 365 227	491 195	1 846 204	27 813	・
41	パーキンソン病	133 638	18 327	113 425	1 885	・
42	アルツハイマー病	390 196	70 019	312 290	7 880	・
43	てんかん	247 845	35 739	209 555	2 550	・
44	脳性麻痺及びその他の麻痺性症候群	20 991	3 902	16 394	695	・
45	自律神経系の障害	50 577	14 861	35 296	420	・
46	その他の神経系の疾患	1 521 980	348 347	1 159 244	14 383	・
47	Ⅶ 眼及び付属器の疾患	6 561 205	1 849 166	4 667 509	44 521	・
48	結膜炎	1 481 877	437 331	1 037 723	6 814	・
49	白内障	843 040	230 999	600 252	11 789	・
50	屈折及び調節の障害	1 200 907	354 935	839 706	6 266	・
51	その他の眼及び付属器の疾患	3 035 381	825 901	2 189 828	19 652	・
52	Ⅷ 耳及び乳様突起の疾患	1 367 497	184 027	1 175 548	7 915	・
53	外耳炎	217 536	28 383	188 340	813	・
54	その他の外耳疾患	133 154	15 648	117 114	392	・
55	中耳炎	464 721	58 051	404 349	2 315	・
56	その他の中耳及び乳様突起の疾患	57 498	8 067	49 182	249	・
57	メニエール病	137 452	23 886	112 436	1 130	・
58	その他の内耳疾患	79 151	14 637	63 064	1 450	・
59	その他の耳疾患	277 985	35 355	241 063	1 566	・
60	Ⅸ 循環器系の疾患	13 545 087	3 426 323	9 979 884	138 846	・
61	高血圧性疾患	9 914 753	2 700 580	7 129 444	84 709	・
62	虚血性心疾患	870 835	187 433	671 306	12 096	・
63	その他の心疾患	1 273 744	252 273	1 001 228	20 233	・
64	くも膜下出血	23 403	3 833	19 153	417	・
65	脳内出血	87 977	16 301	69 805	1 870	・
66	脳梗塞	782 734	146 698	623 998	12 036	・
67	脳動脈硬化（症）	3 968	1 048	2 847	73	・
68	その他の脳血管疾患	211 408	39 219	170 154	2 035	・
69	動脈硬化（症）	135 098	30 109	103 468	1 521	・
70	低血圧（症）	23 820	4 565	18 902	353	・
71	その他の循環器系の疾患	217 347	44 264	169 579	3 503	・

第10表　入院外処方回数，　傷病（中分類）、処方の種類別

平成30年６月審査分

行番号	傷病（中分類）	総数*	院内処方	院外処方	院内院外両方	処方なし
72	Ⅹ 呼吸器系の疾患	13 256 906	2 673 561	10 486 947	96 267	・
73	急性鼻咽頭炎［かぜ］＜感冒＞	472 751	104 604	364 298	3 845	・
74	急性咽頭炎及び急性扁桃炎	1 155 873	294 736	851 843	9 291	・
75	その他の急性上気道感染症	2 942 737	553 835	2 372 911	15 963	・
76	肺炎	199 715	39 686	152 067	7 959	・
77	急性気管支炎及び急性細気管支炎	1 806 794	433 774	1 358 609	14 358	・
78	アレルギー性鼻炎	2 567 767	444 466	2 114 968	8 324	・
79	慢性副鼻腔炎	704 630	100 811	601 283	2 536	・
80	急性又は慢性と明示されない気管支炎	244 389	83 110	157 844	3 435	・
81	慢性閉塞性肺疾患	340 880	75 076	261 421	4 380	・
82	喘息	2 380 083	454 132	1 906 627	19 301	・
83	その他の呼吸器系の疾患	441 287	89 331	345 076	6 875	・
84	Ⅺ 消化器系の疾患	5 685 042	1 400 538	4 219 564	64 922	・
85	う蝕	188	79	107	2	・
86	歯肉炎及び歯周疾患	4 502	1 572	2 761	169	・
87	その他の歯及び歯の支持組織の障害	6 628	1 844	4 664	120	・
88	胃潰瘍及び十二指腸潰瘍	573 450	138 562	427 912	6 976	・
89	胃炎及び十二指腸炎	1 891 208	504 349	1 367 616	19 243	・
90	痔核	233 725	57 384	173 843	2 493	・
91	アルコール性肝疾患	28 547	6 475	21 788	284	・
92	慢性肝炎（アルコール性のものを除く）	106 540	32 513	72 973	1 054	・
93	肝硬変（アルコール性のものを除く）	44 415	7 946	35 864	605	・
94	その他の肝疾患	440 631	100 792	336 096	3 741	・
95	胆石症及び胆のう炎	97 110	21 667	73 723	1 720	・
96	膵疾患	65 761	15 288	49 497	976	・
97	その他の消化器系の疾患	2 192 337	512 067	1 652 720	27 539	・
98	Ⅻ 皮膚及び皮下組織の疾患	7 201 462	1 547 140	5 607 650	46 613	・
99	皮膚及び皮下組織の感染症	454 339	103 023	343 828	7 486	・
100	皮膚炎及び湿疹	3 928 203	882 765	3 026 435	18 970	・
101	その他の皮膚及び皮下組織の疾患	2 818 920	561 352	2 237 387	20 157	・
102	ⅩⅢ 筋骨格系及び結合組織の疾患	8 292 258	2 167 667	6 060 695	63 894	・
103	炎症性多発性関節障害	739 185	177 911	555 008	6 266	・
104	関節症	1 674 013	446 629	1 216 830	10 554	・
105	脊椎障害（脊椎症を含む）	1 800 827	458 463	1 328 623	13 741	・
106	椎間板障害	572 962	142 795	426 801	3 366	・
107	頚腕症候群	191 874	58 948	131 656	1 270	・
108	腰痛症及び坐骨神経痛	758 988	244 735	506 838	7 414	・
109	その他の脊柱障害	216 138	54 122	160 101	1 915	・
110	肩の傷害＜損傷＞	507 886	143 362	361 192	3 332	・
111	骨の密度及び構造の障害	713 173	170 491	537 561	5 121	・
112	その他の筋骨格系及び結合組織の疾患	1 117 212	270 211	836 085	10 915	・
113	ⅩⅣ 腎尿路生殖器系の疾患	2 972 444	822 683	2 075 878	73 880	・
114	糸球体疾患及び腎尿細管間質性疾患	140 817	26 193	111 249	3 375	・
115	腎不全	714 259	174 402	495 374	44 481	・
116	尿路結石症	100 264	23 968	72 730	3 566	・
117	その他の腎尿路系の疾患	768 229	181 208	576 078	10 942	・
118	前立腺肥大（症）	524 414	115 352	405 780	3 282	・
119	その他の男性生殖器の疾患	84 435	20 476	62 890	1 069	・
120	月経障害及び閉経周辺期障害	301 931	128 437	171 215	2 279	・
121	乳房及びその他の女性生殖器の疾患	338 095	152 647	180 562	4 886	・
122	ⅩⅤ 妊娠，分娩及び産じょく	154 039	79 489	70 450	4 100	・
123	流産	9 234	5 338	3 453	443	・
124	妊娠高血圧症候群	2 779	1 124	1 578	77	・
125	その他の妊娠，分娩及び産じょく	142 026	73 027	65 419	3 580	・
126	ⅩⅥ 周産期に発生した病態	15 424	4 440	10 501	481	・
127	妊娠及び胎児発育に関連する障害	9 735	2 713	6 685	336	・
128	その他の周産期に発生した病態	5 689	1 727	3 816	145	・
129	ⅩⅦ 先天奇形，変形及び染色体異常	104 852	19 430	83 773	1 649	・
130	心臓の先天奇形	12 528	1 786	10 488	254	・
131	その他の先天奇形，変形及び染色体異常	92 324	17 644	73 285	1 395	・
132	ⅩⅧ 症状，徴候等で他に分類されないもの	1 690 042	391 135	1 270 958	27 923	・
133	症状，徴候等で他に分類されないもの	1 690 042	391 135	1 270 958	27 923	・
134	ⅩⅨ 損傷，中毒及びその他の外因の影響	2 234 548	595 229	1 589 769	49 546	・
135	骨折	660 549	160 027	485 766	14 756	・
136	頭蓋内損傷及び内臓の損傷	19 117	3 832	14 652	633	・
137	熱傷及び腐食	61 395	15 406	44 063	1 926	・
138	中毒	135 227	30 687	103 379	1 160	・
139	その他の損傷及びその他の外因の影響	1 358 260	385 277	941 909	31 071	・

注：1）＊は包括点数算定分を含む。
　　2）院内処方とは「処方料」が算定されている場合であり、院外処方とは「処方箋料」が算定されている場合である。
　　3）総数には、「ⅩⅩ 傷病及び死亡の外因」、「ⅩⅪ 健康状態に影響を及ぼす要因及び保健サービスの利用」、「ⅩⅫ 特殊目的用コード」、「不詳」を含む。

医薬11表（1－1）

第11表　入院外件数，施設種類、処方の種類別

平成30年６月審査分

行番号	施設種類	総数	院内処方	院外処方	院内院外両方	処方なし	包括点数算定
1	総数	83 458 976	15 684 028	51 084 336	285 799	14 169 575	2 235 238
2	病院	20 652 823	2 950 392	11 803 649	140 558	5 564 480	193 744
3	精神科病院	770 500	243 505	467 817	1 481	57 182	515
4	特定機能病院	1 698 239	199 015	847 760	10 450	641 014	-
5	療養病床を有する病院	4 980 856	880 575	3 124 238	31 656	866 495	77 892
6	一般病院	13 203 228	1 627 297	7 363 834	96 971	3 999 789	115 337
7	診療所	62 425 847	12 659 611	39 046 311	144 173	8 544 761	2 030 991
8	有床診療所	5 643 089	1 550 044	2 889 393	20 252	1 063 493	119 907
9	無床診療所	56 782 758	11 109 567	36 156 918	123 921	7 481 268	1 911 084

注：1）院内処方とは「処方料」が算定されている場合であり、院外処方とは「処方箋料」が算定されている場合である。
2）総数には、データ上で病院、診療所別を取得できなかったものを含む。

医薬12表（1－1）

第12表　入院外投薬薬剤点数，施設種類、処方の種類別

平成30年６月審査分

行番号	施設種類	総数*	院内処方	院外処方	院内院外両方	処方なし
1	総数	10 408 922 296	10 081 040 206	62 948 124	257 232 900	7 690 120
2	病院	5 170 257 756	4 889 999 683	60 247 612	216 507 383	3 498 857
3	精神科病院	227 936 917	227 341 746	26 261	527 309	41 601
4	特定機能病院	867 504 945	813 281 582	12 573 835	41 113 229	536 299
5	療養病床を有する病院	934 706 421	909 636 259	2 273 619	21 608 166	1 185 733
6	一般病院	3 140 109 473	2 939 740 096	45 373 897	153 258 679	1 735 224
7	診療所	5 208 110 262	5 160 774 128	2 682 165	40 468 199	4 179 205
8	有床診療所	752 701 198	745 669 359	266 008	4 806 389	1 958 680
9	無床診療所	4 455 409 064	4 415 104 769	2 416 157	35 661 810	2 220 525

注：1）診療行為区分「投薬」に「薬剤」の出現する明細書を集計対象としている。
2）＊は包括点数算定分を含む。
3）院内処方とは「処方料」が算定されている場合であり、院外処方とは「処方箋料」が算定されている場合である。
4）総数には、データ上で病院、診療所別を取得できなかったものを含む。

医薬13表（1－1）

第13表　入院外処方回数，施設種類、処方の種類別

平成30年６月審査分

行番号	施設種類	総数*	院内処方	院外処方	院内院外両方	処方なし
1	総数	84 765 582	20 111 557	63 813 769	839 478	・
2	病院	19 495 454	3 876 470	15 223 340	395 602	・
3	精神科病院	923 853	319 936	599 589	4 328	・
4	特定機能病院	1 386 027	270 605	1 085 325	30 097	・
5	療養病床を有する病院	5 397 908	1 195 464	4 111 337	91 083	・
6	一般病院	11 787 666	2 090 465	9 427 089	270 094	・
7	診療所	64 879 953	16 139 085	48 299 633	440 501	・
8	有床診療所	5 772 830	2 048 189	3 658 436	66 084	・
9	無床診療所	59 107 123	14 090 896	44 641 197	374 417	・

注：1）＊は包括点数算定分を含む。
2）院内処方とは「処方料」が算定されている場合であり、院外処方とは「処方箋料」が算定されている場合である。
3）総数には、データ上で病院、診療所別を取得できなかったものを含む。

第14表　入院外件数，　診療所診療科、処方の種類別

平成30年６月審査分

行番号	診療所診療科	総数	院内処方	院外処方	院内院外両方	処方なし	包括点数算定
1	総数	62 425 847	12 659 611	39 046 311	144 173	8 544 761	2 030 991
2	内科	27 536 035	6 275 332	18 259 569	83 196	1 887 242	1 030 696
3	精神科	1 591 667	138 912	1 324 497	1 494	121 377	5 387
4	小児科	3 199 068	454 975	1 701 914	2 819	211 188	828 172
5	外科	2 839 294	592 212	1 745 818	9 544	433 300	58 420
6	整形外科	6 451 279	1 302 213	3 599 602	14 996	1 514 033	20 435
7	皮膚科	5 585 378	1 017 597	3 918 036	3 937	628 011	17 797
8	泌尿器科	1 056 282	221 879	702 110	2 529	125 011	4 753
9	産婦人科	1 515 233	547 354	417 812	6 088	524 310	19 669
10	眼科	7 423 865	1 570 296	3 604 335	9 595	2 238 081	1 558
11	耳鼻いんこう科	4 714 139	451 542	3 450 003	2 722	773 188	36 684
12	その他	513 607	87 299	322 615	7 253	89 020	7 420

注：　院内処方とは「処方料」が算定されている場合であり、院外処方とは「処方箋料」が算定されている場合である。

第15表　入院外投薬薬剤点数，　診療所診療科、処方の種類別

平成30年６月審査分

行番号	診療所診療科	総数*	院内処方	院外処方	院内院外両方	処方なし
1	総数	5 208 110 262	5 160 774 128	2 682 165	40 468 199	4 179 205
2	内科	3 209 776 763	3 178 645 272	2 160 069	25 733 675	3 233 392
3	精神科	82 112 827	81 568 266	16 939	513 240	13 640
4	小児科	95 164 803	94 506 975	21 387	595 479	40 074
5	外科	287 440 153	284 395 248	97 377	2 458 473	489 055
6	整形外科	458 468 885	454 979 250	48 371	3 330 300	110 715
7	皮膚科	241 394 448	240 623 894	35 150	711 190	24 214
8	泌尿器科	140 223 935	139 392 973	8 598	794 140	28 224
9	産婦人科	175 567 104	174 280 065	130 721	1 064 899	91 298
10	眼科	319 832 015	318 226 920	104 207	1 381 521	119 367
11	耳鼻いんこう科	98 894 935	98 429 069	21 279	428 389	16 198
12	その他	99 234 394	95 726 196	38 067	3 456 893	13 028

注：1）診療行為区分「投薬」に「薬剤」の出現する明細書を集計対象としている。
2）＊は包括点数算定分を含む。
3）院内処方とは「処方料」が算定されている場合であり、院外処方とは「処方箋料」が算定されている場合である。

第16表　入院外処方回数，　診療所診療科、処方の種類別

平成30年６月審査分

行番号	診療所診療科	総数*	院内処方	院外処方	院内院外両方	処方なし
1	総数	64 879 953	16 139 085	48 299 633	440 501	・
2	内科	30 384 527	7 950 577	22 182 109	251 304	・
3	精神科	1 946 486	186 743	1 754 499	5 241	・
4	小児科	2 894 356	592 132	2 294 473	7 605	・
5	外科	2 965 545	791 702	2 146 238	27 593	・
6	整形外科	6 756 507	1 916 261	4 796 528	43 713	・
7	皮膚科	5 826 058	1 215 573	4 600 593	9 891	・
8	泌尿器科	1 117 865	273 523	836 050	8 292	・
9	産婦人科	1 174 828	668 365	491 610	14 849	・
10	眼科	5 702 750	1 729 645	3 943 404	29 699	・
11	耳鼻いんこう科	5 268 365	628 713	4 632 114	7 537	・
12	その他	842 666	185 851	622 015	34 777	・

注：1）＊は包括点数算定分を含む。
2）院内処方とは「処方料」が算定されている場合であり、院外処方とは「処方箋料」が算定されている場合である。

第17表 件数，診療行為区分（総数）、入院－入院外、

行番号	入院－入院外 一般医療－後期医療 年齢階級	総数	500点未満				
				100点未満	100～200点未満	200～300	300～400
1	総数	18 849 915	13 027 404	5 925 639	2 914 917	1 890 696	1 275 134
2	一般医療	13 332 169	9 978 994	4 812 753	2 253 678	1 370 415	882 388
3	後期医療	5 517 746	3 048 410	1 112 886	661 239	520 281	392 746
4	0 ～ 4歳	550 360	528 272	400 371	73 135	30 807	15 087
5	5 ～ 9	579 464	539 683	382 374	86 695	37 909	20 730
6	10 ～ 14	453 257	411 041	284 270	69 294	29 366	17 497
7	15 ～ 19	343 999	306 891	187 545	64 097	28 278	16 636
8	20 ～ 24	394 418	338 684	200 452	73 180	33 438	19 892
9	25 ～ 29	505 238	425 130	246 900	93 005	43 553	25 948
10	30 ～ 34	622 213	519 408	293 567	115 699	56 550	32 911
11	35 ～ 39	677 325	546 591	289 071	125 676	66 906	39 515
12	40 ～ 44	800 114	616 385	298 853	146 770	84 738	51 048
13	45 ～ 49	939 584	698 732	316 766	168 462	102 365	65 134
14	50 ～ 54	996 997	725 217	304 512	178 388	113 671	74 307
15	55 ～ 59	1 117 867	789 097	309 160	197 554	130 909	86 166
16	60 ～ 64	1 335 491	912 488	341 835	227 905	156 453	104 524
17	65 ～ 69	2 005 447	1 327 893	488 615	326 491	229 412	155 367
18	70 ～ 74	2 099 614	1 329 718	483 487	314 422	231 706	162 123
19	75 ～ 79	2 097 737	1 245 886	453 022	280 912	216 268	156 767
20	80 ～ 84	1 736 684	958 759	347 644	207 548	163 920	124 431
21	85 ～ 89	1 064 438	545 390	198 920	112 865	91 941	72 055
22	90歳以上	529 668	262 139	98 275	52 819	42 506	34 996
23	入院	602 218	171 950	57 980	39 025	29 661	24 265
24	一般医療	311 248	105 570	38 970	24 803	17 318	13 364
25	後期医療	290 970	66 380	19 010	14 222	12 343	10 901
26	0 ～ 4歳	8 348	5 366	3 163	914	504	401
27	5 ～ 9	2 779	1 082	437	272	152	122
28	10 ～ 14	3 631	1 286	541	272	192	154
29	15 ～ 19	5 295	1 944	779	419	311	242
30	20 ～ 24	10 073	5 228	2 298	1 291	790	472
31	25 ～ 29	20 901	12 736	5 756	3 309	1 814	1 109
32	30 ～ 34	28 660	17 361	7 826	4 566	2 509	1 480
33	35 ～ 39	23 322	11 627	4 640	3 097	1 845	1 173
34	40 ～ 44	17 808	5 817	1 870	1 480	1 080	761
35	45 ～ 49	19 245	4 622	1 269	968	862	843
36	50 ～ 54	21 503	5 027	1 336	1 057	986	892
37	55 ～ 59	25 685	5 734	1 527	1 194	1 086	983
38	60 ～ 64	31 943	7 103	1 893	1 476	1 368	1 227
39	65 ～ 69	51 340	10 969	2 904	2 272	2 107	1 912
40	70 ～ 74	54 754	11 886	3 164	2 610	2 195	2 051
41	75 ～ 79	64 983	14 426	3 962	3 146	2 687	2 471
42	80 ～ 84	75 657	17 160	5 023	3 621	3 162	2 772
43	85 ～ 89	72 658	16 866	4 914	3 588	3 173	2 735
44	90歳以上	63 633	15 710	4 678	3 473	2 838	2 465
45	入院外	18 247 697	12 855 454	5 867 659	2 875 892	1 861 035	1 250 869
46	一般医療	13 020 921	9 873 424	4 773 783	2 228 875	1 353 097	869 024
47	後期医療	5 226 776	2 982 030	1 093 876	647 017	507 938	381 845
48	0 ～ 4歳	542 012	522 906	397 208	72 221	30 303	14 686
49	5 ～ 9	576 685	538 601	381 937	86 423	37 757	20 608
50	10 ～ 14	449 626	409 755	283 729	69 022	29 174	17 343
51	15 ～ 19	338 704	304 947	186 766	63 678	27 967	16 394
52	20 ～ 24	384 345	333 456	198 154	71 889	32 648	19 420
53	25 ～ 29	484 337	412 394	241 144	89 696	41 739	24 839
54	30 ～ 34	593 553	502 047	285 741	111 133	54 041	31 431
55	35 ～ 39	654 003	534 964	284 431	122 579	65 061	38 342
56	40 ～ 44	782 306	610 568	296 983	145 290	83 658	50 287
57	45 ～ 49	920 339	694 110	315 497	167 494	101 503	64 291
58	50 ～ 54	975 494	720 190	303 176	177 331	112 685	73 415
59	55 ～ 59	1 092 182	783 363	307 633	196 360	129 823	85 183
60	60 ～ 64	1 303 548	905 385	339 942	226 429	155 085	103 297
61	65 ～ 69	1 954 107	1 316 924	485 711	324 219	227 305	153 455
62	70 ～ 74	2 044 860	1 317 832	480 323	311 812	229 511	160 072
63	75 ～ 79	2 032 754	1 231 460	449 060	277 766	213 581	154 296
64	80 ～ 84	1 661 027	941 599	342 621	203 927	160 758	121 659
65	85 ～ 89	991 780	528 524	194 006	109 277	88 768	69 320
66	90歳以上	466 035	246 429	93 597	49 346	39 668	32 531

注：1）「薬剤」の出現する明細書を集計対象としている。ただし、「処方箋料」を算定している明細書、「投薬」「注射」を包括した診療行為が出現する明細書及びDPC／PDPSに係る明細書は除いている。
2）「後発医薬品（再掲）」は、後発医薬品が出現した明細書の件数である。

平成30年６月審査分

400〜500	500〜1000	1000〜1500	1500〜2000	2000〜2500	2500〜3000	3000点以上	後発医薬品（再掲）	行番号
1 021 018	2 838 963	1 110 253	559 569	324 926	201 631	787 169	12 095 945	1
659 760	1 743 393	607 242	295 466	171 288	105 982	429 804	8 229 708	2
361 258	1 095 570	503 011	264 103	153 638	95 649	357 365	3 866 237	3
8 872	14 365	3 015	1 095	512	292	2 809	283 002	4
11 975	23 076	6 238	2 115	1 234	1 209	5 909	308 759	5
10 614	20 816	6 789	2 237	1 885	1 832	8 657	255 823	6
10 335	21 660	5 494	2 393	2 048	802	4 711	209 108	7
11 722	31 684	8 980	4 573	3 654	1 210	5 633	233 642	8
15 724	43 585	13 826	7 009	5 407	2 030	8 251	291 464	9
20 681	54 891	17 720	9 222	6 030	3 188	11 754	358 512	10
25 423	68 048	22 280	12 118	7 552	4 479	16 257	392 583	11
34 976	93 961	30 892	17 254	9 699	7 301	24 622	472 495	12
46 005	121 730	41 392	22 879	12 438	9 648	32 765	566 662	13
54 339	140 790	48 415	24 144	13 267	9 125	36 039	615 724	14
65 308	171 326	60 513	28 358	16 029	9 781	42 763	712 643	15
81 771	220 075	77 851	36 700	20 623	12 711	55 043	869 143	16
128 008	347 430	125 717	59 898	34 143	20 490	89 876	1 326 523	17
137 980	384 198	146 230	70 890	40 861	24 954	102 763	1 400 307	18
138 917	405 354	167 805	84 742	48 752	29 922	115 276	1 423 883	19
115 216	347 887	160 720	82 827	48 145	29 765	108 581	1 212 732	20
69 609	218 971	109 537	59 807	34 416	21 311	75 006	766 487	21
33 543	109 116	56 839	31 308	18 231	11 581	40 454	396 453	22
21 019	87 076	63 554	48 933	37 785	29 360	163 560	537 553	23
11 115	44 430	31 467	23 614	18 252	13 951	73 964	269 529	24
9 904	42 646	32 087	25 319	19 533	15 409	89 596	268 024	25
384	1 076	512	237	140	99	918	5 637	26
99	388	244	201	105	84	675	2 281	27
127	528	321	265	207	156	868	3 069	28
193	804	539	407	349	197	1 055	4 538	29
377	1 331	755	579	448	299	1 433	8 094	30
748	2 564	1 553	988	722	438	1 900	15 945	31
980	3 428	2 158	1 453	1 016	672	2 572	22 178	32
872	3 165	1 989	1 488	1 101	752	3 200	19 008	33
626	2 580	1 931	1 380	1 082	840	4 178	15 650	34
680	2 955	2 192	1 644	1 340	1 003	5 489	17 455	35
756	3 250	2 456	1 862	1 480	1 183	6 245	19 569	36
944	4 003	3 039	2 193	1 757	1 403	7 556	23 432	37
1 139	4 826	3 618	2 882	2 160	1 843	9 511	29 129	38
1 774	7 778	5 789	4 477	3 670	2 777	15 880	46 805	39
1 866	8 037	6 016	4 848	3 739	3 012	17 216	49 959	40
2 160	9 309	7 219	5 780	4 422	3 542	20 285	59 491	41
2 582	10 927	8 282	6 536	5 128	4 096	23 528	69 574	42
2 456	10 520	7 913	6 442	4 832	3 813	22 272	66 940	43
2 256	9 607	7 028	5 271	4 087	3 151	18 779	58 799	44
999 999	2 751 887	1 046 699	510 636	287 141	172 271	623 609	11 558 392	45
648 645	1 698 963	575 775	271 852	153 036	92 031	355 840	7 960 179	46
351 354	1 052 924	470 924	238 784	134 105	80 240	267 769	3 598 213	47
8 488	13 289	2 503	858	372	193	1 891	277 365	48
11 876	22 688	5 994	1 914	1 129	1 125	5 234	306 478	49
10 487	20 288	6 468	1 972	1 678	1 676	7 789	252 754	50
10 142	20 856	4 955	1 986	1 699	605	3 656	204 570	51
11 345	30 353	8 225	3 994	3 206	911	4 200	225 548	52
14 976	41 021	12 273	6 021	4 685	1 592	6 351	275 519	53
19 701	51 463	15 562	7 769	5 014	2 516	9 182	336 334	54
24 551	64 883	20 291	10 630	6 451	3 727	13 057	373 575	55
34 350	91 381	28 961	15 874	8 617	6 461	20 444	456 845	56
45 325	118 775	39 200	21 235	11 098	8 645	27 276	549 207	57
53 583	137 540	45 959	22 282	11 787	7 942	29 794	596 155	58
64 364	167 323	57 474	26 165	14 272	8 378	35 207	689 211	59
80 632	215 249	74 233	33 818	18 463	10 868	45 532	840 014	60
126 234	339 652	119 928	55 421	30 473	17 713	73 996	1 279 718	61
136 114	376 161	140 214	66 042	37 122	21 942	85 547	1 350 348	62
136 757	396 045	160 586	78 962	44 330	26 380	94 991	1 364 392	63
112 634	336 960	152 438	76 291	43 017	25 669	85 053	1 143 158	64
67 153	208 451	101 624	53 365	29 584	17 498	52 734	699 547	65
31 287	99 509	49 811	26 037	14 144	8 430	21 675	337 654	66

第18表　件数，　診療行為区分(総数)、入院－

1　総数

行番号	傷病（中分類）	総数	500点未満			
				100点未満	100～200点未満	200～300
1	総数	18 849 915	13 027 404	5 925 639	2 914 917	1 890 696
2	Ⅰ感染症及び寄生虫症	721 333	584 824	371 878	101 965	56 358
3	腸管感染症	253 525	236 284	185 556	29 744	11 692
4	結核	5 595	2 445	995	504	342
5	主として性的伝播様式をとる感染症	19 690	16 221	8 527	3 171	2 420
6	皮膚及び粘膜の病変を伴うウイルス性疾患	129 176	100 277	52 596	20 532	13 138
7	ウイルス性肝炎	40 665	18 153	6 711	3 777	3 154
8	その他のウイルス性疾患	28 566	24 312	19 704	2 862	989
9	真菌症	182 906	138 251	73 466	31 883	14 611
10	感染症及び寄生虫症の続発・後遺症	1 101	539	174	129	90
11	その他の感染症及び寄生虫症	60 109	48 342	24 149	9 363	9 922
12	Ⅱ新生物＜腫瘍＞	756 635	364 709	181 425	63 478	49 411
13	胃の悪性新生物＜腫瘍＞	80 569	53 018	31 000	7 314	6 584
14	結腸の悪性新生物＜腫瘍＞	95 571	64 317	20 769	13 565	18 611
15	直腸Ｓ状結腸移行部及び直腸の悪性新生物＜腫瘍＞	22 011	9 199	3 244	1 540	1 717
16	肝及び肝内胆管の悪性新生物＜腫瘍＞	20 056	5 354	1 487	992	602
17	気管，気管支及び肺の悪性新生物＜腫瘍＞	36 277	10 636	3 984	1 731	1 335
18	乳房の悪性新生物＜腫瘍＞	54 400	12 389	6 514	1 490	987
19	子宮の悪性新生物＜腫瘍＞	16 339	8 632	5 542	846	489
20	悪性リンパ腫	12 360	4 632	2 301	645	496
21	白血病	5 450	1 356	799	188	123
22	その他の悪性新生物＜腫瘍＞	222 663	79 664	37 295	14 702	7 438
23	良性新生物＜腫瘍＞及びその他の新生物＜腫瘍＞	190 939	115 512	68 490	20 465	11 029
24	Ⅲ血液及び造血器の疾患並びに免疫機構の障害	125 353	84 166	52 391	13 786	7 867
25	貧血	100 559	72 233	45 588	11 943	6 543
26	その他の血液及び造血器の疾患並びに免疫機構の障害	24 794	11 933	6 803	1 843	1 324
27	Ⅳ内分泌，栄養及び代謝疾患	1 747 545	945 581	288 520	248 560	167 261
28	甲状腺障害	113 256	84 162	36 606	22 751	11 007
29	糖尿病	645 354	229 782	75 077	44 923	35 726
30	脂質異常症	769 915	480 795	103 698	146 490	101 125
31	その他の内分泌，栄養及び代謝疾患	219 020	150 842	73 139	34 396	19 403
32	Ⅴ精神及び行動の障害	591 909	283 980	89 763	67 294	52 202
33	血管性及び詳細不明の認知症	16 169	6 477	2 115	1 381	1 180
34	精神作用物質使用による精神及び行動の障害	18 718	9 030	4 604	1 330	1 013
35	統合失調症，統合失調症型障害及び妄想性障害	179 028	54 094	9 071	12 638	12 028
36	気分［感情］障害（躁うつ病を含む）	184 068	91 279	22 519	23 277	18 831
37	神経症性障害，ストレス関連障害及び身体表現性障害	144 896	104 506	44 774	24 611	16 016
38	知的障害＜精神遅滞＞	7 866	3 488	995	782	677
39	その他の精神及び行動の障害	41 164	15 106	5 685	3 275	2 457
40	Ⅵ神経系の疾患	458 732	250 334	98 043	55 936	41 004
41	パーキンソン病	20 941	5 026	1 554	1 002	955
42	アルツハイマー病	65 936	16 142	3 747	2 466	3 375
43	てんかん	36 708	16 820	5 514	3 745	3 177
44	脳性麻痺及びその他の麻痺性症候群	10 592	4 143	1 370	870	777
45	自律神経系の障害	12 728	9 015	3 360	2 331	1 458
46	その他の神経系の疾患	311 827	199 188	82 498	45 522	31 262
47	Ⅶ眼及び付属器の疾患	1 854 714	1 596 314	963 375	311 431	154 613
48	結膜炎	408 348	364 519	217 736	76 274	35 319
49	白内障	228 438	197 041	136 253	31 857	14 981
50	屈折及び調節の障害	393 774	360 121	251 847	57 834	24 723
51	その他の眼及び付属器の疾患	824 154	674 633	357 539	145 466	79 590
52	Ⅷ耳及び乳様突起の疾患	231 157	208 354	148 892	29 064	15 215
53	外耳炎	49 721	47 987	39 635	4 794	1 922
54	その他の外耳疾患	30 371	29 166	24 443	2 617	1 171
55	中耳炎	64 232	60 178	41 769	9 453	4 580
56	その他の中耳及び乳様突起の疾患	15 055	14 175	10 994	1 592	855
57	メニエール病	19 537	13 995	5 832	3 172	2 211
58	その他の内耳疾患	14 678	11 611	7 411	1 910	1 057
59	その他の耳疾患	37 563	31 242	18 808	5 526	3 419
60	Ⅸ循環器系の疾患	2 864 773	1 577 926	358 004	412 380	313 199
61	高血圧性疾患	2 176 986	1 296 389	268 108	356 180	264 317
62	虚血性心疾患	173 533	63 986	17 591	12 202	11 504
63	その他の心疾患	231 797	93 055	30 808	19 828	16 085
64	くも膜下出血	5 305	2 526	1 132	400	326
65	脳内出血	19 882	9 371	4 761	1 475	1 115
66	脳梗塞	132 507	53 309	14 998	10 182	10 429
67	脳動脈硬化（症）	878	518	170	106	92
68	その他の脳血管疾患	41 183	18 233	5 337	3 290	3 214
69	動脈硬化（症）	27 363	14 276	5 544	2 983	2 215
70	低血圧（症）	4 179	3 003	1 442	668	403
71	その他の循環器系の疾患	51 160	23 260	8 113	5 066	3 499

平成30年６月審査分

300～400	400～500	500～1000	1000～1500	1500～2000	2000～2500	2500～3000	3000点以上	後発医薬品（再掲）	行番号
1 275 134	1 021 018	2 838 963	1 110 253	559 569	324 926	201 631	787 169	12 095 945	1
32 185	22 438	68 012	24 101	11 137	7 835	3 749	21 675	411 528	2
5 430	3 862	9 161	3 208	1 480	805	466	2 121	165 168	3
330	274	1 035	538	345	227	155	850	4 093	4
1 155	948	1 943	798	233	158	82	255	8 897	5
8 293	5 718	15 816	4 699	3 172	2 405	691	2 116	65 559	6
2 230	2 281	7 837	3 171	1 547	1 916	961	7 080	25 234	7
441	316	735	317	168	93	75	2 866	18 462	8
11 613	6 678	26 098	9 386	3 137	1 556	872	3 606	83 523	9
69	77	224	102	56	32	19	129	812	10
2 624	2 284	5 163	1 882	999	643	428	2 652	39 780	11
29 532	40 863	163 295	39 883	25 974	22 270	17 586	122 918	427 786	12
3 451	4 669	14 496	3 452	1 653	1 180	768	6 002	61 921	13
5 214	6 158	16 980	3 683	1 632	1 238	765	6 956	67 212	14
1 020	1 678	6 613	1 274	508	409	252	3 756	15 136	15
728	1 545	5 918	2 047	736	2 652	492	2 857	10 641	16
1 333	2 253	9 644	2 709	1 472	1 025	769	10 022	22 509	17
1 195	2 203	10 715	4 443	2 574	3 003	2 645	18 631	29 739	18
637	1 118	4 893	812	453	264	259	1 026	6 428	19
458	732	2 805	762	476	317	197	3 171	8 448	20
133	113	398	204	222	133	95	3 042	3 838	21
8 161	12 068	51 283	13 123	7 515	7 637	6 319	57 122	117 882	22
7 202	8 326	39 550	7 374	8 733	4 412	5 025	10 333	84 032	23
5 560	4 562	14 455	6 164	4 477	2 435	1 823	11 833	70 808	24
4 623	3 536	11 079	4 777	3 473	1 718	1 322	5 957	54 983	25
937	1 026	3 376	1 387	1 004	717	501	5 876	15 825	26
130 558	110 682	380 697	179 943	89 059	48 059	28 806	75 400	1 182 959	27
8 723	5 075	14 874	5 532	2 765	1 512	1 024	3 387	45 563	28
34 526	39 530	171 046	101 144	53 294	30 161	17 730	42 197	452 993	29
72 836	56 646	167 405	62 695	27 001	12 752	6 383	12 884	580 466	30
14 473	9 431	27 372	10 572	5 999	3 634	3 669	16 932	103 937	31
40 275	34 446	110 851	63 284	35 886	24 750	17 012	56 146	405 235	32
969	832	3 040	1 832	1 183	738	612	2 287	12 551	33
799	1 284	2 996	2 964	1 152	905	511	1 160	11 699	34
10 994	9 363	35 307	22 061	14 978	11 040	8 466	33 082	143 849	35
14 162	12 490	40 208	20 796	11 570	6 726	4 241	9 248	125 264	36
10 808	8 297	21 354	8 455	3 893	2 136	1 318	3 234	84 358	37
534	500	1 618	846	462	326	239	887	6 084	38
2 009	1 680	6 328	6 330	2 648	2 879	1 625	6 248	21 430	39
30 683	24 668	75 836	38 373	21 867	14 314	9 921	48 087	291 052	40
770	745	2 454	1 610	1 182	972	827	8 870	14 561	41
3 595	2 959	13 479	11 066	7 306	5 020	3 538	9 385	45 974	42
2 434	1 950	5 799	3 238	1 983	1 534	1 235	6 099	18 646	43
608	518	1 832	1 013	616	490	339	2 159	8 296	44
1 114	752	1 832	620	286	173	104	698	7 325	45
22 162	17 744	50 440	20 826	10 494	6 125	3 878	20 876	196 250	46
102 872	64 023	140 892	44 957	22 087	10 830	6 787	32 847	1 177 562	47
22 578	12 612	27 345	7 579	3 120	1 486	830	3 469	251 666	48
8 622	5 328	11 884	5 647	4 147	2 229	1 686	5 804	174 140	49
16 775	8 942	18 540	5 603	2 907	1 407	939	4 257	229 838	50
54 897	37 141	83 123	26 128	11 913	5 708	3 332	19 317	521 918	51
9 297	5 886	12 776	4 095	1 962	1 029	691	2 250	113 410	52
1 045	591	1 055	264	129	60	41	185	15 363	53
588	347	669	191	85	54	39	167	12 874	54
2 705	1 671	2 762	571	204	105	74	338	33 207	55
458	276	560	123	48	24	25	100	6 635	56
1 592	1 188	3 142	1 204	565	263	145	223	13 121	57
720	513	1 415	595	315	184	120	438	9 693	58
2 189	1 300	3 173	1 147	616	339	247	799	22 517	59
270 305	224 038	653 076	268 569	136 389	72 526	40 797	115 490	2 238 235	60
227 255	180 529	502 124	193 067	86 017	41 053	20 596	37 740	1 718 055	61
11 030	11 659	43 182	20 219	12 310	8 085	5 184	20 567	138 712	62
13 454	12 880	44 532	25 281	19 937	12 145	7 674	29 173	170 437	63
286	382	1 076	484	289	182	144	604	3 851	64
1 082	938	3 539	1 937	1 233	854	567	2 381	15 135	65
9 145	8 555	30 321	16 114	9 833	5 833	3 747	13 350	107 742	66
78	72	171	81	34	26	16	32	636	67
2 993	3 399	9 791	4 275	2 466	1 532	1 003	3 883	28 741	68
1 837	1 697	5 548	2 603	1 442	884	587	2 023	19 844	69
289	201	534	201	109	61	46	225	2 312	70
2 856	3 726	12 258	4 307	2 719	1 871	1 233	5 512	32 770	71

第18表　件数，　診療行為区分（総数）、入院－

1　総数

行番号	傷病（中分類）	総数	500点未満	100点未満	100～200点未満	200～300
72	Ⅹ 呼吸器系の疾患	2 316 499	1 885 911	955 831	464 803	230 443
73	急性鼻咽頭炎［かぜ］<感冒>	88 438	79 138	54 187	13 748	5 750
74	急性咽頭炎及び急性扁桃炎	244 690	225 515	132 974	57 563	20 262
75	その他の急性上気道感染症	498 903	467 120	298 252	101 668	37 321
76	肺炎	49 688	21 937	8 359	5 317	3 693
77	急性気管支炎及び急性細気管支炎	340 189	311 105	157 189	92 677	35 754
78	アレルギー性鼻炎	413 250	332 954	122 273	84 983	59 367
79	慢性副鼻腔炎	109 732	95 743	52 797	19 718	11 175
80	急性又は慢性と明示されない気管支炎	63 411	53 761	21 992	17 705	7 698
81	慢性閉塞性肺疾患	59 883	25 818	6 582	6 283	5 032
82	喘息	346 644	204 507	65 990	53 892	35 613
83	その他の呼吸器系の疾患	101 671	68 313	35 236	11 249	8 778
84	ⅩⅠ 消化器系の疾患	1 433 566	987 376	370 125	218 578	194 794
85	う蝕	75	57	44	4	3
86	歯肉炎及び歯周疾患	1 354	1 039	560	238	110
87	その他の歯及び歯の支持組織の障害	1 731	1 438	1 078	173	90
88	胃潰瘍及び十二指腸潰瘍	127 779	83 615	27 087	18 561	17 452
89	胃炎及び十二指腸炎	480 887	354 882	131 281	74 326	77 854
90	痔核	61 128	48 690	18 015	12 830	8 824
91	アルコール性肝疾患	7 053	4 093	1 365	941	737
92	慢性肝炎（アルコール性のものを除く）	26 901	16 535	4 791	4 214	3 257
93	肝硬変（アルコール性のものを除く）	8 209	3 440	933	787	644
94	その他の肝疾患	94 767	54 787	16 705	14 050	9 833
95	胆石症及び胆のう炎	28 998	16 626	5 782	4 804	2 730
96	膵疾患	19 590	10 194	2 632	3 923	1 277
97	その他の消化器系の疾患	575 094	391 980	159 852	83 727	71 983
98	ⅩⅡ 皮膚及び皮下組織の疾患	1 323 536	1 103 473	530 159	253 378	157 230
99	皮膚及び皮下組織の感染症	84 993	72 936	41 419	17 505	7 203
100	皮膚炎及び湿疹	748 347	634 288	321 673	138 643	84 520
101	その他の皮膚及び皮下組織の疾患	490 196	396 249	167 067	97 230	65 507
102	ⅩⅢ 筋骨格系及び結合組織の疾患	2 014 117	1 424 551	484 002	365 733	276 861
103	炎症性多発性関節障害	157 482	101 250	41 223	25 531	15 245
104	関節症	476 996	351 444	74 331	101 839	93 569
105	脊椎障害（脊椎症を含む）	380 155	253 028	83 120	64 441	48 281
106	椎間板障害	123 601	96 662	37 735	27 177	15 856
107	頚腕症候群	51 256	39 974	15 694	10 467	6 635
108	腰痛症及び坐骨神経痛	208 527	153 639	55 130	41 522	27 413
109	その他の脊柱障害	48 052	34 765	14 389	8 435	5 690
110	肩の傷害<損傷>	136 378	106 600	36 483	29 621	20 535
111	骨の密度及び構造の障害	159 415	79 371	14 002	13 605	17 717
112	その他の筋骨格系及び結合組織の疾患	272 255	207 818	111 895	43 095	25 920
113	ⅩⅣ 腎尿路生殖器系の疾患	772 187	465 055	256 229	87 966	50 390
114	糸球体疾患及び腎尿細管間質性疾患	27 613	14 005	5 831	3 199	2 087
115	腎不全	73 894	16 519	5 919	3 443	2 832
116	尿路結石症	26 189	19 682	11 876	3 317	1 930
117	その他の腎尿路系の疾患	163 127	98 275	47 095	22 771	13 152
118	前立腺肥大（症）	105 773	45 087	8 743	11 716	8 979
119	その他の男性生殖器の疾患	19 480	14 343	6 619	3 144	2 087
120	月経障害及び閉経周辺期障害	153 657	99 096	53 243	18 966	10 071
121	乳房及びその他の女性生殖器の疾患	202 454	158 048	116 903	21 410	9 252
122	ⅩⅤ 妊娠，分娩及び産じょく	98 639	87 593	55 004	17 866	8 337
123	流産	7 675	7 385	3 356	2 427	1 110
124	妊娠高血圧症候群	1 423	1 075	609	221	135
125	その他の妊娠，分娩及び産じょく	89 541	79 133	51 039	15 218	7 092
126	ⅩⅥ 周産期に発生した病態	8 050	6 730	5 014	852	510
127	妊娠及び胎児発育に関連する障害	3 501	2 827	2 060	410	193
128	その他の周産期に発生した病態	4 549	3 903	2 954	442	317
129	ⅩⅦ 先天奇形，変形及び染色体異常	26 054	18 169	11 689	2 909	1 612
130	心臓の先天奇形	2 891	1 974	1 432	220	133
131	その他の先天奇形，変形及び染色体異常	23 163	16 195	10 257	2 689	1 479
132	ⅩⅧ 症状，徴候等で他に分類されないもの	401 127	287 441	167 292	47 092	31 855
133	症状，徴候等で他に分類されないもの	401 127	287 441	167 292	47 092	31 855
134	ⅩⅨ 損傷，中毒及びその他の外因の影響	622 896	504 905	354 208	74 539	35 738
135	骨折	169 529	104 698	59 099	17 096	11 231
136	頭蓋内損傷及び内臓の損傷	6 825	4 101	2 760	488	340
137	熱傷及び腐食	14 874	13 697	11 123	1 480	551
138	中毒	28 409	26 891	22 280	2 925	936
139	その他の損傷及びその他の外因の影響	403 259	355 518	258 946	52 550	22 680

注：1）「薬剤」の出現する明細書を集計対象としている。ただし、「処方箋料」を算定している明細書、「投薬」「注射」を包括した診療行為が出現する明細書及びDPC／PDPSに係る明細書は除いている。
2）「後発医薬品（再掲）」は、後発医薬品が出現した明細書の件数である。
3）総数には、「ⅩⅩ 傷病及び死亡の外因」、「ⅩⅪ 健康状態に影響を及ぼす要因及び保健サービスの利用」、「ⅩⅫ 特殊目的用コード」、「不詳」を含む。

平成30年６月審査分

300～400	400～500	500～1000	1000～1500	1500～2000	2000～2500	2500～3000	3000点以上	後発医薬品（再掲）	行番号
140 041	94 793	236 323	83 294	38 237	20 145	11 895	40 694	1 664 055	72
3 242	2 211	5 188	1 931	820	408	231	722	60 479	73
9 372	5 344	11 554	3 702	1 565	752	413	1 189	196 693	74
18 841	11 038	20 709	5 581	2 239	1 132	576	1 546	362 508	75
2 566	2 002	6 792	3 984	2 828	2 210	1 746	10 191	42 193	76
16 539	8 946	17 993	5 448	2 306	1 200	602	1 535	268 018	77
40 543	25 788	54 705	14 021	5 138	2 345	1 206	2 881	263 204	78
7 239	4 814	9 228	2 278	906	482	286	809	66 999	79
3 966	2 400	5 576	1 914	862	443	244	611	50 098	80
4 440	3 481	14 432	7 749	4 532	2 449	1 415	3 488	43 038	81
27 813	21 199	78 587	32 010	13 944	6 629	3 650	7 317	237 303	82
5 480	7 570	11 559	4 676	3 097	2 095	1 526	10 405	73 522	83
112 955	90 924	237 204	86 378	39 736	22 458	12 812	47 602	1 008 605	84
3	3	5	3	2	2	1	5	60	85
80	51	149	59	32	22	17	36	973	86
55	42	146	56	26	20	9	36	1 148	87
11 376	9 139	24 390	8 932	4 019	2 057	1 146	3 620	92 593	88
39 726	31 695	76 646	25 298	10 221	4 957	2 536	6 347	338 923	89
5 269	3 752	7 589	2 403	916	438	254	838	34 795	90
581	469	1 343	525	251	236	100	505	5 085	91
2 344	1 929	5 714	2 258	942	563	221	668	19 984	92
586	490	1 804	780	444	383	216	1 142	5 782	93
7 640	6 559	20 085	8 148	3 888	2 465	1 230	4 164	64 268	94
1 700	1 610	5 459	2 021	1 165	856	586	2 285	19 752	95
1 125	1 237	4 571	1 628	905	590	340	1 362	12 064	96
42 470	33 948	89 303	34 267	16 925	9 869	6 156	26 594	413 178	97
98 098	64 608	133 316	36 394	15 569	8 220	4 791	21 773	704 324	98
4 092	2 717	6 054	2 093	999	634	405	1 872	45 344	99
54 041	35 411	73 832	19 164	7 740	3 759	2 043	7 521	399 924	100
39 965	26 480	53 430	15 137	6 830	3 827	2 343	12 380	259 056	101
154 109	143 846	315 974	110 138	47 304	25 094	16 845	74 211	1 100 552	102
11 315	7 936	20 771	8 174	4 199	2 307	1 523	19 258	92 143	103
40 590	41 115	75 859	23 342	9 522	4 633	2 954	9 242	223 321	104
29 610	27 576	67 874	25 895	11 109	6 131	3 902	12 216	222 152	105
8 850	7 044	15 454	5 362	2 178	1 279	778	1 888	73 573	106
4 074	3 104	7 128	2 280	861	392	186	435	31 926	107
16 844	12 730	31 311	11 074	4 864	2 377	1 319	3 943	131 282	108
3 247	3 004	6 871	2 534	1 178	641	473	1 590	27 560	109
11 079	8 882	18 657	5 704	2 230	1 029	543	1 615	73 153	110
13 762	20 285	42 258	14 335	5 284	2 840	2 822	12 505	76 888	111
14 738	12 170	29 791	11 438	5 879	3 465	2 345	11 519	148 554	112
41 261	29 209	128 777	56 188	35 061	23 531	14 181	49 394	371 180	113
1 523	1 365	4 584	2 284	1 415	1 066	753	3 506	19 221	114
2 283	2 042	8 061	6 624	5 795	4 603	4 205	28 087	60 506	115
1 446	1 113	3 267	1 145	597	381	251	866	15 187	116
8 745	6 512	30 702	13 840	6 896	3 597	2 080	7 737	88 965	117
7 018	8 631	28 415	14 429	6 497	3 755	2 293	5 297	53 848	118
1 220	1 273	2 789	1 021	430	253	123	521	8 213	119
12 270	4 546	30 106	9 587	6 490	6 409	1 394	575	62 552	120
6 756	3 727	20 853	7 258	6 941	3 467	3 082	2 805	62 688	121
4 163	2 223	5 836	2 072	1 199	687	369	883	51 796	122
385	107	155	46	29	27	14	19	4 261	123
71	39	181	68	32	28	18	21	735	124
3 707	2 077	5 500	1 958	1 138	632	337	843	46 800	125
219	135	357	214	125	71	55	498	3 383	126
101	63	161	61	38	20	25	369	1 613	127
118	72	196	153	87	51	30	129	1 770	128
1 015	944	2 945	1 131	592	410	332	2 475	12 506	129
94	95	294	125	76	38	37	347	1 342	130
921	849	2 651	1 006	516	372	295	2 128	11 164	131
21 994	19 208	54 071	20 847	10 203	6 073	3 783	18 709	247 970	132
21 994	19 208	54 071	20 847	10 203	6 073	3 783	18 709	247 970	133
20 381	20 039	44 803	20 493	11 019	7 686	5 465	28 525	335 319	134
7 353	9 919	21 260	10 649	6 031	4 345	3 286	19 260	102 192	135
262	251	851	437	301	214	157	764	4 718	136
325	218	528	230	127	70	43	179	5 356	137
462	288	709	404	119	71	50	165	12 737	138
11 979	9 363	21 455	8 773	4 441	2 986	1 929	8 157	210 316	139

第18表　件数，　診療行為区分（総数）、入院－

2 入院

行番号	傷病（中分類）	総数	500点未満	100点未満	100～200点未満	200～300
1	総数	602 218	171 950	57 980	39 025	29 661
2	Ⅰ 感染症及び寄生虫症	17 583	6 001	1 752	1 638	1 072
3	腸管感染症	4 922	2 167	622	564	435
4	結核	2 008	431	73	98	62
5	主として性的伝播様式をとる感染症	273	121	35	33	22
6	皮膚及び粘膜の病変を伴うウイルス性疾患	1 331	330	104	77	63
7	ウイルス性肝炎	1 221	355	127	89	54
8	その他のウイルス性疾患	821	363	133	98	56
9	真菌症	2 177	431	141	87	69
10	感染症及び寄生虫症の続発・後遺症	184	69	25	12	11
11	その他の感染症及び寄生虫症	4 646	1 734	492	580	300
12	Ⅱ 新生物＜腫瘍＞	37 526	7 463	2 250	1 760	1 430
13	胃の悪性新生物＜腫瘍＞	3 430	642	171	144	124
14	結腸の悪性新生物＜腫瘍＞	4 295	1 284	243	367	301
15	直腸Ｓ状結腸移行部及び直腸の悪性新生物＜腫瘍＞	1 738	313	73	61	71
16	肝及び肝内胆管の悪性新生物＜腫瘍＞	1 307	279	83	70	50
17	気管，気管支及び肺の悪性新生物＜腫瘍＞	4 352	741	262	170	134
18	乳房の悪性新生物＜腫瘍＞	2 379	330	149	65	43
19	子宮の悪性新生物＜腫瘍＞	367	98	36	25	15
20	悪性リンパ腫	1 272	157	59	35	24
21	白血病	954	51	23	14	6
22	その他の悪性新生物＜腫瘍＞	12 518	2 199	700	500	390
23	良性新生物＜腫瘍＞及びその他の新生物＜腫瘍＞	4 914	1 369	451	309	272
24	Ⅲ 血液及び造血器の疾患並びに免疫機構の障害	10 033	4 988	2 610	1 117	622
25	貧血	8 320	4 613	2 469	1 020	564
26	その他の血液及び造血器の疾患並びに免疫機構の障害	1 713	375	141	97	58
27	Ⅳ 内分泌，栄養及び代謝疾患	22 043	6 424	2 097	1 454	1 153
28	甲状腺障害	1 299	400	148	105	65
29	糖尿病	9 430	2 472	793	489	454
30	脂質異常症	2 202	629	187	152	110
31	その他の内分泌，栄養及び代謝疾患	9 112	2 923	969	708	524
32	Ⅴ 精神及び行動の障害	96 590	16 306	3 345	2 855	3 177
33	血管性及び詳細不明の認知症	5 773	1 438	291	298	316
34	精神作用物質使用による精神及び行動の障害	4 661	1 511	547	286	241
35	統合失調症，統合失調症型障害及び妄想性障害	58 834	7 223	902	1 105	1 433
36	気分［感情］障害（躁うつ病を含む）	13 133	2 281	432	450	497
37	神経症性障害，ストレス関連障害及び身体表現性障害	4 021	1 458	585	278	223
38	知的障害＜精神遅滞＞	2 726	634	97	99	147
39	その他の精神及び行動の障害	7 442	1 761	491	339	320
40	Ⅵ 神経系の疾患	45 097	10 342	2 923	2 024	1 945
41	パーキンソン病	4 756	634	208	109	111
42	アルツハイマー病	11 834	2 366	573	470	466
43	てんかん	4 512	926	224	180	190
44	脳性麻痺及びその他の麻痺性症候群	6 986	2 196	432	492	496
45	自律神経系の障害	866	132	50	17	16
46	その他の神経系の疾患	16 143	4 088	1 436	756	666
47	Ⅶ 眼及び付属器の疾患	15 521	2 636	710	736	537
48	結膜炎	1 602	397	207	65	45
49	白内障	5 034	504	82	168	126
50	屈折及び調節の障害	1 866	233	56	73	47
51	その他の眼及び付属器の疾患	7 019	1 502	365	430	319
52	Ⅷ 耳及び乳様突起の疾患	2 482	1 138	352	305	195
53	外耳炎	148	22	5	3	4
54	その他の外耳疾患	199	42	10	3	8
55	中耳炎	355	96	21	25	18
56	その他の中耳及び乳様突起の疾患	89	18	7	3	3
57	メニエール病	342	208	57	58	34
58	その他の内耳疾患	930	641	217	186	108
59	その他の耳疾患	419	111	35	27	20
60	Ⅸ 循環器系の疾患	64 246	16 463	6 071	3 505	2 650
61	高血圧性疾患	9 670	3 034	1 065	630	527
62	虚血性心疾患	7 257	1 097	391	190	141
63	その他の心疾患	20 883	6 145	2 650	1 342	870
64	くも膜下出血	1 161	362	129	88	53
65	脳内出血	4 415	1 430	472	328	255
66	脳梗塞	12 763	2 507	805	495	451
67	脳動脈硬化（症）	15	7	1	4	1
68	その他の脳血管疾患	2 939	619	185	134	108
69	動脈硬化（症）	1 022	138	30	29	30
70	低血圧（症）	229	85	34	21	14
71	その他の循環器系の疾患	3 892	1 039	309	244	200

平成30年６月審査分

300～400	400～500	500～1000	1000～1500	1500～2000	2000～2500	2500～3000	3000点以上	後発医薬品（再掲）	行番号
24 265	21 019	87 076	63 554	48 933	37 785	29 360	163 560	537 553	1
831	708	2 551	1 689	1 128	815	643	4 756	15 576	2
301	245	841	504	302	202	146	760	4 282	3
97	101	385	262	182	141	92	515	1 927	4
19	12	45	26	20	12	12	37	219	5
51	35	172	138	120	86	77	408	1 229	6
44	41	154	107	54	42	34	475	1 032	7
45	31	108	61	39	22	17	211	741	8
74	60	255	209	172	133	106	871	1 990	9
5	16	24	24	16	6	8	37	166	10
195	167	567	358	223	171	151	1 442	3 990	11
1 075	948	3 600	2 564	2 241	1 881	1 335	18 442	34 321	12
106	97	351	281	215	175	123	1 643	3 187	13
207	166	484	292	203	175	125	1 732	3 774	14
57	51	129	119	81	56	49	991	1 599	15
40	36	158	103	67	81	42	577	1 204	16
93	82	361	269	206	176	113	2 486	3 963	17
30	43	215	183	255	163	86	1 147	2 198	18
12	10	38	17	18	19	15	162	329	19
24	15	93	60	68	41	37	816	1 204	20
7	1	25	15	21	14	8	820	930	21
324	285	1 186	845	717	602	497	6 472	11 506	22
175	162	560	380	390	379	240	1 596	4 427	23
380	259	934	551	442	315	241	2 562	8 100	24
331	229	759	456	357	245	175	1 715	6 545	25
49	30	175	95	85	70	66	847	1 555	26
897	823	3 337	2 358	1 796	1 351	1 043	5 734	19 137	27
44	38	167	134	109	86	71	332	1 099	28
372	364	1 490	1 110	860	619	505	2 374	8 057	29
93	87	422	273	182	127	78	491	1 941	30
388	334	1 258	841	645	519	389	2 537	8 040	31
3 476	3 453	16 938	13 721	10 484	8 022	6 514	24 605	89 866	32
276	257	1 100	777	592	383	318	1 165	5 453	33
246	191	825	681	446	305	224	669	4 113	34
1 851	1 932	10 049	8 474	6 505	5 113	4 342	17 128	55 002	35
459	443	2 408	1 993	1 610	1 256	907	2 678	12 350	36
195	177	700	483	357	229	188	606	3 578	37
130	161	609	371	236	166	137	573	2 572	38
319	292	1 247	942	738	570	398	1 786	6 798	39
1 768	1 682	7 020	4 848	3 910	3 057	2 470	13 450	41 647	40
105	101	509	358	344	281	270	2 360	4 569	41
436	421	1 918	1 526	1 380	1 046	816	2 782	11 070	42
163	169	662	493	373	312	263	1 483	3 968	43
416	360	1 366	755	489	367	284	1 529	6 428	44
22	27	91	68	66	39	40	430	821	45
626	604	2 474	1 648	1 258	1 012	797	4 866	14 791	46
379	274	1 515	2 549	2 513	1 490	1 371	3 447	13 541	47
44	36	163	207	221	110	86	418	1 331	48
81	47	498	1 069	974	559	518	912	4 550	49
32	25	153	334	322	196	232	396	1 655	50
222	166	701	939	996	625	535	1 721	6 005	51
165	121	363	220	139	90	74	458	2 149	52
6	4	25	17	15	12	4	53	135	53
10	11	39	22	19	10	10	57	190	54
22	10	60	37	26	19	25	92	312	55
2	3	8	8	9	3	9	34	81	56
34	25	47	35	10	4	8	30	279	57
80	50	118	60	27	16	6	62	770	58
11	18	66	41	33	26	12	130	382	59
2 182	2 055	9 314	6 529	4 872	3 902	2 922	20 244	58 165	60
439	373	1 512	1 087	781	589	408	2 259	8 638	61
149	226	1 537	983	719	576	387	1 958	6 454	62
674	609	2 620	1 926	1 447	1 225	925	6 595	18 894	63
43	49	179	102	73	61	49	335	1 074	64
200	175	713	439	323	237	174	1 099	3 987	65
398	358	1 551	1 153	927	732	618	5 275	11 801	66
1	－	4	2	－	1	1	－	9	67
94	98	474	321	215	177	120	1 013	2 655	68
22	27	149	132	102	77	51	373	935	69
8	8	29	21	16	13	6	59	195	70
154	132	546	363	269	214	183	1 278	3 523	71

第18表 件数，診療行為区分（総数）、入院－

2 入院

行番号	傷病（中分類）	総数	500点未満	100点未満	100～200点未満	200～300
72	Ⅹ 呼吸器系の疾患	46 929	9 300	2 632	1 989	1 716
73	急性鼻咽頭炎［かぜ］<感冒>	415	236	136	45	27
74	急性咽頭炎及び急性扁桃炎	1 063	402	158	70	67
75	その他の急性上気道感染症	888	361	155	69	51
76	肺炎	22 308	3 217	670	673	689
77	急性気管支炎及び急性細気管支炎	1 814	683	213	140	99
78	アレルギー性鼻炎	722	282	114	64	46
79	慢性副鼻腔炎	453	81	20	17	13
80	急性又は慢性と明示されない気管支炎	524	165	41	53	26
81	慢性閉塞性肺疾患	2 195	408	118	91	75
82	喘息	2 392	619	148	137	125
83	その他の呼吸器系の疾患	14 155	2 846	859	630	498
84	Ⅺ 消化器系の疾患	49 702	18 151	5 595	4 100	3 432
85	う蝕	10	4	1	－	1
86	歯肉炎及び歯周疾患	83	27	6	5	8
87	その他の歯及び歯の支持組織の障害	56	23	11	3	2
88	胃潰瘍及び十二指腸潰瘍	2 479	572	127	131	114
89	胃炎及び十二指腸炎	3 435	1 383	356	331	233
90	痔核	4 541	2 157	657	601	349
91	アルコール性肝疾患	458	108	31	24	21
92	慢性肝炎（アルコール性のものを除く）	308	86	26	21	13
93	肝硬変（アルコール性のものを除く）	694	86	27	13	20
94	その他の肝疾患	2 725	821	298	206	136
95	胆石症及び胆のう炎	3 573	596	145	135	126
96	膵疾患	886	146	25	31	46
97	その他の消化器系の疾患	30 454	12 142	3 885	2 599	2 363
98	Ⅻ 皮膚及び皮下組織の疾患	13 546	3 605	1 449	704	532
99	皮膚及び皮下組織の感染症	2 482	587	169	125	95
100	皮膚炎及び湿疹	4 922	1 640	817	284	213
101	その他の皮膚及び皮下組織の疾患	6 142	1 378	463	295	224
102	XIII 筋骨格系及び結合組織の疾患	34 944	9 915	3 666	2 155	1 588
103	炎症性多発性関節障害	3 196	559	178	135	85
104	関節症	6 179	1 452	497	316	231
105	脊椎障害（脊椎症を含む）	7 381	2 001	664	473	344
106	椎間板障害	2 348	708	227	152	126
107	頚腕症候群	128	41	9	7	12
108	腰痛症及び坐骨神経痛	3 793	2 197	1 178	442	254
109	その他の脊柱障害	1 027	300	114	71	50
110	肩の傷害<損傷>	479	142	40	38	21
111	骨の密度及び構造の障害	1 756	451	118	103	84
112	その他の筋骨格系及び結合組織の疾患	8 657	2 064	641	418	381
113	XIV 腎尿路生殖器系の疾患	26 735	7 088	2 074	1 724	1 337
114	糸球体疾患及び腎尿細管間質性疾患	3 627	662	137	159	136
115	腎不全	9 635	1 822	441	364	418
116	尿路結石症	1 513	555	135	123	98
117	その他の腎尿路系の疾患	6 725	1 380	357	301	251
118	前立腺肥大（症）	1 224	277	63	56	52
119	その他の男性生殖器の疾患	436	83	17	14	20
120	月経障害及び閉経周辺期障害	132	77	31	22	12
121	乳房及びその他の女性生殖器の疾患	3 443	2 232	893	685	350
122	XV 妊娠，分娩及び産じょく	26 985	19 792	8 086	5 902	3 187
123	流産	2 852	2 744	293	1 419	738
124	妊娠高血圧症候群	607	378	178	85	57
125	その他の妊娠，分娩及び産じょく	23 526	16 670	7 615	4 398	2 392
126	XVI 周産期に発生した病態	2 945	2 212	1 426	387	206
127	妊娠及び胎児発育に関連する障害	651	444	274	91	45
128	その他の周産期に発生した病態	2 294	1 768	1 152	296	161
129	XVII 先天奇形，変形及び染色体異常	2 183	725	282	156	123
130	心臓の先天奇形	245	87	48	14	13
131	その他の先天奇形，変形及び染色体異常	1 938	638	234	142	110
132	XVIII 症状，徴候等で他に分類されないもの	20 513	7 681	2 863	1 785	1 235
133	症状，徴候等で他に分類されないもの	20 513	7 681	2 863	1 785	1 235
134	XIX 損傷，中毒及びその他の外因の影響	46 844	15 481	5 694	3 215	2 437
135	骨折	29 008	9 074	3 271	1 821	1 412
136	頭蓋内損傷及び内臓の損傷	2 093	745	288	155	114
137	熱傷及び腐食	247	56	26	6	7
138	中毒	328	178	78	41	27
139	その他の損傷及びその他の外因の影響	15 168	5 428	2 031	1 192	877

注：1）「薬剤」の出現する明細書を集計対象としている。ただし、「処方箋料」を算定している明細書、「投薬」「注射」を包括した診療行為が出現する明細書及びDPC／PDPSに係る明細書は除いている。
2）「後発医薬品（再掲）」は、後発医薬品が出現した明細書の件数である。
3）総数には、「XX 傷病及び死亡の外因」、「XXI 健康状態に影響を及ぼす要因及び保健サービスの利用」、「XXII 特殊目的用コード」、「不詳」を含む。

平成30年６月審査分

300～400	400～500	500～1000	1000～1500	1500～2000	2000～2500	2500～3000	3000点以上	後発医薬品（再掲）	行番号
1 535	1 428	6 429	4 841	3 963	3 263	2 670	16 463	43 526	72
11	17	49	25	18	26	9	52	319	73
59	48	203	122	84	56	30	166	948	74
42	44	148	87	72	50	29	141	783	75
608	577	2 867	2 381	1 953	1 668	1 415	8 807	21 046	76
118	113	354	205	126	101	57	288	1 624	77
33	25	125	77	55	47	30	106	598	78
15	16	89	39	39	48	45	112	428	79
25	20	61	58	57	34	27	122	455	80
67	57	339	281	190	162	142	673	2 014	81
117	92	449	318	202	143	108	553	2 144	82
440	419	1 745	1 248	1 167	928	778	5 443	13 167	83
2 846	2 178	8 165	5 221	3 437	2 531	1 802	10 395	44 775	84
1	1	2	2	1	−	1	−	8	85
4	4	20	7	5	5	5	14	77	86
4	3	7	2	10	1	5	8	50	87
106	94	390	275	205	124	107	806	2 296	88
286	177	675	341	263	184	109	480	3 107	89
359	191	1 117	753	239	87	36	152	3 813	90
20	12	73	41	27	32	20	157	423	91
12	14	47	34	30	25	11	75	285	92
12	14	73	69	44	32	32	358	653	93
87	94	441	289	208	153	108	705	2 414	94
98	92	428	370	366	340	264	1 209	3 357	95
22	22	88	81	80	62	52	377	834	96
1 835	1 460	4 804	2 957	1 959	1 486	1 052	6 054	27 458	97
460	460	1 878	1 460	1 079	822	635	4 067	11 835	98
93	105	425	324	194	151	143	658	2 262	99
164	162	640	516	392	307	209	1 218	4 064	100
203	193	813	620	493	364	283	2 191	5 509	101
1 359	1 147	4 649	3 225	2 660	2 403	2 125	9 967	30 911	102
85	76	302	202	153	103	85	1 792	2 829	103
214	194	759	547	525	529	543	1 824	5 439	104
288	232	1 013	716	595	601	486	1 969	6 623	105
108	95	376	275	174	248	208	359	2 055	106
6	7	27	15	13	7	6	19	105	107
174	149	436	275	208	137	102	438	3 078	108
37	28	131	76	71	65	76	308	892	109
23	20	61	59	40	34	34	109	428	110
81	65	283	189	129	115	83	506	1 525	111
343	281	1 261	871	752	564	502	2 643	7 937	112
1 051	902	3 617	2 799	2 129	1 855	1 377	7 870	24 055	113
128	102	558	466	336	281	211	1 113	3 392	114
334	265	1 149	888	760	641	503	3 872	9 011	115
114	85	275	166	123	119	66	209	1 285	116
230	241	1 020	836	570	510	376	2 033	6 203	117
52	54	185	134	121	106	95	306	1 135	118
11	21	92	69	45	36	19	92	400	119
4	8	10	14	6	5	7	13	104	120
178	126	328	226	168	157	100	232	2 525	121
1 654	963	2 902	1 613	928	596	326	828	19 575	122
242	52	51	12	14	17	7	7	2 241	123
34	24	84	53	27	28	16	21	417	124
1 378	887	2 767	1 548	887	551	303	800	16 917	125
116	77	226	161	96	52	35	163	1 593	126
18	16	58	32	25	7	12	73	415	127
98	61	168	129	71	45	23	90	1 178	128
81	83	293	208	142	117	111	587	1 932	129
4	8	25	20	11	8	9	85	221	130
77	75	268	188	131	109	102	502	1 711	131
971	827	2 931	1 929	1 295	1 049	761	4 867	17 791	132
971	827	2 931	1 929	1 295	1 049	761	4 867	17 791	133
2 209	1 926	7 502	4 872	3 919	3 007	2 056	10 007	42 020	134
1 355	1 215	4 751	3 176	2 491	1 838	1 274	6 404	26 242	135
110	78	332	222	147	106	77	464	1 875	136
9	8	35	24	21	16	11	84	220	137
19	13	39	28	16	7	6	54	260	138
716	612	2 345	1 422	1 244	1 040	688	3 001	13 423	139

第18表 件数，診療行為区分(総数)、入院－

3 入院外

行番号	傷病（中分類）	総数	500点未満		
			100点未満	100～200点未満	200～300
1	総数	18 247 697	12 855 454	5 867 659	2 875 892	1 861 035
2	Ⅰ 感染症及び寄生虫症	703 750	578 823	370 126	100 327	55 286
3	腸管感染症	248 603	234 117	184 934	29 180	11 257
4	結核	3 587	2 014	922	406	280
5	主として性的伝播様式をとる感染症	19 417	16 100	8 492	3 138	2 398
6	皮膚及び粘膜の病変を伴うウイルス性疾患	127 845	99 947	52 492	20 455	13 075
7	ウイルス性肝炎	39 444	17 798	6 584	3 688	3 100
8	その他のウイルス性疾患	27 745	23 949	19 571	2 764	933
9	真菌症	180 729	137 820	73 325	31 796	14 542
10	感染症及び寄生虫症の続発・後遺症	917	470	149	117	79
11	その他の感染症及び寄生虫症	55 463	46 608	23 657	8 783	9 622
12	Ⅱ 新生物＜腫瘍＞	719 109	357 246	179 175	61 718	47 981
13	胃の悪性新生物＜腫瘍＞	77 139	52 376	30 829	7 170	6 460
14	結腸の悪性新生物＜腫瘍＞	91 276	63 033	20 526	13 198	18 310
15	直腸S状結腸移行部及び直腸の悪性新生物＜腫瘍＞	20 273	8 886	3 171	1 479	1 646
16	肝及び肝内胆管の悪性新生物＜腫瘍＞	18 749	5 075	1 404	922	552
17	気管，気管支及び肺の悪性新生物＜腫瘍＞	31 925	9 895	3 722	1 561	1 201
18	乳房の悪性新生物＜腫瘍＞	52 021	12 059	6 365	1 425	944
19	子宮の悪性新生物＜腫瘍＞	15 972	8 534	5 506	821	474
20	悪性リンパ腫	11 088	4 475	2 242	610	472
21	白血病	4 496	1 305	776	174	117
22	その他の悪性新生物＜腫瘍＞	210 145	77 465	36 595	14 202	7 048
23	良性新生物＜腫瘍＞及びその他の新生物＜腫瘍＞	186 025	114 143	68 039	20 156	10 757
24	Ⅲ 血液及び造血器の疾患並びに免疫機構の障害	115 320	79 178	49 781	12 669	7 245
25	貧血	92 239	67 620	43 119	10 923	5 979
26	その他の血液及び造血器の疾患並びに免疫機構の障害	23 081	11 558	6 662	1 746	1 266
27	Ⅳ 内分泌，栄養及び代謝疾患	1 725 502	939 157	286 423	247 106	166 108
28	甲状腺障害	111 957	83 762	36 458	22 646	10 942
29	糖尿病	635 924	227 310	74 284	44 434	35 272
30	脂質異常症	767 713	480 166	103 511	146 338	101 015
31	その他の内分泌，栄養及び代謝疾患	209 908	147 919	72 170	33 688	18 879
32	Ⅴ 精神及び行動の障害	495 319	267 674	86 418	64 439	49 025
33	血管性及び詳細不明の認知症	10 396	5 039	1 824	1 083	864
34	精神作用物質使用による精神及び行動の障害	14 057	7 519	4 057	1 044	772
35	統合失調症，統合失調症型障害及び妄想性障害	120 194	46 871	8 169	11 533	10 595
36	気分［感情］障害（躁うつ病を含む）	170 935	88 998	22 087	22 827	18 334
37	神経症性障害，ストレス関連障害及び身体表現性障害	140 875	103 048	44 189	24 333	15 793
38	知的障害＜精神遅滞＞	5 140	2 854	898	683	530
39	その他の精神及び行動の障害	33 722	13 345	5 194	2 936	2 137
40	Ⅵ 神経系の疾患	413 635	239 992	95 120	53 912	39 059
41	パーキンソン病	16 185	4 392	1 346	893	844
42	アルツハイマー病	54 102	13 776	3 174	1 996	2 909
43	てんかん	32 196	15 894	5 290	3 565	2 987
44	脳性麻痺及びその他の麻痺性症候群	3 606	1 947	938	378	281
45	自律神経系の障害	11 862	8 883	3 310	2 314	1 442
46	その他の神経系の疾患	295 684	195 100	81 062	44 766	30 596
47	Ⅶ 眼及び付属器の疾患	1 839 193	1 593 678	962 665	310 695	154 076
48	結膜炎	406 746	364 122	217 529	76 209	35 274
49	白内障	223 404	196 537	136 171	31 689	14 855
50	屈折及び調節の障害	391 908	359 888	251 791	57 761	24 676
51	その他の眼及び付属器の疾患	817 135	673 131	357 174	145 036	79 271
52	Ⅷ 耳及び乳様突起の疾患	228 675	207 216	148 540	28 759	15 020
53	外耳炎	49 573	47 965	39 630	4 791	1 918
54	その他の外耳疾患	30 172	29 124	24 433	2 614	1 163
55	中耳炎	63 877	60 082	41 748	9 428	4 562
56	その他の中耳及び乳様突起の疾患	14 966	14 157	10 987	1 589	852
57	メニエール病	19 195	13 787	5 775	3 114	2 177
58	その他の内耳疾患	13 748	10 970	7 194	1 724	949
59	その他の耳疾患	37 144	31 131	18 773	5 499	3 399
60	Ⅸ 循環器系の疾患	2 800 527	1 561 463	351 933	408 875	310 549
61	高血圧性疾患	2 167 316	1 293 355	267 043	355 550	263 790
62	虚血性心疾患	166 276	62 889	17 200	12 012	11 363
63	その他の心疾患	210 914	86 910	28 158	18 486	15 215
64	くも膜下出血	4 144	2 164	1 003	312	273
65	脳内出血	15 467	7 941	4 289	1 147	860
66	脳梗塞	119 744	50 802	14 193	9 687	9 978
67	脳動脈硬化（症）	863	511	169	102	91
68	その他の脳血管疾患	38 244	17 614	5 152	3 156	3 106
69	動脈硬化（症）	26 341	14 138	5 514	2 954	2 185
70	低血圧（症）	3 950	2 918	1 408	647	389
71	その他の循環器系の疾患	47 268	22 221	7 804	4 822	3 299

平成30年６月審査分

300～400	400～500	500～1000	1000～1500	1500～2000	2000～2500	2500～3000	3000点以上	後発医薬品（再掲）	行番号
1 250 869	999 999	2 751 887	1 046 699	510 636	287 141	172 271	623 609	11 558 392	1
31 354	21 730	65 461	22 412	10 009	7 020	3 106	16 919	395 952	2
5 129	3 617	8 320	2 704	1 178	603	320	1 361	160 886	3
233	173	650	276	163	86	63	335	2 166	4
1 136	936	1 898	772	213	146	70	218	8 678	5
8 242	5 683	15 644	4 561	3 052	2 319	614	1 708	64 330	6
2 186	2 240	7 683	3 064	1 493	1 874	927	6 605	24 202	7
396	285	627	256	129	71	58	2 655	17 721	8
11 539	6 618	25 843	9 177	2 965	1 423	766	2 735	81 533	9
64	61	200	78	40	26	11	92	646	10
2 429	2 117	4 596	1 524	776	472	277	1 210	35 790	11
28 457	39 915	159 695	37 319	23 733	20 389	16 251	104 476	393 465	12
3 345	4 572	14 145	3 171	1 438	1 005	645	4 359	58 734	13
5 007	5 992	16 496	3 391	1 429	1 063	640	5 224	63 438	14
963	1 627	6 484	1 155	427	353	203	2 765	13 537	15
688	1 509	5 760	1 944	669	2 571	450	2 280	9 437	16
1 240	2 171	9 283	2 440	1 266	849	656	7 536	18 546	17
1 165	2 160	10 500	4 260	2 319	2 840	2 559	17 484	27 541	18
625	1 108	4 855	795	435	245	244	864	6 099	19
434	717	2 712	702	408	276	160	2 355	7 244	20
126	112	373	189	201	119	87	2 222	2 908	21
7 837	11 783	50 097	12 278	6 798	7 035	5 822	50 650	106 376	22
7 027	8 164	38 990	6 994	8 343	4 033	4 785	8 737	79 605	23
5 180	4 303	13 521	5 613	4 035	2 120	1 582	9 271	62 708	24
4 292	3 307	10 320	4 321	3 116	1 473	1 147	4 242	48 438	25
888	996	3 201	1 292	919	647	435	5 029	14 270	26
129 661	109 859	377 360	177 585	87 263	46 708	27 763	69 666	1 163 822	27
8 679	5 037	14 707	5 398	2 656	1 426	953	3 055	44 464	28
34 154	39 166	169 556	100 034	52 434	29 542	17 225	39 823	444 936	29
72 743	56 559	166 983	62 422	26 819	12 625	6 305	12 393	578 525	30
14 085	9 097	26 114	9 731	5 354	3 115	3 280	14 395	95 897	31
36 799	30 993	93 913	49 563	25 402	16 728	10 498	31 541	315 369	32
693	575	1 940	1 055	591	355	294	1 122	7 098	33
553	1 093	2 171	2 283	706	600	287	491	7 586	34
9 143	7 431	25 258	13 587	8 473	5 927	4 124	15 954	88 847	35
13 703	12 047	37 800	18 803	9 960	5 470	3 334	6 570	112 914	36
10 613	8 120	20 654	7 972	3 536	1 907	1 130	2 628	80 780	37
404	339	1 009	475	226	160	102	314	3 512	38
1 690	1 388	5 081	5 388	1 910	2 309	1 227	4 462	14 632	39
28 915	22 986	68 816	33 525	17 957	11 257	7 451	34 637	249 405	40
665	644	1 945	1 252	838	691	557	6 510	9 992	41
3 159	2 538	11 561	9 540	5 926	3 974	2 722	6 603	34 904	42
2 271	1 781	5 137	2 745	1 610	1 222	972	4 616	14 678	43
192	158	466	258	127	123	55	630	1 868	44
1 092	725	1 741	552	220	134	64	268	6 504	45
21 536	17 140	47 966	19 178	9 236	5 113	3 081	16 010	181 459	46
102 493	63 749	139 377	42 408	19 574	9 340	5 416	29 400	1 164 021	47
22 534	12 576	27 182	7 372	2 899	1 376	744	3 051	250 335	48
8 541	5 281	11 386	4 578	3 173	1 670	1 168	4 892	169 590	49
16 743	8 917	18 387	5 269	2 585	1 211	707	3 861	228 183	50
54 675	36 975	82 422	25 189	10 917	5 083	2 797	17 596	515 913	51
9 132	5 765	12 413	3 875	1 823	939	617	1 792	111 261	52
1 039	587	1 030	247	114	48	37	132	15 228	53
578	336	630	169	66	44	29	110	12 684	54
2 683	1 661	2 702	534	178	86	49	246	32 895	55
456	273	552	115	39	21	16	66	6 554	56
1 558	1 163	3 095	1 169	555	259	137	193	12 842	57
640	463	1 297	535	288	168	114	376	8 923	58
2 178	1 282	3 107	1 106	583	313	235	669	22 135	59
268 123	221 983	643 762	262 040	131 517	68 624	37 875	95 246	2 180 070	60
226 816	180 156	500 612	191 980	85 236	40 464	20 188	35 481	1 709 417	61
10 881	11 433	41 645	19 236	11 591	7 509	4 797	18 609	132 258	62
12 780	12 271	41 912	23 355	18 490	10 920	6 749	22 578	151 543	63
243	333	897	382	216	121	95	269	2 777	64
882	763	2 826	1 498	910	617	393	1 282	11 148	65
8 747	8 197	28 770	14 961	8 906	5 101	3 129	8 075	95 941	66
77	72	167	79	34	25	15	32	627	67
2 899	3 301	9 317	3 954	2 251	1 355	883	2 870	26 086	68
1 815	1 670	5 399	2 471	1 340	807	536	1 650	18 909	69
281	193	505	180	93	48	40	166	2 117	70
2 702	3 594	11 712	3 944	2 450	1 657	1 050	4 234	29 247	71

第18表　件数，　診療行為区分（総数）、入院−

3　入院外

行番号	傷病（中分類）	総数	500点未満	100点未満	100〜200点未満	200〜300
72	Ⅹ 呼吸器系の疾患	2 269 570	1 876 611	953 199	462 814	228 727
73	急性鼻咽頭炎［かぜ］＜感冒＞	88 023	78 902	54 051	13 703	5 723
74	急性咽頭炎及び急性扁桃炎	243 627	225 113	132 816	57 493	20 195
75	その他の急性上気道感染症	498 015	466 759	298 097	101 599	37 270
76	肺炎	27 380	18 720	7 689	4 644	3 004
77	急性気管支炎及び急性細気管支炎	338 375	310 422	156 976	92 537	35 655
78	アレルギー性鼻炎	412 528	332 672	122 159	84 919	59 321
79	慢性副鼻腔炎	109 279	95 662	52 777	19 701	11 162
80	急性又は慢性と明示されない気管支炎	62 887	53 596	21 951	17 652	7 672
81	慢性閉塞性肺疾患	57 688	25 410	6 464	6 192	4 957
82	喘息	344 252	203 888	65 842	53 755	35 488
83	その他の呼吸器系の疾患	87 516	65 467	34 377	10 619	8 280
84	ⅩⅠ 消化器系の疾患	1 383 864	969 225	364 530	214 478	191 362
85	う蝕	65	53	43	4	2
86	歯肉炎及び歯周疾患	1 271	1 012	554	233	102
87	その他の歯及び歯の支持組織の障害	1 675	1 415	1 067	170	88
88	胃潰瘍及び十二指腸潰瘍	125 300	83 043	26 960	18 430	17 338
89	胃炎及び十二指腸炎	477 452	353 499	130 925	73 995	77 621
90	痔核	56 587	46 533	17 358	12 229	8 475
91	アルコール性肝疾患	6 595	3 985	1 334	917	716
92	慢性肝炎（アルコール性のものを除く）	26 593	16 449	4 765	4 193	3 244
93	肝硬変（アルコール性のものを除く）	7 515	3 354	906	774	624
94	その他の肝疾患	92 042	53 966	16 407	13 844	9 697
95	胆石症及び胆のう炎	25 425	16 030	5 637	4 669	2 604
96	膵疾患	18 704	10 048	2 607	3 892	1 231
97	その他の消化器系の疾患	544 640	379 838	155 967	81 128	69 620
98	ⅩⅡ 皮膚及び皮下組織の疾患	1 309 990	1 099 868	528 710	252 674	156 698
99	皮膚及び皮下組織の感染症	82 511	72 349	41 250	17 380	7 108
100	皮膚炎及び湿疹	743 425	632 648	320 856	138 359	84 307
101	その他の皮膚及び皮下組織の疾患	484 054	394 871	166 604	96 935	65 283
102	ⅩⅢ 筋骨格系及び結合組織の疾患	1 979 173	1 414 636	480 336	363 578	275 273
103	炎症性多発性関節障害	154 286	100 691	41 045	25 396	15 160
104	関節症	470 817	349 992	73 834	101 523	93 338
105	脊椎障害（脊椎症を含む）	372 774	251 027	82 456	63 968	47 937
106	椎間板障害	121 253	95 954	37 508	27 025	15 730
107	頚腕症候群	51 128	39 933	15 685	10 460	6 623
108	腰痛症及び坐骨神経痛	204 734	151 442	53 952	41 080	27 159
109	その他の脊柱障害	47 025	34 465	14 275	8 364	5 640
110	肩の傷害＜損傷＞	135 899	106 458	36 443	29 583	20 514
111	骨の密度及び構造の障害	157 659	78 920	13 884	13 502	17 633
112	その他の筋骨格系及び結合組織の疾患	263 598	205 754	111 254	42 677	25 539
113	ⅩⅣ 腎尿路生殖器系の疾患	745 452	457 967	254 155	86 242	49 053
114	糸球体疾患及び腎尿細管間質性疾患	23 986	13 343	5 694	3 040	1 951
115	腎不全	64 259	14 697	5 478	3 079	2 414
116	尿路結石症	24 676	19 127	11 741	3 194	1 832
117	その他の腎尿路系の疾患	156 402	96 895	46 738	22 470	12 901
118	前立腺肥大（症）	104 549	44 810	8 680	11 660	8 927
119	その他の男性生殖器の疾患	19 044	14 260	6 602	3 130	2 067
120	月経障害及び閉経周辺期障害	153 525	99 019	53 212	18 944	10 059
121	乳房及びその他の女性生殖器の疾患	199 011	155 816	116 010	20 725	8 902
122	ⅩⅤ 妊娠，分娩及び産じょく	71 654	67 801	46 918	11 964	5 150
123	流産	4 823	4 641	3 063	1 008	372
124	妊娠高血圧症候群	816	697	431	136	78
125	その他の妊娠，分娩及び産じょく	66 015	62 463	43 424	10 820	4 700
126	ⅩⅥ 周産期に発生した病態	5 105	4 518	3 588	465	304
127	妊娠及び胎児発育に関連する障害	2 850	2 383	1 786	319	148
128	その他の周産期に発生した病態	2 255	2 135	1 802	146	156
129	ⅩⅦ 先天奇形，変形及び染色体異常	23 871	17 444	11 407	2 753	1 489
130	心臓の先天奇形	2 646	1 887	1 384	206	120
131	その他の先天奇形，変形及び染色体異常	21 225	15 557	10 023	2 547	1 369
132	ⅩⅧ 症状，徴候等で他に分類されないもの	380 614	279 760	164 429	45 307	30 620
133	症状，徴候等で他に分類されないもの	380 614	279 760	164 429	45 307	30 620
134	ⅩⅨ 損傷，中毒及びその他の外因の影響	576 052	489 424	348 514	71 324	33 301
135	骨折	140 521	95 624	55 828	15 275	9 819
136	頭蓋内損傷及び内臓の損傷	4 732	3 356	2 472	333	226
137	熱傷及び腐食	14 627	13 641	11 097	1 474	544
138	中毒	28 081	26 713	22 202	2 884	909
139	その他の損傷及びその他の外因の影響	388 091	350 090	256 915	51 358	21 803

注：1）「薬剤」の出現する明細書を集計対象としている。ただし、「処方箋料」を算定している明細書及び「投薬」「注射」を包括した診療行為が出現する明細書は除いている。
2）「後発医薬品（再掲）」は、後発医薬品が出現した明細書の件数である。
3）総数には、「ⅩⅩ 傷病及び死亡の外因」、「ⅩⅪ 健康状態に影響を及ぼす要因及び保健サービスの利用」、「ⅩⅫ 特殊目的用コード」、「不詳」を含む。

平成30年6月審査分

300～400	400～500	500～1000	1000～1500	1500～2000	2000～2500	2500～3000	3000点以上	後発医薬品（再 掲）	行番号
138 506	93 365	229 894	78 453	34 274	16 882	9 225	24 231	1 620 529	72
3 231	2 194	5 139	1 906	802	382	222	670	60 160	73
9 313	5 296	11 351	3 580	1 481	696	383	1 023	195 745	74
18 799	10 994	20 561	5 494	2 167	1 082	547	1 405	361 725	75
1 958	1 425	3 925	1 603	875	542	331	1 384	21 147	76
16 421	8 833	17 639	5 243	2 180	1 099	545	1 247	266 394	77
40 510	25 763	54 580	13 944	5 083	2 298	1 176	2 775	262 606	78
7 224	4 798	9 139	2 239	867	434	241	697	66 571	79
3 941	2 380	5 515	1 856	805	409	217	489	49 643	80
4 373	3 424	14 093	7 468	4 342	2 287	1 273	2 815	41 024	81
27 696	21 107	78 138	31 692	13 742	6 486	3 542	6 764	235 159	82
5 040	7 151	9 814	3 428	1 930	1 167	748	4 962	60 355	83
110 109	88 746	229 039	81 157	36 299	19 927	11 010	37 207	963 830	84
2	2	3	1	1	2	－	5	52	85
76	47	129	52	27	17	12	22	896	86
51	39	139	54	16	19	4	28	1 098	87
11 270	9 045	24 000	8 657	3 814	1 933	1 039	2 814	90 297	88
39 440	31 518	75 971	24 957	9 958	4 773	2 427	5 867	335 816	89
4 910	3 561	6 472	1 650	677	351	218	686	30 982	90
561	457	1 270	484	224	204	80	348	4 662	91
2 332	1 915	5 667	2 224	912	538	210	593	19 699	92
574	476	1 731	711	400	351	184	784	5 129	93
7 553	6 465	19 644	7 859	3 680	2 312	1 122	3 459	61 854	94
1 602	1 518	5 031	1 651	799	516	322	1 076	16 395	95
1 103	1 215	4 483	1 547	825	528	288	985	11 230	96
40 635	32 488	84 499	31 310	14 966	8 383	5 104	20 540	385 720	97
97 638	64 148	131 438	34 934	14 490	7 398	4 156	17 706	692 489	98
3 999	2 612	5 629	1 769	805	483	262	1 214	43 082	99
53 877	35 249	73 192	18 648	7 348	3 452	1 834	6 303	395 860	100
39 762	26 287	52 617	14 517	6 337	3 463	2 060	10 189	253 547	101
152 750	142 699	311 325	106 913	44 644	22 691	14 720	64 244	1 069 641	102
11 230	7 860	20 469	7 972	4 046	2 204	1 438	17 466	89 314	103
40 376	40 921	75 100	22 795	8 997	4 104	2 411	7 418	217 882	104
29 322	27 344	66 861	25 179	10 514	5 530	3 416	10 247	215 529	105
8 742	6 949	15 078	5 087	2 004	1 031	570	1 529	71 518	106
4 068	3 097	7 101	2 265	848	385	180	416	31 821	107
16 670	12 581	30 875	10 799	4 656	2 240	1 217	3 505	128 204	108
3 210	2 976	6 740	2 458	1 107	576	397	1 282	26 668	109
11 056	8 862	18 596	5 645	2 190	995	509	1 506	72 725	110
13 681	20 220	41 975	14 146	5 155	2 725	2 739	11 999	75 363	111
14 395	11 889	28 530	10 567	5 127	2 901	1 843	8 876	140 617	112
40 210	28 307	125 160	53 389	32 932	21 676	12 804	41 524	347 125	113
1 395	1 263	4 026	1 818	1 079	785	542	2 393	15 829	114
1 949	1 777	6 912	5 736	5 035	3 962	3 702	24 215	51 495	115
1 332	1 028	2 992	979	474	262	185	657	13 902	116
8 515	6 271	29 682	13 004	6 326	3 087	1 704	5 704	82 762	117
6 966	8 577	28 230	14 295	6 376	3 649	2 198	4 991	52 713	118
1 209	1 252	2 697	952	385	217	104	429	7 813	119
12 266	4 538	30 096	9 573	6 484	6 404	1 387	562	62 448	120
6 578	3 601	20 525	7 032	6 773	3 310	2 982	2 573	60 163	121
2 509	1 260	2 934	459	271	91	43	55	32 221	122
143	55	104	34	15	10	7	12	2 020	123
37	15	97	15	5	－	2	－	318	124
2 329	1 190	2 733	410	251	81	34	43	29 883	125
103	58	131	53	29	19	20	335	1 790	126
83	47	103	29	13	13	13	296	1 198	127
20	11	28	24	16	6	7	39	592	128
934	861	2 652	923	450	293	221	1 888	10 574	129
90	87	269	105	65	30	28	262	1 121	130
844	774	2 383	818	385	263	193	1 626	9 453	131
21 023	18 381	51 140	18 918	8 908	5 024	3 022	13 842	230 179	132
21 023	18 381	51 140	18 918	8 908	5 024	3 022	13 842	230 179	133
18 172	18 113	37 301	15 621	7 100	4 679	3 409	18 518	293 299	134
5 998	8 704	16 509	7 473	3 540	2 507	2 012	12 856	75 950	135
152	173	519	215	154	108	80	300	2 843	136
316	210	493	206	106	54	32	95	5 136	137
443	275	670	376	103	64	44	111	12 477	138
11 263	8 751	19 110	7 351	3 197	1 946	1 241	5 156	196 893	139

第19表 件数， 診療行為区分(総数)、

行番号	入院－入院外 施設種類	総数	500点未満	100点未満	100～200点未満	200～300	300～400
1	総数	18 849 915	13 027 404	5 925 639	2 914 917	1 890 696	1 275 134
2	病院	4 593 521	2 354 943	1 184 602	416 090	325 562	212 888
3	精神科病院	333 167	127 452	30 760	29 980	25 893	21 960
4	特定機能病院	341 058	133 646	68 605	22 816	16 865	10 868
5	療養病床を有する病院	1 194 580	608 068	264 702	121 608	95 303	64 985
6	一般病院	2 724 716	1 485 777	820 535	241 686	187 501	115 075
7	診療所	14 171 249	10 609 011	4 712 963	2 483 800	1 555 980	1 055 992
8	有床診療所	1 852 428	1 292 037	617 321	281 056	175 348	124 289
9	無床診療所	12 318 821	9 316 974	4 095 642	2 202 744	1 380 632	931 703
10	入院	602 218	171 950	57 980	39 025	29 661	24 265
11	病院	502 911	128 832	42 021	27 928	22 284	19 307
12	精神科病院	85 435	12 843	1 828	2 194	2 696	3 004
13	特定機能病院	12 979	3 148	1 426	716	418	299
14	療養病床を有する病院	144 848	37 051	11 375	8 026	6 723	5 821
15	一般病院	259 649	75 790	27 392	16 992	12 447	10 183
16	診療所	98 106	42 621	15 798	10 986	7 294	4 885
17	有床診療所	98 083	42 606	15 792	10 983	7 288	4 885
18	無床診療所	23	15	6	3	6	-
19	入院外	18 247 697	12 855 454	5 867 659	2 875 892	1 861 035	1 250 869
20	病院	4 090 610	2 226 111	1 142 581	388 162	303 278	193 581
21	精神科病院	247 732	114 609	28 932	27 786	23 197	18 956
22	特定機能病院	328 079	130 498	67 179	22 100	16 447	10 569
23	療養病床を有する病院	1 049 732	571 017	253 327	113 582	88 580	59 164
24	一般病院	2 465 067	1 409 987	793 143	224 694	175 054	104 892
25	診療所	14 073 143	10 566 390	4 697 165	2 472 814	1 548 686	1 051 107
26	有床診療所	1 754 345	1 249 431	601 529	270 073	168 060	119 404
27	無床診療所	12 318 798	9 316 959	4 095 636	2 202 741	1 380 626	931 703

注：1）「薬剤」の出現する明細書を集計対象としている。ただし、「処方箋料」を算定している明細書、「投薬」「注射」を包括した診療行為が出現する明細書及びDPC／PDPSに係る明細書は除いている。
2）「後発医薬品（再掲）」は、後発医薬品が出現した明細書の件数である。
3）総数には、データ上で病院、診療所別を取得できなかったものを含む。

入院－入院外、施設種類、薬剤点数階級別

平成30年６月審査分

400～500	500～1000	1000～1500	1500～2000	2000～2500	2500～3000	3000点以上	後発医薬品（再掲）	行番号
1 021 018	2 838 963	1 110 253	559 569	324 926	201 631	787 169	12 095 945	1
215 801	741 384	364 111	236 970	168 724	124 152	603 237	2 941 366	2
18 859	66 905	40 823	26 166	17 887	12 902	41 032	255 435	3
14 492	62 736	24 759	16 503	13 449	10 213	79 752	183 653	4
61 470	203 453	113 032	70 368	46 309	32 019	121 331	832 045	5
120 980	408 290	185 497	123 933	91 079	69 018	361 122	1 670 233	6
800 276	2 084 716	741 714	320 661	155 363	76 991	182 793	9 100 222	7
94 023	279 515	116 611	60 291	33 527	18 414	52 033	1 110 142	8
706 253	1 805 201	625 103	260 370	121 836	58 577	130 760	7 990 080	9
21 019	87 076	63 554	48 933	37 785	29 360	163 560	537 553	10
17 292	72 529	52 591	41 211	32 613	25 518	149 617	458 555	11
3 121	15 280	12 507	9 760	7 350	6 005	21 690	79 482	12
289	1 137	775	688	530	415	6 286	12 090	13
5 106	21 384	15 369	11 888	9 377	7 300	42 479	134 061	14
8 776	34 728	23 940	18 875	15 356	11 798	79 162	232 922	15
3 658	14 330	10 856	7 619	5 115	3 794	13 771	77 996	16
3 658	14 328	10 852	7 617	5 115	3 794	13 771	77 978	17
－	2	4	2	－	－	－	18	18
999 999	2 751 887	1 046 699	510 636	287 141	172 271	623 609	11 558 392	19
198 509	668 855	311 520	195 759	136 111	98 634	453 620	2 482 811	20
15 738	51 625	28 316	16 406	10 537	6 897	19 342	175 953	21
14 203	61 599	23 984	15 815	12 919	9 798	73 466	171 563	22
56 364	182 069	97 663	58 480	36 932	24 719	78 852	697 984	23
112 204	373 562	161 557	105 058	75 723	57 220	281 960	1 437 311	24
796 618	2 070 386	730 858	313 042	150 248	73 197	169 022	9 022 226	25
90 365	265 187	105 759	52 674	28 412	14 620	38 262	1 032 164	26
706 253	1 805 199	625 099	260 368	121 836	58 577	130 760	7 990 062	27

第20表 件数，診療行為区分(総数)、

行番号	入院－入院外 診療所診療科	総数	500点未満	100点未満	100～200点未満	200～300	300～400
1	総数	14 171 249	10 609 011	4 712 963	2 483 800	1 555 980	1 055 992
2	内科	6 646 736	4 448 615	1 527 461	1 140 566	770 211	565 460
3	精神科	141 918	91 659	28 257	24 576	17 446	11 868
4	小児科	473 905	417 742	261 774	80 480	37 478	22 585
5	外科	672 112	463 409	173 929	112 654	78 402	55 193
6	整形外科	1 676 826	1 277 720	508 651	310 153	221 743	121 274
7	皮膚科	1 065 164	937 831	454 268	221 552	131 029	81 303
8	泌尿器科	240 975	147 794	53 897	39 303	24 224	16 048
9	産婦人科	694 796	552 286	340 505	103 803	50 013	38 228
10	眼科	1 733 469	1 549 268	954 731	301 039	144 010	93 556
11	耳鼻いんこう科	707 309	659 270	383 629	134 894	71 853	43 440
12	その他	118 039	63 417	25 861	14 780	9 571	7 037
13	入院	98 106	42 621	15 798	10 986	7 294	4 885
14	内科	22 987	6 842	1 953	1 419	1 469	1 073
15	精神科	175	57	17	12	10	10
16	小児科	1 326	936	364	263	162	94
17	外科	13 381	4 528	814	1 048	1 004	945
18	整形外科	11 106	3 629	1 202	803	613	535
19	皮膚科	83	22	7	5	5	4
20	泌尿器科	1 858	595	107	117	109	143
21	産婦人科	33 885	24 525	10 942	6 925	3 596	1 877
22	眼科	10 423	820	188	259	199	116
23	耳鼻いんこう科	618	130	63	20	12	20
24	その他	2 264	537	141	115	115	68
25	入院外	14 073 143	10 566 390	4 697 165	2 472 814	1 548 686	1 051 107
26	内科	6 623 749	4 441 773	1 525 508	1 139 147	768 742	564 387
27	精神科	141 743	91 602	28 240	24 564	17 436	11 858
28	小児科	472 579	416 806	261 410	80 217	37 316	22 491
29	外科	658 731	458 881	173 115	111 606	77 398	54 248
30	整形外科	1 665 720	1 274 091	507 449	309 350	221 130	120 739
31	皮膚科	1 065 081	937 809	454 261	221 547	131 024	81 299
32	泌尿器科	239 117	147 199	53 790	39 186	24 115	15 905
33	産婦人科	660 911	527 761	329 563	96 878	46 417	36 351
34	眼科	1 723 046	1 548 448	954 543	300 780	143 811	93 440
35	耳鼻いんこう科	706 691	659 140	383 566	134 874	71 841	43 420
36	その他	115 775	62 880	25 720	14 665	9 456	6 969

注：1）「薬剤」の出現する明細書を集計対象としている。ただし、「処方箋料」を算定している明細書及び「投薬」「注射」を包括した診療行為が出現する明細書は除いている。
2）「後発医薬品（再掲）」は、後発医薬品が出現した明細書の件数である。

平成30年６月審査分

400～500	500～1000	1000～1500	1500～2000	2000～2500	2500～3000	3000点以上	後発医薬品（再掲）	行番号
800 276	2 084 716	741 714	320 661	155 363	76 991	182 793	9 100 222	1
444 917	1 262 351	487 474	214 444	100 124	48 830	84 898	4 843 093	2
9 512	25 815	10 862	5 134	2 749	1 656	4 043	87 079	3
15 425	34 866	10 481	3 696	1 672	1 024	4 424	293 235	4
43 231	118 284	45 035	19 358	9 405	4 767	11 854	445 546	5
115 899	242 820	75 649	26 468	12 478	7 534	34 157	864 479	6
49 679	97 165	18 694	5 317	2 877	756	2 524	536 607	7
14 322	47 851	20 620	7 779	4 553	1 861	10 517	129 764	8
19 737	78 753	26 375	18 039	11 598	4 339	3 406	279 020	9
55 932	114 949	32 250	14 295	6 068	3 650	12 989	1 140 292	10
25 454	39 809	5 922	1 416	447	189	256	408 254	11
6 168	22 053	8 352	4 715	3 392	2 385	13 725	72 853	12
3 658	14 330	10 856	7 619	5 115	3 794	13 771	77 996	13
928	3 931	2 586	1 891	1 475	1 105	5 157	19 611	14
8	25	14	17	13	9	40	147	15
53	166	74	43	39	27	41	925	16
717	2 888	1 881	940	555	343	2 246	11 911	17
476	1 888	1 256	881	783	530	2 139	9 373	18
1	16	24	5	3	－	13	49	19
119	316	192	158	131	101	365	1 632	20
1 185	3 727	2 207	1 315	777	448	886	22 510	21
58	946	2 288	2 096	1 159	1 060	2 054	9 298	22
15	138	100	113	60	31	46	525	23
98	289	234	160	120	140	784	2 015	24
796 618	2 070 386	730 858	313 042	150 248	73 197	169 022	9 022 226	25
443 989	1 258 420	484 888	212 553	98 649	47 725	79 741	4 823 482	26
9 504	25 790	10 848	5 117	2 736	1 647	4 003	86 932	27
15 372	34 700	10 407	3 653	1 633	997	4 383	292 310	28
42 514	115 396	43 154	18 418	8 850	4 424	9 608	433 635	29
115 423	240 932	74 393	25 587	11 695	7 004	32 018	855 106	30
49 678	97 149	18 670	5 312	2 874	756	2 511	536 558	31
14 203	47 535	20 428	7 621	4 422	1 760	10 152	128 132	32
18 552	75 026	24 168	16 724	10 821	3 891	2 520	256 510	33
55 874	114 003	29 962	12 199	4 909	2 590	10 935	1 130 994	34
25 439	39 671	5 822	1 303	387	158	210	407 729	35
6 070	21 764	8 118	4 555	3 272	2 245	12 941	70 838	36

第21表　薬剤点数，診療行為区分(総数)、入院－入院外、

行番号	入院－入院外 一般医療－後期医療 年齢階級	総数	250円未満			
				50円未満	50～100円未満	100～150
1	総数	17 946 312 019	7 236 412 034	3 053 290 381	1 634 266 740	1 253 585 279
2	一般医療	11 594 672 220	4 270 772 700	1 834 647 405	913 981 857	710 653 246
3	後期医療	6 351 639 800	2 965 639 334	1 218 642 976	720 284 883	542 932 033
4	0 ～ 4歳	138 201 916	52 641 923	28 837 689	8 819 023	5 070 328
5	5 ～ 9	226 967 040	66 145 103	31 136 338	12 531 674	4 791 680
6	10 ～ 14	329 675 021	57 374 428	31 116 448	11 105 455	4 067 575
7	15 ～ 19	222 234 294	57 633 067	29 705 992	12 295 306	5 815 554
8	20 ～ 24	225 588 295	72 235 123	34 299 283	14 604 109	7 528 785
9	25 ～ 29	294 217 870	98 382 764	46 669 777	19 310 115	10 585 418
10	30 ～ 34	375 167 136	128 887 943	61 817 032	25 115 973	14 903 949
11	35 ～ 39	484 984 054	162 555 505	76 166 124	31 437 854	20 810 822
12	40 ～ 44	684 402 853	230 603 572	103 338 264	44 198 458	33 088 221
13	45 ～ 49	872 608 692	308 456 892	134 243 068	59 767 196	48 666 382
14	50 ～ 54	939 565 609	357 183 680	153 033 701	71 864 477	60 962 787
15	55 ～ 59	1 114 612 885	434 185 022	181 684 045	90 578 472	78 022 747
16	60 ～ 64	1 396 408 210	543 841 323	224 106 708	118 260 985	100 234 024
17	65 ～ 69	2 194 828 625	848 562 023	347 517 946	191 407 450	157 501 285
18	70 ～ 74	2 332 256 507	938 887 223	383 622 042	220 659 685	172 759 772
19	75 ～ 79	2 348 982 189	1 018 067 464	416 961 920	247 129 696	184 093 413
20	80 ～ 84	1 958 199 260	928 560 984	380 953 016	227 661 029	170 659 567
21	85 ～ 89	1 212 166 064	615 629 948	254 702 943	150 812 015	115 043 864
22	90歳以上	595 245 498	316 578 048	133 378 047	76 707 768	58 979 107
23	入院	2 575 672 195	595 027 576	195 947 238	127 897 982	126 314 249
24	一般医療	1 483 755 020	293 466 416	103 519 910	58 505 027	59 356 183
25	後期医療	1 091 917 176	301 561 160	92 427 328	69 392 955	66 958 066
26	0 ～ 4歳	46 689 708	3 995 261	1 063 629	1 240 469	610 047
27	5 ～ 9	36 279 187	2 783 561	1 008 946	759 362	335 853
28	10 ～ 14	44 980 117	3 827 382	1 434 471	1 072 492	428 676
29	15 ～ 19	30 168 775	5 346 111	1 898 003	1 353 312	698 008
30	20 ～ 24	34 600 828	7 219 463	2 526 745	1 563 515	1 040 692
31	25 ～ 29	37 575 140	10 510 540	3 733 376	2 133 768	1 508 063
32	30 ～ 34	47 859 033	14 036 588	5 017 989	2 794 194	2 123 997
33	35 ～ 39	58 127 440	15 622 407	5 704 681	2 966 684	2 733 511
34	40 ～ 44	76 555 999	18 293 688	6 831 020	3 484 125	3 477 920
35	45 ～ 49	96 894 114	22 801 324	8 680 521	4 324 835	4 655 441
36	50 ～ 54	107 315 520	25 642 255	9 615 144	4 840 333	5 358 742
37	55 ～ 59	140 461 110	30 462 233	11 147 792	5 599 480	6 649 649
38	60 ～ 64	185 341 439	36 674 245	13 098 550	6 806 939	8 175 366
39	65 ～ 69	299 382 159	57 216 776	19 980 208	11 279 689	12 658 249
40	70 ～ 74	299 415 294	58 841 715	19 492 543	12 215 395	12 875 760
41	75 ～ 79	306 180 749	69 239 451	21 952 047	15 066 606	15 176 454
42	80 ～ 84	298 686 626	79 379 829	24 186 107	18 213 542	17 872 243
43	85 ～ 89	242 233 124	73 765 521	21 843 337	17 510 330	16 686 239
44	90歳以上	186 925 834	59 369 226	16 732 129	14 672 914	13 249 338
45	入院外	15 370 639 824	6 641 384 458	2 857 343 144	1 506 368 758	1 127 271 030
46	一般医療	10 110 917 200	3 977 306 284	1 731 127 495	855 476 830	651 297 063
47	後期医療	5 259 722 624	2 664 078 173	1 126 215 648	650 891 928	475 973 966
48	0 ～ 4歳	91 512 209	48 646 662	27 774 060	7 578 554	4 460 281
49	5 ～ 9	190 687 853	63 361 542	30 127 392	11 772 312	4 455 827
50	10 ～ 14	284 694 903	53 547 046	29 681 977	10 032 963	3 638 899
51	15 ～ 19	192 065 520	52 286 956	27 807 989	10 941 995	5 117 546
52	20 ～ 24	190 987 467	65 015 660	31 772 538	13 040 594	6 488 093
53	25 ～ 29	256 642 730	87 872 224	42 936 401	17 176 348	9 077 355
54	30 ～ 34	327 308 103	114 851 356	56 799 043	22 321 779	12 779 953
55	35 ～ 39	426 856 614	146 933 098	70 461 442	28 471 170	18 077 311
56	40 ～ 44	607 846 854	212 309 883	96 507 245	40 714 333	29 610 301
57	45 ～ 49	775 714 578	285 655 568	125 562 547	55 442 360	44 010 940
58	50 ～ 54	832 250 088	331 541 425	143 418 557	67 024 145	55 604 045
59	55 ～ 59	974 151 775	403 722 789	170 536 253	84 978 993	71 373 098
60	60 ～ 64	1 211 066 771	507 167 078	211 008 158	111 454 046	92 058 658
61	65 ～ 69	1 895 446 467	791 345 246	327 537 738	180 127 761	144 843 036
62	70 ～ 74	2 032 841 214	880 045 507	364 129 499	208 444 290	159 884 012
63	75 ～ 79	2 042 801 440	948 828 014	395 009 873	232 063 091	168 916 958
64	80 ～ 84	1 659 512 634	849 181 154	356 766 909	209 447 488	152 787 324
65	85 ～ 89	969 932 940	541 864 427	232 859 605	133 301 684	98 357 624
66	90歳以上	408 319 664	257 208 822	116 645 918	62 034 854	45 729 769

注：1）「薬剤」の出現する明細書を集計対象としている。ただし、「処方箋料」を算定している明細書、「投薬」「注射」を包括した診療行為が出現する明細書及びDPC／PDPSに係る明細書は除いている。
2）総数には、「薬剤料減点(湿布薬薬剤料上限超)」を含む。

平成30年6月審査分

150～200	200～250	250～500	500円以上	後発医薬品（再掲）	行番号
771 432 072	523 837 562	865 525 216	9 844 375 721	2 081 310 983	1
472 515 527	338 974 665	523 044 661	6 800 855 581	1 234 325 586	2
298 916 545	184 862 897	342 480 555	3 043 520 139	846 985 397	3
8 186 744	1 728 140	6 295 384	79 264 610	11 911 932	4
13 279 557	4 405 853	12 925 833	147 896 104	16 406 966	5
7 853 700	3 231 250	17 450 976	254 849 616	18 815 614	6
4 313 425	5 502 790	12 822 817	151 778 410	15 910 831	7
7 090 444	8 712 503	19 792 725	133 560 447	20 455 720	8
10 257 246	11 560 208	25 569 580	170 265 543	28 728 635	9
12 914 940	14 136 049	27 729 463	218 549 730	38 152 512	10
16 748 134	17 392 571	31 343 300	291 085 249	49 057 870	11
26 193 349	23 785 279	38 892 515	414 906 767	71 388 559	12
37 183 556	28 596 692	43 230 371	520 921 486	94 919 240	13
40 695 051	30 627 664	39 688 487	542 693 442	102 911 053	14
49 094 539	34 805 218	41 058 678	639 369 186	121 604 387	15
60 740 388	40 499 218	50 333 487	802 233 519	155 336 687	16
93 042 217	59 093 124	79 361 344	1 266 905 515	246 359 923	17
98 480 325	63 365 400	89 006 229	1 304 363 330	265 063 503	18
103 157 645	66 724 791	104 014 917	1 226 899 902	281 594 836	19
91 956 376	57 330 995	102 498 127	927 140 207	259 563 353	20
59 447 907	35 623 220	78 003 981	518 532 157	180 237 082	21
30 796 531	16 716 595	45 507 004	233 160 500	102 892 279	22
81 038 986	63 829 121	159 837 686	1 820 806 934	279 833 861	23
35 031 451	37 053 846	84 394 629	1 105 893 975	130 234 179	24
46 007 536	26 775 275	75 443 057	714 912 959	149 599 682	25
731 735	349 381	1 196 756	41 497 691	2 055 797	26
363 886	315 514	648 396	32 847 230	1 020 790	27
405 153	486 590	1 220 909	39 931 826	1 414 743	28
558 380	838 408	1 397 226	23 425 438	1 810 263	29
868 038	1 220 474	2 001 527	25 379 838	2 640 214	30
1 580 044	1 555 290	3 053 750	24 010 849	3 750 246	31
2 088 687	2 011 721	4 383 464	29 438 982	4 988 585	32
1 902 927	2 314 603	5 174 424	37 330 610	5 840 428	33
1 682 889	2 817 734	6 112 735	52 149 576	7 007 811	34
2 013 840	3 126 687	7 605 740	66 487 049	8 990 156	35
2 441 618	3 386 419	7 988 768	73 684 497	10 929 584	36
3 209 378	3 855 934	8 665 433	101 333 444	13 392 839	37
4 212 792	4 380 599	10 130 906	138 536 288	17 151 864	38
7 066 473	6 232 157	15 139 613	227 025 769	28 083 552	39
8 081 585	6 176 433	14 613 909	225 959 669	28 759 620	40
10 018 978	7 025 366	16 609 765	220 331 533	33 972 461	41
11 954 605	7 153 332	19 082 217	200 224 579	38 780 811	42
11 622 717	6 102 897	18 569 599	149 898 004	36 707 691	43
10 235 262	4 479 583	16 242 547	111 314 062	32 536 407	44
690 393 086	460 008 441	705 687 530	8 023 568 787	1 801 477 122	45
437 484 077	301 920 819	438 650 033	5 694 961 606	1 104 091 407	46
252 909 009	158 087 622	267 037 498	2 328 607 181	697 385 714	47
7 455 008	1 378 760	5 098 628	37 766 919	9 856 134	48
12 915 672	4 090 340	12 277 436	115 048 875	15 386 176	49
7 448 546	2 744 660	16 230 067	214 917 790	17 400 871	50
3 755 045	4 664 383	11 425 591	128 352 972	14 100 568	51
6 222 406	7 492 029	17 791 198	108 180 609	17 815 507	52
8 677 202	10 004 918	22 515 829	146 254 694	24 978 388	53
10 826 253	12 124 329	23 345 999	189 110 748	33 163 928	54
14 845 207	15 077 969	26 168 876	253 754 639	43 217 442	55
24 510 460	20 967 545	32 779 780	362 757 191	64 380 747	56
35 169 716	25 470 005	35 624 631	454 434 437	85 929 084	57
38 253 433	27 241 246	31 699 718	469 008 945	91 981 470	58
45 885 162	30 949 284	32 393 245	538 035 741	108 211 547	59
56 527 596	36 118 619	40 202 580	663 697 231	138 184 823	60
85 975 744	52 860 967	64 221 731	1 039 879 746	218 276 371	61
90 398 740	57 188 966	74 392 319	1 078 403 661	236 303 884	62
93 138 667	59 699 424	87 405 152	1 006 568 369	247 622 375	63
80 001 771	50 177 663	83 415 910	726 915 628	220 782 543	64
47 825 190	29 520 323	59 434 381	368 634 153	143 529 391	65
20 561 269	12 237 012	29 264 457	121 846 438	70 355 872	66

第22表　薬剤点数，診療行為区分(総数)、

1　総数

行番号	傷病（中分類）	総数	250円未満		
				50円未満	50～100円未満
1	総数	17 946 312 019	7 236 412 034	3 053 290 381	1 634 266 740
2	Ⅰ 感染症及び寄生虫症	868 372 478	156 952 464	66 915 813	33 874 843
3	腸管感染症	65 862 684	31 025 652	14 828 680	7 255 369
4	結核	14 689 399	4 187 718	1 798 925	886 888
5	主として性的伝播様式をとる感染症	11 136 928	2 767 964	804 015	392 496
6	皮膚及び粘膜の病変を伴うウイルス性疾患	80 450 739	32 003 574	13 044 566	4 796 066
7	ウイルス性肝炎	395 004 809	19 780 260	7 509 853	4 187 211
8	その他のウイルス性疾患	130 024 298	5 943 384	1 733 620	897 751
9	真菌症	110 538 954	43 891 555	20 449 361	11 446 609
10	感染症及び寄生虫症の続発・後遺症	2 522 437	719 994	315 908	171 321
11	その他の感染症及び寄生虫症	58 142 230	16 632 364	6 430 885	3 841 132
12	Ⅱ 新生物＜腫瘍＞	3 147 702 697	255 031 795	85 890 106	51 794 743
13	胃の悪性新生物＜腫瘍＞	150 149 849	22 025 385	8 704 935	4 425 650
14	結腸の悪性新生物＜腫瘍＞	171 605 288	23 771 741	9 848 088	4 608 670
15	直腸Ｓ状結腸移行部及び直腸の悪性新生物＜腫瘍＞	95 415 037	8 131 080	3 253 947	1 411 439
16	肝及び肝内胆管の悪性新生物＜腫瘍＞	67 346 081	9 437 877	2 809 380	2 004 365
17	気管，気管支及び肺の悪性新生物＜腫瘍＞	411 968 390	17 621 947	6 039 453	3 713 667
18	乳房の悪性新生物＜腫瘍＞	336 979 096	23 070 813	5 398 439	3 833 742
19	子宮の悪性新生物＜腫瘍＞	20 965 271	3 123 791	1 191 082	562 167
20	悪性リンパ腫	110 170 960	7 654 395	2 362 727	1 678 691
21	白血病	179 893 705	5 838 790	1 379 462	1 158 769
22	その他の悪性新生物＜腫瘍＞	1 335 250 284	92 913 753	29 309 060	20 321 477
23	良性新生物＜腫瘍＞及びその他の新生物＜腫瘍＞	267 958 737	41 442 224	15 593 534	8 076 105
24	Ⅲ 血液及び造血器の疾患並びに免疫機構の障害	552 023 260	48 441 287	18 742 520	10 548 324
25	貧血	188 801 000	35 029 371	14 407 098	7 641 919
26	その他の血液及び造血器の疾患並びに免疫機構の障害	363 222 260	13 411 916	4 335 422	2 906 405
27	Ⅳ 内分泌，栄養及び代謝疾患	1 950 580 959	1 032 381 721	393 622 181	235 778 877
28	甲状腺障害	105 841 844	40 304 231	21 687 773	8 010 342
29	糖尿病	851 419 980	528 394 347	172 796 937	109 830 536
30	脂質異常症	476 181 550	387 384 151	166 247 618	100 572 172
31	その他の内分泌，栄養及び代謝疾患	517 137 584	76 298 992	32 889 854	17 365 828
32	Ⅴ 精神及び行動の障害	715 716 017	430 506 970	170 055 159	73 867 330
33	血管性及び詳細不明の認知症	24 440 412	12 905 501	4 787 025	2 584 435
34	精神作用物質使用による精神及び行動の障害	20 763 736	15 092 000	5 566 684	1 969 798
35	統合失調症，統合失調症型障害及び妄想性障害	323 312 686	169 933 894	72 812 888	30 084 184
36	気分［感情］障害（躁うつ病を含む）	177 179 334	138 388 251	46 766 398	22 041 399
37	神経症性障害，ストレス関連障害及び身体表現性障害	85 300 841	59 589 533	27 197 501	10 987 693
38	知的障害＜精神遅滞＞	11 232 461	7 287 657	3 388 156	1 297 361
39	その他の精神及び行動の障害	73 486 548	27 310 132	9 536 507	4 902 458
40	Ⅵ 神経系の疾患	685 109 970	296 509 736	109 611 932	58 202 017
41	パーキンソン病	85 315 431	29 442 900	10 102 892	4 242 910
42	アルツハイマー病	109 228 979	57 676 822	14 436 235	8 712 250
43	てんかん	64 523 145	45 775 258	13 319 160	5 917 433
44	脳性麻痺及びその他の麻痺性症候群	22 497 060	12 326 553	5 616 890	2 831 923
45	自律神経系の障害	9 890 665	5 668 732	3 243 350	1 004 693
46	その他の神経系の疾患	393 654 691	145 619 472	62 893 406	35 492 809
47	Ⅶ 眼及び付属器の疾患	826 050 224	204 304 623	70 459 950	45 197 896
48	結膜炎	126 363 099	52 189 439	18 970 438	10 663 107
49	白内障	111 946 054	30 224 257	9 306 819	8 747 959
50	屈折及び調節の障害	112 136 365	29 751 821	9 041 092	6 634 274
51	その他の眼及び付属器の疾患	475 604 706	92 139 107	33 141 601	19 152 557
52	Ⅷ 耳及び乳様突起の疾患	70 497 933	38 940 634	19 826 463	8 448 528
53	外耳炎	6 310 519	4 034 935	1 918 002	1 155 813
54	その他の外耳疾患	4 533 361	2 563 471	1 142 446	770 614
55	中耳炎	14 812 763	7 932 601	3 508 845	2 088 126
56	その他の中耳及び乳様突起の疾患	3 229 538	1 607 934	843 129	459 911
57	メニエール病	9 594 623	7 991 122	4 320 300	1 288 005
58	その他の内耳疾患	9 978 100	4 788 750	2 290 729	985 902
59	その他の耳疾患	22 039 028	10 021 821	5 803 011	1 700 157
60	Ⅸ 循環器系の疾患	2 540 257 893	1 707 720 482	736 245 573	374 445 827
61	高血圧性疾患	1 406 671 069	1 174 586 947	541 197 206	245 782 392
62	虚血性心疾患	261 168 760	146 531 023	53 824 062	36 546 202
63	その他の心疾患	442 797 183	176 676 671	65 121 368	40 781 382
64	くも膜下出血	8 830 092	4 169 036	1 418 871	741 167
65	脳内出血	35 499 972	16 078 633	5 902 418	2 892 915
66	脳梗塞	195 789 170	110 415 879	40 172 255	28 039 060
67	脳動脈硬化（症）	697 762	503 479	203 753	92 562
68	その他の脳血管疾患	55 403 161	29 664 216	9 992 314	7 545 978
69	動脈硬化（症）	30 459 939	17 830 594	6 396 489	4 895 444
70	低血圧（症）	3 838 770	1 696 729	908 255	301 946
71	その他の循環器系の疾患	99 102 015	29 567 275	11 108 583	6 826 779

平成30年６月審査分

100～150	150～200	200～250	250～500	500円以上	後発医薬品（再掲）	行番号
1 253 585 279	771 432 072	523 837 562	865 525 216	9 844 375 721	2 081 310 983	1
23 198 567	21 778 269	11 184 972	25 798 419	685 621 621	53 764 462	2
3 932 137	3 019 188	1 990 278	2 745 368	32 091 690	9 207 093	3
798 144	432 843	270 917	730 338	9 771 343	1 860 292	4
276 282	1 060 043	235 127	1 378 535	6 990 430	1 534 015	5
4 722 993	7 964 231	1 475 719	10 136 473	38 310 692	13 446 221	6
3 677 183	2 441 138	1 964 876	2 560 801	372 663 748	7 052 704	7
1 425 791	570 893	1 315 328	1 368 160	122 712 755	1 545 443	8
5 452 655	4 187 739	2 355 190	4 306 771	62 340 628	12 205 754	9
106 970	45 363	80 432	84 547	1 717 897	191 816	10
2 806 413	2 056 830	1 497 105	2 487 427	39 022 438	6 721 123	11
51 654 857	37 082 375	28 609 713	102 914 308	2 789 756 594	189 290 064	12
5 060 919	2 042 531	1 791 350	5 180 847	122 943 617	12 443 792	13
4 759 231	2 491 757	2 063 996	10 478 465	137 355 082	15 323 162	14
1 776 316	849 132	840 246	6 477 231	80 806 726	7 389 110	15
1 716 224	1 740 556	1 167 353	1 453 928	56 454 275	3 857 207	16
4 168 110	1 682 929	2 017 788	5 451 383	388 895 061	10 290 239	17
4 005 241	6 901 428	2 931 964	21 644 121	292 264 162	23 963 155	18
573 672	464 660	332 209	725 494	17 115 986	3 825 669	19
2 118 278	910 627	584 072	1 670 532	100 846 033	8 241 945	20
1 921 048	944 709	434 801	2 527 476	171 527 439	6 191 478	21
18 594 757	12 041 314	12 647 144	35 251 225	1 207 085 306	69 159 672	22
6 961 063	7 012 732	3 798 789	12 053 608	214 462 905	28 604 636	23
8 988 544	5 550 118	4 611 781	8 056 746	495 525 227	18 552 906	24
6 059 495	4 053 289	2 867 570	5 013 900	148 757 729	12 053 148	25
2 929 049	1 496 829	1 744 210	3 042 847	346 767 498	6 499 758	26
189 074 158	154 989 521	58 916 983	51 604 381	866 594 898	245 690 764	27
5 669 917	3 171 620	1 764 579	2 469 128	63 068 486	8 556 201	28
116 099 105	99 820 033	29 847 737	26 013 088	297 012 567	106 343 391	29
55 057 937	43 358 503	22 147 922	12 375 431	76 421 987	104 739 745	30
12 247 200	8 639 365	5 156 745	10 746 734	430 091 858	26 051 427	31
86 646 748	42 217 149	57 720 584	124 121 249	161 087 799	91 813 161	32
2 592 210	1 567 633	1 374 197	2 719 907	8 815 004	3 683 932	33
2 362 415	1 196 495	3 996 608	1 689 934	3 981 801	2 465 445	34
38 189 247	12 188 364	16 659 210	67 242 986	86 135 806	44 803 832	35
28 502 071	18 745 035	22 333 349	15 671 911	23 119 171	22 368 244	36
9 552 124	4 884 784	6 967 430	6 923 235	18 788 072	11 571 464	37
967 453	410 983	1 223 704	1 672 174	2 272 630	1 723 366	38
4 481 226	3 223 855	5 166 086	28 201 102	17 975 314	5 196 879	39
54 695 207	28 751 868	45 248 712	68 938 851	319 661 393	70 119 314	40
4 584 678	4 029 088	6 483 333	11 203 301	44 669 230	5 971 932	41
16 076 500	10 222 089	8 229 748	31 723 675	19 828 482	15 664 508	42
5 357 900	2 301 700	18 879 065	5 171 063	13 576 824	4 623 555	43
1 332 667	624 300	1 920 773	1 840 313	8 330 194	2 274 609	44
703 485	414 220	302 984	1 134 533	3 087 400	2 149 596	45
26 639 977	11 160 470	9 432 810	17 865 967	230 169 263	39 435 114	46
36 130 686	25 306 972	27 209 119	107 397 132	514 348 469	103 686 070	47
10 332 744	8 562 466	3 660 684	19 354 875	54 818 785	17 742 102	48
5 595 507	3 300 031	3 273 940	8 609 386	73 112 411	19 516 983	49
5 184 946	4 457 329	4 434 180	16 179 656	66 204 888	16 201 446	50
15 017 488	8 987 145	15 840 316	63 253 214	320 212 385	50 225 538	51
6 040 353	3 030 924	1 594 367	2 210 515	29 346 783	10 170 370	52
540 800	272 559	147 761	209 470	2 066 115	973 713	53
276 925	234 298	139 189	205 723	1 764 167	672 731	54
908 991	935 911	490 728	620 592	6 259 570	1 954 784	55
161 447	89 544	53 902	93 700	1 527 904	442 805	56
1 760 271	414 881	207 664	193 650	1 409 852	2 117 090	57
823 991	441 722	246 406	307 681	4 881 669	1 250 312	58
1 567 928	642 007	308 717	579 700	11 437 506	2 758 934	59
363 067 413	150 874 542	83 087 127	112 164 532	720 373 164	483 057 500	60
252 033 708	90 274 369	45 299 272	43 301 560	188 782 848	333 186 711	61
29 059 246	18 911 697	8 189 816	15 202 962	99 434 775	38 178 471	62
41 017 560	16 236 486	13 519 875	31 833 245	234 287 267	45 553 674	63
860 067	379 800	769 130	396 655	4 264 401	1 338 837	64
3 689 787	1 520 002	2 073 512	1 658 091	17 763 248	4 510 987	65
20 791 187	13 883 798	7 529 580	11 137 576	74 235 714	36 178 149	66
114 541	72 048	20 575	60 580	133 703	103 766	67
5 538 122	4 136 626	2 451 177	2 424 116	23 314 829	8 386 254	68
3 261 532	2 114 903	1 162 226	1 281 920	11 347 425	5 050 199	69
217 000	147 272	122 256	311 856	1 830 186	424 413	70
6 484 663	3 197 542	1 949 708	4 555 972	64 978 768	10 146 039	71

第22表　薬剤点数，診療行為区分(総数)、

1　総数

行番号	傷病（中分類）	総数	250円未満	50円未満	50～100円未満
72	Ⅹ 呼吸器系の疾患	1 136 917 944	571 672 351	273 726 431	136 885 317
73	急性鼻咽頭炎［かぜ］＜感冒＞	25 381 449	16 018 769	8 819 175	3 239 015
74	急性咽頭炎及び急性扁桃炎	61 597 454	40 140 366	22 593 477	7 990 220
75	その他の急性上気道感染症	95 511 061	70 203 787	39 548 514	15 968 248
76	肺炎	126 978 559	33 197 416	9 311 823	7 712 576
77	急性気管支炎及び急性細気管支炎	86 570 009	61 859 775	33 013 309	13 302 896
78	アレルギー性鼻炎	165 506 566	112 089 358	54 218 166	32 218 891
79	慢性副鼻腔炎	36 566 192	21 304 439	10 400 479	6 512 533
80	急性又は慢性と明示されない気管支炎	24 719 004	16 318 440	8 748 341	3 540 371
81	慢性閉塞性肺疾患	71 015 764	35 798 079	16 087 651	7 954 578
82	喘息	246 244 699	122 367 623	55 373 292	28 603 961
83	その他の呼吸器系の疾患	196 827 188	42 374 300	15 612 203	9 842 029
84	XI 消化器系の疾患	1 199 416 093	594 860 498	263 814 812	135 289 809
85	う蝕	75 896	36 500	17 702	6 550
86	歯肉炎及び歯周疾患	1 007 617	468 098	228 333	96 263
87	その他の歯及び歯の支持組織の障害	990 923	371 099	182 956	83 210
88	胃潰瘍及び十二指腸潰瘍	99 844 417	58 752 202	27 776 614	12 334 653
89	胃炎及び十二指腸炎	240 708 714	164 762 805	84 721 160	34 859 541
90	痔核	30 849 407	18 131 086	12 688 701	2 179 498
91	アルコール性肝疾患	7 497 520	4 407 936	1 567 146	1 028 640
92	慢性肝炎（アルコール性のものを除く）	21 339 174	13 668 859	6 459 847	2 780 983
93	肝硬変（アルコール性のものを除く）	19 909 199	7 384 663	2 795 077	1 705 263
94	その他の肝疾患	96 542 323	48 612 318	19 143 756	10 729 368
95	胆石症及び胆のう炎	38 972 893	13 980 351	5 441 225	2 951 932
96	膵疾患	27 740 310	10 776 455	4 682 343	2 478 783
97	その他の消化器系の疾患	613 937 702	253 508 126	98 109 952	64 055 125
98	XII 皮膚及び皮下組織の疾患	712 642 539	360 594 411	215 870 591	70 556 473
99	皮膚及び皮下組織の感染症	47 533 973	20 028 891	10 188 136	4 707 798
100	皮膚炎及び湿疹	305 220 629	187 963 637	121 105 718	35 613 086
101	その他の皮膚及び皮下組織の疾患	359 887 937	152 601 883	84 576 737	30 235 588
102	XIII 筋骨格系及び結合組織の疾患	1 525 979 487	701 687 925	312 271 971	211 400 403
103	炎症性多発性関節障害	326 139 333	71 314 407	26 160 885	19 730 574
104	関節症	253 430 690	126 065 062	61 587 163	38 874 584
105	脊椎障害（脊椎症を含む）	259 274 955	159 715 949	68 807 270	54 097 206
106	椎間板障害	54 940 532	39 527 546	18 352 525	11 432 208
107	頚腕症候群	20 371 807	16 143 766	8 960 709	3 364 980
108	腰痛症及び坐骨神経痛	118 254 105	76 027 326	38 295 704	17 244 095
109	その他の脊柱障害	32 330 387	17 081 660	7 526 269	5 546 612
110	肩の傷害＜損傷＞	59 792 578	36 135 427	18 832 467	9 745 141
111	骨の密度及び構造の障害	171 005 462	66 274 664	21 964 395	29 331 874
112	その他の筋骨格系及び結合組織の疾患	230 439 638	93 402 117	41 784 585	22 033 128
113	XIV 腎尿路生殖器系の疾患	806 567 556	374 005 116	110 760 612	76 949 310
114	糸球体疾患及び腎尿細管間質性疾患	56 239 121	18 868 397	5 945 705	4 119 404
115	腎不全	282 027 299	113 721 683	33 905 473	23 899 475
116	尿路結石症	19 302 530	8 020 429	3 307 184	1 660 295
117	その他の腎尿路系の疾患	154 805 534	84 677 438	23 457 103	18 384 067
118	前立腺肥大（症）	111 977 830	85 519 783	17 755 417	21 993 646
119	その他の男性生殖器の疾患	11 678 318	7 062 672	3 131 773	1 362 709
120	月経障害及び閉経周辺期障害	80 555 775	27 267 124	12 821 606	2 347 965
121	乳房及びその他の女性生殖器の疾患	89 981 150	28 867 589	10 436 352	3 181 749
122	XV 妊娠，分娩及び産じょく	26 778 737	14 073 783	5 743 435	4 366 308
123	流産	1 401 033	708 345	393 132	149 640
124	妊娠高血圧症候群	737 686	324 660	193 956	41 106
125	その他の妊娠，分娩及び産じょく	24 640 018	13 040 778	5 156 346	4 175 562
126	XVI 周産期に発生した病態	11 100 691	1 372 393	544 620	363 317
127	妊娠及び胎児発育に関連する障害	6 674 371	608 132	248 456	180 985
128	その他の周産期に発生した病態	4 426 320	764 260	296 164	182 331
129	XVII 先天奇形，変形及び染色体異常	59 051 962	9 579 976	3 921 192	2 195 924
130	心臓の先天奇形	7 439 948	1 125 974	424 874	285 929
131	その他の先天奇形，変形及び染色体異常	51 612 014	8 454 001	3 496 318	1 909 995
132	XVIII 症状，徴候等で他に分類されないもの	374 872 886	141 836 833	63 222 244	31 372 983
133	症状，徴候等で他に分類されないもの	374 872 886	141 836 833	63 222 244	31 372 983
134	XIX 損傷，中毒及びその他の外因の影響	392 820 315	148 227 588	65 308 587	38 948 217
135	骨折	208 253 127	68 409 863	26 760 131	21 186 572
136	頭蓋内損傷及び内臓の損傷	11 838 964	4 313 149	1 457 039	791 452
137	熱傷及び腐食	4 178 541	2 134 959	1 238 079	417 188
138	中毒	4 974 655	2 904 026	1 715 864	559 906
139	その他の損傷及びその他の外因の影響	163 575 028	70 465 590	34 137 474	15 993 099

注：1）「薬剤」の出現する明細書を集計対象としている。ただし、「処方箋料」を算定している明細書、「投薬」「注射」を包括した診療行為が出現する明細書及びDPC／PDPSに係る明細書は除いている。
2）総数には、「XX 傷病及び死亡の外因」、「XXI 健康状態に影響を及ぼす要因及び保健サービスの利用」、「XXII 特殊目的用コード」、「不詳」を含む。
3）総数には、「薬剤料減点（湿布薬薬剤料上限超）」を含む。

平成30年６月審査分

100～150	150～200	200～250	250～500	500円以上	後発医薬品（再掲）	行番号
63 729 660	64 826 430	32 504 513	44 572 341	520 673 271	183 427 894	72
1 844 222	1 222 471	893 886	670 907	8 691 773	4 038 259	73
3 859 030	2 883 786	2 813 853	2 053 854	19 403 234	12 603 799	74
5 772 905	4 863 442	4 050 679	2 866 007	22 441 266	20 710 622	75
7 531 749	5 556 600	3 084 669	8 980 217	84 800 926	20 404 660	76
5 202 676	5 152 147	5 188 747	3 215 221	21 495 012	18 034 566	77
11 317 476	10 378 140	3 956 685	5 566 040	47 851 187	33 018 678	78
1 351 509	1 945 797	1 094 120	986 447	14 275 306	6 922 174	79
1 727 810	1 104 653	1 197 265	842 617	7 557 947	4 696 435	80
5 659 391	4 237 103	1 859 356	4 187 030	31 030 654	9 649 949	81
11 289 731	22 405 917	4 694 721	6 501 234	117 375 843	35 592 290	82
8 173 161	5 076 375	3 670 532	8 702 767	145 750 122	17 756 462	83
105 821 979	51 733 550	38 200 348	40 210 251	564 345 360	159 346 786	84
6 541	3 131	2 577	191	39 204	4 677	85
61 587	35 426	46 488	53 094	486 425	134 670	86
60 815	28 618	15 499	39 680	580 144	116 072	87
10 726 356	3 985 148	3 929 432	2 959 697	38 132 518	15 393 969	88
26 537 870	10 599 798	8 044 436	7 253 760	68 692 148	43 511 168	89
1 705 067	907 698	650 121	869 711	11 848 610	4 111 255	90
744 981	744 946	322 224	327 022	2 762 562	1 117 496	91
2 199 584	1 514 748	713 696	622 705	7 047 610	3 705 282	92
984 519	1 220 344	679 459	746 729	11 777 807	1 789 641	93
8 830 629	6 563 379	3 345 185	4 694 308	43 235 697	13 418 844	94
2 802 574	1 781 829	1 002 791	1 825 833	23 166 708	5 182 297	95
1 850 371	1 088 283	676 676	873 186	16 090 669	3 312 447	96
49 311 085	23 260 201	18 771 763	19 944 334	340 485 259	67 548 967	97
38 333 490	17 770 860	18 062 998	19 706 412	332 341 715	89 053 236	98
2 606 742	1 447 812	1 078 403	1 696 719	25 808 363	5 591 957	99
17 088 260	8 692 033	5 464 540	8 076 063	109 180 928	46 746 984	100
18 638 488	7 631 014	11 520 055	9 933 630	197 352 424	36 714 296	101
109 496 693	36 110 783	32 408 075	36 906 722	787 385 341	158 235 423	102
12 522 144	5 119 968	7 780 836	5 350 904	249 474 141	19 906 096	103
16 269 210	5 325 146	4 008 959	6 169 127	121 196 754	28 569 682	104
26 396 927	6 319 383	4 095 163	5 555 685	94 003 378	32 996 804	105
7 556 774	1 353 839	832 199	1 062 079	14 350 908	7 550 752	106
2 232 756	1 023 427	561 896	578 824	3 649 217	3 836 016	107
12 284 812	5 220 197	2 982 517	3 742 602	38 484 195	17 948 910	108
2 737 368	735 874	535 537	630 892	14 617 835	3 509 783	109
4 502 860	1 788 379	1 266 580	1 472 366	22 184 825	8 404 499	110
9 315 412	3 091 934	2 571 049	3 134 076	101 596 722	12 559 227	111
15 678 430	6 132 636	7 773 338	9 210 170	127 827 368	22 953 655	112
45 336 678	88 281 022	52 677 493	68 828 579	363 733 862	94 968 440	113
3 482 979	2 417 965	2 902 345	2 955 189	34 415 535	5 672 351	114
12 082 159	30 298 281	13 536 296	11 913 543	156 392 073	24 161 220	115
1 245 244	940 593	867 112	617 571	10 664 530	2 046 114	116
12 780 994	23 117 078	6 938 196	6 280 839	63 847 256	16 977 765	117
11 119 037	8 767 401	25 884 282	2 620 452	23 837 595	10 684 246	118
720 000	606 909	1 241 280	411 503	4 204 143	1 233 027	119
1 668 077	10 064 519	364 957	27 596 247	25 692 404	12 763 844	120
2 238 189	12 068 275	943 024	16 433 235	44 680 326	21 429 873	121
937 038	2 131 346	895 656	1 782 045	10 922 910	5 455 265	122
52 025	60 746	52 801	98 189	594 500	233 500	123
21 851	45 347	22 401	55 939	357 087	82 176	124
863 162	2 025 253	820 454	1 627 917	9 971 323	5 139 588	125
132 725	182 928	148 802	304 155	9 424 143	493 866	126
46 419	75 121	57 152	121 693	5 944 545	295 669	127
86 306	107 808	91 651	182 462	3 479 598	198 197	128
1 299 118	872 806	1 290 935	1 810 651	47 661 335	2 538 739	129
203 778	116 908	94 485	185 701	6 128 273	423 223	130
1 095 340	755 898	1 196 450	1 624 950	41 533 062	2 115 516	131
23 294 611	13 936 592	10 010 403	14 235 162	218 800 891	39 582 192	132
23 294 611	13 936 592	10 010 403	14 235 162	218 800 891	39 582 192	133
23 016 218	12 017 428	8 937 138	14 184 828	230 407 953	39 514 995	134
11 565 137	5 378 902	3 519 121	6 565 134	133 278 129	17 190 837	135
797 847	471 114	795 697	683 014	6 842 800	1 476 469	136
235 067	118 694	125 931	155 259	1 888 323	515 046	137
281 230	207 950	139 077	191 805	1 878 825	720 819	138
10 136 937	5 840 769	4 357 312	6 589 616	86 519 876	19 611 823	139

第22表 薬剤点数，診療行為区分(総数)、

2 入院

行番号	傷病（中分類）	総数	250円未満	50円未満	50～100円未満
1	総数	2 575 672 195	595 027 576	195 947 238	127 897 982
2	Ⅰ 感染症及び寄生虫症	99 747 980	16 539 624	4 648 949	3 779 263
3	腸管感染症	15 031 160	3 115 665	781 293	712 994
4	結核	8 032 759	2 317 925	972 179	493 107
5	主として性的伝播様式をとる感染症	922 994	160 545	47 811	31 976
6	皮膚及び粘膜の病変を伴うウイルス性疾患	8 242 567	1 388 069	350 328	302 576
7	ウイルス性肝炎	21 875 154	1 126 169	309 387	299 381
8	その他のウイルス性疾患	6 457 612	905 628	210 155	173 974
9	真菌症	15 980 253	3 083 119	928 888	716 407
10	感染症及び寄生虫症の続発・後遺症	356 945	205 234	86 440	48 141
11	その他の感染症及び寄生虫症	22 848 535	4 237 270	962 469	1 000 707
12	Ⅱ 新生物<腫瘍>	577 181 925	41 491 609	10 658 406	8 643 574
13	胃の悪性新生物<腫瘍>	30 340 823	3 568 965	909 402	766 486
14	結腸の悪性新生物<腫瘍>	31 684 583	3 832 250	1 165 235	751 567
15	直腸S状結腸移行部及び直腸の悪性新生物<腫瘍>	21 232 767	1 916 293	603 748	337 018
16	肝及び肝内胆管の悪性新生物<腫瘍>	7 125 658	1 507 550	341 562	381 815
17	気管，気管支及び肺の悪性新生物<腫瘍>	100 752 910	4 314 948	1 085 262	1 012 356
18	乳房の悪性新生物<腫瘍>	27 205 941	1 886 001	641 569	324 823
19	子宮の悪性新生物<腫瘍>	1 919 481	317 532	87 983	66 637
20	悪性リンパ腫	39 067 496	2 260 396	457 766	484 010
21	白血病	73 144 243	3 196 397	439 039	637 863
22	その他の悪性新生物<腫瘍>	194 462 981	13 946 228	3 618 450	2 947 195
23	良性新生物<腫瘍>及びその他の新生物<腫瘍>	50 245 042	4 745 049	1 308 390	933 804
24	Ⅲ 血液及び造血器の疾患並びに免疫機構の障害	62 732 764	6 535 036	1 759 963	1 460 518
25	貧血	27 553 802	4 423 974	1 280 894	970 343
26	その他の血液及び造血器の疾患並びに免疫機構の障害	35 178 961	2 111 062	479 069	490 175
27	Ⅳ 内分泌，栄養及び代謝疾患	116 029 037	21 330 184	6 327 888	4 846 286
28	甲状腺障害	9 973 283	1 098 457	396 599	237 883
29	糖尿病	35 638 891	9 342 591	2 791 003	2 018 779
30	脂質異常症	7 151 165	1 928 289	632 118	466 550
31	その他の内分泌，栄養及び代謝疾患	63 265 698	8 960 845	2 508 167	2 123 073
32	Ⅴ 精神及び行動の障害	238 169 936	128 256 395	52 964 855	23 179 413
33	血管性及び詳細不明の認知症	12 044 524	6 467 499	2 398 287	1 346 562
34	精神作用物質使用による精神及び行動の障害	8 044 821	5 365 589	2 302 544	1 016 902
35	統合失調症，統合失調症型障害及び妄想性障害	152 977 822	80 156 096	35 237 542	14 219 395
36	気分［感情］障害（躁うつ病を含む）	30 515 091	18 797 174	6 245 494	3 235 499
37	神経症性障害，ストレス関連障害及び身体表現性障害	8 723 763	4 100 537	1 479 210	807 463
38	知的障害<精神遅滞>	6 393 999	3 841 799	1 761 141	718 649
39	その他の精神及び行動の障害	19 469 917	9 527 700	3 540 636	1 834 943
40	Ⅵ 神経系の疾患	193 598 371	62 543 308	23 381 844	12 605 490
41	パーキンソン病	23 532 530	8 520 715	2 944 985	1 560 716
42	アルツハイマー病	27 733 303	13 819 972	4 451 792	2 767 627
43	てんかん	14 401 225	8 487 560	2 648 243	1 508 166
44	脳性麻痺及びその他の麻痺性症候群	14 795 581	10 142 104	4 547 117	2 438 258
45	自律神経系の障害	3 690 558	1 348 585	658 771	270 163
46	その他の神経系の疾患	109 445 174	20 224 372	8 130 936	4 060 559
47	Ⅶ 眼及び付属器の疾患	60 634 697	8 007 222	2 382 893	1 970 930
48	結膜炎	6 772 627	1 297 276	416 989	317 978
49	白内障	13 912 809	1 955 673	575 945	488 733
50	屈折及び調節の障害	6 912 676	845 475	235 353	208 311
51	その他の眼及び付属器の疾患	33 036 586	3 908 799	1 154 606	955 909
52	Ⅷ 耳及び乳様突起の疾患	9 623 232	2 207 235	776 478	517 212
53	外耳炎	527 597	258 645	105 731	66 988
54	その他の外耳疾患	782 337	334 407	138 642	81 695
55	中耳炎	3 070 566	410 175	149 356	97 050
56	その他の中耳及び乳様突起の疾患	617 444	79 220	30 935	15 518
57	メニエール病	413 708	222 918	69 918	54 563
58	その他の内耳疾患	1 419 618	432 456	134 348	107 601
59	その他の耳疾患	2 791 962	469 415	147 548	93 796
60	Ⅸ 循環器系の疾患	256 572 017	63 016 662	17 245 074	14 398 414
61	高血圧性疾患	26 831 059	8 527 456	2 668 067	2 034 014
62	虚血性心疾患	25 912 071	6 294 576	1 453 733	1 424 027
63	その他の心疾患	88 040 335	20 181 925	5 374 867	5 172 205
64	くも膜下出血	4 504 918	1 431 801	408 425	230 806
65	脳内出血	12 928 996	4 728 337	1 410 504	820 445
66	脳梗塞	58 851 505	13 493 948	3 536 913	2 895 769
67	脳動脈硬化（症）	11 561	8 293	3 308	1 847
68	その他の脳血管疾患	11 697 553	2 889 693	784 124	563 490
69	動脈硬化（症）	3 955 779	1 260 463	387 625	312 574
70	低血圧（症）	638 135	194 943	67 949	40 352
71	その他の循環器系の疾患	23 200 106	4 005 227	1 149 561	902 883

100～150	150～200	200～250	250～500	500円以上	後発医薬品（再掲）	行番号
126 314 249	81 038 986	63 829 121	159 837 686	1 820 806 934	279 833 861	1
3 687 828	2 729 068	1 694 516	4 615 809	78 592 548	10 168 061	2
627 917	648 565	344 895	832 774	11 082 721	1 683 762	3
479 659	249 459	123 521	540 096	5 174 739	1 351 805	4
36 509	30 774	13 475	65 348	697 101	89 134	5
369 684	218 465	147 016	406 534	6 447 965	911 326	6
189 824	203 334	124 243	254 244	20 494 741	546 532	7
173 459	210 627	137 412	234 822	5 317 162	491 370	8
719 163	398 492	320 170	779 507	12 117 626	1 721 847	9
22 591	11 319	36 743	37 179	114 532	62 380	10
1 069 021	758 033	447 039	1 465 304	17 145 961	3 309 906	11
10 784 885	6 643 403	4 761 342	14 424 687	521 265 628	36 304 893	12
854 452	579 597	459 028	1 461 107	25 310 751	2 485 825	13
864 875	646 666	403 907	1 428 233	26 424 100	2 863 344	14
447 794	312 935	214 798	1 011 802	18 304 672	1 674 615	15
291 312	285 431	207 430	411 709	5 206 399	781 880	16
1 186 258	563 873	467 198	1 379 963	95 057 999	3 069 006	17
446 684	237 949	234 976	583 755	24 736 185	2 126 709	18
78 363	53 656	30 894	94 613	1 507 336	362 807	19
749 745	398 810	170 066	847 158	35 959 943	3 851 262	20
1 197 860	671 639	249 996	1 447 067	68 500 778	4 094 824	21
3 516 247	2 158 153	1 706 184	4 481 378	176 035 375	11 380 946	22
1 151 295	734 693	616 866	1 277 902	44 222 091	3 613 676	23
1 485 933	1 129 519	699 104	1 729 670	54 468 057	3 975 630	24
944 696	763 035	465 006	1 098 396	22 031 433	2 157 674	25
541 237	366 483	234 097	631 275	32 436 624	1 817 956	26
4 456 650	3 663 362	2 035 998	4 806 991	89 891 863	9 012 826	27
212 116	140 066	111 792	286 276	8 588 550	463 384	28
2 061 510	1 662 804	808 496	1 683 704	24 612 596	3 813 141	29
389 168	256 987	183 465	338 613	4 884 262	708 527	30
1 793 856	1 603 505	932 245	2 498 397	51 806 456	4 027 774	31
28 092 280	10 566 577	13 453 271	45 215 373	64 698 169	35 021 736	32
1 278 926	777 380	666 343	1 323 359	4 253 666	2 171 053	33
934 188	529 902	582 054	884 694	1 794 538	1 163 029	34
18 592 359	4 919 309	7 187 492	34 750 978	38 070 747	22 853 004	35
4 069 914	2 856 260	2 390 006	3 540 246	8 177 671	4 111 792	36
866 091	474 377	473 395	854 682	3 768 544	1 119 402	37
537 437	206 189	618 383	896 163	1 656 036	988 999	38
1 813 365	803 159	1 535 598	2 965 251	6 976 966	2 614 459	39
10 802 437	6 222 847	9 530 690	15 675 751	115 379 312	21 441 070	40
1 535 560	1 159 541	1 319 914	2 378 682	12 633 132	2 948 626	41
3 207 770	1 946 905	1 445 877	4 954 474	8 958 857	4 650 356	42
1 111 979	631 547	2 587 625	1 448 263	4 465 403	1 604 424	43
1 019 300	478 265	1 659 163	1 703 964	2 949 513	1 915 610	44
208 552	124 164	86 935	683 988	1 657 985	1 040 364	45
3 719 275	1 882 426	2 431 176	4 506 379	84 714 423	9 281 690	46
1 973 233	1 088 354	591 811	1 458 202	51 169 274	9 696 078	47
265 480	177 053	119 776	280 810	5 194 541	839 233	48
523 181	273 543	94 271	329 226	11 627 910	3 726 816	49
205 990	127 943	67 878	119 158	5 948 043	1 386 760	50
978 582	509 815	309 887	729 007	28 398 780	3 743 269	51
403 490	298 088	211 967	336 095	7 079 902	890 021	52
30 444	26 423	29 059	43 889	225 063	72 559	53
43 809	27 241	43 019	55 767	392 164	111 547	54
80 252	47 368	36 148	61 843	2 598 547	184 576	55
15 927	10 047	6 793	15 661	522 564	35 232	56
46 022	36 047	16 367	17 513	173 277	73 950	57
81 567	74 528	34 412	50 980	936 182	153 497	58
105 470	76 433	46 169	90 443	2 232 104	258 660	59
14 053 926	10 698 280	6 620 968	14 964 912	178 590 443	34 123 683	60
1 810 212	1 276 318	738 845	1 733 836	16 569 766	3 699 338	61
1 393 694	1 372 260	650 862	1 858 176	17 759 319	2 725 714	62
4 658 468	3 253 348	1 723 037	5 040 102	62 818 308	10 492 448	63
289 013	194 308	309 248	263 509	2 809 608	699 833	64
969 462	739 900	788 027	1 078 312	7 122 347	2 048 211	65
3 170 096	2 430 432	1 460 738	3 137 336	42 220 222	9 886 970	66
776	1 099	1 263	1 061	2 207	1 244	67
599 719	508 390	433 969	567 291	8 240 569	1 684 266	68
258 951	225 951	75 363	231 292	2 464 023	552 568	69
42 941	29 286	14 416	59 386	383 806	90 207	70
860 593	666 989	425 202	994 611	18 200 269	2 242 885	71

第22表　薬剤点数，診療行為区分(総数)、

2 入院

行番号	傷病（中分類）	総数	250円未満		
				50円未満	50～100円未満
72	Ⅹ 呼吸器系の疾患	198 345 012	47 316 900	12 193 192	11 120 967
73	急性鼻咽頭炎［かぜ］＜感冒＞	653 730	230 808	90 521	41 124
74	急性咽頭炎及び急性扁桃炎	3 388 382	709 326	253 893	153 870
75	その他の急性上気道感染症	2 398 587	675 046	225 345	151 882
76	肺炎	92 190 187	22 579 806	5 003 594	5 411 296
77	急性気管支炎及び急性細気管支炎	3 996 884	1 431 626	458 271	337 335
78	アレルギー性鼻炎	2 621 479	513 417	214 852	110 915
79	慢性副鼻腔炎	2 559 949	433 881	173 510	83 745
80	急性又は慢性と明示されない気管支炎	1 758 964	475 586	173 589	103 849
81	慢性閉塞性肺疾患	8 171 168	2 392 704	750 740	565 270
82	喘息	8 915 569	2 165 415	668 982	519 589
83	その他の呼吸器系の疾患	71 690 113	15 709 285	4 179 895	3 642 092
84	Ⅺ 消化器系の疾患	159 948 398	37 496 229	10 907 261	8 347 388
85	う蝕	8 962	8 709	4 019	2 645
86	歯肉炎及び歯周疾患	165 199	89 217	42 789	23 244
87	その他の歯及び歯の支持組織の障害	183 802	38 769	17 151	6 769
88	胃潰瘍及び十二指腸潰瘍	10 358 658	2 490 672	593 286	525 407
89	胃炎及び十二指腸炎	7 958 246	2 157 359	742 608	463 356
90	痔核	5 780 513	1 664 891	890 968	231 887
91	アルコール性肝疾患	1 641 069	644 260	153 479	209 249
92	慢性肝炎（アルコール性のものを除く）	1 087 209	302 763	92 882	68 137
93	肝硬変（アルコール性のものを除く）	4 228 207	1 301 297	317 502	392 438
94	その他の肝疾患	9 229 594	2 912 681	827 573	737 902
95	胆石症及び胆のう炎	12 750 326	3 332 620	851 185	656 206
96	膵疾患	4 193 465	1 101 171	244 087	223 964
97	その他の消化器系の疾患	102 363 148	21 451 819	6 129 733	4 806 186
98	Ⅻ 皮膚及び皮下組織の疾患	74 978 516	15 419 368	5 471 439	3 514 620
99	皮膚及び皮下組織の感染症	10 944 346	2 334 683	743 321	531 610
100	皮膚炎及び湿疹	22 580 486	5 036 408	1 765 617	1 149 318
101	その他の皮膚及び皮下組織の疾患	41 453 685	8 048 278	2 962 501	1 833 692
102	XIII 筋骨格系及び結合組織の疾患	133 944 922	33 049 500	11 084 718	8 015 550
103	炎症性多発性関節障害	28 069 178	3 669 007	1 111 930	929 731
104	関節症	16 998 735	5 531 441	2 044 613	1 362 935
105	脊椎障害（脊椎症を含む）	23 745 753	7 374 606	2 504 323	1 842 587
106	椎間板障害	4 591 178	1 925 106	597 074	482 996
107	頚腕症候群	309 232	107 104	35 698	26 223
108	腰痛症及び坐骨神経痛	5 994 274	2 043 639	683 286	463 306
109	その他の脊柱障害	4 274 171	1 062 474	390 719	251 028
110	肩の傷害＜損傷＞	1 749 562	433 231	155 942	107 430
111	骨の密度及び構造の障害	6 533 352	1 589 043	557 538	407 760
112	その他の筋骨格系及び結合組織の疾患	41 679 486	9 313 849	3 003 595	2 141 553
113	XIV 腎尿路生殖器系の疾患	96 439 809	26 910 858	7 940 681	6 114 397
114	糸球体疾患及び腎尿細管間質性疾患	14 534 859	3 375 327	845 991	699 062
115	腎不全	44 715 032	12 994 085	4 002 070	3 206 498
116	尿路結石症	3 063 791	883 005	279 810	156 389
117	その他の腎尿路系の疾患	24 565 635	7 092 495	2 049 840	1 563 044
118	前立腺肥大（症）	4 335 843	1 095 954	306 471	217 500
119	その他の男性生殖器の疾患	1 083 191	330 218	86 148	73 368
120	月経障害及び閉経周辺期障害	162 001	83 537	31 370	18 216
121	乳房及びその他の女性生殖器の疾患	3 979 457	1 056 236	338 981	180 319
122	XV 妊娠，分娩及び産じょく	16 721 263	6 087 586	1 704 948	1 116 092
123	流産	736 484	344 910	150 116	90 733
124	妊娠高血圧症候群	561 982	166 314	60 721	19 850
125	その他の妊娠，分娩及び産じょく	15 422 798	5 576 362	1 494 111	1 005 509
126	XVI 周産期に発生した病態	4 833 177	890 946	277 280	244 074
127	妊娠及び胎児発育に関連する障害	1 151 977	275 020	77 658	85 258
128	その他の周産期に発生した病態	3 681 200	615 926	199 622	158 817
129	XVII 先天奇形，変形及び染色体異常	9 349 748	3 025 044	1 064 137	840 688
130	心臓の先天奇形	2 173 430	277 916	71 266	105 152
131	その他の先天奇形，変形及び染色体異常	7 176 318	2 747 128	992 871	735 536
132	XVIII 症状，徴候等で他に分類されないもの	74 512 906	17 445 271	5 100 922	3 961 010
133	症状，徴候等で他に分類されないもの	74 512 906	17 445 271	5 100 922	3 961 010
134	XIX 損傷，中毒及びその他の外因の影響	124 260 706	38 792 210	13 469 903	9 057 625
135	骨折	70 367 397	23 298 080	8 262 441	5 791 073
136	頭蓋内損傷及び内臓の損傷	7 440 243	2 229 339	659 301	387 820
137	熱傷及び腐食	1 603 158	435 005	190 030	100 426
138	中毒	656 795	198 467	74 003	37 802
139	その他の損傷及びその他の外因の影響	44 193 114	12 631 319	4 284 128	2 740 505

注：1）「薬剤」の出現する明細書を集計対象としている。ただし、「処方箋料」を算定している明細書、「投薬」「注射」を包括した診療行為が出現する明細書及びDPC／PDPSに係る明細書は除いている。
2）総数には、「XX 傷病及び死亡の外因」、「XXI 健康状態に影響を及ぼす要因及び保健サービスの利用」、「XXII 特殊目的用コード」、「不詳」を含む。
3）総数には、「薬剤料減点（湿布薬薬剤料上限超）」を含む。

100～150	150～200	200～250	250～500	500円以上	後発医薬品（再掲）	行番号
11 385 212	8 451 886	4 165 642	14 450 740	136 577 373	31 685 303	72
56 507	25 108	17 547	52 858	370 065	68 538	73
137 512	102 956	61 093	170 840	2 508 216	352 059	74
125 136	94 161	78 522	161 807	1 561 734	272 561	75
5 851 848	4 365 080	1 947 988	7 439 128	62 171 252	17 244 691	76
265 742	208 913	161 364	342 658	2 222 601	613 270	77
84 495	62 161	40 994	96 547	2 011 515	213 047	78
76 055	59 440	41 130	109 241	2 016 828	262 814	79
91 345	68 792	38 012	128 756	1 154 622	201 320	80
497 935	379 192	199 567	558 372	5 220 092	1 219 329	81
400 281	397 422	179 141	520 942	6 229 212	833 000	82
3 798 354	2 688 659	1 400 284	4 869 592	51 111 236	10 404 673	83
7 482 594	6 492 161	4 266 824	9 501 177	112 950 992	19 345 048	84
759	-	1 286	71	182	1 524	85
9 521	3 288	10 375	20 320	55 662	24 946	86
4 853	5 511	4 485	15 815	129 218	18 643	87
544 543	407 787	419 649	683 229	7 184 757	1 126 339	88
438 087	299 926	213 382	496 649	5 304 238	962 803	89
236 793	186 268	118 975	243 634	3 871 987	647 381	90
93 721	110 328	77 483	97 675	899 134	219 636	91
71 839	44 503	25 402	71 828	712 619	127 370	92
161 047	236 201	194 110	230 579	2 696 331	409 102	93
534 820	438 324	374 062	653 263	5 663 650	1 192 641	94
753 409	706 313	365 507	1 098 602	8 319 105	2 147 487	95
256 790	219 093	157 237	359 649	2 732 645	706 452	96
4 376 411	3 834 620	2 304 870	5 529 864	75 381 465	11 760 725	97
3 081 612	1 887 796	1 463 902	3 368 238	56 190 910	7 272 379	98
585 670	291 016	183 066	490 612	8 119 051	1 409 985	99
946 328	626 234	548 911	1 090 710	16 453 367	2 257 870	100
1 549 614	970 546	731 925	1 786 916	31 618 491	3 604 524	101
7 236 221	3 869 725	2 843 285	5 605 338	95 290 084	12 995 390	102
804 368	408 330	414 648	585 864	23 814 307	1 732 391	103
1 105 039	577 279	441 575	970 367	10 496 926	1 683 302	104
1 735 210	810 315	482 170	965 245	15 405 903	2 625 455	105
547 300	180 068	117 668	194 411	2 471 661	585 029	106
23 482	10 225	11 477	15 587	186 541	35 018	107
420 272	313 459	163 316	406 634	3 544 001	715 509	108
221 768	106 330	92 629	146 620	3 065 077	373 009	109
86 914	52 367	30 578	76 354	1 239 977	142 758	110
309 946	175 642	138 157	233 834	4 710 475	496 929	111
1 981 921	1 235 711	951 068	2 010 422	30 355 216	4 605 990	112
5 150 855	5 062 463	2 642 462	6 342 917	63 186 034	12 383 830	113
789 415	635 297	405 562	990 399	10 169 133	2 141 680	114
2 157 627	2 600 272	1 027 618	2 665 900	29 055 046	4 889 156	115
153 066	157 510	136 231	220 214	1 960 571	448 504	116
1 588 535	1 182 321	708 755	1 758 418	15 714 722	3 736 798	117
211 963	170 699	189 320	413 134	2 826 754	474 758	118
74 153	49 378	47 170	57 950	695 023	184 022	119
17 063	6 797	10 091	10 058	68 406	22 676	120
159 034	260 188	117 714	226 843	2 696 379	486 237	121
766 600	1 875 079	624 867	1 408 970	9 224 707	2 709 870	122
33 467	35 407	35 186	52 279	339 295	108 944	123
21 410	43 824	20 508	53 279	342 389	62 609	124
711 722	1 795 848	569 172	1 303 412	8 543 023	2 538 317	125
108 848	154 334	106 410	202 610	3 739 621	355 295	126
35 495	52 292	24 318	61 210	815 747	184 471	127
73 353	102 042	82 092	141 400	2 923 874	170 824	128
379 281	271 467	469 471	621 691	5 703 013	938 747	129
44 109	41 876	15 513	69 547	1 825 967	182 729	130
335 172	229 591	453 958	552 143	3 877 047	756 018	131
3 638 077	2 905 344	1 839 918	4 482 709	52 584 927	8 622 177	132
3 638 077	2 905 344	1 839 918	4 482 709	52 584 927	8 622 177	133
7 875 489	4 765 859	3 623 333	6 480 428	78 988 068	15 280 654	134
4 750 693	2 774 987	1 718 886	3 703 203	43 366 113	8 264 856	135
427 428	289 891	464 899	464 886	4 746 017	1 026 919	136
69 140	43 975	31 434	88 287	1 079 866	208 771	137
37 818	26 138	22 707	37 325	421 003	74 678	138
2 590 410	1 630 868	1 385 408	2 186 726	29 375 068	5 705 430	139

第22表　薬剤点数，診療行為区分(総数)、

3　入院外

行番号	傷病（中分類）	総数	250円未満	50円未満	50～100円未満
1	総数	15 370 639 824	6 641 384 458	2 857 343 144	1 506 368 758
2	Ⅰ感染症及び寄生虫症	768 624 498	140 412 841	62 266 863	30 095 580
3	腸管感染症	50 831 524	27 909 987	14 047 387	6 542 375
4	結核	6 656 640	1 869 793	826 746	393 782
5	主として性的伝播様式をとる感染症	10 213 934	2 607 419	756 204	360 520
6	皮膚及び粘膜の病変を伴うウイルス性疾患	72 208 171	30 615 505	12 694 239	4 493 490
7	ウイルス性肝炎	373 129 655	18 654 091	7 200 466	3 887 830
8	その他のウイルス性疾患	123 566 686	5 037 756	1 523 465	723 778
9	真菌症	94 558 701	40 808 436	19 520 474	10 730 202
10	感染症及び寄生虫症の続発・後遺症	2 165 492	514 760	229 468	123 180
11	その他の感染症及び寄生虫症	35 293 695	12 395 094	5 468 416	2 840 424
12	Ⅱ新生物＜腫瘍＞	2 570 520 773	213 540 186	75 231 700	43 151 169
13	胃の悪性新生物＜腫瘍＞	119 809 026	18 456 420	7 795 533	3 659 164
14	結腸の悪性新生物＜腫瘍＞	139 920 705	19 939 491	8 682 853	3 857 102
15	直腸Ｓ状結腸移行部及び直腸の悪性新生物＜腫瘍＞	74 182 269	6 214 787	2 650 199	1 074 420
16	肝及び肝内胆管の悪性新生物＜腫瘍＞	60 220 423	7 930 327	2 467 817	1 622 551
17	気管，気管支及び肺の悪性新生物＜腫瘍＞	311 215 480	13 306 999	4 954 191	2 701 311
18	乳房の悪性新生物＜腫瘍＞	309 773 155	21 184 812	4 756 869	3 508 919
19	子宮の悪性新生物＜腫瘍＞	19 045 790	2 806 258	1 103 100	495 531
20	悪性リンパ腫	71 103 463	5 393 999	1 904 961	1 194 682
21	白血病	106 749 462	2 642 393	940 423	520 906
22	その他の悪性新生物＜腫瘍＞	1 140 787 303	78 967 525	25 690 610	17 374 282
23	良性新生物＜腫瘍＞及びその他の新生物＜腫瘍＞	217 713 695	36 697 174	14 285 144	7 142 301
24	Ⅲ血液及び造血器の疾患並びに免疫機構の障害	489 290 496	41 906 251	16 982 557	9 087 806
25	貧血	161 247 197	30 605 397	13 126 204	6 671 576
26	その他の血液及び造血器の疾患並びに免疫機構の障害	328 043 299	11 300 854	3 856 353	2 416 230
27	Ⅳ内分泌，栄養及び代謝疾患	1 834 551 922	1 011 051 537	387 294 293	230 932 592
28	甲状腺障害	95 868 561	39 205 773	21 291 174	7 772 458
29	糖尿病	815 781 089	519 051 755	170 005 934	107 811 757
30	脂質異常症	469 030 386	385 455 862	165 615 499	100 105 622
31	その他の内分泌，栄養及び代謝疾患	453 871 886	67 338 147	30 381 686	15 242 755
32	Ⅴ精神及び行動の障害	477 546 081	302 250 575	117 090 304	50 687 917
33	血管性及び詳細不明の認知症	12 395 888	6 438 002	2 388 738	1 237 874
34	精神作用物質使用による精神及び行動の障害	12 718 914	9 726 412	3 264 140	952 897
35	統合失調症，統合失調症型障害及び妄想性障害	170 334 864	89 777 798	37 575 347	15 864 790
36	気分［感情］障害（躁うつ病を含む）	146 664 243	119 591 077	40 520 904	18 805 899
37	神経症性障害，ストレス関連障害及び身体表現性障害	76 577 078	55 488 996	25 718 291	10 180 230
38	知的障害＜精神遅滞＞	4 838 462	3 445 858	1 627 014	578 713
39	その他の精神及び行動の障害	54 016 631	17 782 432	5 995 870	3 067 515
40	Ⅵ神経系の疾患	491 511 599	233 966 428	86 230 088	45 596 527
41	パーキンソン病	61 782 901	20 922 184	7 157 906	2 682 194
42	アルツハイマー病	81 495 676	43 856 851	9 984 442	5 944 623
43	てんかん	50 121 920	37 287 698	10 670 917	4 409 266
44	脳性麻痺及びその他の麻痺性症候群	7 701 479	2 184 449	1 069 772	393 664
45	自律神経系の障害	6 200 107	4 320 147	2 584 580	734 530
46	その他の神経系の疾患	284 209 516	125 395 099	54 762 470	31 432 250
47	Ⅶ眼及び付属器の疾患	765 415 527	196 297 401	68 077 057	43 226 966
48	結膜炎	119 590 472	50 892 163	18 553 449	10 345 129
49	白内障	98 033 245	28 268 584	8 730 874	8 259 225
50	屈折及び調節の障害	105 223 689	28 906 346	8 805 739	6 425 963
51	その他の眼及び付属器の疾患	442 568 121	88 230 308	31 986 995	18 196 649
52	Ⅷ耳及び乳様突起の疾患	60 874 701	36 733 399	19 049 985	7 931 317
53	外耳炎	5 782 922	3 776 290	1 812 271	1 088 824
54	その他の外耳疾患	3 751 024	2 229 065	1 003 804	688 919
55	中耳炎	11 742 197	7 522 426	3 359 489	1 991 076
56	その他の中耳及び乳様突起の疾患	2 612 093	1 528 715	812 194	444 393
57	メニエール病	9 180 915	7 768 204	4 250 382	1 233 442
58	その他の内耳疾患	8 558 482	4 356 294	2 156 381	878 301
59	その他の耳疾患	19 247 067	9 552 407	5 655 464	1 606 362
60	Ⅸ循環器系の疾患	2 283 685 876	1 644 703 820	719 000 499	360 047 413
61	高血圧性疾患	1 379 840 011	1 166 059 491	538 529 139	243 748 377
62	虚血性心疾患	235 256 689	140 236 447	52 370 329	35 122 175
63	その他の心疾患	354 756 849	156 494 746	59 746 501	35 609 177
64	くも膜下出血	4 325 174	2 737 234	1 010 446	510 360
65	脳内出血	22 570 975	11 350 296	4 491 914	2 072 471
66	脳梗塞	136 937 664	96 921 932	36 635 342	25 143 291
67	脳動脈硬化（症）	686 201	495 186	200 445	90 715
68	その他の脳血管疾患	43 705 608	26 774 524	9 208 190	6 982 488
69	動脈硬化（症）	26 504 160	16 570 132	6 008 864	4 582 870
70	低血圧（症）	3 200 636	1 501 785	840 307	261 594
71	その他の循環器系の疾患	75 901 908	25 562 048	9 959 022	5 923 896

平成30年６月審査分

100～150	150～200	200～250	250～500	500円以上	後発医薬品（再掲）	行番号
1 127 271 030	690 393 086	460 008 441	705 687 530	8 023 568 787	1 801 477 122	1
19 510 739	19 049 201	9 490 457	21 182 611	607 029 073	43 596 401	2
3 304 219	2 370 623	1 645 383	1 912 594	21 008 969	7 523 331	3
318 485	183 384	147 396	190 243	4 596 604	508 488	4
239 773	1 029 270	221 652	1 313 186	6 293 329	1 444 881	5
4 353 309	7 745 765	1 328 703	9 729 939	31 862 727	12 534 895	6
3 487 358	2 237 804	1 840 632	2 306 557	352 169 007	6 506 172	7
1 252 332	360 266	1 177 916	1 133 338	117 395 592	1 054 074	8
4 733 492	3 789 248	2 035 020	3 527 264	50 223 002	10 483 906	9
84 379	34 044	43 689	47 367	1 603 365	129 437	10
1 737 392	1 298 797	1 050 066	1 022 123	21 876 478	3 411 217	11
40 869 973	30 438 973	23 848 371	88 489 621	2 268 490 965	152 985 171	12
4 206 467	1 462 934	1 332 323	3 719 740	97 632 866	9 957 967	13
3 894 356	1 845 091	1 660 089	9 050 232	110 930 982	12 459 819	14
1 328 522	536 197	625 448	5 465 428	62 502 054	5 714 495	15
1 424 912	1 455 124	959 923	1 042 219	51 247 876	3 075 327	16
2 981 851	1 119 056	1 550 590	4 071 419	293 837 062	7 221 233	17
3 558 557	6 663 479	2 696 988	21 060 366	267 527 977	21 836 446	18
495 310	411 004	301 315	630 881	15 608 651	3 462 862	19
1 368 533	511 817	414 007	823 374	64 886 091	4 390 683	20
723 188	273 070	184 805	1 080 408	103 026 661	2 096 654	21
15 078 510	9 883 161	10 940 961	30 769 847	1 031 049 931	57 778 726	22
5 809 768	6 278 039	3 181 923	10 775 706	170 240 815	24 990 959	23
7 502 611	4 420 599	3 912 677	6 327 076	441 057 170	14 577 276	24
5 114 800	3 290 253	2 402 564	3 915 504	126 726 296	9 895 475	25
2 387 811	1 130 346	1 510 113	2 411 572	314 330 874	4 681 801	26
184 617 509	151 326 159	56 880 984	46 797 390	776 703 035	236 677 938	27
5 457 801	3 031 553	1 652 787	2 182 851	54 479 937	8 092 817	28
114 037 595	98 157 229	29 039 241	24 329 384	272 399 971	102 530 250	29
54 668 769	43 101 516	21 964 457	12 036 818	71 537 725	104 031 218	30
10 453 345	7 035 861	4 224 500	8 248 338	378 285 402	22 023 653	31
58 554 468	31 650 572	44 267 314	78 905 876	96 389 630	56 791 425	32
1 313 284	790 253	707 854	1 396 547	4 561 338	1 512 879	33
1 428 227	666 594	3 414 554	805 240	2 187 263	1 302 416	34
19 596 889	7 269 055	9 471 718	32 492 008	48 065 058	21 950 828	35
24 432 157	15 888 774	19 943 343	12 131 665	14 941 500	18 256 452	36
8 686 034	4 410 406	6 494 035	6 068 553	15 019 528	10 452 063	37
430 016	204 793	605 321	776 010	616 594	734 367	38
2 667 861	2 420 696	3 630 489	25 235 851	10 998 348	2 582 420	39
43 892 770	22 529 021	35 718 022	53 263 100	204 282 081	48 678 243	40
3 049 118	2 869 548	5 163 419	8 824 619	32 036 098	3 023 305	41
12 868 730	8 275 184	6 783 870	26 769 200	10 869 625	11 014 152	42
4 245 921	1 670 154	16 291 440	3 722 800	9 111 422	3 019 132	43
313 367	146 036	261 610	136 349	5 380 681	358 998	44
494 933	290 056	216 049	450 545	1 429 415	1 109 232	45
22 920 701	9 278 043	7 001 635	13 359 587	145 454 840	30 153 424	46
34 157 453	24 218 618	26 617 308	105 938 930	463 179 195	93 989 992	47
10 067 264	8 385 414	3 540 907	19 074 065	49 624 244	16 902 869	48
5 072 326	3 026 489	3 179 669	8 280 160	61 484 501	15 790 168	49
4 978 956	4 329 386	4 366 302	16 060 498	60 256 845	14 814 686	50
14 038 906	8 477 329	15 530 429	62 524 207	291 813 605	46 482 269	51
5 636 863	2 732 836	1 382 400	1 874 420	22 266 881	9 280 348	52
510 357	246 136	118 702	165 581	1 841 051	901 154	53
233 116	207 057	96 170	149 956	1 372 004	561 184	54
828 738	888 543	454 579	558 749	3 661 022	1 770 208	55
145 520	79 498	47 110	78 039	1 005 340	407 573	56
1 714 249	378 834	191 297	176 137	1 236 574	2 043 140	57
742 424	367 194	211 994	256 701	3 945 487	1 096 815	58
1 462 459	565 574	262 548	489 257	9 205 403	2 500 274	59
349 013 487	140 176 263	76 466 159	97 199 620	541 782 721	448 933 817	60
250 223 496	88 998 051	44 560 427	41 567 724	172 213 082	329 487 373	61
27 665 552	17 539 437	7 538 954	13 344 786	81 675 456	35 452 757	62
36 359 092	12 983 138	11 796 838	26 793 143	171 468 960	35 061 226	63
571 054	185 492	459 882	133 146	1 454 794	639 005	64
2 720 325	780 102	1 285 486	579 779	10 640 900	2 462 776	65
17 621 090	11 453 366	6 068 842	8 000 240	32 015 493	26 291 180	66
113 764	70 950	19 313	59 519	131 496	102 522	67
4 938 402	3 628 235	2 017 208	1 856 824	15 074 260	6 701 988	68
3 002 581	1 888 952	1 086 864	1 050 627	8 883 402	4 497 631	69
174 059	117 986	107 840	252 470	1 446 380	334 206	70
5 624 070	2 530 554	1 524 506	3 561 361	46 778 499	7 903 153	71

第22表　薬剤点数，診療行為区分(総数)、

3　入院外

行番号	傷病（中分類）	総数	250円未満		
				50円未満	50～100円未満
72	X 呼吸器系の疾患	938 572 932	524 355 452	261 533 238	125 764 350
73	急性鼻咽頭炎［かぜ］＜感冒＞	24 727 719	15 787 961	8 728 655	3 197 891
74	急性咽頭炎及び急性扁桃炎	58 209 073	39 431 040	22 339 584	7 836 350
75	その他の急性上気道感染症	93 112 474	69 528 741	39 323 169	15 816 366
76	肺炎	34 788 372	10 617 610	4 308 228	2 301 280
77	急性気管支炎及び急性細気管支炎	82 573 124	60 428 150	32 555 039	12 965 561
78	アレルギー性鼻炎	162 885 087	111 575 941	54 003 314	32 107 976
79	慢性副鼻腔炎	34 006 242	20 870 558	10 226 968	6 428 788
80	急性又は慢性と明示されない気管支炎	22 960 040	15 842 854	8 574 752	3 436 523
81	慢性閉塞性肺疾患	62 844 596	33 405 375	15 336 911	7 389 308
82	喘息	237 329 130	120 202 208	54 704 310	28 084 372
83	その他の呼吸器系の疾患	125 137 075	26 665 014	11 432 308	6 199 937
84	XI 消化器系の疾患	1 039 467 695	557 364 269	252 907 551	126 942 421
85	う蝕	66 934	27 791	13 683	3 905
86	歯肉炎及び歯周疾患	842 417	378 880	185 543	73 019
87	その他の歯及び歯の支持組織の障害	807 122	332 330	165 805	76 442
88	胃潰瘍及び十二指腸潰瘍	89 485 759	56 261 530	27 183 328	11 809 246
89	胃炎及び十二指腸炎	232 750 467	162 605 446	83 978 552	34 396 186
90	痔核	25 068 894	16 466 195	11 797 733	1 947 611
91	アルコール性肝疾患	5 856 451	3 763 676	1 413 667	819 391
92	慢性肝炎（アルコール性のものを除く）	20 251 965	13 366 096	6 366 965	2 712 847
93	肝硬変（アルコール性のものを除く）	15 680 992	6 083 366	2 477 576	1 312 825
94	その他の肝疾患	87 312 729	45 699 637	18 316 183	9 991 467
95	胆石症及び胆のう炎	26 222 566	10 647 731	4 590 040	2 295 726
96	膵疾患	23 546 845	9 675 284	4 438 256	2 254 819
97	その他の消化器系の疾患	511 574 554	232 056 307	91 980 219	59 248 939
98	XII 皮膚及び皮下組織の疾患	637 664 023	345 175 043	210 399 152	67 041 852
99	皮膚及び皮下組織の感染症	36 589 627	17 694 209	9 444 815	4 176 188
100	皮膚炎及び湿疹	282 640 143	182 927 229	119 340 101	34 463 768
101	その他の皮膚及び皮下組織の疾患	318 434 252	144 553 605	81 614 236	28 401 897
102	XIII 筋骨格系及び結合組織の疾患	1 392 034 565	668 638 425	301 187 253	203 384 852
103	炎症性多発性関節障害	298 070 155	67 645 400	25 048 955	18 800 843
104	関節症	236 431 955	120 533 621	59 542 550	37 511 650
105	脊椎障害（脊椎症を含む）	235 529 202	152 341 343	66 302 946	52 254 618
106	椎間板障害	50 349 354	37 602 440	17 755 451	10 949 212
107	頚腕症候群	20 062 575	16 036 662	8 925 011	3 338 757
108	腰痛症及び坐骨神経痛	112 259 831	73 983 687	37 612 418	16 780 789
109	その他の脊柱障害	28 056 216	16 019 186	7 135 551	5 295 583
110	肩の傷害＜損傷＞	58 043 016	35 702 195	18 676 525	9 637 711
111	骨の密度及び構造の障害	164 472 110	64 685 621	21 406 857	28 924 114
112	その他の筋骨格系及び結合組織の疾患	188 760 152	84 088 269	38 780 990	19 891 575
113	XIV 腎尿路生殖器系の疾患	710 127 747	347 094 258	102 819 931	70 834 913
114	糸球体疾患及び腎尿細管間質性疾患	41 704 261	15 493 070	5 099 714	3 420 341
115	腎不全	237 312 267	100 727 598	29 903 402	20 692 977
116	尿路結石症	16 238 739	7 137 424	3 027 375	1 503 906
117	その他の腎尿路系の疾患	130 239 899	77 584 943	21 407 263	16 821 023
118	前立腺肥大（症）	107 641 987	84 423 829	17 448 946	21 776 146
119	その他の男性生殖器の疾患	10 595 126	6 732 453	3 045 625	1 289 340
120	月経障害及び閉経周辺期障害	80 393 774	27 183 587	12 790 235	2 329 749
121	乳房及びその他の女性生殖器の疾患	86 001 693	27 811 353	10 097 371	3 001 430
122	XV 妊娠，分娩及び産じょく	10 057 474	7 986 197	4 038 487	3 250 216
123	流産	664 550	363 435	243 016	58 907
124	妊娠高血圧症候群	175 704	158 346	133 235	21 256
125	その他の妊娠，分娩及び産じょく	9 217 221	7 464 415	3 662 235	3 170 054
126	XVI 周産期に発生した病態	6 267 514	481 447	267 341	119 242
127	妊娠及び胎児発育に関連する障害	5 522 394	333 112	170 798	95 728
128	その他の周産期に発生した病態	745 120	148 334	96 542	23 514
129	XVII 先天奇形，変形及び染色体異常	49 702 214	6 554 932	2 857 056	1 355 236
130	心臓の先天奇形	5 266 518	848 058	353 609	180 777
131	その他の先天奇形，変形及び染色体異常	44 435 696	5 706 874	2 503 447	1 174 460
132	XVIII 症状，徴候等で他に分類されないもの	300 359 980	124 391 562	58 121 322	27 411 972
133	症状，徴候等で他に分類されないもの	300 359 980	124 391 562	58 121 322	27 411 972
134	XIX 損傷，中毒及びその他の外因の影響	268 559 609	109 435 377	51 838 684	29 890 592
135	骨折	137 885 730	45 111 784	18 497 690	15 395 500
136	頭蓋内損傷及び内臓の損傷	4 398 721	2 083 810	797 738	403 632
137	熱傷及び腐食	2 575 383	1 699 955	1 048 049	316 762
138	中毒	4 317 860	2 705 558	1 641 861	522 104
139	その他の損傷及びその他の外因の影響	119 381 914	57 834 271	29 853 346	13 252 594

注：1）「薬剤」の出現する明細書を集計対象としている。ただし、「処方箋料」を算定している明細書及び「投薬」「注射」を包括した診療行為が出現する明細書は除いている。
2）総数には、「XX 傷病及び死亡の外因」、「XXI 健康状態に影響を及ぼす要因及び保健サービスの利用」、「XXII 特殊目的用コード」、「不詳」を含む。
3）総数には、「薬剤料減点(湿布薬薬剤料上限超)」を含む。

平成30年６月審査分

100～150	150～200	200～250	250～500	500円以上	後発医薬品（再掲）	行番号
52 344 448	56 374 545	28 338 871	30 121 601	384 095 898	151 742 591	72
1 787 715	1 197 362	876 338	618 050	8 321 709	3 969 721	73
3 721 518	2 780 829	2 752 760	1 883 014	16 895 018	12 251 739	74
5 647 768	4 769 281	3 972 157	2 704 200	20 879 533	20 438 061	75
1 679 901	1 191 519	1 136 681	1 541 089	22 629 673	3 159 969	76
4 936 934	4 943 234	5 027 383	2 872 563	19 272 412	17 421 295	77
11 232 980	10 315 979	3 915 691	5 469 494	45 839 671	32 805 632	78
1 275 454	1 886 357	1 052 991	877 206	12 258 478	6 659 360	79
1 636 465	1 035 861	1 159 253	713 861	6 403 325	4 495 115	80
5 161 456	3 857 911	1 659 789	3 628 659	25 810 562	8 430 620	81
10 889 450	22 008 495	4 515 580	5 980 292	111 146 631	34 759 290	82
4 374 806	2 387 715	2 270 248	3 833 174	94 638 886	7 351 789	83
98 339 385	45 241 389	33 933 523	30 709 074	451 394 368	140 001 738	84
5 781	3 131	1 291	121	39 023	3 152	85
52 066	32 138	36 113	32 774	430 763	109 724	86
55 962	23 107	11 014	23 866	450 926	97 429	87
10 181 813	3 577 361	3 509 783	2 276 468	30 947 761	14 267 630	88
26 099 783	10 299 872	7 831 054	6 757 111	63 387 910	42 548 365	89
1 468 274	721 431	531 146	626 077	7 976 622	3 463 874	90
651 259	634 618	244 741	229 347	1 863 428	897 861	91
2 127 745	1 470 246	688 294	550 877	6 334 991	3 577 912	92
823 473	984 143	485 350	516 150	9 081 476	1 380 539	93
8 295 810	6 125 055	2 971 122	4 041 045	37 572 047	12 226 203	94
2 049 165	1 075 517	637 283	727 231	14 847 604	3 034 811	95
1 593 581	869 189	519 439	513 537	13 358 024	2 605 995	96
44 934 674	19 425 581	16 466 894	14 414 470	265 103 793	55 788 242	97
35 251 878	15 883 064	16 599 096	16 338 174	276 150 806	81 780 856	98
2 021 072	1 156 796	895 338	1 206 107	17 689 312	4 181 971	99
16 141 933	8 065 799	4 915 629	6 985 353	92 727 561	44 489 114	100
17 088 874	6 660 469	10 788 130	8 146 715	165 733 933	33 109 772	101
102 260 472	32 241 058	29 564 790	31 301 384	692 095 257	145 240 034	102
11 717 777	4 711 638	7 366 188	4 765 039	225 659 833	18 173 705	103
15 164 170	4 747 867	3 567 384	5 198 760	110 699 828	26 886 380	104
24 661 717	5 509 068	3 612 993	4 590 440	78 597 475	30 371 349	105
7 009 474	1 173 771	714 532	867 668	11 879 246	6 965 723	106
2 209 274	1 013 202	550 419	563 237	3 462 676	3 800 998	107
11 864 540	4 906 738	2 819 202	3 335 968	34 940 193	17 233 401	108
2 515 600	629 544	442 908	484 272	11 552 758	3 136 774	109
4 415 946	1 736 011	1 236 002	1 396 012	20 944 848	8 261 741	110
9 005 466	2 916 293	2 432 892	2 900 242	96 886 247	12 062 298	111
13 696 509	4 896 925	6 822 271	7 199 748	97 472 152	18 347 666	112
40 185 823	83 218 560	50 035 031	62 485 662	300 547 828	82 584 610	113
2 693 564	1 782 668	2 496 783	1 964 789	24 246 402	3 530 671	114
9 924 533	27 698 009	12 508 678	9 247 643	127 337 027	19 272 064	115
1 092 178	783 083	730 881	397 357	8 703 959	1 597 611	116
11 192 459	21 934 757	6 229 441	4 522 422	48 132 534	13 240 967	117
10 907 073	8 596 702	25 694 962	2 207 318	21 010 841	10 209 489	118
645 847	557 531	1 194 110	353 553	3 509 120	1 049 005	119
1 651 014	10 057 723	354 866	27 586 189	25 623 999	12 741 168	120
2 079 155	11 808 087	825 310	16 206 392	41 983 947	20 943 636	121
170 438	256 267	270 789	373 074	1 698 202	2 745 394	122
18 558	25 339	17 615	45 910	255 205	124 556	123
441	1 523	1 892	2 660	14 698	19 566	124
151 440	229 405	251 282	324 505	1 428 300	2 601 272	125
23 877	28 594	42 392	101 545	5 684 522	138 571	126
10 923	22 829	32 834	60 484	5 128 798	111 198	127
12 954	5 765	9 558	41 062	555 724	27 373	128
919 837	601 339	821 463	1 188 961	41 958 321	1 599 991	129
159 669	75 032	78 972	116 154	4 302 306	240 494	130
760 168	526 308	742 491	1 072 807	37 656 016	1 359 498	131
19 656 534	11 031 248	8 170 485	9 752 454	166 215 964	30 960 015	132
19 656 534	11 031 248	8 170 485	9 752 454	166 215 964	30 960 015	133
15 140 728	7 251 569	5 313 804	7 704 401	151 419 885	24 234 341	134
6 814 444	2 603 915	1 800 235	2 861 931	89 912 016	8 925 981	135
370 419	181 223	330 798	218 128	2 096 783	449 550	136
165 927	74 719	94 498	66 972	808 457	306 275	137
243 412	181 812	116 370	154 480	1 457 822	646 142	138
7 546 527	4 209 900	2 971 904	4 402 890	57 144 807	13 906 393	139

第23表　薬剤点数，　診療行為区分(総数)、

行番号	入院－入院外 施設種類	総数	250円未満	50円未満	50～100円未満
1	総数	17 946 312 019	7 236 412 034	3 053 290 381	1 634 266 740
2	病院	11 460 279 855	2 808 642 404	987 663 981	637 381 363
3	精神科病院	466 306 942	291 368 455	115 742 866	48 633 767
4	特定機能病院	2 117 051 479	232 195 178	70 722 454	52 961 955
5	療養病床を有する病院	1 775 939 752	794 764 411	293 043 790	182 363 286
6	一般病院	7 100 981 682	1 490 314 359	508 154 870	353 422 355
7	診療所	6 445 074 216	4 401 528 349	2 053 542 139	990 746 581
8	有床診療所	1 128 314 894	636 347 242	268 127 172	145 177 603
9	無床診療所	5 316 759 322	3 765 181 106	1 785 414 967	845 568 978
10	入院	2 575 672 195	595 027 576	195 947 238	127 897 982
11	病院	2 402 580 891	542 397 168	178 309 332	115 819 679
12	精神科病院	202 315 787	115 241 323	47 836 317	20 702 587
13	特定機能病院	291 904 920	20 179 437	4 872 861	4 369 077
14	療養病床を有する病院	500 750 192	142 829 160	43 646 196	31 336 916
15	一般病院	1 407 609 992	264 147 248	81 953 958	59 411 098
16	診療所	171 134 978	51 948 752	17 399 981	11 924 400
17	有床診療所	171 123 497	51 943 050	17 398 855	11 923 339
18	無床診療所	11 481	5 702	1 125	1 061
19	入院外	15 370 639 824	6 641 384 458	2 857 343 144	1 506 368 758
20	病院	9 057 698 964	2 266 245 236	809 354 649	521 561 685
21	精神科病院	263 991 155	176 127 133	67 906 549	27 931 180
22	特定機能病院	1 825 146 559	212 015 741	65 849 593	48 592 878
23	療養病床を有する病院	1 275 189 560	651 935 251	249 397 595	151 026 369
24	一般病院	5 693 371 690	1 226 167 111	426 200 912	294 011 258
25	診療所	6 273 939 238	4 349 579 597	2 036 142 158	978 822 181
26	有床診療所	957 191 397	584 404 192	250 728 316	133 254 264
27	無床診療所	5 316 747 841	3 765 175 405	1 785 413 842	845 567 918

注：1）「薬剤」の出現する明細書を集計対象としている。ただし、「処方箋料」を算定している明細書、「投薬」「注射」を包括した診療行為が出現する明細書及びDPC／PDPSに係る明細書は除いている。
2）総数には、データ上で病院、診療所別を取得できなかったものを含む。
3）総数には、「薬剤料減点(湿布薬薬剤料上限超)」を含む。

平成30年６月審査分

100～150	150～200	200～250	250～500	500円以上	後発医薬品（再掲）	行番号
1 253 585 279	771 432 072	523 837 562	865 525 216	9 844 375 721	2 081 310 983	1
565 699 683	338 718 239	279 179 138	509 333 624	8 142 303 946	828 575 644	2
60 902 187	28 733 404	37 356 232	90 801 907	84 136 579	66 279 483	3
45 510 923	28 866 362	34 133 483	56 516 642	1 828 339 659	67 045 472	4
162 689 105	96 638 231	60 029 999	99 321 166	881 854 292	219 198 694	5
296 597 468	184 480 242	147 659 424	262 693 908	5 347 973 415	476 051 995	6
683 677 989	430 309 478	243 252 162	354 215 231	1 689 331 470	1 245 524 653	7
100 527 409	79 847 934	42 667 125	88 002 867	403 965 042	188 740 185	8
583 150 580	350 461 545	200 585 036	266 212 364	1 285 366 427	1 056 784 469	9
126 314 249	81 038 986	63 829 121	159 837 686	1 820 806 934	279 833 861	10
116 777 945	72 147 734	59 342 478	149 563 143	1 710 620 580	253 813 739	11
24 977 324	9 556 326	12 168 768	41 053 195	46 021 269	30 169 513	12
4 800 228	3 119 384	3 017 886	5 704 191	266 021 292	14 649 069	13
31 947 651	21 625 697	14 272 700	36 753 415	321 167 616	74 420 420	14
55 052 742	37 846 327	29 883 123	66 052 342	1 077 410 402	134 574 737	15
9 394 774	8 810 843	4 418 755	10 092 523	109 093 703	25 749 411	16
9 393 947	8 808 364	4 418 545	10 089 800	109 090 646	25 744 176	17
827	2 479	210	2 723	3 056	5 235	18
1 127 271 030	690 393 086	460 008 441	705 687 530	8 023 568 787	1 801 477 122	19
448 921 738	266 570 505	219 836 660	359 770 480	6 431 683 366	574 761 905	20
35 924 863	19 177 078	25 187 463	49 748 712	38 115 310	36 109 969	21
40 710 695	25 746 978	31 115 597	50 812 451	1 562 318 367	52 396 403	22
130 741 454	75 012 534	45 757 299	62 567 751	560 686 676	144 778 274	23
241 544 726	146 633 915	117 776 301	196 641 566	4 270 563 013	341 477 259	24
674 283 216	421 498 635	238 833 407	344 122 708	1 580 237 767	1 219 775 242	25
91 133 463	71 039 569	38 248 580	77 913 067	294 874 396	162 996 009	26
583 149 753	350 459 066	200 584 827	266 209 641	1 285 363 371	1 056 779 233	27

医薬23表

第24表　薬剤点数，　診療行為区分(総数)、

行番号	入院－入院外 診療所診療科	総数	250円未満	50円未満	50～100円未満
1	総数	6 445 074 216	4 401 528 349	2 053 542 139	990 746 581
2	内科	3 605 426 818	2 813 761 964	1 302 808 282	614 827 751
3	精神科	88 586 815	69 022 658	28 656 866	11 103 353
4	小児科	180 840 335	81 407 648	40 207 086	16 914 577
5	外科	384 132 032	263 599 514	124 357 867	58 070 350
6	整形外科	781 356 418	431 102 821	207 367 694	138 561 223
7	皮膚科	253 843 853	210 004 458	140 048 977	38 216 217
8	泌尿器科	183 840 685	115 997 525	33 277 643	25 491 090
9	産婦人科	237 938 049	111 937 956	55 012 511	16 192 176
10	眼科	468 356 738	129 215 071	41 730 005	27 461 549
11	耳鼻いんこう科	114 351 896	93 724 226	51 751 909	26 513 392
12	その他	146 400 576	81 754 508	28 323 299	17 394 902
13	入院	171 134 978	51 948 752	17 399 981	11 924 400
14	内科	59 476 299	19 965 793	6 490 327	4 870 153
15	精神科	358 105	182 316	63 252	39 851
16	小児科	821 063	350 350	109 820	62 858
17	外科	30 787 449	9 002 267	3 248 655	1 902 122
18	整形外科	20 979 675	7 795 510	2 953 004	2 004 872
19	皮膚科	164 782	62 476	18 556	10 012
20	泌尿器科	4 503 520	1 166 547	321 664	244 533
21	産婦人科	19 605 570	7 709 887	2 367 095	1 351 061
22	眼科	26 472 542	2 811 989	779 625	750 892
23	耳鼻いんこう科	838 669	286 126	161 927	41 599
24	その他	7 127 303	2 615 490	886 056	646 447
25	入院外	6 273 939 238	4 349 579 597	2 036 142 158	978 822 181
26	内科	3 545 950 519	2 793 796 171	1 296 317 955	609 957 599
27	精神科	88 228 710	68 840 343	28 593 613	11 063 502
28	小児科	180 019 273	81 057 298	40 097 266	16 851 719
29	外科	353 344 584	254 597 246	121 109 212	56 168 228
30	整形外科	760 376 743	423 307 310	204 414 690	136 556 351
31	皮膚科	253 679 071	209 941 982	140 030 420	38 206 205
32	泌尿器科	179 337 165	114 830 979	32 955 979	25 246 558
33	産婦人科	218 332 479	104 228 069	52 645 416	14 841 115
34	眼科	441 884 196	126 403 082	40 950 381	26 710 657
35	耳鼻いんこう科	113 513 227	93 438 099	51 589 982	26 471 792
36	その他	139 273 273	79 139 018	27 437 243	16 748 456

注：1）「薬剤」の出現する明細書を集計対象としている。ただし、「処方箋料」を算定している明細書及び「投薬」「注射」を包括した診療行為が出現する明細書は除いている。
　　2）総数には、「薬剤料減点（湿布薬薬剤料上限超）」を含む。

平成30年６月審査分

100～150	150～200	200～250	250～500	500円以上	後発医薬品（再掲）	行番号
683 677 989	430 309 478	243 252 162	354 215 231	1 689 331 470	1 245 524 653	1
492 567 638	273 781 763	129 776 530	132 700 465	658 965 031	774 508 728	2
12 209 040	6 565 137	10 488 262	12 399 294	7 164 862	12 834 724	3
8 351 111	12 926 323	3 008 550	7 272 609	92 160 079	20 872 041	4
41 313 685	25 104 412	14 753 199	16 940 568	103 591 950	73 645 839	5
55 458 039	15 240 757	14 475 108	15 904 545	334 349 243	93 191 197	6
15 699 747	8 681 425	7 358 093	7 120 000	36 719 396	53 923 881	7
12 082 493	19 864 126	25 282 173	8 184 513	59 658 647	29 052 678	8
8 412 319	28 882 491	3 438 459	49 104 677	76 895 416	53 194 707	9
21 737 371	15 290 239	22 995 908	93 889 266	245 252 400	88 310 208	10
5 575 528	6 392 216	3 491 180	4 234 705	16 392 965	31 016 523	11
10 271 019	17 580 588	8 184 699	6 464 589	58 181 479	14 974 125	12
9 394 774	8 810 843	4 418 755	10 092 523	109 093 703	25 749 411	13
3 775 312	3 141 721	1 688 281	4 400 307	35 110 198	8 030 923	14
25 344	26 766	27 101	29 722	146 068	92 572	15
51 794	102 779	23 099	120 153	350 560	110 106	16
1 659 122	1 341 177	851 191	1 721 845	20 063 336	4 019 166	17
1 476 071	823 442	538 121	920 483	12 263 682	1 918 270	18
19 271	9 742	4 895	10 078	92 228	6 431	19
209 287	243 166	147 898	276 452	3 060 522	550 360	20
947 879	2 228 073	815 780	1 655 032	10 240 651	2 920 431	21
763 288	416 671	101 513	410 538	23 250 015	7 216 880	22
30 843	32 378	19 379	47 520	505 022	129 162	23
436 564	444 927	201 496	500 393	4 011 421	755 110	24
674 283 216	421 498 635	238 833 407	344 122 708	1 580 237 767	1 219 775 242	25
488 792 327	270 640 042	128 088 249	128 300 158	623 854 833	766 477 805	26
12 183 696	6 538 371	10 461 161	12 369 572	7 018 794	12 742 152	27
8 299 317	12 823 544	2 985 451	7 152 456	91 809 519	20 761 935	28
39 654 562	23 763 235	13 902 008	15 218 723	83 528 615	69 626 673	29
53 981 968	14 417 315	13 936 987	14 984 062	322 085 561	91 272 927	30
15 680 476	8 671 682	7 353 198	7 109 921	36 627 168	53 917 451	31
11 873 206	19 620 961	25 134 275	7 908 061	56 598 125	28 502 319	32
7 464 440	26 654 418	2 622 679	47 449 645	66 654 765	50 274 276	33
20 974 082	14 873 567	22 894 395	93 478 728	222 002 386	81 093 328	34
5 544 686	6 359 838	3 471 801	4 187 185	15 887 943	30 887 361	35
9 834 455	17 135 661	7 983 203	5 964 197	54 170 059	14 219 015	36

第25表　件数・1件当たり薬剤種類数，診療行為区分(総数)、

行番号	入院－入院外 一般医療－後期医療 年齢階級	件 総数	1 種 類	2 種 類	3 種 類	4 種 類	5 種 類
1	総数	18 849 915	4 469 659	3 892 134	2 868 873	2 087 230	1 505 405
2	一般医療	13 332 169	3 473 349	2 923 325	2 106 898	1 492 206	1 027 538
3	後期医療	5 517 746	996 310	968 809	761 975	595 024	477 867
4	0 ～ 4歳	550 360	145 864	116 704	88 273	66 388	45 515
5	5 ～ 9	579 464	169 442	136 275	96 318	66 253	42 234
6	10 ～ 14	453 257	149 608	105 520	71 413	48 197	30 026
7	15 ～ 19	343 999	92 560	76 176	59 155	42 040	27 073
8	20 ～ 24	394 418	106 999	85 924	65 286	46 644	31 164
9	25 ～ 29	505 238	146 811	108 917	79 640	56 350	37 622
10	30 ～ 34	622 213	177 812	135 946	96 599	68 763	46 200
11	35 ～ 39	677 325	187 161	147 198	104 882	75 417	51 028
12	40 ～ 44	800 114	219 098	175 212	123 380	88 089	60 539
13	45 ～ 49	939 584	261 944	206 128	144 344	100 830	68 925
14	50 ～ 54	996 997	270 206	221 068	154 090	107 179	73 694
15	55 ～ 59	1 117 867	287 296	245 941	174 815	122 289	85 274
16	60 ～ 64	1 335 491	329 634	293 894	211 712	147 696	103 754
17	65 ～ 69	2 005 447	476 171	439 917	318 103	224 274	157 227
18	70 ～ 74	2 099 614	465 321	440 015	327 897	239 057	173 249
19	75 ～ 79	2 097 737	418 544	408 014	315 063	238 113	181 683
20	80 ～ 84	1 736 684	311 827	306 168	242 419	190 090	153 566
21	85 ～ 89	1 064 438	173 672	168 124	134 812	109 459	92 284
22	90歳以上	529 668	79 689	74 993	60 672	50 102	44 348
23	入院	602 218	21 466	24 759	27 117	29 335	31 811
24	一般医療	311 248	15 281	16 022	16 563	17 104	17 804
25	後期医療	290 970	6 185	8 737	10 554	12 231	14 007
26	0 ～ 4歳	8 348	1 768	757	560	445	511
27	5 ～ 9	2 779	181	194	190	171	182
28	10 ～ 14	3 631	261	272	285	271	229
29	15 ～ 19	5 295	316	331	352	353	327
30	20 ～ 24	10 073	819	852	830	826	761
31	25 ～ 29	20 901	2 080	2 107	1 933	1 777	1 680
32	30 ～ 34	28 660	2 788	2 910	2 669	2 371	2 307
33	35 ～ 39	23 322	1 710	1 823	1 771	1 633	1 606
34	40 ～ 44	17 808	696	788	909	963	1 019
35	45 ～ 49	19 245	526	618	730	848	1 013
36	50 ～ 54	21 503	553	714	798	991	1 057
37	55 ～ 59	25 685	647	830	913	1 144	1 245
38	60 ～ 64	31 943	781	1 021	1 223	1 343	1 563
39	65 ～ 69	51 340	1 149	1 499	1 848	2 147	2 432
40	70 ～ 74	54 754	1 191	1 573	1 914	2 320	2 456
41	75 ～ 79	64 983	1 389	1 899	2 232	2 647	3 050
42	80 ～ 84	75 657	1 609	2 339	2 643	3 100	3 502
43	85 ～ 89	72 658	1 576	2 130	2 722	3 071	3 478
44	90歳以上	63 633	1 426	2 102	2 595	2 914	3 393
45	入院外	18 247 697	4 448 193	3 867 375	2 841 756	2 057 895	1 473 594
46	一般医療	13 020 921	3 458 068	2 907 303	2 090 335	1 475 102	1 009 734
47	後期医療	5 226 776	990 125	960 072	751 421	582 793	463 860
48	0 ～ 4歳	542 012	144 096	115 947	87 713	65 943	45 004
49	5 ～ 9	576 685	169 261	136 081	96 128	66 082	42 052
50	10 ～ 14	449 626	149 347	105 248	71 128	47 926	29 797
51	15 ～ 19	338 704	92 244	75 845	58 803	41 687	26 746
52	20 ～ 24	384 345	106 180	85 072	64 456	45 818	30 403
53	25 ～ 29	484 337	144 731	106 810	77 707	54 573	35 942
54	30 ～ 34	593 553	175 024	133 036	93 930	66 392	43 893
55	35 ～ 39	654 003	185 451	145 375	103 111	73 784	49 422
56	40 ～ 44	782 306	218 402	174 424	122 471	87 126	59 520
57	45 ～ 49	920 339	261 418	205 510	143 614	99 982	67 912
58	50 ～ 54	975 494	269 653	220 354	153 292	106 188	72 637
59	55 ～ 59	1 092 182	286 649	245 111	173 902	121 145	84 029
60	60 ～ 64	1 303 548	328 853	292 873	210 489	146 353	102 191
61	65 ～ 69	1 954 107	475 022	438 418	316 255	222 127	154 795
62	70 ～ 74	2 044 860	464 130	438 442	325 983	236 737	170 793
63	75 ～ 79	2 032 754	417 155	406 115	312 831	235 466	178 633
64	80 ～ 84	1 661 027	310 218	303 829	239 776	186 990	150 064
65	85 ～ 89	991 780	172 096	165 994	132 090	106 388	88 806
66	90歳以上	466 035	78 263	72 891	58 077	47 188	40 955

注：「薬剤」の出現する明細書を集計対象としている。ただし、「処方箋料」を算定している明細書、「投薬」「注射」を包括した診療行為が出現する明細書及びDPC／PDPSに係る明細書は除いている。

入院－入院外、一般医療－後期医療・年齢階級、薬剤種類数階級別

平成30年６月審査分

数					１件当たり薬剤種類数		行番号
６種類	７種類	８種類	９種類	10種類以上		後発医薬品（再掲）	
1 091 171	779 070	557 084	398 167	1 201 122	3.91	1.48	1
706 672	477 279	322 984	218 500	583 418	3.53	1.30	2
384 499	301 791	234 100	179 667	617 704	4.83	1.90	3
30 650	20 316	13 069	8 292	15 289	3.34	0.92	4
26 668	16 729	9 991	5 955	9 599	3.00	0.90	5
18 669	11 461	6 928	4 142	7 293	2.86	0.99	6
16 950	10 831	6 625	4 177	8 412	3.22	1.19	7
20 241	12 921	8 344	5 402	11 493	3.30	1.18	8
24 674	16 423	10 868	7 125	16 808	3.31	1.14	9
30 608	20 485	13 759	9 194	22 847	3.37	1.15	10
34 469	23 706	16 164	10 517	26 783	3.44	1.18	11
41 251	27 856	18 982	12 913	32 794	3.45	1.22	12
47 527	32 088	21 957	15 144	40 697	3.45	1.25	13
51 209	34 277	23 690	16 174	45 410	3.50	1.30	14
59 460	40 111	28 032	19 131	55 518	3.61	1.38	15
72 300	49 740	33 675	23 611	69 475	3.68	1.44	16
111 713	76 980	52 943	36 643	111 476	3.77	1.49	17
125 812	88 360	62 274	44 075	133 554	3.97	1.56	18
138 054	101 762	74 557	54 195	167 752	4.31	1.68	19
123 029	96 015	73 549	55 694	184 327	4.76	1.87	20
78 306	64 718	52 319	41 882	148 862	5.29	2.10	21
39 581	34 291	29 358	23 901	92 733	5.82	2.37	22
34 128	35 271	35 435	34 102	328 794	12.31	4.19	23
18 477	18 801	18 172	16 944	156 080	11.75	3.81	24
15 651	16 470	17 263	17 158	172 714	12.90	4.59	25
491	476	446	401	2 493	8.11	2.36	26
168	162	137	134	1 260	10.73	3.05	27
215	200	177	166	1 555	10.15	3.05	28
326	333	293	275	2 389	10.89	3.33	29
777	608	553	506	3 541	9.26	2.80	30
1 530	1 403	1 115	959	6 317	8.54	2.38	31
2 038	1 884	1 527	1 198	8 968	8.71	2.42	32
1 589	1 517	1 356	1 143	9 174	10.03	2.92	33
1 076	1 161	1 154	1 005	9 037	11.71	3.84	34
1 140	1 177	1 259	1 148	10 786	12.46	4.29	35
1 179	1 282	1 297	1 358	12 274	12.57	4.40	36
1 378	1 564	1 529	1 598	14 837	12.81	4.47	37
1 656	1 870	1 901	1 953	18 632	13.03	4.44	38
2 746	2 905	3 131	2 978	30 505	13.31	4.54	39
2 944	3 076	3 157	3 056	33 067	13.60	4.55	40
3 290	3 479	3 778	3 689	39 530	13.58	4.61	41
3 951	4 308	4 385	4 341	45 479	13.17	4.60	42
3 911	4 041	4 341	4 243	43 145	12.81	4.60	43
3 723	3 825	3 899	3 951	35 805	11.98	4.46	44
1 057 043	743 799	521 649	364 065	872 328	3.64	1.39	45
688 195	458 478	304 812	201 556	427 338	3.34	1.24	46
368 848	285 321	216 837	162 509	444 990	4.38	1.75	47
30 159	19 840	12 623	7 891	12 796	3.26	0.90	48
26 500	16 567	9 854	5 821	8 339	2.96	0.89	49
18 454	11 261	6 751	3 976	5 738	2.80	0.97	50
16 624	10 498	6 332	3 902	6 023	3.10	1.15	51
19 464	12 313	7 791	4 896	7 952	3.14	1.14	52
23 144	15 020	9 753	6 166	10 491	3.08	1.09	53
28 570	18 601	12 232	7 996	13 879	3.11	1.09	54
32 880	22 189	14 808	9 374	17 609	3.21	1.12	55
40 175	26 695	17 828	11 908	23 757	3.26	1.16	56
46 387	30 911	20 698	13 996	29 911	3.27	1.18	57
50 030	32 995	22 393	14 816	33 136	3.30	1.23	58
58 082	38 547	26 503	17 533	40 681	3.40	1.31	59
70 644	47 870	31 774	21 658	50 843	3.45	1.37	60
108 967	74 075	49 812	33 665	80 971	3.52	1.41	61
122 868	85 284	59 117	41 019	100 487	3.71	1.48	62
134 764	98 283	70 779	50 506	128 222	4.01	1.58	63
119 078	91 707	69 164	51 353	138 848	4.38	1.74	64
74 395	60 677	47 978	37 639	105 717	4.74	1.92	65
35 858	30 466	25 459	19 950	56 928	4.98	2.08	66

第26表　薬剤点数，診療行為区分(総数)、入院－入院外、

1　総数

行番号	薬効（中分類）	総数	一般医療	後期医療	0～4歳	5～9
1	総数	17 946 312 019	11 594 672 220	6 351 639 800	138 201 916	226 967 040
2	Ⅰ 神経系及び感覚器官用医薬品	2 595 859 599	1 575 642 607	1 020 216 993	32 470 384	41 862 850
3	1 中枢神経系用薬	1 659 048 993	1 050 823 285	608 225 708	25 796 237	27 695 718
4	111 全身麻酔剤	15 597 322	10 870 279	4 727 043	207 564	162 825
5	112 催眠鎮静剤、抗不安剤	116 184 594	71 699 063	44 485 531	606 423	173 611
6	113 抗てんかん剤	124 910 300	103 268 700	21 641 600	837 267	1 706 059
7	114 解熱鎮痛消炎剤	248 151 172	132 129 272	116 021 900	744 060	549 279
8	115 興奮剤、覚せい剤	－	－	－	－	－
9	116 抗パーキンソン剤	104 202 122	50 616 210	53 585 912	535	1 938
10	117 精神神経用剤	520 592 355	439 358 619	81 233 736	56 395	7 246 418
11	118 総合感冒剤	4 226 396	3 202 600	1 023 796	20 792	57 009
12	119 その他の中枢神経系用薬	525 184 732	239 678 542	285 506 190	23 323 201	17 798 578
13	2 末梢神経系用薬	141 067 165	101 122 860	39 944 305	771 202	1 936 476
14	121 局所麻酔剤	24 663 960	14 520 510	10 143 450	139 346	128 453
15	122 骨格筋弛緩剤	84 328 406	65 839 344	18 489 063	592 059	1 728 014
16	123 自律神経剤	3 641 312	2 020 740	1 620 573	690	2 575
17	124 鎮けい剤	18 466 172	12 679 780	5 786 392	39 108	77 435
18	129 その他の末梢神経系用薬	9 967 314	6 062 487	3 904 827	－	－
19	3 感覚器官用薬	795 743 441	423 696 462	372 046 979	5 902 945	12 230 655
20	131 眼科用剤	743 868 276	386 464 185	357 404 091	4 848 127	9 611 761
21	132 耳鼻科用剤	40 111 434	32 194 868	7 916 566	1 054 809	2 618 182
22	133 鎮暈剤	11 763 731	5 037 408	6 726 322	8	712
23	Ⅱ 個々の器官系用医薬品	5 187 801 817	3 125 466 989	2 062 334 828	29 837 712	92 010 422
24	1 循環器官用薬	1 945 227 912	1 122 468 919	822 758 992	2 646 639	1 256 667
25	211 強心剤	15 906 828	5 223 675	10 683 153	581 760	65 003
26	212 不整脈用剤	74 897 780	38 142 173	36 755 607	35 341	15 115
27	213 利尿剤	99 975 476	36 806 427	63 169 049	156 454	80 600
28	214 血圧降下剤	724 895 782	418 236 472	306 659 310	23 188	35 303
29	216 血管収縮剤	18 438 920	17 198 186	1 240 734	197	14 628
30	217 血管拡張剤	282 092 183	145 454 320	136 637 863	44 136	35 334
31	218 高脂血症用剤	502 900 909	322 080 447	180 820 462	3 075	4 575
32	219 その他の循環器官用薬	226 120 034	139 327 219	86 792 815	1 802 489	1 006 108
33	2 呼吸器官用薬	331 441 072	225 797 041	105 644 032	9 360 133	8 586 503
34	221 呼吸促進剤	9 214 503	6 971 887	2 242 616	376 184	3 497
35	222 鎮咳剤	12 266 693	9 636 867	2 629 826	123 085	231 881
36	223 去たん剤	47 784 853	30 977 256	16 807 598	3 332 104	2 795 633
37	224 鎮咳去たん剤	5 249 534	4 280 866	968 668	383 644	360 545
38	225 気管支拡張剤	72 874 198	38 564 318	34 309 879	2 746 977	2 259 128
39	226 含嗽剤	4 767 811	3 606 265	1 161 545	16 069	84 751
40	229 その他の呼吸器官用薬	179 283 480	131 759 580	47 523 899	2 382 069	2 851 067
41	3 消化器官用薬	1 003 752 482	617 829 182	385 923 299	1 552 166	1 816 814
42	231 止しゃ剤、整腸剤	29 153 909	17 455 388	11 698 521	348 206	413 232
43	232 消化性潰瘍用剤	512 207 443	262 045 205	250 162 237	69 121	104 656
44	233 健胃消化剤	14 429 499	7 536 982	6 892 517	44 591	17 617
45	234 制酸剤	38 256 060	16 787 090	21 468 970	26 506	35 197
46	235 下剤、浣腸剤	63 816 468	28 703 577	35 112 891	377 233	258 121
47	236 利胆剤	21 095 086	12 313 819	8 781 268	20 908	6 106
48	239 その他の消化器官用薬	324 794 016	272 987 120	51 806 895	665 601	981 885
49	4 ホルモン剤(抗ホルモン剤を含む)	1 167 472 222	781 243 748	386 228 474	10 492 095	75 069 204
50	241 脳下垂体ホルモン剤	282 542 391	281 553 014	989 378	9 587 533	69 719 462
51	243 甲状腺、副甲状腺ホルモン剤	219 503 674	65 163 056	154 340 618	31 281	31 294
52	244 たん白同化ステロイド剤	205 968	94 417	111 551	－	－
53	245 副腎ホルモン剤	43 538 675	28 753 281	14 785 394	621 982	975 834
54	246 男性ホルモン剤	1 465 040	1 407 494	57 546	5 205	139
55	247 卵胞ホルモン及び黄体ホルモン剤	16 550 856	14 703 706	1 847 150	24	40
56	248 混合ホルモン剤	97 271 478	97 208 915	62 563	－	－
57	249 その他のホルモン剤(抗ホルモン剤を含む)	506 394 139	292 359 864	214 034 275	246 070	4 342 436
58	5 泌尿生殖器官及び肛門用薬	293 882 370	125 560 650	168 321 720	30 608	165 713
59	251 泌尿器官用剤	264 675	131 937	132 738	207	－
60	252 生殖器官用剤(性病予防剤を含む)	7 017 846	6 765 505	252 341	－	208
61	253 子宮収縮剤	408 473	408 272	201	－	－
62	255 痔疾用剤	19 825 156	13 609 079	6 216 077	25 945	20 664
63	259 その他の泌尿生殖器官及び肛門用薬	266 366 220	104 645 856	161 720 364	4 456	144 841

平成30年6月審査分

10～14	15～19	20～24	25～29	30～34	35～39	行番号
329 675 021	222 234 294	225 588 295	294 217 870	375 167 136	484 984 054	1
45 411 703	31 452 277	36 322 262	48 855 788	64 398 963	84 407 515	2
32 126 183	23 518 492	27 655 414	38 682 661	51 924 417	68 123 329	3
180 722	309 755	276 742	383 674	559 260	666 236	4
149 076	369 620	947 938	1 768 330	2 723 868	3 949 524	5
2 571 945	4 831 429	6 480 597	7 385 847	7 875 839	8 755 201	6
1 105 513	1 779 824	2 046 512	2 923 257	4 062 182	5 369 700	7
-	-	-	-	-	-	8
12 239	52 699	124 326	258 829	419 931	668 820	9
12 877 112	8 810 110	13 245 767	21 189 310	30 170 912	39 441 031	10
95 259	145 478	167 196	195 360	235 135	247 136	11
15 134 317	7 219 577	4 366 336	4 578 053	5 877 291	9 025 681	12
2 536 772	2 452 834	3 737 700	3 968 465	4 257 430	5 631 532	13
96 873	164 044	213 995	388 218	599 104	711 031	14
2 222 474	1 971 342	2 627 349	2 538 901	2 990 571	3 975 581	15
20 519	37 273	44 380	55 262	71 942	90 739	16
196 906	280 175	371 733	505 842	595 813	694 100	17
-	-	480 242	480 242	-	160 081	18
10 748 748	5 480 950	4 929 148	6 204 662	8 217 116	10 652 654	19
8 124 888	4 237 803	3 924 965	4 819 045	6 400 140	8 511 023	20
2 615 414	1 224 107	965 294	1 322 588	1 723 578	1 984 625	21
8 447	19 040	38 890	63 030	93 398	157 007	22
172 379 238	65 765 795	57 503 435	81 995 982	104 077 742	123 198 198	23
2 409 496	3 869 342	3 978 377	4 861 555	10 861 912	19 169 522	24
23 848	49 892	92 570	78 687	48 802	104 976	25
24 669	43 595	124 946	202 147	243 510	474 484	26
82 335	141 047	383 012	295 368	831 845	1 732 567	27
39 921	96 883	210 506	500 723	1 410 644	3 813 727	28
327 794	494 921	456 119	741 335	1 191 766	1 739 550	29
12 080	29 130	83 589	205 902	484 741	1 176 033	30
295 448	72 243	262 326	655 089	1 557 626	3 637 465	31
1 603 401	2 941 631	2 365 309	2 182 304	5 092 979	6 490 721	32
6 642 737	4 795 458	5 511 023	7 539 891	10 664 415	13 279 488	33
10 331	28 702	60 281	111 052	190 348	313 551	34
367 067	416 764	471 713	573 398	739 602	793 840	35
1 340 074	931 781	941 853	1 153 610	1 543 862	1 720 743	36
238 836	157 680	164 309	207 374	267 545	292 776	37
1 030 319	494 816	513 855	711 360	948 398	1 264 782	38
140 969	160 201	199 116	237 200	275 979	281 641	39
3 515 142	2 605 515	3 159 896	4 545 898	6 698 680	8 612 154	40
3 380 234	8 561 132	14 869 455	22 801 597	29 508 513	33 045 948	41
390 840	429 995	560 744	704 343	843 199	969 608	42
479 317	1 328 150	2 249 475	3 514 948	4 929 218	7 127 418	43
23 377	28 702	56 705	94 383	136 465	199 887	44
49 877	86 402	230 747	644 204	1 010 076	953 382	45
195 202	233 079	353 237	556 189	826 532	1 130 409	46
8 195	23 188	45 426	81 435	140 686	285 796	47
2 233 426	6 431 616	11 373 121	17 206 094	21 622 337	22 379 448	48
151 776 603	38 757 888	22 661 571	32 644 363	35 987 530	40 810 670	49
142 280 221	30 933 623	1 660 585	4 011 806	6 962 131	6 679 111	50
50 623	114 628	228 483	394 852	765 174	1 119 760	51
16 175	19 453	199	298	646	1 463	52
830 510	677 615	662 130	853 766	1 038 254	1 277 084	53
3 732	19 885	55 991	146 647	150 306	124 772	54
26 480	241 167	483 156	875 632	1 267 329	1 269 832	55
253 276	4 567 370	17 423 407	21 298 420	16 551 615	14 472 533	56
8 315 588	2 184 147	2 147 620	5 062 943	9 252 075	15 866 114	57
166 899	452 058	2 210 376	5 510 781	7 522 357	5 867 710	58
-	13	311	1 983	8 312	6 947	59
1 360	81 262	492 989	781 018	1 063 270	1 118 001	60
53	3 874	30 420	94 615	138 563	101 662	61
20 589	85 470	308 748	701 987	1 082 705	1 145 257	62
144 897	281 440	1 377 907	3 931 179	5 229 507	3 495 843	63

第26表　薬剤点数，診療行為区分(総数)、入院－入院外、

1　総数

行番号	薬　効（中分類）	40～44	45～49	50～54	55～59	60～64
1	総　数	684 402 853	872 608 692	939 565 609	1 114 612 885	1 396 408 210
2	Ⅰ　神経系及び感覚器官用医薬品	113 557 533	132 699 212	134 143 697	143 921 001	168 130 475
3	1　中枢神経系用薬	90 557 212	102 598 649	97 330 375	97 282 575	104 700 665
4	111 全身麻酔剤	763 651	792 619	813 319	948 704	1 149 095
5	112 催眠鎮静剤、抗不安剤	5 805 715	7 156 996	7 482 612	7 865 299	8 294 383
6	113 抗てんかん剤	10 527 930	10 905 232	9 652 826	8 960 199	8 042 617
7	114 解熱鎮痛消炎剤	7 875 105	10 527 234	12 276 481	14 488 252	17 087 025
8	115 興奮剤、覚せい剤	-	-	-	-	-
9	116 抗パーキンソン剤	1 250 448	2 164 305	2 951 323	4 667 494	7 643 879
10	117 精神神経用剤	51 474 611	56 906 118	50 269 053	43 953 211	39 107 793
11	118 総合感冒剤	259 723	259 607	254 609	274 713	292 688
12	119 その他の中枢神経系用薬	12 600 030	13 886 537	13 630 152	16 124 702	23 083 186
13	2　末梢神経系用薬	7 712 830	8 982 040	9 391 235	10 702 645	11 279 999
14	121 局所麻酔剤	840 546	1 072 079	1 293 005	1 570 584	1 924 707
15	122 骨格筋弛緩剤	5 168 808	6 595 878	6 520 084	7 218 866	6 965 958
16	123 自律神経剤	131 357	153 840	181 861	207 963	249 992
17	124 鎮けい剤	931 796	1 160 243	1 236 204	1 385 070	1 469 289
18	129 その他の末梢神経系用薬	640 323	-	160 081	320 162	670 052
19	3　感覚器官用薬	15 287 491	21 118 524	27 422 088	35 935 782	52 149 811
20	131 眼科用剤	12 743 412	18 295 642	24 600 537	32 899 999	48 856 685
21	132 耳鼻科用剤	2 296 991	2 467 252	2 387 612	2 524 530	2 613 557
22	133 鎮暈剤	247 088	355 630	433 938	511 253	679 569
23	Ⅱ　個々の器官系用医薬品	169 112 509	221 390 783	231 314 836	275 272 236	350 632 716
24	1　循環器官用薬	37 818 871	71 067 097	96 681 371	135 959 318	179 948 658
25	211 強心剤	176 736	219 200	403 698	460 831	652 733
26	212 不整脈用剤	1 030 100	1 974 190	2 795 790	4 121 954	5 941 001
27	213 利尿剤	2 746 168	3 378 742	3 493 767	4 197 202	4 629 762
28	214 血圧降下剤	11 034 823	23 167 211	36 173 241	51 648 762	69 700 347
29	216 血管収縮剤	2 686 450	3 088 014	2 468 756	1 635 304	1 058 237
30	217 血管拡張剤	3 281 366	6 879 402	11 164 109	16 454 003	23 732 628
31	218 高脂血症用剤	9 025 610	17 511 989	26 640 188	41 213 708	54 234 380
32	219 その他の循環器官用薬	7 837 618	14 848 349	13 541 823	16 227 554	19 999 570
33	2　呼吸器官用薬	16 910 777	19 110 512	18 060 169	18 985 589	21 267 659
34	221 呼吸促進剤	514 892	643 105	682 645	756 945	848 071
35	222 鎮咳剤	804 001	785 697	732 328	778 351	832 757
36	223 去たん剤	1 834 652	1 847 750	1 749 240	2 002 743	2 414 319
37	224 鎮咳去たん剤	302 232	292 770	266 989	281 045	309 396
38	225 気管支拡張剤	1 640 185	1 993 372	2 103 000	2 573 279	3 678 378
39	226 含嗽剤	274 656	265 025	256 461	287 925	313 588
40	229 その他の呼吸器官用薬	11 540 158	13 282 792	12 269 506	12 305 302	12 871 149
41	3　消化器官用薬	43 528 965	52 478 914	53 635 937	61 292 012	72 665 066
42	231 止しゃ剤、整腸剤	1 149 285	1 340 624	1 453 166	1 633 424	1 842 084
43	232 消化性潰瘍用剤	11 557 444	16 716 205	21 092 408	27 661 789	37 096 035
44	233 健胃消化剤	299 192	451 037	562 337	777 535	1 057 366
45	234 制酸剤	888 673	1 054 459	1 211 791	1 482 640	1 908 361
46	235 下剤、浣腸剤	1 738 311	2 328 843	2 616 230	3 019 431	3 752 461
47	236 利胆剤	511 067	821 369	1 153 214	1 509 061	1 960 942
48	239 その他の消化器官用薬	27 384 993	29 766 377	25 546 791	25 208 133	25 047 817
49	4　ホルモン剤(抗ホルモン剤を含む)	52 227 833	57 965 651	40 334 614	30 208 974	36 506 152
50	241 脳下垂体ホルモン剤	4 268 709	1 758 505	1 116 417	738 805	592 330
51	243 甲状腺、副甲状腺ホルモン剤	1 433 852	1 810 404	2 233 973	3 850 032	7 136 574
52	244 たん白同化ステロイド剤	2 162	2 940	2 826	3 754	7 854
53	245 副腎ホルモン剤	1 713 054	2 195 941	2 439 271	2 807 231	3 278 300
54	246 男性ホルモン剤	138 395	178 102	192 764	154 173	104 385
55	247 卵胞ホルモン及び黄体ホルモン剤	1 438 469	2 411 411	3 116 134	1 837 248	658 502
56	248 混合ホルモン剤	12 098 203	7 115 064	2 194 595	844 623	222 910
57	249 その他のホルモン剤(抗ホルモン剤を含む)	31 134 989	42 493 283	29 038 632	19 973 108	24 505 297
58	5　泌尿生殖器官及び肛門用薬	4 530 399	4 370 056	5 299 378	8 418 147	14 210 435
59	251 泌尿器官用剤	9 771	5 098	4 058	7 035	17 650
60	252 生殖器官用剤(性病予防剤を含む)	1 517 513	980 867	266 790	108 077	96 190
61	253 子宮収縮剤	35 267	2 470	884	143	121
62	255 痔疾用剤	1 146 456	1 188 644	1 127 289	1 197 567	1 383 496
63	259 その他の泌尿生殖器官及び肛門用薬	1 821 391	2 192 978	3 900 356	7 105 326	12 712 978

平成30年6月審査分

65～69	70～74	75～79	80～84	85～89	90歳以上	後発医薬品（再掲）	行番号
2 194 828 625	2 332 256 507	2 348 982 189	1 958 199 260	1 212 166 064	595 245 498	2 081 310 983	1
252 429 167	290 431 789	335 184 865	318 773 215	217 122 690	104 284 212	287 571 753	2
142 933 725	153 884 317	180 338 096	185 940 185	136 785 631	71 175 114	174 267 298	3
1 849 288	1 964 571	1 882 219	1 474 266	826 622	386 188	3 962 969	4
12 063 139	13 776 830	15 282 171	14 147 777	9 203 764	4 417 519	26 562 268	5
9 774 934	7 994 489	7 193 344	5 928 415	3 646 283	1 839 847	6 239 597	6
24 710 357	28 875 375	36 974 633	37 682 981	26 300 598	12 772 803	35 649 641	7
－	－	－	－	－	－	－	8
15 181 689	19 135 774	21 729 548	17 360 883	8 371 562	2 205 900	6 942 141	9
43 104 502	33 180 128	28 621 706	22 167 773	13 220 768	5 549 636	54 032 645	10
361 095	359 790	368 571	338 199	206 964	87 074	1 468 259	11
35 888 722	48 597 361	68 285 904	86 839 891	75 009 069	43 916 145	39 409 778	12
16 178 739	17 243 570	15 916 202	10 298 706	5 871 596	2 197 194	10 449 466	13
2 967 879	3 290 239	3 425 592	2 998 332	1 901 564	938 369	4 705 835	14
9 535 482	9 097 146	7 504 448	4 397 837	2 031 136	646 473	694 696	15
400 453	441 094	510 424	510 540	349 756	180 652	241 432	16
1 987 417	2 031 030	2 177 435	1 820 279	1 074 595	431 700	4 807 502	17
1 287 507	2 384 060	2 298 302	571 717	514 545	－	－	18
93 316 703	119 303 902	138 930 568	122 534 325	74 465 464	30 911 904	102 854 989	19
88 942 588	114 594 185	133 684 088	117 702 836	71 489 373	29 581 178	94 297 395	20
3 266 251	3 334 852	3 333 625	2 551 359	1 339 529	487 281	5 047 852	21
1 107 864	1 374 865	1 912 855	2 280 130	1 636 562	843 445	3 509 742	22
567 439 832	642 598 998	707 797 851	651 028 958	430 754 200	213 690 374	1 008 486 134	23
285 345 520	297 545 761	291 125 813	251 742 293	162 262 325	86 677 373	524 121 333	24
1 171 331	1 564 631	2 072 981	2 746 753	2 794 578	2 597 817	6 688 922	25
10 416 028	12 015 105	12 977 474	11 626 907	7 430 976	3 404 449	17 246 380	26
7 997 909	9 034 932	12 465 658	16 485 759	17 004 560	14 837 786	8 728 523	27
110 291 554	115 770 131	111 446 513	97 417 025	62 136 023	29 979 259	190 985 214	28
807 243	574 397	481 359	357 044	211 730	104 076	3 102 232	29
40 029 794	44 096 110	44 757 424	41 660 836	29 776 663	18 188 903	127 111 442	30
83 977 274	86 332 588	78 970 876	58 030 789	29 665 510	10 810 151	145 188 894	31
30 654 387	28 157 867	27 953 528	23 417 180	13 242 287	6 754 931	25 069 727	32
31 813 192	35 993 665	38 169 666	33 442 175	21 088 856	10 219 167	35 801 836	33
1 196 602	1 267 621	1 101 463	681 303	318 865	109 043	3 381 899	34
1 039 859	994 667	992 685	844 622	508 361	236 015	2 656 896	35
3 589 139	4 256 127	5 022 788	5 051 176	3 796 607	2 460 654	18 512 642	36
393 697	380 450	376 226	306 526	179 522	87 975	189 725	37
7 357 058	10 067 095	11 841 565	10 822 335	7 188 341	3 639 954	7 050 060	38
416 970	422 786	441 240	377 078	223 208	92 947	4 010 613	39
17 819 866	18 604 919	18 393 699	15 359 136	8 873 952	3 592 578	－	40
111 398 340	120 060 905	131 172 828	118 517 245	80 214 880	43 251 527	259 088 236	41
2 736 398	3 019 320	3 541 961	3 495 267	2 663 655	1 618 557	6 932 547	42
61 615 931	72 282 787	83 839 734	78 460 258	53 623 629	28 458 920	157 337 833	43
1 726 392	2 162 768	2 454 403	2 213 976	1 413 489	709 277	3 822 802	44
3 383 924	4 397 550	5 955 459	6 556 880	5 101 786	3 278 145	37 347 397	45
6 063 431	7 258 432	9 498 998	10 354 182	8 136 244	5 119 903	19 348 450	46
2 937 430	3 030 133	3 143 349	2 816 799	1 780 344	819 639	6 970 923	47
32 934 834	27 909 916	22 738 924	14 619 882	7 495 734	3 247 086	27 328 285	48
68 126 992	93 720 750	125 094 834	130 358 913	89 052 517	35 675 070	88 643 595	49
723 318	563 533	486 938	285 756	153 284	20 325	11 827 809	50
17 025 890	30 435 787	48 464 662	52 283 466	36 315 434	15 777 506	－	51
15 645	24 488	31 610	32 720	28 615	15 119	－	52
4 838 733	4 963 644	5 236 811	4 573 863	2 977 131	1 577 522	5 129 696	53
78 841	56 305	33 349	16 157	5 162	730	－	54
556 053	545 629	585 668	628 033	406 341	203 707	1 209 191	55
109 562	58 053	36 535	17 291	6 768	1 253	11 723 559	56
44 778 948	57 073 311	70 219 261	72 521 627	49 159 781	18 078 909	58 753 341	57
28 213 922	41 350 888	55 525 387	55 467 769	37 137 062	17 432 424	28 905 101	58
26 032	45 125	49 030	43 771	26 730	12 603	2 293	59
129 970	130 427	114 313	79 785	38 763	17 044	705 850	60
79	112	120	54	27	9	101 109	61
2 092 199	2 249 751	2 300 576	1 901 299	1 226 670	619 844	2 183 993	62
25 965 643	38 925 472	53 061 349	53 442 861	35 844 873	16 782 924	25 911 856	63

第26表 薬剤点数，診療行為区分(総数)、入院－入院外、

1 総数

行番号	薬効（中分類）	総数	一般医療	後期医療	0～4歳	5～9
64	6 外皮用薬	442 684 048	250 041 141	192 642 907	4 857 882	5 108 199
65	261 外皮用殺菌消毒剤	1 083 632	584 210	499 422	14 778	20 222
66	263 化膿性疾患用剤	12 102 160	9 645 717	2 456 442	424 296	423 856
67	264 鎮痛、鎮痒、収斂、消炎剤	359 154 369	189 320 835	169 833 534	3 776 074	3 782 021
68	265 寄生性皮ふ疾患用剤	21 502 633	14 474 210	7 028 423	117 499	103 662
69	266 皮ふ軟化剤(腐しょく剤を含む)	2 925 642	1 990 199	935 443	77 888	104 915
70	267 毛髪用剤(発毛剤、脱毛剤、染毛剤、養毛剤)	960 960	780 480	180 480	4 555	13 059
71	269 その他の外皮用薬	44 954 653	33 245 490	11 709 163	442 791	660 464
72	7 歯科口腔用薬	103 568	72 889	30 679	390	1 020
73	271 歯科用局所麻酔剤	113	113	–	–	–
74	276 歯科用抗生物質製剤	449	449	–	–	–
75	279 その他の歯科口腔用薬	103 007	72 328	30 679	390	1 020
76	9 その他の個々の器官系用医薬品	3 238 143	2 453 418	784 725	897 799	6 302
77	290 その他の個々の器官系用医薬品	3 238 143	2 453 418	784 725	897 799	6 302
78	Ⅲ 代謝性医薬品	3 679 409 915	2 188 590 721	1 490 819 194	26 581 100	26 749 553
79	1 ビタミン剤	226 388 608	100 198 893	126 189 715	147 861	93 064
80	311 ビタミンA及びD剤	149 250 944	59 978 452	89 272 493	46 210	25 788
81	312 ビタミンB1剤	4 712 286	1 954 041	2 758 245	1 728	5 293
82	313 ビタミンB剤(ビタミンB1剤を除く)	48 614 689	25 288 081	23 326 608	17 077	21 399
83	314 ビタミンC剤	2 554 878	1 307 445	1 247 432	2 662	3 220
84	315 ビタミンE剤	1 575 201	1 005 704	569 497	1 437	831
85	316 ビタミンK剤	2 974 339	1 138 711	1 835 629	16 464	2 979
86	317 混合ビタミン剤(ビタミンA・D混合製剤を除く)	16 229 295	9 095 260	7 134 036	57 868	22 454
87	319 その他のビタミン剤	476 976	431 199	45 777	4 416	11 099
88	2 滋養強壮薬	187 052 459	73 477 750	113 574 708	1 733 347	1 176 037
89	321 カルシウム剤	5 500 087	2 235 179	3 264 907	15 729	3 180
90	322 無機質製剤	15 224 049	8 449 675	6 774 374	268 041	172 442
91	323 糖類剤	12 306 965	5 965 935	6 341 030	273 785	80 921
92	325 たん白アミノ酸製剤	147 731 588	54 691 193	93 040 394	990 147	822 967
93	326 臓器製剤	667 796	269 172	398 625	447	93
94	327 乳幼児用剤	464 041	460 337	3 704	142 667	85 519
95	329 その他の滋養強壮薬	5 157 933	1 406 260	3 751 674	42 530	10 915
96	3 血液・体液用薬	865 246 865	428 937 147	436 309 718	11 394 114	7 958 913
97	331 血液代用剤	121 545 048	54 722 607	66 822 441	1 472 256	812 167
98	332 止血剤	17 378 833	13 612 421	3 766 412	110 861	149 062
99	333 血液凝固阻止剤	384 474 862	185 933 398	198 541 464	9 349 875	6 714 393
100	339 その他の血液・体液用薬	341 848 122	174 668 721	167 179 401	461 121	283 290
101	4 人工透析用薬	47 267 926	28 920 391	18 347 535	102 403	119 124
102	341 人工腎臓透析用剤	8 441 285	4 488 134	3 953 151	9 738	10 138
103	342 腹膜透析用剤	38 826 641	24 432 256	14 394 385	92 665	108 986
104	9 その他の代謝性医薬品	2 353 454 057	1 557 056 540	796 397 517	13 203 375	17 402 415
105	391 肝臓疾患用剤	7 663 956	4 277 196	3 386 760	12 678	12 505
106	392 解毒剤	73 290 266	43 220 733	30 069 533	271 980	354 698
107	393 習慣性中毒用剤	231 107	212 388	18 719	–	–
108	394 痛風治療剤	90 626 355	61 520 888	29 105 467	2 415	3 716
109	395 酵素製剤	214 476 902	206 115 021	8 361 882	9 762 980	9 937 233
110	396 糖尿病用剤	625 678 462	414 213 306	211 465 156	45	187
111	399 他に分類されない代謝性医薬品	1 341 487 009	827 497 008	513 990 001	3 153 277	7 094 076
112	Ⅳ 組織細胞機能用医薬品	3 634 108 524	2 620 442 965	1 013 665 559	13 048 194	23 473 985
113	1 細胞賦活用薬	107 498	89 574	17 924	–	–
114	419 その他の細胞賦活用薬	107 498	89 574	17 924	–	–
115	2 腫瘍用薬	3 134 675 654	2 259 674 836	875 000 818	1 240 950	2 263 983
116	421 アルキル化剤	36 609 701	30 823 743	5 785 958	320 336	380 111
117	422 代謝拮抗剤	137 975 629	103 494 199	34 481 431	382 817	664 267
118	423 抗腫瘍性抗生物質製剤	25 783 365	20 611 491	5 171 874	27 498	46 517
119	424 抗腫瘍性植物成分製剤	118 206 843	91 538 824	26 668 019	82 726	107 565
120	429 その他の腫瘍用薬	2 816 100 116	2 013 206 580	802 893 536	427 574	1 065 523
121	3 放射性医薬品	149 587 647	81 419 130	68 168 517	259 835	163 096
122	430 放射性医薬品	149 587 647	81 419 130	68 168 517	259 835	163 096
123	4 アレルギー用薬	339 052 961	268 574 661	70 478 300	11 460 541	21 046 905
124	441 抗ヒスタミン剤	5 326 727	4 424 321	902 407	499 434	400 409
125	442 刺激療法剤	4 048 357	2 414 290	1 634 067	–	–
126	449 その他のアレルギー用薬	329 677 876	261 736 050	67 941 826	10 961 107	20 646 496
127	9 その他の組織細胞機能用医薬品	10 684 764	10 684 764	–	86 868	–
128	490 その他の組織細胞機能用医薬品	10 684 764	10 684 764	–	86 868	–

平成30年６月審査分

10～14	15～19	20～24	25～29	30～34	35～39	行番号
7 986 328	9 315 577	8 254 717	8 614 810	9 496 595	10 978 748	64
20 024	19 428	16 375	22 266	24 738	25 357	65
861 079	1 324 979	1 007 728	860 657	703 699	600 217	66
4 930 793	4 203 472	4 038 270	4 855 295	5 985 877	7 428 852	67
185 859	271 661	434 683	592 852	734 185	826 447	68
94 337	85 371	97 009	98 163	114 130	128 145	69
19 498	14 547	18 949	23 610	37 008	51 384	70
1 874 737	3 396 118	2 641 704	2 161 967	1 896 958	1 918 347	71
2 881	1 770	1 944	3 623	3 629	5 381	72
–	–	47	50	–	–	73
–	–	–	–	–	–	74
2 881	1 770	1 897	3 572	3 629	5 381	75
14 061	12 571	15 972	19 361	32 790	40 730	76
14 061	12 571	15 972	19 361	32 790	40 730	77
32 235 006	43 509 072	48 830 516	54 163 354	66 241 521	80 283 432	78
311 545	819 483	1 059 939	1 550 409	1 935 834	2 572 534	79
39 972	72 682	132 176	217 354	375 750	768 568	80
6 266	15 735	21 353	38 688	53 026	60 993	81
170 210	466 867	550 883	736 761	835 879	959 671	82
8 794	24 614	44 252	81 040	106 237	105 633	83
2 127	6 660	11 796	28 671	48 490	70 013	84
3 110	11 428	8 908	13 791	15 971	22 598	85
73 298	205 655	272 652	412 632	474 925	554 043	86
7 768	15 843	17 919	21 472	25 557	31 016	87
1 483 845	1 832 705	1 843 563	2 604 403	3 165 386	3 186 673	88
2 578	4 566	7 113	14 974	22 568	32 119	89
215 276	292 307	319 589	570 967	783 647	728 893	90
48 093	70 910	214 126	538 066	712 047	539 038	91
1 130 740	1 380 709	1 260 650	1 443 203	1 601 238	1 837 084	92
169	699	3 711	7 516	10 775	11 432	93
68 397	58 905	18 900	10 080	6 300	3 780	94
18 592	24 610	19 474	19 597	28 811	34 326	95
5 160 856	4 817 391	5 779 746	7 685 372	9 779 507	11 977 356	96
775 050	1 070 228	1 516 107	2 304 231	2 973 265	2 930 168	97
280 129	408 846	551 485	769 862	966 015	1 116 419	98
3 726 596	2 657 524	3 052 924	3 738 215	4 565 564	5 079 226	99
379 080	680 793	659 230	873 063	1 274 663	2 851 543	100
83 740	202 741	171 622	209 482	439 962	792 680	101
–	553	5 773	25 866	42 161	80 093	102
83 740	202 188	165 849	183 616	397 800	712 587	103
25 195 020	35 836 753	39 975 647	42 113 688	50 920 832	61 754 190	104
22 569	40 393	48 456	68 573	101 672	160 245	105
706 214	851 253	502 914	629 760	855 220	1 337 321	106
–	–	270	2 384	8 060	15 005	107
7 679	45 991	160 188	402 964	871 725	1 704 218	108
16 951 556	22 502 243	22 080 795	19 186 849	16 144 842	13 482 739	109
10 491	111 402	365 825	1 030 006	2 452 198	5 324 232	110
7 496 510	12 285 471	16 817 199	20 793 152	30 487 115	39 730 430	111
23 377 247	16 013 941	16 371 498	23 343 311	34 246 850	61 452 434	112
35	771	1 870	4 013	5 232	6 068	113
35	771	1 870	4 013	5 232	6 068	114
3 817 985	5 090 713	6 756 981	11 976 942	20 551 861	43 011 258	115
254 056	281 658	312 320	763 764	574 446	1 370 004	116
1 404 148	1 027 184	176 884	430 864	528 076	1 517 814	117
65 276	70 773	314 512	163 567	1 062 099	379 664	118
110 337	65 991	105 800	196 601	662 758	1 621 578	119
1 984 168	3 645 106	5 847 466	10 422 145	17 724 481	38 122 198	120
163 290	257 792	469 031	463 862	691 124	1 244 338	121
163 290	257 792	469 031	463 862	691 124	1 244 338	122
17 397 972	10 664 666	9 143 616	10 898 496	12 998 634	16 148 355	123
209 025	149 264	141 973	165 806	205 594	238 778	124
–	–	5 959	14 904	17 359	38 576	125
17 188 947	10 515 402	8 995 684	10 717 786	12 775 681	15 871 000	126
1 997 964	–	–	–	–	1 042 416	127
1 997 964	–	–	–	–	1 042 416	128

第26表　薬剤点数，診療行為区分（総数）、入院－入院外、

1　総数

行番号	薬効（中分類）	40～44	45～49	50～54	55～59	60～64
64	6 外皮用薬	14 026 328	16 292 480	17 218 367	20 291 641	25 887 009
65	261 外皮用殺菌消毒剤	33 364	38 896	46 091	51 583	61 866
66	263 化膿性疾患用剤	600 648	540 648	433 785	397 614	426 315
67	264 鎮痛、鎮痒、収斂、消炎剤	9 813 058	11 850 581	13 061 753	15 891 657	20 989 154
68	265 寄生性皮ふ疾患用剤	1 024 531	1 147 216	1 172 518	1 357 427	1 663 178
69	266 皮ふ軟化剤（腐しょく剤を含む）	145 130	154 242	140 663	142 911	154 551
70	267 毛髪用剤（発毛剤、脱毛剤、染毛剤、養毛剤）	70 193	93 730	70 243	78 739	77 591
71	269 その他の外皮用薬	2 339 404	2 467 167	2 293 314	2 371 712	2 514 354
72	7 歯科口腔用薬	5 554	8 603	5 436	7 556	7 611
73	271 歯科用局所麻酔剤	-	8	-	8	-
74	276 歯科用抗生物質製剤	-	-	-	90	-
75	279 その他の歯科口腔用薬	5 554	8 595	5 436	7 458	7 611
76	9 その他の個々の器官系用医薬品	63 782	97 471	79 565	108 998	140 127
77	290 その他の個々の器官系用医薬品	63 782	97 471	79 565	108 998	140 127
78	Ⅲ 代謝性医薬品	123 350 918	155 253 009	171 722 788	213 282 496	282 216 710
79	1 ビタミン剤	3 818 822	5 680 132	6 973 599	9 307 713	14 026 870
80	311 ビタミンA及びD剤	1 412 322	2 489 840	3 460 215	5 303 453	9 267 001
81	312 ビタミンB1剤	82 255	120 672	153 326	191 940	247 931
82	313 ビタミンB剤（ビタミンB1剤を除く）	1 284 004	1 779 448	2 091 796	2 561 790	3 224 194
83	314 ビタミンC剤	111 821	119 862	116 380	111 704	116 774
84	315 ビタミンE剤	99 209	114 935	114 601	99 238	99 282
85	316 ビタミンK剤	30 677	49 654	65 715	101 649	147 735
86	317 混合ビタミン剤（ビタミンA・D混合製剤を除く）	758 539	958 659	929 385	896 511	881 751
87	319 その他のビタミン剤	39 995	47 062	42 182	41 429	42 201
88	2 滋養強壮薬	3 978 325	6 053 716	6 090 667	6 341 370	8 019 194
89	321 カルシウム剤	55 321	85 887	126 331	196 438	315 625
90	322 無機質製剤	819 729	1 010 780	652 178	438 534	531 082
91	323 糖類剤	331 874	350 223	317 112	353 408	507 839
92	325 たん白アミノ酸製剤	2 700 035	4 507 880	4 871 681	5 208 647	6 435 795
93	326 臓器製剤	12 440	18 842	21 494	30 510	35 347
94	327 乳幼児用剤	15 120	11 760	29 547	4 628	4 410
95	329 その他の滋養強壮薬	43 807	68 343	72 325	109 205	189 096
96	3 血液・体液用薬	15 545 924	21 609 429	26 622 336	36 952 072	53 961 923
97	331 血液代用剤	2 806 308	3 337 223	3 733 333	4 537 581	6 159 579
98	332 止血剤	1 351 771	1 554 653	1 358 828	1 171 661	1 100 940
99	333 血液凝固阻止剤	5 971 065	7 275 595	8 877 042	13 139 822	20 735 299
100	339 その他の血液・体液用薬	5 416 780	9 441 958	12 653 133	18 103 009	25 966 106
101	4 人工透析用薬	1 641 735	3 143 524	3 425 363	4 659 037	5 996 955
102	341 人工腎臓透析用剤	199 094	529 259	495 572	533 544	959 400
103	342 腹膜透析用剤	1 442 640	2 614 265	2 929 791	4 125 493	5 037 555
104	9 その他の代謝性医薬品	98 366 111	118 766 209	128 610 823	156 022 303	200 211 770
105	391 肝臓疾患用剤	252 166	360 793	426 985	507 530	595 125
106	392 解毒剤	2 114 869	2 913 026	2 827 283	4 116 891	5 594 726
107	393 習慣性中毒用剤	19 606	23 970	32 033	44 481	26 822
108	394 痛風治療剤	3 501 678	5 456 310	6 817 411	8 254 065	9 767 823
109	395 酵素製剤	19 370 701	15 150 007	8 732 194	10 504 035	9 987 170
110	396 糖尿病用剤	13 184 067	25 234 492	36 239 956	50 703 085	69 138 547
111	399 他に分類されない代謝性医薬品	59 923 024	69 627 611	73 534 962	81 892 217	105 101 557
112	Ⅳ 組織細胞機能用医薬品	114 002 193	173 409 136	218 732 550	288 623 409	386 494 090
113	1 細胞賦活用薬	8 651	9 855	9 346	10 507	10 290
114	419 その他の細胞賦活用薬	8 651	9 855	9 346	10 507	10 290
115	2 腫瘍用薬	91 012 759	145 132 936	190 786 650	256 863 365	351 015 421
116	421 アルキル化剤	2 158 771	3 117 117	2 915 595	3 639 343	3 691 735
117	422 代謝拮抗剤	3 284 768	5 162 332	8 252 210	10 420 961	15 560 458
118	423 抗腫瘍性抗生物質製剤	1 667 078	1 689 858	2 568 142	2 081 002	2 298 665
119	424 抗腫瘍性植物成分製剤	3 372 780	5 597 938	6 869 357	10 001 055	14 006 464
120	429 その他の腫瘍用薬	80 529 363	129 565 690	170 181 347	230 721 003	315 458 099
121	3 放射性医薬品	2 532 295	4 480 297	5 861 031	7 685 250	10 708 347
122	430 放射性医薬品	2 532 295	4 480 297	5 861 031	7 685 250	10 708 347
123	4 アレルギー用薬	20 274 752	23 091 105	22 075 522	21 805 719	21 545 917
124	441 抗ヒスタミン剤	305 505	361 231	329 163	338 923	337 907
125	442 刺激療法剤	78 633	142 853	200 560	284 020	415 508
126	449 その他のアレルギー用薬	19 890 614	22 587 021	21 545 800	21 182 776	20 792 502
127	9 その他の組織細胞機能用医薬品	173 736	694 944	-	2 258 568	3 214 116
128	490 その他の組織細胞機能用医薬品	173 736	694 944	-	2 258 568	3 214 116

65～69	70～74	75～79	80～84	85～89	90歳以上	後発医薬品（再掲）	行番号
42 105 752	53 415 320	66 262 479	61 322 299	40 852 320	20 397 197	71 847 162	64
106 615	113 117	135 741	134 590	111 617	86 964	358 254	65
567 577	578 625	624 380	625 196	584 002	516 859	1 442 404	66
35 218 651	46 209 507	59 148 250	55 149 231	36 078 090	16 743 784	63 032 224	67
2 452 054	2 653 608	2 559 369	2 007 530	1 338 455	859 899	2 738 381	68
232 953	257 608	294 771	267 485	203 037	132 331	422 348	69
104 787	106 581	90 402	58 361	18 690	9 036	960 960	70
3 423 117	3 496 273	3 409 565	3 079 907	2 518 429	2 048 325	2 892 590	71
10 007	10 810	9 168	7 809	6 138	4 239	58	72
－	－	－	－	－	－	58	73
－	359	－	－	－	－	－	74
10 007	10 451	9 168	7 809	6 138	4 239	－	75
426 106	500 900	437 675	170 455	140 101	33 377	78 813	76
426 106	500 900	437 675	170 455	140 101	33 377	78 813	77
444 948 088	490 997 506	513 750 661	448 679 950	296 628 588	159 985 646	380 069 677	78
25 320 236	32 468 641	40 531 917	39 116 326	27 044 196	13 609 487	54 606 617	79
17 906 686	23 464 137	29 082 361	27 565 644	18 807 917	8 812 868	9 066 063	80
402 299	582 411	840 763	909 858	636 294	341 455	581 907	81
5 090 376	6 118 129	7 667 809	7 460 373	5 021 280	2 556 743	39 216 239	82
172 850	205 994	273 847	327 515	319 289	302 392	57 973	83
145 956	171 058	206 035	187 749	113 389	53 727	661 710	84
281 287	413 384	530 077	559 297	444 571	255 045	826 496	85
1 270 677	1 479 254	1 906 874	2 092 941	1 695 523	1 285 654	4 185 291	86
50 105	34 275	24 149	12 950	5 933	1 603	10 939	87
14 102 551	16 598 570	21 782 712	27 665 262	29 865 745	29 528 389	17 842 321	88
610 742	791 904	1 051 959	1 041 614	754 105	367 333	804 777	89
891 158	1 048 306	1 372 157	1 776 571	1 796 958	1 535 434	3 948 038	90
838 914	1 015 882	1 283 787	1 637 129	1 641 036	1 552 774	455 983	91
11 315 904	13 187 771	17 278 321	22 181 494	24 503 106	25 074 215	7 285 051	92
46 202	75 395	102 647	111 430	103 419	75 229	193 096	93
4 027	－	－	－	－	－	－	94
395 604	479 311	693 841	917 023	1 067 120	923 404	5 155 377	95
99 347 382	121 271 315	143 332 308	134 288 168	94 080 162	53 682 592	171 535 553	96
10 337 031	11 866 612	14 526 315	17 136 359	17 013 904	16 237 331	39 453 738	97
1 432 975	1 387 807	1 365 443	1 132 771	738 138	431 166	6 832 825	98
40 950 578	54 717 768	67 163 045	62 399 941	42 618 571	21 741 820	25 894 819	99
46 626 798	53 299 129	60 277 504	53 619 097	33 709 550	15 272 275	99 354 171	100
7 719 470	6 843 354	5 437 315	3 708 897	1 800 619	769 904	2 923 900	101
1 322 910	1 312 940	1 201 931	922 198	584 218	205 898	1 467 757	102
6 396 559	5 530 415	4 235 385	2 786 699	1 216 402	564 006	1 456 144	103
298 458 449	313 815 625	302 666 409	243 901 298	143 837 865	62 395 275	133 161 285	104
894 333	949 790	1 037 686	1 024 918	715 255	432 285	2 668 253	105
9 894 572	11 101 146	10 977 056	9 743 415	5 719 346	2 778 576	12 232 558	106
22 895	19 085	9 711	5 124	1 403	259	－	107
13 115 192	12 105 144	11 296 554	9 035 094	5 406 155	2 672 034	10 894 533	108
7 549 095	5 855 255	4 250 783	1 633 223	1 058 049	337 154	－	109
108 941 264	106 802 104	92 091 845	67 936 132	33 795 561	12 317 021	43 454 044	110
158 041 098	176 983 101	183 002 774	154 523 391	97 142 097	43 857 945	63 911 897	111
623 413 387	628 990 525	519 455 649	313 913 942	126 117 900	29 628 281	214 135 760	112
12 400	12 084	10 333	3 882	1 644	517	－	113
12 400	12 084	10 333	3 882	1 644	517	－	114
574 771 979	576 616 062	463 357 988	268 583 849	101 686 654	20 137 318	99 792 714	115
5 975 751	5 215 189	2 955 732	1 796 860	773 276	113 638	3 871 680	116
27 879 932	27 419 133	20 550 196	10 185 182	2 676 969	451 434	16 019 873	117
4 259 700	3 966 362	3 163 784	1 308 791	486 244	163 834	3 389 902	118
25 271 678	24 011 454	17 453 709	7 066 954	1 488 756	113 341	29 454 685	119
511 384 918	516 003 925	419 234 568	248 226 062	96 261 410	19 295 070	47 056 574	120
21 361 329	26 753 938	29 917 696	23 329 206	10 623 208	2 622 682	5 559 436	121
21 361 329	26 753 938	29 917 696	23 329 206	10 623 208	2 622 682	5 559 436	122
26 051 528	25 608 440	26 169 633	21 997 005	13 806 393	6 867 764	108 783 609	123
415 945	371 526	351 508	269 322	158 485	76 928	1 288 420	124
637 113	654 681	645 491	499 829	302 725	110 148	567 008	125
24 998 469	24 582 234	25 172 633	21 227 854	13 345 182	6 680 688	106 928 181	126
1 216 152	－	－	－	－	－	－	127
1 216 152	－	－	－	－	－	－	128

第26表　薬剤点数，診療行為区分(総数)、入院－入院外、

1　総数

行番号	薬効（中分類）	総数	一般医療	後期医療	0～4歳	5～9
129	Ⅴ 生薬及び漢方処方に基づく医薬品	204 183 076	137 721 692	66 461 383	390 430	947 301
130	1 生薬	2 265 559	1 797 452	468 106	35 450	49 232
131	510 生薬	2 265 559	1 797 452	468 106	35 450	49 232
132	2 漢方製剤	196 510 680	131 168 230	65 342 450	191 248	516 779
133	520 漢方製剤	196 510 680	131 168 230	65 342 450	191 248	516 779
134	9 その他の生薬及び漢方処方に基づく医薬品	5 406 837	4 756 010	650 827	163 732	381 290
135	590 その他の生薬及び漢方処方に基づく医薬品	5 406 837	4 756 010	650 827	163 732	381 290
136	Ⅵ 病原生物に対する医薬品	2 236 547 658	1 654 824 517	581 723 141	34 931 041	41 256 355
137	1 抗生物質製剤	384 003 732	210 292 078	173 711 654	10 289 766	11 430 025
138	611 主としてグラム陽性菌に作用するもの	24 555 236	10 375 774	14 179 462	197 856	91 064
139	612 主としてグラム陰性菌に作用するもの	4 347 639	2 559 813	1 787 827	95 260	119 757
140	613 主としてグラム陽性・陰性菌に作用するもの	248 620 160	118 296 971	130 323 189	7 760 379	7 904 253
141	614 主としてグラム陽性菌、マイコプラズマに作用するもの	40 462 772	33 048 139	7 414 633	1 310 906	2 476 179
142	615 主としてグラム陽性・陰性菌、リケッチア、クラミジアに作用するもの	4 505 278	3 314 744	1 190 534	10 028	27 659
143	616 主として抗酸菌に作用するもの	1 708 866	989 775	719 091	551	79
144	617 主としてカビに作用するもの	52 898 459	36 498 072	16 400 387	908 704	809 637
145	619 その他の抗生物質製剤（複合抗生物質製剤を含む）	6 905 321	5 208 790	1 696 531	6 083	1 396
146	2 化学療法剤	929 764 102	700 438 027	229 326 075	8 130 755	2 855 873
147	621 サルファ剤	7 214 935	4 641 233	2 573 703	－	119
148	622 抗結核剤	2 866 645	2 221 167	645 478	304	485
149	623 抗ハンセン病剤	2 019	2 019	－	－	－
150	624 合成抗菌剤	89 210 545	57 554 383	31 656 162	1 454 771	906 516
151	625 抗ウイルス剤	746 891 033	585 830 892	161 060 141	6 444 234	1 681 153
152	629 その他の化学療法剤	83 578 925	50 188 334	33 390 591	231 445	267 600
153	3 生物学的製剤	920 105 902	742 453 753	177 652 149	16 500 524	26 956 431
154	631 ワクチン類	360 387	347 862	12 525	55 295	23 565
155	632 毒素及びトキソイド類	615 999	482 784	133 214	456	5 404
156	633 抗毒素類及び抗レプトスピラ血清類	115 434	72 558	42 875	－	－
157	634 血液製剤類	685 079 555	555 170 608	129 908 946	15 588 738	24 688 030
158	639 その他の生物学的製剤	233 934 529	186 379 941	47 554 588	856 036	2 239 432
159	4 寄生動物用薬	2 673 922	1 640 658	1 033 263	9 995	14 026
160	641 抗原虫剤	2 160 000	1 339 083	820 917	4 814	3 478
161	642 駆虫剤	513 922	301 575	212 347	5 181	10 548
162	Ⅶ 治療を主目的としない医薬品	346 862 846	248 284 451	98 578 395	841 313	600 457
163	1 調剤用薬	4 405 923	2 907 012	1 498 911	424 504	222 550
164	711 賦形剤	50 355	34 357	15 998	2 442	1 422
165	712 軟膏基剤	2 541 567	1 802 132	739 435	324 855	161 782
166	713 溶解剤	1 664 391	986 193	678 198	84 825	53 969
167	714 矯味、矯臭、着色剤	84 948	55 739	29 209	12 043	5 071
168	719 その他の調剤用薬	64 662	28 591	36 072	340	305
169	2 診断用薬（体外診断用医薬品を除く）	293 228 903	208 875 388	84 353 516	299 241	351 871
170	721 X線造影剤	191 397 856	132 330 564	59 067 292	135 259	94 937
171	722 機能検査用試薬	10 905 610	6 425 645	4 479 966	68 944	68 313
172	729 その他の診断用薬（体外診断用医薬品を除く）	90 925 437	70 119 179	20 806 258	95 037	188 621
173	3 公衆衛生用薬	1 280	1 238	42	115	160
174	731 防腐剤	1 280	1 238	42	115	160
175	4 体外診断用医薬品	－	－	－	－	－
176	745 細菌学的検査用薬	－	－	－	－	－
177	9 その他の治療を主目的としない医薬品	49 226 740	36 500 813	12 725 927	117 454	25 876
178	799 他に分類されない治療を主目的としない医薬品	49 226 740	36 500 813	12 725 927	117 454	25 876
179	Ⅷ 麻薬	61 539 535	43 699 000	17 840 535	101 743	66 117
180	1 アルカロイド系麻薬（天然麻薬）	26 724 583	20 739 803	5 984 779	10 060	2 190
181	811 あへんアルカロイド系麻薬	26 710 923	20 727 717	5 983 205	9 988	2 190
182	812 コカアルカロイド系製剤	13 660	12 086	1 574	71	－
183	2 非アルカロイド系麻薬	34 814 952	22 959 197	11 855 756	91 683	63 927
184	821 合成麻薬	34 814 952	22 959 197	11 855 756	91 683	63 927

平成30年6月審査分

10～14	15～19	20～24	25～29	30～34	35～39	行番号
1 512 617	2 509 603	3 646 554	6 251 919	8 988 747	10 203 167	129
38 714	33 190	52 266	65 089	98 463	113 133	130
38 714	33 190	52 266	65 089	98 463	113 133	131
1 182 210	2 323 756	3 465 866	6 005 878	8 668 680	9 823 606	132
1 182 210	2 323 756	3 465 866	6 005 878	8 668 680	9 823 606	133
291 693	152 657	128 422	180 951	221 604	266 428	134
291 693	152 657	128 422	180 951	221 604	266 428	135
53 905 773	61 513 341	60 282 987	74 610 834	88 992 045	112 956 588	136
7 636 097	7 102 220	8 068 255	9 795 081	11 982 938	12 375 673	137
143 415	169 709	215 018	225 931	223 398	530 326	138
70 689	79 939	110 429	106 250	126 773	144 256	139
3 908 345	3 694 254	4 574 769	6 088 246	7 568 346	7 463 979	140
2 155 981	1 828 781	1 901 072	2 007 312	2 315 588	2 400 807	141
131 927	370 219	356 189	310 521	271 666	243 722	142
453	9 543	20 508	31 942	34 499	42 899	143
1 220 653	934 987	855 046	951 777	1 307 648	1 308 870	144
4 635	14 788	35 224	73 101	135 021	240 814	145
2 754 930	4 800 945	9 079 743	17 664 494	29 217 980	44 932 625	146
1 370	11 265	36 676	53 550	93 526	147 296	147
649	10 154	227 193	107 634	291 566	89 893	148
-	-	-	-	-	-	149
595 685	1 811 158	3 044 525	3 411 377	4 121 872	4 476 371	150
1 828 283	2 386 236	4 864 874	12 944 612	23 454 441	38 259 715	151
328 942	582 131	906 475	1 147 321	1 256 575	1 959 349	152
43 496 917	49 594 976	43 060 147	47 070 094	47 715 423	55 532 846	153
3 423	2 737	21 282	27 172	22 373	38 315	154
9 030	14 118	19 349	21 715	24 040	28 203	155
-	-	6 596	-	-	3 298	156
41 172 068	45 020 172	38 640 151	39 143 543	35 850 810	42 070 708	157
2 312 396	4 557 950	4 372 768	7 877 665	11 818 201	13 392 321	158
17 830	15 201	74 842	81 164	75 704	115 444	159
13 890	13 531	63 407	62 598	56 724	95 601	160
3 940	1 670	11 435	18 567	18 980	19 844	161
681 488	1 264 824	2 268 632	4 426 455	7 449 533	11 030 828	162
126 363	108 619	123 989	134 391	164 810	174 368	163
1 019	593	878	851	1 477	1 872	164
86 255	80 788	88 991	94 782	108 483	123 747	165
37 462	25 597	32 564	36 582	51 370	45 259	166
1 298	1 195	1 084	1 407	2 194	2 266	167
329	447	472	769	1 287	1 224	168
543 890	1 064 934	1 789 914	3 680 504	6 323 960	9 106 487	169
185 344	583 472	998 429	2 288 866	4 024 912	5 279 689	170
78 904	41 048	61 425	189 217	290 845	294 621	171
279 642	440 414	730 061	1 202 421	2 008 203	3 532 177	172
55	306	240	14	80	77	173
55	306	240	14	80	77	174
-	-	-	-	-	-	175
-	-	-	-	-	-	176
11 179	90 964	354 488	611 546	960 683	1 749 896	177
11 179	90 964	354 488	611 546	960 683	1 749 896	178
171 949	205 442	362 412	570 244	771 733	1 451 892	179
52 359	23 704	86 045	266 776	302 748	651 825	180
52 091	23 445	85 735	266 410	301 674	650 865	181
268	259	310	365	1 075	959	182
119 590	181 738	276 367	303 468	468 985	800 067	183
119 590	181 738	276 367	303 468	468 985	800 067	184

第26表　薬剤点数，　診療行為区分(総数)、入院－入院外、

1　総数

行番号	薬　効（中分類）	40～44	45～49	50～54	55～59	60～64
129	Ⅴ　生薬及び漢方処方に基づく医薬品	12 160 458	14 916 499	15 144 252	13 242 493	12 841 738
130	1　生薬	182 377	204 230	181 234	167 130	189 304
131	510 生薬	182 377	204 230	181 234	167 130	189 304
132	2　漢方製剤	11 588 836	14 239 393	14 508 442	12 650 626	12 252 364
133	520 漢方製剤	11 588 836	14 239 393	14 508 442	12 650 626	12 252 364
134	9　その他の生薬及び漢方処方に基づく医薬品	389 244	472 876	454 576	424 736	400 071
135	590 その他の生薬及び漢方処方に基づく医薬品	389 244	472 876	454 576	424 736	400 071
136	Ⅵ　病原生物に対する医薬品	133 570 432	151 655 264	141 921 553	148 218 147	155 853 676
137	1　抗生物質製剤	11 876 167	13 888 895	13 427 516	15 463 847	19 739 425
138	611 主としてグラム陽性菌に作用するもの	447 420	948 294	814 023	1 028 707	1 260 242
139	612 主としてグラム陰性菌に作用するもの	137 302	172 128	180 974	188 084	254 807
140	613 主としてグラム陽性・陰性菌に作用するもの	6 584 339	6 716 796	6 761 742	7 770 714	9 875 756
141	614 主としてグラム陽性菌、マイコプラズマに作用するもの	2 378 042	2 242 011	1 965 998	2 107 132	2 285 512
142	615 主としてグラム陽性・陰性菌、リケッチア、クラミジアに作用するもの	250 540	237 410	186 773	187 909	209 253
143	616 主として抗酸菌に作用するもの	68 265	71 894	66 811	85 825	137 381
144	617 主としてカビに作用するもの	1 643 483	3 056 856	2 947 325	3 460 226	4 951 027
145	619 その他の抗生物質製剤（複合抗生物質製剤を含む）	366 775	443 505	503 869	635 250	765 447
146	2　化学療法剤	61 877 607	71 511 929	71 940 139	82 434 086	81 349 451
147	621 サルファ剤	235 705	339 427	408 396	576 184	712 779
148	622 抗結核剤	333 755	130 090	115 181	273 732	162 089
149	623 抗ハンセン病剤	－	1 514	－	505	－
150	624 合成抗菌剤	4 685 213	4 622 951	4 415 299	4 971 136	5 193 597
151	625 抗ウイルス剤	54 136 458	63 138 244	63 013 779	71 306 124	68 645 344
152	629 その他の化学療法剤	2 486 476	3 279 702	3 987 484	5 306 406	6 635 642
153	3　生物学的製剤	59 717 477	66 124 965	56 417 576	50 139 851	54 596 572
154	631 ワクチン類	20 388	19 039	21 551	24 927	21 144
155	632 毒素及びトキソイド類	35 043	47 449	44 140	50 982	52 229
156	633 抗毒素類及び抗レプトスピラ血清類	3 298	3 298	－	9 894	－
157	634 血液製剤類	39 845 461	43 472 192	39 101 457	32 598 759	34 812 782
158	639 その他の生物学的製剤	19 813 287	22 582 987	17 250 428	17 455 288	19 710 417
159	4　寄生動物用薬	99 181	129 476	136 322	180 363	168 228
160	641 抗原虫剤	66 908	105 358	103 219	153 862	131 720
161	642 駆虫剤	32 273	24 117	33 103	26 501	36 508
162	Ⅶ　治療を主目的としない医薬品	15 709 501	19 957 483	22 211 161	26 365 011	33 664 728
163	1　調剤用薬	188 096	185 256	159 570	167 048	189 749
164	711 賦形剤	2 593	3 367	3 649	3 556	3 557
165	712 軟膏基剤	127 459	119 343	88 685	83 914	87 464
166	713 溶解剤	53 218	57 406	61 698	72 733	90 075
167	714 矯味、矯臭、着色剤	2 716	2 949	2 933	3 803	4 623
168	719 その他の調剤用薬	2 110	2 190	2 606	3 043	4 030
169	2　診断用薬（体外診断用医薬品を除く）	12 733 141	16 436 590	18 439 422	22 190 232	28 724 785
170	721 X線造影剤	7 009 185	9 281 111	11 311 892	14 224 369	18 877 890
171	722 機能検査用試薬	252 754	275 197	380 088	462 024	761 755
172	729 その他の診断用薬（体外診断用医薬品を除く）	5 471 202	6 880 282	6 747 442	7 503 840	9 085 140
173	3　公衆衛生用薬	4	113	60	2	1
174	731 防腐剤	4	113	60	2	1
175	4　体外診断用医薬品	－	－	－	－	－
176	745 細菌学的検査用薬	－	－	－	－	－
177	9　その他の治療を主目的としない医薬品	2 788 260	3 335 523	3 612 109	4 007 729	4 750 194
178	799 他に分類されない治療を主目的としない医薬品	2 788 260	3 335 523	3 612 109	4 007 729	4 750 194
179	Ⅷ　麻薬	2 939 310	3 327 362	4 374 772	5 688 093	6 574 196
180	1　アルカロイド系麻薬（天然麻薬）	1 600 103	1 569 776	2 263 891	2 950 492	3 362 704
181	811 あへんアルカロイド系麻薬	1 599 179	1 568 502	2 262 875	2 948 831	3 361 075
182	812 コカアルカロイド系製剤	924	1 274	1 016	1 661	1 629
183	2　非アルカロイド系麻薬	1 339 207	1 757 586	2 110 881	2 737 601	3 211 491
184	821 合成麻薬	1 339 207	1 757 586	2 110 881	2 737 601	3 211 491

注：1）「薬剤」の出現する明細書を集計対象としている。ただし、「処方箋料」を算定している明細書、「投薬」「注射」を包括した診療行為が出現する明細書及びDPC／PDPSに係る明細書は除いている。
2）総数には、「薬剤料減点（湿布薬薬剤料上限超）」を含む。

平成30年６月審査分

65～69	70～74	75～79	80～84	85～89	90歳以上	後発医薬品(再掲)	行番号
17 316 935	19 215 216	22 634 542	21 072 967	14 088 308	7 099 332	–	129
209 629	195 604	196 196	142 557	78 228	33 531	–	130
209 629	195 604	196 196	142 557	78 228	33 531	–	131
16 664 877	18 626 969	22 093 789	20 734 060	13 932 497	7 040 804	–	132
16 664 877	18 626 969	22 093 789	20 734 060	13 932 497	7 040 804	–	133
442 428	392 643	344 557	196 349	77 583	24 997	–	134
442 428	392 643	344 557	196 349	77 583	24 997	–	135
228 145 738	198 509 273	196 065 400	167 894 789	110 906 659	75 357 765	140 289 535	136
31 266 004	30 996 525	37 580 318	45 119 325	43 887 189	42 078 467	90 163 924	137
2 412 858	2 332 222	2 672 959	3 726 065	3 588 274	3 527 457	8 508 284	138
385 710	445 030	479 046	498 453	426 564	326 187	614 928	139
16 243 524	18 856 938	24 682 748	32 243 767	34 782 538	35 138 726	64 877 019	140
2 982 641	2 877 615	2 736 769	2 237 910	1 402 564	849 952	13 012 071	141
279 470	283 988	291 009	311 966	289 982	255 047	1 772 675	142
221 856	214 627	219 842	224 943	170 360	86 588	529 153	143
7 682 181	4 977 618	5 699 566	5 324 386	3 013 652	1 844 818	810 127	144
1 057 764	1 008 486	798 379	551 835	213 256	49 692	39 667	145
121 533 221	104 463 337	95 628 845	72 821 495	33 590 223	13 176 425	50 125 612	146
1 075 451	1 068 824	1 067 132	810 773	430 845	145 616	674 559	147
233 592	253 429	312 507	148 648	106 382	69 364	–	148
–	–	–	–	–	–	–	149
7 281 690	7 576 647	7 916 916	8 486 105	7 528 010	6 710 707	18 960 305	150
102 174 304	83 245 856	73 401 698	53 523 921	19 507 542	2 934 212	19 880 118	151
10 768 184	12 318 582	12 930 592	9 852 048	6 017 443	3 316 527	10 610 629	152
75 032 914	62 790 572	62 569 238	49 683 497	33 197 905	19 907 978	–	153
28 917	17 973	6 143	4 161	1 983	–	–	154
70 414	62 226	55 481	39 040	24 703	11 977	–	155
23 087	23 087	19 789	13 192	9 894	–	–	156
49 482 118	41 526 804	39 237 146	35 908 529	28 088 346	18 831 741	–	157
25 428 379	21 160 482	23 250 678	13 718 576	5 072 980	1 064 260	–	158
313 599	258 839	287 000	270 472	231 343	194 895	–	159
280 308	219 912	245 089	222 218	168 075	149 290	–	160
33 290	38 927	41 910	48 254	63 268	45 605	–	161
51 553 578	52 814 860	46 743 950	31 712 477	13 700 045	3 866 523	44 037 153	162
284 261	317 239	368 234	396 189	354 507	316 178	815	163
4 165	4 171	4 076	4 481	3 792	2 395	–	164
123 380	140 007	159 510	180 126	187 721	174 274	–	165
143 915	158 645	188 514	193 514	148 801	128 247	–	166
6 555	7 437	8 225	8 931	6 137	4 082	–	167
6 246	6 980	7 910	9 139	8 057	7 180	815	168
44 173 356	45 166 032	39 819 595	27 331 637	11 801 928	3 251 385	40 814 089	169
29 510 236	30 212 897	27 252 652	18 926 363	8 631 739	2 568 614	36 951 060	170
1 395 581	1 946 970	1 986 234	1 512 156	653 965	185 569	2 143 669	171
13 267 538	13 006 165	10 580 709	6 893 117	2 516 224	497 202	1 719 360	172
7	2	24	17	1	–	112	173
7	2	24	17	1	–	112	174
–	–	–	–	–	–	–	175
–	–	–	–	–	–	–	176
7 095 954	7 331 586	6 556 097	3 984 634	1 543 608	298 960	3 222 138	177
7 095 954	7 331 586	6 556 097	3 984 634	1 543 608	298 960	3 222 138	178
9 582 158	8 698 614	7 349 366	5 123 019	2 847 694	1 333 419	6 720 970	179
4 586 985	3 463 595	2 809 642	1 712 844	729 282	279 562	3 170 958	180
4 585 911	3 462 395	2 809 019	1 712 471	728 748	279 519	3 170 958	181
1 074	1 200	623	373	534	43	–	182
4 995 173	5 235 019	4 539 724	3 410 175	2 118 411	1 053 858	3 550 012	183
4 995 173	5 235 019	4 539 724	3 410 175	2 118 411	1 053 858	3 550 012	184

第26表 薬剤点数，診療行為区分(総数)、入院－入院外、

2 入院

行番号	薬 効 (中 分 類)	総 数	一般医療	後期医療	0～4歳	5～9
1	総 数	2 575 672 195	1 483 755 020	1 091 917 176	46 689 708	36 279 187
2	Ⅰ 神経系及び感覚器官用医薬品	472 844 593	323 740 926	149 103 668	24 571 233	19 084 183
3	1 中枢神経系用薬	413 007 879	290 525 341	122 482 538	24 318 103	18 656 732
4	111 全身麻酔剤	14 772 489	10 154 429	4 618 060	159 330	142 842
5	112 催眠鎮静剤、抗不安剤	15 331 508	9 781 005	5 550 504	445 092	102 091
6	113 抗てんかん剤	40 737 954	30 696 922	10 041 032	367 576	526 536
7	114 解熱鎮痛消炎剤	21 308 921	9 837 743	11 471 177	32 462	25 878
8	115 興奮剤、覚せい剤	－	－	－	－	－
9	116 抗パーキンソン剤	23 689 792	9 513 505	14 176 287	411	656
10	117 精神神経用剤	137 276 512	112 649 822	24 626 690	3 186	122 161
11	118 総合感冒剤	50 626	30 648	19 978	10	6
12	119 その他の中枢神経系用薬	159 840 078	107 861 267	51 978 810	23 310 038	17 736 563
13	2 末梢神経系用薬	21 272 356	14 831 927	6 440 429	186 006	384 140
14	121 局所麻酔剤	6 869 761	4 086 136	2 783 625	15 022	23 114
15	122 骨格筋弛緩剤	10 514 893	7 843 080	2 671 813	145 641	319 939
16	123 自律神経剤	630 110	363 691	266 419	290	353
17	124 鎮けい剤	1 845 451	1 458 475	386 976	25 053	40 735
18	129 その他の末梢神経系用薬	1 412 141	1 080 545	331 596	－	－
19	3 感覚器官用薬	38 564 358	18 383 657	20 180 700	67 124	43 310
20	131 眼科用剤	37 761 596	17 970 876	19 790 720	61 960	35 326
21	132 耳鼻科用剤	458 955	312 101	146 855	5 164	7 981
22	133 鎮暈剤	343 806	100 680	243 126	－	3
23	Ⅱ 個々の器官系用医薬品	350 645 243	166 006 847	184 638 395	3 218 663	1 329 512
24	1 循環器官用薬	122 740 473	44 629 062	78 111 411	1 669 165	363 071
25	211 強心剤	10 439 887	3 459 856	6 980 031	573 928	54 824
26	212 不整脈用剤	7 764 521	3 212 264	4 552 257	20 634	2 127
27	213 利尿剤	30 473 852	6 658 661	23 815 191	125 808	45 702
28	214 血圧降下剤	16 248 335	5 497 007	10 751 328	10 967	5 885
29	216 血管収縮剤	697 412	478 074	219 338	197	12
30	217 血管拡張剤	18 379 787	4 810 493	13 569 293	42 207	29 665
31	218 高脂血症用剤	7 137 341	3 572 856	3 564 485	2 856	523
32	219 その他の循環器官用薬	31 599 338	16 939 850	14 659 487	892 569	224 334
33	2 呼吸器官用薬	20 162 145	9 069 767	11 092 378	707 651	229 224
34	221 呼吸促進剤	1 674 314	1 049 465	624 850	350 933	1 897
35	222 鎮咳剤	406 829	227 251	179 578	1 822	905
36	223 去たん剤	5 291 923	2 216 656	3 075 267	75 436	55 920
37	224 鎮咳去たん剤	140 813	73 567	67 247	3 113	940
38	225 気管支拡張剤	5 481 116	1 810 148	3 670 968	80 858	37 508
39	226 含嗽剤	238 360	147 078	91 282	1 179	1 874
40	229 その他の呼吸器官用薬	6 928 789	3 545 603	3 383 186	194 310	130 180
41	3 消化器官用薬	119 347 817	73 345 215	46 002 602	365 150	444 938
42	231 止しゃ剤、整腸剤	3 497 291	1 677 870	1 819 422	15 113	13 621
43	232 消化性潰瘍用剤	35 903 085	13 806 411	22 096 674	55 782	39 509
44	233 健胃消化剤	703 517	349 215	354 302	1 850	1 118
45	234 制酸剤	5 271 681	2 848 987	2 422 695	2 001	5 605
46	235 下剤、浣腸剤	18 896 612	10 469 000	8 427 613	104 287	73 066
47	236 利胆剤	1 557 490	778 929	778 561	18 544	2 428
48	239 その他の消化器官用薬	53 518 140	43 414 804	10 103 336	167 574	309 591
49	4 ホルモン剤(抗ホルモン剤を含む)	48 403 856	17 823 654	30 580 202	364 254	256 028
50	241 脳下垂体ホルモン剤	2 067 842	2 009 603	58 239	110 239	154 911
51	243 甲状腺、副甲状腺ホルモン剤	22 061 189	4 401 444	17 659 745	6 416	6 564
52	244 たん白同化ステロイド剤	35 099	7 154	27 944	－	－
53	245 副腎ホルモン剤	9 303 496	4 621 553	4 681 943	178 013	74 455
54	246 男性ホルモン剤	2 331	1 525	806	－	－
55	247 卵胞ホルモン及び黄体ホルモン剤	219 712	128 542	91 170	－	－
56	248 混合ホルモン剤	33 276	33 171	105	－	－
57	249 その他のホルモン剤(抗ホルモン剤を含む)	14 680 912	6 620 662	8 060 250	69 586	20 099
58	5 泌尿生殖器官及び肛門用薬	20 367 130	13 283 278	7 083 852	1 329	4 078
59	251 泌尿器官用剤	230 064	114 414	115 649	207	－
60	252 生殖器官用剤(性病予防剤を含む)	93 445	83 928	9 517	－	－
61	253 子宮収縮剤	259 937	259 772	165	－	－
62	255 痔疾用剤	2 848 531	2 140 721	707 810	179	1 107
63	259 その他の泌尿生殖器官及び肛門用薬	16 935 153	10 684 442	6 250 711	943	2 971

平成30年６月審査分

10～14	15～19	20～24	25～29	30～34	35～39	行番号
44 980 117	30 168 775	34 600 828	37 575 140	47 859 033	58 127 440	1
17 317 188	9 945 185	7 938 308	8 818 635	12 048 045	16 799 228	2
16 826 175	9 417 216	7 216 561	7 996 163	11 146 794	15 638 158	3
173 347	301 579	260 310	351 026	483 365	581 685	4
79 733	140 612	205 533	270 804	334 432	479 745	5
707 090	1 104 086	1 358 108	1 614 891	1 972 442	2 552 918	6
62 770	136 962	193 393	332 965	488 553	507 452	7
－	－	－	－	－	－	8
3 742	21 840	28 293	36 031	69 034	100 914	9
818 885	1 071 090	2 117 967	3 241 762	5 503 139	7 849 261	10
88	339	549	1 181	1 870	2 126	11
14 980 520	6 640 709	3 052 408	2 147 503	2 293 958	3 564 057	12
433 825	472 842	644 221	716 522	777 237	967 976	13
33 636	75 301	104 577	236 740	373 165	353 915	14
321 023	313 266	435 084	363 452	276 518	487 827	15
1 127	2 092	3 009	6 236	8 675	13 083	16
78 039	82 183	101 552	110 094	118 879	113 151	17
－	－	－	－	－	－	18
57 189	55 127	77 526	105 949	124 014	193 095	19
47 580	43 586	64 357	90 879	99 396	168 851	20
9 477	11 383	12 274	13 785	23 097	21 028	21
131	158	895	1 286	1 521	3 216	22
2 968 374	3 287 381	4 800 420	7 277 909	9 928 391	9 054 179	23
781 000	320 492	877 244	713 986	1 537 483	1 817 776	24
16 793	39 660	82 803	61 916	19 830	72 503	25
4 665	7 825	30 109	84 389	23 977	56 643	26
59 321	55 228	44 357	33 732	109 773	134 321	27
7 748	20 550	30 622	55 748	84 690	118 792	28
8 096	5 287	10 717	15 881	16 980	17 385	29
1 813	3 055	22 990	35 856	65 128	86 462	30
277 163	2 146	19 113	12 680	26 312	55 265	31
405 400	186 741	636 534	413 785	1 190 795	1 276 405	32
219 859	279 439	317 842	372 978	481 021	400 164	33
5 912	11 174	10 996	22 034	27 770	36 248	34
1 430	2 418	5 111	13 912	21 944	19 196	35
67 677	85 799	97 036	110 854	132 549	118 751	36
557	935	1 146	2 001	3 050	3 414	37
32 728	48 071	48 158	75 388	50 777	54 890	38
2 972	2 833	3 326	4 143	5 968	5 946	39
108 583	128 209	152 068	144 645	238 963	161 718	40
1 385 262	2 166 978	2 374 059	2 902 427	3 437 506	3 732 850	41
21 096	28 281	42 619	52 733	69 349	82 619	42
69 574	144 010	217 333	296 292	377 295	452 780	43
1 781	683	3 854	6 010	9 126	16 718	44
13 484	23 433	54 910	125 942	201 929	193 219	45
95 651	130 097	179 054	260 359	325 558	437 874	46
4 161	6 523	8 687	9 404	18 344	30 020	47
1 179 515	1 833 950	1 867 603	2 151 687	2 435 904	2 519 620	48
513 826	295 137	306 175	651 876	929 129	756 700	49
379 025	178 041	107 629	272 627	330 891	221 668	50
5 430	7 017	20 016	22 241	40 229	39 274	51
－	145	－	－	66	252	52
92 086	81 480	101 222	119 524	141 407	172 042	53
129	－	257	69	－	69	54
148	1 293	3 585	12 040	16 203	16 340	55
528	2 616	7 004	2 293	5 554	6 535	56
36 480	24 545	66 461	223 082	394 779	300 521	57
10 483	137 656	821 053	2 475 278	3 354 893	2 118 140	58
－	－	311	1 659	4 769	4 355	59
－	1 023	5 343	13 077	21 103	15 612	60
6	2 051	18 474	62 965	91 421	64 943	61
1 324	9 062	50 127	158 035	247 490	246 385	62
9 153	125 520	746 797	2 239 541	2 990 110	1 786 846	63

第26表　薬剤点数，　診療行為区分(総数)、入院－入院外、

2　入院

行番号	薬効（中分類）	40～44	45～49	50～54	55～59	60～64
1	総数	76 555 999	96 894 114	107 315 520	140 461 110	185 341 439
2	Ⅰ　神経系及び感覚器官用医薬品	21 869 624	25 093 945	25 318 193	27 224 837	33 638 346
3	1　中枢神経系用薬	20 641 242	23 439 232	22 961 010	24 350 533	29 412 078
4	111 全身麻酔剤	693 606	741 548	765 392	893 024	1 093 756
5	112 催眠鎮静剤、抗不安剤	672 094	852 813	995 324	1 134 236	1 242 387
6	113 抗てんかん剤	2 996 171	3 367 990	3 149 453	3 041 407	2 913 887
7	114 解熱鎮痛消炎剤	520 266	660 657	716 609	953 960	1 256 444
8	115 興奮剤、覚せい剤	－	－	－	－	－
9	116 抗パーキンソン剤	234 344	440 297	528 950	880 602	1 633 133
10	117 精神神経用剤	10 682 188	13 881 921	14 626 277	14 744 493	15 059 427
11	118 総合感冒剤	1 999	3 101	3 041	3 984	3 904
12	119 その他の中枢神経系用薬	4 840 573	3 490 905	2 175 964	2 698 828	6 209 139
13	2　末梢神経系用薬	842 710	862 870	1 121 542	1 307 210	1 691 155
14	121 局所麻酔剤	242 351	229 066	269 374	339 929	419 917
15	122 骨格筋弛緩剤	463 463	469 569	536 871	809 238	893 814
16	123 自律神経剤	21 460	29 617	37 782	44 865	56 971
17	124 鎮けい剤	115 437	134 618	117 434	113 177	114 634
18	129 その他の末梢神経系用薬	－	－	160 081	－	205 818
19	3　感覚器官用薬	385 672	791 843	1 235 641	1 567 095	2 535 114
20	131 眼科用剤	353 420	759 528	1 199 643	1 529 300	2 487 012
21	132 耳鼻科用剤	27 878	26 498	28 614	26 899	33 884
22	133 鎮暈剤	4 374	5 816	7 384	10 895	14 218
23	Ⅱ　個々の器官系用医薬品	9 793 372	11 303 280	12 685 628	14 591 278	19 076 590
24	1　循環器官用薬	2 021 156	2 614 880	3 631 260	4 070 479	5 685 854
25	211 強心剤	117 995	124 163	295 946	291 660	393 301
26	212 不整脈用剤	137 321	247 351	227 999	308 029	540 586
27	213 利尿剤	190 251	254 238	539 073	666 690	925 820
28	214 血圧降下剤	185 970	304 273	455 899	605 109	834 858
29	216 血管収縮剤	29 998	46 745	71 637	66 451	65 553
30	217 血管拡張剤	140 734	209 607	432 705	434 152	732 888
31	218 高脂血症用剤	235 374	472 277	271 343	349 855	477 752
32	219 その他の循環器官用薬	983 512	956 227	1 336 657	1 348 534	1 715 096
33	2　呼吸器官用薬	552 651	609 579	581 134	616 477	768 692
34	221 呼吸促進剤	43 095	52 681	57 795	67 077	73 690
35	222 鎮咳剤	11 400	12 054	14 259	17 450	25 099
36	223 去たん剤	139 810	158 240	149 350	168 697	219 395
37	224 鎮咳去たん剤	3 245	4 654	4 262	6 398	10 302
38	225 気管支拡張剤	68 516	87 738	84 859	125 178	194 120
39	226 含嗽剤	8 125	9 564	11 390	16 611	19 265
40	229 その他の呼吸器官用薬	278 461	284 648	259 217	215 065	226 821
41	3　消化器官用薬	5 506 718	6 304 442	6 430 271	7 155 939	9 013 996
42	231 止しゃ剤、整腸剤	101 018	136 693	147 217	178 818	219 430
43	232 消化性潰瘍用剤	621 566	894 068	1 132 068	1 426 505	1 968 823
44	233 健胃消化剤	17 957	23 043	30 151	41 697	49 928
45	234 制酸剤	189 232	228 207	271 116	317 935	361 456
46	235 下剤、浣腸剤	684 487	956 771	1 085 853	1 297 178	1 526 293
47	236 利胆剤	45 481	60 491	80 746	95 489	118 970
48	239 その他の消化器官用薬	3 846 978	4 005 170	3 683 120	3 798 316	4 769 097
49	4　ホルモン剤(抗ホルモン剤を含む)	684 852	900 988	1 014 314	1 392 085	1 890 572
50	241 脳下垂体ホルモン剤	80 844	49 566	19 547	20 842	40 480
51	243 甲状腺、副甲状腺ホルモン剤	75 050	111 888	174 337	380 834	480 504
52	244 たん白同化ステロイド剤	49	86	230	558	1 093
53	245 副腎ホルモン剤	208 577	296 342	333 315	423 218	571 662
54	246 男性ホルモン剤	129	－	98	129	338
55	247 卵胞ホルモン及び黄体ホルモン剤	8 090	4 350	9 557	21 659	4 052
56	248 混合ホルモン剤	5 073	2 357	1 159	15	－
57	249 その他のホルモン剤(抗ホルモン剤を含む)	307 040	436 399	476 071	544 829	792 443
58	5　泌尿生殖器官及び肛門用薬	592 165	345 071	386 422	482 356	644 309
59	251 泌尿器官用剤	6 324	3 732	3 370	6 403	16 556
60	252 生殖器官用剤(性病予防剤を含む)	8 266	14 211	3 056	358	745
61	253 子宮収縮剤	18 663	784	110	43	121
62	255 痔疾用剤	195 097	190 961	181 117	180 759	192 748
63	259 その他の泌尿生殖器官及び肛門用薬	363 815	135 382	198 768	294 793	434 140

平成30年６月審査分

65～69	70～74	75～79	80～84	85～89	90歳以上	後発医薬品（再掲）	行番号
299 382 159	299 415 294	306 180 749	298 686 626	242 233 124	186 925 834	279 833 861	1
45 666 046	44 740 482	44 006 543	41 606 278	29 534 995	17 623 298	50 951 340	2
38 003 494	35 731 167	33 959 384	32 977 688	24 881 090	15 435 059	40 098 834	3
1 771 861	1 895 065	1 824 976	1 444 048	813 008	382 719	3 577 901	4
1 733 796	1 660 340	1 561 270	1 589 568	1 145 672	685 967	2 859 315	5
3 639 259	2 858 641	2 982 320	2 626 352	1 854 712	1 104 114	2 640 032	6
1 994 697	2 346 800	2 865 727	3 303 254	2 902 696	2 007 376	2 968 354	7
-	-	-	-	-	-	-	8
2 815 553	4 162 844	4 788 257	4 670 663	2 569 858	704 368	2 322 278	9
18 148 692	11 930 806	8 378 017	5 129 379	2 731 027	1 236 835	16 539 943	10
5 243	5 158	5 581	5 790	4 136	2 520	10 769	11
7 894 393	10 871 513	11 553 235	14 208 633	12 859 981	9 311 160	9 180 241	12
2 657 185	2 534 182	2 323 156	1 678 386	992 367	678 823	1 581 914	13
694 229	820 743	859 982	784 843	558 116	435 741	823 216	14
1 257 846	1 295 181	935 798	713 508	310 455	166 400	500 715	15
91 770	75 783	80 173	73 037	51 809	31 981	4 212	16
133 098	108 071	115 608	106 998	71 988	44 701	253 772	17
480 242	234 404	331 596	-	-	-	-	18
5 005 367	6 475 133	7 724 003	6 950 204	3 661 538	1 509 416	9 270 592	19
4 942 178	6 403 487	7 635 045	6 838 102	3 557 444	1 444 503	9 128 821	20
37 412	39 391	38 755	42 676	34 046	18 712	29 237	21
25 776	32 254	50 203	69 426	70 048	46 201	112 534	22
32 023 197	34 910 148	41 623 871	48 741 784	46 432 751	37 598 514	63 251 378	23
10 163 100	12 254 964	15 383 087	19 621 900	20 209 410	19 004 168	22 029 714	24
713 415	909 125	1 233 964	1 705 813	1 865 229	1 867 018	4 894 780	25
858 408	972 713	1 311 211	1 227 222	1 008 338	694 976	995 569	26
1 783 714	2 369 902	3 448 941	5 454 823	6 873 185	7 358 972	2 007 559	27
1 509 184	1 783 818	2 274 623	2 837 675	2 866 187	2 255 739	3 434 692	28
91 440	68 972	67 406	61 272	32 772	20 611	132 254	29
1 270 275	1 722 987	2 171 664	3 127 476	3 682 737	4 167 387	4 511 935	30
747 224	859 185	995 098	1 036 387	834 786	462 005	1 642 771	31
3 189 440	3 568 263	3 880 179	4 171 232	3 046 176	2 177 460	4 410 154	32
1 560 453	1 928 653	2 409 261	3 173 038	2 867 627	2 086 401	3 584 361	33
143 824	160 451	180 923	192 743	155 170	79 899	305 159	34
40 901	45 754	53 988	54 018	41 359	23 809	37 201	35
378 137	455 270	627 048	759 901	786 164	705 889	2 221 047	36
14 488	17 425	20 701	18 236	15 995	9 952	3 336	37
411 842	563 282	778 431	1 010 077	990 142	738 552	843 050	38
30 135	28 193	26 249	24 756	20 273	15 556	174 567	39
541 126	658 279	721 920	1 113 306	858 524	512 744	-	40
13 628 324	12 220 320	12 624 669	12 075 759	10 091 189	7 487 019	28 670 138	41
358 846	355 838	414 512	463 259	445 458	350 770	555 289	42
3 363 930	3 784 933	4 874 190	5 896 093	5 709 115	4 579 220	10 448 097	43
82 877	82 625	98 812	106 856	73 224	55 208	127 415	44
541 293	517 659	574 022	636 482	567 028	446 726	5 137 160	45
2 260 889	2 026 809	2 102 829	2 183 297	1 833 089	1 333 172	7 089 564	46
177 841	169 594	190 565	210 560	183 545	126 098	646 776	47
6 842 648	5 282 862	4 369 738	2 579 212	1 279 731	595 826	4 665 838	48
3 718 828	5 080 090	7 043 306	8 974 844	8 435 258	5 195 593	2 966 469	49
28 923	20 243	24 004	19 517	7 390	1 457	330	50
1 192 724	2 167 764	3 633 234	5 241 122	5 187 508	3 269 037	-	51
1 921	3 847	5 711	6 777	7 969	6 395	-	52
949 019	1 037 373	1 265 885	1 356 665	1 081 233	819 978	1 468 296	53
-	306	69	672	64	-	-	54
19 611	15 160	13 594	27 657	30 947	15 425	32 161	55
38	-	-	52	-	52	3 538	56
1 526 593	1 835 396	2 100 807	2 322 381	2 120 147	1 083 249	1 462 144	57
1 038 525	1 254 552	1 655 867	1 912 380	1 875 910	1 256 665	3 153 869	58
24 663	42 740	43 256	38 883	22 581	10 254	1 827	59
808	711	1 599	2 297	2 496	2 741	5 053	60
73	112	110	54	-	9	93 632	61
273 997	252 806	252 743	185 104	142 994	86 495	239 702	62
738 985	958 184	1 358 159	1 686 041	1 707 839	1 157 166	2 813 655	63

第26表　薬剤点数，診療行為区分(総数)、入院－入院外、

2 入院

行番号	薬効（中分類）	総数	一般医療	後期医療	0～4歳	5～9
64	6 外皮用薬	19 065 560	7 443 632	11 621 927	102 096	31 197
65	261 外皮用殺菌消毒剤	404 026	161 535	242 491	1 325	2 086
66	263 化膿性疾患用剤	1 616 895	589 590	1 027 306	6 090	3 195
67	264 鎮痛、鎮痒、収斂、消炎剤	7 212 528	3 070 214	4 142 313	49 524	16 214
68	265 寄生性皮ふ疾患用剤	1 542 991	636 539	906 452	4 710	1 368
69	266 皮ふ軟化剤(腐しょく剤を含む)	209 118	85 977	123 141	131	49
70	267 毛髪用剤（発毛剤、脱毛剤、染毛剤、養毛剤）	13 988	12 000	1 988	255	289
71	269 その他の外皮用薬	8 066 013	2 887 777	5 178 236	40 061	7 995
72	7 歯科口腔用薬	64 496	44 131	20 364	239	976
73	271 歯科用局所麻酔剤	58	58	－	－	－
74	276 歯科用抗生物質製剤	90	90	－	－	－
75	279 その他の歯科口腔用薬	64 348	43 984	20 364	239	976
76	9 その他の個々の器官系用医薬品	493 766	368 107	125 659	8 779	－
77	290 その他の個々の器官系用医薬品	493 766	368 107	125 659	8 779	－
78	Ⅲ 代謝性医薬品	538 851 140	261 046 743	277 804 398	6 931 234	7 757 906
79	1 ビタミン剤	15 831 472	5 634 828	10 196 643	88 954	29 587
80	311 ビタミンA及びD剤	5 623 188	1 806 563	3 816 625	17 144	9 626
81	312 ビタミンB1剤	587 513	207 435	380 078	399	672
82	313 ビタミンB剤(ビタミンB1剤を除く)	4 031 182	1 898 049	2 133 133	5 398	4 790
83	314 ビタミンC剤	1 113 849	325 856	787 993	1 656	687
84	315 ビタミンE剤	24 938	14 821	10 118	369	214
85	316 ビタミンK剤	345 317	187 163	158 154	9 356	2 374
86	317 混合ビタミン剤（ビタミンA・D混合製剤を除く）	4 095 785	1 186 116	2 909 669	54 079	10 159
87	319 その他のビタミン剤	9 698	8 826	872	554	1 066
88	2 滋養強壮薬	126 515 713	40 104 001	86 411 712	1 032 330	651 400
89	321 カルシウム剤	395 154	187 947	207 207	15 106	2 641
90	322 無機質製剤	6 194 970	2 857 101	3 337 869	114 738	76 139
91	323 糖類剤	8 948 903	3 970 700	4 978 203	245 696	41 825
92	325 たん白アミノ酸製剤	105 703 030	31 644 882	74 058 148	613 500	520 377
93	326 臓器製剤	367 500	133 286	234 214	447	－
94	327 乳幼児用剤	29 406	25 701	3 704	395	469
95	329 その他の滋養強壮薬	4 876 750	1 284 382	3 592 367	42 448	9 949
96	3 血液・体液用薬	190 164 967	84 443 210	105 721 757	1 846 934	848 696
97	331 血液代用剤	91 694 520	35 924 772	55 769 748	1 078 073	446 115
98	332 止血剤	3 543 628	1 940 090	1 603 538	10 207	2 328
99	333 血液凝固阻止剤	56 469 553	21 259 756	35 209 797	325 713	150 021
100	339 その他の血液・体液用薬	38 457 266	25 318 592	13 138 674	432 941	250 231
101	4 人工透析用薬	5 652 950	2 500 648	3 152 302	27 096	32 979
102	341 人工腎臓透析用剤	2 874 745	1 271 896	1 602 848	9 738	10 138
103	342 腹膜透析用剤	2 778 205	1 228 752	1 549 454	17 358	22 841
104	9 その他の代謝性医薬品	200 686 039	128 364 056	72 321 983	3 935 920	6 195 244
105	391 肝臓疾患用剤	2 057 118	818 243	1 238 875	11 205	7 622
106	392 解毒剤	27 046 294	17 181 931	9 864 363	244 985	252 094
107	393 習慣性中毒用剤	41 477	39 542	1 935	－	－
108	394 痛風治療剤	2 046 419	712 028	1 334 391	962	1 716
109	395 酵素製剤	50 248 488	46 890 062	3 358 426	2 990 218	5 263 414
110	396 糖尿病用剤	16 309 721	6 673 174	9 636 548	－	－
111	399 他に分類されない代謝性医薬品	102 936 522	56 049 077	46 887 445	688 551	670 398
112	Ⅳ 組織細胞機能用医薬品	500 036 775	354 344 791	145 691 984	1 356 547	1 694 787
113	1 細胞賦活用薬	43 719	37 498	6 221	－	－
114	419 その他の細胞賦活用薬	43 719	37 498	6 221	－	－
115	2 腫瘍用薬	468 229 360	332 374 337	135 855 023	1 120 074	1 567 567
116	421 アルキル化剤	10 365 825	8 849 840	1 515 985	319 895	345 584
117	422 代謝拮抗剤	20 244 184	16 334 003	3 910 181	374 440	637 866
118	423 抗腫瘍性抗生物質製剤	9 942 449	7 567 062	2 375 387	25 186	40 202
119	424 抗腫瘍性植物成分製剤	16 340 424	11 309 821	5 030 603	70 002	74 759
120	429 その他の腫瘍用薬	411 336 476	288 313 610	123 022 867	330 551	469 156
121	3 放射性医薬品	13 462 992	7 097 494	6 365 498	35 886	13 220
122	430 放射性医薬品	13 462 992	7 097 494	6 365 498	35 886	13 220
123	4 アレルギー用薬	7 615 940	4 150 698	3 465 241	113 719	114 000
124	441 抗ヒスタミン剤	368 744	270 797	97 947	1 820	1 113
125	442 刺激療法剤	150 959	55 867	95 092	－	－
126	449 その他のアレルギー用薬	7 096 237	3 824 034	3 272 203	111 899	112 887
127	9 その他の組織細胞機能用医薬品	10 684 764	10 684 764	－	86 868	－
128	490 その他の組織細胞機能用医薬品	10 684 764	10 684 764	－	86 868	－

10～14	15～19	20～24	25～29	30～34	35～39	行番号
54 719	85 994	102 321	158 465	185 711	224 188	64
3 172	3 916	4 184	7 661	7 934	7 205	65
8 960	13 689	15 028	18 911	23 181	24 687	66
22 635	30 661	43 631	71 405	92 075	114 978	67
2 993	4 766	8 465	10 140	14 877	23 595	68
541	841	997	1 629	1 934	2 470	69
934	85	514	416	460	643	70
15 485	32 037	29 503	48 302	45 250	50 610	71
2 455	1 446	1 462	2 655	2 273	3 792	72
-	-	23	35	-	-	73
-	-	-	-	-	-	74
2 455	1 446	1 439	2 620	2 273	3 792	75
768	239	264	245	374	570	76
768	239	264	245	374	570	77
12 985 947	7 746 634	11 769 914	9 000 627	10 552 865	10 222 610	78
32 479	64 833	98 666	191 933	253 414	251 369	79
14 383	17 202	21 144	27 671	35 580	44 235	80
1 053	5 440	5 193	11 838	16 677	13 967	81
5 490	14 039	30 675	63 912	93 910	97 660	82
611	3 637	11 493	28 736	38 681	29 325	83
187	215	480	341	488	1 065	84
2 542	7 394	5 263	7 525	7 241	9 637	85
7 933	15 948	23 959	51 440	60 270	54 784	86
280	957	458	470	566	696	87
870 142	991 344	1 045 766	1 571 582	1 728 280	1 634 145	88
1 121	1 594	1 570	4 620	3 493	3 953	89
101 121	119 360	136 210	230 283	278 499	239 790	90
21 751	43 007	166 996	451 691	600 680	419 699	91
728 537	806 897	720 196	862 796	814 587	938 968	92
-	379	2 261	3 588	7 012	6 547	93
-	-	-	-	-	-	94
17 612	20 107	18 533	18 604	24 008	25 187	95
942 707	1 331 440	1 754 003	2 519 184	3 517 473	3 848 275	96
473 273	648 564	905 831	1 598 391	2 141 958	1 999 460	97
4 733	16 246	39 641	91 570	121 777	120 231	98
146 023	139 526	334 329	455 594	834 303	884 345	99
318 677	527 104	474 203	373 628	419 435	844 239	100
-	10 441	1 401	22 160	66 372	58 169	101
-	553	1 401	21 227	22 252	14 541	102
-	9 888	-	934	44 120	43 628	103
11 140 619	5 348 576	8 870 078	4 695 768	4 987 327	4 430 651	104
7 009	10 206	11 373	18 498	19 326	29 580	105
347 764	565 365	381 040	437 683	522 232	759 089	106
-	-	129	705	1 465	3 901	107
2 007	3 507	6 361	7 989	10 314	19 911	108
9 811 164	3 409 315	6 564 870	2 372 101	1 924 012	675 470	109
670	2 852	10 052	14 947	41 635	100 651	110
972 004	1 357 331	1 896 254	1 843 845	2 468 342	2 842 049	111
5 064 445	2 386 304	1 745 761	2 002 573	2 861 987	6 258 836	112
35	363	540	2 328	1 959	3 293	113
35	363	540	2 328	1 959	3 293	114
2 889 968	2 176 194	1 400 103	1 693 602	2 450 911	4 708 173	115
190 421	166 321	88 595	231 206	55 828	356 857	116
1 383 544	1 005 066	115 421	312 979	227 354	363 044	117
57 220	48 677	289 221	75 100	809 641	51 825	118
80 943	48 804	30 554	32 119	46 561	196 851	119
1 177 840	907 326	876 312	1 042 199	1 311 528	3 739 596	120
26 779	78 522	183 717	127 093	178 046	238 594	121
26 779	78 522	183 717	127 093	178 046	238 594	122
149 698	131 225	161 402	179 550	231 070	266 359	123
2 532	1 891	4 429	6 812	10 512	14 823	124
-	-	239	795	1 482	32	125
147 166	129 334	156 734	171 943	219 075	251 505	126
1 997 964	-	-	-	-	1 042 416	127
1 997 964	-	-	-	-	1 042 416	128

第26表　薬剤点数，診療行為区分(総数)、入院－入院外、

2　入院

行番号	薬効（中分類）	40～44	45～49	50～54	55～59	60～64
64	6 外皮用薬	431 630	501 485	636 748	847 549	1 027 275
65	261 外皮用殺菌消毒剤	8 834	8 749	12 011	13 456	18 401
66	263 化膿性疾患用剤	53 336	38 873	41 673	59 397	76 478
67	264 鎮痛、鎮痒、収斂、消炎剤	155 429	211 435	270 050	337 232	424 410
68	265 寄生性皮ふ疾患用剤	37 250	46 831	58 512	83 734	98 327
69	266 皮ふ軟化剤(腐しょく剤を含む)	6 074	7 678	8 980	10 093	13 017
70	267 毛髪用剤(発毛剤、脱毛剤、染毛剤、養毛剤)	954	1 025	1 317	1 422	1 666
71	269 その他の外皮用薬	169 753	186 894	244 206	342 215	394 976
72	7 歯科口腔用薬	3 911	5 378	4 324	5 150	4 000
73	271 歯科用局所麻酔剤	-	-	-	-	-
74	276 歯科用抗生物質製剤	-	-	-	90	-
75	279 その他の歯科口腔用薬	3 911	5 378	4 324	5 061	4 000
76	9 その他の個々の器官系用医薬品	289	21 457	1 156	21 244	41 891
77	290 その他の個々の器官系用医薬品	289	21 457	1 156	21 244	41 891
78	Ⅲ 代謝性医薬品	14 594 551	17 102 615	16 710 346	22 035 248	28 581 993
79	1 ビタミン剤	269 346	374 075	445 976	588 835	773 559
80	311 ビタミンA及びD剤	82 730	127 649	140 805	201 841	286 473
81	312 ビタミンB1剤	9 501	11 317	15 225	18 680	25 699
82	313 ビタミンB剤(ビタミンB1剤を除く)	103 380	139 537	170 041	222 550	271 100
83	314 ビタミンC剤	15 123	14 163	17 155	19 798	28 529
84	315 ビタミンE剤	953	1 328	1 851	1 326	1 856
85	316 ビタミンK剤	11 095	17 525	21 820	25 133	19 232
86	317 混合ビタミン剤(ビタミンA・D混合製剤を除く)	46 116	61 714	78 328	98 726	140 569
87	319 その他のビタミン剤	448	842	751	782	103
88	2 滋養強壮薬	1 700 232	2 119 351	2 417 145	3 201 068	4 812 501
89	321 カルシウム剤	7 868	12 881	13 824	18 244	28 066
90	322 無機質製剤	188 404	181 200	172 568	186 339	205 840
91	323 糖類剤	175 325	130 736	150 878	201 664	309 369
92	325 たん白アミノ酸製剤	1 282 072	1 726 704	1 995 322	2 682 132	4 073 551
93	326 臓器製剤	5 428	8 337	8 510	14 216	20 418
94	327 乳幼児用剤	-	1 680	14 427	3 998	4 410
95	329 その他の滋養強壮薬	41 135	57 813	61 616	94 474	170 846
96	3 血液・体液用薬	3 856 572	4 638 710	5 799 921	7 490 384	11 010 210
97	331 血液代用剤	1 630 381	1 909 858	2 239 258	2 835 094	4 070 607
98	332 止血剤	109 554	122 467	144 248	170 027	228 816
99	333 血液凝固阻止剤	963 160	1 010 476	1 198 596	1 992 213	2 893 649
100	339 その他の血液・体液用薬	1 153 477	1 595 909	2 217 818	2 493 050	3 817 137
101	4 人工透析用薬	96 612	194 120	232 337	291 409	512 127
102	341 人工腎臓透析用剤	44 192	103 435	75 815	125 775	245 276
103	342 腹膜透析用剤	52 420	90 685	156 521	165 634	266 851
104	9 その他の代謝性医薬品	8 671 789	9 776 360	7 814 967	10 463 552	11 473 597
105	391 肝臓疾患用剤	35 864	53 285	63 538	78 221	114 457
106	392 解毒剤	994 700	1 231 559	1 211 193	1 654 536	2 042 974
107	393 習慣性中毒用剤	2 344	4 102	5 733	8 604	4 517
108	394 痛風治療剤	29 496	41 324	66 986	82 049	107 216
109	395 酵素製剤	3 661 123	2 696 858	1 651 461	2 332 542	1 052 633
110	396 糖尿病用剤	175 067	362 899	517 546	770 856	1 115 676
111	399 他に分類されない代謝性医薬品	3 773 195	5 386 332	4 298 511	5 536 744	7 036 125
112	Ⅳ 組織細胞機能用医薬品	10 149 064	18 751 326	23 174 749	37 574 504	54 656 556
113	1 細胞賦活用薬	4 220	3 998	5 113	5 107	3 799
114	419 その他の細胞賦活用薬	4 220	3 998	5 113	5 107	3 799
115	2 腫瘍用薬	9 409 407	17 233 482	22 341 162	34 218 061	50 248 553
116	421 アルキル化剤	320 187	744 435	821 138	921 030	1 055 480
117	422 代謝拮抗剤	402 935	483 628	1 202 484	1 294 204	1 915 505
118	423 抗腫瘍性抗生物質製剤	716 902	372 049	1 014 005	520 817	698 213
119	424 抗腫瘍性植物成分製剤	302 719	681 309	683 252	1 062 957	1 877 817
120	429 その他の腫瘍用薬	7 666 665	14 952 060	18 620 283	30 419 052	44 701 538
121	3 放射性医薬品	254 348	462 113	465 273	681 799	752 821
122	430 放射性医薬品	254 348	462 113	465 273	681 799	752 821
123	4 アレルギー用薬	307 353	356 789	363 201	410 969	437 267
124	441 抗ヒスタミン剤	25 484	30 405	32 633	34 795	38 239
125	442 刺激療法剤	2 561	2 817	2 477	6 919	9 632
126	449 その他のアレルギー用薬	279 309	323 567	328 091	369 256	389 396
127	9 その他の組織細胞機能用医薬品	173 736	694 944	-	2 258 568	3 214 116
128	490 その他の組織細胞機能用医薬品	173 736	694 944	-	2 258 568	3 214 116

65～69	70～74	75～79	80～84	85～89	90歳以上	後発医薬品（再掲）	行番号
1 776 464	2 028 872	2 423 340	2 957 123	2 925 927	2 564 455	2 845 932	64
36 230	38 151	52 836	60 886	59 865	57 125	164 976	65
122 989	136 193	187 147	231 935	273 047	282 088	84 826	66
715 781	778 267	933 522	1 105 364	1 055 346	784 571	1 188 815	67
161 219	157 940	174 945	236 160	217 121	200 036	307 982	68
22 819	19 606	24 410	27 183	32 919	27 746	39 489	69
1 117	1 046	986	351	85	425	13 988	70
716 309	897 669	1 049 494	1 295 245	1 287 544	1 212 465	1 045 855	71
4 332	4 228	4 003	5 105	4 920	3 846	58	72
－	－	－	－	－	－	58	73
－	－	－	－	－	－	－	74
4 332	4 228	4 003	5 105	4 920	3 846	－	75
133 171	138 468	80 338	21 635	22 511	365	838	76
133 171	138 468	80 338	21 635	22 511	365	838	77
46 311 391	51 338 086	61 552 383	72 732 709	70 156 350	60 767 730	73 784 680	78
1 319 647	1 550 289	1 990 487	2 577 367	2 605 683	2 324 971	3 804 335	79
501 586	663 732	818 432	1 027 913	932 962	652 079	495 188	80
41 049	41 008	66 717	92 315	103 186	107 578	56 551	81
428 431	424 109	486 982	537 357	504 259	427 562	1 883 963	82
56 164	76 061	121 585	181 581	223 445	245 421	41 727	83
2 979	2 488	2 024	3 154	1 915	1 706	5 272	84
22 739	30 204	34 837	38 898	36 822	35 679	58 874	85
265 951	312 355	459 772	695 984	802 801	854 896	1 261 392	86
749	332	137	164	293	50	1 368	87
8 958 561	10 753 923	14 727 931	20 522 059	23 468 366	24 309 587	8 752 951	88
36 877	43 019	52 407	58 909	49 141	39 821	33 046	89
372 594	418 099	586 752	805 382	892 874	888 777	1 812 991	90
533 196	658 474	875 398	1 215 734	1 329 814	1 376 969	354 081	91
7 621 088	9 150 261	12 511 377	17 515 019	20 102 819	21 036 825	1 577 756	92
21 751	37 845	45 867	55 367	69 219	60 308	98 358	93
4 027	－	－	－	－	－	－	94
369 028	446 226	656 129	871 650	1 024 499	906 887	4 876 720	95
18 908 633	19 506 726	23 418 035	27 962 546	27 262 668	23 701 851	49 289 944	96
7 152 776	8 383 805	10 832 716	13 771 406	14 738 564	14 838 390	33 663 990	97
385 122	422 400	496 172	454 608	355 162	248 318	1 337 202	98
5 240 710	5 851 441	7 799 620	9 977 218	9 305 203	6 967 412	6 241 662	99
6 130 026	4 849 081	4 289 528	3 759 314	2 863 739	1 647 731	8 047 090	100
739 140	716 385	1 080 891	708 527	582 736	280 051	758 953	101
390 175	419 970	499 554	483 021	274 227	133 455	582 233	102
348 965	296 415	581 337	225 506	308 509	146 596	176 720	103
16 385 410	18 810 763	20 335 038	20 962 210	16 236 898	10 151 270	11 178 496	104
203 138	209 222	250 729	320 131	313 908	299 807	1 017 665	105
3 262 199	3 568 624	3 665 568	2 937 395	1 942 330	1 024 962	2 006 656	106
5 361	3 005	1 076	385	150	－	－	107
181 047	207 424	273 894	347 762	361 902	294 550	175 852	108
1 434 649	1 317 226	1 111 563	1 273 607	437 707	268 555	－	109
2 007 607	2 186 103	2 623 023	2 891 782	2 237 520	1 250 836	902 552	110
9 291 408	11 319 159	12 409 186	13 191 148	10 943 382	7 012 559	7 075 772	111
98 559 652	93 674 850	75 217 691	45 413 168	16 111 212	3 382 764	14 836 260	112
3 942	3 812	3 541	819	576	273	－	113
3 942	3 812	3 541	819	576	273	－	114
94 847 695	91 130 051	72 267 119	42 369 775	14 000 482	2 156 982	12 002 923	115
1 961 919	1 326 721	848 762	491 154	80 384	39 906	839 311	116
3 520 108	3 198 723	2 410 155	1 065 956	289 940	40 832	1 530 587	117
1 174 098	1 696 023	1 734 066	412 010	155 387	51 809	594 648	118
3 460 141	2 763 252	2 818 674	1 573 121	517 366	19 224	4 189 552	119
84 731 429	82 145 331	64 455 461	38 827 534	12 957 404	2 005 211	4 848 825	120
1 904 214	1 948 002	2 193 109	2 147 669	1 224 286	547 501	610 957	121
1 904 214	1 948 002	2 193 109	2 147 669	1 224 286	547 501	610 957	122
587 648	592 986	753 923	894 905	885 868	678 008	2 222 380	123
49 365	33 215	30 191	23 548	15 951	10 987	18 191	124
15 845	19 928	23 445	24 940	25 516	14 332	22 292	125
522 439	539 842	700 287	846 417	844 401	652 689	2 181 898	126
1 216 152	－	－	－	－	－	－	127
1 216 152	－	－	－	－	－	－	128

第26表　薬剤点数，診療行為区分(総数)、入院－入院外、

2　入院

行番号	薬　効　(中　分　類)	総　数	一般医療	後期医療	0～4歳	5～9
129	Ⅴ　生薬及び漢方処方に基づく医薬品	13 364 955	7 184 080	6 180 876	30 611	39 539
130	1　生　　薬	25 991	12 216	13 775	－	－
131	510 生　　薬	25 991	12 216	13 775	－	－
132	2　漢　方　製　剤	13 315 271	7 152 867	6 162 404	30 611	39 414
133	520 漢　方　製　剤	13 315 271	7 152 867	6 162 404	30 611	39 414
134	9　その他の生薬及び漢方処方に基づく医薬品	23 693	18 996	4 697	－	126
135	590 その他の生薬及び漢方処方に基づく医薬品	23 693	18 996	4 697	－	126
136	Ⅵ　病原生物に対する医薬品	630 448 067	329 881 709	300 566 358	10 220 515	6 248 821
137	1　抗　生　物　質　製　剤	251 310 551	100 573 278	150 737 273	2 369 464	1 498 016
138	611 主としてグラム陽性菌に作用するもの	23 256 608	9 468 849	13 787 759	178 671	74 222
139	612 主としてグラム陰性菌に作用するもの	2 053 034	926 812	1 126 222	33 038	23 858
140	613 主としてグラム陽性・陰性菌に作用するもの	178 714 407	59 283 879	119 430 528	1 266 597	581 175
141	614 主としてグラム陽性菌、マイコプラズマに作用するもの	2 013 750	954 367	1 059 383	26 458	22 742
142	615 主としてグラム陽性・陰性菌、リケッチア、クラミジアに作用するもの	1 109 441	333 327	776 114	932	1 804
143	616 主として抗酸菌に作用するもの	590 617	255 112	335 505	30	－
144	617 主としてカビに作用するもの	42 541 919	28 736 852	13 805 068	858 058	794 000
145	619 その他の抗生物質製剤（複合抗生物質製剤を含む）	1 030 774	614 079	416 695	5 680	215
146	2　化　学　療　法　剤	89 616 524	49 189 956	40 426 568	1 084 557	452 748
147	621 サ　ル　フ　ァ　剤	271 964	111 496	160 467	－	119
148	622 抗　結　核　剤	1 723 575	1 312 272	411 303	18	－
149	623 抗　ハ　ン　セ　ン　病　剤	2 019	2 019	－	－	－
150	624 合　成　抗　菌　剤	34 545 787	12 649 146	21 896 640	245 940	139 303
151	625 抗　ウ　イ　ル　ス　剤	39 606 127	28 304 788	11 301 339	679 318	176 095
152	629 その他の化学療法剤	13 467 054	6 810 234	6 656 819	159 280	137 231
153	3　生　物　学　的　製　剤	288 236 992	179 507 803	108 729 189	6 762 443	4 294 730
154	631 ワ　ク　チ　ン　類	11 363	10 901	462	7 427	238
155	632 毒素及びトキソイド類	18 057	11 143	6 914	－	246
156	633 抗毒素類及び抗レプトスピラ血清類	92 347	59 366	32 981	－	－
157	634 血　液　製　剤　類	269 371 333	165 856 774	103 514 559	5 934 797	3 611 115
158	639 その他の生物学的製剤	18 743 891	13 569 620	5 174 272	820 219	683 132
159	4　寄　生　動　物　用　薬	1 284 000	610 672	673 328	4 052	3 327
160	641 抗　原　虫　剤	1 163 250	575 645	587 604	4 052	3 201
161	642 駆　虫　剤	120 751	35 027	85 724	－	126
162	Ⅶ　治療を主目的としない医薬品	37 911 655	20 851 888	17 059 767	263 105	63 696
163	1　調　剤　用　薬	1 637 863	751 799	886 064	70 042	21 487
164	711 賦　形　剤	12 493	8 373	4 121	137	194
165	712 軟　膏　基　剤	602 471	226 405	376 066	8 937	4 131
166	713 溶　解　剤	954 003	487 299	466 704	58 688	16 685
167	714 矯味、矯臭、着色剤	17 031	6 934	10 097	2 081	314
168	719 その他の調剤用薬	51 865	22 789	29 076	201	163
169	2　診　断　用　薬（体外診断用医薬品を除く）	27 899 053	14 826 452	13 072 602	76 626	18 297
170	721 X　線　造　影　剤	21 486 897	11 418 863	10 068 033	40 146	9 234
171	722 機　能　検　査　用　試　薬	1 599 562	681 686	917 876	34 371	1 951
172	729 その他の診断用薬（体外診断用医薬品を除く）	4 812 595	2 725 902	2 086 692	2 109	7 112
173	3　公　衆　衛　生　用　薬	131	106	25	13	－
174	731 防　腐　剤	131	106	25	13	－
175	4　体外診断用医薬品	－	－	－	－	－
176	745 細菌学的検査用薬	－	－	－	－	－
177	9　その他の治療を主目的としない医薬品	8 374 608	5 273 531	3 101 076	116 423	23 912
178	799 他に分類されない治療を主目的としない医薬品	8 374 608	5 273 531	3 101 076	116 423	23 912
179	Ⅷ　麻　　薬	31 569 768	20 698 036	10 871 731	97 799	60 743
180	1　アルカロイド系麻薬(天然麻薬)	10 688 548	7 948 641	2 739 908	8 943	306
181	811 あへんアルカロイド系麻薬	10 679 761	7 940 753	2 739 009	8 943	306
182	812 コカアルカロイド系製剤	8 787	7 888	899	－	－
183	2　非アルカロイド系麻薬	20 881 219	12 749 396	8 131 824	88 856	60 437
184	821 合　成　麻　薬	20 881 219	12 749 396	8 131 824	88 856	60 437

平成30年６月審査分

10～14	15～19	20～24	25～29	30～34	35～39	行番号
74 760	101 283	183 718	376 119	604 877	564 279	129
–	8	15	498	350	676	130
–	8	15	498	350	676	131
74 735	100 959	183 296	374 350	602 880	561 254	132
74 735	100 959	183 296	374 350	602 880	561 254	133
24	316	406	1 270	1 646	2 350	134
24	316	406	1 270	1 646	2 350	135
6 352 511	6 355 090	7 707 413	9 396 063	11 056 871	13 966 075	136
1 925 340	2 068 489	2 563 330	3 657 753	4 980 596	4 945 846	137
120 461	135 240	172 183	171 937	171 354	475 219	138
14 032	23 144	39 737	31 795	39 834	49 186	139
590 819	1 007 249	1 553 255	2 666 426	3 582 064	3 413 915	140
24 539	31 776	43 332	55 458	72 712	57 269	141
3 632	4 083	4 607	9 020	8 498	12 900	142
29	3 552	7 179	11 156	13 837	20 501	143
1 171 828	862 812	736 913	700 089	1 067 746	904 562	144
–	633	6 124	11 872	24 551	12 295	145
390 520	640 453	1 053 971	777 557	1 141 028	1 427 638	146
–	152	1 514	1 510	947	3 656	147
92	4 173	161 398	87 660	115 392	73 403	148
–	–	–	–	–	–	149
29 554	151 421	243 716	231 506	385 626	367 483	150
215 461	284 351	504 407	312 273	546 826	758 860	151
145 412	200 356	142 936	144 608	92 237	224 237	152
4 027 758	3 640 569	4 066 521	4 948 737	4 920 002	7 551 692	153
–	–	–	–	–	–	154
–	313	433	478	517	501	155
–	–	3 298	–	–	–	156
3 465 425	3 302 278	3 649 486	4 705 919	4 291 076	7 157 157	157
562 332	337 979	413 304	242 341	628 410	394 034	158
8 894	5 579	23 590	12 016	15 245	40 900	159
8 893	5 327	23 047	10 562	11 536	40 648	160
1	252	543	1 454	3 708	252	161
53 399	163 551	247 774	300 064	385 595	547 746	162
22 460	18 879	24 129	26 822	32 071	29 146	163
412	135	170	155	230	360	164
4 693	3 837	5 216	7 865	6 036	8 829	165
16 892	14 447	18 321	18 074	24 613	18 679	166
181	109	43	90	166	234	167
281	352	379	638	1 026	1 045	168
25 036	104 282	154 492	206 483	225 377	357 852	169
17 520	82 080	126 704	158 586	186 930	271 595	170
3 660	5 777	3 156	22 971	5 919	13 551	171
3 856	16 424	24 632	24 926	32 528	72 706	172
–	–	–	–	–	37	173
–	–	–	–	–	37	174
–	–	–	–	–	–	175
–	–	–	–	–	–	176
5 903	40 391	69 153	66 759	128 147	160 711	177
5 903	40 391	69 153	66 759	128 147	160 711	178
163 493	183 346	207 519	403 150	420 403	714 485	179
47 031	13 386	45 860	185 852	90 240	197 415	180
47 031	13 169	45 601	185 636	89 354	196 983	181
–	216	259	216	886	432	182
116 462	169 961	161 659	217 298	330 163	517 071	183
116 462	169 961	161 659	217 298	330 163	517 071	184

第26表　薬剤点数，　診療行為区分(総数)、入院－入院外、

2　入院

行番号	薬　効　(中　分　類)	40～44	45～49	50～54	55～59	60～64
129	Ⅴ　生薬及び漢方処方に基づく医薬品	506 874	581 721	623 246	719 396	819 708
130	1　生　薬	478	3 403	1 839	1 260	1 343
131	510 生　薬	478	3 403	1 839	1 260	1 343
132	2　漢　方　製　剤	503 241	575 656	619 099	717 338	816 503
133	520 漢　方　製　剤	503 241	575 656	619 099	717 338	816 503
134	9　その他の生薬及び漢方処方に基づく医薬品	3 156	2 663	2 308	799	1 862
135	590 その他の生薬及び漢方処方に基づく医薬品	3 156	2 663	2 308	799	1 862
136	Ⅵ　病原生物に対する医薬品	17 604 989	21 366 668	25 648 918	33 611 464	42 659 707
137	1　抗　生　物　質　製　剤	4 498 244	6 616 689	6 810 549	8 415 803	12 158 169
138	611 主としてグラム陽性菌に作用するもの	390 664	863 631	754 187	961 103	1 178 362
139	612 主としてグラム陰性菌に作用するもの	33 612	70 703	68 039	59 705	114 310
140	613 主としてグラム陽性・陰性菌に作用するもの	2 666 743	3 158 881	3 575 373	4 564 182	6 650 884
141	614 主としてグラム陽性菌、マイコプラズマに作用するもの	63 840	76 348	60 503	67 038	88 872
142	615 主としてグラム陽性・陰性菌、リケッチア、クラミジアに作用するもの	11 144	19 818	23 857	29 343	44 742
143	616 主として抗酸菌に作用するもの	22 232	23 520	15 305	31 353	36 057
144	617 主としてカビに作用するもの	1 292 054	2 388 870	2 258 683	2 630 583	3 923 196
145	619 その他の抗生物質製剤（複合抗生物質製剤を含む）	17 955	14 918	54 602	72 495	121 747
146	2　化　学　療　法　剤	3 011 208	3 131 565	3 347 451	6 051 118	7 324 061
147	621 サ　ル　フ　ァ　剤	2 524	6 581	8 689	10 038	23 545
148	622 抗　結　核　剤	309 674	96 337	81 676	224 632	98 377
149	623 抗ハンセン病剤	－	1 514	－	505	－
150	624 合　成　抗　菌　剤	548 445	701 292	863 890	1 335 209	1 613 717
151	625 抗　ウ　イ　ル　ス　剤	1 850 216	1 964 992	1 882 341	3 639 255	4 687 233
152	629 その他の化学療法剤	300 349	360 850	510 854	841 479	901 189
153	3　生　物　学　的　製　剤	10 073 163	11 572 788	15 452 451	19 058 601	23 116 811
154	631 ワ　ク　チ　ン　類	－	－	－	462	925
155	632 毒素及びトキソイド類	579	783	707	798	1 137
156	633 抗毒素類及び抗レプトスピラ血清類	3 298	3 298	－	9 894	－
157	634 血　液　製　剤　類	9 118 514	10 726 158	14 478 985	17 230 835	21 311 667
158	639 その他の生物学的製剤	950 772	842 549	972 759	1 816 611	1 803 082
159	4　寄　生　動　物　用　薬	22 375	45 625	38 467	85 943	60 667
160	641 抗　原　虫　剤	19 001	43 521	37 683	84 127	56 976
161	642 駆　虫　剤	3 374	2 104	785	1 816	3 691
162	Ⅶ　治療を主目的としない医薬品	958 458	1 331 240	1 526 747	2 026 846	2 951 245
163	1　調　剤　用　薬	43 178	44 802	52 839	64 861	78 659
164	711 賦　形　剤	500	796	956	1 060	1 269
165	712 軟　膏　基　剤	16 320	15 978	19 354	25 117	26 231
166	713 溶　解　剤	24 380	25 957	30 242	35 833	47 109
167	714 矯味、矯臭、着色剤	276	238	148	474	674
168	719 その他の調剤用薬	1 702	1 832	2 138	2 377	3 375
169	2　診　断　用　薬（体外診断用医薬品を除く）	595 215	922 240	1 134 522	1 452 005	2 186 124
170	721 X　線　造　影　剤	489 420	730 853	889 715	1 185 924	1 681 342
171	722 機能検査用試薬	30 520	32 213	43 315	44 365	80 700
172	729 その他の診断用薬（体外診断用医薬品を除く）	75 275	159 174	201 492	221 716	424 082
173	3　公　衆　衛　生　用　薬	－	－	55	－	－
174	731 防　腐　剤	－	－	55	－	－
175	4　体外診断用医薬品	－	－	－	－	－
176	745 細菌学的検査用薬	－	－	－	－	－
177	9　その他の治療を主目的としない医薬品	320 065	364 198	339 330	509 980	686 462
178	799 他に分類されない治療を主目的としない医薬品	320 065	364 198	339 330	509 980	686 462
179	Ⅷ　麻　薬	1 079 067	1 363 320	1 627 694	2 677 536	2 957 293
180	1　アルカロイド系麻薬（天然麻薬）	502 501	541 677	761 648	1 266 305	1 186 870
181	811 あへんアルカロイド系麻薬	501 842	540 856	761 129	1 265 009	1 185 660
182	812 コカアルカロイド系製剤	659	821	519	1 296	1 210
183	2　非アルカロイド系麻薬	576 566	821 642	866 046	1 411 231	1 770 423
184	821 合　成　麻　薬	576 566	821 642	866 046	1 411 231	1 770 423

注：1）「薬剤」の出現する明細書を集計対象としている。ただし、「処方箋料」を算定している明細書、「投薬」「注射」を包括した診療行為が出現する明細書及びDPC／PDPSに係る明細書は除いている。
2）総数には、「薬剤料減点（湿布薬薬剤料上限超）」を含む。

平成30年６月審査分

65～69	70～74	75～79	80～84	85～89	90歳以上	後発医薬品（再掲）	行番号
1 234 775	1 224 986	1 425 120	1 672 020	1 514 528	1 067 394	–	129
2 090	1 048	1 278	3 459	4 815	3 430	–	130
2 090	1 048	1 278	3 459	4 815	3 430	–	131
1 231 572	1 221 511	1 422 337	1 667 878	1 509 517	1 063 120	–	132
1 231 572	1 221 511	1 422 337	1 667 878	1 509 517	1 063 120	–	133
1 113	2 426	1 505	682	196	844	–	134
1 113	2 426	1 505	682	196	844	–	135
65 855 465	63 143 188	72 104 948	79 991 372	73 187 497	63 970 491	68 288 248	136
20 977 344	21 493 112	28 844 975	38 141 716	39 821 365	39 523 750	62 668 945	137
2 267 343	2 202 902	2 570 932	3 598 448	3 521 939	3 447 811	8 393 028	138
169 537	198 625	232 015	275 367	308 763	267 737	238 091	139
12 207 661	15 035 538	21 002 158	29 084 325	32 569 966	33 537 198	52 205 586	140
136 506	184 823	224 212	277 188	271 411	228 723	552 622	141
80 552	102 894	135 601	197 112	211 855	207 044	613 929	142
30 503	43 447	76 201	102 314	93 093	60 308	197 308	143
5 972 384	3 546 134	4 444 512	4 472 010	2 774 447	1 743 037	466 127	144
112 860	178 749	159 345	134 953	69 890	31 892	2 255	145
10 844 077	10 790 304	10 667 904	11 230 501	8 836 201	7 413 663	5 619 302	146
25 175	38 202	45 087	46 678	37 983	19 562	36 293	147
27 145	36 018	206 610	78 377	69 045	53 547	–	148
–	–	–	–	–	–	–	149
2 898 029	3 658 913	4 289 346	5 583 708	5 689 271	5 569 417	2 144 968	150
6 538 306	5 421 289	4 134 595	3 695 112	1 612 552	702 645	1 683 556	151
1 355 423	1 635 881	1 992 266	1 826 626	1 427 349	1 068 492	1 754 485	152
33 875 957	30 744 820	32 426 183	30 459 757	24 373 694	16 870 315	–	153
462	1 387	462	–	–	–	–	154
2 582	2 264	2 061	2 602	1 432	627	–	155
19 789	19 789	13 192	13 192	6 596	–	–	156
31 821 096	29 036 040	29 902 903	29 479 545	23 382 665	16 765 673	–	157
2 032 028	1 685 341	2 507 564	964 418	983 002	104 015	–	158
158 087	114 952	165 885	159 398	156 237	162 763	–	159
149 428	101 494	150 388	138 883	132 271	142 214	–	160
8 658	13 459	15 498	20 516	23 966	20 549	–	161
4 937 258	5 733 586	6 167 905	5 353 195	3 364 058	1 536 186	4 650 348	162
120 567	143 395	181 887	228 744	224 899	208 998	366	163
1 479	1 179	980	1 134	887	461	–	164
43 292	55 592	68 023	89 598	101 164	92 257	–	165
69 814	79 464	104 040	127 874	113 843	109 047	–	166
1 112	1 604	2 506	2 713	2 305	1 763	–	167
4 871	5 555	6 337	7 424	6 699	5 470	366	168
3 585 723	4 310 489	4 543 980	4 153 066	2 647 321	1 199 923	4 527 489	169
2 786 456	3 210 405	3 483 453	3 129 406	2 064 530	942 598	4 118 059	170
176 761	218 459	274 435	293 629	206 248	107 561	381 120	171
622 506	881 626	786 092	730 030	376 543	149 765	28 310	172
–	0	24	1	–	–	25	173
–	0	24	1	–	–	25	174
–	–	–	–	–	–	–	175
–	–	–	–	–	–	–	176
1 230 968	1 279 702	1 442 015	971 385	491 838	127 265	122 469	177
1 230 968	1 279 702	1 442 015	971 385	491 838	127 265	122 469	178
4 794 374	4 649 968	4 082 287	3 176 100	1 931 732	979 458	4 071 606	179
1 900 291	1 495 524	1 100 514	810 613	363 482	170 089	822 070	180
1 899 522	1 494 919	1 100 341	810 354	363 050	170 055	822 070	181
769	605	173	259	432	35	–	182
2 894 083	3 154 444	2 981 773	2 365 486	1 568 250	809 368	3 249 536	183
2 894 083	3 154 444	2 981 773	2 365 486	1 568 250	809 368	3 249 536	184

第26表　薬剤点数，　診療行為区分(総数)、入院－入院外、

3　入院外

行番号	薬　効（中　分　類）	総　数	一般医療	後期医療	0～4歳	5～9
1	総　数	15 370 639 824	10 110 917 200	5 259 722 624	91 512 209	190 687 853
2	Ⅰ 神経系及び感覚器官用医薬品	2 123 015 006	1 251 901 681	871 113 325	7 899 150	22 778 668
3	1 中枢神経系用薬	1 246 041 114	760 297 944	485 743 170	1 478 134	9 038 986
4	111 全身麻酔剤	824 832	715 850	108 982	48 234	19 983
5	112 催眠鎮静剤、抗不安剤	100 853 085	61 918 058	38 935 027	161 331	71 520
6	113 抗てんかん剤	84 172 347	72 571 779	11 600 568	469 691	1 179 523
7	114 解熱鎮痛消炎剤	226 842 252	122 291 529	104 550 723	711 599	523 401
8	115 興奮剤、覚せい剤	-	-	-	-	-
9	116 抗パーキンソン剤	80 512 330	41 102 705	39 409 625	124	1 282
10	117 精神神経用剤	383 315 844	326 708 797	56 607 047	53 210	7 124 258
11	118 総合感冒剤	4 175 770	3 171 952	1 003 819	20 782	57 003
12	119 その他の中枢神経系用薬	365 344 655	131 817 275	233 527 380	13 164	62 016
13	2 末梢神経系用薬	119 794 809	86 290 933	33 503 876	585 196	1 552 337
14	121 局所麻酔剤	17 794 199	10 434 374	7 359 825	124 324	105 339
15	122 骨格筋弛緩剤	73 813 513	57 996 264	15 817 249	446 417	1 408 075
16	123 自律神経剤	3 011 203	1 657 048	1 354 154	400	2 222
17	124 鎮けい剤	16 620 722	11 221 305	5 399 417	14 054	36 700
18	129 その他の末梢神経系用薬	8 555 173	4 981 942	3 573 231	-	-
19	3 感覚器官用薬	757 179 083	405 312 804	351 866 279	5 835 821	12 187 345
20	131 眼科用剤	706 106 680	368 493 308	337 613 372	4 786 168	9 576 435
21	132 耳鼻科用剤	39 652 479	31 882 768	7 769 711	1 049 645	2 610 201
22	133 鎮暈剤	11 419 924	4 936 728	6 483 196	8	708
23	Ⅱ 個々の器官系用医薬品	4 837 156 575	2 959 460 142	1 877 696 432	26 619 049	90 680 910
24	1 循環器官用薬	1 822 487 439	1 077 839 857	744 647 581	977 473	893 597
25	211 強心剤	5 466 941	1 763 819	3 703 122	7 832	10 179
26	212 不整脈用剤	67 133 258	34 929 909	32 203 350	14 706	12 989
27	213 利尿剤	69 501 624	30 147 766	39 353 858	30 646	34 898
28	214 血圧降下剤	708 647 447	412 739 465	295 907 982	12 221	29 418
29	216 血管収縮剤	17 741 508	16 720 112	1 021 396	-	14 616
30	217 血管拡張剤	263 712 396	140 643 827	123 068 570	1 929	5 669
31	218 高脂血症用剤	495 763 568	318 507 591	177 255 977	219	4 052
32	219 その他の循環器官用薬	194 520 696	122 387 369	72 133 328	909 920	781 774
33	2 呼吸器官用薬	311 278 927	216 727 273	94 551 654	8 652 481	8 357 279
34	221 呼吸促進剤	7 540 189	5 922 422	1 617 767	25 250	1 601
35	222 鎮咳剤	11 859 864	9 409 616	2 450 248	121 263	230 976
36	223 去たん剤	42 492 930	28 760 600	13 732 330	3 256 668	2 739 712
37	224 鎮咳去たん剤	5 108 721	4 207 300	901 421	380 531	359 605
38	225 気管支拡張剤	67 393 082	36 754 171	30 638 911	2 666 119	2 221 621
39	226 含嗽剤	4 529 451	3 459 187	1 070 263	14 890	82 878
40	229 その他の呼吸器官用薬	172 354 691	128 213 978	44 140 713	2 187 759	2 720 887
41	3 消化器官用薬	884 404 665	544 483 968	339 920 697	1 187 017	1 371 875
42	231 止しゃ剤、整腸剤	25 656 618	15 777 519	9 879 099	333 093	399 611
43	232 消化性潰瘍用剤	476 304 358	248 238 795	228 065 564	13 340	65 147
44	233 健胃消化剤	13 725 982	7 187 767	6 538 215	42 741	16 499
45	234 制酸剤	32 984 379	13 938 103	19 046 275	24 504	29 592
46	235 下剤、浣腸剤	44 919 856	18 234 577	26 685 279	272 947	185 055
47	236 利胆剤	19 537 596	11 534 890	8 002 706	2 364	3 678
48	239 その他の消化器官用薬	271 275 876	229 572 316	41 703 559	498 028	672 294
49	4 ホルモン剤(抗ホルモン剤を含む)	1 119 068 366	763 420 094	355 648 272	10 127 842	74 813 176
50	241 脳下垂体ホルモン剤	280 474 549	279 543 411	931 138	9 477 294	69 564 551
51	243 甲状腺、副甲状腺ホルモン剤	197 442 485	60 761 612	136 680 873	24 865	24 730
52	244 たん白同化ステロイド剤	170 869	87 263	83 606	-	-
53	245 副腎ホルモン剤	34 235 180	24 131 728	10 103 451	443 969	901 379
54	246 男性ホルモン剤	1 462 710	1 405 969	56 740	5 205	139
55	247 卵胞ホルモン及び黄体ホルモン剤	16 331 144	14 575 164	1 755 980	24	40
56	248 混合ホルモン剤	97 238 202	97 175 744	62 458	-	-
57	249 その他のホルモン剤(抗ホルモン剤を含む)	491 713 227	285 739 202	205 974 025	176 484	4 322 337
58	5 泌尿生殖器官及び肛門用薬	273 515 240	112 277 372	161 237 868	29 279	161 635
59	251 泌尿器官用剤	34 611	17 522	17 089	-	-
60	252 生殖器官用剤(性病予防剤を含む)	6 924 401	6 681 577	242 824	-	208
61	253 子宮収縮剤	148 536	148 500	36	-	-
62	255 痔疾用剤	16 976 625	11 468 358	5 508 267	25 766	19 557
63	259 その他の泌尿生殖器官及び肛門用薬	249 431 067	93 961 414	155 469 653	3 513	141 870

平成30年６月審査分

10～14	15～19	20～24	25～29	30～34	35～39	行番号
284 694 903	192 065 520	190 987 467	256 642 730	327 308 103	426 856 614	1
28 094 515	21 507 092	28 383 953	40 037 153	52 350 918	67 608 286	2
15 300 008	14 101 276	20 438 852	30 686 497	40 777 623	52 485 171	3
7 375	8 177	16 432	32 648	75 895	84 550	4
69 343	229 008	742 405	1 497 527	2 389 436	3 469 779	5
1 864 855	3 727 343	5 122 488	5 770 956	5 903 397	6 202 284	6
1 042 744	1 642 862	1 853 119	2 590 292	3 573 629	4 862 248	7
-	-	-	-	-	-	8
8 497	30 859	96 033	222 798	350 897	567 906	9
12 058 227	7 739 020	11 127 800	17 947 548	24 667 773	31 591 770	10
95 171	145 139	166 647	194 178	233 265	245 009	11
153 797	578 868	1 313 928	2 430 550	3 583 332	5 461 624	12
2 102 947	1 979 992	3 093 479	3 251 943	3 480 193	4 663 556	13
63 237	88 743	109 419	151 478	225 939	357 116	14
1 901 451	1 658 076	2 192 266	2 175 449	2 714 052	3 487 754	15
19 392	35 181	41 371	49 026	63 267	77 656	16
118 867	197 992	270 182	395 748	476 934	580 949	17
-	-	480 242	480 242	-	160 081	18
10 691 560	5 425 823	4 851 622	6 098 713	8 093 102	10 459 560	19
8 077 307	4 194 217	3 860 608	4 728 166	6 300 744	8 342 172	20
2 605 936	1 212 724	953 020	1 308 803	1 700 481	1 963 596	21
8 316	18 882	37 994	61 744	91 877	153 791	22
169 410 864	62 478 414	52 703 014	74 718 073	94 149 351	114 144 019	23
1 628 496	3 548 850	3 101 133	4 147 570	9 324 429	17 351 746	24
7 054	10 232	9 767	16 771	28 972	32 473	25
20 004	35 770	94 837	117 758	219 533	417 840	26
23 014	85 820	338 655	261 636	722 072	1 598 246	27
32 172	76 333	179 884	444 975	1 325 954	3 694 935	28
319 698	489 634	445 403	725 455	1 174 786	1 722 165	29
10 266	26 074	60 599	170 047	419 613	1 089 570	30
18 286	70 097	243 213	642 409	1 531 314	3 582 200	31
1 198 001	2 754 890	1 728 775	1 768 520	3 902 184	5 214 316	32
6 422 877	4 516 019	5 193 181	7 166 914	10 183 394	12 879 324	33
4 419	17 528	49 286	89 018	162 578	277 303	34
365 637	414 346	466 602	559 486	717 659	774 644	35
1 272 397	845 982	844 816	1 042 755	1 411 313	1 601 992	36
238 279	156 745	163 163	205 373	264 495	289 362	37
997 591	446 745	465 697	635 972	897 621	1 209 892	38
137 997	157 368	195 790	233 057	270 011	275 695	39
3 406 558	2 477 306	3 007 828	4 401 253	6 459 717	8 450 437	40
1 994 972	6 394 154	12 495 396	19 899 170	26 071 007	29 313 098	41
369 745	401 713	518 125	651 610	773 850	886 989	42
409 743	1 184 141	2 032 142	3 218 657	4 551 922	6 674 638	43
21 596	28 019	52 851	88 373	127 340	183 169	44
36 393	62 969	175 837	518 262	808 147	760 163	45
99 551	102 982	174 183	295 830	500 974	692 534	46
4 033	16 665	36 739	72 032	122 342	255 776	47
1 053 910	4 597 666	9 505 518	15 054 408	19 186 432	19 859 829	48
151 262 777	38 462 751	22 355 396	31 992 487	35 058 401	40 053 970	49
141 901 196	30 755 582	1 552 956	3 739 179	6 631 240	6 457 443	50
45 193	107 611	208 467	372 611	724 944	1 080 486	51
16 175	19 308	199	298	580	1 212	52
738 424	596 135	560 908	734 242	896 848	1 105 043	53
3 603	19 885	55 733	146 577	150 306	124 703	54
26 332	239 875	479 571	863 592	1 251 126	1 253 492	55
252 747	4 564 753	17 416 404	21 296 127	16 546 061	14 465 998	56
8 279 107	2 159 601	2 081 158	4 839 861	8 857 296	15 565 593	57
156 416	314 403	1 389 323	3 035 503	4 167 464	3 749 570	58
-	13	-	324	3 543	2 592	59
1 360	80 239	487 646	767 940	1 042 167	1 102 390	60
48	1 823	11 946	31 650	47 142	36 720	61
19 265	76 408	258 621	543 952	835 215	898 872	62
135 744	155 920	631 110	1 691 637	2 239 398	1 708 997	63

第26表　薬剤点数，　診療行為区分(総数)、入院－入院外、

3　入院外

行番号	薬　効（中　分　類）	40～44	45～49	50～54	55～59	60～64
1	総　数	607 846 854	775 714 578	832 250 088	974 151 775	1 211 066 771
2	Ⅰ　神経系及び感覚器官用医薬品	91 687 910	107 605 268	108 825 503	116 696 164	134 492 129
3	1　中枢神経系用薬	69 915 970	79 159 417	74 369 364	72 932 042	75 288 587
4	111 全身麻酔剤	70 044	51 071	47 927	55 680	55 339
5	112 催眠鎮静剤、抗不安剤	5 133 620	6 304 183	6 487 288	6 731 063	7 051 996
6	113 抗てんかん剤	7 531 758	7 537 242	6 503 372	5 918 792	5 128 729
7	114 解熱鎮痛消炎剤	7 354 839	9 866 577	11 559 872	13 534 292	15 830 581
8	115 興奮剤、覚せい剤	-	-	-	-	-
9	116 抗パーキンソン剤	1 016 104	1 724 008	2 422 373	3 786 892	6 010 745
10	117 精神神経用剤	40 792 423	43 024 197	35 642 776	29 208 719	24 048 366
11	118 総合感冒剤	257 724	256 506	251 568	270 730	288 783
12	119 その他の中枢神経系用薬	7 759 457	10 395 633	11 454 188	13 425 874	16 874 047
13	2　末梢神経系用薬	6 870 120	8 119 170	8 269 692	9 395 435	9 588 844
14	121 局所麻酔剤	598 195	843 012	1 023 631	1 230 654	1 504 790
15	122 骨格筋弛緩剤	4 705 346	6 126 309	5 983 214	6 409 627	6 072 144
16	123 自律神経剤	109 897	124 223	144 079	163 099	193 021
17	124 鎮けい剤	816 359	1 025 625	1 118 769	1 271 893	1 354 654
18	129 その他の末梢神経系用薬	640 323	-	-	320 162	464 234
19	3　感覚器官用薬	14 901 820	20 326 681	26 186 447	34 368 688	49 614 697
20	131 眼科用剤	12 389 992	17 536 113	23 400 895	31 370 699	46 369 674
21	132 耳鼻科用剤	2 269 113	2 440 754	2 358 998	2 497 630	2 579 673
22	133 鎮暈剤	242 714	349 814	426 554	500 358	665 351
23	Ⅱ　個々の器官系用医薬品	159 319 137	210 087 503	218 629 208	260 680 958	331 556 126
24	1　循環器官用薬	35 797 715	68 452 217	93 050 111	131 888 839	174 262 804
25	211 強心剤	58 741	95 037	107 752	169 171	259 433
26	212 不整脈用剤	892 779	1 726 840	2 567 791	3 813 925	5 400 415
27	213 利尿剤	2 555 917	3 124 504	2 954 694	3 530 512	3 703 942
28	214 血圧降下剤	10 848 853	22 862 938	35 717 341	51 043 653	68 865 489
29	216 血管収縮剤	2 656 452	3 041 269	2 397 119	1 568 853	992 684
30	217 血管拡張剤	3 140 632	6 669 795	10 731 404	16 019 851	22 999 740
31	218 高脂血症用剤	8 790 237	17 039 712	26 368 845	40 863 854	53 756 628
32	219 その他の循環器官用薬	6 854 106	13 892 122	12 205 166	14 879 020	18 284 474
33	2　呼吸器官用薬	16 358 126	18 500 933	17 479 035	18 369 112	20 498 967
34	221 呼吸促進剤	471 798	590 424	624 850	689 867	774 381
35	222 鎮咳剤	792 601	773 643	718 069	760 901	807 658
36	223 去たん剤	1 694 842	1 689 510	1 599 889	1 834 046	2 194 924
37	224 鎮咳去たん剤	298 987	288 116	262 727	274 646	299 094
38	225 気管支拡張剤	1 571 669	1 905 634	2 018 140	2 448 100	3 484 258
39	226 含嗽剤	266 532	255 461	245 071	271 313	294 324
40	229 その他の呼吸器官用薬	11 261 697	12 998 144	12 010 288	12 090 237	12 644 328
41	3　消化器官用薬	38 022 247	46 174 472	47 205 666	54 136 074	63 651 070
42	231 止しゃ剤、整腸剤	1 048 267	1 203 931	1 305 949	1 454 607	1 622 654
43	232 消化性潰瘍用剤	10 935 878	15 822 137	19 960 340	26 235 283	35 127 213
44	233 健胃消化剤	281 235	427 994	532 186	735 838	1 007 438
45	234 制酸剤	699 441	826 252	940 675	1 164 704	1 546 905
46	235 下剤、浣腸剤	1 053 825	1 372 072	1 530 376	1 722 253	2 226 168
47	236 利胆剤	465 586	760 878	1 072 468	1 413 572	1 841 973
48	239 その他の消化器官用薬	23 538 015	25 761 208	21 863 672	21 409 817	20 278 720
49	4　ホルモン剤(抗ホルモン剤を含む)	51 542 981	57 064 662	39 320 300	28 816 889	34 615 579
50	241 脳下垂体ホルモン剤	4 187 865	1 708 939	1 096 870	717 963	551 850
51	243 甲状腺、副甲状腺ホルモン剤	1 358 801	1 698 517	2 059 636	3 469 198	6 656 070
52	244 たん白同化ステロイド剤	2 114	2 854	2 596	3 196	6 761
53	245 副腎ホルモン剤	1 504 477	1 899 599	2 105 956	2 384 013	2 706 637
54	246 男性ホルモン剤	138 266	178 102	192 666	154 044	104 047
55	247 卵胞ホルモン及び黄体ホルモン剤	1 430 379	2 407 060	3 106 578	1 815 589	654 450
56	248 混合ホルモン剤	12 093 130	7 112 707	2 193 436	844 609	222 910
57	249 その他のホルモン剤（抗ホルモン剤を含む）	30 827 949	42 056 884	28 562 561	19 428 279	23 712 854
58	5　泌尿生殖器官及び肛門用薬	3 938 234	4 024 986	4 912 956	7 935 792	13 566 126
59	251 泌尿器官用剤	3 447	1 365	687	633	1 095
60	252 生殖器官用剤(性病予防剤を含む)	1 509 248	966 656	263 734	107 718	95 445
61	253 子宮収縮剤	16 604	1 686	775	100	-
62	255 痔疾用剤	951 359	997 683	946 172	1 016 808	1 190 748
63	259 その他の泌尿生殖器官及び肛門用薬	1 457 576	2 057 595	3 701 588	6 810 533	12 278 838

薬効(中分類)、一般医療－後期医療・年齢階級別

平成30年６月審査分

65～69	70～74	75～79	80～84	85～89	90歳以上	後発医薬品（再掲）	行番号
1 895 446 467	2 032 841 214	2 042 801 440	1 659 512 634	969 932 940	408 319 664	1 801 477 122	1
206 763 121	245 691 307	291 178 322	277 166 937	187 587 695	86 660 914	236 620 412	2
104 930 231	118 153 150	146 378 712	152 962 497	111 904 541	55 740 054	134 168 464	3
77 427	69 506	57 242	30 218	13 614	3 469	385 067	4
10 329 343	12 116 491	13 720 901	12 558 208	8 058 092	3 731 552	23 702 953	5
6 135 675	5 135 848	4 211 024	3 302 063	1 791 571	735 733	3 599 566	6
22 715 660	26 528 575	34 108 906	34 379 727	23 397 902	10 765 427	32 681 287	7
－	－	－	－	－	－	－	8
12 366 136	14 972 930	16 941 291	12 690 219	5 801 704	1 501 533	4 619 862	9
24 955 810	21 249 322	20 243 689	17 038 395	10 489 742	4 312 801	37 492 701	10
355 852	354 631	362 990	332 409	202 828	84 554	1 457 489	11
27 994 329	37 725 848	56 732 669	72 631 258	62 149 088	34 604 985	30 229 537	12
13 521 554	14 709 388	13 593 046	8 620 319	4 879 228	1 518 372	8 867 551	13
2 273 650	2 469 496	2 565 610	2 213 489	1 343 448	502 628	3 882 619	14
8 277 636	7 801 965	6 568 651	3 684 329	1 720 681	480 073	193 981	15
308 684	365 312	430 251	437 504	297 947	148 672	237 220	16
1 854 319	1 922 958	2 061 827	1 713 281	1 002 608	386 999	4 553 730	17
807 264	2 149 656	1 966 706	571 717	514 545	－	－	18
88 311 337	112 828 770	131 206 565	115 584 121	70 803 925	29 402 488	93 584 397	19
84 000 410	108 190 698	126 049 043	110 864 734	67 931 929	28 136 674	85 168 574	20
3 228 839	3 295 461	3 294 870	2 508 682	1 305 482	468 569	5 018 616	21
1 082 087	1 342 611	1 862 652	2 210 704	1 566 513	797 245	3 397 208	22
535 416 635	607 688 850	666 173 980	602 287 174	384 321 449	176 091 860	945 234 756	23
275 182 420	285 290 798	275 742 726	232 120 393	142 052 915	67 673 205	502 091 619	24
457 915	655 506	839 017	1 040 939	929 349	730 799	1 794 142	25
9 557 621	11 042 392	11 666 262	10 399 686	6 422 638	2 709 473	16 250 811	26
6 214 195	6 665 031	9 016 717	11 030 936	10 131 374	7 478 814	6 720 964	27
108 782 370	113 986 313	109 171 890	94 579 350	59 269 836	27 723 520	187 550 522	28
715 802	505 425	413 953	295 772	178 958	83 466	2 969 978	29
38 759 520	42 373 124	42 585 760	38 533 361	26 093 926	14 021 516	122 599 507	30
83 230 050	85 473 403	77 975 778	56 994 402	28 830 723	10 348 146	143 546 122	31
27 464 947	24 589 604	24 073 349	19 245 947	10 196 111	4 577 471	20 659 572	32
30 252 739	34 065 011	35 760 405	30 269 137	18 221 229	8 132 766	32 217 475	33
1 052 778	1 107 171	920 539	488 559	163 694	29 144	3 076 741	34
998 958	948 912	938 697	790 604	467 002	212 206	2 619 695	35
3 211 003	3 800 857	4 395 740	4 291 274	3 010 444	1 754 765	16 291 595	36
379 209	363 024	355 524	288 290	163 527	78 023	186 389	37
6 945 216	9 503 814	11 063 134	9 812 258	6 198 199	2 901 403	6 207 010	38
386 835	394 593	414 990	352 322	202 935	77 390	3 836 046	39
17 278 740	17 946 640	17 671 779	14 245 830	8 015 427	3 079 834	－	40
97 770 016	107 840 585	118 548 160	106 441 486	70 123 692	35 764 508	230 418 098	41
2 377 552	2 663 482	3 127 449	3 032 008	2 218 196	1 267 787	6 377 258	42
58 252 001	68 497 854	78 965 544	72 564 165	47 914 514	23 879 700	146 889 736	43
1 643 515	2 080 144	2 355 590	2 107 120	1 340 265	654 069	3 695 386	44
2 842 632	3 879 891	5 381 437	5 920 399	4 534 758	2 831 420	32 210 237	45
3 802 542	5 231 623	7 396 169	8 170 885	6 303 156	3 786 731	12 258 886	46
2 759 588	2 860 539	2 952 784	2 606 240	1 596 799	693 541	6 324 148	47
26 092 187	22 627 053	18 369 186	12 040 670	6 216 002	2 651 260	22 662 447	48
64 408 164	88 640 660	118 051 528	121 384 069	80 617 258	30 479 476	85 677 126	49
694 396	543 290	462 933	266 239	145 894	18 868	11 827 479	50
15 833 167	28 268 023	44 831 427	47 042 344	31 127 926	12 508 469	－	51
13 724	20 640	25 899	25 943	20 646	8 724	－	52
3 889 714	3 926 270	3 970 925	3 217 198	1 895 898	757 544	3 661 400	53
78 841	56 000	33 280	15 485	5 098	730	－	54
536 443	530 469	572 074	600 376	375 394	188 281	1 177 030	55
109 524	58 053	36 535	17 239	6 768	1 201	11 720 021	56
43 252 356	55 237 915	68 118 454	70 199 246	47 039 634	16 995 659	57 291 197	57
27 175 397	40 096 335	53 869 520	53 555 390	35 261 152	16 175 759	25 751 232	58
1 369	2 385	5 774	4 887	4 149	2 349	466	59
129 162	129 716	112 714	77 488	36 267	14 304	700 797	60
6	－	9	－	27	－	7 476	61
1 818 202	1 996 945	2 047 834	1 716 195	1 083 676	533 349	1 944 291	62
25 226 658	37 967 289	51 703 190	51 756 819	34 137 033	15 625 758	23 098 201	63

第26表　薬剤点数，診療行為区分（総数）、入院－入院外、

3　入院外

行番号	薬効（中分類）	総数	一般医療	後期医療	0～4歳	5～9
64	6 外皮用薬	423 618 489	242 597 509	181 020 980	4 755 786	5 077 002
65	261 外皮用殺菌消毒剤	679 606	422 674	256 931	13 453	18 136
66	263 化膿性疾患用剤	10 485 264	9 056 128	1 429 137	418 206	420 661
67	264 鎮痛、鎮痒、収斂、消炎剤	351 941 841	186 250 621	165 691 220	3 726 551	3 765 807
68	265 寄生性皮ふ疾患用剤	19 959 642	13 837 671	6 121 971	112 789	102 294
69	266 皮ふ軟化剤(腐しょく剤を含む)	2 716 524	1 904 222	812 301	77 757	104 866
70	267 毛髪用剤（発毛剤、脱毛剤、染毛剤、養毛剤）	946 972	768 480	178 492	4 300	12 770
71	269 その他の外皮用薬	36 888 640	30 357 713	6 530 927	402 730	652 469
72	7 歯科口腔用薬	39 073	28 758	10 315	151	43
73	271 歯科用局所麻酔剤	55	55	－	－	－
74	276 歯科用抗生物質製剤	359	359	－	－	－
75	279 その他の歯科口腔用薬	38 659	28 344	10 315	151	43
76	9 その他の個々の器官系用医薬品	2 744 377	2 085 311	659 066	889 020	6 302
77	290 その他の個々の器官系用医薬品	2 744 377	2 085 311	659 066	889 020	6 302
78	Ⅲ 代謝性医薬品	3 140 558 774	1 927 543 978	1 213 014 796	19 649 866	18 991 647
79	1 ビタミン剤	210 557 136	94 564 064	115 993 072	58 907	63 477
80	311 ビタミンA及びD剤	143 627 756	58 171 888	85 455 867	29 066	16 163
81	312 ビタミンB1剤	4 124 773	1 746 606	2 378 166	1 329	4 620
82	313 ビタミンB剤(ビタミンB1剤を除く)	44 583 506	23 390 032	21 193 474	11 679	16 608
83	314 ビタミンC剤	1 441 028	981 590	459 439	1 006	2 534
84	315 ビタミンE剤	1 550 263	990 883	559 380	1 068	618
85	316 ビタミンK剤	2 629 022	951 548	1 677 475	7 108	605
86	317 混合ビタミン剤（ビタミンA・D混合製剤を除く）	12 133 510	7 909 144	4 224 366	3 789	12 296
87	319 その他のビタミン剤	467 277	422 373	44 904	3 862	10 033
88	2 滋養強壮薬	60 536 746	33 373 750	27 162 996	701 017	524 637
89	321 カルシウム剤	5 104 933	2 047 232	3 057 701	623	539
90	322 無機質製剤	9 029 078	5 592 573	3 436 505	153 303	96 303
91	323 糖類剤	3 358 062	1 995 235	1 362 827	28 089	39 096
92	325 たん白アミノ酸製剤	42 028 557	23 046 311	18 982 246	376 647	302 590
93	326 臓器製剤	300 296	135 886	164 411	－	93
94	327 乳幼児用剤	434 635	434 635	－	142 273	85 051
95	329 その他の滋養強壮薬	281 184	121 877	159 306	82	966
96	3 血液・体液用薬	675 081 898	344 493 937	330 587 961	9 547 180	7 110 217
97	331 血液代用剤	29 850 528	18 797 835	11 052 693	394 183	366 051
98	332 止血剤	13 835 205	11 672 331	2 162 874	100 653	146 734
99	333 血液凝固阻止剤	328 005 309	164 673 642	163 331 667	9 024 163	6 564 372
100	339 その他の血液・体液用薬	303 390 855	149 350 129	154 040 727	28 181	33 059
101	4 人工透析用薬	41 614 976	26 419 742	15 195 234	75 307	86 145
102	341 人工腎臓透析用剤	5 566 540	3 216 238	2 350 303	－	－
103	342 腹膜透析用剤	36 048 436	23 203 505	12 844 931	75 307	86 145
104	9 その他の代謝性医薬品	2 152 768 018	1 428 692 484	724 075 534	9 267 455	11 207 170
105	391 肝臓疾患用剤	5 606 838	3 458 953	2 147 885	1 474	4 883
106	392 解毒剤	46 243 972	26 038 802	20 205 170	26 995	102 603
107	393 習慣性中毒用剤	189 630	172 847	16 784	－	－
108	394 痛風治療剤	88 579 936	60 808 860	27 771 076	1 452	2 000
109	395 酵素製剤	164 228 414	159 224 959	5 003 455	6 772 762	4 673 819
110	396 糖尿病用剤	609 368 741	407 540 132	201 828 608	45	187
111	399 他に分類されない代謝性医薬品	1 238 550 487	771 447 931	467 102 556	2 464 726	6 423 679
112	Ⅳ 組織細胞機能用医薬品	3 134 071 749	2 266 098 174	867 973 576	11 691 647	21 779 198
113	1 細胞賦活用薬	63 779	52 076	11 703	－	－
114	419 その他の細胞賦活用薬	63 779	52 076	11 703	－	－
115	2 腫瘍用薬	2 666 446 294	1 927 300 499	739 145 795	120 876	696 416
116	421 アルキル化剤	26 243 875	21 973 902	4 269 973	441	34 527
117	422 代謝拮抗剤	117 731 445	87 160 196	30 571 249	8 377	26 401
118	423 抗腫瘍性抗生物質製剤	15 840 916	13 044 429	2 796 487	2 312	6 315
119	424 抗腫瘍性植物成分製剤	101 866 419	80 229 002	21 637 416	12 724	32 806
120	429 その他の腫瘍用薬	2 404 763 639	1 724 892 970	679 870 669	97 022	596 367
121	3 放射性医薬品	136 124 655	74 321 636	61 803 019	223 949	149 877
122	430 放射性医薬品	136 124 655	74 321 636	61 803 019	223 949	149 877
123	4 アレルギー用薬	331 437 021	264 423 962	67 013 059	11 346 822	20 932 905
124	441 抗ヒスタミン剤	4 957 984	4 153 524	804 460	497 614	399 295
125	442 刺激療法剤	3 897 398	2 358 423	1 538 975	－	－
126	449 その他のアレルギー用薬	322 581 640	257 912 016	64 669 624	10 849 209	20 533 610
127	9 その他の組織細胞機能用医薬品	－	－	－	－	－
128	490 その他の組織細胞機能用医薬品	－	－	－	－	－

平成30年６月審査分

10～14	15～19	20～24	25～29	30～34	35～39	行番号
7 931 608	9 229 582	8 152 396	8 456 345	9 310 884	10 754 561	64
16 853	15 513	12 190	14 605	16 804	18 152	65
852 119	1 311 290	992 700	841 746	680 519	575 530	66
4 908 158	4 172 812	3 994 639	4 783 890	5 893 802	7 313 874	67
182 866	266 895	426 219	582 711	719 308	802 852	68
93 796	84 530	96 012	96 535	112 196	125 675	69
18 564	14 462	18 434	23 194	36 548	50 741	70
1 859 253	3 364 081	2 612 201	2 113 664	1 851 708	1 867 737	71
425	324	481	968	1 356	1 590	72
－	－	23	16	－	－	73
－	－	－	－	－	－	74
425	324	458	952	1 356	1 590	75
13 293	12 331	15 708	19 116	32 417	40 160	76
13 293	12 331	15 708	19 116	32 417	40 160	77
19 249 059	35 762 438	37 060 602	45 162 727	55 688 656	70 060 822	78
279 066	754 650	961 273	1 358 476	1 682 421	2 321 165	79
25 589	55 480	111 032	189 683	340 169	724 333	80
5 213	10 295	16 160	26 851	36 350	47 026	81
164 719	452 828	520 209	672 849	741 969	862 011	82
8 184	20 977	32 759	52 304	67 556	76 308	83
1 940	6 444	11 317	28 330	48 002	68 948	84
568	4 033	3 644	6 266	8 730	12 961	85
65 365	189 707	248 693	361 192	414 655	499 260	86
7 488	14 886	17 460	21 002	24 990	30 320	87
613 703	841 360	797 797	1 032 821	1 437 107	1 552 527	88
1 458	2 972	5 543	10 354	19 074	28 167	89
114 155	172 947	183 379	340 683	505 147	489 103	90
26 342	27 903	47 130	86 375	111 367	119 339	91
402 202	573 812	540 453	580 407	786 651	898 116	92
169	320	1 450	3 928	3 763	4 884	93
68 397	58 905	18 900	10 080	6 300	3 780	94
980	4 502	942	993	4 803	9 139	95
4 218 149	3 485 951	4 025 742	5 166 188	6 262 034	8 129 081	96
301 777	421 664	610 276	705 840	831 307	930 708	97
275 396	392 600	511 844	678 292	844 238	996 188	98
3 580 573	2 517 997	2 718 595	3 282 621	3 731 261	4 194 881	99
60 403	153 689	185 027	499 435	855 228	2 007 304	100
83 740	192 300	170 221	187 322	373 590	734 511	101
－	－	4 372	4 640	19 909	65 552	102
83 740	192 300	165 849	182 682	353 680	668 959	103
14 054 401	30 488 176	31 105 568	37 417 920	45 933 505	57 323 538	104
15 560	30 187	37 083	50 074	82 346	130 665	105
358 450	285 888	121 873	192 077	332 988	578 232	106
－	－	141	1 680	6 595	11 104	107
5 672	42 485	153 827	394 975	861 411	1 684 307	108
7 140 392	19 092 928	15 515 924	16 814 748	14 220 830	12 807 268	109
9 821	108 549	355 773	1 015 060	2 410 562	5 223 581	110
6 524 506	10 928 139	14 920 946	18 949 307	28 018 773	36 888 381	111
18 312 802	13 627 637	14 625 737	21 340 739	31 384 864	55 193 599	112
－	408	1 330	1 685	3 272	2 775	113
－	408	1 330	1 685	3 272	2 775	114
928 017	2 914 519	5 356 879	10 283 340	18 100 950	38 303 085	115
63 635	115 337	223 725	532 559	518 618	1 013 147	116
20 604	22 119	61 463	117 885	300 723	1 154 770	117
8 056	22 096	25 291	88 467	252 459	327 839	118
29 395	17 187	75 246	164 482	616 198	1 424 727	119
806 328	2 737 781	4 971 154	9 379 947	16 412 953	34 382 602	120
136 511	179 270	285 314	336 769	513 078	1 005 743	121
136 511	179 270	285 314	336 769	513 078	1 005 743	122
17 248 274	10 533 440	8 982 214	10 718 945	12 767 564	15 881 995	123
206 492	147 373	137 544	158 994	195 082	223 956	124
－	－	5 720	14 108	15 876	38 544	125
17 041 781	10 386 067	8 838 951	10 545 842	12 556 605	15 619 496	126
－	－	－	－	－	－	127
－	－	－	－	－	－	128

第26表 薬剤点数，診療行為区分(総数)、入院－入院外、

3 入院外

行番号	薬効（中分類）	40～44	45～49	50～54	55～59	60～64
64	6 外皮用薬	13 594 698	15 790 994	16 581 619	19 444 093	24 859 734
65	261 外皮用殺菌消毒剤	24 529	30 147	34 080	38 127	43 465
66	263 化膿性疾患用剤	547 312	501 775	392 112	338 217	349 837
67	264 鎮痛、鎮痒、収斂、消炎剤	9 657 629	11 639 145	12 791 703	15 554 425	20 564 743
68	265 寄生性皮ふ疾患用剤	987 281	1 100 385	1 114 006	1 273 693	1 564 851
69	266 皮ふ軟化剤(腐しょく剤を含む)	139 056	146 564	131 683	132 818	141 535
70	267 毛髪用剤(発毛剤、脱毛剤、染毛剤、養毛剤)	69 239	92 705	68 927	77 317	75 925
71	269 その他の外皮用薬	2 169 651	2 280 273	2 049 108	2 029 496	2 119 377
72	7 歯科口腔用薬	1 644	3 225	1 112	2 405	3 611
73	271 歯科用局所麻酔剤	-	8	-	8	-
74	276 歯科用抗生物質製剤	-	-	-	-	-
75	279 その他の歯科口腔用薬	1 644	3 217	1 112	2 398	3 611
76	9 その他の個々の器官系用医薬品	63 493	76 014	78 409	87 754	98 235
77	290 その他の個々の器官系用医薬品	63 493	76 014	78 409	87 754	98 235
78	Ⅲ 代謝性医薬品	108 756 367	138 150 394	155 012 442	191 247 247	253 634 717
79	1 ビタミン剤	3 549 476	5 306 057	6 527 623	8 718 878	13 253 311
80	311 ビタミンA及びD剤	1 329 592	2 362 191	3 319 410	5 101 613	8 980 528
81	312 ビタミンB1剤	72 754	109 356	138 101	173 261	222 233
82	313 ビタミンB剤(ビタミンB1剤を除く)	1 180 625	1 639 911	1 921 755	2 339 240	2 953 095
83	314 ビタミンC剤	96 699	105 698	99 225	91 906	88 245
84	315 ビタミンE剤	98 255	113 607	112 750	97 912	97 426
85	316 ビタミンK剤	19 582	32 129	43 895	76 515	128 503
86	317 混合ビタミン剤(ビタミンA・D混合製剤を除く)	712 423	896 945	851 056	797 785	741 182
87	319 その他のビタミン剤	39 547	46 220	41 431	40 647	42 098
88	2 滋養強壮薬	2 278 093	3 934 365	3 673 522	3 140 302	3 206 693
89	321 カルシウム剤	47 453	73 006	112 507	178 194	287 559
90	322 無機質製剤	631 325	829 581	479 610	252 195	325 241
91	323 糖類剤	156 549	219 487	166 234	151 743	198 470
92	325 たん白アミノ酸製剤	1 417 963	2 781 176	2 876 358	2 526 515	2 362 244
93	326 臓器製剤	7 011	10 505	12 984	16 294	14 929
94	327 乳幼児用剤	15 120	10 080	15 120	630	-
95	329 その他の滋養強壮薬	2 672	10 530	10 709	14 730	18 250
96	3 血液・体液用薬	11 689 353	16 970 719	20 822 415	29 461 688	42 951 713
97	331 血液代用剤	1 175 927	1 427 365	1 494 074	1 702 487	2 088 972
98	332 止血剤	1 242 218	1 432 186	1 214 580	1 001 633	872 123
99	333 血液凝固阻止剤	5 007 905	6 265 118	7 678 447	11 147 609	17 841 649
100	339 その他の血液・体液用薬	4 263 303	7 846 049	10 435 314	15 609 959	22 148 969
101	4 人工透析用薬	1 545 123	2 949 404	3 193 027	4 367 628	5 484 828
102	341 人工腎臓透析用剤	154 902	425 824	419 756	407 769	714 124
103	342 腹膜透析用剤	1 390 221	2 523 580	2 773 270	3 959 859	4 770 704
104	9 その他の代謝性医薬品	89 694 322	108 989 849	120 795 856	145 558 751	188 738 172
105	391 肝臓疾患用剤	216 302	307 508	363 447	429 308	480 668
106	392 解毒剤	1 120 169	1 681 467	1 616 090	2 462 354	3 551 752
107	393 習慣性中毒用剤	17 262	19 868	26 300	35 877	22 305
108	394 痛風治療剤	3 472 182	5 414 986	6 750 425	8 172 016	9 660 607
109	395 酵素製剤	15 709 578	12 453 149	7 080 733	8 171 493	8 934 537
110	396 糖尿病用剤	13 009 000	24 871 593	35 722 411	49 932 229	68 022 871
111	399 他に分類されない代謝性医薬品	56 149 830	64 241 278	69 236 451	76 355 473	98 065 432
112	Ⅳ 組織細胞機能用医薬品	103 853 129	154 657 811	195 557 801	251 048 905	331 837 534
113	1 細胞賦活用薬	4 431	5 856	4 233	5 400	6 491
114	419 その他の細胞賦活用薬	4 431	5 856	4 233	5 400	6 491
115	2 腫瘍用薬	81 603 352	127 899 454	168 445 488	222 645 303	300 766 868
116	421 アルキル化剤	1 838 584	2 372 682	2 094 457	2 718 313	2 636 254
117	422 代謝拮抗剤	2 881 833	4 678 704	7 049 726	9 126 757	13 644 953
118	423 抗腫瘍性抗生物質製剤	950 176	1 317 810	1 554 137	1 560 185	1 600 453
119	424 抗腫瘍性植物成分製剤	3 070 061	4 916 629	6 186 105	8 938 098	12 128 647
120	429 その他の腫瘍用薬	72 862 698	114 613 629	151 561 063	200 301 951	270 756 561
121	3 放射性医薬品	2 277 947	4 018 184	5 395 758	7 003 451	9 955 525
122	430 放射性医薬品	2 277 947	4 018 184	5 395 758	7 003 451	9 955 525
123	4 アレルギー用薬	19 967 399	22 734 316	21 712 321	21 394 750	21 108 650
124	441 抗ヒスタミン剤	280 021	330 827	296 530	304 128	299 668
125	442 刺激療法剤	76 073	140 036	198 082	277 102	405 876
126	449 その他のアレルギー用薬	19 611 305	22 263 453	21 217 709	20 813 520	20 403 106
127	9 その他の組織細胞機能用医薬品	-	-	-	-	-
128	490 その他の組織細胞機能用医薬品	-	-	-	-	-

平成30年6月審査分

65～69	70～74	75～79	80～84	85～89	90歳以上	後発医薬品（再掲）	行番号
40 329 288	51 386 447	63 839 139	58 365 176	37 926 394	17 832 743	69 001 230	64
70 385	74 966	82 906	73 704	51 753	29 839	193 278	65
444 588	442 431	437 233	393 261	310 956	234 772	1 357 578	66
34 502 870	45 431 241	58 214 727	54 043 868	35 022 744	15 959 213	61 843 409	67
2 290 834	2 495 668	2 384 424	1 771 370	1 121 334	659 863	2 430 399	68
210 134	238 002	270 362	240 302	170 117	104 585	382 859	69
103 669	105 535	89 416	58 010	18 605	8 612	946 972	70
2 706 808	2 598 604	2 360 072	1 784 662	1 230 885	835 860	1 846 735	71
5 675	6 582	5 165	2 704	1 218	393	－	72
－	－	－	－	－	－	－	73
－	359	－	－	－	－	－	74
5 675	6 223	5 165	2 704	1 218	393	－	75
292 935	362 432	357 338	148 819	117 590	33 012	77 975	76
292 935	362 432	357 338	148 819	117 590	33 012	77 975	77
398 636 697	439 659 419	452 198 278	375 947 241	226 472 239	99 217 916	306 284 997	78
24 000 589	30 918 352	38 541 430	36 538 959	24 438 513	11 284 515	50 802 282	79
17 405 100	22 800 405	28 263 929	26 537 731	17 874 955	8 160 789	8 570 875	80
361 250	541 403	774 046	817 542	533 107	233 876	525 356	81
4 661 945	5 694 020	7 180 827	6 923 016	4 517 021	2 129 182	37 332 276	82
116 686	129 933	152 263	145 933	95 844	56 971	16 246	83
142 977	168 570	204 011	184 594	111 474	52 021	656 437	84
258 548	383 180	495 240	520 399	407 749	219 366	767 622	85
1 004 726	1 166 898	1 447 102	1 396 957	892 722	430 758	2 923 899	86
49 357	33 943	24 012	12 786	5 641	1 553	9 571	87
5 143 990	5 844 647	7 054 781	7 143 202	6 397 379	5 218 802	9 089 370	88
573 865	748 886	999 552	982 705	704 964	327 512	771 731	89
518 565	630 207	785 405	971 189	904 084	646 657	2 135 047	90
305 717	357 408	408 389	421 395	311 222	175 805	101 902	91
3 694 817	4 037 510	4 766 944	4 666 476	4 400 287	4 037 390	5 707 295	92
24 451	37 550	56 780	56 063	34 201	14 921	94 739	93
－	－	－	－	－	－	－	94
26 576	33 086	37 712	45 374	42 621	16 517	278 657	95
80 438 749	101 764 589	119 914 272	106 325 622	66 817 495	29 980 741	122 245 609	96
3 184 255	3 482 807	3 693 600	3 364 953	2 275 341	1 398 940	5 789 748	97
1 047 853	965 407	869 271	678 163	382 975	182 849	5 495 623	98
35 709 868	48 866 327	59 363 424	52 422 723	33 313 368	14 774 408	19 653 157	99
40 496 772	48 450 048	55 987 976	49 859 783	30 845 811	13 624 544	91 307 081	100
6 980 329	6 126 969	4 356 425	3 000 370	1 217 884	489 852	2 164 947	101
932 735	892 969	702 376	439 176	309 991	72 443	885 523	102
6 047 594	5 234 000	3 654 048	2 561 194	907 893	417 409	1 279 423	103
282 073 039	295 004 861	282 331 371	222 939 088	127 600 968	52 244 005	121 982 790	104
691 195	740 568	786 957	704 788	401 347	132 478	1 650 589	105
6 632 373	7 532 521	7 311 487	6 806 020	3 777 016	1 753 615	10 225 902	106
17 534	16 080	8 635	4 739	1 253	259	－	107
12 934 144	11 897 720	11 022 660	8 687 332	5 044 252	2 377 484	10 718 681	108
6 114 446	4 538 029	3 139 220	359 616	620 342	68 599	－	109
106 933 658	104 616 001	89 468 823	65 044 350	31 558 041	11 066 185	42 551 492	110
148 749 691	165 663 942	170 593 588	141 332 244	86 198 715	36 845 386	56 836 125	111
524 853 735	535 315 675	444 237 958	268 500 775	110 006 688	26 245 517	199 299 500	112
8 457	8 272	6 792	3 063	1 069	245	－	113
8 457	8 272	6 792	3 063	1 069	245	－	114
479 924 284	485 486 011	391 090 870	226 214 074	87 686 172	17 980 335	87 789 791	115
4 013 833	3 888 467	2 106 970	1 305 706	692 891	73 731	3 032 369	116
24 359 824	24 220 409	18 140 041	9 119 225	2 387 028	410 603	14 489 285	117
3 085 602	2 270 340	1 429 718	896 781	330 857	112 025	2 795 254	118
21 811 537	21 248 202	14 635 034	5 493 834	971 390	94 117	25 265 133	119
426 653 489	433 858 594	354 779 107	209 398 529	83 304 006	17 289 859	42 207 749	120
19 457 115	24 805 937	27 724 586	21 181 537	9 398 922	2 075 180	4 948 480	121
19 457 115	24 805 937	27 724 586	21 181 537	9 398 922	2 075 180	4 948 480	122
25 463 879	25 015 454	25 415 710	21 102 100	12 920 525	6 189 756	106 561 229	123
366 581	338 311	321 318	245 773	142 535	65 942	1 270 229	124
621 268	634 752	622 046	474 889	277 209	95 816	544 716	125
24 476 031	24 042 391	24 472 346	20 381 437	12 500 781	6 027 999	104 746 284	126
－	－	－	－	－	－	－	127
－	－	－	－	－	－	－	128

第26表　薬剤点数，　診療行為区分(総数)、入院－入院外、

3　入院外

行番号	薬　効（中分類）	総　数	一般医療	後期医療	0～4歳	5～9
129	Ⅴ 生薬及び漢方処方に基づく医薬品	190 818 121	130 537 613	60 280 508	359 819	907 762
130	1 生　薬	2 239 568	1 785 236	454 332	35 450	49 232
131	510 生　薬	2 239 568	1 785 236	454 332	35 450	49 232
132	2 漢方製剤	183 195 408	124 015 362	59 180 046	160 637	477 366
133	520 漢方製剤	183 195 408	124 015 362	59 180 046	160 637	477 366
134	9 その他の生薬及び漢方処方に基づく医薬品	5 383 145	4 737 015	646 130	163 732	381 164
135	590 その他の生薬及び漢方処方に基づく医薬品	5 383 145	4 737 015	646 130	163 732	381 164
136	Ⅵ 病原生物に対する医薬品	1 606 099 591	1 324 942 808	281 156 783	24 710 525	35 007 534
137	1 抗生物質製剤	132 693 181	109 718 801	22 974 381	7 920 303	9 932 009
138	611 主としてグラム陽性菌に作用するもの	1 298 628	906 925	391 703	19 185	16 842
139	612 主としてグラム陰性菌に作用するもの	2 294 605	1 633 001	661 605	62 222	95 900
140	613 主としてグラム陽性・陰性菌に作用するもの	69 905 752	59 013 092	10 892 660	6 493 782	7 323 078
141	614 主としてグラム陽性菌、マイコプラズマに作用するもの	38 449 022	32 093 772	6 355 250	1 284 448	2 453 437
142	615 主としてグラム陽性・陰性菌、リケッチア、クラミジアに作用するもの	3 395 837	2 981 417	414 420	9 096	25 855
143	616 主として抗酸菌に作用するもの	1 118 249	734 663	383 586	521	79
144	617 主としてカビに作用するもの	10 356 539	7 761 220	2 595 319	50 646	15 637
145	619 その他の抗生物質製剤（複合抗生物質製剤を含む）	5 874 547	4 594 710	1 279 837	403	1 181
146	2 化学療法剤	840 147 578	651 248 071	188 899 506	7 046 198	2 403 126
147	621 サルファ剤	6 942 972	4 529 736	2 413 235	－	－
148	622 抗結核剤	1 143 071	908 895	234 175	286	485
149	623 抗ハンセン病剤	－	－	－	－	－
150	624 合成抗菌剤	54 664 759	44 905 237	9 759 522	1 208 831	767 213
151	625 抗ウイルス剤	707 284 906	557 526 104	149 758 802	5 764 916	1 505 058
152	629 その他の化学療法剤	70 111 871	43 378 099	26 733 771	72 165	130 369
153	3 生物学的製剤	631 868 910	562 945 950	68 922 960	9 738 081	22 661 701
154	631 ワクチン類	349 023	336 961	12 063	47 868	23 327
155	632 毒素及びトキソイド類	597 941	471 641	126 300	456	5 158
156	633 抗毒素類及び抗レプトスピラ血清類	23 087	13 192	9 894	－	－
157	634 血液製剤類	415 708 222	389 313 835	26 394 387	9 653 941	21 076 915
158	639 その他の生物学的製剤	215 190 637	172 810 321	42 380 316	35 817	1 556 300
159	4 寄生動物用薬	1 389 921	1 029 986	359 935	5 943	10 699
160	641 抗原虫剤	996 750	763 438	233 312	762	277
161	642 駆虫剤	393 171	266 548	126 623	5 181	10 422
162	Ⅶ 治療を主目的としない医薬品	308 951 192	227 432 563	81 518 629	578 208	536 762
163	1 調剤用薬	2 768 060	2 155 213	612 847	354 462	201 063
164	711 賦形剤	37 862	25 985	11 877	2 305	1 228
165	712 軟膏基剤	1 939 096	1 575 727	363 368	315 918	157 651
166	713 溶解剤	710 388	498 895	211 493	26 137	37 284
167	714 矯味、矯臭、着色剤	67 916	48 804	19 112	9 963	4 757
168	719 その他の調剤用薬	12 798	5 802	6 996	139	142
169	2 診断用薬（体外診断用医薬品を除く）	265 329 850	194 048 936	71 280 914	222 614	333 574
170	721 X線造影剤	169 910 960	120 911 701	48 999 259	95 113	85 703
171	722 機能検査用試薬	9 306 048	5 743 959	3 562 090	34 573	66 362
172	729 その他の診断用薬（体外診断用医薬品を除く）	86 112 842	67 393 277	18 719 566	92 928	181 509
173	3 公衆衛生用薬	1 149	1 132	17	102	160
174	731 防腐剤	1 149	1 132	17	102	160
175	4 体外診断用医薬品	－	－	－	－	－
176	745 細菌学的検査用薬	－	－	－	－	－
177	9 その他の治療を主目的としない医薬品	40 852 132	31 227 282	9 624 850	1 030	1 965
178	799 他に分類されない治療を主目的としない医薬品	40 852 132	31 227 282	9 624 850	1 030	1 965
179	Ⅷ 麻　薬	29 969 767	23 000 964	6 968 803	3 944	5 374
180	1 アルカロイド系麻薬（天然麻薬）	16 036 034	12 791 163	3 244 871	1 116	1 883
181	811 あへんアルカロイド系麻薬	16 031 161	12 786 965	3 244 196	1 045	1 883
182	812 コカアルカロイド系製剤	4 873	4 198	675	71	－
183	2 非アルカロイド系麻薬	13 933 733	10 209 801	3 723 932	2 827	3 490
184	821 合成麻薬	13 933 733	10 209 801	3 723 932	2 827	3 490

平成30年６月審査分

10〜14	15〜19	20〜24	25〜29	30〜34	35〜39	行番号
1 437 857	2 408 320	3 462 836	5 875 800	8 383 871	9 638 887	129
38 714	33 182	52 251	64 591	98 113	112 457	130
38 714	33 182	52 251	64 591	98 113	112 457	131
1 107 475	2 222 797	3 282 569	5 631 528	8 065 800	9 262 352	132
1 107 475	2 222 797	3 282 569	5 631 528	8 065 800	9 262 352	133
291 669	152 341	128 016	179 681	219 958	264 078	134
291 669	152 341	128 016	179 681	219 958	264 078	135
47 553 262	55 158 251	52 575 574	65 214 771	77 935 174	98 990 513	136
5 710 757	5 033 731	5 504 925	6 137 328	7 002 342	7 429 828	137
22 954	34 469	42 835	53 995	52 043	55 107	138
56 658	56 795	70 692	74 456	86 939	95 070	139
3 317 526	2 687 005	3 021 514	3 421 820	3 986 282	4 050 064	140
2 131 442	1 797 005	1 857 740	1 951 853	2 242 876	2 343 538	141
128 295	366 137	351 582	301 501	263 167	230 823	142
423	5 991	13 328	20 786	20 661	22 398	143
48 825	72 175	118 133	251 688	239 902	404 308	144
4 635	14 155	29 100	61 229	110 470	228 519	145
2 364 410	4 160 492	8 025 771	16 886 937	28 076 952	43 504 986	146
1 370	11 113	35 161	52 040	92 578	143 640	147
556	5 981	65 795	19 974	176 174	16 490	148
-	-	-	-	-	-	149
566 131	1 659 737	2 800 809	3 179 871	3 736 246	4 108 888	150
1 612 822	2 101 885	4 360 467	12 632 340	22 907 615	37 500 856	151
183 530	381 776	763 539	1 002 713	1 164 338	1 735 112	152
39 469 159	45 954 406	38 993 625	42 121 357	42 795 421	47 981 154	153
3 423	2 737	21 282	27 172	22 373	38 315	154
9 030	13 805	18 916	21 237	23 523	27 702	155
-	-	3 298	-	-	3 298	156
37 706 643	41 717 894	34 990 665	34 437 624	31 559 734	34 913 552	157
1 750 063	4 219 971	3 959 464	7 635 324	11 189 791	12 998 287	158
8 936	9 622	51 252	69 148	60 459	74 545	159
4 997	8 204	40 360	52 035	45 188	54 953	160
3 939	1 418	10 892	17 113	15 271	19 592	161
628 089	1 101 272	2 020 857	4 126 391	7 063 938	10 483 081	162
103 903	89 740	99 859	107 569	132 739	145 222	163
608	458	709	696	1 247	1 513	164
81 562	76 951	83 775	86 917	102 446	114 918	165
20 570	11 150	14 243	18 508	26 756	26 580	166
1 117	1 086	1 041	1 317	2 028	2 032	167
48	95	93	131	261	179	168
518 854	960 653	1 635 422	3 474 021	6 098 584	8 748 635	169
167 824	501 392	871 725	2 130 280	3 837 982	5 008 094	170
75 244	35 271	58 268	166 246	284 926	281 070	171
275 786	423 990	705 429	1 177 495	1 975 676	3 459 471	172
55	306	240	14	80	40	173
55	306	240	14	80	40	174
-	-	-	-	-	-	175
-	-	-	-	-	-	176
5 276	50 573	285 335	544 787	832 536	1 589 184	177
5 276	50 573	285 335	544 787	832 536	1 589 184	178
8 456	22 096	154 893	167 094	351 330	737 406	179
5 328	10 318	40 185	80 923	212 509	454 410	180
5 060	10 275	40 134	80 774	212 320	453 883	181
268	43	51	149	189	527	182
3 128	11 778	114 708	86 171	138 821	282 996	183
3 128	11 778	114 708	86 171	138 821	282 996	184

第26表　薬剤点数，診療行為区分（総数）、入院－入院外、

3　入院外

行番号	薬　効（中　分　類）	40～44	45～49	50～54	55～59	60～64
129	Ⅴ 生薬及び漢方処方に基づく医薬品	11 653 583	14 334 778	14 521 006	12 523 096	12 022 030
130	1 生薬	181 899	200 828	179 396	165 870	187 960
131	510 生薬	181 899	200 828	179 396	165 870	187 960
132	2 漢方製剤	11 085 596	13 663 737	13 889 342	11 933 288	11 435 861
133	520 漢方製剤	11 085 596	13 663 737	13 889 342	11 933 288	11 435 861
134	9 その他の生薬及び漢方処方に基づく医薬品	386 089	470 214	452 268	423 938	398 209
135	590 その他の生薬及び漢方処方に基づく医薬品	386 089	470 214	452 268	423 938	398 209
136	Ⅵ 病原生物に対する医薬品	115 965 443	130 288 596	116 272 635	114 606 683	113 193 968
137	1 抗生物質製剤	7 377 924	7 272 206	6 616 966	7 048 044	7 581 256
138	611 主としてグラム陽性菌に作用するもの	56 756	84 663	59 836	67 604	81 880
139	612 主としてグラム陰性菌に作用するもの	103 690	101 426	112 934	128 379	140 497
140	613 主としてグラム陽性・陰性菌に作用するもの	3 917 596	3 557 915	3 186 370	3 206 532	3 224 872
141	614 主としてグラム陽性菌、マイコプラズマに作用するもの	2 314 202	2 165 663	1 905 495	2 040 094	2 196 640
142	615 主としてグラム陽性・陰性菌、リケッチア、クラミジアに作用するもの	239 396	217 592	162 916	158 565	164 511
143	616 主として抗酸菌に作用するもの	46 033	48 374	51 506	54 472	101 324
144	617 主としてカビに作用するもの	351 429	667 986	688 642	829 643	1 027 831
145	619 その他の抗生物質製剤（複合抗生物質製剤を含む）	348 821	428 587	449 267	562 756	643 700
146	2 化学療法剤	58 866 399	68 380 363	68 592 688	76 382 969	74 025 390
147	621 サルファ剤	233 181	332 847	399 707	566 147	689 233
148	622 抗結核剤	24 081	33 752	33 505	49 100	63 713
149	623 抗ハンセン病剤	－	－	－	－	－
150	624 合成抗菌剤	4 136 768	3 921 660	3 551 409	3 635 926	3 579 880
151	625 抗ウイルス剤	52 286 242	61 173 252	61 131 438	67 666 869	63 958 111
152	629 その他の化学療法剤	2 186 127	2 918 852	3 476 630	4 464 926	5 734 454
153	3 生物学的製剤	49 644 314	54 552 177	40 965 125	31 081 250	31 479 761
154	631 ワクチン類	20 388	19 039	21 551	24 465	20 219
155	632 毒素及びトキソイド類	34 464	46 666	43 433	50 184	51 092
156	633 抗毒素類及び抗レプトスピラ血清類	－	－	－	－	－
157	634 血液製剤類	30 726 947	32 746 035	24 622 472	15 367 924	13 501 115
158	639 その他の生物学的製剤	18 862 515	21 740 438	16 277 669	15 638 677	17 907 335
159	4 寄生動物用薬	76 806	83 850	97 855	94 420	107 562
160	641 抗原虫剤	47 906	61 837	65 536	69 735	74 744
161	642 駆虫剤	28 899	22 013	32 318	24 685	32 817
162	Ⅶ 治療を主目的としない医薬品	14 751 043	18 626 243	20 684 415	24 338 165	30 713 483
163	1 調剤用薬	144 917	140 454	106 732	102 187	111 090
164	711 賦形剤	2 093	2 571	2 693	2 496	2 287
165	712 軟膏基剤	111 139	103 365	69 331	58 797	61 233
166	713 溶解剤	28 838	31 449	31 456	36 900	42 966
167	714 矯味、矯臭、着色剤	2 440	2 711	2 784	3 329	3 949
168	719 その他の調剤用薬	408	359	467	665	655
169	2 診断用薬（体外診断用医薬品を除く）	12 137 926	15 514 350	17 304 900	20 738 227	26 538 661
170	721 X線造影剤	6 519 765	8 550 258	10 422 177	13 038 445	17 196 548
171	722 機能検査用試薬	222 234	242 984	336 773	417 659	681 055
172	729 その他の診断用薬（体外診断用医薬品を除く）	5 395 927	6 721 108	6 545 950	7 282 124	8 661 058
173	3 公衆衛生用薬	4	113	5	2	1
174	731 防腐剤	4	113	5	2	1
175	4 体外診断用医薬品	－	－	－	－	－
176	745 細菌学的検査用薬	－	－	－	－	－
177	9 その他の治療を主目的としない医薬品	2 468 195	2 971 325	3 272 779	3 497 749	4 063 732
178	799 他に分類されない治療を主目的としない医薬品	2 468 195	2 971 325	3 272 779	3 497 749	4 063 732
179	Ⅷ 麻薬	1 860 243	1 964 042	2 747 079	3 010 556	3 616 903
180	1 アルカロイド系麻薬（天然麻薬）	1 097 602	1 028 098	1 502 243	1 684 187	2 175 834
181	811 あへんアルカロイド系麻薬	1 097 337	1 027 646	1 501 745	1 683 822	2 175 415
182	812 コカアルカロイド系製剤	265	453	498	365	419
183	2 非アルカロイド系麻薬	762 641	935 944	1 244 835	1 326 370	1 441 069
184	821 合成麻薬	762 641	935 944	1 244 835	1 326 370	1 441 069

注：1）「薬剤」の出現する明細書を集計対象としている。ただし、「処方箋料」を算定している明細書及び「投薬」「注射」を包括した診療行為が出現する明細書は除いている。
　　2）総数には、「薬剤料減点（湿布薬薬剤料上限超）」を含む。

平成30年6月審査分

65～69	70～74	75～79	80～84	85～89	90歳以上	後発医薬品（再掲）	行番号
16 082 159	17 990 231	21 209 421	19 400 947	12 573 780	6 031 938	－	129
207 539	194 556	194 918	139 098	73 414	30 102	－	130
207 539	194 556	194 918	139 098	73 414	30 102	－	131
15 433 305	17 405 457	20 671 452	19 066 182	12 422 980	5 977 684	－	132
15 433 305	17 405 457	20 671 452	19 066 182	12 422 980	5 977 684	－	133
441 316	390 218	343 052	195 667	77 386	24 152	－	134
441 316	390 218	343 052	195 667	77 386	24 152	－	135
162 290 273	135 366 085	123 960 452	87 903 416	37 719 163	11 387 274	72 001 287	136
10 288 659	9 503 413	8 735 343	6 977 608	4 065 824	2 554 717	27 494 978	137
145 515	129 321	102 027	127 617	66 335	79 645	115 256	138
216 173	246 405	247 031	223 087	117 800	58 451	376 838	139
4 035 863	3 821 400	3 680 590	3 159 442	2 212 572	1 601 528	12 671 433	140
2 846 135	2 692 792	2 512 557	1 960 722	1 131 153	621 229	12 459 449	141
198 918	181 094	155 408	114 854	78 126	48 002	1 158 746	142
191 353	171 181	143 642	122 628	77 267	26 281	331 844	143
1 709 797	1 431 483	1 255 054	852 376	239 205	101 781	344 000	144
944 904	829 738	639 034	416 883	143 365	17 800	37 412	145
110 689 144	93 673 034	84 960 941	61 590 994	24 754 022	5 762 762	44 506 309	146
1 050 276	1 030 622	1 022 045	764 095	392 862	126 054	638 266	147
206 447	217 410	105 896	70 271	37 336	15 817	－	148
－	－	－	－	－	－	－	149
4 383 661	3 917 734	3 627 570	2 902 397	1 838 739	1 141 289	16 815 337	150
95 635 999	77 824 567	69 267 104	49 828 809	17 894 990	2 231 566	18 196 562	151
9 412 761	10 682 700	10 938 326	8 025 423	4 590 094	2 248 035	8 856 144	152
41 156 957	32 045 752	30 143 054	19 223 740	8 824 211	3 037 663	－	153
28 455	16 586	5 681	4 161	1 983	－	－	154
67 832	59 963	53 420	36 438	23 271	11 351	－	155
3 298	3 298	6 596	－	3 298	－	－	156
17 661 022	12 490 764	9 334 243	6 428 984	4 705 681	2 066 068	－	157
23 396 350	19 475 141	20 743 114	12 754 158	4 089 978	960 244	－	158
155 512	143 887	121 114	111 074	75 106	32 132	－	159
130 880	118 418	94 702	83 335	35 804	7 076	－	160
24 632	25 469	26 413	27 739	39 302	25 056	－	161
46 616 320	47 081 274	40 576 044	26 359 282	10 335 986	2 330 337	39 386 805	162
163 694	173 845	186 348	167 446	129 608	107 181	449	163
2 686	2 991	3 096	3 347	2 905	1 934	－	164
80 088	84 415	91 486	90 527	86 557	82 017	－	165
74 101	79 181	84 474	65 639	34 958	19 200	－	166
5 444	5 832	5 718	6 217	3 831	2 319	－	167
1 375	1 425	1 573	1 715	1 358	1 710	449	168
40 587 632	40 855 543	35 275 614	23 178 571	9 154 607	2 051 461	36 286 600	169
26 723 780	27 002 492	23 769 199	15 796 957	6 567 209	1 626 016	32 833 001	170
1 218 820	1 728 511	1 711 799	1 218 527	447 717	78 008	1 762 549	171
12 645 032	12 124 539	9 794 616	6 163 087	2 139 681	347 437	1 691 050	172
7	2	0	16	1	－	87	173
7	2	0	16	1	－	87	174
－	－	－	－	－	－	－	175
－	－	－	－	－	－	－	176
5 864 986	6 051 885	5 114 082	3 013 249	1 051 770	171 694	3 099 669	177
5 864 986	6 051 885	5 114 082	3 013 249	1 051 770	171 694	3 099 669	178
4 787 783	4 048 646	3 267 079	1 946 920	915 962	353 962	2 649 364	179
2 686 694	1 968 071	1 709 128	902 231	365 800	109 472	2 348 888	180
2 686 389	1 967 476	1 708 678	902 117	365 698	109 464	2 348 888	181
305	595	450	114	102	9	－	182
2 101 090	2 080 575	1 557 951	1 044 689	550 161	244 490	300 477	183
2 101 090	2 080 575	1 557 951	1 044 689	550 161	244 490	300 477	184

薬 局 調 剤

第1表 件数・処方箋受付回数・点数，調剤基本料区分、一般医療－後期医療・年齢階級、調剤行為区分別

平成30年６月審査分

行番号	調剤基本料区分 一般医療－後期医療 年齢階級	件数	受付回数	総点数					
					全薬剤				その他行為
						内服薬	注射薬	外用薬	
1	総数	54 197 752	67 103 841	57 488 897 410	42 249 616 818	34 546 470 902	2 339 437 802	5 363 708 114	15 239 280 592
2	一般医療	38 512 777	46 599 075	35 798 882 468	25 846 454 069	20 758 581 999	1 796 798 943	3 291 073 127	9 952 428 399
3	後期医療	15 684 975	20 504 766	21 690 014 942	16 403 162 749	13 787 888 902	542 638 859	2 072 634 988	5 286 852 193
4	0～4歳	3 215 837	4 709 731	1 469 073 393	532 699 740	292 025 482	20 905 245	219 769 014	936 373 653
5	5～9	2 084 881	2 577 707	1 130 743 118	637 217 516	376 692 807	89 750 035	170 774 674	493 525 602
6	10～14	1 443 466	1 672 885	930 765 953	625 139 660	347 224 228	145 294 140	132 621 292	305 626 293
7	15～19	998 517	1 141 464	665 345 303	450 207 725	281 657 825	72 662 257	95 887 644	215 137 578
8	20～24	1 054 313	1 218 643	710 188 935	474 805 341	339 605 656	48 441 368	86 758 317	235 383 594
9	25～29	1 298 618	1 525 670	936 962 884	637 151 167	471 488 848	63 130 655	102 531 664	299 811 717
10	30～34	1 623 507	1 928 877	1 231 810 972	849 344 626	642 646 584	78 916 518	127 781 524	382 466 346
11	35～39	1 887 624	2 248 863	1 570 689 164	1 113 525 503	862 752 181	97 583 020	153 190 302	457 163 661
12	40～44	2 309 684	2 745 100	2 155 164 239	1 576 505 604	1 250 978 250	136 221 039	189 306 315	578 658 635
13	45～49	2 659 614	3 152 822	2 673 585 571	1 988 438 607	1 623 361 219	147 714 780	217 362 608	685 146 964
14	50～54	2 757 920	3 265 317	2 865 726 690	2 144 806 190	1 774 122 229	144 718 231	225 965 730	720 920 500
15	55～59	3 015 386	3 560 793	3 261 572 655	2 465 080 394	2 064 164 152	153 207 098	247 709 144	796 492 261
16	60～64	3 549 793	4 200 672	3 933 754 655	2 988 179 681	2 513 825 369	172 943 885	301 410 426	945 574 974
17	65～69	5 268 305	6 273 239	6 079 789 636	4 648 132 823	3 933 644 144	236 307 690	478 180 989	1 431 656 813
18	70～74	5 587 474	6 765 642	6 789 262 078	5 211 175 158	4 396 548 399	229 588 919	585 037 839	1 578 086 920
19	75～79	5 763 726	7 144 609	7 451 421 379	5 726 867 979	4 807 816 192	216 917 327	702 134 459	1 724 553 400
20	80～84	4 878 909	6 263 902	6 731 025 673	5 130 413 761	4 319 176 973	167 503 021	643 733 766	1 600 611 912
21	85～89	3 110 276	4 197 806	4 493 565 072	3 352 652 564	2 824 327 940	86 476 226	441 848 398	1 140 912 508
22	90歳以上	1 689 902	2 510 099	2 408 450 041	1 697 272 780	1 424 412 423	31 156 348	241 704 009	711 177 261
23	調剤基本料１	41 619 776	51 608 811	41 732 855 879	29 764 206 033	24 280 869 636	1 512 069 055	3 971 267 342	11 968 649 846
24	一般医療	29 506 181	35 647 823	25 668 945 253	17 887 921 485	14 316 976 581	1 144 365 249	2 426 579 655	7 781 023 768
25	後期医療	12 113 595	15 960 988	16 063 910 625	11 876 284 547	9 963 893 055	367 703 806	1 544 687 687	4 187 626 078
26	0～4歳	2 484 891	3 626 835	1 135 242 919	396 293 704	219 259 011	12 386 345	164 648 348	738 949 215
27	5～9	1 610 657	1 982 588	852 128 804	463 130 262	281 241 562	53 672 311	128 216 389	388 998 542
28	10～14	1 115 820	1 288 392	683 737 686	442 052 795	254 988 425	87 210 430	99 853 941	241 684 891
29	15～19	767 852	875 225	491 023 716	321 121 415	203 678 165	45 800 022	71 643 227	169 902 301
30	20～24	816 570	941 333	523 000 409	335 644 909	242 021 327	28 227 553	65 396 029	187 355 500
31	25～29	1 007 525	1 181 405	686 052 281	447 004 589	333 574 331	36 532 799	76 897 459	239 047 692
32	30～34	1 258 975	1 492 929	895 815 837	591 423 334	449 450 298	46 172 857	95 800 179	304 392 503
33	35～39	1 461 410	1 737 824	1 140 421 178	777 854 015	602 273 095	60 808 327	114 772 593	362 567 163
34	40～44	1 781 478	2 114 665	1 550 207 646	1 093 675 171	863 579 853	89 017 423	141 077 894	456 532 475
35	45～49	2 048 141	2 426 277	1 920 198 049	1 381 432 121	1 122 868 862	96 798 509	161 764 750	538 765 928
36	50～54	2 124 694	2 513 658	2 050 867 097	1 484 412 938	1 223 736 587	93 020 729	167 655 622	566 454 159
37	55～59	2 308 875	2 724 294	2 321 111 881	1 699 314 025	1 416 423 470	100 551 976	182 338 580	621 797 856
38	60～64	2 688 655	3 178 998	2 765 979 655	2 036 045 741	1 705 005 512	112 549 041	218 491 187	729 933 914
39	65～69	3 973 064	4 726 669	4 266 788 911	3 167 040 695	2 667 140 081	155 700 145	344 200 469	1 099 748 216
40	70～74	4 232 099	5 121 787	4 805 632 597	3 589 023 940	3 014 376 788	151 323 971	423 323 180	1 216 608 657
41	75～79	4 387 509	5 445 376	5 347 070 986	4 010 405 229	3 354 201 619	143 515 479	512 688 132	1 336 665 757
42	80～84	3 755 248	4 846 827	4 956 077 647	3 696 649 883	3 103 719 302	115 560 737	477 369 845	1 259 427 764
43	85～89	2 434 749	3 323 162	3 423 296 177	2 505 419 818	2 109 369 627	60 477 217	335 572 974	917 876 359
44	90歳以上	1 361 564	2 060 567	1 918 202 402	1 326 261 448	1 113 961 722	22 743 183	189 556 543	591 940 954
45	調剤基本料２	4 290 043	5 307 239	5 020 547 140	3 910 874 336	3 117 470 782	270 810 801	522 592 753	1 109 672 804
46	一般医療	3 122 712	3 824 254	3 258 479 049	2 503 076 741	1 958 593 399	213 302 179	331 181 163	755 402 308
47	後期医療	1 167 331	1 482 985	1 762 068 092	1 407 797 596	1 158 877 383	57 508 622	191 411 590	354 270 496
48	0～4歳	271 898	410 608	125 695 138	48 972 383	26 372 432	2 205 529	20 394 422	76 722 755
49	5～9	186 274	236 436	106 373 654	63 667 711	35 137 299	11 475 429	17 054 983	42 705 943
50	10～14	127 437	150 530	91 917 916	65 999 455	31 112 369	21 089 353	13 797 732	25 918 461
51	15～19	89 585	103 511	64 492 806	46 413 881	25 679 315	9 902 284	10 832 282	18 078 925
52	20～24	90 570	105 332	65 022 940	46 322 976	30 016 520	6 878 823	9 427 633	18 699 964
53	25～29	108 165	127 580	85 810 493	62 833 814	43 426 401	8 546 172	10 861 241	22 976 679
54	30～34	130 485	156 161	113 289 881	84 961 945	59 680 466	12 362 258	12 919 221	28 327 936
55	35～39	149 351	179 285	140 018 578	106 719 864	78 974 322	12 919 579	14 825 963	33 298 714
56	40～44	180 737	216 347	191 520 605	149 839 466	117 464 787	14 134 284	18 240 396	41 681 139
57	45～49	204 615	243 936	234 175 855	185 480 864	149 148 206	15 676 682	20 655 975	48 694 991
58	50～54	210 088	250 229	251 736 581	200 865 942	161 094 522	18 108 377	21 663 043	50 870 639
59	55～59	233 810	278 419	293 387 494	235 902 085	194 244 407	16 998 006	24 659 671	57 485 409
60	60～64	285 746	340 617	365 232 456	294 029 840	244 112 865	18 602 093	31 314 882	71 202 616
61	65～69	427 332	513 270	568 014 998	459 120 748	383 909 997	25 633 131	49 577 620	108 894 250
62	70～74	447 517	544 287	619 992 977	501 459 301	416 173 522	25 670 402	59 615 377	118 533 676
63	75～79	453 478	560 018	656 315 430	530 080 196	436 807 946	23 621 605	69 650 645	126 235 234
64	80～84	369 033	464 600	557 121 576	446 733 789	370 515 756	15 799 518	60 418 515	110 387 787
65	85～89	219 071	282 456	336 082 109	264 925 196	218 451 796	8 204 776	38 268 624	71 156 913
66	90歳以上	104 851	143 617	154 345 653	116 544 880	95 147 854	2 982 499	18 414 527	37 800 773
67	調剤基本料３ イ 受付回数４万回超40万回以下	3 589 964	4 422 388	4 554 217 084	3 615 066 330	3 004 968 894	230 248 052	379 849 384	939 150 754
68	一般医療	2 562 715	3 110 234	2 913 033 997	2 293 938 163	1 878 715 451	180 301 998	234 920 713	619 095 834
69	後期医療	1 027 249	1 312 154	1 641 183 087	1 321 128 167	1 126 253 443	49 946 053	144 928 670	320 054 920
70	0～4歳	222 109	326 484	101 446 643	42 022 298	22 339 868	2 587 620	17 094 811	59 424 345
71	5～9	136 691	169 636	81 307 623	51 646 490	28 460 106	11 063 146	12 123 238	29 661 133
72	10～14	91 877	107 295	70 307 881	52 604 779	27 945 849	16 034 250	8 624 680	17 703 102
73	15～19	61 997	71 336	49 039 234	36 989 861	22 138 918	8 879 010	5 971 933	12 049 373
74	20～24	63 178	73 730	51 656 087	38 983 766	27 814 235	5 901 502	5 268 028	12 672 321
75	25～29	78 535	92 651	68 388 412	52 158 148	37 770 811	7 952 043	6 435 294	16 230 264
76	30～34	100 171	119 535	91 129 891	69 771 220	54 000 735	7 601 941	8 168 544	21 358 671
77	35～39	119 390	142 717	124 629 493	98 108 958	78 967 354	8 827 741	10 313 863	26 520 535
78	40～44	150 179	178 684	175 742 626	140 840 365	116 671 958	11 098 077	13 070 330	34 902 261
79	45～49	175 461	207 552	218 627 545	176 475 452	146 221 226	15 319 302	14 934 924	42 152 093
80	50～54	181 444	215 370	238 326 047	193 716 136	164 704 637	12 986 956	16 024 542	44 609 911
81	55～59	200 737	236 951	266 661 379	216 823 313	185 181 993	14 176 297	17 465 023	49 838 066
82	60～64	242 641	287 449	332 456 261	271 445 596	232 045 872	17 375 389	22 024 335	61 010 665
83	65～69	368 541	439 571	520 083 950	425 107 303	366 108 862	22 499 220	36 499 220	94 976 647
84	70～74	389 946	472 649	579 581 491	475 069 644	408 347 061	21 833 354	44 889 229	104 511 847
85	75～79	397 796	492 210	616 707 998	503 596 720	430 384 296	21 030 166	52 182 258	113 111 278
86	80～84	322 397	408 429	518 958 985	419 739 668	358 984 371	15 171 966	45 583 330	99 219 317
87	85～89	193 213	251 742	308 329 798	243 601 505	207 196 334	7 512 345	28 892 826	64 728 293
88	90歳以上	93 661	128 397	140 835 742	106 365 110	89 684 407	2 397 728	14 282 976	34 470 632

第1表　件数・処方箋受付回数・点数，　調剤基本料区分、一般医療－後期医療・年齢階級、調剤行為区分別

平成30年６月審査分

行番号	調剤基本料区分 一般医療－後期医療 年齢階級	件数	受付回数	総点数					
					全薬剤	内服薬	注射薬	外用薬	その他行為
89	調剤基本料３　ロ 受付回数40万回超	4 484 479	5 499 509	5 900 734 043	4 734 309 278	3 956 668 879	310 606 893	467 033 506	1 166 424 765
90	一般医療	3 172 233	3 833 604	3 783 675 565	3 022 368 380	2 491 422 500	246 500 963	284 444 918	761 307 185
91	後期医療	1 312 246	1 665 905	2 117 058 477	1 711 940 897	1 465 246 379	64 105 930	182 588 588	405 117 580
92	0 ～ 4歳	225 227	329 051	101 887 903	43 289 056	23 162 998	3 537 643	16 588 415	58 598 847
93	5 ～ 9	144 757	181 106	86 904 728	55 981 305	30 396 985	12 949 445	12 634 875	30 923 423
94	10 ～ 14	103 527	121 001	80 822 519	61 358 277	31 355 247	20 214 707	9 788 323	19 464 242
95	15 ～ 19	75 348	87 041	57 408 124	43 006 478	28 744 388	7 271 744	6 990 346	14 401 646
96	20 ～ 24	80 140	93 729	66 924 049	51 039 949	37 975 101	6 762 571	6 302 277	15 884 100
97	25 ～ 29	99 730	118 454	92 372 624	71 792 878	54 093 522	9 796 608	7 902 747	20 579 746
98	30 ～ 34	127 630	152 658	125 717 350	98 696 628	75 873 736	12 406 691	10 416 200	27 020 722
99	35 ～ 39	150 343	180 336	157 742 371	124 576 567	97 895 193	14 028 986	12 652 389	33 165 804
100	40 ～ 44	188 764	224 873	227 765 373	184 284 340	147 148 302	20 954 998	16 181 040	43 481 033
101	45 ～ 49	221 516	262 968	287 218 568	234 154 444	196 301 641	18 722 523	19 130 279	53 064 124
102	50 ～ 54	231 191	273 260	311 230 521	254 866 235	215 188 450	19 864 258	19 813 527	56 364 286
103	55 ～ 59	260 153	306 748	364 662 415	300 290 338	257 575 077	20 482 890	22 232 371	64 372 077
104	60 ～ 64	317 567	375 267	449 318 363	369 751 950	318 144 012	23 269 305	28 338 634	79 566 413
105	65 ～ 69	476 470	566 010	692 712 589	570 535 446	493 916 713	30 915 578	45 703 155	122 177 143
106	70 ～ 74	494 806	598 320	748 346 722	616 067 800	531 998 483	29 504 283	54 565 034	132 278 922
107	75 ～ 79	501 513	617 809	793 206 152	651 229 449	559 205 412	27 441 265	64 582 773	141 976 703
108	80 ～ 84	412 117	518 472	665 605 999	540 148 247	462 591 459	20 016 142	57 540 646	125 457 752
109	85 ～ 89	250 481	323 890	405 766 140	322 759 970	275 889 985	9 663 916	37 206 069	83 006 170
110	90歳以上	123 199	168 516	185 121 532	140 479 920	119 212 172	2 803 342	18 464 407	44 641 612
111	特別調剤基本料	213 490	265 894	280 543 264	225 160 841	186 492 711	15 703 001	22 965 129	55 382 423
112	一般医療	148 936	183 160	174 748 603	139 149 299	112 874 069	12 328 553	13 946 677	35 599 304
113	後期医療	64 554	82 734	105 794 661	86 011 542	73 618 643	3 374 448	9 018 452	19 783 119
114	0 ～ 4歳	11 712	16 753	4 800 789	2 122 298	891 173	188 108	1 043 018	2 678 491
115	5 ～ 9	6 502	7 941	4 028 309	2 791 748	1 456 854	589 704	745 189	1 236 561
116	10 ～ 14	4 805	5 667	3 979 951	3 124 354	1 822 338	745 400	556 617	855 597
117	15 ～ 19	3 735	4 351	3 381 423	2 676 090	1 417 037	809 196	449 856	705 333
118	20 ～ 24	3 855	4 519	3 585 450	2 813 741	1 778 473	670 919	364 349	771 709
119	25 ～ 29	4 663	5 580	4 339 074	3 361 738	2 623 783	303 033	434 923	977 336
120	30 ～ 34	6 246	7 594	5 858 014	4 491 500	3 641 348	372 771	477 381	1 366 514
121	35 ～ 39	7 130	8 701	7 877 544	6 266 099	4 642 218	998 388	625 493	1 611 445
122	40 ～ 44	8 526	10 531	9 927 989	7 866 262	6 113 350	1 016 257	736 655	2 061 727
123	45 ～ 49	9 881	12 089	13 365 555	10 895 727	8 821 283	1 197 764	876 679	2 469 828
124	50 ～ 54	10 503	12 800	13 566 444	10 944 939	9 398 033	737 911	808 995	2 621 505
125	55 ～ 59	11 811	14 381	15 749 486	12 750 633	10 739 205	997 930	1 013 498	2 998 853
126	60 ～ 64	15 184	18 341	20 767 920	16 906 554	14 517 108	1 148 058	1 241 388	3 861 366
127	65 ～ 69	22 898	27 719	32 189 188	26 328 631	22 568 492	1 559 615	2 200 525	5 860 557
128	70 ～ 74	23 106	28 599	35 708 290	29 554 472	25 652 545	1 256 908	2 645 019	6 153 818
129	75 ～ 79	23 430	29 196	38 120 812	31 556 384	27 216 921	1 308 812	3 030 652	6 564 428
130	80 ～ 84	20 114	25 574	33 261 466	27 142 174	23 366 086	954 658	2 821 430	6 119 292
131	85 ～ 89	12 762	16 556	20 090 849	15 946 076	13 420 197	617 973	1 907 905	4 144 773
132	90歳以上	6 627	9 002	9 944 712	7 621 422	6 406 269	229 597	985 556	2 323 290

第2表 件数, 剤型、一般医療−後期医療・

行番号	剤型 一般医療−後期医療 年齢階級	総数	500点未満	100点未満	100〜200点未満	200〜300	300〜400
1	総数	54 189 693	34 117 727	13 602 472	8 115 237	5 301 933	3 985 112
2	一般医療	38 511 079	26 837 386	11 431 935	6 455 102	3 958 513	2 853 787
3	後期医療	15 678 614	7 280 341	2 170 537	1 660 135	1 343 420	1 131 325
4	0 〜 4歳	3 215 829	3 010 798	1 946 408	558 329	269 890	142 221
5	5 〜 9	2 084 866	1 807 446	998 044	387 790	209 821	127 214
6	10 〜 14	1 443 439	1 211 196	680 497	251 959	133 029	87 054
7	15 〜 19	998 495	828 450	419 456	193 136	101 049	68 273
8	20 〜 24	1 054 283	865 954	426 858	208 125	110 023	72 727
9	25 〜 29	1 298 591	1 039 671	504 130	251 235	135 131	89 348
10	30 〜 34	1 623 472	1 279 502	602 555	316 686	169 711	113 448
11	35 〜 39	1 887 560	1 430 992	631 414	361 764	202 203	138 835
12	40 〜 44	2 309 605	1 647 952	670 078	422 002	247 911	179 116
13	45 〜 49	2 659 505	1 795 341	677 759	460 394	286 209	212 537
14	50 〜 54	2 757 804	1 792 240	633 795	462 869	297 141	226 755
15	55 〜 59	3 015 238	1 895 307	635 838	494 615	324 559	247 965
16	60 〜 64	3 549 584	2 158 817	697 949	562 071	379 175	291 225
17	65 〜 69	5 267 963	3 078 489	974 797	786 130	549 622	426 621
18	70 〜 74	5 586 858	3 077 137	957 062	756 060	557 839	443 330
19	75 〜 79	5 762 538	2 924 413	889 664	688 339	538 097	440 066
20	80 〜 84	4 876 994	2 255 737	673 313	512 471	416 587	350 853
21	85 〜 89	3 108 412	1 313 464	383 603	288 658	243 118	210 969
22	90歳以上	1 688 657	704 821	199 252	152 604	130 818	116 555
23	内服薬	45 590 298	28 848 315	11 279 570	7 046 050	4 586 691	3 324 497
24	一般医療	32 341 916	22 886 109	9 713 046	5 686 520	3 425 263	2 332 336
25	後期医療	13 248 382	5 962 206	1 566 524	1 359 530	1 161 428	992 161
26	0 〜 4歳	2 538 558	2 453 225	1 739 071	421 926	170 376	79 018
27	5 〜 9	1 609 930	1 445 802	807 854	335 653	167 855	83 168
28	10 〜 14	1 061 694	922 271	509 592	214 393	112 300	53 675
29	15 〜 19	780 943	683 180	363 540	168 381	81 964	43 862
30	20 〜 24	866 492	744 244	386 301	187 032	92 470	49 608
31	25 〜 29	1 086 689	907 077	455 288	228 117	117 737	65 793
32	30 〜 34	1 367 758	1 122 552	538 423	288 899	151 540	88 239
33	35 〜 39	1 603 775	1 264 135	562 631	331 125	183 152	112 987
34	40 〜 44	1 990 544	1 470 048	596 824	387 225	228 168	151 604
35	45 〜 49	2 316 140	1 608 035	601 755	423 168	262 915	185 124
36	50 〜 54	2 405 897	1 596 895	555 308	422 504	270 761	198 393
37	55 〜 59	2 633 132	1 680 063	548 821	449 218	293 441	218 562
38	60 〜 64	3 075 815	1 884 157	580 416	505 749	338 902	256 495
39	65 〜 69	4 511 229	2 625 528	771 095	693 222	483 716	374 223
40	70 〜 74	4 706 127	2 548 531	715 100	645 052	483 010	383 270
41	75 〜 79	4 796 063	2 358 316	634 650	563 956	457 572	377 016
42	80 〜 84	4 098 265	1 822 761	474 309	414 359	356 583	304 753
43	85 〜 89	2 656 450	1 086 924	278 104	233 744	212 926	189 089
44	90歳以上	1 484 797	624 571	160 488	132 327	121 303	109 618

平成30年６月審査分

400～500	500～1000	1000～1500	1500～2000	2000～2500	2500～3000	3000点以上	後発医薬品（再掲）	行番号
3 112 973	9 338 503	4 342 536	2 304 837	1 335 571	785 991	1 964 528	39 467 566	1
2 138 049	5 878 442	2 429 811	1 202 517	682 412	396 678	1 083 833	27 628 032	2
974 924	3 460 061	1 912 725	1 102 320	653 159	389 313	880 695	11 839 534	3
93 950	154 077	28 567	10 346	4 668	2 150	5 223	2 247 021	4
84 577	182 239	52 187	16 255	8 768	4 074	13 897	1 368 538	5
58 657	132 343	48 309	14 743	11 193	5 132	20 523	946 816	6
46 536	101 296	29 959	10 900	8 479	3 902	15 509	695 635	7
48 221	109 673	32 947	13 959	9 651	5 091	17 008	754 688	8
59 827	145 059	47 791	21 798	13 915	7 693	22 664	927 471	9
77 102	190 386	64 690	29 845	18 049	10 471	30 529	1 157 131	10
96 776	245 760	88 422	42 105	24 458	14 662	41 161	1 331 721	11
128 845	341 095	133 023	65 027	36 689	23 292	62 527	1 622 374	12
158 442	433 023	178 978	87 956	49 985	31 147	83 075	1 873 934	13
171 680	479 251	204 023	100 593	56 592	33 440	91 665	1 969 137	14
192 330	548 157	238 437	119 453	66 342	38 947	108 595	2 208 335	15
228 397	672 121	297 127	152 225	83 849	48 790	136 655	2 644 766	16
341 319	1 037 813	469 906	245 428	136 800	80 150	219 377	3 936 100	17
362 846	1 150 229	544 519	292 019	167 369	98 144	257 441	4 134 975	18
368 247	1 237 500	628 540	349 469	205 068	120 687	296 861	4 221 057	19
302 513	1 078 025	597 284	343 142	204 615	122 587	275 604	3 647 925	20
187 116	702 528	420 087	250 356	149 626	89 762	182 589	2 403 962	21
105 592	397 928	237 740	139 218	79 455	45 870	83 625	1 375 980	22
2 611 507	7 850 366	3 656 478	1 937 429	1 110 970	641 633	1 545 107	34 042 599	23
1 728 944	4 735 162	1 975 905	990 211	564 244	325 026	865 259	23 846 323	24
882 563	3 115 204	1 680 573	947 218	546 726	316 607	679 848	10 196 276	25
42 834	70 960	8 804	2 055	719	529	2 266	1 893 934	26
51 272	112 167	28 563	7 576	4 763	2 164	8 895	1 112 410	27
32 311	75 469	28 238	8 390	8 218	3 703	15 405	732 619	28
25 433	51 170	16 809	6 899	6 689	3 132	13 064	555 687	29
28 833	62 677	21 423	10 510	8 379	4 504	14 755	626 608	30
40 142	91 391	32 969	17 015	11 984	6 778	19 475	785 147	31
55 451	127 523	45 155	22 944	14 993	8 860	25 731	990 506	32
74 240	176 585	64 149	32 493	20 010	12 331	34 072	1 150 616	33
106 227	264 746	102 848	51 902	30 306	19 702	50 992	1 421 383	34
135 073	355 113	145 994	72 595	41 433	25 982	66 988	1 660 402	35
149 929	405 177	171 603	84 356	47 458	27 548	72 860	1 754 820	36
170 021	473 108	204 193	101 817	55 490	32 148	86 313	1 975 060	37
202 595	585 998	255 875	130 176	70 567	40 184	108 858	2 349 479	38
303 272	912 228	405 866	209 860	115 579	66 034	176 134	3 453 311	39
322 099	1 012 013	470 153	249 882	140 431	80 605	204 512	3 556 057	40
325 122	1 090 733	544 453	299 217	171 747	99 308	232 289	3 567 773	41
272 757	968 974	525 420	296 035	172 278	99 986	212 811	3 116 866	42
173 061	643 344	373 915	215 993	125 482	72 458	138 334	2 098 425	43
100 835	370 990	210 048	117 714	64 444	35 677	61 353	1 241 496	44

第2表 件数， 剤型、一般医療－後期医療・

行番号	剤型 一般医療－後期医療 年齢階級	総数	500点未満				
				100点未満	100～200点未満	200～300	300～400
45	注射薬	756 676	223 574	1 488	55 728	76 920	45 143
46	一般医療	495 273	128 799	869	30 793	45 191	24 559
47	後期医療	261 403	94 775	619	24 935	31 729	20 584
48	0 ～ 4歳	1 794	254	92	39	37	51
49	5 ～ 9	5 654	337	53	69	51	81
50	10 ～ 14	6 141	240	32	53	50	64
51	15 ～ 19	4 143	303	25	62	90	66
52	20 ～ 24	4 292	517	13	136	163	98
53	25 ～ 29	6 497	981	20	250	312	186
54	30 ～ 34	10 748	1 920	23	501	667	331
55	35 ～ 39	16 064	3 008	28	802	1 014	519
56	40 ～ 44	25 577	4 759	43	1 083	1 798	800
57	45 ～ 49	36 751	7 250	51	1 653	2 767	1 132
58	50 ～ 54	44 287	9 928	57	2 322	3 747	1 674
59	55 ～ 59	54 005	13 228	62	3 128	4 860	2 309
60	60 ～ 64	69 547	19 169	102	4 460	6 768	3 689
61	65 ～ 69	108 647	33 523	145	8 108	11 633	6 650
62	70 ～ 74	112 415	37 054	160	9 110	12 312	7 829
63	75 ～ 79	105 690	35 746	125	8 989	12 099	7 595
64	80 ～ 84	83 755	30 260	156	7 864	10 100	6 635
65	85 ～ 89	44 358	17 875	152	4 855	6 053	3 884
66	90歳以上	16 311	7 222	149	2 244	2 399	1 550
67	外用薬	23 941 472	21 154 720	12 199 943	4 679 103	2 418 714	1 216 524
68	一般医療	16 253 108	14 535 110	9 031 141	2 845 179	1 422 945	815 629
69	後期医療	7 688 364	6 619 610	3 168 802	1 833 924	995 769	400 895
70	0 ～ 4歳	1 984 951	1 899 449	1 485 454	199 440	115 013	53 105
71	5 ～ 9	1 166 026	1 089 813	747 443	184 511	80 264	48 697
72	10 ～ 14	833 887	772 991	504 898	144 183	58 254	45 591
73	15 ～ 19	539 791	493 779	304 015	88 752	47 308	36 057
74	20 ～ 24	501 940	460 293	288 040	82 367	44 755	30 773
75	25 ～ 29	572 644	520 419	331 538	92 042	48 176	33 960
76	30 ～ 34	686 370	618 168	399 653	107 729	54 878	39 425
77	35 ～ 39	770 831	686 463	439 148	123 001	61 920	43 876
78	40 ～ 44	883 198	776 114	487 451	145 752	71 439	49 528
79	45 ～ 49	958 019	835 073	509 897	164 601	81 251	54 161
80	50 ～ 54	965 895	839 420	498 499	174 571	85 591	54 521
81	55 ～ 59	1 041 447	904 915	524 915	198 483	96 797	56 807
82	60 ～ 64	1 251 385	1 086 308	612 632	251 511	124 728	64 426
83	65 ～ 69	1 932 238	1 674 086	916 222	406 933	203 415	96 497
84	70 ～ 74	2 286 440	1 977 394	1 025 383	508 908	265 329	115 720
85	75 ～ 79	2 670 464	2 307 888	1 126 079	626 976	342 093	137 902
86	80 ～ 84	2 388 121	2 057 333	976 946	572 983	315 449	124 138
87	85 ～ 89	1 601 664	1 372 769	644 461	387 848	209 572	84 019
88	90歳以上	906 161	782 045	377 269	218 512	112 482	47 321

注：1）「薬剤」の出現する明細書を集計対象としている。
2）総数は明細書1枚を1件とし、剤型別は明細書1枚に内服薬・注射薬・外用薬の記載があった場合、それぞれに1件と計上しているので総数に合わない。
3）「後発医薬品（再掲）」は、後発医薬品が出現した明細書の件数である。

平成30年６月審査分

400～500	500～1000	1000～1500	1500～2000	2000～2500	2500～3000	3000点以上	後発医薬品（再掲）	行番号
44 295	191 775	106 165	50 321	35 318	16 607	132 916	79 149	45
27 387	127 523	78 024	37 705	27 105	12 751	83 366	57 016	46
16 908	64 252	28 141	12 616	8 213	3 856	49 550	22 133	47
35	557	21	192	9	5	756	108	48
83	1 598	299	533	122	8	2 757	183	49
41	611	1 232	290	372	55	3 341	226	50
60	545	1 018	340	332	146	1 459	244	51
107	795	870	373	219	123	1 395	381	52
213	1 318	1 224	582	351	200	1 841	605	53
398	2 330	1 852	1 010	701	334	2 601	1 157	54
645	3 509	2 953	1 625	1 021	497	3 451	1 840	55
1 035	5 724	4 838	2 543	1 774	889	5 050	3 159	56
1 647	8 559	6 788	3 631	2 661	1 329	6 533	4 791	57
2 128	10 744	7 895	3 982	3 168	1 523	7 047	5 724	58
2 869	13 840	9 029	4 553	3 496	1 661	8 198	6 810	59
4 150	18 489	10 963	5 090	3 808	1 834	10 194	8 579	60
6 987	30 277	15 681	7 084	5 037	2 293	14 752	12 759	61
7 643	31 211	14 734	6 546	4 455	2 042	16 373	11 437	62
6 938	27 981	12 470	5 648	3 832	1 723	18 290	9 318	63
5 505	20 788	9 079	4 048	2 603	1 229	15 748	6 820	64
2 931	9 883	4 006	1 736	1 057	516	9 285	3 447	65
880	3 016	1 213	515	300	200	3 845	1 561	66
640 436	1 807 274	588 268	200 574	89 307	41 790	59 539	11 108 128	67
420 216	1 171 248	335 426	111 591	47 164	21 359	31 210	7 484 019	68
220 220	636 026	252 842	88 983	42 143	20 431	28 329	3 624 109	69
46 437	63 439	12 694	5 542	2 177	674	976	753 387	70
28 898	58 683	10 924	3 701	1 691	544	670	449 254	71
20 065	48 111	8 533	2 411	993	379	469	360 132	72
17 647	36 586	6 491	1 612	711	275	337	264 351	73
14 358	32 650	6 168	1 598	598	303	330	256 926	74
14 703	39 555	8 606	2 229	877	428	530	291 450	75
16 483	49 864	12 225	3 392	1 366	599	756	344 982	76
18 518	59 940	15 869	4 707	1 860	834	1 158	377 929	77
21 944	73 436	21 268	6 718	2 628	1 271	1 763	422 194	78
25 163	82 667	25 190	7 924	3 379	1 533	2 253	449 360	79
26 238	83 874	26 191	8 614	3 639	1 631	2 526	449 107	80
27 913	89 425	28 743	9 458	4 017	1 904	2 985	490 287	81
33 011	107 240	34 816	11 968	5 021	2 381	3 651	599 591	82
51 019	164 742	55 460	19 489	8 335	3 999	6 127	931 736	83
62 054	193 350	67 291	24 397	10 927	5 212	7 869	1 097 276	84
74 838	222 690	81 014	29 340	13 560	6 554	9 418	1 265 491	85
67 817	198 040	77 094	27 226	13 171	6 390	8 867	1 122 784	86
46 869	132 678	56 777	19 572	9 393	4 533	5 942	751 351	87
26 461	70 304	32 914	10 676	4 964	2 346	2 912	430 540	88

第3表 件数，処方箋発行医療機関、一般医療－

行番号	処方箋発行医療機関 一般医療－後期医療 年齢階級	総数	500点未満	100点未満	100～200点未満	200～300	300～400
1	総数	54 189 693	34 117 727	13 602 472	8 115 237	5 301 933	3 985 112
2	一般医療	38 511 079	26 837 386	11 431 935	6 455 102	3 958 513	2 853 787
3	後期医療	15 678 614	7 280 341	2 170 537	1 660 135	1 343 420	1 131 325
4	0 ～ 4 歳	3 215 829	3 010 798	1 946 408	558 329	269 890	142 221
5	5 ～ 9	2 084 866	1 807 446	998 044	387 790	209 821	127 214
6	10 ～ 14	1 443 439	1 211 196	680 497	251 959	133 029	87 054
7	15 ～ 19	998 495	828 450	419 456	193 136	101 049	68 273
8	20 ～ 24	1 054 283	865 954	426 858	208 125	110 023	72 727
9	25 ～ 29	1 298 591	1 039 671	504 130	251 235	135 131	89 348
10	30 ～ 34	1 623 472	1 279 502	602 555	316 686	169 711	113 448
11	35 ～ 39	1 887 560	1 430 992	631 414	361 764	202 203	138 835
12	40 ～ 44	2 309 605	1 647 952	670 078	422 002	247 911	179 116
13	45 ～ 49	2 659 505	1 795 341	677 759	460 394	286 209	212 537
14	50 ～ 54	2 757 804	1 792 240	633 795	462 869	297 141	226 755
15	55 ～ 59	3 015 238	1 895 307	635 838	494 615	324 559	247 965
16	60 ～ 64	3 549 584	2 158 817	697 949	562 071	379 175	291 225
17	65 ～ 69	5 267 963	3 078 489	974 797	786 130	549 622	426 621
18	70 ～ 74	5 586 858	3 077 137	957 062	756 060	557 839	443 330
19	75 ～ 79	5 762 538	2 924 413	889 664	688 339	538 097	440 066
20	80 ～ 84	4 876 994	2 255 737	673 313	512 471	416 587	350 853
21	85 ～ 89	3 108 412	1 313 464	383 603	288 658	243 118	210 969
22	90 歳 以 上	1 688 657	704 821	199 252	152 604	130 818	116 555
23	病院	12 312 370	5 523 445	2 068 885	1 222 196	892 938	725 400
24	一般医療	7 841 785	3 954 165	1 601 116	880 580	603 012	476 058
25	後期医療	4 470 585	1 569 280	467 769	341 616	289 926	249 342
26	0 ～ 4 歳	342 289	300 599	202 635	50 405	24 244	13 835
27	5 ～ 9	193 357	134 643	78 794	25 295	14 438	9 307
28	10 ～ 14	162 715	104 039	61 524	19 060	10 797	7 247
29	15 ～ 19	134 232	90 193	51 162	17 712	9 601	6 583
30	20 ～ 24	159 497	110 920	63 316	22 147	11 829	7 945
31	25 ～ 29	207 645	140 666	78 081	28 509	15 547	10 593
32	30 ～ 34	274 156	179 760	94 489	38 649	20 844	14 657
33	35 ～ 39	338 461	204 393	96 418	45 571	27 133	19 888
34	40 ～ 44	452 854	244 635	100 751	56 575	36 199	28 204
35	45 ～ 49	564 751	282 220	105 053	66 155	44 763	36 026
36	50 ～ 54	607 387	290 130	99 072	68 719	48 514	40 344
37	55 ～ 59	697 665	318 394	101 994	76 336	55 677	45 582
38	60 ～ 64	879 305	385 927	118 015	92 447	69 246	57 466
39	65 ～ 69	1 403 225	589 062	176 870	139 146	107 767	89 258
40	70 ～ 74	1 532 822	607 308	181 055	140 019	111 847	93 937
41	75 ～ 79	1 609 013	593 276	176 618	132 316	110 207	93 222
42	80 ～ 84	1 392 794	480 833	143 277	104 521	88 862	76 544
43	85 ～ 89	890 240	296 016	88 698	62 684	54 476	47 237
44	90 歳 以 上	469 962	170 431	51 063	35 930	30 947	27 525

平成30年６月審査分

400～500	500～1000	1000～1500	1500～2000	2000～2500	2500～3000	3000点以上	後発医薬品（再掲）	行番号
3 112 973	9 338 503	4 342 536	2 304 837	1 335 571	785 991	1 964 528	39 467 566	1
2 138 049	5 878 442	2 429 811	1 202 517	682 412	396 678	1 083 833	27 628 032	2
974 924	3 460 061	1 912 725	1 102 320	653 159	389 313	880 695	11 839 534	3
93 950	154 077	28 567	10 346	4 668	2 150	5 223	2 247 021	4
84 577	182 239	52 187	16 255	8 768	4 074	13 897	1 368 538	5
58 657	132 343	48 309	14 743	11 193	5 132	20 523	946 816	6
46 536	101 296	29 959	10 900	8 479	3 902	15 509	695 635	7
48 221	109 673	32 947	13 959	9 651	5 091	17 008	754 688	8
59 827	145 059	47 791	21 798	13 915	7 693	22 664	927 471	9
77 102	190 386	64 690	29 845	18 049	10 471	30 529	1 157 131	10
96 776	245 760	88 422	42 105	24 458	14 662	41 161	1 331 721	11
128 845	341 095	133 023	65 027	36 689	23 292	62 527	1 622 374	12
158 442	433 023	178 978	87 956	49 985	31 147	83 075	1 873 934	13
171 680	479 251	204 023	100 593	56 592	33 440	91 665	1 969 137	14
192 330	548 157	238 437	119 453	66 342	38 947	108 595	2 208 335	15
228 397	672 121	297 127	152 225	83 849	48 790	136 655	2 644 766	16
341 319	1 037 813	469 906	245 428	136 800	80 150	219 377	3 936 100	17
362 846	1 150 229	544 519	292 019	167 369	98 144	257 441	4 134 975	18
368 247	1 237 500	628 540	349 469	205 068	120 687	296 861	4 221 057	19
302 513	1 078 025	597 284	343 142	204 615	122 587	275 604	3 647 925	20
187 116	702 528	420 087	250 356	149 626	89 762	182 589	2 403 962	21
105 592	397 928	237 740	139 218	79 455	45 870	83 625	1 375 980	22
614 026	2 198 731	1 383 788	894 825	599 836	405 601	1 306 144	8 956 652	23
393 399	1 322 921	782 518	489 841	323 282	217 278	751 780	5 574 592	24
220 627	875 810	601 270	404 984	276 554	188 323	554 364	3 382 060	25
9 480	21 805	7 994	4 094	2 220	1 244	4 333	216 942	26
6 809	21 962	13 602	6 286	4 265	2 370	10 229	105 861	27
5 411	16 621	13 927	5 661	5 458	2 816	14 193	88 309	28
5 135	14 255	8 077	4 207	4 006	2 142	11 352	82 629	29
5 683	17 349	8 388	5 000	3 787	2 533	11 520	107 481	30
7 936	24 516	11 884	7 647	5 136	3 587	14 209	141 931	31
11 121	34 917	16 995	10 909	7 194	5 083	19 298	186 532	32
15 383	48 969	24 898	15 718	10 309	7 514	26 660	229 813	33
22 906	73 984	39 872	24 844	16 316	12 343	40 860	313 636	34
30 223	99 017	55 406	34 030	22 611	16 482	54 985	399 771	35
33 481	110 082	63 495	39 081	26 128	17 574	60 897	437 937	36
38 805	129 501	76 156	47 768	30 848	20 785	74 213	514 343	37
48 753	165 657	100 219	63 782	40 820	27 282	95 618	656 504	38
76 021	267 860	166 504	107 043	69 417	46 100	157 239	1 046 592	39
80 450	294 146	188 322	123 594	82 200	55 019	182 233	1 133 338	40
80 913	309 555	207 332	138 230	94 648	64 055	201 917	1 178 427	41
67 629	270 060	188 230	127 601	88 359	60 724	176 987	1 042 860	42
42 921	177 870	125 274	85 601	58 696	40 001	106 782	689 837	43
24 966	100 605	67 213	43 729	27 418	17 947	42 619	383 909	44

第3表　件数，処方箋発行医療機関、一般医療−

行番号	処方箋発行医療機関 一般医療−後期医療 年齢階級	総数	500点未満				
				100点未満	100～200点未満	200～300	300～400
45	診療所	41 288 405	28 091 998	11 169 760	6 821 706	4 378 195	3 238 715
46	一般医療	30 213 214	22 478 730	9 532 070	5 517 827	3 332 266	2 362 602
47	後期医療	11 075 191	5 613 268	1 637 690	1 303 879	1 045 929	876 113
48	0 ～ 4歳	2 857 127	2 694 716	1 733 166	505 195	244 449	127 794
49	5 ～ 9	1 872 604	1 654 967	906 215	359 673	194 327	117 339
50	10 ～ 14	1 269 794	1 097 121	611 721	231 410	121 616	79 383
51	15 ～ 19	853 949	728 675	361 138	174 116	90 901	61 361
52	20 ～ 24	875 357	736 514	348 220	184 052	97 524	64 406
53	25 ～ 29	1 067 073	876 478	407 491	220 295	118 805	78 298
54	30 ～ 34	1 324 016	1 076 116	489 412	275 143	147 803	98 180
55	35 ～ 39	1 521 641	1 201 396	515 489	313 005	173 790	118 218
56	40 ～ 44	1 823 204	1 373 019	546 377	361 347	210 149	149 920
57	45 ～ 49	2 056 231	1 478 876	547 178	389 462	239 592	175 285
58	50 ～ 54	2 111 919	1 468 283	509 975	389 416	246 607	185 042
59	55 ～ 59	2 278 377	1 542 886	509 247	413 346	266 906	200 921
60	60 ～ 64	2 628 634	1 737 152	554 485	464 181	307 720	232 221
61	65 ～ 69	3 808 134	2 441 571	764 237	639 868	438 625	335 148
62	70 ～ 74	3 997 089	2 423 213	743 687	609 088	442 732	347 115
63	75 ～ 79	4 098 100	2 287 464	683 117	549 483	424 855	344 513
64	80 ～ 84	3 441 834	1 743 500	508 929	403 313	325 311	272 456
65	85 ～ 89	2 195 048	1 001 754	284 863	223 689	187 292	162 619
66	90歳以上	1 208 274	528 297	144 813	115 624	99 191	88 496
67	歯科単科病院及び歯科診療所	329 976	328 627	293 837	28 842	4 271	1 136
68	一般医療	268 758	267 928	240 564	22 954	3 260	803
69	後期医療	61 218	60 699	53 273	5 888	1 011	333
70	0 ～ 4歳	1 760	1 758	1 666	77	10	3
71	5 ～ 9	9 552	9 550	8 412	1 014	98	24
72	10 ～ 14	4 314	4 308	3 945	317	37	8
73	15 ～ 19	5 267	5 262	4 914	309	28	8
74	20 ～ 24	14 169	14 153	13 136	903	97	15
75	25 ～ 29	17 256	17 240	16 048	1 038	121	25
76	30 ～ 34	16 887	16 859	15 570	1 113	127	38
77	35 ～ 39	17 605	17 566	16 068	1 240	189	49
78	40 ～ 44	21 476	21 432	19 384	1 731	237	50
79	45 ～ 49	24 371	24 283	21 762	2 144	283	66
80	50 ～ 54	23 984	23 895	21 312	2 114	343	83
81	55 ～ 59	23 963	23 864	21 150	2 263	337	74
82	60 ～ 64	24 873	24 779	21 843	2 459	357	85
83	65 ～ 69	32 655	32 514	28 631	3 209	489	126
84	70 ～ 74	31 211	31 046	27 228	3 079	522	148
85	75 ～ 79	28 708	28 487	24 966	2 845	441	144
86	80 ～ 84	19 946	19 781	17 388	1 877	343	110
87	85 ～ 89	9 267	9 169	8 053	868	161	59
88	90歳以上	2 712	2 681	2 361	242	51	21

注：1）「薬剤」の出現する明細書を集計対象としている。
2）総数には、データ上で病院、診療所別を取得できなかったものを含む。
3）病院には病院併設歯科を、診療所には診療所併設歯科を含む。
4）「後発医薬品（再掲）」は、後発医薬品が出現した明細書の件数である。

平成30年６月審査分

400～500	500～1000	1000～1500	1500～2000	2000～2500	2500～3000	3000点以上	後発医薬品（再掲）	行番号
2 483 622	7 094 972	2 939 551	1 400 429	730 651	377 595	653 209	30 081 313	45
1 733 965	4 526 621	1 636 379	707 632	356 545	178 013	329 294	21 717 345	46
749 657	2 568 351	1 303 172	692 797	374 106	199 582	323 915	8 363 968	47
84 112	131 529	20 426	6 231	2 436	904	885	2 017 940	48
77 413	159 472	38 406	9 925	4 486	1 692	3 656	1 248 464	49
52 991	115 113	34 225	9 021	5 702	2 303	6 309	850 484	50
41 159	86 535	21 759	6 651	4 447	1 748	4 134	605 356	51
42 312	91 786	24 356	8 892	5 836	2 537	5 436	631 786	52
51 589	119 794	35 611	14 041	8 701	4 084	8 364	766 776	53
65 578	154 479	47 381	18 795	10 772	5 354	11 119	951 184	54
80 894	195 503	63 059	26 193	14 024	7 086	14 380	1 081 369	55
105 226	265 241	92 489	39 912	20 221	10 856	21 466	1 283 979	56
127 359	331 611	122 682	53 534	27 151	14 543	27 834	1 445 772	57
137 243	366 614	139 496	61 035	30 237	15 730	30 524	1 503 058	58
152 466	415 870	161 174	71 105	35 236	18 027	34 079	1 665 586	59
178 545	503 199	195 671	87 846	42 731	21 346	40 689	1 957 990	60
263 693	765 268	301 523	137 443	66 915	33 788	61 626	2 848 723	61
280 591	850 804	353 867	167 244	84 554	42 783	74 624	2 961 364	62
285 496	922 227	418 446	209 833	109 628	56 237	94 265	3 004 292	63
233 491	802 973	406 434	214 138	115 485	61 438	97 866	2 575 452	64
143 291	521 458	293 100	163 723	90 391	49 387	75 235	1 697 619	65
80 173	295 496	169 446	94 867	51 698	27 752	40 718	984 119	66
541	855	295	78	42	30	49	242 385	67
347	546	170	46	21	19	28	202 583	68
194	309	125	32	21	11	21	39 802	69
2	1	－	－	－	－	1	1 393	70
2	2	－	－	－	－	－	7 955	71
1	4	1	－	－	－	1	3 517	72
3	2	3	－	－	－	－	4 098	73
2	11	3	－	1	－	1	11 624	74
8	13	1	1	－	1	－	14 148	75
11	19	4	3	－	－	2	13 638	76
20	28	7	3	－	1	－	13 833	77
30	35	3	4	1	－	1	16 470	78
28	64	14	3	2	1	4	18 584	79
43	56	25	5	1	2	－	17 938	80
40	61	23	6	2	3	4	17 522	81
35	58	26	5	2	1	2	17 886	82
59	93	28	6	6	4	4	22 998	83
69	102	32	10	6	7	8	21 332	84
91	128	53	18	10	2	10	18 954	85
63	99	41	7	7	3	8	12 983	86
28	59	24	6	3	3	3	5 829	87
6	20	7	1	1	2	－	1 683	88

第4表　薬剤点数，　剤型、一般医療－

行番号	剤型 一般医療－後期医療 年齢階級	総数	250円未満	50円未満	50～100円未満	100～150
1	総数	42 249 616 818	27 568 236 477	11 335 160 757	5 957 569 702	4 607 814 728
2	一般医療	25 846 454 069	16 272 584 646	6 822 862 023	3 290 205 527	2 573 901 863
3	後期医療	16 403 162 749	11 295 651 830	4 512 298 734	2 667 364 175	2 033 912 865
4	0 ～ 4歳	532 699 740	433 388 616	282 670 292	53 886 570	27 393 838
5	5 ～ 9	637 217 516	409 999 944	203 290 105	69 358 504	25 167 933
6	10 ～ 14	625 139 660	305 447 607	159 246 745	55 284 686	22 534 723
7	15 ～ 19	450 207 725	258 382 086	122 953 700	55 267 793	30 839 059
8	20 ～ 24	474 805 341	289 948 763	131 105 016	57 766 337	34 170 394
9	25 ～ 29	637 151 167	378 775 148	170 428 919	73 480 359	45 532 973
10	30 ～ 34	849 344 626	498 206 271	225 316 800	95 691 474	61 134 649
11	35 ～ 39	1 113 525 503	646 389 567	287 285 645	124 436 892	84 419 276
12	40 ～ 44	1 576 505 604	930 536 024	393 372 358	176 784 425	134 502 882
13	45 ～ 49	1 988 438 607	1 214 394 226	501 681 386	228 610 454	191 588 282
14	50 ～ 54	2 144 806 190	1 353 143 795	553 785 571	259 588 113	226 950 968
15	55 ～ 59	2 465 080 394	1 566 658 340	630 937 287	307 510 956	272 140 683
16	60 ～ 64	2 988 179 681	1 918 994 839	764 141 048	391 459 905	337 788 574
17	65 ～ 69	4 648 132 823	2 975 083 669	1 176 791 425	637 298 862	526 573 275
18	70 ～ 74	5 211 175 158	3 379 800 837	1 328 542 934	763 219 147	596 873 799
19	75 ～ 79	5 726 867 979	3 799 935 091	1 485 739 412	902 290 965	671 936 812
20	80 ～ 84	5 130 413 761	3 528 348 099	1 387 865 659	845 312 592	640 041 888
21	85 ～ 89	3 352 652 564	2 403 008 752	968 920 507	568 693 554	446 874 587
22	90歳以上	1 697 272 780	1 277 794 802	561 085 948	291 628 116	231 350 134
23	内服薬	34 546 470 902	24 966 462 322	9 451 253 842	5 721 995 497	4 393 936 033
24	一般医療	20 758 581 999	14 655 239 124	5 655 174 890	3 163 984 733	2 414 467 383
25	後期医療	13 787 888 902	10 311 223 198	3 796 078 952	2 558 010 764	1 979 468 650
26	0 ～ 4歳	292 025 482	252 279 693	122 407 978	49 365 274	12 916 711
27	5 ～ 9	376 692 807	301 189 260	115 033 986	65 594 417	15 819 946
28	10 ～ 14	347 224 228	228 832 569	107 968 164	49 882 770	10 303 014
29	15 ～ 19	281 657 825	193 520 188	85 671 614	49 124 224	14 622 588
30	20 ～ 24	339 605 656	233 918 468	95 602 730	52 742 937	22 709 429
31	25 ～ 29	471 488 848	319 651 385	130 043 803	68 678 884	35 763 171
32	30 ～ 34	642 646 584	432 864 869	178 702 491	90 725 359	52 441 007
33	35 ～ 39	862 752 181	574 892 029	236 035 890	119 003 008	76 021 209
34	40 ～ 44	1 250 978 250	847 443 698	334 701 625	170 334 016	125 688 453
35	45 ～ 49	1 623 361 219	1 122 071 174	436 990 738	221 292 572	182 448 598
36	50 ～ 54	1 774 122 229	1 260 558 406	488 914 961	251 753 859	218 705 965
37	55 ～ 59	2 064 164 152	1 465 349 405	559 831 037	298 642 843	264 425 752
38	60 ～ 64	2 513 825 369	1 793 901 783	676 099 016	379 896 325	329 569 964
39	65 ～ 69	3 933 644 144	2 773 709 778	1 035 839 194	617 191 591	513 908 197
40	70 ～ 74	4 396 548 399	3 122 098 989	1 145 838 333	737 115 671	581 472 314
41	75 ～ 79	4 807 816 192	3 476 342 362	1 250 570 510	869 824 002	654 310 185
42	80 ～ 84	4 319 176 973	3 224 103 814	1 164 986 546	813 213 666	623 817 660
43	85 ～ 89	2 824 327 940	2 189 865 745	813 091 645	543 939 087	435 282 359
44	90歳以上	1 424 412 423	1 153 868 706	472 923 581	273 674 991	223 709 511

平成30年６月審査分

150～200	200～250	250～500	500円以上	後発医薬品（再掲）	行番号
3 133 976 523	2 533 714 766	3 166 461 744	11 514 918 598	7 644 639 343	1
1 925 964 982	1 659 650 251	1 852 825 842	7 721 043 580	4 651 317 865	2
1 208 011 541	874 064 515	1 313 635 902	3 793 875 017	2 993 321 479	3
53 515 831	15 922 086	48 329 575	50 981 549	110 585 537	4
78 821 561	33 361 841	75 984 649	151 232 923	101 989 764	5
45 284 043	23 097 410	101 600 864	218 091 189	77 728 524	6
16 568 696	32 752 838	54 968 550	136 857 090	66 961 161	7
18 836 586	48 070 430	54 146 397	130 710 180	78 041 579	8
27 363 670	61 969 227	69 501 876	188 874 143	103 146 016	9
38 633 066	77 430 282	79 054 643	272 083 712	138 794 865	10
56 891 813	93 355 941	92 847 466	374 288 470	182 162 060	11
101 802 338	124 074 021	119 012 567	526 957 013	261 861 635	12
147 096 932	145 417 171	136 125 607	637 918 775	340 507 615	13
166 727 983	146 091 159	131 575 318	660 087 077	377 968 105	14
198 010 121	158 059 294	138 588 043	759 834 010	450 724 516	15
245 465 816	180 139 495	170 833 003	898 351 839	573 956 012	16
372 740 244	261 679 863	278 315 182	1 394 733 972	891 279 306	17
401 095 715	290 069 243	334 183 109	1 497 191 211	960 078 451	18
427 063 780	312 904 123	409 596 084	1 517 336 803	999 790 365	19
380 745 195	274 382 766	405 568 309	1 196 497 352	919 518 942	20
243 745 062	174 775 042	304 232 119	645 411 693	642 287 015	21
113 568 071	80 162 533	161 998 382	257 479 596	367 257 875	22
3 004 362 025	2 394 914 925	2 480 735 067	7 099 273 513	6 861 577 495	23
1 846 179 234	1 575 432 884	1 504 753 903	4 598 588 972	4 156 956 148	24
1 158 182 791	819 482 042	975 981 164	2 500 684 541	2 704 621 347	25
51 834 441	15 755 289	17 833 874	21 911 915	75 353 595	26
72 181 763	32 559 148	49 774 302	25 729 245	79 404 339	27
38 550 576	22 128 045	87 399 249	30 992 410	59 061 547	28
12 105 769	31 995 993	49 045 392	39 092 245	50 926 735	29
15 836 698	47 026 674	49 174 074	56 513 114	61 698 821	30
24 776 924	60 388 603	63 397 326	88 440 137	85 730 926	31
36 002 043	74 993 969	71 041 870	138 739 845	117 365 042	32
53 932 403	89 899 519	82 369 716	205 490 437	156 879 558	33
98 303 846	118 415 759	105 072 152	298 462 400	233 587 654	34
143 061 686	138 277 581	118 106 070	383 183 976	308 283 493	35
162 404 677	138 778 944	108 967 685	404 596 138	344 413 977	36
192 968 423	149 481 350	112 330 815	486 483 932	415 545 665	37
238 850 382	169 486 097	137 077 405	582 846 181	529 411 734	38
361 241 161	245 529 635	220 839 046	939 095 320	821 458 214	39
386 098 461	271 574 210	259 426 453	1 015 022 958	877 011 681	40
408 995 036	292 642 629	310 543 343	1 020 930 488	902 662 893	41
364 742 918	257 343 024	300 901 804	794 171 355	831 138 180	42
233 546 982	164 005 673	222 318 128	412 144 066	580 884 637	43
108 927 838	74 632 784	115 116 363	155 427 354	330 758 803	44

第4表　薬剤点数，　剤型、一般医療－

行番号	剤型 一般医療－後期医療 年齢階級	総数	250円未満	50円未満	50～100円未満	100～150
45	注射薬	2 339 437 802	2 785 309	8 418	617 794	855 763
46	一般医療	1 796 798 943	1 858 885	2 196	379 793	611 449
47	後期医療	542 638 859	926 424	6 223	238 001	244 314
48	0 ～ 4歳	20 905 245	131 964	54	41 367	38 251
49	5 ～ 9	89 750 035	217 449	14	48 705	62 573
50	10 ～ 14	145 294 140	138 913	22	25 826	49 827
51	15 ～ 19	72 662 257	115 660	38	23 065	50 283
52	20 ～ 24	48 441 368	81 235	5	13 278	33 259
53	25 ～ 29	63 130 655	57 863	16	8 813	23 315
54	30 ～ 34	78 916 518	98 618	2	10 899	32 262
55	35 ～ 39	97 583 020	117 485	334	11 372	39 374
56	40 ～ 44	136 221 039	101 896	122	13 359	40 820
57	45 ～ 49	147 714 780	137 334	－	24 370	48 280
58	50 ～ 54	144 718 231	115 440	24	25 223	43 204
59	55 ～ 59	153 207 098	147 502	334	32 363	36 562
60	60 ～ 64	172 943 885	117 631	380	26 296	33 190
61	65 ～ 69	236 307 690	175 244	613	46 476	48 386
62	70 ～ 74	229 588 919	171 370	294	46 953	48 151
63	75 ～ 79	216 917 327	178 504	395	49 470	47 546
64	80 ～ 84	167 503 021	198 433	5 187	51 973	51 169
65	85 ～ 89	86 476 226	221 565	17	58 601	57 995
66	90歳以上	31 156 348	261 205	568	59 383	71 317
67	外用薬	5 363 708 114	2 598 988 846	1 883 898 497	234 956 412	213 022 932
68	一般医療	3 291 073 127	1 615 486 638	1 167 684 937	125 841 001	158 823 031
69	後期医療	2 072 634 988	983 502 208	716 213 560	109 115 410	54 199 901
70	0 ～ 4歳	219 769 014	180 976 960	160 262 260	4 479 929	14 438 876
71	5 ～ 9	170 774 674	108 593 235	88 256 106	3 715 382	9 285 414
72	10 ～ 14	132 621 292	76 476 125	51 278 559	5 376 089	12 181 881
73	15 ～ 19	95 887 644	64 746 238	37 282 048	6 120 503	16 166 188
74	20 ～ 24	86 758 317	55 949 060	35 502 281	5 010 122	11 427 706
75	25 ～ 29	102 531 664	59 065 900	40 385 101	4 792 662	9 746 486
76	30 ～ 34	127 781 524	65 242 785	46 614 308	4 955 216	8 661 380
77	35 ～ 39	153 190 302	71 380 053	51 249 421	5 422 512	8 358 693
78	40 ～ 44	189 306 315	82 990 430	58 670 611	6 437 050	8 773 610
79	45 ～ 49	217 362 608	92 185 718	64 690 649	7 293 512	9 091 405
80	50 ～ 54	225 965 730	92 469 949	64 870 587	7 809 031	8 201 800
81	55 ～ 59	247 709 144	101 161 434	71 105 916	8 835 750	7 678 369
82	60 ～ 64	301 410 426	124 975 424	88 041 653	11 537 284	8 185 421
83	65 ～ 69	478 180 989	201 198 647	140 951 618	20 060 795	12 616 692
84	70 ～ 74	585 037 839	257 530 478	182 704 307	26 056 523	15 353 334
85	75 ～ 79	702 134 459	323 414 225	235 168 507	32 417 492	17 579 081
86	80 ～ 84	643 733 766	304 045 852	222 873 925	32 046 953	16 173 059
87	85 ～ 89	441 848 398	212 921 442	155 828 846	24 695 866	11 534 233
88	90歳以上	241 704 009	123 664 891	88 161 798	17 893 741	7 569 306

注：「薬剤」の出現する明細書を集計対象としている。

平成30年６月審査分

150～200	200～250	250～500	500円以上	後発医薬品（再掲）	行番号
946 254	357 080	6 176 548	2 330 475 945	51 366 307	45
612 743	252 705	5 580 280	1 789 359 777	44 473 613	46
333 511	104 375	596 268	541 116 168	6 892 694	47
41 899	10 393	127 730	20 645 551	289 377	48
94 009	12 149	234 990	89 297 595	609 069	49
52 560	10 678	342 962	144 812 265	1 692 088	50
32 676	9 597	438 245	72 108 352	2 115 389	51
24 966	9 727	277 224	48 082 909	2 940 257	52
16 577	9 142	346 236	62 726 556	1 777 841	53
24 586	30 869	630 923	78 186 978	3 035 600	54
47 571	18 834	729 193	96 736 343	4 577 216	55
29 225	18 369	585 429	135 533 715	3 802 878	56
40 641	24 043	394 656	147 182 790	4 302 903	57
33 356	13 635	363 160	144 239 631	4 647 216	58
52 032	26 211	293 086	152 766 511	2 871 424	59
37 290	20 475	248 100	172 578 155	3 836 281	60
57 741	22 028	336 144	235 796 301	4 741 804	61
52 968	23 004	281 101	229 136 447	3 670 109	62
60 103	20 990	207 411	216 531 412	2 900 488	63
72 511	17 592	132 626	167 171 962	2 044 284	64
77 001	27 951	106 582	86 148 080	1 004 083	65
98 541	31 395	100 752	30 794 392	508 002	66
128 668 245	138 442 761	679 550 129	2 085 169 139	731 695 542	67
79 173 005	83 964 663	342 491 659	1 333 094 831	449 888 104	68
49 495 240	54 478 098	337 058 470	752 074 309	281 807 438	69
1 639 491	156 404	30 367 971	8 424 083	34 942 566	70
6 545 789	790 544	25 975 357	36 206 083	21 976 356	71
6 680 907	958 688	13 858 652	42 286 515	16 974 890	72
4 430 251	747 248	5 484 913	25 656 493	13 919 037	73
2 974 922	1 034 029	4 695 100	26 114 157	13 402 502	74
2 570 169	1 571 483	5 758 314	37 707 450	15 637 249	75
2 606 437	2 405 444	7 381 851	55 156 889	18 394 223	76
2 911 839	3 437 589	9 748 558	72 061 691	20 705 287	77
3 469 267	5 639 893	13 354 986	92 960 898	24 471 103	78
3 994 606	7 115 547	17 624 881	107 552 009	27 921 219	79
4 289 951	7 298 581	22 244 473	111 251 308	28 906 912	80
4 989 666	8 551 733	25 964 142	120 583 568	32 307 427	81
6 578 144	10 632 923	33 507 499	142 927 503	40 707 997	82
11 441 342	16 128 200	57 139 992	219 842 350	65 079 288	83
14 944 286	18 472 029	74 475 555	253 031 806	79 396 661	84
18 008 641	20 240 504	98 845 331	279 874 904	94 226 984	85
15 929 766	17 022 150	104 533 879	235 154 035	86 336 478	86
10 121 079	10 741 418	81 807 410	147 119 547	60 398 295	87
4 541 692	5 498 354	46 781 267	71 257 850	35 991 070	88

第5表　薬剤点数，処方箋発行医療機関、

行番号	処方箋発行医療機関 一般医療－後期医療 年齢階級	総数	250円未満			
				50円未満	50～100円未満	100～150
1	総数	42 249 616 818	27 568 236 477	11 335 160 757	5 957 569 702	4 607 814 728
2	一般医療	25 846 454 069	16 272 584 646	6 822 862 023	3 290 205 527	2 573 901 863
3	後期医療	16 403 162 749	11 295 651 830	4 512 298 734	2 667 364 175	2 033 912 865
4	0 ～ 4歳	532 699 740	433 388 616	282 670 292	53 886 570	27 393 838
5	5 ～ 9	637 217 516	409 999 944	203 290 105	69 358 504	25 167 933
6	10 ～ 14	625 139 660	305 447 607	159 246 745	55 284 686	22 534 723
7	15 ～ 19	450 207 725	258 382 086	122 953 700	55 267 793	30 839 059
8	20 ～ 24	474 805 341	289 948 763	131 105 016	57 766 337	34 170 394
9	25 ～ 29	637 151 167	378 775 148	170 428 919	73 480 359	45 532 973
10	30 ～ 34	849 344 626	498 206 271	225 316 800	95 691 474	61 134 649
11	35 ～ 39	1 113 525 503	646 389 567	287 285 645	124 436 892	84 419 276
12	40 ～ 44	1 576 505 604	930 536 024	393 372 358	176 784 425	134 502 882
13	45 ～ 49	1 988 438 607	1 214 394 226	501 681 386	228 610 454	191 588 282
14	50 ～ 54	2 144 806 190	1 353 143 795	553 785 571	259 588 113	226 950 968
15	55 ～ 59	2 465 080 394	1 566 658 340	630 937 287	307 510 956	272 140 683
16	60 ～ 64	2 988 179 681	1 918 994 839	764 141 048	391 459 905	337 788 574
17	65 ～ 69	4 648 132 823	2 975 083 669	1 176 791 425	637 298 862	526 573 275
18	70 ～ 74	5 211 175 158	3 379 800 837	1 328 542 934	763 219 147	596 873 799
19	75 ～ 79	5 726 867 979	3 799 935 091	1 485 739 412	902 290 965	671 936 812
20	80 ～ 84	5 130 413 761	3 528 348 099	1 387 865 659	845 312 592	640 041 888
21	85 ～ 89	3 352 652 564	2 403 008 752	968 920 507	568 693 554	446 874 587
22	90歳以上	1 697 272 780	1 277 794 802	561 085 948	291 628 116	231 350 134
23	病院	20 032 862 345	10 470 349 826	3 867 658 930	2 281 406 541	1 904 288 551
24	一般医療	12 465 490 693	5 983 547 556	2 172 772 761	1 223 484 595	1 053 295 275
25	後期医療	7 567 371 652	4 486 802 270	1 694 886 169	1 057 921 946	850 993 275
26	0 ～ 4歳	114 223 227	65 467 974	41 483 303	9 184 589	3 071 947
27	5 ～ 9	212 413 426	78 341 767	30 162 501	12 628 631	4 587 260
28	10 ～ 14	278 638 438	75 812 558	27 854 863	14 346 531	6 885 828
29	15 ～ 19	202 702 798	77 837 170	25 129 995	16 270 239	9 123 841
30	20 ～ 24	200 941 378	89 645 504	27 803 940	18 446 092	11 416 833
31	25 ～ 29	269 453 051	114 312 368	37 613 452	22 868 419	15 724 668
32	30 ～ 34	373 694 730	154 351 134	53 466 009	30 573 723	22 276 085
33	35 ～ 39	512 518 927	211 365 653	74 604 140	41 054 991	32 494 870
34	40 ～ 44	762 410 754	327 150 018	114 067 961	62 717 886	53 319 723
35	45 ～ 49	972 481 274	444 964 444	157 113 038	84 702 496	77 383 223
36	50 ～ 54	1 037 176 838	497 490 283	179 839 376	96 691 645	90 779 445
37	55 ～ 59	1 220 042 702	592 752 365	214 632 629	116 740 628	111 147 229
38	60 ～ 64	1 510 611 019	760 217 303	275 861 330	153 691 148	143 341 596
39	65 ～ 69	2 423 173 732	1 236 744 916	452 454 926	262 102 572	232 339 537
40	70 ～ 74	2 679 139 152	1 413 622 377	517 612 845	314 559 736	265 057 995
41	75 ～ 79	2 825 941 806	1 565 208 094	574 442 711	366 993 068	294 620 478
42	80 ～ 84	2 397 177 137	1 418 443 408	527 669 617	339 133 329	271 615 089
43	85 ～ 89	1 422 068 524	911 493 650	351 092 227	217 418 159	177 378 993
44	90歳以上	618 053 431	435 128 839	184 754 070	101 282 658	81 723 912

平成30年６月審査分

150～200	200～250	250～500	500円以上	後発医薬品（再掲）	行番号
3 133 976 523	2 533 714 766	3 166 461 744	11 514 918 598	7 644 639 343	1
1 925 964 982	1 659 650 251	1 852 825 842	7 721 043 580	4 651 317 865	2
1 208 011 541	874 064 515	1 313 635 902	3 793 875 017	2 993 321 479	3
53 515 831	15 922 086	48 329 575	50 981 549	110 585 537	4
78 821 561	33 361 841	75 984 649	151 232 923	101 989 764	5
45 284 043	23 097 410	101 600 864	218 091 189	77 728 524	6
16 568 696	32 752 838	54 968 550	136 857 090	66 961 161	7
18 836 586	48 070 430	54 146 397	130 710 180	78 041 579	8
27 363 670	61 969 227	69 501 876	188 874 143	103 146 016	9
38 633 066	77 430 282	79 054 643	272 083 712	138 794 865	10
56 891 813	93 355 941	92 847 466	374 288 470	182 162 060	11
101 802 338	124 074 021	119 012 567	526 957 013	261 861 635	12
147 096 932	145 417 171	136 125 607	637 918 775	340 507 615	13
166 727 983	146 091 159	131 575 318	660 087 077	377 968 105	14
198 010 121	158 059 294	138 588 043	759 834 010	450 724 516	15
245 465 816	180 139 495	170 833 003	898 351 839	573 956 012	16
372 740 244	261 679 863	278 315 182	1 394 733 972	891 279 306	17
401 095 715	290 069 243	334 183 109	1 497 191 211	960 078 451	18
427 063 780	312 904 123	409 596 084	1 517 336 803	999 790 365	19
380 745 195	274 382 766	405 568 309	1 196 497 352	919 518 942	20
243 745 062	174 775 042	304 232 119	645 411 693	642 287 015	21
113 568 071	80 162 533	161 998 382	257 479 596	367 257 875	22
1 265 851 607	1 151 144 197	1 547 902 606	8 014 609 913	2 941 596 238	23
768 258 537	765 736 388	939 549 499	5 542 393 637	1 721 947 404	24
497 593 069	385 407 809	608 353 106	2 472 216 276	1 219 648 834	25
9 127 530	2 600 605	14 603 256	34 151 997	13 984 504	26
15 488 878	15 474 497	25 945 082	108 126 577	11 135 923	27
10 625 395	16 099 942	45 420 854	157 405 026	11 334 432	28
5 109 817	22 203 278	24 691 820	100 173 808	13 677 841	29
6 845 234	25 133 404	20 418 704	90 877 170	19 810 647	30
10 586 838	27 518 990	24 037 448	131 103 236	27 496 810	31
15 563 756	32 471 561	31 229 668	188 113 928	40 393 377	32
23 961 446	39 250 206	40 583 567	260 569 707	58 927 934	33
44 659 491	52 384 958	55 918 379	379 342 356	94 117 060	34
62 766 875	62 998 812	67 648 266	459 868 563	128 666 172	35
66 955 173	63 224 645	68 044 742	471 641 812	142 966 655	36
79 821 334	70 410 545	76 962 943	550 327 394	173 526 294	37
102 288 705	85 034 524	101 065 926	649 327 790	232 086 312	38
161 863 916	127 983 965	168 704 974	1 017 723 842	378 632 708	39
175 399 319	140 992 483	194 184 153	1 071 332 622	412 167 900	40
183 710 133	145 441 705	217 759 600	1 042 974 112	426 288 900	41
157 912 726	122 112 647	191 987 298	786 746 432	380 470 762	42
94 405 067	71 199 205	124 027 548	386 547 326	248 964 482	43
38 759 974	28 608 224	54 668 378	128 256 215	126 947 524	44

第5表　薬剤点数，処方箋発行医療機関、

行番号	処方箋発行医療機関 一般医療－後期医療 年齢階級	総数	250円未満			
				50円未満	50～100円未満	100～150
45	診療所	22 051 181 350	16 968 200 375	7 408 109 635	3 647 030 647	2 685 112 338
46	一般医療	13 277 552 874	10 207 310 246	4 611 327 643	2 049 350 505	1 509 964 796
47	後期医療	8 773 628 476	6 760 890 130	2 796 781 992	1 597 680 141	1 175 147 541
48	0 ～ 4歳	416 245 647	365 857 633	239 826 094	44 489 655	24 183 051
49	5 ～ 9	422 379 217	329 613 959	172 104 966	56 401 691	20 394 040
50	10 ～ 14	344 697 845	228 291 164	130 641 650	40 681 537	15 523 861
51	15 ～ 19	245 927 680	179 287 081	97 132 356	38 704 595	21 590 375
52	20 ～ 24	271 531 099	198 475 548	102 286 344	38 938 907	22 602 650
53	25 ～ 29	364 004 977	262 042 033	131 485 608	50 111 158	29 585 118
54	30 ～ 34	471 706 472	340 935 818	170 282 332	64 507 219	38 595 851
55	35 ～ 39	595 934 432	431 225 664	210 731 841	82 595 867	51 541 558
56	40 ～ 44	807 287 981	598 038 843	276 668 162	112 985 142	80 571 638
57	45 ～ 49	1 006 976 348	762 521 579	341 307 088	142 544 116	113 340 751
58	50 ～ 54	1 098 073 802	848 142 836	370 465 069	161 383 148	135 095 299
59	55 ～ 59	1 235 146 440	965 775 907	412 593 061	189 067 259	159 830 419
60	60 ～ 64	1 466 345 254	1 149 712 218	484 165 357	235 796 719	193 173 140
61	65 ～ 69	2 208 458 978	1 725 115 982	718 526 619	372 170 193	292 321 257
62	70 ～ 74	2 513 120 489	1 951 300 052	804 461 163	445 129 134	329 534 278
63	75 ～ 79	2 879 930 743	2 218 421 660	904 294 983	531 223 189	374 779 116
64	80 ～ 84	2 714 002 964	2 094 891 002	853 875 288	502 423 727	365 985 835
65	85 ～ 89	1 917 236 162	1 481 448 958	613 485 092	348 849 450	267 789 435
66	90歳以上	1 072 174 821	837 102 438	373 776 564	189 027 940	148 674 666
67	歯科単科病院及び歯科診療所	17 757 043	17 154 460	10 432 088	4 117 813	752 748
68	一般医療	13 874 350	13 438 830	8 348 189	3 063 289	565 777
69	後期医療	3 882 693	3 715 630	2 083 898	1 054 523	186 970
70	0 ～ 4歳	70 040	62 696	18 204	11 676	13 051
71	5 ～ 9	414 589	409 670	135 528	68 118	88 627
72	10 ～ 14	156 904	153 015	74 201	31 629	24 002
73	15 ～ 19	206 678	202 724	139 169	45 443	5 837
74	20 ～ 24	618 619	606 501	427 966	123 450	14 068
75	25 ～ 29	741 608	726 149	506 125	150 579	18 764
76	30 ～ 34	758 366	735 873	510 029	156 446	17 217
77	35 ～ 39	830 200	804 240	530 834	183 481	23 233
78	40 ～ 44	1 044 922	1 014 163	664 381	222 364	27 706
79	45 ～ 49	1 276 498	1 229 344	778 504	281 129	46 040
80	50 ～ 54	1 304 815	1 264 249	788 791	300 713	44 238
81	55 ～ 59	1 346 116	1 303 768	797 209	308 522	55 015
82	60 ～ 64	1 396 411	1 353 820	836 843	316 195	46 466
83	65 ～ 69	1 882 875	1 821 286	1 100 429	436 656	65 032
84	70 ～ 74	1 862 349	1 787 929	1 062 979	435 243	77 266
85	75 ～ 79	1 798 933	1 720 948	989 241	454 898	91 415
86	80 ～ 84	1 261 673	1 210 637	670 480	348 201	62 894
87	85 ～ 89	605 956	571 638	311 908	177 179	25 848
88	90歳以上	179 490	175 812	89 267	65 889	6 028

注：1）「薬剤」の出現する明細書を集計対象としている。
　　2）総数には、データ上で病院、診療所別を取得できなかったものを含む。
　　3）病院には病院併設歯科を、診療所には診療所併設歯科を含む。

平成30年6月審査分

150～200	200～250	250～500	500円以上	後発医薬品（再掲）	行番号
1 855 622 938	1 372 324 817	1 606 680 034	3 476 300 941	4 666 124 467	45
1 149 759 426	886 907 875	906 100 710	2 164 141 918	2 904 980 187	46
705 863 512	485 416 943	700 579 324	1 312 159 022	1 761 144 280	47
44 098 939	13 259 893	33 603 156	16 784 857	96 072 491	48
62 881 231	17 832 032	49 809 532	42 955 726	90 307 959	49
34 477 547	6 966 570	55 967 668	60 439 013	65 993 296	50
11 382 337	10 477 418	30 114 911	36 525 688	52 885 535	51
11 899 016	22 748 631	33 398 140	39 657 411	57 582 046	52
16 657 740	34 202 410	44 936 162	57 026 782	74 834 230	53
22 911 394	44 639 022	47 312 980	83 457 673	97 445 509	54
32 678 189	53 678 210	51 741 372	112 967 396	122 090 885	55
56 689 099	71 124 802	62 524 013	146 725 125	166 123 141	56
83 643 280	81 686 344	67 866 510	176 588 259	209 786 474	57
99 089 063	82 110 257	62 972 855	186 958 111	232 832 857	58
117 361 745	86 923 423	61 080 106	208 290 426	274 815 951	59
142 249 088	94 327 914	69 218 237	247 414 799	339 112 399	60
209 486 155	132 611 758	108 789 300	374 553 695	508 700 042	61
224 194 703	147 980 773	138 958 216	422 862 222	543 683 818	62
241 768 375	166 355 997	190 507 210	471 001 873	569 251 019	63
221 390 084	151 216 067	212 184 407	406 927 556	535 195 067	64
148 397 007	102 927 974	178 998 798	256 788 406	390 702 952	65
74 367 946	51 255 322	106 696 462	128 375 921	238 708 796	66
584 115	1 267 697	438 519	164 064	6 531 539	67
458 516	1 003 058	320 486	115 034	5 417 324	68
125 599	264 639	118 033	49 030	1 114 215	69
19 564	200	1 009	6 335	15 290	70
116 730	666	4 920	-	100 832	71
21 755	1 429	3 888	-	48 090	72
2 025	10 249	3 549	404	92 258	73
6 658	34 359	10 502	1 616	299 860	74
10 350	40 331	11 564	3 895	364 916	75
10 469	41 711	13 719	8 775	358 083	76
13 222	53 469	19 368	6 592	366 732	77
16 234	83 477	23 430	7 329	449 911	78
22 232	101 439	34 427	12 727	521 035	79
25 576	104 931	28 943	11 623	515 833	80
30 662	112 360	32 820	9 529	505 046	81
34 180	120 136	35 359	7 232	520 241	82
61 285	157 884	38 896	22 693	661 646	83
69 229	143 211	58 023	16 398	606 416	84
56 892	128 501	57 790	20 195	529 619	85
43 749	85 313	30 829	20 208	368 634	86
16 660	40 043	26 898	7 420	161 560	87
6 642	7 987	2 586	1 093	45 538	88

第6表 件数・1件当たり薬剤種類数, 剤型、一般

行番号	剤型 一般医療－後期医療 年齢階級	件					
		総数	1種類	2種類	3種類	4種類	5種類
1	総数	54 189 693	11 355 088	11 157 747	8 986 175	6 709 513	4 830 683
2	一般医療	38 511 079	8 683 813	8 447 421	6 797 141	4 993 986	3 430 489
3	後期医療	15 678 614	2 671 275	2 710 326	2 189 034	1 715 527	1 400 194
4	0 ～ 4歳	3 215 829	478 548	569 214	564 460	503 961	397 074
5	5 ～ 9	2 084 866	465 342	471 294	385 449	293 845	202 219
6	10 ～ 14	1 443 439	396 963	340 209	260 866	186 146	117 960
7	15 ～ 19	998 495	229 570	225 696	192 838	142 658	92 868
8	20 ～ 24	1 054 283	224 012	238 116	202 699	155 706	102 660
9	25 ～ 29	1 298 591	287 234	290 873	243 402	186 592	123 223
10	30 ～ 34	1 623 472	362 708	358 801	297 991	230 741	153 781
11	35 ～ 39	1 887 560	429 361	418 074	342 131	260 127	173 680
12	40 ～ 44	2 309 605	546 899	516 618	414 067	303 925	200 229
13	45 ～ 49	2 659 505	648 710	600 893	471 464	331 923	219 211
14	50 ～ 54	2 757 804	674 751	624 662	485 465	337 510	221 257
15	55 ～ 59	3 015 238	721 218	676 628	529 131	365 954	244 990
16	60 ～ 64	3 549 584	835 665	796 068	614 975	427 843	289 995
17	65 ～ 69	5 267 963	1 209 389	1 167 868	896 284	627 169	433 840
18	70 ～ 74	5 586 858	1 203 932	1 181 608	920 475	660 951	476 628
19	75 ～ 79	5 762 538	1 125 991	1 131 508	895 180	670 145	509 215
20	80 ～ 84	4 876 994	840 442	858 332	691 054	539 780	437 554
21	85 ～ 89	3 108 412	464 021	475 074	391 073	318 993	278 147
22	90歳以上	1 688 657	210 332	216 211	187 171	165 544	156 152
23	内服薬	45 590 298	10 315 191	9 596 117	7 494 913	5 663 492	4 017 614
24	一般医療	32 341 916	8 102 466	7 350 140	5 675 536	4 138 839	2 728 723
25	後期医療	13 248 382	2 212 725	2 245 977	1 819 377	1 524 653	1 288 891
26	0 ～ 4歳	2 538 558	439 718	436 481	519 685	457 533	317 431
27	5 ～ 9	1 609 930	449 911	351 874	301 936	235 129	143 046
28	10 ～ 14	1 061 694	344 406	254 524	186 668	138 055	76 935
29	15 ～ 19	780 943	235 530	187 458	139 153	104 075	60 317
30	20 ～ 24	866 492	251 292	198 601	160 208	117 870	69 547
31	25 ～ 29	1 086 689	309 215	247 022	198 360	146 195	87 887
32	30 ～ 34	1 367 758	373 403	306 102	247 978	185 762	114 950
33	35 ～ 39	1 603 775	433 990	362 917	286 408	211 060	132 488
34	40 ～ 44	1 990 544	542 806	466 166	347 727	245 629	155 752
35	45 ～ 49	2 316 140	631 908	556 888	396 283	269 135	173 737
36	50 ～ 54	2 405 897	637 452	581 629	410 334	277 093	180 238
37	55 ～ 59	2 633 132	665 959	629 603	449 978	307 371	204 820
38	60 ～ 64	3 075 815	750 307	728 835	523 041	362 465	245 447
39	65 ～ 69	4 511 229	1 051 474	1 041 218	758 922	534 809	372 301
40	70 ～ 74	4 706 127	1 011 449	1 025 054	769 397	565 625	412 477
41	75 ～ 79	4 796 063	928 553	949 926	737 662	575 132	445 252
42	80 ～ 84	4 098 265	690 935	707 506	570 623	475 590	398 555
43	85 ～ 89	2 656 450	385 721	385 610	325 385	291 712	267 299
44	90歳以上	1 484 797	181 162	178 703	165 165	163 252	159 135

平成30年６月審査分

数					１件当たり薬剤種類数		行番号
６種類	７種類	８種類	９種類	10種類以上		後発医薬品（再掲）	
3 390 940	2 350 898	1 644 565	1 152 224	2 611 860	3.76	1.81	1
2 232 769	1 407 579	891 156	565 003	1 061 722	3.41	1.65	2
1 158 171	943 319	753 409	587 221	1 550 138	4.62	2.21	3
270 392	172 694	105 588	63 186	90 712	3.92	1.56	4
121 277	67 374	36 214	18 897	22 955	3.20	1.33	5
66 258	34 857	18 273	9 817	12 090	2.92	1.32	6
53 184	28 115	15 054	7 969	10 543	3.13	1.51	7
59 536	32 056	17 272	9 407	12 819	3.22	1.60	8
72 720	40 545	22 700	12 672	18 630	3.23	1.61	9
92 595	52 473	30 014	17 168	27 200	3.27	1.63	10
106 289	62 263	36 414	21 897	37 324	3.29	1.61	11
124 692	75 259	45 961	28 753	53 202	3.29	1.58	12
139 526	86 846	55 133	35 324	70 475	3.29	1.58	13
143 813	91 565	59 536	38 742	80 503	3.32	1.62	14
162 087	105 172	69 038	45 134	95 886	3.38	1.70	15
194 690	128 911	85 155	56 694	119 588	3.43	1.76	16
300 058	202 979	138 556	93 330	198 490	3.51	1.80	17
343 564	243 161	171 405	119 129	266 005	3.72	1.85	18
388 080	292 880	216 893	157 873	374 773	4.06	1.92	19
359 149	289 175	228 156	177 096	456 256	4.54	2.14	20
246 371	212 094	178 679	143 980	399 980	5.10	2.46	21
146 659	132 479	114 524	95 156	264 429	5.60	2.85	22
2 755 926	1 865 585	1 281 025	877 224	1 723 211	3.57	1.85	23
1 677 265	1 004 661	615 294	380 827	668 165	3.20	1.67	24
1 078 661	860 924	665 731	496 397	1 055 046	4.49	2.27	25
184 240	95 129	46 517	22 122	19 702	3.48	1.61	26
71 976	31 550	13 513	5 697	5 298	2.85	1.38	27
34 396	14 327	6 223	2 892	3 268	2.61	1.37	28
28 593	12 623	6 129	3 123	3 942	2.73	1.49	29
34 187	16 275	8 404	4 343	5 765	2.82	1.55	30
45 755	23 061	12 372	6 789	10 033	2.89	1.57	31
62 692	32 598	17 924	10 245	16 104	2.98	1.60	32
74 831	40 697	23 578	13 854	23 952	3.03	1.59	33
91 531	52 761	31 888	19 853	36 431	3.05	1.56	34
106 813	64 599	40 700	25 909	50 168	3.08	1.57	35
114 478	71 539	45 882	29 596	57 656	3.14	1.62	36
132 710	84 495	54 467	34 784	68 945	3.23	1.71	37
162 484	105 611	68 228	44 605	84 792	3.29	1.79	38
254 760	169 897	113 468	74 413	139 967	3.41	1.85	39
295 841	206 105	140 876	95 231	184 072	3.63	1.91	40
342 104	251 926	181 388	127 624	256 496	3.96	1.98	41
330 474	261 432	200 803	149 128	313 219	4.43	2.21	42
238 814	201 611	162 571	124 976	272 751	4.94	2.52	43
149 247	129 349	106 094	82 040	170 650	5.29	2.87	44

第6表　件数・1件当たり薬剤種類数,　剤型、一般

行番号	剤型 一般医療－後期医療 年齢階級	件 総数	1 種 類	2 種 類	3 種 類	4 種 類	5 種 類
45	注射薬	756 676	506 893	234 611	13 509	859	342
46	一般医療	495 273	308 060	175 225	10 889	568	214
47	後期医療	261 403	198 833	59 386	2 620	291	128
48	0 ～ 4歳	1 794	1 578	131	31	9	4
49	5 ～ 9	5 654	4 980	488	109	18	13
50	10 ～ 14	6 141	4 920	1 014	152	21	7
51	15 ～ 19	4 143	2 390	1 568	144	20	6
52	20 ～ 24	4 292	2 326	1 828	118	5	3
53	25 ～ 29	6 497	3 540	2 769	163	15	6
54	30 ～ 34	10 748	5 932	4 538	244	17	6
55	35 ～ 39	16 064	8 680	6 941	392	29	9
56	40 ～ 44	25 577	13 941	10 894	677	41	18
57	45 ～ 49	36 751	20 286	15 195	1 173	62	18
58	50 ～ 54	44 287	25 567	17 223	1 390	64	23
59	55 ～ 59	54 005	32 371	20 056	1 470	61	26
60	60 ～ 64	69 547	43 322	24 573	1 544	66	24
61	65 ～ 69	108 647	70 006	36 580	1 906	93	33
62	70 ～ 74	112 415	76 082	34 574	1 614	72	28
63	75 ～ 79	105 690	76 158	28 219	1 182	70	29
64	80 ～ 84	83 755	64 350	18 578	705	57	31
65	85 ～ 89	44 358	36 529	7 403	296	68	28
66	90歳以上	16 311	13 935	2 039	199	71	30
67	外用薬	23 941 472	14 368 071	5 856 246	2 207 476	879 915	362 731
68	一般医療	16 253 108	9 769 443	3 914 612	1 479 639	614 834	267 134
69	後期医療	7 688 364	4 598 628	1 941 634	727 837	265 081	95 597
70	0 ～ 4歳	1 984 951	1 036 972	503 110	242 459	113 181	50 276
71	5 ～ 9	1 166 026	660 543	282 366	123 004	55 012	25 076
72	10 ～ 14	833 887	494 620	198 709	77 472	33 532	15 802
73	15 ～ 19	539 791	294 618	136 574	57 454	26 432	13 253
74	20 ～ 24	501 940	260 161	133 814	55 646	27 007	13 647
75	25 ～ 29	572 644	311 818	147 445	58 640	28 451	14 112
76	30 ～ 34	686 370	390 892	173 761	64 284	29 886	14 860
77	35 ～ 39	770 831	451 136	193 368	67 737	30 977	14 795
78	40 ～ 44	883 198	533 639	214 703	75 046	32 474	15 079
79	45 ～ 49	958 019	595 090	225 591	78 869	32 403	14 454
80	50 ～ 54	965 895	615 793	223 575	75 877	29 253	12 009
81	55 ～ 59	1 041 447	672 191	239 179	80 669	29 704	11 545
82	60 ～ 64	1 251 385	812 321	287 172	96 582	34 408	12 554
83	65 ～ 69	1 932 238	1 250 919	446 036	151 599	53 018	18 714
84	70 ～ 74	2 286 440	1 454 445	540 330	188 044	65 388	23 676
85	75 ～ 79	2 670 464	1 655 577	652 845	233 443	81 910	28 911
86	80 ～ 84	2 388 121	1 440 590	602 509	221 076	78 862	27 950
87	85 ～ 89	1 601 664	932 874	414 624	160 211	59 383	21 434
88	90歳以上	906 161	503 872	240 535	99 364	38 634	14 584

注：1）「薬剤」の出現する明細書を集計対象としている。
　　2）総数は明細書1枚を1件とし、剤型別は明細書1枚に内服薬・注射薬・外用薬の記載があった場合、それぞれに1件と計上しているので総数に合わない。

平成30年６月審査分

数					１件当たり薬剤種類数		行番号
６種類	７種類	８種類	９種類	10種類以上		後発医薬品（再掲）	
159	93	87	40	83	1.36	0.11	45
93	63	62	32	67	1.41	0.12	46
66	30	25	8	16	1.26	0.09	47
3	7	10	5	16	1.32	0.12	48
4	5	9	9	19	1.21	0.05	49
7	4	7	3	6	1.26	0.05	50
2	2	3	2	6	1.50	0.07	51
3	2	2	1	4	1.51	0.09	52
－	2	2	－	－	1.49	0.10	53
3	3	3	1	1	1.48	0.11	54
7	2	－	2	2	1.49	0.12	55
3	1	1	1	－	1.49	0.12	56
9	3	3	1	1	1.49	0.13	57
8	6	2	2	2	1.46	0.13	58
7	5	5	1	3	1.43	0.13	59
9	4	1	2	2	1.40	0.12	60
9	12	4	－	4	1.38	0.12	61
19	9	12	2	3	1.34	0.10	62
15	5	6	2	4	1.29	0.09	63
13	5	9	3	4	1.24	0.08	64
20	5	4	1	4	1.19	0.08	65
18	11	4	2	2	1.18	0.11	66
151 101	63 304	27 737	12 761	12 130	1.66	0.58	67
115 401	49 406	22 189	10 357	10 093	1.68	0.58	68
35 700	13 898	5 548	2 404	2 037	1.64	0.59	69
21 453	9 058	4 295	2 145	2 002	1.89	0.47	70
10 959	4 855	2 162	1 035	1 014	1.78	0.48	71
7 431	3 365	1 517	730	709	1.72	0.53	72
6 209	2 840	1 296	596	519	1.84	0.64	73
6 338	2 808	1 327	598	594	1.90	0.69	74
6 787	2 865	1 377	563	586	1.83	0.68	75
7 044	3 020	1 330	623	670	1.77	0.66	76
6 986	3 148	1 405	641	638	1.72	0.64	77
6 679	3 027	1 302	600	649	1.67	0.61	78
6 393	2 820	1 261	548	590	1.63	0.59	79
5 237	2 210	972	474	495	1.59	0.57	80
4 561	1 930	840	414	414	1.56	0.58	81
4 787	1 982	826	384	369	1.55	0.58	82
7 110	2 717	1 168	510	447	1.54	0.59	83
8 662	3 345	1 400	621	529	1.56	0.59	84
10 671	4 094	1 636	740	637	1.59	0.59	85
10 316	3 968	1 589	668	593	1.62	0.59	86
7 969	3 074	1 189	514	392	1.67	0.59	87
5 509	2 178	845	357	283	1.73	0.60	88

第7表 件数・1件当たり薬剤種類数, 処方箋発行

行番号	処方箋発行医療機関 一般医療−後期医療 年齢階級	件					
		総数	1 種類	2 種類	3 種類	4 種類	5 種類
1	総数	54 189 693	11 355 088	11 157 747	8 986 175	6 709 513	4 830 683
2	一般医療	38 511 079	8 683 813	8 447 421	6 797 141	4 993 986	3 430 489
3	後期医療	15 678 614	2 671 275	2 710 326	2 189 034	1 715 527	1 400 194
4	0 ～ 4歳	3 215 829	478 548	569 214	564 460	503 961	397 074
5	5 ～ 9	2 084 866	465 342	471 294	385 449	293 845	202 219
6	10 ～ 14	1 443 439	396 963	340 209	260 866	186 146	117 960
7	15 ～ 19	998 495	229 570	225 696	192 838	142 658	92 868
8	20 ～ 24	1 054 283	224 012	238 116	202 699	155 706	102 660
9	25 ～ 29	1 298 591	287 234	290 873	243 402	186 592	123 223
10	30 ～ 34	1 623 472	362 708	358 801	297 991	230 741	153 781
11	35 ～ 39	1 887 560	429 361	418 074	342 131	260 127	173 680
12	40 ～ 44	2 309 605	546 899	516 618	414 067	303 925	200 229
13	45 ～ 49	2 659 505	648 710	600 893	471 464	331 923	219 211
14	50 ～ 54	2 757 804	674 751	624 662	485 465	337 510	221 257
15	55 ～ 59	3 015 238	721 218	676 628	529 131	365 954	244 990
16	60 ～ 64	3 549 584	835 665	796 068	614 975	427 843	289 995
17	65 ～ 69	5 267 963	1 209 389	1 167 868	896 284	627 169	433 840
18	70 ～ 74	5 586 858	1 203 932	1 181 608	920 475	660 951	476 628
19	75 ～ 79	5 762 538	1 125 991	1 131 508	895 180	670 145	509 215
20	80 ～ 84	4 876 994	840 442	858 332	691 054	539 780	437 554
21	85 ～ 89	3 108 412	464 021	475 074	391 073	318 993	278 147
22	90歳以上	1 688 657	210 332	216 211	187 171	165 544	156 152
23	病院	12 312 370	2 641 504	2 262 267	1 813 787	1 350 904	1 026 702
24	一般医療	7 841 785	1 873 517	1 585 945	1 255 815	898 867	641 556
25	後期医療	4 470 585	767 987	676 322	557 972	452 037	385 146
26	0 ～ 4歳	342 289	74 895	63 945	57 852	48 551	36 194
27	5 ～ 9	193 357	57 275	43 495	30 900	22 287	15 145
28	10 ～ 14	162 715	57 540	39 207	24 733	15 709	9 808
29	15 ～ 19	134 232	41 141	34 083	24 188	13 877	8 215
30	20 ～ 24	159 497	44 766	39 177	29 683	18 622	10 861
31	25 ～ 29	207 645	60 754	49 752	36 948	22 882	13 703
32	30 ～ 34	274 156	81 378	63 338	46 473	29 904	18 261
33	35 ～ 39	338 461	95 846	75 303	56 453	37 299	23 751
34	40 ～ 44	452 854	119 218	96 756	74 493	50 821	34 071
35	45 ～ 49	564 751	140 937	116 287	91 939	63 349	44 241
36	50 ～ 54	607 387	143 506	122 148	98 344	69 489	48 985
37	55 ～ 59	697 665	156 212	137 821	112 234	80 578	58 304
38	60 ～ 64	879 305	192 924	171 046	139 732	102 132	74 628
39	65 ～ 69	1 403 225	302 074	267 212	215 617	160 107	120 562
40	70 ～ 74	1 532 822	317 109	277 331	225 980	172 006	133 366
41	75 ～ 79	1 609 013	310 799	272 110	222 061	173 788	140 474
42	80 ～ 84	1 392 794	243 916	214 542	175 680	142 128	119 725
43	85 ～ 89	890 240	138 526	122 198	101 740	84 070	75 366
44	90歳以上	469 962	62 688	56 516	48 737	43 305	41 042

医療機関、一般医療－後期医療・年齢階級、薬剤種類数階級別

平成30年6月審査分

数					1件当たり薬剤種類数		行番号
6種類	7種類	8種類	9種類	10種類以上		後発医薬品（再掲）	
3 390 940	2 350 898	1 644 565	1 152 224	2 611 860	3.76	1.81	1
2 232 769	1 407 579	891 156	565 003	1 061 722	3.41	1.65	2
1 158 171	943 319	753 409	587 221	1 550 138	4.62	2.21	3
270 392	172 694	105 588	63 186	90 712	3.92	1.56	4
121 277	67 374	36 214	18 897	22 955	3.20	1.33	5
66 258	34 857	18 273	9 817	12 090	2.92	1.32	6
53 184	28 115	15 054	7 969	10 543	3.13	1.51	7
59 536	32 056	17 272	9 407	12 819	3.22	1.60	8
72 720	40 545	22 700	12 672	18 630	3.23	1.61	9
92 595	52 473	30 014	17 168	27 200	3.27	1.63	10
106 289	62 263	36 414	21 897	37 324	3.29	1.61	11
124 692	75 259	45 961	28 753	53 202	3.29	1.58	12
139 526	86 846	55 133	35 324	70 475	3.29	1.58	13
143 813	91 565	59 536	38 742	80 503	3.32	1.62	14
162 087	105 172	69 038	45 134	95 886	3.38	1.70	15
194 690	128 911	85 155	56 694	119 588	3.43	1.76	16
300 058	202 979	138 556	93 330	198 490	3.51	1.80	17
343 564	243 161	171 405	119 129	266 005	3.72	1.85	18
388 080	292 880	216 893	157 873	374 773	4.06	1.92	19
359 149	289 175	228 156	177 096	456 256	4.54	2.14	20
246 371	212 094	178 679	143 980	399 980	5.10	2.46	21
146 659	132 479	114 524	95 156	264 429	5.60	2.85	22
795 302	615 453	475 026	360 789	970 636	4.17	1.98	23
461 027	328 747	235 702	166 169	394 440	3.69	1.75	24
334 275	286 706	239 324	194 620	576 196	5.00	2.40	25
23 716	14 745	9 110	5 383	7 898	3.53	1.26	26
9 747	5 770	3 391	1 817	3 530	3.04	0.99	27
6 021	3 436	2 138	1 306	2 817	2.75	0.96	28
4 776	2 796	1 652	1 043	2 461	2.84	1.17	29
6 192	3 598	2 232	1 462	2 904	2.95	1.37	30
8 236	5 154	3 443	2 186	4 587	2.99	1.40	31
11 677	7 511	4 962	3 316	7 336	3.07	1.43	32
15 519	10 524	7 210	4 973	11 583	3.24	1.48	33
23 087	16 093	11 210	7 922	19 183	3.45	1.57	34
31 024	22 112	15 913	11 131	27 818	3.62	1.68	35
35 494	25 252	18 401	13 139	32 629	3.74	1.77	36
43 143	30 846	22 345	15 859	40 323	3.85	1.87	37
55 561	40 791	29 296	21 108	52 087	3.90	1.94	38
91 395	68 041	50 754	36 800	90 663	4.00	1.99	39
103 696	80 136	61 104	45 271	116 823	4.19	2.05	40
114 584	92 670	72 806	56 105	153 616	4.50	2.12	41
102 947	87 780	72 566	59 476	174 034	4.93	2.34	42
69 011	61 653	53 916	45 058	138 702	5.40	2.63	43
39 476	36 545	32 577	27 434	81 642	5.76	2.99	44

第7表　件数・1件当たり薬剤種類数，処方箋発行

行番号	処方箋発行医療機関 一般医療－後期医療 年齢階級	件 総数	1種類	2種類	3種類	4種類	5種類
45	診療所	41 288 405	8 541 154	8 679 414	7 084 895	5 318 595	3 780 389
46	一般医療	30 213 214	6 674 244	6 686 335	5 472 125	4 064 127	2 771 697
47	後期医療	11 075 191	1 866 910	1 993 079	1 612 770	1 254 468	1 008 692
48	0 ～ 4歳	2 857 127	400 644	502 265	503 936	453 087	359 122
49	5 ～ 9	1 872 604	400 145	422 301	352 485	270 129	186 214
50	10 ～ 14	1 269 794	334 859	298 116	234 700	169 544	107 618
51	15 ～ 19	853 949	185 137	188 082	167 029	127 951	84 153
52	20 ～ 24	875 357	174 029	190 041	170 048	135 924	91 234
53	25 ～ 29	1 067 073	219 876	230 245	202 921	162 292	108 868
54	30 ～ 34	1 324 016	274 013	284 744	247 737	199 189	134 679
55	35 ～ 39	1 521 641	325 327	331 448	281 614	221 091	148 967
56	40 ～ 44	1 823 204	417 607	406 246	334 526	250 954	165 019
57	45 ～ 49	2 056 231	496 256	468 922	373 640	266 198	173 708
58	50 ～ 54	2 111 919	519 904	486 957	381 127	265 650	170 989
59	55 ～ 59	2 278 377	553 521	523 032	410 836	282 840	185 465
60	60 ～ 64	2 628 634	630 368	608 859	468 709	322 996	214 022
61	65 ～ 69	3 808 134	890 606	879 125	671 748	463 404	311 189
62	70 ～ 74	3 997 089	870 024	883 842	685 714	485 091	340 959
63	75 ～ 79	4 098 100	798 991	840 439	665 035	492 631	366 453
64	80 ～ 84	3 441 834	584 721	630 683	509 369	394 775	315 810
65	85 ～ 89	2 195 048	319 692	346 538	286 377	233 375	201 533
66	90歳以上	1 208 274	145 434	157 529	137 344	121 474	114 387
67	歯科単科病院及び歯科診療所	329 976	115 984	161 191	43 240	8 038	1 195
68	一般医療	268 758	92 630	133 141	35 136	6 602	997
69	後期医療	61 218	23 354	28 050	8 104	1 436	198
70	0 ～ 4歳	1 760	1 098	609	42	10	1
71	5 ～ 9	9 552	5 822	3 456	248	26	-
72	10 ～ 14	4 314	2 661	1 416	207	23	3
73	15 ～ 19	5 267	2 111	2 358	636	135	24
74	20 ～ 24	14 169	4 078	7 668	1 944	405	57
75	25 ～ 29	17 256	5 052	9 361	2 291	476	62
76	30 ～ 34	16 887	5 350	8 777	2 211	454	72
77	35 ～ 39	17 605	5 857	8 981	2 269	417	72
78	40 ～ 44	21 476	7 148	10 847	2 833	528	94
79	45 ～ 49	24 371	7 943	12 391	3 322	611	87
80	50 ～ 54	23 984	7 707	12 179	3 360	621	88
81	55 ～ 59	23 963	7 709	12 161	3 332	642	91
82	60 ～ 64	24 873	8 252	12 286	3 574	633	101
83	65 ～ 69	32 655	11 012	16 069	4 583	836	129
84	70 ～ 74	31 211	11 065	14 839	4 361	799	118
85	75 ～ 79	28 708	10 541	13 492	3 869	691	86
86	80 ～ 84	19 946	7 689	8 988	2 678	486	72
87	85 ～ 89	9 267	3 700	4 172	1 168	188	29
88	90歳以上	2 712	1 189	1 141	312	57	9

注：1）「薬剤」の出現する明細書を集計対象としている。
2）総数には、データ上で病院、診療所別を取得できなかったものを含む。
3）病院には病院併設歯科を、診療所には診療所併設歯科を含む。

平成30年６月審査分

数					１件当たり薬剤種類数		行番号
６種類	７種類	８種類	９種類	10種類以上		後発医薬品（再掲）	
2 579 928	1 724 948	1 162 251	786 576	1 630 255	3.65	1.77	45
1 761 231	1 072 450	651 566	396 448	662 991	3.35	1.63	46
818 697	652 498	510 685	390 128	967 264	4.48	2.14	47
245 404	157 034	95 879	57 447	82 309	3.96	1.60	48
111 030	61 307	32 658	16 995	19 340	3.23	1.37	49
59 942	31 241	16 075	8 461	9 238	2.94	1.36	50
48 157	25 178	13 331	6 887	8 044	3.19	1.57	51
53 030	28 308	14 968	7 906	9 869	3.30	1.65	52
64 108	35 209	19 163	10 433	13 958	3.30	1.66	53
80 471	44 720	24 922	13 781	19 760	3.33	1.67	54
90 256	51 440	29 052	16 842	25 604	3.32	1.64	55
100 985	58 819	34 539	20 700	33 809	3.26	1.59	56
107 768	64 360	38 970	24 043	42 366	3.22	1.56	57
107 546	65 898	40 865	25 459	47 524	3.22	1.58	58
118 168	73 869	46 382	29 111	55 153	3.26	1.65	59
138 195	87 561	55 522	35 348	67 054	3.28	1.70	60
207 440	134 105	87 295	56 137	107 085	3.35	1.74	61
238 318	161 964	109 584	73 424	148 169	3.56	1.79	62
271 743	198 906	143 135	101 129	219 638	3.91	1.85	63
254 622	200 120	154 526	116 894	280 314	4.40	2.07	64
176 256	149 556	123 974	98 293	259 454	4.99	2.39	65
106 489	95 353	81 411	67 286	181 567	5.55	2.80	66
237	49	21	12	9	1.84	1.15	67
188	38	16	7	3	1.85	1.19	68
49	11	5	5	6	1.81	1.00	69
－	－	－	－	－	1.41	0.90	70
－	－	－	－	－	1.42	0.95	71
1	1	2	－	－	1.45	0.99	72
2	－	－	1	－	1.79	1.20	73
11	2	2	2	－	1.92	1.35	74
11	3	－	－	－	1.91	1.34	75
14	9	－	－	－	1.89	1.31	76
7	2	－	－	－	1.86	1.25	77
20	4	1	1	－	1.87	1.23	78
15	2	－	－	－	1.87	1.22	79
25	2	1	－	1	1.89	1.20	80
19	5	3	1	－	1.89	1.18	81
22	2	3	－	－	1.88	1.14	82
19	3	2	－	2	1.87	1.12	83
22	3	2	2	－	1.85	1.07	84
21	5	2	－	1	1.83	1.02	85
23	4	1	1	4	1.82	1.00	86
5	－	2	2	1	1.78	0.95	87
－	2	－	2	－	1.74	0.90	88

第8表 薬剤点数, 薬効(中分類)、

行番号	薬効(中分類)	総数	一般医療	後期医療	0〜4歳	5〜9
1	総数	42 249 616 818	25 846 454 069	16 403 162 749	532 699 740	637 217 516
2	Ⅰ 神経系及び感覚器官用医薬品	8 006 231 207	4 676 334 806	3 329 896 401	33 134 495	115 219 437
3	1 中枢神経系用薬	6 242 782 830	3 643 200 458	2 599 582 371	8 431 737	64 623 419
4	111 全身麻酔剤	113	1	112	−	−
5	112 催眠鎮静剤、抗不安剤	396 905 633	245 013 640	151 891 993	547 948	456 143
6	113 抗てんかん剤	578 000 551	491 772 865	86 227 686	2 566 910	11 472 856
7	114 解熱鎮痛消炎剤	868 178 615	454 353 941	413 824 674	4 841 066	1 867 428
8	115 興奮剤、覚せい剤	−	−	−	−	−
9	116 抗パーキンソン剤	590 436 148	274 765 234	315 670 914	8 476	23 216
10	117 精神神経用剤	1 800 516 436	1 517 927 723	282 588 714	306 509	50 150 456
11	118 総合感冒剤	10 177 782	7 569 562	2 608 220	32 257	103 881
12	119 その他の中枢神経系用薬	1 998 567 552	651 797 493	1 346 770 060	128 571	549 439
13	2 末梢神経系用薬	92 578 789	58 309 348	34 269 441	69 107	157 856
14	121 局所麻酔剤	2 017 099	1 347 653	669 446	11 626	16 729
15	122 骨格筋弛緩剤	6 290 039	4 226 960	2 063 079	12 384	33 647
16	123 自律神経剤	12 356 509	6 360 631	5 995 878	1 786	9 813
17	124 鎮けい剤	41 591 272	26 438 332	15 152 940	43 312	97 667
18	129 その他の末梢神経系用薬	30 323 870	19 935 772	10 388 098	−	−
19	3 感覚器官用薬	1 670 869 588	974 824 999	696 044 589	24 633 650	50 438 161
20	131 眼科用剤	1 395 221 598	759 553 388	635 668 210	19 067 947	31 177 496
21	132 耳鼻科用剤	236 857 140	197 492 871	39 364 269	5 565 564	19 256 732
22	133 鎮暈剤	38 790 850	17 778 740	21 012 110	140	3 934
23	Ⅱ 個々の器官系用医薬品	15 645 125 594	9 065 775 849	6 579 349 745	160 551 597	187 842 796
24	1 循環器官用薬	6 835 018 446	3 961 321 019	2 873 697 427	7 741 414	10 723 480
25	211 強心剤	23 751 969	7 324 240	16 427 729	53 621	48 560
26	212 不整脈用剤	264 949 719	130 061 274	134 888 445	114 544	124 285
27	213 利尿剤	410 480 959	166 564 323	243 916 636	339 873	259 368
28	214 血圧降下剤	2 619 935 736	1 466 671 533	1 153 264 203	114 585	304 155
29	216 血管収縮剤	103 719 354	98 760 954	4 958 400	386	120 938
30	217 血管拡張剤	768 443 491	377 145 328	391 298 163	23 458	71 559
31	218 高脂血症用剤	1 753 020 729	1 098 547 591	654 473 138	7 881	28 633
32	219 その他の循環器官用薬	890 716 489	616 245 775	274 470 714	7 087 067	9 765 983
33	2 呼吸器官用薬	1 452 783 474	1 012 766 755	440 016 718	94 810 130	60 788 937
34	221 呼吸促進剤	−	−	−	−	−
35	222 鎮咳剤	42 102 172	33 749 736	8 352 437	501 056	886 668
36	223 去たん剤	215 393 001	152 334 194	63 058 807	35 271 635	19 461 482
37	224 鎮咳去たん剤	24 889 041	21 267 860	3 621 181	3 957 360	2 243 388
38	225 気管支拡張剤	334 739 282	178 490 429	156 248 853	25 053 014	12 436 719
39	226 含嗽剤	20 713 759	15 205 645	5 508 114	68 908	399 503
40	229 その他の呼吸器官用薬	814 946 219	611 718 891	203 227 328	29 958 157	25 361 177
41	3 消化器官用薬	3 063 138 076	1 634 407 180	1 428 730 895	8 928 518	6 476 622
42	231 止しゃ剤、整腸剤	115 163 222	69 041 924	46 121 298	3 738 327	2 652 980
43	232 消化性潰瘍用剤	1 942 573 136	978 695 824	963 877 312	148 410	397 278
44	233 健胃消化剤	55 545 576	29 453 661	26 091 915	823 449	51 876
45	234 制酸剤	143 768 508	54 203 232	89 565 276	220 174	209 208
46	235 下剤、浣腸剤	230 455 661	78 282 805	152 172 856	2 017 553	1 022 128
47	236 利胆剤	72 162 958	41 101 047	31 061 911	31 220	41 993
48	239 その他の消化器官用薬	503 469 014	383 628 688	119 840 326	1 949 384	2 101 160
49	4 ホルモン剤(抗ホルモン剤を含む)	1 769 058 815	1 220 980 895	548 077 920	13 222 458	83 542 878
50	241 脳下垂体ホルモン剤	281 367 865	277 104 818	4 263 047	11 096 187	79 442 556
51	243 甲状腺、副甲状腺ホルモン剤	338 537 656	125 996 348	212 541 308	247 044	257 514
52	244 たん白同化ステロイド剤	659 801	305 997	353 804	78	149
53	245 副腎ホルモン剤	69 572 559	49 667 249	19 905 311	1 632 649	2 875 748
54	246 男性ホルモン剤	3 211	3 109	102	−	−
55	247 卵胞ホルモン及び黄体ホルモン剤	32 045 819	26 109 630	5 936 189	236	2 157
56	248 混合ホルモン剤	97 600 705	97 545 836	54 869	−	−
57	249 その他のホルモン剤(抗ホルモン剤を含む)	949 271 198	644 247 909	305 023 289	246 264	964 754
58	5 泌尿生殖器官及び肛門用薬	1 091 399 077	399 404 397	691 994 680	308 425	2 106 007
59	251 泌尿器官用剤	92 790	27 642	65 148	−	−
60	252 生殖器官用剤(性病予防剤を含む)	1 269 003	1 062 538	206 466	−	35
61	253 子宮収縮剤	109 884	109 838	46	−	−
62	255 痔疾用剤	60 396 090	38 053 905	22 342 185	265 370	100 819
63	259 その他の泌尿生殖器官及び肛門用薬	1 029 531 310	360 150 474	669 380 836	43 055	2 005 153

平成30年６月審査分

10～14	15～19	20～24	25～29	30～34	35～39	行番号
625 139 660	450 207 725	474 805 341	637 151 167	849 344 626	1 113 525 503	1
164 626 570	116 607 010	134 239 446	185 783 810	233 159 196	286 326 859	2
117 691 720	95 437 459	117 156 753	163 563 887	203 819 358	248 219 731	3
–	–	–	–	–	–	4
568 960	1 491 716	3 943 841	7 762 988	11 803 023	16 522 483	5
20 964 685	31 543 827	37 565 567	39 054 382	41 912 664	44 530 037	6
3 283 961	4 811 669	5 589 725	8 079 741	11 922 492	17 172 356	7
–	–	–	–	–	–	8
75 760	213 962	460 930	862 194	1 343 100	2 240 790	9
90 912 393	53 443 689	63 192 749	95 816 967	120 151 486	143 446 868	10
216 331	355 200	398 883	472 166	579 806	610 322	11
1 669 629	3 577 396	6 005 058	11 515 448	16 106 787	23 696 876	12
331 798	562 604	711 157	1 490 328	1 706 879	2 722 497	13
13 084	25 912	36 770	52 249	59 883	83 427	14
57 008	64 392	78 168	108 700	150 907	207 833	15
63 431	151 199	158 909	203 297	255 678	318 424	16
198 275	321 101	437 309	645 840	920 248	1 312 409	17
–	–	–	480 242	320 162	800 404	18
46 603 053	20 606 948	16 371 536	20 729 595	27 632 960	35 384 630	19
25 889 016	11 379 944	9 758 415	12 025 558	16 130 575	21 867 768	20
20 671 754	9 138 875	6 462 979	8 423 205	11 066 761	12 825 704	21
42 283	88 128	150 142	280 832	435 624	691 159	22
221 720 936	131 898 110	134 511 869	177 258 485	236 367 974	321 804 136	23
17 112 941	21 224 686	22 973 747	31 826 882	51 054 639	90 331 491	24
59 744	62 826	56 611	61 068	88 366	148 026	25
206 887	281 054	376 603	548 957	914 676	1 633 151	26
397 008	754 326	1 220 497	2 469 473	4 403 816	6 495 633	27
466 916	639 690	976 665	2 175 162	6 064 911	15 769 221	28
2 416 324	3 002 870	2 447 369	4 152 835	6 859 928	10 916 124	29
112 921	145 225	245 161	534 787	1 406 269	3 583 442	30
121 207	489 169	1 045 411	2 493 713	6 500 361	13 678 764	31
13 331 934	15 849 526	16 605 429	19 390 886	24 816 313	38 107 130	32
33 603 361	20 508 090	22 382 202	31 865 821	47 634 275	60 028 874	33
–	–	–	–	–	–	34
1 398 209	1 470 354	1 709 965	2 142 667	2 912 179	3 191 219	35
7 274 343	3 664 099	3 412 361	4 433 868	6 371 575	7 417 684	36
1 385 096	692 521	709 887	916 080	1 288 895	1 429 454	37
4 420 677	1 575 663	1 491 651	2 075 841	3 097 466	4 092 938	38
602 996	609 593	773 707	964 328	1 202 167	1 252 473	39
18 522 039	12 495 860	14 284 632	21 333 038	32 761 993	42 645 105	40
7 310 332	16 082 555	26 671 453	38 845 175	52 284 069	69 306 632	41
1 881 430	1 676 273	2 020 766	2 653 398	3 301 873	3 857 043	42
1 599 241	4 426 349	7 746 992	12 215 625	18 252 097	27 704 732	43
61 572	86 870	134 880	230 191	332 145	553 752	44
233 577	291 689	490 645	1 110 807	1 847 369	2 230 890	45
688 291	670 076	757 078	1 130 607	1 670 497	2 544 433	46
37 874	62 442	146 790	288 656	498 933	895 657	47
2 808 347	8 868 855	15 374 301	21 215 890	26 381 155	31 520 126	48
128 668 140	31 931 230	26 774 024	37 699 199	44 982 826	57 148 121	49
123 663 828	21 249 327	4 109 581	3 907 090	4 468 487	4 706 121	50
318 773	444 008	601 368	1 005 225	1 762 476	2 513 758	51
40 974	27 023	2 613	2 264	4 279	5 448	52
2 302 111	1 512 446	1 370 168	1 645 531	2 083 893	2 657 566	53
–	–	–	–	286	975	54
56 245	471 765	734 667	1 112 049	1 520 858	1 748 544	55
283 138	4 405 159	14 721 484	19 436 500	16 402 023	15 585 518	56
2 003 071	3 821 502	5 234 143	10 590 539	18 740 522	29 930 191	57
1 756 440	941 782	1 918 191	3 890 939	5 649 784	6 498 608	58
–	–	–	–	–	–	59
469	18 165	114 588	142 726	143 936	116 885	60
35	1 204	7 138	22 340	34 675	28 234	61
99 886	286 668	806 317	1 605 522	2 302 244	2 685 664	62
1 656 049	635 745	990 149	2 120 351	3 168 929	3 667 824	63

第8表　薬剤点数，　薬効(中分類)、

行番号	薬　効（中　分　類）	40～44	45～49	50～54	55～59	60～64
1	総　　　　数	1 576 505 604	1 988 438 607	2 144 806 190	2 465 080 394	2 988 179 681
2	Ⅰ　神経系及び感覚器官用医薬品	375 161 511	427 306 545	405 786 282	408 596 530	441 811 439
3	1　中枢神経系用薬	324 350 353	363 227 713	332 181 174	319 350 981	327 394 340
4	111 全身麻酔剤	-	-	-	-	-
5	112 催眠鎮静剤、抗不安剤	23 246 601	27 358 062	26 355 266	25 413 871	24 800 535
6	113 抗てんかん剤	50 171 278	49 054 814	39 905 795	34 020 071	30 078 776
7	114 解熱鎮痛消炎剤	26 751 899	37 279 162	43 898 958	51 013 819	59 585 066
8	115 興奮剤、覚せい剤	-	-	-	-	-
9	116 抗パーキンソン剤	4 602 073	8 693 986	12 951 430	24 413 087	41 947 382
10	117 精神神経用剤	182 042 565	189 347 250	151 993 949	117 166 923	87 390 257
11	118 総合感冒剤	638 569	630 084	603 765	627 389	670 101
12	119 その他の中枢神経系用薬	36 897 368	50 864 355	56 472 011	66 695 822	82 922 223
13	2　末梢神経系用薬	4 266 800	6 076 139	5 046 834	5 932 519	7 108 750
14	121 局所麻酔剤	101 419	126 649	136 229	141 130	146 592
15	122 骨格筋弛緩剤	314 541	429 334	483 247	529 095	568 415
16	123 自律神経剤	441 797	558 112	567 815	608 457	708 839
17	124 鎮けい剤	2 008 336	2 680 894	2 979 099	3 133 070	3 323 712
18	129 その他の末梢神経系用薬	1 400 707	2 281 151	880 444	1 520 767	2 361 191
19	3　感覚器官用薬	46 544 358	58 002 693	68 558 273	83 313 029	107 308 350
20	131 眼科用剤	31 249 135	42 040 885	52 959 830	67 262 646	90 681 729
21	132 耳鼻科用剤	14 208 851	14 496 141	13 913 135	14 191 723	14 343 784
22	133 鎮暈剤	1 086 373	1 465 667	1 685 308	1 858 661	2 282 838
23	Ⅱ　個々の器官系用医薬品	474 404 392	645 234 969	740 381 834	889 628 167	1 123 137 292
24	1　循環器官用薬	166 203 096	278 053 827	369 014 629	473 530 938	604 234 347
25	211 強心剤	218 691	342 853	476 921	663 736	1 058 824
26	212 不整脈用剤	3 561 028	6 346 833	9 336 236	13 895 870	20 272 271
27	213 利尿剤	12 182 955	16 749 003	17 862 734	19 264 004	21 941 229
28	214 血圧降下剤	45 131 048	91 580 981	134 771 616	182 104 301	237 323 906
29	216 血管収縮剤	16 256 291	18 121 048	14 233 240	9 155 823	5 363 195
30	217 血管拡張剤	9 820 549	20 001 987	30 220 630	42 663 694	59 534 313
31	218 高脂血症用剤	34 992 957	65 439 428	98 049 785	137 891 346	182 765 438
32	219 その他の循環器官用薬	44 039 576	59 471 694	64 063 468	67 892 166	75 975 171
33	2　呼吸器官用薬	72 254 039	76 222 634	72 201 240	72 661 408	83 457 215
34	221 呼吸促進剤	-	-	-	-	-
35	222 鎮咳剤	3 161 163	2 853 440	2 464 229	2 452 114	2 567 223
36	223 去たん剤	7 700 067	7 147 806	6 640 365	7 251 086	8 772 735
37	224 鎮咳去たん剤	1 400 597	1 249 266	1 083 485	1 083 961	1 131 936
38	225 気管支拡張剤	5 672 614	7 024 564	7 979 976	10 081 649	15 746 887
39	226 含嗽剤	1 214 567	1 105 096	1 043 920	1 134 151	1 258 284
40	229 その他の呼吸器官用薬	53 105 032	56 842 462	52 989 265	50 658 447	53 980 151
41	3　消化器官用薬	98 786 244	127 002 016	140 251 356	164 282 312	202 429 896
42	231 止しゃ剤、整腸剤	4 766 057	5 438 087	5 621 393	5 975 733	6 436 520
43	232 消化性潰瘍用剤	45 038 444	65 551 311	80 774 439	102 814 053	136 098 173
44	233 健胃消化剤	933 639	1 523 033	2 002 193	2 955 002	3 977 345
45	234 制酸剤	2 740 136	3 518 935	3 998 028	4 791 849	6 371 063
46	235 下剤、浣腸剤	3 959 477	5 586 951	6 176 357	7 174 461	9 077 595
47	236 利胆剤	1 733 930	2 743 690	3 668 638	4 956 944	6 415 605
48	239 その他の消化器官用薬	39 614 561	42 640 008	38 010 308	35 614 271	34 053 595
49	4　ホルモン剤(抗ホルモン剤を含む)	81 601 349	98 329 066	85 612 336	86 933 922	103 866 240
50	241 脳下垂体ホルモン剤	4 537 740	4 409 805	3 594 990	3 124 081	2 874 953
51	243 甲状腺、副甲状腺ホルモン剤	3 474 280	4 231 914	5 464 657	8 872 605	15 980 483
52	244 たん白同化ステロイド剤	10 740	15 577	15 226	19 966	32 671
53	245 副腎ホルモン剤	3 403 391	3 956 851	3 917 938	4 199 674	4 845 031
54	246 男性ホルモン剤	-	-	969	102	634
55	247 卵胞ホルモン及び黄体ホルモン剤	2 500 353	4 687 465	6 108 802	3 416 819	1 272 516
56	248 混合ホルモン剤	12 575 891	8 122 906	3 669 139	1 725 928	398 148
57	249 その他のホルモン剤（抗ホルモン剤を含む）	55 098 955	72 904 547	62 840 614	65 574 748	78 461 804
58	5　泌尿生殖器官及び肛門用薬	8 773 156	12 504 771	19 227 900	30 644 281	51 557 563
59	251 泌尿器官用剤	504	141	874	1 979	2 365
60	252 生殖器官用剤(性病予防剤を含む)	96 650	81 494	71 789	60 087	57 897
61	253 子宮収縮剤	13 586	1 612	936	15	-
62	255 痔疾用剤	3 137 216	3 344 497	3 335 736	3 416 140	4 023 341
63	259 その他の泌尿生殖器官及び肛門用薬	5 525 200	9 077 028	15 818 563	27 166 060	47 473 961

平成30年６月審査分

65～69	70～74	75～79	80～84	85～89	90歳以上	後発医薬品（再掲）	行番号
4 648 132 823	5 211 175 158	5 726 867 979	5 130 413 761	3 352 652 564	1 697 272 780	7 644 639 343	1
661 218 288	789 234 232	1 007 904 048	1 033 233 895	773 005 214	413 876 399	966 680 680	2
476 802 642	568 333 144	744 786 446	804 148 187	623 312 748	339 951 036	719 782 608	3
1	－	112	－	－	－	－	4
35 524 859	42 836 117	50 689 657	47 873 021	32 889 898	16 820 644	118 164 595	5
36 108 121	32 179 621	29 937 781	23 916 962	15 500 532	7 515 870	32 436 910	6
85 846 109	100 878 006	131 313 291	132 169 771	93 600 536	48 273 559	129 321 615	7
－	－	－	－	－	－	－	8
85 685 932	107 644 991	128 380 609	106 013 015	50 729 857	14 145 359	39 515 936	9
94 033 024	91 329 696	98 139 004	87 256 640	57 563 009	26 833 002	204 434 150	10
847 873	849 007	915 186	848 651	531 265	247 042	5 575 056	11
138 756 724	192 615 705	305 410 804	406 070 127	372 497 650	226 115 559	190 334 346	12
12 368 142	12 792 485	15 503 466	8 618 845	4 888 686	2 223 899	20 773 814	13
203 650	224 843	230 206	209 618	130 591	66 493	112 647	14
724 975	698 295	737 855	630 893	340 781	119 569	1 558 627	15
1 139 252	1 379 160	1 711 246	1 826 177	1 396 485	856 631	953 557	16
4 371 559	4 687 259	5 500 465	4 888 763	2 860 748	1 181 206	18 148 983	17
5 928 705	5 802 928	7 323 695	1 063 394	160 081	－	－	18
172 047 504	208 108 603	247 614 137	220 466 862	144 803 780	71 701 465	226 124 257	19
151 465 089	186 874 729	224 711 627	201 144 116	133 002 002	66 533 092	190 801 345	20
16 986 895	16 891 382	16 811 190	12 404 425	6 692 307	2 505 734	16 354 295	21
3 595 520	4 342 492	6 091 319	6 918 321	5 109 471	2 662 639	18 968 618	22
1 774 573 370	2 030 252 878	2 251 349 476	2 051 617 258	1 370 891 359	721 698 697	3 969 866 778	23
930 815 332	990 853 013	1 006 184 211	878 339 486	578 705 234	306 095 052	2 227 137 235	24
2 101 792	2 700 196	3 484 080	4 394 478	4 220 418	3 511 157	10 635 570	25
35 346 292	42 657 230	47 004 484	42 677 971	27 597 133	12 054 213	99 710 146	26
33 182 764	38 253 774	50 809 624	65 486 832	65 805 496	52 602 553	58 251 521	27
371 151 650	399 692 779	405 331 388	362 814 138	240 632 567	122 890 057	847 297 135	28
3 556 528	2 433 662	1 980 252	1 458 058	881 398	363 084	22 117 444	29
100 731 617	115 097 953	123 972 359	119 035 998	86 991 377	54 250 191	462 656 840	30
277 790 441	290 735 428	278 684 723	209 279 993	111 272 275	41 753 777	611 084 570	31
106 954 249	99 281 990	94 917 301	73 192 017	41 304 570	18 670 021	115 384 010	32
127 133 453	147 118 598	160 151 282	137 725 749	87 917 535	44 318 630	200 526 691	33
－	－	－	－	－	－	－	34
3 168 835	3 025 858	3 124 654	2 631 063	1 620 149	821 126	12 558 861	35
13 216 705	15 812 444	19 616 609	18 955 071	14 002 347	8 970 721	131 454 083	36
1 422 652	1 347 051	1 378 525	1 139 580	682 838	346 470	478 998	37
33 459 735	48 042 173	55 635 196	48 872 349	32 025 521	15 954 649	37 171 443	38
1 780 057	1 909 584	2 131 817	1 784 263	1 043 433	434 910	18 863 305	39
74 085 470	76 981 488	78 264 481	64 343 422	38 543 248	17 790 754	－	40
323 522 798	385 045 980	458 416 892	440 255 482	314 290 650	182 949 094	1 019 051 958	41
9 299 493	10 901 819	13 151 742	13 636 714	10 786 790	7 366 784	31 146 344	42
225 521 082	271 299 386	320 681 662	300 535 905	207 656 165	114 111 794	631 808 355	43
7 130 852	8 996 334	9 720 194	8 464 681	5 054 561	2 513 008	8 834 267	44
11 706 205	16 347 893	23 070 072	26 232 903	22 114 037	16 243 027	140 584 982	45
16 749 115	24 281 747	37 234 842	44 418 657	38 295 016	27 000 778	57 011 540	46
9 968 534	10 307 526	10 908 875	9 963 852	6 401 440	3 090 361	45 193 810	47
43 147 517	42 911 275	43 649 506	37 002 771	23 982 641	12 623 342	104 472 660	48
164 700 232	190 136 750	204 881 027	180 482 377	106 165 269	42 381 371	108 440 753	49
3 244 179	2 828 604	2 142 885	1 307 756	509 228	150 466	1 947 720	50
32 655 764	51 506 093	71 527 051	71 170 820	46 513 546	19 990 277	－	51
64 352	71 802	113 119	112 409	81 626	39 486	－	52
7 004 000	7 010 798	7 261 438	6 120 010	3 871 632	1 901 685	5 322 623	53
143	－	102	－	－	－	－	54
1 259 234	1 295 913	1 667 185	1 887 279	1 545 319	758 414	2 864 333	55
153 112	69 562	32 075	17 161	2 114	846	13 351 271	56
120 319 449	127 353 979	122 137 173	99 866 941	53 641 805	19 540 197	84 954 806	57
105 052 067	159 261 386	220 275 097	226 630 222	155 994 506	78 407 952	105 771 443	58
10 623	12 312	19 624	20 693	15 906	7 768	－	59
77 330	82 212	78 667	58 740	39 562	27 772	191 356	60
62	－	42	－	5	－	－	61
6 176 026	7 067 207	7 585 648	6 714 683	4 637 827	2 805 279	11 601 703	62
98 788 027	152 099 654	212 591 116	219 836 106	151 301 206	75 567 133	93 978 384	63

第8表　薬剤点数，　薬効（中分類）、

行番号	薬　効（中　分　類）	総　数	一般医療	後期医療	0～4歳	5～9
64	6 外皮用薬	1 424 824 302	829 467 917	595 356 385	32 351 497	24 148 565
65	261 外皮用殺菌消毒剤	731 180	507 717	223 462	45 603	34 512
66	263 化膿性疾患用剤	40 597 724	35 318 434	5 279 291	2 116 560	1 593 169
67	264 鎮痛、鎮痒、収斂、消炎剤	1 082 485 412	563 690 864	518 794 548	26 283 742	17 063 367
68	265 寄生性皮ふ疾患用剤	73 584 282	48 150 958	25 433 324	775 259	469 407
69	266 皮ふ軟化剤(腐しょく剤を含む)	9 809 948	6 568 914	3 241 034	452 225	471 088
70	267 毛髪用剤(発毛剤、脱毛剤、染毛剤、養毛剤)	4 361 455	3 495 045	866 410	21 734	82 248
71	269 その他の外皮用薬	213 254 301	171 735 985	41 518 316	2 656 374	4 434 774
72	7 歯科口腔用薬	1 765 292	1 148 529	616 762	3 278	12 472
73	271 歯科用局所麻酔剤	978	178	800	-	-
74	276 歯科用抗生物質製剤	105 319	63 438	41 881	457	1 295
75	279 その他の歯科口腔用薬	1 658 995	1 084 914	574 081	2 820	11 177
76	9 その他の個々の器官系用医薬品	7 138 113	6 279 156	858 957	3 185 878	43 834
77	290 その他の個々の器官系用医薬品	7 138 113	6 279 156	858 957	3 185 878	43 834
78	Ⅲ 代謝性医薬品	10 227 898 422	6 026 375 030	4 201 523 392	123 644 609	81 337 322
79	1 ビタミン剤	761 341 510	326 614 312	434 727 198	489 544	411 135
80	311 ビタミンA及びD剤	504 480 234	186 763 099	317 717 135	305 987	159 713
81	312 ビタミンB1剤	8 629 725	3 520 296	5 109 429	7 679	11 956
82	313 ビタミンB剤(ビタミンB1剤を除く)	188 904 573	97 015 661	91 888 913	85 514	115 361
83	314 ビタミンC剤	2 521 453	1 869 300	652 153	3 399	8 008
84	315 ビタミンE剤	5 095 208	3 180 223	1 914 985	3 583	4 862
85	316 ビタミンK剤	10 484 389	3 908 006	6 576 383	19 932	13 755
86	317 混合ビタミン剤(ビタミンA・D混合製剤を除く)	38 560 375	27 984 786	10 575 589	42 431	70 241
87	319 その他のビタミン剤	2 665 552	2 372 941	292 611	21 020	27 240
88	2 滋養強壮薬	393 933 496	176 405 856	217 527 640	6 110 520	4 885 402
89	321 カルシウム剤	25 665 836	9 387 208	16 278 627	14 672	7 693
90	322 無機質製剤	35 393 109	18 643 191	16 749 919	1 239 906	619 141
91	323 糖類剤	348 822	290 195	58 627	60 620	71 977
92	325 たん白アミノ酸製剤	329 916 034	145 541 433	184 374 600	3 376 681	3 934 035
93	326 臓器製剤	-	-	-	-	-
94	327 乳幼児用剤	2 430 692	2 425 173	5 519	1 413 362	240 182
95	329 その他の滋養強壮薬	179 004	118 656	60 348	5 279	12 374
96	3 血液・体液用薬	3 040 529 004	1 476 783 189	1 563 745 815	105 161 913	58 001 961
97	331 血液代用剤	3 570 840	2 412 319	1 158 520	258 370	228 793
98	332 止血剤	57 557 521	50 030 044	7 527 477	1 346 409	1 174 729
99	333 血液凝固阻止剤	1 863 551 812	949 847 697	913 704 115	103 475 944	56 531 839
100	339 その他の血液・体液用薬	1 115 848 831	474 493 129	641 355 703	81 191	66 600
101	4 人工透析用薬	31 793 698	22 126 268	9 667 431	209 626	99 955
102	341 人工腎臓透析用剤	735 680	693 987	41 694	-	-
103	342 腹膜透析用剤	31 058 018	21 432 281	9 625 737	209 626	99 955
104	9 その他の代謝性医薬品	6 000 300 714	4 024 445 405	1 975 855 309	11 673 005	17 938 869
105	391 肝臓疾患用剤	7 144 371	5 214 394	1 929 977	7 775	23 701
106	392 解毒剤	179 775 037	86 790 522	92 984 515	311 758	606 844
107	393 習慣性中毒用剤	757 964	700 091	57 873	25	-
108	394 痛風治療剤	344 892 418	228 126 975	116 765 443	8 776	34 275
109	395 酵素製剤	7 926 425	7 761 847	164 578	2 309 759	595 818
110	396 糖尿病用剤	2 641 988 736	1 756 319 479	885 669 258	502	4 087
111	399 他に分類されない代謝性医薬品	2 817 815 762	1 939 532 097	878 283 665	9 034 409	16 674 144
112	Ⅳ 組織細胞機能用医薬品	4 285 979 869	3 007 191 426	1 278 788 443	119 606 577	159 606 280
113	1 細胞賦活用薬	213 081	156 394	56 687	-	-
114	419 その他の細胞賦活用薬	213 081	156 394	56 687	-	-
115	2 腫瘍用薬	2 713 827 889	1 716 976 665	996 851 224	189 981	1 329 878
116	421 アルキル化剤	32 508 820	25 070 683	7 438 137	17 126	104 306
117	422 代謝拮抗剤	251 675 623	175 515 628	76 159 995	21 345	48 706
118	423 抗腫瘍性抗生物質製剤	104 797	58 334	46 462	1 439	12 951
119	424 抗腫瘍性植物成分製剤	1 418 443	722 223	696 221	1 517	10 073
120	429 その他の腫瘍用薬	2 428 120 206	1 515 609 797	912 510 409	148 555	1 153 842
121	3 放射性医薬品	-	-	-	-	-
122	430 放射性医薬品	-	-	-	-	-
123	4 アレルギー用薬	1 571 938 900	1 290 058 367	281 880 533	119 416 596	158 276 402
124	441 抗ヒスタミン剤	15 950 635	14 036 337	1 914 298	3 737 008	1 752 528
125	442 刺激療法剤	15 129 672	8 716 825	6 412 847	-	-
126	449 その他のアレルギー用薬	1 540 858 592	1 267 305 204	273 553 388	115 679 588	156 523 874
127	9 その他の組織細胞機能用医薬品	-	-	-	-	-
128	490 その他の組織細胞機能用医薬品	-	-	-	-	-

平成30年６月審査分

10～14	15～19	20～24	25～29	30～34	35～39	行番号
33 196 526	41 108 731	33 664 922	32 971 531	34 551 687	38 212 534	64
27 925	26 596	25 174	19 261	21 322	27 561	65
3 507 761	5 546 013	4 090 236	3 393 248	2 788 605	2 304 114	66
16 550 237	13 401 991	12 948 160	14 984 595	18 425 377	22 336 742	67
834 647	1 105 019	1 348 701	1 814 255	2 325 387	2 850 040	68
360 223	264 271	286 823	312 345	368 025	419 771	69
102 839	82 168	89 544	127 907	193 640	242 064	70
11 812 895	20 682 673	14 876 284	12 319 920	10 429 331	10 032 241	71
11 901	19 265	46 026	52 535	55 935	53 584	72
–	–	–	–	–	–	73
1 076	1 078	930	1 373	1 902	1 675	74
10 825	18 187	45 096	51 163	54 033	51 908	75
61 295	81 771	81 304	106 403	154 760	224 293	76
61 295	81 771	81 304	106 403	154 760	224 293	77
60 857 868	68 111 883	80 939 440	101 634 934	143 264 589	190 583 329	78
1 443 214	3 466 057	4 217 106	5 003 963	5 846 359	7 611 457	79
219 853	348 735	458 940	620 339	916 329	1 414 692	80
19 094	20 198	21 200	30 886	49 444	88 899	81
794 795	2 012 209	2 323 781	2 655 684	2 956 127	3 607 198	82
16 879	37 003	48 824	59 999	79 440	122 480	83
9 383	25 727	40 281	77 148	122 984	189 390	84
16 979	24 135	25 848	33 974	51 861	77 477	85
327 973	939 974	1 223 051	1 439 806	1 561 772	1 964 755	86
38 259	58 075	75 181	86 128	108 401	146 565	87
5 295 646	5 960 417	5 772 474	6 300 765	7 508 592	8 521 462	88
10 524	13 997	18 728	34 870	58 042	116 139	89
751 593	774 617	589 396	657 625	917 547	1 220 851	90
22 275	36 894	15 560	4 084	11 053	4 916	91
4 356 957	4 913 838	5 080 149	5 496 271	6 407 495	7 142 457	92
–	–	–	–	–	–	93
147 073	216 130	66 018	99 540	110 880	32 676	94
7 225	4 941	2 624	8 375	3 574	4 423	95
27 763 261	17 574 989	17 237 844	20 314 205	24 409 715	28 460 625	96
157 200	122 096	87 238	77 231	116 971	138 173	97
1 737 020	1 844 495	2 235 912	2 893 350	3 819 698	4 631 492	98
25 729 686	15 395 731	14 553 432	16 637 872	18 906 064	20 109 363	99
139 355	212 667	361 263	705 752	1 566 983	3 581 597	100
41 492	481 039	169 148	193 380	411 140	693 798	101
–	–	–	3 512	14 612	33 896	102
41 492	481 039	169 148	189 868	396 528	659 902	103
26 314 254	40 629 381	53 542 868	69 822 620	105 088 783	145 295 986	104
42 691	66 843	77 707	120 014	182 925	263 437	105
1 119 412	953 366	583 203	1 141 775	1 366 075	2 294 179	106
–	–	1 545	11 895	22 879	52 078	107
70 124	264 384	702 585	1 715 712	3 698 767	7 049 997	108
2 024 397	3 056	2 731	5 174	5 297	5 679	109
80 654	641 308	1 938 398	4 900 896	12 354 164	25 874 050	110
22 976 975	38 700 424	50 236 700	61 927 153	87 458 676	109 756 567	111
114 971 256	59 625 574	50 024 950	63 217 896	83 897 955	116 212 048	112
–	47	788	1 930	3 871	4 333	113
–	47	788	1 930	3 871	4 333	114
2 576 035	5 578 897	9 753 248	15 787 944	24 268 356	42 999 313	115
212 834	122 960	353 514	724 415	1 123 710	1 795 917	116
42 200	66 610	124 349	273 300	828 154	2 169 095	117
11 512	720	1 439	1 583	3 022	144	118
12 612	27 920	7 835	10 057	8 089	7 560	119
2 296 877	5 360 688	9 266 111	14 778 590	22 305 382	39 026 597	120
–	–	–	–	–	–	121
–	–	–	–	–	–	122
112 395 221	54 046 629	40 270 913	47 428 022	59 625 728	73 208 402	123
679 530	392 949	342 592	437 484	574 285	690 152	124
–	2 449	17 131	34 611	72 213	156 193	125
111 715 691	53 651 232	39 911 190	46 955 928	58 979 230	72 362 058	126
–	–	–	–	–	–	127
–	–	–	–	–	–	128

第8表 薬剤点数， 薬効（中分類）、

行番号	薬 効 （中 分 類）	40～44	45～49	50～54	55～59	60～64
64	6 外皮用薬	46 415 956	52 695 696	53 670 210	61 163 953	77 160 377
65	261 外皮用殺菌消毒剤	30 368	36 220	34 374	36 402	42 037
66	263 化膿性疾患用剤	2 064 005	1 768 888	1 343 285	1 131 058	1 096 714
67	264 鎮痛、鎮痒、収斂、消炎剤	28 293 845	33 930 695	36 920 886	44 129 157	58 325 758
68	265 寄生性皮ふ疾患用剤	3 506 054	3 916 984	3 893 770	4 345 536	5 335 568
69	266 皮ふ軟化剤（腐しょく剤を含む）	450 260	470 733	436 972	415 300	471 368
70	267 毛髪用剤（発毛剤、脱毛剤、染毛剤、養毛剤）	317 275	366 288	354 524	335 076	335 926
71	269 その他の外皮用薬	11 754 149	12 205 888	10 686 399	10 771 424	11 553 004
72	7 歯科口腔用薬	68 411	78 446	86 287	107 941	123 434
73	271 歯科用局所麻酔剤	–	44	–	133	–
74	276 歯科用抗生物質製剤	2 252	3 608	4 310	5 913	8 663
75	279 その他の歯科口腔用薬	66 160	74 795	81 977	101 894	114 771
76	9 その他の個々の器官系用医薬品	302 138	348 513	317 876	303 412	308 220
77	290 その他の個々の器官系用医薬品	302 138	348 513	317 876	303 412	308 220
78	Ⅲ 代謝性医薬品	295 551 024	411 693 247	478 580 211	601 042 074	803 183 114
79	1 ビタミン剤	11 535 153	15 793 445	19 257 679	26 704 760	42 282 397
80	311 ビタミンA及びD剤	2 559 338	4 121 031	6 540 473	12 846 817	26 070 899
81	312 ビタミンB1剤	154 805	231 056	280 028	359 952	455 660
82	313 ビタミンB剤（ビタミンB1剤を除く）	5 084 766	6 845 423	8 183 431	9 642 211	12 138 775
83	314 ビタミンC剤	194 826	233 554	223 598	200 984	193 019
84	315 ビタミンE剤	312 802	369 238	368 692	341 182	336 708
85	316 ビタミンK剤	121 710	164 814	215 991	357 107	537 839
86	317 混合ビタミン剤（ビタミンA・D混合製剤を除く）	2 906 465	3 579 238	3 176 822	2 671 968	2 270 955
87	319 その他のビタミン剤	200 440	249 091	268 643	284 541	278 542
88	2 滋養強壮薬	11 890 213	13 468 283	12 618 971	13 703 441	17 309 477
89	321 カルシウム剤	210 796	320 452	457 932	724 920	1 270 783
90	322 無機質製剤	1 876 712	2 471 879	1 539 685	965 216	1 126 900
91	323 糖類剤	737	9 383	16 597	10 144	2 853
92	325 たん白アミノ酸製剤	9 758 916	10 628 117	10 586 866	11 982 426	14 879 372
93	326 臓器製剤	–	–	–	–	–
94	327 乳幼児用剤	36 540	32 287	10 275	5 040	14 100
95	329 その他の滋養強壮薬	6 513	6 165	7 616	15 694	15 469
96	3 血液・体液用薬	39 288 871	57 430 852	75 731 689	108 555 198	169 177 592
97	331 血液代用剤	129 227	157 882	152 645	186 228	167 958
98	332 止血剤	5 662 731	6 033 125	4 878 012	3 894 770	3 217 551
99	333 血液凝固阻止剤	24 368 848	31 778 574	39 810 165	58 074 608	94 928 414
100	339 その他の血液・体液用薬	9 128 066	19 461 271	30 890 867	46 399 592	70 863 669
101	4 人工透析用薬	1 174 845	2 161 827	2 998 289	3 416 513	3 943 017
102	341 人工腎臓透析用剤	60 577	118 786	114 810	158 304	97 819
103	342 腹膜透析用剤	1 114 268	2 043 041	2 883 479	3 258 209	3 845 198
104	9 その他の代謝性医薬品	231 661 941	322 838 840	367 973 582	448 662 163	570 470 630
105	391 肝臓疾患用剤	399 388	530 150	557 404	602 283	656 418
106	392 解毒剤	3 254 267	5 009 685	6 106 220	7 200 734	11 493 533
107	393 習慣性中毒用剤	82 057	102 062	107 192	112 019	85 318
108	394 痛風治療剤	14 321 736	21 790 075	26 198 582	30 085 802	34 504 733
109	395 酵素製剤	2 735 948	12 545	7 664	9 260	10 938
110	396 糖尿病用剤	63 718 792	120 002 617	167 485 289	219 158 221	287 885 289
111	399 他に分類されない代謝性医薬品	147 149 753	175 391 706	167 511 233	191 493 843	235 834 400
112	Ⅳ 組織細胞機能用医薬品	170 491 815	211 910 923	227 795 578	266 352 382	324 567 721
113	1 細胞賦活用薬	8 196	11 609	14 251	16 406	23 812
114	419 その他の細胞賦活用薬	8 196	11 609	14 251	16 406	23 812
115	2 腫瘍用薬	80 780 352	115 778 988	139 650 727	182 807 954	243 432 516
116	421 アルキル化剤	2 338 942	2 895 534	2 015 557	2 343 823	3 167 354
117	422 代謝拮抗剤	5 069 716	9 207 597	12 453 215	18 736 733	28 685 603
118	423 抗腫瘍性抗生物質製剤	5 396	4 173	2 201	6 476	2 201
119	424 抗腫瘍性植物成分製剤	19 175	34 842	51 806	59 402	109 028
120	429 その他の腫瘍用薬	73 347 123	103 636 843	125 127 948	161 661 520	211 468 330
121	3 放射性医薬品	–	–	–	–	–
122	430 放射性医薬品	–	–	–	–	–
123	4 アレルギー用薬	89 703 267	96 120 325	88 130 600	83 528 022	81 111 393
124	441 抗ヒスタミン剤	834 577	913 265	815 511	747 437	690 752
125	442 刺激療法剤	323 470	521 572	725 631	1 031 080	1 484 491
126	449 その他のアレルギー用薬	88 545 220	94 685 488	86 589 458	81 749 506	78 936 150
127	9 その他の組織細胞機能用医薬品	–	–	–	–	–
128	490 その他の組織細胞機能用医薬品	–	–	–	–	–

平成30年６月審査分

65～69	70～74	75～79	80～84	85～89	90歳以上	後発医薬品（再掲）	行番号
122 758 520	157 207 464	200 825 390	187 713 837	127 565 865	67 441 041	308 786 597	64
56 722	57 159	60 039	57 863	49 650	42 390	322 747	65
1 380 743	1 377 879	1 411 987	1 338 908	1 202 922	1 141 628	7 896 867	66
97 625 563	131 619 733	175 514 412	166 683 421	112 153 709	55 294 023	272 342 709	67
7 828 516	8 574 222	8 812 784	7 131 181	5 106 663	3 610 290	9 870 582	68
686 919	810 107	957 390	901 279	728 104	546 745	2 235 762	69
430 147	434 416	434 283	261 544	116 067	33 766	4 361 455	70
14 749 911	14 333 948	13 634 496	11 339 642	8 208 748	6 772 200	11 756 475	71
200 802	244 957	242 329	204 242	105 730	47 716	1 213	72
－	－	133	667	－	－	934	73
14 173	15 359	18 013	15 343	5 679	2 220	280	74
186 629	229 598	224 183	188 233	100 051	45 496	－	75
390 165	384 729	373 246	265 863	146 570	57 840	150 887	76
390 165	384 729	373 246	265 863	146 570	57 840	150 887	77
1 296 005 738	1 438 937 000	1 532 554 596	1 301 461 554	814 603 785	403 912 105	1 538 744 043	78
80 209 716	108 357 610	143 494 091	139 527 034	96 484 326	49 206 463	201 139 675	79
55 505 623	78 274 562	104 837 357	102 073 753	71 170 853	36 034 940	19 957 586	80
757 468	1 105 480	1 638 891	1 728 464	1 129 057	539 507	2 268 185	81
19 045 345	23 451 295	30 327 808	29 405 866	19 893 745	10 335 239	166 980 948	82
227 477	237 710	249 729	204 714	123 362	56 448	134	83
463 740	548 141	657 468	624 139	395 363	204 378	1 998 337	84
1 068 457	1 330 055	1 864 190	2 022 891	1 581 488	955 887	4 159 733	85
2 827 944	3 187 616	3 762 351	3 383 916	2 156 047	1 067 050	5 683 372	86
313 663	222 752	156 295	83 289	34 411	13 015	91 381	87
30 307 438	36 637 523	47 257 031	54 611 184	53 400 705	52 373 954	31 398 970	88
2 692 333	3 661 681	4 984 735	5 137 228	3 855 094	2 075 216	4 655 287	89
1 944 820	2 374 678	3 286 210	4 442 067	4 614 054	3 980 212	14 235 027	90
15 705	16 950	17 267	10 941	9 056	11 810	16 206	91
25 643 197	30 571 981	38 962 679	45 000 814	44 901 754	46 292 029	12 318 481	92
－	－	－	－	－	－	－	93
－	1 071	－	1 585	1 523	2 411	－	94
11 383	11 161	6 139	18 550	19 225	12 276	173 969	95
327 586 688	434 990 787	537 522 103	495 521 264	331 509 751	164 289 694	687 367 043	96
255 694	271 527	277 231	263 379	263 755	259 243	692 034	97
3 611 412	3 177 630	2 982 943	2 274 701	1 389 846	751 697	39 252 891	98
190 499 881	258 686 082	317 990 614	286 845 664	192 816 459	96 412 572	116 098 128	99
133 219 702	172 855 548	216 271 316	206 137 521	137 039 690	66 866 182	531 323 990	100
5 345 529	4 232 282	3 169 033	1 842 329	922 879	287 577	1 075 044	101
86 361	41 001	6 003	－	－	－	－	102
5 259 168	4 191 282	3 163 029	1 842 329	922 879	287 577	1 075 044	103
852 556 367	854 718 799	801 112 339	609 959 743	332 286 124	137 754 418	617 763 311	104
896 589	837 650	797 571	638 462	324 600	118 761	285 592	105
21 282 704	26 177 394	31 983 626	29 532 559	19 515 406	9 842 299	39 770 723	106
73 031	54 828	35 896	13 422	3 643	72	－	107
46 178 398	44 437 270	43 239 630	36 085 303	22 799 185	11 707 083	43 132 392	108
19 560	20 795	24 995	39 411	39 589	53 808	－	109
441 713 701	432 619 685	376 598 055	282 974 280	146 983 083	57 055 664	228 070 768	110
342 392 384	350 571 175	348 432 566	260 676 305	142 620 617	58 976 731	306 503 837	111
507 782 322	552 361 056	532 481 856	420 655 042	224 913 653	79 504 984	830 497 741	112
37 400	36 730	30 394	15 235	6 208	1 870	－	113
37 400	36 730	30 394	15 235	6 208	1 870	－	114
411 103 172	455 799 777	430 391 146	333 914 672	168 981 885	48 703 046	257 541 579	115
4 135 325	3 972 774	3 376 282	2 408 591	1 085 276	314 580	7 513 065	116
48 393 537	50 610 019	40 223 843	23 965 750	8 697 230	2 058 621	53 556 840	117
3 640	2 878	1 523	7 237	10 073	26 190	－	118
173 286	201 087	206 936	258 900	163 317	55 003	－	119
358 397 384	401 013 018	386 582 561	307 274 195	159 025 990	46 248 652	196 471 674	120
－	－	－	－	－	－	－	121
－	－	－	－	－	－	－	122
96 641 750	96 524 548	102 060 316	86 725 135	55 925 559	30 800 068	572 956 162	123
791 976	720 396	687 458	576 599	362 586	203 550	5 404 601	124
2 295 539	2 344 071	2 412 114	2 001 704	1 219 234	488 171	4 565 088	125
93 554 235	93 460 081	98 960 744	84 146 832	54 343 739	30 108 347	562 986 472	126
－	－	－	－	－	－	－	127
－	－	－	－	－	－	－	128

第8表　薬剤点数，　薬効（中分類）、

行番号	薬　効（中　分　類）	総　数	一般医療	後期医療	0～4歳	5～9
129	Ⅴ　生薬及び漢方処方に基づく医薬品	935 971 283	617 411 777	318 559 506	3 089 545	5 984 409
130	1　生　薬	15 975 443	13 200 794	2 774 648	40 452	64 467
131	510 生　薬	15 975 443	13 200 794	2 774 648	40 452	64 467
132	2　漢　方　製　剤	893 088 805	580 506 783	312 582 021	1 993 044	3 720 004
133	520 漢　方　製　剤	893 088 805	580 506 783	312 582 021	1 993 044	3 720 004
134	9　その他の生薬及び漢方処方に基づく医薬品	26 907 036	23 704 200	3 202 836	1 056 049	2 199 938
135	590 その他の生薬及び漢方処方に基づく医薬品	26 907 036	23 704 200	3 202 836	1 056 049	2 199 938
136	Ⅵ　病原生物に対する医薬品	2 986 610 219	2 336 456 472	650 153 746	89 029 669	86 058 512
137	1　抗生物質製剤	497 813 953	419 506 509	78 307 444	64 034 796	56 231 044
138	611 主としてグラム陽性菌に作用するもの	1 362 868	717 828	645 041	11 888	8 559
139	612 主としてグラム陰性菌に作用するもの	2 428 570	1 477 174	951 396	9 778	65 733
140	613 主としてグラム陽性・陰性菌に作用するもの	235 726 002	212 292 154	23 433 848	52 674 062	39 027 851
141	614 主としてグラム陽性菌、マイコプラズマに作用するもの	166 257 376	137 909 513	28 347 864	11 130 166	16 805 582
142	615 主としてグラム陽性・陰性菌、リケッチア、クラミジアに作用するもの	11 402 306	9 660 016	1 742 290	29 055	69 431
143	616 主として抗酸菌に作用するもの	5 193 559	3 228 740	1 964 819	1 031	750
144	617 主としてカビに作用するもの	39 483 568	26 577 119	12 906 449	178 817	249 327
145	619 その他の抗生物質製剤（複合抗生物質製剤を含む）	35 959 703	27 643 965	8 315 738	－	3 810
146	2　化学療法剤	2 092 638 146	1 553 219 215	539 418 931	19 141 218	14 585 793
147	621 サルファ剤	31 677 305	19 730 779	11 946 527	704	4 071
148	622 抗結核剤	5 554 941	3 917 023	1 637 919	1 950	2 655
149	623 抗ハンセン病剤	4 221	3 212	1 009	－	－
150	624 合成抗菌剤	210 286 182	177 106 876	33 179 305	15 913 455	6 709 816
151	625 抗ウイルス剤	1 529 747 063	1 172 738 814	357 008 249	2 668 917	7 153 097
152	629 その他の化学療法剤	315 368 433	179 722 511	135 645 922	556 193	716 154
153	3　生物学的製剤	393 531 912	361 922 016	31 609 896	5 819 424	15 185 928
154	631 ワクチン類	－	－	－	－	－
155	632 毒素及びトキソイド類	－	－	－	－	－
156	633 抗毒素類及び抗レプトスピラ血清類	－	－	－	－	－
157	634 血液製剤類	250 412 898	242 165 940	8 246 958	5 819 424	15 094 614
158	639 その他の生物学的製剤	143 119 014	119 756 076	23 362 938	－	91 314
159	4　寄生動物用薬	2 626 208	1 808 733	817 475	34 231	55 747
160	641 抗原虫剤	884 269	758 258	126 011	729	2 082
161	642 駆虫剤	1 741 939	1 050 475	691 464	33 502	53 665
162	Ⅶ　治療を主目的としない医薬品	39 479 642	33 812 025	5 667 618	3 635 368	1 154 519
163	1　調剤用薬	13 697 910	10 120 341	3 577 569	3 631 430	1 148 377
164	711 賦形剤	243 145	163 661	79 484	16 803	13 925
165	712 軟膏基剤	12 350 771	9 234 970	3 115 801	3 450 101	1 073 978
166	713 溶解剤	521 556	371 849	149 707	51 500	31 069
167	714 矯味、矯臭、着色剤	389 175	279 039	110 135	109 774	26 847
168	719 その他の調剤用薬	193 263	70 820	122 443	3 252	2 559
169	2　診断用薬（体外診断用医薬品を除く）	1 349 475	968 940	380 536	3 863	2 175
170	721 X線造影剤	200 717	158 439	42 278	－	－
171	722 機能検査用試薬	1 144 752	807 043	337 709	3 863	2 175
172	729 その他の診断用薬（体外診断用医薬品を除く）	4 007	3 458	549	－	－
173	3　公衆衛生用薬	983	907	76	12	129
174	731 防腐剤	983	907	76	12	129
175	4　体外診断用医薬品	3	3	－	－	0
176	745 細菌学的検査用薬	3	3	－	－	0
177	9　その他の治療を主目的としない医薬品	24 431 272	22 721 835	1 709 437	63	3 837
178	799 他に分類されない治療を主目的としない医薬品	24 431 272	22 721 835	1 709 437	63	3 837
179	Ⅷ　麻薬	122 320 583	83 096 684	39 223 899	7 880	14 241
180	1　アルカロイド系麻薬（天然麻薬）	67 483 436	49 907 913	17 575 523	1 845	4 665
181	811 あへんアルカロイド系麻薬	67 483 436	49 907 913	17 575 523	1 845	4 665
182	812 コカアルカロイド系製剤	－	－	－	－	－
183	2　非アルカロイド系麻薬	54 837 147	33 188 771	21 648 376	6 035	9 577
184	821 合成麻薬	54 837 147	33 188 771	21 648 376	6 035	9 577

平成30年６月審査分

10～14	15～19	20～24	25～29	30～34	35～39	行番号
9 374 210	13 477 411	16 991 000	24 995 632	34 252 615	43 709 099	129
125 151	202 681	196 799	369 249	642 823	1 041 589	130
125 151	202 681	196 799	369 249	642 823	1 041 589	131
7 588 639	12 516 312	16 152 991	23 745 698	32 516 497	41 266 937	132
7 588 639	12 516 312	16 152 991	23 745 698	32 516 497	41 266 937	133
1 660 420	758 419	641 210	880 685	1 093 295	1 400 573	134
1 660 420	758 419	641 210	880 685	1 093 295	1 400 573	135
52 988 470	59 911 200	57 204 888	82 359 056	115 137 887	149 789 027	136
24 258 789	15 952 297	16 084 514	17 697 290	21 663 544	23 912 828	137
18 819	46 261	42 472	47 741	45 024	49 364	138
116 612	59 732	10 232	57 564	14 015	31 508	139
12 642 969	7 656 361	7 917 240	8 992 227	10 914 443	11 348 009	140
10 612 657	6 432 574	6 099 571	6 749 235	8 437 993	9 306 282	141
373 778	1 185 510	1 162 941	1 002 852	833 852	750 384	142
2 548	12 351	71 910	48 813	64 519	66 792	143
481 165	497 734	589 096	440 206	649 825	799 607	144
10 241	61 775	191 053	358 653	703 874	1 560 882	145
8 695 186	12 697 653	23 737 749	41 022 083	67 906 113	97 849 827	146
14 402	66 560	117 613	238 151	397 389	636 175	147
3 550	187 299	151 369	76 210	174 098	65 749	148
-	2 409	-	-	-	-	149
2 002 362	5 672 710	9 869 217	12 060 502	15 714 254	17 161 604	150
5 818 817	5 101 058	10 667 775	24 827 258	46 977 791	73 282 216	151
856 055	1 667 618	2 931 775	3 819 963	4 642 580	6 704 084	152
20 000 065	31 220 105	17 275 524	23 513 800	25 408 114	27 869 320	153
-	-	-	-	-	-	154
-	-	-	-	-	-	155
-	-	-	-	-	-	156
19 698 628	29 699 240	14 622 916	19 568 389	19 528 146	19 612 245	157
301 437	1 520 865	2 652 608	3 945 411	5 879 968	8 257 075	158
34 430	41 145	107 101	125 883	160 116	157 052	159
3 265	21 700	59 993	62 303	79 302	80 346	160
31 165	19 445	47 108	63 580	80 814	76 706	161
513 286	376 449	657 728	1 395 957	2 308 739	2 896 305	162
507 204	350 045	376 194	392 449	449 659	478 813	163
7 519	5 582	5 969	8 857	6 474	7 587	164
463 534	316 183	339 422	358 161	411 212	443 298	165
27 059	22 482	24 627	17 939	21 597	16 103	166
7 364	4 645	5 152	5 988	8 020	8 233	167
1 727	1 153	1 023	1 505	2 355	3 592	168
3 469	4 971	16 832	11 292	59 565	31 082	169
306	648	1 339	2 356	4 791	7 041	170
3 163	4 324	15 452	8 621	54 479	23 746	171
-	-	41	315	295	295	172
62	357	48	144	0	94	173
62	357	48	144	0	94	174
0	0	0	0	-	-	175
0	0	0	0	-	-	176
2 552	21 076	264 654	992 071	1 799 515	2 386 316	177
2 552	21 076	264 654	992 071	1 799 515	2 386 316	178
87 064	200 090	236 021	505 397	955 672	2 204 700	179
29 358	135 923	201 700	360 322	570 412	1 000 147	180
29 358	135 923	201 700	360 322	570 412	1 000 147	181
-	-	-	-	-	-	182
57 707	64 167	34 321	145 075	385 260	1 204 553	183
57 707	64 167	34 321	145 075	385 260	1 204 553	184

第8表　薬剤点数，　薬効(中分類)、

行番号	薬　効（中　分　類）	40～44	45～49	50～54	55～59	60～64
129	Ⅴ 生薬及び漢方処方に基づく医薬品	55 973 894	67 835 554	67 787 366	59 601 272	56 460 838
130	1 生薬	1 452 571	1 730 545	1 592 670	1 418 634	1 288 951
131	510 生薬	1 452 571	1 730 545	1 592 670	1 418 634	1 288 951
132	2 漢方製剤	52 630 199	63 884 533	63 984 276	56 115 412	53 355 541
133	520 漢方製剤	52 630 199	63 884 533	63 984 276	56 115 412	53 355 541
134	9 その他の生薬及び漢方処方に基づく医薬品	1 891 124	2 220 476	2 210 420	2 067 226	1 816 346
135	590 その他の生薬及び漢方処方に基づく医薬品	1 891 124	2 220 476	2 210 420	2 067 226	1 816 346
136	Ⅵ 病原生物に対する医薬品	196 689 986	213 131 439	212 166 364	226 309 955	224 102 525
137	1 抗生物質製剤	24 527 322	22 919 099	20 816 001	22 186 705	24 726 850
138	611 主としてグラム陽性菌に作用するもの	54 769	46 432	58 812	55 792	66 957
139	612 主としてグラム陰性菌に作用するもの	29 510	42 811	77 521	135 196	187 259
140	613 主としてグラム陽性・陰性菌に作用するもの	10 832 714	9 483 932	8 112 794	7 690 020	7 603 159
141	614 主としてグラム陽性菌、マイコプラズマに作用するもの	9 291 930	8 273 386	7 211 936	7 522 405	8 455 547
142	615 主としてグラム陽性・陰性菌、リケッチア、クラミジアに作用するもの	733 918	688 464	562 834	491 394	513 358
143	616 主として抗酸菌に作用するもの	123 937	175 062	207 828	355 288	480 037
144	617 主としてカビに作用するもの	1 337 435	1 658 936	1 815 671	2 607 589	3 552 975
145	619 その他の抗生物質製剤（複合抗生物質製剤を含む）	2 123 108	2 550 075	2 768 605	3 329 020	3 867 558
146	2 化学療法剤	131 564 134	153 080 443	161 445 648	177 894 882	176 594 713
147	621 サルファ剤	1 063 251	1 553 082	1 823 812	2 304 781	2 976 054
148	622 抗結核剤	184 447	286 154	203 664	462 454	488 620
149	623 抗ハンセン病剤	–	–	–	803	–
150	624 合成抗菌剤	16 951 996	14 273 808	12 002 062	11 547 064	11 632 157
151	625 抗ウイルス剤	103 895 876	124 880 107	133 355 001	145 621 985	138 096 350
152	629 その他の化学療法剤	9 468 564	12 087 292	14 061 110	17 957 795	23 401 533
153	3 生物学的製剤	40 432 586	36 980 746	29 749 245	26 072 166	22 647 802
154	631 ワクチン類	–	–	–	–	–
155	632 毒素及びトキソイド類	–	–	–	–	–
156	633 抗毒素類及び抗レプトスピラ血清類	–	–	–	–	–
157	634 血液製剤類	29 058 920	24 286 031	15 977 260	12 162 720	6 754 746
158	639 その他の生物学的製剤	11 373 666	12 694 715	13 771 985	13 909 445	15 893 055
159	4 寄生動物用薬	165 944	151 151	155 469	156 203	133 161
160	641 抗原虫剤	84 521	74 763	74 030	53 650	51 734
161	642 駆虫剤	81 423	76 388	81 439	102 553	81 427
162	Ⅶ 治療を主目的としない医薬品	3 542 720	3 734 389	3 104 345	2 673 613	2 537 889
163	1 調剤用薬	478 154	456 738	344 073	303 566	315 471
164	711 賦形剤	13 980	12 801	11 484	11 961	11 355
165	712 軟膏基剤	433 192	411 897	301 443	256 872	253 196
166	713 溶解剤	16 259	15 522	15 721	16 494	27 952
167	714 矯味、矯臭、着色剤	10 583	12 029	10 544	12 357	14 476
168	719 その他の調剤用薬	4 141	4 489	4 881	5 882	8 493
169	2 診断用薬（体外診断用医薬品を除く）	65 060	109 869	90 998	82 899	112 222
170	721 X線造影剤	12 539	15 676	17 299	19 333	18 840
171	722 機能検査用試薬	52 225	93 644	73 699	63 291	93 108
172	729 その他の診断用薬（体外診断用医薬品を除く）	295	549	–	274	274
173	3 公衆衛生用薬	24	9	2	14	4
174	731 防腐剤	24	9	2	14	4
175	4 体外診断用医薬品	0	1	0	–	–
176	745 細菌学的検査用薬	0	1	0	–	–
177	9 その他の治療を主目的としない医薬品	2 999 482	3 167 772	2 669 273	2 287 135	2 110 191
178	799 他に分類されない治療を主目的としない医薬品	2 999 482	3 167 772	2 669 273	2 287 135	2 110 191
179	Ⅷ 麻薬	4 690 262	7 591 540	9 204 211	10 876 400	12 378 861
180	1 アルカロイド系麻薬（天然麻薬）	2 696 235	4 652 776	5 551 732	6 653 008	7 572 283
181	811 あへんアルカロイド系麻薬	2 696 235	4 652 776	5 551 732	6 653 008	7 572 283
182	812 コカアルカロイド系製剤	–	–	–	–	–
183	2 非アルカロイド系麻薬	1 994 027	2 938 764	3 652 479	4 223 391	4 806 579
184	821 合成麻薬	1 994 027	2 938 764	3 652 479	4 223 391	4 806 579

注：「薬剤」の出現する明細書を集計対象としている。

平成30年６月審査分

65～69	70～74	75～79	80～84	85～89	90歳以上	後発医薬品（再掲）	行番号
75 641 506	87 772 172	106 385 996	99 959 497	68 736 157	37 943 109	–	129
1 584 721	1 537 588	1 275 265	847 937	399 634	163 716	–	130
1 584 721	1 537 588	1 275 265	847 937	399 634	163 716	–	131
72 035 530	84 378 230	103 500 863	98 188 760	67 891 927	37 623 413	–	132
72 035 530	84 378 230	103 500 863	98 188 760	67 891 927	37 623 413	–	133
2 021 256	1 856 354	1 609 868	922 801	444 596	155 981	–	134
2 021 256	1 856 354	1 609 868	922 801	444 596	155 981	–	135
311 289 689	292 182 476	278 752 839	210 542 780	92 831 914	36 131 544	327 939 809	136
33 844 070	32 972 627	32 013 154	23 102 078	13 616 984	7 253 962	165 141 095	137
100 026	94 773	145 064	174 866	157 472	137 778	386 407	138
323 824	360 321	393 353	302 130	151 186	60 285	3 154	139
9 323 155	8 575 939	8 176 827	6 787 520	4 624 667	3 342 114	70 393 210	140
11 151 271	11 031 247	11 123 757	8 477 387	5 264 363	2 880 086	78 494 764	141
692 634	642 872	562 388	500 364	358 943	247 334	4 744 877	142
763 025	892 272	910 333	605 475	296 269	115 320	2 872 160	143
6 001 778	6 347 532	6 592 494	3 631 866	1 726 910	324 604	8 209 225	144
5 488 357	5 027 668	4 108 938	2 622 470	1 037 174	146 442	37 298	145
247 762 607	241 002 445	233 800 532	178 940 111	76 583 152	28 333 858	162 798 714	146
4 462 795	4 513 973	4 704 504	3 857 205	2 191 402	751 382	9 438 577	147
688 465	972 745	809 981	485 447	230 802	79 284	–	148
–	–	–	1 009	–	–	–	149
13 897 790	12 451 281	11 615 394	9 573 919	6 539 388	4 697 404	54 005 527	150
190 125 601	176 827 443	165 100 990	124 680 033	42 196 118	8 470 631	69 185 367	151
38 587 955	46 237 003	51 569 664	40 342 497	25 425 442	14 335 157	30 169 242	152
29 507 570	18 028 211	12 746 068	8 317 634	2 408 659	348 947	–	153
–	–	–	–	–	–	–	154
–	–	–	–	–	–	–	155
–	–	–	–	–	–	–	156
10 838 789	3 701 862	1 775 414	2 118 363	95 191	–	–	157
18 668 781	14 326 349	10 970 654	6 199 271	2 313 468	348 947	–	158
175 443	179 193	193 085	182 957	223 120	194 777	–	159
59 886	53 715	43 574	37 002	24 330	17 342	–	160
115 556	125 478	149 511	145 954	198 790	177 434	–	161
3 013 200	2 486 324	1 902 793	1 352 791	1 083 045	1 110 182	34 762	162
465 060	543 131	676 295	823 539	902 779	1 054 933	2 512	163
15 927	16 155	19 525	22 289	20 299	14 653	–	164
369 061	436 017	547 928	704 360	800 289	980 628	–	165
43 534	45 957	53 460	37 220	25 597	11 465	–	166
22 105	25 928	32 533	31 582	24 556	16 460	–	167
14 433	19 075	22 850	28 087	32 039	31 727	2 512	168
182 584	190 871	157 318	160 155	54 558	9 694	5 304	169
28 946	29 251	23 631	13 317	4 797	610	–	170
153 364	160 777	133 139	146 838	49 761	9 084	5 304	171
274	844	549	–	–	–	–	172
3	4	68	7	1	0	7	173
3	4	68	7	1	0	7	174
0	0	–	–	–	–	–	175
0	0	–	–	–	–	–	176
2 365 552	1 752 318	1 069 112	369 091	125 707	45 556	26 939	177
2 365 552	1 752 318	1 069 112	369 091	125 707	45 556	26 939	178
18 608 710	17 949 020	15 536 374	11 590 943	6 587 438	3 095 758	10 875 531	179
11 188 178	10 174 017	8 096 269	5 092 841	2 566 763	934 964	9 524 981	180
11 188 178	10 174 017	8 096 269	5 092 841	2 566 763	934 964	9 524 981	181
–	–	–	–	–	–	–	182
7 420 532	7 775 003	7 440 104	6 498 102	4 020 675	2 160 795	1 350 550	183
7 420 532	7 775 003	7 440 104	6 498 102	4 020 675	2 160 795	1 350 550	184

薬剤料の比率

第1表 薬剤料の比率，医科・薬局調剤〔医科分〕(入院－入院外)－歯科・薬局調剤〔歯科分〕、診療行為区分、一般医療－後期医療、病院－診療所別

(単位：%)　　平成30年６月審査分

行番号	医科－歯科 入院－入院外(医科) 診療行為区分	総数			一般医療			後期医療		
		総数[1]	病院	診療所	総数[1]	病院	診療所	総数[1]	病院	診療所
1	医科・薬局調剤（医科分）									
2	総数									
3	薬剤料	35.6	39.7	31.6	35.4	42.6	28.8	35.9	35.1	36.8
4	投薬・注射	34.1	37.5	30.7	33.6	39.9	27.8	34.8	33.8	36.1
5	投薬	26.4	25.1	27.7	25.4	25.4	25.4	28.1	24.7	32.0
6	注射	7.7	12.4	2.9	8.2	14.6	2.4	6.7	9.1	4.0
7	その他	1.5	2.2	0.9	1.8	2.7	1.0	1.1	1.4	0.7
8	入院									
9	薬剤料	8.9	9.0	7.3	10.3	10.7	6.2	7.5	7.4	8.4
10	投薬・注射	8.2	8.4	5.6	9.5	10.0	4.5	6.9	6.9	6.9
11	投薬	2.6	2.7	1.9	2.9	3.1	1.2	2.4	2.4	2.7
12	注射	5.5	5.7	3.7	6.5	6.9	3.3	4.5	4.5	4.2
13	その他	0.7	0.6	1.6	0.8	0.8	1.7	0.6	0.5	1.5
14	入院外									
15	薬剤料	40.0	50.3	32.1	38.5	51.0	29.2	42.6	48.9	37.8
16	投薬・注射	38.3	47.6	31.3	36.6	47.8	28.2	41.5	47.1	37.0
17	投薬	30.3	32.8	28.3	28.2	31.2	25.9	34.2	35.8	33.0
18	注射	8.0	14.7	2.9	8.4	16.6	2.3	7.3	11.4	4.0
19	その他	1.7	2.7	0.9	1.9	3.2	1.0	1.2	1.8	0.7
20	歯科・薬局調剤（歯科分）									
21	薬剤料	0.8	・	・	0.8	・	・	0.8	・	・

注：　医科及び歯科分(診療報酬明細書分)のうち「投薬」「注射」を包括した診療行為が出現する明細書及びDPC／PDPSに係る明細書は除外している。
「薬剤料の比率」とは、総点数(入院時食事療養等(円)÷10を含む。)に占める、「投薬」「注射」及び「その他」(「在宅医療」「検査」「画像診断」「リハビリテーション」「精神科専門療法」「処置」「手術」及び「麻酔」)の薬剤点数の割合である。
薬局調剤分(調剤報酬明細書分)は、処方箋発行医療機関により総点数、薬剤料を医科(病院、診療所)、歯科それぞれに合算している。
薬局調剤分(調剤報酬明細書分)は、内服薬及び外用薬を「投薬」に、注射薬を「注射」に合算している。
１）総数には、データ上で病院、診療所別を取得できなかったものを含む。

第2表　点数，　医科・薬局調剤〔医科分〕（入院－入院外）－歯科・薬局調剤〔歯科分〕、診療行為区分、一般医療－後期医療、病院－診療所別

平成30年６月審査分

行番号	医科－歯科 入院－入院外（医科） 診療行為区分	総数 総数[2]	総数 病院	総数 診療所	一般医療 総数[2]	一般医療 病院	一般医療 診療所	後期医療 総数[2]	後期医療 病院	後期医療 診療所
1	医科・薬局調剤（医科分）									
2	総数　総点数	193 355 479 556	96 430 494 041	96 251 605 553	121 832 148 518	58 488 238 649	62 907 135 945	71 523 331 039	37 942 255 392	33 344 469 608
3	薬剤点数	68 828 424 384	38 258 122 967	30 367 627 207	43 143 667 981	24 928 071 779	18 093 814 816	25 684 756 403	13 330 051 188	12 273 812 391
4	投薬・注射	65 874 451 058	36 170 833 462	29 507 917 898	40 954 584 268	23 355 485 498	17 482 728 116	24 919 866 790	12 815 347 964	12 025 189 782
5	投薬	51 054 095 142	24 209 549 146	26 671 476 704	30 942 451 106	14 844 962 000	15 993 793 999	20 111 644 036	9 364 587 146	10 677 682 705
6	注射	14 820 355 916	11 961 284 316	2 836 441 194	10 012 133 162	8 510 523 498	1 488 934 117	4 808 222 754	3 450 760 818	1 347 507 077
7	その他[1]	2 953 973 326	2 087 289 505	859 709 309	2 189 083 713	1 572 586 281	611 086 700	764 889 613	514 703 224	248 622 609
8	入院　医科　総点数	27 109 799 494	24 773 159 068	2 294 794 319	13 416 915 894	12 186 196 700	1 208 389 012	13 692 883 601	12 586 962 368	1 086 405 307
9	薬剤点数	2 409 081 229	2 240 610 825	166 601 465	1 383 941 362	1 308 245 671	74 832 639	1 025 139 867	932 365 154	91 768 826
10	投薬・注射	2 210 758 728	2 079 934 921	129 328 335	1 270 183 251	1 215 226 525	54 316 983	940 575 477	864 708 396	75 011 352
11	投薬	717 988 412	673 684 261	43 567 143	391 795 272	377 184 717	14 267 289	326 193 140	296 499 544	29 299 854
12	注射	1 492 770 316	1 406 250 660	85 761 192	878 387 979	838 041 808	40 049 694	614 382 337	568 208 852	45 711 498
13	その他[1]	198 322 501	160 675 904	37 273 130	113 758 111	93 019 146	20 515 656	84 564 390	67 656 758	16 757 474
14	入院外　総数　総点数	166 245 680 062	71 657 334 973	93 956 811 234	108 415 232 624	46 302 041 949	61 698 746 933	57 830 447 438	25 355 293 024	32 258 064 301
15	薬剤点数	66 419 343 155	36 017 512 142	30 201 025 742	41 759 726 619	23 619 826 108	18 018 982 177	24 659 616 536	12 397 686 034	12 182 043 565
16	投薬・注射	63 663 692 330	34 090 898 541	29 378 589 563	39 684 401 017	22 140 258 973	17 428 411 133	23 979 291 313	11 950 639 568	11 950 178 430
17	投薬	50 336 106 730	23 535 864 885	26 627 909 561	30 550 655 834	14 467 777 283	15 979 526 710	19 785 450 896	9 068 087 602	10 648 382 851
18	注射	13 327 585 600	10 555 033 656	2 750 680 002	9 133 745 183	7 672 481 690	1 448 884 423	4 193 840 417	2 882 551 966	1 301 795 579
19	その他[1]	2 755 650 825	1 926 613 601	822 436 179	2 075 325 602	1 479 567 135	590 571 044	680 325 223	447 046 466	231 865 135
20	医科　総点数	108 797 116 249	47 810 974 643	60 573 163 425	72 657 732 457	31 611 402 911	40 768 402 572	36 139 383 792	16 199 571 732	19 804 760 853
21	薬剤点数	24 152 785 332	15 970 861 058	8 128 615 323	15 908 682 416	11 146 519 491	4 730 506 600	8 244 102 916	4 824 341 567	3 398 108 723
22	投薬・注射	21 397 134 507	14 044 247 457	7 306 179 144	13 833 356 814	9 666 952 356	4 139 935 556	7 563 777 693	4 377 295 101	3 166 243 588
23	投薬	10 408 911 350	5 170 253 535	5 208 103 697	6 496 365 016	3 346 215 401	3 132 061 562	3 912 546 334	1 824 038 134	2 076 042 135
24	注射	10 988 223 157	8 873 993 922	2 098 075 447	7 336 991 798	6 320 736 955	1 007 873 994	3 651 231 359	2 553 256 967	1 090 201 453
25	その他[1]	2 755 650 825	1 926 613 601	822 436 179	2 075 325 602	1 479 567 135	590 571 044	680 325 223	447 046 466	231 865 135
26	調剤(医科分)　総点数	57 448 563 813	23 846 360 330	33 383 647 809	35 757 500 167	14 690 639 038	20 930 344 361	21 691 063 646	9 155 721 292	12 453 303 448
27	薬剤点数	42 266 557 823	20 046 651 084	22 072 410 419	25 851 044 203	12 473 306 617	13 288 475 577	16 415 513 620	7 573 344 467	8 783 934 842
28	投薬・注射	42 266 557 823	20 046 651 084	22 072 410 419	25 851 044 203	12 473 306 617	13 288 475 577	16 415 513 620	7 573 344 467	8 783 934 842
29	投薬	39 927 195 380	18 365 611 350	21 419 805 864	24 054 290 818	11 121 561 882	12 847 465 148	15 872 904 562	7 244 049 468	8 572 340 716
30	注射	2 339 362 443	1 681 039 734	652 604 555	1 796 753 385	1 351 744 735	441 010 429	542 609 058	329 294 999	211 594 126
31	その他[1]	·	·	·	·	·	·	·	·	·
32	歯科・薬局調剤（歯科分）									
33	総数　総点数	22 556 513 850	·	·	17 714 160 774	·	·	4 842 353 076	·	·
34	薬剤点数	180 106 329	·	·	140 395 613	·	·	39 710 716	·	·
35	歯科　総点数	22 482 504 748	·	·	17 654 276 581	·	·	4 828 228 167	·	·
36	薬剤点数	161 905 789	·	·	126 185 150	·	·	35 720 639	·	·
37	調剤（歯科分）　総点数	74 009 102	·	·	59 884 193	·	·	14 124 909	·	·
38	薬剤点数	18 200 540	·	·	14 210 463	·	·	3 990 077	·	·

注：医科及び歯科分（診療報酬明細書分）のうち「投薬」「注射」を包括した診療行為が出現する明細書及びDPC／PDPSに係る明細書は除外している。
医科及び歯科分（診療報酬明細書分）は、総点数に、入院時食事療養等（円）を点数換算（入院時食事療養等÷10）して含めている。
薬局調剤分（調剤報酬明細書分）は、処方箋発行医療機関により総点数、薬剤料を医科（病院、診療所）、歯科それぞれに合算している。
薬局調剤分（調剤報酬明細書分）は、内服薬及び外用薬を「投薬」に、注射薬を「注射」に合算している。
1）「その他」とは、「在宅医療」「検査」「画像診断」「リハビリテーション」「精神科専門療法」「処置」「手術」及び「麻酔」の中で使用された薬剤点数である。
2）総数には、データ上で病院、診療所別を取得できなかったものを含む。

第3表 薬剤料の比率， 医科（入院－入院外）－歯科－薬局調剤、診療行為区分、一般医療－後期医療、病院－診療所別

（単位：%）　　平成30年6月審査分

行番号	医科－歯科－薬局調剤 入院－入院外（医科） 診療行為区分	総数 総数[3]	総数 病院	総数 診療所	一般医療 総数[3]	一般医療 病院	一般医療 診療所	後期医療 総数[3]	後期医療 病院	後期医療 診療所
1	医科[1]									
2	総数									
3	薬剤料	24.1	23.8	24.6	25.2	27.4	21.9	22.2	18.7	30.2
4	投薬・注射	21.4	20.6	22.9	21.9	23.2	19.9	20.6	17.0	28.9
5	投薬	14.7	11.8	19.9	14.7	12.8	17.7	14.6	10.3	24.4
6	注射	6.8	8.9	3.0	7.2	10.4	2.2	6.1	6.7	4.5
7	その他	2.7	3.2	1.7	3.3	4.2	1.9	1.6	1.7	1.3
8	入院									
9	薬剤料	8.9	9.0	7.3	10.3	10.7	6.2	7.5	7.4	8.4
10	投薬・注射	8.2	8.4	5.6	9.5	10.0	4.5	6.9	6.9	6.9
11	投薬	2.6	2.7	1.9	2.9	3.1	1.2	2.4	2.4	2.7
12	注射	5.5	5.7	3.7	6.5	6.9	3.3	4.5	4.5	4.2
13	その他	0.7	0.6	1.6	0.8	0.8	1.7	0.6	0.5	1.5
14	入院外									
15	薬剤料	32.9	40.0	26.3	31.5	40.5	23.0	36.1	38.9	33.4
16	投薬・注射	29.1	34.0	24.5	27.1	33.5	21.1	33.6	35.2	32.2
17	投薬	21.6	21.7	21.6	19.6	20.4	18.9	26.1	24.5	27.6
18	注射	7.5	12.3	2.9	7.5	13.1	2.2	7.5	10.7	4.6
19	その他	3.8	5.9	1.7	4.4	6.9	1.9	2.5	3.7	1.3
20	歯科[1]									
21	薬剤料	0.7	3.9	0.5	0.7	3.9	0.6	0.7	4.0	0.5
22	薬局調剤[2]									
23	薬剤料	73.5	84.1	66.1	72.2	84.9	63.5	75.6	82.7	70.5

注：「薬剤料の比率」とは、総点数（入院時食事療養等（円）÷10を含む。）に占める、「投薬」「注射」及び「その他」（「在宅医療」「検査」「画像診断」「リハビリテーション」「精神科専門療法」「処置」「手術」及び「麻酔」）の薬剤点数の割合である。

1）医科及び歯科分（診療報酬明細書分）のうち「処方箋料」を算定している明細書、「投薬」「注射」を包括した診療行為が出現する明細書及びDPC／PDPSに係る明細書は除外している。

2）薬局調剤分（調剤報酬明細書分）は、処方箋発行医療機関により病院、診療所を区分している。

3）医科及び歯科分の総数には、データ上で病院、診療所別を取得できなかったものを含む。
薬局調剤分の総数には歯科、処方箋発行医療機関無記載のものも含む。

第4表　点数，　医科（入院－入院外）－歯科－薬局調剤、診療行為区分、一般医療－後期医療、病院－診療所別

平成30年６月審査分

行番号	医科－歯科－薬局調剤 入院－入院外（医科） 診療行為区分	総数			一般医療			後期医療		
		総数	病院	診療所	総数	病院	診療所	総数	病院	診療所
1	医　科[1]									
	総数									
2	総点数	73 715 326 117	47 317 634 045	26 194 014 375	45 498 920 060	27 713 640 575	17 650 088 548	28 216 406 058	19 603 993 470	8 543 925 827
3	薬剤点数	17 737 850 935	11 254 382 081	6 442 576 480	11 474 783 472	7 591 599 665	3 858 545 928	6 263 067 463	3 662 782 416	2 584 030 552
4	投薬・注射	15 782 986 779	9 755 369 747	5 990 853 000	9 962 045 920	6 423 366 577	3 517 557 580	5 820 940 859	3 332 003 170	2 473 295 420
5	投　薬	10 806 718 738	5 567 182 801	5 208 520 476	6 692 969 502	3 550 710 594	3 123 956 656	4 113 749 236	2 016 472 207	2 084 563 820
6	注　射	4 976 268 041	4 188 186 946	782 332 524	3 269 076 418	2 872 655 983	393 600 924	1 707 191 623	1 315 530 963	388 731 600
7	その他[3]	1 954 864 156	1 499 012 334	451 723 480	1 512 737 552	1 168 233 088	340 988 348	442 126 604	330 779 246	110 735 132
	入院									
8	総点数	27 109 799 494	24 773 159 068	2 294 794 319	13 416 915 894	12 186 196 700	1 208 389 012	13 692 883 601	12 586 962 368	1 086 405 307
9	薬剤点数	2 409 081 229	2 240 610 825	166 601 465	1 383 941 362	1 308 245 671	74 832 639	1 025 139 867	932 365 154	91 768 826
10	投薬・注射	2 210 758 728	2 079 934 921	129 328 335	1 270 183 251	1 215 226 525	54 316 983	940 575 477	864 708 396	75 011 352
11	投　薬	717 988 412	673 684 261	43 567 143	391 795 272	377 184 717	14 267 289	326 193 140	296 499 544	29 299 854
12	注　射	1 492 770 316	1 406 250 660	85 761 192	878 387 979	838 041 808	40 049 694	614 382 337	568 208 852	45 711 498
13	その他[3]	198 322 501	160 675 904	37 273 130	113 758 111	93 019 146	20 515 656	84 564 390	67 656 758	16 757 474
	入院外									
14	総点数	46 605 526 623	22 544 474 977	23 899 220 056	32 082 004 166	15 527 443 875	16 441 699 536	14 523 522 457	7 017 031 102	7 457 520 520
15	薬剤点数	15 328 769 706	9 013 771 256	6 275 975 015	10 090 842 110	6 283 353 994	3 783 713 289	5 237 927 596	2 730 417 262	2 492 261 726
16	投薬・注射	13 572 228 051	7 675 434 826	5 861 524 665	8 691 862 669	5 208 140 052	3 463 240 597	4 880 365 382	2 467 294 774	2 398 284 068
17	投　薬	10 088 730 326	4 893 498 540	5 164 953 333	6 301 174 230	3 173 525 877	3 109 689 367	3 787 556 096	1 719 972 663	2 055 263 966
18	注　射	3 483 497 725	2 781 936 286	696 571 332	2 390 688 439	2 034 614 175	353 551 230	1 092 809 286	747 322 111	343 020 102
19	その他[3]	1 756 541 655	1 338 336 430	414 450 350	1 398 979 441	1 075 213 942	320 472 692	357 562 214	263 122 488	93 977 658
20	歯　科[1]									
21	総点数	21 760 394 011	955 134 236	20 671 589 957	17 077 241 886	678 640 207	16 295 768 308	4 683 152 125	276 494 029	4 375 821 649
22	薬剤点数	150 305 254	37 182 141	112 310 021	117 459 235	26 195 227	90 581 575	32 846 019	10 986 914	21 728 446
23	薬局調剤[2]									
24	総点数	57 524 038 955	23 846 360 330	33 383 647 809	35 817 683 065	14 690 639 038	20 930 344 361	21 706 355 890	9 155 721 292	12 453 303 448
25	薬剤点数	42 284 758 363	20 046 651 084	22 072 410 419	25 865 254 666	12 473 306 617	13 288 475 577	16 419 503 697	7 573 344 467	8 783 934 842

注：１）医科及び歯科分（診療報酬明細書分）のうち「処方箋料」を算定している明細書、「投薬」「注射」を包括した診療行為が出現する明細書及びDPC／PDPSに係る明細書は除外している。
　　医科及び歯科分（診療報酬明細書分）は、総点数に、入院時食事療養等（円）を点数換算（入院時食事療養等÷10）して含めている。
２）薬局調剤分（調剤報酬明細書分）は、処方箋発行医療機関により病院、診療所を区分している。
３）「その他」とは、「在宅医療」「検査」「画像診断」「リハビリテーション」「精神科専門療法」「処置」「手術」及び「麻酔」の中で使用された薬剤点数である。
４）医科及び歯科分の総数には、データ上で病院、診療所別を取得できなかったものを含む。
　　薬局調剤分の総数には歯科、処方箋発行医療機関無記載のものも含む。

第 4 編

用語の解説等

1　用語の解説

この報告書における用語の意味は、次のとおりである。

明　細　書

「療養の給付及び公費負担医療に関する費用の請求に関する省令」(昭和 51 年厚生省令第 36 号) に規定する診療報酬明細書及び調剤報酬明細書である。本統計では「レセプト情報・特定健診等情報データベース（以下「ＮＤＢ」という。)」に蓄積された情報のうち、明細書に該当する部分を集計している。

診療報酬点数表
調剤報酬点数表

「診療報酬の算定方法」(平成 20 年厚生労働省告示第 59 号、平成 30 年一部改定）に定められた診療報酬点数表及び調剤報酬点数表である。

医科診療報酬点数表を医科診療、歯科診療報酬点数表を歯科診療、調剤報酬点数表を薬局調剤とした。

診断群分類点数表

「厚生労働大臣が指定する病院の病棟における療養に要する費用の額の算定方法」(平成 20 年厚生労働省告示第 93 号、平成 30 年一部改定）に定められた診断群分類点数表である。

診断群分類による包括評価等

診療行為分類「診断群分類による包括評価等」には、包括評価の所定点数に特定入院料に関する加算を含む。

点　　数

診療報酬点数表、診断群分類点数表及び調剤報酬点数表に定められている点数で、１点を 10 円とするものである。

なお、昭和 47 年以後の点数表及び薬価基準改定の経過は、「２　点数表及び薬価基準の改定経過（概要)」のとおりである。

件　　数

１か月ごとに提出される明細書１枚を１件としている。外来患者が当月中に入院した場合は、入院外で１件、入院で１件となり、それぞれ１件ずつ計上している。

なお、「診療報酬明細書（医科入院医療機関別包括評価用)」を総括表として、「診療報酬明細書（医科入院医療機関別包括評価用)」又は「診療報酬明細書（医科入院)」が添付されている明細書は、総括表の単位で１件とした。

診療実日数

入院では当月中の入院日数のことであり、入院外では当月中の外来、往診等で医師の診療を受けた実日数のことであって、傷病の始期から転帰までの日数ではない。

実施件数

ある診療行為を実施したと記載のある明細書１枚を１件という。例えば、ある明細書に、初・再診料及び処置料が算定されたと記載があった場合、「初・再診」の実施件数１件、「処置」の実施件数１件と計上している。

回　　数（算定回数）

回数は、原則として、診療報酬点数表及び調剤報酬点数表に定められた１行為を１回としている。例えば、入院基本料は入院１日を１回としている。

傷　　病

診療報酬明細書に主傷病が複数記載されている場合は、診療開始日及び記載順により選択した。

傷病分類

世界保健機関が勧告する「疾病及び関連保健問題の国際統計分類」の一部改正版（ICD-10 2013年版）に基づいた「疾病、傷害及び死因の統計分類」を準用した（「３　傷病分類表」参照）。

特定傷病

傷病分類の中の悪性新生物＜腫瘍＞、心疾患及び脳血管疾患をいい、ICD-10 による以下の国際基本分類番号により分類した。

悪性新生物＜腫瘍＞	国際基本分類番号	Ｃ00～Ｃ97
心　疾　患	国際基本分類番号	Ｉ01～Ｉ02.0、Ｉ05～Ｉ09、Ｉ20～Ｉ25、Ｉ27及びＩ30～Ｉ52
脳血管疾患	国際基本分類番号	Ｉ60～Ｉ69

社会保険診療報酬支払基金

社会保険診療報酬支払基金法（昭和 23 年法律第 129 号）の規定に基づき医療保険各法等による療養の給付等を担当した保険医療機関からの診療報酬及び保険薬局からの調剤報酬の請求に対し、審査及び支払に関する事務を行う機関である。

国民健康保険団体連合会

国民健康保険法（昭和 33 年法律第 192 号）第 83 条に基づき設立された法人で、療養の給付等を担当した保険医療機関からの診療報酬及び保険薬局からの調剤報酬の請求に対し、審査及び支払事務等を行う機関であり、都道府県単位で設立されている。

協会けんぽ

全国健康保険協会管掌健康保険をいう。

組合健保

組合管掌健康保険をいう。

共済等

船員保険、国家公務員共済組合、各種地方公務員共済組合、私立学校教職員共済制度をいう。

国　保

国民健康保険をいう。

後期高齢者医療

後期高齢者医療制度をいう。

一般医療

０歳から 74 歳までの者（65 歳以上で高齢者の医療の確保に関する法律による後期高齢者医療制度の被保険者を除く。）が、疾病又は負傷に関して、保険医療機関又は保険薬局において受けた療養の給付並びに入院時食事療養費、入院時生活療養費の支給をいう。

後期医療

高齢者の医療の確保に関する法律による後期高齢者医療制度の被保険者が疾病又は負傷に関して、保険医療機関又は保険薬局において受けた療養の給付並びに入院時食事療養費、入院時生活療養費の支給をいう。

ＤＰＣ／ＰＤＰＳ(Diagnosis Procedure Combination / Per-Diem Payment System)

診断群分類（ＤＰＣ）に基づく１日当たり定額報酬算定制度をいう。（入院期間中に医療資源を最も多く投入した「傷病名」と、入院期間中に提供される手術、処置、化学療法などの「診療行為」の組み合わせにより、１日当たりの点数を決定している制度をいう。）

医　　科

病院の種類

(1) 精神科病院 ･････････････ 精神病床のみを有する病院をいう。

(2) 特定機能病院 ･･･････････ 高度の医療の提供、高度の医療技術の開発及び評価並びに高度の医療に関する研修を実施する能力を備え、かかる病院として適切な人員配置、構造設備等を有するとして、厚生労働大臣の承認を受けた病院をいう。

(3) 療養病床を有する病院 ･･･ 主として長期にわたり療養を必要とする患者を入院させる病床を有する病院をいう。

(4) 一般病院 ･･･････････････ 上記以外の病院をいう。

(5) DPC/PDPS 対象病院(再掲)･･･ 診断群分類（ＤＰＣ）に基づく１日当たり定額報酬算定制度（ＤＰＣ／ＰＤＰＳ）による支払対象病院をいう。

診療所の種類

(1) 有床診療所 ･････････････ １～19 床の病床を有する診療所をいう。

(2) 無床診療所 ･････････････ 病床を有しない診療所をいう。

歯　　科

(1) 病院併設歯科 ･･･････････ 医科診療以外に歯科診療も併せて行っている病院をいう。

(2) 歯科単科病院 ･･･････････ 歯科診療のみを行っている病院をいう。

(3) 歯科診療所 ･････････････ 歯科、矯正歯科、小児歯科、歯科口腔外科のいずれかを標ぼうする診療所をいう。（医科診療以外に歯科診療も併せて行っている診療所も含む。）

病床規模

医療法第７条第２項の規定に基づく許可病床数により分類している。

診療科目

一般診療所では主たる診療科目により、以下のとおり分類している。

(1) 内　　科　内科、呼吸器内科、消化器内科（胃腸内科）、循環器内科、脳神経内科、心療内科、アレルギー科及び感染症内科を主たる診療科目として標ぼうするもの

(2) 精 神 科　精神科を主たる診療科目として標ぼうするもの

(3) 小 児 科　小児科を主たる診療科目として標ぼうするもの

(4) 外　　科　外科、心臓血管外科（循環器外科）、乳腺外科、気管食道外科、消化器外科（胃腸外科）、形成外科、美容外科、脳神経外科、呼吸器外科、小児外科及び肛門外科を主たる診療科目として標ぼうするもの

(5) 整形外科　整形外科、リウマチ科及びリハビリテーション科を主たる診療科目として標ぼうするもの

(6) 皮　膚　科　皮膚科を主たる診療科目として標ぼうするもの

(7) 泌尿器科　泌尿器科を主たる診療科目として標ぼうするもの

(8) 産婦人科　産婦人科、産科、婦人科を主たる診療科目として標ぼうするもの

(9) 眼　　　科　眼科を主たる診療科目として標ぼうするもの

(10) 耳鼻いんこう科　耳鼻いんこう科を主たる診療科目として標ぼうするもの

(11) そ　の　他　放射線科、麻酔科、病理診断科、臨床検査科及び救急科を主たる診療科目として標ぼうするもの、主として人工透析を行っているもの及び主たる診療科目の区分不能なもの

薬局調剤

健康保険法等に基づく療養の給付の一環として、医療機関の保険医が患者に交付した処方箋に基づき、保険薬局において保険薬剤師が行う調剤業務をいう。

受付回数

保険薬局で当月中に処方箋を受け付けた回数をいう。

剤　　型

調剤報酬明細書の「処方」欄に記載されている「内服薬」「内服用滴剤」「屯服薬」「浸煎薬」「湯薬」「注射薬」及び「外用薬」をいう。

なお、「内服用滴剤」「屯服薬」「浸煎薬」及び「湯薬」は「内服薬」として表章している。

薬剤料の比率

総点数に占める、「投薬」「注射」及び「その他」(「在宅医療」「検査」「画像診断」「リハビリテーション」「精神科専門療法」「処置」「手術」及び「麻酔」)の薬剤点数の割合をいう。

処方箋料

医療機関で投薬を行わず、保険（調剤）薬局で保険調剤を受けさせるために、患者へ処方箋を交付した場合に算定する点数をいう。

処方回数

「処方料」又は「処方箋料」の算定回数をいう。

「投薬」「注射」を包括した診療行為

入院、入院外で次の診療行為をいう。

入　院

「特定入院基本料（障害者施設等入院基本料）」「療養病棟入院基本料」「障害者施設等入院基本料（医療区分１又は２の患者）」「有床診療所療養病床入院基本料」「特殊疾患入院医療管理料」「回復期リハビリテーション病棟入院料」「地域包括ケア病棟入院料」「特殊疾患病棟入院料」「緩和ケア病棟入院料」「精神科救急入院料」「精神科急性期治療病棟入院料」「精神科救急・合併症入院料」「精神療養病棟入院料」「認知症治療病棟入院料」「特定一般病棟入院料（地域包括ケア入院医療管理が行われた場合）」「地域移行機能強化病棟入院料」「短期滞在手術等基本料３」及び「診断群分類による包括評価等」

入院外

「小児科外来診療料」「小児かかりつけ診療料」「生活習慣病管理料」「在宅時医学総合管理料」「施設入居時等医学総合管理料」及び「在宅がん医療総合診療料」

後発医薬品

新薬（先発医薬品）の特許が切れた後に、新薬とその有効成分、分量、用法、用量、効能及び効果が同一性を有するものとして承認された医薬品（いわゆるジェネリック医薬品）をいう。

薬　　価

「使用薬剤の薬価（薬価基準）」に収載された価格をいう。

薬剤種類数

「使用薬剤の薬価（薬価基準）」に収載されている品名単位ごとに数えたものをいう。

薬効分類

「日本標準商品分類（平成２年６月改定）」の「中分類87 － 医薬品及び関連製品」に準拠している。

2　点数表及び薬価基準の改定経過（概要）

改定年月	改定率 (%)					備考
	診療報酬，調剤報酬			薬価基準		
	医科	歯科	調剤	薬価ベース	医療費ベース	
昭和47年２月	13.7	13.70	6.54	△ 3.9	△ 1.7	
49. 2	19.0	19.9	8.5	△ 3.4	△ 1.5	
49.10	16.0	16.2	6.6			
50. 1				△ 1.55	△ 0.4	
51. 4	9.0		4.9			
51. 8		9.6				
53. 2	11.5	12.7	5.6	△ 5.8	△ 2.0	
56. 6	8.4	5.9	3.8	△ 18.6	△ 6.1	
58. 1				△ 4.9	△ 1.5	
58. 2	老人診療報酬点数表の設定に伴い、必要な微調整を行い、平均で0.3 %引上げ					老人保健法施行、老人診療報酬点数表の設定
59. 3	3.0	1.1	1.0	△ 16.6	△ 5.1	
60. 3	3.5	2.5	0.2	△ 6.0	△ 1.9	
61. 4	2.5	1.5	0.3	△ 5.1	△ 1.5	
63. 4	3.8		1.7	△ 10.2	△ 2.9	
63. 6		1.0				
平成元年４月	0.11	0.11		2.4	0.65	
2．4	4.0	1.4	1.9	△ 9.2	△ 2.7	
4．4	5.4	2.7	1.9	△ 8.1	△ 2.4	
6．4	3.5	2.1	2.0	△ 6.6	△ 2.0	甲乙表一本化
6．10	1.7	0.2	0.1			
8．4	3.6	2.2	1.3	△ 6.8	△ 2.5	
9．4	1.31	0.75	1.15	△ 4.4 (1.4)	△ 1.27 (0.4)	( )内は、消費税率の引上げに伴う引上げ分を別掲
10. 4	1.5	1.5	0.7	△ 9.7	△ 2.7	
12. 4	2.0	2.0 歯科用貴金属の国際価格変動対応分+0.5	0.8	△ 7.0	△ 1.6	介護保険制度導入
14. 4	△ 1.3	△ 1.3	△ 1.3	△ 6.3	△ 1.3	205円ルール原則撤廃
15. 4						診断群分類による包括評価導入
16. 4	± 0	± 0	± 0	△ 4.2	△ 0.9	
18. 4	△ 1.5	△ 1.5	△ 0.6	△ 6.7	△ 1.6	
20. 4	0.42	0.42	0.17	△ 5.2	△ 1.1	後期高齢者医療制度導入
22. 4	1.74	2.09	0.52	△ 5.75	△ 1.23	
24. 4	1.55	1.70	0.46	△ 6.00	△ 1.26	
26. 4	0.82	0.99	0.22	△ 2.65	△ 0.58	
28. 4	0.56	0.61	0.17	△ 5.57	△ 1.22	
30. 4	0.63	0.69	0.19	△ 7.48	△ 1.65	

注：1）　「薬価ベース」とは、医療費に含まれる薬剤費に与える影響率をいう。
　　2）　「医療費ベース」（材料費を除く。）とは、医療費全体に与える影響率をいう。

3　傷病分類表

（1）医科診療

傷病（中分類）		国際基本分類番号
Ⅰ．感染症及び寄生虫症		**A00-B99**
0101	腸管感染症	A00-A09
0102	結核	A15-A19
0103	主として性的伝播様式をとる感染症	A50-A64
0104	皮膚及び粘膜の病変を伴うウイルス性疾患	B00-B09
0105	ウイルス性肝炎	B15-B19
0106	その他のウイルス性疾患	A80-A99, B20-B34
0107	真菌症	B35-B49
0108	感染症及び寄生虫症の続発・後遺症	B90-B94
0109	その他の感染症及び寄生虫症	A00-B99 の残り
Ⅱ．新生物＜腫瘍＞		**C00-D48**
0201	胃の悪性新生物＜腫瘍＞	C16
0202	結腸の悪性新生物＜腫瘍＞	C18
0203	直腸Ｓ状結腸移行部及び直腸の悪性新生物＜腫瘍＞	C19-C20
0204	肝及び肝内胆管の悪性新生物＜腫瘍＞	C22
0205	気管，気管支及び肺の悪性新生物＜腫瘍＞	C33-C34
0206	乳房の悪性新生物＜腫瘍＞	C50
0207	子宮の悪性新生物＜腫瘍＞	C53-C55
0208	悪性リンパ腫	C81-C86
0209	白血病	C91-C95
0210	その他の悪性新生物＜腫瘍＞	C00-C97 の残り
0211	良性新生物＜腫瘍＞及びその他の新生物＜腫瘍＞	D00-D48
Ⅲ．血液及び造血器の疾患並びに免疫機構の障害		**D50-D89**
0301	貧血	D50-D64
0302	その他の血液及び造血器の疾患並びに免疫機構の障害	D65-D89
Ⅳ．内分泌，栄養及び代謝疾患		**E00-E90**
0401	甲状腺障害	E00-E07
0402	糖尿病	E10-E14
0403	脂質異常症	E78
0404	その他の内分泌，栄養及び代謝疾患	E15-E77, E79-E90
Ⅴ．精神及び行動の障害		**F00-F99**
0501	血管性及び詳細不明の認知症	F01, F03
0502	精神作用物質使用による精神及び行動の障害	F10-F19
0503	統合失調症，統合失調症型障害及び妄想性障害	F20-F29
0504	気分[感情]障害(躁うつ病を含む)	F30-F39
0505	神経症性障害，ストレス関連障害及び身体表現性障害	F40-F48
0506	知的障害＜精神遅滞＞	F70-F79
0507	その他の精神及び行動の障害	F00-F99 の残り
Ⅵ．神経系の疾患		**G00-G99**
0601	パーキンソン病	G20
0602	アルツハイマー病	G30
0603	てんかん	G40-G41
0604	脳性麻痺及びその他の麻痺性症候群	G80-G83
0605	自律神経系の障害	G90
0606	その他の神経系の疾患	G00-G99 の残り
Ⅶ．眼及び付属器の疾患		**H00-H59**
0701	結膜炎	H10
0702	白内障	H25-H26
0703	屈折及び調節の障害	H52
0704	その他の眼及び付属器の疾患	H00-H59 の残り
Ⅷ．耳及び乳様突起の疾患		**H60-H95**
0801	外耳炎	H60
0802	その他の外耳疾患	H61-H62
0803	中耳炎	H65-H67
0804	その他の中耳及び乳様突起の疾患	H68-H75
0805	メニエール病	H81.0
0806	その他の内耳疾患	H80, H81.1-H83
0807	その他の耳疾患	H90-H95
Ⅸ．循環器系の疾患		**I00-I99**
0901	高血圧性疾患	I10-I15
0902	虚血性心疾患	I20-I25
0903	その他の心疾患	I01-I02.0, I05-I09, I27, I30-I52
0904	くも膜下出血	I60, I69.0
0905	脳内出血	I61, I69.1

傷病（中分類）		国際基本分類番号
0906	脳梗塞	I63, I69. 3
0907	脳動脈硬化（症）	I67. 2
0908	その他の脳血管疾患	I62, I64-I67. 1, I67. 3-I68, I69. 2, I69. 4-I69. 8
0909	動脈硬化（症）	I70
0911	低血圧（症）	I95
0912	その他の循環器系の疾患	I00-I99 の残り
Ⅹ．呼吸器系の疾患		**J00-J99**
1001	急性鼻咽頭炎［かぜ］〈感冒〉	J00
1002	急性咽頭炎及び急性扁桃炎	J02-J03
1003	その他の急性上気道感染症	J01, J04-J06
1004	肺炎	J12-J18
1005	急性気管支炎及び急性細気管支炎	J20-J21
1006	アレルギー性鼻炎	J30
1007	慢性副鼻腔炎	J32
1008	急性又は慢性と明示されない気管支炎	J40
1009	慢性閉塞性肺疾患	J41-J44
1010	喘息	J45-J46
1011	その他の呼吸器系の疾患	J00-J99 の残り
ⅩⅠ．消化器系の疾患		**K00-K93**
1101	う蝕	K02
1102	歯肉炎及び歯周疾患	K05
1103	その他の歯及び歯の支持組織の障害	K00-K01, K03-K04, K06-K08
1104	胃潰瘍及び十二指腸潰瘍	K25-K27
1105	胃炎及び十二指腸炎	K29
1106	痔核	K64
1107	アルコール性肝疾患	K70
1108	慢性肝炎（アルコール性のものを除く）	K73
1109	肝硬変（アルコール性のものを除く）	K74. 3-K74. 6
1110	その他の肝疾患	K71-K72, K74. 0-K74. 2, K75-K77
1111	胆石症及び胆のう炎	K80-K81
1112	膵疾患	K85-K86
1113	その他の消化器系の疾患	K00-K93 の残り

傷病（中分類）		国際基本分類番号
ⅩⅡ．皮膚及び皮下組織の疾患		**L00-L99**
1201	皮膚及び皮下組織の感染症	L00-L08
1202	皮膚炎及び湿疹	L20-L30
1203	その他の皮膚及び皮下組織の疾患	L10-L14, L40-L99
ⅩⅢ．筋骨格系及び結合組織の疾患		**M00-M99**
1301	炎症性多発性関節障害	M05-M14
1302	関節症	M15-M19
1303	脊椎障害（脊椎症を含む）	M45-M49
1304	椎間板障害	M50-M51
1305	頚腕症候群	M53. 1
1306	腰痛症及び坐骨神経痛	M54. 3-M54. 5
1307	その他の脊柱障害	M40-M43, M53. 0, M53. 2-M53. 9, M54. 0-M54. 2, M54. 6-M54. 9
1308	肩の傷害＜損傷＞	M75
1309	骨の密度及び構造の障害	M80-M85
1310	その他の筋骨格系及び結合組織の疾患	M00-M99 の残り
ⅩⅣ．腎尿路生殖器系の疾患		**N00-N99**
1401	糸球体疾患及び腎尿細管間質性疾患	N00-N16
1402	腎不全	N17-N19
1403	尿路結石症	N20-N23
1404	その他の腎尿路系の疾患	N25-N39, N99. 0-N99. 1, N99. 4-N99. 9
1405	前立腺肥大（症）	N40
1406	その他の男性生殖器の疾患	N41-N51
1407	月経障害及び閉経周辺期障害	N91-N92, N94. 0, N94. 3-N95
1408	乳房及びその他の女性生殖器の疾患	N60-N90, N93, N94. 1-N94. 2, N96-N98, N99. 2-N99. 3
ⅩⅤ．妊娠，分娩及び産じょく		**O00-O99**
1501	流産	O00-O08
1502	妊娠高血圧症候群	O10-O16
1503	単胎自然分娩	O80
1504	その他の妊娠，分娩及び産じょく	O20-O75, O81-O99

傷病（中分類）		国際基本分類番号
ＸⅥ．周産期に発生した病態		**P00-P96**
1601	妊娠及び胎児発育に関連する障害	P05-P08
1602	その他の周産期に発生した病態	P00-P04, P10-P96
ＸⅦ．先天奇形，変形及び染色体異常		**Q00-Q99**
1701	心臓の先天奇形	Q20-Q24
1702	その他の先天奇形，変形及び染色体異常	Q00-Q18, Q25-Q99
ＸⅧ．症状，徴候及び異常臨床所見・異常検査所見で他に分類されないもの		**R00-R99**
1800	症状，徴候及び異常臨床所見・異常検査所見で他に分類されないもの	R00-R99
ＸⅨ．損傷，中毒及びその他の外因の影響		**S00-T98**
1901	骨折	S02, S12, S22, S32, S42, S52, S62, S72, S82, S92, T02, T08, T10, T12, T14.2
1902	頭蓋内損傷及び内臓の損傷	S06, S26-S27, S36-S37
1903	熱傷及び腐食	T20-T32
1904	中毒	T36-T65
1905	その他の損傷及びその他の外因の影響	S00-T98 の残り

（２）歯科診療

傷病分類	国際基本分類番号
Ⅰ う蝕	K02, K083
Ⅱ 感染を伴わない歯牙慢性硬組織疾患	K03
Ⅲ 歯髄炎等	K040-K043
Ⅳ 根尖性歯周炎（歯根膜炎）等	K044, K045, K047-K049
Ⅴ 歯肉炎	K050, K051, O2680, N948
Ⅵ 歯周炎等	K052-K056（K0522, K0532 除） ※急性単純性根尖性歯周炎(K052),辺縁性化膿性歯根膜炎(K053),慢性化膿性歯根膜炎(K053)はⅣ根尖性歯周炎（歯根膜炎）に含む
Ⅶ 歯冠周囲炎	K0522, K0532
Ⅷ 顎，口腔の炎症及び膿瘍	A180, A182, J01, J03, J068, J32, J350, J360, K046, K102, K103, K113, K122, L02-L040, L049, M86, T814, T818, T857 ※化膿性口内炎(K122)はＸⅢ口腔粘膜疾患に含む
Ⅸ 顎，口腔の先天奇形及び発育障害	A505, K000-K011, K070-K074, K078, K079, Q18, Q35-Q38, Q670-Q674, Q68, Q75-Q78, Q824, Q87, Q90-Q99
Ⅹ 顎機能異常	K075, K076, M125, M841
ＸⅠ顎，口腔の嚢胞	J341, K0680, K090-K099, K1002
ＸⅡ顎骨疾患等	K082, K0881, K100（K1002 除）, K101, K108, M852 ※顎関節突起欠如(K108)はⅨ顎，口腔の先天奇形及び発育障害に、咬筋肥大症(K108)はＸⅧその他に含む
ＸⅢ口腔粘膜疾患	A513, A548, A690, A691, B002, B029, B370, B484, D510, K120, K121, K130-K149, L10, L12, L43 ※口唇部腫瘍(K130)、舌腫瘍(K140)はⅧ顎，口腔の炎症及び腫瘍に、口唇瘻(K130)、口腔出血(K137)、軟口蓋麻痺(K137)はＸⅧその他に含む
ＸⅣ悪性新生物＜腫瘍＞等	C00-C97, D00-D09
ＸⅤ良性新生物＜腫瘍＞等	D10-D48, K0681-K0684, O2681, Q825, Q859 ※類皮のう胞(D369)はＸⅠ顎，口腔の嚢胞に含む
ＸⅥ口腔，顔面外傷及び癒合障害等	M840, M842-M849, S00-S049, S06, S07, S09-S11, S15, T00-T04, T17, T18, T20, T28, T33, T35, T65, T70, T75 ※顎関節ストレイン(S034)はⅩ顎機能異常に、気圧性副鼻腔炎(T701)はⅧ顎，口腔の炎症及び膿瘍に、潜水病症骨壊死(T703)はＸⅡ顎骨疾患等に含む
ＸⅦ補綴関係（歯の補綴）	K080, K081, T847, T848, T888, Z463
ＸⅧその他	K060-K069（K0680-K0684 除）, K089, K11.0-K11.2, K11.4-K11.9 （Ⅰ－ＸⅦに該当しないもの）

注：1　歯科診療の国際基本分類番号は、当該分類に該当する主なICD-10及びICD-DAのコードである。
2　明確に歯科診療の対象とならない疾患は、ＸⅧその他に分類する。
3　部位に関わらず、腫瘍については、ＸⅣ悪性新生物＜腫瘍＞等又はＸⅤ良性新生物＜腫瘍＞等に分類する。

4　診療報酬明細書・調剤報酬明細書（抄）（参考）

療養の給付及び公費負担医療に関する費用の請求に関する省令（昭和 51 年厚生省令第 36 号）

〔診療報酬明細書（医科，入院）〕

様式第二（一）

○診療報酬明細書
（医科入院）

平成　年　月分

都道府県番号　医療機関コード

1 医科	1 社・国　2 公費	3 後期　4 退職	1 単独　2 2併　3 3併	1 本入　3 六入　5 家入	7高入一　9高入7

公費負担者番号①		公費負担医療の受給者番号①	
公費負担者番号②		公費負担医療の受給者番号②	

保険者番号		給付割合	10　9　8　7（　）
被保険者証・被保険者手帳等の記号・番号			

区分	精神　結核　療養	特記事項
氏名	1男　2女　1明　2大　3昭　4平　．　．　生	
職務上の事由	1 職務上　2 下船後3月以内　3 通勤災害	

保険医療機関の所在地及び名称

傷病名	(1) (2) (3)	診療開始日	(1)　年　月　日 (2)　年　月　日 (3)　年　月　日	転帰	治ゆ　死亡　中止	診療実日数	保険　日 公費①　日 公費②　日

			公費分点数
11	初診	時間外・休日・深夜　回　点	
13	医学管理		
14	在宅		
20 投薬	21 内服　単位 22 屯服　単位 23 外用　単位 24 調剤　日 26 麻毒　日 27 調基		
30 注射	31 皮下筋肉内　回 32 静脈内　回 33 その他　回		
40 処置	回 薬剤		
50 手術麻酔	回 薬剤		
60 検査病理	回 薬剤		
70 画像診断	回 薬剤		
80 その他	薬剤		
90 入院	入院年月日　年　月　日 病　診　90 入院基本料・加算　点 ×　日間 ×　日間 ×　日間 ×　日間 ×　日間 92 特定入院料・その他		

※高額療養費		円	※公費負担点数　点	
97 食事・生活	基準	円×　回	※公費負担点数　点	
	特別	円×　回	基準(生)　円×　回	
	食堂	円×　日	特別(生)　円×　回	
	環境	円×　日	減・免・猶・Ⅰ・Ⅱ・3月超	

療養の給付		請求　点	※決定　点	負担金額　円
	保険			減額　割(円)免除・支払猶予
	公費①	点	※　点	円
	公費②	点	※　点	円

食事・生活療養		回	請求　円	※決定　円	(標準負担額)円
	保険				
	公費①	回	円	※　円	円
	公費②	回	円	※　円	円

備考　1. この用紙は、日本工業規格A列4番とすること。
2. ※印の欄は、記入しないこと。

〔診療報酬明細書（医科，入院外）〕

様式第二（二）

○診療報酬明細書
（医科入院外）

平成　年　月分

都道府県番号　医療機関コード

1 医科	1 社・国	3 後 期	1 単独	2 本 外	8 高外一
	2 公 費	4 退 職	2 2併	4 六 外	
			3 3併	6 家 外	0 高外7

保険者番号

給付割合　10　9　8　7（　）

公費負担者番号①　公費負担医療の受給者番号①

公費負担者番号②　公費負担医療の受給者番号②

被保険者証・被保険者手帳等の記号・番号

氏名　1男　2女　1明　2大　3昭　4平　．　．　生

特記事項

保険医療機関の所在地及び名称

（　　床）

職務上の事由　1 職務上　2 下船後3月以内　3 通勤災害

傷病名	診療開始日	転帰	診療実日数
(1)	(1)　年　月　日	治ゆ　死亡　中止	保険　日
(2)	(2)　年　月　日		公費①　日
(3)	(3)　年　月　日		公費②　日

区分	項目			点	公費分点数
11 初診	時間外・休日・深夜		回	点	
12 再診	再　診	×	回		
	外来管理加算	×	回		
	時　間　外	×	回		
	休　日	×	回		
	深　夜	×	回		
13 医学管理					
14 在宅	往　診		回		
	夜　間		回		
	深夜・緊急		回		
	在宅患者訪問診療		回		
	そ　の　他				
	薬　剤				
20 投薬	21 内服 薬剤		単位		
	21 内服 調剤	×	回		
	22 屯服 薬剤		単位		
	23 外用 薬剤		単位		
	23 外用 調剤	×	回		
	25 処　方	×	回		
	26 麻　毒		回		
	27 調　基				
30 注射	31 皮下筋肉内		回		
	32 静脈内		回		
	33 その他		回		
40 処置			回		
	薬　剤				
50 手術 麻酔			回		
	薬　剤				
60 検査 病理			回		
	薬　剤				
70 画像診断			回		
	薬　剤				
80 その他	処方せん		回		
	薬　剤				

療養の給付	請求　点	※決定　点	一部負担金額　円	
保険			減額　割（円）免除・支払猶予	
公費①	点	※　点	円	
公費②	点	※　点	円	※高額療養費　円 / ※公費負担点数　点 / ※公費負担点数　点

備考　1. この用紙は、日本工業規格A列4番とすること。
2. ※印の欄は、記入しないこと。

〔診療報酬明細書（歯科）〕

様式第三

○ 診療報酬明細書
（歯科）　平成　年　月分

都道府県番号　医療機関コード

3 歯科	1 社・国	3 後期	1 単独	2 本外	8 高外一
	2 公費	4 退職	2 2併	4 六外	0 高外7
			3 3併	6 家外	

公費負担者番号	公費負担医療の受給者番号	保険者番号	給付割合 10 9 8 7( )

被保険者証・被保険者手帳等の記号・番号

氏名	特記事項	届出
1男 2女 1明 2大 3昭 4平 ・ ・ 生		補管 歯初診
職務上の事由　1 職務上 2 下船後3月以内 3 通勤災害		

保険医療機関の所在地及び名称

傷病名部位	診療開始日 年 月 日
	診療実日数 日(　日)
	転帰 治癒 死亡 中止

初診	時間外 休日 深夜 乳 乳・時間外 乳・休日 乳・深夜 特 特導 特連 特地 外来環　点
再診	× 時間外 × 休日 × 深夜 × 乳 × 乳・時間外 × 乳・休日 × 乳・深夜 × 特 × 再外来環 ×
管理・リハ	歯管 ＋ ＋ ＋ ＋ ＋ 義管 実地指 P画像 × × 歯リ その他
投薬・注射	内屯外注 調 × × 処方 × ＋ × 情 × ＋ × 処 × ＋ × 注 × ×
X線検査	全顎 枚 色調 × P混検 × P部検 × 基本検査 × × × 精密検査 × × × その他
	標 × × S培 × 顎運動 ×
	パ × × EMR × × × ×
処置・手術	う蝕 × 保護処置 × × × 填塞 × × 知覚過敏 × × 咬調 × ×
	抜髄 × × 感根処 × × 根貼 × × 根充 × × 加圧根充 × × × ＋ × 生切 × × 除去 × × F局 T.cond × 歯清
	S C × ＋ × × ＋ × SRP 前 × 小 × 大 × 前 × 小 × 大 ×
	PCur 前 × 小 × 大 × 前 × 小 × 大 × SPT(Ⅰ) SPT(Ⅱ) P処 × P基処
	抜歯 乳 × 前 × ＋ × 臼 × ＋ × 埋 × ＋ × 切開 × ×
	その他
麻酔	伝麻 × 浸麻 × その他
歯冠修復及び欠損補綴	補診 × × 維持管理 × × × （窩洞） × × ＋ × ＋ × 印象 × × × × × × × ×
	歯冠形成（生単）前C × 金硬 × 乳 × （失単）前C × ＋ × 金硬 × ＋ × 乳 × TeC × 修理 × 咬合 × × × × × ×
	（生ブ）前接 × ＋ × 金 × ＋ × （失ブ）前 × ＋ × ＋ × 金 × ＋ × ＋ × 試適 × × × × ×
	支台印象 × 支台築造 メタル 前小 × 大 × その他 前小 × 大 × 修形 × 充形 × ＋ ×
	金属歯冠修復 乳前小銀 × × × × × × 前小パ × × × × × × 大パ × × × × 大銀 × × × × 硬ジ × × 乳 × × 仮着 × × 装着 × ＋ × 充填1 × × 充填2 × × 材充Ⅰ × × × × 材充Ⅱ × × × ×
	ポンティック 前装 パ前 × パ小 × パ大 × 銀前 × 銀小 × 銀大 × 鋳造 パ大 × パ小 × 銀 × CAD 小 × 大 × バー 鋳 パ × コ × 装着 × × 材料 × × リテイナー × × Br装着 × × 屈曲 不特 × 保 ×
	有床義歯 1～4歯 × 5～8歯 × 9～11歯 × 12～14歯 × 総義歯 × 床適合 × × × × 鋳造鉤 14K 双大 × 双小 × 腕大 × 腕犬小 × 腕前 × パ 双大 × 双小 × 腕大 × 腕犬小 × 腕前 × 線鉤 14K 双 × レストアリ × コ 双 × 腕 × 不・特 双 × レストアリ × レストナシ × 間接 × 床修理 × ＋ × ＋ × × ＋ × ＋ × × ＋ × ＋ × 人工歯 × × × × × × × × × ×
	その他
その他	

摘要	公費分点数 請求 点	決定 ※ 点	合計 点
	患者負担額（公費） 円		決定 ※ 点
	高額療養費 ※ 円		一部負担金額 減額 割(円) 免除・支払猶予 円

〔診療報酬明細書（医科入院医療機関別包括評価用）〕

様式第十

○ 診療報酬明細書
（医科入院医療機関別包括評価用）

平成　年　月分

都道府県番号　医療機関コード

1 医科	1 社・国 2 公費	3 後期 4 退職	1 単独 2 2併 3 3併	1 本入 3 六入 5 家入	7高入一 9高入7

公費負担者番号①		公費負担医療の受給者番号①	
公費負担者番号②		公費負担医療の受給者番号②	

保険者番号		給付割合	10 9 8 7（ ）
被保険者証・被保険者手帳等の記号・番号			

氏名

1男 2女　1明 2大 3昭 4平　.　.　生

職務上の事由　1 職務上 2 下船後3月以内 3 通勤災害

特記事項

保険医療機関の所在地及び名称

分類番号	診断群分類区分		転帰

傷病名		ICD10	傷病名	
副傷病名			副傷病名	
今回入院年月日	平成　年　月　日		今回退院年月日	平成　年　月　日

診療実日数	
保険	日
公費①	日
公費②	日

患者基礎情報

- 傷病情報
- 入退院情報
- 診療関連情報

包括評価部分

出来高部分

※高額療養費	円	※公費負担点数	点
		※公費負担点数	点

食事			
基準	円×	回	
特別	円×	回	
食堂	円×	日	

減・免・猶・Ⅰ・Ⅱ・3月超

療養の給付	請求 点	※決定 点	負担金額 円
保険			減額 割（円）免除・支払猶予
公費①	点	※ 点	円
公費②	点	※ 点	円

食事療養	回	請求 円	※決定 円	（標準負担額）円
保険	回			
公費①	回	円	円	円
公費②	回	円	円	円

〔調剤報酬明細書〕

様式第五

○ 調剤報酬明細書

平成　年　月分

都道府県番号　薬局コード

4 調剤	1 社・国	3 後期	1 単独	2 本外	8 高外一
	2 公費	4 退職	2 2併	4 六外	0 高外7
			3 3併	6 家外	

公費負担者番号①		公費負担医療の受給者番号①	
公費負担者番号②		公費負担医療の受給者番号②	

保険者番号		給付割合	10 9 8 7（ ）

被保険者証・被保険者手帳等の記号・番号	

氏名	1男 2女 1明 2大 3昭 4平 . . 生	特記事項
職務上の事由	1 職務上 2 下船後3月以内 3 通勤災害	

保険薬局の所在地及び名称

保険医療機関の所在地及び名称	
都道府県番号	点数表番号	医療機関コード

保険医氏名		
	1	6
	2	7
	3	8
	4	9
	5	10

受付回数	
保険	回
公費①	回
公費②	回

医師番号	処方月日	調剤月日	処方 医薬品名・規格・用量・剤形・用法	単位薬剤料	調剤数量	調剤報酬点数 調剤料	薬剤料	加算料	公費分点数
	・	・		点		点	点	点	点
	・	・							
	・	・							
	・	・							
	・	・							
	・	・							
	・	・							
	・	・							
	・	・							
	・	・							
	・	・							
	・	・							
	・	・							
	・	・							
	・	・							
	・	・							
	・	・							
	・	・							
	・	・							
	・	・							
	・	・							
	・	・							
	・	・							
	・	・							
	・	・							
	・	・							

摘要		※高額療養費 円
		※公費負担点数 点
		※公費負担点数 点

	請求 点	※決定 点	一部負担金額 円	調剤基本料 点	時間外等加算 点	薬学管理料 点
保険			減額 割（円） 免除・支払猶予			
公費①	点	※ 点	円	点	点	点
公費②	点	※ 点	円	点	点	点

備考　1．この用紙は、日本工業規格A列4番とすること。
　　　2．※印の欄は、記入しないこと。

5　報告書の訂正について

社会医療診療行為別調査及び社会医療診療行為別統計の報告書に一部数値等の誤りがあったので、当該頁の正誤表について本報告書に掲載した。

誤りのあった統計表は以下のとおりである。なお、［ ］内は各年の報告書の頁である。

平成 23 年社会医療診療行為別調査

上巻　医科診療

第 18 表　医科診療（総数）　件数・診療実日数・回数・点数，診療行為（細分類）、一般医療－後期医療別［382～383、391 頁］

第 19 表　医科診療（入院）　件数・診療実日数・回数・点数，診療行為（細分類）、一般医療－後期医療別［436～437、445 頁］

第 20 表　医科診療（入院外）　件数・診療実日数・回数・点数，診療行為（細分類）、一般医療－後期医療別［490～491、499 頁］

平成 26 年社会医療診療行為別調査

上巻　歯科診療

第 3 表　歯科診療　件数・診療実日数・回数・点数，診療行為（細分類）、一般医療－後期医療別［604 頁］

平成 27 年社会医療診療行為別統計

歯科診療

第 3 表　歯科診療　件数・診療実日数・回数・点数，診療行為（細分類）、一般医療－後期医療別［324 頁］

平成 28 年社会医療診療行為別統計

歯科診療

第 3 表　歯科診療　件数・診療実日数・回数・点数，診療行為（細分類）、一般医療－後期医療別［320、328 頁］

平成 29 年社会医療診療行為別統計

歯科診療

第 3 表　歯科診療　件数・診療実日数・回数・点数，診療行為（細分類）、一般医療－後期医療別［318 頁］

平成 23 年社会医療診療行為別調査　正誤表

【正】

上巻　医科診療　第 18 表　医科診療（総数）　件数・診療実日数・回数・点数，診療行為（細分類）、一般医療－後期医療別

平成23年6月審査分

行番号	診療行為（細分類）	固定点数	総数 回数	総数 点数	一般医療 回数	一般医療 点数	後期医療 回数	後期医療 点数
760	**検査計**							
	〜							
958	不飽和鉄結合能(UIBC)	31	47 208	1 463 448	32 467	1 006 468	14 741	456 980
959	総鉄結合能(TIBC)	31	74 913	2 322 303	44 257	1 371 973	30 656	950 330
	〜							
1011	Ⅳ型コラーゲン・7S	160	8 890	1 422 416	7 225	1 155 920	1 666	266 496
1012	ビタミンB_{12}	160	45 328	7 252 528	21 843	3 494 848	23 486	3 757 680
	〜							
1864	大腸ファイバースコピー　下行結腸及び横行結腸	1 350	7 551	10 193 175	5 045	6 810 615	2 506	3 382 560
1865	大腸ファイバースコピー　下行結腸及び横行結腸　2回目以降	1 215	426	516 983	263	320 031	162	196 952
1866	大腸ファイバースコピー　上行結腸及び盲腸	1 550	170 693	264 573 375	127 678	197 901 365	43 014	66 672 010
1867	大腸ファイバースコピー　上行結腸及び盲腸　2回目以降	1 395	1 908	2 662 079	1 045	1 457 357	864	1 204 722

【正】

上巻　医科診療　第 19 表　医科診療（入院）　件数・診療実日数・回数・点数，診療行為（細分類）、一般医療－後期医療別

平成23年6月審査分

行番号	診療行為（細分類）	固定点数	総数 回数	総数 点数	一般医療 回数	一般医療 点数	後期医療 回数	後期医療 点数
760	**検査計**							
	〜							
958	不飽和鉄結合能(UIBC)	31	4 551	141 069	1 863	57 759	2 687	83 309
959	総鉄結合能(TIBC)	31	7 463	231 350	2 460	76 266	5 003	155 084
	〜							
1011	Ⅳ型コラーゲン・7S	160	457	73 136	244	39 040	213	34 096
1012	ビタミンB_{12}	160	5 353	856 528	1 671	267 328	3 683	589 200
	〜							
1864	大腸ファイバースコピー　下行結腸及び横行結腸	1 350	2 949	3 980 745	1 532	2 068 065	1 417	1 912 680
1865	大腸ファイバースコピー　下行結腸及び横行結腸　2回目以降	1 215	279	338 378	126	153 576	152	184 802
1866	大腸ファイバースコピー　上行結腸及び盲腸	1 550	27 918	43 273 055	15 450	23 947 965	12 468	19 325 090
1867	大腸ファイバースコピー　上行結腸及び盲腸　2回目以降	1 395	1 484	2 070 599	830	1 157 432	655	913 167

【正】

上巻　医科診療　第 20 表　医科診療（入院外）　件数・診療実日数・回数・点数，診療行為（細分類）、一般医療－後期医療別

平成23年6月審査分

行番号	診療行為（細分類）	固定点数	総数 回数	総数 点数	一般医療 回数	一般医療 点数	後期医療 回数	後期医療 点数
760	**検査計**							
	〜							
958	不飽和鉄結合能(UIBC)	31	42 657	1 322 379	30 604	948 709	12 054	373 671
959	総鉄結合能(TIBC)	31	67 450	2 090 953	41 797	1 295 707	25 653	795 246
	〜							
1011	Ⅳ型コラーゲン・7S	160	8 433	1 349 280	6 981	1 116 880	1 453	232 400
1012	ビタミンB_{12}	160	39 975	6 396 000	20 172	3 227 520	19 803	3 168 480
	〜							
1864	大腸ファイバースコピー　下行結腸及び横行結腸	1 350	4 602	6 212 430	3 513	4 742 550	1 089	1 469 880
1865	大腸ファイバースコピー　下行結腸及び横行結腸　2回目以降	1 215	147	178 605	137	166 455	10	12 150
1866	大腸ファイバースコピー　上行結腸及び盲腸	1 550	142 774	221 300 320	112 228	173 953 400	30 546	47 346 920
1867	大腸ファイバースコピー　上行結腸及び盲腸　2回目以降	1 395	424	591 480	215	299 925	209	291 555

【誤】

上巻　医科診療　第18表　医科診療（総数）　件数・診療実日数・回数・点数，診療行為（細分類）、一般医療－後期医療別

平成23年6月審査分

行番号	診療行為（細分類）	固定点数	総数		一般医療		後期医療	
			回数	点数	回数	点数	回数	点数
760	検査計							
	≀							
958	不飽和鉄結合能（UIBC）	31	74 913	2 322 303	44 257	1 371 973	30 656	950 330
959	総鉄結合能（TIBC）	31	47 208	1 463 448	32 467	1 006 468	14 741	456 980
	≀							
1011	Ⅳ型コラーゲン・7S	160	45 328	7 252 528	21 843	3 494 848	23 486	3 757 680
1012	ビタミンB_{12}	160	8 890	1 422 416	7 225	1 155 920	1 666	266 496
	≀							
1864	大腸ファイバースコピー　下行結腸及び横行結腸	1 350	7 551	10 193 175	5 045	6 810 615	2 506	3 382 560
1865	大腸ファイバースコピー　下行結腸及び横行結腸　2回目以降	1 215	426	516 983	263	320 031	162	196 952
1866	大腸ファイバースコピー　上行結腸及び盲腸	1 550	170 693	264 573 375	127 678	197 901 365	43 014	66 672 010
1867	大腸ファイバースコピー　下行結腸及び横行結腸　2回目以降	1 395	1 908	2 662 079	1 045	1 457 357	864	1 204 722

【誤】

上巻　医科診療　第19表　医科診療（入院）　件数・診療実日数・回数・点数，診療行為（細分類）、一般医療－後期医療別

平成23年6月審査分

行番号	診療行為（細分類）	固定点数	総数		一般医療		後期医療	
			回数	点数	回数	点数	回数	点数
760	検査計							
	≀							
958	不飽和鉄結合能（UIBC）	31	7 463	231 350	2 460	76 266	5 003	155 084
959	総鉄結合能（TIBC）	31	4 551	141 069	1 863	57 759	2 687	83 309
	≀							
1011	Ⅳ型コラーゲン・7S	160	5 353	856 528	1 671	267 328	3 683	589 200
1012	ビタミンB_{12}	160	457	73 136	244	39 040	213	34 096
	≀							
1864	大腸ファイバースコピー　下行結腸及び横行結腸	1 350	2 949	3 980 745	1 532	2 068 065	1 417	1 912 680
1865	大腸ファイバースコピー　下行結腸及び横行結腸　2回目以降	1 215	279	338 378	126	153 576	152	184 802
1866	大腸ファイバースコピー　上行結腸及び盲腸	1 550	27 918	43 273 055	15 450	23 947 965	12 468	19 325 090
1867	大腸ファイバースコピー　下行結腸及び横行結腸　2回目以降	1 395	1 484	2 070 599	830	1 157 432	655	913 167

【誤】

上巻　医科診療　第20表　医科診療（入院外）　件数・診療実日数・回数・点数，診療行為（細分類）、一般医療－後期医療別

平成23年6月審査分

行番号	診療行為（細分類）	固定点数	総数		一般医療		後期医療	
			回数	点数	回数	点数	回数	点数
760	検査計							
	≀							
958	不飽和鉄結合能（UIBC）	31	67 450	2 090 953	41 797	1 295 707	25 653	795 246
959	総鉄結合能（TIBC）	31	42 657	1 322 379	30 604	948 709	12 054	373 671
	≀							
1011	Ⅳ型コラーゲン・7S	160	39 975	6 396 000	20 172	3 227 520	19 803	3 168 480
1012	ビタミンB_{12}	160	8 433	1 349 280	6 981	1 116 880	1 453	232 400
	≀							
1864	大腸ファイバースコピー　下行結腸及び横行結腸	1 350	4 602	6 212 430	3 513	4 742 550	1 089	1 469 880
1865	大腸ファイバースコピー　下行結腸及び横行結腸　2回目以降	1 215	147	178 605	137	166 455	10	12 150
1866	大腸ファイバースコピー　上行結腸及び盲腸	1 550	142 774	221 300 320	112 228	173 953 400	30 546	47 346 920
1867	大腸ファイバースコピー　下行結腸及び横行結腸　2回目以降	1 395	424	591 480	215	299 925	209	291 555

平成 26 年社会医療診療行為別調査　正誤表

【正】

上巻　歯科診療　第３表　歯科診療　件数・診療実日数・回数・点数，診療行為（細分類）、一般医療－後期医療別

行番号	診療行為（細分類）
1428	歯冠修復及び欠損補綴計
	∫
1576	歯冠修復小計
	∫
1587	充填　歯科充填材料Ⅰ　複合レジン系　単純なもの　材料
1588	充填　歯科充填材料Ⅰ　複合レジン系　複雑なもの　材料
	∫
1591	充填　歯科充填材料Ⅱ　複合レジン系　単純なもの　材料
1592	充填　歯科充填材料Ⅱ　複合レジン系　複雑なもの　材料

平成 27 年社会医療診療行為別統計　正誤表

【正】

歯科診療　第３表　歯科診療　件数・診療実日数・回数・点数，診療行為（細分類）、一般医療－後期医療別

行番号	診療行為（細分類）
1416	歯冠修復及び欠損補綴計
	∫
1557	歯冠修復小計
	∫
1568	充填　歯科充填材料Ⅰ　複合レジン系　単純なもの　材料
1569	充填　歯科充填材料Ⅰ　複合レジン系　複雑なもの　材料
	∫
1572	充填　歯科充填材料Ⅱ　複合レジン系　単純なもの　材料
1573	充填　歯科充填材料Ⅱ　複合レジン系　複雑なもの　材料

平成 28 年社会医療診療行為別統計　正誤表

【正】

歯科診療　第３表　歯科診療　件数・診療実日数・回数・点数，診療行為（細分類）、一般医療－後期医療別

行番号	診療行為（細分類）
751	手術計
752	手術料小計
	∫
787	歯根端切除手術　2　歯科用３次元エックス線断層撮影装置及び手術用顕微鏡を用いた場合
788	歯根端切除手術　2　歯科用３次元エックス線断層撮影装置及び手術用顕微鏡を用いた場合　50/100　加算
	∫
1336	複数手術の従小計
	∫
1351	J004の2　歯根端切除手術の従　歯科用３次元エックス線断層撮影装置及び手術用顕微鏡を用いた場合
1352	J004の2　歯根端切除手術の従　歯科用３次元エックス線断層撮影装置及び手術用顕微鏡を用いた場合　50/100　加算
	∫
2029	入院時食事・生活療養金額（別掲：円）
2030	入院時食事療養金額小計
	∫
2033	入院時食事療養(Ⅰ)（１食につき）　特別食　加算
2034	入院時食事療養(Ⅰ)（１日につき）　食堂　加算
2035	入院時食事療養(Ⅱ)（１食につき）流動食のみ以外の食事療養を行う場合
2036	入院時食事療養(Ⅱ)（１食につき）流動食のみを提供する場合

平成 29 年社会医療診療行為別統計　正誤表

【正】

歯科診療　第３表　歯科診療　件数・診療実日数・回数・点数，診療行為（細分類）、一般医療－後期医療別

行番号	診療行為（細分類）
756	手術計
757	手術料小計
	∫
792	歯根端切除手術　2　歯科用３次元エックス線断層撮影装置及び手術用顕微鏡を用いた場合
793	歯根端切除手術　2　歯科用３次元エックス線断層撮影装置及び手術用顕微鏡を用いた場合　50/100　加算
	∫
1341	複数手術の従小計
	∫
1356	J004の2　歯根端切除手術の従　歯科用３次元エックス線断層撮影装置及び手術用顕微鏡を用いた場合
1357	J004の2　歯根端切除手術の従　歯科用３次元エックス線断層撮影装置及び手術用顕微鏡を用いた場合　50/100　加算

【誤】

上巻　歯科診療　第３表　歯科診療　件数・診療実日数・回数・点数，診療行為（細分類）、一般医療－後期医療別

行番号	診療行為（細分類）
1428	**歯冠修復及び欠損補綴計**
	∫
1576	歯冠修復小計
	∫
1587	充填　歯科充填材料Ⅰ　複合レンジ系　単純なもの　材料
1588	充填　歯科充填材料Ⅰ　複合レンジ系　複雑なもの　材料
	∫
1591	充填　歯科充填材料Ⅱ　複合レンジ系　単純なもの　材料
1592	充填　歯科充填材料Ⅱ　複合レンジ系　複雑なもの　材料

【誤】

歯科診療　第３表　歯科診療　件数・診療実日数・回数・点数，診療行為（細分類）、一般医療－後期医療別

行番号	診療行為（細分類）
1416	**歯冠修復及び欠損補綴計**
	∫
1557	歯冠修復小計
	∫
1568	充填　歯科充填材料Ⅰ　複合レンジ系　単純なもの　材料
1569	充填　歯科充填材料Ⅰ　複合レンジ系　複雑なもの　材料
	∫
1572	充填　歯科充填材料Ⅱ　複合レンジ系　単純なもの　材料
1573	充填　歯科充填材料Ⅱ　複合レンジ系　複雑なもの　材料

【誤】

歯科診療　第３表　歯科診療　件数・診療実日数・回数・点数，診療行為（細分類）、一般医療－後期医療別

行番号	診療行為（細分類）
751	**手術計**
752	手術料小計
	∫
787	歯根端切除手術　２　歯科用３次元エックス線断層撮影装置及び手術用顕微鏡を用いた場合
788	歯根端切除手術　２　歯科用３次元エックス線断層撮影装置及び手術用顕微鏡を用いた場合　50/100　加算
	∫
1336	複数手術の従小計
	∫
1351	J004の2　歯根端切除手術の従　歯科ＣＴ撮影装置及び手術用顕微鏡を用いた場合
1352	J004の2　歯根端切除手術の従　歯科ＣＴ撮影装置及び手術用顕微鏡を用いた場合　50/100　加算
	∫
2029	**入院時食事・生活療養金額（別掲：円）**
2030	入院時食事療養金額小計
	∫
2033	入院時食事療養（Ⅰ）（１食につき）　特別食　加算
2034	入院時食事療養（Ⅰ）（１日につき）　食堂　加算
2035	入院時食事療養（Ⅱ）（１食につき）流動食のみ以外の食事療養を行う場合
2036	入院時食事療養（Ⅰ）（１食につき）流動食のみを提供する場合

【誤】

歯科診療　第３表　歯科診療　件数・診療実日数・回数・点数，診療行為（細分類）、一般医療－後期医療別

行番号	診療行為（細分類）
756	**手術計**
757	手術料小計
	∫
792	歯根端切除手術　２　歯科用３次元エックス線断層撮影装置及び手術用顕微鏡を用いた場合
793	歯根端切除手術　２　歯科用３次元エックス線断層撮影装置及び手術用顕微鏡を用いた場合　50/100　加算
	∫
1341	複数手術の従小計
	∫
1356	J004の2　歯根端切除手術の従　歯科ＣＴ撮影装置及び手術用顕微鏡を用いた場合
1357	J004の2　歯根端切除手術の従　歯科ＣＴ撮影装置及び手術用顕微鏡を用いた場合　50/100　加算

令和２年２月10日　　発行　　定価は表紙に表示してあります。

平成30年
社会医療診療行為別統計

編　　集　　厚生労働省政策統括官（統計・情報政策、政策評価担当）
発　　行　　一般財団法人　厚生労働統計協会
郵便番号１０３－０００１
東京都中央区日本橋小伝馬町４－９
小伝馬町新日本橋ビルディング３Ｆ
電話　０３（５６２３）４１２３（代表）
印　　刷　　株式会社デンショク